Third Edition

임상신장학
Clinical Nephrology

대한신장학회

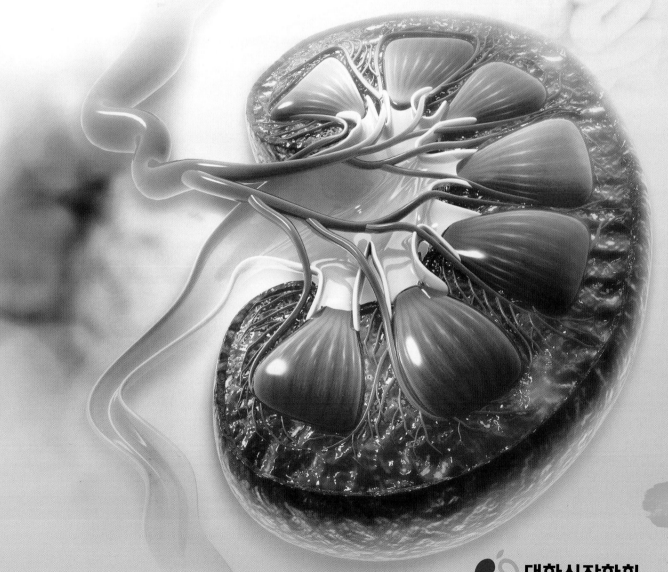

대한신장학회
THE KOREAN SOCIETY OF NEPHROLOGY

임상신장학

Third Edition

첫째판 1쇄 인쇄 | 2001년 10월 25일
첫째판 1쇄 발행 | 2001년 10월 31일
둘째판 1쇄 인쇄 | 2015년 5월 6일
둘째판 1쇄 발행 | 2015년 5월 20일
둘째판 2쇄 발행 | 2017년 11월 22일
셋째판 1쇄 인쇄 | 2022년 3월 21일
셋째판 1쇄 발행 | 2022년 4월 14일
셋째판 2쇄 발행 | 2022년 10월 7일

지 은 이 대한신장학회
발 행 인 장주연
출 판 기 획 김도성
책 임 편 집 이민지
편집디자인 최정미
표지디자인 김재욱
일 러 스 트 김경열
발 행 처 군자출판사(주)
　　　　　 등록 제 4-139호(1991. 6. 24)
　　　　　 본사 (10881) **파주출판단지** 경기도 파주시 회동길 338(서패동 474-1)
　　　　　 전화 (031) 943-1888　　팩스 (031) 955-9545
　　　　　 홈페이지 | www.koonja.co.kr

ISBN 979-11-5955-863-4

정가 120,000원

Third Edition

임상신장학
Clinical Nephrology

대한신장학회

임상신장학 3판 E-book

모바일, 테블릿, PC와 함께하는 군자출판사 E-book 시스템.
도서를 구매하시면 무료로 E-book을 이용하실 수 있습니다.

군자출판사 E-book을 이용해보세요.

1. www.koonja.co.kr 혹은 QR코드로 접속해주세요.
2. 회원가입 혹은 로그인을 합니다.
3. 마이페이지에 E-book을 클릭 후 도서 등록하기 버튼을 누릅니다.
4. 구매하신 도서의 표지를 선택하신 후 제공된 코드번호를 입력합니다.
5. 서재목록에서 등록된 도서를 선택하면 내용을 보실 수 있습니다.

E-book 코드

1314-M4S7-H68D

편찬위원회

임 · 상 · 신 · 장 · 학

[총괄편집]

김   원 | 전북의대 신장내과

[대주제 책임편집]

집필진

임·상·신·장·학

(가나다 순)

강덕희	이화의대 신장내과	김성헌	서울의대 소아청소년과
강석휘	영남의대 신장내과	김세중	서울의대 신장내과
강영선	고려의대 신장내과	김수완	전남의대 신장내과
강은정	이화의대 신장내과	김수현	중앙의대 신장내과
강희경	서울의대 소아청소년과	김승정	이화의대 신장내과
고강지	고려의대 신장내과	김양욱	인제의대 신장내과
고은실	가톨릭의대 신장내과	김연수	서울의대 신장내과
고현정	울산의대 병리과	김영훈	인제의대 신장내과
고희병	연세의대 신장내과	김예림	계명의대 신장내과
공진민	BHS한서병원 신장내과	김용균	가톨릭의대 신장내과
구상건	창원한마음병원 신장내과	김용림	경북의대 신장내과
구자룡	한림의대 신장내과	김용진	경북의대 병리과
구자욱	인제의대 소아청소년과	김유일	가톨릭의대 병리과
권순효	순천향의대 신장내과	김재영	국민건강보험공단 일산병원 신장내과
권영은	한양의대 명지병원 신장내과	김좌경	한림의대 신장내과
권태환	경북의대 생화학세포생물학교실	김중경	부산봉생병원 신장내과
길효욱	순천향의대 신장내과	김지섭	가천의대 병리과
김근영	부산의대 핵의학과	김지은	고려의대 신장내과
김기혁	국민건강보험공단 일산병원 소아청소년과	김지홍	연세의대 소아청소년과
김남호	전남의대 신장내과	김진국	순천향의대 신장내과
김동기	서울의대 신장내과	김찬덕	경북의대 신장내과
김범석	연세의대 신장내과	김현리	조선의대 신장내과
김상현	인제의대 신장내과	김현숙	한림의대 신장내과
김성균	한림의대 신장내과	김형우	연세의대 신장내과
김성은	동아의대 신장내과	김혜영	충북의대 신장내과
김성장	부산의대 핵의학과	김효상	울산의대 신장내과

김효진 | 부산의대 신장내과

나기량 | 충남의대 신장내과

나기영 | 서울의대 신장내과

나성은 | 가톨릭의대 영상의학과

노현진 | 순천향의대 신장내과

도준영 | 영남의대 신장내과

류정화 | 이화의대 신장내과

마성권 | 전남의대 신장내과

문경철 | 서울의대 병리과

박경선 | 울산의대 신장내과

박선희 | 경북의대 신장내과

박영서 | 울산의대 소아청소년과

박우영 | 계명의대 신장내과

박유진 | 한림의대 소아청소년과

박인휘 | 아주의대 신장내과

박정탁 | 연세의대 신장내과

박정환 | 건국의대 신장내과

박지인 | 강원의대 신장내과

박지현 | 경찰병원 신장내과

박형천 | 연세의대 신장내과

박혜인 | 한림의대 신장내과

박훈석 | 가톨릭의대 신장내과

배은희 | 전남의대 신장내과

서진순 | 가톨릭의대 소아청소년과

선인오 | 예수병원 신장내과

성은영 | 부산의대 신장내과

송상헌 | 부산의대 신장내과

송영림 | 한림의대 신장내과

송준호 | 인하의대 신장내과

신병철 | 조선의대 신장내과

신성준 | 동국의대 신장내과

신재일 | 연세의대 소아청소년과

신호식 | 고신의대 신장내과

안선호 | 원광의대 신장내과

안신영 | 고려의대 신장내과

안요한 | 서울의대 소아청소년과

안원석 | 동아의대 신장내과

양동호 | 차의대 신장내과

양은미 | 전남의대 소아청소년과

양재석 | 연세의대 신장내과

양재원 | 연세원주의대 신장내과

양철우 | 가톨릭의대 신장내과

엄민섭 | 연세원주의대 병리과

오국환 | 서울의대 신장내과

오세원 | 고려의대 신장내과

오윤규 | 서울의대 신장내과

오은지 | 가톨릭의대 진단검사의학과

오지은 | 한림의대 신장내과

유기환 | 고려의대 소아청소년과

유태현 | 연세의대 신장내과

윤선애 | 가톨릭의대 신장내과

윤성노 | 건양의대 신장내과

윤수영 | 경희의대 신장내과

윤종우 | 한림의대 신장내과

이강욱 | 충남의대 신장내과

이규백 | 성균관의대 신장내과

이동원 | 부산의대 신장내과

이미정 | 차의대 신장내과

이범희 | 울산의대 소아청소년과

이상호 | 경희의대 신장내과

이소영 | 을지의대 신장내과

이소영 | 차의대 신장내과

이수봉 | 부산의대 신장내과

이 식 | 전북의대 신장내과

이연희 | 가톨릭의대 소아청소년과

이영기 | 한림의대 신장내과

이유지 | 성균관의대 신장내과

이은영 | 순천향의대 신장내과

이은지	순천향의대 영상의학과	주권욱	서울의대 신장내과
이정원	이화의대 소아청소년과	진규복	계명의대 신장내과
이정은	성균관의대 신장내과	진동찬	가톨릭의대 신장내과
이정표	서울의대 신장내과	차대룡	고려의대 신장내과
이종수	울산의대 신장내과	차진주	고려의대 신장내과
이종호	건국의대 신장내과	최대은	충남의대 신장내과
이주훈	울산의대 소아청소년과	최미선	계명의대 병리과
이준호	차의대 소아청소년과	최범순	가톨릭의대 신장내과
이진호	이신내과의원 신장내과	최성은	차의대 병리과
이하정	서울의대 신장내과	최수정	순천향의대 신장내과
이형석	한림의대 신장내과	하성규	연세의대 신장내과
임범진	연세의대 병리과	하일수	서울의대 소아청소년과
임천규	경희의대 신장내과	하태선	충북의대 소아청소년과
임춘수	서울의대 신장내과	하헌주	이화여대 약학과
임 학	고신의대 신장내과	한경희	제주의대 소아청소년과
임형은	고려의대 소아청소년과	한기환	이화의대 해부학교실
장태익	국민건강보험공단 일산병원 신장내과	한만훈	경북의대 병리과
장혜련	성균관의대 신장내과	한병근	연세원주의대 신장내과
전진석	순천향의대 신장내과	한상엽	인제의대 신장내과
정경환	경희의대 신장내과	한상웅	한양의대 신장내과
정병하	가톨릭의대 신장내과	한승석	서울의대 신장내과
정성진	가톨릭의대 신장내과	한승엽	계명의대 신장내과
정우경	가천의대 신장내과	한승혁	연세의대 신장내과
정해일	한림의대 소아청소년과	한지영	인하의대 병리과
정해혁	강원의대 신장내과	함영록	충남의대 신장내과
정현주	연세의대 병리과	허규하	연세의대 외과
정희연	경북의대 신장내과	허남주	서울의대 신장내과
조민현	경북의대 소아청소년과	허우성	성균관의대 신장내과
조상경	고려의대 신장내과	현영율	성균관의대 신장내과
조아진	한림의대 신장내과	홍유아	가톨릭의대 신장내과
조영일	건국의대 신장내과	황선덕	인하의대 신장내과
조장희	경북의대 신장내과	황원민	건양의대 신장내과
조종태	단국의대 신장내과	황진호	중앙의대 신장내과
조희연	성균관의대 소아청소년과	황현석	경희의대 신장내과

발간사

존경하는 대한신장학회 회원 여러분!

대한신장학회 임상신장학 개정판이 발간되었습니다.

학회를 대표하여 임상신장학 개정판 발간을 축하하며 회원여러분과 함께 기쁨을 나누고자 합니다. 특히 코로나19 판데믹으로 온 세상이 혼란스러운 가운데 임상신장학을 발간하게 되어 다행스럽게 생각하며, 바쁜 생활에서 자기 시간을 할애하며 애써준 집필진 여러분께 고마운 마음 전합니다.

이번 임상신장학 개정판은 2002년에 초판, 2015년 개정판에 이어 세 번째입니다. 이번 개정판 출판은 쉽지 않은 결정이었습니다. 요즘 같이 정보가 흘러 넘치는 인터넷 세상에 인쇄본 책자를 발간하는 것이 여간 부담스러운 일이 아닐 수 없었습니다.

그러나 임상신장학의 수요가 줄지 않고 유지되는 것을 보면 많은 분들이 제대로 된 교과서를 필요로 한다는 것을 알 수 있었습니다. 또한 엄청나게 변화하는 신장학 분야를 제때 정리하지 않으면 훗날 큰 짐이 될 것으로 생각되어 이번 기회에 발간하기로 결정하였습니다.

임상신장학 개정판이 완성되기까지 많은 분들의 노력이 있었음을 잊지 않았으면 합니다. 특히 총괄을 맡아주신 김 원 회장님께 감사드립니다. 매주 전주에서 서울 학회사무실을 방문하셔서 집필진과 제목의 선정, 진행과정 및 교정 과정까지 세심하게 신경써주셨습니다. 또한 chapter별 책임을 맡아주셨던 여러 선생님들에게 감사드립니다. 맡은 바 분야의 전문성과 완성도를 높혀주셔서 더욱 업그레이드된 교과서를 만들 수 있었습니다.

항상 책이 출판되면 항상 후회와 미련이 뒤따릅니다. 부족한 부분은 앞으로 학회를 이끌어 갈 젊은 선생님들이 채워주실 것으로 있을 것으로 믿습니다. 아울러 10년 후에는 영문판 임상신장학이 만들어져 국제적인 신장학 교과서가 되었으면 합니다.

2022년 4월

대한신장학회 이사장 **양철우**

머리말

대한신장학회에서 2015년에 임상신장학 2판이 나오고 무려 7년의 시간이 흘렀습니다. 빠르게 변화하는 의학의 발전속도를 보면 개정판을 내는 것이 늦은 감이 있지만 양철우 이사장님의 결단으로 2022년도에 임상신장학 3판을 출판하게 되었습니다.

이번 임상신장학 3판에서 두 가지 큰 목표는 발전하는 신장학의 변화된 최신 내용을 담고자 하였고, 혼돈스러웠던 한글 의학용어를 어느 정도 정리하고 통일되게 사용함으로써 향후에 신장학에서 한글 의학용어 사용의 방향성을 제시하고자 하였습니다. 한글 의학용어는 최근 대한의사협회 의학용어 제6판을 기준으로 하였습니다. 그러나 아직도 확립되지 않은 용어도 많아서 약물 등의 기술에 있어서 한계점이 있었습니다. 이 개정판에서는 이런 혼란을 줄이기 위해 초기에서부터 용어를 통일하고 원고 작성을 하였으며, 수 차례 교정하는 과정에서도 용어를 교정하였습니다. 이런 의학용어의 선정, 통일 그리고 검토하는 데 있어서 가장 수고를 많이 해 주신 분께서는 김근호 교수님이십니다. 또한, 용어위원회에서 같이 고생하신 교수님은 권순효 교수님, 신성준 교수님, 장태익 교수님 그리고 이동원 교수님이 있으십니다. 여러 교수님들의 노력으로 적절한 한글 의학용어를 사용할 수 있어서 감사드립니다.

이번 개정판에는 많은 의견을 반영하려고 하였습니다.

개정판에 새롭게 추가된 내용들은 다음과 같은 특징이 있습니다.

첫 번째, Key points란을 각 chapter 첫 장에 마련하여 최근 변경된 내용이나 중요한 사항을 요약하였습니다. 해당 내용을 통해 시간이 부족한 독자들에게 의학 지식을 좀 더 효율적으로 전달하도록 하였습니다.

두 번째, 노인신장학 분야를 새롭게 추가하여 신장학 분야에서 노인의학의 새로운 부분을 자세히 기술하였습니다

세 번째, 각 chapter별로 해부학, 병리학, 영상의학, 핵의학 그리고 기초의학 전문가 선생님들과 공동 저술을 실시하여 전문성을 높이도록 하였습니다.

이번 출판이 이루어지기까지 많은 분들께서 수고하셨습니다.

특히 많은 수고해 주신 분은 대주제를 맡으신 17분의 위원님들입니다. 각각의 소주제(chapter)의 기획, 저자 선정, 저자 섭외, 편집 그리고 교정 등의 과정에서 실질적으로 이 책을 만드신 주역이십니다. 대주제 편집위원은 KSN 2021의 advisory board 위원장님으로 이번 개정판의 편집위원으로 추가로 위촉받아서 많은 수고를 해 주셨습니다. 이 책의 초기 제작과정에서 전체적인 구성과 분량을 분배하는 과정에 한상엽 교수님께서 많은 시간과 노력을 기울여 주셨습니다. 아울러, 많은 선생님들께서 저자로 참여하여 좋은 원고를 만들어 주셨습니다. 그리고 일부 중견 교수님께서는 후배를 배려하여 저자로서의 기회를 후배에게 양보하신 분이 여러 분 있습니다. 또한 겉으로 드러나지 않지만 좋은 책이 나오도록 뒤에서 노력해주신 분들이 많이 있습니다. 사려 깊게 배려해주신 모든 분들의 성함을 일일이 다 언급하지 못하여 죄송스럽습니다. 그 깊은 배려로 후배들이 발전할 수 있는 좋은 기회를 얻게 되었음을 밝히고자 합니다.

이번 임상신장학은 의과대학생, 간호대학생, 개원의 그리고 전공의 등에게 학문 습득에 도움이 될 수 있도록 하였습니다.

최선을 다했지만 시간이 넉넉하지 못해서 부족한 면이 많이 있습니다. 이번에 모자라는 부분은 다음 개정판에 좋은 내용이 될 것을 기대합니다.

마지막으로 많이 도움을 주신 양철우 이사장님, 최범순 총무이사님, 대한신장학회 사무실 여러분 그리고 군자출판사 담당자분께 감사드립니다.

2022년 4월

대한신장학회 전임회장 **김 원**

목차

임·상·신·장·학

PART 16 소아 신장학

PART 17 노인신장학

PART 01 콩팥의 구조와 기능

임범진 (연세의대 병리과)

CHAPTER 01

콩팥의 구조

한기환 (이화의대 해부학교실)

KEY POINTS

- 통일된 육안해부학 및 조직학 용어 정리
- 콩팥단위(신원)의 구성요소 및 부위별 특징 소개
- 국내 연구진의 고해상도 현미경 사진 추가
- 정상과 사구체질환을 연계한 조직·병리학적 변화 강조

육안해부학

콩팥(신장)은 복막뒤장기로서 열한번째 등뼈(T11)에서 셋째 허리뼈(L3) 사이에 있다. 오른쪽 콩팥은 왼쪽 콩팥보다 약간 낮게 위치한다. 콩팥은 길이 11~12 cm, 폭 5~7 cm, 두께 2.5~3 cm인 강낭콩 모양의 실질기관이다. 무게는 성인 남자는 125~170 g, 성인 여자는 115~155 g이다.

콩팥 안쪽 모서리 가운데에 있는 오목한 부분을 콩팥문(신문; renal hilus)이라 하며, 콩팥문 속으로 깊게 들어간 공간인 콩팥굴(신동; renal sinus)이 이루어져 있다. 콩팥문을 통해 콩팥깔때기(신우; renal pelvis), 콩팥 동맥과 정맥, 림프관 및 신경이 콩팥굴로 드나든다. 요관(ureter)과 연결된 콩팥깔때기의 주변부는 2~3개의 큰술잔(대신배; major calyx)으로 나뉘어 있으며, 각 큰술잔의 주변부에는 다시 2~4개의 작은술잔(소신배 minor calyx)이 형성되어

있다. 작은술잔은 콩팥유두(신유두; renal papilla)를 감싸고 있다(그림 1-1-1).

콩팥의 표면은 얇은 섬유피막(fibrous capsule)이 덮고 있다. 피막은 바깥층과 속층으로 구분된다. 피막 바깥층은 다량의 아교섬유와 소수의 섬유모세포로 구성된 치밀결합조직층이며, 속층은 다수의 근육섬유모세포가 존재하는 성긴결합조직이다. 속피막층으로부터 소량의 성긴결합조직은 콩팥 속으로 들어간다. 콩팥에서 사이질(간질; stroma) 조직의 양은 소량에 불과하다. 피막의 겉은 두꺼운 지방조직(adipose tissue)으로 둘러 싸여 있다.

콩팥의 실질(parenchyma)은 겉질(피질; cortex)과 속질(수질; medulla)로 구분된다. 콩팥 단면을 육안으로 관찰하면, 짙은 적갈색의 주변부(겉질)와 옅게 보이는 중심부(속질)를 구별할 수 있다. 겉질이 적갈색으로 보이는 것은 90~95% 혈액이 이곳에 분포하기 때문이다. 속질을 통과

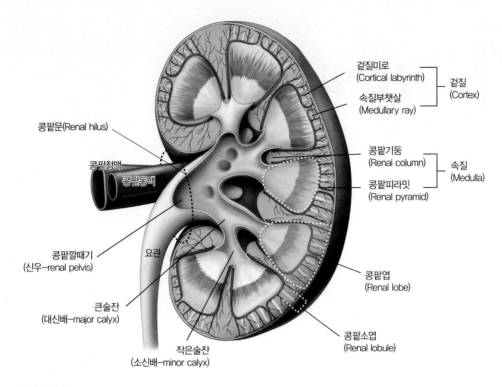

그림 1-1-1. 콩팥의 내부 구조
(가톨릭의대 해부학교실 김진 교수)

하는 혈액은 5~10%에 불과하다.

사람의 콩팥속질에는 콩팥술잔을 향하고 있는 8~18개의 원추형 콩팥피라밋(신추체; renal pyramids)이 형성되어 있다. 콩팥피라밋의 바닥은 겉질속질경계(corticomedullary junction)를 형성하고, 꼭지는 작은술잔의 속공간으로 돌출하며 콩팥유두(신유두; renal papilla)가 된다. 콩팥유두에는 집합관이 열리는 약 10~25개의 유두구멍(유두공; papillary foramen)이 나 있다. 이 부위를 체구역(사상야; area cribrosa)이라 한다.

속질은 바깥속질(outer medulla)과 속속질(inner medulla)로 나누며, 바깥속질은 다시 바깥줄무늬층(outer stripe)과 속줄무늬층(inner stripe)으로 세분할 수 있다. 하나의 콩팥피라밋과 그에 접하고 있는 겉질부분을 합쳐서 콩팥엽(신엽; renal lobe)이라 한다. 사람의 콩팥은 8~18엽으로 이루어진 다엽콩팥(multilobar kidney)이다. 이에 비해 실험동물로 흔히 사용되는 설치류를 비롯한 몇

몇 포유동물들은 단엽의 콩팥(unilobar kidney)을 가지고 있다.

콩팥피라밋의 양 옆으로는 일부 겉질 성분이 속질 사이로 연장되어 침투해 있는 콩팥기둥(신주; renal column, 베르텡콩팥기둥; renal column of Bertin)을 볼 수 있다. 또한 콩팥피라밋의 바닥으로부터 속질 성분(근위세관과 원위세관의 곧은 부위 및 집합관)이 다발을 이루며 곧게 겉질 속으로 연장되어 들어가는 속질부챗살(medullary ray)이 형성되어 있다. 속질부챗살들 사이의 겉질부위는 주로 곱슬한 세관(convoluted tubule)들이 분포하며, 겉질미로(cortical labyrinth)라 부른다. 따라서 겉질은 겉질미로와 속질부챗살 두 부위로 나눌 수 있다. 속질부챗살은 이름과 달리 겉질의 일부임을 기억해야 한다. 중심의 속질부챗살과 양옆 겉질미로의 절반에 해당하는 부위를 합쳐서 콩팥소엽(신소엽; renal lobule)이라 부른다(그림 1-1-1).

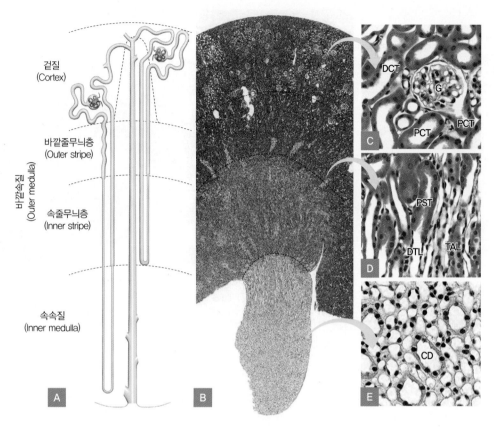

그림 1-1-2. 콩팥의 모식도 및 H&E 염색 광학현미경 사진(A & B). 겉질의 확대사진(C). 바깥속질의 바깥줄무늬층에서 속줄무늬층으로 이행되는 부위의 확대사진(D). 속속질의 확대사진(E)

G(사구체), PCT(근위곱슬세관), PST(근위곧은세관), DTL(내림가는다리), TAL(굵은오름다리), DCT(원위곱슬세관), CD(집합관).
(이화의대 해부학교실)

조직학

콩팥의 가장 기본적 기능적인 단위는 콩팥단위(신원 ; nephron)이다. 콩팥단위는 콩팥소체(신소체; renal corpuscle)와 그에 이어진 근위곱슬세관(토리쪽곱슬세관; proximal convoluted tubule, PCT), 헨레고리(Henle's loop) 및 원위곱슬세관(먼쪽곱슬세관; distal convoluted tubule, DCT)으로 이루어져 있다. 콩팥단위는 이후에 집합관(collecting duct)과 연결된다(그림 1-1-2). 발생학적으로 콩팥단위는 뒤콩팥발생모체(metanephrogenic blastema)에서 기원하는 반면, 집합관(collecting duct)은 요관싹(ureteric bud)에서 유래한다. 따라서 집합관은 콩팥단위에

속하지 않는다. 요관싹은 집합관 이외에 콩팥술잔(calyx), 콩팥깔때기(pelvis)와 요관(ureter)으로도 분화를 한다.

1. 콩팥단위

사람의 한쪽 콩팥에는 약 100만개의 콩팥단위가 있다. 콩팥단위는 콩팥소체의 겉질 내 위치에 따라 헨레고리의 길이가 다르다. 콩팥소체가 겉질 바깥쪽에 위치하는 경우, 콩팥단위는 짧은 헨레고리를 가지고 있으며 겉질콩팥단위(cortical nephron) 또는 짧은고리콩팥단위(short-looped nephron)라 한다. 이와 비교하여 겉질의 안쪽 즉 겉질속질 경계부위에 위치한 콩팥소체로부터 유래한 헨레고리는 길

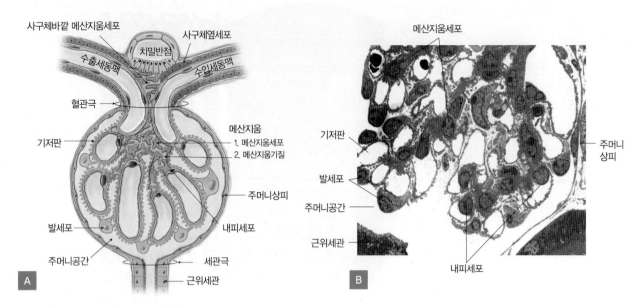

그림 1-1-3. 콩팥 소체(renal corpuscle)의 구조

모식도(A). 투과전자현미경 사진(B).

(가톨릭의대 김진 교수 & 이화의대 해부학교실)

게 속속질까지 도달하며, 속질곁콩팥단위(juxtamedullary nephron) 또는 긴고리콩팥단위(long-looped nephron)라 한다. 사람에서 대부분의 콩팥단위는 짧은 헨레고리를 가지고 있으며, 10~15%만이 긴고리콩팥단위에 속한다.

1) 콩팥소체

콩팥소체(신소체; renal corpuscle, 말피기소체; Malpighian corpuscle)는 겉질에 위치하며, 모세혈관뭉치인 사구체(토리; glomerulus)와 사구체낭(토리주머니; glomerular capsule, 보우만주머니; Bowman's capsule)으로 구성된다. 콩팥소체의 직경은 사람의 경우 약 200 ㎛, 흰쥐는 120 ㎛이다.

콩팥소체에는 수입세동맥(들세동맥; afferent arteriole)과 수출세동맥(날세동맥; efferent arteriole)이 들어가고 나오는 혈관극(vascular pole), 그리고 반대쪽에는 근위곱슬세관이 시작하는 세관극(urinary pole)이 있다. 사구체낭은 벽층(parietal layer)과 내장층(visceral layer)으로 된 주머니이며, 두층 사이의 공간을 주머니공간(낭강; capsular

lumen, 보우만공간; Bowman's space, 오줌공간; urinary space)이라 한다. 벽층은 단층편평상피(주머니상피 capsular epithelium)로 이루어져 있다(그림 1-1-3).

내장층은 독특한 형태로 모세혈관의 겉을 감싸고 있는 발세포(족세포; podocyte)로 이루어져 있다. 발세포의 세포체에서는 몇 개의 굵고 긴 일차돌기를 내고, 일차돌기에서는 다시 이차 및 삼차 발돌기(세포족; foot process, pedicel)들이 가지쳐 나오며 서로 깍지 낀 모양을 한다. 인접한 발돌기 사이의 거리는 약 25~60 nm이며, 여과틈새(filtration slit, 틈구멍; slit pore)라고 부른다. 여과틈새에는 부착이음(adherens junction)의 형태적 특성을 가지는 틈새가로막(filtration slit membrane or slit diaphragm)이 형성되어 있다(그림 1-1-4). 틈새가로막에는 ZO-1 단백질이 위치하며, 그 외 네프린(nephrin), NEPH1-3, 포도신(podocin) 및 P-cadherin 등과 같은 다양한 단백질들로 구성되어 있다. 네프린과 포도신의 유전자변이는 선천신증후군(inherited nephrotic syndrome)의 발병과 관련이 있으며, 유전자결핍 생쥐에서도 단백뇨(proteinuria)를 유발

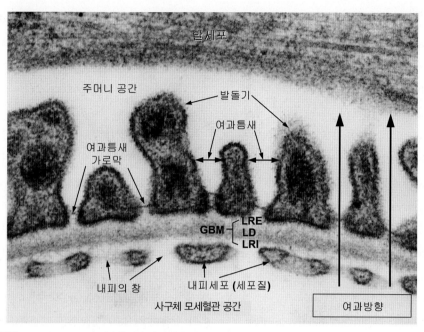

그림 1-1-4. 여과장벽(filtration barrier)의 전자현미경 사진과 모식도

사구체기저막(glomerular basement membrane, GBM)은 바깥투명판(lamina rara externa, LRE), 치밀판(lamina densa, LD) 및 속투명판(lamina rara interna, LRI)의 세 층으로 이루어져 있다. 여과틈새가로막(filtration slit diaphragm)은 특수 세포부착단백질인 네프린(nephrin)으로 구성되어 있다.

(가톨릭의대 해부학교실 김진 교수)

하는 것이 알려져 있다. 단백뇨와 관련된 많은 질병에서 발돌기들은 사라지게 되고 넓게 세포질로 융합되는 현상 (foot process fusion 또는 effacement)을 보인다.

사구체모세혈관(glomerular capillary)은 유창모세혈관 (fenestrated capillary)이며, 직경 70~100 nm인 내피창이 다수 뚫려있다. 여과장벽(filtration barrier)은 사구체모세 혈관의 혈액이 주머니공간으로 나가기 위해 지나야만 하는 구조로, 모세혈관의 유창내피, 사구체기저막(glomerular basement membrane, GBM) 및 발세포의 여과틈새로 구성된다.

사구체기저막(GBM)은 내피세포의 기저막과 발세포의 기저막이 융합된 것이며, 두께가 300 nm 이상(남자 약 373 nm, 여자 약 326 nm)으로 일반 표면상피의 기저막에 비해 두껍다. 사구체기저막은 혈관 내피쪽의 속투명판 (lamina rara interna), 가운데 융합된 치밀판(lamina densa), 그리고 발세포와 접하는 바깥투명판(lamina rara externa) 세 층으로 이루어져 있다(그림 1-1-4). 사구체기저

막은 Ⅳ형 아교질(collagen), 라미닌(laminin)과 피브로넥틴(fibronectin) 같은 당단백질(glycoprotein), 그리고 정전기를 띠는 헤파린황산(heparan sulfate)이 포함된 프로테오글리칸(proteoglycan)으로 구성된다. Ⅳ형 아교질의 알파사슬 유전자변이는 알포트증후군(Alport's syndrome)과 연관되어 있다.

메산지움(사구체간질; mesangium)은 사구체모세혈관 사이에 있는 지지성 결합조직으로, 메산지움세포(mesangial cell)와 메산지움기질(mesangial matrix)로 이루어져 있다(그림 1-1-3). 메산지움세포는 다소 불규칙한 모양으로, 핵이 진하고 세포질은 모세혈관 주위로 긴 세포질 돌기를 뻗고 있다. 또한 일반적인 세포소기관 외에 엑틴 (actin)과 미오신(myosin) 같은 많은 미세섬유를 가지고 있다. 메산지움세포는 혈관주위세포(pericyte)와 민무늬근육 세포(smooth muscle cell)처럼 수축 능력이 있으며, 포식작용(phagocytosis)에도 관여한다.

2) 사구체옆장치

사구체옆장치(juxtaglomerular apparatus)는 사구체의 혈관극에 위치하는 구조로서 혈관성분(vascular components)과 세관성분(tubular components)으로 구성된다. 혈관성분은 수입세동맥(afferent arteriole)의 말단부분, 수출세동맥(efferent arteriole)의 시작부분, 그리고 세동맥 사이의 사구체바깥메산지움(extraglomerular mesangium)으로 구성된다. 세관성분은 치밀반점(macula densa)이라 부르는 굵은오름다리(thick ascending limb)의 특수화된 부위이다. 수입세동맥의 중간막(tunica media)에는 사구체옆세포(juxtaglomerular cell, JG cell)라 부르는 변형 민무늬 근육세포가 위치하며, 레닌(renin)을 포함하고 있는 분비 과립이 풍부하다(그림 1-1-3).

레닌은 세관사구체되먹임 기전(tubuloglomerular feedback mechanism) 조절과 알도스테론(aldosterone)에 의해 자극되는 소듐이온(Na^+)과 포타슘이온(K^+) 운반에 관여한다. 따라서 사구체옆장치는 콩팥내혈역학(renal hemodynamics)과 염류 배출 조절에 중요한 역할을 한다.

3) 근위세관

근위세관(proximal tubule)은 근위곱슬세관(proximal convoluted tubule, PCT)과 근위곧은세관(proximal straight tubule, PST)으로 구성된다. 근위곱슬세관은 겉질미로에, 근위곧은세관은 겉질의 속질부챗살과 바깥속질(outer medulla)의 바깥줄무늬층(outer stripe)에 위치한다(그림 1-1-2). 근위세관세포의 내강쪽에는 긴 미세융모(microvilli)가 매우 조밀하게 나 있는 솔가장자리(brush border) 구조가 형성되어 있으며, 내강쪽세포막(luminal membrane)의 표면적을 넓혀주고 있다. 기저외측면에는 세포질돌기가 잘 발달되어 있고, 이웃 세포와 서로 깍지 끼는 형태로 들어가 있다. 이러한 돌기들 사이에 형성된 세포사이공간은 치밀이음(tight junction, 폐쇄이음; occluding junction)과 부착이음(adherens junction)으로 구성된 연접복합체(junctional complex)에 의해 내강과 분리된다. 원위세관에 비해 상피통과전기저항(transepithelial electrical resistance, TEER)이 낮은 다소 '새는(leaky)' 경향이 있

으며, 특징적으로 클라우딘-2와 -10(claudin-2 & -10)이 다량 발현된다. 세포질에는 많은 사립체(mitochondria)가 존재한다. 또한 단백질의 재흡수와 이화작용에 관여하는 세포섭취-용해소체 계통(endocytic-lysosomal system)이 잘 발달되어 있다.

형태학적 차이를 토대로, 근위세관을 S1~3 세 부위(분절; segment)로 나눌 수 있다. S1은 겉질미로(cortical labyrinth)에 위치하는 근위곱슬세관, S2는 근위곱슬세관과 근위곧은세관의 이행부위, 그리고 S3는 근위곧은세관의 나머지 부위를 말한다. 근위세관의 주된 기능은 소듐(Na^+), 염소(Cl^-), 중탄산(HCO_3^-), 포타슘(K^+), 칼슘(Ca^{2+}) 및 인산(PO_4^{3-}) 이온, 수분, 그리고 포도당과 아미노산 같은 유기용질(organic solutes)을 재흡수하는 것이다. 대부분의 소듐이온(Na^+) 재흡수는 기저외측세포막에 위치한 소듐/포타슘 ATP분해효소(Na^+/K^+-ATPase)에 의해 능동적으로 이루어진다. 근위세관에서의 수분흡수는 내강세포막 및 기저외측세포막에 위치하는 수분통로인 아쿠아포린(aquaporin, AQP) 1에 의하여 이루어진다.

근위세관은 일부 유기산(organic acids), 유기염기(organic bases) 및 일반적 약물의 분비에도 관여한다. 또한 암모니아생산(ammoniagenesis)의 중요한 장소로서, 생산된 암모니아(ammonia)는 양성자(proton)와 합하여 암모늄이온(NH_4^+)을 형성하거나 또는 가스(NH_3) 형태로 분비되는 것으로 생각된다.

4) 헨레고리의 가는다리

헨레고리는 내림다리(descending limb)와 오름다리(ascending limb)로 나누며, 내림다리는 근위곧은세관(PST)과 내림가는다리(descending thin limb, DTL)로, 오름다리는 오름가는다리(ascending thin limb, ATL)와 굵은오름다리(thick ascending limb, TAL)로 구성된다. 즉 헨레고리의 가는다리(thin limb)는 근위곧은세관과 굵은오름다리 사이에 위치하는 부위이다. 미세구조에 따라 I~IV형이 있다. 짧은고리콩팥단위(short-looped nephron)의 내림가는다리 즉 I형은 바깥속질의 속줄무늬층(inner stripe)에만 위치하며, 오름가는다리 없이 바로 굵은오름다

리로 이어진다. 반면 긴고리콩팥단위(long-looped neph-ron)는 콩팥유두(속속질) 끝에 이르는 긴 내림가는다리(II~III형)와 오름가는다리(IV형)를 가지고 있다. 오름가는다리가 굵은오름다리로 이행되는 부위가 바깥속질과 속속질의 경계가 되며, 근위곧은세관이 내림가는다리로 이행되는 부위가 바깥속질 중 바깥줄무늬층(outer stripe)과 속줄무늬층(inner stripe)의 경계가 된다. 헨레고리의 가는다리 부분은 단층편평상피로 되어있다(그림 1-1-2).

헨레고리는 반류기전(countercurrent mechanism)에 중요한 역할을 함으로서 소변의 농축과 희석에 관여한다. 내림가는다리 부분(II~III형)은 AQP1을 통해 수분이 투과하지만, 소듐과 염소이온은 투과하지 못한다. 반면에 오름가는다리 부분(IV형)은 수분은 투과하지 못하고, 소듐과 염소이온을 투과시킨다. I형에는 요소수송체(urea trans-porter, uT) A2가 존재한다.

5) 원위세관

원위세관(distal tubule)은 굵은오름다리(TAL), 치밀반점 및 원위곱슬세관(DCT)으로 구성된다. 굵은오름다리는 바깥속질에 있는 속질굵은오름다리(medullary thick ascending limb, mTAL)와 겉질의 속질부챗살(medullary ray)에 있는 겉질굵은오름다리(cortical thick ascending limb, cTAL)로 세분할 수 있다. 치밀반점은 굵은오름다리에서 원위곱슬세관으로 이행되는 경계가 된다. 굵은오름다리와 원위곱슬세관의 세포는 기저면 세포막에 긴 안주름(infolding)들이 형성되어 있고, 외측면에는 크고 작은 세포질돌기들이 이웃 세포의 것과 서로 깍지끼어 있다. 수많은 기다란 사립체가 이러한 돌기 세포질내에 기저막에 수직 방향으로 위치하고 있다. 근위세관과는 달리 자유면 세포막에 미세융모가 길거나 많지 않아서 솔가장자리(brush border)가 형성되어 있지 않다. 굵은오름다리와 원위곱슬세관은 염화나트륨을 능동적으로 재흡수하며, 반류기전과 소변의 농축 및 희석기전에 중요한 역할을 한다.

굵은오름다리와 원위곱슬세관 모두 수분은 투과하지 않으나, 염화나트륨을 능동적으로 재흡수한다. 굵은오름다리에는 소듐-포타슘-2염소 수송체(Na^+-K^+-2Cl^-

cotransporter, NKCC2)가 존재하며 푸로세미드(furose-mide) 같은 고리이뇨제(loop diuretic)에 작용이 억제된다. 원위곱슬세관에는 소듐-염소 수송체(Na^+-Cl^- cotrans-porter, NCC)가 존재하며, 티아지드(thiazide) 이뇨제에 반응한다.

6) 연결세관

연결세관(connecting tubule)은 원위세관과 집합관 사이의 이행부위로서, 4종류의 세포형, 즉 원위곱슬세관세포(distal convoluted tubule cell), 연결세관세포(connecting tubule cell), 주세포(principal cell) 및 사이세포(interca-lated cell)가 섞여 있다. 발생학적으로도 뒤콩팥모체와 요관싹 모두가 관여하는 것으로 알려져 있다.

2. 집합관

집합관(collecting duct)은 겉질에서부터 콩팥유두(속속질)의 끝까지 뻗어있는 구조이다. 부위에 따라 겉질집합관(cortical collecting duct, CCD), 바깥속질집합관(outer medullary collecting duct, OMCD) 및 속속질집합관(inner medullary collecting duct, IMCD)으로 나눈다. 집합관의 세포는 크게 두 가지 즉 주세포(principal cell)와 사이세포(intercalated cell)로 구성되어 있다. 대부분이 주세포이며, 사이세포는 약 40% 내외를 차지하고 있다. 주세포는 세포소기관이 거의 없어 세포전체가 밝게 보이며(light cell), 자유면 세포막은 비교적 매끄럽다. 주세포의 주된 기능은 소듐과 수분을 재흡수하는 것이다. 알도스테론(aldosterone)은 상피소듐통로(ENaC)에 작용하며, 항이뇨호르몬(antidiuretic hormone, ADH or vasopressin)은 AQP2에 작용한다.

반면에 사이세포는 사립체와 관상소포(tubulovesicle)가 많으며 세포질이 어둡게 보이는 세포(dark cell)이다. 겉질집합관(CCD)에는 자유면 세포막이 매끄럽지 않고 미세주름(microplicae)이 발달된 A형 세포(type A cell)와 미세융모(microvilli)가 발달되어 있는 B형 세포(type B cell)가 존재한다. A형 세포는 수소이온(H^+) 분비에, B형 세포는 중

탄산이온(HCO_3^-) 분비에 관여한다.

바깥속질집합관(OMCD)과 속속질집합관(IMCD)에는 A형 사이세포만이 존재하며, 속속질집합관의 초기부분에서부터 점차적으로 사라지기 시작해서 중간 및 말단부분에는 볼 수 없다. 속속질집합관의 말단 2/3 부분에 있는 세포들은 일반적인 주세포와 약간 다른 형태를 가지고 있으며, 특별하게 속속질집합관세포(IMCD cell)라고 부른다. 속속질집합관세포의 세포질은 세포소기관이 거의 없어 매우 밝으며, 콩팥유두 끝으로 내려감에 따라 높이가 증가하여 거의 단층원주형에 가깝다. 속속질집합관의 말단에는 요소수송체(urea transporter) A1이 발현된다.

3. 사이질

콩팥의 실질성 구조물인 세관의 사이에는 성긴결합조직인 사이질(interstitium)이 존재한다. 사이질은 사이질세포(interstitial cell)와 glycosaminoglycan (GAG)이 풍부한 세포외기질(extracellular matrix)로 구성된다. 흰쥐의 경우, 겉질에서 사이질이 차지하는 부피는 7~9%이며, 그 중에서도 세포는 3%에 불과하다. 겉질에서는 대략 두 종류의 사이질세포를 볼 수 있다. 대부분은 섬유모세포(fibroblast)를 닮은 I형겉질사이질세포(type I cortical interstitial cell)이며, 소수의 단핵세포(monocyte) 또는 림프구를 닮은 II형겉질사이질세포(type II cortical interstitial cell)도 관찰된다.

속질로 가면 사이질 부피가 점차 증가하여 바깥속질에서 10~20%, 속질의 콩팥유두 끝부분에서는 30~40%를 차지하게 된다. 속질의 사이질세포는 세 가지 종류가 있다. I형속질사이질세포(type I medullary interstitial cell)는 속속질의 전층과 바깥속질의 속부분에 존재하며, 전형적인 지방방울들을 함유하고 있다. 겉질의 I형세포와 비슷하게 보이지만 적혈구형성호르몬(erythropoietin, EPO) mRNA를 발현하지 않는다. Cyclooxygenase-2 (COX-2)의 작용으로 프로스타글랜딘(prostaglandin)을 합성하는 주요 장소이다.

II형속질사이질세포는 주로 바깥속질과 속속질 바깥부분에 존재하며, 단핵세포 또는 림프구와 유사한 모양이다(겉질의 II형 세포와 거의 동일). III형속질사이질세포는 바깥속질과 속속질 바깥부분에 존재하는 혈관주위세포(pericyte)에 해당한다. II와 III형 세포의 기능은 거의 알려진 것이 없다.

4. 혈관

콩팥에 흐르는 혈액은 1분에 약 1,200 mL(심장 박출량의 약 20~25%) 정도로 많다. 콩팥동맥(renal artery)은 콩팥문(hilus)에서 앞분절가지 및 뒤분절가지로 나뉘고, 콩팥동굴(renal sinus) 속에서 약 5개의 구역동맥(segmental artery)으로 다시 나누어진다. 각 구역동맥은 콩팥기둥이 위치하는 곳에서 갈라져 콩팥피라밋의 사이로 올라가는 엽사이동맥(interlobar artery)으로 이어진다. 엽사이동맥은 겉질과 속질의 경계에서 나뉘어 그 경계를 따라 주행하는 활꼴동맥(궁상동맥 arcuate artery)으로 계속된다. 활꼴동맥에서는 일정한 간격으로 바깥 방향으로 피막을 향해 곧게 올라가는 소엽사이동맥(interlobular artery)들을 내며, 소엽사이동맥에서는 콩팥소체로 들어가는 수입세동맥(afferent arteriole)을 낸다. 수입세동맥은 콩팥소체에서 사구체모세혈관(glomerular capillary) 다발을 이룬 후 수출세동맥(efferent arteriole)으로 나간다. 수출세동맥 중에서 겉질콩팥단위(cortical nephron) 즉 짧은고리콩팥단위에서 나온 수출세동맥은 세관주위모세혈관그물(peritubular capillary network)을 형성한 다음 소엽사이정맥과 활꼴정맥으로 이어진다. 한편 긴고리를 가지는 속질곁콩팥단위(juxtamedullary nephron)에서 나온 수출세동맥은 몇 가닥으로 나뉜 다음 속질로 곧게 내려가는 내림곧은혈관(descending vasa recta, 동맥성 곧은혈관 arterial vasa recta)을 형성한다. 이 혈관들은 속질의 여러 높이에서 모세혈관을 형성한 다음 오름곧은혈관(ascending vasa recta, 정맥성 곧은혈관 venous vasa recta)으로 이어져 소엽사이정맥과 활꼴정맥으로 연결된다. 바깥속질에서 내림곧은혈관과 오름곧은혈관은 함께 혈관다발(vascular bundle)을 이룬다. 내림곧은혈관은 연속모세혈관(continuous

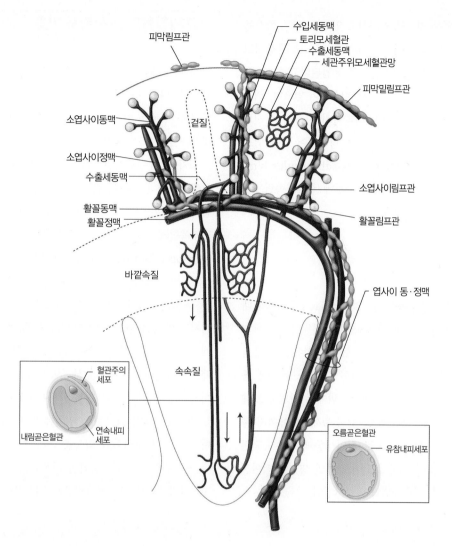

그림 1-1-5. 콩팥의 혈관 및 림프관 분포

(가톨릭의대 해부학교실 김진 교수)

capillary)이며, 오름곧은혈관은 유창모세혈관(fenestrated capillary)의 구조를 가진다(그림 1-1-5).

5. 림프관

콩팥의 림프관은 겉질과 콩팥피막에서 림프관망을 형성하고 있으며, 속질에는 존재하지 않는다. 겉질에 형성된 겉질림프관(cortical lymphatic vessel)은 사구체옆장치(juxtaglomerular apparatus) 근처의 사이질 조직에 있는 림프

모세관으로부터 시작하여 소엽사이동맥을 따라 진행한다. 이후 겉질과 속질의 경계에서 활꼴동맥 주위에 형성되어 있는 활꼴림프관(arcuate lymphatic vessel)으로 연결된다. 활꼴림프관은 엽사이동맥 주위에 형성된 엽사이림프관(interlobar lymphatic vessel)을 거쳐 콩팥문에서 콩팥문림프관(hilar lymphatic vessels)을 이룬 다음 콩팥을 떠난다. 이와 같이 겉질내 림프관은 주로 동맥 주위를 따라 형성되어 있으며, 동맥주위의 결합조직에서 그물망 형태의 동맥주위림프집(periarterial lymphatic sheath)을 이룬다. 속질

11

에는 림프관이 없는 것으로 알려지고 있으나, 일부 학자들은 속질의 바깥줄무늬층에도 존재하는 것으로 주장하고 있으며 이 림프관은 활꼴림프관으로 유입된다고 한다. 림프관에서 판막은 엽사이림프관부터 형성되어 있으며, 림프관의 벽에 민무늬근육세포들이 나타나기 시작하는 것도 이 림프관부터이다. 겉질의 주변부에 형성되어 있는 림프관망은 피막 속에 있는 피막밑림프관(subcapsular lymphatic vessel)으로 이어지며, 또한 곳곳에서 겉질속림프관망과도 연결되어 있다(그림 1-1-5).

6. 신경

콩팥에는 교감신경성 복강신경얼기(celiac plexus)와 대내장신경(greater splanchnic nerve)에서 기원하는 소량의 신경섬유가 분포해 있을 뿐이다. 이들 신경섬유는 혈관을 따라 콩팥 속으로 들어가 주로 혈관의 민무늬근육층에 종지하여 혈관수축에 관여하며, 세관주위에는 거의 분포해 있지 않다. 일부 신경섬유는 수입 및 수출세동맥에까지 분포해 있다. 교감신경의 작용으로 수입세동맥이 수축되면 콩팥토리에서의 여과율이 감소되어 소변의 생성이 적어진다. 교감신경이 손상되면 소변양이 증가한다.

사구체질환의 조직학적 기초

사구체질환에 대한 자세한 설명은 이어지는 장(PART 05)에서 다룰 것이지만 사구체질환을 이해하려면 사구체의 정상 구조를 아는 것이 필수적이므로 몇 가지 기초적인 개념을 설명하고자 한다.

일차성 사구체질환의 대부분은 면역복합체가 사구체 미세구조에 침착하여 발생하기 때문에 면역복합체가 주로 침착하는 위치와 그 임상적 의의를 이해할 필요가 있다. 면역복합체가 침착하는 위치는 메산지움, 혈관내피세포밑 공간(subendothelial space), 상피세포밑 공간(subepithelial space)의 셋으로 구분한다. 혈관내피세포밑 공간이라는 것은 사구체 기저막과 혈관내피세포 사이의 공간, 즉 사구체 기저막 안쪽을 말한다. 상피세포밑 공간은 발세포와 사구체 기저막 사이, 즉 사구체 기저막 바깥쪽을 의미한다. 발세포의 다른 이름이 내장 상피세포(visceral epithelial cell)이기 때문에 이와 같은 명칭을 사용하는 것이다.

면역복합체가 침착하는 위치에 따라 비교적 일정한 경향의 조직학적 변화와 임상증상이 나타난다. 상피세포밑 공간에 면역복합체가 침착할 경우는 발세포가 영향을 받고, 혈관내피세포나 메산지움세포는 사구체 기저막에 의

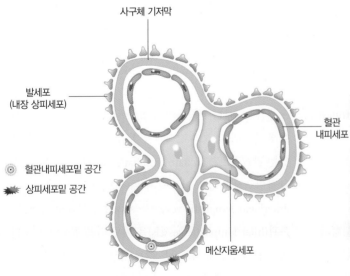
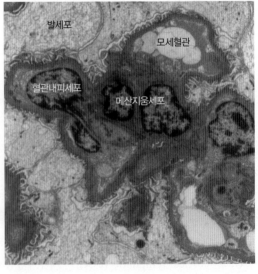

그림 1-1-6. 사구체 내 면역복합체 침착 위치와 전자현미경 사진

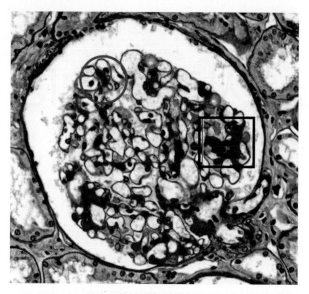

그림 1-1-7. 메산지움 세포밀도

붉은 원의 소엽은 한 단위이 메산지움 공간에 2개의 메산지움세포가 보이는 정상 세포밀도인 반면 검은 네모 안의 소엽은 세포 수가 7개 가량이고 기질도 증가하였다.

▶ 참고문헌

• 김 진 등: 기본 사람해부학. 2판. 고려의학, 2015.
• 정진웅 등: 조직생물학. 4판. 고려의학, 2013.
• Steffes MW, et al: Quantitative glomerular morphology of the normal human kidney. Lab Invest 49:82-86, 1983.
• Yu A, et al: Brenner & Rector's The Kidney. 11th ed. Elsevier, 2019.

해 막혀있기 때문에 영향을 받지 않는다. 발세포는 증식능이 낮은 세포이므로 손상을 받으면 증식하지 않고 퇴행하며, 이에 따라 임상증상은 단백뇨가 나타난다. 혈관내피밑 공간의 면역복합체 침착은 혈관내피세포만 아니라 메산지움세포에까지 영향을 줄 수 있다. 혈관내피세포와 메산지움은 자극을 받아 증식할뿐 아니라 혈관내피세포의 활성화는 사구체 모세혈관내에서 염증반응을 유발하므로 사구체 모세혈관 내에 염증반응이 활발해지고 신염증후군 양상의 임상증상을 보이게 된다. 메산지움의 면역복합체 침착은 메산지움세포의 증식을 가져온다. 메산지움세포는 한 단위의 메산지움 내에 2~3개만 존재하는 것이 정상 세포밀도로서 그 이상 세포가 증가하면 비정상이다(그림 1-1-7).

이처럼 사구체의 정상 구조를 염두에 두는 것은 사구체 질환이 일으키는 병적 변화와 임상증상을 이해하는 기초가 된다.

CHAPTER 02 콩팥의 기능 – 사구체의 기능

김용균 (가톨릭의대)

KEY POINTS

- 사구체여과율(glomerular filtration rate, GFR)의 개념에 대한 자세한 설명과 이를 바탕으로 임상에서 마주칠 수 있는 신장 질환의 사구체 여과율 변화에 대한 해석을 추가하였다.

- 콩팥의 기능 중 콩팥혈류 및 사구체여과율 자동조절기전(autoregulation)으로 근육조절기전(myogenic mechanism)으로서 세관사구체되먹임 기전(tubluloglomerular feedback, TGF), 사구체세뇨관 균형(glomerulotubular balance, GTB)을 상세히 기술하였다.

- 위의 기전 이래를 바탕으로 초기 당뇨콩팥병에 나타는 사구체과여과(hyperfiltration)의 병인 기전으로서 콩팥의 근위세관의 소듐-당 운반체(sodium-glucose cotransporters, SGLT2 와 SGLT1)의 역할에 바탕을 둔 세뇨관 가설(tubular hypothesis)을 추가 기술하였다.

- 이들 기전을 통해 최근 당뇨콩팥병 및 일부 사구체신염의 치료제로 소개되고 있는 SGLT2 억제제의 이해 및 치료기전에 대한 이론적 배경을 제시하였다.

콩팥은 생명 현상 유지에 필요한 중요한 기능을 담당하는 장기이다. 콩팥이 담당하는 생명현상 유지기능 중 가장 중요한 기능중 하나가 체외환경(external environment)의 변화에 대하여 체내환경(internal environment)을 항상 일정하도록 유지하는 항상성(homeostasis) 조절 기능이다. 콩팥은 체내 항상성 유지를 위해 섭취한 수분, 전해질 및 생체작용의 결과로 발생한 대사노폐물(요소, 크레아티닌, 요산 등)을 배설하여 체내환경을 일정하게 유지한다. 콩팥의 다른 중요한 기능은 내분비기관으로서의 역할이며, 레닌, 안지오텐신과 같은 혈역학 조절 호르몬, 적혈구 생성을 위한 조혈호르몬, 비타민D와 같은 칼슘대사 조절호르몬 등을 분비한다.

소변 형성은 콩팥의 가장 중요한 기능으로 이를 통해 체내 항상성을 유지할 수 있다. 소변의 형성은 사구체에서 일어나는 혈액의 여과(ultrafiltration)에서 시작한다. 사구체의 여과장벽을 통해서 여과되는 양은 하루에 180 L 정도이지만, 세관의 여러 기능적 부분을 거치면서 선택적으로 재흡수, 분비, 농축의 과정을 거치는 동안 99%는 재흡수(reabsorption)되고, 최종적으로 하루 1~2 L(여과액의 1% 미만)의 소변만을 배설하게 된다. 근위세관에서는 여과액의 60~70%가 대량으로 재흡수되며, 헨레고리에서는 수분 및 전해질의 일부가 재흡수된다. 원위세관 및 집합관에서는 신체의 필요에 따라 수분 및 전해질의 재흡수가 조절된다. 소변형성을 위해 사구체를 통과하는 콩팥 혈류와 이를 여과하는 사구체 여과는 아래와 같다.

콩팥 혈류 및 사구체 여과율

1. 콩팥혈류(Renal blood flow, RBF)

콩팥 혈류는 혈관을 통해 콩팥으로 흘러들어오는 혈액양으로 정의되며 정상적으로 심박출량(cardiac output)의 20~25% 정도로, 70kg 성인 남자 기준 매분 1,200 mL 정도의 혈액(이 중 혈장은 약 600 mL/min)이 콩팥을 통과한다. 이는 콩팥의 부피가 양측 합쳐 300 mL임을 고려하면 매분 콩팥은 매분 자신의 부피 3배 이상의 혈액을 처리함을 의미하며 이는 다른 장기에 비해 5~100배 많은 양이다.

콩팥으로 공급된 혈류양은 콩팥 부위에 따라 차이를 보이며 이는 콩팥 각 부위 혈관 분포 차이에서 기인한다. 콩팥 혈류양의 약 75%는 겉질로 공급되는 반면 25%만 속질로 공급되고, 콩팥깔때기(renal pelvis, 신우)로 가는 혈액은 1%에 불과하다. 콩팥 혈류는 수입세동맥(afferent arteriole)을 통해 사구체모세혈관(glomerular capillary)을 통과하게 되고 이곳에서 수분과 전해질이 여과되어 세뇨관 내 소변 형성이 시작된다. 사구체모세혈관의 말단은 수출세동맥(efferent arteriole)과 이어진다. 수출세동맥은 세뇨관을 둘러싸는 모세혈관망(capillary network)을 형성한 후 모세혈관의 말단은 세뇨관주위정맥 가지로 연결되고 콩팥 정맥으로 이어진다.

2. 사구체여과율(Glomerular filtration rate, GFR)

사구체여과율(glomerular filtration rate, GFR)은 콩팥에서 단위시간 당 여과되는 여과액의 양, 즉 여과속도(단위: mL/min, 또는 L/day)로 정의되며 사구체여과율은 콩팥기능을 나타내는 중요한 지표로 사용된다. 사구체여과

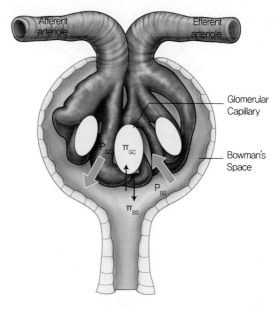

순여과압=$[(P_{GC}-P_{BS})-(\pi_{GC}-\pi_{BS})]$
10 mmHg=$[(60\ mmHg-15\ mmHg)-(35\ mmHg-0\ mmHg)]$

그림 1-2-1. 순여과압(net filtration pressure)

율은 사구체모세혈관과 보우만주머니사의 압력차 즉 여과장벽 사이의 압력차(순여과압; net filtration pressure)에 의해 결정된다. 순여과압에 관여하는 힘은 4가지가 있으며 사구체모세혈관 내에서 액체를 보우만 주머니로 밀어내리는 정수압(glomerular capillary hydrostatic pressure, PGC)과 액체를 보우만 주머니에서 사구체모세혈관 내로 잡아당기는 삼투압(glomerular capillary oncotic pressure, Π_{GC}), 보우만주머니 내의 정수압(Bowman's space hydrostatic pressure, P_{BS}), 액체를 보우만주머니 내로 잡아당기는 삼투압(Bowman's space oncotic pressure, Π_{BS})이다. 따라서 순여과압=미는힘(사구체모세혈관 정수압-보우만주머니 정수압)-당기는힘(사구체모세혈관 삼투압-보우만주머니 삼투압) 이다(그림 1-2-1).

$$net\ filtration\ pressure=(P_{GC}-P_{BS})-(\Pi_{GC}-\Pi_{BS})$$

정상적으로 보우만주머니 내 여과액내에는 단백질이 없거나 농도가 매우 낮으므로 Π_{BS}=0, 즉 실제 순여과압=사구체모세혈관 정수압, P_{GC}-보우만주머니 정수압, P_{BS}-사

구체모세혈관 삼투압, ΠGC이다. 단위 여과압력 당 여과되는 정도를 한외여과계수,Kf라 하면 사구체여과율은 다음과 같은 수식, GFR=Kf × net filtration pressure= $Kf(P_{GC}-P_{BS}-\Pi_{GC})$로 결정된다.

사구체모세혈관 정수압, P_{GC}은 58~60 mmHg로 일정하며 보우만주머니 정수압, PBS도 20 mmHg로 일정하다. 하지만 단백질이 제외된 여과가 계속되면 사구체모세혈관 삼투압, Π_{GC}은 수입세동맥에서 수출세동맥쪽으로 갈수록 증가한다. 만일 사구체모세혈관 삼투압이 계속증가하여 순여과압이 0 mmHg가 된다면 그 부분의 사구체모세혈관에서는 더 이상 여과가 일어나지 않을 것이며 이를 여과압 평형상태라하고 실제 순여과압= $P_{GC}-P_{BS}-\Pi_{GC}=0$, 즉 PGC=PBS+ΠGC이 된다. 하지만 동물 실험 모델에서는 이러한 현상이 발견되나 사람에서는 수출세동맥 끝부분에서도 여과압 평형상태가 일어나지 않으므로 사람의 모든 사구체모세혈관에서 여과가 일어나게 되고 이는 주로 여과압에 의해 조절된다. 사람에서의 사구체모세혈관 삼투압, Π_{GC}는 약 35mmHg로 즉 순여과압은 $P_{GC}-P_{BS}-\Pi_{GC}=60mmHg-20mmHg-35mmHg=10mmHg$ 이다. 정리하면 GFR=Kf × 순여과압=$Kf(P_{GC}-P_{BS}-\Pi_{GC})$, Kf: 한외여과계수(ultrafiltration coefficient)이며 사구체 여과율에 영향을 주는 인자는 아래와 같다.

사구체 여과율에 영향을 주는 인자

1) 한외여과계수(Kf)의 변화
2) 사구체모세혈관 내 정수압(P_{GC})의 변화
3) 사구체모세혈관 내 삼투압(Π_{GC})의 변화
4) 보우만주머니 내의 정수압(P_{BS})의 변화

또한 임상에서 마주칠 수 있는 신장질환의 신기능 손상, 즉 사구체 여과율 감소를 위의 개념에 따라 아래처럼 해석할 수 있다.

임상 신장질환에서 일어나는 사구체여과율 변화의 해석

1) 체액결핍(volume depletion), 콩팥동맥협착(renal artery stenosis)으로 인한 신기능 감소 : 콩팥 내 혈류량의 저하로 사구체모세혈관 내 정수압(P_{GC})이 감소하여 발생하는 사구체여과율의 감소로 해석.

2) 초기 당뇨병콩팥병(diabetic nephropathy)의 과여과(hyperfiltration) : 초기에는 사구체 비대와 함께 수입세동맥(afferent arteriole)의 이완에 의한 콩팥 내 혈류량이 늘어나서 사구체모세혈관 내 정수압(P_{GC})이 증가하여 발생하는 사구체여과율의 증가로 해석.

3) 후기 당뇨병콩팥병의 신기능 감소 : 후기 당뇨병성 신증에서는 사구체 기저막이 비후되고, 사이질이 경화되어 초미세여과계수(Kf)가 현저히 감소하여 발생하는 사구체여과율의 감소로 해석.

4) 방광암, 전립샘비대, 요로결석 등 폐쇄요로병(obstructive uropathy)에서의 신기능 감소 : 요로 폐쇄로 소변의 흐름이 막히고, 역압에 의해 보우만주머니 내의 정수압(P_{BS})이 증가함에 따른 사구체여과율의 감소로 해석.

5) Waldenstrom's 거대글로불린혈증의 신기능 저하 : 혈액 내 단일클론 IgM의 증가로 인해 사구체모세혈관 내 삼투압(Π_{GC})이 증가하여 발생한 사구체여과율의 감소로 해석.

콩팥기능의 측정

1. 사구체여과율과 청소율 개념

사구체여과율(GFR)은 콩팥의 배설 기능을 나타내는 지표로 콩팥기능 측정에 중요하다. 사구체여과율은 청소율(clearance)의 개념으로 측정한다. 일반적으로 어떤 물질 X가 사구체에서 여과된 후 세관에서는 전혀 재흡수되지 않고 분비되지도 않는다는 조건을 가정한다면, 시간당 사구체를 통해 여과된 X의 양=시간당 소변으로 배설된 X의 양과 같은 등식을 만족시키게 된다.

사구체 여과율은 어떤 물질 X가 단위 시간당 사구체 모세혈관 혈장에서 소변으로 배설되는 양을 의미하므로

- X의 혈중농도×사구체여과율(시간당)=시간당 여과된 X의 양

사구체여과율(시간당)=시간당 여과된 X의 양/X의 혈중농도가 된다.

- 위의 가정에서 시간당 여과된 X의 양=시간당 소변으로 배설된 X의 양이므로 사구체여과율(시간당)=시간당 소변으로 배설된 X의 양/X의 혈중농도가 된다. 시간당 배설된 X의 양=X의 소변중 농도×소변량(시간당)이므로

따라서 사구체여과율= $\dfrac{\text{X의 소변중 농도×소변량}}{\text{X의 혈중농도}}$ 으로 계산되며

$$\text{GFR (mL/min)} = \dfrac{\text{Urine concentration of X (mg/dL)}}{\text{Plasma concentration of X (mg/dL)}}$$

$$\times \text{ Urine volume (mL/min)}$$

으로 결정된다.

2. 이눌린 청소율(Inulin clearance)

사구체여과율의 정확한 측정을 위해서는 위에서 가정했듯이 측정하고자 하는 물질은 사구체에서 자유롭게 여과된 후 세관에서 재흡수나 분비가 되지 않고 대사되지 않아야 한다. 이와 같은 조건에 가장 적합한 물질은 이눌린(inulin)이다. 이눌린은 과당의 중합체로 사구체에서 모두 여과되므로 혈중농도와 여과액의 농도가 같다. 또한 세관에서 재흡수되거나 분비되지 않고. 생산되거나 분해되지 않으므로 여과된 양과 배설된 양이 같다. 그러나 이눌린은 생체 내에서 생산되지 않는 물질이기 때문에 외부에서 미리 계산된 속도로 주입하여 일정한 혈장농도를 유지하여야 하는 번거로움이 있다. 또한 소변 채취량의 부정확함(정확성을 위해서는 방광도뇨 필요)으로 인해 오차가 발생

할 수 있어서 실제로 임상에서는 잘 사용되지 않는다. 실험실 연구 및 임상 연구에서는 정확한 신기능 측정을 위해 사용되기도 하며 아래와 같이 계산할 수 있다.

> **이눌린을 이용한 사구체여과율(GFR)의 계산**
>
> 28세 남자 환자의 사구체여과율을 측정하기 위해 환자에게 일정한 속도로 이눌린을 정맥 주사하여 혈중농도가 4 mg/L으로 일정하게 되었다. 이후 한 시간 동안 소변을 채취한 결과 소변량은 0.1 L, 소변의 이눌린 농도는 300 mg/L로 측정되었다면,
>
> $$\text{GFR} = \dfrac{U_{\text{eulin}}}{P_{\text{eulin}}} \times U_{\text{volume}}$$
>
> $$= \dfrac{300 \text{ mg/L}}{4 \text{ mg/L}} \times 0.1 \text{ L/hr} = 7.5 \text{ L/hr가 된다.}$$
>
> 일반적으로 사구체여과율 단위는 mL/min 또는 L/day를 사용하므로
>
> 7.5 L/hr=7,500 mL/60 min=125 mL/min
>
> 또는 7.5 L/hr=7.5 L/hr×24 hr/day=180 L/day로 표시한다.

청소율(clearance)은 단위시간당 혈액 중에 있는 물질을 제거하는 속도를 의미한다. 따라서 이눌린과 같이 세관에서 재흡수되거나 분비되지 않는 물질의 경우 사구체여과율은 청소율과 같은 것으로 생각할 수 있다. 위 환자의 경우 콩팥은 1분에 125 mL의 속도로 혈중 이눌린을 여과하므로 1분에 125 mL의 속도로 혈중 이눌린을 제거할 수 있는 능력이 있는 것이며 이는 환자의 콩팥기능이 정상임을 의미한다.

3. 크레아티닌 청소율(Creatinine clearance, Ccr)

이눌린 제거율이 사구체여과율을 검사하는데 가장 이상적인 방법이지만, 이눌린은 주입 및 소변 채취 방법이 번거롭기 때문에 실제 사용에는 한계가 있다. 크레아티닌(creatinine)은 혈중 농도 및 소변중 농도 측정이 비교적 쉽

고 정확하므로, 실제 임상에서는 사구체여과율을 측정하기 위해 크레아티닌 청소율(creatinine clearance)을 많이 사용하고 있다. 크레아티닌은 크레아틴인산(creatine phosphate)의 분해산물로 근육에서 비교적 일정한 양이 생성된다. 간략히 설명하면, 크레아틴(creatine)은 간에서 합성되어 근육으로 이동한 후 인산화를 통해 고에너지 물질인 크레아틴인산 형태로 존재한다. 근육 수축 운동이 일어날 때 크레아틴인산은 크레아틴키나아제(creati nekinase)에 의해 크레아티닌으로 분해되고, 크레아티닌은 혈액으로 유리되어 콩팥을 통해 제거된다.

이러한 크레아티닌은 세관에서도 소량 분비되므로 크레아티닌 청소율은 실제 사구체여과율보다 높게 측정될 수 있다. 그러나 혈청 크레아티닌은 비크레아티닌 발색물질(non−creatinine chromogen)도 함께 측정(Jaffe 반응)되어 실제보다 수치가 높게 나오기 때문에, 세관에서 분비되는 크레아티닌과 상쇄되어 비교적 정확한 사구체여과율을 반영한다.

크레아티닌 청소율은 콩팥 기능이나 약제에 의해 영향을 받을 수 있어서 측정 시 주의를 요한다. 콩팥 기능이 저하될 경우, 크레아티닌의 사구체 여과가 감소하더라도 세관 분비의 분획이 증가하여 소변으로 크레아티닌의 배설이 증가하여 실제보다 사구체여과율이 높게 측정될 수 있다. 또한 콩팥 기능이 저하되면 혈청 크레아티닌이 증가함에 따라 비크레아티닌 발색물질의 비율이 낮아지게 되어 크레아티닌 청소율이 실제보다 높게 측정된다. 시메티딘(cimetidine), 트리메토프림(trimethoprim) 등의 약물은 크레아티닌의 세관 분비를 억제하므로 사구체여과율과는 관계없이 혈중 크레아티닌 농도가 증가할 수 있다.

크레아티닌 청소율(Ccr)의 계산

건강 검진을 위해 내원한 62세 남자 환자의 혈청 크레아티닌 1.2 mg/dL, 소변 크레아티닌 60 mg/dL, 하루 소변량 1.2 L/day로 측정되었다면.

$$C_{cr} = \frac{U_{CR}}{P_{CR}} \times U_{volume}$$

$$= \frac{60 \text{ mg/dL}}{1.2 \text{ mg/dL}} \times 0.2 \text{ L/day}$$

$$= 60 \text{ L/day가 된다.}$$

단위를 mL/min로 환산하면(1 L는 1,000 mL, 1 day는 1,440 min이므로)

60 L/day

=60,000 mL/1,440 min

=약 42 mL/min

(빠른 계산을 위해서 L/day를 mL/min으로 바꾸려면 1,000/1,440=약 0.7, 즉 0.7을 곱해주면 된다.)

콩팥혈류 및 사구체여과율의 조절

콩팥은 생명유지 및 항상성 유지를 위한 중요 기관으로 어느 정도의 혈압 변동이 있어도 콩팥혈류 및 사구체여과율은 일정하게 유지된다. 정상 범위 내의 적은 혈류 변화에서는 근육조절기전(myogenic mechanism)과 세관사구체되먹임(tubuloglomerular feedback)을 포함하는 콩팥내 자동조절(autoregulation) 기전에 의하여 조절되며, 용적변화가 심한 병적인 상태에서는 전신적인 신경호르몬인자(neurohumeral factor)가 관여하게 된다.

1. 콩팥의 자동조절(Autoregulation)

인체 장기는 전신 혈압이 변동하여도 비교적 일정한 양의 혈액공급을 유지하는 능력이 있는데, 이를 자동조절(autoregulation)이라 한다. 콩팥 역시 자동조절기전을 통해 일정 정도의 혈압 변동에도 콩팥혈류와 사구체여과율을 일정하게 유지한다(그림 1-2-2).

옴의 법칙인 I(전류)=V(압력)/R(저항)에 따라 전류에 해당되는 단위시간 당 콩팥동맥 혈류량(renal blood flow, RBF)는 콩팥 동맥 관류압(renal arterial perfusion pres-

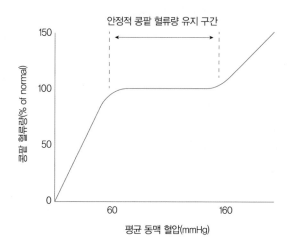

그림 1-2-2. 평균 동맥 혈압변화에 따른 콩팥 혈류량 변화

sure, P)에 비례하고 혈관 저항(renal arteriolar resitance, R)에 반비례한다. 따라서 혈류량의 자동조절을 위해서는

혈압 변동에 따른 혈관저항의 변화가 요구된다.

그림에서 보듯이 혈압이 120 mmHg에서 80 mmHg로 감소하여도 콩팥혈류량(glomerular blood flow, GBF)과 사구체모세혈관의 정수압(P_{GC})은 비교적 잘 유지되며, 이때 수입세동맥의 혈관저항이 급격히 감소하는 반면 수출세동맥의 혈관저항은 큰 변화를 보이지 않는다. 즉 혈압 감소에 대해 수입세동맥의 혈관저항을 감소시킴으로써 콩팥혈류량과 사구체모세혈관 정수압을 유지한다(그림 1-2-3A). 이 경우 콩팥혈류와 사구체여과율의 자동조절에는 수출세동맥(efferent arteriole)과 같은 사구체 이후의 혈관보다는, 수입세동맥(afferent arteriole)과 같은 사구체 이전 혈관들의 저항 변화가 주된 역할을 한다.

하지만 평균 동맥혈압이 80 mmHg에서 60 mmHg로 감소하였을 때 수입세동맥의 혈관저항이 큰 변화가 없는 반면 수출세동맥의 혈관저항이 증가한다(그림 1-2-3B). 이

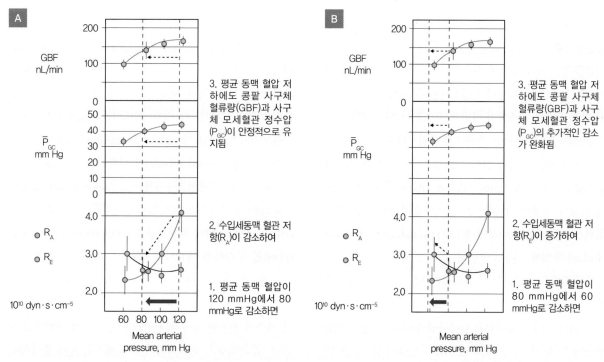

그림 1-2-3. 평균 동맥 혈압 감소에 따른 콩팥 혈류량 유지 기전

(A) 평균 동맥 혈압이 120 mmHg에서 80 mmHg로 감소하는 경우(정상 혈압 범위 내 혈압 감소 상황)
(B) 평균 동맥 혈압이 80 mmHg에서 60 mmHg로 감소하는 경우(저혈압 쇼크 상황)
R_A, 수입세동맥 혈관 저항; R_E, 수출세동맥 혈관 저항; P_{GC}, 사구체 모세혈관의 정수압; GBF, 콩팥 사구체 혈류량.

로써 혈압 감소에 의한 사구체모세혈관의 정수압(P_{GC})을 유지하려한다.

정상인의 경우 자동조절에 의해 사구체여과율을 일정하게 유지시킬 수 있는 혈압 변동범위는 평균 동맥혈압 75~165 mmHg 로 혈압이 이 이하로 감소하거나 증가는 경우 더 이상 자동조절로 사구체여과율을 일정하게 유지시킬 수 없으므로 콩팥 기능 감소를 초래한다. 자동조절의 기전에는 근육조절기전과 세관사구체되먹임 기전이 있다.

1) 근육조절기전(Myogenic mechanism)

근육조절기전은 혈압의 변동에 따른 혈관벽의 장력 변화에 반응하여 동맥혈관 민무늬근육을 수축 또는 이완함으로써 콩팥혈류와 사구체여과율을 일정하게 유지하는 기전이다. 즉 혈압이 상승하면 수입세동맥벽의 장력이 증가하고 이에따라 수입세동맥혈관 민무늬근육 세포가 신장(stretch)된다. 이는 민무늬근육세포막을 탈분극시켜 전압작동칼슘통로(voltage-gated calcium channel)를 활성화시키고, 이를 통한 칼슘 유입에 따라 세포 내 칼슘농도가 증가하여 혈관 수축이 일어난다. 수입세동맥의 수축은 혈압상승으로 증가했던 콩팥혈류량과 사구체모세혈관의 정수압을 감소시켜 정상 수준으로 유지시킨다. 반대로 혈압이 저하되면 혈관벽 장력이 감소하고 수입세동맥이 이완되어 혈압 감소로 감소했던 콩팥혈류량과 사구체모세혈관의 정수압을 증가시켜 정상 수준으로 유지시킨다.

위에서 기술한 바와 같이 수입세동맥의 수축은 전압작동칼슘통로(voltage-gated calcium channel)에 의한 세포 내 칼슘 유입에서 기인하므로 근육조절기전에 의한 자동조절은 L형 칼슘통로차단제(L-type calcium channel blocker) 투여에 의해 차단될 수 있다.

혈관저항을 조절하는 근육조절기전은 전체 자동조절반응의 약 50% 정도를 담당할 정도로 자동조절에 중요한 역할을 한다. 근육조절기전과 세관사구체되먹임 기전은 혈압 변동에 대해 반응하는 속도가 다르며 근육조절기전은 반응속도가 매우 빨라서 혈압 변동 3~10초 이내에 반응하는 것으로 알려져 있다(그림 1-2-4).

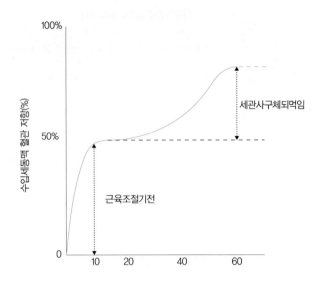

그림 1-2-4. 혈압 변동 후 시간에 따른 콩팥 자동조절을 위한 근육조절기전과 세관사구체되먹임 기전 반응

2) 세관사구체되먹임(Tubuloglomerular feedback, TGF)

(1) 개요

세관은 겉질에서 속질로 하강하였다가 다시 원래 기원하였던 사구체로 상행하여 돌아가는 독특한 해부학적 구조로 이루어져 있어서, 세관사구체되먹임이라 불리는 자동조절 기능을 수행할 수 있다. 치밀반점(macula densa)은 헨레고리의 굵은오름다리(thick ascending limb)가 끝나는 곳과 원위세관(distal tubule)이 시작되는 부위의 사이에 존재하며, 사구체밖혈관사이세포(extraglomerular mesangial cell) 및 수입세동맥의 레닌분비세포(renin secreting cell, JG cell)와 함께 사구체곁장치(juxtaglomerular apparatus)를 구성하여 세관사구체되먹임 작용에 핵심적인 역할을 한다((그림 1-2-5).

치밀반점을 지나가는 여과액의 흐름과 조성 변화는 해당 세관이 기원한 사구체의 여과율을 빠르게 변화시킬 수 있다. 콩팥혈류가 증가하거나 사구체여과율이 증가하는 경우, 원위세관으로 용질의 전달이 증가한다. 치밀반점은 증가된 원위세관의 용질을 감지하여 사구체 이전 혈관의 저항을 증가시키고, 콩팥혈류 및 사구체여과율이 감소되

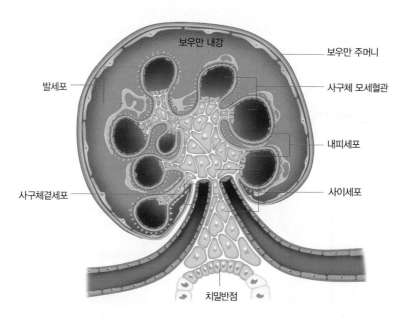

그림 1-2-5. 세관사구체되먹임 작용에 핵심적인 역할을 하는 사구체곁장치 개념도

도록 한다. 반대로 원위세관으로의 흐름과 용질 전달이 감소하는 경우, 수입세동맥의 혈관저항을 감소(혈관이완)시켜서 사구체여과율이 유지되도록 한다. 사구체곁장치는 각각의 신원에 존재하므로 전신적 혈압변동에 대해 단일신원 사구체여과율(single nephron GFR, SNGFR)을 일정하게 유지할 수 있다.

근육조절기전과 세관사구체되먹임은 서로 배타적인 것이 아니고, 수입세동맥을 동일한 작동기관으로 공유하는 통합적인 체계이다. 근육조절기전의 반응속도가 10초 이내인 것과 비교하여, 세관사구체되먹임의 반응은 빠르면 5초(일부 연구결과에서는 30~60초)만에 일어날 수 있다. 근육조절기전과 세관사구체되먹임은 자동조절의 대부분을 담당한다.

(2) 세관사구체되먹임에 의한 자동조절기전

세관사구체되먹임 기전에 의한 자동조절은 사구체곁장치(Juxtaglomerular apparatus)에서 관여한다. 치밀반점세포는 내강쪽 세포막에 존재하는 $Na^+-K^+-2Cl^-$ 운반체(NKCC2)를 통해, 여과되어 전달된 나트륨(Na^+), 칼륨(K^+) 및 염소(Cl^-) 이온의 변화를 감지한다. 치밀반점에서 감지

하는 나트륨, 칼륨 및 염소 이온의 변화는, 해당 세관이 기원한 사구체의 여과율 및 수입세동맥 혈관저항과 역상관관계의 변화를 초래한다. 예를 들어 혈류량이 증가하는 경우 원위세관으로 염분의 전달이 증가하면, 치밀반점세포에서 감지하여 수입세동맥을 비롯한 사구체전 혈관 저항을 증가시킨다. 이로써 증가되었던 콩팥혈류가 감소하고 사구체여과율은 정상 수준으로 유지된다(그림 1-2-6). 이는 Furosemide와 같은 $Na^+-K^+-2Cl^-$ 운반체 억제제를 원위세관 치밀반점 부위에 투여 후 수입세동맥의 혈관 수축을 관찰하는 실험에서 증명된다. 즉 세관 치밀반점 부위에 Furosemide 투여하면 치밀반점세포에서 감지되는 나트륨(Na^+), 칼륨(K^+) 및 염소(Cl^-) 이온이 감소하고 수입세동맥의 혈관 수축이 정상적으로 일어나지 않음이 관찰된다. 이는 세관사구체 되먹임은 $Na^+-K^+-2Cl^-$ 운반체에 의존적임을 의미한다.

세관사구체되먹임 반응에 관여하는 신호전달 인자로 즉 치밀반점세포에서 세동맥 혈관 세포, 레닌분비세포로의 신호전달에 관여하는 다음과 같은 몇 가지 물질들이 제시되고 있다.

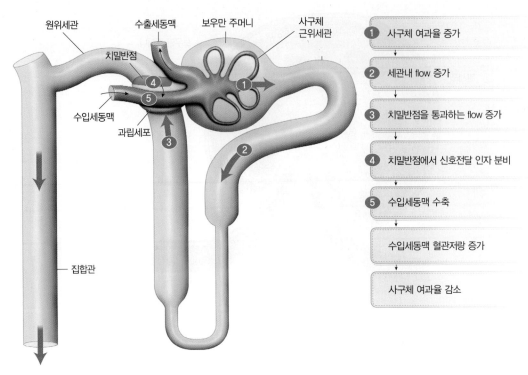

그림 1-2-6. 세관사구체되먹임에 의한 자동조절기전

① 아데노신(Adenosine)

아데노신은 치밀반점세포의 안팎에서 생성되며, Na+-K+-2Cl- 운반체를 통한 전달된 염분의 변화에 따라 사구체여과율을 조절하는 핵심적인 역할을 담당한다. 치밀반점으로 염분 전달이 증가하면 Na+-K+-2Cl- 운반체를 통해 세포 내로 염분 흡수가 촉진된다. 이어서 치밀반점세포의 기저외측세포막에 존재하는 Na+-K+-ATPase가 활성화되어 차례로 adenosine diphosphate (ADP)와 adenosine monophosphate (AMP)가 생성된다. AMP는 세포막에 존재하는 endo-5 nucleotidase에 의해 탈인산화 되어 아데노신으로 전환된 후, 치밀반점세포를 떠난다. AMP는 세포 밖으로 배출된 후에 사이질에서 ecto-5 nucleotidase에 의해 아데노신으로 전환되기도 한다.

치밀반점세포를 떠난 아데노신(또는 세포 밖에서 생성된)은 사구체밖혈관사이세포(extraglomerular mesangial cell)에 존재하는 아데노신 A1 수용체(adenosine A1 receptor)에 작용하여 세포 내 칼슘농도를 증가시킨다. 증

가된 칼슘은 틈새이음(간극연결, gap junction)을 통해 사구체밖혈관사이세포에서 인접한 수입세동맥 세포로 전달되고, 혈관수축을 유발하게 된다. 아데노신은 수입세동맥 세포에 직접 작용하여 칼슘통로를 활성화시킬 수도 있다.

또한 치밀반점세포는 내강의 염분 농도 증가에 반응하여 세포의 기저외측세포막을 통해 ATP를 분비한다. ATP는 퓨린성 수용체(purinergic receptor)를 통해 인접한 혈관사이세포에 작용한다 (그림 1-2-7).

② 안지오텐신(Angiotensin)

안지오텐신은 세관사구체되먹임 반응에 관여하는 또 다른 신호조절 인자이다. 혈류량이 감소할 경우 사구체결장치의 수입세동맥 레닌분비세포(renin secreting cell, JG cell)에서 레닌이 분비된다. 분비된 레닌은 혈액의 앤지오텐시노겐을 분해하여 안지오텐신 I을 형성하고, 안지오텐신 전환효소에 의해 안지오텐신 I이 안지오텐신 II로 전환된다. 안지오텐신II는 치밀반점 세포의 내강쪽 세포막에 존재

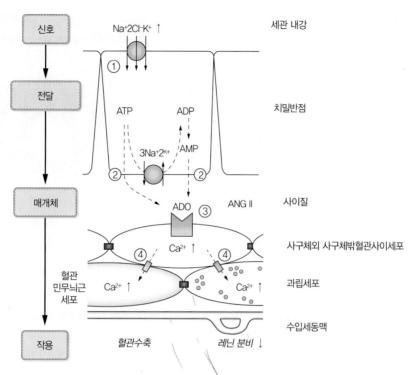

그림 1-2-7. 아데노신에 의한 세관사구체되먹임 자동조절기전(AMP: adenosine monophosphate, ADP: adenosine diphosphate, ATP: adenosine triphosphate, ADO: adenosine, ANG II: angiotensin II)

① 치밀반점으로 염분 전달이 증가하면 Na$^+$-K$^+$-2Cl$^-$ 운반체를 통해 세포 내로 염분 흡수촉진
② 치밀반점세포의 기저외측세포막에 존재하는 Na$^+$-K$^+$-ATPase가 활성화되어 차례로 ADP와 AMP가 생성
③ AMP는 세포 밖으로 배출된 후에 사이질에서 ecto-5 nucleotidase에 의해 아데노신으로 전환
④ 아데노신은 사구체밖혈관사이세포에 존재하는 아데노신 A1 수용체에 작용하여 세포 내 칼슘농도를 증가
⑤ 증가된 칼슘은 틈새이음을 통해 사구체밖혈관사이세포에 인접한 수입세동맥 세포로 전달되고, 혈관수축을 유발

하는 안지오텐신수용체(angiotensin II receptor type 1A)를 통해 작용한다. 안지오텐신 II는 수입세동맥 및 수출세동맥을 수축시키는데 수출세동맥이 수입세동맥보다 안지오텐신 II에 더 민감하여 수출세동맥 수축이 더 강하게 일어나 사구체모세혈관내 정수압(P$_{GC}$)을 증가시켜 사구체 여과율을 유지한다.

세관사구체되먹임 반응은 안지오텐신II길항제(angiotensin II antagonist)와 안지오텐신전환효소억제제에 의해 둔화되며, 안지오텐신II수용체 혹은 안지오텐신전환효소 유전자결핍 생쥐에서 작동하지 않는다. 반면 안지오텐신전환효소 유전자결핍 생쥐에 안지오텐신II를 전신적으로 투여하면 세관사구체되먹임 반응이 회복된다. 아데노신과 달리 안지오텐신II는 세관사구체되먹임의 일차적인 매개물질은 아니지만 조절물질로서 중요한 역할을 담당하는 것은 분명하며, 아데노신과 상호작용을 통해 세관사구체되먹임을 조절하는 것으로 여겨진다.

③ 산화질소(Nitric oxide)

치밀반점세포에는 신경세포형 산화질소 합성효소(neuronal nitric oxide synthase, nNOS)가 존재한다. 산화질소는 치밀반점세포에서 합성되며 혈관이완인자로서 세관사구체되먹임에 관여한다. 치밀반점에 산화질소합성억제제를 투입하면 인접한 수입세동맥의 혈관수축을 초래한다. 산화질소에 대해 본 교과서 chapter 04 "콩팥 호르몬"에

상세 기술되었다.

2. 사구체세뇨관 균형(glomerulotubular balance, GTB)

콩팥 내부에는 사구체여과율을 조절하는 기전으로 앞서 설명한 원위세관의 치밀반점과 수입세뇨관사이의 되먹임으로 사구체 여과율을 조절하는 세관사구체되먹임(tubIuloglomerular feedback, TGF)에 더불어 사구체 여과율에 따라 근위세관의 재흡수가 조절되는 사구체세뇨관 균형(glomerulotubular balance, GTB) 기전이 존재한다.

사구체에서 여과된 혈액은 근위세관에서는 대량의 수분과 전해질(하루 100~120 L 정도)이 세관주위모세혈관망으로 흡수되어 전신혈관으로 돌아가게 된다. 사구체모세혈관의 혈액 중 단백질은 사구체 내 여과장벽에 의해 여과되지 않으므로 사구체의 여과액은 단백질이 없고 용질과 물만 여과된다. 만약 사구체여과율이 증가되면 단백질이 없고 용질과 물만으로 구성된 여과액이 증가하므로 세관주위모세혈관망으로 나가는 혈액의 삼투압이 높아져 수분 흡수 능력이 증가한다. 세관주위모세혈관에서 수분과 전해질을 빠르게 흡수하여 사이질 내 정수압이 낮아지면, 근위세관에서 수분 및 전해질의 재흡수는 증가한다(그림 1-2-8). 즉 사구체여과율이 증가하면 근위세관에서의 재흡수가 일정한 비율로 증가한다. 따라서 사구체여과율의 증가와 관계없이 요로 배설되는 수분과 전해질의 양은 증가되지 않고 일정 정도로 유지된다. 반대로 사구체여과율이 감소하면 여과액의 감소로 세관주위모세혈관 내 혈액 삼투압은 낮게 되고 사이질 정수압이 증가한다. 따라서 수분과 전해질은 혈관 내로 흡수되지 못하고 일부는 세관으로 새어 나가(back leak) 전체적인 재흡수는 감소하게 된다. 이와 같이 사구체여과율에 따라 근위세관의 재흡수가 조절되어 요로 배설되는 수분과 전해질의 양을 일정하게 유지하는 조절기전을 사구체세관균이라 한다.

종합하면 사구체여과율이 증가하는 경우 사구체세관균형(GTB)에 의해 근위세관에서 재흡수를 통해 수분과 전

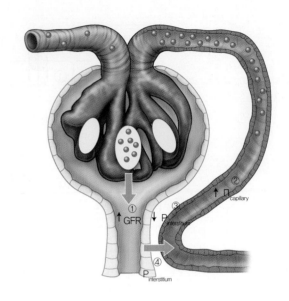

그림 1-2-8. 사구체세관(glomerulotubular balance)
사구체여과율이 증가하면(①), 세관주위모세혈관망 혈액 내 삼투압이 증가하고(②) 간질 내 정수압은 낮아져서(③) 근위세관에서 재흡수가 증가(④)하게 된다.

해질의 양을 조절하며, 그럼에도 증가한 사구체 여과율에 의해 미처 재흡수되지 못한 나트륨(Na^+), 칼륨(K^+) 및 염소(Cl^-) 이온은 원위세관으로 전달되어 치밀반점에서 감지되어 세관사구체되먹임(TGF)에 의해 수입세동맥의 수축됨으로써 사구체 여과율이 감소되어 일정하게 유지된다.

3. 초기 당뇨 콩팥병에서 사구체 과여과(hyperfiltration) 기전 이해

사구체세관균형과 세관사구체되먹임을 이해하기 위한 좋은 예는 초기 당뇨 콩팥병에서 관찰되는 사구체 과여과(hyperfiltration)이다. 초기 당뇨 콩팥병 환자에서 사구체 여과율의 증가가 관찰되며, 이러한 당뇨 신장의 과여과(hyperfiltration)는 당뇨병 콩팥병의 진행을 가속화한다. 콩팥의 근위세관에는 나트륨-당 운반체(sodium-glucose cotransporters, SGLT2와 SGLT1)가 존재하며 세뇨관 내로 여과된 당을 다시 주위모세혈관으로 재흡수한다. SGLT2가 근위세관에서의 당 재흡수 97%를 담당하고

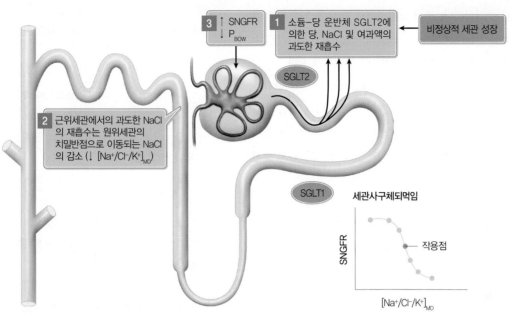

그림 1-2-9. 당뇨병 콩팥병에서 과여과 현상을 설명하는 세관 가설 (SNGFR: 단일신원 사구체여과율, PBOW: 보우만 내강 내 정수압, SGLT1: 소듐-당 운반체1, SGLT1: 소듐-당 운반체2)

SGLT1은 3%만을 담당한다. 당뇨로 인해 혈중 당이 증가하면 사구체에서 여과되는 당이 증가되고 근위세관으로 전달되는 당도 증가함으로써 SGLT2와 SGLT1에 의해 당의 재흡수가 증가되며 최대한 역치까지 증가한다(사구체세관균형). 한편 당뇨는 세뇨관의 성장을 비정적으로 유도하며 특히 근위세관의 성장을 유도한다. 당뇨에서 근위세뇨관의 성장에 따라 근위세관으로 여과된 당과 NaCl의 재흡수가 비정상적으로 증가한다. 근위세관에서의 과도한 NaCl의 재흡수는 원위세관의 치밀반점으로 이동되는 NaCl의 감소를 유발하고 이에 따라 세관사구체되먹임(TGF)에 의해 수입세동맥의 혈관저항이 감소되고 사구체곁장치의 수입세동맥 레닌분비세포에서 레닌이 분비되어 사구체모세혈관내 정수압(P_{GC})을 증가시켜 사구체여과율이 증가한다(그림 1-2-9).

사구체 과여과는 여과장벽에 물리적인 스트레스를 가할 뿐만 아니라 근위세관에서의 재흡수 증가로 인해 산소요구량이 증가한다. 이는 염증 반응 및 저산소 상태를 유발하여 콩팥 세포의 사멸을 유도하여 당뇨병 콩팥병 진행이 가속화된다. 이러한 기전을 세뇨관 가설(tubular

hypothesis)이라 한다. SGLT2 억제는 근위세관에서 당과 NaCl의 재흡수를 감소시키고 원위세관으로 전달되는 당과 NaCl을 증가시키게 되고 이는 세관사구체되먹임(TGF)에 의해 수입세동맥의 혈관저항을 증가시켜 사구체여과율의 과도한 증가를 막는다.

4. 용적 변동이 심한 경우의 콩팥혈류 및 사구체여과율 조절

출혈 등으로 용적의 감소가 심한 경우, 자동조절만으로는 항상성이 유지될 수 없고 다른 신경호르몬인자(neurohumeral factor)들이 관여하게 된다.

1) 용적의 감소
혈압의 감소로 교감신경이 자극되면, 콩팥동맥의 혈관이 수축하고 콩팥혈류량이 감소하게 된다. 교감신경의 자극은 콩팥에서 레닌의 생성을 증가시키고 레닌-안지오텐신-알도스테론(renin-angiotensin-aldosterone)계의 활성화를 유발하여, 혈관 수축과 세관에서의 수분 및 염분 재흡수를 증가시킨다. 또한 교감신경의 자극은 뇌하수체 후엽에서 항이뇨호르몬(vasopressin)의 분비를 증가시킨다. 결과적으로 용적이 회복되고 혈압이 상승하게 된다.

그 외 프로스타글란딘(prostaglandin)은 사구체여과율의 감소를 완화시켜, 심한 콩팥허혈이 일어나는 것을 예방한다. 정상 상태에서는 프로스타글란딘이 콩팥의 혈류나 염분 배설의 조절에 크게 관여하지 않는다. 그러나 콩팥혈류량이 심하게 감소하면 안지오텐신 II나 아드레날린이 증가하여 메산지움세포에서 프로스타글란딘(PGE2, PGI2) 생산을 촉진한다. 활성화된 프로스타글란딘은 수입세동맥을 어느 정도 확장함으로써 안지오텐신 II에 의한 수입세동맥의 수축을 완화시켜 사구체모세혈관내 정수압(PGC)을 증가시킨다.

2) 용적의 증가

심부전 등으로 체내 용적이 증가되면, 심방나트륨이뇨펩티드(atrial natriuretic peptide)의 혈중 농도가 증가된다. 심방나트륨이뇨펩티드는 교감신경 및 레닌-안지오텐신-알도스테론 등 신경호르몬계와 반대 작용을 하며, 콩팥의 사구체여과율과 염분 배설을 증가시킨다. 심방나트륨이뇨펩티드에 대해서 본 교과서 chapter 04 "콩팥 호르몬"에 상세 기술되었다.

나트륨, 당, 요소의 배설량 및 분획 배설 계산

나트륨, 당 및 요소 배설량의 계산(재흡수를 고려하지 않을 때)

정상 성인에서 하루 여과되는 여과액은 180 L에 달한다. 나트륨, 요소, 당이 사구체를 통해 자유롭게 여과되고 여과된 양의 전부가 소변으로 배설된다고 가정할 때, 나트륨의 혈중농도는 140 mEq/L, 당 100 mg/dL, 요소 14 mg/dL로 측정되었다면,

1) 나트륨의 하루 배설량=하루 여과량(전량이 배설된다고 가정할 때)

$$=혈중\ 농도 \times 사구체여과율$$
$$=140\ mEq/L \times 180\ L/day$$
$$=25,200\ mEq/day$$

단위를 g으로 환산하면(나트륨의 분자량이 23이므로 1 M=1 Eq=23 g)

$$25,200\ mEq/day$$
$$=25.2\ Eq/day$$
$$=25.2 \times 23\ g/day$$
$$=579.6\ g/day이\ 된다.$$

마찬가지로,

2) 당의 하루 배설량=100 mg/dL × 180 L/day
$$=0.1\ g/0.1\ L \times 180\ L/day$$
$$=180\ g/day이\ 된다.$$

3) 요소의 하루 배설량=14 mg/dL × 180 L/day
$$=0.014\ g/\ 0.1\ L \times 180\ L/day$$
$$=25.2\ g/day이\ 된다.$$

분획배설(fractional excretion, FE)의 계산

앞서 설명한 바와 같이 나트륨의 경우 여과량 중 1%만이 최종적으로 배설되며, 이런 비율(배설량/여과량×100)을 분획배설(FE)이라고 한다. 나트륨의 경우 여과량 579.6 g(앞의 나트륨 배설량의 계산 참조), 소변을 통한 실제 하루 배설량은 3 g이라면,

1) 나트륨의 분획배설(FENa)=배설량/여과량×100

$$= \frac{3\ g/day}{579.6\ g/day} \times 100$$
$$=약\ 0.5\%가\ 된다.$$

2) 당은 정상 성인에서 100% 재흡수되므로, 당의 분획배설(FEglucose)=0%가 된다.

3) 요소의 경우 실제 하루 배설량이 12 g이라면,

요소의 분획배설(FE_{urea})

$= \dfrac{12 \text{ g/day}}{25.2 \text{ g/day}} \times 100$ (앞의 요소 배설량의 계산 참조)

$=$ 약 47.6%가 된다.

어떤 물질 X의 분획배설을 구하는 일반식은 다음과 같이 정리할 수 있다.

$FE_x = \dfrac{\text{X의 배설량}}{\text{X의 여과량}} \times 100$

$= \dfrac{\text{X의 소변중 농도} \times \text{소변량}}{\text{X의 혈중 농도} \times \text{사구체여과율}} \times 100$

$= \dfrac{U_x \times U_{volume}}{P_x \times GFR} \times 100$ ($GFR = U_{cr}/P_{cr} \times U_{volume}$ 이므로)

$= \dfrac{U_x \times P_{cr}}{P_x \times U_{cr}} \times 100$ 이 된다.

▶ 참고문헌

- Loutzenhiser R, et al: Renal autoregulation: new perspectives regarding the protective and regulatory roles of the underlying mechanisms. Am J Physiol Regul Integr Comp Physiol 290:R1153–R1167, 2006.
- Munger KA, et al: The Renal circulations and glomerular ultrafiltration, in Brenner & Rector's The Kindey. 9th ed. Elsevier, 2012, pp94–137.
- Palmer BF. Renal dysfunction complicating the treatment of hypertension. N Engl J Med 347:1256–1261, 2002.
- Rahn KH, et al: How to assess glomerular function and damage in humans. J Hypertens 17:309–317, 1999.
- Thomson SC, et al: Glomerulotubular balance, tubuloglomerular feedback, and salt homeostasis. J Am Soc Nephrol 19:2272–2275, 2008.
- Vallon V, et al: The tubular hypothesis of nephron filtration and diabetic kidney disease. Nat Rev Nephrol 16:317–336, 2020.
- Vallon V. Tubuloglomerular feedback and the control of glomerular filtration rate. News Physiol Sci 18:169–174, 2003.

CHAPTER 03
콩팥의 기능 – 세관과 사이질의 기능

권태환 (경북의대 생화학세포생물학교실)

KEY POINTS

- 근위세관 발현 소듐-의존성 운반체
- 헨레고리 굵은오름다리의 칼슘 재흡수
- 바소프레신 분비 조절 인자
- 사이질의 생리학적 중요성
- 세관 상피세포 기능에 관한 최근 연구 동향

콩팥은 배설작용과 조절기능을 담당하는 장기이다. 수분과 용질의 배설(excretion)을 조절함으로써 체내 과도한 수분과 용질의 저류를 방지하며, 다양한 식이 섭취에도 불구하고 체액의 양과 조성을 일정하게 조절한다. 콩팥의 정상적인 배설과 조절기능으로 체내 항상성은 유지되며, 이를 통해 신체 각 조직과 세포들은 원활한 기능을 수행할 수 있다. 세관(uriniferous tubule)은 근위세관(proximal tubule), 헨레고리의 가는 부분(loop of Henle), 원위세관(distal tubule), 연결세관(connecting tubule), 그리고 집합관(collecting duct)으로 이루어져 있다(그림 1-3-1). 세관은 다양한 식이 섭취 및 신체 대사의 변화에도 불구하고 산-염기, 전해질, 그리고 수분 평형 등 인체의 내환경(internal milieu)을 일정하게 유지하는 데 중요한 역할을 한다. 정상 성인의 1일 사구체 여과는 150~180 L 정도이나, 세관 각 부위의 재흡수와 분비를 통하여 사구체 여과량의 1% 정도인 1~2 L 정도만 소변으로 배설하며, 소변으로 배설되는 용질의 양 또한 잘 조절되어 신체의 항상성이 유지된다. 세관은 부위마다 고유한 운반 기능이 있으며, 이러한 기능은 주로 각 세관 부위에 따라 특이적으로 발현하는 물질수송체단백질(transporter) 혹은 통로단백질(channel)에 의해 수행된다. 그러므로 세관의 기능을 이해하기 위해서는 수송체 및 통로단백질의 발현 분포와 기능을 이해하는 것이 중요하다.

세관의 재흡수와 분비

사구체에서 여과된 수분과 용질의 재흡수(reabsorption)는 세관 내강에서부터 세관 상피세포를 통과하거나(transcellular pathway) 혹은 상피세포 사이를 통과하여

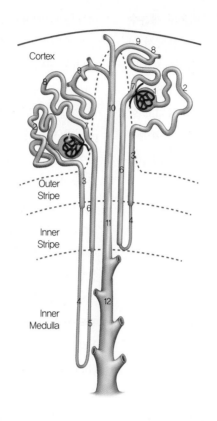

그림 1-3-1. 콩팥단위(nephron)의 구조

1:사구체(glomerulus), 2:근위곱슬세관(proximal convoluted tubule, PCT), 3:근위곧은세관(proximal straight tubule, PST), 4:헨레고리의 가는내림다리(descending thin limb of Henle's loop, DTL), 5:헨레고리의 가는오름부분(ascending thin limb of Henle's loop, ATL), 6:헨레고리의 굵은오름다리(thick ascending limb of Henle's loop, TAL), 7:치밀반점(macula densa, MD), 8:원위곱슬세관(distal convoluted tubule, DCT), 9:연결세관(connecting tubule, CNT), 10:겉질집합관(cortical collecting duct, CCD), 11:바깥속질집합관(outer medullary collecting duct, OMCD), 12:속속질집합관(inner medullary collecting duct, IMCD).

(paracellular pathway) 사이질액(interstitial fluid)과 혈액으로 이동하는 것을 말한다. 이에 반해 분비(secretion)의 방향은 재흡수와는 반대로 혈액과 사이질액에서부터 세관 내강으로의 이동이다. 따라서 세관 재흡수 및 분비는 세포를 통한 이동(transcellular pathway)과 세포와 세포 사이를 통하는 이동(paracellular pathway)으로 구별된다. 세포를 통한 물질의 이동에서 재흡수와 분비를 담당하고 있는 세관 상피세포의 세포막은 그 위치에 따라서 세관 내강 쪽의 내강세포막(apical plasma membrane)과 세포기저부와 외측을 둘러싸고 있는 기저외측세포막(basolateral plasma membrane)으로 나누어진다. 이들은 하나의 세포를 둘러싸고 있는 막이나, 견고연접(tight junction)에 의해 구분되며, 물질의 운반 특성 또한 다르다. 세관 상피세포의 내강세포막과 기저외측세포막의 중요한 차이는 막에 발

현되고 있는 수송체 및 통로 단백질의 발현 분포가 다르다는 점이다. 예를 들어, 소듐과 포타슘 이온의 막 수송에서 중요한 역할을 하는 $Na^+-K^+-ATPase$는 대부분 세관 상피세포 기저외측세포막에서 발현하며, 내강세포막에는 거의 발현하지 않는다. 이러한 수송체들의 특징적인 극성(polarity)은 세관 상피세포를 통한 물질의 이동에 대단히 중요하다.

세관에서 수분 및 용질의 재흡수 및 분비의 조절은 콩팥의 기능, 즉 체액량과 체액의 삼투질농도, 전해질 대사 및 산-염기대사 조절 등을 위해 필수적이다. 예를 들어, 소변으로 과도하게 소듐 이온이 소실되면 세포외액 양이 감소하게 되므로, 체내수분 양과 소듐이온 농도의 항상성을 유지하기 위해서는 세관 각 부위에서 소듐이온 재흡수의 조절이 필요하며, 신경 혹은 호르몬 등이 이에 긴밀하

게 관여하고 있다. 사구체에서 여과된 소듐이온의 재흡수는 2/3 이상이 근위세관과 헨레고리의 가는 부분에서 이루어지며, 원위세관과 연결세관을 거쳐 집합관에서 마지막으로 조율된다. 조절기전들은 매우 효율적으로 작동하고 있는데, 예를 들어 사구체여과율이 하루에 180 L이고 혈장 소듐 농도가 140 mEq/L이라면, 하루 종일 사구체에서 여과되는 소듐 부하량은 25,200 mEq (180 L×140 mEq/L)이다. 정상적인 요중 소듐 배설이 하루 150 mEq 정도(하루 요량 1.5 L×소변의 소듐 농도 100 mEq/L)이므로 사구체에서 여과된 소듐의 99% 이상은 세관에서 재흡수되고 있음을 알 수 있다.

근위세관

1. 구조

근위세관은 시작부분의 근위곱슬세관(proximal convoluted tubule, PCT)과 이어지는 근위곧은세관(proximal straight tubule, PST)으로 나뉘며, 전자현미경을 통해 관찰한 세포의 형태에 따라 S1, S2, S3 세 부분으로 나누기도 한다. S1은 PCT의 앞부분에 해당되며, S2는 PCT의 뒷부분과 PST의 앞부분, 그리고 S3는 PST의 나머지 부분에 해당되며, S1, S2, S3 각각에서 솔가장자리(brush border)의 높이 및 바닥미로(basal labyrinth) 구조 등 세포의 모양이 조금씩 상이하다.

2. 기능

근위세관(proximal tubule)은 사구체에서 여과된 수분과 소듐의 67% 정도를 재흡수하며, 여과된 포도당, 아미노산, 인산염(phosphate) 그리고 다른 유기용질(organic solute)의 대부분을 재흡수 한다. 근위세관에서의 수분 재흡수는 등장 수분 재흡수(isosmotic water reabsorption)의 양상으로, 근위세관 내강액은 근위세관의 초기부터 말기까지 혈장과 거의 동일한 300 mOsm/KgH₂O의 삼투질

농도를 나타낸다. 근위세관의 등장 수분 재흡수는 체내 수분대사의 변화, 즉 탈수나 이뇨 조건에서도 동일하게 관찰된다. 상피세포를 통한 재흡수를 위한 추진력(driving force)은 기저외측세포막에서 발현하는 Na⁺-K⁺-ATPase에 의해 공급된다. 일차능동수송(primary active transport)을 담당하는 Na⁺-K⁺-ATPase에 의해 세포내부에서 사이질쪽으로 소듐 이온이 이동되면 세포 내의 소듐 농도가 낮아지게 된다. 그러면 소듐이 전기화학적 경사(electrochemical gradient)에 따라 내강세포막에 위치한 소듐-의존 수송체(sodium-dependent transporters)들을 통하여 세관 내강에서 세관세포 안으로 이동하고, 이렇게 이동된 소듐은 다시 기저외측세포막의 Na⁺-K⁺-ATPase에 의해 세포 밖으로 나가게 된다. 소듐이 재흡수 되면서 약간의 삼투압 경사가 생기며 이를 통해 물이 재흡수 된다. 물의 재흡수는 삼투압 경사에 의해 수분통로단백질(water channel protein)인 aquaporin-1(AQP1)을 통하는데, AQP1은 내강세포막 및 기저외측세포막 모두에 발현하며, 수분이 이동하는 방향은 삼투압 경사에 의존적이다. 포도

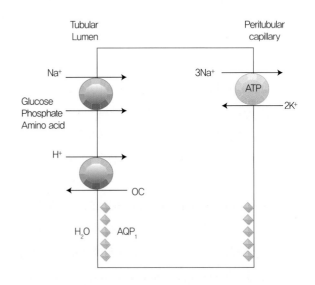

그림 1-3-2. 근위세관(proximal tubule, PT)

세포의 운반기능. 기저외측세포막의 Na⁺-K⁺-ATPase에 의해 세포 내의 나트륨 농도가 낮게 유지되면 내강세포막의 수송체에 의해 나트륨이 재흡수된다. 이 과정에서 포도당, 인산염, 아미노산은 나트륨과 동반되어 각각 재흡수된다. Aquaporin-1은 양측 막에 모두 존재하며 삼투압 차이에 의해 물을 재흡수 한다. S2 분절에서는 유기 이온의 분비가 일어난다. OC; organic cation, AQP1; aquaporin-1.

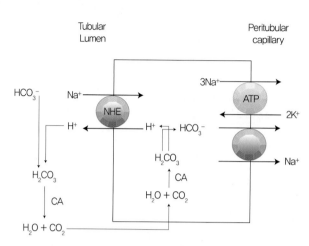

그림 1-3-3. 근위세관세포에서 중탄산염의 재흡수 기전

나트륨의 재흡수와 동시에 수소 이온의 배설이 이루어지고, 탄산탈수효소에 의해 이산화탄소와 물로 분리되면 세포막을 통해 재흡수 된다. CA; carbonic anhydrase, NHE; Na⁺ -H⁺ exchanger

당, 아미노산, 구연산염(citrate), 유산염(lactate), 초산염(acetate), 인산염(phosphate)의 재흡수는 소듐과 동반되는 이차성 능동수송(secondary active transport)을 통해 재흡수된다(그림 1-3-2). 특히 근위세관에서 sodium-glucose cotransporter-2 (SGLT2)는 사구체에서 여과된 포도당의 90% 이상을 재흡수하는 수송체이다. 사구체에서 여과된 중탄산염은 분비된 수소 이온와 결합되어, 여과된 중탄산염의 90% 정도가 근위세관에서 재흡수 된다(그림 1-3-3). 그 외에 포타슘의 70%, 염소 및 칼슘 등이 재흡수된다. 또한 글루타민으로부터 암모늄(NH_4^+)이 생성되어 세관 내강으로 분비되는데 대사산증 및 저포타슘혈증이 있을 때 더욱 촉진된다. S2 분절에서는 유기 양이온 및 음이온들이 세관 내강으로 분비되며, 간에서 생성된 요산, 마뇨산염(hippurate), 옥살산염(oxalate), 담즙염 등도 이 경로로 배설되고, 신장을 통해 배설되는 살리실산염(salicylate), 바르비투르산염(barbiturate), 페니실린, 이뇨제 같은 약물도 또한 같은 경로로 배설된다. 특히 푸로세미드(furosemide), 티아지드(thiazide), 아밀로라이드(amiloride) 같은 이뇨제들은 근위세관에서 세관 내강으로 분비되어야 해당 작용 부위에 도달하여 약리 작용을 나타낼 수 있다.

헨레고리의 가는다리

1. 구조

바깥속질(outer medulla, OM)의 바깥줄무늬층(outer stripe)과 속줄무늬층(inner stripe)의 경계 부위에서 근위세관은 갑자기 가늘어지면서 헨레고리의 내림가는다리(descending thin limb, DTL)로 이행된다(그림 1-3-1). 짧은고리콩팥단위(short-looped nephron)에서는 내림가는다리(DTL)가 바깥속질과 속속질의 경계에서 헨레고리의 굵은오름다리(thick ascending limb, TAL)로 바로 이행되나, 긴고리콩팥단위(long-looped nephron)에서는 속속질까지 내려오는 내림가는다리(DTL)가 가는오름다리(ascending thin limb, ATL)로 이행된 이후 헨레고리의 굵은오름다리로 이행된다.

2. 기능

헨레고리의 가는다리는 소변의 농축 및 희석에 중요한 역할을 한다. 속속질에 위치한 내림가는다리(DTL)에는 수분통로단백인 AQP1이 발현하여 수분에 대한 투과성은 높으나, 용질에 대한 투과성은 상대적으로 낮다. 이로 인해 수분은 세관 내강에서 상대적으로 삼투질 농도가 높은 속질사이질(medullary interstitium) 쪽으로 이동하여 재흡수되며 이로 인해 세관액의 소듐 및 요소 농도는 증가하게 되고 세관액은 농축된다. 가는오름다리에서는 삼투압 경사에 의한 수분의 투과성은 낮고, 요소에 대한 투과성은 중간 정도이며, 소듐과 염소에 대한 투과성은 높다. 주위의 속속질 사이질의 소듐 농도는 세관액보다 낮고 요소 농도는 높으므로, 소듐과 염소는 세관 밖으로 이동하고, 요소는 세관 안으로 이동하나 투과성은 상대적으로 낮으므로 세관액이 희석된다. 따라서 가는오름다리의 모든 부위에서 세관액의 삼투압은 주위 사이질보다 낮다. 헨레고리의 가는다리에서는 사구체에서 여과된 수분의 15%정도가 재흡수된다.

원위세관

1. 구조

원위세관은 형태학적으로 확연히 구분되는 헨레고리의 굵은오름다리(thick ascending limb, TAL)와 원위곱슬세관(distal convoluted tubule, DCT) 두 부분으로 구성되어 있다. 굵은오름다리는 바깥속질굵은오름다리(medullary thick ascending limb, mTAL)와 겉질굵은오름다리(cortical thick ascending limb, cTAL)로 나누어지며 치밀반점(macula densa)을 지나자마자 원위곱슬세관(DCT)으로 이행된다. 치밀반점은 겉질굵은오름다리(cTAL)의 일부분이며, 사구체외메산지움(extraglomerular mesangium)과 맞닿아 있다.

2. 기능

헨레고리의 굵은오름다리(TAL)에서는 여과된 소듐의 25% 정도를 재흡수하고 있으며, 수분의 투과도가 극히 낮은 대신에 소듐, 포타슘, 및 염소가 재흡수된다. 이 부위의 주요 기능은 소변 농축을 위한 대항류증폭기전(counter-current multiplication)으로 속질사이질의 삼투질 농도를 높이는 것으로, 굵은오름다리 세관이 겉질에 도달하는 동안 세관액이 지속적으로 희석되어 세관액의 삼투질 농도가 150 mOsm/KgH$_2$O정도까지 감소된다. 굵은오름다리(TAL) 세포의 기저외측세포막에 위치하는 Na$^+$-K$^+$-ATPase는 소듐 농도의 경사를 유도하며, 내강세포막에는 소듐 수송체인 Na$^+$-K$^+$-2Cl$^-$cotransporter [NKCC2 혹은 bumetanide-sensitive cotransporter (BSC1)]를 통해 소듐, 포타슘, 염소 이온이 세포 내로 유입되며 재흡수된다(그림 1-3-4). 포타슘은 기저세포외측막에 발현하는 포타슘채널이나 KCl cotransporter에 의해 재흡수되기도 하지만, 세포 안으로 들어온 포타슘의 반 정도는 다시 내강세포막에 존재하는 선택적인 포타슘채널(inward rectifying potassium channel, Kir 1.1: ROMK)을 통하여 내강 쪽으로 분비되며, 이를 통해 내강은 사이질액보다 전기적

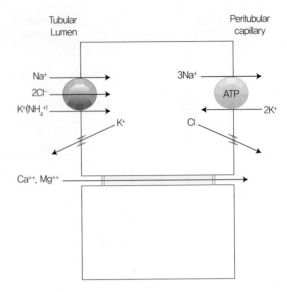

그림 1-3-4. 헨레고리의 굵은오름다리(thick ascending limb of Henle's loop, TAL) 세포

Na$^+$-K$^+$-2Cl$^-$ 수송체(bumetanide-sensitive contransporter, BSC)에 의해 나트륨, 칼륨과 염소가 재흡수된다.

으로 양전성(electropositive)이 되어, 다시 양이온들 즉, 칼슘, 마그네슘과 같은 양이온들이 세포와 세포사이로(para-cellular pathway) 수동적으로 재흡수 될 수 있는 조건을 만들어 준다. 기저외측세포막에는 염소 이온 채널(ClC-kb)이 존재하여 염소 이온이 재흡수된다. Lifton 등은 바터증후군(Bartter's syndrome)의 병인이 NKCC2를 발현하는 *SLC12A1* 유전자의 mutation이라고 밝힌 이후, ROMK(*KCNJ1* 유전자)나 ClC-kb(*CLCNKB* 유전자)의 mutation 또한 바터증후군을 유발하는 유전적 병인으로 보고하였다. Furosemide나 bumetanide와 같은 헨레고리의 굵은오름다리에 작용하는 이뇨제(loop diuretics)는 NKCC2를 억제하여 소듐의 재흡수를 억제하며 이뇨효과를 나타낸다.

칼슘의 재흡수는 TAL 전 부위를 통해 상피세포 사이를 통한 전위차에 의한 피동적 과정과 아직 경로가 확실히 알려지지 않은 능동적 과정을 통해 이루어지며, 사구체에서 여과된 칼슘의 25~30% 정도를 재흡수한다. 바깥속질굵은오름다리(mTAL)에서 칼슘의 재흡수는 주로 내강의 전기적 양전성에 의한 피동적인 이동이며, claudin-16과

claudin-19가 세포사이수송 통로를 형성한다고 알려져 있다. 바깥속질굵은오름다리(mTAL)에서는 calcitonin의 영향을 받는 반면에 겉질굵은오름다리(cTAL)의 칼슘재흡수는 능동적이며 부갑상선 호르몬(parathyroid hormone)의 영향을 받는다. cTAL은 마그네슘 재흡수에 중요한 부위이며, NKCC2 수송체에 의해 세관 내강이 양전위 우위로 되면 그에 의한 전기화학적 경사에 의해 피동적으로 재흡수된다. 헨레고리의 굵은오름다리(TAL)에서 칼슘의 재흡수로 인해 사이질의 칼슘농도는 증가되며, 이는 세포의 기저외측세포막에 발현하는 calcium-sensing receptor(CaSR)를 활성화 시킬 수 있다. 활성화된 CaSR는 NFAT5 (nuclear factor of activated T cell, member 5) 전사인자를 자극하여 TNF-alpha의 생산을 유도하고, 이를 통해 cyclooxygenase-2 (COX2)에 의한 PGE2 생산이 촉진된다. 그 결과 NKCC2, ROMK, Na^+-K^+-ATPase 등 수송체 활동이 억제된다.

원위곱슬세관(DCT)에서는 Na^+-Cl^--cotransporter (NCC)에 의해 여과된 소듐의 5% 정도를 재흡수하고 있으며 이는 주로 알도스테론에 의해서 조절된다. NCC를 발현하는 *SLC12A3* 유전자의 mutation은 지틀만증후군

(Giltelman's syndrome)을 유발하는 유전적 병인이다. 원위곱슬세관세포에서는 수분 투과성이 거의 없으므로 세관액이 더욱 희석되어 삼투질농도가 100 $mOsm/KgH_2O$까지 감소한다. 또한 calcitonin과 부갑상선호르몬에 의해 칼슘이 재흡수된다(그림 1-3-5).

연결세관

1. 구조

연결세관(connecting tubule, CNT)은 발생학적으로 다른 기원을 가진 원위곱슬세관(DCT)과 집합관(collecting duct, CD)을 연결하는 이행부위이며, 원위곱슬세관과 집합관에서 기원하는 4종류의 세포로 구성되어 있다. 그중 가장 특징적인 것은 연결세관세포로 원위세관세포와 집합관 주세포의 중간 형태를 띠고 있다.

2. 기능

부갑상선호르몬(PTH)의 영향에 의하여 칼슘의 재흡수가 이루어지나, 항이뇨호르몬(arginine vasopressin, AVP)에 의한 수분 투과도의 증가는 거의 없다. 알도스테론 영향 하에 소듐의 재흡수와 포타슘의 분비가 이루어진다.

집합관

1. 구조

집합관은 겉질에서 유두(papilla) 끝부분까지 분포하고, 겉질, 바깥속질, 속속질로 구분되며, 각각의 부위에 따라 구성세포가 다르다(그림 1-3-1). 겉질집합관(cortical collecting duct, CCD)은 집합관 시작부위(initial collecting duct, ICT)에서 출발하여 속질방사(medullary ray)를 통과하며, 주세포(principal cell, 그림 1-3-6)와 사이세포

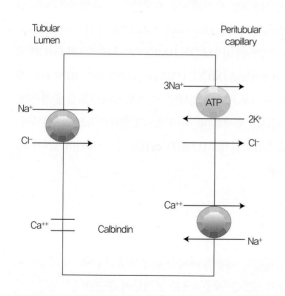

그림 1-3-5. 원위곱슬세관(distal convoluted tubule, DCT) 세포

Na^+-Cl^- 수송체(thiazide sensitive cotransporter)에 의해 나트륨이 재흡수된다.

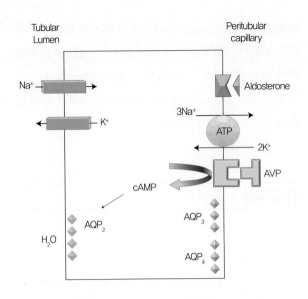

그림 1-3-6. 집합관(collecting duct, CD) 주세포(principal cell)

알도스테론의 작용으로 나트륨통로(epithelial sodium channel, ENaC)가 열려 나트륨이 재흡수되고, 이로 인한 전기화학적 경사에 의해 칼륨이 분비된다. 바소프레신 분비로 aquaporin-2를 내강세포막에 삽입시켜 물의 재흡수가 일어나게 된다. AQP, aquaporin; AVP, 바소프레신

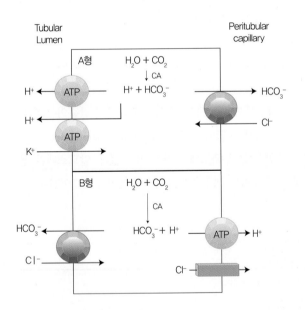

그림 1-3-7. A형(위) 및 B형(아래) 사이세포(intercalated cell)

수소 이온 및 중탄산염의 분비가 일어나며, H⁺-ATPase 및 음이온교환자의 위치가 반대로 되어 있다. H⁺-K⁺-ATPase는 칼륨 결핍 시 칼륨의 재흡수에 관여한다.

(intercalated cell)로 구성되어 있다(그림 1-3-7). 겉질집합관 전체 세포의 2/3 정도가 주세포이며, 나머지 1/3은 사이세포이다. 사이세포는 형태학적으로 명확히 구분되는 A

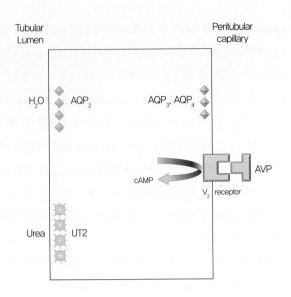

그림 1-3-8. 속속질집합관(inner medullary collecting duct, IMCD) 세포

바소프레신 분비는 aquaporin을 통한 물의 재흡수와, 요소수송체(urea transporter)를 통해 요소의 재흡수에 영향을 준다. AQP; aquaporin, UT2; urea transporter-2

형(α cell) 및 B형 세포(β cell)로 구성되어 있다. 바깥속질집합관(outer medullary collecting duct, OMCD)은 겉질집합관과 같이 2/3의 주세포와 1/3의 사이세포로 구성되어 있으며 A형 사이세포만 존재한다. 속속질집합관(inner medullary collecting duct, IMCD)은 초반 1/3의 IMCD 시작부위(initial IMCD, iIMCD)와 후반 2/3의 IMCD 끝부위(terminal IMCD, tIMCD)로 구분되며, iIMCD는 대부분 주세포로만 구성되며 약간의 사이세포가 존재한다. tIMCD는 주세포 및 사이세포와 형태학적으로 구분되는 속속질집합관세포(IMCD cell)로만 구성되어 있다(그림 1-3-8).

2. 기능

집합관은 세관의 마지막 부분으로 세관액, 즉 소변량과 소변의 성분을 최종적으로 조절하며 결정한다.

1) 수분 재흡수

집합관의 수분 재흡수에는 수분통로단백질인 aquaporin-2, -3, -4가 관여한다. Aquaporin-2 (AQP2)는 겉질부터 유두 끝부분까지 주세포와 속속질 집합관세포의 내강세포막 및 세포질 소포체막에 존재하며, aquaporin-3 (AQP3)는 동일한 세포의 기저외측세포막에 발현한다. 이에 반해 aquaporin-4 (AQP4)는 주로 바깥속질의 속줄무늬층(inner stripe of outer medulla) 및 IMCD 시작부위(iIMCD) 주세포의 기저외측세포막에서 발현된다. 집합관의 수분 재흡수는 세관 내강과 속질 사이질의 삼투질 농도 차이에 의해서 일어나며, 이 과정은 주로 항이뇨호르몬(anti-diuretic hormone, ADH)인 바소프레신(vasopressin)에 의해 조절되며, 옥시토신(oxytocin)도 일부 관여하고 있다. 바소프레신 분비가 없는 상태에서 집합관 주세포 및 속속질 집합관세포는 수분 투과도가 거의 없으나, 바소프레신이나 옥시토신이 기저외측세포막의 V2 수용체와 결합되면 내강세포막으로 AQP2 단백질이 삽입되며 AQP2 단백질 양 또한 증가되어 수분 투과도가 증가한다.

2) 수소 이온 및 중탄산염의 운반

겉질에서 속질에 이르는 집합관 전체에서 수소 이온의 운반이 일어나며, 수소 이온 배설을 세밀하게 조절한다. 겉질 집합관의 경우, 사이세포의 세포질에 제2형 탄산탈수효소(carbonic anhydrase II)가 존재하여 수소 이온과 중탄산염을 만들고, A형 사이세포의 내강세포막에는 H$^+$-ATPase가, 기저외측세포막에는 band 3 단백질로 알려진 음이온교환단백질(anion exchanger)인 Cl$^-$-HCO$_3$$^-$교환체가 위치한다. B형 사이세포에는 반대로 내강세포막에는 pendrin이라는 음이온 교환체가, 기저외측세포막에는 H$^+$-ATPase가 위치하여 A형 사이세포와 비교하여 반대 기능을 한다(그림 1-3-7). 각 수송체의 위치와 기능으로 보아 A형 사이세포는 수소 이온의 배설에, B형 사이세포는 중탄산염의 배설에 관여하는 것으로 알려져 있다. 바깥속질 집합관의 경우에도 사이세포는 수소 이온의 분비를 담당하고 있으며, 속속질집합관 또한, 수송체의 존재가 규명되어 있지 않으나, 기능적 연구에서 속속질집합관을 따라 pH가 감소되는 것으로 보아 수소 이온 분비가 있는 것으로 생각하고 있다.

3) 요소 운반

겉질집합관 및 바깥속질집합관은 바소프레신의 존재에 무관하게 요소에 대한 투과성이 낮으나, IMCD 끝부분(tIMCD)에서는 바소프레신에 반응하여 요소 재흡수가 증가되며, 이로 인해 유두부 사이질의 삼투질농도가 증가하여 소변의 농축에 관여한다.

4) 소듐과 포타슘의 운반

집합관에서 소듐 및 포타슘의 운반은 알도스테론의 영향을 받는다. 전체 소듐 재흡수의 3% 정도만이 집합관에서 재흡수되어 양적으로는 다른 세관분절에 비해 적으나, 바로 이 부위에서 체내 소듐 배설의 세밀한 조절이 일어난다. 알도스테론은 주세포에 작용하여 내강세포막의 소듐통로(epithelial sodium channel, ENaC)의 내강세포막 발현 및 단백질 양을 증가시켜 소듐의 재흡수를 촉진한다. ENaC을 통한 소듐 재흡수는 이전의 소듐 재흡수와 달리 내강세포막을 음전위로 만드는 전위차를 형성하고, 그로 인해 세포 안의 포타슘이 내강세포막의 포타슘통로를 통해 분비된다(그림 1-3-6). 그러므로 알도스테론이 작용하면 소듐이 재흡수되는 동시에 포타슘이 분비되게 된다. 포타슘 결핍이 있을 때, 사이세포에서도 H$^+$-K$^+$-ATPase를 통하여 포타슘을 재흡수한다(그림 1-3-7). 이 경로는 사이세포가 발현하는 겉질집합관 및 바깥속질집합관에서만 일어난다.

세관에서의 수분 및 소듐의 재흡수와 관계된 물질수송체

1. 수분의 재흡수

정상 성인의 1일 사구체 여과량은 150~180 L 정도이고 대부분이 재흡수되며, 1% 정도인 1~2 L만이 소변으로 배설된다. 수분의 재흡수는 세관 분절에 따라 차이가 있다. 근위세관과 헨레고리의 가는내림다리에서는 삼투질농도 차이에 의해 수분이 재흡수되고, 원위세관에서는 수분의

재흡수가 거의 없으며, 집합관에서는 바소프레신의 분비 및 자극이 있을 때에만 수분이 재흡수된다. 세포막을 통해 많은 양의 물을 빠르게 운반하기 위해서는 세포막에 수분통로(water channel: aquaporin)의 발현이 필요하다. 세관 상피세포에는 현재까지 7가지 아형의 수분통로단백질이 주로 존재하며(AQP1, −2, −3, −4, −6, −7, −11), 이들 중 AQP1, −2, −3, −4의 4가지 아형들이 소변농축과정에서 중요한 역할을 한다. 이들의 발현 위치 및 특성은 각 세관 분절의 수분 재흡수 특성과 일치한다. 삼투질농도 경사에 의해서 수분의 재흡수가 일어나는 근위세관과 헨레고리의 가는내림다리 상피세포의 내강세포막 및 기저외측세포막에는 AQP1이 분포하는데, AQP은 이온채널과는 달리 개폐(gating)보다는 열려있는 채널로서 물의 이동 방향은 삼투질 농도가 낮은 쪽에서 높은 쪽으로 이동한다. 헨레고리의 오름다리과 원위곱슬세관에는 AQP이 분포하지 않으며, 따라서 이들 세관 분절에서는 수분 재흡수는 거의 없다. 집합관주세포 및 속속질집합관세포의 내강세포막에는 AQP2, 그리고 기저외측세포막에는 AQP3와 AQP4가 분포한다. 바소프레신의 자극이 없을 때 AQP2는 주로 세포질 소포체(vesicle) 막에 분포하다가, 바소프레신이 분비되어 기저외측세포막의 바소프레신 수용체인 V2 수용체에 결합되면, 소포체가 내강세포막으로 삽입되어 내강세포막에 수분통로인 AQP2의 발현이 증가하여 수분의 재흡수가 일어나게 된다. 세포로 들어온 물은 기저외측세포막에서 발현되는 AQP3와 AQP4를 통해 사이질로 유출되어 체내로 재흡수된다.

체내 수분대사 항상성 유지는 주로 바소프레신에 의한 세관 수분통로단백질의 조절을 통해 이루어지며, 특히 바소프레신에 의해 영향을 받는 집합관 상피세포의 AQP2 발현조절이 중요한 역할을 한다. 바소프레신의 분비를 조절하는 주된 인자는 혈장 삼투질 농도와 혈액 양의 변화이며, 통증, 스트레스, 오심(nausea), 그리고 nicotine이나 narcotics와 같은 약물도 관여한다. AQP2 조절 이상은 신성요붕증(nephrogenic diabetes insipidus, NDI)과 같이 다뇨와 소변농축능력 장애를 특징으로 하는 질환을 유발한다. 또한 바소프레신 농도가 증가되는 조건에서 바소프

레신이탈(vasopressin−escape) 현상이 나타나지 않는 경우 수분저류 및 세포외액양의 증가 등(고혈압, 전신 부종 등)이 초래되기도 한다. 체내수분대사에서 AQP2 역할의 중요성을 나타낸 예로서, 1) 다뇨와 소변농축능력 장애를 보이는 환자에서 AQP2 mutation이 보고되어 소변농축능력 장애요인 중 하나가 집합관에서 바소프레신에 반응하지 않는 AQP2임을 알게 되었으며, 2) 리튬 치료, 저포타슘혈증, 고칼슘혈증 등 이차성 원인의 신성요붕증 실험모델에서 AQP2 단백 발현의 감소가 관찰되었고, 3) 특히 AQP2 유전자 결손마우스 모델에서 소변농축능력 장애가 재확인되었다.

2. 소듐의 재흡수

소듐은 사구체 여과량의 0.5~1% 정도만이 소변으로 배설된다. 전체 여과량의 67% 정도가 근위세관에서, 25% 정도가 헨레고리의 굵은오름다리에서, 5%가 원위곱슬세관에서 재흡수되며 나머지 3% 정도는 집합관에서 재흡수된다. 소듐 이온은 전하를 띠고 있어서 세포막을 통과하지 못하므로 소듐 수송체 또는 통로를 통하여 재흡수된다. 이뇨제는 소듐의 배설을 촉진하는 약물로서 삼투성 이뇨제인 만니톨 등을 제외하고는 각각의 세관 분절에 분포하는 소듐 수송체, 통로 혹은 소듐 재흡수와 관계된 효소를 특이적으로 억제하여 그 작용을 나타내게 된다. 임상적으로 중요하게 사용되는 이뇨제 중에서 헨레고리의 굵은오름다리에 작용하는 이뇨제인 푸로세마이드(furosemide)는 TAL 세포의 내강세포막에 발현하는 소듐 수송체인 $Na^+−K^+−2Cl^−$−cotransporter (NKCC2 혹은 BSC1)와 결합하여 소듐의 재흡수를 억제하고, 타이아자이드(thiazide)는 원위곱슬세관세포의 내강세포막에 분포하는 소듐 수송체인 $Na^+−Cl^−$−cotransporter (NCC 혹은 thiazide−sensitive $Na^+−Cl^−$−cotransporter, TSC)를 억제하며, 아밀로라이드(amiloride), 트리암테렌(triamterene)은 집합관의 주세포 내강세포막에 발현하는 소듐 통로(epithelial sodium channel, ENaC)를 억제하여 소듐 배설을 촉진함으로써 이뇨 작용을 나타낸다. 또한 이들 약물은 내강세포막에 작

용해야 하므로 세관 내강으로 배설되어야 하는데, 정상인에서는 단백질 결합으로 인하여 약물의 사구체 여과가 거의 일어나지 않으므로, 근위세관세포를 통해 내강으로 분비되어야 약리 작용을 나타낼 수 있다.

사이질

오랫동안 사이질(interstitium)은 세관과 혈관 사이에서 물질의 재흡수와 분비과정이 일어나는 해부학적 구조 혹은 단순히 세관을 구조적으로 지지하는 조직 정도로만 이해되어 왔으며, 사구체와 세관에 비해 사이질의 생리학적인 역할에 관해 큰 관심을 가지지 않았다. 그러나 만성콩팥병 진행과정에서 사이질 섬유화(interstitial fibrosis)의 역할이 알려지면서 그 중요성이 인식되었고, 사이질 세포가 조혈호르몬인 에리스로포이에틴(erythropoietin, EPO)과 renin을 분비하는 내분비 기능이 있다는 것이 밝혀지면서 큰 관심을 가지게 되었다. 특히 체내 EPO의 90%는 신장 사이질 섬유아세포(renal interstitial fibroblast)에서 생산되고 10%정도만 간 등 신장 외 조직에서 생산된다. EPO는 골수에서 적혈구전구세포(erythroid progenitor cell)의 생존, 증식, 분화를 통해 조혈을 자극하는 중요한 역할을 한다. 또한 사이질은 요농축에 필요한 피질–수질 삼투질농도 경사(cortico–medullary osmotic gradient) 형성 등 신장의 기능적 분획을 담당하고 있으며, 세관–사구체 되먹임(tubuloglomerular feedback)을 통한 사구체여과율 조절, 신장세포의 성장과 분화, 신장혈관의 순응도(compliance) 조절 및 프로스타그란딘의 생성 등에도 관여하고 있다.

요약

신체의 수분 및 전해질 대사 조절과 항상성은 세포의 건강한 활동을 위하여 반드시 필요하며, 이를 통하여 생명 활동을 유지할 수 있다. 콩팥은 신체의 수분, 전해질, 산–

염기대사의 조절을 담당하고 있는 중요한 장기이며, 이를 위해 사구체에서는 혈액성분이 여과되고, 여과액은 세관에서 재흡수 및 분비의 과정을 거치게 된다. 세관은 각기 다른 기능을 가지고 있는 분절로 구성된 하나의 통로로서, 그 구성부위는 사구체로부터 근위세관, 헨레고리의 가는 다리, 원위세관, 연결세관, 그리고 집합관으로 이루어져 있다. 수분 및 전해질의 재흡수 및 분비는 세관을 구성하고 있는 분절별로 서로 다르며, 수분 및 전해질 대사를 조절하는 조절인자들(호르몬, 신경, local factor 등) 또한 각기 다른 분절에서 영향을 주고 있다. 세관 기능에 관한 연구의 발전은 미세천자법(micropuncture technique)을 이용하여 소변의 농축 및 희석에 관한 개략적인 기전을 연구하던 시절에서, 세관의 현미경박리(microdissection) 및 미량관류법(microperfusion technique)으로 각 부위의 기능을 연구하던 시절을 거쳐 세관에 발현하는 수분통로단백질 및 전해질수송체들을 밝히는 분자생물학의 시대가 되면서 신장생리학이 분자세포생물학과 결합되어 더 넓은 관점에서 세관의 기능을 재조명할 수 있게 되었다. 이를 바탕으로 요붕증과 같은 다뇨와 소변농축능력 장애를 나타내는 질환에서부터 고혈압과 전신부종 등 신체수분대사 장애를 동반하는 질환까지 세관의 수분통로단백질 및 전해질수송체들의 발현 변화 및 역할을 연구함으로써 병인 혹은 치료의 관점에서 이들의 조절기전연구가 중요하게 되었다. 또한 전사체, 단백질체, 대사체 분석 기법의 발전으로 인해 생리학적인 측면에서 세관 상피세포의 기능과 변화를 더 깊게 연구할 수 있을 뿐만 아니라, 병태생리학적인 면에서 질환의 중요한 병인기전을 파악할 수 있게 되었다. 또한 유전자 가위 기반의 유전체 편집기술을 이용하여 세포 내 특정 유전자를 결손시키거나 혹은 도입함으로써 특정 단백질의 병태생리적 역할을 더 용이하게 연구할 수 있게 되었다. 더욱이 시스템생물학, 인공지능, 빅데이터 등 신장기능을 통합적으로 이해할 수 있는 새로운 연구기법들이 개발됨으로써 신장생리학 및 병태생리학 분야에서 더 활발한 융복합연구가 기대된다. 콩팥에서 사구체여과, 재흡수 및 분비를 거쳐 만들어진 소변은 콩팥의 생리학적인 현상을 연구하기에 좋은 샘플일 뿐만 아니라 질환의 진단바이오마커 발굴에도 사용될 수 있으므로 소변으로 배출되는 세포외 소포체(extracellular vesicles)의 분석을 위한 새로운 연구방법도 개발되고 있다.

▶ 참고문헌

• Blijdrop CJ, et al: Comparing Approaches to Normalize, Quantify, and Characterize Urinary Extracellular Vesicles. J Am Soc Nephrol 32:1210–1226, 2021.

• Choi HJ, et al: Patterns of gene and metabolite define the effects of extracellular osmolality on kidney collecting duct. J Proteome Res 11:3816–3828, 2012.

• Danziger J, et al: Osmotic homeostasis. Clin J Am Soc Nephrol 10:852–862, 2015.

• Ellison DH: Clinical Pharmacology in Diuretic Use. Clin J Am Soc Nephrol 14:1248–1257, 2019.

• Fenton RA, et al: Molecular physiology of the medullary collecting duct. Compr Physiol 1:1031–1056, 2011.

• Gonzalez–Vincente A, et al: Thick ascending limb sodium transport in the pathogenesis of hypertension. Physiol Rev 99:235–309, 2019.

• Hamm LL, et al: Acid–Base Homeostasis. Clin J Am Soc Nephrol 10:2232–2242, 2015.

• Hoorn EJ, et al: Regulation of the renal NaCl cotransporter and its role in potassium homeostasis. Physiol Rev 100:321–356, 2020.

• Jung HJ, et al: Molecular mechanisms regulating aquaporin–2 in kidney collecting duct. Am J Physiol Renal Physiol 311:F1318–F1328, 2016.

• Jung HJ, et al: New insights into the transcriptional regulation of aquaporin–2 and the treatment of X–linked hereditary nephrogenic diabetes insipidus. Kidney Res Clin Pract 38:145–158, 2019.

• Knepper MA, et al: Molecular physiology of water balance. N Engl J Med 372:1349–1358, 2015.

• Kwon TH, et al: Regulation of sodium transporters in the thick ascending limb of rat kidney: response to angiotensin II. Am J Physiol Renal Physiol 285:F152–F165, 2003.

• McCormick JA, et al: Distal convoluted tubule. Compr Physiol 5:45–98, 2015.

• Palmer LG, et al: Integrated control of Na transport along the nephron. Clin J Am Soc Nephrol 10:676–687, 2015.

• Rossier BC, et al: Epithelial sodium transport and its control by aldosterone: the study of our internal environment revisited. Physiol Rev 95:297–340, 2015.

• Simon DB, et al: Bartter's syndrome, hypokalaemic alkalosis with hypercalciuria, is caused by mutations in the Na–K–2Cl cotransporter NKCC2. Nat Genet 12:183–188, 1996.

• Vallon V: Glucose transporters in the kidney in health and disease. Pflugers Arch 472:1345–1370, 2020.

• Zeisberg M, et al: Physiology of the renal interstitium. Clin J Am Soc Nephrol 10:1831–1840, 2015.

CHAPTER 04 콩팥 호르몬

하헌주 (이화여대 약학과)

KEY POINTS

- 새로운 콩팥 호르몬인 urotensin II, FGF23-klotho 및 thrombopoietin 소개
- 레닌-안지오텐신계에서 ACE2, AT2R 및 (pro)renin 수용체 추가
- 나트륨배설펩타이드인 urodilantin과 이들을 분해하는 neprilysin 소개
- 만성콩팥병에서 고려하여야 할 '호르몬의 콩팥에서 제거' 의의 강조
- 표 1-4-1과 그림 1-4-2 보완, 그림 1-4-1과 1-4-3 추가

Chapter 02와 03에서 설명된 콩팥의 기능을 유지하기 위하여, 콩팥은 다양한 호르몬의 직·간접 작용을 받는다 (표 1-4-1). 다른 기관/조직에서 생산되어 혈류를 따라 이동한 후 콩팥을 타겟으로 작용하는 호르몬인 안지오텐신 II (angiotensin II), 알도스테론(aldosterone), 항이뇨호르몬 (antidiuretic hormone, ADH), 심방나트륨배설펩타이드 (atrial natriuretic peptide, ANP), 부갑상샘호르몬 등(그림 1-4-1)이 잘 알려져 있다. 또한 콩팥에서 생산되는 레닌 (renin), 아데노신(adenosine), 프로스타글랜딘(prosta-glandin), 키닌(kinin), 적혈구형성호르몬(erythropoietin: EPO), 산화질소(nitric oxide, NO), 엔도텔린(endothelin), 비타민 D 등도 잘 알려져 있다. 최근 새로운 콩팥 호르몬으로서 유로텐신 II (urotensin II), ANP 유사물질인 유로딜라틴(urodilatin), 칼시토닌유전자관련펩타이드(calcito-nin gene-related peptide, CGRP) 중 하나인 아드레노메둘린(adrenomedullin)/인터메딘(intermedin), 무기질 골대사에 역할을 하는 섬유모세포성장인자 23 (fibroblast growth factor 23, FGF23)-클로토(Klotho), 혈소판형성호르몬(thrombopoietin) 등이 소개되고 있다. 또한 콩팥은 인슐린(insulin)이나 가스트린(gastrin) 등 체내 호르몬의 제거에도 중요한 역할을 하기 때문에, 콩팥병은 이들 호르몬의 기능에 영향을 주는 한편 호르몬제를 투여하여야 할 때에는 용량 조절이 필요하다.

레닌-안지오텐신계 (Renin-angiotensin system, RAS)

레닌은 당단백효소로서 콩팥의 사구체곁세포에서 합성되어 저장된다. 레닌 분비는 RAS의 활성을 결정하는 주요

표 1-4-1. 콩팥 호르몬

호르몬	작용점	효과
Adenosine	수입세동맥	혈관 수축, 세관사구체되먹임 조절
Aldosterone	원위세관/집합관	소듐/물 재흡수 증가, 포타슘 분비증가
Angiotensin II (AII)	수출세동맥 근위세관 원위세관	혈관 수축 소듐/물 재흡수 증가, 수소 분비 증가
Antidiuretic hormone (ADH)	원위세관/집합관	물 재흡수 증가
Atrial natriuretic peptide (ANP), BNP, Urodilantin	수입세동맥 원위세관/집합관	혈관 수축과 세관사구체되먹임 조절 염화나트륨 재흡수 감소
Calcitonin	세관	칼슘과 인 배설 증가
Endothelin (ET)	수입과 수출동맥 근위세관 집합관 근위세관과 집합관	혈관 수축과 사구체여과율 감소 농도에 따라 다른 효과 소듐/물 재흡수 억제 대사산증 보정
Erythropoietin	-	적혈구형성
FGF23-Klotho	근위세관 원위세관	인산염 재흡수 억제 칼슘, 소듐 재흡수 증가
Kinin	혈관계 원위세관	콩팥혈류량 증가 소듐/물 배설 증가
Nitric oxide (NO)	수입세동맥	혈관 이완과 세관사구체되먹임 조절
Parathyroid hormone (PTH)	근위세관 굵은오름다리/원위세관	인산염 재흡수 감소 칼슘 재흡수 증가
Prostaglandins	수입세동맥 사구체곁세포(PGI2, E2)	혈관 이완과 세관사구체되먹임 조절 레닌분비 증가
Thrombopoietin	-	혈소판형성
Urotensin II	혈관 세관	혈관수축과 사구체여과율 감소 소듐 재흡수 증가
Vitamin D	-	PTH 분비억제, 대장 칼슘과 인 흡수 증가, 인슐린분비/ 혈압/근육세포분화/ 면역반응 조절

단계인데, 여러 인자에 의하여 조절된다; i) 저혈압, 국소혈관수축, 콩팥혈관의 병리학적 변화 등 콩팥관류의 감소는 레닌 분비를 증가시킨다. ii) 혈관 내 유효용적이 감소되어 심방과 동맥의 압수용기 흥분이 감소되거나 또는 전해질 농도 변화 특히 저나트륨혈증에 의해서도 레닌 분비가 촉진된다. iii) 자율신경 활성, 부신속질의 카테콜아민(catechoamine) 분비도 레닌 분비에 영향을 미치는데, 특히 콩팥신경자극은 아드레날린성 β-수용체를 매개하여 레닌 분비를 증가시킨다. iv) 안지오텐신 II (AII)는 레닌 분비를 억제하는, 음성되먹임(negative feedback) 기전이 있다. 따라서, i)~iv)를 조절하는 여러 약들도 레닌 분비를 조절한다. 예를들어, 혈관확장약, β-아드레날린수용체 작용제, α-아드레날린수용체 길항제, 대부분의 이뇨제는 레닌 분비를 증가시킨다.

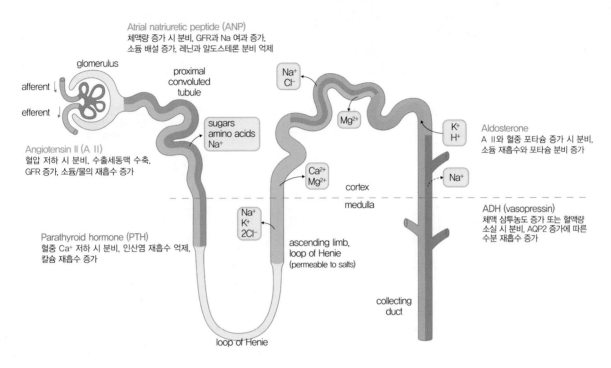

그림 1-4-1. 세관 기능 조절 호르몬

전구레닌(prorenin)은 활성형 레닌보다 더 빠르고 오래 동안 분비되고, 혈중 전구레닌과 그 고유수용체인 (전구) 레닌수용체[(pro)renin receptor, PRR]의 기능과 역할이 점차 밝혀지고 있다.

분비된 레닌은 간에서 생산된 α2-글로불린의 일종인 혈중 안지오텐시노젠(angiotensinogen)을 분해하여 10개의 아미노산으로 구성된 안지오텐신 I (AI)을 만든다. 다이펩 타이드 펩타이드카복시말단분해효소(dipeptidyl carboxy-peptidase)인 안지오텐신 전환효소(angiotensin converting enzyme, ACE)는 AI을 활성형 AII로 전환시키고, 주로 폐의 모세혈관에 존재하지만 혈관내피세포나 콩팥 상피세포에도 존재한다(그림 1-4-2).

AII는 AII 수용체(angtiotensin receptor type 1, AT1R) 활성화를 통하여 혈압, 전해질 및 체액량을 조절한다. 즉, 혈관평활근 수축, 세관 상피세포 특히 근위 및 원위세관에서의 전해질 이동, 중추 및 말초교감신경계의 활성화[카테콜아민 분비와 회수(reuptake)], 알도스테론 분비 그리고

갈증 조절 등이다. AII가 작용한 결과로 말초저항과 혈압이 증가되고 소듐 재흡수가 증가하므로, 혈압이 낮거나 혈액량이 감소된 상황에서 RAS의 활성화는 혈압과 혈액량을 정상으로 되돌리는데 크게 기여한다. 일부 신성고혈압에서 RAS 구성물질의 농도가 증가하고 강화된 작용을 보여, RAS의 활성증가가 고혈압의 원인이 될 수 있음을 시사한다.

ACE2는 AII C-말단의 페닐알라닌(phenylalanin)을 절단하여 안지오텐신 1-7을 생산하는데 세관상피세포와 발세포에 발현하고 있다. AII가 AT2R과 결합하거나 안지오텐신 1-7이 그 고유수용체인 Mas에 결합하면 AII에 의한 소듐재흡수를 중화하고, 혈관이완, 항염증 및 항섬유화 작용을 나타낸다.

한편, 전구레닌과 레닌은 PRR에 결합하여 세포내 신호전달계를 활성화함으로써 만성염증반응과 조직섬유화를 비롯한 조직재구성에도 관여하고, 이 작용은 AII 생산과 독립적으로 진행된다(그림 1-4-3).

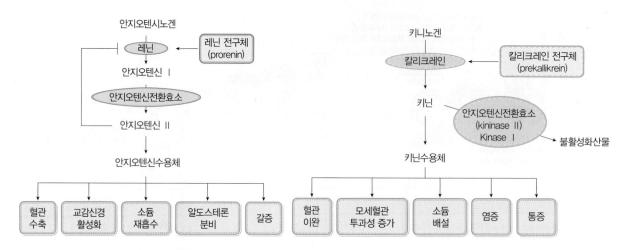

그림 1-4-2. 레닌-안지오텐신계와 칼리크레인-키닌계

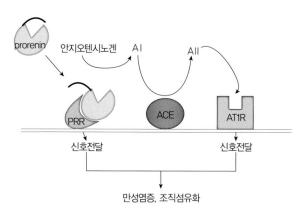

그림 1-4-3. Prorenin 수용체의 역할

AI: 안지오텐신 I, AII: 안지오텐신 II, ACE: 안지오텐신전환효소, AT1R: 안지오텐신수용체 타입 1, PRR:(pro)renin receptor

1. 안지오텐신에 의한 사구체여과율과 소듐 재흡수 조절(그림 1-4-1)

AII는 혈관평활근 안지오텐신 수용체를 통해 수출세동맥의 수축을 일으키며 수입세동맥에 대한 효과는 크지 않다. 수출세동맥 수축에 의한 콩팥혈류 감소는 특히 속질에서의 혈류를 감소시켜 헨레고리에서 염분 재흡수를 증가시키고 나아가 모든 세관에서 염분과 물의 재흡수를 증가시킨다. AII는 세관세포 안지오텐신 수용체를 통하여 직접 소듐 재흡수를 촉진한다. 한편, AII는 혈관의 아드레날린

성신경계 기능항진을 통해서도 혈관평활근을 수축시킨다. 근위 및 원위세관 세포는 풍부한 교감신경 지배를 받고 있으므로, AII는 아드레날린성 신경계기능항진을 경유하여서도 소듐 재흡수를 촉진한다. 중추신경계에도 독립적으로 기능하는 RAS가 존재하고, 이는 염 또는 물 섭취욕구를 조절하는 의의를 갖는다.

2. RAS의 국소 음성되먹임

레닌 분비는 AII에 의하여 음성되먹임기전을 통해 조절된다. 국소에서 일어나는 RAS의 짧은고리조절기전은 신성고혈압 유지에 관련되어 있고, 유전성고혈압흰쥐에서도 이 음성되먹임조절기전이 억제되어 RAS 작용이 항진되어 있다.

3. 다른 호르몬에 의한 RAS 조절(아래 참조)

심방나트륨배설펩타이드(ANP)는 RAS의 생리적 길항제이다. 즉, ANP는 AII에 의한 혈관수축 및 혈압상승, 알도스테론 분비, 레닌 분비에 대한 음성되먹임 효과를 억제하고 직접 콩팥에 작용하여 이뇨효과를 냄으로써 소듐 저류를 억제한다. 콩팥속질(또는 유두부)에는 프로스타글랜딘

이외에 혈압을 떨어뜨리는 다른 물질이 존재하여 AII 작용을 억제하고, 이 조절 기전이 잘 작동하지 못하면 콩팥 내 AII 기능이 강화된다. 한편, 칼리크레인(kallikrein)은 전구레닌을 활성화하는 물질로 짐작되지만, 이 작용의 생리적 의의는 현재 연구 중이다.

심방나트륨배설펩타이드
(Atrial natriuretic peptide, ANP)

심혈관계가 압력조절기라면 콩팥은 체액량조절기이다. 두 기관은 서로 다른 효과기이면서 또 각각에서 생성된 신호를 통해 끊임없이 교신함으로써 떨어져 있는 서로에게 영향을 주어 개체의 최대 목표인 항상성을 이루고자 한다. 콩팥의 기능은 적정한 혈압에 의해, 그리고 심장의 기능은 적정한 체액량에 의해 조절된다. 이때 주요한 신호는 심방이 분비하는 ANP와 콩팥이 분비하는 레닌이다. 1981년 De Bold 등은 흰쥐에서 심방 추출물을 정맥 내에 투여하여 신속하고도 강력한 소듐과 물 이뇨효과를 발견하였다. 심방의 ANP mRNA는 심방내 전체 mRNA의 1~5%로 높은 발현을 보인다. ANP 유전자발현은 심장내압력 및 체액량 증가, 심실 또는 심방의 확장, 그리고 몇 가지 다른 호르몬 자극에 의하여 증가한다. 심실의 ANP mRNA는 생후 1~2주 동안까지 태생기에서와 마찬가지로 유지되지만 그 이후 소멸한다. 그러나 심실 확장이 동반되는 질병 또는 기계적인 자극이 있을 때, 심실근 세포의 ANP 유전자는 가역적으로 다시 표현된다.

ANP는 신호펩타이드(signal peptide)를 갖는 150~152개의 전전호르몬(preprohormone)으로 합성되어 126개의 전호르몬(prohormone)으로서 분비성과립에 저장된 후, 적절한 자극에 의하여 분비된다. 혈중 ANP는 전호르몬의 세포외배출(exocytosis) 과정에서 활성화된, 전호르몬 C-말단의 24~28개 아미노산으로 이루어진 펩타이드이다. ANP는 17개의 아미노산으로 구성된 이황화고리구조[두개의 시스테인(cystein) 분자에 의한 고리구조]를 갖는데, 이는 생리기능발현에 필수적이다.

ANP와 구조적으로 유사한 BNP (brain natriuretic peptide), CNP (C-type natriuretic peptide) 및 유로딜라틴이 있으며, 이들 유사체의 기능 역시 소듐배설효과를 지닌다.

1. ANP 분포, 수용체와 대사

ANP를 함유한 특수분비성과립 수 및 농도는 좌·우측 심방에 차이가 있으며, 심방내에서는 내막보다는 외막 쪽에 더 많다. ANP의 계통발생학적인 분포는 하등 원구류(cyclostomata)에서부터 어류, 개구리, 뱀, 포유류에 이르기까지 광범한 분포를 보인다. ANP는 생물의 진화과정 중 일찍이 나타나기 시작하여 생리적인 여러 조절기전에 참여하였을 것으로 생각된다. ANP는 처음 발견된 심방 이외에도 그 함량이 많지는 않으나 심실, 중추 및 말초 신경계, 면역계, 폐 등에서도 합성된다. ANP 수용체는 심장과 콩팥 이외에도 뇌, 부신, 간, 장, 눈 등에 널리 분포한다. ANP등 소듐배설펩타이드의 수용체는 NPR-A, NPR-B, NPR-C가 있으며, NPR-A와 NPR-B는 cGMP를 통하여 생물학적 효과를 나타낸다. NPR-C는 소듐배설펩타이드의 제거수용체이다.

소듐배설펩타이드는 콩팥, 간, 폐에 존재하는 펩타이드 내부분해효소(endopeptidase)인 네프릴리신(neprilysin, NEP 24.11)에 의하여 대사되어 그 반감기는 짧다. 따라서, 네프릴리신 저해제는 ANP와 BNP의 혈중 농도를 증가시켜 소듐배설 증가와 혈관 확장을 유발한다. 그러나 동시에 네프릴리신 저해제는 레닌 분비와 그에 따른 AII 농도 증가를 일으키기 때문에 단독요법으로는 심부전에 효과적이지 못하다. 현재 네프릴리신 저해와 동시에 혈중 AII를 차단하는 두 가지 약물의 조합약이 개발되었다.

2. ANP의 생리 기능

체액량 증가는 순환 ANP 농도증가를 일으켜 콩팥의 소듐 및 물 배설을 촉진한다. 지금까지 알려진 ANP의 효과는 i) 콩팥에서 소듐 이뇨 및 수분 이뇨, ii) 콩팥의 레닌 분비 억제, iii) 부신 겉질의 알도스테론 분비 억제, iv) 혈관 이완, v) 혈관내 물의 사이질로의 이동 등이다. 즉, ANP는 RAS의 생리적 길항계로서 고혈압을 비롯한 심혈관질환의 병태생리와 관련이 있을 것으로 생각된다. ANP는 뇌하수체후엽으로부터의 항이뇨호르몬 분비를 억제한다. ANP의 중추신경계내 존재는 중추를 경유하는 기전, 심장의 심실전도계에서의 존재는 심장의 신호전달기전, 난소내 존재는 배란과의 관련 등을 시사한다.

3. BNP, CNP 그리고 유로딜라틴

BNP는 ANP처럼 주로 심장에서 합성되고, 분비 역시 체액량과 관계가 있다. BNP는 ANP처럼 소듐 배설, 이뇨 및 혈압 하강 효과를 나타내지만, 혈중 농도는 ANP보다 낮다.

CNP는 주로 중추신경계에 존재하지만 혈관내피세포와 콩팥 등에도 존재한다. 혈중에는 CNP가 거의 없다. CNP는 ANP, BNP보다 소듐배설과 이뇨작용은 약하고 혈관확장 작용은 강하다.

유로딜라틴은 콩팥의 원위세관에서 ANP 전구물질로부터 다른 경로로 합성되고, 강력한 소듐 배설작용과 이뇨작용, 혈관 확장작용을 지닌다.

알도스테론

알도스테론은 부신겉질 사구체층(zona glomerulosa)에서 분비되는 전해질조절호르몬이다. 알도스테론은 콩팥의 원위세관과 집합관에서 소듐 재흡수를 증가시키고 이어서 삼투현상에 의한 물 재흡수도 증가시키며 포타슘과 다른 양이온 배설을 촉진시킨다. 내장, 타액선, 땀샘에서도 알도스테론은 비슷한 기전으로 이온과 물 수송에 관여한다.

알도스테론 생성과 분비는 다양한 기전에 의하여 조절된다; i) 혈액내 소듐 결핍과 포타슘 상승은 사구체층세포를 직접 자극하여 알도스테론 분비를 촉진한다. ii) AII는 알도스테론 분비를 자극한다. iii) 뇌하수체에서 분비된

ACTH도 알도스테론 분비를 촉진한다. ACTH는 사구체층세포의 급격한 활성화를 유도하지만, 자주 발생하는 ACTH 자극에 대해서는 분비반응이 점차 약화되는 빠른 내성(tachyphylaxis)이 동반되며, 이는 ACTH 수용체의 둔화 또는 수용체 수의 감소 등에 기인한다.

항이뇨호르몬 (Antidiuretic hormone, ADH)

ADH는 시상하부에서 합성되어 뇌하수체후엽에서 분비되는 9개의 아미노산으로 구성된 환펩타이드(cyclic peptide)이다. ADH는 혈장삼투압이 증가하거나 혈액량이 감소하면 분비된다. 심방은 특히 낮은 압력 및 용적 변동을 감지하여 구심성 미주신경을 경유하여 중추에 신호를 보내 뇌하수체후엽의 ADH를 분비한다. 경동맥동의 긴장도에 따른 ADH 분비 조절도 비슷한 경로를 취한다(그림 1-4-4).

ADH는 콩팥내 집합관의 물 투과성을 높여 소변을 농축한다(그림 1-4-4). 집합관 상피세포는 ADH의 작용이 없다면 물 투과성이 없으며, ADH가 있어야만 물 투과성이 늘어나 물을 재흡수한다. 즉, 체액이 고장성일 때 분비된 ADH는 농축된 소변을 만들어 가능한 한 물 손실을 작게 하고 그 결과 삼투부하를 감소시킨다. 반대로 저장성 체액 상태에서는 ADH 분비가 억제되어 물 배설이 증가한다. 알코올 섭취 등 삼투력과 무관한 경우에도 ADH 분비 억제로 인해 집합관 상피세포의 물 투과성이 저하되어 소변은 완전히 농축되지 못하고 이뇨효과를 낸다. 대량의 ADH를 주입하면 동맥이 수축되어 혈압을 높이고, 이러한 이유로 인해 ADH를 바소프레신(arginine vasopressin, AVP)이라 부르기도 한다. 과도한 출혈이나 쇼크 상태처럼 혈압이 현저히 떨어지면 ADH 분비가 증가되어 혈압을 올린다.

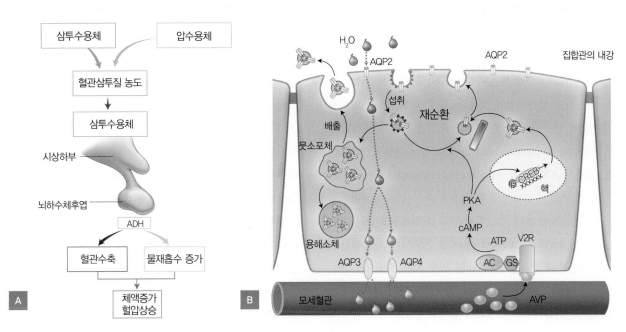

그림 1-4-4. ADH 분비(A)와 AQP2를 통한 물 재흡수(B)

1. 삼투수용체와 용적 조절

체액삼투농도감지기는 체액의 현재 삼투압을, 체액용적 감지장치는 혈관의 충만정도와 혈압을 감지하여 그 신호를 시상하부의 ADH 생산세포에 전달한다. 혈액삼투압은 주로 시상하부에서 감지되며, ADH 생산세포가 곧 삼투수용기인 듯하다. 위장관과 간 사이 문맥계에도 삼투농도 감지기가 있다는 증거가 있어, 국소삼투농도를 시상하부로 전달한다. 압수용체는 경동맥과 대동맥궁 즉, 혈압이 높은 곳에 존재하는데 반하여, 용적수용체는 흉곽내 혈압이 낮은 부위와 심방내에 존재한다. ADH 분비는 이 용적수용체에 의해 미세하게 조율되어, 용적수용체 부위에서 감지할 만한 변화를 초래할 경우, 예를 들면 개체가 서거나 누울 때 혈중 ADH는 증가되거나 감소된다(Gauer-Henry reflex).

2. 수분통로(Aquaporin, AQP)

AQP는 현재까지 13개 아형이 발견되었으며, 콩팥에는 8가지 아형(AQP1, 2, 3, 4, 6, 7, 8, 11)이 존재한다. AQP1은 근위세관과 헨레고리의 내림가는다리에 존재하여 대항류증폭기전(counter-current multiplication)에 공헌하고, AQP2는 주로 집합관 주세포의 내강세포막에 존재하여 물의 재흡수 정도를 결정하는 ADH의 조절을 받는다. ADH에 의한 V2 수용체 활성화는 Gs 단백을 경유하는 아데닐산고리화효소(adenylyl cyclase)의 활성화를 일으키고, 결과로 세포내에 생성된 cAMP는 단백질인산화효소 A(protein kinase A)를 경유하여 세관 내강쪽 세포막으로의 AQP2 이동과 단백질 발현을 촉진하여 물을 재흡수한다(그림 1-4-4).

산화질소(NO)

NO는 산화질소합성효소(nitric oxide synthase, NOS)에 의하여 L-아르지닌(L-arginine)의 구아니디노기가 산화되어 생성되고 내피유래이완인자(endothelium derived relaxing factor, EDRF)로 명명되었다. NO는 세포질내 용

45

해성 구아닐산고리화효소(guanylyl cylcase)를 활성화시켜 GTP로부터 cGMP를 생성하여 반응을 나타낸다. 혈류가 일정하게 유지되는 상태에서의 혈관수축은 내피세포에 전단응력(shear stress)을 증가시키고 이로 인하여 NO 합성을 촉진하여 혈관저항을 낮춘다. 콩팥에서는 특히 혈관계가 NO에 민감하여 콩팥혈류자동조절에 관련된 근육수축 반응(myogenic contractile response)을 조절한다. 즉, NO는 세관사구체되먹임기전(tubuloglomerular feedback, TGF)에 의한 수입세동맥 수축을 약화시킨다. 생체내미소천자 실험에서 NO 합성억제제인 L-NAME [N (G)-nitro-L-arginine methyl ester]를 근위세관이나 세관주위모세혈관에 주입할 때 TGF에 의한 사구체여과율 감소효과가 커진다. 원위세관에서 치밀반점의 염화나트륨 재흡수 증가는 TGF의 작동 결과 수입세동맥의 수축을 유발하는데, 이때 고농도 염화나트륨에 의해 자극된 NO에 의하여 약화되거나 변화된다. 고염 섭취는 콩팥에서 NO 활성을 증가시켜 TGF 반응곡선을 우측으로 이동시키고 콩팥혈관을 이완시킨다.

콩팥의 혈관평활근, 사구체곁세포, 메산지움세포, 세관세포들은 NO에 반응하지만, 사구체여과율은 NO에 의해 대체로 변화하지 않는다. 콩팥에서 NO에 의한 cGMP 형성의 85~90%는 속속질에서 일어나며 이로 인해 속질혈류를 증가시키고 그 부위의 산소분압을 유지시키며 소듐이뇨를 매개한다.

콩팥속질순환은 물 및 염분 균형유지에 중요한 역할을 한다. 혈압에 영향을 끼치지 않는 소량의 NO 억제제를 전신 투여하면, 콩팥혈관의 저항 증가, 콩팥혈류 및 겉질혈류 감소, 소변량 및 염 배설 감소를 일으켜 전신고혈압을 유발한다. 저용량의 L-NAME를 만성적으로 전신에 주입하면, 콩팥겉질혈류의 변화 없이 속질혈류량 감소와 함께 염분 저류 및 전신고혈압이 유발된다. 따라서 콩팥겉질보다 속질이 NO 합성억제제에 더욱 민감함을 알 수 있고, 콩팥혈류나 사구체여과율에 영향을 미치지 않는 미량의 NO 합성억제제에서도 염분 저류 및 항이뇨 작용이 가능하다.

콩팥내 국소 NO 합성억제제는 전신 NO 억제에 의한 것보다 훨씬 작은 정도의 콩팥혈관 저항증가를 일으키는 것으로 보아 전신 NO 억제에 의한 콩팥혈관 수축의 상당부분이 신경에 의한 이차적 현상인 것으로 보인다. 미세천자연구 결과에 따르면, 수입세동맥은 국소적으로 생성되는 NO에 의해 지속적으로 조절되지만, 수출세동맥 저항은 그렇지 않은 듯하다.

세관에서 NO의 기능은 잘 알려져 있지 않으나 내피세포에서 유리된 NO는 분리된 집합관의 소듐 수송을 감소시킴이 보고된 바 있다. NO의 소듐배설 조절기능은 용적확장에 의한 소듐 이뇨효과가 NO 합성억제제에 의하여 약화되는 사실로도 알 수 있다. NO 합성감소는 콩팥의 혈압-소듐 배설(pressure-natriuresis) 곡선을 우측으로 이동시켜 양성 소듐균형과 고혈압을 일으키게 된다. 즉, NO 합성의 만성적 차단은 소듐배설을 감소시키고 고혈압을 유발한다.

엔도텔린(Endothelin, ET)

1985년 혈관의 내피의존 수축현상이 발견되고 나서 3년 뒤 내피세포에서 생성되는 ET가 추출되었다. ET-1, ET-2 그리고 ET-3는 각각 21개의 아미노산으로 된 펩타이드로서 구조가 서로 비슷하다. ET-1은 처음에 혈관 내피세포에서 추출되었으며, 조직에서 발견되는 ET의 가장 중요한 형태이다. ET-1과 ET-3는 혈관뿐 아니라 다른 조직에서도 발견된다. 203개의 아미노산인 전전엔도텔린(preproendothelin)은 proET-1 (big ET-1)을 거쳐 전환효소에 의해 분해되어 성숙 ET-1이 된다. ET-1은 낮은 전단응력(높은 전단응력은 분비 억제), 저산소증, 트롬빈, AII, 바소프레신, 노르에피네프린(norepinephrine), 브라디키닌(bradykinin) 및 전환성장인자-1 (transforming growth factor-1) 등에 의해 내피세포와 평활근세포에서 생성이 촉진된다.

ET는 A형 수용체(ETA)와 B형 수용체(ETB)를 통해 작용한다. ETA는 평활근세포에 존재하여 ET-1의 혈관수축반응을 매개한다. 내피세포에 존재하는 ETB는 ET-1과 ET-3 자극에 의해 NO와 프로스타싸이클린(prostacyclin) 분비를 일으켜 혈관이완을 매개한다. ETB는 혈관 내피세포뿐 아니라 평활근세포에도 존재하며 혈관수축도 일으킬 수 있음이 발견되었다. ETB 매개성 혈관수축은 폐동맥과 관상동맥, 정맥 및 사람의 유선동맥 등에서 확인되었다. 저항소동맥(resistance arteriole)에서도 ETB가 발견되나 분포 밀도는 낮고 혈관수축과 혈압상승에 미치는 실제 효과는 작다.

ET-1을 주입할 때에 일시적으로 혈관이완과 저혈압 반응을 보이는 것은 내피세포의 ETB 존재 때문이며 이어서 일어나는 혈관수축과 혈압상승반응은 ETA에 의한 것이다. ET 생성증가, ET에 대한 수축반응증가, 혹은 ETB 매개에 의한 NO와 프로스타싸이클린 생성과 혈관이완의 약화 등에 의해 혈압상승이 일어난다. ET-1은 혈관수축 효과 외에도 혈관평활근 비후를 유발하는 분열촉진을 유발하거나 콩팥, 중추 및 말초신경계 등을 통한 기전으로 혈압에 영향을 끼칠 수 있다.

내피세포에서 ET와 NO는 상호작용한다. 즉, 내피세포가 활성화되면 NO가 증가되어 ET 분비에 대한 되먹임억제조절을 하며, ET 수용체 활성화는 프로스타싸이클린과 NO등의 생산을 촉진한다. 따라서 NO는 ET-1 수축의 강력한 억제제이며 내피층의 존재는 ET-1에 의한 수축반응을 차단한다. 노르에피네프린, 세로토닌(serotonin), ouabain-like factor 등 소량의 수축제는 ET-1의 수축반응을 증폭시킨다.

ET는 혈압과 무관하게 ANP를 분비시키는 강력한 자극이다. ET에 의한 ANP 분비 증가는 직접적인 분비자극 또는 심방수축력 증가에 의한 심방압 증가에 기인한다.

콩팥에서 ET는 혈관을 수축하며 사구체여과율을 감소시키고 레닌 유리를 억제한다. 혈관저항 증가는 수입과 수출 세동맥 모두에서 일어나므로, 모세혈관을 통한 정수압은 변함이 없거나 약간 감소한다. 그러나 메산지움세포 수축에 의해 사구체여과지수는 감소한 것처럼 보인다. 근위세관에 미치는 ET의 영향은 복잡하여, 낮은 농도에서는 NaHCO3 재흡수를 증가시키고 높은 농도에서는 소듐과 물의 배설을 증가시킨다. ET는 집합관의 소듐과 물의 재흡수를 억제하여 배설을 증가시킨다.

ET는 대사산증을 보정하기 위하여 H+의 배설을 증가시키는데, 이는 근위세관에서 Na/H 교환을 증가시키고 굵은오름다리의 NKCC2를 억제함으로써 집합관에서의 Na/H 교환을 증가시킨 결과이다.

부분콩팥절제에 의한 만성콩팥병모델에서 ETA수용체 저해제는 콩팥손상, 고혈압 및 심장비대등을 억제하였고, 당뇨병콩팥병 환자 콩팥에서 ET 생산에 관여하는 카세인 응고효소(chymase) 발현이 증가한다는 보고가 있다.

유로텐신 II(Urotensin II)

11개의 아미노산으로 구성된 유로텐신 II는 내피의존적 혈관이완과 내피비의존적 혈관수축을 유발한다. 콩팥은 유로텐신 II를 생산하는 주 장기이고, 생산된 유로텐신은 속속질집합관, 가는다리헨레고리, 콩팥 소동맥에 분포하는 고유수용체(UTR)에 결합하여 혈관수축, 혈관평활근세포와 메산지움세포(mesangial cell) 증식, 거품세포(foam cell) 형성, 염증세포에 대한 화학주성 및 세관 소듐 재흡수를 증가시키고 사구체여과율을 감소시킨다.

사구체여과율이 감소하고 단백뇨를 동반한 당뇨병신병증 환자 콩팥생검에서 유로텐신과 UTR mRNA 발현이 각각 45배와 2,000배 증가하여 있었다. 그러나 만성콩팥병 환자에서 혈중 유로텐신 II가 낮을 때 심근병변과 사망률이 높은 반면 혈중 농도가 높은 말기콩팥병 환자는 좌심실의 수축기능이 증가하여 있어 세밀한 연구가 필요하다.

프로스타글랜딘

프로스타글랜딘, 프로스타싸이클린, 트롬복세인(thromboxane)은 거의 모든 조직과 기관에서 생성된다. 이들은 세포막을 이루는 인지질이면서 불포화도가 매우 높은 지방산인 아라키돈산(arachidonic acid)으로부터 중간 생성물인 엔도페록시드(endoperoxide)를 거쳐 합성된다. 프로스타글랜딘은 몇 개의 군과 아군으로 나뉘며 각기 다양한 작용을 지니는데, 대체로 콩팥혈관을 이완시킨다. 콩팥속질로부터 분리한 프로스타글랜딘 A2인 메둘린(medullin)은 동맥압을 낮추는 한편 콩팥혈류를 증가시키고 물, 소듐, 포타슘 배설을 증가시킨다. E군의 프로스타글랜딘은 동맥내 주입시 혈관확장작용을 나타내며 교감신경말단의 노르에피네프린 분비를 억제한다. F군의 프로스타글랜딘은 혈관수축을 유발하며 동맥압을 올린다. 프로스타싸이클린과 프로스타글랜딘 E2는 레닌 분비를 매개하는데 이 효과는 프로스타글랜딘의 혈관이완 효과와 별개로 사구체곁세포에 대한 직접효과이다.

칼리크레인-키닌계

칼리크레인은 콩팥 등 조직이나 혈장에 불활성화 상태로 존재하고, 활성화되면 세린(serine) 단백분해효소로 작용한다. 칼리크레인은 9개의 아미노산으로 구성된 브라디키닌을 생성한다. 브라디키닌은 곧 인산화효소(kinase) I, II에 의해 빠르게 분해되기 때문에 수분내에 활성이 종료된다. 인산화효소 II는 AI을 AII로 바꾸는 전환효소 곧 ACE이고, 칼리크레인-키닌계는 여러 가지 면에서 RAS와 공통점이 있다(그림 1-4-2a).

키닌[칼리딘(kallidin)과 브라디키닌]은 소동맥을 매우 강하게 이완시키고 모세혈관투과성을 증가시킨다. 키닌을 신동맥에 주입하면 콩팥혈류 증가를 일으키는데 다른 혈관확장제와 마찬가지로 바깥속질보다 속속질에서 증가가 현저하다. 또한 키닌은 사구체여과율의 변화 없이 소듐 및 물 이뇨효과를 내는데, 이는 콩팥단위의 원위부에서 소듐과 물 재흡수를 억제한 결과이다. 키닌의 이뇨 효과는 ADH에 반응하지 않는데, 이는 키닌이 직접 속질의 삼투농도 구배변화를 일으키기 때문이다.

아데노신

콩팥도 다른 조직처럼 저산소상태 또는 ATP 소모가 많을 때 아데노신을 생산한다. 그러나 콩팥 아데노신은 대부분의 장기와 달리 혈류량을 감소시키고 사구체 여과율을 감소시킨다. 아데노신수용체로 4가지 아형(A1, A2a, A2b, A3)이 알려져 있고, 콩팥은 모든 아형을 발현하지만, A1 수용체를 통한 수입세동맥 수축이 가장 잘 알려져 있다(제2장 참조). 아데노신 수용체 길항약은 일반적으로 NHE3 활성을 억제하여 이뇨작용을 나타내고 포타슘 고갈을 초래하지 않는다. 콩팥 아데노신과 각 수용체들의 역할에 대한 연구가 더 필요하다.

칼슘대사 조절 호르몬

1. 부갑상샘호르몬

부갑상샘호르몬 유리는 혈중 칼슘농도 감소에 의해 촉진되고, 혈중 칼슘농도가 높으면 억제된다. 부갑상샘호르몬은 골격에서 파골세포를 활성화하여 골 흡수를 증가시키고, 그 결과 칼슘과 인이 혈액으로 유리된다. 이때 칼슘과 인이 유리되더라도 곧 결합되어 버리면 혈중 칼슘을 증가시킬 수 없기 때문에, 부갑상샘호르몬은 원위세관에서 칼슘배설을 감소시키는 한편 근위세관에서 인의 배설은 촉진하여 칼슘이 선택적으로 저류되게 한다. 부갑상샘호르몬은 이외에도 콩팥에서 1α-hydroxylase를 활성화하여 25(OH)-vitamin D를 한 번 더 수산화(hydroxylate)하여 활성형 1,25(OH)2 비타민 D 호르몬으로 전환시켜 칼슘평형조절에 관여한다.

2. 칼시토닌(Calcitonin)

갑상샘 C세포는 혈중 칼슘농도가 높을 때 칼시토닌을 분비한다. 칼시토닌은 부갑상샘호르몬의 생리적길항제로 작용하여, 골용해를 억제하고 칼슘이 골격 안에 더 들어가게 한다. 칼시토닌 분비를 일으키는 또 다른 생리자극은 음식물 섭취로서, C세포는 소화호르몬인 가스트린, 콜레시스토키닌(cholecystokinin), 글루카곤(glucagon) 등에 의해 자극된다. 유리된 칼시토닌에 의해 음식물 내에 함유된 칼슘은 즉시 골격 안에 저장될 수 있으며 동시에 소화의 모든 과정(위배출, 외분비, 췌장 외분비 등)이 지연된다. 따라서 식후에도 갑자기 혈중칼슘이 올라가지 않도록 시간에 따라 칼슘 흡수가 균등하게 일어난다. 이러한 소화지연은 칼시토닌에 의한 칼슘보존기전의 한 축이다. 즉, 칼슘이 빨리 흡수되고 혈중칼슘이 갑자기 오른다면 부갑상샘호르몬 분비가 억제되고 이어서 콩팥의 칼슘보존작용이 제대로 이루어지지 않고 소화흡수된 칼슘이 곧장 소변 속에 배설되어 버릴 것이다. 칼시토닌은 콩팥에서 칼슘과 인의 배설을 어느 정도 촉진한다.

3. 비타민D 호르몬

혈중 칼슘유지에 중요한 세 번째 호르몬은 비타민D로부터 만들어진다. 비타민은 체내에서 합성되는 것이 아니며 비타민D의 경우에도 음식물로부터 얻어지는 동물성 어고스테롤(ergosterol, preprovitamin D3) 또는 식물성 데하이드로콜레스테롤(dehydrocholesterol, preprovitamin D2)이 전구물질이다. 피부가 자외선을 받으면 이 전구물질들의 2개의 탄소원자 사이에 결합이 끊어져 전구비타민(provitamin) D2와 D3를 만든다. 이 물질들은 순환하다가 콩팥 근위세관에서 부갑상샘호르몬에 의해 활성화된 1α-수산화효소(1α-hydroxylase)에 의해 다시 한 번 C-1 위치에 수산화가 일어나 그 산물인 1,25-다이하이드록시콜레칼시페롤(1,25-dihydroxycholecalciferol)은 비로소 유효한 호르몬이 되고 장의 상피에서 칼슘이온흡수를 촉진하여 칼슘 항상성유지에 공헌한다. 혈중 칼슘이온 농도가 낮으면 부갑상샘호르몬 유리가 증가되어 비타민D 호르몬을 합성하고, 비타민D 호르몬은 부갑상샘에 음성되먹이기를 하여 부갑상샘호르몬 분비가 억제되므로 두 호르몬은 폐쇄회로조절기전이 된다.

활성 비타민D는 인슐린분비, 혈압조절, 근육세포 분화, 면역반응 조절에도 관여한다. 따라서, 만성콩팥병에 동반되는 비타민D 결핍은 단백뇨의 진행과 콩팥손상을 가속화하고 사망률을 증가 시킨다.

4. 섬유모세포성장인자 23(Fibroblast growth factor 23:FGF23)-클로토(Klotho) 축

이 축은 부갑상샘호르몬-비타민 D 축과 통합되어 만성콩팥병에서의 무기질 골장애에 중요한 역할을 한다. 더 나아가 심혈관질환 발생 및 사망의 위험성과의 관련성이 제기되면서 만성콩팥병의 생체지표이면서 치료 타겟으로서의 FGF23에 대한 관심이 증가하고 있다.

FGF23은 251 아미노산으로 구성되고 골모세포(osteoblast)와 골세포(osteocyte)에서 주로 생산된다. FGF23은 FGF23수용체-클로토 복합체에 결합하여 기능을 나타내므로, 이 복합체의 분포 여부에 따라 FGF23의 표적장기가 결정 된다. 콩팥은 부갑상샘, 뇌하수체 등과 함께 FGF23의 표적장기이다. 골에는 클로토가 전혀 없기 때문에 FGF23은 골에 직접적인 영향을 주지 않는다.

FGF23은 근위세관에 작용하여 인 재흡수를 억제하고 1α-수산화효소를 억제하여 비타민D 활성화를 차단함으로써 인의 장내 흡수를 억제한다. 장기간의 고인산식이, 지속적인 고인산혈증 및 활성 비타민D는 FGF23의 발현과 분비를 자극한다. 또한 FGF23은 부갑상샘호르몬의 발현과 분비를 직접 억제한다. 그러나 만성콩팥병에서 FGF23은 활성 비타민D의 억제와 이로 인한 심한 저칼슘혈증으로 부갑상샘기능항진증 발생에 관여한다.

만성콩팥병에서 혈중 FGF23은 신장질환 초기 단계에서부터 증가하고 사구체여과율 감소에 따라 점진적으로 증가하여 말기콩팥병 환자에서는 정상보다 1,000배 증가한다. 말기콩팥병 환자에서 FGF23의 측정은 무기물 골장애에 대한 진단적 가치뿐 아니라 FGF23의 심혈관계 합병증이나 사망률 증가 등과의 관계를 고려할 때 FGF23에 대한 적극적인 관리가 필요할 수 있다. FGF-23 측정의 진단적 유용성 및 치료 대상으로서의 가치 등에 대한 연구가 필요하다.

노화방지 호르몬으로 알려진 클로토가 말기콩팥병의 합병증을 예방하는데 도움이 될 수 있다는 보고가 있다. 실험적 연구에서 클로토 결핍은 혈관 석회화를 유발하고, 클로토를 보충하면 여러 가지 기전을 통해 말기콩팥병이 개선된다. 말기콩팥병은 클로토 결핍을 유도하고 클로토 결핍은 다시 말기콩팥병 진행을 가속화시키는 악순환이 계속될 것으로 생각되고 있다. 클로토는 콩팥의 여과기능을 유지함으로써 소변 인 배설을 촉진한다.

적혈구형성호르몬(Erythropoietin, EPO)

사람의 EPO는 열에 안정한 당단백으로 분자량이 약 34,000 정도이며 165개로 된 아미노산 서열이 밝혀졌다. 콩팥은 EPO mRNA를 발현하며, 양측 콩팥 제거 후 EPO의 혈중농도가 급격히 저하되고 여러가지 콩팥질환에서 합성이 감소된다. 간도 소량의 EPO를 생성한다. EPO는 골수에서 전적혈모구(proerythroblast)들의 성장 및 분화를 촉진하고 혈색소를 생성하는 적혈모구(erythroblast)들을 증가시킨다. 적혈구형성과 관련한 다른 호르몬으로는 안드로젠(androgen), 타이록신(thyroxine), 성장호르몬 등이 있으며, 이들은 EPO의 작용을 돕는다. 남녀간의 적혈구 수와 혈색소 차이는 적혈구형성이 안드로젠에 의해 촉진되고 에스트로젠(estrogen)에 의해 억제되기 때문이다.

혈소판형성호르몬(Thrombopoietin, TPO)

TPO는 분자량이 약 34,000인 당단백으로 사람의 간, 골수 및 콩팥(근위곱슬세관)에서 생산된다. TPO는 세포표면 mpl 수용체(CD 110)에 결합하여 혈소판 분화와 생성을 조절한다. TPO 발현과 생산은 혈소판 수에 의하여 조절되어, 골수에서의 TPO mRNA는 정상 상태에서는 거의 발현되지 않고 혈소판이 감소하였을 때 증가한다. 혈소판 수가 정상일 때에는 간과 근위곱슬세관에서 TPO mRNA 발현이 관찰되지만, 만성신질환 환자에서 혈중 TPO 감소는 뚜렷하지 않다.

콩팥에 의한 인슐린, 가스트린 제거의 의의

콩팥은 인슐린이나 가스트린 등 호르몬을 제거하는 주된 장기이다. 신부전 환자에서는 인슐린 제거가 억제되기 때문에 당뇨환자에게 투여하는 인슐린 용량을 줄여야 하고, 인슐린분비약인 설포닐유레아(sulfonylurea) 계열의 약물에 의한 저혈당 위험 역시 매우 높아지기 때문에 주의하여야 한다. 위산 분비를 촉진하는 가스트린은 위의 G 세포와 십이지장에서 생산되는데, 만성콩팥병 환자에서 높아졌던 혈중 가스트린 농도가 콩팥이식에 의하여 회복된다. 높아진 혈중 가스트린은 만성콩팥병 환자에 동반되는 소화성궤양의 한 원인이다.

▶ 참고문헌

• Acharya V, et al: The kidney as an endocrine organ. Methodist Debakey Cardiovasc J 14:305-307, 2018.

• Agoro R, et al: Osteocytic FGF23 and its kidney function. Front Endocrinol 11:592, 2020.

• Dunn MJ: Renal Endocrinology. Williams & Wilkins, 1983.

• Gois PHF, et al: Vitamin D in chronic kidney disease: recent evidence and controversies. Int J Environ Res Public Health 15:1773, 2018.

• Kwon T-H, et al: Regulation of aquaporin-2 in the kidney: a molecular mechanism of body-water homeostasis. Kid Res Clin Prac 32:96-102, 2013.

• Maller R, et al: The endocrine kidney: local and systemic actions of renal hormones, edited by Hormonal Signaling in Biology and Medicine, 2020, pp445-460.

• Sam R, et al: Diuretic agents, edited by Katzung BG, Vanderah TW, Basic & Clinical Pharmacology, 15th ed, McGraw-Hill Lange, 2021, pp262-283.

임·상·신·장·학

PART 02 신장질환의 검사와 임상적 접근

권순효 (순천향의대)

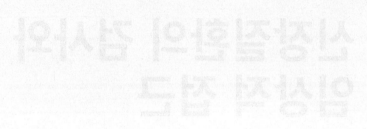

CHAPTER
01 요검사와 신기능 검사

김승정 (이화의대)

KEY POINTS

- 소변을 수집하여 다양한 신장질환에 대한 소변 내 생물표지자(biomarker)의 측정이 시도되고 있으며, 특히 급성콩팥손상에서 소변 NGAL, KIM-1, IL-18, L-FABP, IGFBP7, TIMP-2 등의 생물표지자가 조기 진단과 예후 예측에 유용하다고 알려져 있다.
- 사구체여과율 추정 공식 중 MDRD 공식과 CKD-EPI 공식 모두 원래의 공식 그대로 한국인에 적용하여도 무방하다.

요검사(Urinalysis)

요검사는 비침습적이고 빠르고 간단하며 값이 싸면서도 신장과 요로 질환의 존재, 중증도 및 경과를 평가할 수 있는 중요한 검사 중의 하나이다. 또한 요검사를 통하여 신장을 침범하는 전신질환의 존재를 알아낼 수 있다. 정확한 검사를 하려면 올바른 소변 수집을 할 수 있어야 하고, 검사의 원리나 한계를 이해해야 한다.

1. 소변 수집

요검사 결과는 수집 방법과 검사실 취급 방법에 따라 크게 영향을 받는다. 따라서 환자에게 올바른 소변 수집 방법에 대해 교육해야 한다. 소변 수집 전 손을 씻고 가능하면 아침 첫 번째 혹은 두 번째 소변을 받고, 소변 수집 전 72시간 동안 격렬한 운동을 하지 않으며 배뇨시 중간 소변을 받도록 교육한다. 여성의 경우 월경 중에는 소변을

받지 않으며 남성의 경우 사정 후 전립샘 분비물이나 정액에 오염되어 세포나 단백이 검출될 수 있다. 소아의 경우도 성인과 같이 올바른 소변 수집 방법이 요구된다. 작은 영아의 경우에는 오염의 가능성이 있지만 소변 수집 주머니가 흔히 이용된다. 소변 내 입자들은 수집 후 빠르게 용해될 수 있는데, 특히 요 pH가 알칼리성이거나 요비중이나 요삼투질농도가 낮은 경우에 그러하다. 따라서 소변 검체는 수집 후 2~4시간 내에 분석되어야 하며 그렇지 못할 경우에는 소변 검체를 2~8℃에 보관하여야 한다. 그러나 이런 경우 인산염과 요산염이 침전될 수 있어 검사의 정확도가 떨어질 수 있다.

2. 요검사

일반 요검사(routine urinalysis)에는 육안 성상 관찰, 시험지봉(dipstick) 검사, 현미경 검사가 포함된다.

1) 육안 성상 관찰

정상 소변은 맑고 연노랑 빛을 띤다. 탁한 소변은 결정이 침착된 경우나 농뇨가 원인일 수 있다. 소변색은 소변의 농축 정도에 따라 엷거나 짙은 노란색을 띤다. 비정상적 색조 변화는 여러 병적인 상황이나, 약물, 음식 때문에 일어날 수 있다(표 2-1-1). 정상 소변의 냄새는 지린내(uri-noid)이고, 농축된 소변에서는 지린내가 강할 수 있으나 감염을 의미하는 것은 아니다. 감염은 비정상적인 자극성 냄새의 가장 흔한 원인인데, 세균에 의하여 암모니아가 생성되기 때문이다. 다음의 병적 상태에서는 특이한 소변 냄새가 난다: 당뇨병케톤산증(달콤한 과실냄새), 단풍시럽뇨병(단풍시럽냄새), 페닐케톤뇨(곰팡내 또는 쥐냄새), isova-leric acidemia(발고린 내), 위장관-방광루(대변냄새), 시스틴병(유황냄새) 그리고 고메티오닌혈증(부패한 버터 냄새 또는 비린내).

2) 시험지봉 검사

시험지봉 검사는 값싸고 신속한 결과를 얻을 수 있어 대표적인 간단한 선별검사로 시행되고 있지만 어떤 경우에는 시험지봉 검사가 부정확할 수 있으므로 시험지봉 검사 결과를 적용할 때는 주의가 필요하다. 예를 들면 시험지봉 검사로 병적 단백뇨를 발견할 수 없는 경우도 있다.

(1) 비중(Specific gravity)

비중은 동일한 양의 증류수와 비교한 용액의 무게를 의미하며 용액에 용해된 입자의 수와 질량에 의해 결정된다. 대개 요비중은 요삼투질농도와 비례하므로 요비중 0.001 증가시마다 요삼투질농도는 35~40 mosmol/kg 증가하게 된다. 요비중 1.001, 1.010, 1.020은 각각 요삼투질농도 50, 300, 800 mosmol/kg에 해당한다. 요비중은 환자의 수화 상태(hydration status)에 대한 정보를 제공해 주며 신장의 농축능을 반영한다. 정상 요비중은 수화상태에 따라 1.003에서 1.030까지 변동될 수 있다. 병적인 요비중의 증

표 2-1-1. 비정상 소변색의 원인

소변색	병적 원인	식품과 약제
붉은색	혈뇨, 헤모글로빈뇨, 미오글로빈뇨, 포르피린증	리팜핀(rifampicin), 페노프탈레인(phenophthalein), 대황(rhubarb), 비트(beets), 검은딸기(blackberries)
갈색	미오글로빈뇨, 담즙색소(bile pigments)	레보도파(levodopa), 메트로니다졸(metronidazole), 니트로푸란토인(nitrofurantoin), 일부 항말라리아 약제, 누에콩(fava beans)
진갈색에서 검은 색	담즙색소, 멜라닌(melanin), 메트헤모글로빈(methemoglobin), 알캅톤뇨(alkaptonuria)	레보도파, 메틸도파(methyldopa), 센나(senna), 카스카라(cascara)
녹색 혹은 파란색	녹농균 요로감염, 빌리베르딘(biliverdin)	아미트립틸린(amitriptyline), 시메티딘(cimetidine) 주사, 트리암테렌(triamterene), 인디고카르민(indigo carmine), 프로메타진(promethazine) 주사, 메틸렌블루(methylene blue), 프로포폴(propofol)
주황색	담즙색소	페노티아진(phenothiazines), 페나조피리딘(phenazopyridine)
흰색	인산염결정(phosphate crystal), 유미뇨(chyluria)	프로포폴
분홍색	요산결정	프로포폴
황색	농축뇨	카스카라, 당근
혼탁	농뇨, 지질뇨, 유미뇨, 인산뇨, 고옥살산뇨(hyperoxaluria)	푸린 과함유 식품(과요산뇨증)

가는 당뇨나 항이뇨호르몬부적절분비증후군(SIADH)에서 관찰되고, 요비중의 감소는 이뇨제 사용, 요붕증, 부신피질기능부전, 알도스테론증 그리고 신기능저하에서 관찰된다. 요비중 1,010은 사구체여과액 비중과 같으며 등장뇨를 의미하고, 신장의 농축능이 저하된 급성세관괴사(acute tubular necrosis)나 만성신장질환에서 흔히 관찰된다. 요삼투질농도는 소변 내 입자의 수에 의해서만 결정되므로, 소변에 포도당 또는 방사선조영제 같은 큰 분자들이 있을 때는 요삼투질농도가 혈장보다 낮은 경우에도 요비중이 높게 나올 수 있다.

(2) 요 pH

요 pH는 4.5~8.0 정도로, 섭취한 음식에 따라 변동을 보이는데, 성상의 경우 대사활동으로 약한 산성을 보이게 된다(pH 5.5~6.5). 그러나 실온에 소변을 방치하면 요소를 암모니아로 대사시키는 세균에 의하여 요 pH가 증가할 수 있다. 요 pH는 일반적으로 혈청 pH를 반영하나 신세관산증(renal tubular acidosis) 환자의 경우는 예외이다. 요 pH 측정은 요로감염이나 요로결석 진단에도 유용하다. 요로감염 환자에서 알칼리 소변은 요소분리세균의 존재를 시사하고, 요소분리세균은 마그네슘-암모늄-인산염 결정과 사슴뿔결석(staghorn calculi)과 연관이 있다. 요산결석은 산성 소변과 연관이 있다.

(3) 잠혈(Occult blood)

잠혈은 ortho-toluidine을 함유한 시험지봉으로 검사할 수 있다. 헤모글로빈과 미오글로빈의 헴(heme)은 *pseudo-peroxidase*로 작용하여 과산화물과 색소원 반응을 일으켜 색조변화를 유발한다. 시험지봉 검사의 헴 검출의 민감도는 95~100%로 매우 높아 고배율 시야에서 한두개의 적혈구도 검출해 낼 수 있다. 특이도는 65~93%이다. 잠혈을 이용한 혈뇨 진단의 거짓 양성은 헤모글로빈뇨, 미오글로빈뇨, *pseudoperoxidase* 활성이 높은 세균(장내세균종, 포도구균종, 연쇄구균종)이 있을 때이다. 산화제나 베타딘 오염도 거짓 양성을 유발한다. 잠혈을 이용한 혈뇨 진단의 거짓 음성은 주로 아스코르빈산에 의한다. 아스코르빈산은 강력한 환원제이므로 아스코르빈산을 복용한 경우에는 혈뇨가 있어도 잠혈 검사에서 음성일 수 있다.

(4) 포도당

시험지봉 검사에서 포도당은 산화되어 글루콘산과 과산화수소로 되고, peroxidase에 의하여 과산화수소와 색소원이 반응하여 색조변화를 일으킨다. 시험지봉 검사에서 포도당 검출 농도는 0.5~20 g/L이다. 좀 더 정확한 정량이 필요하면 hexokinase를 이용한 효소측정법을 사용해야 한다. 시험지봉 검사에서 포도당 거짓 음성은 아스코르빈산이나 세균이 존재할 때 나타나고, 거짓 양성은 산화성 세제에 의해 오염될 때 나타날 수 있다. 포도당은 정상적으로 사구체에서 여과되나 거의 전부 근위세관에서 재흡수된다. 신기능이 징상인 경우에 혈당이 180 mg/dL를 넘지 않는 한 소변에서 포도당이 검출되지 않는다. 그러나 혈당은 정상이지만 근위세관에서 여과된 포도당을 재흡수하지 못해서 일어나는 신성당뇨도 있다.

(5) 단백질

완충액에서 단백질은 단백질 농도에 비례하여 pH를 변화시키므로 시험지봉 검사에서 소변 내 단백질은 pH 변화에 따라 색조변화를 일으킨다. 요 단백질에 대한 시험지봉 검사는 주로 알부민을 검출한다. 시험지봉 검사에서 단백질 trace는 5~10 mg/dL, 1+이면 30 mg/dL, 2+이면 100 mg/dL, 3+이면 300 mg/dL, 그리고 4+이면 1000 mg/dL 정도의 농도에 해당된다. 시험지봉 검사는 다음과 같은 한계점들이 있다. 첫째, 세관단백이나 경쇄면역글로불린에 대한 민감도가 매우 낮다. 둘째, 미세알부민뇨(30~300 mg/일)가 검출되지 않는다. 셋째, 요 농축정도에 의해 영향을 받아 희석뇨에서는 알부민뇨가 실제보다 낮게 측정되고 반대로 농축뇨의 경우에는 3+라 하더라도 심한 알부민뇨를 의미하지 않을 수도 있다. 시험지봉 검사의 이와 같은 한계점으로 인해 단백뇨의 정량을 위해서는 24시간 소변을 사용하는 것이 표준이다. 24시간 소변 수집의 정확도는 안정상태의 크레아티닌 생산량과 동일한 정상적인 크레아티닌 요배설량으로 추정할 수 있다. 일반적으로 50세 이하의 성인에서 24시간 크레아티닌 요배설량은 남자의 경우는 지방 뺀 체중 기준 20~25 mg/kg가 배설되고, 여자의 경우는 15~20 mg/kg가 배설된다. 50세에서 90세까지는 근육량의 감소로 점진적으로 요배설량이 50% 정도 감소한다. 24시간 단백뇨 측정의 대안으로 무작위 단회뇨 단백/크레아티닌 비를 측정할 수 있다. 그러나 하루 단백뇨가 1.0 g/L 이상인 경우에는 단회뇨 단백/크레아티닌 비가 실제 하루 단백 배설량을 정확하게 반영하지 못한다.

단백뇨는 일과성이거나 지속성일수 있다. 일과성 단백뇨는 사구체 혈류역학의 일시적 변화에 의하여 일어나고, 자기한정적(self-limited) 경과를 취하며, 울혈심부전, 탈수, 감정적 스트레스, 운동, 발열, 발작, 그리고 장시간 기립 등에 의하여 유발될 수 있다. 지속성 단백뇨는 사구체, 세관, 과다유출(overflow), 그리고 신후성(post-renal)으로 분류할 수 있다. 사구체 단백뇨는 가장 흔한 경우로 알부민이 주된 단백이다. 세관 단백뇨는 세관기능 이상으로 정상적으로 배설된 단백이 재흡수되지 못하거나 대사되지 못해서 발생하고, 알부민보다는 저분자량 단백(베타2-마이크로글로불린, 다클론면역글로불린경쇄, 레티놀결합단백, 폴리펩티드)이며, 하루 2 g 이상인 경우는 거의 없다. 과다유출 단백뇨는 세관 재흡수능보다 많은 양의 저분자량 단백이 과잉 생성되는 경우이며 대부분 다발골수종에 의한 단클론면역글로불린경쇄나 라이소자임(급성골수단핵구백혈병), 미오글로빈(횡문근융해), 또는 헤모글로빈(혈관내용혈)인 경우도 있다. 신후성 단백뇨는 요로감염 때 소량 동반될 수 있고 주로 IgA 또는 IgG이다. 요로결석이나 종양에서도 신후성 단백뇨가 동반될 수 있다.

(6) 백혈구 에스테르분해효소

시험지봉 검사에서 백혈구는 중성구나 대식세포에서 분비되는 백혈구 에스테르분해효소에 의하여 확인할 수 있다. 거짓 양성은 요비중이 낮거나 알칼리성으로 백혈구 용해가 잘 일어나는 경우, 보존제로 포름알데히드를 사용한 경우에 발생한다. 반대로 거짓 음성은 요비중이 높은 경우에 백혈구 용해가 일어나지 않아 음성으로 나타날 수 있으며, 요당이나 단백뇨가 많은 경우, 항생제(테트라사이클린,

cephalexine, 토브라마이신) 등에 의해 나타날 수도 있다. 농뇨는 흔히 세균뇨와 연관이 있다. 농뇨는 있으나 소변 배양검사가 음성인 경우(무균농뇨)는 클라미디아와 우레아플라스마 우레아리티쿰 같은 균에 의한 감염, 귀두염, 요도염, 결핵, 방광종양, 바이러스, 신장결석, 이물질, 운동, 사구체신염, 그리고 코르티코스테로이드나 시클로포스파미드 투여 등이다.

(7) 아질산염(Nitrites)

정상 소변에서는 아질산염이 존재하지 않으나, 세균에 의하여 질산염이 아질산염으로 환원되면 존재할 수 있다. 따라서 시험지봉 검사에서 세균뇨는 질산염을 아질산염으로 환원시키는 아질산염환원효소 활성으로 확인될 수 있다. 아질산염환원효소는 대부분의 그람음성균과 일부 그람양성균에 존재하나, 녹농균종, 포도구균종 그리고 장구균종에는 존재하지 않는다. 아질산염 검사가 양성으로 나타나기 위해서는 음식에 충분한 질산염이 있어야 하고(채소), 충분한 방광 내 잠복 시간이 필요하다. 즉, 질산염이 부족한 음식을 먹거나 이뇨제 등으로 소변 내 질산염이 희석되는 경우, 그리고 아질산염환원효소가 존재하지 않는 균에서는 거짓 음성으로 나타날 수 있다. 따라서 이 검사의 민감도는 낮으나 특이도는 90% 이상이다. 즉 양성 결과는 도움이 되나, 음성이라고 요로감염을 배제할 수는 없다.

(8) 담즙색소(빌리루빈, 우로빌리노겐)

비결합빌리루빈은 수분 불용해성이므로 사구체를 통과할 수 없으나, 결합빌리루빈은 수분 용해성으로 사구체를 통과한다. 결합빌리루빈의 최종 산물인 우로빌리노겐은 정상소변에 단지 소량 존재한다. 빌리루빈은 장내 세균에 의해서 우로빌리노겐으로 전환되므로 소변 내 빌리루빈과 우로빌리노겐의 존재는 간질환을 시사하며, 우로빌리노겐 없이 빌리루빈만 검출되는 경우는 담도폐쇄를 의미한다. 빌리루빈 없이 우로빌리노겐만 검출되는 경우는 소변 수집시 대변에 의한 오염을 의미한다.

(9) 케톤

시험지봉 검사에서 케톤은 니트로푸루시드 반응에 의해 소변 내 아세토아세트산염과 아세톤을 검출한다. 케톤은 정상 소변에서는 발견되지 않으며, 케톤뇨는 당뇨병산증, 절식(starvation), 구토, 임신 또는 격렬한 운동에 동반될 수 있다.

3) 요현미경 검사

소변 침전물의 현미경 검사의 정확한 해석을 하려면 요 pH와 요비중을 고려해야 한다. 소변이 알칼리성이거나 비중이 1,010 이하로 낮으면 적혈구와 백혈구가 용해되어 현미경 검사에서 거짓음성으로 나타날 수 있다. 또한 소변 결정체를 정확히 확인하려면 요 pH를 알아야 한다.

(1) 적혈구

고배율시야(400x)에서 3개 이상의 적혈구가 3회 검사 중 2회 이상 관찰되면 혈뇨로 정의한다. 혈뇨가 있을 때 사구체 혈뇨와 비사구체 혈뇨를 감별하는 것이 원인진단의 첫 단계이다. 동형적혈구는 혈액의 적혈구와 같은 모양으로, 혈뇨를 일으키는 어떤 질환에도 관찰될 수 있다. 반면 이상형태적혈구(dysmorphic RBC)는 변형된 형태의 적혈구로 사구체질환을 시사한다. 또한 알부민뇨와 적혈구원주가 동반되는 경우도 사구체 혈뇨를 의미한다. 피덩이(blood clot)는 비사구체 혈뇨에 동반된다. 사구체 혈뇨에서는 사구체와 세관에 있는 우로키나아제와 조직플라스미노겐활성제 때문에 피덩이가 발생하지 않고, 또한 상대적으로 용적이 큰 여과액내로 아주 작은 양의 혈액이 모세혈관을 통해 확산되는 것이므로 피덩이가 생기지 않는다. 비사구체 혈뇨의 원인으로는 종양, 결석, 감염 등이 있다. 육안 혈뇨의 약 20% 정도는 요로암 가능성이 있으므로 방광경 검사 등의 정밀 검사가 필요하다.

(2) 백혈구

소변에서 가장 흔히 관찰되는 백혈구는 호중구이다. 정상적으로 남자에서 백혈구는 고배율시야에서 2개 이하이고, 여자에서는 5개 이하이다. 백혈구뇨의 가장 흔한 원인은 감염과 생식기분비물 오염이나, 세관사이질질환, 증식사구체신염, 그리고 비뇨기질환에서도 동반될 수 있다. 소변 내 호산구는 항생제 등에 의한 급성알레르기사이질콩팥염 때 관찰되며 이외에도 급속진행사구체신염, 전립샘염, 만성신우신염, 방광주혈흡충증, 그리고 신장 콜레스테롤색전증 등의 다양한 질환에 동반될 수 있다. 소변 내 림프구는 이식신의 급성세포거부반응의 초기에 관찰될 수 있다.

(3) 상피세포

상피세포 중 세관상피세포는 세관 손상의 표지자로 급성세관괴사, 급성세관사이질질환, 그리고 급성세포거부반응에서 관찰된다. 요로상피세포(이행세포, transitional cell)는 신배부터 방광(남자의 경우는 근위부 요도)까지 요로에 있는 다중층의 상피에서 기인된다. 소변에서는 주로 두 종류의 요로상피세포가 관찰되는데, 하나는 요로상피 심층부에서 기인된 것으로 작고 타원형이고, 다른 한 종류는 요로상피 표재부에서 기인된 것으로 보다 큰 세포이다. 심층부 요로상피세포는 방광암, 요로결석, 수신증 등에서 관찰되고, 표재부 요로상피세포는 흔하게 관찰되는데, 특히 요로감염에서 관찰된다. 편평세포(squamous epithelial cells)는 요침전물에서 관찰되는 세포 중 가장 큰 세포이며 (직경 45~65 µm), 불규칙한 모양으로 요도와 외부 생식기에서 기인된다. 편평세포가 관찰되면 생식기 분비물에 오염됐음을 의미한다.

(4) 지질

지질은 반투명의 구형이고 크기가 다른 황색 방울 모양으로 관찰된다. 소변 내에 유리 형태로 나타날 수 있으며, 세관상피세포나 대식세포의 세포질 내에 존재할 수도 있고(oval fat bodies), 원주 기질에 섞여 있을 수도 있다(지방원주). 편광현미경검사에서는 몰타 십자가 모양으로 보인다. 지질뇨는 대개 신증후군 정도의 심한 단백뇨를 동반한 사구체질환에서 특징적으로 나타난다. 그러나 파브리병 같은 sphyngolipidoses에서도 동반된다.

표 2-1-2. 소변 원주

원주유형	조성	질환
유리질(hyaline)	점액단백질(mucoproteins)	정상, 혹은 신장질환
적혈구	적혈구	사구체신염, 운동후 혈뇨
백혈구	백혈구	신우신염, 사구체신염, 사이질콩팥염(interstitial nephritis), 신장염증과정(renal inflammatory processes)
상피세포	세관세포	급성세관괴사, 사이질콩팥염, 자간증(eclampsia), 신증후군, 동종이식거부 (allograft rejection), 중금속중독, 신장질환
과립(granular)	다양한 세포	다양한 신장질환
밀랍(waxy)	다양한 세포	급성 혹은 만성신부전
지방(fatty)	지질 함유 요세관세포	신증후군, 신장질환, 갑상선기능저하증
광(broad)	다양한 세포	진행된 만성콩팥병

(5) 소변 원주(cast)

원주는 소변이 농축되거나 pH가 낮을 때 세관에서 Tamm−Horsfall glycoprotein이 원통형으로 응집되어 생긴다. 원주 기질에 다양한 입자(세포, 용해소체, 지질, 색소, 결정체, 미생물 등)들이 포착되면 여러 형태의 원주가 생성된다(표 2-1-2).

(6) 요결정체

소변에는 다양한 형태의 결정체가 관찰될 수 있다. 많은 약제가 결정뇨를 유발하며 비타민C 같은 약제는 수산칼슘결정뇨를 유발한다. 건강한 사람에서도 요결정이 관찰될 수 있으나, 수산칼슘결정뇨나 요산결정뇨가 지속되면, 고칼슘뇨증, 옥살산뇨증, 또는 고요산뇨증 등의 대사질환의 가능성을 의심해야 한다. 요산결정뇨는 급성요산염콩팥병증에 의한 급성콩팥손상과 연관되며, 수산칼슘결정뇨는 에틸렌글리콜 중독시 관찰될 수 있다. 콜레스테롤결정은 단백뇨가 심한 경우에, 시스틴결정은 유전적 시스틴뇨증에 나타나며, 2,8−dihydroxyadenine 결정은 adenine phosphoribosyl transferase 결핍에서 관찰된다. Triple phosphate 결정은 알칼리 소변이나 프로테우스균종에 의한 요로감염에서 관찰된다.

(7) 요침사 자동분석

최근에 자동분석기에 의한 요침사 검사가 널리 이용되고 있다. 자동분석 방법으로는 흐름세포측정(flow cytometry)을 이용하거나 digital imaging software를 이용하는 방법이 있다. 두 방법 모두 적혈구, 백혈구, 편평세포, 일부의 결정체, 세균, 효모균, 그리고 정자 검출에 수기 현미경 검사법과 비교하여 허용수준의 결과를 얻을 수 있다. 그러나 자동분석기로는 지질이나 세관상피세포가 검출되지 않으며, 요결정체 검출에 거짓 음성율이 높다. 현재 자동분석기는 짧은 시간에 많은 소변을 선별검사 하는 방법으로 이용되며, 신장질환 환자에게는 부적합할 수 있어 이 경우에는 수기 현미경검사를 시행하는 것이 권장된다.

3. 일반요검사 외 요검사의 이용− 생물표지자 (Biomarker) 측정

신장 손상은 대개 아래에서 언급할 크레아티닌을 기반으로 한 사구체여과율의 추정이나 소변의 알부민 배설 등으로 진단하게 되는데, 이러한 방법들은 조기에 질환의 발견이 어렵고 예후를 예측하기에 부정확하다. 이를 극복하기 위해 최근에 만성콩팥병, 급성콩팥손상, 신장이식, 사구체신염 등 다양한 신장질환에 대한 소변 내 생물표지자의 측정이 시도되고 있으며 특히 급성콩팥손상에서 유용하게 사용되고 있다. 예를 들면 급성콩팥손상의 조기 진단에 유용한 소변 내 생물표지자는 neutrophil gelatinase-associated lipocalin (NGAL), kidney injury molecule-1 (KIM-1), interleukin (IL)-18, liver-type fatty acid-binding protein (L-FABP) 등이 알려져있다. 급성콩팥손상의 예후를 예측하는 데는 소변 안지오텐시노겐, 소변의 insulin-like growth factor-binding protein 7 (IGFBP7) 과 tissue inhibitor of metalloproteinase-2 (TIMP-2) 등의 생체표지자가 유용하다고 보고되었다. 최근에는 생물표지자로서 단백질 대신 소변 내 펩티드 분석이 만성콩팥병을 비롯한 다양한 신장질환의 조기발견, 예후나 치료에 대한 반응 예측 등을 위해 시도되고 있다.

신기능 검사

1. 사구체여과율

사구체여과율의 측정은 신기능을 검사하는 유용한 방법이지만 임상적으로 신장질환의 스크리닝에 적합한 방법은 아니다. 그 이유는 신장질환의 초기에 사구체여과율은 정상일 수 있고 심지어 보상작용으로 증가하는 경우도 있기 때문이다. 또한 사구체여과율은 신장질환의 원인에 대한 정보를 제공해 주지는 못한다. 그럼에도 불구하고 정확한 사구체여과율의 측정은 중요한데, 이것을 기준으로 만성콩팥병의 단계를 정하고 있고 예후를 예측하는데 유용하기 때문이다. 신기능이 정상이라고 하더라도 개개인마다 생리적인 차이가 존재하며, 연령, 성별, 체중 등이 다양하므로 정상 사구체여과율의 범위를 정하기가 어렵지만 평균적으로 남자 130 mL/min/1.73m², 여자 120 mL/min/1.73m² 정도이다.

2. 사구체여과율 측정(Measurement)

사구체여과율을 직접 측정할 수는 없고, 혈장으로부터 어떤 특정 물질 혹은 표지자의 신장에서의 청소율(renal clearance)을 측정하는 것으로 구할 수 있다. 이런 표지자가 체외에서 일정한 속도로 주입되거나 혹은 체내에서 일정한 속도로 생성될 때, 이 물질이 신장 외에서는 제거가 일어나지 않고 세관 재흡수나 분비가 일어나지 않는다면 사구체여과율은 이 표지자의 신장청소율과 동일하며 다음의 공식으로 구할 수 있다.

$$GFR = (U \times V)/(P \times T)$$

(GFR: 사구체여과율, U: 소변내 농도, V: 소변량,
P: 일정시간 동안의 평균 혈장농도, T: 시간)

이러한 물질 중의 하나가 이눌린(inulin)이며 생리적 불활성 물질로 사구체에서 자유롭게 여과된 후 세관에서 재흡수되거나 분비되지 않고, 신장에서 생성되거나 대사가 일어나지 않아 사구체여과율 측정에 이상적인 물질이다. 그러나 이눌린은 구입이 어렵고 시간과 비용이 많이 소요되고 기술적으로 농도 측정이 까다로워 임상에서 일반적으로 사용하기에는 어렵다. 다른 표지자를 이용하는 방법으로는 iothalamate, iohexol, DTPA, EDTA 등의 표지자를 주입하고 혈장에서의 청소율을 측정하는 방법인데 이눌린보다 더 쉽게 이용할 수는 있으나 임상에서 적용하는데 모두 제한점들이 있다.

3. 사구체여과율 추정(Estimation)

1) 혈청 크레아티닌

크레아티닌(creatinine)은 횡문근의 크레아틴(creatine)의 대사에 의해서 혹은 식이 단백 섭취에 의해서 생성되며 비교적 일정한 속도로 혈액으로 방출된다. 크레아티닌은 사구체를 자유롭게 여과하며 대사되거나 재흡수는 일어나지 않는데 세관에서 분비가 일어나기 때문에 소변에 존재하는 크레아티닌의 10~40%가 세관 분비에 의한 것이다. 사구체여과율, 세관에서의 크레아티닌 분비, 크레아틴 식이 섭취, 근육량 등이 일정하다면 혈청 크레아티닌 농도는 일

정하게 유지된다. 따라서 다른 조건이 일정할 때 혈청 크레아티닌과 사구체여과율은 반비례의 관계에 있으므로 혈청 크레아티닌으로 사구체여과율을 추정할 수 있다. 그러나 실제적으로 사구체여과율이 감소하는 경우 세관에서의 크레아티닌 분비가 증가되므로 사구체여과율이 50% 감소될 때 혈청 크레아티닌이 두 배까지 상승하지는 않는다. 따라서 비교적 경증의 신기능 장애가 있는 경우에 약간의 혈청 크레아티닌 상승이라도 사구체여과율의 심한 감소를 반영할 수 있으므로 유의해야 한다. 또한 혈청 크레아티닌치로 사구체여과율을 추정하는 것은 정상 신기능 혹은 안정된 만성신장질환일 때만 가능한데, 그 이유는 급성콩팥손상이 있는 경우 사구체여과율은 급격히 감소하지만 혈청 크레아티닌이 축적되는데 시간이 필요하기 때문이다. 혈청 크레아티닌의 정상 수치는 성별, 인종마다 차이를 보여 미국의 경우 남녀 각각 1.13, 0.93 mg/dL로 보고되었다. 여자에서는 근육량이 남자보다 적기 때문에 크레아티닌의 생성이 적어 혈청 크레아티닌치가 더 낮다. 성별 외에도 근육량이 적은 경우 즉, 사지 절단상태, 영양실조, 근육소모 질환, 채식주의자 등에서는 크레아티닌 생성이 적고, 과도한 육류섭취, 크레아티닌 보충제를 복용하는 경우 등에서는 크레아티닌 생성이 증가될 수 있다. 크레아티닌의 세관 분비도 여러 상황에서 변동이 생길 수 있는데 신증후군이나 겸상적혈구병(sickle cell disease)에서는 크레아티닌 분비가 증가하며 따라서 혈청 크레아티닌 농도로 추정한 사구체여과율보다 실제 사구체여과율은 더 낮을 수 있다. 약제 중 트리메토프림(trimethoprim)이나 H2차단제인 시메티딘 (cimetidine) 등은 크레아티닌의 분비를 억제한다.

혈청 크레아티닌 농도를 측정하는 방법에 따라 같은 농도라도 다르게 보고될 수 있어 주의를 요한다. 전통적으로 흔하게 사용하는 방법은 Jaffe (alkaline picrate)법인데, 이 측정법은 혈청 크레아티닌 외에 비크레아티닌 색소원 (non-creatinine chromogen)도 함께 측정되므로 실제 보다 높게 측정되는 단점이 있다. Isotope dilution mass spectrometry (IDMS) 방법으로 측정소급성(traceability)이 있도록 측정한 혈청 크레아티닌 농도는 실제와 유사한 것으로 알려져 있다. 따라서 검사실마다 측정방법을 표준화하는 것이 필요하다.

2) 크레아티닌청소율

임상에서 사구체여과율 추정을 위해 24시간 크레아티닌청소율을 많이 이용한다.

$$CCr \ (mL/min) = (Ucr \times V)/(Scr \times T)$$

(CCr: 크레아티닌청소율, Ucr: 소변 크레아티닌 농도, V: 소변량, Scr: 혈청 크레아티닌 농도, T: 소변수집 시간)

크레아티닌청소율로 신기능을 평가하기 위해서는 체표면적 1.73 m²으로 보정해서 사용해야 한다. 크레아티닌청소율로 사구체여과율을 추정하는 방법은 크레아티닌이 일정량 세관에서 분비된다는 점에서 제한점이 있다. 하지만 Jaffe법으로 혈청 크레아티닌을 측정하는 경우 실제 크레아티닌 농도보다 높게 측정되므로 이러한 오류가 세관 분비에 의해 사구체여과율을 과대평가 하는 오류를 상쇄시켜 실제 사구체여과율과 유사한 결과를 보여 전통적으로 임상에서 많이 이용하였다. 그러나 사구체여과율이 감소함에 따라 크레아티닌 분비가 더욱 증가하므로 진행된 만성신장질환 환자에서는 사구체여과율을 과대평가하게 된다.

3) 사구체여과율 추정 공식

임상에서 쉽게 측정 가능한 혈청 크레아티닌 농도를 이용한 공식으로 사구체여과율을 효과적으로 추정할 수 있다. 이러한 공식은 사구체여과율 외에 혈청 크레아티닌 농도에 영향을 미치는 변수들인 연령, 성별, 인종, 체중 등의 인구 통계학적, 임상적 변수들을 조합하여 개개인의 크레아티닌 생성에 차이가 있어도 사구체여과율을 추정하도록 유도되었다.

(1) Cockcroft and Gault 공식

CCr (mL/min) = (140−연령)×체중(kg) / 72×Scr (mg/dL)
(여자인 경우×0.85)

249명의 평균연령 57세의 안정된 상태의 백인 남자에서 도출되었고, 나이가 증가함에 따라 크레아티닌 생성이 감소된다는 것과 체중을 고려하였으나 당뇨나 신장이식 등은 고려하지 않았다. 이 공식이 처음 도출되었을 때는 비만한 환자가 많지 않아 체중이 근육량과 상관관계가 높았지만 최근에는 과체중이 근육량 보다는 지방량을 나타낼 가능성이 높으므로 그런 환자에서는 크레아티닌청소율이 높게 계산될 수 있다. 또한 이 공식은 체표면적 1.73 m²로 보정이 필요하며, 표준화된 혈청 크레아티닌 측정을 이용하기 이전에 도출되었고 그 후에 수정되지 않아서 표준화된 혈청 크레아티닌 수치를 적용하는 경우 크레아티닌청소율을 실제보다 과대평가할 수 있다.

(2) The modification of diet in renal disease (MDRD) 공식

MDRD 공식은 체표면적으로 보정된 사구체여과율을 추정하는 공식이다. 혈청 크레아티닌, 연령, 인종, 성별을 이용하여 구할 수 있으며 iothalamate 청소율을 기준으로 도출되었다. 이 공식은 여러 인터넷 사이트에서 숫자를 대입하여 쉽게 계산이 가능하다. MDRD 공식은 1차적으로 평균 사구체여과율 40 mL/min/1.73m², 평균연령 51세의 남자, 특히 주로 백인(88%)에서 도출된 공식이며, 여기에 신이식환자나 당뇨환자는 포함되지 않았다. MDRD 공식은 인종에 따라 영향을 받으며 흑인의 경우 흑인 계수 1.21을 곱하여 계산하고 있다. 동양인의 경우에는 체격이 서양인과는 다르므로 동양인에 맞는 새로운 공식이 필요하며 일본과 중국에서 자국민을 대상으로 MDRD 공식을 도출한 보고들이 있고 국내의 연구들에서도 한국인 MDRD 공식을 도출하여 한국인계수를 1.02046 혹은 0.99096으로 보고하였다. MDRD 공식은 정상이거나 정상에 가까운 사구체여과율을 보이는 경우나 비만한 환자에서 정확도가

떨어진다는 단점이 있다.

(3) Chronic kidney disease epidemiology collaboration (CKD−EPI) 공식

MDRD 공식이 정상이거나 정상에 가까운 사구체여과율을 보이는 경우에 덜 정확하다는 단점이 있어 CKD−EPI 공식이 개발되었다. 이 공식 역시 iothalamate 청소율을 기준으로 도출되었으며 보다 넓은 범위의 사구체여과율을 대상으로 하였다. CKD−EPI 공식 역시 여러 인터넷 사이트에서 이용이 가능하며 혈청 크레아티닌치는 IDMS 방법으로 측정된 수치를 대입해야 한다. CKD−EPI 공식은 사구체여과율 60 mL/min/1.73m² 이상인 경우에는 MDRD 공식으로 산출한 사구체여과율보다 더 정확하다고 알려져 있고 그 이하의 사구체여과율에서는 MDRD 공식과 유사한 정확도를 보인다고 보고되었다. MDRD 공식을 이용하였을 때 사구체여과율이 만성신장질환 범주에 속하지만 CKD−EPI 공식을 이용하였을 때 사구체여과율 60 mL/min/1.73m² 이상으로 재분류되는 경우가 발생하기도 한다. 이런 경우 CKD−EPI 공식을 이용하여 분류되었을 때가 예후와 더 상관관계가 좋다고 알려져 있다. 한국인을 대상으로 한 CKD−EPI 공식의 연구에서 원래의 공식을 그대로 한국인에 적용하여도 무방한 것으로 보고되었다.

(4) 사구체여과율 추정 공식의 선택 및 제한점

사구체여과율이 60 mL/min/1.73m² 이상인 경우는 CKD−EPI 공식이 권장되며 그 이하에서는 MDRD, CKD−EPI 두 가지 공식 모두 사용할 수 있다. 세 가지 추정 공식이 모두 크레아티닌을 이용하는 것이므로 사지절단, 마비, 근육질환과 같이 근육량이 비정상적인 경우, 심한 저체중 혹은 과체중, 채식주의자, 크레아티닌 보충제를 복용하는 경우, 보디빌더, 소아, 임신 등의 경우에는 24시간 소변을 수집하여 크레아티닌청소율을 구하거나 체외에서 표지물질을 주입하여 사구체여과율을 측정해야 한다. 약물 용량을 결정하기 위해서 어떤 사구체여과율 추정 공식을 이용할지 선택해야 하는데, 신기능에 따른 약물의 용

량을 결정하기 위한 약물역동학적 연구가 대부분 Cock-croft-Gault 공식을 이용하여 수행되었지만 크레아티닌 측정의 표준화 이전에 이루어졌기 때문에 표준화된 방법으로 측정된 크레아티닌 농도를 이용하기에 제한점이 있다. 이후의 연구에서 MDRD 공식으로 시뮬레이션 하였을 때에도 Cockcroft-Gault 공식을 이용한 경우와 유사한 결과를 얻어, 신기능에 따른 약물 용량결정에 MDRD 공식을 이용해도 무방하며, CKD-EPI 공식도 MDRD 공식과 유사하다고 보고되어 이 두 가지 공식을 약물용량 결정에 이용이 가능할 것으로 생각된다.

(5) 혈청 시스타틴(Cystatin) C

크레아티닌 외에 사구체여과율을 추정하기 위한 내인 표지자로 혈청 시스타틴 C가 1985년에 처음 제안되었다. 혈청 시스타틴 C 농도는 크레아티닌에 비해 사구체여과율과 더 정확한 연관성이 있다고 알려져 있고 초기 신기능 저하를 감지하는데 혈청 크레아티닌보다 더 민감하다고 보고되었다. 시스타틴 C는 사구체에서 자유롭게 여과되며 재흡수가 일어나지 않으나 세관에서 대사가 일어나서 청소율을 계산하기가 어렵다. 시스타틴 C는 체내의 모든 유핵 세포에서 일정한 속도로 생성되며 연령, 성별, 체중, 근육량 등에 영향을 받지 않는 것으로 생각되었다. 그러나 이후 시스타틴 C 농도가 남자, 과체중 등의 경우에 증가될 수 있다고 하며 그 외에도 갑상선기능저하증, 항진증, C-반응단백, 체지방량, 당뇨 등에 의해서도 영향을 받는다고 보고되었다. 시스타틴 C의 농도 측정은 방사면역측정법, 형광항체법, 효소면역측정법 중의 한 가지 방법을 이용하여 측정할 수 있다. 그러나 측정에 시간이 많이 걸리고 정확성이 떨어져 임상에서 이용하기에는 제한점이 있다. 사구체여과율을 추정하는 CKD-EPI 공식에서 혈청 크레아티닌 대신 시스타틴 C를 이용하는 공식이 개발되어 있고 크레아티닌과 시스타틴 C를 동시에 이용하는 공식도 있다. 크레아티닌을 이용한 공식에 비해 더 정확하다고 밝혀져 있지 않아 아직 임상적으로 널리 이용되지 않지만 크레아티닌 생성이 적은 고령, 어린이, 신이식환자, 간경변증 등에서는 시스타틴 C를 이용한 공식을 이용하는 것이 더

추천된다.

▶ 참고문헌

- Casa DJ, et al: National Athletic Trainers' Association position state¬ment: fluid replacement for athletes. J Athl Train 35:212–224, 2000.
- Cockcroft DW, et al: Prediction of creatinine clearance from serum creatinine. Nephron 16:31–41, 1976.
- Fogazzi GB, et al: Urinalysis: Core Curriculum. Am J Kid Dis 51:1052–1067, 2008.
- Inker LA, et al: Estimating glomerular filtration rates from serum creatinine and cystatin C. N Engl J Med 367:20–29, 2012.
- Israni AK, et al: Laboratory assessment of kidney disease: Glomer¬ular filtration rate, urinalysis, and proteinuria, in Brenner and Rector's The Kidney, edited by Taal MW, 9th ed, Elsevier Saunders, 2012, pp868–896.
- Ix JH, et al: Equations to estimate creatinine excretion rate: the CKD epidemiology collaboration. Clin J Am Soc Nephrol 6:184–191, 2011.
- Jeong TD, et al: Development and validation of the Korean version of CKD-EPI equation to estimate glomerular filtration rate. Clin Bio¬chem 49:713–719, 2016.
- Lee CS, et al: Ethic coefficients for glomerular filtration rate estimation by the modification of diet in renal disease study equations in the Korean population. J Korean Med Sci 25:1616–1625, 2010.
- Levey AS, et al: A more accurate method to estimate glomerular fil¬tration rate from serum creatinine: a new prediction equation: Modi¬fication of Diet in Renal Disease Study Group. Ann Intern Med 130:461–470, 1999.
- Levey AS, et al: A new equation to estimate glomerular filtration rate. Ann Intern Med 150:604–612, 2009.
- McMahon GM, et al: Biomarkers in nephrology: core curriculum 2013. Am J Kidney Dis 62:165–178, 2013.
- Oh YJ, et al: Validation of the Korean coefficient for the modification of diet in renal disease study equation. Korean J Intern Med 31:344–356, 2016.
- Simerville JA, et al: Urinalysis: A Comprehensive Review. Am Fam Physician 71:1153–62, 2005.
- Sirolli V, et al: Urinary peptidomic biomarkers in kidney diseases. Int J Mol Sci 21,96:1–15, 2020.

CHAPTER 02 신장질환과 유전체학

이범희 (울산의대 소아청소년과)

KEY POINTS

- 임상적으로 주로 이용되는 유전 검사에는 단일 유전자 검사, 차세대 염기 서열 분석법을 이용한 패널 검사, 엑솜 분석, 전장 게놈 분석, 그리고 염색체 마이크로 어레이 검사 등이 있다.
- 의심되는 질환 혹은 질환군에 따라 유전 검사의 종류의 선택이 달라진다.
- 유전 검사 보고에 기술된 변이의 병인성을 이해하고 가족 검사 등을 통해 최종 진단을 해야 한다.

유전 검사의 정의

유전자검사는 분석목적 및 분석대상을 기준으로 분류하거나 임상적 효용성에 따라 구분지어 진다.

1. 분석 목적 및 분석 대상에 따른 유전검사

1) 분자유전검사(Molecular genetic testing)

대표적인 유전 검사 방법으로 주로 DNA 검사를 지칭하며 개인식별, 단일유전자질환, 질병감수성 예측을 위해 시행되는 방법이다. 알포트 증후군이 의심될 때 *COL4A5* 유전자 검사를 시행하는 경우가 대표적 예이다.

2) 세포유전검사(Cytogenetic testing)

고식적인 염색체 검사(karyotyping)가 해당되고, 다운 증후군이나 터너 증후군과 같이 염색체의 수적 이상을 확인하기 위해 시행한다.

3) 분자세포유전검사(Molecular cytogenetic testing)

고식적인 염색체 검사로는 발견하기 힘든 5 megabases (Mbs)이하의 크기의 염색체의 미세 결실이나 중복을 발견하는데 도움이 된다. 특정 염색체 형광소식자 라벨링을 하여 해당 부위의 결실이나 중복을 확인할 수 있는 형광제자리부합법(fluorescence in situ hybridization, FISH), 복합 결찰 소식자 증폭(Multiplex ligation dependent probe amplification, MLPA)을 사용하기도 한다. 최근에는 20~400 kilobases (Kbs)이상의 크기의 염색체의 미세결실이나 중복을 확인할 수 있는 염색체마이크로어레이(chromosome microarray, CMA)를 많이 사용한다. CAKUT (Congenital anomaly of kidney and urinary tract) 환자에서 염색체 1번 장완 부위의 미세결실(1q21.1 microdeletion)을 확인하기 위해 CMA 검사를 하는 경우가 이에 해당한다.

4) 생화학적 유전검사(Biochemical genetic testing)

유전자가 생성하는 단백질의 기능이나 단백질의 대사 전구 물질을 측정하는 방법이다. 유전자 돌연변이에 의해 감소된 단백질의 기능을 효소 분석을 통해 진단하거나, 효소의 기능 소실에 의해 축적된 전구 물질을 측정한다. 파브리병(Fabry disease)이 의심되는 환자에서 GLA 효소 분석을 하거나, 전구물질인 Globotriaosylceramide (Gb3)를 혈액에서 측정하여 수치가 비정상적으로 증가되었는지 확인하는 방법이 이에 해당한다.

2. 임상적 효용성에 따른 유전검사

1) 임상검사(Clinical test)

임상진단검사로의 효용성이 확립된 검사로 임상진료의 서비스에서 사용되며, 상업적으로 가능한 검사들로, 의료 급여체계에 포함되어 있는 유전자 검사들이 이에 해당된다.

2) 임상연구검사(Investigation test)

임상적 효용성이 어느 정도는 인정되나 검사결과를 임상에 적용하기 위해서는 특정민족에서의 좀 더 많은 자료가 축적되어, 상업적 검사로 진행하기 어려운 검사들이다.

3) 연구검사(Research test)

임상적 효용성이 확립되지 않은 검사로 순수 연구목적으로 진행되며, 상업적 검사로 수행되지 않는다.

유전체 검사의 발전

유전 검사는 고전적으로는 인간에 존재하는 단일 유전자나 단일염기 다형성(Single nucleotide polymorphism)을 분석하였다. 그러나, 인간 게놈 지도가 2000년대 초반에 완성이 되고, 이와 더불어 차세대염기서열 분석법(Next Generation Sequencing, NGS)이 도입되면서 유전체 검사는 획기적인 발전을 이루게 되었다.

현재 많이 사용되고 있는 검사법과 각각의 장단점은 표 2-2-1에 정리하였다.

1. 단일 유전자 분석

단일 유전자 분석은 사람 유전체 중 원하는 하나의 유전자의 DNA를 분리하고, 염기서열을 분석하는 방법이다. 프래드릭 생어 등이 1977년 생어 염기서열 분석법(Sanger sequencing analysis, Sanger dideoxy procedure)을 소개하고, 에를리히 등이 1988년 중합효소연쇄반응(Polymerase Chain Reaction, PCR) 기법을 개발하여 단일 유전자 검사가 보편화 되었다.

단일 유전자 분석은 특정 유전질환이 의심되고, 원인 유전자가 1개이거나 소수일 경우에 사용할 수 있는 방법으로, 현재까지도 유전진단을 위해 가장 보편적으로 사용되는 방법이다. 가령, 상염색체 우성 다낭콩팥병이 의심될 경우 약 80%정도의 유전적 원인인 *PKD1* 유전자를 검사할 경우 단일 유전자 분석법을 이용하게 된다.

그러나, 1개의 유전자를 분석하는데 일반적인 상업적 검사실에서는 대개 3주 이상의 시간이 소요되고, 한 질환에서 원인 유전자가 여러 개인 경우 수개월 이상의 시간이 소요될 수 있는 단점이 있다. *PKD1* 유전자의 경우 40개 이상의 엑손으로 구성되어 있어, 검사 시행에 수 주 이상의 시간이 걸리고, 검사가 정상일 경우 상염색체 우성 다낭콩팥병의 다른 원인 유전자인 *PKD2*, *GANAB*, *DNAJB11* 유전자 검사를 추가로 해야 한다. 이외에도, 담당의가 질환을 의심하지 못하면 유전자 검사가 불가능하다는 단점이 있다. 또한, 생어염기서열분석법은 점돌연변이의 발견에 특화되어 있고, 엑손의 결실이나 중복 돌연변이는 발견을 하지 못한다. 엑손의 결실이나 중복은 위한 검사는 정량PCR (real−timePCR 혹은 quantitative PCR)이나 MLPA 검사를 통해 가능하며, 일부는 CMA에서 발견이 가능하다.

표 2-2-1. 유전체 검사의 종류와 장단점 (2021년 현재 기준)

검사의 종류		대상 질환	장점	단점
단일 유전자 분석		임상적 진단이 확실하며 원인 유전자가 1개 혹은 소수일 경우 (예, 상염색체 우성 다낭신, 알포트 증후군 등)	• 경제적임 • 유전자별 특성 고려한 분석 가능	• 노동 집약적 • 다수의 유전자 분석을 할 경우 장기간 소요
차세대 염기 서열 분석법	패널 검사	특정 신장질환군으로 의심될 경우 (예, 스테로이드 내성 신증후군, 낭성 콩팥병 등)	• 수십 개에서 수백 개 원인 유전자가 존재하는 질환군의 진단에 비용 경제성에서 장점 보유 • 원인 유전자 부위를 약 500회 이상 탐색 • 패널에 포함된 유전자 부위의 대부분의 점돌연변이, 작은 크기의 결실/삽입 변이 발굴 가능 • 의료 급여 적용	• 패널에 포함되지 않은 유전자의 돌연변이 발견이 어려움 • 엑손의 결실/중복, 유전자복제수 변이(CNV)는 발견 어려움
	엑솜 분석	패널 검사 정상인 신장질환군 혹은 특정 신장질환군으로 구분되어지지 않은 신장 이상(예, 원인미상의 만성 신부전, 지속성의 단백뇨)	• 2만 여개의 유전자의 단백 전사 부위를 중심으로 분석 • 유전자 전사 부위를 50-100회 정도 탐색 • 유전자 전사 부위의 점돌연변이, 작은 크기의 결실/삽입 변이 발굴 가능 발견 가능	• 전사 부위 외이 돌연변이 발견 어려움. • 엑손의 결실/중복, 유전자복제수 변이(CNV)는 발견 어려움 • 의료 급여 적용 제외 (연구 검사로 가능)
	전장 게놈 분석		• 인간 게놈 전체 부위를 부위당 약 30회 탐색 • 점돌연변이뿐만 아니라 엑손의 결실/중복, 유전자복제수변이(CNV) 발견 가능	• 방대한 양의 데이터 분석 알고리즘 필요함(특히, 엑손의 결실/중복, 유전자복제수변이(CNV) 등). • 고비용 • 의료급여제외(연구 검사로 가능)
염색체 마이크로 어레이		콩팥 기형, 발달 지연 등 증후군성 증상(예시, CAKUT)	• 유전자복제수변이(CNV) 발견 가능 • 엑손 결실/중복 발견도 가능할 수 있음 • 의료 급여 가능	• 점돌연변이 발견 안 됨. • 염색체 균형 전위 발견 어려움

2. 차세대 염기 서열 분석법(Next generation sequencing, NGS)

인단게놈프로젝트는 미국 정부에 의해 1983년 계획되어 2003년에 마무리되어서 인간의 게놈 지도가 완성이 되었다. 2000년대 들어와서 차세대 염기 서열 분석법이 개발되면서, 인간 유전체의 분석 속도가 획기적으로 단축되었다.

차세대 염기 서열 분석법은 High-throughput sequencing, Massive parallel sequencing, Next generation sequencing 또는 Second-generation sequencing이라고도 불리는 기법으로, 다수의 인간 DNA를 작은 절편으로 나누어 동시에 분석할 수 있는 기법이다. 이 획기적 기술은 2010년대에 들어와서 보편화되었고, 이를 통해서 임상에서도 인간 유전체(게놈)의 신속한 분석이 가능하게 되었다.

차세대 염기 서열 분석법을 이용한 유전체 분석은 크게 3가지 방법이 존재 한다. 패널 유전자 검사(panel gene sequencing), 엑솜 분석(whole exome sequencing), 전체 게놈 분석(whole genome sequencing)이 이에 해당한다.

1) 패널 유전자 검사

패널 유전자 검사는 차세대 염기 서열 분석법을 이용하여 특정 희귀유전질환과 관련이 있는 유전자들을 한 번에 분석하는 방법이다. 인간 유전체에서 보고자 하는 유전자 수십에서 수백여 개를 표적하는 탐색자를 디자인하여 차세대 염기서열 분석법을 이용하여 동시에 염기서열을 분석할 수 있는 방법이다. 표적 부위는 500회 이상의 탐색자가 반복되어 정확한 분석이 가능하다. 2021년 현재 패널 유전자 검사는 보건복지부 고시 제2017-15호에 의거 요양급여 적용을 받고 있다(자세한 급여 비율 및 조건은 해당 고시를 참조하기 바란다).

패널 유전자 검사는 원인 유전자가 수십 개에서 수백 개에 이르는 질환군이 의심되는 경우 유용하게 사용할 수 있다. 대표적으로 해당되는 질환이 유전성 망막변성으로 이 질환의 경우 관련 원인 유전자가 80개 이상이 존재한다. 유전성 난청의 경우 200개 이상의 원인 유전자가 존재한다. 신장질환의 경우 스테로이드 저항성 신증후군의 경우 50개 이상의 유전자 이상이 관여함이 알려져 있다. 이 경우 단일 유전자 검사로는 현실적으로 원인 유전자를 찾는 데 필요 이상의 시간이 소요될 수 있다. 따라서, 50개 이상의 원인 유전자를 한 번에 검사할 수 있는 패널 유전자 검사가 유용하게 사용될 수 있다. 그러나, 디자인된 표적에 포함 안 된 부위에 원인 유전자가 존재하는 경우 패널 검사로는 원인 유전자의 돌연변이를 찾지 못하는 단점이 있다. 또한 진료 의사가 해당 질환 군을 의심하지 못하면 검사가 불가능하다.

2) 엑솜 분석

차세대 염기 서열 분석법이 보편화 되면서 진료 현장에서 가장 많이 도움을 받는 유전 진단법이다. 엑솜(exome)은 set-of-exons를 뜻하는 것으로 약 30억 개의 인간 게놈 염기쌍 중 약 1-2%에 해당하는 단백질을 전사하는 DNA를 총합하여 이르는 용어로, 사람의 유전질환의 돌연변이의 약 80%가 엑솜 부위에 존재한다. 엑솜 분석은 단백질을 전사하는 약 20,000 여개 이상의 유전자를 차세대 염기 서열을 이용하여 동시에 분석하는 방법이다.

엑솜 분석은 유전 질환으로 의심되나 단일유전자 검사나 패널 유전자 검사로 발견이 되지 않는 경우에 시행하게 된다. 유전질환이 의심되나 담당의가 특정 질환으로 임상적으로 진단할 수 없는 경우에도 시행해 볼 수 있다. 가령, 단백뇨가 동반되어 있는 환자에서 얼굴 생김새가 특이하고, 저신장이 동반되는 경우, 엑솜 분석을 통해 증후군성 유전 질환을 발견할 수 있고, 이를 통해 진단된 증후군 질환에서 신장질환에 대한 이해뿐 만 아니라, 신장 외에 다른 전신 계통의 이상 유무를 확인하고 치료를 고려할 수 있다.

최근에 와서는 엑솜 분석의 비용이 많이 절감되어 점차 패널 검사를 대체하는 추세이다. 패널 검사가 수십 개에서 수백 개의 유전자 분석만 가능한데 비해, 2만개 이상의 유전자 분석이 가능한 엑솜 분석은 좀더 다양한 질환의 진단에 활용될 수 있는 장점이 있기 때문이다. 그러나, 각각 유전자에 평균 500개 이상의 탐색자가 반복되는 패널 검사에 비해 엑솜 분석은 각 표적 부위에 평균 50-100여개의 탐색자가 반복되어 분석의 집중도는 떨어진다고 볼 수 있다. 엑솜 분석은 또 다른 분석적 제한점이 있는데, 단백을 전사하지 않는 유전체 부위(non-coding genome)와 50 basepairs (bps) 이상의 염기서열의 구조적 변이(structural variation)는 발견하지 못한다는 것이다.

엑솜 분석은 출생 후 다발성 선천성 기형이나 발달 지연/인지 장애를 보이는 소아 환자에서 유전적 진단을 위해 많이 활용되는데, 분석적 정확도가 향상되고 있어, 유전적 진단율은 30~40% 정도에서 보고에 따라 50% 정도에 이르는 경우도 있다.

신장질환군도 전체적으로는 500여개 이상의 유전적 이상이 알려져 있어, 각 세부 질환군에 따라서 패널 검사를 시행할 수 있으나, 점차 엑솜 분석으로 대체될 것으로 예상 된다.

3) 전장 게놈 분석

전장 게놈 분석(Whole genome sequencing)은 인간의 모든 유전체 정보를 분석하는 방법으로 차세대 염기 서열 분석법에서 가장 고차원의 검사라고 할 수 있다. 전장 게놈 분석은 엑솜 분석에서 발견하지 못하는 단백을 전사하지 않는 유전체 부위(non-coding genome)의 돌연변이와 50bp 이상의 염기서열의 구조적 변이(structural variation)도 발견할 수 있는 장점이 있다. 엑솜 분석을 통해 발생하는 데이터양이 한 사람 당 약 8GB이지만, 전장 게놈 분석은 한 사람 당 약 150GB의 훨씬 더 방대한 양의 데이터를 생산한다.

전장 게놈 분석은 엑솜 분석보다 상대적으로 높은 유전질환 진단율을 기대할 수 있다. 반면, 최근의 보고에 의하면 희귀유전질환이 의심되는 소아를 대상으로 전장 게놈 분석을 시행할 경우 연구자에 따라 30~57%의 진단율이 보고되고 있다. 진단률 수치는 앞서 언급한 엑솜 분석의 진단율(30~40%)에 비해 약간의 상승이 있지만, 유의하게 증가되지는 않은 것으로 보일 수 있다. 그러나, 연구에 따라 등록된 환자들의 특성이 달라 진단율의 차이를 직접 비교하기는 어렵고, 전장 게놈 분석이 엑솜 분석에 비해 보편화되어 있지는 않아 이 분석 방법에 대해 좀더 많은 경험이 축적된 후 좀 더 정확한 진단율의 비교가 이루어 질 것으로 예상된다. 중요한 점은 전장 게놈 분석은 엑솜 분석에 비해 전사 부위 이외의 돌연변이나 염색체 미세 결실, 중복 등의 구조적 이상을 좀 더 높은 빈도로 찾아낼 수 있어서 좀 더 명확하고 정확한 유전체 정보를 제공한다는 점이고, 점차 엑솜 검사를 대체하게 될 것으로 예상된다.

한편, 패널 분석이 약 500회 정도의 탐색자가 한 부위를 표적하고, 엑솜은 약 50~100개의 탐색자가 표적하는데 비해, 전장 게놈 분석은 약 30회 정도 표적하여서, 표적 부위에 대한 집중도는 그만큼 떨어진다고 할 수 있다. 그러나, 이러한 단점도 분석 기술의 발전을 통해 정확도가 향상되고 있다.

4) 차세대 염기서열 분석법의 한계

원인 유전자에 따라서 차세대 염기서열 분석법으로 발견하기 어려운 부위도 있어, 특정 질환 유전자는 유전자 특이 분석을 해야 하는 경우가 있다. PKD1이나, GREB1L 유전자의 경우 차세대 염기 서열 분석으로 유전자의 일부 부위는 포함이 안 될 위험이 있고, PKD1의 경우 다른 유전체 부위와 겹치는 상동 부위(homologous region)가 존재하여 정확도가 떨어질 가능성이 있다. MUC1 유전자의 경우 비전사부위에 염기쌍나열반복의 변수(variable number tandem repeats)에 유전적 원인이 존재하여, 차세대 염기서열 분석법으로 유전적 이상을 발견하기 어렵고, 일반적인 생어 분석으로도 원인 부위를 표적하지 못할 수 있어, single-molecule real-time 염기분석법과 같은 특별한 염기서열 분석법을 적용해야 하는 어려움이 있다. 또한, 아래 설명할 부분과 같이 유전자복제수변이는 발견하기 어려운 단점이 있다.

3. 염색체 마이크로 어레이

유전체 진단에서 단일 유전자 검사나 차세대 염기서열 분석법을 통해 주로 유전자의 점돌연변이의 발견이 가능하나, 이들 검사법으로는 엑손 다수의 결실이나 증폭, 그리고 이 보다 좀더 큰 규모의 유전자 하나 혹은 그 이상의 결실이나 증폭에 따른 유전자복제수변이(copy number variant, CNV)를 확인하기 어렵다. 분석 기술이 발달하면서 차세대 염기서열 분석법으로 유전자복제수변이를 발견할 수도 있으나, 이러한 경우에도 염색체 마이크로 어레이를 통하여 검증 진단하여야 한다.

염색체 마이크로 어레이는 검사 기법에 따라 CGH (comparative genomic hybridization)어레이와 SNP (single nucleotide polymorphism)어레이로 구분된다. 수많은 탐색자가 정렬된 마이크로 어레이 슬라이드 혹은 칩 위에 환자의 DNA와 정상인의 DNA를 비교하거나(CGH어레이), 수백만 개의 SNP정보가 심어진 칩에 환자의 DNA를 반응시켜(SNP어레이) 분석 프로그램을 이용하여 염색체 결실이나 중복 등의 변이를 검출하는 기법이다. SNP어레이는 이외에도 한부모 이체증[uniparental disomy (UPD): 환자의 염색체의 일부가 양부모로부터 유래되지 않고, 한쪽 부모로부터만 유래되는 이상]을 찾을 수 있다. 염색체 마이크로 어레이 검사는 가능한 일반적 염색체 검사와 같이 시행하는 것이 권고 되는데, 그 이유는 염색체 마이크로 어레이 검사로는 염색체의 균형 전위(balanced translocation)는 발견할 수 없기 때문이다.

현재 마이크로 어레이 검사는 원인 미상의 발달지연, 인지장애 혹은 자폐증, 다발성 선천기형을 동반한 환자에서 15~20% 정도의 진단율을 보이고 있다.

신장질환에서는 CAKUT 환자에서 염색체 마이크로 어레이로 약 10~15%정도의 환자를 진단할 수 있으며, 또 다른 희귀 유전 질환인 hypoparathyroidism, deafness and renal dysplasia (HDR) 증후군의 경우에도 원인 유전자인 GATA3를 포함한 10번 염색체 단완(10p14)부위의 결실을 발견할 수 있다.

콩팥병에서 유전체 검사의 적용

1. 콩팥병의 유전 진단 유용성

신장질환에서 유전적 원인의 발견은 단순한 유전 진단 외에도 다양한 임상적 유용성을 내포한다. 진단에 따른 관리 변화 외에도 일부 환자의 경우 치료 방침에 변화를 줄 수 있다. 또한 가족 검사 및 임신 상담을 통해 가족 구성원에 대한 상담에 대한 정보를 제공한다.

2. 질환에 따른 유전 검사의 선택

신장질환의 유전 검사 선택은 앞에서 설명한 바와 같이 임상적으로 의심되는 질환 혹은 질환군, 그리고 가족력 상 유전성이 의심되는 경우에 따라 단일유전자검사, 차세대 염기서열 분석법(패널 검사, 엑솜 분성, 전장 게놈 분석), 혹은 염색체 마이크로 어레이(가능하면 일반적 염색체 검사와 같이 시행) 중 하나를 선택하게 된다.

질환에 따라서 엑손의 결실이나 중복이 의심되는 경우에는 qPCR 혹은 MLPA 검사를 시행하여야 하고, MUC1 유전자와 같이 VNTR 부위의 유전적 이상은 특정 유전적 검사를 시행해야 한다.

가령, 가족성저인산혈증(Familial hypophosphatemia)이 의심되는 경우는 *PHEX* 유전자가 대표적 원인 유전자이므로, 단일 유전자 검사로 생어 분석을 시행하고, 정상으로 나올 경우 약 20-40%의 환자에서 발견되는 엑손 결

표 2-2-2. 콩팥병에서 유전 진단의 진단, 치료 및 가족 상담에서의 유용성

유전 진단의 유용성		대표적 예시
진단에 따른 관리의 변화	신장질환 외에 다른 신체 계통에 대한 평가 및 관리	• 알포트 증후군에서 청력 및 안과 관리 • 콩팥황폐증(Nephronophthisis)에서 망막의 변화 평가 • Ayme-Gripp 증후군에서 심기형 평가
치료의 변화	약제 선택의 변화	• 선천성 신증후군에서 면역억제제 사용 회피 (부작용 최소화) • 코엔자임Q10 대사에 의한 신증후군에서 코엔자임 보충 • 신이식후 요석 재발 환자 (APRT 결핍증)에서 allopurinol 복용
	치료 방침의 변화	• 선천성 신증후군에서 유전 검사를 통하여 가족 중 신이식 공여자 선택
	예후 예측	• Cubulin 유전자 결핍에 의한 단백뇨 환자의 양호한 장기 예후 정보 제공 • 상염색체성 알포트 증후군 환자에서 우성형과 열성형의 예후 정보 제공
가족 검사		• 가족 중 질환 이환자 발굴 • 이식 공여자 검사 시 이환자 선별 • 치명적 콩팥병 소아 환자의 부모의 임신 상담

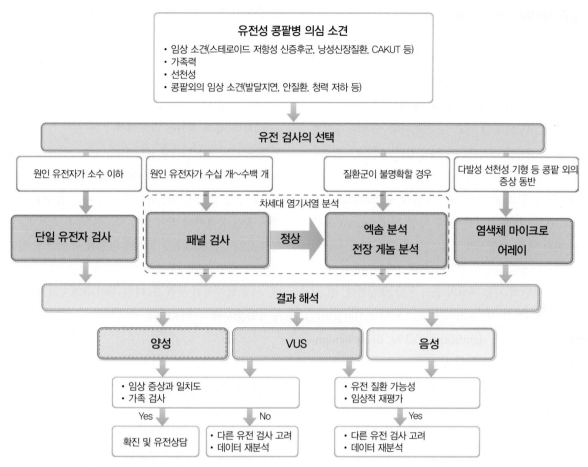

유전성 콩팥병 의심 소견
- 임상 소견(스테로이드 저항성 신증후군, 낭성신장질환, CAKUT 등)
- 가족력
- 선천성
- 콩팥외의 임상 소견(발달지연, 안질환, 청력 저하 등)

유전 검사의 선택

| 원인 유전자가 소수 이하 | 원인 유전자가 수십 개~수백 개 | 질환군이 불명확할 경우 | 다발성 선천성 기형 등 콩팥 외의 증상 동반 |

차세대 염기서열 분석

| 단일 유전자 검사 | 패널 검사 | 정상 → | 엑솜 분석 전장 게놈 분석 | 염색체 마이크로 어레이 |

결과 해석

| 양성 | VUS | 음성 |

- 임상 증상과 일치도
- 가족 검사

Yes → 확진 및 유전상담
No → • 다른 유전 검사 고려 • 데이터 재분석

- 유전 질환 가능성
- 임상적 재평가

Yes → • 다른 유전 검사 고려 • 데이터 재분석

그림 2-2-1. 유전성 콩팥병 의심시 유전 진단 알고리즘

실을 확인하기 위해 MLPA 검사를 수행할 수 있다. MLPA도 정상이면 또 다른 원인 유전자인 *FGF23* 유전자를 생어 분석해 볼 수 있다. 상염색체 우성 다낭신 검사의 경우 대표적인 원인 유전자인 *PKD1*의 경우 염색체 상동 부위(homologous region)의 분석을 피하기 위해 long-range PCR기법을 활용한 단일 유전자 검사를 주로 하게 된다(그러나, 최근 차세대 염기 서열 분석법의 정확도 향상으로 일부 돌연변이는 차세대 염기 서열 분석으로도 발견될 수 있다).

반면, 낭콩팥병(cystic renal disease)과 망막색소변성을 보여 섬모 질환(ciliopathy)이 의심되는 환자에서는 약 40여개 이상의 유전자가 원인으로 존재하므로 차세대 염기서열 분석법의 패널 검사를 시행하고, 정상일 경우 엑솜 분석이나 전장 게놈 분석을 할 수 있다.

엑솜 분석이나 전장 게놈 분석의 경우 유전성 신장질환으로 강력히 의심되나 특정 질환이나 질환군으로 임상 진단이 어려운 경우에도 시행해 볼 수 있다.

발달 지연, 얼굴 생김새 이상, 콩팥 기형이 동반된 환자의 경우는 염색체 검사와 염색체 마이크로 어레이 검사로 염색체의 구조적 이상 혹은 미세결실이나 중복 이상을 확인하여야 한다.

의심되는 질환군에 따라 권유되는 진단 방법은 다음 그림과 같이 정리할 수 있다(그림 2-2-1).

3. 결과 해석에서의 주의점

단일 유전자 검사나 차세대 염기 서열 분석법은 주로 점돌연변이를 발견하게 되는데, 발견된 점돌연변이는 미국의학유전학회(American College of Medical Genetics and Genomics, ACMG)의 권고 사항에 따라 변이의 병인성(pathogenecity)를 제시하도록 되어 있다. ACMG 권고사항에는 총 28개의 분석 기준이 있고, 이들은 대체로 변이의 희귀성, 종간 보전 위치, 변이의 단백 구조(domain) 상에서의 위치, 가족 검사를 통해 확인 된 de novo 혹은 trans 존재 여부, 실험실적 기능 연구를 통해 변이의 단백 기능 저하의 근거, 다양한 컴퓨터 프로그램(in silico analysis)을 통한 단백 기능 저하의 근거 등을 포함한다. 이 권고 사항에 따라 변이는 pathogenic, likely pathogenic, variant of unknown significance (VUS), likely benign, benign의 카테고리로 보고된다.

염색체 마이크로 어레이도 ACMG 권고 사항에 따라 CNV 해당 부위에 포함된 유전자의 기능, 이전 문헌 보고에서의 근거, 일반인에서의 빈도, 가족력상 de novo 여부 등에 따라 pathogenic, likely pathogenic, variant of unknown significance (VUS), likely benign, benign의 카테고리로 보고된다.

결과 보고에서 대개 pathogenic이나 likely pathogenic로 보고되는 변이 혹은 CNV는 유전적 원인으로 받아진다. 반면, VUS는 유전적 원인으로 판정될 수도 있고, 아닐 수도 있다. VUS의 병인성을 확인하기 위해서 추가적으로 고려해야 할 점이 있는데, 우선 담당의가 보고된 유전자의 변이와 환자의 임상 증상과의 일치도를 평가하여야 한다. 또한, 이전 문헌에서 해당 변이의 기능 연구 결과 상 단백의 기능이 유의하게 저해되는지도 확인해 보아야 하고, 다양한 컴퓨터 프로그램에서 변이가 단백 기능을 유희하게 저해하는지도 확인해 보아야 한다. 그리고, 무엇보다도 가족 검사를 통해서 병인성을 확인하여야 하는데, 가령 상염색체 우성 유전 양상을 보이는 변이의 경우 무증상 부모에서 변이가 존재하지 않음을 확인하여 de novo 변이의 존재를 확인하거나, 부모 검사가 불가능할 경우 같은 증상이 있는 가족에서 같은 변이가 발견되고, 무증상 가족에서는 변이가 존재하지 않음을 확인하여야 한다. 상염색체 열성 유전 질환의 경우 가족 검사를 통해 환자에서 발견된 변이들이 서로 다른 대립유전자(allele)에, 즉 trans로 존재함을 확인하여야 한다.

또 하나 결과 해석에 주의하여야 할 점은 질환에 따라서 침투도(penetrance)와 표현도(expressivity)가 낮은 유전자의 경우, pathogenic 혹은 likely pathogenic 변이라 하더라도 무증상 가족에서 발견될 수 있다는 점이다. 이러한 경우 원인 유전자의 변이 외에 다른 유전적 요인 혹은 환경적 요인이 질환 표현형 발현에 영향을 줄 것으로 예측되고 있다. 한편으로는 무증상 가족에서 발견이 되었기 때문에, 아직 발견하지 못한 또 다른 원인 유전자의 이상의 가능성도 염두해 두어야 한다.

유전 상담의 중요성

유전 검사가 보편화되면서, 유전 상담의 중요성도 증가하고 있다. 유전 상담은 단순한 가계도 작성으로 통해 유전 양상을 파악하거나, 유전 검사 결과를 설명하는데 그치지 않고, 환자 및 가족이 유전 이상으로 야기되는 질병의 의학적, 심리적, 사회적 영향을 이해하고 적응 할 수 있도록 돕는 포괄적이고 전문적인 의료 행위이다.

유전 상담은 가족력과 병력을 해석하여 질병의 유전방식을 유추하고 유전 검사 전 검사의 필요성, 양성률 등의 상담, 검사 확인 후 질환의 관리, 합병증 예방, 질환의 환자 자조모임, 질환에 대한 치료제나 연구 개발 현황, 다른 가족에 대한 검사 및 추후 임신 계획 등에 대하여 포괄적인 교육 및 상담을 수행한다. 중요한 점은 모든 과정에 있어 환자 및 가족의 자기 결정권을 존중하여 유전 상담을 수행해야 하는 것이고, 검사를 할 권리와 하지 않을 권리 모두 존중해야 한다.

특히 치명적인 환아를 출산한 부부의 경우 다음번 임신에 대한 두려움이 큰 상황이고, 현재 급격한 출산율 저하를 경험하는 우리나라의 경우 추후의 임신 상담에 대한 올바른 정보를 제공하여, 건강한 아이를 출산하는데 도움을 주어야 하는 의료인의 사회적 의무도 증가되었다. 산전 유전 진단의 방법은 착상전유전진단(preimplantation genetic diagnosis), 융모막 검사, 양수 검사, 제대혈 채혈의 검사로 가능하다. 다만, 현재 우리나라는 생명윤리 및 안전에 관한 법률(제50조제2항)에 따라 배아 또는 태아를 대상으로 한 유전자검사는 원칙적으로 금지하고 있고, 법령에서 허용한 약 200여 질환만 가능한 상황이다. 이 이유는 배아 및 태아에서 유전 검사를 통해 질환에 이환된 것으로 판명될 경우, 낙태의 위험이 있어 이에 대한 윤리적 법적 문제를 고려하여 질환을 엄격하게 제한하고 있기 때문이다.

하지만, 희귀유전질환의 종류가 늘고 있고, 치명적인 질환에 대한 유전 진단도 늘고 있으며, 그리고 무엇보다 출산률 저하로 인해 임신 자체를 거부하는 유전질환 환자 및 가족의 정신적 사회적 고통을 고려한다면, 허용 질환의 확대가 시급한 상황이다.

▶ 참고문헌

- Clark M.M., et al: Meta-analysis of the diagnostic and clinical utility of genome and exome sequencing and chromosomal microarray in children with suspected genetic diseases. NPJ Genom Med 9:16, 2018.
- Dixon-Salazar T.J., et al: Exome sequencing can improve diagnosis and alter patient management. Sci Transl Med 13:138–178, 2012.
- Groopman EE, et al: Diagnostic Utility of Exome Sequencing for Kidney Disease. N Engl J Med 380:142–151, 2019.
- Hay E, et al: A practical approach to the genomics of kidney disorders. Pediatr Nephrol Epub ahead of print 2021 (doi: 10.1007/s00467-021-04995-z).
- Hays T, et al: Genetic testing for kidney disease of unknown etiology. Kidney Int 98:590–600, 2020.
- Kingsmore S.F., et al: A Randomized, Controlled Trial of the Analytic and Diagnostic Performance of Singleton and Trio, Rapid Genome and Exome Sequencing in Ill Infants. Am J Hum Genet 105:719–733, 2019.
- National Human Genome Research Institute (NHGRI). Available from: https://www.genome.gov.
- Ng S.B., et al: Targeted capture and massively parallel sequencing of 12 human exomes. Nature 461:272–276, 2009.
- Richards S, et al: Standards and guidelines for the interpretation of sequence variants: a joint consensus recommendation of the American College of Medical Genetics and Genomics and the Association for Molecular Pathology. Genet Med 17:405–424, 2015.
- Sanna-Cherchi S, et al: Copy-number disorders are a common cause of congenital kidney malformations. Am J Hum Genet 91:987–997, 2012.
- Schuster S.C: Next-generation sequencing transforms today's biology. Nature Methods 5:16–18, 2007.
- Venter JC, et al: The Sequence of the Human Genome. Science. 291:1304–1351, 2001.
- Vivante A, et al: Exploring the genetic basis of early-onset chronic kidneydisease. Nat Rev Nephrol 12:133–146, 2016.

제 **2** 부 신장질환의 검사와 임상적 접근

CHAPTER 03 신장 핵의학 검사

김성장, 김근영 (부산의대 핵의학과)

KEY POINTS

- 본 개정판에서는 방사성의약품과 영상 획득 과정에 대한 내용을 각각의 임상적 목적에 따라 세분화하여 구체적으로 기술하였다. 또한, 1판에서 설명이 부족하였던 감마영상법을 이용한 콩팥제거율과, 동적콩팥스캔의 해석에 대해 좀 더 자세히 설명하였다.

핵의학적 방법을 이용한 신장 평가는 오랜 기간 잘 정립된 검사방법으로써 안전하고 널리 사용되는 검사방법이다. 핵의학적 평가 방법은 신장의 해부학적 정보 뿐 아니라 기능적 정보를 함께 얻을 수 있고 신장의 기능을 정량적으로 표현 가능하다는데 특별한 가치를 지닌다.

1. 신장 핵의학 검사의 준비와 주의사항

신장 핵의학 검사는 대부분 금식과 같은 특별한 전처리를 필요로 하지는 않지만, 검사 대상자는 방사성의약품 투여 전후로 충분한 수분공급 상태를 유지하는 것이 필수적이다. 영상 획득 시작 전에는 배뇨하여 반드시 방광을 비운다. 소변을 자주 보게 하는 것이 불필요한 방사선 피폭량을 줄이는 데도 도움이 된다. 방사성의약품을 주사하는 대부분의 핵의학 검사는 임산부에게는 금기이지만, ^{51}Cr-ethylenediamine tetraacetic acid (EDTA)를 이용한 사구체여과율의 측정은 필요시 시행할 수 있다. 이전 조영제를 이용한 영상을 촬영한 경우는 2주일 이상의 간격을 두고 스캔을 시행한다. 신장 핵의학 검사로 인한 심각한 부작용에 대해서는 보고된 바가 없다.

2. 방사성의약품

신장 핵의학에서 사용되는 방사성의약품은 1) 사구체여과 2) 콩팥 세관 분비 3) 피질 결합의 3가지 카테고리로 분류할 수 있으며, 사구체 여과와 콩팥 세관 분비에 해당하는 방사성의약품은 콩팥의 동적기능평가에 사용 가능하고, 피질내 결합하는 방사성의약품은 정적피질영상을 얻음으로 콩팥의 형태학적 평가가 가능하다. 사구체여과율 측정에서 가장 흔히 사용되는 물질은 ^{99m}Tc-diethylene-triamine pentaacetic acid (DTPA)로, 5~10% 정도 단백질과 결합하고 90% 이상 사구체 여과를 통해서만 배설되므로 사구체여과율을 측정하고, 콩팥을 영상화를 하는 데 임상적으로 적합한 방사성의약품이다. ^{51}Cr-EDTA는 널리

표 2-3-1. 신장의 핵의학적 평가 방법

사구체여과율 평가	^{14}C or ^{2}H inulin ^{99m}Tc, ^{111}In or ^{169}Yb-DTPA ^{99m}Tc-ethylenediamine tetraacetic acid (EDTA) ^{125}I-iothalamate
신장세뇨관기능 평가	^{131}I or ^{123}I-hippuran ^{99m}Tc-mercaptoacetyl-triglycine (MAG3) ^{99m}Tc-ethylenedicysteine (EC) ^{14}C or ^{2}H-paraaminohippurate (PAH) ^{125}I or ^{131}I-iodopyracet
기능성 신장실질 평가	^{99m}Tc-dimercaptosuccinic acid (DMSA) ^{99m}Tc-glucoheptonate (GH)

사용하는 방사성의약품으로서 사구체여과율을 평가하는 데 사용되지만, 콩팥의 영상을 얻는 데는 적합하지 않다. 콩팥 세관의 영상화를 위해 가장 흔히 사용 되는 물질은 ^{99m}Tc-mercaptoacetyl-triglycine (MAG3)로, 투여량의 90% 이상이 콩팥 세관을 통해 분비되고, 투여량의 90%가 단백결합을 형성하며, 투여량의 5~10%는 사구체를 통해 배설된다. 신피질을 영상화하는 데 가장 널리 사용되는 물질은 ^{99m}Tc-dimercaptosuccinic acid (DMSA)로 투여 후 투여량의 30~40% 정도가 배설되지 않고 신피질의 근위세관에 결합하므로 신피질의 종괴나 결손을 평가 할 수 있다. 신장 핵의학 영상 촬영 시 사용하는 방사성의약품에 의한 방사선 노출량은 1 mSv 이하로 일반인이 1년 동안 받는 자연방사선량의 1/3 정도에 해당하므로 검사대상자가 방사선 노출에 대한 불필요한 우려나 두려움을 가질 필요는 없다.

3. 영상획득방법

신장 핵의학 영상은 비교적 단순한 장비인 single-head gamma camera를 사용하여 얻는다. 동적신장스캔(dynamic renal scan, dynamic renography, nephrogram)은 방사성의약품의 섭취에서부터 배설에 이르는 과정을 영상화할 수 있는 방법으로서 시간-방사능 곡선(time-activity curve)을 그려낼 수 있고, 이 과정에서 여러 정량적 지표를

구할 수 있다. 정적피질스캔(static renal scan)/신장피질스캔(renal cotical scan)은 기능이 유지되는 신장 조직에만 섭취가 되므로, 형태학적 정보를 제공할 수 있으며 정량적 평가도 가능하다. 콩팥은 후복막기관이므로 신장 핵의학 영상 촬영시 카메라는 환자의 뒤에 위치하게 되지만, 말굽콩팥이나 이소성콩팥, 이식콩팥등을 평가할 때는 카메라는 환자의 앞에 위치하기도 한다.

1) 감마영상법을 이용한 신장제거율의 측정

감마카메라를 이용하여 방사성의약품 주사 전후에 투여된 방사성의약품의 양을 계측하고 주사 후 3분 이내에 콩팥에 집적된 방사능을 감쇠보정 후 투여량에 대한 콩팥의 집적된 방사능(percentabe injected dose, %ID)으로 콩팥제거율을 구한다. Gate방법(GFR, ^{99m}Tc-DTPA)과 Schlegel 방법(ERPF, ^{131}I-hippuran)이 있고, 배후방사능보정과 콩팥의 깊이를 보정하여 계산한다. 감마영상법으로 계산한 콩팥제거율은 혈장단백결합이나, 기타장기의 배후방사능, 콩팥방사능의 자가감쇠등이 오차의 원인이 될 수 있다.

2) 동적신장스캔(Dynamic renal scan, dynamic renography, nephrogram)

동적신장스캔은 소변의 형성과정을 영상화하는 검사법으로 보통 계수 효율이 좋은 ^{99m}Tc-MAG3 혹은 ^{99m}Tc-

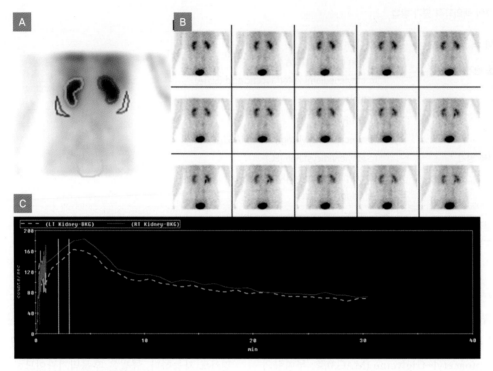

그림 2-3-1. 정상 콩팥 배출 영상과 신장기능도

환자의 뒤촬영영상에서 양측 콩팥과 배경, 방광에 관심영역을 그려 넣고(A) 15초 간격으로 20분간 영상을 얻으면 프레임당 2분 영상을 육안분석에 사용(B)하고 신장기능도(renogram)(C)를 그려서 정량분석에 이용한다.

DTPA를 사용한다(그림 2-3-1). 방사성의약품은 bolus로 급속히 정맥 투여하여 시간에 따른 연속 영상을 획득한다. 방사성의약품 주사 직후 첫 60초간 1~2초당 1장의 영상(관류기)을 촬영하는데, 이 때 정상적으로 복부대동맥 및 양측 신장의 관류를 관찰할 수 있다. 관류 직후부터 20분간 15초 간격으로 프레임당 2분의 영상을 촬영하는데 이 때가 배출기로서, 육안으로 볼 때 신실질에 축적된 방사성 의약품은 감소하고 집합계 및 요로계로 배설된다. 관류영상과 배출영상을 이용하여 신장기능도(renogram)라고 불리는 시간-방사능 곡선(time-activity curve)을 구현할 수 있다(그림 2-3-1, 그림 2-3-2). 신장기능도상에서 살펴보면 제1상에 콩팥의 방사능량이 급속히 증가하고(그림 2-3-2 ①), 제2상은 속도는 다소 감소하나 콩팥내의 추적자가 최고점에 도달한다(그림 2-3-2 ②). 마지막 제3상에서는 최고점 도달 후 급속히 추적자가 콩팥에서 감소하다가 시간이 지나면서 하강 속도가 느려진다(그림 2-3-2 ③). 신장기능도

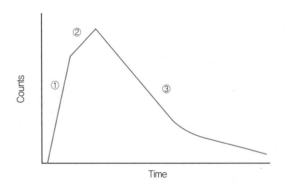

그림 2-3-2. 신장기능도의 모식도

는 사용하는 방사성의약품에 따라 조금씩 다른 모양을 보일 수 있다.

(1) 이뇨신장스캔(Diuretics renography, diuretic renal scan)

요로폐쇄가 의심되는 경우, 이뇨제를 이용하여 생리적

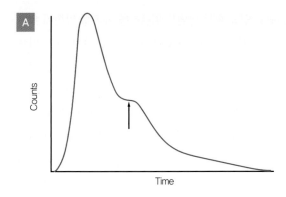

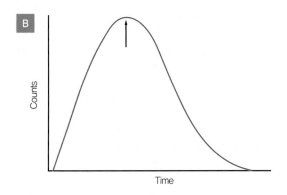

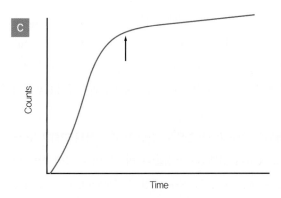

그림 2-3-3. 이뇨신장스캔의 신장기능도 (renogram)의 비교
정상(A), 단순신우확장(B), 요로폐쇄(C) (화살표: 이뇨제 주사)

인 이뇨를 유도하며 영상을 획득할 수 있다. 검사 전부터 충분한 수분 섭취를 하고 검사 직전에는 배뇨를 하여 방광을 비우게 한다. 피부경유신장창냄술(nephrostomy)을 시행한 경우에는 클램핑 후 검사를 시행한다. ^{99m}Tc-MAG3가 추출율이 높아서 좀 더 질 좋은 영상을 얻을 수 있고 이뇨제에 대한 반응평가에도 유리한 것으로 알려져 있지만, ^{99m}Tc-DTPA도 충분히 사용가능한 방사성의약품이다. 이뇨제 투여 시점은 방사성의약품 주사 후 2분, 5분,

10분, 20분 또는 주사 전 15분 등으로 다양하지만, 아직 어느 프로토콜이 가장 나은 지에 대한 결론은 확실하지 않으며, 일반적으로 방사성의약품 투여 20분간 동적신장스캔을 평가한 이후, 이뇨제 투여 여부를 결정하는 방법이 사용된다. 이뇨제는 furosemide를 성인 20~40 mg, 소아 1 mg/kg (최대 20 mg)을 정맥주사하고 이뇨제 투여 이후 20분간 이뇨스캔 영상을 추가로 얻는다. 육안적으로 동적신장스캔상에서 요의 흐름이 콩팥에서 방광까지 좌우 차이 없이 원활히 관찰되면 요로폐쇄없음으로 진단가능하다. 신장기능도(renogram)에서는 이뇨제 주사 후에는 일시적인 정체기가 관찰되기도 하나(그림 2-3-3 A), 이후 다시 원활히 배설이 이루어지면 정상으로 진단한다. 곡선이 정점에 도달하지 않고 증가하다가도 이뇨제 투여 이후 신속히 배설되면 단순신우확장으로 진단가능하고(그림 2-3-3 B), 이뇨제 사용에도 불구하고 계속해서 콩팥실질내에 증가하는 모양을 보일 때에는 폐쇄를 의심할 수 있다(그림 2-3-3 C). 정량적으로는 이뇨제 주사 직전 관심영역내의 방사능이 1/2로 감소하는 반감기(T1/2)를 구하는 방법이 가장 흔히 사용되고 T1/2이 10~20분 이상이면 유의미한 요로폐쇄로 진단가능하다.

(2) ACE 억제 신장스캔(Angiotensin-converting enzyme inhibition renography)

캡토프릴과 같은 앤지오텐신전환효소억제제(angiotensin converting enzyme inhibitor, ACEI)를 이용하여 신혈관성고혈압을 평가하기 위한 방법이다. 신동맥질환 중 하나인 신동맥협착에 의해 콩팥관류가 감소하게 되면 수입소동맥의 혈압이 감소하게 되고, 이 때, 압력감지 수용체의 자극으로 인해 레닌앤지오텐신계(renin-angiotensin system)가 활성화되면서 보상적인 수출소동맥의 수축으로 사구체여과율을 유지하게 되지만 이는 동시에 전신의 고혈압을 일으키게 된다. 이 때, ACEI로 수출소동맥을 확장하면 일측성의 신동맥협착증이 있는 환자에서 정상콩팥과 비정상콩팥 사이의 콩팥기능 차이가 증폭되게 된다. 만성 신장질환이나 요로폐쇄 등의 질환에서는 ACEI를 사용한다고 해도 동일한 효과를 보이지 않는다. 이러한 현상을

이용하여 ACEI 투여 전 후의 동적신장스캔을 비교하여 신동맥협착 유무에 대한 진단이 가능하다. 즉, ACEI 투여 후 일측성 콩팥의 방사성의약품의 섭취와 배설이 감소하고 사구체여과율도 함께 감소할 때, 해당 콩팥의 신동맥협착이 신혈관성고혈압의 원인임을 알 수 있다. 환자는 검사 전 충분한 수분섭취를 하고 4시간 금식한다. 경구용 캡토프릴은 25~50 mg을 검사 1시간 전에 투여한다. 정맥주사의 경우 enalaprilat을 사용하기도 하며, 0.04 mg/kg(최대 2.5 m)을 3~5분간 검사 15분 전에 투여하는 데, 심한 저혈압을 유발할 수 있으므로 주의해야 한다. 방사성의약품으로는 ^{99m}Tc−MAG3 또는 ^{99m}Tc−DTPA가 가장 널리 사용된다. 기저스캔을 먼저하고 바로 이어서 ACE 억제스캔을 하는 1일 검사법이 있고, ACE 억제스캔을 먼저 시행하여 이상이 있을 때, 특이도를 높이기 위해 다음날 기저스캔을 시행하는 2일 검사법이 있다. 스크리닝의 목적이라면 2일 검사법을 통해 첫날 검사로 신동맥협착증을 배제하는 것이 좀 더 효율적이다. ACEI를 복용하고 있는 환자에서는 검사의 예민도가 감소할 수 있다. 따라서 작용시간에 따라 3일~7일간은 복용을 중지하여야 한다. 칼슘통로차단제와 안지오텐신Ⅱ 억제제도 중단하는 것이 좋지만, 고혈압이 심한 경우에는 모든 고혈압약을 중단할 필요는 없다. ACEI 투여 후 ^{99m}Tc−DTPA의 상대섭취가 10% 이상 감소하는 경우는 유의한 변화이며, 5~9% 감소는 중간 정도의 유의성을 가진다. ^{99m}Tc−MAG3의 경우 신장실질의 방사능이 지속적으로 보이면서 최고점 시간이 2~3분 혹은 40% 이상 지연될 때 유의한 변화로 판단한다. 기저콩팥기능감소가 있는 환자에서는 진단의 정확도가 감소하며 이 때는 ^{99m}Tc−MAG3가 좀 더 추천된다. ACEI 투여 후 양측성의 콩팥 이상이 보일 때에는 실제로는 ACEI의 전신효과에 의한 경우가 많으므로 위양성으로 판단하지 않도록 주의한다.

(3) 이식신장의 평가

이식신장의 관류와 기능을 평가하여 기능 저하를 조기에 발견할 수 있고, 급성요세관괴사와 이식 거부의 진단에 이용될 수 있으며, 수술 후 콩팥과 요로 이상의 영상화도

가능하다. 영상 획득 방법은 검출기를 하복부 앞쪽에 위치하는 것 외에는 ^{99m}Tc−MAG3 또는 ^{99m}Tc−DTPA를 이용하는 일반적인 동적신장스캔 획득 방식과 동일하다. 이식콩팥의 관류는 처음 1분간 관류영상에서 복부대동맥과 이식콩팥 사이의 최고점 시간차이가 6초 이내면 정상관류로 판단하며, 이 때에는 관심영역이 제대로 그려졌는 지 반드시 확인하고, 가능하다면 기저스캔과의 비교평가를 함께 보는 것이 좋다. 급성요세관괴사의 경우, 신장스캔에서 관류는 상대적으로 잘 유지되지만, 방사성의약품의 신실질내의 섭취 및 배설이 저하되는데 반하여, 급성 거부반응의 경우, 방사성의약품의 관류/섭취/배설이 모두 저하되어 있으므로 이 둘을 감별할 수 있다. 또한 소변 leak과 같은 기계적인 이상소견도 신장스캔을 통해 배제가능하다.

3) 정적신장스캔(static renal scan)/신장피질스캔(renal cortical scan)

주로 ^{99m}Tc−DMSA를 사용하여 촬영한다. 정맥주사후 2~4시간 뒤에 누운상태에서 촬영하게 되고, 뒤촬영(posterior view) 및 30°~35° 뒤비스듬촬영(posterior oblique view)한다(그림 2-3-4). 신우신염과 반흔이 있을 시에 신장피질스캔상에서 피질결손소견이 보이는데, 급성신우신염의 피질결손은 가역적이고, 3~6개월 후에도 지속적으로 관찰되는 결손은 반흔으로 진단이 가능하다(그림 2-3-4-B). 초음파나 정맥신우조영술과 비교하여 2~4배 정도 더 결손을 찾을 수 있어 매우 예민한 검사이다. 특히 소아에서 치료 전후 경과관찰 및 양측신장기능을 정량화하는 데 매우 유용하게 사용되고 있다.

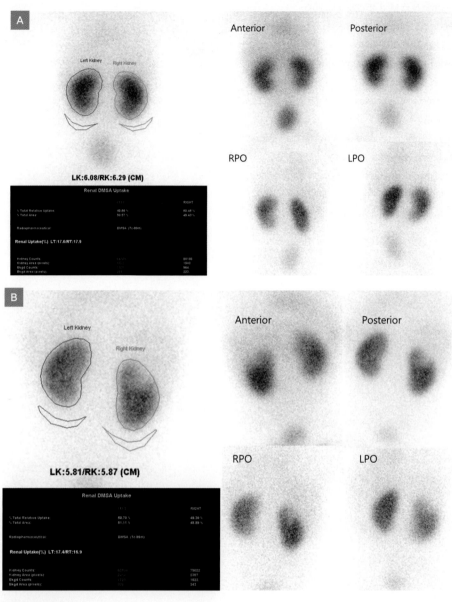

그림 2-3-4. 신장피질스캔의 예시

상좌:전면상/상우:후면상, 하단의 그림에서 양측 콩팥의 상대적 기능 및 섭취의 정량평가 결과가 제시되어 있다.

(A) 12세 여아의 정상 신장피질스캔. 전반적으로 균일한 방사성의약품의 섭취가 관찰된다.

(B) 요로감염이 있는 9개월 남아의 신장피질스캔, 오른콩팥의 상극에서 피질섭취결손이 관찰된다.

▶ 참고문헌

- 강건욱 등: 고창순 핵의학. 4th ed. 고려의학, 2019, pp777–809.
- 김인주: 물콩팥증의 치료에서 방사성동위원소검사. Korean J Ped Urol 1:21–30, 2009.
- Blaufox MD, et al: The SNMMI and EANM practice guideline for renal scintigraphy in adults. Eur J Nucl Med Mol Imaging 45:2218–2228, 2018.
- Durand E, et al: Functional renal imaging: New trends in radiology and nuclear medicine. Semin Nucl Med. 41:61–72, 2011.
- Hilson AJ, et al: 99Tcm–DTPA for the measurement of glomerular filtration rate. Br J Radiol 49:794–796, 1976.
- Keramida G, et al: Pitfalls and Limitations of Radionuclide Renal

Imaging in Adults. Semin Nucl Med 45:428−439, 2015.

• Piepsz A, et al: Pediatric applications of renal nuclear medicine. Semin Nucl Med 36:16−35, 2006.

• Prigent A: Monitoring renal function and limitations of renal function tests. Semin Nucl Med 38:32−46, 2008.

• Rossleigh M: Renal infection and vesico−ureteric reflux. Semin Nucl Med 37:261−268, 2007.

• Society of nuclear medicine procedure guideline for diagnosis of renovascular hypertension 3.0, 2003.

• Socitety of nuclear medicine procedure guideline for diuretic renography in children 3.0, 2008.

• Ziessman HA, et al: Nuclear medicine: The requisites. 3rd ed. Mosby, 2006, pp215−262.

CHAPTER

04 **신장질환의 진단에 이용되는
영상의학 검사**

이은지 (순천향의대 영상의학과)

KEY POINTS

● 초음파를 통해 신장의 크기와 구조, 혈류를 평가할 수 있고 미세혈관 도플러초음파나 탄성 초음파 영상을 이용해 신장의 미세
혈류의 평가 및 섬유화를 간접적으로 평가할 수 있다.

● 컴퓨터단층촬영술로 신장 및 요로계의 구조적 평가 및 국소병변, 신장 혈관, 감염, 외상 등의 평가를 할 수 있으며, 방사선노
출이 제한되는 경우 조영증강초음파, 자기공명영상을 사용할 수 있다.

● 신장질환을 평가하는 다양한 영상검사에 대해 이해하고 적절한 임상적 적용을 하여 진단의 정확도를 높이고 불필요한 방사
선 노출이나 부작용을 줄일 수 있다.

서론

신장 구조 및 기능의 복잡성 때문에 신장질환의 평가는
주로 혈액 및 소변검사 등을 바탕으로 이루어지며, 영상검
사는 신장의 크기나 모양, 신기능 저하의 원인이 되는 국소
병변 및 수신증의 확인을 위한 목적으로 주로 시행된다.
신장질환에 고식적으로 사용되는 영상검사로는 신장의 크
기와 신장 실질 및 관류의 평가, 수신증 및 국소병변의 유
무를 확인하기 위한 초음파(ultrasonography, US)가 있으
며, 단순촬영(KUB), 집합계의 평가를 위한 경정맥 요로조
영술(intraveneous urography, IVU), 선행성 및 역행성 신
우조영술(antegrade/ retrograde pyelography)이 사용된
다. 컴퓨터 단층촬영술(computed tomography, CT)은 주
로 신장크기, 요로돌, 신장 외상이나 낭종, 종양, 신장 혈

관의 평가를 위해 사용된다. 자기공명영상(magnetic reso-
nance imaging, MRI)도 신실질 질환에서의 역할은 제한
적이고, 주로 초음파나 CT에서 진단이 힘든 신장 국소병
변의 평가를 위해 문제해결 기법으로 제한된 경우에서 시
행된다(표 2-4-1).

최근 고식적으로 사용되었던 영상검사에 더하여 최신
초음파와 자기공명영상 기법 등 다양한 촬영기법을 활용
하여 신장의 관류, 기능 미세구조에 대한 평가를 하려는
시도들이 활발히 이루어지고 있다. 이 장에서는 고전적으
로 사용되는 신장질환의 평가에 사용되는 영상검사와 함
께 새로운 영상검사법에 대해 다루어보고자 한다.

표 2-4-1 신장질환과 영상검사의 선택

	일차 영상검사
급성콩팥손상 만성신질환	초음파
신장감염	조영증강 CT
혈뇨	초음파 비조영 또는 조영증강 CT
신혈관 질환 　신정맥혈전증 　신장경색	조영증강 CT
신혈관 고혈압	초음파(신기능 저하) 혈관조영 CT(정상 신기능)
신장종괴	조영증강 CT 조영증강 초음파 또는 MRI(CT 조영제 금기)
요로돌	비조영 CT 초음파
이식신장	초음파

초음파(Ultrasonography)

1. 회색조 초음파영상, 색 도플러, 분음도플러 초음파 영상

초음파검사는 탐촉자의 표면에서 고주파 음파인 초음파를 인체 속으로 발사하여 인체 내 각 조직의 계면에서 반사되어 돌아오는 음파를 영상화하는 검사법이다. 신장의 초음파 검사에는 주로 중심 주파수 3~6 MHz의 볼록면 탐촉자(curved array probe)를 사용하며, 방사선 노출이 없고 조영제를 사용하지 않기 때문에 반복적인 검사가 가능하고 특히 신장 기능저하가 있어 조영제 사용이 제한되는 환자에서 신장을 평가하는 일차 선별 영상검사로 적합하다.

고식적 초음파촬영에서는 회색조 초음파영상(greyscale ultrasonography)에서 신장의 크기, 신실질의 에코, 국소 병변이나 수신증의 유무를 평가한다(그림 2-4-1). 색 도플

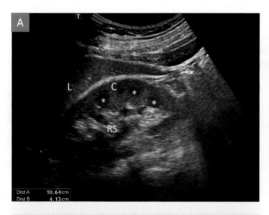
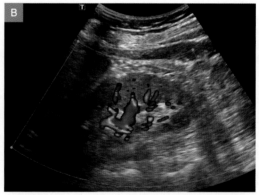
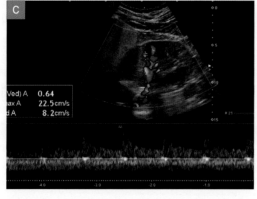

그림 2-4-1. 정상 신장의 초음파 소견

(A) 회색조 초음파 영상에서 신장피질(C)의 에코는 간(L)의 에코보다 낮고 신장수질(*)의 에코보다는 약간 높으며, 신장동(RS)의 에코가 가장 높다. **(B)** 색도플러초음파 영상에서 신장의 관류상태를 확인할 수 있다. **(C)** 분음도플러 초음파 영상에서 엽간동맥의 혈류의 파형을 확인하고 저항지수를 측정할 수 있으며, 정상 범위는 0.7 이내이다.

러초음파영상(color Doppler ultrasonography)에서는 신장 내 혈관을 볼 수 있으며, 신실질의 관류를 평가한다. 보통 엽간혈관(interlobar artery)과 궁상혈관(arcuate artery)까지 관찰할 수 있다. 분음도플러 초음파영상(spectral Doppler ultrasonography)에서는 엽간혈관 또는 궁상동맥에서 신장동맥의 혈관저항성을 혈관지수로 측정할 수 있다.

2. 미세혈관 도플러초음파영상

색도플러 초음파영상에서는 단일 벽 필터(single-dimensional wall filter)를 사용하여 조직의 움직임에 의한 인공물과 작은 혈관의 저속혈류 신호가 함께 제거되어 저속혈류에 대한 평가에 제한이 있다. 미세혈관 도플러 초음파영상은 다중 벽 필터(multi-dimensional wall filter)

를 사용하여 이러한 저속혈류 신호를 볼 수 있게 되어, 미세혈류에 대한 비침습적 평가가 가능해졌다(그림 2-4-2). 신장 종괴의 평가에서 색도플러초음파 영상에 비해 미세혈관 도플러초음파 영상에서 종괴의 혈관분포, 모양 등을 더 민감하게 평가할 수 있고, 양성과 악성을 잘 구분한다고 보고되고 있다. 또한, 만성신장질환의 한 원인이 될 수 있는 신장의 미세혈관 구조 및 관류변화를 미세혈관 도플러 초음파영상으로 비침습적으로 평가할 수 있는 가능성을 보여주는 동물 실험 및 인간 대상 연구들이 보고되고 있다.

3. 조영증강초음파(Contrast enhanced ultraso-nography)

미세기포 초음파 조영제를 정맥주사하여 조영제 내의

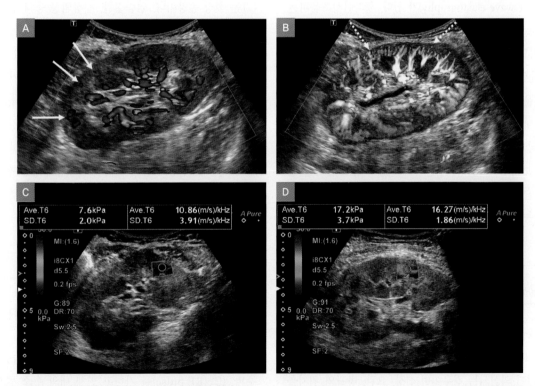

그림 2-4-2. 최신 초음파기법을 활용한 이식신장의 초음파 영상
(A) 색 도플러초음파 영상에서는 궁상동맥(arcutate artery)까지의 신호가 보인다(흰색 화살표). **(B)** 미세혈관 도플러초음파 영상에서는 궁상동맥 원위부의 작은 혈관 분지까지의 신호가 모두 보인다(흰색 점선 화살표). **(C~D)**. 이식신장의 횡파탄성초음파 영상. 상자모양의 관심영역내의 탄성영상을 얻고 관심영역을 선택하여 정량적인 탄성도를 측정할 수 있다. 정상기능의 이식신장(C)에 비해서 조직검사 상 만성 이식사구체병증이 확인된 이식신장(D)에서는 탄성도가 증가하여, 섬유화로 인해 경도(stiffness)가 증가된 것을 간접적으로 확인할 수 있다.

미세기포가 초음파 빔의 주파수에 반응하여 초음파 신호가 증강되는 것을 활용한 영상기법이다. 초음파에서 보이는 복합 낭성종괴나 고형종괴의 평가에 사용될 수 있다. 신장 종괴는 주로 CT나 MRI로 잘 평가할 수 있기 때문에 조영증강초음파가 일차적 검사로 사용되지는 않지만, 실시간으로 조영증강여부를 확인할 수 있고, 초음파 조영제는 신장으로 배설되지 않기 때문에 신기능저하가 있는 환자에서도 사용할 수 있는 장점이 있다.

4. 탄성 초음파(Ultrasound elastography)

탄성 초음파 영상은 조직의 경도(stiffness)를 측정하는 기법으로, 조직에 가해지는 힘으로 인해 발생된 조직의 변형률을 측정하는 변형 탄성초음파(strain elastography)와 조직에 집속된 초음파 임펄스를 주고 이로 인해 발생된 횡파가 조직 내에서 이동하는 속도를 측정하는 횡파탄성초음파(shear wave elastography)가 있다. 횡파탄성초음파는 상대적으로 주변 인자들에 영향을 덜 받고 재현성이 높으며, 탄성도의 정량적 측정이 가능하여 더 많이 사용되고 있다. 탄성 초음파영상이 활발히 사용되고 있는 간에 비해 신장은 복잡한 구조와 후복막에 위치하여 적용에 제한이 있으나, 본래의 신장 및 이식신장을 대상으로 탄성 초음파영상으로 측정한 신장의 탄성도가 섬유화와 연관성이 있음을 보여주는 보고들이 증가하고 있으며, 초음파를 통해 비침습적으로 신장의 섬유화에 대한 정보를 더 얻을 수 있는 가능성을 보여준다(그림 2-4-2).

신장요관방광단순촬영술(KUB)

Kidney, ureter, bladder를 포함하여 촬영하는 단순촬영으로, KUB라고 부른다. KUB의 가장 중요한 적응증은 요로결석이 의심되는 경우이며 신장, 요관, 방광의 위치를 따라 요로결석을 시사하는 석회화가 있는지 확인하는 것이 중요하다.

컴퓨터단층촬영술 (Computed tomography, CT)

컴퓨터 단층촬영술은 인체의 여러 방향에서 방사선을 투과하여 연속적으로 단층촬영을 한 뒤, 방사선이 인체조직을 투과하며 감쇄된 정도를 컴퓨터로 분석하여 단면 영상을 재구성하는 검사이다. 빠른 영상획득시간과 고해상도로 축상, 관상면, 시상면 영상을 얻을 수 있고, 다양한 기법의 영상재구성을 통해 신장과 주위 해부학적 구조물에 대한 세밀한 평가가 가능하다. 신실질 질환 자체에 대한 평가보다 신장의 크기와 모양, 요로결석, 신장 및 집합계의 국소병변 평가, 신장혈관, 신장 외상 등의 평가에 유용하다.

조영제를 사용하지 않는 비조영 CT는 요로결석의 진단에 높은 민감도와 특이도를 가져 KUB 및 intravenous urography (IVU)를 대체하고 있다. 다중시기 조영증강 CT는 신장 종양이나, 염증질환, 신장외상 등의 평가에 적합한 검사법이다. 조영전 영상, 신피질이 주로 조영증강을 보여 신피질과 신수질이 잘 구분되어 보이는 피질기(corticomedullary phase), 조영제가 집합계로 배설되기 시작하고 균등한 신조영상을 보이는 수질기(nephrographic phase)의 영상을 얻는다(그림 2-4-3). CT는 많은 장점이 있으나 요오드를 포함한 조영제를 사용하고 방사선 피폭이 있기 때문에, 신장 기능이 저하되어 조영제 유발 신독성의 위험이 높은 환자나 방사선 피폭이 불가한 임산부의 경우에는 검사에 제한이 있다.

자기공명영상 (Magnetic resonance imaging, MRI)

강한 자석에 의해 형성되는 자기장에 인체를 눕힌 뒤 고주파 펄스(RF pulse)를 가하고 인체 내의 수소 원자들이 일정하게 정렬되었다가 원래대로 돌아오며 발생되는 신호를 영상화하는 검사이다. 방사선 피폭이 없고 연부조직 대조도가 높고, 다양한 영상기법으로 병변의 구분 및 특성을 파악하는데 도움이 된다(그림 2-4-4). 가돌리늄 조영제를 사용하여 조영증강 영상을 획득할 수 있으며, 다평면 영상을 재구성할 수 있다. 신장에서는 신장 종괴의 평가에 주로 사용될 수 있으나, 조영증강 다중검출기 CT로도 조영증강 및 다양한 단면으로 재구성된 영상을 얻을 수 있어 일차적 검사로는 사용되지 않는다. MRI는 연부조직 해상도가 좋고, 병변 내의 소량의 지방성분이나 출혈, 조영증강 되는 고형성분의 검출에 용이하나, 상대적으로 높은 검사 비용과 긴 검사시간으로 인해 일차 검사로 사용되기 보다는, 초음파 및 CT에서 진단이 힘든 경우 추가 정보를 얻고자 하는 경우에서 제한적으로 사용될 수 있다. 조영제를 사용하지 않고도 집합계를 평가할 수 있는 MR 요로조영술(MR urography)도 있으며, 성인에서는 공간해상도가 더 높고 시간이 적게 소요되는 CT 요로조영술이 주로 사용되고 MR 요로조영술은 방사선 노출이 제한되는 소아에서 주로 사용된다.

최근 다양한 자기공명영상 기법을 사용하여 신장의 구조 및 기능을 평가하는 시도들이 많이 이루어지고 있다. 조영제를 사용하지 않고 동맥스핀라벨링(arterial spin labeling, ASL) 관류 자기공명영상(ASL perfusion MRI)로 신장의 관류상태를 평가하고, 혈중산소치의존(Blood oxygen level−dependent, BOLD) MRI로 신장의 산소소비 정도를 측정하고 신기능 저하를 예측하려는 노력들이 있어 왔다. 또한 확산 강조영상(diffusion weighted image, DWI), 탄성 자기공명영상(MR elastography)으로 신장의 미세구조에 대한 평가를 하려는 시도들이 활발히 이루어지고 있다.

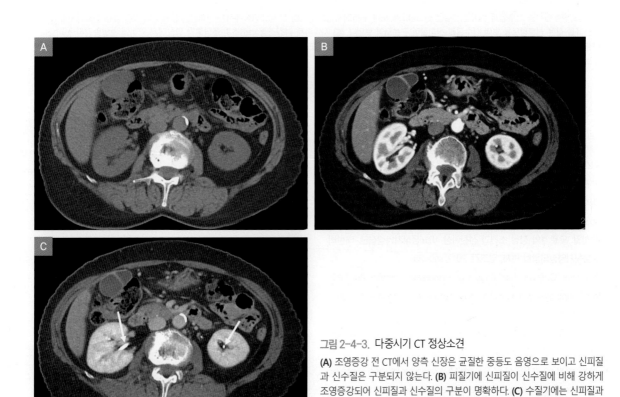

그림 2-4-3. 다중시기 CT 정상소견
(A) 조영증강 전 CT에서 양측 신장은 균질한 중등도 음영으로 보이고 신피질과 신수질은 구분되지 않는다. (B) 피질기에 신피질이 신수질에 비해 강하게 조영증강되어 신피질과 신수질의 구분이 명확하다. (C) 수질기에는 신피질과 신수질이 같은 정도로 조영증강되며, 집합계로의 조영제 배설이 보인다(흰색 화살표).

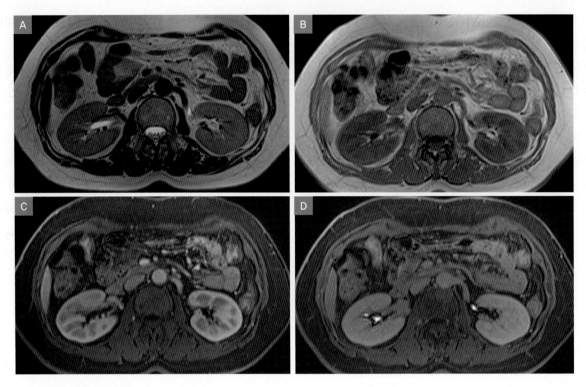

그림 2-4-4. 정상 신장 MRI 소견
(A) T2 강조영상에서는 신수질과 신피질은 같은 신호강도를 보여 구분되지 않는다. **(B)** T1 강조영상에서는 신피질은 근육보다 약간 높은 신호강도를 보이고 신수질은 근육과 같은 신호강도를 보여 신수질과 신피질이 구분되어 보인다. **(C)** 지방억제 T1강조영상의 초기 조영증강 영상에서 강하게 조영증강된 신피질이 신수질과 구분되어 보인다. **(D)** 지방억제 T1강조영상의 후기 조영증강 영상에서 신피질과 신수질이 균일하게 조영증강되어 구분되어 보이지 않고 집합계로의 조영제 배출이 보인다.

▶ 참고문헌

• 김선호 등: 신장과 이식 신장의 도플러 검사. 복부초음파진단학, 최병인 편저, 일조각, 2006, pp449-467.

• 이학종, 등: 신장. 복부초음파진단학, 최병인 편저, 일조각, 2006, pp309-339.

• 황성일: 요로계의 정상 소견과 선천이상. 비뇨생식기영상진단, 대한비뇨생식기영상의학회 편저, 일조각, 2019, p19-23.

• American College of adiology. Appropriateness criteria. Available from: https://www.acr.org/Clinical-Resources/ACR-Appropriateness-Criteria.

• Jessica G. Fried, et al: Renal Imaging: Core Curriculum. Am J Kidney Dis 73:552-565, 2019.

• Joon Yau Leong BS, et al: Superb Microvascular Imaging improves detection of vascularity in indeterminate renal masses. J Ultrasound Med 39:1947-1955, 2020.

• Kim SY, et al: Normal Findings and Variations of the Urinary Tract. in Radiology Illustrated Uroradiology (2nd ed), edited by Kim SH, Springer, 2012, pp1-52.

• Yirin Mao, et al: The value of superb microvascular imaging in differentiating benign renal mass from malignant renal tumor: a retrospective study. Br J Radiol 91:20170601, 2018.

CHAPTER
05 신생검

이수봉 (부산의대)

KEY POINTS

- 신생검의 적응증에서 최근의 변화는 당뇨병신병증 영역이다. 당뇨병 환자에서 신생검 결과 많게는 50%의 환자에서 다른 형태의 신장 병변이 관찰됨이 알려졌으며 점차 더 많은 당뇨병 환자에서 신생검이 이루어지고 있다.

- 경피적신생검의 금기에서 다발성 양측성 낭포와 신장의 종양이 절대적 금기에서 상대적 금기로 변경되었다. 낭포의 위치와 정도에 따라 금기의 정도가 달라질 수 있으며 생검침 경로를 따라 종양 파종(tumor seeding)이 발생할 위험에 대해서도 아직 의견이 일치되지 않아 환자에 따른 개별화가 필요하다.

- 신생검 후 출혈 합병증을 예방하기 위한 생검 전 평가 및 대책에 대한 부분의 내용이 추가되었다.

신생검

신생검(renal biopsy)은 여러 신장병의 확진을 위한 필수적인 검사법으로 병변의 활동성 및 만성적 변화 정도의 확인에 의한 치료 계획 수립 및 예후 예측에 매우 중요한 검사법이다. 신생검 소견과 임상 소견 사이에 의미 있는 상호 관계가 존재하는 경우가 흔하므로 신장병의 병태생리학적 이해 및 발생기전 연구에도 중요한 역할을 한다.

1950년대 초에 간생검침(liver biopsy needle)을 이용하여 최초의 경피적신생검(percutaneous renal biopsy)이 이루어진 이후에 현재까지 실시간초음파촬영술(real-time ultrasonography), 스프링-장전 생검침(spring-loaded needles) 및 생검총(biopsy gun) 등의 기술적 발전과 함께 보다 세밀한 시술 전 환자평가가 이루어짐으로 인해 신생검에 따르는 위험은 감소하면서 신장조직 획득률은 더 향상되어왔다. 그 결과 신생검은 현대의 임상신장학 영역에서 가장 중요한 진단방법으로 자리매김하였다.

적응증(Indications)

신생검의 적응증(표 2-5-1)에 대해서는 다양한 견해가 있어 일관된 적응증은 제시하기 어렵다. 임상의들은 신증후군(nephrotic syndrome)처럼 확실하게 치료의 필요성을 느끼는 환자에서는 적극적으로 신생검을 시행하지만 무증상인 경우에 진단만을 목적으로 한 신생검에 대해서는 소극적이다. 이는 침습적 검사에 따른 부담감이 크게 작용하기 때문일 것으로 생각되나 신생검은 그렇게 위험한 검사

표 2-5-1. 신생검의 적응증

신증후군(Nephrotic syndrome)
비-신증후성 단백뇨(Non-nephrotic proteinuria)
고립성 현미경적 혈뇨(Isolated microscopic hematuria)
신기능저하를 동반한 전신질환(Systemic disease with renal dysfunction)
원인불명의 급성콩팥손상(Unexplained acute kidney injury)
원인불명의 만성콩팥병(Unexplained chronic kidney disease)
가족성 신장병(Familial renal disease)
이식신 기능저하(Renal transplant dysfunction)

법은 아니다. 일부 학자들은 특별한 증상 없이 단지 소변검사에서만 이상 소견을 보이는 환자는 경과 관찰 후에 신장기능 저하를 보이기 시작하는 단계에서 신생검을 시행할 것을 권유하기도 하나 신장병의 진행에 따른 심한 조직변화가 동반될 경우에 정확한 진단을 내리기 어려운 경우가 있으므로 적절한 신생검 시기의 선택이 중요하다. 만성사구체신염에서 혈청 크레아티닌이 정상값의 2배 이상이 되면 신장조직 병변은 매우 심하다.

1. 신증후군

신증후군은 원발성(primary)과 이차성(secondary)으로 분류된다. 임상소견과 검사소견에 의하여 이차성 신증후군을 감별진단하고 이에 해당하는 질환이 아니라면 원발성 신증후군에 해당한다. 성인 원발성 신증후군은 확진을 위하여 신생검이 필수적이나, 소아의 경우에는 80% 이상이 미세변화병(minimal change disease)에 의한 경우이며 스테로이드치료에 잘 반응하므로 먼저 스테로이드치료를 시행하고 신생검은 유보한다. 스테로이드치료에 잘 반응하지 않거나, 현미경적 혈뇨, 혈청 보체의 감소, 신기능 저하 등을 보이는 소아에 한하여 신생검을 시행한다. 이차성 신증후군에서도 질환에 따른 원인 규명, 질환의 활동성 평가, 예후 판정과 치료계획 수립을 위하여 신생검을 시행한다.

2. 비-신증후성 단백뇨

하루 요단백 배설량이 1~2g 이내이고 가벼운 요침사(urine sediment) 소견과 정상 신기능을 보이는 경우이다. 신생검은 반드시 시행하지는 않으나 확진 및 예후 예측을 위해서는 필요하다. 신증후군을 유발하는 질환들 중 미세변화병을 제외한 모든 질환이 비-신증후성 단백뇨를 초래할 수 있다. 원발성으로 국소분절사구체경화증(focal segmental glomerulosclerosis), 막사구체신염(membranous glomerulonephritis), 신경화증(nephrosclerosis), 역류신병증(reflux nephropathy)에 의한 이차성 국소분절사구체경화증 등이 비교적 흔한 원인이고, 현미경적 혈뇨가 동반되는 경우 IgA신병증(IgA nephropathy)을 의심하며 이 때 다양한 신생검 소견을 보인다.

3. 고립성 현미경적 혈뇨

현미경적 혈뇨를 보이는 경우에, 특히 40세 이상에서는 일차적으로 요로의 결석이나 악성종양 유무를 반드시 조사해야 한다. 조사결과 이러한 병변이 제외된다면 사구체성 혈뇨를 시사하는 소견이면 신생검을 시행해볼 수도 있으나, 신기능 및 혈압이 정상이고, 비-신증후성 단백뇨를 보이는 경우에는 예후가 좋으며, 특별한 치료를 요하지 않으므로 대개 신생검은 필요치 않다.

혈압 및 신기능이 정상인 사람에서 지속적 혈뇨와 적혈구원주를 보이는 경우에 그 원인질환으로 IgA신병증이 가장 흔하며 그 다음으로 얇은기저막병(thin basement membrane disease), 알포트증후군(Alport's syndrome)의 빈도순으로 흔하다.

4. 신기능저하를 동반한 전신질환

당뇨병 환자에서 신기능 저하가 동반된 경우에는 환자의 임상양상이 당뇨병콩팥병(diabetic nephropathy)의 자연경과에 합당하다면 대개 신생검은 요구되지 않는다. 그러나 당뇨병 환자에서 신생검 결과 많게는 50%의 환자에서 다른 형태의 신장 병변이 관찰됨이 알려졌으며 점차 더 많은 당뇨병 환자에서 신생검이 이루어지고 있다. 사구체성 혈뇨와 동반된 단백뇨가 관찰되거나, 당뇨병에 합병된 망막병이나 신경병이 발견되지 않을 때, 당뇨병 진단 5년 이내에 단백뇨가 시작된 경우, 갑작스러운 신기능 저하 등 비전형적인 양상을 보인다면 신생검을 시행해야 한다.

몇몇 전신질환에 의해 발생하는 급성신염증후군(acute nephritic syndrome)은 혈뇨, 세포성원주(cellular cast), 단백뇨, 고혈압과 신부전이 종종 동반되며, 확진 및 치료 방향 결정에 신생검이 필요하다. 육아종증다발혈관염(granulomatosis with polyangiitis, GPA)이나 미세다발혈관염(microscopic polyangiitis, MPA)은 항중성구세포질항체(anti-neutrophil cytoplasmic antibody, ANCA)에 의한 소혈관 혈관염으로, 적합한 임상상황이라면 혈청 ANCA의 증명만으로 임상적 진단이 가능하며, 항사구체기저막병(anti-GBM antibody disease)도 역시 적합한 임상상황이라면 혈청 항사구체기저막항체의 존재만으로도 임상적 진단은 가능하다. 그러나 병을 확진하고, 활동성 염증이나 만성 섬유화 정도를 평가하여 치료에 따른 신기능의 회복 가능성을 판단하기 위해서는 반드시 신생검이 필요하다. 특히 면역억제제의 순응도가 떨어지는 환자에서 면역억제제 투여 여부를 결정할 때 신생검으로부터 얻은 정보가 중요한 역할을 한다.

루푸스신염(lupus nephritis) 환자가 신기능 저하와 활동성 요침사를 보이는 경우에는 대개 신생검에서 광범위증식사구체신염(diffuse proliferative glomerulonephritis) 소견을 보이므로 조직학적 확인이 꼭 필요하지는 않으나 가벼운 단백뇨와 혈뇨 또는 신증후군을 보일 때에는 국소성 신염이나 막사구체신염과의 감별을 위하여 신생검이 필요하다. 또한 병리학적 손상의 정도, 질병의 활성도 및 만성 섬유화의 정도를 명확히 밝혀 근거에 기반한 치료를 시행하는 데에도 신생검이 도움이 된다.

B형 간염바이러스와 연관된 막사구체신염을 예로 들 수 있는, 바이러스 감염과 연관된 신장병은 활동성 감염의 증거와 함께 해당하는 사구체병변이 존재한다면 진단이 가능하나 신생검 조직에서 제자리교잡법(in situ hybridiza-tion)과 같은 특수한 병리적 기법을 이용하여 바이러스-특이적인 단백질이나 RNA 또는 DNA를 입증한다면 확진에 도움이 된다.

그 외 아밀로이드증(amyloidosis), 유육종증(sarcoidosis)과 같은 전신질환도 신생검을 통해 진단할 수는 있으나 이들 질환은 흔히 다른 비침습적 진단법을 통해서도 진단할 수 있으므로 신생검은 다른 방법으로 진단이 불분명한 경우이거나 신장 병변에 대한 정보가 치료에 영향을 미칠 수 있는 경우에 신생검의 적응이 된다.

5. 원인불명의 급성콩팥손상

급성콩팥손상의 가장 흔한 원인들인 요로폐색, 신관류 저하, 급성세관괴사, 전신질환에 동반된 급성사구체신염 등은 신생검 없이 진단이 가능하다. 임상적 소견이나 검사실 소견으로 진단이 불분명하거나 회복이 예상되는 시기가 경과하여도 호전이 없고 신장 크기가 정상인 환자는 신생검의 적응이 된다. 특히 활성요침사(active urine sediment) 소견을 보이는 급성콩팥손상, 약물이나 감염에 의한 급성사이질신염(acute interstitial nephritis)이 의심되는 경우 등에서는 응급으로 신생검을 시행하는 것이 비가역적인 신장손상이 발생하기 이전에 적절한 치료를 시작하는데 도움이 된다.

6. 원인불명의 만성콩팥병

만성콩팥병에서 임상소견만으로는 원인을 알기 어려우며 신장 크기가 정상인 경우에는 신생검이 진단에 도움이 된다. 그러나 양측 신장 크기가 9cm 미만인 경우에는 신생검에 따르는 출혈성합병증 발생의 위험이 증가하며 심한 사구체경화증 및 세관사이질섬유화(tubulointerstitial fibrosis)로 인해 진단에 어려움을 겪게 되는 경우가 흔하다. 그러나 그러한 경우에도 면역형광검사는 유용한 정보를 제공할 수 있는데, 신장조직의 구조적 손상이 심한 경우에도 사구체의 IgA 침착은 면역형광검사에서 관찰될 수 있다.

7. 가족성 신장병

신생검은 가족성 신장병의 진단에 도움이 되는데, 이환된 환자 한 명의 신생검을 통해 전체 가족 모두를 생검하는 수고 없이 가족성 신장병을 진단할 수 있으며, 또 우연히 시행한 신생검에서 가족성 신장병이 진단됨으로써 다른 가족들의 병을 조기에 발견할 수도 있다.

8. 이식신 기능저하

신장이식 후 신기능 저하 시 거부반응, 약제에 의한 신독성, 기회감염, 사구체질환의 재발 등의 원인 감별을 위하여 시행한다. 이식신은 장골와(iliac fossa)에 위치하여 신생검 시 접근 및 시술 후 압박 및 지혈이 용이하므로 필요 시 반복적인 신생검을 시행할 수 있다. 따라서 다수의 병원에서 무증상 급성거부반응의 조기진단, 면역억제제의 선택 등에 도움을 얻기 위해 주기적으로 정해진 시기에 신생검을 시행하는 감시생검(protocol biopsy)이 이용되고 있다.

신생검 전 평가 및 금기

신생검으로 인해 환자가 위험에 처할 수 있거나 성공적으로 신생검을 수행하는데 방해가 되는 요인들에 대한 평가가 생검 시행 전에 반드시 이루어져야 한다. 기본적으로, 폐색이 없는 정상 크기의 양측 신장, 무균뇨, 조절되는 혈압(<150/90 mmHg), 그리고 출혈소인이 없는 것 등이 확인되어야 한다. 출혈소인 유무에 대해서는 자발적 출혈 및 수술 후 지혈곤란의 과거력, 출혈성 질환의 가족력, 항혈소판제나 항응고제와 같이 출혈 위험을 높이는 약제복용 여부 등에 대해 자세한 병력조사가 이루어져야 한다.

초음파검사는 신장의 크기 및 요로계의 해부학적 이상 여부(예: 단일신, 다낭성신증, 마제신 등 신장의 위치이상, 위축신, 신종양, 수신증 등)를 알기위해 반드시 시행되어야 한다.

혈소판 > 100,000/microL, 프로트롬빈시간(prothrombin time, PT) 및 활성화부분트롬보플라스틴시간(activated partial thromboplastin time, aPTT)은 참고치의 1.2배 이내 등의 조건이 충족되어야 하며, 아스피린(aspirin), 클로피도그렐(clopidogrel), 와파린(warfarin)은 신생검 시행 7일 전부터, 비스테로이드소염제(NSAIDs)와 헤파린 피하주사는 신생검 시행 24시간 전부터 중단하는 것이 일반적으로 권고된다. 출혈시간(bleeding time)이 신생검 후의 출혈위험을 예측할 수 있는지에 대해서는 아직 논란이 있다. 간생검 환자를 대상으로 한 전향적 연구에서, 출혈시간이 연장된 환자에서 교정하지 않고 간생검을 시행하였을 때 출혈성 합병증이 5배 증가하였다는 보고가 있으나 신생검 환자를 대상으로는 아직 신뢰할 만한 전향적 연구가 이루어지지 않았다. 일반적으로 수술 후의 출혈위험을 예측하는데 있어 출혈시간은 좋은 예측인자가 아닌 것으로 의견이 일치하나, 요독증 환자(uremic patients)의 경우에는 출혈시간의 연장이 술 후 출혈과 관련이 있다고 한다. 신생검 이후의 출혈위험에 미리 대처하는 방법으로 몇 가지를 들 수 있다. 출혈시간을 측정하여 10분 이상으로 연장되어 있으면 desmopressin (0.3mcg/kg)을 정맥주사하고 30분 후 다시 출혈시간을 측정해서 정상화되면 경피적신생검을 진행하고 정상화되지 않으면 비경피적신생검(nonpercuta-

표 2-5-2. 경피적신생검의 금기

절대적 금기	상대적 금기
조절되지 않은 고혈압	단일신
출혈성 소인	다발성 양측성 낭포*
수신증	신장의 종양*
비협조적 환자	항혈소판제 또는 항응고제 복용**
	요로계의 해부학적 이상
	위축신장
	요로계 또는 피부의 활성 감염
	심한 비만**

* 낭포의 위치와 정도에 따라 금기의 정도가 달라질 수 있으며 생검침 경로를 따라 종양 파종(tumor seeding)이 발생할 위험에 대해서도 아직 의견이 일치되지 않아 환자에 따른 개별화가 필요하다.

** 아스피린, 체질량지수(body mass index, BMI)>40 kg/m²은 최근의 코호트연구 결과 유의한 위험은 없는 것으로 보고되었다.

표 2-5-3. 비경피적신생검 방법 및 각각의 장, 단점

방법	장점	단점
목정맥 접근법 (Transjugular approach)	기계호흡 중인 출혈경향 환자, 간 및 신장의 동시 생검이 필요한 경우 등에 유용하다	신피막 천공 위험이 있으며 신조직을 충분한 양만큼 획득 못할 수 있다
개방적 접근법 (Open approach)	지혈이 용이하고 충분한 양의 신조직 획득이 가능하다	척추 또는 전신마취가 필요하며 회복기간이 길다
복강경 접근법 (Laparoscopic approach)	지혈이 용이하고 충분한 양의 신조직 획득이 가능하다	척추 또는 전신마취가 필요하며 회복기간이 길다

neous renal biopsy)을 시행하는 방법, 아예 신생검 전에 출혈시간을 측정하지 않고 중등도 신기능저하(혈중요소질소 > 56mg/dL이거나 혈청크레아티닌 > 3mg/dL)를 보이는 환자에게는 무조건 desmopressin을 투여하는 방법, desmopressin 대신 혈소판수혈을 시행하는 방법 등이 그것이다.

원발성 콩팥병의 진단을 위한 경피적신생검의 금기는, 어떠한 경우에도 신생검이 배제되어야하는 절대적인 금기와 생검의 중요성, 시술자의 숙련도, 장비 및 시설의 수준 등에 따라 신중히 신생검 시행여부를 결정해야 하는 상대적 금기로 나눌 수 있다(표 2-5-2).

신생검 전 평가를 통해 경피적신생검으로는 합병증 발생의 위험이 높다고 판단되면 비경피적신생검을 고려해야 하는데 여기에는 목정맥(jugular vein)을 통한 접근법, 개방적 접근법, 복강경을 통한 접근법이 사용될 수 있다(표 2-5-3). 그러나 일반적으로 이들 방법은 신생검이 필요한 환자들 중 극히 소수의 환자에서 시행된다.

신생검 수기

시술 전 정맥수액공급로를 확보하고, 환자는 침대에 엎드린 자세(prone position)를 취한 후 배꼽부위에 베개를 깔아서 등이 일직선으로 펴지고 신장이 지지를 받도록 한다.

경피적신생검은 시술자에 따라 다양한 방식으로 시술되며 대개 실시간초음파유도 및 국소마취 하에 시행되나 일부에서는 초음파검사를 신장의 위치 및 신장피막까지의 깊이를 알아보는 데에만 사용하고 그 이후의 과정은 실시간초음파유도 없이 신생검을 진행하기도 하는데, 이러한 방법은 실시간초음파유도하에 하는 방법과 비교하여 성공률이 낮고 출혈 발생률이 높다는 보고도 있으나 별 차이가 없다는 연구보고도 있다. 그러나 그러한 차이는 방법보다는 시술자의 경험 및 숙련도의 수준에 의해 더 큰 영향을 받을 것으로 판단된다.

초음파검사는 신장의 크기와 위치를 파악할 뿐 아니라 신장낭(renal cyst) 등 예상치 못한 병변이 발견되었을 때 적절히 다른 쪽 신장으로 생검 위치를 바꾸는 데에도 필수적이다. 피부소독에는 povidone-iodine이나 chlorhexidine 용액을 사용하며, 국소마취에는 1~2% lidocaine hydrochloride를 이용한다. 10cm, 21gauge 척수천자침(spinal needle)이 신장피막까지의 깊이 측정 및 생검침이 지나갈 경로와 신장피막 주위에 국소마취제를 침윤시키는 데 이용된다. 신생검의 위치는 큰 혈관이 적어 출혈의 위험이 상대적으로 낮은 좌측 신장의 하극(inferior pole)을 지향하는 것이 좋다.

예전에는 Franklin-Silverman, Vim-Silverman 등 양손을 사용하는 수동생검침(manual needles)이 사용되었으나 현재는 대부분 스프링-장전 생검침 또는 생검총을 이용하여 한 손만으로 생검침을 발사할 수 있는 방법이 주로 사용된다. 생검침의 굵기는 14~18 gauge가 사용되며 주로 16 gauge 생검침이 많이 이용되는데, 이는 신장조직 채취량 증대와 출혈 위험의 감소라는 상충하는 두 가지 고려사항을 절충한 결과이다.

일반적으로 한 번의 신생검에서 2회 조직(core)을 채취하는 것이 권장된다. 그러나 요구되는 조직의 양이 추정진단에 따라 다르기도 하며, 실제 채취되는 조직의 양 및 부위도 달라질 수 있으므로 일괄적으로 횟수를 정하기는 어렵다. 그러나 4~5회를 초과해서 시도하는 것은 출혈의 위험이 증가하므로 바람직하지 않다.

생검침에서 분리된 신장조직은 바로 현장에서 광학현미경을 이용하여 사구체의 존재여부, 채취된 조직의 부위 및 양 등을 관찰하고 추가적인 채취를 계속할 것인지 판단해야한다. 해부병리검사실이 신장조직을 채취한 곳에서 가까우면 생리식염수로 적신 거즈(saline-soaked gauze)에 조직을 조심스럽게 싸서 즉시 해부병리검사실로 가져가서 조직처리를 시작한다. 해부병리 검사실이 가깝지 않다면 조직검사 현장에서 예리한 칼날을 이용하여 광학현미경, 면역형광현미경, 전자현미경 검사를 위한 3가지 검체로 조직을 즉시 분리한 후 수 분 이내에 신속히 각각의 조직을 적절한 고정액(fixative)에 넣도록 한다. 이상의 과정에서 압박이나 건조 등에 의해 신장조직이 손상되지 않도록 주의해야 한다. 광학현미경검사를 위한 고정액으로 10% 포름알데히드완충용액(포르말린)[buffered-aqueous formaldehyde solution (formalin)], 전자현미경을 위한 고정액으로 1~3% 글루타르알데히드(glutaraldehyde) 또는 1~4% 파라포름알데히드(paraformaldehyde)가 사용되며, 면역형광현미경검사를 위해서는 급속동결법이나 미셸수송배지(Michel transport media)가 이용된다.

심한 비만이나 호흡장애로 인해 엎드린 자세가 곤란한 환자는 바로누운자세(supine position)에서 생검 쪽 측면을 30도 정도 들어 올린 자세로 신생검을 시행할 수도 있다(supine anterolateral approach).

합병증

1. 출혈

출혈성 소인이 없는 경우에도 출혈이 주된 합병증이다.

환자의 생체활력징후를 감시하고 적혈구용적률(hematocrit)을 반복 검사한다. 환자는 신생검 후 최소한 4~6시간 동안 바로누운자세로 침상에서 절대안정을 취하도록 하며 24시간까지 침상안정이 권장된다. 출혈의 위험을 최소화하기 위해 혈압은 140/90 mmHg 미만으로 유지한다. 신생검 후 출혈성합병증의 입원 감시기간으로 일부 전문가들은 6~12시간을 선호하기도 하나, 일반적으로 24시간까지 관찰하는 것이 권장되며, 이는 90% 이상의 주요 출혈성합병증이 신생검 후 24시간 이내에 발견되었다는 보고에 근거한다.

신생검 후 출혈은 요관폐색을 일으킬 수 있고, 신장피막하 출혈은 신장실질의 압박과 동통을 유발하며, 신장주위 출혈은 혈종을 형성하고 적혈구용적률이 크게 감소할 수 있다. 일시적 현미경적혈뇨는 거의 모든 환자에서 관찰되며 이들의 60~80%에서 컴퓨터단층촬영(CT)에서 신장 내 또는 신장주위 혈종이 발견된다. 신생검 후 6시간 동안 적혈구용적률이 안정적으로 유지되면 24시간 이내의 출혈의 위험성은 낮다. 신생검 1시간 후 시행한 초음파검사에서 혈종이 관찰되지 않으면 출혈성합병증이 발생할 확률은 5% 미만으로 알려져 있다. 육안적혈뇨 3~10%, 심한 출혈에 의한 저혈압 발생 1~2%에서 합병되며, 수혈 0.1~0.9%, 지혈을 위한 중재적시술 0.1~0.6%, 신적출 0.01~0.4%에서 필요하게 되며 사망률은 0.02~0.1%이다.

2. 통증

신생검 후 12시간 이상 지속되는 통증은 약 4%에서 발생하며, 원인으로 육안적혈뇨 및 혈전형성에 따른 요관폐색이나 신장피막하 혈종형성 등을 들 수 있다.

3. 동정맥루 형성

인접한 동맥 및 정맥의 혈관벽 손상에 의해 발생하며 4~18%에서 발생한다. 대개 임상적으로 증상이 없고 1~2년 사이에 저절로 없어진다. 육안적혈뇨, 저혈압, 고박출심부전(high-output heart failure) 등을 초래하는 증상성 동정맥루는 드물다. 진단은 도플러초음파검사 또는 혈관조영술에 의해 가능하며, 증상성 동정맥루는 카테터경유동맥색전술(transcatheter arterial embolization)이나 수술적 결찰(surgical ligation)을 통해 치료할 수 있다.

4. 고혈압 발생

드문 합병증으로, 큰 피막하혈종에 의한 신장실질 압박으로 인해 신장실질의 허혈이 초래되고 그에 따라 레닌-안지오텐신(renin-angiotensin)계의 지속적 활성화가 초래되어 발생한다.

5. 신장주위 감염

신장주위 연부조직 감염이 0.2%에서 발생하며, 대부분 신장의 활성 감염이 있는 환자에서 발생한다.

6. 주변장기 손상

드물게 생검침에 의해 간, 췌장, 비장의 손상이 발생할 수 있다.

▶ 참고문헌

• 김기현: 신생검. 임상신장학, 대한신장학회, 광문출판사, 2001, pp70–73
• 이수봉: 신생검. 임상신장학, 대한신장학회, 군자출판사, 2015, pp72–78
• Salama AD, et al: The renal biopsy, in Brenner & Rector's The Kidney. 11th ed. Elsevier, 2019, pp862–871.
• Topham PS, et al: Renal biopsy, in Comprehensive clinical nephrology. 6th ed. Elsevier, 2018, pp72–79.
• Whittier WL, et al: The kidney biopsy, in UpToDate, 2020.

제2부 신장질환의 검사와 임상적 접근

CHAPTER 06
오믹스 분석을 이용한 신장질환 연구와 정밀의료의 발전

김동기 (서울의대)

KEY POINTS

● 신장질환에서 분자생물학적 이해를 통한 정확한 진단, 예후 예측, 치료 타겟의 발굴 등 정밀의료로의 발전을 위하여 필요한 준비 과정과 최근 다수의 연구자들이 시행하고 있는 전체-전사체 통합적 분석인 eQTL, single cell transcriptomics, single cell epigenomics, 다중 오믹스 데이터 분석 등에 대하여 기술하고자 한다.

신장질환은 임상 양상과 함께 혈액 및 요검사, 신생검 등으로 얻어진 사구체여과율과 단백뇨의 유무나 정도, 혈청학적 검사 결과, 조직 병리학적 분류 등에 따라 진단된다. 그러나 이러한 고식적 진단 방법은 각 신장질환의 분자생물학적 병인을 충분히 반영하지 못하여, 임상 양상이나 병리학적 소견 등 표현형(phenotype)은 유사하지만 분자생물학적 병인이 서로 다른 경우 부적절한 진단 및 예후 예측을 할 수 있으며, 병인과 관련이 없는 비특이적 치료로 이어질 수 있다. 신장질환은 대략 1/4~1/3 정도에서 가족력을 보이므로 유전적 소인이 질병 발생과 진행에 큰 영향을 미친다. 동시에 다양한 환경적 요인이 신장질환의 발생과 진행에 영향을 미치며, 환경적 요인에 대한 환자의 분자생물학적 반응 역시 다양하며 예측이 어렵다. 최근 대량(high-throughput) 분자 생물학 분석 기술들의 발전, 정보 처리 능력의 발전과 분석 비용 하락에 힘입어 많은 오믹스 분석이 신장질환과 관련하여 진행되고 있다. 특히 유전체(genome), 전사체(transcriptome), 후성유전체(epig-enome), 단백체(proteome), 대사체(metabolome) 등 다양한 오믹스 데이터의 통합적 분석인 다중 오믹스 분석이 가능해지면서 단일 오믹스 분석에서 얻을 수 있는 질병에 종속된 변화(consequential changes)의 탐색에서 벗어나 질병을 일으키는 인과적 변화(causative changes)에 대한 접근이 가능해졌다. 따라서 가까운 미래에는 다중 오믹스 분석을 통한 신장질환의 분자생물학적 이해와 이를 이용한 정확한 진단, 예후 예측, 치료 타겟의 발굴 등 정밀의료로의 발전이 가능할 것으로 예측된다. 이번 장에서는 최근 많이 시도되고 있는 다중 오믹스 분석을 이용한 신장질환 연구에 대한 개념을 설명하고자 한다.

다중 오믹스 분석과 임상 역학 자료, 디지털 병리의 통합 분석을 위한 준비

많은 수의 전장유전체 연관분석(genome-wide associa-

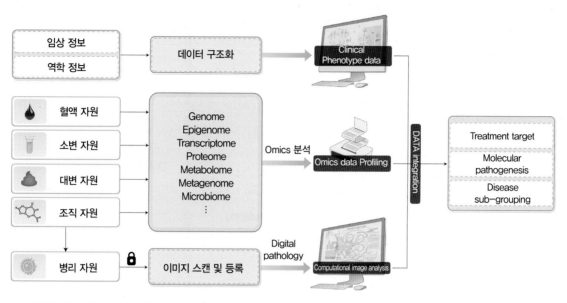

그림 2-6-1. 다중 오믹스 분석과 임상 역학 자료, 디지털 병리의 통합 분석

tion study, GWAS)으로 다양한 신장질환에 대한 유전 변이가 보고된 바 있으나, 이러한 변이는 질병의 발생을 예측하는 것에 도움이 될 수 있지만, 신장질환에 대하여 유전형(genotype)으로부터 표현형까지 이어지는 분자생물학적 병인에 대한 설명력이 떨어진다는 단점이 있다. 다양한 오믹스 데이터들의 통합적 분석인 다중 오믹스 분석은 이러한 한계점을 극복하여 보다 높은 수준의 병인 설명력을 얻을 수 있으며, 이러한 결과를 통하여 유전적, 환경적으로 다양하고 복합적인 원인으로 발생하는 신장질환 연구에 중요한 정보를 제공할 수 있다. 이미 임상 현장에서 신장질환의 진단 과정 중 다중 오믹스 분석에 적합한 검체들을 수집하고 있다. 현재 임상 현장에서도 염색체 microarray 분석(chromosomal microarray analysis)이나 차세대 염기서열 분석(next-generation sequencing, NGS) 등을 이용한 유전자 검사가 시행되고 있다. 신생검을 통해 얻어진 조직 sample을 이용하여 사구체, 세관 사이질이나 nephron의 일정 segment에 대한 bulk RNA 시퀀싱 분석뿐만 아니라 최근 활발히 진행되는 단일 세포 전사체, 후성유전체, 단백체, 대사체 분석에 사용할 수 있다. 또한, 요검체를 이용한 전사체, 단백체, 대사체 분석이 가능하다. 더불어 대변 검체를 이용하여 microbiome 분석을 포함한 다중 오믹스 분석이 가능하다. 최근 이러한 오믹스 분석 결과와 임상 역학 자료, 디지털 병리를 이용한 computational image analysis를 통합 분석하고자 하는 시도가 있다. 다양한 데이터들의 통합적 분석은 만성콩팥병과 같이 복잡하고 다양한 원인으로 발생하고 진행하는 질병의 연구에 중요한 정보를 제공하며, 진단이나 치료법 개발에 있어서 보다 큰 기여를 할 수 있을 것으로 기대한다(그림 2-6-1).

Expression quantitative trait loci: 유전체-전사체 통합적 분석

신장질환의 연구에서 그동안 각광 받았던 GWAS는 common variant만을 분석하여 그 유전 변이와 질병 간의 연관성을 확인하는 common disease common variant 가설에 기반한다. 이는 유병률이 높은 질환의 경우 그 유전적 원인이 작은 영향력을 가진 다수의 흔한 유전 변이들에 의하여 발생한다는 가설이다. 최근까지 다수의 GWAS 연구를 통하여 신장질환 관련 유전 변이가 밝혀져 왔지만, 병인 설명력이 낮고 다수가 non-coding region에 있어 기

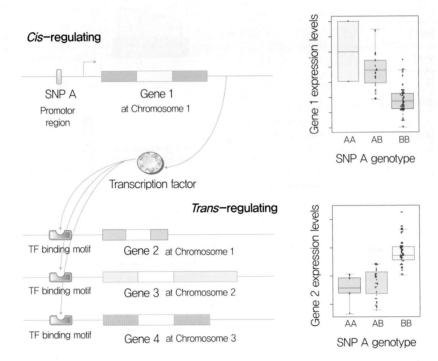

그림 2-6-2. eQTL 분석의 개념

능적인 연관성을 확인하기 어렵다. 실재로 가장 흔한 사구체신염인 IgA 신병증의 유전 변이는 본 질환의 전체 표현형 중 10% 미만을 설명하는데 그치고 있다. 또한 많은 GWAS 연구는 대립유전자형빈도(minor allele frequency)가 일정 빈도 이상의 단일염기다형성(single nucleotide polymorphism, SNP)만을 분석하기 때문에 rare variant의 경우 질환과의 연관성을 밝히기 어렵다. 한편, 다수의 신장질환과 같은 common complex disorder에서 rare variant와의 연관성을 전장 엑솜 시퀀싱(whole exome sequencing, WES) 또는 전장 유전체 시퀀싱(whole genome sequencing, WGS) 만으로 입증하기 위한 경우, 비정상적으로 많은 수의 대상자 sample를 필요로 하게 되어 비용 문제가 발생한다. 따라서 신장질환에서 유전체 연구를 통하여 발굴된 유전 변이에 대한 병리적 이해와 신장질환에 대한 설명력을 향상시키기 위해서는 GWAS가 기반하고 있는 common disease common variant 가설에서 벗어난 방법으로 접근할 필요가 있으며 동시에 비용-효과를 고려해야 한다. 이러한 접근 방법으로 발현량특성위치

(expression quantitative trait loci, eQTL) 분석이 최근 다수 시행되고 있다. eQTL은 유전자 염기다형성이 RNA 발현 또는 특정 유전자에 의한 단백질 발현에 대한 변화를 일으키는 염색체 위치이다. eQTL 분석은 유전형 데이터와 신장의 전사체 데이터를 통합하여 유전 변이의 유무와 특정 유전자 발현량에 대한 연관성을 탐색함으로써 궁극적으로 질환의 발생 기전을 상당 부분 제시할 수 있는 방법이다(그림 2-6-2). 본 분석을 통하여 GWAS 연구에서 발굴된 non-coding region SNP이 유전자 발현량에 미치는 영향을 분석함으로써 GWAS 분석만으로 해석이 어려웠던 non-coding region의 SNP의 의미를 일부 평가할 수 있다. eQTL을 통한 유전자 발현량은 *cis*-regulatory 와 *trans*-regulatory로 나누며 *cis*의 경우는 인접 유전자의 promoter의 SNP이 유전자 발현량에 차이를 유발하는 것이며, *trans*는 전사 인자(transcription factor, TF)와 같은 중개 인자를 통하여 원거리 또는 다른 염색체에 존재하는 유전자 발현량에 영향을 미치는 것을 의미한다.

현재 NephQTL (nephqtl.org)이나 Human Kidney

eQTL Atlas (susztaklab.com/eqtl)와 같은 open source의 탐색용 플랫폼이 제공되어 있다. 향후 단일 세포 전사체 분석과 GWAS 데이터를 이용한 eQTL 분석을 통하여 신장질환에서 유전 변이가 유전자 발현량을 조절하는 것에 대한 통찰력을 제공함으로써 새로운 질환 특이적 표지자와 치료 타겟 발굴이 가능할 것으로 기대한다.

단일 세포 전사체 분석
(Single cell transcriptomics)

신장은 다양한 종류의 세포들로 구성된 복잡한 장기로 bulk RNA 시퀀싱을 이용한 전사체 분석 시 조직 전체는 물론 microdissection을 이용하여 분리한 compartment인 사구체와 세관사이질이라 하더라도 다양하고 많은 종류의 세포가 하나의 분석에 포함됨으로 다양한 세포군의 평균적인 정보만을 얻을 수 있다. 최근 microfluidics 방법을 포함하여 조직으로부터 단일 세포를 분리하는 방법의 발달과 함께 신장질환에서도 단일 세포 오믹스 분석이 활발히 진행되고 있다. bulk RNA 시퀀싱에 비하여 단일 세포 RNA 시퀀싱(single cell RNA sequencing, scRNA-seq)이나 단일 세포핵 RNA 시퀀싱(single nucleus RNA sequencing, snRNA-seq)은 다양한 세포로 구성되어 있는 신장에서 각각 세포의 종류에 따른 특이적인 전사체 변화를 확인할 수 있어 신장 내 세포 간의 상호작용을 확인할 수 있으며, 신장질환의 병인에 대한 더 높은 이해를 이끌어 낼 수 있다. 또한, scRNA-seq 분석은 궤적 추론(trajectory inference)을 통하여 세포 간의 유전자 발현의 일부 차이를 세포 주기, 세포 분화 또는 병인이 되는 외부 자극에 대한 반응과 같은 과정의 결과로 해석함으로써 이러한 변화 과정에 관여하는 주요 유전자를 밝혀내는 것에 도움을 줄 수 있다. 결과적으로 scRNA-seq 분석을 통하여 각 신장질환에 병인에 관련된 새로운 세포군을 발견하거나 병인이 될 수 있는 중요한 신호전달체계(signaling pathway)의 발굴, 나아가 세포 특이적 치료 타겟 탐색에 타겟 탐색을 할 수 있다. 다만 scRNA-seq은 분석의 준비 단계에서 조직으로부터 단일 세포를 효과적으로 분리하는 것이 비교적 까다롭고, 분리 과정에서의 손상으로 결과에 삐뚤림을 줄 수 있다. snRNA-seq은 핵을 분리하는 과정이 더 손쉬워 분석의 삐뚤림을 줄일 수 있지만 세포질에 존재하는 RNA는 분석할 수 없는 단점이 있다.

단일 세포 후성유전체 분석
(Single cell epigenomics)

DNA의 염기 서열에 변화가 없이 유전자 기능 변화를 나타내는 후성유전학적 변화는 노화나 환경적 요인에 초래되며 최근 신장질환을 포함하여 많은 질환의 발생에 중요한 원인으로 밝혀지고 있다. 가장 중요한 후성유전학적 변화에 관련된 기전은 DNA 메틸화와 히스톤 변형(histone modification)이다. 최근 단일 세포에서도 후성유전체 분석을 위한 단일 세포 시퀀싱 기술이 사용되고 있다. DNA 메틸화를 측정하기 위한 single cell bisulfite sequencing (scBS-seq)과 single cell reduced representation bisulfite sequencing (scRRBS-seq) 분석, 히스톤 변형과 전사 인자 결합지역(TF binding sites)을 확인하기 위한 chromatin immunoprecipitation sequencing (ChIP-seq), 염색질에 대한 접근성(chromatin accessibility)을 평가하기 위한 single cell assay for transposase-accessible chromatin with sequencing (scATAC-seq) 등의 방법이 사용되고 있다. 특히 단일 세포 단위에서 후성유전체 정보를 가장 쉽게 얻을 수 있는 방법인 scATAC-seq은 과활성화된 돌연변이 Tn5 transposase가 크로마틴으로 감겨있지 않은 DNA 지역을 잘라내며 특정한 sequencing adapter를 붙이는 tagmentation이라는 과정을 이용한다. tag된 DNA를 증폭한 이후 NGS 기법으로 시퀀싱하게 되며, 이를 통하여 세포 별로 유전체의 접근 가능한 DNA 영역을 확인하며, 세포 특이적인 전사 인자 및 그 결합 부위에 대한 예측이 가능할 수 있다.

단일 세포 다중 오믹스 분석(single cell multi-omics)과 기계 학습을 통한 다중 오믹스 데이터 분석

최근 단일 세포의 채취 및 단일 세포로부터 여러 오믹스 분석을 할 수 있는 샘플을 분리하는 방법의 발달과 함께 다중 오믹스 분석으로 생성된 대규모 데이터에 대한 생물정보학적 처리 기술의 발전으로 단일 세포 다중 오믹스 분석이 가능해졌다. NGS를 이용한 단일 세포 다중 오믹스 연구는 조직 내 여러 종류의 세포로 인한 복잡성과 다양성을 배제한 상태에서 단일 세포 유전체, 전사체, 후성유전체, 및 단백체를 통합적으로 분석하여 질환의 새로운 분자 생물학적 병인을 밝힐 수 있다. 단일 세포에서 유전체와 전사체 분석을 동시에 시행하여 정보를 통합함으로써 bulk 시퀀싱에서 간과될 수 있는 각 세포 마다의 미묘하고 일시적인 전사 수준의 차이를 명확하게 평가할 수 있고, 동시 통합 분석을 통하여 각각의 분석으로 충분히 확인이 어려운 유전형과 표현형의 인과적 연관성을 확인할 수 있다. 대표적 분석 방법인 genome & transcriptome sequencing (G&T seq)은 단일 세포 라이브러리에서 DNA와 RNA를 동시에 염기 서열 분석함으로써 대표적인 불균형 구조적 변이(unbalanced structural variation)인 DNA copy number variation이 전사 수준에 미치는 영향을 높은 정확도로 평가할 수 있다. DNA 메틸화, histone 메틸화, 아세틸화, 염색질 접근성 등 후성유전체 변화는 유전자 발현에 영향을 미치며 최근 단일 세포에서 전사체와 후성유전체의 통합적 분석 역시 지속적으로 발전하고 있다. single cell methylome and transcriptome Sequencing (scMT-seq)을 포함하여 다양한 다중 오믹스 분석법이 제시되고 있다. 전사체와 단백체의 동시 분석은 전사 과정으로부터 세포의 표현형으로의 진행과정의 이해에 반드시 필요한 과정이다. 통합적 분석으로 전사체 분석만으로 알기 어려운 전사 후 과정과 번역 후 변형(post-translational modification)을 포함하여 세포의 표현형으로의 변화 상태를 이해할 수 있다. 단일 세포 다중 오믹스 분석은 조직 내 많은 개별 단일 세포의 유전체, 전사체, 후성유전체, 단백체 프로파일을 통합적으로 설명하는 대규모의 데이터를 생산한다. 이러한 대규모 데이터로부터 분자생물학적 병인을 추론하고 질병의 예후 예측 모델 개발 및 치료 타겟을 발굴하기 위해 기계 학습을 기반으로 한 분석은 점차 그 사용이 증가하고 있다.

신장질환에서 정밀의료

정밀 의료는 임상 표현형과 병리학적 진단을 기반으로 한 신장질환에 대한 고식적인 진단과 치료와 달리 유전적 환경적 다양성을 고려한 개별화된 접근 방법이다. 신장질환에서 오믹스 분석에 기초한 질환 특이적 표지자 발굴과 이를 타겟으로 한 치료에 대한 연구가 활발히 진행되고 있으나, 아직 임상에 적용하기에는 부족한 것이 현실이다. 특정 세포 또는 새로운 세포군에서 질환 특이적 표적 유전자, 단백, 신호전달체계의 발굴은 정밀의료의 시발점이다. 최근까지도 기술적 한계로 인하여 신장질환에서 병인과 관련있는 특정 세포에서의 표적 유전자를 식별하는 것은 쉽지 않았다. 그러나 scRNA-seq을 포함한 다양한 단일 세포 분석은 이러한 상황을 극복할 수 있는 혁신적인 접근법으로 정밀의료로의 발전에 중추적인 역할을 할 것으로 생각한다. 특히 scRNA-seq는 다른 오믹스 데이터와의 통합적 분석을 통하여 새로운 분자생물학적 프로세스를 밝힐 수 있다. 더불어 최근 유전체, 단백체 및 대사체학 정보에 대한 대량 처리 기술(high-throughput technology)의 발전이 이루어지고 있어, 오믹스 정보들의 통합적 분석을 통한 분자생물학적 질환의 분류와 병인에 따른 치료가 멀지 않은 미래에 실현될 수 있을 것으로 기대한다.

▶ 참고문헌

- Albert, F.W., et al: The role of regulatory variation in complex traits and disease. Nat Rev Genet 16:197-212, 2015.
- Eddy, S., et al: Integrated multi-omics approaches to improve classification of chronic kidney disease. Nat Rev Nephrol 2020.

16:657–668, 2020.

- Kang, E., et al., Biobanking for glomerular diseases: a study design and protocol for KOrea Renal biobank NEtwoRk System TOward NExt–generation analysis (KORNERSTONE). BMC Nephrol 21:367, 2020.
- Kim, J., et al: Single–cell transcriptomics: a novel precision medi–cine technique in nephrology. Korean J Intern Med 36:479–490, 2021.
- Lindenmeyer, M.T., et al: Perspectives in systems nephrology. Cell Tissue Res 385:475–488, 2021.
- Lu, Y.A., et al: Single–Nucleus RNA Sequencing Identifies New Classes of Proximal Tubular Epithelial Cells in Kidney Fibrosis. J Am Soc Nephrol 32:2501–2516, 2021.
- Montgomery, S.B., et al: From expression QTLs to personalized transcriptomics. Nat Rev Genet 12:277–282, 2011.
- Nestor, J.G., et al. Towards precision nephrology: the opportunities and challenges of genomic medicine. J Nephrol 31:47–60, 2018.
- Qiu, C., et al: Renal compartment–specific genetic variation analy–ses identify new pathways in chronic kidney disease. Nat Med 24:1721–1731, 2018.
- Zhang, F., et al: Non–coding genetic variants in human disease. Hum Mol Genet 24:R102–R110, 2015.

제 **2** 부 신장질환의 검사와 임상적 접근

CHAPTER

07 신장질환 환자에 대한 임상적 접근

전진석 (순천향의대)

KEY POINTS

- 혈뇨, 단백뇨, 부종, 사구체여과율 감소는 신장질환의 주요 임상표현이다.
- 신장질환은 10가지 증후군으로 분류할 수 있다.
- 신염증후군, 신증후군, 무증상요이상, 만성신부전은 사구체질환 관련 증후군이다.

신장질환의 주요 임상표현으로 혈뇨, 단백뇨, 부종, 사구체여과율 감소가 있다. 신장질환은 환자의 임상증상과 징후, 검사소견, 유병기간에 따라 다음의 10가지 증후군으로 분류할 수 있다(표 2-7-1). 신염증후군, 신증후군, 무증상 요이상, 만성신장질환은 사구체 질환 관련 증후군이다. 각각의 신장병 증후군은 여러 가지 질병을 포함하고 있으

며, 한 가지 질환이 여러 증후군을 유발할 수도 있다. 신장질환의 진단적 접근은 처음부터 한 가지 원인 질환을 규명하기보다는 환자의 임상표현에 따른 증후군을 먼저 생각하고 가능한 원인 질환의 가능성에 대해 범위를 좁혀가야 한다.

1. 신염증후군(Nephritic syndrome)

신염증후군은 사구체에서 발생한 염증진행과정의 결과로 혈뇨, 적혈구원주, 이형적혈구가 나타난다. 고혈압, 부종, 핍뇨가 발생할 수 있다. 다양한 정도의 단백뇨가 관찰되며 일부 환자에서는 신증후이 함께 동반되기도 한다. 현미경적 혈뇨 또는 육안적 혈뇨가 발생하는데 이는 짙은 갈색으로 콜라색, 커피색, 간장색 등으로 표현된다. 급성 신염증후군의 대표적 질환으로 사슬알균감염후 사구체신염과 IgA신병증이 있다. 사슬알균감염후 사구체신염은 증상 발현 10-14일 전 상기도 감염의 병력이 있다. IgA신병증의

표 2-7-1. 신장질환의 10가지 증후군

1. 신염증후군 (Nephritic syndrome)
2. 신증후군 (Nephrotic syndrome)
3. 무증상 요이상 (Asymptomatic urinary abnormalities)
4. 만성신부전 (Chronic renal failure)
5. 급성신부전 (Acute renal failure)
6. 요로감염 (Urinary tract infection)
7. 세관사이질 질환 (Tubulointerstitial disease)
8. 고혈압 (Hypertension)
9. 신결석 (nephrolithiasis)
10. 요로폐쇄 (urinary tract infection)

경우에는 인후두염 직후에 육안적 혈뇨가 발생한다. 신염증후군의 임상표현과 함께 수 일−수 주 사이에 급속한 신기능 저하를 동반하는 경우 급속진행사구체신염이라 한다. 대표적 질환으로는 항사구체기저막항체에 의한 굿패스처증후군(Goodpasture syndrome), 면역복합체질환인 루푸스신염, 항중성구세포질항체(ANCA)에 의한 혈관염 등이 있다. 이러한 급속진행사구체신염 감별진단에 항사구체기저막항체, 항중성구세포질항체, 보체 혈액검사가 도움이 된다.

2. 신증후군(Nephrotic syndrome)

신증후군은 하루 3.5g 이상의 단백뇨와 저알부민혈증, 부종, 고지혈증이 발생하는 임상증후군이다. 합병증으로 정맥혈전증이나 폐색전증이 발생할 수 있다. 대표적인 질환으로 미세변화신증후군, 국소분절사구체경화증, 막신병증, 막증식사구체신염이 있다. 막증식사구체신염은 신염증후군 증상을 보이기도 한다. 당뇨, 전신 아밀로이드증, 루푸스신염, 암과 관련해서 신증후군이 발생할 수 있으므로 신증후군 원인을 평가할 때 대사관련질환, 자가면역질환, 암 등의 동반되는 질환의 가능성을 항상 고려해야 한다.

3. 무증상 요이상(Asymptomatic urinary abnormalities)

요검사에서 단백뇨, 혈뇨, 농뇨는 발견되나 신염증후군, 사구체여과율감소, 요로증상, 신결석, 요로폐쇄가 없는 신장질환이다. 건강검진에서 시험지봉 단백뇨 검사 양성인 경우에 알부민/크레아티닌 비(albumin to creatinine ratio, ACR)나 단백질/크레아티닌 비(protein to creatinine ratio PCR)검사를 통해 단백뇨 유무를 확인해야 한다. 청소년 시기에 단백뇨는 비교적 흔하게 관찰되는데 아침 첫 소변 알부민/크레아티닌 비 검사에서 정상인 경우에 기립성 단백뇨를 진단한다. 이는 30세 이후에는 매우 드물며 특별한 치료나 추적관찰은 필요하지 않다. 무증상 현미경적 혈뇨의 흔한 사구체질환 원인으로는 IgA신병증, 얇은기저막병

이 있다. 혈뇨를 동반한 지속적인 단백뇨는 사구체질환의 가능성이 높으므로 신생검을 고려해야 한다.

4. 만성콩팥병(Chronic kidney disease)

만성콩팥병은 3개월 이상 지속적으로 신장손상 증거가 있거나 혹은 사구체여과율이 60 mL/min/1.73m² 미만으로 감소되는 경우로 정의한다. 알부민뇨는 신장손상의 대표적인 증거다. 당뇨병, 고혈압, 사구체신염이 만성콩팥병을 일으키는 대표적 질환이다. 만성콩팥병 초기에는 임상증상이 없는 경우가 많으며, 사구체여과율 감소가 처음 발견된 경우에 만성신부전과 급성신부전을 감별하기 위해서 내원 3개월 전후의 혈액검사기록과 의무기록 검토가 중요하다.

5. 급성콩팥손상(Acute kidney injury)

급성콩팥손상은 콩팥기능이 수 시간에서 수일의 기간에 급속히 감소하는 임상 증후군이다. 전통적으로 급성콩팥손상의 정의는 혈청 크레아티닌이 0.3 mg/dL이상 증가하거나 기저치의 1.5배 이상 증가하는 경우다. 급성콩팥손상의 초기 임상표현은 핍뇨(6시간 동안 0.5 ml/kg/hr 미만의 요량)이지만, 환자에 따라서는 정상 소변량을 유지하고 무증상인 경우도 많다. 통상적으로 급성콩팥손상은 신전성, 내인성, 신후성으로 분류된다. 급성콩팥손상의 2가지 중요 원인으로 허혈성과 신독성 급성콩팥손상이 있다. 허혈성 콩팥손상은 저혈압과 유효 순환 혈류량이 감소할 수 있는 수술, 외상, 심한출혈, 패혈증에 의해 발생한다. 신독성 약제로 조영제, 비스테로이드소염제, 아미노글리코시드, 암포테리신 B, 반코마이신 등이 대표적이다. 고령에서 비스테로이소염제와 안지오텐신수용체차단제를 함께 복용하는 경우에 급성신부전이 발생할 수 있으므로 이들 제제의 사용 여부를 반드시 확인해야 한다.

6. 세관사이질 질환(Tubulointerstitial disease)

세관사이질 질환은 신장 세관과 사이질에 손상이 발생

표 2-7-2. 신장질환의 10가지 증후군

증후군	임상표현	해당질환 참조
신염증후군	혈뇨, 단백뇨, 부종, 신기능감소, 핍뇨, 고혈압,	Part 5
신증후군	심한 단백뇨(>3.5 g/day), 저알부민혈증, 전신부종,고콜레스테롤혈증	Part 5
무증상요이상	소변검사에서 우연이 발견된 혈뇨 또는 단백뇨	Part 5
만성신부전	3개월 이상 지속된 신손상 또는 신기능감소, 고혈압, 신장 크기 감소	Part 12
급성신부전	혈청 크레아티닌이 0.3 mg/dL 이상 증가하거나 기저치의 1.5배 이상 증가, 핍뇨	Part 11
세관사이질 질환	수분전해질이상, 혈뇨, 신기능감소	Part 9
고혈압	혈압상승, 단백뇨, 신기능감소	Part 7
요로감염	세균뇨, 농뇨, 혈뇨, 오한, 발열, 단백뇨	Part 10
요로폐쇄	핍뇨, 신기능 감소	Part 10
신결석	복통, 옆구리통증, 혈뇨	Part 10

하는 광범위한 질병군을 일컫는다. 여기에는 유전성 낭성 질환도 포함되며 상염색체우성 다낭콩팥병이 대표적이다. 세관증후군(tubular syndrome)은 세관에서 물질 운반체 이상으로 수분, 전해질 또는 산염기 대사장애를 일으킨다. 대표적인 세관증후군으로 판코니 증후군(Fanconi's syndrome), 바터증후군(Bartter syndrome), 지텔맨증후군 (Gitelman syndrome), 리들증후군(Liddle syndrome), 신 세관산증 등이 있다. 간질신장염으로 약물, 자가면역질환, 감염등에 의한 급성 혹은 만성 세관사이질신장염이 있다.

7. 고혈압(Hypertension)

혈압측정 방법으로 진료실 혈압측정, 가정혈압측정, 활동혈압측정이 있다. 고혈압의 진단과 치료 시 표준화된 진료실 혈압측정법이 권유되나 가정혈압측정, 활동혈압측정에서 나타난 혈압수치도 참고해야 한다. 전신성 고혈압은 임상에서 흔히 보는 질환이며 신장은 밀접하게 관련되어 있다. 고혈압 자체가 신장기능을 악화시키기도 하고 사구체 여과율이 감소할수록 고혈압 발생률이 증가한다. 고혈압의 원인으로 특정한 원인이 밝혀지지 않은 일차성 고혈압이 많지만, 신실질 고혈압, 신혈관 고혈압, 일차알도스테론증, 크롬친화세포종 등에 의한 이차성 고혈압 원인에 대

한 감별진단이 필요하다.

8. 요로감염(Urinary tract infection)

요로감염은 무증상세균뇨, 방광염, 전립샘염, 급성 신우신염, 패혈증까지 다양한 임상양상을 나타낸다. 신경인성방광과 요로결석 같은 요로폐쇄가 동반된 요로감염의 경우 패혈성 쇼크를 잘 동반할 수 있으며 항생제 치료와 더불어 요로폐쇄에 대한 신속한 감압치료가 필요하다. 수축기 혈압이 100이하, 분당 22회 이상의 호흡수 증가, 의식감소 소견을 보이면 중환자실 집중치료가 필요하다.

9. 요로폐쇄(Urinary tract infection)

요로폐색은 신우에서 요관, 방광, 요도까지 어디에서나 일어날 수 있다. 신결석, 전립선비대, 요로종양, 신경인성방광 같은 요로폐쇄를 일으키는 질환에 의해 정상적인 소변흐름이 막혀서 수신증을 유발할 수 있다. 신장초음파검사나 비조영제 CT검사를 통해 수신증 진단에 도움이 되며 배뇨 후 과도한 잔뇨량이 남아 있을 경우에 신경인성방광을 의심할 수 있다

10. 신결석(Nephrolithiasis)

복통, 옆구리 통증을 동반한 육안적 혈뇨가 신결석의 전형적인 증상이나 환자가 복부 통증을 동반하지 않은 선홍색 혈뇨를 호소하는 경우에도 요로결석의 가능성을 염두에 두어야 한다. 한번 결석을 경험한 사람이 다음 번 결석이 재발할 확률이 5년 이내 50%, 20년 이내가 80%로 매우 높은 빈도를 차지한다. 영상진단을 위해서 최근에 비조영 나선형 CT 촬영이 정맥신우조영술 검사를 대체하고 있다.

▶ 참고문헌

- 대한신장학회: 임상신장학. 군자출판사, 2015.
- 서울대학교 의과대학: 신장요로학. 서울대학교출판부, 2005.
- Goldman L, et al: Goldman's Cecil Medicine. 24th ed. Saunders, 2011.
- Jameson J, et al: Harrison's Principles of Internal Medicine. 20th ed. McGraw Hill, 2018.
- Skorecki K, et al: Brenner & Rector's The Kidney. 10th ed. Elsevier, 2016.
- Gilbert SJ, et al. Primer on Kidney Disease. 7th ed. Elsevier, 2017.

제 2 부 신장질환의 검사와 임상적 접근

임·상·신·장·학

PART 03 수분-전해질 대사 장애

김세중 (서울의대)

CHAPTER 01 체액결핍과 수액요법

오윤규 (서울의대)

KEY POINTS

- 체액결핍이 있는 환자에서는 구갈, 구강 점막과 액와부 건조, 피부긴장도 감소, 기립 저혈압, 핍뇨, 의식 저하와 같은 임상 증상이 나타날 수 있으며, 체액의 신외 손실 또는 신 손실이 있는지 감별해야 한다.

- 심한 체액결핍이 있을 때는 정맥을 통한 수액 투여가 필요하며 이 경우 손실된 체액과 가장 비슷한 조성을 가진 결정질용액을 우선 투여한다.

- 수액요법을 할 때는 정상적으로 소실되는 수분과 전해질을 보충하는 유지요법과 비정상적으로 손실되었거나 소실되고 있는 수분과 전해질을 보충하는 보충요법을 함께 생각하여 처방해야 한다.

- 결정질용액은 수분에 포도당이나 전해질이 들어있는 용액을 말하며 포도당용액, 식염수용액, Hartmann 용액, Plasma 용액 A 등이 있어 환자의 상태나 필요에 따라 적절하게 사용해야 한다.

체액결핍

체액결핍(volume depletion)은 소듐이나 수분 손실이 섭취를 초과할 때 발생하는 세포외액 감소를 의미하여, 실제 임상에서는 순수한 수분이나 소듐 단독 결핍보다는 두 가지 성분의 복합결핍이 대부분이다. 흔히 탈수(dehydration)와 체액결핍이 서로 중복되어 사용되는 경우가 있는데, 엄격한 의미에서의 탈수는 순수한 수분 결핍을 의미하며 이는 주로 고나트륨혈증을 유발하는 경우가 많고, 체액결핍은 수분과 소듐 결핍이 복합 되어 발생하는 세포외액 감소를 뜻한다.

1. 병인

정상 신기능을 가진 성인에서는 식염 섭취를 전혀 하지 않는다고 해서 곧바로 소듐 결핍이 발생하지는 않는다. 소듐 대사를 조절하는 신장에서 항상성을 유지하기 위하여 소듐 배설을 극소화하기 때문이다. 따라서 소듐 결핍의 원인은 크게 신장 이외에서 손실이 발생하는 신외 손실이거나, 소듐 배설을 조절하는 신장기능 이상으로 인한 신 손실로 나뉜다(표 3-1-1).

1) 신외 손실(Extrarenal loss)

(1) 위장관 손실

정상 성인은 하루 평균 2 L의 수분을 섭취하고 위장관

표 3-1-1. 체액결핍의 원인

신외 손실
위장관 손실 　구토, 위장관 흡입(gastrointestinal suction) 　설사, 위장관루
불감 손실 　경피적 손실 　　발한, 화상 　과호흡, 인공호흡기 치료
제3의 공간으로 격리 　복수, 흉수, 혈흉 　장관폐색, 복강내 분비액 격리
출혈
신 손실
이뇨제 사용
요세관 장애 　유전성 　　Batter syndrome, Giteleman's syndrome 　　Pseudohypoaldosteronism type I 　후천성 　　급성콩팥손실 　　요로폐색의 회복
호르몬, 대사성 장애 　광물코르티코이드 결핍 　　원발 부신 저하(Addison's disease) 　　저레닌 저알도스테론혈증
신 기능 저하
신 수분 소실 　요붕증

액 7 L가 분비되어, 대략 체액 9 L가 위장관을 통과하게 되고, 이중 98%가 재흡수 되어 100~200 mL 만이 대변을 통해 배출된다. 따라서 위장관 이상으로 위장관액 재흡수가 감소하거나, 분비가 과도하게 증가하는 경우 체액결핍이 발생하게 된다. 구토나 비위관 흡입과 같이 수소 이온을 다량으로 함유한 위액 소실이 있는 경우 대사알칼리증이 발생할 수 있고, 탄산수소염을 포함하고 있는 담즙 및 췌액과 설사를 통한 손실이 있는 경우 대사산증을 동반하게 된다.

(2) 불감 손실(Insensible loss)

건강한 성인에서는 피부와 호흡을 통해 하루 500~650 mL 정도의 수분 손실이 일어난다. 땀은 고열이 있거나 고온에 지속적으로 노출되는 경우 증가하며, 호흡기를 통한 손실은 과호흡이나 인공호흡기 치료를 받는 환자에서 증가한다. 땀은 혈장의 오스몰랄농도보다 낮은 저장성이므로 소듐보다는 수분 손실이 많다. 수분이나 소듐의 보충이 없는 상태에서 발생하는 다량의 땀은 체액감소와 함께 혈장의 오스몰랄농도 증가를 초래하게 되며, 전해질 보충 없이 수분만을 보충하게 되는 경우에는 저나트륨혈증을 동반한 체액결핍이 발생하게 된다. 화상의 경우에는 피부장벽 손실과 삼출성 피부 병변으로 인해 상당량의 체액 손실이 발생하게 된다.

(3) 제3의 공간으로 격리(Third−space sequestration)

패혈증, 화상, 췌장염 및 복막염과 같이 혈관의 투과성이 증가하거나, 저알부민혈증으로 혈장 오스몰랄농도가 감소하는 경우에는 다량의 체액이 복수, 흉수 등의 제3의 공간으로 격리되어 체액감소가 상당량 발생하게 된다. 위장관이 폐색된 경우에도 폐색부위에 다량의 위장관액이 저류됨으로써 체액결핍을 초래할 수 있다.

(4) 출혈

대량 위장관 출혈이나 외상으로 인한 출혈이 발생한 경우에도 다량의 체액감소가 발생하게 된다.

2) 신 손실(Renal loss)

세포외액량을 결정하는 주요한 인자인 소듐은 사구체에서 여과된 후 대부분 세관에서 재흡수 되어 소변으로 극소량만이 배출되게 된다. 이처럼 신장을 통한 소듐 재흡수와 요 농축을 통하여 체액을 일정하게 유지할 수 있게 되는데, 이러한 신장의 조절기능에 이상이 발생하게 되면 소듐 손실과 함께 체액감소가 일어나게 된다.

(1) 이뇨제 사용

임상에서 흔히 사용하는 이뇨제들은 대부분 네프론의

특정 부위에 작용하여 소듐 재흡수를 억제함으로써 소듐 배설을 촉진하여 이뇨효과를 나타내게 된다. 과도한 이뇨제 사용은 체액량 부족과 함께 대사 산-알칼리 장애를 초래하기도 한다. 이뇨제 이외에도 나트륨뇨를 일으키는 약제가 있는데, trimethoprime과 pentamidine과 같은 항생제의 경우 원위세관에서 amiloridesensitive ENaC channel을 통한 소듐 재흡수를 억제함으로써 나트륨뇨를 유발한다.

(2) 세관 장애

Bartter 증후군과 Gitelman 증후군은 상염색체 열성 유전성 질환으로 세관 소듐 수송체 유전자에 돌연변이가 일어나 세관에서 소듐 재흡수가 제대로 일어나지 못하게 되면서 소듐 소실과 함께 체액감소가 발생하고 저칼륨혈증 대사알칼리증이 동반된다. 이 외에 제1형 가성저알도스테론혈증(pseudohypoaldosteronism type I)도 드물게 발생하는 유전 질환으로 신장에서의 소듐 소실과 함께 고칼륨혈증과 대사산증이 동반된다. 선천적 질환이외에도, 급성콩팥손상(acute kidney injury)으로 인한 세관 장애에서도 소듐 배설이 증가할 수 있다.

(3) 호르몬, 대사 장애

원발 부신기능저하(Addison's disease)와 같은 광물코르티코이드(mineralocorticoid hormone) 결핍이나 저항성(resistance) 역시 신장에서 소듐 배설을 증가시킨다. 만성 세관 사이질신장병에서도 소듐 소실이 발생할 수 있다. 그 외 조절 되지 않는 당뇨병이 있는 경우 심한 당뇨가 삼투성 이뇨를 유발하여 수분과 소듐 손실을 초래할 수 있으며, 장기간 요로폐색이 있다가 호전되는 경우에도 높은 혈중 요소 농도로 인하여 요소이뇨(urea diuresis)를 유발하여 수분과 소듐 배설이 증가하게 된다.

(4) 신기능 저하

신기능이 저하되어 있는 경우 비정상적인 수분과 소듐 손실이 발생할 수 있다. 급성콩팥손상 회복기 초기에는 요 중 소듐 농도가 높아서 상당량의 수분과 소듐 손실이 일어나 체액 소실을 유발할 수 있다. 이 경우 핍뇨 기간 동안 저류되었던 수분과 소듐의 배설인지, 세관 손상에 의한 소듐 재흡수 장애로 인한 손실인지 감별이 중요하며, 세관 손상에 의한 체액 감소의 경우에만 수액 보충요법이 필요하다. 만성콩팥병(chronic kidney disease) 환자의 경우 식염 섭취 감소에 따라 요 중 소듐 배설을 저하시키는 능력이 떨어져 있다. 따라서 만성으로 콩팥기능이 저하되어 있는 환자의 경우 갑자기 저염식를 시작했을 때 소듐 재흡수와 요 농축능 감소로 소듐 손실 및 체액감소가 발생할 수 있다. 만성콩팥병 환자가 요독증으로 인한 식욕부진, 오심, 구토 등으로 경구 섭취가 감소해 있는 상태에서 무리하게 염분섭취 제한을 진행하는 경우 체액결핍이 유발될 수 있으며, 이러한 체액감소는 콩팥기능을 더욱 악화시킬 수 있으므로 각별한 주의가 필요하다.

(5) 신 수분 소실

요붕증은 항이뇨호르몬의 분비가 저하되거나(중추성요붕증), 분비는 정상이나 세관에서 항이뇨호르몬에 대한 저항성이 있는 경우(신성요붕증)에 발생한다. 요붕증은 신장에서 수분 재흡수를 저하시켜 체액감소를 유발할 수는 있으나, 소듐과 달리 수분은 세포내액에 비하여 세포외액에서 차지하는 비율이 매우 낮아, 실질적으로 체액감소에 기여하는 정도는 크지 않다.

2. 임상소견 및 진단

체액결핍에 따른 임상양상은 체액 손실을 보상하기 위해 발생하는 심혈관계와 콩팥의 반응뿐만 아니라 소실양과 발생속도에 따라 결정된다. 체액감소를 유발한 원인을 파악하기 위해서는 정확한 병력청취와 임상소견에 대한 평가와 신체검진이 필요하다.

체액결핍에 따른 임상증상은 대부분 비특이적이어서, 피로, 갈증, 근육경련, 기립시 어지러움 등이 있지만, 대량 체액 손실이 있는 경우에는 요량감소, 청색증, 복통, 흉통, 혼돈, 의식저하 등이 발생하기도 한다.

신체검진에서 사이질액 감소로 인한 피부긴장도 감소와

표 3-1-2. 체액결핍의 임상소견

경증, 중등도
구갈, 피로, 기립시 어지러움
구강 점막, 액와부 건조
피부 긴장도 감소, 안구 함몰
말초혈관 수축, 모세혈관 충만 지연
빈호흡, 빈맥, 기립 저혈압(기립시 수축기 혈압 20 mmHg 이상 감소)
경정맥압 감소
핍뇨
중증
의식저하
말초 청색증
심한 빈맥, 맥압 저하
앙와위 저혈압(앙와위에서 수축기 혈압 <100 mmHg)

구강내 점막 건조가 있으며 액와 발한이 감소하나 노인 환자에서는 인지하기가 쉽지 않다. 그 외에도 빈맥이 발생하고 체액 손실의 심한 정도에 따라 말초 관류저하, 기립 저혈압, 경정맥압 감소, 핍뇨가 발생하며 심한 경우, 의식저하, 말초 청색증, 맥압 저하, 저혈량 쇼크가 발생하기도 한다.

검사실 소견에서는 혈액농축(hemoconcentration)으로 인해 헤마토크리트와 혈청 알부민농도가 증가하나, 빈혈이나 저알부민혈증과 같은 기저질환이 있는 경우에는 이러한 소견이 없을 수 있으므로 검사실 결과를 해석하는데 있어 주의가 필요하다. 건강한 성인에서 혈중 요소질소(BUN)와 크레아티닌의 비는 대략 10~20:1 정도이다. 체액결핍이 있는 경우에는 네프론의 집합관에서 요소의 재흡수가 증가하여 혈중 요소질소-크레아티닌 비가 증가하게 된다. 하지만 위장관 출혈이나, 스테로이드를 투여 받는 경우에도 요소 생산이 증가되어 혈중 요소질소-크레아티닌 비가 증가되는 경우가 있고, 반대로 영양결핍이나 간기능 저하가 있는 경우에는 요소 생산이 감소하게 되어 체액결핍이 있다 하더라도 혈중 요소질소-크레아티닌 비는 정상일 수 있으므로, 이러한 지표를 해석할 때에도 역시 환자들의 다양한 임상 상태를 고려하여 한다.

체액결핍은 신장에서 소듐 재흡수를 촉진시키고 배설을 억제하여 요 중 소듐 농도와 소듐 분획 감소를 일으킨다. 신외 손실의 경우 일반적으로 요 소듐 농도는 20 mmol/L 미만이고 요 오스몰랄농도는 450 mOsm/kg 이상이다. 사구체여과율이 감소하고 원위세관으로의 소듐 이동이 줄어듦에 따라 원위세관에서 포타슘 분비가 줄어들게 되어 혈중 포타슘 농도가 높아질 수 있다. 설사나 이뇨제 사용과 같이 저클로라이드혈증 알칼리증을 동반한 체액결핍이 있는 경우 요 소듐 농도가 20 mmol/L 이상이고 요 pH도 7.0 이상이다. 이는 여과된 탄산수소염이 요 소듐과 결합하여 배설되기 때문으로 이 경우에는 요 클로라이드 농도가 체액 상태를 더 잘 반영하여 20 mmol/L 이하이면 체액결핍을 시사하는 소견이 된다. 신 손실로 인한 체액결핍 시에는 요 소듐 농도가 20 mmol/L 이상인 경우가 많고, 요붕증의 경우에는 비정상적으로 희석된 요가 배설된다.

2. 치료

체액결핍에서 치료 목표는 정상 체액을 회복하고 현재 소실되고 있는 체액을 보충하는 것이다. 위장관 질환이 없고 경한 체액결핍이 있을 때는 경구 수분섭취와 정상 식이로 치료할 수 있지만 심한 체액결핍의 경우 정맥으로 수액을 투여하는 것이 필요하다. 투여하는 수액은 손실된 체액과 가장 비슷한 조성을 가진 수액을 사용하는 것이 좋다. 수액 치료를 위한 첫 번째 단계는 여러 임상 증상과 지표들을 이용하여 체액손실 정도를 정확히 평가하는 것이다. 이후 보충해줄 수액의 양과 주입속도를 정하여 치료를 시작하고 환자 상태를 주의 깊게 모니터링하며 각 환자 상황에 맞는 개별적인 수액 처방이 이루어져야 한다.

중증 체액결핍은 정주 수액요법이 필요한데 초기 수액제로는 대부분 등장식염수가 선택된다. 저혈량 쇼크이 있을 경우 즉시 등장식염수 1-2 L를 투여하고 중환자실에서 중심정맥압을 측정하면서 수액 투여가 적절한지 모니터한다. 부족한 체액을 정확히 계산할 수 없기 때문에 반복적인 측정을 통한 투여량 조정이 필요하다.

등장식염수를 투여하게 되면 투여되는 양의 1/3은 혈관

내 구획에, 나머지 2/3는 간질에 분포하며 알부민과 같은 교질용액(colloid solution)은 정주 시 모두 혈관 내에 있게 된다. 이전 연구들에 대한 메타분석이나 대규모 무작위 임상연구에서 체액결핍 환자에게 수액치료를 할 때, 교질용액과 결정질용액(crystalloid solution)을 투여받은 환자군의 치료 결과에는 유의한 차이가 없었다. 따라서 수액 종류보다는 적절한 시기에 충분한 양의 정주 수액치료가 무엇보다 중요하겠다.

등장식염수는 혈청 소듐 농도가 정상이거나 저나트륨혈증이 있는 체액결핍 환자에서 초기 수액치료에 사용된다. 고나트륨혈증이 있는 체액결핍 환자에서 세포외액을 회복하는 초기 수액제로 사용되며, 환자가 정상 체액량(euvolemic) 상태에 이르게 되면 0.45% 식염수와 같은 저장수액제로 변경하여 치료를 지속하게 된다. 대량으로 수액이 정주되는 경우 환자 상태를 주의 깊게 관찰하여 체액과다나 울혈성심부전 또는 폐부종 등이 발생하지 않도록 조심하여야 한다. 저칼륨혈증이 동반되어 있는 환자에서는 보충수액에 포타슘을 혼합하여 사용하기도 한다.

저혈량 쇽과 같은 심한 체액결핍이 있는 환자에서는 조직 내 관류저하로 젖산산증(lactic acidosis)이 동반되기도 하며, 이러한 환자에서 수액을 투여하면 조직 내 관류와 산소공급이 회복되면서 젖산 생성이 감소된다. 젖산산증을 교정하기 위하여 탄산수소나트륨을 사용하는 것은 장력 증가, 체액과다, 이산화탄소 생성을 증가시켜 세포내 산증을 악화시킬 수 있어 심한 산증(pH < 7.1)이 아니면 일반적으로 추천되지 않는다.

수액요법

1. 수액요법의 목적

환자들에게 수액을 투여할 때는 두 가지 목적을 가지고 처방해야 한다. 먼저 유지요법으로 정상적으로 소변, 땀, 호흡, 대변을 통해 배설되는 수분과 전해질을 보충하는 것이다. 다른 하나는 소화기, 비뇨기, 피부, 출혈, 제3의 공간으로 이동 등에 의해 비정상적으로 손실되었거나 소실되고 있는 수분과 전해질을 보충하는 보충요법이다.

1) 유지요법

정상 성인에서 소변과 대변으로 손실되는 수분의 양을 측정해 보면 일반적으로 소변으로 약 1,000~1,500 mL, 대변으로 약 250 mL 정도가 배설된다. 여기에 더해서 측정할 수는 없지만 피부나 호흡기를 통해 손실되는 수분(불감수분손실; insensible water loss)이 약 500~1,000 mL/day가 되어 1,800~2,500 mL/day 정도 수분이 배출된다. 따라서 같은 양의 수분을 섭취해야 하는데, 탄수화물이 산화되는 과정에서 300 mL 정도의 수분이 생성 되므로 하루에 섭취해야 하는 수분 양은 30 mL/kg 정도가 된다. 필요한 수분 중 800 mL 정도는 음식에 포함된 수분 형태로 섭취를 하고 나머지는 물이나 음료로 섭취해서 균형을 이루게 된다.

열이 나지 않고, 식사를 하지 않고, 육체적인 활동이 없는 성인 입원환자에게 필요한 수분은 약 2,000~2,500 mL/day 이며 여기에 더해서 140~150 mmol/day의 소듐과 40~80 mmol/day 정도의 포타슘이 필요하다. 또, 금식할 때 발생하는 단백질 이화작용을 예방하기 위해 100~150 g/day의 포도당이 필요하다. 따라서 0.45% 식염수 1 L에 5% 포도당과 10~20 mmol 의 포타슘 클로라이드(KCl)가 혼합된 수액을 2~2.5 L 처방하게 되면 1일 최소한의 유지수액을 투여하는 것이다. 환자의 금식기간이 4~5일 이상으로 길어지게 되면 고농도 포도당 용액을 사용하게 되는데 이 경우 말초정맥 보다는 중심정맥을 이용해 투여하는 것이 좋다. 고농도 포도당 용액을 투여할 경우 포도당 대사를 향상시키고 고혈당을 방지하기 위해 포도당 4 g당 속효성 인슐린 1 U를 투여한다. 단백질은 40 g/day 정도가 필요한 데 5% 아미노산을 포도당 1,000 mL에 혼합하여 투여한다. 기타 vitamin B complex 2 mL과 vitamin C를 같이 투여한다.

표 3-1-3에는 유지수액요법을 시행할 때 특별한 고려사항이 필요한 조건들이 표시되어 있다.

표 3-1-3. 유지수액요법을 시행할 때 특별한 고려사항이 필요한 조건

바소프레신 과잉이면서 정상체액인 상태로 수분 제한이 필요한 경우
중추신경계 이상
뇌막염, 뇌염, 뇌종양, 두부손상, 뇌염, 지주막하 출혈 등
폐질환
폐렴, 천식, 세기관지염, 결핵 등
암
수술 후
부종으로 인해 수분제한이 필요한 경우
울혈성 신부전
신증후군
간경화
핍뇨로 인해 수액과 소듐 제한이 필요한 경우
급성사구체신염
급성세관괴사
말기신부전
요농축능 이상으로 수분 요구량이 증가한 경우
선천성 요붕증
겸상 적혈구 질환
폐쇄신병증
역류신병증
신장 이형성증
신장 황폐증
요관사이질신염
리튬을 투여한 경우
용질이뇨로 인해 소듐과 수분 요구량이 증가한 경우
급성세관괴사후 이뇨기
폐쇄신병증후 이뇨
신장이식 직후
당뇨케톤산증
바터 증후군
판코니 증후군
뇌염분소모(Cerebral salt wasting)
부신 부전
신외 수분 손실로 인해 수분 요구량이 증가한 경우
화상
미숙아
발열
감염성 설사

2) 보충요법

정상인에서 500~1,000mL 정도인 불감수분손실은 열이 나거나 땀이 많이 나는 경우 증가할 수 있다. 체온이 37℃에서 1℃ 상승할 때마다 불감수분손실은 10~15% 더 증가 한다. 이 경우 5% 포도당용액으로 보충해 준다. 땀이 많이 나는 경우에는 그 양을 추정하기가 어렵다. 액와부에만 땀이 나는 경한 경우에는 약 300 mL/day, 전신에 땀이 나는 심한 발한의 경우에는 1,000 mL/day 정도까지 수분 손실이 있을 수 있다. 이 경우에는 저장식염수를 투여하여 보충한다.

소화관을 통한 체액 손실은 부위에 따라 전해질 조성이 다르기 때문에 원인질환, 신체검진, 검사실 소견을 참고하여 투여하는 수액을 결정해야 한다(표 3-1-4). 구토나 비위관을 통해 위액이 손실될 경우 대사알칼리증이 발생하며 보충을 해 줄 때는 저장식염수에 KCl을 혼합 하여 투여한다. 소장, 담도, 췌장을 통해 손실되는 체액은 등장성이며 탄산수소염 농도가 높아 체액결핍과 대사산증을 일으킬 수 있다. 따라서 이 경우에는 생리식염수에 KCl과 탄산수소염을 혼합하여 투여하거나 Hartmann 용액이나 Plasma 용액 A를 투여하는 것도 가능하다. 설사 등을 통해 대장으로 체액이 손실될 경우에는 대사산증이 발생하며 중등도 이하의 설사에서는 저장식염수에 KCl을 혼합하여 투여하지만 1,000 mL/day 이상 중증 설사에서는 생리식염수에 KCl과 탄산수소염을 혼합하여 투여한다.

2. 수액요법 할 때 시행하는 기본검사

환자에게 수액요법을 시행할 때는 병력, 신체검진 소견을 먼저 검토해야 한다. 환자의 병력을 통해 체중 변화를 관찰하며 체중 감소는 체액 부족 정도를 판단하는 중요한 소견이다. 환자의 섭취량과 배설량을 기록하는 것도 체액 상태를 판단하는데 도움이 된다. 신체검진에서 경정맥압, 맥박수, 기립시 혈압 변화 등으로 혈관 내 체액 변화를 알 수 있고, 부종, 피부 긴장도, 점막 상태로 간질액의 변화를 알 수 있으며, 두통, 의식변화 등 중추신경계 증상으로 세포내 체액 변화를 알 수 있다. 검사실 검사로 혈중 전해질,

표 3-1-4. 소화관으로 손실되는 체액의 전해질 구성(mmol/L)

	1일 소실량 (mL)	Na$^+$	K$^+$	Cl$^-$	HCO$_3^-$	H$^+$
타액	1,000	30~80	20	70	30	-
위액	1,000~2,000	60~80	15	100	0	60
췌장	1,000	140	5~10	60~90	40~100	-
담즙	1,000	140	5~10	100	40	-
소장	2,000~5,000	140	20	100	25~50	-
대장	200~1,500	75	30	30	30	-

요소질소. 크레아티닌, 삼투질 농도와 소변 전해질과 삼투질 농도를 정기적으로 측정한다.

수액요법에 사용되는 용액

1. 결정질용액과 교질용액

결정질용액은 기본적으로 수분에 포도당이나 전해질 또는 두 가지 모두가 녹아있는 용액을 말한다. 세포외액과 세포내액 또는 두 곳 모두에 수분과 전해질을 공급하기 위해 사용한다(표 3-1-5).

교질용액은 혈관내용을 증가시키기 위해 사용하는 용액으로 알부민이나 고분자량의 탄수화물 합성체가 수분에 섞여있다. 교질용액 자체가 혈관 내에만 존재함과 더불어 혈관내 삼투질농도를 증가시켜 혈관외부 수분이 혈관내로 이동하게 하여 혈장량을 증가시킨다. 알부민, dextran, starch 등이 있다. 일반적으로 교질용액은 저알부민혈증을 제외하고는 체액보충을 위해 투여할 때 결정질용액에 비해 유리한 점이 없다.

2. 결정질용액

1) 포도당용액

포도당용액의 주된 사용목적은 수분 공급이며 등장 용액으로 5% 포도당용액을 가장 많이 사용한다. 체내에서 1 g의 포도당이 대사될 때 수분 0.6 mL이 생성되므로 10 % 포도당 1,000 mL를 투여하면 수분 1,060 mL를 공급하는

표 3-1-5. 결정질 용액의 조성 (mmol/L)

수액	Na$^+$	Cl$^-$	HCO$_3^-$	K$^+$	Ca^{++}	Mg^{++}	포도당
0.9% 식염수	154	154	-	-	-	-	-
0.45% 식염수	77	77	-	-	-	-	-
Ringer 용액	147.5	156	-	4	4.5	-	-
Hartmann 용액	130	109	28 (lactate)	4	3	-	-
Plasma 용액 A	140	98	27 (acetate)	5	-	1.5	-
3% 식염수	513	513	-	-	-	-	-
5% 포도당 용액	-	-	-	-	-	-	50 g/L

것과 같다, 또한 포도당 1 g이 열량 4.1 kcal를 공급하기 때문에 칼로리 공급원으로 사용될 수 있다. 금식할 때에는 포도당을 100~150 g/day을 투여함으로써 체내 단백 이화작용을 억제하고 케톤체 형성을 예방할 수 있다. 포도당 용액은 pH가 4~5로 정맥으로 투여할 때 혈전성 정맥염이 발생할 수 있어 작은 바늘을 사용해야 하고 주사 부위를 3일마다 바꾸어 주어야 한다. 포도당용액의 주입 속도는 0.5 g/kg/hr 이하로 10% 포도당용액을 투여할 경우 약 3시간 이상에 걸쳐 투여해야 한다. 더 빠른 속도로 포도당을 투여하면 일시적인 고인슐린혈증으로 인해 쇄약감, 발한, 의식 및 지남력 장애, 저혈압 등이 발생할 수 있다. 20%나 50% 포도당용액은 칼로리 공급원으로 탄수화물이 필요할 때만 투여하고 중심정맥을 사용해야 한다.

2) 식염수용액

등장식염수용액에는 0.9% 식염수, 즉 생리식염수와 Hartmann 용액, Plasma 용액 A 등이 있다. 이 용액들은 소화관을 통한 세포외액 손실, 수술 후 체액 공급, 쇽, 출혈, 화상 환자들에서 세포외액을 증가시키는데 사용된다. 투여 속도는 체액 손실 정도에 따라 다른데 최대 400~500 mL/hr로 투여할 수 있으나 심한 체액 손실이 있거나 저혈량 쇽이 있을 때는 조직 관류가 돌아올 때까지 15~30분에 250~500 mL로 투입하여 최대 2,000 mL/hr까지 투여하기도 한다.

생리식염수는 혈액보다 클로라이드 농도가 높아 다량의 용액을 투여할 때나 신기능 이상으로 클로라이드 배설이 안되는 경우에는 드물게 고클로라이드혈증 대사산증이 발생할 수 있다. Hartmann 용액이나 Plasma 용액 A는 등장 용액이면서 생리식염수에 비해 클로라이드 농도가 낮고 탄산수소염으로 변화될 수 있는 젖산염이나 초산염을 포함하고 있어 다량의 수액을 투여하거나 대사산증이 있는 환자에서 사용할 수 있는 용액이다. 이 용액들은 포타슘을 포함하고 있어 포타슘을 같이 공급할 수 있지만 신기능이 저하되어 있는 환자나 고칼륨혈증 환자들에서는 주의해서 사용해야 한다. Hartmann 용액은 칼슘이 포함되어 있어 혈액제제에 함유된 구연산염(citrate)과 결합하여 혈

전을 생성할 수 있기 때문에 수혈할 때 혈액 희석제로 사용해서는 안된다. 또한 젖산염을 포함하고 있기 때문에 젖산산증이나 심한 간질환이 있는 환자에서도 피해야 한다.

저장식염수용액으로는 0.45%, 0.33%, 0.2% 식염수 등이 있으며 세포외액 증가와 함께 수분 공급을 목적으로 사용한다. 특히 고장혈증을 동반한 세포외액 감소 환자 치료에 사용된다.

고장식염수용액으로는 3%, 5% 식염수가 있으며 심한 저나트륨혈증 치료에 사용된다. 정맥으로 투여할 때 반드시 계획된 속도로 서서히 주입해야 하며 혈중 소듐을 반복해서 측정해야 한다.

3. 알칼리화용액

주로 대사산증 치료에 사용되며 탄산수소용액이 가장 많이 사용된다. 주로 5% 포도당 용액에 1.5% 용액을 만들어 사용하며(5% 포도당 800 mL + 7.5% sodium bicarbonate 4 ample) 심폐 소생술 같은 응급 상황에서는 희석하지 않고 직접 투여할 수도 있다.

4. 산성화용액

Ammonium chloride는 아주 드물게 사용하며 간기능 장애, 심부전, 신기능 장애 등에서는 금기이다.

5. 포타슘용액

포타슘용액으로는 KCl, 포타슘 아세테이트, 포타슘 인산염이 있으나 KCl이 가장 많이 사용된다. 저칼륨혈증을 치료하기 위해 KCl을 투여할 때 포도당과 혼합하여 투여해서는 안 된다. 일반적으로 40 mmol/L, 10~20 mmol/hr, 60~80 mmol/day 이상 투여하지 않는 것이 좋다. 더 높은 농도로 투여할 경우에는 말초혈관 자극을 줄이기 위해 중심정맥을 사용하며 반드시 심전도 모니터를 해야 한다. 마그네슘, 칼슘, 인 등이 함께 결핍되었을 때는 결핍이 있는 모든 성분을 같이 교정해야 한다.

6. 기타 수액 제제

아미노산은 3~4일 이상 비경구로 수액요법을 할 때 단백질 공급을 위해 투여하며 3.5% 아미노산용액 1,000 mL은 질소 5.5 g을 가지고 있고, 이것은 단백질 35 g으로 140 kcal에 해당한다. 지방 유화액(fat emulsion)은 5일 이상 지속 금식할 때 칼로리와 필수 지방산 공급원으로 사용되며 등장성 용액으로 10% 용액은 1.1 kcal/mL를 공급한다.

▶ 참고문헌

- Ellison DH, et al: Disorders of Extracellular Volume in Com—prehensive Clinical Nephrology. 6th ed. edited by Feehally J, Floege J, Tonelli M, Johnson RJ, St. Louis, Elsevier, 2019, pp29–38.
- Marino PL: Colloid and Crystalloid Resuscitation in The ICU Book. 3rd ed. Philadelphia, Lippincott Williams & Wilkins, 2007, pp233–253.
- Moritz ML, et al: Maintenance Intravenous Fluids in Acutely Ill Patients. N Engl J Med 373:1350–1360, 2015.
- Mount DB: Hypovolemia in Harrison's principles of Internal Medicine. 20th ed. edited by Jameson J, Fauci AS, Kasper DL, Hauser SL, Longo DL, Loscalzo J, McGraw–Hill Education, 2018.
- Semler MW, et al: Principles of Fluid Therapy. Critical Care Nephrology. 3rd ed. edited by Ronco C, Bellomo R, Kellum JA, Ricci Z, St. Louis, Elsevier, 2019, pp350–353.
- Shafiee MA Bohn D, et al: How to select optimal maintenance intravenous fluid therapy. QJM 96:601–610, 2003.
- Slotki IN, et al: Disorders of Sodium Balance in Brenner and Rector's The Kidney. 11th ed. editied by Yu ASL, chertow GM, Luyckx VA, Skorecki K, Taal MW. St. Louis, Elsevier, 2020, pp390–442.
- The SAFE Study Investigators: A comparions of albumin and saline for fluid resuscitation in the intensive care unit. N Engl J Med 350:2247–2256, 2004.

제3부 수분-전해질 대사 장애

CHAPTER 02

체액과잉과 이뇨제

김세중 (서울의대)

KEY POINTS

- 체액과잉을 사이질액의 과잉(부종)과 혈관내액의 과잉(고혈압)으로 구분한다.
- 부종의 원인을 일차적인 소듐 저류인지, 유효 동맥혈류량 감소에 의한 이차적인 소듐 저류인지에 따라 구분한다.
- 이뇨제는 소듐 재흡수를 억제하는 부위에 따라 이뇨제를 구분한다. 수분 조절 효과가 있는 새로운 약제들을 추가하였다.
- 부종의 원인 질환에 따라 이뇨제 사용 원칙이 달라 치료에 구분이 필요하다.

체액과잉(Volume overload)

1. 정의

체액과잉은 일반적으로 세포외액(extracellular fluid), 즉 혈관내액(intravascular fluid)과 사이질액(interstitial fluid)의 과잉을 의미하며, 일차적 혹은 이차적인 기전으로 콩팥에서 소듐 및 수분의 재흡수 증가나 배설이 저하하여 생긴 저류(retention)가 원인이다. 특히, 수분이 소듐보다 더 많이 저류되어 간질에 체액이 축적되는 현상을 부종으로 정의한다. 부종은 심부전, 간경변, 신증후군 등의 질환에서 수분 재흡수가 현저할 때 나타나고, 체중 증가가 함께 나타날 수 있고, 원인 질환에 따라 복수 혹은 흉수가 동반된다.

알도스테론증(원발성, 신혈관성 고혈압 등 이차성, 감초 복용)과 같은 광물코르티코이드(mineralocorticoid)의 과다가 있으면 콩팥에서 수분보다 주로 소듐의 재흡수나 저류로 인해 혈관내액이 증가하여, 혈압이 증가하는 반면, 부종은 잘 발생하지 않는다. 그러나 신장질환에서는 경과에 따라 이러한 고혈압과 부종이 함께 나타날 수도 있다.

2. 병태생리

1) 모세혈관 이상

전통적인 Starling의 가설에 따르면 혈관내액과 사이질액 사이의 체액 이동은 각 구획의 정수압(hydrostatic pressure)과 교질삼투압(oncotic pressure)에 따라 결정된다. 모세혈관압(capillary hydrostatic pressure)이 증가하거나 혈장의 교질삼투압이 감소하면 체액이 혈관내액에서 간질액으로 이동하여 부종이 생긴다.

모세혈관압은 자동조절 기전(auto regulation)이 있어 전신 동맥압보다 상대적으로 변동이 적다. 모세혈관이 전 괄약근(precapillary sphincter)의 수축으로 동맥의 압력이 모세혈관으로 직접 전달되지 않도록 조절하여 모세혈관압은 비교적 일정하다. 그러나 모세혈관의 정맥 쪽(venous end)에는 특별한 조절 기전이 없다. 혈액량이 증가하여 정맥압이 높아지면 그 압력이 모세혈관에 전달되어 모세혈관압의 상승에 따라 부종이 생긴다. 정맥폐색(venous obstruction)의 부종, 간경변의 복수, 심부전의 폐부종도 이러한 기전으로 발생한다.

간경변이나 신증후군에서는 저알부민증이 있어 혈장의 교질삼투압이 감소하는 것도 중요한 원인이 된다. 모세혈관압이 혈장의 교질삼투압을 능가하면 혈관 내에서 간질로 체액의 순여과(net filtration)가 증가하여 체액이 간질에 축적하는 부종이 생긴다. 이 체액의 일부는 림프계를 통하여 흡수되어 부종을 억제하는 기능을 한다.

2) 콩팥에서 소듐과 수분의 재흡수가 증가하여 생기는 체액 저류

세포외액의 과잉으로 부종이나 고혈압이 생기는 것은 콩팥에서 소듐 및 수분의 저류가 가장 큰 역할을 한다. 일차적으로 신기능이 문제가 되어 생기기도 하지만, 유효동맥혈액량(effective arterial blood volume)이 감소하여 그 보상 기전에 따라 이차적으로 나타나기도 한다.

(1) 일차적인 콩팥의 소듐 저류

콩팥의 문제로 소듐, 수분의 배설이 저하하는 것은 급성콩팥손상 혹은 만성콩팥병 및 사구체질환에서 흔히 볼 수 있다. (자세한 내용은 해당 chapter를 참고하기 바란다) 급성콩팥손상에서는 사구체여과율의 급격한 감소로 소듐과 수분의 배설이 빠르게 감소하고, 만성콩팥병에서는 기능하는 네프론이 감소함에 따라 사구체여과율이 감소하여 소듐과 수분의 저류가 발생한다. 급성 사구체신염이나 일부 사구체신염에서는 일차적으로 콩팥의 소듐과 수분의 저류가 발생하는 것이 특징이다. 이때, 사구체여과율이 감소할 수 있으며, 혈중 레닌이나 알도스테론치는 낮아진다.

광물코르티코이드가 증가하면 소듐의 저류가 발생한다.

그러나 알도스테론이탈(aldosterone escape)로 체액 중 혈관내액의 증가만 있는 고혈압이 생긴다. 정상인에서 광물코르티코이드를 고용량으로 주면, 처음에는 소듐의 저류 및 세포외액량의 증가가 나타나지만, 이어 소듐의 저류가 멈추면서 이뇨가 일어나 소듐을 배설한다. 즉 소듐 대사의 균형이 새롭게 이루어지며 부종이 없어진다. 따라서, 원발성 알도스테론증에서는 알도스테론이탈로 대개 부종을 관찰할 수 없다. 이러한 알도스테론이탈은 사구체여과율이 증가하고 근위세관에서 소듐과 수분의 재흡수가 감소하기 때문에 생긴다. 이에 따라 알도스테론이 작용하는 집합관이나 원위세관의 내강으로 소듐과 수분이 더 많이 내려오지만, 알도스테론에 의하여 재흡수할 수 있는 소듐의 양을 초과하게 된다. 결국, 재흡수하지 못한 소듐과 수분의 요 배설이 늘어난다. 그 외에도 원위세관에서 소듐 수송체의 발현이 감소하거나, ANP (arterial natriuretic peptide)의 분비가 증가하거나, 압력-나트륨이뇨(pressure-natriuresis) 등도 관여한다. 압력-나트륨이뇨는 콩팥 관류압의 증가에 따라 요 소듐의 배설이 증가하는 것으로 알도스테론이 작용하는 집합관과 원위세관을 제외한 다른 세관에서 소듐의 재흡수가 감소하여 나타난다.

(2) 유효동맥혈액량 감소에 따른 콩팥의 이차적 소듐 저류(동맥내순환부족 가설; arterial underfilling)

동맥내순환부족 가설은 콩팥에서 동맥내 순환혈액량(유효동맥혈액량)이 감소한 것을 감지하여 소듐과 수분을 저류한다는 통합가설(unifying hypothesis)이다. 혈액의 85%는 정맥, 15%는 동맥 내에서 순환한다. 따라서 총 혈액양이 증가하더라도 정맥의 혈액량이 주로 증가하면, 상대적으로 유효동맥혈액량은 감소할 수 있다. 예를 들어, 심부전에서 심박출량이 감소하거나, 간경변에서 내장 혈관(splanchnic vascular bed)이 확장되거나 투과성이 증가하는 경우에, 이차적으로 유효동맥혈액량이 감소할 수 있다. 유효동맥혈액량이 감소하면 혈액순환을 안정시키기 위하여 콩팥에서 체액량을 더욱 증가시키는 보상반응이 나타난다.

즉 동맥의 순환혈액량이 부족하여 콩팥의 관류(perfusion)가 감소하고, 경동맥과 대동맥궁의 압력 수용체(baroreceptor)가 유효동맥혈액량의 부족을 감지한 후, 그 보상으로 교감신경계와 레닌-안지오텐신-알도스테론계(renin-angiotensin-aldosterone system, RAAS)의 활성화, 비삼투성 항이뇨호르몬 분비증가 등의 장치를 작동시킨다. 결과적으로 전신의 혈관 저항이 증가하고, 콩팥에서 소듐과 수분의 저류가 증가하여 유효동맥혈액량을 보충하려고 한다.

3. 각 질환별 병인

1) 심부전에서 소듐 및 수분 저류

심부전에서 심박출량이 감소하여 유효동맥혈액량이 부족해지면, 동맥의 압력 수용기에서 이를 감지한 후, 중추신경계를 통하여 교감신경과 RAAS가 활성화한다. 교감신경(알파-아드레날린)이나 안지오텐신 II는 근위세관에서 소듐의 재흡수를 증가시킨다. 안지오텐신 II가 사구체 수출 소동맥(efferent arteriole)을 수축시키면, 세관주위 모세혈관의 정수압이 감소하고 근위세관에서 소듐 재흡수가 증가하여, 집합관 내강에 도달하는 소듐은 감소한다. 심부전에서 ANP나 BNP가 증가하여도, 알도스테론이나 ANP가 작용하는 집합관으로 전달되는 소듐이 감소하기 때문에, 소듐 저류가 있더라도 알도스테론이탈 현상이 나타나지 않고 ANP의 소듐 배출 효과가 감소한다. 이런 이유로 심부전 환자에서 스피로놀락톤(spironolactone)을 사용하면 도움이 된다.

심부전에서 항이뇨호르몬(vasopressin)의 활성은 유효동맥혈액량을 증가시키려는 또 다른 기전이다. 비삼투성 자극에 의한 바소프레신 분비증가는 삼투성 자극보다 더 강력하며, 심부전에서 심한 저나트륨혈증을 일으키는 원인이 된다. 바소프레신은 집합관 주세포의 V2 수용체를 활성화하여, 아쿠아포린(aquaporin)-2 수분 통로 단백의 발현 증가와, 내강 쪽 세포막으로 이동을 촉진시킨다. 이를 통한 수분 흡수 증가로 저나트륨혈증이 발생할 수 있다. 바소프레신은 혈관 평활근의 V1 수용체도 활성화하여 전신 혈관도 수축시킬 수 있어, 심장의 부하가 늘면, 오히려

심부전의 악화를 초래할 수도 있다.

심방-콩팥 반사를 통하여 심방의 압력이 높으면 콩팥에서 요 소듐의 배설이 증가하지만, 심부전에서는 만성적으로 심방압이 증가하여 있어 그 민감도가 떨어지고 오히려 콩팥에서 소듐 저류가 일어날 수 있다. 실제로 확장성 심근병증 혹은 심부전 환자에서 생리식염수로 소듐을 부하하여도 ANP의 혈장 농도가 증가하지 않고 소듐의 이뇨 반응도 잘 나타나지 않는다.

2) 간경변에서 소듐과 수분 저류

간경변에서 간 구조의 변형, 간 혈관 저항 증가, 비장과 간의 혈류량 증가 등의 원인으로 굴 모세혈관(sinusoidal capillary)과 간의 문맥(portal vein)의 압력이 상승하여 문맥 고혈압이 생기면 내장 혈관이 확장한다. 진행성 간경변에서는 이러한 소동맥들의 확장으로, 결국 전신의 유효동맥혈액량이 감소하게 된다. 이를 정상으로 유지하기 위하여 압력 수용기를 통한 교감신경과 RAAS, 비삼투성 바소프레신이 활성화하고, 콩팥에서 소듐과 수분을 재흡수한다. 내장의 혈관 확장에 따라 내장의 림프도 증가하지만, 림프관의 흡수 능력을 초과하면 복강 내로 누출이 되어 복수가 증가한다. 내장의 혈관 확장, 림프 유출과 콩팥에 의한 소듐과 수분 저류가 지속하면 복수가 점점 진행한다.

3) 신증후군에서 소듐과 수분 저류

신증후군에서 부종이 주 증상으로, 유효동맥혈액량의 부족순환(underfilling)과 초과순환(overfilling)의 두 가지 가설이 있다. 부족순환가설은 심한 단백뇨로 혈장 내 교질 삼투압이 감소하고 체액이 혈관에서 간질로 이동하여 유효동맥혈액량의 감소에 따라 교감신경계와 RAAS 활성화로 부종이 발생한다는 가설이다. 알부민을 투여하면 혈장량이 늘고 혈장 교질삼투압이 증가하여 혈관 외로 체액의 유출이 감소하여 부종을 완화할 수 있다. 투여한 알부민이 단시간 내에 소변으로 배설되기 때문에 그 효과에 논란이 있지만, 알부민 농도가 2.0 g/dL 미만이고 유효동맥혈액량의 감소로 급성 동맥폐색, 급성 신손상의 위험이 있을 때는 유의한 효과를 기대할 수 있다. 초과순환가설은 일차적

으로 소듐과 수분 저류가 발생하여, 혈장량 증가, 혈압 상승과 RAAS 억제로 이어지는 가설이다. 신증후군 동물 결과를 보면, 소듐 저류가 주로 원위 연결세관과 집합관의 상피나트륨통로(ENaC; epithelial sodium channel)에서 일어난다고 알려져 있다. 저알부민혈증, 정상 사구체여과율, 낮은 혈압 혹은 기립성 저혈압이 있는 미세변화신증이 부족순환가설의 대표적인 예다. 혈액량 증가와 고혈압, 사구체여과율 감소를 동반한 다른 사구체신염에서는 초과순환 현상이 흔하다.

4) 약제에 의한 부종

다양한 약제가 말초부종을 일으킬 수 있다. 전신 혈관확장 효과가 있는 고혈압 치료제인 미녹시딜(minoxidil)이나, 디아족시드(diazoxide)는 일시적인 유효동맥혈액량의 부족에 이차적인 소듐과 수분 저류가 나타난다. 이는 심부전이나 간경화증의 부종 발생 원리와 유사하다. 디하이드로피리딘(dihydropyridine) 칼슘 통로 차단제는 모세혈관 시작부위를 확장하여 동맥 압력이 모세혈관에 직접 전하게 되어 혈관에서 간질로 체액이 이동하여 부종이 발생한다. 당뇨병에서 thiazolidinedione을 사용하면 수분 저류와 심부전의 악화가 있다. 이는 peroxisome proliferator-activated receptor gamma (PPAR-gamma)가 활성화되어 집합관에서 소듐의 재흡수가 증가하기 때문이다. 비스테로이드성 진통소염제(NSAIDs)도 프로스타글란딘의 혈관 확장 작용을 억제하여 사구체의 수입 소동맥(afferent arteriole)이 수축하고 소듐과 수분의 저류가 생긴다.

5) 특발성 부종(Idiopathic edema)

특발성 부종은 명확하지 않지만, 소듐과 수분의 저류가 주 기전으로 알려져 있고, 오래 서 있으면 나빠지며, 간헐적으로 나타나는 부종이다. 주로 얼굴 혹은 손, 다리의 부종을 호소하고, 다양한 정도의 체중 증가가 있다. 생리 중인 여성에서 발생하기 쉽다. 특발성 부종이 의심되는 환자에서 이뇨제나 하제를 오용하는데, 이는 오히려 RAAS를 활성화하여 부종을 악화시키므로 주의하여야 한다. 진단은 병력 청취, 신체 검진 및 검사를 거쳐 다른 원인을 먼저 감별하여 배제하는 것이다.

6) 임신에 따른 소듐 및 수분의 저류

임신 초기 3개월은 전신동맥혈관의 확장으로 혈압의 저하가 있고 보상적으로 심박출량이 증가한다. 유효동맥혈액량 부족으로 RAAS가 활성화되어 수분과 소듐 저류가 생긴다. 혈장 삼투질농도의 감소, 갈증의 유발, 비삼투압성 바소프레신 분비도 나타난다. 심부전이나 간경화증과 달리 임신에서는 사구체여과율과 신혈류량이 증가한다. 사구체여과율의 증가로 여과된 소듐이 원위부로 많이 유입되어, 심부전과 다르게 알도스테론이탈 현상이 나타나서 비교적 부종이 심하지 않다. 임신 중에는 에스트로젠(estrogen) 영향으로 혈관 내피세포에서 산화질소의 생성이 증가하고, 태반에서 모체 순환계의 동정맥류가 생겨 혈관 확장이 일어난다. 아울러 프로스타글란딘의 농도가 높고 relaxin이 증가하는 것도 콩팥과 주요 장기의 미세한 순환 변화에 이바지한다.

4. 임상소견

병력의 청취나 신체 검진에서 세포외액량의 증가와 부종의 원인과 부위를 먼저 확인하는 것이 중요하다. 심부전, 간경변, 신증후군 등 기저질환을 확인하면 기전을 예측하기 쉽다. 좌측 심부전 환자는 운동에 의한 호흡곤란, 기립성 호흡곤란, 발작성 야간 호흡곤란을 호소하고, 우측 심부전 환자 혹은 양측 심실 부전 환자는 체중 증가, 하지 부종을 호소한다. 신체 검진에서 경정맥압 증가, 폐 수포음, 제3 심음 그리고, 발목이나 천골 등 체위에 따른 말초부종을 확인한다. 신증후군 환자는 초기에 자고 나거나 누워 있으면 눈 주위의 부종이 주로 나타나지만, 심하면 전신부종으로 나타난다. 간경변 환자는 간문맥 고혈압과 저알부민혈증으로 인한 복수와 하지 부종이 나타나며, 만성 간질환의 징후나 비장 비대를 보일 수 있다. 기저질환이 뚜렷하지 않은 경우, 약제에 의한 부종을 감별해야 하므로, 복용약을 확인하는 것도 매우 중요하다.

5. 진단과 치료의 원칙

세포외액이 증가하였을 때, 정확한 원인 질환을 진단하는 것이 중요하다. 이뇨제를 처방하기 전, 먼저 세포외액 증가가 일차적인 소듐과 수분의 저류 때문인지, 유효순환혈액량의 부족에 의한 이차적 보상인지 감별해야 한다. 심박출량 감소나 조직 관류 감소가 있으면 이를 먼저 회복시키고, 폐부종이 있나 체액량 과다로 인한 고혈압이 있다면 체액 과잉을 빠르게 교정하는 것이 중요하다.

식이요법에서 저염식(나트륨 2~3g/일, 86~130mmol/일)이 중요한 역할을 한다. 진행성 신기능 장애가 있거나 칼륨 보존 이뇨제를 사용할 때는 고칼륨혈증이 발생하지 않도록 주의한다. 중증 저나트륨혈증이 있으면 수분섭취도 제한하여야 한다. 부종을 초래하는 약제(예: NSAIDs)를 같이 복용하는지 꼭 확인하여야 한다. 이뇨제는 체액 과다를 교정하는 중심적 치료제이다. 이뇨제에 대한 반응이 충분하지 않다면, 추가적인 치료를 고려해야 한다. 간경변에서 복수의 정도에 따라 복수 천자나 복수–중심 정맥 단락을 고려할 수 있다. 심부전 혹은 신부전에서 이뇨제 저항성이 심하면 투석을 이용한 초여과를 할 수 있다. 신증후군에서 단백뇨 감소를 위해 안지오텐진전환효소억제제(angiotensin converting enzyme inhibitor, ACEI) 혹은 안지오텐신 수용체 차단제(angiotensin receptor blockade, ARB)를 사용할 수 있고, 심부전에서 항부정맥제, 승압제, 대동맥 내 풍선 펌프 등 기계적 보조 장치까지 사용하기도 한다.

이뇨제에 의한 이차적인 부종이 발생하기도 한다. 특히 고리작용 이뇨제의 경우, 치료에 따른 체액량의 감소로 이차적인 알도스테론 항진증이 발생하여 부종이 악화할 수 있다. 이때 3~4주 동안 이뇨제를 중단하거나, 스피로놀락톤과 같은 다른 부위에 작용하는 이뇨제를 추가해 볼 수 있다.

이뇨제(Diuretics)

1. 작용기전에 따른 이뇨제의 분류

이뇨제(diuretics)는 부종 치료의 근간이 된다. 이뇨제는 일차적으로 신세관의 각 부위에서 소듐의 재흡수를 저해하거나 억제하여, 소듐과 상응하는 음이온의 요 배설을 증가시킴으로써 이차적으로 요량의 증가를 초래하는 요 소듐 배설 촉진제(natriuretic agent)다. 대부분 이뇨제는 단백질과 결합하며 사구체를 통한 여과는 제한적이고 근위세관을 통해 내강으로 분비된 후, 세관별 소듐 수송체에 이른다. 이뇨제는 표적 부위에서 소듐뿐만 아니라, 클로라이드 등 음이온 재흡수를 함께 억제한다. 신세관의 소듐 재흡수 기전에 따른 표적 부위에 따라 근위세관이뇨제, 삼투 이뇨제, 고리작용(loop)이뇨제, 원위세관 이뇨제, 집합관이뇨제로 나눈다.

1) 근위세관이뇨제

소듐이 사구체 여과에 의하여 세관으로 유입된 후 근위세관에서 여과된 소듐의 65~75%를 재흡수한다. 근위세관에서는 Na^+-H^+ exchanger type 3 (NHE3)에 의하여 소듐을 재흡수하며 carbonic anhydrase가 이 과정을 조절한다. 근위세관에서 carbonic anhydrase를 억제하여 소듐의 재흡수를 억제하는 acetazolamide가 있다. 이뇨 효과가 약하여 녹내장과 뇌압 상승의 방지나 급성 고산증의 치료 등에 제한적으로 사용한다. 중탄산염의 소실과 산 배설의 저하로 대사산증을 초래할 수 있어, 부종을 동반한 대사알칼리증에 사용되는 때도 있다.

2) 고리작용이뇨제

헨레고리관비후상행각에서 여과된 소듐의 15~25%, 정도를 재흡수한다. 고리작용이뇨제는 헨레고리비후상행각에서 bumetanide sensitive $Na^+-K^+-2Cl^-$ cotransporter (BSC1, NKCC2)를 차단하여 소듐의 요 배설을 촉진하는데 furosemide, torasemide, bumetanide, ethacrynic acid 등이 있다. 이뇨제 투여 후 소듐 분획배설율(FENa)의 증가가 25%에 이를 만큼 강력한 이뇨 효과가 있어, 울혈성 심부전, 간경변, 신증후군 환자의 부종 치료에 사용한다. 사구체여과율의 증가가 있어 사구체여과율이 40 mL/min 이하인 신부전 환자에게서도 사용할 수 있다. 사구체여과율의 증가와 칼슘 배설 촉진으로 고칼슘혈증의 치료에도 사용하는데, 반드시 생리식염수의 주입 등 충분히 체액량을 증가시킨 후 병용하며 이뇨제 단독요법은 권장하지 않는다. 소듐, 포타슘, 칼슘, 마그네슘의 요 배설 효과가 강력하므로 이에 따른 저나트륨혈증, 저칼륨혈증, 저마그네슘혈증 및 대사알칼리증이 나타날 수 있다. 심하면 체액량의 감소로 고질소혈증이 발생하기도 한다. 고요산혈증, 고지혈증, 내당능 장애나 급성 사이질신염과 이독성(ototoxicity)도 초래될 수 있다.

3) 원위세관 이뇨제

원위곡세관에서 여과된 소듐의 5~7% 정도를 재흡수한다. 원위곡세관에서 thiazide sensitive Na^+-Cl^- cotransporter (TSC, NCC)를 차단하여 소듐의 배설을 촉진하며 hydrochlorothiazide, indapamide, tripamide, metolazone 등이 이에 속한다. 이뇨제 투여 후 소듐 분획배설율을 10% 정도 증가시키나 사구체여과율이 20-30 ml/min 이하인 심한 신부전에서 metolazone을 제외하고는 단일 약제로는 효과가 없다. 그러나 고리작용이뇨제와 병용으로 심한 신부전에서도 요 소듐의 추가 배설을 일으킬 수 있다. Thiazide는 항고혈압제로도 사용된다. 원위세관에서 NaCl 수송체를 차단하므로 대신 칼슘 통로가 활성화되어 칼슘의 재흡수가 증가하여, 고칼슘뇨에 의한 골다공증이나 신 및 요로 결석의 예방과 치료에 사용할 수 있다. 소듐의 요 배설과 더불어 요 희석능(dilution capacity)도 억제하므로, 특히 고령의 환자에서 저나트륨혈증이 나타날 수 있다. 저칼륨혈증, 저마그네슘혈증, 체액감소, 대사알칼리증, 고질소혈증을 초래할 수 있고, 내당능 장애, 고지혈증, 고요산혈증과 성기능 장애도 나타날 수 있다.

4) 집합관이뇨제

집합관에서 여과된 소듐의 2~3% 정도를 재흡수한다.

집합관이뇨제는 비교적 완만한 이뇨, 요 소듐의 배설 증가와 요 칼륨 배설의 감소가 있는 칼륨보존(K sparing) 이뇨제로서 작용기전에 따른 두 종류가 있다.

첫 번째는 집합관의 epithelial sodium channel (ENaC)을 직접 차단하여 소듐 배설을 촉진하는 amiloride와 triamterene이 있다. 세관 세포 내로 소듐의 유입이 줄면 내강 내의 음전하도 감소하여 칼륨의 요 배설이 감소한다. 이 약물들은 다른 강력한 이뇨제들과 병용하거나 Liddle 증후군의 치료에 사용한다.

두 번째는 집합관의 알도스테론 수용체를 경쟁적으로 길항하는 약물로 스피로놀락톤이 있는데, 이는 세관으로 분비되지 않고 세관 세포에 작용하는 유일한 이뇨제이다. 이 이뇨제는 응급 상황이 아닌 심하지 않은 부종의 치료에 사용하고, 다른 강력한 이뇨제의 부작용인 칼륨의 손실을 방지하거나 저칼륨혈증성 알칼리증에서 칼륨을 보존하기 위해 사용된다. 원위 네프론에서 소듐의 재흡수와 칼륨과 산(수소이온)의 분비가 증가하는 원발성 혹은 속발성 알도스테론증이나 Bartter나 Gitelman 증후군에서 효과가 있다. 간경변에 동반된 부종 치료의 일차적 약제이기도 하다. 신부전 환자, 칼륨을 보충하고 있는 환자, 칼륨 배설을 억제하는 약물(ACE 억제제, NSAID, β-blocker)을 복용 중인 환자, 알도스테론의 합성을 억제하는 약물(heparin, ketoconazole)을 사용하고 있는 환자에서는 고칼륨혈증이 나타날 수 있어 주의가 필요하다. 스피로놀락톤은 알도스테론에 의한 산의 요 배설을 차단하여 대사산증을 초래하기도 한다.

5) 삼투 이뇨제(Osmotic diuretics)

대표적인 삼투 이뇨제인 mannitol은 사구체에서 여과는 되지만 세관에서 재흡수되지 않아 근위세관과 헨레고리에서 소듐과 수분의 재흡수를 억제하고, 세관 내강의 삼투압을 높여 요 농축(concentration capacity) 효과가 감소하는 기전으로 이뇨 효과가 나타난다. 심부전에서 급격한 세포외액량의 증가로 폐부종을 악화할 수 있어 주의가 필요하고, 부종을 제거하는 효과도 크지 않아서, 그 적응증이 줄어들고 있다.

2. 수분 조절 효과가 있는 새로운 약제들

1) 수분 배설 촉진제(Aquaretics)

기존의 이뇨제는 소듐이나 mannitol과 같이 요 삼투질을 증가시켜 이뇨를 일으키지만, 수분 배설 촉진제는 콩팥의 집합관에서 바소프레신에 의한 수분의 재흡수를 차단하여 수분 배설을 선택적으로 증가시킨다. 그 결과 수분 배설 촉진제는 고리차단이뇨제보다 유효 순환혈액량을 유지하고 교감신경계와 레닌–안지오텐신–알도스테론계(RAAS)의 활성화가 적어서, 콩팥의 혈류와 콩팥 기능의 보존에 유리한 면이 있다.

수분 배설촉진제의 주요 작용 부위는 콩팥의 비후상행각과 집합관에 분포하는 V2 수용체로서, 바소프레신과 경쟁적으로 결합함으로써 AVP의 작용을 차단하기 때문에, V2 길항제(vasopressin –2 receptor antagonist, vaptan)이라고도 불린다. V2 길항제를 투여하면 수분 통로인 AQP2가 내강막으로 이동과 합성이 감소하여, 수분의 요배설이 증가한다. 또한, 비후상행각 세포에서 NKCC2의 작용 억제를 통해 반류증폭(countercurrent multiplication)을 저해함으로써, 요농축 저하를 유발한다.

국내에서 시판되는 수분 배설 촉진제는 tolvaptan이 있다. V2 수용체에 선택적으로 작용하는 경구 제제로서, 2009년에 미국 FDA 승인을 받았다. 1일 1회 아침에 경구 용법인 제제로서 부적절 항이뇨 증후군과 울혈성 심부전에서 발생하는 저나트륨혈증의 치료가 주요 적응증이고, 상염색체 우성 다낭신에서 그 진행을 지연하는 효과도 알려져 있다. 간경변 환자에서는 간기능 이상 부작용 우려로 적응증에서 제외되었다. 현재 국내 보험 기준에 따르면, 혈청 나트륨농도가 125mM 미만일 때 tolvaptan의 투여를 시작한다. 부적절 항이뇨 증후군으로 인한 저나트륨혈증을 치료할 때는 초기 소듐 농도에 따라 3.75~7.5 mg로 시작하고, 울혈성 심부전의 저나트륨혈증에서는 7.5~15 mg으로 시작할 수 있다. 투여를 시작한 24시간 동안 혈청 나트륨농도가 급격히 상승할 가능성이 있어, 혈청 나트륨농도를 주기적으로 추적하고, 수분의 섭취를 제한하지 않는다. 국내 보험 기준에서는 30일을 초과하는 연속 처방을 허용하지 않는다.

2) Neprelysin 억제제

나트륨이뇨 펩타이드(Natriuretic peptides)는 폴리펩타이드로서, 수분이뇨, 나트륨이뇨, 혈관 확장 등의 효과가 있다. ANP는 일차적으로 심방에서 합성되고, 심방이 늘어날 때 분비되며, BNP는 심실에서 만들어진다. 수입 소동맥을 확장하고 수출 소동맥을 수축시켜 사구체여과율을 늘리고, 피질 집합관과 내수질집합관에서 소듐 재흡수를 억제해 소듐 이뇨를 늘리고, 레닌–알도스테론 분비를 감소시키고, 앤지오텐신 II의 혈관수축작용을 억제한다. neprelysin은 나트륨이뇨 펩타이드를 비롯한 브라디키닌, 아드레노메둘린 등 호르몬을 대사시키는 효소로써 이를 억제해서 수분 이뇨와 나트륨 이뇨를 증가시킨다. 안지오텐신 수용체 차단제와 병용 투여할 경우, 심박출량 감소 심부전 치료에 효과적이라고 입증되었다.

3) SGLT2 억제제

근위세관에서 포도당을 재흡수하는 부위는 S1/S2 segment에 있는 소듐 포도당 운반체 2 (SGLT2)와 S2/S3 segment에 있는 SGLT1이 있다. 정상 혈당에서 SGLT2가 97%를 담당하지만, 혈당이 높거나 SGLT2가 억제된 경우, SGLT1에 의한 재흡수가 50%까지 증가할 수 있다. 사구체에서 여과된 소듐의 4~6% 정도가 SGLT를 통해 흡수되고 SGLT2가 SGLT를 통한 소듐 재흡수의 90% 이상을 차지한다.

기존 이뇨제를 사용한 경우, 혈장 부피가 감소함에 따라 소듐/수분의 재흡수가 촉진되면서 이뇨 후 소듐 저류가 발생한 데 비해, SGLT2 억제제를 사용하면, 혈장 부피 감소 정도는 작지만, 이러한 감소가 유지된다는 차이가 있다. 이러한 효과는 혈당 감소 효과가 없는 환자에게서도 나타난다. 이는 요세관사구체되먹임 기전으로 인해 체내 혈장 부피가 많은 상태로 인지되어 새로운 항정상태에 도달하기 때문으로 추정된다. 이러한 효과로 혈당 강하를 위한 당뇨치료제 뿐만 아니라, 심부전에서 사망 및 입원 위험을 낮추고, 만성콩팥병의 예후 개선 효과들이 계속 보고되고 있다.

3. 이뇨 후 나트륨 저류 및 이뇨제 저항성(resistance)

1) 이뇨 후 나트륨 저류(postdiuretic sodium retention, diuretic braking phenomenon, rebound phenomenon)

이뇨제 사용 후 1~2일이 지나면 요 소듐 배설이 감소하거나(diuretic braking phenomenon), 부종이 악화하기도 한다(rebound phenomenon). 형태학적으로도 고리작용이뇨제 사용 후 2주 후부터 원위세관의 세포가 비대하고 활성화하는 것이 관찰된다. 이를 예방하거나 치료하려면 저염식을 철저히 하고, 다른 표적 부위(주로 하위 부위)에 작용하는 이뇨제와 병행요법을 하거나, 작용시간이 더욱 긴 이뇨제를 사용하거나, 투여 횟수를 늘린다. 그리고 부종이 조절된 후에도 이뇨제를 갑자기 끊지 않고 서서히 감량하여야 한다.

2) 이뇨제 내성과 저항성

이뇨제를 장기간 사용하면 요 소듐 배설 효과가 감소하여 항고혈압 효과나 부종의 치료 효과가 저하하는 이뇨제 내성이 나타난다. Furosemide를 장기간 투여하면 원위세관 내강에 소듐이 증가하며 원위세관과 집합관의 비후가 나타난다. 이에 따라 원위 네프론에서 소듐의 재흡수가 증가하는데 이것은 알도스테론 활성도나 세포외액량의 감소와 관련 없다.

이뇨제의 저항성은 이뇨제의 효과가 나타나는 역치 용량(threshold dose)이 높아지는 현상으로 신증후군에서 흔하게 관찰할 수 있다. 주된 원인으로 이뇨 효과를 저해하는 약제와 병용하거나 과다한 소금섭취가 있고, 이뇨제의 용량, 투여 방법, 표적 부위에 이르는 과정, 표적 부위 소듐 운반체의 형태와 기능의 변화 등도 영향을 미친다. 흔히 사용하는 furosemide는 혈장에서 단백질, 특히 알부민과 결합하여 근위세관에 도달한 후 organic anion transporter (OAT)에 의하여 근위세관의 내강으로 분비된다. 그러나 신증후군 환자에서는 저알부민혈증으로 인하여 혈장 내에서 알부민과 결합한 furosemide의 양이 감소하기 때문에 콩팥의 약제 작용 부위에 충분한 양이 도달하지 못한다. 그리고 furosemide가 요 알부민과 결합하여 표적 부위(비후상행각)에 활성화된 유리(free) furosemide가 도달하는 양이 줄어 이뇨 효과가 감소할 것으로 생각한다.

유효동맥혈액량의 감소에 따라 콩팥에서 소듐과 수분의 재흡수가 증가하는 것도 이뇨제 저항성의 주요 기전의 하나이다. 알부민과 furosemide를 병용하면 알부민과 결합한 furosemide의 농도와 유효동맥혈액량이 증가한다. 이에 따라 근위세관 주변의 혈관 내 furosemide의 농도가 높아져 근위세관으로 분비되는 양이 많아지므로 효과가 증가한다고 알려져 있으나, 그 임상적인 의미는 아직 논란이 있다. 이뇨제의 저항성이 나타나면 저염식이 치료가 가장 중요하며, 이뇨 효과를 저해하는 약제를 중단하고 이뇨제의 용량이나 투여 횟수를 증가하거나, 지속적인 정맥투여 등을 시행하여 본다. 작용 부위가 다른 이뇨제를 병합할 수도 있다. 이러한 치료에도 반응하지 않는 부종은 투석을 이용한 초여과(ultrafiltration)를 고려한다.

4. 이뇨제의 임상적 사용

1) 만성콩팥병

(1) 고리작용이뇨제

사구체여과율이 50 mL/분 이하의 만성콩팥병이 있으면 고리작용이뇨제를 선택한다. 사구체여과율이 25 mL/분 이하이면 근위세관의 내강으로 배설되는 furosemide의 양은 정상인의 1/3 정도에 불과하므로 통상적인 용량보다 훨씬 더 많이 투여하여야 한다. 즉 정맥으로 투여할 때 furosemide를 최대 160~200 mg을 1회에 투여한다. 너무 빠른 투여는 이명, 어지럼을 초래하므로 20~30분에 걸쳐 투여한다. 경구투여는 일반적으로 정맥투여량의 2배를 투여하는데, 사구체여과율이 25~75 mL/분인 중등도 신부전에서는 160~320 mg을, 25 mL/분 미만인 심한 신부전에서는 320~400 mg을 경구로 투여한다. 만일 간헐적인 투여나 경구투여로 효과가 없으면 지속적으로 정맥투여를 하는데 처음에는 furosemide 40 mg을 1회에 부하하고 요량에 따라 1시간에 10~40 mg을 조절해서 투여한다. 만성 콩팥병에서 부종이 없더라도 요량을 유지하는 목적이나(1일 1L 이상), 고혈압의 치료를 위하여 고리작용이뇨제를 사용할 수 있다.

(2) 원위세관 이뇨제

일반적으로 thiazide 이뇨제는 metolazone을 제외하고는 사구체여과율이 30 mL/분 이하에서는 이뇨 효과가 없다. 하지만, 경구로 고리작용이뇨제와 병용하였을 때, 추가적인 효과를 기대할 수 있다. Metolazone은 흡수되어 유효한 농도로 도달하는데 10 일이상 걸리고 반감기가 2일 이상 되기 때문에 흔히 다른 이뇨제와 병합하여 사용한다. 경도 및 중등도의 신부전에서는 hydrochlorothiazide를 1일 50~100 mg, 심한 신부전에서는 100~200 mg을 1회 혹은 2회에 나누어 투여한다.

2) 신증후군

이뇨제 저항성이 흔히 관찰되어 고리작용이뇨제를 매우 큰 용량으로 처음부터 사용하는 예가 많다. 경구로 최대 1일 4~6 mg/kg까지 사용할 수 있다. 알부민을 함께 투여하는 요법이 있으나, 그 효과에 대해 논란이 있다. 다만 심한 저혈량증이 있거나 혈청 알부민 치가 2 g/dL 미만일 때에 선별적으로 효과를 기대해 볼 수 있다. 고리작용이뇨제의 최대 용량으로도 효과가 없으면 원위세관이뇨제인 thiazide 혹은 집합관이뇨제인 스피로놀락톤, amiloride, triamterene 등과 병용요법을 한다. 고리작용이뇨제와 thiazide을 병용할 때는 저칼륨혈증을 주의하여야 한다. spironolactone은 단백뇨를 줄이는 신보호효과와 저칼륨혈증의 예방 목적으로 함께 사용할 수 있다. 고리작용이뇨제, thiazide, 집합관이뇨제의 3제 병용 요법(triple diuretic therapy)은 가장 강력한 이뇨제 치료이다.

3) 간경변

간경변에 의한 부종은 이차적인 알도스테론의 증가가 가장 중요한 병인이므로 스피로놀락톤이 기본적인 치료제가 된다. 스피로놀락톤을 1일 50 mg으로 시작하여 최대 400 mg까지 사용할 수 있으나, 200 mg 이상 사용할 때는 주의가 필요하다. 스피로놀락톤은 비교적 이뇨 효과가 약하기에 단독요법으로는 효과가 부족한 예가 많다. 스피로놀락톤과 푸로세마이드를 2.5:1 비율을 유지하면 혈청 포타슘 농도가 유지될 수 있다. 스피로놀락톤에 의해 여성화유방이 나타날 경우, amiloride를 대체 투여할 수 있다. Thiazide와 spironolactone을 병행할 경우, 저나트륨혈증에 주의하여야 한다. Thiazide나 고리작용이뇨제와 병용요법이 효과적일 수 있으나, 체액결핍과 신기능의 악화에 유의하여야 한다. 이뇨제만으로 복수 조절이 쉽지 않을 때, 다량의 복수 천자와 더불어 알부민을 보충해 볼 수 있다.

4) 심부전

울혈성 심부전에서는 고리작용이뇨제를 일차적으로 사용한다. 이뇨제 저항이 있다면, thiazide나 포타슘 보존 이뇨제를 병용할 수 있다. 고리작용이뇨제나 여러 이뇨제의 병용요법을 할 때, 심한 저혈량증이 나타날 수 있으므로 유의하여야 한다. 스피로놀락톤은 장기간 사용하면 심부전의 개선에 도움을 줄 수 있으므로 병용할 수 있다. 고리작용이뇨제 중에서 torasemide가 furosemide보다 지속시간이 길어 더 효과적이며 교감신경과 RAAS의 활성이 적다고 알려져 있다. 울혈 증상이 없는 심부전에서는 thiazide를 저용량으로 먼저 시작할 수 있다. 저칼륨혈증이 동반될 경우, digoxin 등 약제의 부작용을 증가시키므로 주의가 필요하다. Thiazide나 고리작용이뇨제로도 효과가 없거나 대사성 알칼리증이 심할 때는 acetazolamide 사용을 고려할 수 있다.

5) 고혈압

고혈압에서 강압효과는 thiazide가 고리작용이뇨제보다 2배의 효과가 있다. 그러나 사구체여과율이 30mL/분 이하인 신부전에서는 thiazide가 효과가 없으므로 고리작용이뇨제를 사용하여야 한다. 특히 신장질환이나 당뇨병에서 흔히 관찰되는 야간 고혈압의 주요 원인이 염분과 수분의 저류이기 때문에 이뇨제가 가장 기본적인 치료약제가 된다.

특정한 질환에 의한 고혈압에서 선택적인 치료제(drug of choice)로 사용한다. 즉 원발성 알도스테론증에서 스피로놀락톤, Liddle 증후군에서 amiloride나 triamterene을 치료제로 사용한다.

6) 기타 질환

안압이나 뇌압의 상승이 있으면 acetazolamide나 mannitol을 사용하며, 고칼슘혈증이 있을 때는 충분한 수액공급과 함께 고리작용이뇨제를 사용한다. 고칼슘뇨(hypercalciuria)가 동반된 골다공증이나 신 및 요로 결석의 예방이나 치료에 thiazide를 사용한다. Bartter나 Gitelman 증후군에서 칼륨 보충과 더불어 보조적으로 집합관이뇨제를 사용한다.

5. 이뇨제 치료에 따른 환자 상태의 평가

(1) 먼저, 치료 목표 체중을 정하고 부종의 원인을 정확하게 판단해야 한다. 부종이 발생하기 전 체중을 확인하거나, 부종의 원인과 정도, 혈압, 신기능 등을 함께 고려하여 목표 체중을 추정하고, 이뇨제 및 투여 용량을 결정한다.

(2) 부종과 연관된 원인 질환뿐만 아니라, NSAID 등의 약제를 확인한다. 림프부종, 정맥폐쇄나 dihydropyridine CCB에 의한 부종은 이뇨제로 호전되기 어렵다.

(3) 이뇨제의 효과는 소듐의 요 배설 정도에 따라 판정하는데, 이뇨제 투여 후 여과 소듐 분획배설율(FENa)의 증가가 5% 이내는 경도(mildly potent), 8-10%의 증가는 중등도(moderately potent), 15~25% 증가는 강력 효과(very potent)로 구분한다. 고리작용이뇨제가 가장 강력하고 원위세관, 집합관이뇨제는 중등도이며, 근위세관이뇨제가 가장 효과가 작다.

(4) 이뇨제 사용 후 FENa의 증가 정도를 보고 이뇨제 용량 증가 혹은 다른 이뇨제와 병용요법을 결정할 수 있다. 각 이뇨제의 예상 최대 FENa보다 적게 증가하였다면, 용량을 늘려볼 수 있고, FENa가 최대치에 도달하였다면, 병용요법을 고려한다.

(5) 이뇨제 치료 후 흔하게 문제가 되는 것은 체액결핍, 전해질 장애와 신기능의 악화이다. 체중은 1일 0.5~1kg 이내의 감소하도록 하는 것을 원칙으로 하며, 이뇨제 투여 후 첫 2주간은 매일 혹은 2일마다 체중, 요량, BUN, creatinine, 혈중 및 요 전해질 농도를 주의 깊게 관찰하여야 한다.

▶ 참고문헌

- 김경수. Sodium-Glucose Cotransporter 2 억제제의 작용 기전 및 다양한 효과. J Korean Diabetes 2019;20:74-80
- 대한신장학회: 수분-전해질 대사장애. 임상신장학. 1판. 광문출판사, 2001, pp93-108.
- 한진석. 수분 전해질대사의 이상에 대한 치료제: 수분, 전해질 및 산염기의 장애. 일조각, 2018.
- Brater DC: Diuretic therapy. N Engl J Med 339:387-395, 1998
- Floege J, et al: Disorders of extracellular volume. In: Comprehen Clinl Nephrol. 4th ed. Elsevier, 2010, pp85-99.
- Ginès P, et al: Liver disease and the kidney, Diseases of the Kidney and Urinary Tract, edited by Schrier RW, Lippincott Williams & Wilkins, 2006, pp2194.
- Ives HE: Diuretic agents. Basic and Clinical Pharmacology, editied by Katzung BG, McGraw-Hill Medical, 2006, pp237.
- Schrier RW, et al: Hormones and hemodynamics in heart failure. N Engl J Med 341:577-585, 1999.

CHAPTER
03 수분 대사의 장애

나기영 (서울의대)

KEY POINTS

- 신장의 수분배설을 정량화하는 방법으로 소변의 전해질 값을 이용한 유리수분청소율이 있다.
- 저나트륨혈증은 혈장 오스몰랄 농도, 소변 소듐과 오스몰랄 농도, 그리고 체액상태에 따라 감별한다.
- 증상이 있는 급성 저나트륨혈증 치료법으로 6의 법칙을 원칙으로 하고, 환자에 따라 고장성 수액 요법, 수분이뇨제 밥탄 등을 사용한다.
- 고나트륨혈증도 체액상태에 따라 감별 진단하고, 전해질 교정하는 것과 더불어 원인질환 치료를 함께 고려한다.

수분 평형의 생리

체액의 장력(tonicity)은 아주 좁은 생리학적 범위 내에서 유지되는데 이는 수분의 섭취와 배설을 조절하는 항상성 기전 때문이다. 우리 몸은 체내 각 구획에 있는 유효용질의 양이 그 구획의 용적을 결정하게 되는데 이는 오스몰랄농도의 조절 기능을 통해서이다. 시상하부에 위치한 삼투수용기(osmoreceptor)와 갈증중추(thirst center)가 체내 수분 균형과 그에 따른 장력과 세포 용적의 변화를 감지한다. 항이뇨호르몬(바소프레신)은 신장의 집합관에 작용하여 수분의 배설을 조절한다. 시상하부에 위치한 삼투수용기가 체액 장력의 변화에 반응하여 항이뇨호르몬의 분비를 조절한다.

항정상태에서 수분의 섭취는 수분 손실과 균형을 이룬다. 생리적인 혈중 오스몰랄농도(osmolality)인 285~290 mOsm/kg을 유지하려는 요구에 따라 일정한 수분 섭취가 이루어진다. 용질과 수분 섭취에 변동이 있음에도 불구하고 체액 내 용질의 농도(장력)는 일정하게 유지된다. 소변을 희석 또는 농축시킬 수 있기 때문에 하루 소변 양을 최소 0.5 L부터 최대 20 L까지 조절할 수 있다.

갈증과 수분 평형

갈증의 가장 강력한 자극은 고장성(hypertonicity)으로 혈장 오스몰랄농도가 단지 2~3%만 변화해도 심한 갈증이 유발된다. 갈증을 느끼기 시작하는 역치는 대개 290~295 mOsm/kg 부터이며 이 값은 바소프레신이 분비되기 시작하는 역치인 280 mOsm/kg보다 훨씬 높다. 이 값은 소변이 최대로 농축되는 값과 거의 비슷하다. 또한 체액 부족, 저혈압, 안지오텐신-2 등도 갈증을 일으키는 요인이다. 갈증을 느끼는 오스몰랄농도 역치와 바소프레신이 분비되는 오스몰랄농도 역치 범위 사이에서는 소변 양과 수분 섭취양을 조절함으로서 혈장 오스몰랄농도가 정교하게 조절된다. 또한 피부나 폐를 통한 불감성 손실, 물이나 음식의 섭취량, 대사 과정에서 발생하는 수분양 등도 수분 평형에 영향을 미치는 요인들이다. 일반적으로 전체적인 섭취와 배설이 균형을 이루는 혈장 오스몰랄농도는 288 mOsm/kg이다.

항이뇨호르몬(바소프레신)

바소프레신은 소변의 농도를 결정하는 역할을 한다. 이는 시상하부에서 합성되어 분비되며 반감기가 15~20분으로 짧고 간과 신장에서 신속히 대사된다.

1. 바소프레신 분비의 자극

고장성 생리식염수나 마니톨과 같이 세포외액에 분포하는 물질들은 세포 안에서 밖으로 수분을 이동시켜 세포의 용적을 감소시키기 때문에 바소프레신의 분비를 자극한다. 그러나 요소나 포도당 등은 자유로이 세포막을 통과하기 때문에 세포 용적을 변화시키지 않는다. 오스몰랄농도를 감지하는 세포는 시상하부에 존재하는데 이 세포는 혈장 오스몰랄농도가 1%만 변화해도 감지할 수 있다. 사람에서 바소프레신이 분비되는 역치는 280~290 mOsm/kg이다. 수분 섭취량이 심하게 변해도 혈장 오스몰랄농도는 1~2% 이상 변하지 않고 일정하게 유지된다.

오스몰랄농도 외의 다른 자극에 의해서도 바소프레신은 분비된다. 구토, 심부전, 간경변 등으로 유효순환용적이 감소하면 경동맥동에 위치한 압력수용체(baroreceptor)가 부교감신경을 통하여 바소프레신을 분비한다. 또한 구역, 수술 후 통증, 임신 등도 바소프레신의 분비를 자극한

다. 비록 혈액량이 7% 이상 감소하여야 작동하기는 하지만 체액 부족은 고삼투질농도 자극보다 훨씬 더 혈중 바소프레신 농도를 상승시킨다.

2. 바소프레신 작용기전

바소프레신은 세 가지 형태의 수용체에 결합한다. V_{1a}(혈관, 간), V_{1b}(뇌하수체전엽), V_2이다. V_2 수용체는 신장의 집합관에 위치하며 수분수송체인 auaporin 2 (AQP2)를 통하여 수분 투과성을 증가시킨다(그림 3-3-1). AQP1은 근위세관 세포와 하행 헨레고리 세포의 내강과 기저외측막에 위치하며 이 부위에서 수분 투과성을 증가시킨다. AQP1은 항상 발현되어 있으므로 바소프레신의 조절을 받지 않는다. 그러나 AQP2는 집합관 주세포 내강의 세포막과 세포내 소포에만 존재한다. 바소프레신은 장, 단기적으로 AQP2의 조절에 영향을 미친다. 단기적으로는 바소프레신을 투여하면 몇 분 이내에 집합관의 수분 투과성이 증가하는데 이 변화는 가역적이다. 바소프레신이 V_2 수용체에 결합하면 아데닐사이클라아제를 통하여 cAMP를 증가시키고 이는 단백질키나아제 A (protein kinase A, PKA)를 통하여 AQP2를 인산화시킨다. 인산화된 AQP2는 세포내 소포에서 이동하여 내강막으로 삽입되고 물을 싣고 세포 내로 이동한다. 그러나 장기적으로는 바소프레신이 AQP2의 생성에 관여하는 유전자의 전사를 증가시키는데 이는 혈중 바소프레신 농도가 24시간 이상 상승되어 있을 때만 나타난다. 세포 당 AQP2의 전체 숫자가 증가하

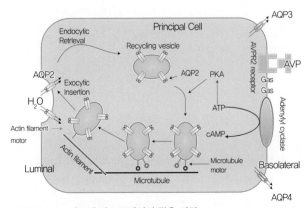

그림 3-3-1. 세포내 바소프레신의 작용 기전

기 때문에 집합관세포의 수분 투과성은 최대로 증가하게 되며 이 과정은 비가역적이다.

AQP3와 AQP4는 집합관의 기저외측막에 위치하면서 세포로부터 물이 빠져나가는 과정에 관여한다(그림 3-3-1). 또한 AQP3는 바소프레신의 자극에 의해 집합관의 요소 투과성을 증가시켜 요소가 세포에서 간질로 이동하게 한다. AQP4는 시상하부에도 존재하는데 이는 바소프레신의 분비를 조절하는 삼투수용기의 후보 물질이기도 하다.

신장수분배설의 정량화

소변양은 두 가지 구획으로 나누어 생각해 볼 수 있다. 삼투청소율(osmotic clearance, C_{osm})은 혈장과 동일한 용질의 농도로 용질을 배설하는데 필요한 용량이다. 유리수분청소율(free water clearance, C_{water})은 저장성 혹은 고장성 소변을 만들기 위하여 등장성 소변에 더하거나 빼주어야 할 물의 양이다.

소변양(V)은 소변의 등장성 부분(Cosm)과 유리수분청소율(C_{water})의 합이다.

$$V = C_{osm} + C_{water}, \text{ 따라서 } C_{water} = V - C_{osm}$$

Cosm은 소변 오스몰랄농도와 혈장 오스몰랄농도와 관계에 의해서 다음과 같이 표시할 수 있다.

$$C_{osm} = U_{osm} \times V/P_{osm}, \text{ 따라서 } C_{water} = V - (U_{osm} \times V/P_{osm})$$
$$= V(1 - U_{osm}/P_{osm})$$

이 식에서 다음의 사실을 알 수 있다.

1. 저장성 소변($U_{osm} < P_{osm}$)에서 C_{water}는 양의 값이다.
2. 등장성 소변($U_{osm} = P_{osm}$)에서 C_{water}는 0이다.
3. 고장성 소변($U_{osm} > P_{osm}$)에서 C_{water}는 음의 값이다.

만약 다뇨(polyuria) 환자에서 유리수분의 배설에 따라 적절한 수분 섭취가 이루어지지 않으면 고나트륨혈증이 발생하게 된다. 반대로 수분 섭취가 늘어났는데도 유리수분 배설이 적절히 이루어지지 않으면 저나트륨혈증이 발생한다.

이 공식의 한계점은 요소가 포함되어 있으므로 혈장의 장력과 혈청 소듐 농도의 변화를 임상적으로 정확하게 예측할 수 없다는 것이다. 요소는 소변 오스몰랄농도를 구성하는 주요 성분이지만 세포막을 자유로이 통과하기 때문에 세포 간 오스몰랄농도의 농도 차이를 형성하지 못하여 수분 구획 간 물의 이동이 일어나지 않는다. 따라서 이는 혈청 소듐 농도와 바소프레신 분비에 영향을 주지 않는다. 그렇기 때문에 혈청 소듐 농도의 변화는 전해질이 포함되지 않은 유리수분청소율[$C_{water}(e)$]로 더 정확한 예측이 가능하다. P_{osm}을 혈청 소듐 농도(P_{Na})로 대신하고 소변의 오스몰랄농도를 소변의 소듐과 포타슘 농도의 합($U_{Na} + U_K$)으로 표시하면 공식은 다음과 같다.

$$C_{water}(e) = V[1 - (U_{Na} + U_K)/P_{Na}]$$

만약 $U_{Na} + U_K$가 P_{Na}보다 작으면 $C_{water}(e)$는 양의 값을 가지고 혈청 소듐 농도는 증가한다. 반대로 $U_{Na} + U_K$가 P_{Na}보다 크면 $C_{water}(e)$는 음의 값을 가지고 혈청 소듐 농도는 감소한다. 수분 배설이 일어나고 있음에도 불구하고 환자의 혈청 소듐 농도가 증가할지 또는 감소할지를 예측하기 위해서는 임상적으로 위의 전해질이 포함되지 않는 유리수분청소율 공식을 이용하는 게 좋다. 예를 들어 다량으로 요소를 배설하고 있는 환자에서 원래의 C_{water} 공식을 사용하면 수분 배설이 음의 값을 가지므로 혈청 소듐 농도가 감소한다고 예측하겠지만 $C_{water}(e)$ 공식을 사용하면 반대로 예측하고 실지로 혈청 소듐 농도는 증가한다.

혈청 소듐 농도, 오스몰랄농도, 장력

소변을 농축 또는 희석시킬 수 있는 신장의 반류기전(countercurrent mechanism), 시상하부의 삼투수용기, 바소프레신 분비 등을 통하여 혈청 소듐 농도와 장력이 매우 좁은 범위 내에서 유지된다. 수분 과다 섭취와 함께 소변 희석능에 장애가 있으면 저나트륨혈증이 발생하고, 수분 섭취가 적절히 이루어지지 못하면서 소변 농축능에 장애가 있으면 고나트륨혈증이 발생한다.

다른 양이온과 함께 혈청 소듐은 혈장 오스몰랄농도의 거의 대부분을 구성한다. 혈청의 오스몰랄농도는 다음의 식으로 계산한다. $2[Na^+]$ + BUN(mg/dL)/2.8 + 포도당(mg/dL)/18, BUN은 혈액요소질소이다. 다른 용질이 세포외액에 첨가되면 오스몰랄농도 측정치가 상승한다. 세포막을 자유로이 통과하는 용질, 즉 요소나 에탄올 등은 수분을 이동시키지 않기 때문에 고장성으로 인한 세포 내 탈수를 초래하지 않는다. 그러나 당뇨병케톤산증 환자의 경우 혈중 포도당 농도는 매우 높고 이는 세포막을 통과할 수 없기 때문에 수분이 세포 내에서 세포외액으로 이동하여 세포 내 탈수가 초래되고 혈청 소듐 농도는 떨어지게 된다. 혈청 소듐 농도는 전체 체내 수분의 양을 반영하는 것이 아니고 세포 내에서 세포 외의 공간으로 물이 이동한 것을 반영하기 때문에 세포 수준에서는 단순한 물의 이동일 뿐이다. 혈중 포도당 농도가 매 100 mg/dL 상승할 때마다 혈청 소듐 농도를 1.6 mmol/L 씩 낮게 잡아 보정하는 것은 포도당이 혈청 소듐 농도를 떨어뜨리는 데 미치는 영향을 다소 과소평가할 수 있다.

고중성지방혈증이나 파라단백혈증(paraproteinemia) 등에서 혈장의 6~8% 정도를 차지하는 고체 부분이 비정상적으로 증가할 때 가성저나트륨혈증(pseudohyponatremia)이 나타난다. 가성저나트륨혈증에서 혈청 오스몰랄농도는 정상이다. 소듐의 농도를 전체 혈장에서 재지 않고 액체 부분에서만 측정하기 때문에 이러한 오차가 발생하게 된다. 혈장 액체부분의 소듐 농도는 150 mmol/L이다. 현재는 많은 검사실이 이온을 직접 측정하는 방법으로 전환하였기 때문에 순수한 액체내의 소듐 농도를 측정할 수

있다. 그러나 다량의 검체를 측정하기 위하여 희석을 하게 되는데 이 과정에서 고체 부분이 많은 검체는 가성저나트륨혈증이 나타날 수 있다. 이 경우에는 검체를 희석하지 않고 동맥혈가스검사기로 측정하면 된다. 만약 직접 이온을 측정하는 기계가 없으면 다음의 공식을 이용하여 혈장내 물의 양을 추정할 수 있다.

혈장내 물의 양(%)=99.1−(0.1 × L)−(0.07 × P)

L과 P는 각각 총 지질과 총 단백질의 농도(g/L)이다. 예를 들어 계산한 식에서 혈장의 물이 정상적인 93%(150×0.93 = 140)가 아닌 90%이면 소듐의 농도는 135 mmol/L로(15×0.90) 낮게 측정될 것이다.

체내 총 수분의 측정

정상인에서 체내 총 수분양은 체중의 60% 정도이다(여성과 비만한 남성의 경우는 50%). 저나트륨혈증과 고나트륨혈증이 있을 때 체내 총 수분의 변화는 다음의 공식에서 혈청 소듐 농도로부터 계산할 수 있다.

수분과잉=0.6 × 체중 × (1−[Na^+]/140)
수분결핍=0.6 × 체중 × ([Na^+]/140−1)

여기서 $[Na^+]$는 혈청 소듐의 농도(mmol/L)이고 체중은 kg으로 표시한다. 이 공식에 의하면 70kg 성인에서 10 mmol/L의 혈청 소듐 농도 변화는 유리수분 3L의 변화에 해당한다.

저나트륨혈증

저나트륨혈증은 혈청 소듐 농도가 135 mmol/L 미만으

로 정의하며 가성저나트륨혈증과 이동성 저나트륨혈증을 배제하고 혈청 오스몰랄농도가 낮으면 진단한다. 입원 환자의 22%를 차지하는 아주 흔한 질환이다. 진성저나트륨혈증은 정상적인 소변 희석 능력에 장애가 있을 때 발생한다. 주로 세 가지 기전으로 발생한다. 첫째는, 사구체여과율이 감소하고 근위세관의 소듐 및 체액 흡수가 증가하면 원위부 세관의 소변 희석 부위에 도달하는 소듐과 체액양이 감소할 때 발생한다. 둘째는, 수분이 불투과하는 부위인 헨레고리비후상행각이나 원위곡세관에서 Na$^+$-Cl$^-$ 수송체의 결함이 있을 때 발생할 수 있다. 마지막으로 가장 흔한 것은 혈청 오스몰랄농도가 낮음에도 불구하고 지속적으로 바소프레신의 분비가 항진되어 있는 경우에 나타난다.

1. 저나트륨혈증의 원인과 분류

일단 가성저나트륨혈증과 이동성 저나트륨혈증이 배제

되면 환자는 진성저삼투질농도성 저나트륨혈증이므로 다음 단계로 환자의 체액 상태가 부족한지, 정상인지, 과다한지 분류하여야 한다(그림 3-3-2).

1) 체액감소: 체내 총 소듐 감소와 연관된 저나트륨혈증

체액이 감소한 저나트륨혈증 환자는 총 체내 소듐과 수분이 모두 부족한 상태이지만 수분 부족보다 소듐 부족이 더 심하다. 이는 위장관이나 신장을 통하여 수분과 용질이 소실되는 상태에서 맹물을 섭취하거나 저장성 수액을 투여 받은 환자에서 주로 발생하는데 그 기전은 체액 부족에 의한 자극으로 바소프레신이 분비되고 저장성 상태임에도 불구하고 분비가 계속되기 때문이다. 이때 소변의 소듐 농도를 측정하면 감별진단에 도움이 된다(그림 3-3-2).

(1) 위장관 및 제3의 공간으로의 소실

설사나 구토가 있으면 신장은 소듐과 클로라이드를 보

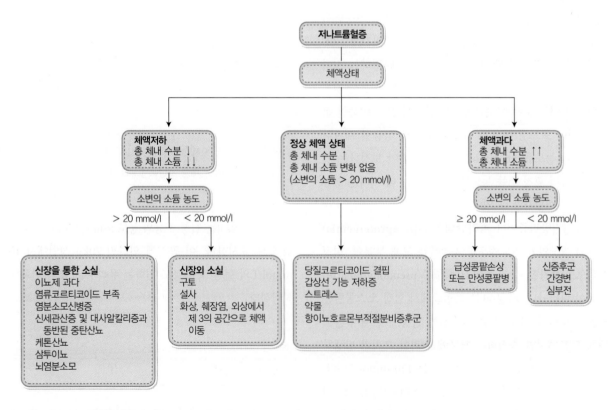

그림 3-3-2. 저나트륨혈증 환자의 진단적 접근 방법

존하여 체액 감소에 대응한다. 마찬가지로 화상 환자나 복막염, 췌장염, 장폐색의 경우에 복강이나 장관 등 제3의 공간으로 체액이 이동한 환자에서도 유사한 현상이 관찰된다. 이 모든 경우에 소변의 소듐 농도는 10 mmol/L 미만이며 소변의 오스몰랄농도는 높다. 예외적으로 구토와 대사알칼리증이 있는 환자에서는 탄산수소염 배설이 증가하면서 동시에 양이온을 끌고나가기 때문에 심한 체액 감소에도 불구하고 소변의 소듐 농도가 20 mmol/L 이상이 된다. 그러나 이 경우에도 소변의 클로라이드 농도는 10 mmol/L 미만이므로 감별이 가능하다. 마찬가지로 만성신부전에서는 신장의 염분 보존 능력이 감소하므로 소변의 소듐 농도가 높을 수 있다.

(2) 이뇨제

이뇨제 사용은 체액이 감소한 저나트륨혈증의 가장 흔한 원인이다. Thiazide 이뇨제의 경우는 원위세관에 작용하여 소변의 농축보다는 희석능을 방해하기 때문에 유리수분배설이 제한된다. 따라서 이뇨제와 관련된 저나트륨혈증 원인의 90% 이상을 차지한다. 그러나 고리작용이뇨제(loop diuretics)는 헨레고리비후상행각에서 소듐과 클로라이드의 재흡수를 억제하여 신장 수질이 고장성이 되는 것을 방해하기 때문에 체액 부족으로 바소프레신 분비가 증가하더라도 바소프레신에 대한 신장의 반응이 감소하여 유리수분이 배설되게 된다. 오히려 고나트륨혈증을 유발할 수 있다. 1/3에서는 치료시작 5일 이내에 나타나기도 하지만 저나트륨혈증은 대개는 치료 시작 14일쯤 발생한다. 체중이 적은 여자와 노인 환자가 가장 취약하다. 이뇨제에 의한 저나트륨혈증의 발생기전은 다음과 같이 추측된다.

- 체액 부족에 의해 유발된 바소프레신의 분비와 신세관의 요 희석 부위로 도달하는 체액량이 감소한다.
- 피질 요 희석 부위에서 최대 소변 희석을 방해함으로써 수분 배설을 방해한다.
- 포타슘 부족이 삼투수용기의 감수성을 변화시키고 갈증을 증가시켜 수분 섭취를 직접 자극한다.

수분 축적은 체액 감소의 이학적 소견을 가려서 이뇨제

에 의한 저나트륨혈증 환자의 체액량이 정상인 것처럼 보일 수 있다.

(3) 염분소모신병증(Salt-losing nephropathy)

염분소모 상태는 만성신부전이 진행한 환자(사구체여과율 15 mL/min 미만), 특히 사이질 질환에 의한 만성신부전 환자에서 때때로 나타난다. 저나트륨혈증과 체액감소가 특징이다. 역류신병증, 사이질신병증, 폐쇄요로병증, 속질낭콩팥병(medullary cystic kidney disease), 급성세관괴사의 회복기 등에서도 나타난다. 제2형 근위세관 신세관산증에서는 신장 기능의 장애가 심하지 않아도 신장의 소듐과 포타슘의 소실이 심하다. 이 경우에는 중탄산뇨가 소변으로 소듐을 끌고 나간다.

(4) 미네랄코티코이드(Mineralocorticoid) 결핍

미네랄코티코이드 결핍은 세포외액 감소와 동반된 저나트륨혈증, 소변 소듐 농도 20 mmol/L 이상, 혈청 포타슘, 요산, 크레아티닌의 상승 등의 소견을 보인다. 세포외액 감소가 바소프레신을 분비시키는 자극이다.

(5) 삼투이뇨(Osmotic diuresis)

오스몰랄농도가 높으면서 흡수되지 않는 용질은 신장을 통한 소듐 배설을 유발하여 체액 감소를 가져온다. 심한 당뇨병 환자, 요폐색이 풀린 후 요소이뇨가 발생한 환자, 마니톨이뇨 환자 등은 계속적으로 수분을 섭취함에도 불구하고 소변을 통한 소듐과 수분 소실로 인하여 모두 저체액량 저나트륨혈증이 나타난다. 소변 소듐 농도는 20 mmol/L 이상이다. 당뇨병케톤산증, 금식이나 알코올에 의한 케톤산증에서 발생하는 케톤체는 소변을 통한 전해질과 소듐의 소실을 악화시킨다.

(6) 뇌염분소모(Cerebral salt wasting)

뇌염분소모는 지주막하출혈 환자에서 일차적으로 기술되어 온 증후군이다. 이 병의 주된 병변은 신장을 통한 염분 소실로 체액 감소가 발생하고 이것이 바소프레신 분비를 자극하게 된다. 정확한 기전은 잘 밝혀져 있지 않지만 뇌나트륨배설펩타이드(brain natriuretic peptide)가 소변 양과 소듐 배설을 증가시키는 것으로 추측되고 있다. 부적절한 소듐 소실과 유효순환용적 감소의 증거가 있어야 진단이 이루어진다. 지주막하출혈 외에 외상성 뇌손상, 개두술, 뇌염, 뇌막염 등에서도 발생한다. 치료가 다를 수 있어서 SIADH와의 감별이 중요하다.

2) 체액과다: 체내 총 소듐 증가와 연관된 저나트륨혈증

체액이 과다한 상태에서 체내 총 수분양보다 체내 총 소듐양이 증가하면 저나트륨혈증이 나타난다. 이는 울혈성심부전, 신증후군, 간경변 등에서 발생하며 수분 배설에 장애가 있다(그림 3-3-2).

(1) 울혈성심부전

심부전으로 부종이 있는 환자는 낮은 전신 평균동맥압과 낮은 심박출량으로 인하여 유효순환용적이 감소되어 있다. 이 변화는 대동맥과 경동맥의 압력수용체에서 감지되어 바소프레신의 분비를 자극한다. 또한 상대적인 저혈량증은 레닌-안지오텐신계를 자극하고 노르아드레날린 생산을 증가시켜 사구체여과율을 감소시킨다. 감소한 사구체여과율은 근위세관의 재흡수를 증가시켜 원위세관으로 도달하는 물의 양을 감소시킨다.

신경호르몬으로 매개되어 원위신원으로 도달하는 세관액이 감소하고 바소프레신 분비가 증가하면 소듐, 클로라이드 및 수분 배설을 제한하여 저나트륨혈증을 일으킨다. 또한 낮은 심박출량과 높은 안지오텐신-2의 농도는 갈증을 강하게 자극한다. 그리고 집합관에서는 AQP2가 내강의 세포막쪽으로 과도하게 이동한다. 이러한 효과는 혈중 바소프레신의 농도가 높기 때문이다.

후부하 감소로 심장기능이 호전되면 혈중 바소프레신은 감소하고 수분 배설은 호전된다. 저나트륨혈증의 정도는 심장질환의 중증도와 환자의 생존율과 연관성이 있는데 혈중 소듐 농도가 125 mmol/L 미만이면 심한 심부전을 반영한다.

(2) 간부전

간경변과 간부전 환자들도 복수와 부종 등으로 세포외액양이 증가되어 있다. 내장정맥의 확장으로 혈장양이 증가되어 있다. 울혈성심부전 환자와는 달리, 간경변 환자는 위장관과 피부에 발달한 수많은 동정맥루 때문에 심박출량이 증가되어 있다. 혈관확장과 동정맥루는 평균동맥압을 떨어뜨린다. 간경변이 심해질수록 혈장 레닌, 노르아드레날린, 바소프레신, 엔도텔린이 점차적으로 증가한다. 또한 평균동맥압과 혈청 소듐 농도도 감소한다. 간경변 동물모델에서는 집합관에서 바소프레신에 의한 AQP2의 발현이 증가한다.

(3) 신증후군

신증후군 환자에서 특히, 미세변화신증후군 소아에서 저알부민혈증과 낮은 혈장 교질삼투압은 스탈링 힘을 변화시켜 혈관 내 체액 감소를 초래한다. 신증후군 환자 대부분은 신장을 통한 소듐 배설의 장애로 유효순환용적이 증가되어 있다. 신증후군 동물모델에서 신장의 집합관에서 AQP2와 AQP3의 발현이 감소되어 있다.

(4) 진행성 만성콩팥병

급성이든 만성이든 콩팥병이 진행한 환자에서는 정상적인 신원의 숫자가 감소하므로 정상 염분 균형을 유지하기 위해 소듐분획배설이 상당히 증가한다. 섭취한 소듐 양이 배설할 수 있는 신장의 능력을 초과하게 될 때 대개 부종이 발생한다. 마찬가지로 수분 섭취가 역치를 초과하면 저나트륨혈증이 나타난다. 사구체여과율이 5 mL/min일 때 하루 동안 사구체에서 여과되는 양은 총 7.2L이므로 그 중 약 30%, 즉 2.2L가 원위세관에 도달하게 될 것이고 이는 하루 종일 배설가능 한 용질이 없는 유리수분의 최대량이다.

3) 정상 체액량: 체내 총 소듐 양이 정상인 저나트륨혈증

정상혈량 저나트륨혈증은 입원환자에서 가장 흔히 관찰되는 이상나트륨혈증이다. 이 환자들에서는 이학적으로 총 체내 소듐이 증가한 징후를 찾을 수 없다.

(1) 미네랄코티코이드 결핍

미네랄코르티코이드 결핍은 일차성, 이차성 부신기능부전 환자에서 수분 배설 장애를 초래한다. 바소프레신 상승은 부신피질자극호르몬 결핍으로 인한 수분 배설 장애를 동반한다. 이는 미네랄코티코이드 투여로 교정된다. 또한 바소프레신과 무관한 요인으로는 신장의 혈역학적 장애와 신원의 원위부로 도달하는 세관액의 감소 등이 있다.

(2) 갑상선기능저하증

점액부종 혼수와 같은 심한 갑상선기능저하증 환자에서 저나트륨혈증이 발생한다. 심박출량 감소는 바소프레신 분비를 자극한다. 사구체여과율이 감소하면 원위신원으로 도달하는 세관액을 감소시켜 유리수분배설을 감소시킨다. 치료하지 않은 점액부종 환자에서 수분 부하 후에 바소프레신이 정상적으로 억제되는 걸로 보아 바소프레신과는 무관한 기전일 것으로 생각되지만 정확한 기전은 잘 모르고, 진행한 갑상선기능저하증에서는 바소프레신 농도가 상승되어 있다. 저나트륨혈증은 갑상선호르몬을 투여하면 쉽게 교정된다.

(3) 정신병

급성 정신병 환자에서 저나트륨혈증이 나타날 수 있다. 일부 정신과 약제와 저나트륨혈증은 연관성이 있지만 정신병도 독립적으로 저나트륨혈증을 일으킬 수 있다. 갈증에 대한 감각이 올라가고 오스몰랄농도 조절에 약간의 장애가 있어서 낮은 혈중 오스몰랄농도에도 불구하고 바소프레신이 분비되고 신장은 바소프레신에 대한 반응이 항진되어 있는 것이 병태생리기전이다. 자발적인 수분 중독 환자는 횡문근융해증이 더 잘 일어날 수 있다고 알려지고 있다.

(4) 수술 후 저나트륨혈증

수술 후 저나트륨혈증은 바소프레신이 분비되는 상황에서 전해질이 없는 수분을 과다하게 투여할 때 발생한다. 또한 마취 시작 24시간 이내에 등장성 생리식염수를 투여함에도 불구하고 혈액 내 바소프레신이 존재하기 때문에 신장에서 전해질이 없는 수분이 생성되어서 저나트륨혈증이 발생하기도 한다. 젊은 여자들에서 특히, 부인과 수술 후에, 저나트륨혈증이 뇌부종을 일으키지는 않으면서 경련과 저산소증으로 진행하는 신경학적 대재앙을 초래하기도 한다. 발생기전이 정확히 규명되지도 않았고 위험이 높은 환자도 미리 확인할 수 없어 안타깝다. 그러므로 수술 후에 저장성수액을 피하고 등장성수액도 최소로 투여하고 저나트륨혈증이 의심되면 혈청 소듐 농도를 즉시 확인하여야 하겠다.

(5) 운동유발성 저나트륨혈증

장거리 싸이클 선수, 마라톤 주자, 철인 3종 경기 참가자, 울트라마라톤 주자 등에서 12~51%의 빈도로 보고되고 있다. 여자, 체중이 적게 나가는 경우, 운동 경험이 없는 경우, 속도가 느린 경우, 수분을 과다 섭취한 경우, 체온이 높은 경우, 비스테로이드소염제를 사용한 경우 등에서 발생 위험이 증가한다. 땀이 나면서 염분이 소실되고 수분을 과다하게 섭취하고 바소프레신 분비가 증가하면서 저나트륨혈증이 발생한다. 운동 중 발생한 근육 손상으로 염증성 사이토카인 인터루킨-6가 분비되면서 혈중 바소프레신 농도가 상승하게 된다. 예방을 위해서는 갈증을 느낄 때만 수분을 섭취하거나 소변을 보기 시작할 때까지 수분 섭취를 제한한다. 경도의 저나트륨혈증은 흔하지만 대개 적극적인 치료가 필요하지는 않다.

(6) 저나트륨혈증을 일으키는 약제

저나트륨혈증의 가장 흔한 원인은 약제에 의해 유발되는 경우이다. Thiazide 이뇨제가 가장 흔한 원인이고, 그 다음이 선택적세로토닌재흡수억제제(selective serotonin reuptake inhibitor, SSRI)이다. 데스모프레신(desmopressin)과 같은 바소프레신 유사체, 바소프레신 분비를 항진시키는 약제, 바소프레신의 작용을 증강시키는 약제 등도 저나트륨혈증을 일으킨다. 노인 환자의 야뇨증과 소아 환자의 유뇨증 치료로 데스모프레신을 많이 사용하게 되면서 저나트륨혈증 증례가 많이 보고되고 있다. 다양한 질환에서 면역글로블린 정맥주사가 치료법으로 사용하게 되면

표 3-3-1. SIADH의 원인

암	호흡기 질환	신경계 질환	기타
기관지원성 암종	바이러스폐렴	뇌염	후천성면역결핍증
십이지장암	세균폐렴	뇌막염	특발성
췌장암	폐 농양	두부 외상	장시간 운동
흉선종	결핵	뇌 농양	
위암	아스페르길루스증	뇌 종양	
임파종	양압환기	Guillain-Barré 증후군	
유잉(Ewing)육종	천식	급성간헐포르피린증	
방광암	기흉	지주막하출혈	
전립선암	중피종	소뇌, 대뇌 위축	
구인두 종양	낭성섬유증	해면정맥동혈전증	
요도암		신생아 저산소증	
		수두증	
		Shy-Drager 증후군	
		록키산홍반열	
		진전섬망	
		뇌혈관사고	
		급성 정신병	
		말초신경병증	
		다발성경화증	

서 저나트륨혈증이 많이 보고되고 있다.

(7) 부적절항이뇨호르몬분비증후군(Syndrome of inap-propriate ADH secretion, SIADH)

입원 환자에서 저나트륨혈증의 가장 흔한 원인임에도 불구하고 SIADH는 다른 질환을 배제한 후에야 진단이 가능하다. 오스몰랄농도 조절에 장애가 있으면 바소프레신은 부적절하게 자극을 받아 소변을 농축시킨다. 이 증후군의 가장 흔한 원인은 표 3-3-1에 정리되어 있다.

출혈, 종양, 감염, 외상에 의한 중추신경계 장애는 과다한 바소프레신 분비에 의한 SIADH를 일으킨다. 소세포폐암, 십이지장과 췌장의 암, 후각신경모세포종 등도 비정상적으로 바소프레신을 만든다. SIADH의 특발성 증례는 노인 외에서는 드물고 노인의 10% 정도는 특별한 원인 없이

비정상적으로 바소프레신 분비가 일어나는 것으로 보고되고 있다.

SIADH 환자들의 임상연구에 의하면 바소프레신 분비가 비정상적인 몇 가지 경우가 있다. 첫 번째 경우는 SIADH 환자의 1/3에서 혈청 소듐의 농도에 따른 바소프레신의 분비는 적절하지만 정상보다 낮은 혈청 오스몰랄농도 역치에서 이미 분비가 시작되는 경우이다. 이들은 맹물을 마시면 수분이 축적되어 혈청 소듐 농도가 125~130 mmol/L 정도로 낮게 유지된다. 두 번째 경우는 혈장 오스몰랄농도가 높은 상황에서는 정상적인 반응을 보이지만 낮은 혈장 오스몰랄농도에서도 바소프레신 분비가 억제되지 않는 환자들이다. 세 번째 경우는 2/3의 환자에서는 바소프레신이 혈청 소듐 농도와 전혀 무관하게 분비되어 용질 없는 소변은 배설되지 않는다. 따라서 섭취한 수분은

표 3-3-2. SIADH의 진단기준

필수 진단기준
세포외액 오스몰랄농도의 감소 (<270 mOsm/kgH$_2$O)
부적절한 소변 오스몰랄농도 (>100 mOsm/kgH$_2$O)
임상적으로 정상 체액량
정상적인 염분 및 수분 섭취 상황에서 소변 소듐 농도의 상승 (U$_{Na}$>30 mEq/L)
신부전, 간경변, 심부전의 배제
갑상선기능저하증, 글루코코티코이드 결핍, 이뇨제 사용의 배제

보조 진단기준
비정상적 수분부하검사 결과 (4시간동안 체중 kg당 20 mL의 수분 부하량의 90% 이상을 배설하지 못하거나 소변을 100 mOsm/kg 이하로 희석하지 못하는 경우)
혈중 오스몰랄농도에 비하여 혈중 바소프레신 또는 코펩틴(copeptin)의 농도가 부적절하게 상승한 경우
체액 팽창으로 혈중 소듐 농도가 교정되지 않고 수분 제한으로 호전되는 경우
혈중 요산 농도가 4 mg/dL 미만
소변의 요산분획배율이 10%를 초과

축적되어 중등도의 체액 팽창과 희석저나트륨혈증이 나타난다. 마지막으로 약 10%의 환자들인데 혈중에서 바소프레신이 측정되지 않기 때문에 이들에게는 부적절항이뇨증후군(syndrome of inappropriate antidiuresis, SIAD)이라는 표현을 사용하는 게 적절하겠다. 이 환자들은 신장기원항이뇨증후군(nephrogenic SIAD)을 보이며 바소프레신 수용체의 돌연변이가 그 기전으로 사료된다.

SIADH의 진단기준은 표 3-3-2에 정리되어 있다. 혈장 바소프레신의 농도가 정상범위이더라도(10 ng/L) 혈장 오스몰랄농도가 낮은 것을 감안하면 이는 부적절한 것이다. 소변의 오스몰랄농도를 재면 되니까 임상에서 혈장의 바소프레신을 직접 측정할 필요는 없다. 300 mOsm/kg 이상의 고장성 소변은 혈액 내 바소프레신이 존재한다는 강력한 증거이다. 마찬가지로 소변의 오스몰랄농도가 100 mOsm/kg 미만이면 바소프레신이 거의 없다는 걸 나타낸다. 바소프레신의 유무에 따라 소변 오스몰랄농도는 100~300 mOsm/kg 범위에 있다. SIADH 환자들은 근위세관의 재흡수가 억제되고 원위세관으로 소듐, 클로라이드, 수분의 이동이 증가하기 때문에 혈청 요산 농도가 4 mg/dL 미만으로 낮다. 반대로 저혈량 저나트륨혈증 환자에서는 근위세관에서 소듐과 요산의 재흡수가 증가하기 때문에 고요산혈증이 나타난다.

4) 용질 섭취 감소로 인한 저나트륨혈증

저나트륨혈증은 아주 적은 양의 용질만 섭취하는 환자에서도 나타날 수 있다. 유일하게 섭취하는 음식이 맥주인 알코올중독자에서 나타나기 때문에 맥주광(beer potomania)이라고 부르는데 맥주는 단백질과 염분의 농도가 매우 낮기 때문에 1L당 단지 1~2 mmol/L의 소듐만 함유되어 있다. 이 질환은 술을 마시지는 않지만 극도로 영양분을 제한한 채식 위주의 식이로 용질 섭취가 적은 환자에서도 보고되어 있다. 용질 섭취가 적어서 생긴 저나트륨혈증 환자의 소변 소듐 농도는 100~200 mOsm/kg 이하, 소듐은 10~20 mmol/L 이하로 아주 낮게 나타난다. 근본적인 이상은 섭취하는 용질양이 부족하기 때문이다. 소변으로 배설되는 용질양이 적어서 수분 배설이 제한된 상태에서 상대적인 다음증으로 저나트륨혈증이 발생하게 된다. 유리수분부하량을 배설할 수 있는 능력은 소변 용질배설의 함수이다. 예를 들어 최대한 희석할 수 있는 80 mOsm/kg의 소변 오스몰랄농도로 하루 300 mOsm의 용질을 배설하려면 유리수분청소량은 2.7 L이고 하루 600 mOsm을 배설하려면 5.4 L, 900 mOsm을 배설하려면 8.1 L의 소변양이 필요하다. 맥주광 환자에서 혈중 바소프레신 농도에 관해 보고된 바는 없지만 식염수를 투여하면 쉽게 억제될 것으로 예상된다. 정상 식이를 시작하거나 식염수를 투여하면 소변의 용질 배설 장애를 교정할 수 있으므로 맥주광 환자가 입원을 하면 혈청 소듐 농도는 빠른 속도로 교정된다.

2. 저나트륨혈증의 임상증상

혈청 소듐 농도가 125 mmol/L 이상이면 대부분의 환자는 증상이 없다. 그러나 125 mmol/L 미만에서는 두통, 하품, 졸음, 구역, 가역성 실조, 정신병, 발작, 혼수 등이 뇌부종의 결과로 나타날 수 있다. 뇌부종이 심하면 뇌압이 상승하고 천막탈출, 호흡 저하, 사망까지 이를 수 있다. 저나트륨혈증으로 유발되는 뇌부종은 대개 저나트륨혈증이 빠른 속도로 발생한 경우에 나타나며 입원하여 수술을 받고 이뇨제나 저장성 수액을 투여 받은 환자에서 잘 발생한다. 치료하지 않은 심한 저나트륨혈증의 사망률은 50%에 달한다. 저나트륨혈증 환자에서 신경학적 증상이 있으면 주의를 기울이고 즉각적인 치료가 필요하다.

뇌부종의 발생은 저장성에 대한 뇌의 적응에 달려있다. 세포외액의 오스몰랄농도가 감소하면 수분이 세포 내로 이동하여 세포의 용적이 증가하고 조직의 부종을 초래한다. 수분통로인 AQP4 결손 생쥐는 저나트륨혈증으로 인한 뇌종창이 발생하지 않으나 수분통로가 과발현된 동물은 뇌종창이 더 심해지는 결과를 볼 때 AQP4가 혈액뇌장벽을 통한 수분의 이동에 결정적인 역할을 하는 것 같다. 두개골로 고정된 공간에서 세포의 부종은 뇌압을 상승시키고 신경학적 증상을 유발한다. 대부분의 저나트륨혈증 환자에서 용적조절 기전은 뇌부종을 예방한다.

저나트륨혈증이 발생하고 1~3시간 이내인 초기에는 먼저 뇌의 세포외액량이 감소하게 되는데 그것은 세포외액량이 뇌척수액을 거쳐 전신혈관으로 이동하기 때문이다. 이 변화는 즉시 나타나고 저나트륨혈증이 발생한지 30분 내에 세포외액의 용질인 소듐과 염소도 잃어버리게 된다. 만약 저나트륨혈증이 3시간 이상 지속되면 뇌는 포타슘과 유기용질 등 세포 내의 물질들을 내보내면서 적응하는데 이렇게 하면 많은 양의 수분을 세포 내에 쌓아두지 않고도 뇌의 오스몰랄농도를 낮출 수 있다. 그리고 저나트륨혈증이 더 오랫동안 지속되면 phosphocreatinine, myoinositol, glutamine, taurine 등 다른 유기물들을 세포 밖으로 내보낸다. 이러한 용질을 내보내면 뇌가 늘어나는 것을 현저히 감소시킬 수 있다. 이러한 적응 기전으로 일부 환자들 특히, 노인들은 혈청 소듐이 125 mmol/L 미만인 심한 저나트륨혈증임에도 불구하고 거의 증상이 나타나지 않는다.

저나트륨혈증의 경과 중에 급성 뇌부종이 발생할 위험성이 높은 환자들이 있다(표 3-3-3). 예를 들면, 폐경 전 여성이 입원하여 저나트륨혈증이 발생하면 폐경 후 여성이

표 3-3-3. 신경학적 합병증의 위험성이 높은 저나트륨혈증 환자

급성 뇌부종	삼투탈수초(뇌교중심부수초용해증)
수술 후 가임여성	간이식 수혜자
Thiazide를 복용 중인 고령의 여성	알코올중독자
소아	영양실조 환자
정신과 질환에 의한 이차성 다음증	저칼륨혈증 환자
저산소혈증 환자	화상 피해자
마라톤선수	Thiazide를 복용 중인 고령의 여성
	저산소혈증 환자
	[Na$^+$] <105 mmol/l

나 남성보다 증상이 심하고 치료 합병증도 잘 발생한다. 이는 저나트륨혈증의 정도나 발생 속도와는 무관하다. 이 환자들에서 최선의 치료는 수술 후에 저장성 수액을 투여하는 것을 피하는 것이다. 비록 수술 후에 등장성수액을 사용하더라도 소변의 소듐과 포타슘의 농도가 혈청의 농도보다 높으면 저나트륨혈증이 생길 수는 있지만 그 정도가 경미하며 뇌 기능이상은 잘 나타나지 않는다. 소아는 특히 급성 뇌부종 발생에 취약한데 이는 아마도 두개골 내에서 상대적으로 뇌가 차지하는 부분이 크기 때문일 것이다.

또 다른 신경학적 증후군이 저나트륨혈증 환자에서 발생할 수 있는데 이는 저나트륨혈증을 교정하는 과정에서 합병증으로 발생한다. 삼투탈수초(osmotic demyelination)는 뇌간의 뇌교(central pons)를 가장 흔히 침범하기 때문에 뇌교중심부수초용해증(central pontine myelinolysis)이라고도 부른다. 모든 연령에서 발생할 수 있지만 특히 발생 위험이 높은 환자군은 표 3-3-3에 표시하였다. 특히 간이식 후에 흔하며 부검 례의 13~29%로 보고되고 있다. 뇌교중심부수초용해증은 저나트륨혈증의 중증도 및 만성도와 연관되어 발생한다. 혈청 소듐이 120 mmol/L 이상이면 거의 발생하지 않고 48시간 이내에 급성으로 발생한 저나트륨혈증에서 잘 나타난다. 증상은 두 단계로 나타난다. 초기에는 혈청 소듐이 빨리 교정되면서 전반적인 뇌병증이 나타난다. 교정 2~3일 후 행동의 변화, 뇌신경 마비가 나타나고 쇠약이 진행하여 사지마비, 고정증후군(locked-in syndrome)이 발생한다. T2 강조 자기공명영상에서 교뇌와 교뇌 주위에 조영증강이 되지 않는 병변으로 나타난다. 이 병변은 발생 2주 후까지도 나타나지 않을 수 있으므로 초기 촬영이 정상 소견이라고 하더라도 삼투탈수초의 진단을 배제해서는 안 된다. 이 증후군의 병인론은 불확실하지만 소듐과 연결된 아미노산 수송체가 고장성 자극으로 하향 조정되어서 뇌로 삼투질농도물질을 되돌리는 게 지연되어 있다가 저나트륨혈증의 교정에 더 예민해졌기 때문이라는 가설이 제시되고 있다. 비록 혈청 소듐과 포타슘의 농도는 2~3시간 내에 정상으로 돌아가더라도 삼투적으로 활성이 있는 용질이 뇌에서 정상 수준으로 회복

되기에는 6~7일이 소요된다. 이러한 시간적인 불균형은 뇌의 탈수를 초래하고 혈액뇌장벽(blood-brain barrier)을 파괴시킬 수 있다. 원래 뇌교중심부수초용해증은 모두 사망하는 것으로 알려졌으나 요즘에는 사망률이 7~8%에 불과하고 46~60%에서 경과가 호전되는 것으로 보고되고 있다. 또한 인공호흡기 치료가 필요한 경우에도 회복이 가능하다는 보고가 있어 뇌교중심부수초용해증이 발생하더라도 포기하지 말고 수 주간은 적극적인 대증치료가 필요하겠다.

3. 저나트륨혈증의 진단적 평가

저나트륨혈증 환자의 임상적 평가는 원인 질환에 중점을 두어야 한다. 자세한 약물병력을 조사하는 것이 특히 중요하다. 체액상태에 대한 주의 깊은 임상적인 평가가 저나트륨혈증에 대한 진단적 접근에 있어 필수적이다(그림 3-3-2). 저나트륨혈증은 흔히 여러 요인에 의해 발생하므로 임상적인 평가에는 과다한 혈중 바소프레신, 체액상태, 구역과 통증의 유무 등 모든 가능한 원인을 포함하여야 한다. 환자가 호흡기 질환이나 중추신경계 질환에 의한 저나트륨혈증인지 평가하기 위하여 방사선학적 촬영이 필요할 수도 있다. 단순흉부촬영으로는 폐의 소세포암을 발견하지 못할 수 있으므로 흡연력이 있는 고위험군 환자에서는 흉부 전산화단층촬영을 고려하여야 한다.

검사실 검사로는 가성저나트륨혈증을 배제하기 위하여 혈청 오스몰랄농도를 측정하여야 한다. 화학검사에서 BUN과 크레아티닌이 상승한 경우는 원인으로 신장의 기능장애를 생각할 수 있으며 고칼륨혈증은 부신부전이나 저알도스테론혈증을 암시할 수 있다. 농도에 따라 소듐 농도가 변동하기 때문에 혈중 포도당 농도도 측정하여야 한다. SIADH 환자에서는 농도가 낮지만 체액이 부족한 환자에서는 농도가 상승하므로 혈중 요산 농도도 꼭 측정한다. 그리고 갑상선, 부갑상선, 뇌하수체 기능 검사도 시행한다.

소변의 전해질과 오스몰랄농도는 저나트륨혈증 환자의 초기 평가에 꼭 필요한 검사이다. SIADH 환자의 소변 소

듐 농도는 30 mmol/L 이상이지만 저혈량 저나트륨혈증 환자의 소변 소듐 농도와 상당부분 겹칠 수 있다. 이 경우는 생리식염수를 투여하여 혈중 소듐 농도가 교정되면 저혈량 저나트륨혈증으로 진단한다. thiazide 이뇨제에 의한 저나트륨혈증 환자의 경우도 예상보다 소듐이 많이 배설되고 다른 소견이 SIADH를 암시하는 경우에는 이뇨제를 끊고 1~2주가 지날 때까지 SIADH의 진단을 보류해야만 한다. 소변의 오스몰랄농도가 100 mOsm/kg 미만이면 다음증, 400 mOsm/kg 이상이면 바소프레신 과다의 가능성이 높지만 100~400 mOsm/kg이면 여러 요인의 병태생리가 복합되어 있다.

4. 저나트륨혈증의 치료

저나트륨혈증의 증상과 기간이 치료를 결정한다. 48시간 이내에 급성으로 발생한 저나트륨혈증 환자를 치료하지 않고 내버려두면 뇌부종으로 인한 영구적인 신경학적 후유증이 발생할 위험이 높다. 반대로 만성적인 저나트륨혈증 환자에서 너무 빨리 교정하면 삼투탈수초가 발생할 위험이 높다.

1) 증상이 있는 급성 저나트륨혈증

정신과 질환, 장기간의 운동, 엑스터시(클럽마약) 복용 등에 의한 급성 수분 중독이나 수술 후 발생한 저나트륨혈증, 뇌병변을 동반한 저나트륨혈증, 발작, 혼수 등이 해당된다. 이 경우에는 삼투탈수초보다 급성 뇌부종이 훨씬 더 위험하므로 치료는 즉시 시작하여야 한다(그림 3-3-3). 6의 법칙("Rule of sixes": six a day makes sense for safety; so six in six hours for severe symptoms and stop)을 기억해두면 좋다. 3% NaCl 고장성수액을 체중 kg당 2 mL의 용량으로 10~20분에 걸쳐 정주한다. 그리고 혈청 소듐 농도를 측정한 후 다시 동량의 수액을 정주한다. 혈청 소듐 농도가 6 mmol/L 상승할 때까지 반복한다. 증상이 호전되면 투여를 중지하고 만약 증상이 지속되면 증상이 호

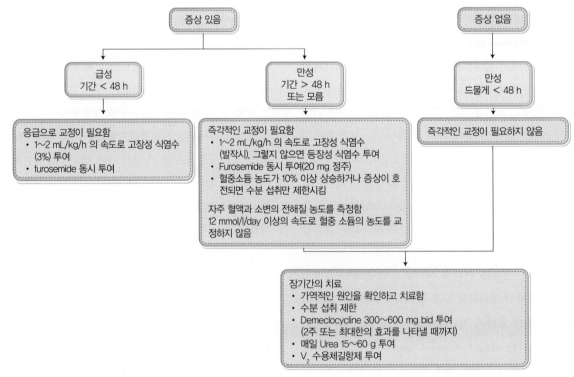

그림 3-3-3. 증상이 있는 저나트륨혈증 환자의 치료

전될 때까지, 혈청 소듐 농도가 5 mmol/L 상승할 때까지 또는 혈청 소듐 농도가 130 mmol/L이 될 때까지 투여한다. 수액을 투여한 후에 혈청 소듐 농도의 상승을 예측하는 수많은 공식이 제안되었지만 이들은 교정 속도를 과소평가하는 경향이 있다. 따라서 고장성식염수로 치료할 때 환자의 신경학적 호흡기적 상태의 변화를 주의 깊게 관찰하면서 혈청 전해질 검사를 매 2시간 간격으로 자주 측정하여야 한다.

2) 증상이 있는 만성 저나트륨혈증

저나트륨혈증이 발생한지 48시간 이상 지났거나 발생 기간을 모를 때는 교정 시 주의가 필요하다. 신경학적 합병증을 일으키는 요인이 교정 속도인지 교정 정도인지에 관해서는 논란이 있다. 그러나 임상에서는 빨리 교정하면 주어진 시간 동안 절대 교정량도 커지기 때문에 이 두 가지 변수를 분리하기는 어렵다. 다음은 치료지침에 중요한 원칙이다.

- 심한 만성 저나트륨혈증의 10%에서만 뇌의 수분이 증가하기 때문에 목표는 혈청 소듐의 농도를 10%, 또는 10 mmo/L까지 상승시킨다.
- 1시간 동안 교정 속도로 1.0~1.5 mmol/L을 초과하지 않는다.
- 24시간 동안 혈청 소듐 농도를 8~12 mmol/L 이상 올리지 않는다.

투여한 수액의 속도와 전해질 양, 소변의 생성 속도와 전해질 양을 고려하는 것이 중요하다. 일단 원하는 만큼 혈청 소듐 농도가 상승하면 그 다음 치료는 수분 섭취만 제한시킨다.

만약 교정이 바라는 속도보다 빨리 진행되면(대개 저장성 소변이 배설되기 때문에), 경정맥이나 피하로 데스모프레신을 투여하거나 5% dextrose 용액을 투여하여 혈청 소듐 농도를 다시 낮춤으로써 삼투탈수초의 위험을 줄일 수도 있다.

3) 증상이 없는 만성 저나트륨혈증

많은 만성 저나트륨혈증 환자가 증상이 없는 것 같지만 국소적인 신경학적 검사에서는 종종 미묘한 장애가 드러난다. 중독 수준으로 술을 마신 사람과 비교할 만큼의 보행 장애가 저나트륨혈증을 교정한 후에 회복되는 것이 관찰되기도 한다. 이는 낙상과 골절의 위험을 증가시킨다. 따라서 증상이 없는 환자라도 혈청 소듐을 거의 정상 수준으로 되돌리도록 치료해야 한다. 이 환자들에서 갑상선기능저하증, 부신기능부전, SIADH 등을 조사하고 복용 중인 약제도 검토해야 한다.

(1) 수분제한

수분제한은 증상이 없는 만성 저나트륨혈증 환자에서 최우선적인 치료이지만 종종 그 효과는 떨어진다. 이 치료법은 대개 환자의 협조가 가능해야만 성공적이다. 물뿐 아니라 모든 음료의 섭취를 제한하여야 하며 소듐과 단백질의 섭취는 제한하지 않아야 한다. 특정 혈청 소듐 농도를 유지할 수 있는 수분 제한양을 먼저 계산해야 한다. 하루 삼투부하량(osmolar load, OL)과 최소소변오스몰랄농도 $(Uosm)_{min}$에서 환자의 최대소변양(V_{max})이 결정된다.

$$V_{max} = OL/(Uosm)_{min}$$

$(Uosm)_{min}$ 값은 소변 희석능에 장애가 있는 질환의 중증도를 나타내는 함수이다. 혈액 내 바소프레신이 존재하지 않으면 50 mOsm까지 낮아질 수 있다. 정상 서양식 식사에서 하루 삼투부하량은 약 10 mOsm/kg로 70 kg 성인에서 700 mOsm이다. SIADH 환자가 U_{osm}을 50 mOsm이하로 낮출 수 없다고 가정하면 700 mOsm을 처리하기 위해서는 하루 1.4 L의 소변을 배설하여야 한다. 그러므로 환자가 하루 1.4 L 이상의 물을 마시면 혈청 소듐 농도는 떨어지게 된다. 소변의 소듐과 포타슘을 측정하면 해당 환자에게 필요한 수분 제한 정도를 알 수 있다. 만약 희석장애가 너무 심해서 1 L 미만으로 수분을 제한하여야 하고 환자의 혈청 소듐 농도가 계속 130 mmol/L 미만으로 낮으면

용질 배설을 증가시키거나 바소프레신을 억제하는 약물 치료를 고려해야 한다.

(2) 용질 배설을 증가시키는 방법

만약 환자가 수분제한에 반응이 없다면 용질과 유리수분의 배설을 강제로 촉진하기 위해 용질 섭취를 증가시킬 수 있다. 이는 소변의 C_{osm}을 증가시키기 위해 염분과 단백질의 섭취를 증가시킴으로써 가능하다. 고염식이(2~3g의 추가염분)와 함께 고리작용이뇨제를 함께 사용하면 저나트륨혈증을 치료하는데 효과적이다. 대개 furosemide 40 mg을 1회 투여하면 충분하지만 투여 후 이뇨 효과가 8시간 이내로 지속되거나 총 하루 소변양의 60% 이하로 배설되면 용량을 2배 증량하여야 한다.

요소를 투여하면 삼투이뇨를 일으켜 소변양이 증가한다. 이 방법은 저나트륨혈증을 악화시키거나 요 농축능을 변화시키지 않고서도 자유롭게 수분섭취가 가능하게 한다. 요소의 용량은 대개 하루 30~60 g이다. 맛이 없고 소화기계 불편감을 느끼는 것이 제한점이다.

(3) 바소프레신 억제약물

밥탄(Vaptan)은 경구용 V_2 수용체길항제로서 바소프레신이 집합관 세관세포에 결합하지 못하게 하여 전해질 배설 없이 순수하게 수분만 배설시키는 새로운 약제이다. 이 약제는 만성 정상 혈량 및 과혈량 저나트륨혈증 환자의 치료에 효과적이다. 신경학적 증상이 있는 급성 저나트륨혈증 환자와 체액량이 감소한 저나트륨혈증 환자에서는 사용하지 않는다. V_2와 V_{1a} 길항제인 conivaptan은 유일하게 정맥으로 투여 가능한 밥탄이다. 입원 환자에서 일시적인 SIADH가 발생한 경우에 저나트륨혈증을 치료하기 위해 사용할 수 있지만 강력한 CYP3A4 억제제이므로 4일 이내로 사용하여야 한다. 경구 V_2 수용체길항제인 tolvaptan은 하루 15~60 mg의 용량을 사용한다. SIADH에 의한 저나트륨혈증의 치료에 효과적이다. 밥탄을 투여하기 시작한 첫 1~2일은 매 6~8 시간마다 혈중 소듐 농도를 측정하여야 하고 이때 수분섭취는 제한하지 않아야 한다. 흔한 부작용은 다뇨, 빈뇨, 갈증, 구강 건조, 변비 등이다. 간질환

이 있는 환자에서는 사용하지 말아야 하지만, 간이식을 기다리는 말기 간환자는 이식 후 삼투탈수초가 발생할 위험이 있으므로 사용을 고려할 수 있다. 그러나 약 15%의 환자에서는 이 약제가 효과가 없다. 혈중 바소프레신 농도가 높은 경우, 심부전과 간경변과 같이 바소프레신과 무관하게 요의 희석 능력에 장애가 있는 경우, 과다하게 수분을 섭취하는 경우, 신장기원항이뇨증후군 등이다.

또 다른 약물 치료법으로는 데메클로사이클린(deme-clocycline)을 식사 1~2시간 후 하루 600~1,200 mg을 투여하는 것이다. 이 때 칼슘, 마그네슘이 포함된 제산제의 사용은 피하여야 한다. 치료 시작 3~6일 후 작용이 나타난다. 수분 섭취는 자유롭게 하면서 혈청 소듐이 적절한 범위로 유지될 수 있는 최소한의 용량으로 적정하여야 한다. 피부 광과민성이 나타날 수 있고 소아에서 치아나 뼈의 이상이 발생할 수 있다. 다뇨로 약물 순응도가 떨어지고 기저 간질환이 있는 환자에서 신독성이 나타날 수 있다. 리튬은 과거에 집합관에서 바소프레신의 작용을 막기 위해 사용하였지만 요즘은 밥탄과 데메클로사이클린으로 대체되고 있다.

4) 저혈량 저나트륨혈증

체액량이 정상화되면 바소프레신의 분비가 억제되므로 수분이뇨가 갑자기 시작되어 혈중 소듐 농도가 과다하게 교정될 위험이 있으므로 주의가 필요하다.

특히, 나이 많은 여자 환자에게 thiazide를 처방하면 혈청 소듐을 자주 측정하고 수분 섭취를 제한하여야 한다. 만약 저나트륨혈증이 나타나면 약제는 중단할 필요가 있다.

저혈량 저나트륨혈증에서는 저나트륨혈증과 직접 관련된 신경학적 증후군은 드문데 이는 소듐과 수분의 소실로 인하여 뇌에서 오스몰랄농도의 변동이 적기 때문이다. 정질액이나 콜로이드 용액으로 세포외액양을 회복시키면 바소프레신의 분비가 줄어든다. 이 상황에 바소프레신 길항제를 사용해서는 안 된다.

5) 과혈량 저나트륨혈증

(1) 울혈성심부전

심부전 환자에서 소듐과 수분의 제한은 필수적이다. 이 환자들은 안지오텐신전환효소억제제(angiotensin converting enzyme inhibitor, ACEI)와 이뇨제를 병합하여 치료한다. 심박출량의 증가는 수분 배설을 제한하고 있는 신경호르몬 매개 과정을 억제한다. 고리작용이뇨제는 집합관에서 바소프레신의 작용을 감소시켜 수분 재흡수를 줄인다. Thiazide는 소변 희석을 방해하고 저나트륨혈증을 악화시킬 수 있으므로 피하여야 한다. V_2수용체길항제는 심부전 환자에서 혈청 소듐 농도를 올리고 이로 인한 혈청 소듐 농도의 교정은 장기적으로 심부전의 경과를 호전시킨다. 그러나 비대상성심장부전 환자를 대상으로 시행한 대규모 무작위배정 EVEREST 임상시험에서는 tolvaptan 치료가 환자들의 장기적인 임상경과를 전혀 변화시키지 못하였다. 이론상으로는 V_1 길항효과를 지닌 밥탄이 심부전에 추가적인 이득이 있을 수 있겠으나 증명된 바는 없다.

(2) 간경변

간경변 환자에서도 수분과 소듐의 제한은 치료의 근간이다. 일단 소듐 균형이 음의 값을 가지면 고리작용이뇨제는 C_{water}를 증가시킨다. V_2수용체길항제는 혈청 소듐 농도를 상승시키면서 수분 배설을 증가시킨다. 한 연구에 의하면 satavaptan이 혈청 소듐 농도를 평균 6.6 mmol/L 상승시켰다. SIADH나 심부전 환자보다 간경변 환자에서 밥탄의 반응이 약화되어 있는 것으로 보아 간경변에 의한 저나트륨혈증에는 바소프레신과 무관한 기전이 관여하고 있는 것 같다. 간부전 환자에게 V_2수용체길항제를 투여해도 혈압은 감소하지 않는다. V_1과 V_2가 병합된 길항제인 conivaptan은 이 환자들에게 투여해서는 안 된다.

고나트륨혈증

고나트륨혈증은 혈청 소듐 농도가 145 mmol/L 이상으로 정의하며 이는 혈청 오스몰랄농도의 상승을 반영한다. 저나트륨혈증보다는 훨씬 빈도가 낮지만 연관된 기저질환의 중증도로 인하여 사망률이 40~60%에 이른다. 대개 체액이 부족한 경우가 많지만 중환자실에 입원한 환자들은 체액이 과다한 경우에도 발생할 수 있다. 중환자실에 입원한 환자에서 최근 20년간 고나트륨혈증의 빈도가 매우 증가하고 있다. 신장의 농축기전은 수분 결핍과 고삼투질농도에 대한 일차적인 방어기전이다. 사구체여과율의 감소로 세관 원위부로 도달하는 용질의 양이 감소하는 경우, 고리작용이뇨제의 사용으로 헨레고리상행각의 소듐과 클로라이드의 재흡수가 감소하여 간질을 고장성으로 만들 수 없는 경우, 식이 섭취 부족으로 수질의 요소 축적이 감소하는 경우, 수질의 혈액량이 변화하는 경우 등에서 소변 농축에 장애가 생긴다. 고나트륨혈증은 또한 바소프레신을 분비하지 못하거나 바소프레신에 반응하지 못하는 경우에도 발생할 수 있다. 갈증이 고나트륨혈증을 예방하는 가장 중요한 방어기전이다.

1. 고나트륨혈증의 원인과 분류

저나트륨혈증과 마찬가지로 고나트륨혈증 환자도 체액상태에 따라 세 가지 범주로 분류할 수 있다. 이 환자들을 평가하는데 도움이 되는 진단 흐름도가 그림 3-3-4에 나타나 있다.

1) 체액감소: 체내 총 소듐 감소와 연관된 고나트륨혈증

저혈량 고나트륨혈증 환자는 지속적으로 소듐과 수분을 동시에 잃지만 상대적으로 수분소실이 더 많다. 이학적 검진에서 기립성저혈압, 빈맥, 피부탄성도 감소, 때로는 의식상태 변동 등의 징후가 나타난다. 일반적으로 환자들은 신장이나 위장관을 통한 저장성 수분 소실이 있으며 후자의 경우에는 소변의 소듐 농도는 낮다.

2) 체액증가: 체내 총 소듐 증가와 연관된 고나트륨혈증

체내 총 소듐이 증가한 고나트륨혈증은 고나트륨혈증 중 가장 드문 형태이다. 임신중절을 위해 3% NaCl과 같은

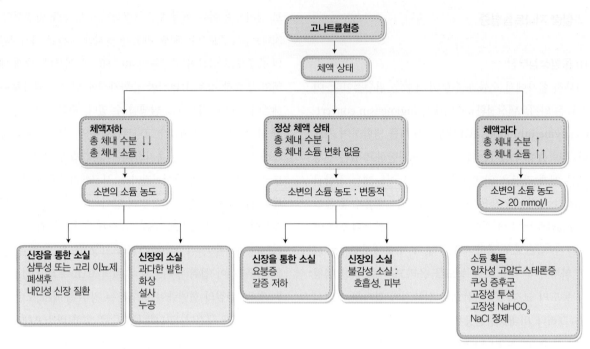

그림 3-3-4. 고나트륨혈증의 진단적 접근 방법

고장성용액을 양막내 점적(intra-amniotic instillation) 투여하거나 대사산증, 고칼륨혈증, 심폐소생술 등의 치료 목적으로 소듐탄산수소염을 투여하는 경우에 발생한다. 의도하지 않게 높은 소듐 농도의 투석액으로 투석을 시행한 경우에도 발생할 수 있다. 뇌압이 상승한 경우에 마니톨 대신에 고장성식염수 용액을 투여하기 시작하면서 치료 과정에서 발생하는 고나트륨혈증도 점점 더 증가하고 있다. 부종이 있으면서 소변을 농축시킬 수 없고 저알부민혈증이 동반되어 입원한 신부전 환자에서도 고나트륨혈증이 점점 늘어나고 있다.

3) 체액정상: 체내 총 소듐이 정상인 고나트륨혈증

수분 소실로 인한 이차적인 고나트륨혈증 환자는 대부분 체내 총 소듐 양이 정상인 정상 혈량인데 이는 소듐 소실 없이 수분만 잃어버리는 경우에는 뚜렷한 체액감소가 일어나지 않기 때문이다. 다음증은 드물기 때문에 물을 구할 수 없거나 갈증을 잘 느끼지 못하는 아주 어린 소아나 고령의 노인환자에서만 고나트륨혈증이 발생한다. 신장 이외로 수분소실이 일어나는 경우는 열이 있거나 다른 이유로 대사량이 증가하여 피부나 호흡기계를 통하여 일어나는 경우인데 이때는 삼투수용기-바소프레신-신장의 반응이 정상이기 때문에 소변의 오스몰랄농도는 높다. 소변의 소듐 농도는 소듐의 섭취에 따라 다양하다. 신장을 통한 수분 소실은 정상 혈량 고나트륨혈증을 일으키는데 이는 바소프레신이 만들어지지 않거나 분비되지 않는 중추요붕증 또는 바소프레신에 집합관이 반응하지 못하는 신장기원요붕증에서 나타난다. 혈장 오스몰랄농도가 상승하지 않도록 방어하는 방법은 갈증이 자극되어 적절히 물을 마시는 것이다. 다뇨를 일으키는 질환은 C_{osm} 또는 C_{water} 가 증가하는 경우에 발생한다. C_{osm} 가 증가하는 경우는 이뇨제 사용, 신장을 통한 염분 소실, 과다한 염분 섭취, 구토, 알칼리 투여, 마니톨 투여 등이다. C_{water} 가 증가하는 경우는 정신성 다음증과 같이 과다한 수분 섭취 또는 요붕증처럼 소변 농축의 이상 등이다.

(1) 요붕증(Diabetes insipidus)

요붕증은 다뇨와 다음증이 특징이며 바소프레신 작용의 결함 때문에 발생한다. 중추요붕증과 신장기원요붕증 환자와 일차성 다음증 환자는 모두 다뇨와 다음증으로 발현하다. 이 질환들의 감별은 혈중 바소프레신 농도를 측정하고 수분 제한 검사와 바소프레신 투여 후의 반응 등을 평가하면 가능하다.

① 중추요붕증(Central diabetes insipidus)
가. 임상적 특징

중추요붕증은 대개 갑자기 발생한다. 환자는 계속 물을 마시려 하고 특히 찬물을 선호하며 야뇨증이 동반된다. 반대로 강박적으로 수분을 섭취하는 사람은 발생시점이 모호하고 수분 섭취량과 소변양에 편차가 심하다. 혈청 오스몰랄농도가 295 mOsm/kg이면 중추요붕증을 시사하고 270 mOsm/kg미만이면 강박적인 수분 섭취임을 시사한다.

나. 원인

중추요붕증의 50%는 중추신경계를 침범하는 감염, 종양, 육아종, 외상 등이 원인이고 나머지 50%의 경우는 특발성이다. 한 연구에 의하면 79명의 중추요붕증 소아와 젊은 성인의 절반은 특발성이었고 나머지 절반은 종양과 랑게르한스 세포 조직구증이었는데 이 환자들은 특발성 질환에 비하여 뇌하수체전엽호르몬 결핍이 발생할 가능성이 80% 정도 되었다.

상염색체우성 요붕증은 바소프레신 전구 유전자의 점돌연변이에 의하여 프로바소프레신 펩티드가 잘못 접혀있어 시상하부와 뇌하수체 후엽에서 분비되지 못하기 때문에 발생한다. 환자는 출생 첫 해에 경도의 다뇨와 다음증으로 발현한다. 이 소아들은 신체적, 정신적으로 정상 발육을 한다. 아주 드문 경우로 상염색체열성 중추요붕증은 당뇨병, 시신경위축, 난청과 동반된다(Wolfram 증후군). Wolfram 증후군에서 요붕증은 대개 부분적이며 점진적으로 발현한다. 4번 염색체와 관련이 있고 미토콘드리아 DNA에 이상이 있다.

중추요붕증과 구갈기전 결핍이 병합된 드문 질환이 있다. 41개의 연구에서 총 70명의 환자가 보고되고 있다. 바소프레신 분비와 갈증을 느끼는 것 모두에 장애가 있으면 서 환자는 반복적인 고나트륨혈증에 취약하다. 예전에 본태성 고나트륨혈증이라 불리던 이 질환은 현재는 중추요붕증과 구갈기전 결핍 또는 무음증 중추요붕증이라고 불리고 있다.

다. 감별진단

방사면역측정법으로 혈중 바소프레신을 측정하는 것이 수분제한 검사보다 선호된다. 기저 상태에서 바소프레신의 농도 측정은 도움이 되지 않는데 그 이유는 다음증 질환에서 바소프레신 농도가 상당히 겹치기 때문이다. 수분 제한 검사 후에 측정하는 것이 더 도움이 된다.

라. 치료

중추요붕증은 호르몬 보충이나 약물로 치료된다. 신장을 통한 수분소실이 상당한 급성 상황에서는 액체 바소프레신(pitressin)이 유용하다. 이 약제는 작용시간이 짧고 주의 깊은 모니터링이 가능하고 수분 중독과 같은 합병증을 피할 수 있다. 그러나 관상동맥 질환이나 말초혈관 질환을 가진 환자에서는 조심스럽게 사용해야 하는데 혈관 연축과 지속적인 혈관수축을 일으킬 수 있기 때문이다. 만성적 중추요붕증에는 데스모프레신(desmopressin)이 선택약제이다. 이 약은 반감기가 길고 pitressin과 같은 혈관수축 작용이 없다. 매 12~24시간마다 10~20 μg의 용량을 비강 내로 투여한다. 임신 중에도 안전하게 사용할 수 있고 혈액 내의 바소프레신 분해효소에도 저항성이 있다. 경구 데스모프레신도 이차 치료로 사용가능하며 매 12시간마다 0.1~0.8 mg을 투여한다. 부분적인 요붕증을 가진 환자에서는 데스모프레신에 추가하여 바소프레신의 분비를 증강시키는 약제를 사용할 수도 있다. 이 약제들로는 chlorpropamide, clofibrate, carbamazepine 등이 있다.

② 선천적인 신장기원요붕증(Nephrogenic diabetes insipidus)

유전적인 요붕증은 aquaporin이나 바소프레신 수용체의 유전자에 돌연변이 때문에 발생한다. 소변양이 매우 많으며 환자가 자유로이 수분을 마시지 않으면 심한 고나트룸혈증에 빠질 위험성이 있다.

③ 후천적인 신장기원요붕증

후천적인 신장기원요붕증은 선천성 신장기원요붕증 보다 훨씬 흔하며 증세가 경미하다. 이 환자들은 소변을 최대로 농축하는 능력은 떨어져 있지만 소변 농축 기전은 일부 보존되어 있다. 따라서 하루 소변양은 3~4 L 미만으로 선천성이나 중추요붕증, 강박적인 수분 섭취 환자들에서 훨씬 많은 소변양을 보이는 것과는 대조적이다.

가. 세관사이질

소변 농축능의 장애는 어떤 원인의 만성신부전 환자에서도 발생할 수 있는데 세관간질 질환, 특히 속질낭콩팥병에서 가장 두드러진다. 내수질의 구조 붕괴와 수질의 농축능 감소가 주된 역할을 하는 것 같고 또한 V2수용체나 AQP2 발현의 변화도 관여한다. 하루 삼투부하량을 배출하기 위해서는 농축 능력의 결핍 정도에 상응하는 양의 수분이 필요하다. 환자에게 소변양 만큼의 수분은 섭취할 것을 권유해야 한다.

나. 전해질 이상

저칼륨혈증은 가역적인 소변 농축능의 이상을 초래한다. 저칼륨혈증은 헨레고리비후상행각에서 나트륨-클로라이드의 재흡수를 감소시켜서 수분 섭취를 자극하고 사이질의 장력을 감소시킨다. 설사, 만성적인 이뇨제 사용, 일차성 알도스테론증 등에 의한 저칼륨혈증은 세포내의 cAMP 축적을 감소시키고 바소프레신에 예민한 AQP2의 발현을 감소시킨다.

고칼슘혈증은 소변의 농축 능력을 방해하여 경도의 다음증을 유발한다. 병태생리 기전은 다양한데 헨레고리비후상행각에서 바소프레신에 의해 자극되는 아데닐사이클라아제의 감소에 의한 수질사이질의 장력 감소, 집합관에서 AQP2 발현감소와 아데닐사이클라아제 활성의 결핍 등이 제시되고 있다.

다. 약물

리튬(Lithium)은 신장기원요붕증의 가장 흔한 원인이다. 또 장기간 사용할 경우는 서서히 신부전이 진행한다. 리튬은 집합관에서 AQP2를 하향조절하고 cyclooxygenase 2 (COX-2)의 발현과 소변의 프로스타글란딘을 증가시켜 다뇨를 유발한다. 리튬의 농축능 결핍은 약제를 끊은 후에도 지속될 수 있다. 상피소듐통로(epithelial sodium channel, ENaC)은 리튬이 집합관의 주세포로 들어가는 통로이다. 아밀로라이드는 ENaC을 통한 리튬의 섭취를 억제하여 리튬에 의한 신장기원요붕증을 치료하는데 사용되어 왔다. 알도스테론을 투여하면 리튬에 의한 실험적 신장기원요붕증에서 소변양을 극적으로 증가시키고(이는 집합관 내강막의 AQP2 발현이 감소하는 것과 연관된 효과임.), 미네랄코티코이드 수용체 길항제인 스피로노락톤을 투여하면 소변양이 줄어들고 AQP2의 발현이 증가한다. 그러나 스피로노락톤이 리튬으로 유발된 신장기원요붕증 환자에서 치료제로 사용 가능한지는 아직 알려져 있지 않다. 치료는 염분과 단백질 섭취를 제한하고 thiazide 이뇨제나 아밀로라이드를 사용한다.

소변의 농축 능력을 저해하는 다른 약제로는 암포테리신, 포스카르넷, 데메클로사이클린 등이 있고 이들은 신수질의 아데닐사이클라아제의 활성을 감소시켜 집합관에서 바소프레신의 효과를 감소시킨다.

라. 겸상적혈구빈혈

겸상적혈구빈혈 환자는 소변 농축능이 결핍되어 있다. 고장성 수질사이질에서 낫모양의 적혈구는 직행혈관(vasa recta)의 폐색을 일으키고 신우의 손상을 초래한다. 이에 따른 수질의 허혈은 상행각에서 소듐-클로라이드의 이동을 저해하고 수질의 장력을 감소시킨다. 초기에는 가역적이지만 겸상적혈구병이 오래되면 수질 경색을 초래하고 비가역적인 농축능의 결핍이 나타난다.

마. 식이 이상

과다한 수분 섭취나 염분과 단백질 섭취의 현저한 감소는 수질사이질의 장력을 감소시켜 최대 소변 농축능력을 저해한다. 과다한 수분 섭취를 동반한 저단백질 식사는 바소프레신에 의해 자극되는 삼투성 수분 투과를 감소시킨다.

④ 임신요붕증

임신요붕증에서는 태반에서 분비되는 바소프레신 분해효소가 혈중에서 상승되어 있다. 환자들은 바소프레신에는 반응이 없지만 바소프레신 분해효소에 저항성 있는 데스모프레신에는 특징적으로 잘 반응한다.

2. 고나트륨혈증의 임상증상

일부 환자들은 심한 고나트륨혈증이 발생할 위험이 높다. 증상과 징후는 대개 중추신경계와 관련이 있으며 정신상태의 변동, 기면, 과민성, 안절부절, 발작(소아의 경우), 근연축, 과다반사, 강직 등이 나타난다. 또한 발열, 구역, 구토, 호흡곤란, 심한 갈증 등이 나타날 수 있다. 소아에서는 급성 고나트륨혈증의 사망률은 10~70%이다. 생존자의 2/3는 신경학적 후유증이 발생한다. 그러나 만성 고나트륨혈증의 사망률은 10%이다. 고나트륨혈증 그 자체보다는 연관된 동반 질병 때문일 수도 있으나 성인에서 혈청 소듐농도가 160 mmol/L을 초과하는 경우 사망률은 75%에 이른다.

고나트륨혈증 환자에서는 수분이 세포내액에서 세포외액으로 이동하여 세포내액의 용적이 감소하고 세포가 위축된다. 뇌에서 세포위축이 일어나면 뇌 안에서 출혈이 발생하여 뇌의 표면이나 지주막에서 점상출혈이 생기고 경우에 따라서는 뇌혈관이 찢어지기도 한다. 뇌세포는 소듐과 기타 전해질을 세포 내에 축적하고 그 이후에는 myoinositol, glutamine, glutamate, taurine과 같은 비전해질 유기물을 자체적으로 세포 내에서 생산함으로써 줄어든 세포의 용적을 회복시키는 적응을 하게 된다. 이러한 적응 과정은 세포위축을 부분적으로 되돌릴 수는 있으나 세포 내의 조성을 변화시켜 신경세포의 기능에 장애를 초래하는 희생을 감수하게 된다.

3. 고나트륨혈증의 진단적 평가

병력청취에서는 갈증, 다뇨, 설사 등의 유무를 확인하여야 한다. 신체검진에서는 자세한 신경학적 검진과 체액 상태에 대한 평가가 포함되어야 한다. 하루 수분 섭취량과 소변양을 정확히 기록하는 것이 고나트륨혈증을 진단하고 치료하는데 중요하다.

실험실 검사로는 소변 전해질 및 혈액과 소변의 오스몰랄농도가 포함되어야 한다. 고나트륨혈증에 대한 적절한 반응은 혈청 오스몰랄농도가 295 mOsm/kg 이상으로 상승하고 혈중 바소프레신 농도가 상승하고 소변 오스몰랄농도 800 mOsm/kg 이상의 최대로 농축된 소변이 하루 500 mL 미만으로 배설되는 것이다. 이 경우는 신장 이외의 경로로 수분을 소실할 때이다. 삼투이뇨가 원인인 경우에는 소변의 용질 배설이 증가한 다뇨로 나타나고 수분이 뇨인 경우에는 저장성의 희석된 소변을 배설하는 다뇨로 나타난다.

신장기원요붕증과 중추요붕증의 감별을 위해서는 혈중 바소프레신 농도 측정과 함께 DDAVP를 투여한 후 소변 오스몰랄농도의 변화를 측정하여야 한다. 고나트륨혈증 환자는 뇌하수체 후엽에서 바소프레신이 적절히 분비될 자극이 충분한 상태이므로 수분제한검사를 실시할 필요가 없으며 오히려 고나트륨혈증을 악화시킬 위험이 있기 때문에 이 검사는 절대적인 금기이다. 신장기원요붕증 환자는 DDAVP에 반응하지 않기 때문에 혈중 바소프레신 농도는 정상이나 상승되어 있고 소변 오스몰랄농도는 DDAVP 투여 전에 비하여 50% 또는 150 mOsm/kg 이하로 상승한다. 그러나 중추요붕증 환자는 혈중 바소프레신 농도는 떨어져 있고 DDAVP 투여에 반응이 있다. 임산부에서 검사를 할 때는 바소프레신이 태반의 바소프레신 분해효소에 의하여 분해되므로 단백질 분해효소 억제제가 있는 시험관에서 바소프레신을 측정해야 한다.

4. 고나트륨혈증의 치료

고나트륨혈증은 예상 가능한 임상 상황에서 발생하므

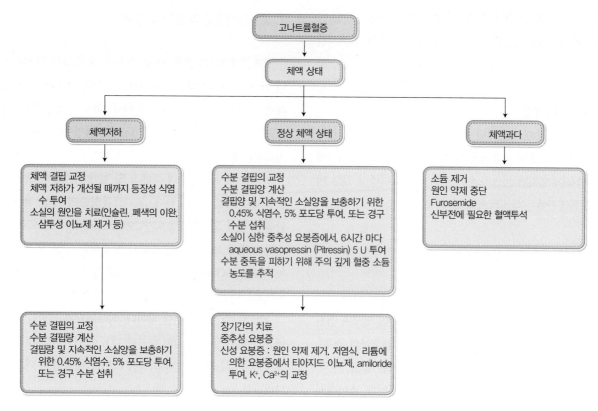

그림 3-3-5. 고나트륨혈증의 치료

로 예방의 기회가 있다. 입원해 있는 노인 환자가 위험성이 높은데 이들은 갈증을 느끼는데 장애가 있고 스스로 물을 구하지 못하기 때문이다. 급성콩팥손상에서 회복기, 이화작용에 처한 상태, 고장성용액으로 치료 중, 조절되지 않은 당뇨병, 화상 등과 같은 임상 상황에서는 신속하게 혈청 소듐 농도에 주의를 기울이고 수분 투여를 증가시켜야 한다.

고나트륨혈증은 항상 고삼투질농도 상황을 반영한다. 이 환자들의 1차 치료목표는 혈청 장력을 원상으로 회복시키는 것이다. 치료법은 체액의 상태에 따라 달라진다(그림 3-3-5).

고나트륨혈증의 교정속도는 논란이 많다. 일부 동물실험과 소아 환자의 증례보고에 의하면 시간당 0.5 mmol/L 보다 빨리 교정하면 발작이 일어날 수 있다고 한다. 또한 고나트륨혈증을 빨리 교정하면 수분이 뇌 안으로 이동하여 뇌부종이 생길 수 있다. 대부분의 임상의사들은 성인에

서도 48시간 동안 시간 당 2 mmol/L 이내의 속도로 교정하고 있다.

다뇨(Polyuria)

다뇨는 하루 3 L이상 소변을 보는 경우로 정의하며 빈뇨와 감별이 필요하다. 빈뇨는 적은 양의 소변을 자주 보기 때문에 전체 소변양은 3 L가 되지 않는다. 다뇨는 하루 종일 요 농축기전이 작동하지 않거나(수분이뇨) 또는 과다하게 소변으로 용질이 배출되는 경우에(용질이뇨) 나타난다.

1. 용질이뇨(Solute diuresis)

용질이뇨는 하루 배설되는 용질의 양이 800~1,000 mOsm을 초과하는 경우로 정의한다. 초과 배설되는 용질

의 성분은 전해질 또는 비전해질이 된다. 전해질 용질이뇨는 병원에서 과량의 전해질이 포함된 용액이 투여 받는 경우에 발생한다. 비전해질 용질이뇨는 삼투이뇨와 동일한데, 흡수되지 않는 비전해질 용질이 세관액에 존재하여 물과 다른 전해질이 재흡수되는 것을 방해하기 때문이다. 그 결과로 환자는 혈장 오스몰랄농도와 비슷한 농도의 소변을 다량 배설하게 된다.

2. 수분이뇨(Water diuresis)

하루에 600 mOsm 이상의 용질이 소변으로 배설되면서 다뇨가 동반된 경우에는 요 농축능의 결함을 의심해야 한다. 이러한 결함은 내인콩팥손상과 연관되어 나타나기도 하고 만성신부전에서 사이질의 손상 때문에 나타나기도 한다. 요 농축능의 결함이 더 특징적인 경우는 요붕증 질환의 범주에 해당한다.

3. 치료

일단 다뇨 환자를 용질배설이 증가한 용질이뇨인지 수분배설이 증가한 수분이뇨인지 분류하고 임상증상과 치료는 원인질환을 따른다. 체액과 장력의 변화는 앞에서 기술한 바와 같다. 다뇨 발생 시점에 사용한 수액과 약제에 따라 환자의 상당수는 혈청 소듐과 체액의 변화가 있으므로 수액과 전해질 이상을 교정하는 것 뿐 아니라 원인질환에도 주의를 기울여야 한다. 그러므로 예를 들어 혈당이 조절되지 않는 경우에 혈당강하 치료가 효과적으로 용질이뇨와 다뇨를 교정하더라도 초기에는 동반된 전해질과 체액 이상을 우선적으로 교정해 주어야 한다.

▶ 참고문헌

- Berl T: Vasopressin antagonists. N Eng J Med 372:2207–2216, 2015.
- Parikh C, et al: Disorders of water metabolism, in Comprehensive Clinical Nephrology. 4th ed, edited by Floege J, Johnson RJ, Fee─hally J. St. Louis, Elsevier Saunders, 2010, pp100–117
- Seay NW, et al: Diagnosis and management of disorders of body tonicity─hyponatremia and hypernatremia: core curriculum 2020. Am J Kidney Dis 75:272–286, 2020.
- Spasovski G, et al: Clinical practice guideline on diagnosis and treatment of hyponatraemia. Nephrol Dial Transplant Suppl 2:i1–i39, 2014.
- Verbalis JG, et al: Diagnosis, evaluation, and treatment of hypona─tremia: expert panel recommendations. Am J Med 126:S1–S42, 2013.

CHAPTER

04 포타슘 대사의 장애

허남주 (서울의대)

KEY POINTS

● 포타슘 균형은 내부조절과 외부조절로 구분하며, 알도스테론, 혈청 포타슘 농도와 같이 외적인 포타슘 균형에 영향을 주는 인자 및 기전에 대한 내용을 추가하였다.

● 저칼륨혈증은 병력 청취와 신체검진, 요 포타슘 검사, 산-염기 상태, 고혈압 동반 여부로 원인을 감별한다.

● 고칼륨혈증은 응급상황인 경우 치료가 중요하고, 가성 고칼륨혈증, 혈압, 혈청과 소변의 전해질, 삼투질 농도를 함께 고려하여 감별진단한다.

● 고칼륨혈증의 치료에 최근 개발된 장내 포타슘 제거제인 patiromer, sodium zirconium cyclosilicate의 효과 및 부작용을 추가하였다.

포타슘 균형(Potassium balance)

체내 총 포타슘은 약 3,500 mmol이다. 약 98%가 세포내액(주로 골격근)에 분포하고 나머지 2%(약 70 mmol)는 세포외액에 있다. 포타슘의 항상성 유지에는 신장과 장을 통한 외부 조절과 세포외액과 세포내액 간의 포타슘 이동을 통한 내부 조절이 있다.

1. 내적인 포타슘 균형

포타슘 농도는 세포내액에서 약 150 mmol/L, 세포외액에서 약 4 mmol/L로, 비율은 약 35~40배에 이른다. 이러

한 차이에 의해 정지막 전위 −90 mV를 형성하게 된다. 분포의 차이가 크기 때문에, 세포내액에서 세포외액으로 적은 양의 포타슘이 이동해도 혈장 포타슘은 매우 증가한다. 역으로, 세포외액에서 세포내액으로 상대적으로 적은 양의 포타슘이 이동해도 혈장 포타슘은 매우 감소한다. 이러한 세포외액과 세포내액 사이의 포타슘이동은 수 분 안에 이루어진다. 인슐린, 글루카곤, 알도스테론, 카테콜라민(catecholamines), 산-염기 상태의 변화, 과격한 운동 등이 세포외액과 내액 사이의 포타슘 이동에 영향을 미친다 (그림 3-4-1).

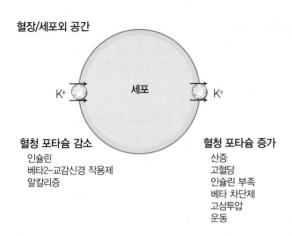

혈장/세포외 공간

세포

K⁺   K⁺

혈청 포타슘 감소
인슐린
베타2-교감신경 작용제
알칼리증

혈청 포타슘 증가
산증
고혈당
인슐린 부족
베타 차단제
고삼투압
운동

그림 3-4-1. 세포막을 통한 포타슘 이동의 조절 인자

제3부 수분-전해질 대사 장애

1) 인슐린

인슐린이 저칼륨혈증을 일으킨다는 것은 20세기 초반부터 알려져 왔다. 인슐린은 간, 골격근, 심장근육, 지방조직 등에서 포타슘의 세포내 이동을 촉진시킨다. 인슐린이 포타슘을 세포내로 이동시키는 주된 기전은 Na-K ATPase에 의한 것이다. 인슐린은 직접적으로 Na-K ATPase를 자극하여 포타슘을 세포내로 유입되게 하는데, 이러한 작용은 포도당에 대한 작용과는 무관하다.

반대로, 인슐린 결핍은 포타슘을 세포 밖으로 유출시킨다. 실험적으로 인슐린의 기저 농도가 반감되면 세포외액의 포타슘 농도가 30분 이내에 약 0.5 mmol/L가 상승됨이 관찰되었다. 인슐린 투여가 필요한 당뇨병성 케톤산증이나 고칼륨혈증 치료시 속효성 인슐린을 투여할 경우에 세포외액의 포타슘 농도가 현저히 감소한다.

2) 교감신경계

교감신경계는 세포외액과 세포내액 간의 포타슘 균형에 중요한 역할을 한다. 카테콜아민의 작용은 알파, 베타 수용체에 따라 다르게 나타난다. 베타2-수용체가 자극되면 간과 근육에서 포타슘이 세포 내로 흡수되고 저칼륨혈증이 나타나게 된다. 카테콜아민은 근육에서 cyclic AMP를 상승시키고 Na-K ATPase를 인산화(phosphorylation), 활성화시켜 세포내로 포타슘 이동을 촉진한다. 또한 Na-K-2Cl cotransporter (NKCC2)도 활성화시켜 포타슘의 세포내 이동을 촉진한다. 알파 수용체는 베타2 수용체 자극 효과에 대한 반대 작용을 하게 된다. 예컨대, 운동을 하게 되면 운동 시 고칼륨혈증을 방지하기 위해 베타-수용체가 자극되어 포타슘의 세포내 이동이 증가된다. 반면 알파-수용체가 자극되면 포타슘의 세포 내 이동을 둔화시켜 운동 후 저칼륨혈증을 방지하는 방향으로 작용 한다.

3) 산-염기 상태의 변화

포타슘의 세포막을 통한 이동에 관여하는 또 다른 인자는 산-염기 상태의 변화이다. 염산을 투여하면 세포외액 수소 이온 농도가 상승하여 급성 대사산증이 유발된다. 증가된 수소 이온이 세포내액으로 이동하여, 부하된 수소 이온의 약 60%가 세포내에서 완충된다. 이때 수소 이온과 같은 양이온인 포타슘 이온은 하전 평형을 유지하기 위해서 세포외액으로 이동하게 된다. 따라서 결과적으로 고칼륨혈증이 유발될 수 있다.

실험적으로 급성 대사산증(비유기산)의 경우 pH 0.1 unit의 감소는 혈장 포타슘 농도를 약 0.8 mmol/L 상승시킨다. 이에 반해, 만성 대사산증(비유기산)에서는 대부분 요중 포타슘 배설 증가가 동반되기 때문에 저칼륨혈증이 동반될 수도 있다.

염산의 경우와 달리 유기산 음이온(유산, 케토산)은 수소 이온과 거의 같은 정도로 함께 세포내로 들어간다. 따라서 유산이나 케토산과 같은 유기산은 포타슘의 세포외 이동을 일으키지 않는다. 그러므로 이러한 유기산의 축적에 따른 대사산증 환자에서 동반되는 고칼륨혈증은 산혈증 자체에 의한 것이라기보다는, 인슐린 결핍이나 저산소증, 요중 포타슘 배설의 감소 등에 의한 것이다.

탄산수소염(HCO_3^-)의 상실에 따른 대사산증에서는 초기에 고칼륨혈증이 일어난다. 그러나, 부신과 신장의 기능이 정상일 때에는 이에 상응하여 신장 포타슘 배설이 증가되어 고칼륨혈증이 교정된다. 급성 호흡성 장애에서는 세포외액에서 탄산수소염(HCO_3^-) 농도의 변화가 적기 때문에 급성 대사성산증과 달리 포타슘의 이동이 관찰되지 않는다. 그러므로 pCO_2의 변화에 따른 포타슘 농도의 변화가 관찰될 때는 단순한 산-염기 이상 보다는 다른 원인을 찾아보아야 한다.

세포내 음이온 농도의 변화는 세포내액의 포타슘 상실을 일으킨다. 세포내액의 대부분 음이온은 거대 분자를 갖고 있어 세포막을 자유로이 통과하지 못하며, 세포내 양이온의 대부분을 차지하는 포타슘과 전기적으로 평형을 형성하여 음과 양의 하전은 같다. 이와 같은 음이온 거대분자는 주로 유기인산 즉, DNA, RNA, ATP, creatine phosphate 등이다. 당뇨병성 케토산증의 경우와 같이 인슐린 결핍에 따른 이화 상태인 경우 이중 특히 단백 합성에 필요한 ribosomal RNA의 분해가 상승하여, 유기 인산의 감소가 발생하게 되고, 그로 인해 세포내 포타슘 손실이 동반된다. 그러므로 당뇨병성 케토산증의 치료 시에 세포내액의 포타슘 보충을 위하여 포타슘과 세포내 음이온(K-phosphate)의 동시 투여가 권장되기도 한다.

2. 외적인 포타슘 균형

하루에 식사로 섭취하는 포타슘 양은 약 60-100 mmol 인데, 소장에서 대부분을 흡수한다.

소장에서 포타슘을 재흡수하면 간문맥 혹은 장의 감지장치(hepatoportal 혹은 gut sensor)에서 감지한다. 이에 따라 연결세관에서 활성화한 kallikrein-kinin에 의하여 포타슘의 요배설이 증가한다. 포타슘의 체외 배설은 전적으로 요배설에 의하는데, 흡수한 포타슘의 90~95%인 55~90 mmol를 요로 배설하며 나머지 10%만 변으로 배설한다. 그러나 신기능이 거의 없는 경우에는 변에서 배설이 증가하여 섭취량의 30%까지 배설한다.

이렇게 흡수된 포타슘은 거의 대부분이 요로 배설되므로 신장에서 포타슘의 재흡수와 배설을 조절하는 기전이 중요하다. 혈액 내의 포타슘은 사구체 모세혈관을 자유로이 통과하여 여과된 후 근위세관과 헨레 루프에서 완전히 재흡수 된다. 그리고 원위세관과 집합관에서는 다시 세관 내강으로 분비된다. 결국, 요로 배설되는 양은 원위세관과 집합관에서 내강으로 분비되는 포타슘의 양에 의해 결정된다. 포타슘의 요배설을 조절하는 인자는 다음과 같다.

1) 알도스테론

알도스테론은 신장 포타슘 배설의 주요 조절 인자로 알려져 있다. 부신에서 알도스테론을 분비시키는 중요한 자극 인자로는 고칼륨혈증과 안지오텐신II가 있다. 안지오텐신II는 신장의 방사구체 장치(juxtaglomerular apparatus)에서 분비되는 레닌에 의하여 주로 분비가 좌우되므로 레닌 분비에 영향을 주는 인자 즉, 세포 외액량의 감소, 신동맥 경화, 베타1-교감신경 작용 등에 의하여 결과적으로 안지오텐신II 량이 증가할 수 있다. 이와 반대로, 세포외액량의 증가와 베타1-교감신경 억제제에 의하여 분비량이 억제될 수 있다. 알도스테론은 내강의 소듐 통로인 NCC (Na-Cl-cotransporter)와 ENaC (Epithelial Na channel)을 활성화하여 내강의 소듐을 재흡수하고, 포타슘채널인 ROMK (Renal outer medullary K channel)로 포타슘을 배설하며, 알도스테론 반응성 원위세관에 작용한다. 알도스테론에 의해 주세포에서 소듐의 재흡수가 증가하고 이에 따라 ROMK로 포타슘을 배설한다. 사이세포에서는 H-K ATPase로 산 배설이 증가하며 포타슘을 재흡수한다(그림 3-4-2).

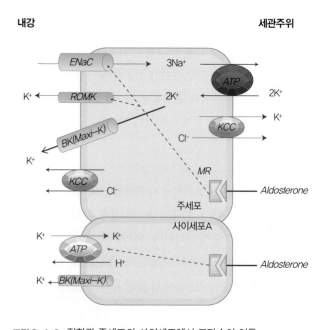

그림 3-4-2. 집합관 주세포와 사이세포에서 포타슘의 이동

2) 혈청 포타슘 농도

혈청 포타슘 농도가 증가하면 2~3일 내에는 알도스테론이 증가하지 않지만, 4일 이후에 정상의 1,000배 이상으로 증가한다. 그에 따라 포타슘의 요배설이 증가하며, 이에 동반하여 소듐의 요배설도 증가한다.

(1) 급성기

세관주위의 포타슘 농도가 증가하면 세관세포의 기저외측막의 Na-K ATPase가 활성화된다. 이에 따라 세관세포로 포타슘이 유입된다. 포타슘 부하가 증가하면 NKCC2와 NCC가 억제된다. 세관세포로 유입된 포타슘을 배설하지 못하므로 내강에서 양이온을 재흡수하지 못한다. 이에 따라 내강의 소듐이 증가하며 이차적으로 유량이 증가하여 ENaC과 BK (Big K channel)가 활성화한다. ROMK도 ENaC의 활성화에 따라 이차로 활성화된다. 결국 소듐과 포타슘의 요배설이 증가된다.

(2) 만성기

혈청 포타슘 농도가 증가된 지 4일 이후에는 급성 때와 같은 기전에 더하여 알도스테론 증가에 따른 효과가 더 나타난다. WNK4에 의하여 NCC, ROMK가 억제되고 WNK1에 의하여 BK가 활성화된다. 이에 따라 소듐과 포타슘의 요배설이 증가한다.

3) 알도스테론 반응성 원위세관으로 이동하는 내강유량 (distal flow rate)

유량은 체액이 과잉이거나 이뇨제의 투여 등 내강 내소듐과 수분량에 의하여 결정된다. 내강유량이 증가하면 NCC, ENaC와 BK가 활성화되어 소듐의 재흡수와 포타슘의 요배설이 증가한다.

4) 세관내강의 음전하와 흡수되지 않는 음이온의 유입

세관 내강의 음전하가 증가하거나 알도스테론 반응성 원위세관으로 흡수되지 않는 음이온이 많이 유입하면 양이온인 포타슘과 산의 배설이 증가한다. 대사알칼리증에 의한 HCO_3^-, 당뇨병성 케톤증에서 케톤체나 penicillin,

carbenicillin 등 외부에서 유입된 음이온은 재흡수되지 않는 음이온으로 내강의 음전하가 증가한다. 이에 따라 포타슘과 산의 요배설이 증가한다.

5) 산염기대사

산증의 경우 산이 세포 내로 유입하고 포타슘이 세포외로 유출되어 고칼륨혈증이 나타난다. 산이 세관세포에 유입하면 pH가 감소하여 ROMK를 억제하여 포타슘의 요배설이 감소한다. 이에 따라 고칼륨혈증이 더욱 악화한다.

알칼리증의 경우 산이 세포에서 유출되고 포타슘이 세포 내로 유입되어 저칼륨혈증이 나타난다. 산이 세관세포에서 유출되면 pH가 증가하여 ROMK를 활성화하여 포타슘의 요배설이 증가한다. 이에 따라 저칼륨혈증이 더욱 악화한다.

저칼륨혈증

1. 정의

일반적으로 저칼륨혈증은 혈청 포타슘이 3.5 mmol/L 미만인 경우로 정의한다.

2. 원인

1) 내부평형 장애

세포외액에서 세포내액으로의 포타슘 이동에 따른 저칼륨혈증은 호르몬(인슐린, 베타2-교감신경 작용제), 대사알칼리증, 동화작용(anabolism), 적혈구생성 증가, 저칼륨혈증 주기성 마비(hypokalemic periodic paralysis) 등의 원인으로 일어날 수 있다.

이중 저칼륨혈증 주기성 마비는 드문 질환으로 아시아인에게서 주로 관찰되고, 갑상샘 기능항진증과 연관되어 있는 경우가 많다. 일부 환자에서는 dihydropyridine-sensitive 칼슘 통로 유전자의 이상이 발견되기도 한다. 주로 탄수화물 과다 섭취 후 밤이나 다음 날 새벽에 마비가 발생한다. 치료는 원인 인자 제거, 갑상샘 기능항진증 자체의 치료, 베타-교감신경 차단제 투여 등이다.

2) 외부평형 장애

포타슘 섭취가 부족한 경우에는 신장에서 포타슘 배설을 극히 낮은 농도까지 감소시킬 수 있으므로, 포타슘 섭취 불량만으로 저칼륨혈증이 일어나는 일은 드물다. 그러나 포타슘 손실이 증가하는 다른 조건, 예를 들어 설사(위장관 손실), 과도한 발한이나 심한 화상(피부 손실), 이뇨제 복용(신장 손실) 등이 동반되는 경우 저칼륨혈증은 쉽게 유발될 수 있다. 흔히 구토, 비-위 배액, 설사나 이뇨제 복용 등으로 세포 외액량이 감소되는 경우가 많지만, 세포 외액량의 감소 없이 오히려 고혈압이나 알도스테론의 과잉이 동반되어 있는 경우도 있다. 따라서 저칼륨혈증의 원인 규명을 위한 임상적 접근 방법은 병력 청취 이외에도 체액의 증감 조사, 고혈압 여부, 레닌과 알도스테론 측정, 동맥혈 가스분석을 통한 산-염기 평형상태 확인, 요중 포타슘 배설 평가가 포함된다. 요중 포타슘 배설 평가를 위해 24시간 요 포타슘 배설 혹은 단회뇨 포타슘/크레아티닌 비를 측정한다.

요중 포타슘 배설이 하루 15 mmol 이하로 감소한 경우 신장 외로 포타슘이 손실되는 상황을 의심할 수 있으며, 심한 설사 등으로 인한 위장관 손실이나 발한, 화상으로 인한 피부 손실의 경우가 있다. 요중 포타슘 배설이 하루 15 mmol 이상으로 증가한 경우 신장으로 포타슘이 손실되는 상황을 의심할 수 있으며, 이 경우에는 혈압을 확인하여 감별진단 한다.

(1) 혈압이 정상인 경우

대사산증이 동반되어 있으면, 당뇨병 케톤산증, 신세관성 산증, Fanconi 증후군, 암포테리신 등을 확인하고, 대사알칼리증이 동반되어 있으면 구토, Bartter 증후군, Gitelman 증후군 혹은 이뇨제 사용을 감별한다.

① 약물

Thiazide나 루프 이뇨제 모두 요중 포타슘 배설을 증가

시켜 저칼륨혈증을 일으킬 수 있다. 카베니실린과 같은 페니실린 항생제의 경우, 원위세관으로 흡수되지 않는 음이온 배설이 많아지게 되어 요중 포타슘 배설이 증가된다. 항진균제인 암포테리신은 집합관에서 포타슘 배설을 증가시키는데, 신독성을 일으키기도 한다. 본드 흡입으로 톨루엔에 노출되는 경우에도 신세관 산증이 생겨 신장 포타슘 손실로 인해 저칼륨혈증이 생기기도 한다.

② Bartter 증후군

가. 병인

아래 몇 가지 유형으로 나눌 수 있다(그림 3-4-3).

제1형. 헨레고리의 비후상행각 내강 막의 NKCC2의 기능상실변이

제2형. 내강 막의 포타슘 통로(ROMK)의 기능상실변이

제3형. 기저외측막의 클로라이드 통로(ClCNKB)의 기능상실변이

제4형. 기저외측막의 클로라이드 통로(ClC)의 β subunit인 Barttin의 기능상실변이

제5형. 칼슘 감지 수용체(CaSR)의 기능획득변이

이러한 결함에 의하여 비후상행각에서 소듐, 클로라이드와 포타슘의 재흡수가 감소하여, 염 손실에 의해 체액량이 감소한다. 따라서 레닌-안지오텐신-알도스테론계의 활

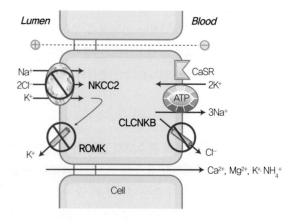

그림 3-4-3. Bartter 증후군의 병인

성화와 저칼륨혈증성 대사알칼리증이 나타난다. 대부분의 Bartter 증후군 환자들은 고칼슘뇨증과 저마그네슘혈증을 보인다. 이러한 용질의 배설 증가는 요농축능의 장애를 초래한다. 지속적인 체액감소에 의한 안지오텐신, 칼리크레닌-키닌 및 바소프레신의 증가에 따라 PGE2의 생성이 증가한다(hyperprostaglandin E syndrome).

나. 임상소견

일반적으로 유아기나 소아기에 진단이 되고, 종족, 인종 또는 성별에 관계없이 발생한다. 출산 전 태아의 다뇨는 산모의 양수과다증(polyhydramnios)과 조기분만진통을 초래한다. 다뇨, 다음, 성장장애, 탈수, 저혈압, 근무력, 경련, 감각이상 등의 증상과 신석회화(nephrocalcinosis)와 신부전이 나타나기도 한다.

혈중 레닌 활성도와 알도스테론 농도가 증가함에도 불구하고, 혈압이 정상이거나 낮고, 요중 포타슘과 프로스타글란딘(PG) 배설이 증가한다. 안지오텐신 II를 투여하여도 혈압의 상승 반응이 없고, 방사구체 장치(juxtaglomerular apparatus)의 과잉증식이 있다.

고혈압 없이 저클로라이드혈증, 저염소혈증과 대사알칼리증이 있는 경우에는 구토 및 이뇨제 사용 등과 감별이 필요하다. 구토에 의한 경우에는 요 클로라이드 농도가 매우 낮다. 장기간 루프 이뇨제를 사용한 환자에서도 Bartter 증후군과 똑같은 소견을 보이므로, 반드시 요중 루프 이뇨제의 농도를 측정하여 감별하여야 한다. Gitelman 증후군과의 감별도 필요하다.

다. 치료

치료를 위해서는 수분과 염분 손실을 보충하고, 포타슘의 공급 및 spironolactone, 비스테로이드소염제, ACE (angiotensin converting enzyme)억제제나 안지오텐신 수용체 차단제의 병용요법으로 성장장애 및 신부전으로의 이행을 방지할 수 있다. 저마그네슘혈증이 있으면 반드시 마그네슘을 공급하여야 저칼륨혈증이 교정된다.

③ Gitelman 증후군

가. 병인

원위세관 내강막의 NCC의 기능상실변이로 인해 장기간 thiazide 이뇨제를 사용하는 것과 유사한 소견을 보인다(그림 3-4-4).

따라서 원위세관의 소듐과 클로라이드의 재흡수 장애가 발생하여 집합관으로 소듐과 클로라이드의 운반이 증가하고, 레닌-안지오텐신-알도스테론계가 활성화된다. 알도스테론은 집합관 주세포에서 포타슘을, 사이세포에서 수소이온의 배설을 증가시키게 되어 경도의 저칼륨혈증성 대사알칼리증을 초래한다.

나. 임상소견

체액감소, 바소프레신과 레닌-안지오텐신-알도스테론계의 활성화는 Bartter 증후군에 비하여 경미하고 요중 PGE2의 생성도 정상이다. 원위세관에서 소듐, 클로라이드의 재흡수 장애로 인해 세포 내 소듐 농도가 낮아지고, 내강 막의 칼슘 통로가 활성화되어 칼슘의 재흡수가 증가된다. 이에 따라 저칼슘뇨증(hypocalciuria)이 나타나며, Bartter 증후군과 감별진단에 있어 유용한 지표가 된다. 재흡수된 칼슘이 관절이나 안저(choroid)에 침착되어 석회화를 초래한다. Gitelman 증후군의 대부분에서는 요 중 마그네슘의 배설이 증가하고 현저한 저마그네슘혈증이 있

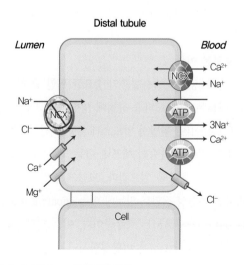

그림 3-4-4. Gitelman 증후군의 병인

으나, Bartter 증후군 환자는 저마그네슘혈증이 흔하지 않고, 있더라도 경하다.

상염색체 열성으로 유전하는 질환으로 증상이 경하여 성인에서 우연히 진단되는 예가 많다. 피로감, 쇠약감, 손발연축(carpopedal spasm), 근육경련, 강축(tetany) 등의 근골격계 증상으로 발현한다. Chondrocalcinosis에 의한 관절통이 있지만, 신석회화는 발생하지 않는다.

Thiazide 이뇨제를 장기간 복용한 환자, 만성 구토, 변비치료제 등을 사용한 환자와 감별이 필요하며, 병력, 요 중 클로라이드 및 이뇨제 농도의 측정이 도움이 된다. Bartter 증후군과의 감별 진단을 위해서는 특히 요 칼슘배설과 furosemide 부하검사 후 소듐 및 클로라이드 배설의 증가 여부가 도움이 된다.

다. 치료

포타슘의 공급과 spironolactone이나 amiloride가 주된 치료이며, 저마그네슘혈증이 있으면 반드시 마그네슘을 공급하여야 저칼륨혈증이 교정된다.

(2) 혈압이 높은 경우

레닌이 증가되어 있으면 악성고혈압, 신혈관고혈압, 레닌 분비 종양을 감별하고, 알도스테론만 증가되어 있으면 원발성 알도스테론증을 감별하며, 레닌과 알도스테론 모두 감소되어 있으면 Liddle 증후군이나 쿠싱 증후군, 감초 복용 등의 감별이 필요하다.

① 호르몬 이상

호르몬 이상은 저칼륨혈증의 중요한 원인 중 하나이다. 알도스테론은 체내 포타슘 균형에 영향을 미치는 가장 중요한 호르몬이며, 원발성 알도스테론증과 같이 알도스테론 과다인 경우 포타슘의 세포내 이동 및 신장 배설을 자극하여 저칼륨혈증을 일으킨다. 드물게는 알도스테론 생성 과다인 유전성 질환도 있는데 이는 apparent mineralocorticoid excess (AME) 증후군이다. 이는 피질 집합관의 주세포내에서 cortisol을 비활성화시키는 산물로 바꾸는 효소인 11-beta-hydroxysteroid dehydrogenase (11

beta-HSDH)의 결핍, 억제, 또는 낮은 생활성(bioactivity)의 결과로 인하여 대사되지 않은 과다한 cortisol이 알도스테론처럼 작용하여 알도스테론 수용체에 작용한 결과로 나타난다. 또 다른 질환으로서 glucocorticoid remediable aldosteronism (GRA)가 있다. 이는 chromosomal crossover의 결과, ACTH가 glucocorticoid 이외에 알도스테론 합성을 부신피질에서 과도하게 생성한 결과로서, 고혈압과 저칼륨혈증의 임상상을 보인다.

② Liddle 증후군

가. 병인

상염색체 우성으로 유전되는 질환이다. 알도스테론에 의하여 활성화되는 집합관 주세포 ENaC의 베타 또는 감마 소단위의 돌연변이에 의해 발생한다. 돌연변이로 ubiquintin ligase인 Nedd4-2가 ENaC에 결합하지 못하여, 정상적인 ENaC의 분해가 일어나지 못한다. 그 결과로 세포내 소듐의 농도가 높음에도 불구하고, ENaC의 숫자가 줄어들지 못하고, ENaC의 활성(constitutive activation)이 증가한다(그림 3-4-5).

따라서 소듐 저류로 체액량이 증가하여 저레닌 저알도스테론성 고혈압이 나타난다. 한편, 소듐 재흡수로 내강이 상대적인 전기적인 음성을 나타내므로, 전기적 평형(electroneutrality)을 이루기 위하여 포타슘과 수소이온이 내강으로 분비된다.

나. 임상소견

어릴 때부터 심한 고혈압이 나타난다. 저칼륨혈증과 대사성 알칼리증의 소견을 보인다. 저레닌성 고혈압이지만 알도스테론증과는 달리, 알도스테론 분비율이 낮고 spironolactone이나 dexamethasone에는 반응하지 않으며, triamterene이나 amiloride와 염분 제한이 고혈압, 저칼륨혈증이나 레닌, 알도스테론을 모두 정상화하는 효과가 있다.

감별진단을 위해서는 저레닌 저알도스테론혈증과 더불어 여러 부신 호르몬들(혈장 및 요 cortisol, DHEA-s, 요 중 17-hydrxycorticosterone, 17-ketosteroid 및 혈장

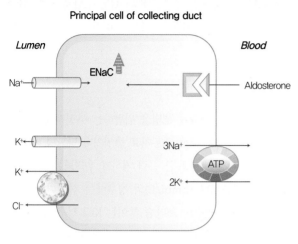

그림 3-4-5. Liddle 증후군의 병인

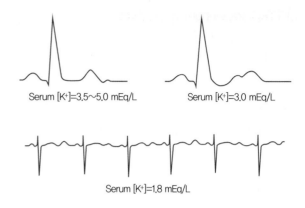

그림 3-4-6. 저칼륨혈증에 따른 심전도의 변화

11-deoxycorticosterone, 11-deoxycortisol 등)이 정상임을 밝혀야 한다.

다. 치료

염분제한과 triamterene 혹은 amiloride로 치료한다. 이에 의하여, 고혈압과 저칼륨혈증이 모두 개선된다.

3. 임상소견

저칼륨혈증의 가장 중요한 위험성은 호흡 근육의 근력 저하에 따른 호흡 부전과 심장의 부정맥이다. 특히 부정맥은 디지탈리스(digitalis)를 사용하고 있거나, 대사성 알카리증이 있을 때에 일어나기 쉽다.

저칼륨혈증의 증상을 장기별로 나누어 보면, 우선 골격근의 근력 저하가 나타난다. 근력 저하는 주로 하지에서 뚜렷하나, 심해지면 몸통과 상지에 이른다. 쇠약감, 근무력감으로 시작되나, 심할 경우 경련, 호흡근 마비, 횡문근 융해증에 이르기도 한다. 신장의 농축력이 저하되어 다뇨와 야간 빈뇨가 나타난다. 만성적인 저칼륨혈증은 신장 세뇨관 간질의 섬유화와 신세뇨관 파괴를 비가역적으로 일으킨다. 가장 위험한 증상은 심장의 이상으로 심전도의 변화와 부정맥이다. 일반적으로, 초기 변화는 T파의 편평화, 저하된 ST와 U파의 출현이다. 그러나 심실세동(ventricular fibrillation)을 포함한 어떠한 부정맥도 관찰될 수 있다(그림 3-4-6). 이외에도 인슐린 분비 장애, 인슐린 저항성, 대사성 알칼리증이 나타나고, 변비가 심해지며 간성 혼수가 악화되기도 한다.

4. 진단

임상 병력, 투약 병력, 가족력 및 신체 검진으로도 대부분의 포타슘 대사장애를 신속히 감별 진단할 수 있다. 포타슘의 요배설, 혈압 및 체액량 평가, 산-염기 평형상태, 혈장 전해질 검사가 진단에 도움이 된다.

1) 포타슘 요배설 평가

24시간 요 포타슘배설 (mmol/d)을 측정하거나, 단회 요 K/creatinine 농도 비(U_K/U_{Cr}) (mmol/g)를 측정하여 평가할 수 있다. 15 이상인 경우 신장으로 포타슘이 손실되는 상황을 의심할 수 있고, 15 미만인 경우 신장 외로의 포타슘 손실을 의심할 수 있다.

2) 요 클로라이드 농도 (U_{Cl}) (mM)

대사알칼리증이 있는 저칼륨혈증의 감별진단에 도움이 된다. 10 미만인 경우 구토, 클로라이드 설사 등 체액량이 감소한 상태를 감별할 수 있고, 20 이상인 경우 이뇨제의 사용, Gitelman증후군, Bartter증후군을 감별할 수 있다.

3) TTKG (transtubular K⁺ gradient)

신피질 집합관내에서의 포타슘 배설 능력을 간접적으로 추정할 수 있는 방법으로, 알도스테론의 활성도를 반영하여 알도스테론 반응성 원위세관에서 포타슘의 배설이 많을 때 증가한다. TTKG가 4 이상인 경우 알도스테론 반응성 원위세관을 통한 신장의 포타슘 손실을 의심할 수 있고, 2 미만인 경우 삼투이뇨와 같이 내강유량이 증가된 상황을 의심할 수 있다.

> TTKG = Urine K⁺/(Urine Osm/Plasma Osm)/Plasma K⁺
>
> Urine Osm: 요 삼투질 농도,
> Plasma Osm: 혈장의 삼투질 농도
> Urine Osm/Plasma Osm: 수분 재흡수에 따른 Urine K⁺ 증가 보정

저칼륨혈증을 일으키는 질환의 감별 진단을 위한 접근 방식을 표시하면 아래와 같다(그림 3-4-7).

5. 치료

저칼륨혈증의 치료는 생명을 위협하는 부정맥의 발생을 막는 것이다. 특히 digitalis 치료 중이거나 당뇨병 케톤산증이 동반된 경우, 호흡근 근력 저하가 우려되는 경우, 심한 저칼륨혈증(<3.0 mmol/L)의 경우에는 신속한 치료가 필요하다. 가장 안전한 포타슘 투여는 KCl 경구 요법이다. 그러나 소화관 장애가 있거나 흡수가 저하된 경우, 응급 치료가 필요한 중증의 저칼륨혈증의 경우 포타슘의 정맥 투여가 필요하다. 말초혈관을 통하여 점적할 때 포타슘 농도가 60 mmol/L 이하로, 가능하면 포도당이 함유되지 않은 용액을 사용한다. 응급상황이 아니라면, 점적 속도는

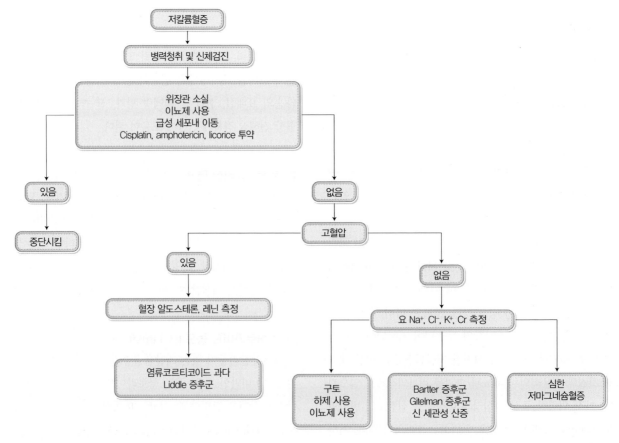

그림 3-4-7. 저칼륨혈증의 감별 진단

시간당 10~20 mmol/h 이하로 하는 것이 좋다.

한꺼번에 정맥 주입해서는 안 되며, 정맥 점적 투여 시 대부분 심전도의 관찰이 요구된다. 속도 조절과 과다 주입에 따른 고칼륨혈증 등을 방지하기 위하여 매 4~6 시간마다 혈중 포타슘 농도의 측정이 권장된다. 마그네슘, 칼슘, 인 등이 함께 결핍되었을 때(예 설사 등)에는 결핍이 있는 모든 성분을 같이 교정해야 한다.

고칼륨혈증

1. 정의

고칼륨혈증은 혈청 포타슘이 5.5 mmol/L 초과인 경우로 정의한다.

2. 원인

1) 가성 고칼륨혈증
고칼륨혈증이 발견되었으나 뚜렷한 원인 발견이 어려울 때에는, 가성 고칼륨혈증의 가능성을 한번쯤은 생각해 보아야 한다. 흔한 원인은 혈액 채취 시 오랫동안 압박대 (tourniquet)를 부착했거나, 혈액 취급의 부주의로 의한 실험관내의 용혈이다. 백혈병이나 혈소판 과다 질환의 경우에도, 혈청 분리 과정에서 백혈구나 비정상적인 혈소판이 파괴되어 세포내의 포타슘 유출로 인해 고칼륨혈증이 일어날 수 있다. 이를 의심하는 경우 확인할 수 있는 방법은, 비교적 큰 정맥에서 채취한 혈액을 헤파린이 들어있는 실험관에서 분리된 혈장 내의 포타슘 농도를 측정해서 비교해 보는 것이다.

2) 약물
레닌-안지오텐신-알도스테론 축을 억제하는 약물 (ACE 억제제, 알도스테론 수용체 차단제, 레닌 억제제, 포타슘 보존 이뇨제)은 신장에서 포타슘 배설을 억제한다. 기타 비스테로이드소염제, digitalis, calcineurin 억제제 등

이 고칼륨혈증을 일으킬 수 있다.

3) 외부 투여
신장은 하루에 수백 mmol의 포타슘을 배설할 수 있으므로, 신장기능이 정상이라면 고칼륨혈증은 잘 발생하지 않는다. 포타슘 공급제, 소금 대체제, 경구 영양보충제 등에 포타슘이 많이 들어있다.

4) 내인성
용혈, 횡문근융해증, 소화기 출혈 등으로 인해 고칼륨혈증이 발생할 수 있다.

5) 세포외 이동 증가
포타슘의 세포내 이동에 결함이 있는 경우에는, 중증의 고칼륨혈증이 발생할 수 있다. 고혈당, 대사산증, 인슐린 부족, 알도스테론 부족, 운동, 주기성 마비, 만니톨 사용 등이 그 원인이 된다.

6) 신장 배설 장애
포타슘의 과잉 섭취에 의한 고칼륨혈증에 있어서, 신장을 통한 포타슘 배설의 장애가 동반된 경우가 많다. 신장 질환이 없는 건강한 사람에서는 70 mM의 포타슘이 저류되어도, 혈장 포타슘 농도는 0.1 mmol/L 밖에 상승하지 않는다. 대부분의 만성 고칼륨혈증에는 신장의 포타슘 배설 감소 혹은 신부전이 동반되어 있다. 체액부족, 저알도스테론혈증, 신세관 질환, 이뇨제의 사용 (amiloride, triamterene, spironolactone) 등이 신장 포타슘 배설 감소의 원인이 된다.

3. 임상소견

고칼륨혈증의 주 증상은 저칼륨혈증과 마찬가지로 무력감, 구음장애(dysarthria), 연하곤란(dysphagia) 등이며, 심한 경우 마비가 동반된다. 임상 증상과 포타슘 농도의 증가 정도가 반드시 비례하지는 않기 때문에, 고칼륨혈증이 의심이 되는 상태라면 반드시 포타슘 농도를 측정하고,

심전도를 시행해야 한다. 심전도의 변화 역시 고칼륨혈증의 정도에 꼭 비례하여 나타나지 않는다. 고칼륨혈증이 급성으로 발생했거나 저칼슘혈증, 저나트륨혈증, 대사성 산증 등이 동반될 때에는 비교적 낮은 농도의 고칼륨혈증의 경우에도 심전도 이상이 나타난다. 심전도의 초기 변화는 T파의 진폭의 증가가 보이며 높고 뾰족하며 대칭적으로 보인다. 좀더 진전이 되면 R파의 높이는 감소하고, S파는 증대하여, ST 부분은 하강한다. P–R, QRS, QT 간격은 모두 연장되며, P파의 기간은 연장되고, 진폭은 감소한다. 심한 고칼륨혈증의 경우는 QRS와 T 파의 폭이 계속 넓어진다. 심해지면 심실성 빈맥과 부정맥이 나타난다(그림 3-4-8). 상행마비, 감각이상과 같은 신경계 증상, 장마비, 구토와 같은 소화기 증상이 나타나기도 한다.

4. 진단

혈청 포타슘 농도가 6 mM 이상이거나 심전도의 이상이 있으면 진단에 앞서 응급상황을 치료한 후 감별진단을 한다.

1. 가성 고칼륨혈증 여부를 확인한다.
2. 병력, 진찰소견, 약제 복용력, 혈압, 요량, 체액량의 상태와 신기능의 장애를 확인한다.
3. 혈청 전해질(Na$^+$, K$^+$, Ca^{2+}, Mg^{2+}), 혈청 BUN과 creatinine, 혈청 삼투질 농도와 요의 전해질(Na$^+$, K$^+$)과 삼투질 농도를 측정한다.

1) 24시간 요 포타슘 배설이 40 mmol/d 미만인 경우 신장을 통한 포타슘 배설이 감소된 상황을 의심할 수 있다.

2) 요 소듐 농도가 25 mM 미만인 경우 체액부족, 심부전과 같이 알도스테론 반응성 원위세관에 도달하는 내강 유량이 감소된 상황을 의심할 수 있다.

3) TTKG

TTKG가 8이상인 경우 신부전이나 체액량 부족과 같이 내강유량이 감소된 상황을 의심할 수 있다. TTGK가 5 미만인 경우 알도스테론 반응성 원위세관에서 포타슘 배설의 이상을 의심할 수 있다.

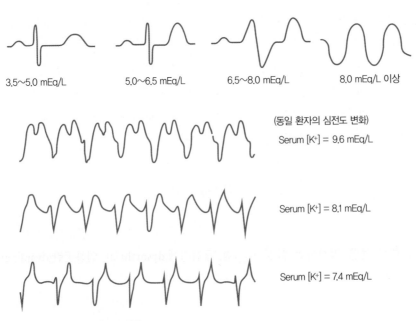

3.5~5.0 mEq/L   5.0~6.5 mEq/L   6.5~8.0 mEq/L   8.0 mEq/L 이상

(동일 환자의 심전도 변화)
Serum [K$^+$] = 9.6 mEq/L

Serum [K$^+$] = 8.1 mEq/L

Serum [K$^+$] = 7.4 mEq/L

그림 3-4-8. 고칼륨혈증에 따른 심전도의 변화

TTKG가 5미만인 경우에는 9α–fludrocortisone (mineralocorticoid)를 0.1 mg 투여한 후 TTKG의 변화를 관찰하여 향후 감별진단에 참고할 수 있다. 계속해서 8 미만인 경우에는 세관에서 mineralocorticoid에 저항을 보이는 상황을 의심할 수 있고, 8 이상으로 회복되면 저알도스테론증이 의심되므로 PRA (plasma renin activity)를 측정한다. PRA가 감소된 경우에는 저레닌 저알도스테론증을 진단할 수 있고, 증가된 경우에는 부신부전과 같이 알도스테론이 결핍된 상황이나 ACE 억제제, Angiotensin II receptor blocker의 영향을 감별해야 한다.

고칼륨혈증을 일으키는 질환의 감별 진단을 위한 접근 방식을 표시하면 다음과 같다(그림 3-4-9).

5. 치료

혈청 농도가 6.0 mmol/L 이상이면 즉시 치료를 시작하고, 7.0 mmol/L 이상이면 치명적이므로 응급치료를 시행하여야 한다. 이 때 저칼슘혈증의 존재는 심장에 중독한 상승작용을 일으키므로, 반드시 유리 칼슘(ionized Ca)을 측정하고, 심전도를 감시하면서, 포타슘과 칼슘을 같이 공급하여야 한다.

1) 심장 흥분성에 대한 길항작용

칼슘 글루코네이트가 가장 빠른 효과가 나타나므로, 심전도 변화가 있는 경우 우선적으로 사용되어야 한다.

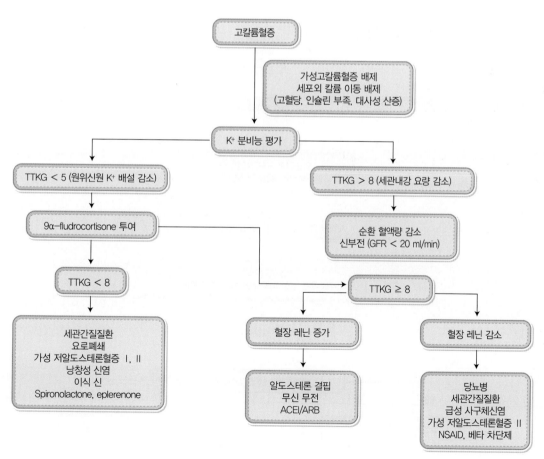

그림 3-4-9. 고칼륨혈증의 감별 진단

2) 세포내 이동 촉진

저혈당을 억제하기 위하여 포도당과 함께 인슐린 투여, 베타2-교감신경 작용제 및 탄산수소염(산증(pH<7.2)이 있는 경우)을 사용할 수 있다. 베타2-교감신경 작용제는 천식 환자에서 사용하는 것과 같이 흡입 요법이나 정주 요법을 사용할 수 있으나, 심혈관 질환이 동반된 환자에서는 주의를 요한다.

3) 체외배설 증가

경구로 sodium polystyrene sulfonate와 같은 포타슘 교환 수지 투여를 할 수 있으며, 단독으로는 변비 등의 장애가 있으므로 락툴로오스나 솔비톨(sorbitol)과 함께 사용할 수 있다. 드물지만 부작용으로 장 괴사가 올 수 있으

므로 주의하는 것이 좋다. 최근 개발된 장내 포타슘 제거 제로는 흡수되지 않는 폴리머 형태인 patiromer와 포타슘에 선택적으로 결합하는 sodium zirconium cyclosilicate이 있다. 또한 이뇨제를 사용할 수 있으며, 중증의 고칼륨혈증이거나 신장기능이 없는 경우 혈액투석을 고려할 수 있다.

4) 급성기 치료 후 재발을 방지하기 위한 보존적 치료

고칼륨혈증을 유발한 약제 및 원인을 규명하여 제거하고, 포타슘 섭취 제한 교육을 시행한다.

고칼륨혈증의 치료를 위한 접근 방식을 표시하면 아래와 같다(그림 3-4-10).

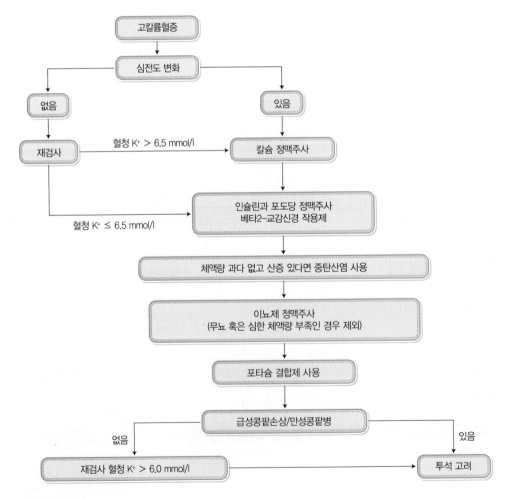

그림 3-4-10. 고칼륨혈증의 치료

최근 개발된 장내 포타슘 제거제

1. Patiromer calcium

1) 100 μm의 구슬로 이루어진 흡수되지 않는 유기 polymer로 물에 녹여 복용한다.

2) 4.2 g의 patriomer은 2 g의 sorbitol과 0.8 g의 칼슘을 함유하여 장 내의 모든 양이온과 결합하여 배설한다.

  ① 7시간 후에 효과가 있고 혈청 포타슘 농도를 교정하는데 48시간 이상, 대개 1 주일이 걸린다.

  ② 1주일에 혈청 포타슘 농도가 0.46~1.01 mM 감소하며 1개월 내에 76%의 환자에서 혈청 포타슘 농도가 정상화한다.

3) 변비, 저칼륨혈증, 저마그네슘혈증이 나타날 수 있다.

2. Sodium zirconium cyclosilicate

1) 선택적인 포타슘이온 포획제(selective potassium ion trap, SKIT)이다.

  ① 위장관 전체에서 작용하며 1일 5~10 g을 복용한다.

  ② 효과가 2시간 후 나타나며 2.2시간부터 혈청 포타슘 농도가 교정되며 24시간 내에 98%의 환자에서 효과가 있다.

  ③ Sorbitol이 암모늄과 결합하여 혈중 BUN은 감소하고 [HCO_3^-]는 2 mM 증가한다.

  ④ 48시간 후 혈청 포타슘 농도가 0.46~1.1 mM 감소하며 98%가 정상으로 된다.

2) 경한 위장관증상과 저칼륨혈증, 부종이 나타날 수 있다.

▶ 참고문헌

- 김호중, 등: 포타슘 대사의 이상. 임상신장학. 대한신장학회 편저, 2001.
- 나기영, 등: 포타슘 대사 장애. 신장요로학. 전정판. 서울대학교 의과대학 편저, 2005.
- 주권욱, 등: 요세관 기능 장애. 신장요로학. 전정판. 서울대학교 의과대학 편저, 2005.
- 한진석, 등: 신장 물질운반체의 결손에 의한 정상 혈압의 저칼륨혈증. 대한내과학회지 69:1-8, 2005.
- 한진석: 포타슘대사의 장애. 수분, 전해질 및 산염기의 장애. 일조각, 2018.
- Barry M. Brenner, et al: Brenner and Rector's The Kidney. 9th ed, Elsevier Saunders, 2012.
- Bushinsky DA, et al: Patiromer induces rapid and sustained potas—sium lowering in patients with chronic kidney disease and hyper—kalemia. Kidney Int 88:1427-1433, 2015.
- Choi MJ, et al: The utility of the transtubular potassium gradient in the evaluation of hyperkalemia. J Am Soc Nephrol 19:424-426, 2008.
- Clase CM, et al: Potassium homeostasis and management of dyskalemia in kidney diseases: conclusions from a Kidney Disease: Improving Global Outcomes (KDIGO) Controversies Conference. Kidney Int 97:42-61, 2020.

- Ethier JH, et al: The transtubular potassium concentration in patients with hypokalemia and hyperkalemia. Am J Kidney Dis 15:309-315, 1990.
- Floege J, Johnson RJ, et al: Comprehensive Clinical Nephrology. 4th ed, Elsevier Saunders, 2010.
- Giebisch G: Renal potassium trasport: mechanisms and regulation. Am J Phisiol 274:F817-833, 1998.
- Jang HR, Han JS, et al: From bench to bedside: diagnosis of Gitelman's syndrome-defect of sodium-chloride cotransporter in renal tissue. Kidney Int 70:813-817, 2006.
- Joo KW, et al: Transtubular potassium concentration gradient (TTKG) and urine ammonium in differential diagnosis of hypo—kalemia. J Nephrol 13:120-125, 2000.
- Kamel KS, et al: Intrarenal urea recycling leads to a higher rate of renal excretion of potassium: an hypothesis with clinical implications. Curr Opin Nephrol Hypertens 20:547-554, 2011.
- Kim GH, et al: Therapeutic approach to hypokalemia. Nephron 92:28-32, 2002.
- Longo DL, et al: Harrison's Principes of Internal Medi—cine. 18th ed, McGraw Hill Medical, 2011.
- Packham DK, et al: Sodium zirconium cyclosilicate in hyperkale—mia. N Eng J Med 372:222-223, 2015.
- Rose BD, et al: Clinical Physiology of Acid-Base and Electrolyte Disorders. 5th ed, McGraw Hill Co. 2001.

- Snyder PM, et al: Serum and glucocorticoid−regulat—ed kinase modulates Nedd4−2−mediated inhibition of the epithelial Na+ channel. J Biol Chem 277:5−8, 2002.
- Weir MR: Current and future treatment options for managing hyperkalemia. Kidney Int 6:29− 34, 2016.
- West ML, Richardson RM, et al: New clinical approach to evaluate disorders of potassium excretion. Miner Electrolyte Metab 12:234−238, 1986.

CHAPTER 05 칼슘, 인, 마그네슘 대사의 장애

장혜련 (성균관의대)

KEY POINTS

- 칼슘 대사는 위장관, 뼈, 신장에서 부갑상선호르몬과 비타민 D, 칼시토닌 등의 작용으로 조절된다.

  고칼슘혈증의 주요 원인은 장내 칼슘 흡수 증가, 뼈 흡수의 증가, 요 칼슘 배설 감소이며, 혈청 이온화 칼슘과 부갑상선호르몬 및 비타민 D를 측정하여 원인을 감별한다.

  저칼슘혈증은 급성과 만성으로 구분되며 만성일 경우 인 농도를 먼저 측정해야 하고, 부갑상선호르몬, 비타민 D, 요 인 배설 량 등을 검사하여 원인 질환을 감별한다.

- 인 대사는 위장관과 신장에서 주로 부갑상선호르몬과 비타민 D에 의해 조절된다.

  고인혈증의 주요 원인은 신장에서 인 배설 감소, 세포 손상, 세포 밖으로 인의 재분포 등이며, 혈청 칼슘 농도와 부갑상선호르몬, 24시간 요 인 배설량으로 원인을 감별한다.

  저인혈증의 주요 원인은 신장에서 인 배설 증가, 세포 안으로 인의 재분포, 소장에서 흡수 저하 등이며, 비타민 D, 부갑상선호르몬, 인의 분획배설률 등의 검사로 원인을 감별한다.

- 마그네슘 대사에는 위장관과 신장이 관여하고, 고마그네슘혈증은 신장질환, 마그네슘 과다 부하를 초래하는 세포 손상 또는 마그네슘 함유 약물 등에 의해 유발되며, 신기능 평가와 24시간 요 마그네슘 배설량으로 원인을 감별한다.

  저마그네슘혈증은 장에서의 흡수 감소나 신장에서 재흡수 감소로 인해 발생하며, 동반되는 전해질 불균형과 요 마그네슘 배설량으로 원인을 감별한다.

칼슘 대사의 장애

1. 칼슘 대사

[칼슘 균형 유지 기전]

1. 체내 칼슘 대사 조절에 관여하는 장기
   - 위장관: 식이 중 섭취한 총 칼슘의 약 25% 흡수
   - 뼈: 세포외액에 존재하는 0.1%를 제외한 체내 칼슘의 대부분이 분포
   - 신장: 칼슘 흡수량과 체내 칼슘 농도에 따라 칼슘 배설량을 민감하게 조절
2. 체내 칼슘 대사 조절에 관여하는 호르몬
   - 칼시트리올
   - 부갑상선호르몬
   - 칼시토닌

1) 칼슘의 분포와 혈청 농도

칼슘은 체내 총 양의 약 0.1%만이 세포외액에 존재하며 나머지 대부분은 뼈에 분포한다. 세포내액의 칼슘 농도는 약 100 nmol/L로 이는 세포외액에 존재하는 양(2.25∼2.65 nmol/L, 9∼10.6 mg/dL)의 약 1/1,000 정도에 해당한다. 세포 내에서는 미토콘드리아와 근육세포질세망(sarcoplasmic reticulum), 세포질세망(endoplasmic reticulum) 내의 칼슘 농도가 가장 높다. 뼈의 mineral phase는 세포외액과 세포내액 칼슘의 저장고 역할을 한다.

혈장의 칼슘 농도는 부갑상선호르몬(parathyroid hormone, PTH)과 활성형 비타민 D인 칼시트리올(calcitriol, 1,25-dihydroxycholecalciferol)에 의해 조절되며, 이 밖에도 칼슘의 생리작용에 영향을 주는 호르몬으로는 칼시토닌(calcitonin)과 에스트로겐(estrogen), 프로락틴(prolactin) 등이 있다. 혈청 칼슘 농도는 산 염기 상태에 따라 영향을 받는데, 알칼리증은 혈청 칼슘 농도를 감소시키며, 산증은 혈청 칼슘 농도를 증가시킨다. 체내의 칼슘 항상성은 위장관내 칼슘 흡수 정도와 뼈 대사 및 신장에 의한 요중 칼슘 배설 조절에 의해 유지된다.

2) 위장관, 뼈, 신장에 의한 칼슘 대사의 조절

위장관에서는 식이 중 섭취한 총 칼슘의 약 25%가 흡수된다. 장에서의 칼슘 흡수는 세포를 통과하는 세포관통(transcellular) 또는 세포사이(paracellular) 경로를 통해 일어난다. 장 상피 세포를 통해 칼슘이 흡수되는 세포관통 경로에는 장 상피 세포의 표면에 분포하여 장 내 칼슘을 세포 내부로 이동시키는 transient receptor potential vanilloid (TRPV)6와 세포 내부에 분포하는 calbindin D9k, 흡수된 칼슘을 모세 혈관으로 내보내는 Ca^{2+}-ATPase (PMCA1b) 등이 관여한다. 칼시트리올은 이러한 칼슘 운반체를 조절하는 가장 중요한 인자이며, 칼시트리올이 장 상피 세포의 비타민 D 수용체에 결합하면 칼슘 운반체의 발현이 증가하여 칼슘 흡수 과정이 촉진된다. 에스트로겐과 프로락틴, 성장 호르몬, 그리고 부갑상선호르몬도 장 내 칼슘 흡수를 촉진한다.

7-dehydrocholesterol은 피부에서 자외선 노출에 의해 비타민 D의 기질인 비타민 D3 (cholecalciferol)로 전환된다. 식이로부터 섭취되거나 혹은 피부에서 합성된 비타민 D2와 D3는 혈중에서 비타민 D 결합 단백과 결합한 후 간에서 수화되면서 25-hydroxyvitamin D 즉 칼시디올을 생성하게 된다. 칼시디올은 신장에서 1α-hydroxylase (시토크롬P-450계의 CYP27B1 조효소)에 의해 1,25-dihydroxyvitamin D (calcitriol, 칼시트리올)로 전환된다.

장내 칼슘의 흡수는 칼시트리올 생성이 증가하는 경우(사춘기, 임산부, 수유 등)에 촉진된다. 성장 호르몬이 비정상적으로 증가하는 말단비대증(acromegaly)에서도 장내 칼슘 흡수는 증가한다. 인에 비해 칼슘이 상대적으로 낮은 식품을 섭취하거나, 식이 섬유나 지방의 비율이 높은 식품을 섭취할 때 장내 칼슘 흡수는 감소한다. 스테로이드를 투여 받거나 에스트로겐 결핍, 고령, 위절제술, 당뇨, 신기능 저하 및 장내흡수장애증후군(intestinal malabsorption syndrome) 등의 경우에도 장내 칼슘 흡수는 저하된다.

체내 칼슘 균형은 신체 내 칼슘의 흡수와 배설량의 차이로 결정되는데, 뼈 성장이 이루어지는 소아 청소년기에는 흡수량이 더 많고, 젊은 성인에서는 흡수량과 배설량

이 거의 같게 유지되며, 노년기에는 흡수량에 비해 배설량이 더 많아진다. 세포외액의 칼슘 농도는 교환 가능한 뼈의 칼슘 분획에 의해 일정하게 유지된다. 뼈와 장에서의 조절은 장기적인 측면에서 칼슘 균형을 유지하는데 기여하며, 신장은 칼슘 흡수량과 체내 칼슘 농도에 따라 칼슘 배설량을 민감하게 조절함으로써 칼슘 균형의 신속한 조절에 있어서 가장 중요한 역할을 한다.

세포외액에 분포하는 칼슘의 약 40%는 알부민에 결합된 형태로 존재하며, 나머지 60%는 사구체에서 여과된다. 정상적으로 사구체에서 24시간 동안 여과되는 칼슘의 총량은 약 220 mmol (8,800 mg)이며, 체내 칼슘 농도를 일정하게 유지하기 위해 사구체에서 여과되는 칼슘 양의 변화에 따라 신세관에서 칼슘의 재흡수량이 조절된다. 사구체에서 여과된 칼슘의 대부분은 근위신세관에서 재흡수 되는데, 이 과정은 나트륨과 물이 재흡수되면서 대류 (convection)에 의해 일어난다. 고염식이 등의 요인에 의해 체액 과다 상태가 되면 근위신세관과 세관주변모세혈관 (peritubular capillary) 사이의 농도 차이가 감소하여 근위신세관에서의 칼슘 재흡수가 감소하게 된다. 반대로, 체액 결핍 상태에서는 근위신세관에서 나트륨과 물의 재흡수가 증가하면서 대류에 의한 칼슘의 재흡수도 촉진되며, 기존에 고칼슘혈증이 있던 환자에서 체액 결핍이 동반되게 될 경우에는 이러한 기전에 의하여 고칼슘혈증이 악화될 수 있다. 헨레 고리의 굵은 오름 부분에서는 세관 내부가 전기적으로 양성을 띠게 되어 칼슘이 세포사이경로(paracellular route)로 재흡수되기 유리한 상태이고 치밀이음(tight junction)에 분포하는 claudin 16에 의해 재흡수가 용이하게 이루어진다. 이 과정은 부갑상선호르몬에 의해 촉진된다. 세포외액의 칼슘 농도가 증가하면 칼슘감지수용체 (Ca^{2+}-sensing receptor, CaR)가 자극되어 칼륨 통로(rectifying K$^+$channel, renal outer medullary K channel, ROMK)의 활성도를 감소시키고 이로 인해 Na$^+$-K$^+$-2Cl$^-$ cotransporter (NKCC2)의 활성도가 감소하면서, 칼슘의 재흡수가 함께 감소하게 된다. 사구체에서 여과된 칼슘의 약 85% 이상이 근위신세관과 헨레 고리의 굵은 오름 부분에서 재흡수되고, 나머지 15% 미만의 칼슘이 원위신세관

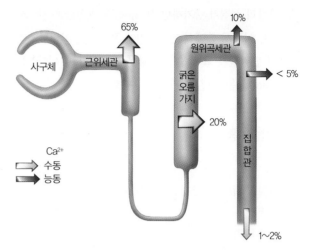

그림 3-5-1. 신세관 부위별 칼슘의 재흡수

에서 재흡수되지만, 원위신세관에서는 칼슘의 능동적인 재흡수가 일어남으로써 칼슘 배설량이 최종 조절된다. 원위신세관에서 칼슘의 능동적인 재흡수 과정에 관여하는 주요 운반체는 세관 세포의 내강쪽 표면에 분포하는 TRPV5와 TRPV6, 세포 내에 분포하는 calbinin-D, 세포의 기저막에 분포하는 Na$^+$-Ca^{2+}exchanger type1 (NCX1), plasma membrane Ca^{2+}-ATPase (PMCA)이다. 이 중에서 TRPV5가 칼슘의 능동적 재흡수에 가장 중요한 역할을 하는 것으로 보고되었다.

여러 가지 요인에 의해 칼슘의 사구체 여과와 신세관에서의 재흡수가 조절되는데, 신혈류량 및 사구체여과율이 증가하거나 고칼슘혈증이 발생할 경우에는 사구체에서 칼슘의 여과량이 증가한다. 부갑상선호르몬은 사구체에서 칼슘의 여과량을 감소시키고 원위신세관에서 칼슘의 재흡수를 증가시킨다. 그러나, 부갑상선호르몬과 부갑상선호르몬유사펩티드(PTH-related peptide, PTHrP)가 증가하여 고칼슘혈증이 유발될 경우에는 칼슘의 사구체 여과량은 증가하여 칼슘의 요 배설량도 증가한다. 세포외액과 세포내액의 칼슘 증가는 공통적으로 칼슘감지수용체를 활성화시켜 신세관에서의 칼슘 재흡수를 감소시킨다. 대사성 산증은 뼈에서 칼슘 유리를 증가시키고 신세관에서 칼슘 재흡수를 억제하여 고칼슘뇨증을 초래하며, 호흡성산증도 혈장 칼슘 농도를 증가시켜 고칼슘뇨증을 유발한다. 반대

로, 알칼리 섭취가 증가하면 요 중 칼슘 배설량은 감소하게 된다. 이뇨제 중에서 헨레고리에 작용하는 고리작용이뇨제와 만니톨은 요 칼슘 배설량을 증가시키고, 티아지드와 amiloride는 요 칼슘 배설량을 감소시킨다.

2. 고칼슘혈증

[고칼슘혈증의 원인과 진단 및 치료]

1. 원인
 - 장내 칼슘 흡수의 증가
 - 뼈흡수로 인한 뼈에서의 칼슘 유리 증가: 예) 악성 종양
 - 요 칼슘 배설 감소

2. 진단
 - 혈청 이온화 칼슘과 인 측정
 - 부갑상선호르몬 측정
 - 비타민 D 측정
 - 원인 질환에 대한 진단적 접근

3. 치료
 - 등장성 식염수를 투여하여 체액 용적을 정상화 ± 고리작용이뇨제
 - Bisphosphonate: 고칼슘혈증이 심할 경우 pamidronate 정맥 주사
 - 칼시토닌
 - Cinacalcet

고칼슘혈증(hypercalcemia)은 혈장 이온화 칼슘이 정상 범위 이상으로 상승하여 발생한다. 혈장 단백질이 증가할 경우에 혈장 총 칼슘 농도가 정상 범위 이상으로 상승할 수 있지만, 이러한 상태는 가성고칼슘혈증(false hypercalcemia)으로 이온화 칼슘 농도를 확인해야 한다. 혈장 알부민이 1.0 g/dL 증가하면 칼슘 농도는 0.20~0.25 mmol/L (0.8~ 1.0 mg/dL) 증가한다. 그러나, 사구체여과율이 60 mL/min/1.73 m² 미만인 3기 이상의 만성콩팥병 환자에서는 알부민 농도로 보정한 총 칼슘 농도와 이온화 칼슘 농도 사이에 양의 연관성이 약하다는 문제가 있다.

고칼슘혈증은 장내 칼슘 흡수의 증가, 뼈흡수(bone resorption)로 인한 뼈에서의 칼슘 유리 증가, 그리고 요 칼슘 배설 감소에 의해 발생하는데, 이 중 가장 흔하게 발생하는 원인 기전은 뼈에서의 칼슘 유리가 증가하는 경우이다.

1) 악성 종양

악성 종양은 고칼슘혈증의 가장 흔한 원인이다. 악성 고형 종양에 의해 유발되는 고칼슘혈증의 발생 기전은 크게 두 가지로 나누어볼 수 있다. 첫 번째는 종양의 뼈 전이 또는 직접적인 침범(direct invasion)에 의해 발생하는 경우이며, 두 번째는 PTHrP와 같이 종양에서 분비되는 파골세포(osteoclast) 활성화 인자에 의해 뼈 흡수가 촉진되면서 고칼슘혈증이 발생하는 경우이다. 고칼슘혈증은 주로 고형 종양에서 발생하고, 유방, 폐, 그리고 신장 종양에서 가장 흔히 발생한다. 혈액 종양, 특히 다발성골수종에서도 고칼슘혈증은 빈번하게 발생한다.

PTHrP는 부갑상선호르몬의 N 말단부의 첫 13개 아미노산 중 8개의 아미노산만 동일하지만, 표적 세포에서 부갑상선호르몬과 거의 같은 효과를 나타낸다. PTHrP는 파골세포의 활성도를 크게 증가시켜 뼈에서 칼슘을 유리시킨다. 다발성골수종이나 악성 림프종에서 분비되는 interleukin 1α, 1β, 6과 tumor necrosis factor (TNF)-α도 파골세포를 활성화시켜 고칼슘혈증을 유발하며, 신장암에서 분비되는 PGE 1 및 PGE 2도 파골세포의 활성도를 증가 시킨다. T세포림프종이나 호지킨(Hodgkin) 병 등에서 칼시트리올이 분비되어 고칼슘혈증이 발생하기도 한다.

2) 일차성 부갑상선기능항진증(Primary hyperparathyroidism)

고칼슘혈증의 두 번째로 흔한 원인은 일차성 부갑상선항진증이며, 80% 이상 부갑상선의 단일 선종에 의해 발생한다. 10~15%는 부갑상선의 전반적인 비대증(diffuse hyperplasia)에 의해 발생하고, 5% 미만에서 부갑상선 암에 의해 고칼슘혈증이 발생한다. 부갑상선비대증은 단독 또는 다발내분비선종양 1형(multiple endocrine neoplasia type1)에서와 같이 다수의 내분비 기관을 포함하는 질환

의 한 형태로 유전될 수 있다. 다발내분비선종양 1형에서는 부갑상선호르몬 과다 분비에 의해 고칼슘혈증이 발생하고, 다발내분비선종양 2형에서는 칼시토닌 과다 분비에 의해 고칼슘혈증이 발생한다. 혈중 부갑상선호르몬이 높은 환자들에서 모두 고칼슘혈증이 발생하는 것은 아니며, 혈장 칼시트리올이 함께 상승될 경우 고칼슘혈증의 발생 빈도가 더 증가한다.

3) 가족성 저칼슘뇨증성 고칼슘혈증(Familial hypocal-ciuric hypercalcemia)

가족성 저칼슘뇨증성 고칼슘혈증은 칼슘감지수용체의 비활성화 돌연변이에 의해 발생하는 드문 유전성 질환이다. 이 질환은 임상적으로 만성적인 중등도의 고칼슘혈증, 저인혈증, 고염소혈증(hyperchloremia), 그리고 고마그네슘혈증을 보인다. 혈장 부갑상선호르몬의 농도는 정상이거나 중등도의 상승을 보일 수 있으며 부갑상선기능항진증과 달리 칼슘의 분획배설율(fractional excretion of calcium)이 낮다. 칼슘의 분획 배설율은 요 중 칼슘과 크레아티닌의 청소율(clearance)의 비로 평가한다.

가족성 저칼슘뇨증성 고칼슘혈증에서는 칼슘 대 크레아티닌 청소율의 비가 대개 0.01 미만으로 저하되어 있다. 그러나, 신생아기가 지난 이후에는 고칼슘혈증으로 인한 심한 증상이나 징후는 거의 발생하지 않는다.

> 칼슘 대 크레아티닌 청소율의 비
> (calcium to creatinine clearance ratio)
> = (24시간 요 칼슘)×(혈청 크레아티닌 농도) /
> (24시간 요 크레아티닌)×(혈청 칼슘 농도)

4) Jansen 병(Jansen's disease)

Jansen 병은 드물게 발생하는 유전 질환으로 사지가 짧은 저신장증과 심한 고칼슘혈증, 저인혈증 및 골간단 연골형성장애증(metaphyseal chondrodysplasia) 등의 특징을 보인다. 이 질환은 부갑상선호르몬 또는 PTHrP 수용체 유전자의 돌연변이 때문에 발생하며, 가성부갑상선항진증(pseudohyperparathyroidism)이 초래되어 고칼슘혈증이 유발된다.

5) 고칼슘혈증을 유발하는 기타 질환

진행된 만성콩팥병에서 동반되는 이차성 부갑상선항진증(secondary hyperparathyroidism)이 심할 경우 고칼슘혈증이 발생할 수 있으나, 만성콩팥병에서는 칼시트리올의 혈중 농도 감소로 인해 칼슘의 장내 흡수가 저하되므로 고칼슘혈증이 실제 발생하는 사례는 매우 드물다.

갑상선항진증(hyperthyroidism)이나 말단비대증, 갈색세포종(pheochromocytoma)과 같은 내분비 질환에서 중등도의 고칼슘혈증이 발생할 수 있다. 급성 부신기능저하증에서도 고칼슘혈증이 나타날 수 있으나, 대부분의 경우가 유효순환용적 감소에 의한 가성고칼슘혈증이다.

유육종증(sarcoidosis)에서 육아종(granuloma) 내 대식세포(macrophage)에 의해 칼시트리올이 과다 생성되어 고칼슘혈증이 발생할 수 있으며, 드물게 결핵과 나병, 베릴륨중독증(berylliosis) 및 기타 육아종성 질환에서도 비슷한 기전으로 고칼슘혈증이 발생할 수 있다.

장기간 신체적 움직임이 없이 침상 안정만 지속하던 환자들에서 고칼슘혈증이 발생할 수 있는데, 이는 연부 조직에 침착된 칼슘이 유리되기 때문으로 추정된다. 횡문 근융해증으로 인한 급성콩팥손상으로부터 회복 중인 환자 에서는 부갑상선호르몬과 칼시트리올의 생성이 증가하여 고칼슘혈증이 유발될 수 있다. 비타민 D 중독이나 비타민 A 과다 섭취 및 티아지드 투여에 의해서도 고칼슘혈증이 발생할 수 있다. 하루 5 g 이상 다량의 칼슘을 제산제와 같은 알칼리 제제와 함께 복용할 경우에는 고칼슘혈증과 신석회화를 특징으로 하는 milk-alkali 증후군이 발생할 수 있다.

6) 임상적 특징

고칼슘혈증으로 인한 증상이나 징후의 중증도는 고칼슘 혈증의 정도 및 발생 속도에 의해 결정된다. 서서히 진행한 중증의 고칼슘혈증에서는 이상 증상이 발생하는 빈도가 상대적으로 낮을 수 있고, 덜 심한 고칼슘혈증이더라도 급성으로 발생한다면 심한 증상이나 징후를 유발할 수 있다.

고칼슘혈증의 초기 증상으로 피로감, 근 위약감, 집중력 저하와 우울감, 졸림 등이 나타나고, 좀 더 진행하면 변비나 오심, 구토와 같은 위장관계 증상이 나타난다. 요로계 증상 및 징후로는 이차성 신성요붕증에 의한 다뇨, 신 결석, 신석회화 등이 발생할 수 있다. 두통이나, 기억력 감퇴, 기면, 그리고 드물게 혼수와 같은 신경계 증상이 나타날 수 있으며, 침전 침착으로 인한 결막염(conjunctivitis)와 띠모양각막병증(band keratopathy)도 발생할 수 있다. 일차성 부갑상선기능항진증으로 인한 고칼슘혈증이 지속될 경우에는 골관절계 통증이 발생하기도 한다. 그 밖에도 혈압 상승, QT 간격 감소와 ST파 변형 등의 심전도 이상, 심장 수축력의 증가와 디지털리스 독성 증대 등이 발생할 수 있으며, 고칼슘혈증이 장기간 지속될 경우에는 연부 조직 석회화가 초래될 수 있다.

7) 진단적 접근

병력 청취와 신체 검진을 포함한 임상적 소견을 종합하여 특이 기저 질환을 감별하기 어려울 때에는 일차성 부갑상선항진증을 의심하여야 한다. 감별 진단을 위해 혈장 총 칼슘과 함께 이온화 칼슘을 반드시 측정하고, 혈장 단백질과 알부민, 인, 크레아티닌, 총 알칼리인분해효소(alkaline phosphatase), 부갑상선호르몬, 그리고 요 칼슘 및 크레아티닌 농도를 측정하여야 한다. 부갑상선호르몬 수치가 높거나 고칼슘혈증의 정도에 맞지 않게 정상 범위를 보인다면 부갑상선 선종을 감별하기 위해 경부 초음파 검사와 sestamibi 동위원소 검사를 시행한다. 부갑상선호르몬 수치가 낮으면, 종양성 질환을 의심하고 이에 대한 추가 검사가 필요하다. 혈청 음이온차가 낮다면 다발성 골수종에 대한 감별이 필요한데, 이는 단클론성 IgG가 양의 전하를 띠는 경우가 있기 때문이다. 비타민 D 과잉에 의해 고칼슘혈증이 발생한 경우에는 25-hydroxyvitamin D가 상승하

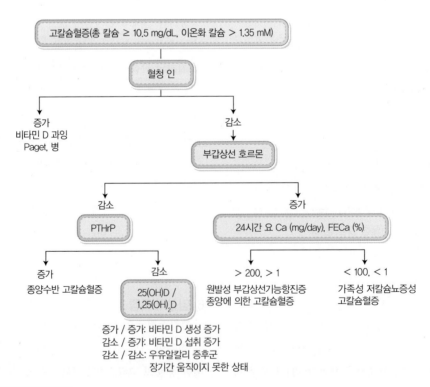

그림 3-5-2. 고칼슘혈증의 감별진단

므로 이에 대한 검사가 필요하고, 유육종증과 같은 육아종성 질환이 의심될 경우에는 칼시트리올과 혈청 안지오텐신전환효소의 활성도를 측정해 볼 수 있다.

8) 치료

고칼슘혈증의 원인 질환을 찾아서 치료하는 것이 중요하지만, 증상을 동반한 심한 고칼슘혈증에 대해서는 칼슘을 낮추는 치료가 선행되어야 한다. 가장 먼저 시행되어야 할 조치는 등장성 식염수를 투여하여 환자의 체액 용적을 정상화시키는 것이다. 체액 결핍이 있을 경우에는 근위신세관에서 칼슘의 재흡수가 크게 증가하기 때문이다. 체액 용적이 정상화된 이후에는 칼슘의 요 배설을 증가시키기 위해 고리작용이뇨제를 투여하는데, 체액 결핍이 발생하지 않도록 반드시 생리식염수를 정주하는 상태에서 투여하여야 한다. 칼륨이나 마그네슘, 인과 같은 다른 전해질에 대한 검사도 필요하며, 경구 섭취량과 정맥 투여량 및 배설량에 대한 정밀한 파악과 추적이 필요하다. 산 염기 균형에 대해서도 확인하여야 하며, 심부전이나 만성콩팥병이 동반된 환자에서는 체액 과부하가 발생하지 않도록 특별히 주의하여야 한다.

Bisphosphonate는 악성 종양에 의한 고칼슘혈증에서 일차적인 치료제로서, 칼시트리올의 생성과 뼈흡수를 억제함으로써 칼슘 농도를 낮춘다. 경증이나 중등도의 고칼슘혈증에서는 bisphosphonate를 경구 투약할 수 있지만, 심한 고칼슘혈증일 경우에는 정맥 주사로 투여한다. 경구로 투약할 경우에는 alendronate 10 mg이나 clodronate 1,600~3,200 mg을 하루 한 번 투약한다. 정맥 주사할 경우에는 pamidronate 15~90 mg을 1~3일 투여하다가 매달 한 번씩 투여하여 혈청 칼슘 농도가 재상승하지 않도록 치료할 수 있는데, pamidronate는 500 mL의 등장성 식염수나 0.45% 식염수에 혼합하여 적어도 2시간 이상의 시간에 걸쳐 정주하여야 하며 사구체여과율이 낮거나 심부전이 동반된 환자에서는 8~12시간에 걸쳐 천천히 정주한다. Zoledronic acid도 치료에 쓸 수 있는데, 4~8 mg을 식염수나 5% 포도당 50 mL에 섞어 15~30분에 걸쳐 정맥으로 주사한다. 신기능이 저하된 환자에서 bisphosphonate를

투여할 경우 발생할 수 있는 신기능 악화에 대해서는 아직 충분한 연구가 이루어지지 못한 상태이지만, 만성콩팥병 환자에서 bisphosphonate는 비교적 안전하게 고칼슘혈증을 치료할 수 있는 것으로 보고되었다. 그러나, 급성콩팥손상 환자에서는 가능한 한 신기능이 호전된 이후에 bisphosphonate를 투여하는 것이 좋고, 반복 투여하지 말아야 한다. 칼시토닌은 정맥으로 정주할 경우 수시간 내에 신속하게 작용하지만, 빠른 내성(tachyphylaxis)이 발생하여 효과 지속 시간이 짧고 효과가 없는 경우도 있어서 투약 시 이러한 점을 고려하여야 한다. Denosumab은 악성종양의 골전이가 있는 환자에서 bisphosphonate를 신부전으로 사용할 수 없거나 효과가 없을 때 사용한다.

Mithramycin은 뼈 흡수를 강력하게 억제하여 고칼슘혈증을 호전시키는 약제로서, 효과는 수시간 내에 나타나고 며칠간 지속되지만, 혈소판감소증이나 간기능 이상 등의 부작용이 있고 세포 독성이 있으므로, 악성 고칼슘혈증(malignant hypercalcemia)의 경우에만 투약을 고려하여야 한다.

스테로이드(0.5~1.0 mg/kg prednisone 또는 prednisolone)는 유육종증이나 결핵 등과 같은 내재적 원인에 의한 비타민 D 과다증과 다발성골수종이나 림프종과 같은 혈액 종양 질환, 유방암과 같은 일부 고형 종양에 의한 고칼슘혈증에서 투여해 볼 수 있다. 일차성 부갑상선기능항진증에 의한 고칼슘혈증일 경우에는 칼슘감지수용체 작용제(CaR agonist)인 cinacalcet을 투여해 볼 수 있으며, 중등도의 무증상 고칼슘혈증을 보이는 여자 환자에서는 에스트로겐을 투여해 볼 수 있다. 불응성 악성 고칼슘혈증일 경우에는 인도메타신(indomethacin)이나 아스피린과 같은 프로스타글란딘 길항제를 투여해 볼 수 있으나, 고칼륨혈증이나 급성콩팥손상이 발생하지 않도록 주의하여야 한다.

3. 저칼슘혈증

[저칼슘혈증의 원인과 진단 및 치료]
1. 원인
  – 급성: 급성 과호흡, 호흡성 알칼리증
  – 만성:
  (1) 고인혈증을 동반한 저칼슘혈증
     – 부갑상선기능저하증, 진행한 만성콩팥병
  (2) 저인혈증을 동반한 저칼슘혈증
     – 비타민 D 결핍, 마그네슘 결핍
2. 진단
  – 혈장 인 및 마그네슘 농도
  – 부갑상선호르몬
  – 비타민 D
  – 요 인 배설량
3. 치료
  – 기저 질환 치료
  – 대증적 치료: 칼슘 투여

저칼슘혈증(hypocalcemia)은 이온화 칼슘 농도가 정상 범위 미만으로 감소하는 경우를 일컫는다. 저칼슘혈증이 의심될 경우에는 이온화 칼슘 농도와 알부민 농도를 측정하여, 혈장 알부민 농도 저하에 의해 총 칼슘 농도가 저하되는 가성 저칼슘혈증(false hypocalcemia)를 감별하여야 한다. 급성 저칼슘혈증은 급성 과호흡이나 호흡성 알칼리증이 발생할 경우에 동반될 수 있다. 저칼슘혈증은 혈장 인 농도의 변화를 기준으로 두 가지로 구분된다.

1) 고인혈증을 동반한 저칼슘혈증

고인혈증을 동반한 저칼슘혈증은 부갑상선기능저하증에 의해 유발되며, 특발성 또는 수술이나 방사선 치료 또는 아밀로이드증 등에 의해 후천성으로 발생할 수 있다. Albright's hereditary osteodystrophy는 가성부갑상선기능저하증(pseudohypoparathyroidism)을 나타내는 대표적인 질환으로 부갑상선호르몬의 표적 장기가 부갑상선호르몬에 저항성을 보인다. 만성콩팥병이 진행하거나 심한 급성 콩팥손상에서 특히 핍뇨가 동반된 경우에 인이 과다 섭취

될 경우에도 고인혈증을 동반한 저칼슘혈증이 발생한다. 가족성 저칼슘혈증(familial hypocalcemia) 중 일부 유형은 칼슘감지수용체의 과활성 돌연변이에 의해 발생한다고 보고되었다.

2) 저인혈증을 동반한 저칼슘혈증

저인혈증을 동반한 저칼슘혈증은 비타민 D가 결핍된 상태에서 발생한다. 햇빛을 받는 시간이 적거나 식이 중 비타민 D 부족, 위장관계 수술 후 흡수 저하, 장 흡수 이상, 또는 간 및 담도 질환이 있을 경우에 비타민 D 결핍이 초래될 수 있다. 마그네슘 결핍도 저칼륨혈증과 함께 저칼슘혈증을 초래할 수 있다. 부갑상선호르몬이 낮거나 표적 장기에서 저항성이 발생하는 경우에도 저칼슘혈증이 나타난다. 급성콩팥손상의 회복기에 다뇨가 동반되면 저인혈증을 동반한 저칼슘혈증이 발생할 수 있다.

3) 임상적 특징

증상은 저칼슘혈증의 발생 속도와 정도에 따라 다르게 나타난다. 가장 흔한 증상은 피로감과 근 위약감이며, 기억력 감퇴, 혼돈이나 환각, 우울감 등도 발생한다. 가장 잘 알려진 임상적 징후는 Chovstek 징후와 Trousseau 징후이다. 급성 저칼슘혈증에서는 입술과 사지 감각 이상, 근육경련, 테타니(tetany), 후두협착음, 발작 등이 나타난다. 만성 저칼슘혈증에서는 백내장, 가로 굴곡을 동반한 깨지기 쉬운 손톱이나 피부 건조, 체모 감소나 소실 등이 발생하는데, 이러한 증상은 특히 특발성 부갑상선기능저하증에서 흔히 발생한다.

4) 검사 소견

혈장 인 농도는 부갑상선기능저하증, 가성부갑상선기능저하증, 진행된 만성콩팥병 등의 경우에는 상승되어 있고, 장 흡수 장애나 비타민 D 결핍, 급성췌장염, 급성콩팥손상 회복기 중 다뇨기에는 저하되어 있다. 부갑상선호르몬은 부갑상선기능저하증이나 만성적인 마그네슘 결핍 등의 경우에는 저하되어 있고, 가성부갑상선기능저하증과 만성콩팥병 등의 경우에는 정상이거나 상승된다. 요 칼슘 배설

표 3-5-1. 원인에 따른 인, PTH, vitamin D 농도의 변화

질환	[P]	[PTH]	[25(OH)D]	[1,25(OH)$_2$D]
부갑상선기능저하증	증가	감소	정상	정상/ 감소
PTH저항	증가	증가	정상	정상/ 감소
만성콩팥병	증가	증가	정상/ 감소	감소
종양융해증후군	증가	증가	정상	정상
비타민D 저항	감소	증가	정상	정상/증가
비타민D 결핍	감소	증가	감소	감소
저마그네슘혈증	정상/증가	정상/ 감소	정상/ 감소	정상/ 감소

* Alk P: alkaline phosphatase

제 3 부 수분–전해질 대사 장애

은 부갑상선기능저하증을 칼슘과 비타민 D로 치료할 경우에만 증가하는데, 이로 인해 신석회화가 초래될 수 있다. 다른 경우의 저칼슘혈증에서는 요 칼슘 배설이 저하되어 있다. 그러나, 칼슘의 분획 배설율은 부갑상선기능저하증, 급성콩팥손상 후 다뇨기, 그리고 심한 만성콩팥병 환자에서 증가한다. 이와 다른 원인에 의해 발생한 저칼슘혈증에서는 칼슘의 분획배설율이 낮다. 요 인 배설량은 부갑상선기능저하증과 가성부갑상선기능저하증, 마그네슘 결핍 등의 경우에는 낮으며, 비타민 D 결핍, 장 흡수 이상, 만성콩팥병 또는 인을 투여하는 경우에는 높다. 혈청 25-hydroxyvitamin D와 칼시트리올을 측정하는 것이 감별 진단에 도움이 된다.

특발성 부갑상선기능저하증 환자의 약 20%에서 뇌 석회화가 발생할 수 있는데, 기저핵(basal ganglia)이 가장 호발 부위이다. 심전도에서 corrected QT 간격이 흔히 연장되며, 부정맥이 동반될 수도 있다.

5) 치료

치료의 대원칙은 기저 질환을 치료하는 것이다. 테타니와 같은 심한 증상을 동반한 저칼슘혈증이 발생할 경우에는 즉각적인 대증적 치료가 필요하다. 급성 호흡성알칼리증이 동반되었다면 이를 교정하여야 하고, 교정하기 어렵다면 칼슘을 정맥 내로 정주한다. 발작이나 테타니가 발생

할 경우에는 2.2 mmol의 칼슘을 포함한 10% 글루콘산칼슘(calcium gluconate) 1~2 g을 50 mL의 포도당수액 또는 등장성 식염수에 섞어서 주사하고, 이후 이온화 칼슘 농도를 추적 검사하면서 12~24 g을 포도당수액이나 등장성 식염수에 섞어서 24시간 동안 서서히 정맥 주사한다. 염화칼슘(calcium chloride)은 혈관외유출(extravasation)될 경우 피부괴사를 유발할 수 있기 때문에 글루콘산칼슘이 더 많이 사용된다.

만성적인 저칼슘혈증에 대해서는 칼슘염(calcium salts)이나 티아지드, 비타민 D를 경구 투약한다. 이온화 칼슘 농도에 따라 하루에 칼슘 2~4 g을 투약하며, 마그네슘 결핍이 동반되었을 경우에는 마그네슘을 경구 투약 또는 정맥 주사로 투여하여 마그네슘 농도를 교정한다.

부갑상선기능저하증에 의해 이차적으로 발생한 저칼슘혈증에서 칼슘을 투약하면 요 칼슘 배설이 증가하면서 신석회화가 발생할 수 있으므로 주의하여야 하며, 요 칼슘 배설을 감소시키기 위해 티아지드를 함께 투약할 수 있다. 특발성 또는 후천성 부갑상선기능저하증에서 칼슘 투여량을 줄이기 위해 활성형 비타민 D인 칼시트리올이나 그 유사체인 1α-hydroxycholecalciferol 을 투약한다. 이 때 고칼슘혈증이 발생하지 않도록 추적 검사를 하여야 하며, 고칼슘뇨증이 초래되지만 신석회화의 발생은 드물다.

표 3-5-2. 경구 및 정맥 주사용 칼슘제의 종류와 함유량

	경구/ 정맥	농도	칼슘함유량	
			(mg/g)	(mmol/g)
CaCl$_2$	정맥	10 %	270	6.8
Ca-gluconate	정맥	10 %	90	2.3
	경구	T = 500 mg	-	-
Ca-acetate	경구	1T or 5 mL = 667 mg	260	6.4
Ca-carbonate	경구	1T = 500 mg, 1 g	400	10

인 대사의 장애

1. 인 대사

[인 대사 기전]

1. 체내 인 대사에 관여하는 장기
 – 위장관: 소장에서 인 흡수
 – 신장:
   인 흡수량과 체내 인 농도에 따라 인 배설량을 조절
   정상에서 인의 분획배설률(FE$_p$)은 10~15%
2. 인 대사를 조절하는 인자
 – 혈청 인 농도
 – 부갑상선호르몬
 – 칼시트리올
 – FGF23 (fibroblast growth factor 23)
 – Insulin

인(phosphorous)은 세포의 구조와 대사 유지에 매우 중요한 역할을 하며, 체내에 mineral phosphate와 organic phosphate (phosphoric ester) 형태로 존재한다. 세포 안에서 인은 효소의 활성화를 조절하고, 핵산과 인지질 막의 구성에 기여한다. 세포외액에서는 뼈와 치아에 주로 분포하며, 1% 미만의 인이 혈청 내에 존재한다. 정상 산 염기

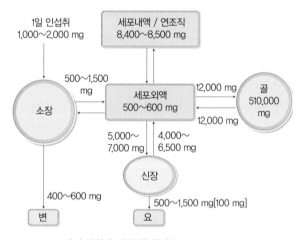

그림 3-5-3. 인의 섭취와 배설 및 체내 분포

균형 상태(pH 7.4)에서 혈청 내 인산은 HPO$_4^{2-}$와 H2PO$_4^-$가 4:1의 비율로 존재한다. 혈청 내 인의 정상 농도는 2.8~4.5 mg/dL (0.9~1.5 mmol/L) 범위이며, 일중 변동이 있다. 인은 젊은 성인기에 하루 약 0.5 mmol/kg가 필요하며, 인의 요구량은 성장기의 소아에서 더 많다. 인은 유제품이나 고기류, 달걀, 곡물에 많으며, 각종 식품 첨가물에도 함유되어 있다.

세포에서 인의 운반을 담당하는 운반체는 나트륨–인 공동운반체(secondary active Na$^+$–phosphate cotransporter, NPT)이고 세 가지 아형이 있다. 제1형 나트륨–인

공동운반체는 신세관에 존재하고 음이온 통로로 작용하는 특징을 보인다. 제2형 나트륨-인 공동운반체는 인의 항상성 유지에 가장 중요한 역할을 하며, 근위신세관의 솔 가장자리(brush border)에 NPT2a와 NPT2c가 분포하고, 소장에 NPT2b가 분포하여 나트륨과 함께 인을 재흡수한다. 제3형 나트륨-인 공동운반체는 신체내 여러 세포에 광범위하게 분포하여 세포 내부로의 인 운반에 관여한다.

세포를 통과하는 인의 이동에는 칼시트리올, 성장호르몬, 인슐린유사성장호르몬(insulin-like growth factor), 인슐린 및 갑상선호르몬 등 여러 요소가 관여한다. 부갑상선호르몬과 섬유모세포성장인자(fibroblast growth factor, FGF) 23은 인의 요 배설을 증가시키는 주요 인자이다. 인의 항상성 유지에 관여하는 phosphatonin으로 보고된 것은 secreted fizzled-related protein 4 (sFRP-4), matrix extracellular phosphoglycoprotein, FGF-7, klotho 단백질 등이다. 이 중에서 klotho 단백질은 FGF-23과 수용체인 FGF-R1에 작용하여 인의 항상성 유지에 관여하고, 칼슘운반체인 TRPV5도 활성화시킨다.

장 표면을 통한 인 흡수는 상피통과와 세포사이 경로 모두로 흡수되며, 칼시트리올은 장 표면에 분포하는 NPT2b 공동 운반체를 활성화시켜 인 흡수를 촉진한다.

신장은 세포외액의 인 항상성을 유지하는데 매우 중요한 역할을 한다. 인은 사구체에서 모두 여과되지만, 근위신세관에서 많은 양이 재흡수된다. 정상 상태에서 하루에 배설되는 인의 양은 사구체에서 여과된 인의 약 5~20%이며, 이는 장에서 매일 흡수되는 양과 비슷하다. 신세관에서 재흡수하는 인의 양(tubular reabsorption of phosphate, TRP)은 1에서 인의 분획배설율(fractional excretion of phosphate, FE_{PO4})를 빼면 구할 수 있다.

$$TRP = 1 - FE_{PO4}$$
$$= 1 - (요 인 농도 \times 혈청 크레아티닌 농도) /$$
$$(혈청 인 농도 \times 요 크레아티닌 농도)$$

사구체에서 여과된 인은 체내 요구량에 따라 신세관에서 재흡수되는 양이 달라진다. 근위신세관에 분포하는

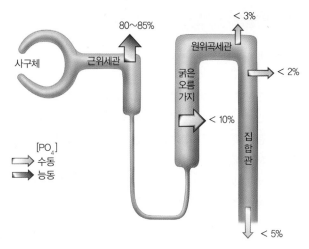

그림 3-5-4. 세관 부위별 인의 재흡수

NPT2a는 내분비적 및 대사적 요인에 의해 활성 정도가 조절되는데, 부갑상선호르몬과 FGF-23, 고인혈증 등은 NPT2a의 활성도를 저하시켜 인의 요 배설을 증가시킨다. 저인혈증은 NPT2a의 활성도를 증가시켜 인의 요 배설을 감소시킨다.

FGF-23은 인 대사의 가장 중요한 조절 인자로 보고되었다. FGF-23은 신세관의 인 재흡수를 감소시키고 칼시트리올의 생성을 억제하여 장내 인 흡수를 감소시킴으로써, 혈청 인 농도를 저하시키는 작용을 한다. Klotho 단백질은 FGF-23이 근위신세관에 있는 수용체에 결합하는데 필요하며, FGF-23과 무관하게도 근위신세관 내강막(apical membrane)의 글리칸(glycan)을 변형시켜 인의 재흡수를 줄이는 작용을 한다고 보고되었다.

뼈는 주변 기질과 인을 계속 교환하며, 하루에 교환되는 인의 양은 뼈에 있는 총 인 양의 약 0.5%이며, 성장기에는 양의 균형을 이루고 노년기에는 음의 균형이 나타난다.

2. 고인혈증

> [고인혈증의 원인과 진단 및 치료]
>
> 1. 원인
>   - 신장에서 인 배설 감소: 신기능 저하 (급성콩팥손상, 만성콩팥병), 부갑상선기능저하증
>   - 광범위한 조직 또는 세포 손상: 횡문근융해증, 종양융해증후군
>   - 세포 내 인이 세포 밖으로 재분포: 대사성 산증, 호흡성 산증, 저인슐린혈증
> 2. 진단
>   - 혈청 칼슘 농도
>   - 부갑상선호르몬
>   - 24시간 요 인 배설량
> 3. 치료
>   - 기저 질환 치료
>   - 대증적 치료: 인의 섭취 제한 및 인결합제, 칼슘 투여, 산증 치료, 신대체요법

고인혈증의 가장 흔한 원인은 급성콩팥손상이나 만성콩팥병에서 발생하는 요 인 배설의 감소이며, 인 섭취가 증가하거나 체내에서 인 농도를 상승시키는 내재적 요인이 합병될 경우에는 고인혈증이 더욱 심해진다.

1) 급성콩팥손상

급성콩팥손상이 발생하면 사구체여과율이 급격히 감소하면서 인의 요 배설이 감소하여 고인혈증이 발생한다. 횡문근융해증과 같이 조직에서 인을 유리시키는 질환이 동반되었을 경우에는 고인혈증이 더욱 심하게 나타난다.

2) 만성콩팥병

혈청 인 농도는 사구체여과율이 약 35 mL/min/1.73 m² 미만으로 저하될 경우 상승한다. 사구체여과율이 35 mL/min/1.73 m² 이상인 만성콩팥병에서 혈청 인 농도가 정상 범위로 유지되는 데에는 부갑상선호르몬과 FGF-23이 크게 기여한다. 부갑상선호르몬과 FGF-23은 근위신세관의 NPT2a의 활성도를 감소시켜 인의 재흡수를 감소시

킴으로써 혈청 인 농도를 유지한다. 그러나, FGF-23은 25-hydroxyvitamin D 1α-hydroxylase 활성도를 강력하게 억제하여 장내 칼슘과 인의 흡수를 감소시키고 부갑상선호르몬의 생성을 촉진한다. 만성콩팥병이 계속 진행하면 이러한 보상 작용의 한계를 넘어 부갑상선호르몬의 생성이 크게 증가하면서 이차성 부갑상선기능항진증이 발생하고 혈청 인 농도는 상승한다.

3) 세포 용해가 초래되는 상태

심한 세포 용해에 의해 조직에서 과량의 인이 유리되면 고인혈증이 발생하는데, 횡문근융해증이나 악성 종양 또는 림프암이나 백혈병과 같은 악성 종양을 치료 중일 때 흔히 발생한다. 심한 감염증이나 당뇨병케톤산증에서도 고인혈증이 동반될 수 있다.

4) 치료 과정 중에 발생하는 고인혈증

인이 들어간 완하제나 관장 제제는 인의 과잉 공급으로 고인혈증을 초래할 수 있는데, 신세관 내부에 칼슘 인 결정이 침착하여 급성콩팥손상이 유발될 위험성이 있으므로, 만성콩팥병 환자에서는 인이 포함된 완하제나 관장 제제를 사용하지 말아야 한다. Etidronate와 같은 bisphosphonate 제제도 간혹 고인혈증을 유발할 수 있다.

5) 부갑상선기능저하증

부갑상선호르몬은 인의 요 배설을 증가시키는 주요 호르몬이므로, 부갑상선호르몬 생성이 감소하거나 표적 장기에 저항성이 나타나면 인의 요 배설이 감소하여 고인혈증이 발생한다.

6) 고인혈증을 유발하는 기타 질환

말단비대증에서 증가하는 성장호르몬이나 인슐린유사성장인자 1이 근위신세관에서 인의 재흡수를 증가시켜 고인혈증이 유발될 수 있다.

Familial tumoral calcinosis는 GALNT3, FGF-23, klotho 유전자의 불활성화 돌연변이가 발생하는 드문 유전 질환으로, FGF-23이 작용하지 못하여 신세관의 인 재

흡수가 크게 증가하고 비타민 D 활성화가 억제되지 못하여 고인혈증이 초래된다. 칼시트리올의 농도가 상승하고 연부 조직의 석회화가 발생할 수 있다.

과호흡에 의한 호흡성 알칼리증이 지속되면 신세관에서 부갑상선호르몬에 대한 저항성이 발생하면서 고인혈증과 함께 저칼슘혈증이 발생한다.

7) 임상적 특징

급성의 중증 고인혈증은 저칼슘혈증을 초래하고 이로 인해 부갑상선호르몬이 자극되고 신장에서 칼시트리올의 생성이 억제되어 저칼슘혈증은 더욱 악화된다. 만성콩팥병 에서 보이는 것과 같은 만성적인 고인혈증은 혈관의 석회화를 유발한다. 매우 심한 고인혈증이 지속될 경우, 연부 조직에 종괴를 형성하는 칼슘인침전(Teutschlander's disease)이 발생할 수 있고, 광범위한 동맥석회화(calciphylaxis 또는 calcific uremic arteriolopathy)가 발생할 수 있다.

8) 치료

급성 고인혈증은 인의 배설을 증가시키기 위해 수액을 투여하거나 신대체요법(renal replacement therapy)으로 치료한다. 포도당수액과 인슐린을 함께 투여하면 인을 세포 내로 이동시켜 혈청 인 농도를 낮출 수 있다. 만성 고인혈증에서는 칼슘염(calcium carbonate나 calcium acetate), sevelamer 또는 lanthanum과 같은 경구 인결합제를 투약하여 위장관에서 인의 흡수를 억제한다. 새로운 경구 인결합제인 sucroferric oxyhydroxide가 최근 우리나라에 도입되어 만성콩팥병 환자의 고인혈증 치료에 쓰일 수 있게 되었다.

3. 저인혈증

[저인혈증의 원인과 진단 및 치료]

1. 원인
 - 신장에서 인 배설 증가: 부갑상선기능항진증, Fanconi 증후군, 조절되지 않는 당뇨병
 - 혈청 인이 세포 안으로 재분포: 급성 호흡성 알칼리증, 패혈증, 뼈 생성의 증가 등
 - 소장에서 인 흡수 저하: 비타민 D 결핍, 섭취 감소, 인 결합제
2. 진단
 - 혈청 비타민 D 농도
 - 부갑상선호르몬
 - 인의 분획배설률(FE_P) 및 24시간 요 인 배설량
3. 치료
 - 기저 질환 치료
 - 대증적 치료: 인을 보충하되, 급만성 여부와 저인혈증의 경중도 및 증상의 유무, 혈청 칼슘 농도와 신기능에 따라 결정

저인혈증(hypophosphatemia)는 보통 장기간의 저인 식이에 의해 발생한다. 세포내액과 세포외액 사이의 인 분포의 불균형에 의해서도 저인혈증이 발생할 수 있다. 신체 내에서는 인 섭취가 감소하는 경우에도 인의 농도를 적절하게 유지하기 위한 보상 기전이 작용한다. 인의 섭취가 감소하여 저인혈증이 발생할 경우에 장에서는 인의 흡수가 증가하고, 신장에서는 25-hydroxyvitamin D3 1α-hydroxylase의 활성도가 증가하여 칼시트리올 생성이 증가하며 부갑상선호르몬의 생성이 저하되어 신세관의 인 분획 재흡수율도 증가한다.

저인혈증은 유전성 질환에 의해 발생할 수 있으나, 심한 저인혈증은 대개 영양실조나 인의 세포 내로의 이동을 촉진하는 후천성 질환에 의해 발생한다.

1) 저인혈증을 유발하는 유전성 질환

대개 소아기에 발생하며 구루병이나 뼈연화증을 유발한다. FGF-23 유전자의 돌연변이로 인해 발생하는 상염색체

우성 저인혈증구루병(autosomal dominant hypophospha-temic rickets)과 PHEX (phosphate-regulating endopep-tidase on X chromosome) 유전자의 돌연변이로 발생하는 X염색체연관 저인혈증구루병(X-linked hypophospha-temic rickets), dentin matrix protein 1 (DMP1) 유전자 돌연변이에 의해 발생하는 상염색체열성 저인혈증구루병(autosomal recessive hypophosphatemic rickets)이 대표적인 유전성 질환이다. PHEX와 DMP1은 모두 FGF-23의 생성과 작용에 관여하는 것으로 알려져 있다.

Fanconi 증후군은 근위신세관의 전반적인 기능부전에 의해 인과 함께 포도당과 아미노산, 중탄산염 등의 재흡수가 크게 감소하면서 저인혈증과 함께 근위신세관 산증이 발생하는 질환이다. 특발성이나 Lowe 증후군, Dent 병 등에 의해 일차적으로 발생할 수 있고, 시스틴증(cystino-sis)과 Wilson 병 등에 의해 이차적으로도 발생할 수 있다. 다뇨와 세포외액 용적 감소가 초래될 수 있다. 근위신세관의 기능부전과 함께 25-hydroxyvitamin D 1α-hydroxylase의 활성도가 감소하면서 칼시트리올의 혈중 농도가 저하되고 구루병과 뼈연화증이 동반될 수 있다.

그 밖에도 25-hydroxyvitamin D 1α-hydroxylase의 이상으로 인한 비타민D의존성 구루병1형(vitamin D-dependent rickets type 1)과 칼시트리올에 대한 표적 기관의 저항성으로 인해 발생하는 비타민D의존성 구루병2형도 저인혈증을 초래한다. 비타민D의존성 구루병1형에 대해서는 저용량의 칼시트리올 치료가 필요하지만, 비타민D의존성 구루병2형은 매우 고용량의 칼시트리올 또는 alfacalcidol 투약이 필요하다.

2) 저인혈증을 유발하는 후천성 질환

여러 가지 질환이 이차적으로 저인혈증을 유발한다.

알코올중독은 저인혈증의 가장 흔한 원인이며, 부갑상선기능항진증과 급성 호흡성 알칼리증에서도 저인혈증이 발생할 수 있다. 당뇨병케톤산증을 치료하기 위해 인슐린을 투여하면 인이 세포 내로 다량 이동하면서 저인혈증이 초래될 수 있지만, 기저 저인혈증이 있었던 경우가 아니라면 혈장 인 농도가 0.3 mmol/L (0.9 mg/dL) 미만으로 감소되지는 않는다. 완전정맥영양(total parenteral nutrition)을 시행받는 환자에서 인 공급량이 부족하거나 인슐린을 함께 투여하면서 세포 내로 인이 이동하여 저인혈증이 발생할 수 있다.

신장이식 이후에 인의 요 배설이 크게 증가하면서 저인혈증이 자주 발생한다. 거의 대부분의 신장이식 환자들이 시기의 차이는 있지만 저인혈증을 보인다. 신장이식 이후에 발생하는 저인혈증의 원인은 FGF-23의 혈중 농도가 계속 높아서 인의 요 배설이 증가하기 때문이며, 만성콩팥병으로 인해 발생한 부갑상선기능항진증도 영향을 끼치는 것으로 추정된다.

혈관주위세포종(hemangiopericytoma)이나 섬유종(fibroma), 혈관육종(angiosarcoma)등의 중간엽종양(mesenchymal tumor)에서 phosphatonin인 FGF-23,

표 3-5-3. 경구 인제제

경구제	인		나트륨	포타슘
	(mg)	(mmol)	(mmol)	(mmol)
탈지우유 (1 mL)	1	0.03	0.03	0.04
Joulie 용액 (1 mL)	30	1	0.8	0
KH$_2$PO$_4$ (500mg 1 T)	114	3.7	0	3.7
K-phosphate neutral (1 T)	250	8	13	1.1

sFRP-4, matrix extracellular phosphoglycoprotein 또는 FGF-7 등을 분비하여 저인혈증이 초래되고 뼈연화증이 동반될 수 있다.

다발성골수종이나 tenofovir, ifosfamide나 탄산탈수효소억제제 등의 약제가 Fanconi 증후군과 같은 광범위한 근위신세관 기능부전을 초래하여 저인혈증을 유발할 수 있다. Imatinib mesylate는 부갑상선호르몬을 상승시키면서 저인혈증을 유발한다고 보고된 바 있다.

3) 임상적 특징

저인혈증의 발생 속도와 정도에 따라 증상이나 징후가 다르게 나타난다. 혈청 인 농도가 0.65 mmol/L (2.0 mg/dL) 이상일 경우에는 대개 증상이 없다. 저인혈증의 증상 및 징후로는 대사성뇌병증, 적혈구와 백혈구의 기능부전, 용혈, 혈소판감소증, 근위약과 심근 수축력의 감소 등이 있다.

4) 치료

저인혈증은 대개 응급 치료를 필요로 하지는 않는다. 저인혈증을 유발하는 원인 질환을 먼저 확인하고 이에 맞는 치료가 이루어져야 한다.

신석회화나 신장결석증이 없는 경우에는 저인혈증을 치료하기 위해 유제품이나 인염을 경구 투약한다. 심한 저인혈증을 보이는 경우에는 인을 하루에 두 번 정도 정맥 투여한다. Potassium phosphate를 수액에 섞어서 투여할 때, 인과 함께 칼륨이 함께 투여된다는 것을 염두에 두고, 고칼륨혈증이나 고인혈증이 발생하지 않는지 주의깊게 추적 관찰하여야 한다. 완전정맥영양을 시행받는 환자에서는 혈청 인 농도를 추적 검사하면서 적절한 양의 인 (대개 1000 kcal 당 10~25 mmol의 potassium phosphate)을 함께 투여한다. Dipyridamole이 인의 요 배설을 감소시킨다고 보고된 바 있다.

마그네슘 대사의 장애

1. 마그네슘 대사

> [마그네슘 대사 기전]
> 1. 체내 마그네슘 대사에 관여하는 장기
>   - 위장관: 마그네슘의 섭취가 많으면 섭취량의 25%, 섭취가 적으면 75%를 소장에서 흡수
>   - 신장: Mg^{2+}상태로 1일 2,000 ~ 2,400 mg을 여과하여 보통 95%를 재흡수하고 요로 100 mg 정도만 배설 (FE_{Mg}는 5%)
> 2. 신장의 마그네슘 재흡수에 영향을 미치는 요인
>   - 재흡수의 증가: 부갑상선호르몬 또는 비타민 D 증가, 대사성 알칼리증, thiazide
>   - 재흡수의 감소: 체액 과잉, 고칼슘혈증, 저칼륨혈증, 저인혈증, 대사성 산증, 고리작용 이뇨제

정상 성인의 총 체내 마그네슘(magnesium) 양은 약 25 g (15 mmol/kg)이며, 약 60~65%는 뼈에 분포하고 나머지 양의 대부분은 근육과 다른 연부조직의 세포 내에 분포한다. 다량의 세포내 마그네슘은 ATP (adenosine triphosphate), ADP (adenosine diphosphate), 단백질, 그리고 핵산과 같은 다양한 세포 내 성분에 결합해 있거나 미토콘드리아 내에 있으며, 일부만이 세포외액과 천천히 교환된다. 세포 내 유리 농도는 0.5~0.8 mmol/L이다. 총 체내 마그네슘의 약 1% 만이 세포외액에 존재한다. 혈장 내 마그네슘의 정상 농도는 1.7~2.3 mg/dL (0.71~0.96 mmol/L; 마그네슘의 원자량이 24.3 이므로 1 mmol/ L=2 mEq/L=2.4 mg/dL)이다. 세포외액에 분포하는 마그네슘의 약 30%는 단백질에 결합된 형태이며 나머지 70%는 사구체에서 여과 가능한 형태이다. 여과 가능한 마그네슘은 유리 형태와 총 마그네슘의 60~65%인 마그네슘 이온, 그리고 5~10%는 구연산, 인, 옥살산 및 다른 음이온과 결합한 상태로 존재한다. 혈청과 적혈구 내에서 이온화된 생물학적으로 활성형인 마그네슘을 측정하는 방법이 개발되었으나 아직 상용화되지는 않았다.

마그네슘은 미토콘드리아 기능, 면역 기능 및 염증성 반응, 성장, 신경 세포의 활성도 조절, 심장 흥분성, 신경 근육 신호 전달, 혈관의 긴장도 및 혈압 유지 등에 관여하는 것으로 알려져 있다. β–아드레날린 수용체가 자극되면 마그네슘이 세포 밖으로 이동하고, 인슐린이나 칼리트리올 및 비타민 B6 등은 마그네슘을 세포 안으로 이동시킨다.

식사로 섭취하는 마그네슘의 25~60%가 위장관에서 흡수되는데 일차적인 흡수 부위는 소장이다. 하루 약 40 mg의 마그네슘이 소장에서 분비되고 약 20 mg이 대장과 직장에서 재흡수된다. 장에서의 마그네슘 흡수는 수동적인 세포주위 흡수와 마그네슘 선택적인 통로인 TRPM6 (transient receptor potential channel, subfamily M, member 6)를 통한 능동적인 세포횡단 흡수를 통해 이루어진다. 여러 가지 요소가 장에서 마그네슘 흡수 정도에 영향을 끼치는데, 비타민 D와 성장호르몬, 비타민 B6는 마그네슘 흡수를 촉진하고, 인이나 phytate 섭취가 증가하면 마그네슘의 장 흡수는 억제된다.

정상적인 상태에서는 여과된 마그네슘의 95~97%가 신세관에서 재흡수되고 약 3~5%만이 요로 배설된다. 대부분의 이온과 달리, 여과된 마그네슘의 약 15~25%만이 근위신세관에서 재흡수된다. 피질의 헨레고리비후상행각 (cTAL, cortical thick ascending limb (TAL) of the loop of Henle)에서 내강 내 양전압에 의해 유도된 수동적인 세포주위 흡수로 여과된 총 마그네슘 중 60~70%가 재흡수된다. Paracellin–1 (claudin–16)과 claudin–19로 불리는 치밀이음 단백질이 TAL에서 마그네슘의 세포 주위 투과 정도를 조절한다. 인간에서 수질의 TAL (mTAL)은 마그네슘 재흡수에 관여하지 않는다고 알려져 있다. 기저외 막에 분포하며 G–단백에 결합된 수용체(G protein–coupled receptor superfamily)인 칼슘–마그네슘 인지 수용체 (Ca^{2+}/Mg^{2+}–sensing receptor, CaSR)가 칼슘이나 마그네슘에 의해 활성화되어 TAL에서 이 두 이온의 재흡수를 감소시킨다. 이 과정은 칼륨통로(apical K^+ channels, inter–mediate–conductance ROMK)와 Na^+–K^+–2Cl cotransporter (NKCC2)가 억제되어 상피 세포를 경계로 한 전압 차이가 감소하거나, paracellin–1을 매개로 한 세포주위 투

과가 감소하여 일어난다. 원위신세관에서 재흡수되는 마그네슘 양은 여과된 총 양의 약 5~10%이고, 능동적인 세포투과성 과정을 통해 재흡수되며 요 중 마그네슘 배설을 최종적으로 조절하는 역할을 한다. 상피세포를 경계로 한 전압 차이에 의해 활성화되는 내강막 마그네슘 통로(luminal membrane Mg^{2+}–selective channel, TRPM6)에 의해 마그네슘이 세포 내로 흡수된다. 마그네슘의 세포 외 배출은 기저외막에 존재하는 나트륨–마그네슘 교환통로(Na^+–Mg^{2+} exchanger)나 Mg^{2+}–ATPase에 의해 일어나는 것으로 보인다. 기저외막에 존재하는 표피성장인자(epidermal growth factor, EGF) 수용체를 매개로 한 표피성장인자의 작용에 의해 TRPM6와 세포 내로의 마그네슘 흡수가 활성화되는 것으로 알려져 있다. 원위신세관에서 CaSR의 활성화는 이 부위에서의 마그네슘 재흡수를 억제하지만, 마그네슘 조절에서 CaSR의 생리학적인 역할에 대해서는 아직 더 연구가 필요하다.

신세관에서 마그네슘의 재흡수는 혈청 마그네슘과 칼슘의 농도, 세포외액의 용적에 의해 조절된다. 혈청 마그네슘 농도가 신장의 마그네슘 배설을 결정하는 가장 중요한 인자이다. 마그네슘 결핍과 저마그네슘혈증은 마그네슘의 재흡수를 증가시키고, 고마그네슘혈증은 TAL과 원위신세관에서의 재흡수를 감소시킨다. 고칼슘혈증도 이 부 위에서 마그네슘의 재흡수를 감소시킨다. 혈청 마그네슘과 칼슘의 농도 변화가 요 중 마그네슘의 배설에 영향을 끼치는 작용은 기저외막에 분포하는 CaSR에 의해 기본적으로 매개된다. 체내 용적 감소는 근위신세관에서의 마그네슘 재흡수를 증가시키고 용적 증가는 마그네슘 재흡수를 감소시킨다. 요 중 마그네슘 배설과 신장의 마그네슘 운반체에 영향을 끼치는 복잡한 직간접의 호르몬 작용이 보고된 바 있지만, 칼슘이나 인과 달리 신장에서의 마그네슘 조절 에 호르몬이 하는 역할은 상대적으로 미미하다. 부갑상선호르몬과 칼시토닌, 비타민 D[1,25(OH)2 vitamin D3], 글루카곤(glucagon), 인슐린, 알도스테론 및 항이뇨호르몬 등이 TAL이나 원위신세관에서 마그네슘 재흡수를 증가시킬 수 있는 것으로 보고되었다. 고리작용이뇨제는 TAL에서 세포주위 재흡수를 유발하는 내강 내 양 전압을 감소시켜

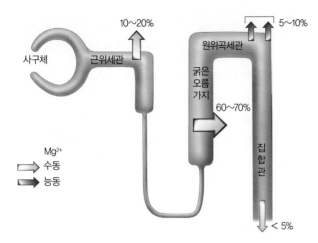

그림 3-5-5. 신세관 부위 별 마그네슘의 재흡수

마그네슘의 재흡수를 감소시킨다. 티아지드와 만니톨도 마그네슘의 요 배설을 증가시킨다. Gentamicin 등의 항생제, cisplatin과 같은 항암제, 사이클로스포린이나 tacrolimus와 같은 calcineurin 억제제 등이 신장에서 마그네슘의 배설을 촉진하는데 정확한 기전은 아직 밝혀지지 않았다.

2. 고마그네슘혈증

[고마그네슘혈증의 원인과 진단 및 치료]

1. 원인
  – 신장질환: 진행한 만성콩팥병 (사구체 여과율 < 15 mL/min), 가족성 저칼슘뇨증 및 고칼슘혈증
  – 체내 마그네슘의 과다 부하: 외상이나 패혈증, 쇼크 등으로 인한 조직 또는 세포의 손상
  – 마그네슘을 함유한 약물
2. 진단
  – 신기능 평가: 사구체여과율 또는 CCr
  – 24시간 요 마그네슘 배설량
  (1) ≥ 20 mg/day: 마그네슘의 섭취 혹은 부하가 증가
  (2) < 20 mg/day: 마그네슘의 요 배설 장애
3. 치료
  – 마그네슘의 섭취나 공급을 중단
  – 대증적 치료: 고리작용이뇨제, 신대체요법

고마그네슘혈증(hypermagnesemia)은 혈청 마그네슘 농도가 2.2 mEq/L (2.6 mg/dL; 1.1 mM)이상인 경우로 정의한다. 혈청 마그네슘 농도가 상승하면 신피질 TAL에서 마그네슘 재흡수가 감소하고 마그네슘의 요 배설은 증가하므로, 사구체여과율이 30 mL/min/1.73 m²미만으로 감소하는 심한 신기능 장애나 다량의 마그네슘이 투여되지 않는 한, 고마그네슘혈증(hypermagnesemia)이 발생하는 경우는 매우 드물다. 투석을 받는 환자들에서도 증상을 동반하는 고마그네슘혈증이 발생하는 경우는 드물다.

고마그네슘혈증의 흔한 원인은 자간전증(preeclampsia)이나 자간증(eclampsia)의 치료를 위해 마그네슘을 정맥내 투여할 때 발생하는 경우이다. 마그네슘을 함유한 관장제나 제산제, 설사제, 또는 영양 공급을 위한 마그네슘 보충 등에 의해 고마그네슘혈증이 발생할 수 있다. 신기능이 저하된 환자들에서 마그네슘을 포함한 관장이나 설사제의 사용은 피해야 하고, 마그네슘을 함유한 제산제도 매우 조심해서 사용해야 한다.

고마그네슘혈증의 드문 원인으로는 CaSR 유전자의 기능 상실 돌연변이에 의한 가족성 저칼슘뇨성고칼슘혈증(familial hypocalciuric hypercalcemia), theophylline 중독, 리튬 중독, 부갑상선기능항진증, 부신피질기능부전, 말단비대증, 갑상선기능저하증, 우유−알칼리 증후군, 종양용해증후군(tumor lysis syndrome) 등이 있다.

1) 임상적 특징

혈청 마그네슘 농도가 1.5 mM(3.6 mg/dL) 미만이면 증상이 없는 경우가 대부분이다. 이 농도 이상이면, 피 부홍조와 오심, 구토, 그리고 경미한 저혈압이 발생한다. 혈중 마그네슘 농도가 5 mg/dL 이상이면 반사 저하가 일어난다. 심부 건반사의 소실, 골격근 쇠약, 그리고 저혈압 이 발생할 수 있으며 마그네슘 농도가 7~10 mg/dL이면 이러한 증상 및 징후가 심해진다. 마그네슘 농도가 12~15 mg/dL 이상이면 호흡 근육 마비가 발생한다. 마그네슘 농 도가 5 mg/dL에 도달하면 심전도 이상이 나타나기 시작 하는데, PR 간격의 증가, QRS 지속 시간의 증가, QT 간격의 증가 등이 서맥과 함께 나타나고, 마그네슘 농도가 10~15

mg/dL 이상이면 완전심장차단(complete heart block)이 발생하며, 15~20 mg/dL를 넘으면 심정지가 발생한다.

2) 치료

신기능이 거의 정상일 경우에 고마그네슘혈증은 보통 치료를 필요로 하지 않으며 마그네슘 투여를 중단하는 것으로 충분하다. 자간증 환자라 하더라도, 부갑상선호르몬 분비가 억제되어 증상을 동반한 저칼슘혈증이 나타나면 자간증 치료를 위한 마그네슘 투여를 중단해야 한다. 고마그네슘혈증이 지속되거나 심할 경우에는 등장성염수를 공급하여 체액량을 늘리면서 고리작용이뇨제를 투여하여 마그네슘의 요 배설을 촉진한다. 투석 환자에서는 혈액투석이나 복막투석으로 과잉의 마그네슘을 제거할 수 있다. 정맥 내로 5~10분간에 걸쳐 칼슘글루코네이트(Ca gluconate)을 투여하면 고마그네슘혈증의 심장에 대한 효과를 일시적으로 상쇄할 수 있다.

3. 저마그네슘혈증

[저마그네슘혈증의 원인과 진단 및 치료]

1. 원인
- 장에서 마그네슘 흡수의 감소
- 신장에서 마그네슘의 재흡수 감소: 대개 이차적 저칼슘혈증을 동반

2. 진단
- 흔히 동반되는 전해질 불균형: 저칼륨혈증, 저칼슘혈증
- 24시간 요 마그네슘 배설
  (1) < 1 mEq/d (12 mg/d): 마그네슘의 섭취가 부족하거나 장에서 흡수가 감소한 상태
  (2) > 2 mEq/d (24 mg/d): 신장을 통한 마그네슘의 요 손실
- 마그네슘 분획배설률 (fractional excretion of filtered Mg^{2+}, FE_{Mg}) (%)
- 마그네슘 부하검사(magnesium loading test, MLT) 후 체내 잔존률

3. 치료
- 마그네슘의 섭취나 공급
- 대증적 치료: 혈청 마그네슘 농도에 따라 치료
  (1) 혈청 마그네슘 > 1 mEq/L (1.2 mg/dL): 경구 마그네슘 투여
  (2) 혈청 마그네슘 < 1 mEq/L (1.2 mg/dL): $MgSO_4$ 정맥 주사

저마그네슘혈증(hypomagnesemia)은 혈청 마그네슘 농도가 1.4 mEq/L (1.7 mg/dL; 0.7 mM) 미만인 경우를 일컬으며, 흔한 원인은 소화관에서의 흡수 저하인데, 특히 소장에서 흡수장애, 만성 설사, 지방변(steatorrhea), 또는 소장우회술(bypass surgery) 등의 경우에 저마그네슘혈증이 자주 발생한다. 대장에서도 마그네슘의 일부가 흡수되기 때문에 회장조루술(ileostomy)을 시행받은 환자들에서 저마그네슘혈증이 발생할 수 있다. 이차적인 저칼슘혈증을 동반한 저마그네슘혈증은 매우 드문 상염색체열성 질환인 TRPM6 유전자의 돌연변이로 인해 소화관과 신장에서 마그네슘의 흡수 장애가 발생하면서 초래될 수 있다. 급성췌장염이나 고칼슘혈증, 일차성 알도스테론증(primary aldosteronism) 등에서도 저마그네슘혈증이 동반될 수 있다.

과량의 이뇨제를 장기간 투약할 경우 저마그네슘혈증이 초래된다. 따라서, 장기간 이뇨제를 투약받는 울혈성심부전 환자들에서 혈청 마그네슘 농도에 대한 추적 검사가 필요하다.

Amphotericin B나 aminoglycosides, cisplatin, foscarnet, 사이클로스포린, 그리고 tacrolimus와 같이 신독성이 있는 다수의 약물은 요 중 마그네슘 손실을 증가시킬 수 있는데, 대부분의 경우에서 TAL 및 원위신세관에서의 마그네슘 재흡수 장애로 인해 발생한다. 이러한 약물에 의한 마그네슘의 요 배설 증가는 매우 심하게 나타날 수 있고 신세관의 손상이나 사구체여과율의 저하가 발생하기 전에도 나타날 수 있으며, 투약을 중단하고 수 개월이 지난 후까지 지속될 수 있다. 요 중 마그네슘의 손실은 사이클로스포린 보다 tacrolimus에서 더 흔하게 나타난다. EGF 수

용체에 결합하여 EGF의 수용체 결합을 방해하는 항체인 cetuximab (human/mouse chimeric monoclonal antibody)은 요 중 마그네슘의 손실과 가역적인 저마그네슘혈증을 유발한다. EGF와 EGF 수용체는 신장 내에, 특히 원위신세관에 분포하며 이 부위에서 마그네슘의 조절에 관여한다.

TAL의 내강막에 분포하는 NKCC2나 ROMK, 기저외막에 분포하는 염소 통로(Cl$^-$-channel)의 기능소실 돌연변이로 발생하는 Bartter 증후군 중 염소 통로의 유전자 돌연변이에 의해 Bartter 증후군이 발생하였을 때 저마그네슘혈증이 동반된다. 이전에는 paracellin 1으로 알려졌던 claudin 16 유전자의 돌연변이로 인한 고칼슘뇨증 및 신장 석회화를 동반한 가족성 저마그네슘혈증(familial hypomagnesemia with hypercalciuria/nephrocalcinosis)과 CaSR 유전자의 돌연변이로 인한 고칼슘뇨증을 동반한 상염색체우성 저칼슘혈증(autosomal dominant hypocalcemia with hypercalciuria) 및 EGF 유전자 돌연변이로 인한 고립성 열성 저마그네슘혈증(isolated recessive hypomagnesemia)등이 대표적인 유전성 저마그네슘혈증의 원인 질환이다. TRPM6의 돌연변이는 장내 마그네슘 흡수 장애와 신장에서 마그네슘 배설을 증가시켜 심한 저마그네슘혈증을 유발하며, 이차적으로 저칼슘혈증도 유발한다. 원위신세관의 나트륨-염소공동운반체 유전자의 기능 상실성 돌연변이로 인해 발생하는 Gitelman 증후군에서도 저마그네슘혈증이 흔히 발생한다.

만성 대사성 산증은 신장 내 TRPM6의 발현을 저하시키면서 요 중 마그네슘 손실을 증가시킨다. 알코올중독과 마그네슘이 부족한 식사 또는 장기간의 비경구영양법은 소화관 및 신장 기능의 이상 없이도 마그네슘 부족 상태를 유발할 수 있다. 저마그네슘혈증은 중환자실에 있는 환자들에서 흔히 발생하는데, 패혈증이나 이뇨제를 투여받고 있는 환자들에서 발생률이 더욱 증가한다.

저마그네슘혈증의 원인이 불확실할 때, 24시간 요 중 마그네슘 배설량이 1 mmol보다 많거나 계산된 마그네슘 분획배설량(fractional excretion of magnesium, FE$_{Mg}$)이 3%보다 크면 부적절한 신장 손실을 의미하며, 마그네슘 결핍이 있으면서 FE$_{Mg}$가 0.5% 미만이면 신장 외 부위에서의 마그네슘 손실을 의미한다.

1) 임상적 특징

저마그네슘혈증은 흔히 저칼륨혈증이나 저칼슘혈증과 공존하는데, 이는 이뇨제 투여나 설사와 같은 유사한 임상적 상황에서 함께 발생할 수 있기 때문이다. 저마그네슘혈증의 신경 및 근육 징후는 저칼슘혈증과 유사한데, 구체적으로는 항진된 근반사, 경련(carpopedal spasm, tetany), 발작(seizure), 그리고 양성의 Chvostek 징후와 Trousseau 징후 등이다. 이러한 징후는 심한 저칼슘혈증이 동반되지 않아도 발생할 수 있다. 심전도의 변화는 저칼륨혈증이나 저칼슘혈증에서 보이는 변화와 유사한데, 넓어진 QRS complex와 QT 간격의 증가 및 ST파의 저하 등이다. Torsades de pointes나 조기심실박동, 심실빈맥, 그리고 심실세동도 발생할 수 있으며, 이러한 경우에 마그네슘을 정맥으로 투여하면 부정맥이 소실되기도 한다. 저마그네슘혈증은 디지탈리스의 심독성을 증가시킨다. 만성적인 마그네슘 결핍은 뇌졸중, 허혈성관상동맥질환, 고혈압, 당뇨병의 합병증, 그리고 천식의 위험성을 다양한 정도로 증가시키는데 정확한 기전은 알려지지 않았다.

2) 진단

마그네슘 결핍의 위험성이 있으면서 저칼륨혈증이나 저칼슘혈증과 같이 마그네슘 결핍의 임상적 특징을 함께 보이는 환자들에서는 혈중 마그네슘 농도가 정상이더라도 마그네슘 결핍을 의심해야 한다. 이러한 경우에 24시간 요에서 마그네슘 배설이 1 mmol 미만이거나, 상용량의 마그네슘(4시간 동안 2.4 mg/kg)을 주입한 후 24시간 동안 20% 이상이 체내에 저류할 때, 또는 경험적인 마그네슘 보충 치료에 반응을 보일 때 마그네슘 결핍을 진단할 수 있다.

포타시움을 충분히 투여하여도 저칼륨혈증이 잘 치료되지 않거나 원인이 확실하지 않은 저칼슘혈증 또는 원인이 뚜렷하지 않은 심혈관계나 신경근육계 증상 등이 있으면 마그네슘의 결핍을 반드시 감별하여야 한다.

179

마그네슘의 결핍을 확인하는 검사는 다음과 같다.

1) 24시간 마그네슘의 요 배설(mEq/d, mg/d)

- 저마그네슘혈증이 있을 때 24시간 마그네슘의 요 배설량으로 신장 혹은 신장 이외 마그네슘의 손실을 감별한다.
  ① < 1 mEq/d (12 mg/d): 마그네슘의 섭취가 부족하거나 장에서 흡수가 감소한 상태
  ② > 2 mEq/d (24 mg/d): 신장을 통한 마그네슘의 요손실

2) 마그네슘 분획배설률(fractional excretion of filtered Mg^{2+}, FE_{Mg}) (%)

(1) $FE_{Mg} = [U_{Mg} \times S_{Cr} / S_{Mg} \times U_{Cr}] \times 100$ (%)
  ① 정상: 0.5~4%
  ② 저마그네슘혈증이 있을 때 신장 외의 마그네슘의 손실은 평균 1.4% (0.5~2.7%), 신장을 통한 손실은 평균 15% (4~48%)였다. 신장을 통한 마그네슘의 손실은 4% 이상이며 15%를 넘는 예가 흔하다.

(2) $FE_{Mg} = [U_{Mg} \times S_{Cr} / 0.7 \times S_{Mg} \times U_{Cr}] \times 100$ (%)
* 0.7은 마그네슘 중 이온상태로 사구체로 여과되는 분획을 의미한다.

- 저마그네슘혈증이 있을 때 마그네슘의 신장 외의 손실이면 2% 미만이지만 신장을 통한 손실이 있으면 2%를 넘는다.

3) 마그네슘 부하검사(magnesium loading test, MLT) 후 체내잔존률

- 원인이 뚜렷하지 않은 심혈관계, 신경근육계 증상 등 마그네슘 결핍이 의심되지만 혈청 마그네슘치가 정상일 때 원인 감별을 위하여 시행한다.

(1) 마그네슘 요 배설률

- MgSO4 30 mmol (7.5 g)을 8시간에 걸쳐 정맥으로 투여한 후 24시간 요 마그네슘 배설량(mmol)을 측정하여 그 배설률(%)을 계산한다.
  ① > 70% (> 21 mmol): 정상
  ② < 50% (< 15 mmol): 마그네슘의 결핍

(2) 마그네슘의 체내잔존률

- $MgSO_4$ 2.4 mg (0.1 mmol)/kg를 4시간에 걸쳐 정맥 주사한다.
  주사 직전 요의 마그네슘, creatinine 농도와 24시간 후 요의 마그네슘, creatinine을 측정하여 체내잔존률(retention rate)을 계산한다.
- 잔존률 = 1 − [{24시간U_{Mg} −[부하 전(U_{Mg}/U_{Cr}) × 24시간U_{Cr}}/Mg부하량] × 100 (%)
  ① < 20%: 정상
  ② 20 ~ 50%: 마그네슘 결핍 가능성 시사
  ③ > 50%: 명확한 마그네슘의 결핍

3) 치료

무증상의 만성적 저마그네슘혈증을 보이면서 마그네슘 섭취를 식사로 증가시켜도 반응이 없는 경우에는 경구로 마그네슘을 보충하는 것이 적절하다. 초기 용량은 마그네슘 30~60 mEq를 하루에 세 번 또는 네 번으로 나누어 투약하는 것이 좋다. 마그네슘염을 투약하면 설사가 발생할 수 있으므로 주의하여야 한다.

경구로 마그네슘을 보충할 수 없거나 증상을 동반한 심한 저마그네슘혈증(<1.0 mEq/L)을 보이는 환자들에게는 황산마그네슘(magnesium sulfate)을 정맥 내 투여하여야 한다. 정상적인 신기능을 가진 경우에는 상당한 마그네슘 결핍이 있다 하더라도 4시간 동안 정맥 내 투여된 마그네슘의 약 50%가 요로 배설된다. 마그네슘의 정맥 투여는 첫 24시간 동안은 1.0~1.5 mEq/kg를 투여할 수 있고 그 다음에는 혈장 마그네슘 농도가 정상 범위로 유지될 때까지 매일 0.5~1.0 mEq/kg를 투여한다. 보통 수 일 이상 총 마그네슘을 3~4 mEq/kg까지 투여하여야 한다. 사구체여과율이 저하된 경우에는 마그네슘의 투여 용량을 줄여야 한다.

▶ 참고문헌

- 한진석: 칼슘대사의 장애/인대사의 장애/마그네슘대사의 장애. 수분, 전해질 및 산염기의 장애. 일조각, 2018.

- Blaine J, et al. Renal control of calcium, phosphate and magnesium homeostasis. Clin J Am Soc Nephrol 10:1257–72, 2015.
- Elisaf M, et al: Fractional excretion of magnesium in normal subjects and in patients with hypomagnesemia. Magnes Res 10:315, 1997.
- Floege J, et al. A phase III study of the efficacy and safety of a novel iron-based phosphate binder in dialysis patients. Kidney Int 86:638–47, 2014.
- Floege J, et al: Clinical Nephrology. 4th ed, Elsevier Sunders, 2010.
- Greenberg A, et al: Primer on Kidney Diseases. 5th ed, Elsevier Sunders, 2010.
- Gullestad L, et al: The magnesium loading test: reference values in healthy subjects. Scand J Clin Lab Invest 54:23, 1994.
- Hoenderop JG, et al: Epithelial Ca2+ and Mg2+ channels in health and disease. J Am Soc Nephrol 16:15–26, 2005.
- Kumar R, et al: Vitamin D and calcium transport. Kidney Int 40:1177–1189, 1991.
- Mensenkamp AR, et al: Recent advances in renal tubular calcium reabsorption. Curr Opin Nephrol Hypertens 15:524–529, 2006.
- Quamme G A: Control of magnesium transport in the thick ascending limb. Am J Physiol 256:F197–F210, 1989.
- Ryzen E, et al: Parenteral magnesium tolerance testing in the eval—uation of magnesium deficiency. Magnesium. 4:137, 1985.
- Shaikh A, et al: Regulation of phosphate homeostasis by the phosphatonins and other novel mediators. Pediatr Nephrol 23:1203–1210, 2008.
- Tfelt-Hansen J, et al: The calcium-sensing receptor in normal physiology and pathophysiology: A review. Crit Rev Clin Lab Sci 42:35–70, 2005.
- Topf JM, et al: Hypomagnesemia and hypermagnesemia. Rev Endocr Metab Dis 4:195, 2003.
- Unwin RJ, et al: An overview of divalent cation and citrate handling by the kidney. Nephron Physiol 98:15–20, 2004.

제3부 수분–전해질 대사 장애

PART 04 산-염기 장애

김근호 (한양의대)

CHAPTER 01 산-염기대사의 기본 생리와 장애

하성규 (연세의대)

KEY POINTS

- 동맥혈가스와 혈청 전해질 농도의 정상 범위를 숙지하여야 한다.
  pH 7.35~7.45 (7.4), $[HCO_3^-]$ 22~26 (24) mM, $PaCO_2$ 35~45 (40) mmHg
  Na 140 mM, K 4.0 mM, Cl 105 mM, total CO_2 24 mM
  음이온차 8~12 (10) mM

- 동맥혈가스와 혈청 전해질 농도를 동시에 측정하여 전해질 검사에서 측정된 탄산수소염 농도와 동맥혈가스분석에서 계산된 탄산수소염 농도를 비교하여 검사의 정확성을 판정한다. 동맥혈 가스 검사로 계산한 $[HCO_3^-]$와 혈청 전해질검사로 측정한 total CO_2가 2 mM 이상 차이나지 말아야 한다.

- 산-염기 장애의 일차적 원인요소로서 혈청 탄산수소염 농도, 동맥혈 이산화탄소분압, 혹은 두 가지 모두를 확인해야 한다. 혈청 탄산수소염 농도가 일차적으로 변함에 따라 pH에 이상을 초래하는 경우를 대사산증 혹은 대사알칼리증이라고 하고, pH 변화의 원인이 일차적으로 이산화탄소분압의 이상에 의한 경우를 호흡산증 혹은 호흡알칼리증이라고 한다.

  - 이산화탄소분압이나 탄산수소염에 대해서 보상반응을 추정한다.

  - 음이온차(= Na − Cl − HCO_3^-)를 계산한다(저알부민혈증이 있는 경우에 혈청 음이온차를 계산할 때에는 혈청 알부민이 정상 농도(4.5 g/dL)에서 1 g/dL 감소할 때마다 음이온차가 2.5 mM 만큼 감소한다는 것을 감안하여 보정해 주어야 한다.

  - 고음이온차 대사산증의 주요한 4가지 범주를 확인한다.
    1) 케톤산증, 2) 젖산산증, 3) 만성신부전 산증, 4) 독소 또는 독약 유발 산증

  - 고클로라이드 정상음이온차 대사산증의 주요한 2가지 범주를 확인한다.
    1) 탄산수소염의 위장관 손실, 2) 탄산수소염의 신장 손실
    탄산수소염 손실에 대한 이산화탄소분압의 보상반응을 추정한다.

  - 혼합형 장애가 있는지 확인한다.
    ⊿음이온차(⊿AG) 와 ⊿탄산수소염(⊿$[HCO_3^-]$)을 비교한다.
    ⊿AG/⊿$[HCO_3^-]$ 비율이 2 이상이면 혼합형 장애 의심

서론

체내 대사과정에서 많은 산(수소이온, H+)이 생산되지만 세포외액의 수소이온 농도와 pH는 적절한 범위(pH 7.35~7.45)에서 엄격하게 유지되고 있으며, 이는 모든 세포의 정상적인 기능 유지에 필수적이다. 일반적인 서양 식이를 섭취하는 사람은 황(sulfur) 함유 아미노산 및 양이온 아미노산의 대사로 인하여 대략 1 mmol/kg/day의 산이 생성되고, 섭취하는 음식물 중 탄수화물과 지방은 완전히 산화되어 물(H_2O)과 이산화탄소(CO_2)로 대사된다. 이때 생성된 이산화탄소의 양은 안정 시 성인에서 대략 15,000~20,000 mmol/day이며, 이산화탄소는 체액에 녹아 탄산(H_2CO_3)으로 된 후 다시 수소이온과 탄산수소염(HCO_3^-)으로 해리되어 평형을 이룬다.

생리학적으로 산을 두 가지로 대별할 수 있다. 탄산과 같이 이산화탄소와 평형을 이루며 산을 호흡으로 배출할 수 있는 비고정산(non-fixed acid 혹은 volatile acid)과 호흡으로는 배출할 수 없는 고정산(fixed acid 혹은 nonvolatile acid)으로 구분된다. 탄수화물과 지방의 완전 산화로부터 생성된 탄산은 이산화탄소를 호기(expiration)로 배출함으로써 산을 제거할 수 있지만, 불완전 산화로 인해 생성되는 젖산(lactic acid)과 케톤체(ketone body)는 호기로 제거할 수 없는 비고정산으로서 pKa 값이 4~5인 강산이다. 또한 단백질과 아미노산 대사로부터 H_2SO_4, HCl, H_3PO_4 등 강산이 생산된다. 예를 들어, 황이 포함된 아미노산인 methionine, cysteine 및 cystine은 산화되어 H_2SO_4를 생산하며, 양이온 아미노산인 arginine, lysine 등은 HCl을 생산한다. 이러한 고정산들이 체내에 계속 축적됨에도 불구하고 인체 세포외액의 pH는 7.35~7.45로 유지하고 있으며, 이는 1) 여러 종류의 화학적 완충제 작용, 2) 폐포 호흡 조절로 인한 이산화탄소의 배출 및 3) 신장에서 산의 배설과 염기의 재흡수 및 생산에 의해서 가능하다. 일반적으로 산은 수소이온을 공여하고, 염기는 수소이온을 수용하는 물질이다. 산은 용액 내에서 수소이온을 공여하며 용해상수인 Ka 값이 높을수록 강산(예, H_2SO_4, HCl)이고, Ka 값이 낮을수록 약산(예, H_2CO_3, NH_4^+,

$H_2PO_4^-$)이다. 또한 pKa는 Ka 역수를 로그로 표시한 값으로서 다음과 같이 나타낼 수 있다.

$$Ka = ([H^+] \times [A^-])/[HA]$$
$$pKa = \log_{10}(1/Ka) = -\log_{10}Ka$$

만약, HA라는 산이 용액 내에서 산인 H+과 염기인 A-로 용해된다면

$$Ka = ([H^+] \times [A^-])/[HA]$$
$$[H^+] = Ka \times [HA]/[A^-]$$

여기에서 양변을 음의 로그로 표시한다면,

$$-\log[H^+] = -\log Ka + \log[A^-]/[HA]$$가 되어
$$pH = pKa + \log[A^-]/[HA]$$로 나타낼 수 있다.

이를 Henderson-Hasselbalch 공식이라 하고, 특정 용액의 pH는 용액 내 산의 pKa 값과 염기 A-와 산 HA의 농도비에 의해 결정된다는 것을 시사한다. 화학적 완충제는 pH의 급격한 변화를 억제하는 물질이며, 약산과 염기로 구성되어 있다. 예를 들어 H_2CO_3, $H_2PO_4^-$, NH_4^+ 등이 용액 내에서 완충작용을 발휘한다. 신장은 폐와 더불어 체내 산-염기 평형을 유지하는 중요한 장기이다. 이를 위해 신장에서는 암모늄(NH_4^+), 적정가능산(titratable acid) 및 수소이온의 형태로 산을 제거하고, 여과된 탄산수소염(염기)을 재흡수하며, 완충작용으로 소모된 탄산수소염(염기)을 재생한다. NH_4^+은 glutamine 대사에 의해 근위세관에서 생산되고 이때 생산된 탄산수소염은 기저외측막을 통해 흡수된다. NH_4^+의 pKa 값이 9.2이기에 일반적인 요 pH 범위 7.4 내지 4.3 정도를 고려할 때 정상적인 요의 적정(titration) 범위에 포함되지 않으므로, 요 중 암모니아(NH_3와 NH_4^+의 총칭)는 대부분 NH_4^+의 형태이다. 적정가능산을 정량하는 방법으로서 사구체 여과액의 pH를 혈장 pH 7.4와 동일하다고 추정하여 요 pH를 7.4로 회복(중화)시킬 때 소모된 강염기(NaOH)의 양을 측정한다. 즉,

요 중 인산염 혹은 creatinine 등 완충제에 수소이온이 결합하여 분비되는 수소이온의 양(적정산의 양)을 역으로 NaOH의 양으로 추정하는 값이다. 적정가능산의 대부분은 인산염에 수소이온이 결합한 형태인 $H_2PO_4^-$이다. 염기와 결합하지 않고 수소이온만의 형태로 배설되는 산은 NH_4^+ 혹은 적정가능산 형태로 배설되는 산의 양에 비해 아주 미미하다.

정상적인 상황에서 체내 수소이온 농도는 세포외액에서 40 nM로 매우 낮지만 다른 양이온에 비해 반응성이 높아 여러 효소 단백 등 음이온에 강력하게 결합한다. 정상적인 세포 기능을 발휘하기 위하여 생체 내에서 수소이온 농도는 16~160 nM (pH 7.80~6.80) 사이를 일정하게 유지하여야 한다. 정상적인 동맥혈의 pH는 7.35~7.45의 좁은 범위에서 유지되는데 이것은 정상적인 세포 기능을 유지하기 위해 매우 중요하며, 화학적 완충제와 호흡 및 신장의 조절작용에 의해서 유지된다. 세포외액에서는 탄산수소염–이산화탄소 완충계가 중요한 화학적 완충제로 작용한다. 혈장 탄산수소염은 신장에서 탄산수소염 재흡수와 수소이온 분비를 통해 조절되고, 이산화탄소는 대부분 호흡을 통한 폐 환기에 의해서 배출된다.

$$H_2O + CO_2 \leftrightarrow H_2CO_3 \leftrightarrow H^+ + HCO_3^-$$

동맥혈 pH는 혈장 탄산수소염과 이산화탄소의 상대적 농도에 의해 영향을 받는다. 산–염기 완충계가 아주 강력한 완충 효과를 발휘하지는 않지만, 혈장 탄산수소염과 이산화탄소 농도를 조절함으로써 이 완충계를 산–염기 평형 유지에 매우 중요한 요소로 작용하게 한다.

Henderson–Hasselbalch 공식을 탄산수소염–이산화탄소 완충계에 적용하면

pH = 6.1 + log $[HCO_3^-]/[CO_2]$가 된다.
$[CO_2]$ = 0.03×$PaCO_2$이므로
(0.03, CO_2의 용해상수; $PaCO_2$, 동맥혈 이산화탄소분압)

pH=6.1 + log ($[HCO3^-]/[0.03×PaCO_2]$)가 된다.

정상적인 상황에서 $HCO3^-$와 CO_2 사이의 평형은 철저하게 조절되는데, 동맥혈 pH는 7.35~7.45 범위 내에서 유지된다. 동맥혈 이산화탄소분압의 경우 35~45 mmHg가 정상 범위이고, 동맥혈 탄산수소염의 정상 범위는 22~26 mM이다. 만약 혈액에 수소이온이 더해지면 위의 공식에서 반응은 오른쪽으로 이동하여 이산화탄소와 수분을 생성한다. 정상적인 상황에서 이렇게 생성된 이산화탄소는 폐를 통해 빠르게 제거된다.

동맥혈 pH가 감소한 결과를 산혈증(acidemia), 동맥혈 pH가 증가한 결과를 알칼리혈증(alkalemia)이라 하고, 혈중 pH에 관계없이 발생하는 병적인 기전이나 과정을 각각 산증(acidosis)과 알칼리증(alkalosis)이라고 부른다. 즉, 체액에 산을 형성하거나 알칼리 손실이 있어 산을 추가하는 병적인 과정이 있을 때 산증이라 하고, 체액에 알칼리를 형성하거나 산 손실로 알칼리를 추가하는 병적인 기전이 있을 때 알칼리증이라 한다. 산증 혹은 알칼리증이 일차적으로 탄산수소염 감소 혹은 증가에 의해서 일어나는 경우를 대사 장애, 일차적으로 이산화탄소의 감소 혹은 증가에 의해서 일어나는 경우를 호흡 장애라 한다. 일반적으로 산증에서는 산혈증이, 알칼리증에서는 알칼리혈증이 관찰되지만, 혼합 산–염기 장애에서는 pH 변화가 반드시 일치하지 않으므로 유의하여야 한다.

산–염기 평형을 유지하는 세 가지 기전

1. 산–염기 완충계

혈중 주요 산–염기 완충계는 이산화탄소와 탄산수소염으로 구성되어 있으며 중요한 세포외 완충계이다. 다른 부수적인 완충계도 pH를 안정화하는데 도움을 준다. 즉각적인 세포외 완충 후, 수시간에 걸쳐서 이차적인 세포내 완충이 작용한다. 세포내 완충계는 헤모글로빈, 단백질, 이염기인산(dibasic phosphate), 뼈에 있는 탄산염(carbonate)으로 이루어져 있다. 산 부하(acid load)가 너무 많거나 오랜 기간 지속되는 경우가 아니라면 세포외 완충과 세포 내

완충의 비율이 약 1:1로 유지된다. 세포외 완충과 세포내 완충이 동일한 비율로 작용하는 것은 산 부하 혹은 산 결핍이 총체수분량(total body water, 이상체중의 50~60%)과 거의 동일한 분포 용적을 갖는다는 것을 의미한다. 탄산수소염과 이산화탄소는 모두 '역동적' 완충계 요소이다. 즉, 생리학적 기전으로 탄산수소염-이산화탄소 완충계에서 완충할 수 있는 한계를 크게 증가시킨다. 대사산증의 경우 동맥혈 이산화탄소분압이 감소함으로써 완충작용이 일어나고, 호흡산증에서는 혈청 탄산수소염 농도가 증가함으로써 완충작용이 일어난다. 폐는 매일 상당한 양의 이산화탄소를 제거함으로써 매우 훌륭한 완충작용을 한다. 이와 유사하게 신장은 탄산수소염을 제거할 수 있고, 필요한 경우에는 많은 양의 탄산수소염을 생성할 수 있다.

2. 신장을 통한 탄산수소염의 조절

신장은 산-염기 평형에 있어 두 가지 중요한 기능을 한다. 첫째, 신장은 수소이온을 분비함으로써 여과된 탄산수소염을 재활용할 수 있다. 근위세관 세포 내에서 탄산탈수효소(carbonic anhydrase)가 이산화탄소와 물을 수소이온과 탄산수소염으로 전환시킨다. 탄산수소염은 혈액으로 되돌아가고 수소이온은 근위세관 내강으로 분비되어 탄산수소염과 반응 후 이산화탄소와 물을 다시 생성한다. 결과적으로 사구체에서 여과된 탄산수소염의 80~85%가 근위세관에서 재흡수되어 탄산수소염 재생이 일어난다. 나머지 중 5%는 헨레고리관, 5%는 원위곡세관, 5%는 집합관에서 각각 재흡수된다.

탄산수소염 외에도 다른 산의 음이온이 사구체에서 여과된다. 체내에서 산의 생성은 동일한 양(equimolar)의 탄산수소염 감소를 유발한다. 이러한 음이온 중 가장 중요한 것이 단수소인산염(monohydrogen phosphate)이다. 수소이온이 근위세관에서 분비되면 단수소인산염과 결합하여 pKa 6.8의 약산성인 이수소인산염($H_2PO_4^-$)을 생성한다. 세관 pH는 근위세관에서 얻을 수 있는 가장 낮은 4.5로부터 점차 증가한다. 이수소인산염($H_2PO_4^-$)의 pKa값이 세관의 생리학적 pH 범위 내에 있기 때문에 인산이 재생성되

어 배설될 수 있다. 이러한 과정에 의해 배설되는 산을 적정가능산이라 한다. 결과적으로 탄산수소염이 재생되고 이것이 혈액에 더해지는 것이다.

한편, 일부 아미노산의 대사과정을 통해 생성되는 황산과 같이 pKa 값이 4.5 이하인 산은 이 과정을 통해 재생될 수 없다. 그러므로 근위세관으로부터 분비되는 많은 수소이온은 세관세포에 의해 탄산수소염을 지속적으로 형성할 수 있는 다른 완충제와 결합하여 배설되어야 한다. 근위세관 세포는 글루타민을 탈아미노작용(deamination)에 의해 암모니아로 변환하여 근위세관 내강으로 확산시킨다. 암모니아는 집합관에서 분비된 수소이온과 결합하여 암모늄(NH_4^+)이온을 생성하고 NH_4Cl 형태로 배설된다. 암모늄 배설은 정상적인 35 mmol/day로부터 심한 산혈증이 있는 경우 300 mmol/day까지 증가할 수 있다. 최대 암모늄 배설이 일어나기까지는 3~5일 정도가 소요된다. 암모늄 배설이 증가함에 따라 혈청 탄산수소염 농도와 요 pH는 증가하게 된다. 따라서 훨씬 더 많은 양의 수소이온이 완충된 소변(암모늄이 많은)으로 분비됨에도 불구하고 요 pH는 신장 산성화를 반영하지 않을 수 있다. 근위세관에서 암모니아 생성과 수소이온 분비는 산혈증 때 증가하고 알칼리혈증 때 감소한다.

체내에서 산성 용액의 손실(예, 구토) 혹은 알칼리의 증가(예, 제산제 복용)는 수소이온 농도 감소, 혈장 탄산수소염농도 증가 및 pH 증가를 유발한다. 알칼리 부하의 약 2/3는 세포 외 공간에서 완충되고, 1/3만 세포 내 구획으로 들어간다. 동시에 세포 내로 포타슘이 이동하여 pH가 0.1 unit 증가할 때마다 포타슘 농도가 0.4~0.5 mM 감소하게 된다. 탄산수소염을 주입할 때 일어나는 급성 반응은 수소이온과 결합하여 이산화탄소가 유리됨으로써 동맥혈 이산화탄소분압이 증가한다. 만성적인 알칼리혈증에 대한 폐의 반응은 호흡 중추를 억제하는 것이다. 이를 통해 혈장 탄산수소염 농도가 1 mM 증가할 때마다 $PaCO_2$도 0.7 mmHg씩 증가한다. 신장은 정상 생리학적인 조건에서 많은 양의 탄산수소염을 배설시킬 수 있다. 혈액의 pH 증가와 함께 사구체에서 초여과된 여과액의 탄산수소염 농도가 증가하면 신장에서 탄산수소염 재흡수가 감소하고 알

칼리성 소변이 배출되게 된다. 반대로 적정가능산과 암모니아 배설은 빠르게 감소한다.

한편, 혈량저하증(hypovolemia), 용적감소 알칼리증(volume-contraction alkalosis) 및 저칼륨혈증은 모두 신장의 탄산수소염 배설능을 감소시킬 수 있다. 이것은 세가지 기전으로 설명할 수 있는데, 1) 혈액 용적감소에 따라 사구체여과율이 감소하여 혈장 내 탄산수소염 농도가 높음에도 불구하고 여과되는 탄산수소염의 양이 감소하며, 2) 혈액 용적감소와 저칼륨혈증에 의해 근위세관에서 탄산수소염 재흡수가 증가하고, 3) 혈액 용적감소에 의해서 알도스테론 농도가 증가하여 역설적으로 탄산수소염의 재흡수가 증가하기 때문이다.

3. 폐포호흡을 통한 이산화탄소의 조절

폐포호흡은 동맥혈 이산화탄소분압을 결정하는데, 화학수용체(chemoreceptor)에 의해 pH가 거의 정상인 상황에서는 동맥혈 이산화탄소분압이 35~45 mmHg로 유지된다. 폐질환, 흉벽 이상, 신경계 질환 혹은 외상은 이산화탄소가 폐를 통해 빠져나가는 것을 방해하여 고이산화탄소혈증(hypercapnia)을 유발한다. 한편, 환기를 자극하거나 다른 기전을 통해서 저이산화탄소혈증(hypocapnia)이 유발될 수 있다. 동맥혈 이산화탄소분압이 갑자기 변하면 수분 내에 혈액 내 산성도가 변화하게 된다.

급성 호흡알칼리증에서는 동맥혈 이산화탄소분압이 1 mmHg 감소할 때마다 혈장 탄산수소염 약 0.2 mM씩 감소하고, 급성 호흡산증 때에는 동맥혈 이산화탄소분압이 1 mmHg 증가할 때마다 혈장 탄산수소염 약 0.1 mM씩 증가한다. 결과적으로 신장은 이산화탄소분압의 변화에 반응하여 이산화탄소분압 증가에 대한 보상으로 근위세관에서 탄산수소염 재흡수를 증가시키고, 이산화탄소분압이 낮으면 탄산수소염 재흡수를 감소시킨다. 만성 호흡장애에서는 신장의 보상 범위가 증가한다. 알칼리증인 만성 저이산화탄소혈증에서는 동맥혈 이산화탄소분압이 1 mmHg 감소할 때마다 혈장 탄산수소염 농도가 0.5 mM씩 감소하고, 산증인 만성 고이산화탄소혈증에서는 동맥혈 이

산화탄소분압이 1 mmHg 증가할 때마다 혈장 탄산수소염 농도가 0.3 mM씩 증가한다.

산-염기 장애의 분류 및 진단적 접근

산-염기 장애의 분류 및 진단적 접근 시에 산-염기 장애의 일차적 원인 요소로서 혈장 탄산수소염 농도, 동맥혈 이산화탄소분압, 혹은 두 가지 모두를 확인해야 한다. 혈장 탄산수소염 농도가 일차적으로 변함에 따라 pH에 이상을 초래하는 경우를 대사산증 혹은 대사알칼리증이라고 하고, pH 변화의 원인이 일차적으로 이산화탄소분압의 이상에 의한 경우를 호흡산증 혹은 호흡알칼리증이라고 한다. 탄산수소염의 일차적인 변화는 이산화탄소분압의 보상(compensation)을 유발하고, 이산화탄소분압의 일차적 변화는 탄산수소염의 보상 조절을 유발한다. 항정상태(steady state)에 도달하는데 호흡 보상($PaCO_2$)은 수 분이 소요되지만, 대사 보상(HCO_3^-)에서는 수시간 내지 수일이 걸리기도 한다.

단순 산-염기 장애는 탄산수소염 농도나 이산화탄소분압이 일차적으로 변화하고, 이에 따라 적절한 보상 작용에 의한 생리학적 이차변화가 다른 변수들에 동반하는 경우를 말한다(표 4-1-1, 그림 4-1-1). 각 변수의 값들이 이러한 규칙을 따르지 않을 경우를 혼합 산-염기 장애라고 한다. 혼합 산-염기 장애는 모든 가능한 조합을 포함한다. 과량의 살리실산염(salicylate) 중독 환자는 대사산증과 더불어 호흡알칼리증을 나타낼 수 있다.

몇 가지 일반적인 규칙에 따라 산-염기 장애를 평가할 수 있다. 첫째, 산-염기 이상은 pH가 변화하는 방향에 따라 결정한다. 다시 말하면, pH가 낮은(산혈증이 관찰되는) 환자는 최소한 대사산증, 호흡산증, 아니면 양쪽 모두를 가지고 있을 것이다. 둘째, 만약 동맥혈 이산화탄소분압과 혈청 탄산수소염 모두 산혈증이나 알칼리혈증에 관여한다면 환자는 두 가지 혹은 그 이상의 문제가 있는 것이다. 셋째, 보상 작용은 항상 pH를 정상으로 돌려놓기에 부족하므로, pH는 정상이지만 이산화탄소분압과 탄산수소염이

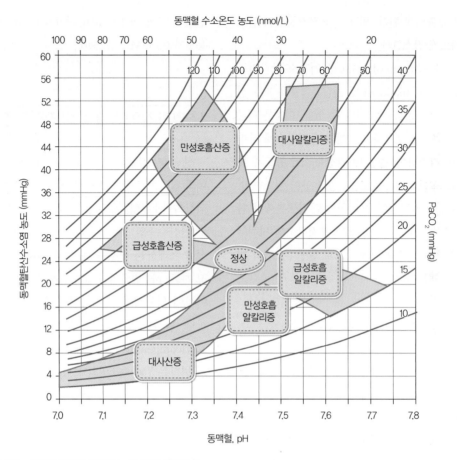

그림 4-1-1. pH와 HCO₃⁻ 사이의 관계를 보여주는 산-염기 평형도표
곡선은 PCO_2의 농도를 나타냄. 짙은 부분은 일차성 단순 산-염기 장애에 대한 정상 호흡 및 대사 보상의 범위를 95% 신뢰도로 나타낸다. 중앙 사각형 안의 점은 정상(normal) pH, PCO_2, HCO_3^- 를 의미한다. 짙은 부분 바깥쪽의 점은 혼합 산-염기 장애를 의미한다.

정상 범위에서 벗어난다면 최소한 두 가지 이상의 산-염기 장애가 있다고 생각해야 한다. 예를 들어, 탄산수소염 농도가 감소하고 이산화탄소분압이 감소되어 있는 산증의 경우는 대개 호흡 보상 작용을 동반한 단순 대사산증일 가능성이 높다. 그러나 pH가 7.40 (7.35~7.45)에 가깝고 호흡 보상이 과도할 경우에는 호흡알칼리증의 혼합장애를 의심해야 한다.

그림 4-1-1은 환자의 산-염기 평형 상태를 판단하는데 이용 할 수 있는 도표이다. 그림에서 진하게 표시되는 영역에 해당하면 환자가 단순 산-염기 장애를 가지고 있다는 예측이 95% 신뢰구간에서 가능하다. 만약에 환자의 위치가 표시된 영역에서 바깥으로 벗어나면 단순 산-염기 장애일 가능성은 떨어지고 혼합 산-염기 장애일 가능성이

높다. 또한 산-염기 이상을 확인하고 증명하는데 유용한 일반적인 규칙들이 표 4-1-1, 표 4-1-2에 열거되어 있다. 동맥혈에서 혈액가스를 측정할 때는 헤파린을 과도하게 사용하지 않도록 주의해야 하고, 전해질 측정과 동맥혈 가스 분석은 치료에 앞서서 동시에 시행해야 한다. 동맥혈 가스 분석에서 탄산수소염 농도는 직접 측정한 pH와 이산화탄소분압을 Henderson–Hasselbalch 공식에 대입시켜 얻은 계산치인데, 이것과 전해질 검사에서 측정한 총 이산화탄소 농도와 비교해 보아야 한다. 이 두 값 사이의 차이가 2 mM보다 크다면 검체의 채혈이 동시에 이루어지지 않았거나, 검사에 오류가 있을 가능성이 있다. 만약 탄산수소염 값이 믿을 만하다고 판단되면, 다음 공식에 따라 혈청 음이온차를 계산한다.

표 4-1-1. 산-염기 장애의 단계적인 접근

1. pH, PCO_2, $[HCO_3^-]$가 합당한지 확인하라.

   동맥혈가스 검사와 혈청 전해질 검사를 동시에 시행하고 두 검사의 탄산수소염을 비교하여 검사의 정확성을 판정한다. 동맥혈가스 검사로 계산한 $[HCO_3^-]$와 혈청 전해질 검사로 측정한 total CO_2가 2 mM 이상 차이나지 말아야 한다.

   Handerson-Hasselbalch 공식

   산-염기 노모그람(nomogram)

2. 일차 이상을 확인하라.

   동맥혈가스 검사의 pH를 확인하여 산증인지(pH < 7.35), 알칼리증(pH > 7.45)인지 확인하라. 그리고 PCO_2 (35-45 mmHg), $[HCO_3^-]$(22-26 mM)의 변화를 보고 호흡장애인지, 대사장애인지 감별하라.

3. 산-염기 이상이 단순 이상인지, 혼합 이상인지 확인하라.

   산-염기 노모그람(nomogram)을 이용하는 방법과 보상 반응의 예측치를 추정하여 단순 혹은 혼합 이상을 확인한다(표 4-1-2).

   예측치와 실제 측정치가 일치하지 않을 경우 혼합 산-염기 장애를 의심하고 Δ음이온차와 Δ탄산수소염의 비를 비교해본다.

   대사산증의 경우 음이온차(anion gap)를 공식에 의해 계산한다(정상 음이온차; 8-12).

   정상 음이온차 대사산증(고클로라이드혈증 대사산증)

   위장관을 통한 염기의 손실, 신세관산증의 감별

   음이온차 증가 대사산증

   케톤산증, 젖산산증, 신부전증, 독성물질

표 4-1-2. 단순 산-염기 장애의 예상되는 반응

	일차 변화	보상 반응
급성 호흡산증	$PaCO_2$ 1 mmHg 증가할때 마다	$[HCO_3^-]$ 0.1 mM씩 증가
만성 호흡산증		$[HCO_3^-]$ 0.25 mM씩 증가
급성 호흡알칼리증	$PaCO_2$ 1 mmHg 감소할때 마다	$[HCO_3^-]$ 0.25 mM씩 감소
만성 호흡알칼리증		$[HCO_3^-]$ 0.5 mM씩 감소
대사산증	$[HCO_3^-]$ 1 mM 감소할때 마다	$PaCO_2$ 1.25 mmHg씩 감소
대사알칼리증	$[HCO_3^-]$ 1 mM 증가할때 마다	$PaCO_2$ 0.5 mmHg씩 증가

혈청 음이온차 = 소듐 − (클로라이드 + 탄산수소염)

혈청 음이온차가 증가한 경우에는 대사산증 중에 케톤산증, 젖산산증, 신부전, 독성물질 등 흔한 4가지 원인들을 확인하고, 혈청 음이온차가 정상범위인 대사산증이라면 위장관을 통한 염기 손실과 신세관산증과 같은 흔한 2가지 경우를 감별한다. 또한 혈청 소듐과 클로라이드 농도의 변화를 관찰하는 것도 산-염기 장애의 진단에 도움된다. 혈청 소듐과 클로라이드의 비율은 140:105 정도가 정상인데 소듐에 비하여 클로라이드의 증가가 있으면 탄산수소염이 감소하는 대사산증 혹은 호흡알칼리증이 동반된 것을 시사하며, 소듐에 비하여 클로라이드의 감소가 있으면 탄산수소염이 증가하는 대사알칼리증 혹은 호흡산증이 있는 것을 시사한다. 다음 단계로 보상 반응의 예측치를 추정하여, 예측치와 실제 측정치가 일치하지 않을 경우 혼합 산-염기 장애를 의심하고, Δ음이온차와 Δ탄산수소염의 비(ΔAG/Δ$[HCO_3^-]$)를 비교해서 2 이상이면 혼합형 장애를 의심해 볼 수 있다.

▶ 참고문헌

- DuBose TD Jr: Acidosis and Alkalosis, In Harrison's Principles of internal medicine. 20th ed, edited by Jameson & Fauci, McGraw-Hill, 2021.
- James A Kruse: Acid−Base Disorders. In Critical Care. 1st ed, edited by JM Oropello, McGraw-Hill, 2021.
- Michael Emmett, et al: Simple and Mixed Acid−Base Disorders. In Up to Date, Section Editor: Richard H Sterns, Deputy Editor: John P Forman, Literature review current through: May 2021. | This topic last updated: Sep 09, 2020.

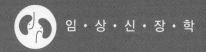

CHAPTER
02 대사산증

주권욱 (서울의대)

KEY POINTS

- 대사산증은 원인에 따라 치료원칙이 달라질 수 있으므로 단계적인 접근 및 감별 진단이 중요하다. 대사산증이 의심될 경우 호흡보상반응, 혈청음이온차, 요음이온차를 먼저 확인해야 하며, 신세관산증이 의심되는 경우 알칼리 부하 검사 후 탄산수소염 분획배설 및 요-혈 이산화탄소분압차를 확인하면 제1형, 2형, 3형 신세관산증을 감별진단할 수 있다.

- 고음이온차 대사산증은 원인의 교정이 중요하며, 알칼리 대체요법은 제한적으로 사용한다.

- 급성 대사산증은 심한 대사산증의 경우에만 pH 7.20을 목표로 알칼리 대체요법을 시행하지만, 만성 대사산증에서는 탄산수소염 농도를 22~23 mM 이상으로 유지할 수 있도록 적극적으로 알칼리 대체요법을 시행한다.

대사산증은 혈액 탄산수소염 농도(HCO_3^-) 감소와 이에 따른 호흡 보상작용에 의한 동맥혈 이산화탄소분압($PaCO_2$)의 감소, 동맥혈 pH의 감소(수소이온 농도의 증가)를 전형적인 특징으로 한다. 대사산증에서 혈중 pH가 감소하는 것이 일반적이지만, 다른 산-염기 장애가 동반되었을 경우(혼합형 산-염기 장애)에는 감소되지 않을 수 있으므로, 산증(acidosis)과 산혈증(acidemia)은 구분해야 한다. 대사산증은 체내에 내인성 산의 생성이 증가하거나(젖산, 케톤산) 축적되거나(신부전) 알칼리가 소실되는(설사) 병적인 과정이 있는 것을 말하고, 산혈증은 동맥혈 pH가 7.35 보다 낮아져 있는 상태를 말한다. 따라서 대사산증이 있어도 산혈증이 없을 수 있으며, 대사산증은 혼합형 산-염기 장애의 일부로 발생하는 경우가 흔하므로 감별진단에 반드시 고려해야 한다.

대사산증의 진단적 접근 및 감별진단

모든 종류의 산-염기 장애에는 체계적인 접근이 필요하다. 여러 가지 진단적 지표들을 이용하여 원인 질환을 감별하는 것이 중요하지만, 환자의 진찰 소견과 병력 청취를 통하여 임상적 판단을 내리는 것이 가장 중요하다. 대사산증이 의심되는 경우 다음과 같은 단계적인 접근이 필요하다(표 4-2-1).

1. 대사산증의 확인

임상적으로 대사산증이 강력히 의심되어 처음부터 동맥혈가스분석을 하는 경우를 제외하면, 일반적으로 전해질 검사에서 총이산화탄소(tCO_2) 농도가 감소한 것을 인지하

표 4-2-1. 대사산증의 단계적 접근

1. 동맥혈가스분석을 시행한다.
호흡알칼리증을 배제한다.
호흡보상반응의 적절성을 확인한다.
2. 혈청 음이온차를 계산한다.
3. 고음이온차 대사산증의 4대 원인을 확인한다.
케톤산증, 젖산산증, 만성콩팥병, 약물 및 독성물질
3-1. 고음이온차 대사산증인 경우, $\triangle$음이온차(AG)와 $\triangle$탄산수소염(HCO_3^-)의 비를 계산하여 혼합형 산염기 장애를 파악한다.
3-2. 고음이온차 대사산증의 감별진단을 위하여 혈청 삼투질농도차(osmolal gap)를 계산한다.
4. 정상음이온차 대사산증의 2대 원인을 확인한다.
위장관을 통한 알칼리 소실과 신세관산증
4-1. 요 음이온차(또는 요 삼투질농도차)를 계산한다.
4-2. 신세관산증이 의심될 경우 알칼리 부하 검사를 시행하고 $FEHCO_3$와 $UBpCO_2$를 구한다.

여 대사산증을 의심하게 된다. 탄산수소염(또는 tCO_2)은 호흡알칼리증에서도 감소하므로, 반드시 동맥혈가스분석을 시행하여 호흡알칼리증을 배제하고 호흡 보상반응의 적정성을 판단하여야 한다. 일반적으로 호흡알칼리증에서는 신장 보상작용에 의하여 혈중 탄산수소염 농도가 10 mM 이하로 저하되는 경우는 드물기 때문에 탄산수소염 농도가 10 mM 이하인 경우에는 대부분 대사산증이 존재함을 의미한다. pH가 7.35 미만이면서 탄산수소염 농도가 22 mM 이하이면 대사산증을 진단할 수 있다. pH가 정상일 때에는 이산화탄소분압과 탄산수소염 농도가 정상이면 정상으로 판정하고, 이산화탄소분압과 탄산수소염 농도가 함께 증가 또는 감소하면 혼합형 산-염기 장애가 있을 가능성을 고려해야 한다.

2. 호흡보상반응의 평가

대사산증은 즉시 과호흡을 유발하여 이산화탄소분압을 감소시킨다. 이런 보상반응이 급성기에는 pH 감소를 억제하므로 적절한 반응이지만, 저이산화탄소혈증(hypocapnia)이 신장을 통한 탄산수소염의 배설을 촉진하므로 만성적인 경우에는 오히려 혈중 탄산수소염 농도를 더욱 저하시킬 수 있다. 동맥혈가스분석에서 이산화탄소분압이 호흡 보상반응의 기대치를 훨씬 벗어나면 호흡 장애가 동시에

존재함을 의미한다. 대사산증에 대한 보상작용으로 이산화탄소분압이 감소하는데, 예측치보다 더 감소하면 호흡알칼리증이, 예측치보다 이산화탄소분압이 훨씬 높으면 호흡산증이 동반되어 있음을 의미한다. 일반적으로 혈중 탄산수소염이 1 mM씩 감소함에 따라 이산화탄소분압이 1.2 mmHg씩 감소한다. 그러나 혈중 $PaCO_2$가 15 mmHg까지 감소하면 과환기를 막기 위한 폐수축(pneumoconstriction)으로 더 이상 감소하지 않으므로, $PaCO_2$가 15 mmHg 미만인 경우에는 호흡알칼리증이 동반되어 있을 가능성이 높다. 호흡 보상의 예측은 다음 식으로 계산할 수도 있다.

예상되는 이산화탄소분압(PCO_2)
$$= (1.5 \times HCO_3^-) + 8 \pm 2 \quad \text{또는} \quad [HCO_3^-] + 15$$

3. 혈청 음이온차

호흡보상반응을 판정하여 호흡 장애의 동반여부를 판정한 후에는 대사산증의 원인을 감별하기 위해 혈청 음이온차를 계산한다. 대사산증은 체내에 산이 축적되거나 체내로부터 알칼리가 소실되어 발생한다. 산의 축적은 내인성 산 생성의 증가, 외인성 산의 부하, 혹은 생성된 산의 배설 장애에 의해 발생할 수 있고, 알칼리 소실은 위장관

혹은 신장을 통해 발생한다. 산이 부하되어 수소이온이 축적되면, 새로운 음이온이 혈액에 축적되므로 혈청 음이온차가 증가하는 반면, 알칼리 소실에 의해서는 새로운 음이온 생성이 없으므로 혈청 음이온차는 변화가 없다. 따라서 혈청 음이온차를 기준으로 대사산증을 분류하는 것이 감별진단의 첫 단계라고 할 수 있다. 혈청 음이온차는 혈청 내 주된 양이온인 소듐과 주된 음이온인 클로라이드 및 탄산수소염의 농도 차이로 정의된다. 전통적으로 정상은 12 ± 2 mM로 알려져 있지만, 이온 선택전극으로 전해질 농도를 측정하면 클로라이드의 농도가 높게 측정되어 정상치가 검사실에 따라 6 mM까지 낮아질 수 있다. 검사 방법의 변화로 현재는 혈청 음이온차의 정상 범위는 6-12 mM, 평균값은 10 mM이며, 검사실에 따른 정상 범위를 알고 있는 것이 도움이 된다. 또한 검사실에 따라서는 전통적인 혈청 음이온차의 정상 범위인 12 ± 2 mM를 유지하도록 클로라이드 농도를 조정하기도 한다.

> **혈청 음이온차(serum anion gap)**
> = $[Na^+] - ([Cl^-] + [HCO_3^-])$ mM

이 공식을 달리 보면, 양적으로 적어서 일반적으로 잘 측정하지 않는 음이온(unmeasured anions)과 양적으로 적어서 일반적으로 잘 측정하지 않는 양이온(unmeasured cations)의 차이에 해당한다. 따라서 단백질(알부민), 인산염, 황산염 및 유기 음이온 등 혈중 음이온이 증가하거나 칼슘, 포타슘, 마그네슘 등 양이온 감소하면 혈청음이온차가 증가한다. 축적 가능한 음이온의 예로서 혈중단백 음이온(체액 감소에 따른 혈액 농축으로 혈장 알부민의 증가), 유기음이온(케톤산, 젖산, 요독성 유기음이온), 무기음이온(인산염, 황산염), 외인성 음이온(살리실산 또는 유기산을 생성하는 독성물질의 섭취) 등이 있다. 한편, 알부민 농도가 감소하는 경우(신증후군)와 리튬(리튬 중독) 혹은 양이온성 면역글로불린(형질세포질환)과 같은 혈액 내 비정상적인 양이온이 증가하는 경우에는 혈청 음이온차는 감소한다. 따라서 저알부민혈증이 있는 경우에 혈청 음이온차를 계산할 때에는 혈장 알부민이 정상값(4.5 g/dL)에

서 1 g/dL 감소할 때마다 음이온차가 2.5 mM 만큼 감소한다는 것을 감안하여 보정해 주어야 한다. 예를 들어, 혈장 알부민 농도가 1.5 g/dL이면 계산된 혈청음이온차의 값에 7.5 mM를 더해 주어야 한다. pH와 탄산수소염 농도가 정상 범위에 있더라도 혈청 음이온차가 30 mM 이상이면 고음이온차 대사산증이 존재할 가능성이 매우 높다. 고음이온차 대사산증이 확인되면 $\triangle AG/\triangle HCO_3^-$를 계산하여 다른 산-염기 장애가 동반되어 있는지 확인한다(혼합형 산염기 장애). 과잉 생성된 산이 모두 세포외액 탄산수소염에 의해 완충된다면 $\triangle AG/\triangle HCO_3^-$ 비는 1이 될 것이다. 그러나 실제로 산의 상당 부분은 세포외액 탄산수소염이 아닌 세포내 완충제에 의하여 완충되므로 혈청 음이온차 증가에 비해 세포외액 탄산수소염의 감소가 작아서 $\triangle AG/\triangle HCO_3^-$ 비는 1~2가 된다. $\triangle AG/\triangle HCO_3^-$ 비가 2보다 크면, 탄산수소염의 감소가 예상보다 작은 것이므로, 대사알칼리증이 동반되었을 가능성이 있고, 이 비가 1보다 작으면 혈청 음이온차의 증가에 비해 탄산수소염의 변화가 큰 것을 의미하므로 정상 음이온차 대사산증이 함께 존재할 가능성이 높다. 한편, 음이온의 요 배설에 따라 체내의 음이온 양이 변화할 수 있다는 사실을 꼭 고려해야 한다. 예를 들어, 케톤음이온은 요를 통하여 잘 배설되므로 케톤산증에서는 $\triangle AG/\triangle HCO_3^-$ 비가 1에 가까운 반면에 젖산산증에서는 조직관류가 감소하여 요량이 감소되므로 1.6~1.8이며, 톨루엔 중독에서는 톨루엔의 대사산물인 히푸르산이 근위세관에서 분비되어 추가로 배설되므로 1 미만이 될 수 있다. 따라서 혼합형 산염기 대사장애의 진단에 $\triangle AG/\triangle HCO_3^-$ 비가 절대적인 것은 아니고 다른 모든 임상 정보를 종합하여 판단해야 한다. 혈청 삼투질농도차(=측정한 오스몰랄농도-계산된 오스몰랄농도)는 일반적으로 측정하지 않는 오스몰랄농도를 반영하므로, 고음이온차 대사산증에서 중독에 의한 원인을 감별하는데 도움이 될 수 있다. 정상적인 혈장 삼투질농도차는 10~15 mOsm/kg H_2O이다. 케톤산증, 젖산산증 및 만성 신부전에서도 약간 증가할 수 있지만, 20 mOsm/kg H_2O 이상 증가한다면 메탄올, 에탄올 및 에틸렌글리콜 등에 의한 중독을 생각할 수 있다. 계산된 혈장 오스몰랄농도(calculated plasma osmolality)는 다음 계산식으로 구할 수 있다.

> 계산된 혈장 오스몰랄농도(POsm)
> = 2 × [Na⁺](mM) + Glucose(mg/dL)/18 + BUN(mg/dL)/2.8

4. 요 음이온차(Urine anion gap)와 요 삼투질농도차 (Urine osmolal gap)

알칼리가 위장관으로 소실되거나 신세관산증에서 요 중으로 소실되면, $[Cl^-]$와 $[HCO_3^-]$의 보상성 교환(reciprocal change)으로 인해 혈청 음이온차가 증가하지 않는다(정상음이온차 대사산증). 알칼리의 신장 소실과 위장관 소실을 감별하기 위한 가장 간단한 방법은 요 pH를 측정하는 것이다. 산증이 있으나 요 pH가 5.5를 넘으면 일반적으로 요 산성화능에 장애가 있음을 의미한다. 그러나 설사에 의한 대사산증이 지속되면 충분한 신장의 보상반응으로 인해 요 암모늄(NH_4^+) 배설이 크게 증가하여 pH가 6.0 이상 될 수 있으므로 해석에 주의해야 한다. 신세관산증에서는 요 암모늄 배설이 적고, 설사로 인한 산증일 때는 높아 서로 구별할 수 있지만, 임상에서 암모늄을 직접 측정하기 어려우므로, 요 암모늄 배설의 간접 지표인 요 음이온차(urine anion gap) 또는 요 삼투질농도차(urine osmolal gap)를 이용할 수 있다.

> 요 음이온차 = u[Na⁺] + u[K⁺] − u[Cl⁻]의 공식으로 구하며,

요 음이온차는 대사산증이 없는 경우 정상적으로 +30 − +50 mM로 양의 값을 보인다. 정상음이온차 대사산증에서 요음이온차가 음의 값이면 암모늄의 요배설이 충분하여 대사산증에 대한 신장의 반응이 적절함(탄산수소염의 위장관 소실)을 시사하고, 양의 값이면 요 암모늄배설이 낮음(원위부 신세관의 요 산성화능 장애)을 의미한다. 한편, 요 중에 케톤체 혹은 페니실린과 같이 클로라이드 외 다른 음이온이 다량 존재한다면, 이러한 음이온과 결합하여 배설되는 소듐이나 포타슘의 농도가 증가하므로, 요 암

모늄 배설이 적절하여도 요 음이온차는 양의 값을 나타낼 수 있다. 이런 경우에 다음의 공식을 이용하여 요 삼투질농도차를 구하면 감별 진단에 도움이 된다.

> 요 삼투질농도차(urine osmolal gap) =
> 측정된 요 오스몰랄농도(measured urine osmolality)−
> {2×([Na⁺] (mmo/L) + [K⁺] (mM)) + [glucose (mg/dL)]/18
> + [urea nitrogen (mg/dL)]/2.8}

대사산증이 동반되지 않는 정상적인 경우 요 삼투질농도차는 10~100 mosmol/kg이며, 요 삼투질농도차를 2로 나눈 값이 요 암모늄 배설을 대변한다. 만성적인 대사산증이 있으나 요 삼투질농도차가 150 mosmol/kg 미만(요 암모늄 배설은 이 값을 2로 나눈 값이므로 75 mM)이면 암모늄 배설에 이상이 있음을 시사한다. 요 암모늄 배설이 감소한 경우, 요 pH가 5.5 이상이면 원위신세관산증을, 5.5 미만이라면 만성콩팥병이나 저알도스테론증과 연관된 대사산증을 시사한다.

5. 알칼리 부하 검사 후 탄산수소염분획배설 (FEHCO₃⁻) 및 요-혈 이산화탄소분압차(UBpCO₂)

여과된 탄산수소염의 대부분은 근위세관에서 재흡수되므로 탄산수소염의 재흡수율을 측정하여 근위부 요산성화능을 평가할 수 있다. 근위부 요산성화능의 지표는 탄산수소염분획배설(fractional excretion of bicarbonate)로 표시할 수 있는데, 혈청 탄산수소염 농도가 25~26 mM로, 요 pH가 7.5 근처에서 유지될 때까지 탄산수소소듐($NaHCO_3$)을 정맥주입하면서 혈청 및 요 탄산수소염 농도와 크레아티닌 농도를 측정하여 계산할 수 있다.

> 탄산수소염분획배설(%) =
> [요 HCO₃⁻ × 혈청 크레아티닌 × 100]/
> [혈청 HCO₃⁻ × 요 크레아티닌]

탄산수소염분획배설이 15~20%를 넘으면 근위신세관산

증(proximal RTA)을 진단할 수 있다. 동시에 UBpCO$_2$를 계산하면 집합관의 수소이온 분비능을 판단할 수 있다. 요중 탄산수소염이 풍부하면 집합관에서 분비된 수소이온과 결합하여 탄산(carbonic acid)이 되고, 이로부터 생성된 이산화탄소에 의해 요 이산화탄소분압이 증가한다. UBpCO$_2$가 30 mmHg 미만일 경우 원위부 수소이온 분비에 문제가 있음을 시사한다. 따라서 알칼리 부하 검사를 시행하여 근위 및 원위 신세관산증을 동시에 감별 진단할 수 있다.

한편, 혈청 포타슘이 대사산증 감별 진단에 도움 될 수 있다. 세포 내로 유입이 어려운 유기산증(젖산산증, 당뇨병 케톤산증)의 경우를 제외한 대사산증에서는 축적된 수소이온이 세포 내로 유입되고 대신 전기적 평형을 유지하기 위하여 세포 내 포타슘이 세포 외로 이동한다. 일반적으로 동맥혈 pH가 0.1 감소함에 따라 혈청 포타슘이 0.5-1.0 mM씩 증가한다. 산증이 있음에도 불구하고 혈청 포타슘이 정상이거나 다소 낮은 경우는 설사, 신세관산증, 당뇨병케톤산증 등 포타슘 결핍이 동반된 원인 질환을 감별하여야 한다. 이때 산증을 교정하면 혈청 포타슘이 더 낮아질 수 있으므로 주의하여야 한다. 제4형 신세관산증과 전압차 결함에 의한 신세관산증에서는 고칼륨혈증이 특징이다.

대사산증에 동반되는 임상상

기저 질환에 따라 대사산증의 임상 증상이 다양하게 나타날 수 있다. 기저질환에 따른 특징적 임상상은 각 질환에서 다루기로 하고, 여기서는 급성 대사산증과 만성 대사산증으로 인해서 초래되는 유해효과(adverse effect)에 대하여 살펴보기로 한다.

1. 급성 대사산증

대사산증은 심혈관계에 가장 심각한 영향을 미칠 수 있다. 심근 수축력과 심박출량이 감소하고 동맥혈관이 확장되어 저혈압을 유발할 수 있다. 특히 혈중 pH가 7.1~7.2 미만으로 감소할 경우 수축촉진제나 카테콜아민에 잘 반응하지 않는 심박출량 감소가 초래되고 심실 부정맥이 발생할 수 있다. 당불내성과 같은 대사장애가 발생할 수 있고, 심한 대사산증에서는 착란, 혼미, 혼수와 같은 의식장애가 발생할 수 있다.

면역반응과 백혈구 기능이 감소되어 감염에 취약해 질 수 있는 반면, 전염증(proinflammatory) 사이토카인이 자극되어 염증 반응은 증가한다. 조직으로의 산소전달이 저하되고 세포 ATP 생성이 감소되어 중요 장기기능이 약화되는데, 다양한 조직에서 발생하는 세포자멸사에 의해서 악화될 수 있다.

비특이적 증상으로서 피로, 식욕부진 등을 호소할 수 있고, 호흡 보상 반응에 따른 쿠스마울호흡(Kussmaul respiration)을 특징적으로 보일 수 있다.

2. 만성 대사산증

만성 대사산증의 가장 흔한 원인은 만성콩팥병이다. 혈중 탄산수소염 농도가 22 mM 미만인 경우 사망률이 유의하게 증가한다고 알려졌지만, 만성 대사산증이 심혈관계 기능에 직접적인 영향을 미치지는 않는다. 산증은 골무기질을 직접 용해시키고, 파골세포를 활성화하고 조골세포를 억제함으로써, 근골격계에 영향을 미치고, 골질환을 유발하거나 악화시킨다. 또한 근육 분해를 촉진하여 근육 소실을 유발하고 어린 아이에서는 성장을 둔화시킬 수 있다. 당내성과 알부민 생산이 감소하고 만성콩팥병의 진행을 촉진시킬 수 있다. 만성콩팥병의 진행, 근육량 감소 및 골질환의 악화는 저탄산수소염혈증(hypobicarbonatemia)이 없어도 발생할 수 있지만, 아직까지는 혈중 탄산수소염 농도가 22 mM 미만인 경우에만 알칼리 보충이 권장되고 있다.

대사산증의 원인

대사산증은 체내에 산이 축적되거나 탄산수소염의 체외

197

표 4-2-2. 대사산증의 원인

고음이온차 대사산증(high anion gap metabolic acidosis)
급성콩팥손상(AKI)
만성콩팥병(CKD)
당뇨병케톤산증
알코올케톤산증
기아케톤산증
젖산산증(lactic acidosis)
살리실산 중독
독성 알코올 중독(메탄올, 에틸렌 글리콜, 프로필렌 글리콜)
Pyroglutamic acidosis (5-oxoproline)
정상음이온차 대사산증(정상 또는 증가된 혈청 포타슘)
만성콩팥병
제4형 신세관산증
부신기능저하증(일차성, 이차성)
저레닌 저알도스테론증
약물(스피로놀락톤, 프로스타글란딘 억제제, 트리암테렌, 아밀로라이드, pentamidine, 비스테로이드소염제, 안지오텐신전환효소억제제, 안지오텐신수용체차단제, 트라이메토프림, 헤파린 등)
정상음이온차 대사산증(혈청 포타슘의 저하)
설사
장루(intestinal fistulae), 췌장루(pancreatic fistulae) 또는 담도루(biliary fistulae)
근위신세관산증(제2형 신세관산증)
원위신세관산증(제1형 신세관산증)
요관구불결장연결술(ureterosigmoidostomy)
요관회장연결술(ureteroileostomy)
톨루엔 중독

소실(신세관산증, 설사 등)로 발생한다. 산의 축적은 내인성 산 생성의 증가(젖산산증, 케톤산증 등), 외인성 산의 부하(약물 또는 중독), 혹은 생성된 산의 배설 장애(신부전)에 의해 발생할 수 있다. 대사산증의 원인을 표 4-2-2에 정리하였다.

1. 고음이온차 대사산증

젖산산증, 케톤산증, 독성 물질의 섭취, 급성 및 만성신부전이 고음이온차 대사산증의 4가지 주된 원인이다. 고음이온차 대사산증의 감별을 위해서는, 기저질환 및 약물이나 독성 물질을 섭취한 병력을 청취하고, 동맥혈 가스분석

을 통해 동반된 호흡알칼리증의 유무를 조사한다(예, 살리실산). 당뇨병 여부(당뇨병케톤산증), 알코올중독 여부, 혈중 β-수산화부티레이트 농도 측정(알코올케톤산증), 혈액요소질소와 크레아티닌 농도의 측정(요독산증), 요침사에서 옥살산염 결정의 검출(에틸렌 글리콜) 등을 초기에 파악해야한다. 또한 혈중 젖산 농도가 증가할 수 있는 임상적인 상황(저혈압, 쇼크, 심부전, 백혈병, 암, 약물 또는 독소 중독)도 확인해야 한다.

1) 젖산산증

젖산산증은 고음이온차 대사산증의 가장 흔한 원인이다. 젖산염은 세포질 내에서 젖산탈수소효소에 의해 피루

표 4-2-3. 젖산산증의 원인

A형(조직 저관류 또는 저산소증)
심장쇼크
패혈쇼크
저혈량쇼크
급성 저산소증
일산화탄소 중독
빈혈

B형(저혈압 및 저산소증이 없음)
유전성 효소 결핍(포도당육인산화효소 결핍)
약물 혹은 독소
Phenformin, metformin
시안화물(cyanide)
살리실산염, 에틸렌글라이콜, 메탄올
프로필렌 글리콜(propylene glycol)
Linezolid
프로포폴
뉴클레오타이드 역전사효소 억제제: stavudine, didadosine
아이소나이아지드
싸이아민 결핍
전신질환
간부전
악성종양

브산염으로부터 생성된다. 정상적으로 젖산 생성률과 이용률은 15~20 mmol/day로 일치하여 정상 농도를 유지한다. 피루브산염의 생산 증가, NADH/NAD$^+$ 비 증가, 혹은 피루브산염과 NADH/NAD$^+$ 비가 동시에 증가할 경우에 젖산은 증가한다. 생성되는 젖산이 이용되는 젖산에 비해 비정상적으로 많을 때 혈청 내에 젖산이 축적되어 젖산산증이 발생하고 혈청 음이온차가 증가한다. 젖산 생성 증가에 의한 젖산산증의 대표적인 원인은 심한 운동이나 대발작이지만, 산증의 지속 시간이 짧다. 따라서 심한 젖산산증이 유지되려면 젖산의 생성 증가뿐만 아니라 이용에도 문제가 있음을 알 수 있다. 표 4-2-3에 젖산산증의 중요 원인들을 정리하였다. A형 젖산산증의 원인은 조직 관류가 감소하거나 급성 저산소증과 연관된 질환들이며, B형 젖산산증은 명백한 조직 관류의 감소 혹은 급성 저산소증과 관련이 없는 다양한 원인에 의해 발생한다. 임상적으로는 A형과 B형 젖산 산증의 원인을 동시에 발견할 수 있는 경우가 많다.

혈청 젖산 농도가 5 mM 이상이면 젖산 산증을 동반할 가능성이 높다. 혈청 젖산 농도가 3~5 mM인 경우에는 약 절반 정도의 환자에서는 혈청 음이온차가 정상 범위를 보이므로 주의해야 한다.

일차 목표는 기저 질환을 치료하는 것이며, 조직 관류와 산소 공급이 저하된 경우에는 우선적으로 이를 회복시키는데 모든 노력을 기울여야 한다. 젖산산증의 알칼리 치료에 대해서는 아직도 논란이 있다. 탄산수소염을 투여할 경우 이차적으로 발생하는 이산화탄소에 의해 심근 기능이 억제되고 세포 내 산증이 악화될 수 있다. 또한 용적과부하와 고나트륨혈증이 합병될 수 있으며, 산증이 호전된 후 젖산이 탄산수소염으로 대사되어 반동 알칼리증이 발생할 수 있다. 일반적으로 pH가 7.1~7.2 미만으로 감소한 심한 젖산산증에서만 알칼리 투여의 적응증이 되고, 목표 pH를 7.2로 하여 조심스럽게 투여해야 한다. 혈액투석은 조직 저관류를 악화시킬 수 있으므로 대부분의 경우에 도움이 되지 않는다.

2) D-젖산산증

D-젖산산증은 소장절제술이나 공장회장우회술(jejunoileal bypass)을 시행한 환자에서 발생한다. 단장증후군(short bowel syndrome)에서는 정상적으로 소장에서 대부분 흡수되는 탄수화물이 대량으로 대장에 전달된다. 대장 세균이 과도하게 증식되어 있으면 탄수화물이 D-젖산으로 대사된 후 흡수되어 젖산 농도가 정상인 고음이온차 대사산증이 발생한다.

젖산을 측정하는 일반적인 방법으로는 L-젖산만 측정할 수 있으므로 혈청 젖산 농도는 정상을 유지한다. 여과된 D-젖산은 근위세관 내강의 소듐-L-젖산 공동수송체(Na$^+$-L-lactate cotransporter)에 결합하지 못하기 때문에 요를 통하여 신속하게 배설된다. 따라서 혈청 음이온차가 정상이거나 혈장 탄산수소염의 감소에 비해 심하지 않을 수가 있다. 탄수화물 식이를 많이 섭취한 후에 착란, 불분명 발음, 실조(ataxia)와 같은 신경학적 이상을 동반하는 고음이온차 대사산증이 발생하면 D-젖산산증을 의심해야 하고, 저탄수화물식이 공급과 항생제 사용이 주된 치료법이다.

3) 케톤산증

(1) 당뇨병케톤산증

당뇨병케톤산증은 아세토아세트산과 베타-하이드록시부티르산의 축적으로 발생하는 고음이온차 대사산증이며 인슐린 결핍과 글루카곤 증가가 원인이다. 지방 조직으로부터 지방산 동원이 증가하고 간의 산화기전이 변화하여 지방산이 케톤산으로 대사된다. 말초에서 포도당 이용이 감소하고 간의 포도당신합성(gluconeogenesis) 기전이 최대화되어 혈당이 증가하고 이로 인한 삼투성 이뇨가 발생하여 체액 결핍이 동반된다. 당뇨병케톤산증의 초기에는 세포외액량이 거의 정상이므로 생성된 케톤산 음이온이 소듐이나 포타슘염의 형태로 쉽게 요를 통하여 배설되어 정상음이온차 대사산증을 보일 수 있다. 그러나 체액결핍이 진행하면 요 중 케톤산 배설이 감소하여 음이온이 체내에 축적되고 혈청 음이온차가 증가한다. 치료를 시작하면 케톤산 생성이 감소하고 세포외액량이 정상화되므로 케톤산 음이온의 배설이 증가하고 혈청 음이온차는 다시 정상화된다.

당뇨병케톤산증은 혈청 탄산수소염 농도 5 mM 미만의 심한 대사산증을 유발할 수 있다. 대사산증과 고혈당이 동시에 존재하면 당뇨병케톤산증을 의심해야 하고, 케톤산이 확인되면 진단할 수 있다. 임상에서 케톤산을 검출하는데 이용하는 니트로프루시드는 아세톤과 아세토아세트산에는 반응하지만 베타-하이드록시부티르산에는 반응하지 않으므로 주의해야 한다. 아세토아세트산과 베타-하이드록시부티르산은 $NADH/NAD^+$ 비에 따라 결정되는데, 이 비가 커지면 케톤산은 주로 베타-하이드록시부티르산으로 존재한다. 당뇨병케톤산증에서는 베타-하이드록시부티르산 : 아세토아세트산의 비가 3 : 1 정도이지만, 젖산산증, 알코올 케톤산증, 기아 케톤산증 등이 동반되어 NADH 농도가 높은 경우에서는 베타-하이드록시부티르산 : 아세토아세트산의 비가 8-9 : 1 정도로 높아져서 니

트로프루시드 검사로 케톤산을 검출하기 어려울 수 있다. 인슐린 투여와 체액 결핍의 교정이 당뇨병케톤산증의 주된 치료이다. 포타슘과 마그네슘, 인의 결핍도 흔히 동반되므로 수액 보충 시에 고려해야 한다. 또한 인슐린결핍으로 인하여 고칼륨혈증을 보이는 경우가 흔하지만, 치료 과정에서 포타슘이 세포 내로 이동하여 심한 저칼륨혈증이 발생할 수 있으므로 주의해야 한다. 인슐린을 투여하면 케톤음이온이 탄산수소염으로 대사되므로 pH가 7.1 미만으로 감소한 심한 산혈증이 아니면 알칼리 대체요법은 필요하지 않고, 대체요법을 시행할 경우에도 목표 pH를 7.2로 한다(대사산증의 치료 참조).

(2) 알코올케톤산증

폭음 후에 구토와 금식 상태에서 발생한다. 인슐린/글루카곤비가 감소하여 지방산 이용이 증가하고 간에서 케톤산 생성이 증가한다. 알코올케톤산증은 알코올 금단 후 체액 결핍을 동반하고, 기아로 인해 카테콜아민이 증가하므로 기아 케톤산증에 비해 대사산증이 심하게 발현할 수 있다. 알코올 대사로 NADH 증가를 유발하여 $NADH/NAD^+$ 비가 증가한다. 이에 따라 베타-하이드록시부티르산이 아세토아세트산에 비해 많아지므로 니트로프루시드 검사에서 음성 반응을 보일 수 있다. 조직 관류 저하로 젖산 생성이 증가할 수 있으며, 심한 구토로 인한 대사알칼리증과 간질환에 의한 만성 호흡알칼리증이 동반될 수 있으므로 혼합형 산염기 장애를 보일 수 있다. 치료로서 포도당을 투여하는 것이 중요하다.

(3) 기아케톤산증

기아 상태에서는 케톤산 생성 증가에 의해 경한 대사산증이 발생할 수 있다. 발생 기전은 당뇨병케톤산증과 유사하며, 저혈당으로 인한 인슐린 결핍과 글루카곤, 에피네프린, 코티솔 및 성장호르몬 분비 증가로 발생한다. 케톤체가 축적되지만 그 정도는 경미하여 혈중 케톤산 농도가 5~6 mM로 증가하며, 탄산수소염 농도는 18 mM 미만으로 감소하는 경우가 드물다. 신장의 보상 기전으로 암모늄 생성이 증가하면 산증이 뚜렷하지 않을 수 있고, 특별한

치료를 필요로 하지 않는다.

4) 중독에 의한 산증

(1) 메탄올 및 에틸렌글리콜

에틸렌글리콜과 메탄올 중독은 심한 대사산증을 유발하지만 자체의 독성이 아니라 대사산물에 의하여 독성을 나타낸다. 에틸렌글리콜은 부동액의 주된 성분으로 알코올탈수소효소에 의해 대사되어 여러 가지 대사산물을 만들어 낸다. 에틸렌글리콜의 중독 증상은 취한 상태에서 시작하여 발작이나 혼수상태로 비교적 빨리 진행한다. 치료를 시작하지 않으면 빈호흡이나 비심인성 폐부종이 발생하고 하루에서 이틀이 지나면 옆구리 통증과 함께 신부전이 발생할 수 있다. 이때 요침사에서 옥살산염 결정이 관찰된다. 치사량은 약 100 mL 정도이다. 메탄올은 알코올 탈수소효소에 의해 대사되어 포름알데히드를 거쳐 포름산을 생성한다. 에틸렌글리콜과 마찬가지로 대부분은 사고 또는 자살 시도에 의해 중독이 발생한다. 처음에는 술에 취한 것과 같은 증상을 보이고, 24~36시간의 무증상기를 거쳐 췌장염에 의한 복부통증, 발작, 시각상실 또는 혼수의 증상을 나타낼 수 있다. 시각상실은 포름산에 의해서 발생한다. 치사량은 약 60~250 mL 정도이다. 에틸렌글리콜과 메탄올 중독 모두 젖산산증이 동반될 수 있으며 혈청 음이온차를 더 증가시킨다. 알코올계 물질은 분자량이 작기 때문에 중독이 발생하면 혈청 삼투질농도차가 증가한다. 지지요법과 더불어 메탄올과 에틸렌글리콜의 대사를 억제시키고 이 물질들을 체내에서 제거하는 것이 치료의 핵심이다. 메탄올이나 에틸렌글리콜 자체보다 그 대사물들이 독성을 나타내므로 알코올 탈수소효소를 억제하여 대사물이 생성되지 않도록 하는 것이 중요하다. Fomepizole이 일차 선택약이지만 국내에서는 구하기 어렵고, 다른 알코올들에 비해 알코올 탈수소효소에 대한 친화력이 10배 정도 강한 에탄올을 정맥주사하여 혈중 농도를 100~200 mg/dL를 유지하면서, 혈액투석을 시행하여 에틸렌글리콜과 메탄올 및 그 대사물들을 제거한다. 혈액투석 과정에서 투여되는 탄산수소염을 이용하거나 필요한 경우에는 직접 탄산수소염을 정주하여 산증을 교정한다.

(2) 살리실산염

아스피린(아세틸살리실산)은 가장 널리 사용되는 약물 중의 하나로 사고 또는 자살 목적으로 섭취하여 중독이 발생한다. 살리실산염은 산화인산화(oxidative phosphorylation)를 분리시켜 젖산 생성을 증가시킨다. 어린이에서는 케톤산 생성도 증가될 수 있으며, 젖산, 살리실산, 케톤산 등이 축적되어 고음이온차 대사산증이 발생한다. 살리실산염은 호흡중추를 직접 자극하므로 호흡알칼리증이 발생한다. 어린이에서는 고음이온차 대사산증이 주된 임상상이며 어른에서는 호흡알칼리증이 주된 증상이다. 치료의 일차 목표는 전신적 산혈증을 교정하고 요 pH를 높이는 것이다. pH가 높아지면 살리실산의 이온화 분획이 증가하여 중추신경계에 축적되는 양이 감소하고, 또한 신세관에서 살리실산의 재흡수가 감소하여 요중 배설이 증가한다. 심한 중독의 경우에는 혈액투석을 시행할 수 있다.

(3) 프로필렌글리콜

프로필렌글리콜은 etomidate, phenytoin, diazepam, lorazepam, phenobarbital과 같은 약제의 용매로 사용된다. 프로필렌글리콜은 안전하다고 알려져 있지만, 많은 양을 빨리 지속적으로 투여하면 독성이 증가하고, 고삼투질 고음이온차 대사산증이 발생할 수 있다. 로라제팜이 대표적인 약제로서 중환자실에서 다량을 지속 정주할 때 발생한다. 흡수된 프로필렌글리콜이 간에서 알코올탈수소효소에 의해 대사되는 과정에서 젖산이 생성되어 젖산산증이 발생하고, 프로필렌글리콜이 근위세관에 직접 손상을 유발하여 드물게 신부전이 발생할 수 있다. 프로필렌글리콜이 용매인 약물을 다량 사용하는 환자에서 삼투질농도차가 증가하는 고음이온차 대사산증 및 신기능감소를 보이면 프로필렌글리콜 독성을 의심해야 한다. 예방이 가장 중요하고, 대사산증 자체는 심하지 않으며 프로필렌글리콜 반감기가 짧으므로 지속적인 정주를 중단하면 대개 24시간 이내에 호전된다.

(4) Pyroglutamic acid

Pyroglutamic acid (5-oxoproline)는 γ-glutamyl 회로

(cycle)의 중간물질로서, 글루타티온의 생성과 대사, 글루타티온의 세포외 이동, 아미노산의 세포내 흡수에 중요하다. Pyroglutamic acidemia는 선천성 글루타티온 합성효소 결핍 환자에서 처음 보고되었으나, 이후 후천성 증례들이 보고되었다. Pyroglutamic acidosis 환자들은 정신상태의 변화와 함께 심한 고음이온차 대사산증을 보이며, 혈액 및 요의 pyroglutamic acid 농도가 증가된다. 지금까지 보고된 예는 대부분 치료용량의 아세트아미노펜을 복용한 적이 있는 중환자에서 발생하였다. 이들은 중증 질환과 연관된 산화스트레스에 의해 글루타티온이 감소해 있었고, 아세트아미노펜의 대사는 글루타티온을 더욱 고갈시켰다. 글루타티온 감소는 이차적으로 pyroglutamic acid 생성을 증가시켜 대사산증을 유발한다. 따라서 최근 아세트아미노펜을 복용한 적이 있는 환자에서 원인 불명의 고음이온차 대사산증이 발생하면 pyroglutamic acidosis를 의심해야 한다. 또한 여자에서 더 많이 발생하며 간기능 이상, 만성 알코올중독, 신부전, 채식주의자 또는 임신으로 인한 영양결핍 등이 위험인자들이다.

5) 요독산증

급성 및 만성 신부전에서 발생하는 대사산증은 흔히 고음이온차 대사산증으로 분류되지만, 신기능 감소가 심하지 않는 한 혈청 음이온차가 증가하지 않는다. 만성콩팥병 환자에서 신기능이 감소하더라도 기능을 하고 있는 네프론 당 암모니아 생성이 증가하여 하루 필요한 순산배설량(net acid excretion)을 유지한다. 사구체여과율이 30 mL/min 미만으로 감소하면 기능하는 신실질 감소에 따라 하루에 부하되는 산을 충분히 배설시킬 수 없게 되어 정상음이온차 대사산증이 발생한다. 다른 동반된 요인이 없으면 산증 정도가 심하지 않아서 혈청 탄산수소염 농도는 15 mM 이상을 유지한다. 이는 세포외 완충계 이외의 완충제가 관여함을 의미하는데, 골조직의 알칼리염(alkaline salt)이 산을 중화시킨다. 따라서 만성 대사산증에서는 골조직의 탄산칼슘과 골량(bone mass)이 감소하며 산 축적량에 비례하여 요를 통한 칼슘 배설이 증가한다. 한편 탄산수소염 농도가 정상인 무증상(subclinical) 대사산증과 골 손상의

연관성이 최근 대두되고 있으며 이로 인해 일부 환자에서 조기에 알칼리 대체요법이 도움이 될 가능성이 제시되고 있지만 아직 이에 대한 확실한 증거는 없으며 아직까지는 정상 탄산수소염 농도를 보이는 경우 알칼리 대체요법은 권장하고 있지 않다. 이후 신기능이 더욱 감소하여 사구체 여과율 15 mL/min 미만이 되면 황산염, 인산염 및 유기 음이온 등 여러 음이온이 축적되어 전형적인 요독산증인 고음이온차 대사산증이 발생할 수 있다. 신부전으로 인한 산증이 근육 이화작용 및 골격계 질환을 일으킬 수 있고 만성콩팥병 자체의 진행을 유발할 수 있으므로, 요독산증에서 혈중 탄산수소염 농도가 22 mM 미만일 경우 알칼리 대체요법을 시행하여 혈중 탄산수소염 농도를 정상으로 유지할 것을 대부분의 가이드라인에서 권고하고 있다. 혈중 탄산수소염 농도가 26 mM를 넘으면 심부전이나 사망의 위험도가 증가한다는 보고들이 있으므로 주의해야 한다. 투여요구량은 알칼리 1.0~1.5 mmol/kg/day로 많지 않다. 탄산수소소듐이나 시트르산소듐의 투여가 기본 치료법이지만 동물성 단백질을 제한하여 산을 생성하는 식이성분을 줄이고 알칼리를 생성하는 과일이나 채소를 식이에 추가하는 방법도 최근 강조되고 있다. 탄산수소소듐의 경우 초기에 0.3~0.5 mmol/kg로 시작하여 1 mmol/kg까지 증량해도 부종이나 고혈압과 같은 부작용이 문제가 되지는 않는다.

2. 정상음이온차 대사산증

1) 설사

위를 제외한 위장관 분비물에는 탄산수소염 농도가 높으므로 소실이 증가하면 대사산증이 발생할 수 있다(표 4-2-4). 전신적 산증에 대하여 신장은 주로 요중 암모늄 배설을 증가시켜 순산배설을 늘린다. 포타슘의 위장관 소실로 인한 저칼륨혈증과 낮은 pH는 근위세관에서 암모니아 생성을 증가시키고 원위부로 전달된 암모니아는 수소이온 배설을 증가시킨다.

정상음이온차 대사산증 환자에서 요 음이온차가 음의 값이면 탄산수소염의 신장외 소실에 의한 대사산증을 의

표 4-2-4. 위장관 분비물의 전해질 농도

부위	Na$^+$ (mM)	K$^+$ (mM)	Cl$^-$ (mM)	HCO$_3^-$ (mM)
십이지장	140	5	80	65
회장, 공장	130	5	105	30
담즙	140	5	110	35
췌장	140	5	55	90
대장	50	20	40	30

심해야 한다. 만성 설사의 경우 신장의 암모니아 생성이 크게 증가하여 대사성 산혈증이 있어도 요 pH는 6.0을 초과할 수 있으므로 해석에 주의해야 한다. 설사의 원인 치료가 중요하며, 여의치 않을 경우에는 포타슘 보충과 함께 알칼리 대체요법을 시행한다.

2) 요관회장연결술(ileal conduit)

신경인성 방광 환자와 방광절제술을 시행 받은 환자에서 요관을 회장 주머니(ileal pouch)에 외과적으로 연결하는 경우에서 드물게 고클로라이드혈증대사산증이 발생할 수 있다. 요 염화암모늄이 장에서 흡수되어 문맥순환을 통해 간으로 이동하거나 요소로 대사되는 과정에서 동량의 탄산수소염이 소모되므로 대사산증이 발생한다. 한편, 요 중 클로라이드가 장 내강막에서 활성화된 Cl$^-$/HCO$_3^-$ 교환체에 의하여 흡수되고 대신 탄산수소염이 분비되어 대사산증이 초래될 수도 있다. 따라서 대사산증의 발생과 중증도는 요가 장에 접촉하는 시간과 요에 노출되는 장의 표면적에 의해서 결정되므로 요관구불결장연결(ureterosigmoidostomy)을 시행 받은 환자에서 대사산증이 더 자주 발생하고 심한 경향을 보인다. 외과적 요관전환술(surgical ureter diversion)을 시행 받은 환자에서 정상음이온차 대사산증이 발생하면 회장고리(ileal loop)의 폐쇄를 의심해야 한다.

3) 근위신세관산증(제2형 신세관산증)

근위신세관산증은 근위세관의 탄산수소염 재흡수능이 저하될 때 발생한다. 혈청 탄산수소염 농도가 근위세관의

재흡수능까지 감소하면 더 이상 요를 통한 탄산수소염 소실이 발생하지 않고 순산배설이 정상화되면서 새로운 항정상태를 이루게 된다. 신장을 통하여 NaHCO$_3$가 소실되면 원위부로 전달되는 소듐 양이 증가하고 혈관 내 용적결핍이 발생하여 레닌-안지오텐신계가 활성화된다. 고알도스테론증에 의하여 원위부로 전달된 소듐의 재흡수가 증가하면 포타슘 분비가 증가하고, 포타슘 소실에 의해 저칼륨혈증이 동반된다. 항정상태에서는 여과된 탄산수소염이 거의 모두 재흡수되므로 신장을 통한 포타슘 소실이 감소하여 저칼륨혈증은 심하지 않다. 근위신세관산증은 단독으로 발생하기도 하지만 많은 경우에 판코니 증후군에 동반되어 발생한다. 판코니 증후군은 전반적인 근위세관 기능 부전을 수반하므로, 대사산증 외에 포도당, 인, 요산, 아미노산, 저분자량 단백 등의 재흡수 이상을 나타낸다. 판코니 증후군의 원인은 다양하지만, 어린이에서 가장 흔한 선천성 원인은 시스틴증이고 어른에서 가장 흔한 후천성 원인은 다발성 골수종과 같은 이상단백혈증이다. 판코니 증후군의 원인들은 표 4-2-5에 정리하였다. 골격 이상이 흔한 증상으로서 인 소실로 인해 골연화증이 발생할 수 있으며, 근위세관 기능 이상으로 인해 활성화 비타민D 결핍도 동반될 수 있다. 원위신세관산증과는 달리 신장결석이나 신장석회증은 발생하지 않는다. 정상음이온차 대사산증 환자가 저칼륨혈증을 동반하고 항정상태에서 요 pH가 5.5 미만이면 근위신세관산증을 의심해야 하고, 혈당 농도가 정상이면서 당뇨(glycosuria)를 보이거나 저인산혈증, 저요산혈증 등 근위세관 기능 장애소견이 동반되면 판코니 증후군을 진단할 수 있다. 앞에서 언급한 바와 같이 요 음이온차는 양의 값을 보이고, 탄산수소염부하검사를 시행하면 탄산수소염분획배설(FEHCO$_3^-$) 값이 15%를 넘는다. 알칼리를 투여하여 혈청탄산수소염 농도가 증가하면 요를 통한 소실도 함께 증가하므로 탄산수소염의 혈청 농도를 정상화시키기가 쉽지 않다. 또한 혈장 알도스테론이 증가되어 있는 상태에서 원위부 소듐 전달 및 포타슘 소실이 증가하므로 저칼륨혈증이 악화될 수 있다. 산증 교정을 위해서 많은 양(10~15 mmol/kg/day)의 알칼리를 포타슘염 형태로 공급하는 것이 필요하고 시트르산포타슘이

표 4-2-5. 판코니 증후군의 원인들

유전적 원인
원발성 판코니 증후군
NaPi-II cotransporter mutation
EHHADH gene mutation
전신 질환
Cystinosis
Galactosemia
Hereditary fructose intolerance
Tyrosinemia
Lowe syndrome
Alport syndrome
Wilson disease
Mitochondrial disorders

후천적 원인
전신질환
아밀로이드증
다발성골수종/가벼운사슬병
돌발야간혈색뇨
신장이식
세관사이질신염
약물
뉴클레오타이드 역전사효소 억제제: tenofovir, adefovir, didanosine, lamivudine
항암제: ifosfamide, oxaliplatin, cisplatin
항경련제: valproic acid, topiramate
항생제: aminoglycosides, expired tetracyclines
기타
Heavy metals (lead, cadmium, mercury, copper)
L-lysine and L-arginine
Aristolochic acid (Chinese herb nephropathy)

가장 많이 사용된다. 소아 환자에서는 산증으로 인한 성장 지연을 방지하고자 다량의 알칼리를 적극적으로 투여하는 것이 일반적이다.

4) 원위신세관산증(제1형 신세관산증)

원위 네프론에서 수소이온의 분비가 감소하면 요산성 화장애가 발생하여 원위신세관산증이 발생한다. 대사산증 이 지속되면 골기질 흡수가 자극되어 칼슘 알칼리염이 유 리되고 골감소증(어른)이나 골연화증(어린이)이 발생한다.

원위신세관산증의 병태생리는 수소이온(H+) 분비 장애(분 비 결함, secretory defect)와 내강막의 비정상적 투과성(농 도경사 결함, gradient defect)으로 크게 나눌 수 있다. 드 물게, 암포테리신 B와 같은 약물이 내강막을 통해 수소이 온역누출(backleak)을 증가시켜 원위신세관산증을 유발하 기도 한다. 분비장애 원위신세관산증에서 저칼륨혈증이 동반되는 경우가 많은데, 이는 집합관의 $H^+-K^+-ATPase$ 결함에 의한 포타슘 재흡수 감소가 원인일 수 있으나 일반 적이지는 않다. $H^+-ATPase$ 결함에 의해 전신적 산증이 발생하면 근위부에서 체액 재흡수가 감소하여 원위부로 전달되는 양이 증가하고 체액 결핍 경향이 생긴다. 이에 따라 레닌-알도스테론계가 활성화되어 집합관의 소듐 재 흡수가 증가하고 포타슘의 배설이 증가하여 저칼륨혈증이 발생할 수 있다. 원위신세관산증 환자는 암모니아 배설이 감소하는데, 그 이유는 요 pH가 충분히 낮지 않아 집합관 내강 내에 암모늄을 붙잡아 두지 못하고, 세관간질질환에 의해 암모니아의 수질 전달(medullary transfer)이 제대로 이루어지지 않기 때문이다. 세관간질질환은 만성콩팥병과 같은 원발 질환이나 원위신세관산증에서 흔히 보이는 신 석회증 또는 저칼륨혈증유발 간질섬유증이 원인될 수 있 다. 근위신세관산증에 비해서 신장결석이나 신석회증이 자주 동반되는 데, 이는 산증에 의한 골광물질용해 결과 로 요 칼슘 배설이 증가하고, 내강 pH가 높아서 칼슘 재 흡수가 억제되며 인산칼슘의 용해도가 저하되기 때문이 다. 또한 요 중 구연산염 배설이 감소하여 요석 형성이 더 욱 자극된다. 원위신세관산증은 일차성 질환으로 발생하 는 경우도 있지만 전신 질환이 원인인 경우가 많으며 특히 쇠그렌 증후군이 가장 흔한 원인이다(표 4-2-6).

정상음이온차 대사산증 환자에서 저칼륨혈증이 동반되 고 요 pH가 5.5 이상이면 원위신세관산증을 진단하고자 요 음이온차를 측정하여 양의 값을 보이는지 확인한다. 산 증 지속기간에 따라 탄산수소염 농도가 10 mM 미만으로 감소할 수도 있다. 저칼륨혈증이 동반되는 경우가 많으며 2.5 mM 미만의 심한 저칼륨혈증으로 인해 근골격계 위약 감 혹은 신성 요붕증이 발생할 수 있다. 근위신세관산증에 비해 대사산증을 교정하는데 필요한 탄산수소염 양이 많

표 4-2-6. 원위신세관산증의 원인

일차
특발성
가족성

이차
자가면역성 질환
고감마글로불린혈증
쇼그렌 증후군
일차성 담관경화증
전신홍반루푸스
류마티스관절염
유전병
Autosomal dominant RTA: anion exchanger I defect
Autosomal recessive: H$^+$-ATPase A4 subunit
Autosomal recessive with progressive nerve deafness:H$^+$-ATPase B1 subunit
약물과 독성물질
암포테리신 B
톨루엔
리튬
트라이메토프림
신장석회증을 유발하는 질환들
부갑상선항진증
비타민D 중독증
특발성 고칼슘뇨증
기타
폐쇄성 신질환
신이식
아밀로이드증
사코이드증
사이질신염

지 않으며(1~2 mmol/kg/day) 교정 과정에서 저칼륨혈증이 악화될 수 있으므로 산증을 교정하기 전에 미리 포타슘 보충이 필요하다. NaHCO$_3$ 혹은 시트르산소듐과 시트르산의 혼합물인 솔 용액(shohl's solution)을 1~2 mmol/kg/day 경구 투여한다. NaHCO$_3$ 대신 탄산수소염의 전구물질인 시트르산을 투여하면 소화장애를 줄이고 저시트르산뇨에 따른 신석회증과 신장결석을 예방하는 효과가 있다.

5) 제3형 신세관산증

근위신세관산증과 원위신세관산증이 동반된 경우를 말하고, 1960년대에 처음 보고되었으나 최근에는 그 빈도가 감소하였다. 탄산수소염 부하검사를 시행하면 FEHCO$_3^-$와 UBpCO$_2$를 계산할 수 있으므로 근위부 및 원위부 요산성화능을 동시에 확인할 수 있다.

6) 제4형 신세관산증

제4형 신세관산증은 수소이온과 포타슘 분비 장애를 특징으로 하는 원위부 네프론의 기능이상으로 발생하며, 정상음이온차 대사산증과 고칼륨혈증을 특징으로 한다. 경도 내지는 중등도 신부전에서 많이 관찰되지만 산증 및 고칼륨혈증의 중증도는 신부전 정도와 비례하지 않는다. 성인 환자에서 원위신세관산증보다 훨씬 흔하게 접할 수 있는 질환이며, 알도스테론 결핍 혹은 피질 집합관 기능이상이 주요 병태생리이다. 집합관 주세포에서 소듐 재흡수에 결함이 생기면, 집합관 내강의 전기음성도(electronegativity)가 감소하여 수소이온과 포타슘의 분비가 감소하고 이에 따라 대사산증 및 고칼륨혈증이 발생한다.

한편, 고칼륨혈증은 암모니아 생성을 감소시킴으로써 원위부 요산성화를 더욱 저하시켜 산증을 악화시킬 수 있다. 성인에서 제4형 신세관산증의 가장 흔한 원인은 당뇨병이다. 당뇨병에서는 염화소듐 저류로 인해 체액 과잉이 발생하며, 이차적으로 레닌 분비 사구체옆장치가 억제되고 위축된다. 또한 비스테로이드소염제, 안지오텐신전환효소억제제, 고용량 헤파린과 같은 약제들도 광물코르티코이드 생성을 억제하는 것으로 알려져 있다(표 4-2-7).

정상음이온차 대사산증 환자에서 고칼륨혈증이 동반되었을 경우 제4형 신세관산증을 의심할 수 있다. 혈청 HCO$_3^-$ 농도는 대개 18~22 mM이고 혈청 포타슘 농도 5.5~6.5 mM를 유지한다. 일반적으로 고칼륨혈증 증상은 없지만, 간혹 심한 고칼륨혈증에 의해 근육 위약감이나 심부정맥이 발생하기도 한다. 요 음이온차는 양의 값을 보이지만 심하지 않고, 광물코르티코이드 부족이 원인인 경우에는 암모니아 저하가 수소이온 분비 감소보다 심하므로 요 pH는 5.5 미만을 보인다. 집합관의 구조적 이상이 원인

표 4-2-7. 제4형 신세관산증의 원인

광물코르티코이드 결핍
저레닌, 저알도스테론
당뇨병
약물
비스테로이드소염제
시클로스포린, 타크로리무스
베타 차단제
고레닌, 저알도스테론
부신기능저하
약물
안지오텐신전환효소억제제
안지오텐신II수용체차단제
헤파린
케토코나졸
피질집합관 이상
광물코르티코이드 수용체 이상
약물
스피로놀락톤, eplerenon
트리암테렌
아밀로라이드
트라이메토프림
만성 세관사이질신염

인 경우는 수소이온 분비 감소와 암모니아 농도에 따라서 요 pH는 다양하게 나타날 수 있으므로 결과 판정에 유의해야 한다. 제4형 신세관산증의 치료 목표는 고칼륨혈증과 산증의 교정이다. 고칼륨혈증만 교정해도 신장의 암모니아 생성이 증가하여 원위부 요산성화가 호전되므로 산증이 호전될 수 있다. 원인이 될 수 있는 약물(표 4-2-7)을 우선 중단해야 한다. 고혈압과 체액 과잉이 동반되지 않은 알도스테론 결핍 환자에서는 fludrocortisone(0.1 mg/day)을 사용해 볼 수 있고, 고혈압이나 체액과잉이 있는 만성콩팥병 환자에서는 thiazide 이뇨제 또는 고리(loop) 이뇨제가 효과적일 수 있다. 알칼리 보충을 할 때는 체액 과잉 혹은 고혈압 악화에 주의해야 한다.

대사산증의 치료

모든 대사산증은 기저 질환 치료로 교정되므로 우선 기저 질환에 대한 진단과 치료가 우선되어야 한다. 기저질환이 호전되지 않거나 대사산증 자체가 심한 경우에는 알칼리 대체요법을 시행해야 하며, 만성인 경우에는 산증이 심하지 않아도 알칼리 치료를 시행해야 한다. 심한 대사산증이란 동맥혈 pH가 7.2 미만 혹은 탄산수소염 농도가 10 mM 미만인 경우를 말한다.

1. 급성 알칼리 대체요법

급성 대사산증의 가장 흔한 원인인 젖산산증과 케톤산증에서 탄산수소염 대체요법이 생존율에 긍정적 영향을 미친다는 연구 결과는 아직 없다. 이런 산증에서는 원인을 교정하면 산증이 호전되며 투여한 알칼리에 의해서 반등 알칼리증의 위험성이 있으므로 알칼리 투여에 신중해야 한다. 젖산산증에서 탄산수소염의 투여가 심근 축력을 증가시키지 않으며 오히려 국소적인 이산화탄소 발생을 유발하여 세포 내 pH를 감소시키고 심근 수축력을 감소시킨다는 연구결과도 있다. 케톤산증이 있는 어린이에서는 알칼리 요법이 오히려 뇌부종을 유발할 수 있으므로 조심해야 한다. 또한 고장액 투여로 인한 고장성(hypertonic) 세포외액과 용적과부하, 지나친 교정으로 인한 대사알칼리증 등에 주의해야 한다. 급성 교정을 위해서는 탄산수소소듐($NaHCO_3$)을 주로 사용하고, 고장성 합병증을 예방하기 위해 등장성 이하의 용액 형태로 단회 정주투여보다는 3~4시간 동안 지속적으로 정주하는 것이 좋다. 초기 투여량은 체중 1 kg 당 1~2 mmol 정도로 제한하는 것이 안전하며 교정 목표는 동맥혈 pH 7.2로 하는 것이 일반적이다. 투여량은 핸더슨 공식($[H^+]=24 \times pCO_2/[HCO_3^-]$)을 이용하여 동맥혈 pH가 7.2($[H^+]=63$ nmol/L)에 도달하는데 필요한 목표 탄산수소염 농도로부터 계산할 수 있다.

> 목표 탄산수소염 농도 = 24 × 현재 이산화탄소분압/63
> = 24/63 × 현재 이산화탄소분압

가 되고, 다음 식에 의해 NaHCO₃ 투여량을 구할 수 있다.

> NaHCO₃ 투여량(mmol) = (목표 NaHCO₃ 농도 − 현재
> NaHCO₃ 농도) × NaHCO₃ 분포 용적

탄산수소염 분포 용적(L)은 탄산수소염 농도가 10 mM 이상일 경우 대략 체중(kg) × 0.5에 해당하지만, 산증이 심할수록 그 분포 용적이 커져서 5 mM 미만이 되면 체중의 100%가 될 수도 있으므로 정확하게는 다음 식을 이용해 구할 수 있다.

> 탄산수소염 분포 용적
> = {0.4 + (2.6/현재 탄산수소염 농도)} × 체중(kg)

이러한 공식에 의해서 계산된 탄산수소염의 양은 사람을 폐쇄된 시스템(closed system)이라고 가정한 것이다. 그러나 실제로는 체내 산 생성이 더 증가할 수도 있고 기저질환이 호전될 수도 있으므로, 투여 후에 오히려 산혈증이 악화되거나 아니면 목표 pH를 지나쳐 과잉 교정될 수 있다. 따라서 급성 대사산증을 교정할 때는 탄산수소염을 투여할 때마다 투여 15~30분 후에 추적검사를 반드시 시행하고 그 결과에 맞추어 다음 교정에 필요한 탄산수소염 양을 다시 계산하여 투여해야 한다.

2. 만성 알칼리 대체요법

만성 대사산증을 교정하면 골질환의 진행을 억제하고 어린이에서 성장을 정상화시킬 수 있으며 근육 분해를 감소시키고 알부민 생산을 호전시키는 동시에 만성콩팥병의 진행을 억제하는 효과를 기대할 수 있다. 만성 대사산증을 교정하기 위하여 탄산수소소듐이나 숄 용액을 경구 투여할 수 있다. 탄산수소소듐은 대개 하루에 1~1.5g을 2~3회에 나누어 투여하여 혈중 탄산수소염 농도를 22~23 mM 이상으로 유지시킨다. 숄 용액은 시트르산소듐(sodium citrate)과 시트르산(citrate)염의 혼합물로서, 숄 용액 1 mL은 NaHCO₃ 1 mmol에 해당한다. 탄산수소소듐에

비해서 소듐 부하가 적고 위에서 가스 형성에 따른 불쾌감이 덜한 장점이 있지만 값이 비싸다. 저칼륨혈증이 동반되어 있는 경우에는 시트르산포타슘을 투여하는 것이 좋다. 클로라이드와 함께 투여할 때보다 탄산수소염과 함께 투여할 때 소듐의 저류가 적다고 알려져 있으나, 알칼리 대체요법을 시행하면서 고혈압을 악화시키고 체액 과잉을 유발할 수 있으므로 주의해야 한다. 광물코르티코이드 결핍이 원인이라면 합성 광물코르티코이드인 9-α-fludrocortisone을 0.1~0.2 mg/day의 용량으로 투여하여 고칼륨혈증과 산증을 교정시킬 수 있다. 이때 고혈압이나 심부전 환자에서는 증상이 악화될 위험이 있으므로 주의해야 하며, 푸로세미드와 같은 고리 이뇨제와 양이온교환 수지를 단기간 투여하여 체내 포타슘을 제거할 수 있다.

▶ 참고문헌

- 한진석: 대사성 산염기의 장애. 수분, 전해질 및 산염기의 장애. 진단 및 치료에 대한 편람. 일조각, 2018, pp217-260.
- Kraut JA, et al: Differential diagnosis of nongap metabolic acidosis: Value of a systematic approach. Clin J Am Soc Nephrol 7:671-679, 2012.
- Kraut JA and Madias NE: Treatment of acute metabolic acidosis: a pathophysiologic approach. Nat Rev Nephrol 8:589-601, 2012.
- Jammalamadaka D, et al: Ethylene glycol, methanol and isopropyl alcohol intoxication. Am J Med Sci 339:276-281, 2010.
- Kraut JA, et al: Serum anion gap: its uses and limitations in clinical medicine. Clin J Am Soc Nephrol 2:162-74, 2007.
- Rastegar A: Use of the △AG/△HCO3- ratio in the diagnosis of mixed acid-base disorders. J Am Soc Nephrol 18:2429-431, 2007.
- Kraut JA, et al: Metabolic acidosis of CKD: An update. Am J Kidney Dis 67:307-317, 2016.
- Raphael KL: Metabolic Acidosis and Subclinical Metabolic Acidosis in CKD. J Am Soc Nephrol 29:376-382, 2018.
- Rose BD, et al: Clinical physiology of acid-base and electrolyte disorders. 5th ed, McGraw Hill, 2001.
- DuBose TD: Acidosis and Alkalosis, in Harrison's Principles of Internal Medicine, edited by Jameson JL, Fauci As et al, 20th eds, McGraw Hill, 2018, pp315-321.
- Palmer BF: Metabolic acidosis, in comprehensive clinical nephrolo-gy, edited by Feehally J, Floege J et al, 6th eds, Philadelphia, Mosby elsevier, 2018, pp149-159.

임·상·신·장·학

CHAPTER
03 대사알칼리증

권영은 (한양의대)

KEY POINTS

- 대사알칼리증은 발생기전에 더불어 탄산수소염의 배설이 저해되는 유지기전이 존재할 때 지속되는데, 클로라이드 결핍, 미네랄코티코이드 과잉 및 포타슘 결핍이 주요한 유지기전이다.
- 대사알칼리증 원인을 감별할 때 세포외액량의 감소 또는 증가를 평가하고자 소변 클로라이드를 측정하는 것이 도움이 된다.
- 대사알칼리증의 흔한 원인은 구토 또는 코위흡인을 통한 위액 소실과 이뇨제 투여이다.

대사알칼리증(metabolic alkalosis)이란 일차적으로 체내의 탄산수소염(HCO_3^-)이 증가하는 것을 의미하며, 그 결과 정맥혈에서 측정한 총 이산화탄소(total CO_2)가 30 mM이상으로 증가하거나 동맥혈에서의 탄산수소염이 28 mM 이상으로 증가하는 것으로 정의한다. 과다한 탄산수소염이 체내에 축적되면 전신 pH가 증가하고, 이에 대한 보상 반응으로 폐에서 환기가 저하되어 이산화탄소분압을 상승시킴으로써 정상 pH를 유지하고자 하는 것이 대사알칼리증에 대한 보상과정이다. 대사알칼리증은 임상에서 비교적 흔히 관찰되며 구토 혹은 코위흡인(nasogastric suction), 이뇨제 사용 등이 대표적인 원인이다. 대사알칼리증은 대개 심하지 않고 무증상인 경우가 많지만, 심한 알칼리혈증은 치명적이어서 동맥혈 pH 7.55 이상에서는 37.7%, pH 7.60 이상에서는 48.5%까지 사망률이 증가하였다는 보고가 있어 주의가 필요하다.

탄산수소염의 수송 과정

근위세관은 사구체에서 여과된 탄산수소염의 대부분(85~90%)이 재흡수되는 곳이다. 세포질의 탄산탈수효소(carbonic anhydrase) II에 의해 물과 이산화탄소는 산(H^+)과 탄산수소염으로 나뉜다. 기저외측막(basolateral membrane)의 Na^+/K^+-ATPase가 세포 내 소듐을 감소시켜 내강(lumen)과 세포 내 소듐의 전기화학 기울기(electrochemical gradient)를 만들어낸다. 이에 따라 내강막의 Na^+/H^+ 교환체(Na^+/H^+ exchanger 3, NHE3)에 의해 소듐이 흡수되면서 산을 분비하고, 기저외측막 Na^+-HCO_3^- 공동수송체(Na^+-HCO_3^- cotransporter 1, NBC1)을 통해 탄산수소염은 재흡수된다. 또한 일부는 H^+-ATPase에 의해 내강으로 산이 분비된다. 분비된 산은 내강 내에서 탄산수소염과 결합하고, 내강의 탄산탈수효소 IV와 반응하여 물과 이산화탄소로 분해되는데, 이산화탄소는 aquaporin-1을 통해 세포 내로 흡수되어 상기 과정에 관여할 수 있다. 헨레 고리관의 비후상행각(thick ascending limb)에서도 NHE3에 의해 산이 분비된다.

나머지 10~15%의 탄산수소염은 원위세관과 집합관에서 재흡수된다. 집합관은 주세포와 사이세포로 나눌 수 있고, 사이세포는 A형 사이세포, B형 사이세포, 비A-비B형 사이세포로 나뉜다. 집합관의 주세포는 기저외측의 Na^+/K^+-ATPase가 세포 내 소듐을 감소시켜 내강측과 세포내 소듐의 전기화학 기울기가 발생하고, 대부분 소듐은 상피소듐통로(Epithelial sodium channel, ENaC)를 통해 세포 내로 이동한다. 소듐의 세포 내로 이동은 신장 외수질 포타슘 통로(renal outer medullary potassium channel, ROMK)를 통한 포타슘의 내강으로 이동과, 세포사이 공간(paracellular space)을 통한 클로라이드의 내측 이동에 비해 빠르다. 따라서 소듐의 세포 내 이동을 통해 내강측은 음전하를 띄게 되고, A형 사이세포 내강막 H^+-ATPase에 의해 산이 내강으로 분비되어 탄산수소염과 결합한다. 또한 세포 내에서 생성된 탄산수소염은 기저외측막 Cl^-/HCO_3^- 교환체(anion exchanger 1, AE1)에 의해 체내로 흡수된다. 내강의 pH가 감소하면, 추가적으로 분비된 산은 인산염(HPO_4^{2-}) 또는 암모니아(NH_3)와 결합하여 적정가능산(titratable acid) 또는 암모늄이온(NH_4^-)을 형성한다. 체내 포타슘이온이 부족할 때는 A형 사이세포 내강막에 위치한 H^+/K^+-ATPase가 활성화되어 포타슘이온을 재흡수하면서 산을 분비한다.

B형 사이세포는 기저외측에 H^+-ATPase를 가지고 있어 산을 재흡수할 수 있고, 음이온 교환체 4(anion exchange 4, AE4)가 있어 탄산수소염을 재흡수 할 수 있다. 내강측에는 펜드린(pendrin)이 위치하여 탄산수소염을 분비하고, 클로라이드를 재흡수한다. 펜드린은 알칼리혈증 시 활성화된다. 최근 내강막에 소듐의존 클로라이드/탄산수소염 교환체(Na+ dependent Cl^-/HCO_3^- exchanger, NDCBE)가 존재하여 사이세포가 산-염기 조절 뿐 아니라 염분 재흡수에도 관여한다는 것이 알려졌다. 비A-비B형 사이세포는 내강막에 H^+-ATPase와 펜드린이 있으며, 기

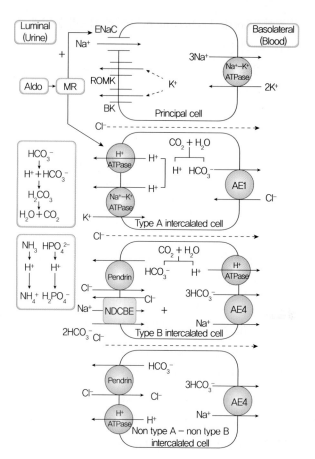

그림 4-3-1. 집합관 세포에서 소듐, 포타슘 및 산의 이동

AE1, 음이온 교환체 1 (anion exchanger 1); AE4, 음이온 교환체 4 (anion exchanger 4); Aldo, 알도스테론; ENaC, 상피소듐통로 (epithelial Na+ channel); BK, 큰전도도칼슘활성화포타슘통로 (large conductance calcium-activated potassium channels); MR, 미네랄코티코이드 수용체; NDCBE, 소디움 의존 Cl^-/HCO_3^- 교환체 (Na-dependent Cl^-/HCO_3^- exchanger), ROMK, 신장외 수질포타슘통로 (renal outer medullary potassium channel).

저외측막에 AE4가 위치한다. 체내의 과다한 알칼리를 배설하려면 펜드린이 활성화되고, 집합관의 H^+-ATPase가 억제되는 과정이 필요하다(그림 4-3-1).

병태생리

체내의 탄산수소염이 증가하면 신장에서는 빠르게 과다한 탄산수소염을 배설하여 이를 정상화하려고 한다. 정상적인 신장에서는 1) 탄산수소염의 여과를 증가시켜 하부 콩팥단위에 탄산수소염이 더 많이 도달하도록 하고, 2) 겉

질 집합관(cortical collecting duct)에서 펜드린에 의해 클로라이드 의존적 탄산수소염 배설을 증가시키고, 3) 겉질과 속질집합관(medullary collecting duct)에서 산 분비를 저하시켜 과다한 탄산수소염을 배설한다.

대사알칼리증은 비휘발성 산의 소실 또는 탄산수소염의 획득과 더불어, 탄산수소염의 재흡수 및 생산이 증가될 때 발생하며, 전자를 발생 기전, 후자를 유지 기전이라 부른다. 신부전 환자에서 탄산수소염이 투여되는 경우를 제외하면, 탄산수소염 배설기전의 이상, 즉 유지 기전이 동반되어야 대사알칼리증이 지속된다. 즉, 1) 탄산수소염의 여과 감소(예: 신장의 저관류, 신부전), 2) 세관에서 탄산수소염의 재흡수 증가(예: 안지오텐신 II, 알도스테론, 저칼륨혈증), 3) 펜드린을 통한 탄산수소염의 분비 감소(예: 클로라이드 결핍, 신부전), 4) 집합관 A형 사이세포의 산 분비 자극(예: 일차 알도스테론증, 클로라이드 결핍)이 대사알칼리증을 지속시키는 기전인데, 이를 정리하면 클로라이드 결핍, 미네랄코티코이드 과잉, 포타슘 결핍 및 사구체여과율 저하가 대사알칼리증의 유지에 중요하며, 앞의 세 가지가 세관에서 탄산수소염의 재흡수를 증가시키는 자극으로 작용한다.

보상반응

대사알칼리증에서는 pH가 증가하면 이를 보상하기 위해 이차적으로 호흡저하가 유발되고, 동맥혈의 이산화탄소분압이 상승하며, 저산소혈증이 동반될 수 있다. 약 5~7 mmHg 가량의 변동은 있을 수 있으며 탄산수소염의 농도가 60 mM 를 초과하면 아래 공식을 적용하기 어렵다.

$$PaCO_2 \text{ (mmHg)} = 40 + 0.7 \times ([HCO_3^-] \text{ (mM)} - 24)$$

병인

대사알칼리증의 원인은 세포외액량의 증가 및 감소(클로라이드 결핍), 혹은 집합관의 탄산수소염의 재흡수 및 산 분비에 관여하는 이온 수송체 활성화 여부에 따라 분류할 수 있다(표 4-3-1).

1. 세포외액 감소(정상혈압, 포타슘 결핍 및 이차성 고알도스테론증)

1) 위장관 소실

(1) 구토 또는 코위흡인을 통한 위액 소실

위액의 pH는 2.0 미만으로 산을 다량 포함하고 있다. 구토 혹은 코위흡인을 통한 위액 배액시 산과 함께 클로라이드가 소실되면 대사알칼리증이 발생되며, 체액 결핍에 의한 이차 알도스테론증 및 알칼리혈증에 의한 집합관에서 포타슘 분비 증가로 인해 포타슘 결핍이 나타난다. 산과 클로라이드를 제외한 다른 소실되는 요소들을 보충하여도 혈중 탄산수소염은 증가하여 대사알칼리증이 발생한다. 양성자 펌프 억제제(proton pump inhibitor)를 투여하면 산의 소실이 감소된다.

(2) 장액 소실

매우 드물지만 소아에서 발견되는 선천성 클로라이드설사(congenital chloridorrhea)와 주로 성인에서 진단되는 융모샘종(villous adenoma)이 있다. 선천성 클로라이드설사는 7번 염색체의 downregulated-in-adenoma (DRA) 유전자 돌연변이에 의해 회장(ileum)에서 클로라이드-탄산수소염 교환이 제대로 이루어지지 못하는 상염색체열성 유전질환이다. 대변으로 다량의 클로라이드가 소실되면서 체액결핍이 발생하고, 그 결과 이차 알도스테론증에 의해 요 중 포타슘 소실을 유발하여 대사알칼리증이 초래된다. 한편, 대장의 융모샘종에서는 소듐, 포타슘, 클로라이드 등이 다량 분비되어 체액 및 포타슘 결핍에 따른 대사알칼리증이 발생할 수 있다. 양성자 펌프 억제제를 투여하면, 위에서의 클로라이드 배출이 감소되어 소장에 도달하는

표 4-3-1. 대사알칼리증 발생 기전에 따른 주요 원인

세포외액 감소, 정상혈압, 포타슘 결핍 및 이차성 고알도스테론증
위장관 소실
위액소실: 구토 혹은 코위흡인
장액소실: 융모샘종(villous adenoma), 선천성 염산염설사(chloridorrhea)   회장루 (ileostomy), 위 조직을 이용한 방광확대술 (gastrocystoplasty)
신장 산 소실
이뇨제: 싸이아자이드(thiazide), 메톨라존(metolazone), 고리이뇨제(furosemide 등)
바터증후군(Bartter syndrome), 지텔맨증후군(Gitelman syndrome)
기타
고이산화탄소혈증 후 알칼리증
심한 포타슘 결핍, 마그네슘 결핍
낭성섬유증
세포외액 증가, 고혈압, 포타슘 결핍 및 고미네랄코티코이드증
고레닌, 고알도스테론
신장 동맥 협착증, 악성 고혈압
레닌분비종양
저레닌, 고알도스테론
일차 알도스테론증 (부신 샘종, 부신 증식)
글루코코티코이드 억제 알도스테론증
저레닌, 저알도스테론
쿠싱증후군
Fludrocortisone 투여
기타
11β-hydroxysteroid dehydrogenase type 2 불활성화
감초산(glycyrrhizic acid) 및 carbenoxolone
상피소듐통로(epithelial Na channel, ENaC)의 돌연변이
리들증후군 (Liddle's syndrome)
외인 탄산수소염 부하 및 기타
우유-알칼리 증후군(milk-alkali syndrome)
탄산수소염 투여 (특히 신부전 동반시)

구연산염(citrate)
  지속적 신대치요법 및 혈액투석의 항응고요법
  대량수혈
  신선동결혈장 이용 혈장교환술

유기 음이온(젖산염, 케톤 등)의 탄산수소염 전환

클로라이드를 감소시켜 설사 양을 줄일 수 있다. 회장루 (ileostomy)를 통하여 클로라이드가 풍부한 장액이 다량 배출되는 경우에도 심한 대사알칼리증이 발생할 수 있다.

(3) 방광확대술로서 위 조직 이용(gastrocystoplasty)

가스트린에 의해 소변으로 클로라이드 배설이 증가하여 대사알칼리증을 유발할 수 있다.

2) 신장 산 소실
(1) 이뇨제

가장 흔한 대사알칼리증의 원인은 이뇨제를 투여하는 경우이다. 고리이뇨제(loop diuretics)는 헨레고리관 비후상행각의 $Na^+-K^+-2Cl^-$ 공동수송체(NKCC2), 싸이아자이드(thiazide)와 메톨라존(metolazone)은 원위곱슬세관(distal convoluted tubule)의 Na^+-Cl^- 공동수송체(NCC)를 억제한다. 이는 클로라이드의 재흡수를 억제하여 선택적인 클로라이드 결핍을 유발하고, 포타슘 분비를 촉진하며, 집합관에 소듐 이온이 더 많이 도달하게 한다. 또한 이뇨제에 의한 체액량 감소가 알도스테론 분비를 자극함으로써 산과 포타슘 분비가 증가하고, 그에 따른 포타슘 결핍이 신장에서 탄산수소염 배설을 저해한다.

(2) 클로라이드 연관 소듐 수송체의 유전적 이상

요 중 포타슘 소실을 동반하면서 대사알칼리증을 유발하는 세관 장애로서 바터증후군(Bartter syndrome), 지텔맨증후군(Gitelman syndrome)이 있다. 바터증후군과 지텔맨증후군은 고혈압이 동반되지 않으면서, 대사알칼리증과 저칼륨혈증을 보이는 특징을 보인다. 바터증후군은 헨레고리관 비후상행각의 $Na^+-K^+-2Cl^-$ 공동수송체의 기능을 저하시키는 유전적 변이가 원인이며, 고리이뇨제의 효과와 비슷한 양상을 보인다. 바터증후군 환자들은 대개 어린 나이에 대사알칼리증과 체액량 결핍을 보인다. 지틀만증후군은 원위곱슬세관에서 Na^+-Cl^- 공동수송체의 활성도를 저하시키는 유전적 변이가 원인이며, 싸이아자이드 이뇨제와 유사한 양상을 보인다. 지텔맨증후군은 바터증후군에 비해 비교적 더 늦은 시기에 나타나며, 저마그네슘

혈증과 저칼슘뇨증을 보이는 것이 차이점이다.

3) 기타
(1) 고이산화탄소혈증 후 알칼리증

호흡부전으로 만성 호흡산증이 발생한 환자에서 기계호흡과 같이 호흡부전 치료를 신속하게 시행할 때 발생할 수 있다. 고이산화탄소혈증(hypercapnia)은 탄산수소염의 재흡수를 증가시키고, 탄산수소염의 생산을 증가시킨다. 호흡부전이 치료되는 과정에서 고이산화탄소혈증은 빠르게 교정되지만, 보상반응으로 동반된 대사알칼리증은 지속적으로 남아있을 수 있고, 동반된 체액량 감소가 대사알칼리증 교정에 악영향을 끼칠 수 있어 등장성 생리식염수를 투여할 때까지 대사알칼리증은 남아있을 수 있다. 또한 고이산화탄소혈증은 혈압을 저하시켜 사구체여과율을 감소시키는 효과가 있으므로 혈장 탄산수소염 농도 증가에 기여한다.

(2) 심한 포타슘 결핍, 마그네슘 결핍

포타슘 결핍이 심한 환자에서는(혈청 포타슘 <2 mM) 클로라이드를 투여하여도 대사알칼리증이 지속될 수 있다. 포타슘 저하에 따라 클로라이드 재흡수가 저하되어 클로라이드 저항성이 발생하게 된다. 또한 신장의 여러 수준에서 산 분비가 증가하는데, 근위세관에서는 암모늄 합성이 증가할 뿐 아니라 NHE3 및 NBC1 활성을 자극하여 근위 요 산성화를 증가시킨다. 집합관에서는 A형 사이세포의 $H^+/K^+-ATPase$가 활성화되는 것이 그 기전이다. 또한 사구체 혈역학을 변화시켜 레닌과 안지오텐신 II 분비가 증가함으로써 대사알칼리증 발생에도 기여할 수 있다. 포타슘을 부분적으로라도 보충하면 클로라이드에 대한 반응성이 증가된다. 마그네슘 결핍은 포타슘 결핍을 유발하여 대사알칼리증을 유발할 수 있고, 레닌의 활성화, 알도스테론 분비를 통해 원위세관의 산성화를 촉진하여 대사알칼리증을 유발할 수 있다.

(3) 낭성섬유증(Cystic fibrosis)

클로라이드가 다량 포함된 땀 배출이 증가하여 체내 클

로라이드가 감소되어 대사알칼리증을 유발할 수 있다.

2. 세포외액 증가(고혈압, 포타슘 결핍 및 고미네랄코티코이드증)

1) 고레닌, 고알도스테론 상태

레닌 분비가 일차적으로 증가하여 고알도스테론을 유발한 경우이다. 신장 동맥 협착증, 악성 고혈압이 이에 해당하며, 드물게 레닌 분비 종양도 대사알칼리증을 유발할 수 있다.

2) 저레닌, 고알도스테론 상태

대부분은 일차 알도스테론증(부신샘종, 부신증식)이 그 원인이다. 알도스테론과 같은 미네랄코티코이드는 신장의 원위곱슬세관과 피질 집합관에 작용하여 소듐 흡수를 자극한다. 그 결과 유도된 내강 음전위는 포타슘 분비 뿐 아니라 산 분비도 함께 증가시키는데 집합관의 $H^+-ATPase$ 활성화와 관련이 있다. 그 외에 syndrome of glucocorticoid-remediable hyperaldosteronism은 알도스테론의 분비가 안지오텐신 보다는 adrenocorticotropic hormone (ACTH)에 의해 조절되는 유전자 변이이다.

3) 저레닌, 저알도스테론 상태

Fludrocortisone 투여, 쿠싱증후군(Cushing's syndrome)과 같은 다량의 글루코코르티코이드 또는 과량의 코티코이드를 투여하면 미네랄코티코이드와 유사한 효과를 나타내어 신장에서 포타슘 분비가 증가하고 알칼리증이 유발된다.

4) 기타

또 다른 드문 경우로 11β-hydroxysteroid dehydrogenase type 2 불활성화가 있다. 이는 미네랄코티코이드 수용체 인근에 있는 유전자로 코티솔(cortisol)을 코티손(cortisone)으로 빠르게 전환하여 코티솔이 미네랄코티코이드 수용체에 결합하는 것을 최소화하여 미네랄코티코이드 수용체가 코티솔에 의해 포화되는 것을 막는다. 그러나 11β-hydroxysteroid dehydrogenase type 2가 불활성화되면, 코티솔이 미네랄코티코이드 수용체에 결합하고 활성화되어, 소듐의 재흡수가 증가되고 포타슘 분비가 증가하며, 대사알칼리증과 고혈압이 발생한다.

감초산(glycyrrhizic acid) 및 carbenoxolone은 11β-hydroxysteroid dehydrogenase type 2의 활성을 억제하여 겉보기미네랄코티코이드과잉증후군(syndrome of apparent mineralocorticoid excess)과 유사한 임상적 특성을 보인다.

3. 상피소듐통로의 돌연변이

리들증후군(Liddle syndrome)은 집합관 상피소듐통로의 기능획득 돌연변이에 의해 소듐 재흡수 증가 및 포타슘의 과배설을 초래하며, 특징적으로 고혈압을 동반한다. 리들증후군에서는 레닌과 알도스테론은 모두 감소되어 있다.

4. 외인 탄산수소염 부하

1) 우유-알칼리 증후군(Milk-alkali syndrome)

20세기 초 소화성 궤양 치료를 위하여 다량의 우유와 흡수성 알칼리를 투여하는 Sippy diet를 통해 알려지게 되었는데, 이는 고칼슘혈증, 다양한 정도의 신부전 및 대사알칼리증을 보인다. histamine-2 차단제와 양성자 펌프 억제제가 나오게 되면서 빈도가 급격히 감소하였고 최근에는 폐경기 여성, 장기간 스테로이드 치료를 받는 환자에서 골다공증 예방을 위해 다량의 탄산칼슘을 투여하여 발생했다는 보고가 있다.

2) 탄산수소염의 투여

대사산증의 교정을 위해 탄산수소염을 지나치게 투여할 경우 대사알칼리증이 발생할 수 있다. 지속적신대체요법 (continuous renal replacement therapy)을 받는 급성콩팥손상 환자 또는 혈액투석을 받는 말기콩팥병 환자에서 항응고요법으로 구연산염(citrate)을 사용할 때 1 mmol 당

탄산수소염 3 mmol이 생성되므로 대사알칼리증을 유발할 수 있다. 또한 대량 수혈을 받거나, 신기능이 저하된 환자에서 신선동결혈장을 이용한 혈장교환술을 시행할 때에도 대사알칼리증이 발생할 수 있다.

신장기능이 정상일 때는 탄산수소염이 투여되어도 체내의 포타슘 및 클로라이드가 결핍된 경우에만 대사알칼리증이 유발되지만, 신장기능이 저하된 환자에서는 포타슘 및 클로라이드와 무관하게 소량의 알칼리 투여로 대사알칼리증을 유발할 수 있다.

임상양상

혈청 탄산수소염이 40 mM까지 증가하더라도 대개는 무증상이다. 대사알칼리증 환자는 체액 결핍 또는 저칼륨혈증을 동반하는 경우가 흔한데, 대사알칼리증에 의한 증상과 체액 혹은 포타슘 결핍에 의한 증상을 구분해서 말하기 힘들다. 저칼륨혈증 증상으로 신경근육 쇠약, 다뇨가 나타날 수 있고 심장 부정맥 위험도가 증가할 수 있다. 대사알칼리증에 대한 보상반응인 저환기에 의해 저산소증이 초래될 수 있으며, 기계 호흡중인 환자에서 호흡기를 떼기 어렵게 한다. 대사알칼리증이 심하면 무감동(apathy), 혼동(confusion), 부정맥 및 신경근육 과민성이 나타난다. 환자의 혈장 pH가 7.60을 초과하는 심한 알칼리혈증에서는 소동맥 수축이 발생하여 뇌와 심장의 혈액순환을 감소시킨다. 그 결과 두통, 테타니(tetany), 발작(seizure), 기면(lethargy), 섬망(delirium), 혼미(stupor) 등 신경학 증상이 나타날 수 있다. 특히, 혈장 이온화칼슘 농도가 동반하여 감소할 때 이러한 증상이 심하다.

진단 및 감별진단

대사알칼리증의 진단과정은 대사알칼리증의 발견, 적절한 보상반응 여부 평가, 원인 감별 등 3가지로 요약할 수 있다.

1. 대사알칼리증의 진단

총 이산화탄소가 증가할 때 대사알칼리증을 의심하고, 동맥혈 pH가 7.46 이상 증가하면서 혈장 탄산수소염 농도가 상승하면 대사알칼리증으로 진단할 수 있다.

2. 적절한 보상반응 여부 평가

혈장 탄산수소염 농도가 1.0 mM 증가할 때마다 동맥혈 이산화탄소분압이 0.5~0.7 mmHg 씩 증가하는데, 보상범위는 55~60 mmHg를 초과하지 못한다. 만약 동맥혈 이산화탄소분압이 적절하게 증가하지 않으면 혼합형 장애로 진단하고, 과환기에 의한 일차성 호흡알칼리증이 동반된 것을 의미한다. 혈장 음이온차(anion gap)는 중등도 이하의 대사알칼리증에서는 증가하지 않으나, 심한 대사알칼리증에서는 3~5 mM 증가할 수 있다. 혈장 음이온차가 20 mM 이상 증가하면, 대사산증이 동반되었을 가능성이 높다.

3. 원인 감별

철저한 병력청취와 신체진찰이 필요하다. 특히 체액량의 증감과 고혈압 여부에 대하여 반드시 확인해야 한다. 95% 이상의 대사알칼리증은 이뇨제 사용 또는 위장관을 통한 클로라이드 소실이 그 원인을 차지하기 때문이다. 원인이 명확하지 않다면, 요 중 클로라이드를 측정하는 것이 도움된다. 클로라이드 결핍과 관련된 대사알칼리증에서는 소변 클로라이드가 보통 20 mM 이하로 측정된다. 그러나 이뇨제를 투약하였거나, 폭식증 환자에서 구토 직후 혹은 이뇨제를 남용한 경우에는 소변 클로라이드가 증가할 수 있다. 일반적으로 체액량 감소할 때 소변 소듐이 낮게 측정되지만, 대사알칼리증에 의한 탄산수소염뇨 등 요 중 비흡수 음이온이 존재하는 경우에는 체액이 결핍되더라도 요 소듐 농도가 높게 측정될 수 있어 주의가 필요하다. 체액량이 결핍되어 있으면서 소변의 클로라이드가 20 mM 이상으로 증가된 경우에는 소변 포타슘을 측정한다. 소변

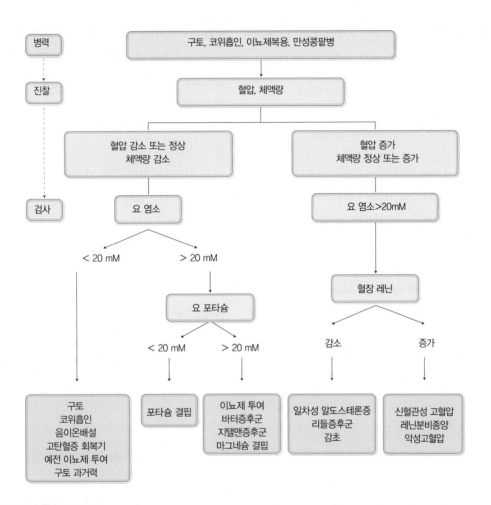

병력

진찰

검사

구토, 코위흡인, 이뇨제복용, 만성콩팥병

혈압, 체액량

혈압 감소 또는 정상
체액량 감소

혈압 증가
체액량 정상 또는 증가

요 염소

요 염소>20mM

< 20 mM

> 20 mM

요 포타슘

혈장 레닌

< 20 mM

> 20 mM

감소

증가

구토
코위흡인
음이온배설
고탄혈증 회복기
예전 이뇨제 투여
구토 과거력

포타슘 결핍

이뇨제 투여
바터증후군
지텔맨증후군
마그네슘 결핍

일차성 알도스테론증
리들증후군
감초

신혈관성 고혈압
레닌분비종양
악성고혈압

그림 4-3-2. 대사알칼리증의 감별진단

포타슘이 감소되어 있다면 심한 포타슘 결핍이나 변비약 남용일 수 있고, 소변 포타슘이 증가된 경우는 이뇨제 남용, 마그네슘 결핍, 바터증후군 또는 지텔맨증후군과 같은 세관 수송체 이상일 수 있다.

대사알칼리증을 보이는 환자가 고혈압을 동반한 경우에, 체액량이 충분하고 이뇨제를 복용하지 않으면서 충분한 양의 클로라이드를 섭취하는 환자라면 미네랄코티코이드 과잉상태로서 가장 흔한 원인은 일차 알도스테론증이다. 감별진단을 위해 혈장 레닌 활성도와 알도스테론 측정이 필요하다. 만약 레닌이 감소하고 알도스테론이 증가한 소견이라면 일차 알도스테론증 가능성이 크고, 레닌과 알도스테론이 모두 감소하였다면 감초 남용 혹은 리들증후

군 가능성이 있다. 신혈관고혈압, 레닌분비종양 및 악성 고혈압에서는 레닌과 알도스테론이 모두 증가한다(그림 4-3-2).

치료

대사알칼리증의 치료는 원인을 찾아 교정하고, 생명을 위협하는 심각한 경우에는 산—염기 불균형 상태 교정을 시도하는 것이다. 혈압이 높지 않고 클로라이드 농도가 낮은 대사알칼리증에서 체액 결핍이 의심되면 생리식염수 (NaCl)를 공급한다. 고혈압을 동반하는 미네랄코티코이드

과잉 상태에서는 원인을 찾아 이를 교정해야 한다. 매우 드물게는 알칼리증을 교정하기 위한 산성화(acidifying) 치료가 필요할 수 있다.

1. 클로라이드 결핍이 동반된 대사알칼리증

코위흡인 또는 구토에 의해 이차적으로 발생한 대사알 칼리증 환자는 체액, 특히 세포외액이 결핍되어 있다. 따라서 생리식염수를 정주하면 알칼리증과 체액결핍이 교정된다. 포타슘 소실 역시 경구 또는 정주 염화포타슘(KCl)을 투여하여 교정하여야 한다. 코위흡인을 지속해야 하는 환자라면, 위산분비 억제제를 투여하여 지속적인 산과 클로라이드이온의 소실을 줄일 수 있다.

그러나 이뇨제에 의한 대사알칼리증에서는, 체액감소가 저명한 경우를 제외하면 대부분 생리식염수를 투여하기 어렵다. 이 경우에는 염화포타슘을 보충하여 포타슘 부족을 최소화하고 대사알칼리증의 정도를 완화시킬 수 있다. 포타슘보존 이뇨제를 추가하면 포타슘 부족과 대사알칼리증을 줄일 수 있으나, 대부분 완전한 교정은 어렵다. 신장기능이 충분하다면, 탄산탈수효소를 억제하는 이뇨제인 acetazolamide를 하루에 250~500 mg 경구 투여하여 소듐 및 탄산수소염을 배설시킬 수 있다. 그러나 포타슘 이온도 함께 배설하므로 저칼륨혈증을 유발할 수 있어 주의가 필요하고, 진행된 신부전에서는 금기이다. 또한 환기 장애가 있는 폐질환 환자에서는 이산화탄소 축적이 악화될 수 있어 주의해야 한다.

바터증후군 또는 지텔맨증후군 환자에서 대사알칼리증과 저칼륨혈증은 더욱 교정하기 어렵다. 경구 염화포타슘 보충이 필요하며, 지텔맨증후군 환자에서는 마그네슘도 함께 보충해야 하고, 비스테로이드소염제(NSAID)를 사용해 볼 수 있다. 이러한 약제들은 신장을 통한 클로라이드이온 소실을 줄일 수 있다.

2. 미네랄코티코이드 과다와 관련된 대사알칼리증

기저 원인에 대한 치료가 필요하다. 예를 들어 부신 선종과 관련된 일차 알도스테론증에 의한 대사알칼리증이라면 부신 선종의 제거가 필요하다. 일차적인 병소의 제거가 불가능하거나 다른 원인의 일차 알도스테론증이라면 염분 섭취 제한, 포타슘의 보충 및 미네랄코티코이드 차단제인 스피로놀락톤(spironolactone) 또는 eplerenone을 투여해 볼 수 있다.

글루코코티코이드에 반응하는 고알도스테론증은 ACTH 억제를 위해 덱사메타손 (dexamethasone) 아침 0.25 mg, 저녁 0.75 mg을 투여하여 알도스테론 분비를 감소시킬 수 있다. 리들증후군 환자에서는 ENaC 차단제인 amiloride 또는 triamterene이 효과적이다. 그러나 11β-hydroxysteroid dehydrogenase 결핍에서 amiloride 는 효과적이지 않고, 대신 어린이들에게 eplerenone이 에스트로겐, 안드로겐 수용체에 덜 결합하기 때문에 유용하다. 신동맥 협착, 레닌분비종양, 쿠싱증후군은 수술 등을 통해 치료해 볼 수 있고, 감초를 복용중이라면 중단시킨다.

3. 알칼리 투여에 의한 대사알칼리증

탄산수소염이 포함된 약제, 젖산(lactate)이 포함된 링거 수액(Ringer's solution), 혈액제제 또는 포타슘 보충제에 포함된 구연산염 등이 잠재적인 알칼리 증가의 원인이 될 수 있으므로 면밀히 검토하여 이를 중단한다.

4. 신대체요법 및 산성화 치료

신부전이 동반된 환자에서 대사알칼리증은 탄산수소염이 없는 용액을 이용하여 지속신대체요법을 통해 치료할 수 있다. 이때 구연산염을 항응고제로 사용하지 말아야 한다. 일반적인 혈액투석 또는 복막투석 방법에서도 알칼리가 혈액내로 투여되기 때문에 대사알칼리증을 악화시킬 수 있다. 따라서 투석액을 사용하지 않고 초여과 만을 시행하는 것이 잠시 도움이 될 수 있다.

간성 혼수, 심장 부정맥, 디기탈리스 심장독성 혹은 의식장애를 동반하거나 기계호흡 의존을 피하기 어려운 만성

폐질환 환자, 신부전이 동반된 중증 대사알칼리증 환자(동맥혈 pH > 7.55 또는 탄산수소염 ≥ 50 mM)에서 투석을 할 수 없거나 치료에도 대사알칼리증이 잘 교정되지 않는 경우에 염산(HCl) 또는 염화암모늄(NH_4Cl)을 투여할 수 있다. 대략적인 초기 염산 투여량(mmol)은 다음 공식을 참고한다.

0.5 × 체중(kg) × 목표로 하는 혈장 탄산수소염 감소분(mM)

이 때 진행 중인 탄산수소염 소실 양도 함께 고려하면서 정상범위까지 도달하려 하지 말고, 그 절반에 이르는 목표를 설정한다. 따라서 처음에는 혈장 탄산수소염 조절 목표치를 40 mM 정도로 낮추는 것이 좋다. 위의 공식에 따른 추정량은 정확한 양이 아니므로, 중간 재평가를 통해 목표를 수정해야 하고, 추가적인 산 보충이 반드시 필요한 상황인지 반복하여 확인해야 한다.

염산을 투여하려면, HCl 1N 100 mL를 생리식염수 혹은 5% 포도당용액 900 mL에 희석하여 0.1 N 농도로 제조한다. 가능한 이 농도를 넘지 않도록 하고, 0.2 mmol/kg/h 이하의 속도로 주입한다. 이 용액이 혈관 외로 누출되면 주변 조직을 괴사시키므로 주의가 필요하다. 반드시 잘 위치된 중심정맥관을 통하여 투여해야 하고, 8~24시간에 걸쳐 천천히 투여한다. 염산은 플라스틱과 반응할 수 있으므로 유리로 된 용기를 사용하는 것이 권고되며, 정맥주사 튜브도 매 12시간마다 교체해야 한다.

HCl을 대신하여 말초 정맥을 통해 주입 가능한 제제가 염화암모늄이다. 그러나 요소(urea)로 대사되어 신부전 환자에서는 요소 농도가 급격히 증가할 수 있고, 간 질환 환자에서는 암모니아 농도가 증가할 수 있으며 이로 인해 중추신경계 관련 증상의 변화가 유발될 수 있다. 과거에 사용하던 lysine 혹은 arginine HCl은 세포 내의 포타슘을 세포외로 이동시켜 치명적인 고칼륨혈증을 유발할 수 있어 사용되지 않는다.

▶ 참고문헌

- Brenner and Rector's the kidney. 11th ed, Elsevier, 2020, pp529–536.
- DuBose TD Jr.: Metabolic alkalosis, edited by Gilbert SJ, et al, National kidney foundation's primer on kidney diseases. 7th ed, Elsevier, 2018, pp144–151.
- Emmett M: Metabolic alkalosis: A brief pathophysiologic review. Clin J Am Soc Nephrol 15:1848–1856, 2020.
- Galla JH: Metabolic alkalosis. J Am Soc Nephrol 11:369–375, 2000.
- Gennari FJ: Pathophysiology of metabolic alkalosis: A new classification based on the centrality of stimulated collecting duct ion transport. Am J Kidney Dis 58:626–636, 2011.
- Hamm LL, et al: Disorders of acid–base balance, edited by Yu ASL.
- Moe OW, et al: Clinical syndromes of metabolic alkalosis. In: Alpern RJ, et al. Seldin an Giebisch's the kidney: physiology and pathophysiology. 5th ed, Elsevier, 2013, pp2021–2047.
- Palmer BF, et al: Metabolic alkalosis. J Am Soc Nephrol 8:1462–1469, 1997.
- Segal A, et al: Metabolic alkalosis, edited by Feehally J, Floege J, Tonelli M, et al. Comprehensive clinical nephrology. 6th ed, Elsevier, 2019, pp160–169.
- Wall SM: Renal intercalated cells and blood pressure regulation. Kidney Res Clin Pract 36:305–317, 2017.

제 4 부 산-염기 장애

CHAPTER 04

호흡 산–염기 장애 및 혼합형 산–염기 장애

윤수영, 정경환 (경희의대)

KEY POINTS

- 호흡산증은 원인질환의 치료가 중요하며 질환의 중증도와 급성 혹은 만성 여부에 따라 치료원칙을 정한다.

- 정상 산–염기 수치를 보이더라도 혼합형 산–염기 장애에서 보상 결과일 수 있으므로, 숨어있는 산–염기 장애를 진단하고자 환자의 병력과 신체검진이 중요하다. 각각의 산–염기 장애 치료에 대한 반응 속도가 다를 수 있고 특정 상황에서는 치명적일 수 있다는 점을 이해해야 한다.

호흡산증

호흡산증은 중증 폐질환, 호흡근 피로 및 이상시 발생하며 폐로부터 이산화탄소 배출이 원활하게 이루어지지 않아 동맥혈 이산화탄소분압($PaCO_2$)이 증가하고 pH가 감소하는 상태이다. 단순 호흡산증에서 동맥혈 이산화탄소분압은 45 mmHg 이상 증가할 수 있다. 고산지대 거주민 혹은 대사산증 동반시 이산화탄소 분압이 정상이거나 낮아도 호흡산증의 요소가 존재할 수 있다. 급성 및 만성 호흡산증에서 보상작용으로 혈중 탄산수소염(HCO_3^-)이 증가한다.

호흡산증 발생 24시간을 기준으로 급성과 만성으로 구분하며 12~24시간 내에 보상작용이 일어나지만 신장을 통한 완전한 보상이 이루어지려면 3~5일 이상 걸린다.

1. 병태생리

동맥혈 이산화탄소분압의 증가는 호흡펌프 감소와 호흡부하 증가의 기전으로 설명할 수 있다. 즉, 호흡펌프가 호흡부하에 균형을 맞추지 못하면 호흡산증이 발생하게 된다. 해수면 높이를 기준으로 실내공기(산소분압 21%)에서 폐포 가스를 계산하는 공식은 다음과 같다(P_AO_2 : 폐포 산소 장력 mmHg).

$$P_AO_2 = 150 - 1.25 \times PaCO_2$$

공식상 실내공기에서 동맥혈 이산화탄소분압이 80 mmHg 이상에 도달할 가능성은 희박함을 알 수 있다. 심한 고이산화탄소혈증은 산소 치료 중 산소 공급이 과다할 경우에 발생할 수 있다. 호흡산증에 대한 보상 작용은 급성과 만성으로 나눌 수 있다. 급성 호흡산증에서는 발생

후 수분에서 수시간에 걸쳐 일어나는 신장외 세포완충작용으로 이산화탄소분압이 10 mmHg 증가시 혈중 탄산수소염이 1mM씩 증가한다. 만성 호흡산증에서는 신장에 의한 보상작용으로 이산화탄소분압이 10 mmHg 증가시 혈중 탄산수소염이 약 4 mM씩 증가한다. 이는 3~5일에 걸쳐 신장에서 탄산수소염 생산 증가 및 클로라이드의 재흡수 감소에 의한 것으로 일반적으로 탄산수소염농도가 38 mM를 초과하지는 않는다.

급성 호흡산증; $\Delta HCO_3^- \text{ (mM)} \approx 0.1 \times \Delta PCO_2 \text{ (mmHg)}$

만성 호흡산증; $\Delta HCO_3^- \text{ (mM)} \approx 0.4 \times \Delta PCO_2 \text{ (mmHg)}$

2. 원인

호흡산증은 폐질환, 호흡근의 피로 또는 기계환기 조절 이상으로 발생할 수 있다(표 4-4-1). 다양한 약물, 손상 또는 질병 등에 의해 호흡 중추가 억제되면 호흡산증이 발생할 수 있다. 급성으로는 일반 마취제, 진정제, 두부 외상 등에 의해, 만성으로는 진정제, 알코올, 두개내 종양 및 비만, 저환기증후군 및 수면호흡장애증후군 등에서 발생할 수 있다. 운동신경세포, 신경근접합부, 골격근의 이상이나 질병으로 호흡근육 피로가 생기고 호흡저하가 발생할 수 있다. 이산화탄소 생산이 갑자기 증가하거나(열, 동요, 패혈증 또는 과식) 폐기능 악화로 인해 폐포 환기가 저하될 경우 기계환기가 적절하게 조정, 적용되지 않으면 호흡산증이 발생할 수 있다. 심박출량이 감소된 상태에서의 높은 호기말 양압은 폐포 사강(dead space)의 증가로 고이산화탄소혈증을 유발할 수 있다. 고이산화탄소혈증을 허용하는(permissive hypercapnia) 기계환기법은 급성 폐손상, 급성호흡곤란증후군, 심한 폐쇄폐질환 환자에서 내인성 호기말 양압을 줄일 수 있어 적용이 증가하고 있다. 고이산화탄소혈증 허용과 연관된 호흡산증에서 동맥혈 pH를 7.15-7.20까지 증가시키기 위해 탄산수소소듐(NaHCO$_3$) 투여가 필요할 수 있으나 정상 pH로 교정할 때 해로울 수 있다.

표 4-4-1. 호흡산증의 원인

호흡중추억제	기도 흐름 저항성 증가
약제 (마취제, 모르핀, 진정제) 뇌경색 감염	상기도폐쇄 이물질 또는 구토물의 흡인 성대문연축 혈관부종 부적절 후두 삽관 하기도폐쇄 천식지속상태 만성폐쇄폐질환 악화
폐실질 이상	신경-근육 이상
폐기종 진폐증 기관지염 급성호흡곤란증후군 압력손상	소아마비 후만증 중증근무력증 근이영양증
기타	
비만 저호흡 허용적 고이산화탄소혈증	

급성 고이산화탄소혈증은 심한 천식, 아나필락시스, 흡입 화상, 독성 손상과 같이 상기도의 갑작스러운 폐색이나 기관지 경련시 발생한다. 만성 고이산화탄소혈증과 호흡산증은 말기 폐쇄폐질환에서 발생하며 호흡부전이나 급성 호흡산증을 동반할 경우 중증의 산혈증이 발생할 수 있다. 흉벽과 폐와 연관된 제한성 장애는 호흡할 때 높은 대사 비용으로 호흡근 피로가 유발되어 호흡산증을 동반할 수 있다. 중증의 폐내 및 폐외 제한성 장애에서 만성 호흡산증이 발생한다.

3. 임상 증상

호흡산증은 중증도와 기간, 기저질환, 저산소혈증의 동반 여부에 따라 임상증상이 다양하다. 고이산화탄소혈증은 항상 저산소혈증과 관련되어 발생하므로, 발현하는 임상증상이 고이산화탄소혈증 때문인지 또는 저산소혈증 때문인지를 구분하기가 어려울 때가 있다. 그럼에도 불구하고, 고이산화탄소혈증의 신경학적 또는 심장혈관 기능장애의 특징적인 소견을 알아두는 것이 좋다.

1) 신경학적 증상

고이산화탄소혈증은 혈관 평활근에 직접 작용하여 전신 혈관확장을 유발하며, 특히 대뇌순환의 증가를 일으킬 수 있다. 급성 고이산화탄소혈증에 의해 불안, 중증 호흡곤란, 지남력장애, 혼동, 지리멸렬, 공격성 등이 발생할 수 있다. 동맥혈 이산화탄소분압이 60 mmHg 이상으로 증가하면 이산화탄소혼수로 진행할 수 있다. 만성 고이산화탄소혈증 환자에서는 마약중독과 같은 효과가 나타나 졸음, 각성도 감소, 무관심, 건망증, 기억상실, 과민성, 혼동, 기면 등의 증상이 발생할 수 있다. 급성 및 만성 호흡산증에서 떨림, 근간대성경련, 자세고정불능 등과 같은 운동장애가 자주 관찰된다. 이산화탄소의 혈관확장에 의한 증상으로 뇌압 증가 시 보이는 증상과 유사한 두통, 시신경유두부종, 이상반사작용 등이 나타날 수 있다. 만성 호흡부전 환자에서 급성 악화로 고유량 산소치료 시 고이산화탄소혈증 혼수가 발생할 수 있다.

2) 심장혈관 증상

경도 및 중등도 급성 고이산화탄소혈증에 의해 따뜻하고 홍조를 띤 피부, 도약맥박, 발한, 심박출량 증가, 정상혈압 혹은 고혈압 소견을 보인다. 중증 급성 고이산화탄소혈증에서는 심장박출량과 혈압이 감소되기도 한다. 급성 혹은 만성 고이산화탄소혈증에 의해 심장부정맥이 동반할 수 있는데 특히 디곡신을 복용하는 환자에서 자주 발생한다. 또한, 동맥혈 이산화탄소분압 증가로 인한 폐혈관 수축으로 폐동맥 고혈압과 우심부전이 발생할 수 있다.

3) 신장 증상

경도 및 중등도 고이산화탄소혈증에 의해 신장 혈관확장이 발생하나 동맥혈 이산화탄소분압이 70 mmHg 이상으로 급격히 증가하면 신장 혈관수축과 관류저하가 발생할 수 있다. 폐심장증에서 염분과 수분의 저류가 지속적인 고이산화탄소혈증과 동반되어 나타날 수 있다. 호흡산증에서 교감신경계와 레닌-안지오텐신-알도스테론 시스템 자극, 신장혈관 저항성 증가, 항이뇨호르몬과 코티솔 증가 등이 발생하여 신장에 영향을 준다.

4. 진단

고이산화탄소혈증을 의심하여 동맥혈가스분석 결과(특히, 동맥혈 이산화탄소분압과 pH)를 반드시 확인해야 한다. 고이산화탄소혈증과 산혈증이 같이 나타난다면 호흡산증이 있다고 볼 수 있다. 혼합형일 경우 고이산화탄소혈증시에도 정상이거나 알칼리 pH 소견을 보일수 있다. 폐기능검사(폐활량측정, 일산화탄소에 대한 확산능, 폐용적)를 시행하여 폐질환에 의한 이차적 호흡산증 여부를 감별한다. 폐질환 이외의 원인을 감별하고자 상세한 약물 복용력 청취 및 적혈구용적률를 측정하고, 상기도, 흉벽, 늑막, 신경근육 등 기능 평가를 시행한다.

5. 치료

원인질환의 치료가 중요하며 질환의 중증도와 급성 혹은 만성 여부에 따라 치료 원칙을 정한다. 급성 호흡산증은 생명을 위협할 수 있으므로 원인 질환에 대한 치료와 함께 기관 삽관, 산소유지, 보조기계환기요법등을 통해 적절한 폐포환기가 이루어지도록 해야 한다. 중증 폐쇄폐질환 및 만성 이산화탄소 정체가 있는 환자에서 산소 과다 치료 시 심각한 산혈증이 발생할 수 있으므로 주의가 필요하다. 동맥혈 이산화탄소분압을 급격히 낮추면 급성 호흡알칼리증의 합병증(심장부정맥, 대뇌관류감소, 경련)이 발생할 수도 있으므로 고이산화탄소혈증을 너무 빨리 교정하지 말아야 한다. 호흡알칼리증 발생시 염화포타슘이나 아세타졸라마이드 투여가 치료에 도움이 될 수 있다. 만성 호흡산증에서 신장의 탄산수소염 배설을 촉진시키기 위해 염화포타슘을 충분히 공급하면서 동맥혈 이산화탄소분압을 서서히 낮추어야 한다. 만성 호흡산증은 폐렴의 치료, 기관지확장제, 코티코스테로이드, 이뇨제, 물리치료 등 폐질환 및 폐기능 개선을 위한 처치가 필요하나 치료가 어렵다. 호흡근 활동에 영향을 줄 수 있는 진정제, 안정제를 피하고 필요시 날록손 투여를 고려하고 산소보조치료는 혈중 산소분압이 최소 60 mmHg을 목표로 천천히 조절한다.

호흡알칼리증

호흡알칼리증은 폐포의 과환기에 의해 동맥혈 이산화탄소분압은 낮아지고 탄산수소염/동맥혈 이산화탄소분압의 비율은 증가하여 혈중 pH 증가로 이어진다. 단순 호흡알칼리증에서 안정시 동맥혈 이산화탄소분압이 35 mmHg 미만이지만 대사알칼리증이 동반된 경우에는 정상 소견을 보일 수 있다.

1. 병태생리

호흡알칼리증은 정상 임신 혹은 고산지대 거주자들에서 자주 발생하는 질환이다. 또한 중환자에서도 종종 관찰되는 산-염기 장애로 혈중 이산화탄소 분압이 20~25 mmHg 이하일 경우 불량한 예후를 예측할 수 있다. 일반적으로 저이산화탄소혈증은 이산화탄소 제거가 증가하여 발생하는데, 즉 조직에서 이산화탄소 생성보다 더 많은 양이 과다환기로 폐에서 배출될 경우 발생한다.

급성 호흡알칼리증; $\Delta HCO_3^- \ (mM) \approx 0.2 \times \Delta P_aCO_2 \ (mmHg)$
만성 호흡알칼리증; $\Delta HCO_3^- \ (mM) \approx 0.4 - 0.5 \times \Delta P_aCO_2$ (mmHg)

급성 저이산화탄소혈증시 5~10분내에 신장 외의 세포내 완충기전으로 혈중 탄산수소염이 감소하며 만성 저이산화탄소혈증시 신장의 보상 작용으로 요산성화가 억제되어 혈중 탄산수소염이 감소하는데 2~3일 걸린다. 저이산화탄소혈증에서 보상 작용으로 신장 암모늄과 적정산 배설의 감소와 탄산수소염의 재흡수 감소가 일어난다. 순수한

호흡알칼리증에서 혈중 탄산수소염이 12 mM 미만인 경우는 흔하지 않으며, 혈중 이산화탄소 변화에 따른 탄산수소염의 변화량은 위 공식과 같다.

호흡알칼리증에서 혈중 이산화탄소분압이 감소하면 혈중 pH가 증가하는데, 급성의 경우 $\Delta pH \approx 0.01 \times \Delta PaCO_2$, 만성은 $\Delta pH \approx 0.003 \times \Delta PaCO_2$로 변화한다. 만성 호흡알칼리증에서 혈중 탄산수소염 감소 작용은 매우 효과적이어서 pH가 정상치로 유지될 수 있다.

2. 원인

표 4-4-2과 같이 호흡알칼리증은 중추신경계 자극, 저산소혈증, 다양한 약제 등에 의해 발생한다.

저산소혈증의 원인은 흡기산소 분압저하, 고지대, 폐렴, 성대문연축 등이 있다. 원인 약제로 황체호르몬과 같은 호

표 4-4-2. 호흡알칼리증의 원인

중추신경계 자극	저산소혈증 또는 조직 저산소증
통증 불안과다환기증후군 발열 거미막하출혈 수막뇌염 종양 외상	고산지대 세균 또는 바이러스 폐렴 식품, 이물질 또는 구토물의 흡인 중증빈혈 저혈압 폐부종
약제 또는 호르몬	**호흡 수용체를 자극하는 폐질환**
황체호르몬 살리실산염 니코틴 잔틴	혈흉 동요가슴 심부전 폐색전증 급성호흡곤란증후군
기타	
임신 그람양성패혈증 그람음성패혈증 간부전 기계과다환기 열노출 대사산증에서 회복	

흡자극제, 니코틴, 승압제 호르몬 등이 중요하며, 중추신경계 자극 요소로서 통증, 불안과다환기증후군, 정신병 등이 있다. 호흡수용체를 자극하는 폐질환으로는 폐렴, 천식, 기흉, 혈흉 등이며, 기타 원인으로서 운동, 임신, 패혈증, 간기능 상실 등이 있다.

대부분의 일차 저이산화탄소혈증은 폐, 경동맥 및 대동맥의 말초 화학수용체 또는 뇌간 화학수용체 자극에 의한 폐포 과다환기에 의해 발생한다. 이산화탄소에 대한 뇌간 화학수용체의 반응은 전신질환(간질환, 패혈증), 약제 및 자유 의지에 의해 증가한다. 폐포 과다환기의 주요 자극원은 저산소증으로 동맥 산소분압이 60 mmHg 미만시 발생할 수 있다. 잘못 조작된 기계 환기, 심인성 과호흡, 중추신경계와 연관된 병변 등으로도 발생할 수 있다.

중증 순환기 장애 환자에서 동맥 저이산화탄소혈증이 정맥 및 조직 고이산화탄소혈증과 함께 나타날 수 있는데 체내 이산화탄소 저장은 증가한 상태이므로 호흡알칼리증이 아닌 호흡산증이라고 할 수 있다. 이는 심폐소생술 환자등에서 나타나는 가성 호흡알칼리증으로 심장기능 및 폐관류는 심하게 감소하는데 비해 폐포환기는 상대적으로 유지된 상태에서 발생할 수 있다.

3. 임상증상

동맥혈 이산화탄소분압이 급격하게 감소할 때 사지의 저림, 흉통, 어지러움, 입주위 무감각, 빈번한 한숨, 호흡곤란, 정신혼동 등이 일어날 수 있다. 이러한 증상은 과다환기증후군 환자들이 호소하는 증상으로 드물게 근육 경련, 심부건반사의 항진, 전신 경련 등이 발생한다. 급성 저이산화탄소혈증시 대뇌혈관 수축이 일어날 수 있는데 심한 경우 뇌혈류량이 50%이상 감소할 수 있다. 따라서 미숙아의 뇌, 외상성 뇌손상, 급성 뇌졸중, 전신 마취 환자, 갑자기 고도에 노출된 환자의 뇌에 유해할 수 있다. 미성숙 뇌가 동맥혈 이산화탄소분압 15 mmHg 이하에 노출되었을 경우 장기적인 신경학적 후유증이 발생할 수 있다. 이런 환자에서 저이산화탄소혈증을 갑자기 교정하면 대뇌혈관 확장에 의한 재관류손상이나 뇌실내 출혈이 발생할 수 있다.

급성 또는 만성 호흡알칼리증시 동맥혈가스분석에서 종종 심한 저이산화탄소혈증(15~30 mmHg)을 나타내지만 저산소혈증은 동반하지 않는다. 중추신경계 질환이나 손상은 다양한 양상의 과다환기를 유발하여, 동맥 이산화탄소분압이 20~30 mmHg로 지속될 수 있다. 갑상샘기능항진증, 높은 칼로리 부하 및 운동시 기초 대사율이 높아지는 것에 비례하여 환기도 증가하므로 호흡알칼리증이 발생하지 않는다. 살리실산염은 호흡알칼리증을 유발하는 대표적인 약제로, 연수의 화학수용체를 직접 자극하여 호흡알칼리증을 일으킨다. 메틸산틴, 테오필린, 아미노필린 등도 환기를 자극하고 이산화탄소에 대한 환기 반응을 증가시킨다. 황체호르몬은 환기를 증가시켜 동맥혈 이산화탄소분압을 5~10 mmHg까지 낮추므로 임산부에서 만성 호흡알칼리증이 흔히 나타난다. 호흡알칼리증은 간부전에서도 현저하게 나타나는데, 간부전의 정도와 상관관계가 있다. 그람음성패혈증 환자에서 발열, 저산소혈증, 저혈압이 발생하기 전 초기에 호흡알칼리증이 발생하기도 한다.

수동 및 능동 과다환기 여부에 따라 심혈관계소견이 다르게 나타난다. 전신마취 환자와 같이 수동 과다환기에 의한 급성 저이산화탄소혈증시 심장박출량 감소, 말초저항성 증가 및 전신 혈압감소가 나타난다. 반면에, 능동 과다환기 상태에서는 심장박출량이 변화가 없거나 증가하기도 하고, 전신혈압은 거의 변화가 없다. 이러한 차이는 수동 과다환기시 기계환기에 의해 정맥환류가 감소하지만, 능동 과다환기시에는 반사성 빈맥이 발생하기 때문이다. 수 주 동안 고지대에 노출되어 발생한 지속적 저이산화탄소혈증에서 심박출량은 정상인과 같거나 증가하게 된다. 급성 저이산화탄소혈증시 정상인에서는 심장부정맥이 흔하지 않으나, 허혈성 심장질환 환자에서는 심방 및 심실성 부정맥이 발생할 수 있으며 일반적인 부정맥 치료에 잘 반응하지 않는다. 과다환기 환자에서 관상동맥의 병변없이 흉통과 심전도상 ST-T 변화가 발생할 수 있다. 입원환자에서 저이산화탄소혈증(<25 mmHg) 지속시 일시적이거나 영구적인 뇌손상, 호흡기계, 순환기계 이상이 발생할 수 있다.

4. 진단

호흡알칼리증시 호흡 패턴을 주의 깊게 관찰해야 하지만 호흡 변화 없이 저이산화탄소혈증이 발생할 수 있으므로 동맥혈가스 검사가 진단을 위해 필요하다. 검사 소견상 종종 혈중 포타슘 농도는 감소하고 혈중 클로라이드 농도는 증가한다. 호흡알칼리증의 급성기에는 탄산수소염 배설 증가와 관계없이 수시간 내에 산배설이 감소한다.

호흡알칼리증으로 진단되면 반드시 그 원인에 대한 조사가 필요하고, 과다환기증후군을 배제하여야 한다. 폐색전증, 관상동맥질환, 갑상샘기능항진증 등의 감별진단이 필요하다.

만성 호흡알칼리증에서 보이는 고클로라이드 저탄산수소염혈증의 전해질 소견을 정상음이온차 대사산증으로 잘못 해석하여 진단을 놓치는 경우가 있다. 환자의 산-염기 검사에서 알칼리혈증과 연관된 저이산화탄소혈증이 나타나면 호흡알칼리증의 요소로 볼 수 있다. 경도의 만성 저이산화탄소혈증시 정상 범위내에서 상한치 pH 소견을 보일 수 있다. 호흡알칼리증은 인식되지 않았던 심각한 질병이나 기저질환의 중증성에 대한 신호일 수 있으므로 주의가 필요하다.

5. 치료

호흡알칼리증의 치료원칙은 일차적으로 원인질환을 교정하는 것이다(표 4-4-3). 중증 저이산화탄소혈증의 급격한 교정은 허혈성 뇌의 재관류 손상을 일으킬수 있으므로 주의가 필요하다. 기계환기 치료와 연관된 경우는 사강, 일회호흡량, 호흡횟수 등을 조절하여 저이산화탄소혈증을 최소화시킬 수 있다. 과다환기증후군에서는 안심시키기, 종이 봉지를 이용한 재호흡 등이 효과적이나 호흡기 혹은 심혈관계 질환자에서는 저산소혈증에 대한 주의가 필요하다. 항우울제 혹은 진정제는 일반적으로 권장되지 않으며 베타차단제가 아드레날린 과잉상태의 말초 증상 완화에 도움이 된다. 심한 저산소혈증으로 인한 호흡알칼리증은 산소치료를 필요로 한다. 저산소혈증과 호흡알칼리증을 특

표 4-4-3. 호흡알칼리증의 치료

기저원인 질환의 치료
저산소혈증
산소보충
기계 과환기
기계 환기의 사강 증가, 일회호흡량, 호흡횟수 조절
진정 그리고/또는 근육 마비 물질 사용
과다환기증후군
종이 봉지로 재호흡
안심시키기
살리실산염 독성
소변 알칼리화
혈액투석
급성 고산병
아세타졸아마이드
산소치료

징으로 하는 고산병에서는 아세타졸아미드 250~500 mg을 하루 두 차례 경구복용하면 증상 완화에 도움이 된다.

혼합형 산-염기 장애

혼합형 산-염기 장애는 2가지 이상의 산-염기 장애가 동시에 존재하는 것을 의미한다. 두 개 이상의 단순한 산-염기 장애(대사산증과 호흡알칼리증), 두 개 또는 그 이상 형태의 단순 산-염기 장애(급성/만성 호흡산증, 고음이온차/고클로라이드 대사산증)가 각기 다른 시간과 병태생리에 따라 발생할 수 있다(표 4-4-4). 반면, 단순한 산-염기 장애에 대한 이차 또는 보상 반응은 혼합형 산-염기 장애로 간주될 수 없다.

1. 병태생리

혼합형 산-염기 장애는 중환자실에 입원 중인 환자(심폐정지, 패혈증, 약물중독, 당뇨병, 신부전, 간부전, 호흡부전)에서 흔히 발생한다. 특히 말기신부전 환자에서 다양

표 4-4-4. 혼합형 산-염기 장애의 분류

두가지 이상의 단순 산-염기 장애	두가지 이상 형태의 단순 산-염기 장애
대사산증과 호흡산증 대사알칼리증과 호흡산증	급성 호흡산증과 만성 호흡산증 고클로라이드 대사산증과 고음이온차 대사산증
혼합형 고클로라이드 대사산증, 고음이온차 대사산증과 대사알칼리증	

한 혼합형 산-염기 장애가 발생하기 쉽다.

1) 대사산증과 호흡알칼리증

대사산증과 호흡알칼리증 동반시 정상 또는 정상에 가까운 동맥혈 pH 소견을 보이고, 중환자실 환자에서 흔하며 높은 사망률을 보인다. 일차성 저이산화탄소혈증의 원인은 발열, 저혈압, 그람음성 패혈증, 폐부종, 저산소혈증, 기계과다환기 등이 있고, 대사산증의 요소로서 젖산산증 또는 신세관산증 등이 있다. 급성 중증 천식에서 호흡알칼리증과 젖산산증이 발생할 수 있다. 살리실산염 중독 시 뇌간의 환기중추를 자극해서 호흡알칼리증이 발생하고, 유기산(피루브산, 젖산, 케톤산 등) 생산 증가와 살리실산염 축적에 의해 대사산증이 동반한다.

2) 대사산증과 호흡산증

대사산증시 보상 작용에 의한 이산화탄소 분압 감소는 $\Delta PaCO_2/\Delta[HCO_3^-]=1.2$ mmHg/mM 라는 공식으로 추정할 수 있다. 실제 동맥혈 이산화탄소분압이 추정치보다 5 mmHg 이상인 경우 호흡산증이 동반됨을 의심할 수 있다. 대사산증과 호흡산증이 혼합하는 경우는 심폐정지, 만성폐쇄폐질환 환자에서 순환부전, 중증 신부전 환자에서 중독이나 호흡부전, 설사 또는 신세관산증 환자에서 저칼륨혈증 호흡근육 마비가 동반할 때 발생한다.

3) 대사알칼리증과 호흡알칼리증

만성 간질환에 의한 일차성 저이산화탄소혈증 환자에서 구토, 비위 배액, 이뇨제, 심한 저칼륨혈증, 알칼리 투여 등으로 대사알칼리증이 동반한 경우이다. 기계환기 적용 중인 중환자, 임신으로 인한 호흡알칼리증 상태에서 이뇨

제나 구토로 인한 대사알칼리증이 병합할 수 있다.

4) 대사알칼리증과 호흡산증

가장 흔한 혼합형 산-염기 장애로 만성폐쇄폐질환 환자에서 이뇨제, 구토 혹은 코르티코스테로이드 등으로 인해 대사알칼리증이 병합할 수 있다. 급성호흡곤란증후군으로 인한 중증호흡부전환자에서 심한 저칼륨혈증으로 횡격막 근육 약화와 함께 대사알칼리증과 호흡산증이 나타날 수 있다.

5) 대사산증과 대사알칼리증

기아 케톤산증 또는 젖산산증 알콜성 간질환 환자에서에서 구토, 이뇨제 등으로 인한 대사알칼리증이 동반시 발생한다. 요독산증, 당뇨케톤산증 또는 설사에 의한 대사산증 환자에서 지속된 구토 또는 비위 흡인시에도 이러한 대사성 조합이 발생한다. 심폐소생술 또는 당뇨케톤산증에 알칼리를 투여시에도 비슷한 임상양상이 나타난다.

6) 혼합형 대사산증

혼합형 고음이온차 대사산증은 당뇨 혹은 알코올케톤산증 환자에서 순환부전으로 인해 젖산산증이 합병한 경우 발생한다. 요독 환자에서 젖산산증 혹은 케톤산증이 복합된 경우에도 발생할 수 있다. 혼합형 고클로라이드성 대사산증은 신세관산증이나 탄산탈수효소억제제 치료중 중증 설사로 인한 탄산수소염 소실에 의해 발생할 수 있다. 과다한 설사로 인해 순환장애가 발생하고 이로 인한 신부전 혹은 젖산산증에 의한 고음이온차 대사산증이 발생하면 고클로라이드 대사산증과 고음이온차 대사산증이 병합하게 된다. 신기능이 정상인 당뇨병케톤산증 환자에

서 충분한 염분과 수분 섭취 시 케톤 음이온의 선택적 배설과 클로라이드의 보전으로 인해 고클로라이드 대사산증이 발생할 수 있다.

7) 혼합형 대사알칼리증

이뇨제 치료, 구토, 미네랄코티코이드 과다, 심한 포타슘 고갈 등은 일차적으로 혈장 탄산수소염을 증가시켜 혼합형 대사알칼리증을 일으킬 수 있다.

8) 삼중 산-염기 장애

가장 흔한 삼중 장애는 두 가지 대사 장애에 호흡산증 혹은 호흡알칼리증이 동반된 경우이다. 예로서 고이산화탄소혈증이 있는 만성폐쇄폐질환 환자에서 이뇨제 치료 혹은 클로라이드 제한식으로 대사알칼리증이 발생하고 저산소혈증, 저혈압 혹은 패혈증에 의해 젖산산증 등 대사산증이 발생할 수 있다. 심폐소생술시 알칼리를 과다 투여할 경우 기존의 호흡산증과 대사산증에 대사알칼리증이 합병하기도 한다. 말기 울혈심부전에 의한 호흡알칼리증 환자에서 이뇨제에 의한 대사알칼리증과 조직 저관류로 인한 젖산산증이 동반하기도 한다. 만성 알코올중독 환자에서 구토로 인한 대사알칼리증, 체액감소 및 에탄올 중독으로 인한 젖산산증, 그리고 간성 뇌증, 패혈증으로 인한 호흡알칼리증이 병합될 수 있다.

드물게 대사산증 또는 대사알칼리증과 함께 두 가지 호흡 장애가 발생할 수도 있다. 만성 호흡산증 중환자에서 기계환기로 인해 동맥혈 이산화탄소분압이 갑자기 감소하거나 순환 부전으로 젖산산증에 의한 대사산증, 위액 손실이나 이뇨제에 의한 대사알칼리증이 발생할 수 있다. 매우 드물게, 동일한 임상 상황에서 4가지 주요 산-염기 장애가 모두 공존하는 4중 산-염기 장애가 발생할 수도 있다.

2. 임상증상

기저 질환의 증상과 징후에 따라 임상 증상이 나타나지만, 동맥혈 이산화탄소분압(중증 저이산화탄소혈증 또는 고이산화탄소혈증) 및 전신적 산도(심한 산혈증 또는 알칼리혈증) 정도에 따라 임상 증상에 영향을 줄 수 있다. 심한 저이산화탄소혈증은 뇌혈류의 심각한 감소로 둔감, 전신발작, 혼수 및 사망까지 일으킬 수 있으며 드물게 협심증이 발생하기도 한다. 중증 고이산화탄소혈증은 두개내압을 증가시켜 두통, 둔감, 구토, 양측 시신경유두부종을 특징으로 하는 가뇌종양의 임상양상이 발생할 수 있다. 심한 산혈증은 심혈관계 뿐만 아니라 중추신경계를 억제한다. 산혈증으로 인해 심근수축력과 말초혈관저항이 감소하고 저혈압이 발생할 수 있다. 심한 알칼리혈증시 감각이상, 테타니, 심장부정맥 또는 전신발작이 발생할 수 있다.

3. 진단

혼합형 산-염기 장애 진단을 위해 음이온차를 평가해야 하며, 정상 혈청 알부민 4.5 g/dL 를 고려한 보정이 필요하다. 산-염기 장애 진단에 대한 단계적 접근방식은 다음과 같다(표 4-4-5). 치료 전 전해질과 동맥혈가스 검체를 동시에 채취해야 한다. 대사알칼리증 또는 호흡산증에서는 혈청 탄산수소염 농도가 증가하고, 대사산증 또는 호흡알칼리증에서는 혈청 탄산수소염 농도가 감소한다. 동맥혈 가스에서 pH와 동맥혈 이산화탄소분압을 모두 검사해야하며, Henderson-Hasselbach 공식으로 계산한 탄산수소염 농도와 전해질 패널에서 측정된 혈청 탄산수소염 농도(총 이산화탄소)를 비교해야 한다. 이 두 값은 2 mM 내에서 일치해야 하며 그렇지 않으면 검체 채취가 동시에 이루어지지 않았거나 실험실 오류를 고려해야 한다.

혈중 산-염기 값을 확인 후 정확한 산-염기 질환을 확인할 수 있다. 정상 산-염기 상태이더라도 혼합형 산-염기 장애의 결과일 수 있으므로, 환자의 병력과 신체검진을 자세히 하는 것이 중요하다.

혈청 음이온차는 혈청 탄산수소염 농도의 우세한 변화양상에 중요한 정보를 제공한다. 정상 산-염기 소견에서도 혈청 음이온차증가는 산-염기 장애를 의심할 수 있다. 혈청 음이온차가 정상이면서 혈청 탄산수소염 감소시 설사 또는 신세관산증 등과 같이 알칼리 소실이 산성화에

표 4-4-5. 산염기 장애의 진단을 위한 접근 방법

---

1. 동맥혈가스와 전해질 농도는 동시에 측정한다.

2. 전해질 검사에서 측정된 탄산수소염 농도와 동맥혈가스분석에서 계산된 탄산수소염 농도를 비교한다.

3. 음이온 차이를 계산한다(정상 알부민 농도 4.5g/dL 고려하여 보정).

4. 고음이온차 대사산증의 주요한 4가지 범주를 확인한다.

　1) 케톤산증

　2) 젖산산증

　3) 신부전증

　4) 약물

5. 고클로라이드성 대사산증의 주요한 2가지 범주를 확인한다

　1) 탄산수소염의 위장관 소실

　2) 신세관산증

6. 이산화탄소 분압이나 탄산수소염에 대해서 보상반응을 추정한다.

7. 음이온차의 증감의 변화와 탄산수소염의 증감의 변화를 비교한다.

8. 클로라이드의 증감의 변화와 소듐의 증감의 변화를 비교한다.

기여했음을 알 수 있다. 고음이온차 대사산증에서는 혈청 탄산수소염 감소(ΔHCO_3^-)와 음이온차의 증가(ΔAG) 비를 구하여 혼합형 대사산증을 감별할 수 있다.

진단을 위해 혈청 포타슘, 포도당, 요소질소 및 크레아티닌 농도, 반정량적 케톤혈증 및 케톤뇨 측정, 독소에 대한 혈액 및 소변 검사와 혈청 삼투질농도차 등이 필요하다.

경미한 산–염기 장애시 정상 범위에 가까운 측정값으로 인해 진단이 어렵다. 이러한 환자의 경우, 여러 가지 단순한 장애 또는 다양한 혼합 장애가 복합적으로 작용한 것이라 설명할 수 있다.

4. 치료

혼합형 산–염기 장애에서는 각각의 단순 산–염기 장애를 치료함으로써 정상 산–염기 상태로 복원하는 것을 목표로 한다. 각각의 산–염기 장애 치료에 대한 반응 시간을 고려할 때, 교정이 전신 산도에 미치는 영향을 예측하는 것이 중요하다. 개별 구성요소의 각기 다른 교정 속도는 치료에 이점이 될 수도 있지만 특정 상황에서는 치명적일 수 있다. 예를 들어 대사산증 및 호흡산증으로 인한 심한 산혈증 또는 대사알칼리증 및 호흡알칼리증으로 인한 심한 알칼리혈증은 동맥혈 이산화탄소분압이 빠르게 정상으로 돌아오면 안전하게 교정될 수 있다. 반면에 심한 대사산증에 호흡알칼리증이 중첩된 환자에서 동맥혈 이산화탄소분압이 정상으로 돌아오는 것은 시기에 따라 치명적일 수 있다. 마찬가지 이유로 가장 흔한 혼합형 산–염기 장애 중 하나인 호흡산증 및 대사알칼리증 환자를 치료함에 있어서도 주의가 필요하다.

▶ 참고문헌

- AdroguéHJ, et al: Assessing acid–base disorders. Kidney International 76:1239–1247, 2009.

- Arend, et al: Acid–Base Disorders, in Goldman's Cecil Medicine, edited by Seifter JL, Elsevier Saunders, 2012, pp741–753.

- Floege, et al: Respiratory Acidosis, Respiratory Alkalosis, and Mixed Disorders, in Comprehensive Clinical Nephrology, edited by Androgue HJ, Madias NE, Elsevier Saunders, 2019, pp170–183.

- Longo, et al: Acidosis and Alkalosis, in Harrison's Principles of Internal Medicine, edited by Dubose TD, McGraw–Hill Companies, Inc. 2018, pp315–324.

- Taal, et al: Disorders of Acid–Base Balance, in Brenner and Rector's The Kidney, edited by Dubose TD, Elsevier Saunders, 2011, pp595–639.

임·상·신·장·학

PART 05 사구체질환

진호준 (서울의대), 이하정 (서울의대)

CHAPTER 01 사구체 손상 기전

한승혁 (연세의대)

KEY POINTS

- 사구체 손상은 면역학적 기전과 비면역학적 기전으로 의해 발생한다.
- 면역학적 기전은 사구체 손상의 대표적인 원인으로, 자가면역 질환, 감염, 유전적 요인 등이 대표적인 예이며, 면역반응으로 유도된 보체 활성화, 백혈구 침윤, 다양한 성장인자 및 사이토카인 분비 등으로 인해 사구체에 염증반응이 일어난다.
- 비면역학적 기전에는 대사성 손상, 혈역학적 손상, 독성 손상, 이상단백의 침착에 의한 손상, 감염, 유전적 손상 등이 사구체 손상을 유발할 수 있으며 당뇨병 및 고혈압은 임상에서 가장 흔히 보는 사구체 손상의 원인이다.

사구체 손상을 유발하는 원인은 면역학적 기전과 비면역학적 기전으로 나눌 수 있다. 이 중 면역학적 기전은 사구체 손상의 주기전으로 작용하며, 자가면역 질환, 감염, 유전적 요인 등 다양한 원인에 의해 촉발되어지며 촉발된 면역학 반응은 보체 활성화(complement activation), 백혈구 침윤(leukocyte recruitment) 및 다양한 성장인자(growth factor) 및 사이토카인(cytokine) 분비 등을 통해 사구체 손상을 유발한다. 주로 신장에만 국한되어지면 일차 사구체 질환(primary glomerular disease), 다른 전신 질환으로 인해 오는 것을 이차 사구체 질환(secondary glomerular disease)으로 나누기도 한다(표 5-1-1).

비면역학적 원인으로는 대사 손상, 혈역학 손상, 독성 손상, 이상단백의 침착에 의한 손상, 감염, 유전적 손상 등이 보고되고 있다. 사람에서 가장 흔한 사구체 손상기전은 면역학적 기전과 더불어 당뇨병, 고혈압인 것으로 알

려져 있다.

면역학적 기전

면역학적 기전은 크게 항체 매개 손상(antibody-mediated injury), 세포 매개 손상(cell-mediated injury)으로 나눌 수 있으며 이중 항체 매개손상(antibody-mediated injury) 기전이 더욱 중요한 것으로 알려져 있다.

1. 항체 매개 손상(Antibody-mediated injury)

사구체 내에서 어떤 항원에 대해 항체가 결합하게 되면 혈중 보체가 활성화되고 이에 따라 여러 염증세포가 침윤되어 사구체 손상이 일어난다. 항체가 사구체의 어느 부위

표 5-1-1. 일차성 및 이차성 사구체 질환

일차성	이차성
IgA nephropathy	Diabetic nephropathy
Membranous nephropathy	Hypertensive nephrosclerosis
Minimal change disease	Infection-related glomerulonephritis
Focal segmental glomerulosclerosis	Autoimmune disease
Membranoproliferative glomerulonephritis	ANCA-associated vasculitis
C3 glomerulonephritis	
Anti-glomerular basement membrane disease	

에 침착되는지는 항원의 site, size, charge 등에 의해 좌우되며 항체의 avidity, affinity, quantity 등도 관여한다. 순환 면역 복합체(circulating immune complex)의 경우에도 면역복합체의 size, charge, 침착된 면역복합체의 제거 효율, 국소 혈역학 인자 등에 의해 좌우된다.

1) 분류

대부분의 사구체신염에서 원인이 되는 항원이 정확히 무엇인지는 모르는 경우가 대부분이며, 일부 사구체신염에서만 원인 항원이 밝혀져 있다(표 5-1-2).

대표적으로 알려진 항원의 종류에 따라 다음과 같이 분류하기도 한다.

(1) In-situ immune complex formation

사구체의 정상 구성 성분이 항원으로 작용하여 이에 대한 항체가 형성되어 항원-항체반응을 일으키는 경우이다. 대표적인 예로 사구체 기저막 신염(anti-glomerular basement membrane nephritis) 경우에는 항 사구체 기저막 항체(anti-glomerular basement membrane antibody)가 사구체 기저막의 type IV collagen alpha 3 chain non-collagenous domain 1 (NC1) 성분을 항원으로 인식하여 항원-항체 복합체가 형성되어 사구체 기저막 손상을 유도한다.

(2) Planted antigen

사구체 구성 성분은 아니지만 항원성 물질의 일부 성분이 사구체에 침착된 후(planted antigen) 이에 대해 항체가 형성되어 항원-항체반응을 일으키는 경우로 전신 홍반 루푸스 환자에서 histone, DNA-nucleosome complexes 등이 대표적인 예이다.

(3) Circulating immune-complex

외부 항원이 혈중에서 항체와 결합하여 순환 면역복합체로(circulating immune-complex) 형성된 후 이것이 사

표 5-1-2. 사구체질환 발병기전에 알려진 항원들

질환	항원
Anti-glomerular basement membrane disease	Non-collagenous domain 1 of the α3 chain of type IV collagen
Membranous nephropathy	Phospholipase A2 receptor
Post-sterptocccal glomerulonephritis	Streptococcal pyrogenic exotoxin B
Membranoproliferative glomerulonephritis	HCV and HBV antigen

구체에 침착되는 경우로 이종 단백에 의한 급성 혈청병 (acute serum sickness)이 대표적인 예이며 그 외에 세균성 산물(streptococcus)에 의한 신염, 감염 심내막염, 나병, 매독, B형간염, 말라리아, 기타 바이러스 질환 등에 의한 사구체 신염 등이 있다.

2) 순환면역복합체(Circulating immune complex)

순환면역복합체가 사구체에 침착이 잘 되는 주된 이유는 사구체에서 혈장의 여과(ultrafiltration)가 일어나기 때문이며, 사구체 기저막이 음성 전하를 띄는 것도 침착에 도움을 준다고 알려져 있다. 순환면역복합체의 크기가 크거나 음성 전하를 갖고 있으면 주로 내피세포 안쪽(subendothelial)이나 메산지움에 침착되며, 크기가 작거나 양성 전하를 갖고 있으면 사구체기저막을 쉽게 통과하여 상피세포 쪽(supepitheilal)에 침착된다. 면역복합체가 내피세포 안쪽에 침착한 경우에는 보체의 활성화로 인하여 여러 염증세포가 침윤되어 소위 nephritic type의 반응을 유발하게 되며 병리학적으로는 증식 사구체신염을 보이게 된다. 상피세포 쪽에 침착하게 되면 염증세포는 기저막을 통과할 수 없어 사구체 손상은 기저막을 통과한 보체의 활성화에 의해 주로 유발되며 특히 C5b-9 (membrane attack complex)가 중요한 역할을 하는 것으로 알려져 있다. 따라서 염증세포의 침윤이 없이 주로 심한 단백뇨로 발현되는 소위 nephrotic type의 반응을 유발하게 되며 병리학적으로는 비증식성 사구체신염으로 나타나게 된다.

3) 면역복합체에 의한 손상의 정도를 좌우하는 요소
(1) 면역복합체의 침착 부위 (아래 '사구체 손상의 결정 인자 손상부위' 참고)
(2) 면역복합체를 이루는 면역 글로블린(immunoglobulin)의 종류: complement-fixing을 잘하는 IgG1, IgG3가 IgA, IgG4보다 손상을 더 잘 유발시킨다.
(3) 면역복합체가 형성되는 기전: in-situ immune complex가 순환 면역 복합체(circulating immune-complex) 보다 손상을 더 잘 유발시킨다.
(4) 면역복합체의 양: 면역 복합체의 양이 많을수록 손

상을 더 잘 유발시킨다.

2. 세포 매개 손상(Cell-mediated injury)

세포 매개 손상은 아직까지 잘 알려져 있지는 않으나 사구체 내에 면역 글로블린의 침착이 거의 없는 사구체신염(idiopathic pauci-immune disease)의 경우에는 세포 매개성 손상이 사구체 손상의 주 기전일 것으로 추정하고 있다. 원발 국소분절 사구체 경화증(focal segmental glomerulosclerosis, FSGS) 및 미세 변화 신증후군(minimal change disease, MCD)의 발생 기전에도 T림프구에서 분비되는 어떤 가용성 인자(soluble factor) 즉, lymphokine의 일종으로 추정되는 circulating permeability factor가 일부 관여할 것으로 추정하고 있다. 아직까지 확증적인 circulating permeability factor가 밝혀지지는 않았으나 hemopexin (MCD), IL-13 (MCD), angiopoietin like-4 (MCD, FSGS), cardiotrophin-like cytokine-1 (FSGS), soluble urokinase-type plasminogen-activator receptor (FSGS) 등이 후보물질들로 보고되었다.

3. 기타

항중성구 세포질항체(anti-neutrophil cytoplasmic antibody, ANCA), C3 nephritic factor 등의 자가항체도 직접 또는 간접적으로 사구체 손상을 유발시키는 것으로 알려져 있다.

사구체 손상의 매개체

면역복합체 형성 자체가 사구체 손상을 유발 시키는 것은 아니며 면역복합체 형성에 따른 보체의 활성화가 가장 중요한 손상의 매개체로 알려져 있다. 보체의 활성화는 여러 염증세포의 침윤을 유발시키고 사구체 세포도 융해시킬 수 있는 것으로 알려져 있다. 뿐만 아니라 사구체 세포 자체도 여러 성장인자(growth factor) 및 사이토카인 (cyto-

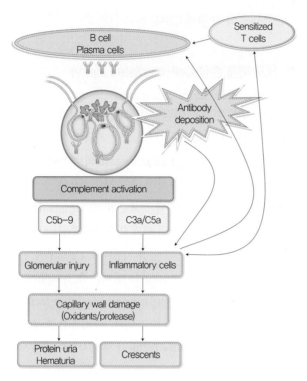

그림 5-1-1. 사구체 손상기전

kine) 분비를 통해 사구체 손상에 관여한다(그림 5-1-1).

1. 보체(Complement)의 활성화

면역복합체 혹은 내독소(endotoxin) 등에 의해 활성화된 보체는 다양한 기능을 통해 사구체 손상을 매개할 수 있다. 특히 C5a는 anaphylatoxin으로 작용할 뿐만 아니라 대식세포, 호중구 침윤 및 히스타민 분비를 유발시키고 C5b-9 (membrane attack complex)는 세포벽을 융해시킨다(cell wall lysis). 세포벽을 융해시킬 수 없는 적은 양의 (sublytic quantity) C5b-9도 사구체 세포를 자극하여 여러 가지 염증 매개 물질 분비를 자극할 수 있다.

보체계는 classic pathway, alternative pathway, lectin pathway 세 가지의 경로를 통해 활성화가 된다. 혈중에서 보체계가 활성화되면 혈중 보체 수치는 감소하게 되는데 이러한 혈중 보체 감소를 보이는 대표적인 사구체 질환은 연쇄구균 감염후 사구체신염(poststreptococcal glomerulonephritis), 막증식 사구체신염(membranoproliferative glomerulonephritis), 루푸스 신염(lupus nephritis), 한랭글로블린 혈증(cryoglobulinemia), 및 감염 사구체신염(예, bacterial endocarditis, shunt nephritis) 등이 있다. Alternative pathway를 이루고 있는 여러 보체 조절인자들은 유전적 변이가 동반될 수 있는데(예; CFH, CD46, CFI, C3, CFB, THBD, CFHR1, CFHR5, DGKE) 이들 조절인자에 변이가 일어나면 매우 심한 alternative pathway 보체계의 활성화가 유발되며, 이는 광범위한 사구체 손상을 초래할 수 있다. 대표적인 질환으로 C3 glomerulonephropathy (C3 glomerulonephritis, dense deposit disease) 및 비정형 용혈 증후군(atypical hemolytic uremic syndrome) 등이 있다. 반면 IgA 신병증에서는 혈중 내 보체 수치가 현저히 떨어지지 않지만 사구체 내에 보체계가 활성화되어 사구체 손상을 일으키는데 면역 형광 염색을 보면 IgA와 더불어 C3 deposit이 흔히 관찰된다.

2. 다형핵 백혈구(Polymorphonuclear leukocytes)

Myloperoxidase (MPO) 및 proteinase-3 (PR-3)는 다형핵 백혈구의 azurophilic granules에 존재하는 enzyme으로 ANCA vasculitis 발병에 중요 target antigen으로 알려져있다. 이 두 가지 enzyme에 대한 자가항체(autoantibodies) 활성화는 neutrophil priming 의 중요한 과정으로 이렇게 활성화된 neutrophil은 혈관으로 이동하여 혈관염을 유발한다. 특히 MPO는 양성 전하를 가져 기저막에 쉽게 침착되고 여기에 H_2O_2와 같은 산소 라디칼과 할로겐 화합물(halide)이 결합되어 독성 물질을 생성함으로써 기저막을 직접적으로 손상시킬 수도 있다.

3. 단핵구/대식세포

Oxidant와 protease를 분비하여 기저막을 손상 시키고 tissue factor를 분비하여 섬유소 및 초승달(crescent)을 형성시키며 interleukin-1, TGF-β 등의 cytokine 및 성장인자를 분비하여 사구체 세포에서 세포외 기질의 형성을 자극할 수 있다.

4. T/B 림프구

Cytotoxic T림프구 및 natural killer cell은 perforin 등의 독성 물질을 분비하여 세포를 파괴시켜 사구체 손상을 매개할 수 있다. Memory B cell 및 plasma cell 들은 자가 항체(autoantibodies) 형성 및 자가면역(auto-immunity) 활성화에 중요한 역할을 하고 있어 최근에는 이를 표적으로 하는 치료제가 ANCA-vasculitis 나 루푸스 신염 등에 시도되고 있다.

5. 혈소판

백혈구 침윤, 신혈관 수축, 미세혈전 형성을 유발시킬 수 있다.

6. 사구체를 형성하고 있는 세포(Resident glomerular cells)

사구체를 형성하고 있는 세포(예: glomerular mesangial cell, epithelial cell, endothelial cell)가 여러 염증 매개물질에 의해 증식되고 활성화되면서 여러 cytokine이나 성장인자, 세포외 기질 등을 분비하여 사구체 손상에 직접적으로 관여할 수 있다.

7. Coagulation/fibrinolysis system의 활성화

Coagulation pathway (thrombin receptor PAR-1, fibrinogen) 및 fibrinolysis pathway (plasminogen, tPA, PAI-1)는 사구체 염증/repair 단계에 모두 관여한다. Coagulation/fibrinolysis의 균형은 사구체내 내피 세포 (endothelial cell) 및 mesangial cell, 그리고 침윤된 대식 세포에 의해 조절될 수 있다. 사구체 벽측 세포(parietal epithelial cell) 또한 coagulation/fibrinolysis system에 관련된 물질들을 분비하여 crescent 형성에 관여하는 것으로 알려져있다.

8. 기타 여러 매개 물질

Reactive oxygen species, arachidonic acid derivatives, endothelin, nitric oxide, interferon-γ, leukotrienes, PAF (platelet-activating factor), MCP-1 (monocyte chemoattractant peptide-1), RANTES, interleukins, TNF-α, PDGF, TGF-β

사구체 손상의 결정 인자

사구체 손상의 정도는 초기 손상의 종류, 손상 부위, 사구체 손상의 속도, 범위, 강도 등에 의해 결정된다.

1. 초기 손상(Primary insult)

사구체 초기 손상의 원인은 매우 다양하지만 이에 따른 임상 및 병리학적 소견은 서로 유사하게 나타날 수 있다. 예를 들면 감염에 의한 사구체신염이나 혈관염에 의한 사구체 신염은 모두 급속 진행 사구체 신염으로 나타날 수 있고, 당뇨병콩팥병(diabetic nephropathy)이나 아밀로이드증(amyloidosis)은 신증후군(nephrotic syndrome)이 동반된 사구체경화증으로 나타날 수 있다. 따라서 손상을 유발시키는 매개 기전에는 어떤 공통된 기전이 관여할 것으로 추정하고 있다.

2. 손상 부위(Site of injury)

사구체 내 손상 부위가 어디냐에 따라 손상의 반응은 다양하게 나타날 수 있다. 사구체의 다양한 손상 부위는 다음과 같다(표 5-1-3).

표 5-1-3. 사구체의 손상 부위

손상 부위	손상에 대한 반응	대표적인 질환
내피세포 (endothelial cell)	혈관 수축 백혈구 유입 혈관 내 미세혈전	급성 신손상 미만성 증식성 신염 혈전성 미세혈관증
메산지움세포 (mesangial cell)	세포 증식 및 기질 형성	IgA 신장병
기저막 (basement membrane)	단백뇨	막성 신장병
장측 상피세포 (visceral epithelial cell)	단백뇨	미세변화 신증후군
벽측 상피세포 (parietal epithelial cell)	초승달 형성	초승달 사구체신염

3. 사구체 손상의 속도, 범위, 강도(Speed of onset, intensity, and extent of injury)

연쇄구균 감염 후 사구체신염에서는 면역복합체의 형성이 빠른 속도로, 한꺼번에 광범위하게 이루어져 다수의 사구체에 동시에 침착됨으로써 급성 신손상의 형태로 발현되었다가 회복되는 것으로 알려져 있다. 반면 IgA 신장병에서는 면역복합체의 형성이 느리고 지속적으로 이루어지며 또한 면역 복합체가 주로 메산지움에 침착되기 때문에 다른 광범위한 염증 반응을 유발하는 급성 사구체신염(예: ANCA vasculitis, lupus nephritis)과 달리 염증 반응은 국소적이고 빠른 진행을 보이지는 않지만 만성적인 염증 상태로 완전히 회복되지 않고 지속적인 질병 경과를 보이게 된다.

비면역학적 기전

1. 대사 손상: 당뇨병콩팥병, Fabry's disease, sialidosis 등
2. 혈역학 손상(hemodynamic injury): 고혈압 신경화증(hypertensive nephrosclerosis), 이차 국소 분절 사구체 경화증 등
3. 독성 손상(toxic injury): 대장균(O-157)에서 분비되는 verotoxin에 의한 용혈 요독 증후군(hemolytic uremic syndrome), 약제에 의한 사구체신염 등
4. 이상 단백(paraprotein)의 침착에 의한 손상: 한랭 글로블린 혈증(cryoglobulinemia), 아밀로이드증, light 혹은 heavy chain disease, fibrillary/immuno-tactoid glomerulopathy 등
5. 감염 손상: 연쇄구균 감염 후 사구체신염, B형 혹은 C형 간염 바이러스와 연관된 사구체신염, HIV 신장병, 말라리아 등
6. 유전 손상: Alport's syndrome, 얇은 기저막병 (thin basement membrane disease) 등

▶ 참고문헌

- Couser WG: Pathogenesis of glomerular damage in glomerulone-phritis. Nephrol Dial Transplant 13:10-15, 1998.
- Feehally J, et al: Introduction to glomerular disease: Histologic classification and pathogenesis, in Comprehensive clinical nephrology, 6th ed. Elsevier, 2019, pp199-208.
- Glotz D, et al: Immune mechanisms of glomerular damage that affect the kidney, in Oxford Textbook of Clinical Nephrology, Oxford University Press, London, 1992, pp240-258.
- Lewis JB, et al: Glomerular Diseases, in Harrison's Principal of internal medicine. 18th ed. MaGraw Hill, 2012, pp2334-2335.

CHAPTER 02 사구체질환의 임상상

이정표 (서울의대)

KEY POINTS

- 사구체질환의 임상증후군은 (1) 무증상 요이상, (2) 육안적 혈뇨, (3) 신증후군, (4) 신염증후군(nephritic syndrome), (5) 급속진행사구체신염, (6) 만성사구체신염으로 나눌 수 있다. 육안적혈뇨가 무증상 요이상에서 분리되었다.

- 고립성혈뇨만 존재하는 환자는 얇은기저막병이 가장 많으며, 치료가 필요하지 않으나 단백뇨나 신기능 이상여부에 대해서 정기적인 추적관찰이 필요하다. 단백뇨와 혈뇨가 동반된 무증상 요이상은 IgA 신장병이 가장 흔하다.

- 신증후군에서 부종이 발생하는 기전에는 저알부민혈증으로 인한 모세혈관 내 삼투압의 저하로 수분이 사이질로 이동하여 부종이 발생하는 Underfill 이론과 신증후군이 발생한 신장에서 염분 재흡수가 부적절하게 증가하고 그 결과 체내순환량이 증가하여 부종이 발생하는 Overfill 이론이 있다.

사구체 손상에 의하여 직접적으로 발생하는 임상소견은 단백뇨, 혈뇨, 염분 저류에 따른 고혈압, 부종 그리고 급속히 악화되거나 만성적으로 서서히 진행하는 신기능 감소이다. 특정 사구체질환 환자에서는 이러한 임상소견들이 일정한 조합을 이루어 임상 증후군으로 발현하며, 임상 증후군에는 (1) 무증상 요이상, (2) 육안적 혈뇨, (3) 신증후군, (4) 신염증후군(nephritic syndrome), (5) 급속진행사구체신염, (6) 만성사구체신염이 있다.

혈뇨나 단백뇨 등 사구체질환이 의심되는 환자가 어떤 임상 증후군에 해당하는지 분류하고 이에 근거하여 진단 및 치료 계획을 수립하는 것이 사구체질환에 대한 가장 효율적인 임상적 접근 방법이다. 특정 사구체신염은 대부분 특정 임상 증후군으로 발현하나 특정 사구체신염이 다른 환자에서는 다른 증후군으로 발현하는 경우도 흔하다. 국소분절사구체경화증 환자의 약 80%는 신증후군으로 시작하나 나머지 20%에서는 무증상 요이상으로 시작되기도 한다. 또한 동일 환자의 동일 사구체신염이 임상 경과 및 시간에 따라 다른 임상증후군으로 바뀔 수도 있다. 예를 들면 가장 흔한 일차성 사구체신염인 IgA신병증 환자에서 질병 초기 무증상 요이상으로 발현하나 사구체 손상이 서서히 진행하면 만성사구체신염의 양상을 나타낸다. 드물지만 극심한 사구체 염증이 급격히 발생하여 병리학적으로 초승달병변의 발생과 함께 급속진행사구체신염으로 발현하기도 한다.

무증상 요이상

무증상 요이상 환자는 자각 증상이 없고 소변검사에서 혈뇨, 단백뇨, 또는 혈뇨와 단백뇨가 모두 존재하나 고혈압, 부종, 신기능 감소 등이 없다. 대부분 건강검진, 학교, 군 입대, 보험 가입, 직장 취직 등의 과정에서 우연히 발견되며 초기의 사구체질환이 존재하는 경우가 많다. 따라서 일반적 선별검사로서 소변검사의 효율성을 주장하는 연구가 있으나 비용대비 효과가 명확하지 않아 실제로 국가적 정책으로 소변검사를 시행하는 나라는 드물다. 그러나 고혈압, 당뇨병, 고령, 그리고 신장병의 가족력 등 사구체질환의 발병 위험성이 큰 특정 집단에서 소변검사는 선별검사로서 유용하다.

1. 사구체질환에서 단백뇨 발생기전

사구체질환에서 단백뇨는 혈장의 단백질이 소변으로 배출되어 발생하며 이는 1) 사구체의 단백질에 대한 투과성의 증가와 2) 사구체에서 여과된 단백질의 근위요세관(proximal tubule)에서 재흡수의 장애에 기인한다.

1) 사구체의 단백 투과성 증가

① 사구체 모세혈관의 내피세포는 알부민의 직경인 3.6 nm 보다 훨씬 큰 직경 60 nm의 창이 있어 크기적으로는 알부민 투과에 대한 장애는 없다. 하지만 glycoaminoglycan, proteoglycan 등 음전하를 지닌 glycocalyx의 존재가 음전하를 지닌 알부민 통과에 대한 전하 장애로 작용하여 사구체기저막으로 진행하는 여과액 내 알부민 양을 일차적으로 감소시킨다. ② 사구체기저막을 구성하는 제4형 콜라젠, 라미닌, heparan sulfate, proteoglycan 등은 구조 및 음전하의 특성으로 단백질 여과에 대해 크기 및 전하 장애물로 작용한다. ③ 발세포(podocyte)와 발돌기(foot process) 및 발돌기의 특수결합형인 여과틈새는 단백질 투과의 최종 장애물로 단백질 투과 저하에 가장 결정적 역할을 한다. 또한 여과 단백질로 사구체가 막히지 않도록 하는 중요한 작용을 수행한다.

사구체 투과에 관한 여러 이론적 모델에 의하면 단백질의 투과방해에 여과 틈새가 가장 중요한 작용을 하며 내피세포의 방해 작용은 대단히 미약하고 사구체기저막은 단백질 투과에 일정한 방해 작용을 수행하는 것으로 산출하고 있다. 따라서 발세포 손상이 주된 사구체질환의 발생기전인 미세변화신증후군, 국소분절사구체경화증, 그리고 막신병증에서 신증후군 범위의 다량의 단백뇨가 발생하지만, 내피세포의 손상이 주된 기전인 고혈압성 신장병에서는 단백뇨가 저명하지 않다.

2) 근위요세관에서의 단백질 재흡수 장애

보우만강을 통과한 일부민 및 기타 단백질은 근위요세관 세포의 megalin-cubilin 수용체에 의하여 세포질로 섭취된다. 이후 아미노산으로 분해되어 요세관 주변 모세혈관으로 재흡수되며 megalin-cubilin은 다시 내강세포막표면으로 이동하여 재이용된다. 사구체 손상에 의해 요세관 내의 단백질 농도가 증가하면 근위요세관의 단백질 재흡수 능력을 초과하여 알부민뿐만 아니라, 작은 분자량 때문에 정상적으로 사구체를 자유롭게 통과하여 근위요세관에서 재흡수되는 α1-microglobulin, retinol binding protein 및 β2-microglobulin의 요배출도 증가한다. 또한 단위사구체여과율의 증가도 요세관의 단백질 재흡수 능력을 현저히 감소시킨다. 따라서 사구체 수 감소에 따른 보상작용으로 생존한 사구체에서 발생하는 단위사구체여과율의 증가로 인해 근위요세관의 단백질 재흡수는 더욱 감소한다.

3) 기타 비 신증후군성 단백뇨의 원인들

그 외에도 ① 다발성 골수종에서 경쇄 단백뇨와 같은 범람성 단백뇨(Overflow Proteinuria)나 ② 고열, 운동, 심부전, 부신기능항진 또는 고레닌시 나타날 수 있는 단백뇨와 같은 기능성 단백뇨(Functional proteinuria) ③ 소아나 청소년기에 나타날 수 있는 기립성 단백뇨(Orthostatic proteinuria) 등이 있다.

2. 사구체질환에서 발생하는 미세혈뇨의 기전과 특징

1) 기전

직경이 4~10 μm인 적혈구가 사구체를 통과하는 기전은 아직 불명이나 사구체기저막의 균열을 통하여 적혈구가 통과하며 이러한 현상은 모세혈관의 주변부 기저막보다 메산지움 주위에 위치하는 기저막에서 더욱 자주 발생한다. 사구체질환에 의하여 육안적혈뇨가 발생한 환자의 대부분에서 초승달 병변이 존재하며 이는 광범위한 기저막의 균열에 의하여 보우만강으로 배출된 혈장내 섬유소에 의하여 초승달 병변이 형성되었기 때문으로 추정된다. 최근 와파린에 의한 과도한 항응고작용에 의한 사구체 출혈이 보고되었다.

2) 특징

적혈구가 사구체기저막을 통과하는 과정에서 형태학적 변형이 발생하고 통과된 적혈구가 요세관을 진행하는 동안 발생하는 삼투압 등 다양한 물리화학적 요인으로 적혈구의 크기기 감소하고 세포막이 불규칙한 이상형태(dysmorphic)적혈구가 배출된다. 특히 acanthocyte는 적혈구 세포막의 일부가 수포를 형성하여 반지 모양을 띠는 이상형태 적혈구의 일종으로 사구체성 혈뇨의 매우 특징적인 소견이다. 이상형태 적혈구는 혈뇨의 감별진단에 유용한 소견이나 정확한 검출을 위하여 경험이 많은 검사자와 위상대조 현미경(phase contrast microscope)이 필요하다. 특히 알부민이 주성분인 단백뇨가 동반하거나 적혈구원주의 존재도 사구체질환에 의한 혈뇨를 시사한다. 증식성사구체신염 환자에서 요적혈구 중 이상형태 적혈구의 빈도가 높고 적혈구원주, 백혈구원주, 상피세포원주가 동반되는 경우가 많다.

3. 무증상 요이상의 임상적 의의

단백뇨 없이 고립성혈뇨만 존재하는 환자의 조직검사 소견에서 얇은기저막병이 43%로 가장 많고, IgA신장병 20%, 비특이적 변화 20%, 정상소견 18%로 대부분 경증의 소견이 많았다. 임상적으로도 고립성혈뇨의 예후는 양호하나 이는 모든 환자에서 해당하지 않는다. 한 연구에 의하면 20%의 고립성혈뇨는 저절로 소실되었으나, 20%의 환자에서는 경과 중 고혈압이나 단백뇨가 발생하였다. 이스라엘에서 군입대시 고립성혈뇨가 발견된 16~25세의 3,690명을 22년간 추적 관찰한 연구에서 0.7%의 환자에서 치료된 말기신부전이 발생하였는데, 이는 혈뇨가 없는 대조군에 비해 말기신부전이 발병 가능성이 18.5배 높은 것이었다. 따라서 고립성혈뇨 환자에서 신장조직검사나 특별한 치료는 요하지 않으나, 단백뇨나 신기능 감소 등 보다 심각한 증상의 발생 여부를 정기적인 검사로 추적해야 한다.

단백뇨는 사구체질환의 가장 중요한 소견으로 단백뇨량이 많을수록 신기능이 감소할 위험성이 증가할 뿐 아니라 심혈관질환의 발생 및 사망률도 단백뇨량에 비례하여 증가한다. 또한 자연적으로 혹은 치료에 의하여 단백뇨가 감소하면 사구체질환의 예후가 양호해지므로 사구체질환의 호전 지표로서 단백뇨가 가장 유용하게 사용된다. 캐나다의 일반인을 대상으로 시행한 연구에서 요딥스틱(dipstick)으로 (2+) 이상의 단백뇨가 검출된 환자의 2.6명 중 1명에서 사구체여과율(glomerular filtration rate, GFR)의 감소가 1년에 5% 이상이었다. 또한 당뇨병이나 혈관질환이 있는 환자에서 경과 중 알부민뇨가 100% 이상 증가하면 신기능 감소 및 심장사가 증가하여 궁극적으로 사망률이 50% 이상 증가하였다. 따라서 특히 1 g/day 이상의 단백뇨는 신장 및 심혈관계의 불량한 예후와 관련이 있으므로 신장조직검사 시행 등 보다 적극적인 관리가 필요하다.

혈뇨와 단백뇨가 동반된 무증상 요이상 환자의 조직검사 소견에서 IgA 신장병이 46%로 가장 많았고, 막증식 사구체신염을 비롯한 기타 사구체신염이 26%, 비특이적 변화 19%, 얇은기저막병 7%, 정상소견 4%로 나타나 고립성혈뇨보다 심한 병리학적 소견이 관찰되었다. 여러 연구에서도 매우 소량의 단백뇨가 존재하여도 고립성혈뇨에 비하여 신질환의 진행 가능성이 높음을 보고하고 있다. 따라서 혈뇨가 동반되는 단백뇨 특히 0.5 또는 1g/day 이상의 단백뇨는 신장조직검사 시행 등 보다 적극적인 관리가 필요하다.

육안적 혈뇨

사구체질환과 관련된 일시적인 고통 없는 육안적 혈뇨는 붉은색보다는 갈색이나 콜라색에 가까우며, 배뇨의 시작부터 끝까지 적색뇨로 배출되며, 소변 내 피덩이(blood clot)는 흔하지 않다. 이러한 육안적 혈뇨증은 헤모글로빈뇨, 미오글로빈뇨, 포르피리아증, 비트와 같은 식품 섭취 후 색소뇨, 약물 섭취(특히 리팜핀/리팜피신)를 포함한 다른 적색 또는 갈색 소변 원인과 구별되어야 한다.

사구체질환으로 인한 육안적 혈뇨의 경우 주로 어린이와 청소년에게 나타나며 40세 이후에는 드물다. 대부분의 경우 IgA 신병증에 의해 발생하지만, 다른 사구체질환이나 급성 사이질염과 같은 비사구체 신장 질환과 함께 발생할 수도 있다. 육안적 혈뇨를 나타내는 질환에서는 일반적으로 통증이 없지만, 요로결석 질환이나 허리 통증 혈뇨 증후군과 같은 다른 진단을 시사하는 둔탁한 허리 통증이 동반될 수 있다. IgA 신병증에서 혈뇨는 보통 일시적이며 상부 호흡기 감염 후 하루 이내에 발생한다. 이것은 급성 감염후사구체신염에서 상부 호흡기 감염과 혈뇨 사이에 2~3주 정도 시간이 걸리는 것과는 임상적으로 명확히 구별된다. 또한 급성 감염후사구체신염에서는 일반적으로 신염증후군의 다른 특징들이 동반된다.

육안적 혈뇨는 사구체 혈뇨의 특성이 아니라면 어떤 연령에서도 방광경을 포함한 비뇨기학적 평가가 필요하다.

신증후군

신증후군은 하루 3.5 g 이상의 단백뇨와 혈중 알부민 농도 감소, 부종, 고지혈증이 발생하는 임상 증후군이다. 그러나 신증후군 영역의 단백뇨가 있으나 간에서 충분한 알부민 합성이 이루어지는 일부의 환자에서는 저알부민혈증이나 부종이 발생하지 않는다. 사구체를 경유한 다양한 체내 단백질의 소실과 간에서 보상적 단백질의 증가는 음성 질소평형, 감염, 부종, 동맥경화, 혈전색전증 등 여러 합병증을 유발하여 환자의 사망률과 이환율이 증가한다. 병리

학적으로 심한 발세포의 손상을 특징으로 하며 신증후군을 유발하는 원인 질환의 빈도는 연령과 인종에 따라 다르다. 소아에서 미세변화신증후군, 성인에서는 막신병증, 흑인에서는 국소분절사구체경화증이 가장 흔한 원인 질환이다. 자연적이나 치료에 의하여 단백뇨가 감소하지 않으면 발세포 소실 및 이로 인한 사구체경화로 신기능 감소가 발생하고 일부의 환자에서 말기신부전으로 진행한다.

1. 저알부민혈증과 음성 질소평형

신증후군에서 소변으로 소실되는 단백질의 약 80%는 알부민이다. 혈중 알부민 감소로 인한 혈중 삼투압의 감소는 간에서 알부민의 합성을 촉진하나 소실을 보충 할 정도로 충분히 증가하지 않는다. 또한 요세관 세포에서 알부민의 흡수 증가와 아미노산으로 분해가 증가하여 저알부민혈증에 기여한다. 신증후군 환자에서 음성 질소평형으로 인한 근육 소실로 발생하는 지방을 뺀 체중의 감소는 부종에 때문에 잘 인지되지 않지만, 정상 체중의 10%에 해당하는 경우가 적지 않다. 종이장처럼 얇고 늘어진 귓바퀴(Heymann nephritis), 손톱아래 분홍 빛깔 소실(Muehrcke, sband)도 체내 단백결핍의 징후이다. 고단백식은 간에서 알부민 합성을 증가시키나 요중 단백질 소실을 증가시켜 질소평형 정상화에 도움이 되지 않으며 오히려 단백뇨로 인한 신손상을 증가시킬 수 있다.

2. 부종

신증후군에서 부종이 발생하는 기전은 아직 완전히 규명되지 않았으며 "underfill" 과 "overfill" 이론이 있다. Underfill 이론에 의하면 저알부민혈증으로 인한 모세혈관 내 삼투압의 저하로 수분이 사이질로 이동하여 부종이 발생하고 유효순환용적은 감소하게 된다. 유효순환용적의 감소는 체내의 압력수용체들을 자극하여 교감신경계와 레닌-안지오텐신계를 활성화시키고 항이뇨호르몬의 분비를 증가시켜 신장에서 염분 및 수분의 재흡수를 증가시킨다.

이러한 신장에서 지속적 염분과 수분 흡수의 증가는 사

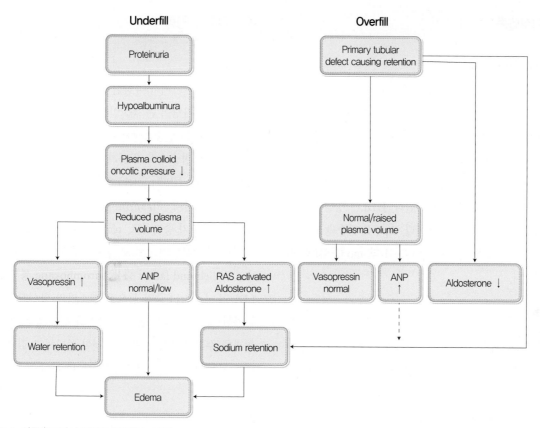

그림 5-2-1. 신증후군에서 부종이 발생하는 기전

이질로 수분의 이동에 따른 림프관 순환 증가, 사이질의 삼투압 감소 및 정수압 증가 등의 부종억제 기능을 무력화 시켜 부종이 지속적으로 악화된다. 그러나 모든 신증후군 환자에서 유효순환용적이 감소하지 않고 혈중 레닌, 노르에피네프린 및 바조프레신 농도가 상승하지 않아 under-fill 이론은 신증후군에 동반되는 모든 부종을 설명할 수 없다.

Overfill 이론은 신장에서 염분 및 수분의 재흡수 증가 는 유효순환용적 감소나 저알부민혈증에 의한 이차적 소견 이 아니라 신증후군이 발생한 신장에서 염분 재흡수가 부 적절하게 증가하고 그 결과 체내순환량이 증가하고 전신모 세혈관의 정수압을 상승하며 이는 저알부민혈증으로 인한 저삼투압과 상호작용하여 수분을 사이질로 이동시켜 부종 이 지속적으로 악화된다. 신장에서 염분 재흡수가 증가하 는 기전으로 심방나트륨이뇨펩타이드(atrial natriuretic peptide, ANP)의 이뇨작용에 대한 신장의 저항성, 집합요 세관의 내강세포막에서 ENaC의 발현 증가, 기저측면세포 막에서 $Na^+-K^+-ATPase$의 발현 증가, 근위요세관에서 NHE (sodium hydrogen exchanger) 발현 증가, 신 사이 질내 염증반응으로 사구체여과율을 감소시키는 다양한 혈 관활동성 물질간의 불균형 등이 알려져 있다.

결론적으로 신증후군에서 부종 발생기전은 매우 복합적 이며 신증후군을 유발하는 사구체신염의 종류나 임상경과 에 따라 서로 다른 기전에 의하여 부종이 발생한다. 예를 들어 다량의 단백뇨가 발생하고 혈관투과성이 증가하는 미세변화신증후군의 초기에는 underfill이 부종의 주된 기 전이나 단백뇨와 함께 고혈압, 신기능 감소가 존재하는 막 증식사구체신염에서는 overfill 기전으로 부종이 발생할 가능성이 크다.

3. 고지질혈증

1) 고지질혈증의 양상

신증후군에서 매우 다양한 지질대사의 이상이 발생한다. 혈중 콜레스테롤은 모든 환자에서 단백뇨에 비례하여 상승하며 단백뇨가 완화되면 따라서 감소한다. 혈중 중성지방은 환자에 따라 다양하나 상승하지 않는 경우가 많다. VLDL, IDL, LDL 모두 상승하고 지질단백에 포함된 콜레스테롤과 중성지방의 양도 증가한다. HDL은 정상이나 심한 신증후군 환자에서는 감소한다. Apo C 혈중 농도는 감소하고, 혈중 apo B, apo E, apo C-II 및 apo C-III/C-II는 증가한다.

2) 기전

신증후군에서 고지질혈증은 지질과 지단백의 합성 증가와 분해대사의 감소에 의하여 발생한다. 저알부민혈증과 동반하는 혈장 삼투압의 감소로 간에서 콜레스테롤, 지질단백 및 apolipoprotein의 합성이 증가한다. 또한 중성지방을 가수분해하는 lipoprotein lipase의 활성이 감소하여 VLDL이나 chylomicron의 분해대사가 감소한다. LDL 분해대사는 정상이거나 LDL 수용체 이상에 의하여 LDL 분해대사가 감소하기도 한다. CETP (cholesterol ester transfer protein) 활동도 증가와 LCAT (lecithin-cholesterol acyltransferase) 활동도 감소는 HDL 대사 이상에 관여한다.

3) 임상적 의의

신증후군에서 발생하는 고지질혈증은 이론적으로 동맥경화증을 유발할 수 있고, 특히 고지질혈증이 존재하는 기간이 길수록 위험성이 증가한다. 신증후군 환자에서 심근경색이나 심장사가 대조군에 비하여 증가하는 것이 후향적 연구에서 관찰되었으나 고혈압, 신기능 저하 등 동맥경화의 다른 위험인자들의 영향과 구별하기 어렵다. 여러 연구에서 고지질혈증으로 지질단백이 메산지움에 축적하고 이로 인해 사구체경화증이 발생하여 신기능의 점진적 소실을 유발한다는 보고가 있으나 아직 분명하지 않다.

4. 과다응고 경향

1) 기전

신증후군 환자에서 다양한 기전에 의하여 혈액응고성이 증가한다. 분자량이 큰 응고인자 V, VIII, 그리고 섬유소원 (fibrinogen)은 신증후군으로 인한 생성은 증가하나 소변 소실이 없어 혈중 농도가 증가한다. 반면 응고를 저해하는 antithrombin III나 protein S의 자유 분획은 소변으로 소실되어 감소한다. Plasminogen activator inhibitor-1 (PAI-1) 농도가 증가하고, plasminogen의 섬유소 결합을 촉진하는 알부민의 감소로 섬유소용해능력이 감소한다. von Willebrand factor 증가, thromboxane 형성 증가 및 LDL cholesterol 증가 등으로 혈소판의 활성화와 응집이 증가한다. 또한 혈장 삼투압 감소와 이뇨제 사용에 따른 혈관내 수분 감소로 혈액의 점성이 증가하고 질병으로 인한 비활동성도 과다응고 경향에 기여한다.

2) 임상소견

동맥과 정맥 모두에서 혈전증이 발생하나, 성인 환자에서는 정맥혈전증이 흔하고 소아는 반대이다. 신정맥혈전증이 가장 흔하며 발생률은 보고에 따라 5~62%로 다양하나, 한 대규모의 전향적 연구에서는 신증후군 환자의 22%에서 발생하는 것으로 보고되었다. 특히 막신병증에서 가장 호발하나, 미세변화신증후군, 막증식사구체신염 등 다른 원인 질환에서도 발생한다. 급성신정맥혈전증은 옆구리 통증, 육안적혈뇨, 신기능 감소로 발현하며 드물게 양쪽신정맥혈전증이 발생한 경우에는 급성신손상이 발생하기도 한다. 만성신정맥혈전증은 곁가지(collateral) 발달로 대부분 무증상이나 폐색전증이 합병증으로 발생할 수 있다. 컴퓨터단층촬영, MRI가 흔히 진단에 이용되나 선택적 신정맥조영술이 최종 진단 방법이다. 동맥혈전증은 대동맥, 신동맥, 대퇴동맥, 장간막동맥, 뇌동맥 등에서 발생한다. 일반적으로 혈전증의 발생 빈도는 혈중 알부민 농도와 반비례하며, 특히 혈중 알부민 농도가 2 g/dL 미만 환자에서 발생률이 높다.

5. 감염

신증후군 환자에서 감염 발생이 증가하며 특히 어린이에서 발생 빈도가 높다. 폐렴구균, 베타 용혈연쇄구균, 그람음성균에 의한 원발 복막염과 베타 용혈연쇄구균에 의한 연조직염의 발생이 흔하다. 부종 조직은 세균 침입이 용이하고 증식에 적합하며 국소적 방어 기능이 감소되어 감염에 적합하며 면역항체 및 보체 등 요소실로 병원체 특히 폐렴구균 같은 encapsulated organism에 취약하다. 면역세포의 적정 기능에 필요한 아연이나 transferrin의 소실, 면역억제제의 투여도 감염의 위험요인이다.

6. 기타 합병증

알부민 농도 감소로 와파린 등의 단백결합이 높은 약물의 자유형이 증가하고, 단백결합을 통하여 신장의 요세관으로 분비되는 약물은 배출이 감소하여 약물 농도가 증가한다. 신증후군에 동반되는 광범위한 발돌기의 소실로 여과틈새가 감소하여 단일사구체여과율을 감소시키는 요인으로 작용한다. 한편 저알부민혈증에 의한 사구체 모세혈관의 삼투압 감소는 사구체여과압을 상승시켜 발돌기 소실에 의한 여과율 감소를 상쇄하는데 시클로스포린, 비스테로이드소염제, 안지오텐신억제제 등 사구체여과압을 감소시키는 약제로 사구체여과율의 급격한 감소를 초래할 수 있다. 갑상선호르몬, 비타민 D, 구리, 철분, 아연 등을 결합하는 단백질의 소변 소실로 혈중 총 농도는 감소하지만, 활동성이 있는 자유형 농도는 대부분 정상으로 유지되어 실제 결핍 증상은 매우 드물다.

신염증후군

사구체의 염증 반응으로 사구체여과율의 급격한 감소 및 체내 염분 저류가 발생하여, 임상적으로 소변 배출량 감소, 고혈압, 부종 및 비심장성 폐부종이 발생하고 소변검사에서 혈뇨, 적혈구원주 및 신증후군 이하의 단백뇨가 관찰된다. 이러한 증상은 연쇄구균 감염후사구체신염처럼 일과적 과정으로 저절로 회복될 수도 있으나, 막증식사구체신염이나 IgA신장병 등에서는 만성적 경과를 밟는다. 병리학적으로는 사구체 모세혈관 내의 세포수가 증가하고 염증세포가 침윤하는 증식성 염증 반응의 형태가 흔하며, 유사한 소견이 모세혈관 내강과 인접한 메산지움에서도 관찰되는 경우가 많다. 혈청학적 검사로는 ASO, 항strep-tozyme 항체, 혈청 보체검사 등이 유용하다.

급속진행사구체신염

매우 심한 사구체손상으로 신기능이 수일에서 수주 사이에 급격히 감소하여 비가역적 병변이 광범위하게 발생하기 전에 효과적인 치료를 받지 못하면 말기신부전으로 진행한다. 임상적으로 급격히 발생하는 요독증상, 소변량 감소 및 체액 과잉으로 인한 폐부종, 발열, 전신 쇠약감, 객혈 등 원인 질환에 따른 신장 외 증상이 관찰된다. 혈뇨, 적혈구원주, 단백뇨 등 활동성 요침사 소견과 혈중 크레아티닌 농도의 급격한 상승이 있으나, 초음파에서 신장 크기 감소는 관찰되지 않는다. 병리학적으로 많은 사구체에서 초승달 병변이 특징적으로 존재한다. 혈전미세혈관병(thrombotic microangiopathy), 콜레스테롤색전증 등과 감별이 필요하며 항기저막항체, 항중성구세포질항체, 혈청 보체 등의 혈청학적검사가 필요하다.

만성사구체신염

미세변화신증후군이나 얇은기저막병을 제외한 대부분의 사구체질환에서 일정 비율의 환자들은 비가역적 신손상이 발생하여 임상적으로 고혈압, 혈뇨를 동반하거나 고립적인 단백뇨, 계속 진행하는 신기능 감소가 나타나며, 이중 상당수는 궁극적으로 말기신부전에 도달한다. 이미 신장조직검사 등으로 사구체신염이 진단된 환자에서 이러한 임상소견이 있으면 쉽게 진단할 수 있다. 또 상당히 진행된 만성신질환의 상태에서 처음 발견된 환자의 경우 임상소견과 함께 초음파에서 양쪽 신장의 크기가 작아진 위축 소견이 있으면 만성사구체신염으로 추정진단을 할 수 있지만, 이는 실제로 다른 질병을 포함할 오류를 내포하고 있다.

초음파검사에서 양쪽 신장이 위축된 소견이 있으면 신장조직검사를 시행할 필요가 없다. 이는 전체 사구체경화와 미만성사이질섬유화로 원인 사구체질환을 파악하기 어렵고, 면역억제제 등 원인적 치료에 반응할 수 있는 시기를 이미 지나기 때문이다. 치료는 신기능 저하를 지연시키는 보존적 치료와 신기능 감소에 따라 발생하는 다양한 합병증을 관리하는 것이다.

▶ 참고문헌

- Floege J, et al: Introduction to glomerular disease: Clinical presentation, in Comprehensive Clinical Nephrology, 6th ed, edited by Floege J, et al: St. Louise, Elsevier Saunders, 2019, pp184–198.
- Jennette JC, et al: Glomerular Clinicopathologic Syndromes, in National Kidney Foundation Primer on Kidney Diseases, 7th ed, edited by Gilbert SJ, et al: St. Louise, Elsevier Saunders, 2018, pp162–174.
- Lewis JB, et al: Glomerular Diseases, in Harrison's Principles of Internal Medicine, 20th ed, 2018, Ch308.
- Perico N, et al: Pathophysiology of Proteinuria, in Brenner & Rector's The Kidney, 11th ed, edited by Alan Yu, et al: Philadelphia, Elsevier Saunders, 2020, pp978–1006.
- Radhakrishnan J, et al: Glomerular Disorders and Nephrotic Syndromes in Goldman–Cecil Medicine, 26th ed, edited by Goldman L, 2020, Ch113, pp753–763.

CHAPTER 03

사구체신염의 병리 소견

임범진 (연세의대 병리과)

KEY POINTS

- 사구체를 구성하는 조직학적 구성요소들, 즉 사구체 기저막, 발세포, 혈관내피세포, 메산지움세포가 자극에 대해 보이는 반응을 이해하면 개별 사구체질환의 조직 변화를 쉽게 유추할 수 있다.

- 최근 막증식패턴을 보이는 사구체질환에 대한 분류법에 많은 변화가 있었다. 막증식사구체신염과 C3 사구체병증은 발생기전이 다른 구분되는 질병이다.

- 같은 사구체신염이라 할지라도 활성병터의 정도는 다를 수 있으며 활성병터의 존재여부와 정도에 따라 조직학적 분류를 하기도 한다(예: 루푸스 신염).

사구체질환 하나하나의 병리 소견은 이어지는 장들에서 자세히 언급할 것이므로, 이 장에서는 구체적인 내용을 설명하기 보다는 사구체신염의 병리소견을 이해하는데 필요한 전반적인 내용을 기술하고자 한다. 모든 사구체 질환을 언급하는 것은 불가능하므로 임상에서 만나는 빈도가 높고 신장병리 해석의 원리를 이해하는데 시사점이 있는 질환들을 중심으로 다룰 것이다.

일차성 사구체질환

일차성 사구체질환을 병리 소견에 따라 분류할 때 질병의 병태생리를 잘 반영하면서도 각 질병의 특징을 기억하기 쉽게 만들어 주는 조직학적 기준은 세포 증식과 사구체 기저막의 형태 변화이다. 세포의 증식은 사구체를 구성하는 세포성분이나 외부에서 유입된 세포, 즉 염증세포에 의해 일어난다. 사구체를 구성하는 세포 대부분은 손상을 일으키는 자극에 반응하여 증식할 수 있으나 발세포는 증식하지 않고 퇴행 또는 사멸하는 생물학적 특성을 가진다. 그러므로 세포 증식이 일어나는 대표적인 부위는 메산지움(메산지움 세포 증가, mesangial hypercellularity)과 사구체 모세혈관 내(혈관내피세포 및 유입된 염증세포에 의한 모세혈관 내 세포 증가, endocapillary hypercellularity)이다. 증식할 수 있는 또 하나의 부위는 보우만 주머니를 덮고 있는 벽상피세포로서 이를 사구체 모세혈관 바깥 세포증가(extracapillary hypercellularity)라고 부르는데 이 용어보다는 증식한 세포가 보우만 공간을 따라 자라면서 만드는 모양에 착안하여 초승달(crescent)이라는 말을 더

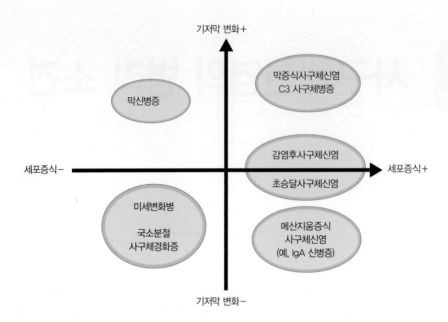

그림 5-3-1. 사구체 구성 세포의 증식 여부와 사구체 기저막 형태 변화 여부로 분류한 일차성 사구체 질환

자주 쓴다. 사구체 기저막에 일어나는 변화는 매우 다양한데 일차성 사구체질환에서는 주로 상피세포밑 공간 (subepithelial space) 또는 혈관내피세포밑 공간(subendothelial space)에 침착한 면역복합체에 의해 생겨나는 변화가 관찰된다. 상피세포밑 공간의 면역복합체 침착은 돌기 (spike)를 만들고 혈관내피세포밑 공간의 면역복합체 침착은 사구체 기저막의 이중화(double contour 또는 tram-track sign)를 일으킨다. 이 두 가지 기준에 따라 일차성 사구체 질환을 그림 5-3-1과 같이 분류할 수 있다.

1. 세포 증식과 사구체 기저막 변화가 모두 없는 사구체 질환

미세변화병(minimal change disease)은 광학현미경상 사구체는 정상으로 보이며 국소분절사구체경화증(focal segmental glomerulosclerosis)은 일부의 사구체에서 일부의 분절만 섬유화(경화)되고 그렇지 않은 부분은 이상소견을 보이지 않는다. 따라서 미세변화병과 국소분절사구체경화증은 세포의 증식이나 사구체 기저막의 돌기 형성, 이중

화 등이 관찰되지 않는 질환이다. 유일한 이상소견은 전자현미경에서 발세포의 손상이 관찰된다는 점이며 가장 흔한 손상의 소견은 발돌기 소실(foot process effacement)이다.

2. 세포 증식 없이 사구체 기저막 변화만 일어나는 사구체질환

상피세포밑 공간에 침착한 면역복합체는 혈관내피세포나 메산지움 세포와의 접촉이 없으므로 세포의 증식을 일으키지 않는다. 조직학적 변화는 사구체 기저막과 발세포에만 생기며 사구체 기저막이 그 바깥쪽에 침착한 면역복합체 사이로 증식하여 돌기를 형성하는데, 돌기는 은 염색에서 가장 잘 보이고 PAS 염색에서는 사구체 기저막 전체가 두꺼워진 모습을 보이므로 막신병증(membranous nephropathy)이라는 이름이 붙었다. 돌기가 형성되는 원리를 그림 5-3-2가 보여준다. 사구체 기저막과 발세포의 손상이 주 병변이므로 임상증상은 다량의 단백뇨이다.

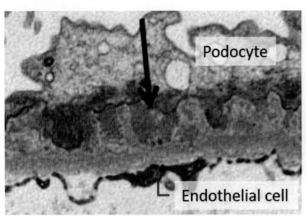 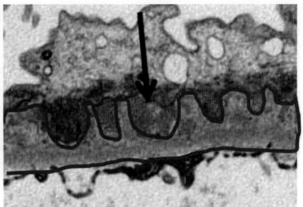

그림 5-3-2. 상피세포밑 공간에 전자고밀도물질(화살표)이 침착하고 그 주위로 사구체 기저막이 자라들어가 돌기를 형성한 모습

3. 세포는 증식하지만 사구체 기저막은 변화하지 않는 사구체질환

면역복합체가 메산지움에 침착하는 경우 메산지움의 세포는 증식하지만 사구체 기저막은 영향을 받지 않는다. 메산지움의 세포와 기질이 증가하는 반면 사구체 기저막의 두께와 모양, 사구체 모세혈관 내 세포 수에는 변화가 없으므로 메산지움증식사구체신염(mesangioproliferative glomerulonephritis)이라 부를 수 있다. 여러 사구체질환이 이와 같은 형태를 보일 수 있지만 임상에서 흔히 만나는 것은 IgA 신병증(IgA nephropathy)이다. IgA 신병증에서는 주로 사구체 메산지움에 IgA를 주성분으로 하는 면역복합체가 침착하여 메산지움 세포의 증식이 일어난다.

4. 세포가 증식하고 사구체 기저막의 형태도 변화하는 사구체질환

사구체질환 중 가장 복잡한 형태 변화를 보이는 질환군이다. 면역복합체가 혈관내피세포밑 공간에 침착하면 혈관내피세포를 자극하여 사구체 모세혈관 내에서 염증반응을 일으키므로 사구체 모세혈관내 세포증가가 일어난다. 혈관내피세포밑 공간의 면역복합체는 메산지움 세포의 증식 역시 일으킬 수 있기 때문에 모세혈관내 세포 증가와 메산지움 세포 증가가 합쳐져 사구체 소엽 전체가 커다란 세포덩어리가 된다. 늘어난 메산지움 세포가 모세혈관 쪽으로 진출하여 혈관내피세포와 사구체 기저막 사이를 파고들면(메산지움 끼어듦, mesangial interposition) 새로운 기저막이 만들어져 은 염색에서 두 겹의 사구체 기저막이 보이게 되는 사구체 기저막 이중화가 일어난다(혈관내강으로부터 순서대로 혈관내피세포-새로 만들어진 기저막-끼어든 메산지움 세포-기존의 기저막). 이와 같은 조직학적 변화를 통틀어서 막증식 패턴(membranoproliferative pattern)의 사구체 손상이라고 부른다(그림 5-3-3). 사구체 기저막의 모양이 변하고 세포성분의 증식도 있음을 시사하는 용어이다.

막증식 패턴의 사구체 손상을 일으키는 원인은 다양하다. 면역복합체 침착에 의해 일어나는 경우를 막증식사구체신염(membranoproliferative glomerulonephritis, MPGN)이라 부른다. 면역형광현미경에서 IgG와 C3가 침착하고 전자현미경에서 주로 혈관내피세포밑 공간에 전자고밀도 물질의 침착이 관찰된다. 막증식사구체신염과 광학현미경 소견은 유사하나 면역형광현미경에서 면역글로불린 침착 없이 C3만(보다 자세한 진단 기준은 해당 장 참조) 침착하는 경우는 C3 사구체병증(C3 glomerulopathy)이다. C3 사구체병증에서도 전자현미경에서 전자고밀도 침착이 보이지만 그 구성성분은 면역복합체가 아니라 비정

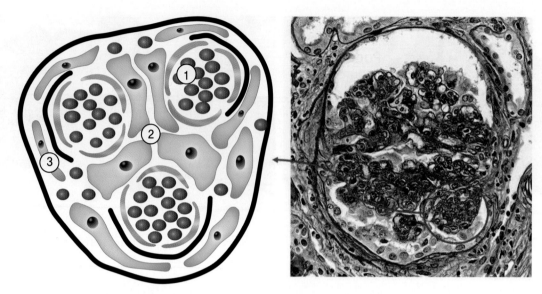

그림 5-3-3. 혈관내피세포밑 공간의 면역복합체 침착에 의해 일어나는 막증식 패턴의 사구체 손상
① 모세혈관내 세포증가, ② 메산지움 세포증가, ③ 메산지움 끼어듦 및 기저막 이중화

상적으로 축적된 보체이다. C3 사구체병증을 더 세분할 수 있는데, 전자현미경에서 전자고밀도 침착이 사구체 기저막 자체에 일어나 짙은 색의 끈과 같은 사구체 기저막이 형성되는 경우를 고밀도침착병(dense deposit disease, DDD)이라고 부르고, 고밀도침착병을 제외한 나머지 C3 사구체병증은 C3 사구체신염(C3 glomerulonephritis)이라고 부른다. C3 사구체병증이라는 개념이 알려지기 전에는 고밀도침착병을 막증식사구체신염의 아형(제2형 막증식사구체신염)으로 생각했으나 막증식사구체신염과 고밀도침착병은 전혀 다른 질병임을 알게 되었다.

감염후사구체신염(postinfectious glomerulonephritis)은 감염의 원인에 따라 조금씩 다른 조직학적 소견을 보이지만, 임상에서 흔히 접하는 사슬알균감염후사구체신염(poststreptococcal glomerulonephritis)을 기준으로 살펴보면 모세혈관내 세포증가, 특히 급성기에는 중성구 위주의 세포증가가 일어나는 것이 특징이다. 흔히 사슬알균감염후사구체신염의 전자현미경 소견을 상피세포밑 봉우리(hump)라 말하지만 모세혈관 내 세포증가가 있다는 점으로부터 유추할 수 있듯이 상피세포밑 봉우리 이외에도 혈관내피세포밑 공간과 메산지움에 다양한 정도의 면역복합

체 침착이 일어나며 임상증상과 직접 연관되는 것은 오히려 이 위치의 침착이다. 사슬알균감염후사구체신염에서 이중화 등 사구체 기저막의 변화는 상대적으로 드물게 관찰된다.

임상소견이 급속진행사구체신염의 양상일 때 신장 조직 검사에서는 초승달사구체신염이 관찰되는 경우가 많다. 또 같은 사구체질환이라도 초승달이 만들어진 증례는 그렇지 않은 증례에 비해 예후가 나쁠 가능성이 높다. 사구체 기저막에 광범위한 파열이 생겨 모세혈관 내 성분이 보우만 공간으로 다량 유출되면 벽상피세포가 자극 받아 증식하여 초승달이 생기는 것이므로 초승달은 기저막에 광범위한 손상이 일어나고 있음을 보여주는 표지이고, 이런 손상을 만들 정도로 질병 활성도가 높음을 의미하기 때문에 나쁜 예후와 연관되는 것이다. 초승달을 흔히 만드는 사구체 질환을 세 가지 군으로 분류한다. 첫째, 항사구체기저막병(anti-GBM antibody disease)은 사구체 기저막의 구성성분인 제4형 콜라겐, 그중에서 α3 체인에 대한 자가항체가 생겨 기저막을 파괴하므로 초승달이 만들어진다. 둘째, 어떤 사구체질환이든 면역복합체가 혈관내피세포밑 공간에 다량으로 침착하면 사구체 기저막을 파괴하여 초승

달을 만들 수 있다. 셋째, 항중성구세포질항체(anti-neu-tophil cytoplasmic antibody, ANCA)에 의한 혈관염이 사구체기저막을 파괴하면 초승달 형성을 특징으로 하는 항중성구세포질항체 연관 초승달사구체신염이 생긴다. 첫째와 셋째 그룹에서는 사구체 기저막은 파열되는 것 외에 특별한 변화를 보이지 않지만 두 번째 그룹은 기저질환이 무엇이냐에 따라 다양한 변화를 보일 수 있기 때문에 그림 1에서 초승달사구체신염을 기저막 변화에 관해서는 중간에 위치시켰다.

전신질환과 연관된 사구체질환

일차성 사구체질환과 형태는 유사하지만 발생기전이 이차성인 경우가 다수 존재한다. 예를 들어 B형 간염 바이러스가 막증식사구체신염을 일으킬 수 있고 악성종양 환자에서 막신병증이 발생한다. 형태학적 특징은 일차성 사구체질환과 대부분 유사하지만 미세한 차이가 존재하여 감별진단의 단서가 되기도 한다. 예를 들어, 일차성 막신병증은 발세포 기저부에 존재하는 특정 항원과 대응하는 자가항체가 제자리 면역복합체 형성(in situ immune com-plex formation)에 의해 결합하여 생기므로 면역복합체는 예외 없이 상피세포밑공간에 침착하는 반면, 이차성 막신병증은 순환 면역복합체(circulating immune complex)가 침착하는 것이므로 소수의 면역복합체는 상피세포밑공간 외에서도 발견될 수 있다.

전신질환이 신장을 침범하여 사구체질환을 일으키는 경우 역시 매우 다양하다. 면역복합체 침착에 의해 일어나는 사구체 질환의 대표인 루푸스 신염에서는 메산지움, 상피세포밑, 혈관내피세포밑 공간 어디든 다량의 면역복합체가 침착할 수 있다. 침착이 주로 일어난 위치에 따라 광학현미경에서 보이는 형태뿐 아니라 질병의 활성도까지 예측할 수 있다. 루푸스신염의 조직학적 분류를 위해 가장 많이 쓰고 있는 International Society of Nephrology / Renal Pathology Society (ISN/RPS) 분류법은 면역복합체 침착의 위치에 따라 클래스를 나눈다. 클래스 I과 II는 메산지움의 침착, 클래스 III과 IV는 혈관내피세포밑 침착, 클래스 V는 상피세포밑 침착에 해당한다. 앞에서 살펴본 바와 같이 혈관내피세포밑 면역복합체 침착의 경우 활발한 염증반응을 유발하고 조직 손상을 일으키므로 클래스 III과 IV가 가장 나쁜 예후를 보이게 된다.

면역복합체 침착 이외에도 다양한 물질의 침착이 전신

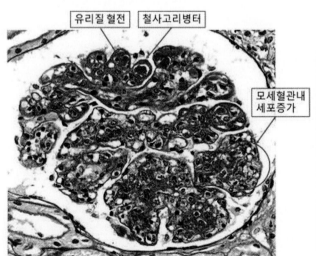

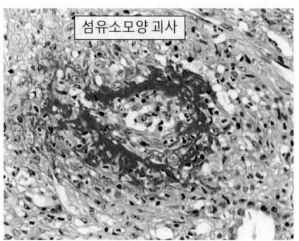

그림 5-3-4. 사구체와 혈관에서 관찰되는 활성 병터의 예

질환과 연관하여 신장에 일어날 수 있다. 대표적인 예가 다발골수종 등 림프구증식 질환, 의미미결정 단세포군감마글로불린병증(monoclonal gammopathy of undetermined significance) 또는 콩팥의미성 단세포군감마글로불린병증(monoclonal gammopathy of renal significance)에서 만들어진 단세포군 면역글로불린(monoclonal immunoglobulin)이 신장 내에 침착하는 것이다. 같은 면역글로불린이지만 신장에 침착하는 형태는 다양해서 AL형의 아밀로이드증, 경쇄침착병(light chain deposition disease), 중쇄침착병(heavy chain deposition disease), 경쇄 및 중쇄침착병(light and heavy chain deposition disease), 단세포군 면역글로불린 침착에 의한 증식성 사구체신염(proliferative glomerulonephritis with monoclonal immunoglobulin deposits) 등으로 나타나고 증례마다 다양한 조직학적 변화를 보이며, 진단을 위해 면역형광현미경으로 단세포군 면역글로불린의 침착을 확인하는 것이 필수적이다.

질병 활성도를 반영하는 조직 소견들

사구체질환의 조직검사 결과지를 검토할 때는 진단명뿐 아니라 광학현미경 소견 기술 부분에도 주목할 필요가 있다. 진단명에는 반영되지 않으나 질병의 활성도를 반영하는 조직학적 소견들이 존재하기 때문이다. 루푸스 신염의 ISN/RPS 분류 클래스 III과 IV를 진단할 수 있도록 하는 광학현미경상 사구체의 변화는 모세혈관내 세포증가, 섬유소모양 괴사(fbrinoid necrosis), 철사고리병터(wire loop lesion), 유리질 혈전(hyaline thrombi), 사구체 기저막의 파열과 초승달 형성 등인데 이들을 루푸스 신염의 활성병터라고 부르기도 한다. 이들 활성병터는 모두 혈관내피세포밑 면역복합체 침착과 직접 또는 간접적으로 연관된 변화들이다. 루푸스신염에서는 이들 활성 평터가 중요한 예후인자로 알려져 있어 진단명(분류)에도 반영되지만 이런 병터에 대한 평가가 아직까지는 진단명이나 분류법에 반영되지 않았거나 현재 연구가 진행중인 사구체 질환도 많이 있다. 예를 들어 IgA 신병증의 Oxford 분류법에서 예후에 영향을 주는 조직학적 인자의 목록에 초승달이 포함된 것은 Oxford 분류법 초판이 발표된 이후 약 10년에 걸친 연구가 이루어진 후였다. 그러므로 임상적 의의가 있을 가능성이 높은 이들 활성 병터의 존재 여부에 대해 임상의사와 병리의사 사이에 충분한 의사소통이 있어야 한다.

▶ 참고문헌

- Bajema IM, et al: Revision of the International Society of Nephrology/Renal Pathology Society classification for lupus nephritis: clarification of definitions, and modified National Institutes of Health activity and chronicity indices. Kidney Int 93: 789–796, 2018
- Fogo AB: Approach to renal biopsy. Am J Kidney Dis 42:826–36, 2003.
- Trimarchi H, et al: Oxford classification of IgA nephropathy 2016: an update from the IgA Nephropathy Classification Working Group. Kidney Int 91:1014–21, 2017.

CHAPTER 04
사구체질환의 일반적 치료

박정환 (건국의대)

KEY POINTS

- 일부 사구체질환 진단에서 조직검사가 어려운 경우 혈청학적 검사로 추정 진단을 내릴 수 있게 되었다.

- 사구체여과율 추정에 CKD-EPI 공식이 점점 더 쓰이고 있고 특히 >60 ml/min/1.73m² 값에서 이전 방정식보다 더 정확하다고 알려져 있다.

- 신증후군 환자는 사구체여과율이 정상이어도 흔히 이뇨제저항성을 보일 수 있고 퓨로세마이드와 비교하여 토르세마이드와 부메타나이드가 더 유리한 약동학 프로필과 더 오래 지속되는 생체이용률을 보여준다는 증거들이 나타나고 있다.

- ACEi와 ARB의 병용요법은 추가적인 단백뇨 감소 효과를 보일 수 있지만, 급성신손상 및 고칼륨혈증의 증가를 보여서 금지되고 있다.

- ACEi 또는 ARB 투여에 문제가 있는 경우 직접 레닌 억제제(direct renin inhibitor, DRI) 또는 미네랄로코티코이드 수용체 길항제(mineralocorticoid receptor antagonist, MRA)를 사용할 수 있다.

이 장에서는 개별 사구체질환을 다루는 내용에서 반복적으로 포함될 수 있는 공통 치료 원칙을 소개한다. 일반적인 사구체질환 치료 원칙은 대부분의 사구체질환에 적용 가능하다.

신장생검

어른 신증후군 환자에서 신장생검은 진단에 필수적이었다. 그러나 12세 이하 소아의 스테로이드 반응성 신증후군이나 사슬알균감염후사구체신염(poststreptococcal glo-merulonephritis)의 경우는 임상상이 뚜렷하여 조직검사를 하지 않고 바로 치료가 가능하다. 일반적으로 어른에서는 더욱 다양한 사구체질환이 발생할 수 있으므로 당뇨가 아닌 대부분의 경우는 조직검사가 필요하였다. 그런데 최근 몇 년 동안 일부 사구체질환에 대한 혈청학적 검사의 발전으로 인해 임상상과 검사의 결과만으로도 충분히 민감도, 특이도가 높아서 신장생검 없이 성인에서도 추정 진단을 내리고 치료를 결정할 수 있게 되었다. 이런 예로는 막신병증이 있다. 이런 접근법이 모든 경우에 대해 알려져 있지는 않지만 금기가 있거나 생검을 거부하는 환자의 경우 형태학적 진단 없이 치료를 할 때 도움이 되겠다.

신기능 평가

사구체질환 환자의 진단, 예후 평가 및 치료 결정을 위한 주요 검사로는 신장기능 평가, 특히 단백뇨 및 사구체여과율의 측정(또는 추정)이 된다.

1. 단백뇨

시간을 정해서 수집한 소변의 총 단백질 배설률(protein excretion rate, PER)은 특히 정성 검사에서 현저한 단백뇨가 있을 때 선호되는 검사이다. 이는 일주기 리듬, 신체 활동 및 자세에 의한 변화를 평준화하고 임의뇨 단백질-크레아티닌 비율(protein-creatinine ratio, PCR)을 사용할 때 발생하는 오류를 방지한다. 그러나 24시간 요검사도 과다 또는 과소 수집으로 인해 오류가 발생할 수 있다. 12~24시간 소변을 수집해서 그중 일부를 취해 크레아티닌과 단백을 측정하는 것은 유용하고 일관된 결과를 산출할 수 있는 절충안이다. 아침 첫 소변(실제적인 밤새 소변 수집)도 사용할 수 있지만 밤새 누운 효과로 인해 24시간 PER를 약 20%까지 과소 평가할 수 있다. 이 효과는 현저한 (신증후군 범위) 단백뇨가 있을 때는 덜 나타난다.

알부민 배설률(AER) 또는 알부민 크레아티닌 비율(ACR)의 사용은 비당뇨성 사구체질환에서 일반적으로 사용되지 않지만, CKD의 분류 및 Kidney Failure Risk Equations에서 신장 예후 추정에 이용하는 것이 권장되기도 한다.

24시간 소변 채취시 소변 나트륨을 동시에 측정하면 나트륨 과다 섭취가 단백뇨 악화에 기여하는지 여부를 확인할 수 있다.

신증후군 범위(nephrotic range) 단백뇨는 저알부민혈증이 존재하지 않을 수 있다는 점에서 항상 "신증후군"과 관련이 있는 것은 아니다. 이 형태의 단백뇨는 이차 FSGS 및 IgAN 환자에서 흔히 볼 수 있다. "신증후군"은 소변 단백질 정량에서 신증후군 범위 단백뇨의 정의에 맞지 않는 경우에도 임상 증상이 전형적인 환자에서 진단할 수 있다.

2. 사구체여과율의 추정

사구체신염(glomerulonephritis, GN) 치료 효과에 대한 대부분의 증거는 혈청 크레아티닌(serum creatinine, SCr) 또는 24시간 소변 수집이 필요한 크레아티닌 청소율(CrCl)을 통해 신장 기능을 추정하는데 근거를 두고 있다. 일부 연구에서는 이눌린, 방사성 동위 원소 등을 이용한 사구체여과율 측정을 하기도 하는데 이는 가장 표준적인 측정 방법이다. CKD-EPI 또는 기타 공식을 사용한 연령, 체중 및 성별에 대한 SCr 조정도 한 가지 방법이다. SCr에 대한 대안으로서 혈청 시스타틴C는 GN 환자에서 잘 검증되지 않았다. 이 모든 방법은 한계가 있지만 일련의 검사를 하면 유용하다.

SCr을 기반으로 한 CKD-EPI 공식을 사용한 GFR 추정은 GN 환자에서 구체적으로 검증되지 않았지만 점점 더 수용되고 있다. 특히 >60 mL/min/1.73m² 값에서 이전 방정식보다 더 정확하다고 알려져 있다. 인종, 근육량 및 크레아티닌 측정에 사용되는 방법은 SCr을 기반으로 한 추정 사구체여과율(eGFR)의 정확도에 영향을 미친다. 이는 GFR을 추정하기 위해 혈청 시스타틴C 바이오마커를 사용하는 경우에는 그렇지 않다. 신증후군(nephrotic syndrome, NS) 및 저알부민혈증에서는 세뇨관 크레아티닌 분비가 변화되어 이런 방정식이 실제 GFR을 50% 이상 과대 평가할 수 있다. 만성 코티코스테로이드 관련 근육병증 환자에서 크레아티닌 생성 변화로 영향을 받는다.

사구체질환의 일반적 치료

사구체질환 합병증 중의 상당수가 특정 조직병리학적 형태에 의한 것이 아닌 임상양상의 결과이다. 이러한 합병증의 적극적 관리는 항상 고려되어야 하며 이 질환의 자연 경과에 뚜렷한 긍정적 영향을 줄 수 있다. 여기에는 부종 조절, 단백뇨 감소, 혈압조절 및 신증후군의 대사성, 응고 경향성 결과의 해결 등이 포함된다. 이와 같이 상대적으로 독성이 적은 치료법들로 심각한 부작용을 갖고 있는 면역억제제를 사용하지 않거나 적어도 줄일 수 있다. 이러한 지지치료는 신속한 완화를 보이는 스테로이드 반응성 미세변화신증후군 환자, 현미경적 혈뇨 외에 단백뇨와 고혈압이 없는 정상 사구체여과율 환자에서는 필요하지 않을 것이다(초기 IgA 신병증에서 흔히 보인다).

1. 신증후성 부종

NS에서는 상당한 부종과 체중 증가가 흔히 나타난다. 이로 인해 환자의 증상과 혈압 조절을 어렵게 만들 수 있으며, 이는 신장 나트륨 배설의 본질적인 결함에 의할 수 있다. 치료의 주된 방법은 중등도의 나트륨 제한(24시간에 1.5~2 g 또는 60~90 mmol 나트륨)과 이뇨제이다. 신증후군 환자는 사구체여과율이 정상이어도 흔히 이뇨제저항성을 보인다. 고리작용이뇨제는 신증후군성 부종 치료에서 첫째로 쓰이며 일반적으로 1일 2회 투여가 선호된다. 더 많은 양의 이뇨제가 일반적으로 필요한데 이는 약물이 헨레 고리작용에 더 적게 전달되고(저알부민혈증으로 분포용적 부피의 증가) 또는 여과된 약물이 여과된 알부민과 결합하여 약의 효과를 더 못 나타내기 때문이다. 그러나 고리작용이뇨제의 반복적인 투여는 단기 및 장기 이뇨제 저항성을 유도할 수 있으며, 그 기전은 잘 알려져 있지 않다. 퓨로세마이드와 비교하여 토르세마이드와 부메타나이드가 더 유리한 약동학 프로필과 더 오래 지속되는 생체이용률을 보여준다는 증거들이 나타나고 있다.

고리작용이뇨제와 싸이아자이드 유사 이뇨제(하이드로클로로싸이아자이드, 메톨라존, 클로르탈리돈)를 결합하는 것은 네프론 내의 여러 부위에서 나트륨 흡수를 차단함으로써 이뇨저항성을 극복하는 효과적인 경구 요법이 될 수 있다. 최근 이뇨저항성 신증후성 부종 환자를 대상으로 한 소규모 무작위 연구에서 퓨로세마이드(40 mg)와 하이드로클로로싸이아자이드(50 mg) 복합요법과 비교하여 일주일 동안 미리 아세타졸아마이드(250 mg)와 하이드로클로로싸이아자이드(50 mg)를 투여하고 퓨로세마이드를 주었을 때 이뇨 효과가 더 있었다.

신증후군성 소변의 플라스민(plasmin)은 상피나트륨채널(epithelial sodium channnel, ENaC)을 활성화하여 잠재적으로 이뇨 저항성에 기여할 수 있다. 아밀로라이드는 상피 나트륨채널을 차단하여 NS의 부종, 고혈압 치료에 유용한 추가요법이 될 수 있다. 그러나 아밀로라이드의 사용은 무작위 임상시험에서 검증되지는 않았다.

심한 NS에서 이뇨제의 위장에서의 흡수는 장벽의 부종으로 인해 불확실하며, 효과적인 이뇨를 유발하기 위해 정맥 제제가 필요할 수 있다. 정맥 제제에도 둔한 반응을 보이는 경우는 혈관 내 체액 감소 때문에 신경호르몬 및 레닌-안지오텐신 시스템(RAS)이 활성화되었기 때문일 수 있다. 저알부민혈증이 있는 이뇨 저항성 환자의 경우 정맥 제제에 알부민을 추가하여 혈관내 체액, 이뇨 및 나트륨 이뇨를 증대시킬 수 있다. 알부민과 퓨로세마이드 정맥 주사에 관한 여러 연구에서 병용 요법이 일시적인 이득을 보였지만 연구 설계의 차이로 인해 비교가 어려웠다. 정맥 이뇨제 단독 또는 이뇨제 조합의 최대 투여량에 반응하지 않는 이뇨 저항성 환자에서 정맥 알부민을 고려하는 것이 합리적일 것이다. 그러나 NS 환자에서는 투여된 알부민의 대부분이 소변으로 빠르게 배설되며 혈장 알부민 수치에 미치는 영향은 일시적이다. 때때로, 특히 GN에 급성신손상이 동반되는 경우 저항성 부종에 여과나 투석 치료가 필요하다.

2. 고혈압과 단백뇨의 치료

만성콩팥병과 마찬가지로 혈압 조절의 목적은 고혈압으로 인한 심혈관질환으로부터 보호하고 GFR의 점진적인 손실을 지연시키는 것이다. 생활 습관 치료(소금 제한, 체중 정상화, 규칙적인 운동, 알코올 섭취 감소 및 금연)는 혈압 조절을 위한 치료의 필수적인 부분이다.

단백뇨의 감소는 일차 질환의 조절, 사구체 고혈압 및 족세포 손상의 감소를 반영하기 때문에 중요하다. 대부분의 연구는 단백뇨가 0.5 g/d 미만으로 감소되면 조직 손상과 같이 진행되는 신장 기능의 상실을 대게 예방할 수 있다고 하고, 1~1.5 g/d 미만으로 감소되면 진행이 느려진다고 한다. 예외는 미세변화신증후군 및 스테로이드에 듣는 신증후군으로 완전관해 여부가 예후를 결정한다. 단백뇨는 세관 사이질에 독성을 보일 수 있다. NS에서 단백뇨가 신증후군 범위 이하로 감소하면 혈청 알부민이 상승하는데 이는 혈전색전증 및 감염 위험을 줄이고 증상, NS의 대사 합병증을 완화시켜 삶의 질을 향상시킨다.

단백뇨를 줄이는데는 안지오텐신 전환 효소 억제제(angiotensin converting enzyme inhibitor, ACEi) 또는 안지오텐신 수용체 차단제(angiotensin receptor blocker, ARB)가 일차적으로 우선되는데, 특히 환자가 저염식을 준수하는 경우 용량에 비례해서 단백뇨를 최대 40~50%까지 줄일 수 있다. 이 점에서 ACEi와 ARB가 차이가 있다는 증거는 없다. ACEi와 ARB의 병용요법은 추가적인 단백뇨 감소 효과를 보일 수 있지만, 이 조합은 당뇨병 환자를 포함하는 임상연구에서 급성콩팥손상 및 고칼륨혈증의 증가를 보였다. 비당뇨성 사구체질환 환자를 포함하는 대규모 연구에서 직접 입증되지는 않았지만 주의를 요한다는 자료는 충분하다. 단일요법으로도 ACEi와 ARB는 GFR을 낮추고 SCr의 10~20% 증가를 보이기도 한다. SCr이 계속 증가하지 않는 한, 이 정도의 증가는 신장 혈역학에 미치는 영향을 반영하고 내인성 신장 질환을 악화시키지 않으므로 약물을 중단할 필요는 없다. 그러나 환자의 GFR이 빠르게 변하는 경우 ACEi 또는 ARB가 신장 기능을 더 악화시킬 수 있으므로 사용해서는 안 된다. 단백뇨 저하를 위한 약물 투여가 고칼륨혈증으로 인해 제한되는 경우, 칼륨 배설성 이뇨제, 대사산증의 교정 또는 경구 칼륨결합제의 사용으로 대응할 수 있다.

ACEi 또는 ARB 투여에 문제가 있는 경우 직접 레닌 억제제(direct renin inhibitor, DRI) 또는 미네랄로코티코이드 수용체 길항제(mineralocorticoid receptor antagonist, MRA)를 사용할 수 있다. ACEi, ARB와 유사하게 고칼륨혈증 및 GFR 감소는 이러한 약물의 부작용이다. 그래서 검사를 통한 모니터링이 필요하다. DRI와 함께 ACEi 또는 ARB를 병용하는 것은 고칼륨 혈증의 위험이 증가하기 때문에 권장되지 않는다.

일부 환자는 저용량 ACEi, ARB, MRA 또는 DRI조차도 투여가 어려울 수 있다. 이러한 상황에서 혈압조절과

단백뇨 감소를 위해 다른 항고혈압제를 쓸 수 있다. 딜티아젬과 베라파밀과 같은 비디하이드로 피리딘 칼슘 채널 차단제(CCB)는 단백뇨를 적당히 감소시킨다. 베타 차단제, 이뇨제 및 알파 −1 차단제는 단백뇨를 줄이지만 그 정도는 낮다. Dihydropyridine CCB, methyldopa 및 guanfacine은 단백뇨에 거의 영향을 미치지 않으며 심지어 단백뇨를 증가시킬 수도 있다. (혈압 조절에도 불구하고) 소변 단백질의 적절한 감소를 달성하지 못한 환자는 단백뇨를 감소시키는 비 약리적 수단으로 식이 나트륨을 추가로 제한하도록 상담해야 한다.

3. 고지혈증 치료

사구체질환 환자의 고지혈증은 식단의 영향, 환자의 유전적 소인, NS의 존재, 글루코코티코이드, mTOR 억제제, 칼시뉴린 억제제를 포함한 사구체질환 치료의 합병증 등으로 발생한다. NS 환자의 고지혈증 치료는 일반적인 지침을 따르고 동일한 지질 강하제를 사용할 수 있지만 심혈관 질환 감소 또는 삶의 질 향상에 대한 증거는 부족하다. 위험 요인에는 가족력, 비만, 당뇨병, 고혈압, GFR 장애, 지속적인 알부민뇨, 심혈관질환 및 흡연 등이 있다. 고지혈증 치료가 가장 중요한 경우는 GN의 완치가 되지 않는 환자에서 심혈관질환의 다른 위험 요인이 같이 있을 때이다. 고지혈증이 지속되면 죽종 형성이 가속화될 수 있다.

지방과 콜레스테롤의 식이 제한만으로는 사구체질환, 특히 NS의 고지혈증에 대해 최소한의 효과만 있고, 사구체질환에서 생활 습관 변화(식이요법, 운동 및 체중 감소)에 대해서는 연구가 부족하다.

스타틴은 NS의 비정상적인 지질 상태를 적어도 부분적으로 교정하는데, 부작용이 적고 효과적이다. 스타틴 치료로 GFR 감소를 막는데 도움이 되는지는 잘 알려져 있지 않다. 아토르바스타틴이 알부민뇨를 감소시킬 수 있음을 시사하는 연구는 있다. 스타틴을 다른 약물과 함께 사용할 때는 주의가 필요하다. 특히 칼시뉴린 억제제와 함께 사용할 경우 근육통/근염의 위험이 증가한다. NS에서 LDL을 낮추기 위한 에제티미브의 효능에 대해 잘 알려져

있지 않다. 최근의 메타분석에서 이 약의 단일 요법은 권장되지 않는 것으로 결론 내렸다.

4. 응고 항진성 관리

NS에서 동맥 또는 정맥 혈전증의 위험은 특히 진단 후 첫 6개월 이내에 일반 인구보다 높다. 심부정맥 혈전증과 신정맥 혈전증이 가장 흔하다. 폐색전증도 비교적 흔하며 증상 없이 나타나기도 한다. 혈전증은 MN에서 가장 흔하지만 MCD 등 다른 사구체질환에서도 발생한다. 조직 진단, 단백뇨 정도 및 혈청 알부민 <2.5 g/dL이 가장 좋은 예측 인자이다.

추가 위험 요인으로 이전 혈전증, 유전적 소인, 항인지질 항체, 이동 제한, 비만, 암, 임신 또는 수술이 포함된다. 헤파린 또는 그 유도체, 와파린은 이 경우 예방 및 치료에 이용된다.

5. 감염의 예방

NS를 포함한 사구체질환 환자에서는 세균 감염에 대한 주의가 꼭 필요하다. 특히 복수가 동반된 소아 NS 환자에서는 더욱 중요한데, 이 경우 복수에 대한 세균학적 검사를 시행해야 한다. ESR (erythrocyte sedimentation rate)은 도움이 되지 않으나 CRP (c-reactive protein) 상승은 정보로서 가치가 있다. 배양검사 실시 직후 정주 항생제를 시작해야 하는데 폐렴구균을 치료하기 위해서 benzylpenicillin이 포함되어야 한다. 감염이 반복될 경우 혈청 면역글로불린을 측정해야 한다. 만일 IgG <600 mg/dL일 경우에는 정주 면역글로불린 400mg/kg를 한 달에 한 번 투여하여 IgG >600 mg/dL으로 유지하는 것이 도움이 된다는 제한적인 증거가 있다. 면역 억제제를 투여받는 GN 환자는 지역 사회 획득 폐렴, 패혈증 및 기타 전염병 등 다양한 감염 위험이 증가한다.

NS 환자의 경우 침습성 폐렴구균 감염의 위험이 증가하므로 백신을 접종해야 하고(13가 단백 결합 백신을 먼저 접종하고 6~12개월 후 23가 다당류 백신을 접종), 매년 인플루엔자 백신을 접종해야 한다. 스테로이드 사용 중에도 백신의 효과가 감소된다는 증거는 없다. 생백신 접종은 면역억제제 사용 중에는 금기이며 프레드니솔론 용량이 20 mg 미만이거나 면역억제제 중단 후 적어도 1~3개월 이후까지 접종을 연기한다. 보체 길항제를 쓰는 경우에는 수막알균(miningococcal) 백신을 고려한다.

고용량 스테로이드 치료 기간 동안에는 예방적 trimethoprim sulfamethoxazole을 Pneumocystis 감염을 예방하기 위해 투여해야 한다. 이는 리툭시맙과 같은 다른 면역억제제 사용시에도 해당된다.

▶ 참고문헌

- Jentzer JC, et al: Combination of loop diuretics with thiazide-type diuretics in heart failure. J Am Coll Cardiol 56:1527-1534, 2010.
- Kidney Disease Improving Global Outcomes (KDIGO) Glomerular Diseases Work Group: KDIGO 2021 Clinical Practice Guideline for the Management of Glomerular Diseases. Kidney Int 100:S88-S104, 2021.
- ONTARGET Investigators, Yusuf S, et al: Telmisartan, ramipril, or both in patients at high risk for vascular events. N Engl J Med 358:1547-1559, 2008.
- Tangri N, et al: Multinational assessment of accuracy of equations for predicting risk of kidney failure: a metaanalysis. JAMA 315:164-174, 2016.
- Walker PD, et al: Practice guidelines for the renal biopsy. Mod Pathol 17:1555-1563, 2004.

CHAPTER 05 사구체질환의 면역억제 치료제와 생물학적 제제

김예림 (계명의대)

KEY POINTS

● 사구체질환에서 사용되는 면역억제제제로는 스테로이드, 칼시뉴린 억제제, 세포독성 제제 및 생물학적 제제가 있다.

● 스테로이드는 가장 흔하고 광범위하게 사용되는 면역억제제로 다양한 사구체질환에서 유도 및 유지 치료에 사용되며, 칼시뉴린 억제제 및 세포독성 제제는 스테로이드에 병합 혹은 단독으로 사용된다.

● Rituximab은 생물학적 제제의 가장 대표적인 약제로 최근 치료 적응이 점차 넓어지고 있고, 이 외에도 다양한 생물학적 제제의 개발 및 임상 적용이 활발하게 이루어지고 있다.

● 면역 억제제 및 생물학적 제제의 사용에 있어서 면역 저하에 따른 감염에 대한 취약성, 그 외 다양한 부작용에 대해 충분한 인지 및 고려가 필요하다.

스테로이드(Corticosteroid)

1. 개요

스테로이드는 사구체질환에서 가장 흔하고 광범위하게 사용되는 치료제 중 하나로써 가역적으로 T 세포 및 B 세포에 의한 면역 반응을 통해 항염증 및 면역억제 활성을 유도한다. 스테로이드는 소수성 구조를 가지기 때문에 세포 내로 쉽게 이동하여 특정 세포질 단백질과 결합하고, 유전자 전사를 조절하는 세포핵으로의 전위를 촉진한다. 특히, 사구체 및 세관 사이질 손상과 연관되는 인터루킨-2, -6, -8, 종양괴사인자와 같은 전염증 사이토카인의 합성을 억제하는 효과를 통해 항염증 작용을 기대할 수

있다. 또한, 백혈구 이동 및 화학 주성 특성의 변화, 내피세포 기능 조절, 혈관 확장 및 혈관 투과성의 조절을 포함하여 면역 작동 세포에 대한 비전사 면역 조절 효과를 가진다.

2. 적응 질환

스테로이드는 유도 및 유지요법 모두에 사용되는 약제로써 대부분의 사구체 질환의 치료에 적용된다. 특히 신증후군의 임상 표현형을 보이는 일차성 사구체 질환에 유도요법으로 가장 광범위하게 사용되는 약제로 미세변화신증후군, 특발성 국소분절사구체경화증, 막신병증 및 IgA신장병, 루푸스신염, ANCA 혈관염, 급속진행사구체신염 등에

3. 부작용

스테로이드의 광범위한 세포 매개 면역의 저하 효과는 감염에 대한 위험성을 높이게 되며, 특히 고령의 환자에서 이러한 부작용의 위험이 증가한다. 스테로이드는 감염에 대한 위험성 외에도 내당능 장애, 심장 독성, 위장 독성, 근골격계 손상, 외모의 변화, 안과적 손상, 정신과적 부작용 등 다양한 전신 부작용 발생의 위험성이 있다.

스테로이드는 포도당 대사에 영향을 미치는데, 간에서의 포도당 합성을 증가시키고, 말초 조직에서의 인슐린 민감성을 감소시킴으로써 혈당 증가를 유발한다. 이러한 포도당 항상성의 변화는 부신피질호르몬의 용량을 줄이면 다소 약화 되긴 하지만, 약제를 중단하더라도 완전히 회복되지 않는 경우 스테로이드 유도성 고혈당증 혹은 당뇨로 진단하게 된다. 대개 고용량을 사용하는 경우, 아프리카계 미국인, 라틴계 미국인, 고령, 당뇨의 가족력, 대사증후군의 요인을 가지고 있는 경우 그 위험성이 증가하는 것으로 알려져 있다.

근골격계 이상 반응 또한 발생할 수 있는데, 대개 장기간 부신피질호르몬에 노출되었을 때 근위부 위약감, 위축, 근육통을 유발할 수 있고, 약제를 중단함으로써 대부분 호전되나, 회복에는 수개월 이상의 시간이 필요할 수 있다. 스테로이드는 해면골(trabecular bone) 구조에 영향을 미치는데, 장기간 스테로이드에 노출된 환자의 약 10%에서 골절을 경험하는 것으로 알려져 있고, 하루 용량 2.5~7.5 mg부터 골절 위험성이 올라가며, 약제 중단시 빠른 속도로 위험도는 감소하게 된다. 무혈성골괴사는 골밀도와 무관하게 장골 혹은 대퇴골두에 괴사를 유발되는 병으로 스테로이드 사용 후 발생하는 중요한 합병증이긴 하나, 약제 용량과의 상관성은 명확하지 않다.

이 외에도 스테로이드는 안압을 올리고, 백내장을 유발할 수 있으며, 피부가 얇아지고 쉽게 멍이 들고, 상처가 쉽게 낫지 않는 등의 증상을 유발할 수 있다. 드물지 않게 감정의 불안정, 불면증을 경험하며 이러한 증상들은 환자들의 순응도를 떨어뜨리는 중요한 요인이다.

칼시뉴린 억제제(Calcineurin inhibitor)

1. 개요

Cyclosporin과 Tacrolimus는 T 세포 활성화를 하향 조절하여 면역 반응을 억제하는 대표적인 칼시뉴린 억제제로, 두 가지 약제는 서로 다른 세포 내 단백질에 결합하지만, 공통적인 작용 메커니즘을 가지고 있다. 인터루킨-2는 T 세포의 주요 활성화 인자이자 수많은 면역학적 과정에서 T 세포 및 B 세포 활성의 주요 조절자 역할을 한다. Cyclosporin과 Tacrolimus는 칼슘 의존성 T 세포 수용체 신호 전달을 차단하여 T 세포와 항원 제시 세포 모두에서 인터루킨-2와 다른 전 염증성 사이토카인의 전사를 억제한다. 두가지 약제 모두 유사한 면역 반응을 이끌어내지만, 서로 다른 세포내 수용체와의 결합으로 인해 독성학적인 측면에서는 서로 상이한 결과를 보이는 것으로 알려져 있다.

2. 적응 질환

칼시뉴린 억제제는 미세변화신증후군, 국소분절사구체경화증에서 스테로이드 사용이 어려운 경우 투약할 수 있으며, 막신병증의 경우 스테로이드에 병합해서 유지요법으로 투약할 수 있다. 루푸스 신염의 경우 조직 분류에 따라 III, IV, V 에서 유도 및 유지요법으로 투약할 수 있다.

3. 부작용

칼시뉴린 억제제 계열의 약제는 신 독성에 대한 주의가 필요하다. 신장 이식 환자에서 주요 면역억제제로 투약하는 것에 비해, 사구체질환에서 사용시 대개 더 낮은 용량으로 사용하고 있어 이러한 위험이 상대적으로 낮으나 혈중 농도 및 신기능을 적절히 추적하는 것이 필요하다. 최근에는 좀 더 약동학적으로 안정적인 약제의 개발로 인해 고용량 노출에 대한 위험성이 감소하였다.

고혈압의 새로운 발병 또는 악화는 칼시뉴린 억제제 사용의 또 다른 중요한 부작용 중 하나로, 발생률은 10~30%까지 다양하다. 대개 용량 의존적이며 장기적인 신 독성에 영향을 미칠 수 있다. 칼시뉴린 억제제는 포도당 불내성 및 당뇨병을 유발할 수 있으며, 이는 특히 Tacrolimus를 투약하는 경우 더 흔한 것으로 알려져 있다.

모든 면역 억제제와 마찬가지로 칼시뉴린 억제제는 면역 감시에 영향을 미치며 감염 및 악성 종양에 대한 위험성을 증가시킨다. 다만, 사구체 질환에서의 사이클로스포린 관련 악성 종양의 발생률은 다른 자가면역질환에 비해 상대적으로 낮은 것으로 알려져 있다.

칼시뉴린 억제제 중 Cyclosporin은 잇몸 비대 및 다모증을 유발할 수 있는데, 이러한 미용 관련 부작용은 환자의 치료 순응도에 어려움을 줄 수 있다.

세포독성 제제(Cytotoxic agent)

1. Cyclophosphamide

1) 개요

Cyclophosphamide는 사구체 질환 치료에 사용되는 대표적인 알킬화제로써, purine 염기의 알킬화를 통한 DNA 손상을 유발하는 세포독성 제제이다. 이는 B 세포와 T 세포 모두의 세포 사멸 또는 기능 변화를 유도하게 된다.

2) 적응 질환

미세변화형 신증후군(스테로이드 사용이 어려운 경우), 막신병증, 막증식사구체신염, 감염 연관 사구체질환, IgA 신장병, 루푸스신염, ANCA 혈관염, 항사구체기저막항체 질환 등에서 투약할 수 있다.

3) 부작용

남성과 여성 모두에서 불임이 보고된 바 있으며, 일반적으로 사구체 질환 환자의 어린 나이를 고려할 때 가장 우려되는 장기적인 부작용 중 하나이다. 불임에 대한 위험성은 환자의 나이 및 약의 누적 용량과 상관성이 있는 것으로 알려져 있다. 특히, 25세 미만의 환자보다 30세 이상의 환자에서 위험성이 유의하게 높은 것으로 보고되고 있어 상대적으로 나이가 많은 가임기 여성에서 임신을 계획하고 있는 경우 투약 전 주의가 필요하다. 여성 뿐만 아니라 남성에서도 불임 위험이 상당히 높으며, 역시 약제의 누적 용량과 상관성이 있는 것으로 알려져 있다.

다른 주요 부작용 중 하나는 악성 종양 발생에 대한 위험이다. 약물 노출과 암 발생 사이의 긴 간극으로 인해 과거에 상대적으로 과소평가 된 바 있다. 잠복 기간이 평균 6.9~18.5년으로 환자는 투약이 종결되더라도 상당한 기간 악성 종양 발생에 대한 검사를 받는 것이 필요하다. 더불어 cyclophosphamide의 기본적인 투약 과정이 상당히 장기적인 점을 고려한다면 훨씬 더 낮은 노출 한도에서의 독성 가능성을 염두에 두어야 한다.

또한, cyclophosphamide는 백혈구 감소를 유의하게 일으키는 것으로 보고되었고, 이로 인해 감염에 대한 위험 또한 높은 것으로 알려져 있다. 이 외에도 탈모 및 출혈성 방광염을 일으킬 수 있다. 따라서, 치료를 시작하기 전 이러한 다양한 부작용에 대해 미리 인지하고 적절한 조치를 병행하는 것이 치료 유지에 필수적이다.

2. Mycophenolate acid

1) 개요

Mycophenolate acid (MPA)는 림프구 분열에 필요한 de-novo purine 합성에 관여하는 중요한 효소인 inosine monophosphate dehydrogenase의 가역적 억제제이다. 림프구는 purine 생성을 위한 구제 경로가 없어서 RNA와 DNA를 생성하기 위해 de-novo purine 합성에 의존하기 때문에 MPA의 투약은 림프구 대사에 영향을 미치며, 림프구에 선택적 특성을 가진다. 따라서 모든 분열 세포에 영향을 미치는 다른 알킬화제와 비교하여 상대적으로 낮은 독성을 가진다. MPA는 T 및 B 세포에 대한 효과 외에도 섬유아세포의 증식, 활성 및 내피 기능에 영향을 미칠 수 있다.

2) 적응 질환

미세변화형신증후군, 국소분절사구체경화증, 막신병증 등의 사구체 질환에서 스테로이드 보존요법 혹은 병합요법으로 투약할 수 있고, 루푸스신염에서 스테로이드에 병합하여 투약할 수 있다.

3) 부작용

MPA는 메스꺼움과 구토, 설사 등의 상/하부 위장관 증상을 모두 보일 수 있다. 이러한 부작용은 cyclophosphamide보다 흔하게 발생하며, 대개 치료 초기에 호발하는 경향이 있고, 시간이 지남에 따라 호전되는 양상을 보인다.

다른 항대사제제와 마찬가지로 MPA는 백혈구 감소증 및 빈혈을 포함한 혈액학적 합병증을 유발할 수 있다. 또한, 가임 능력에 영향을 주지는 않으나 기형 발생 위험을 높이고, 유산의 위험을 높이므로 가임기 여성에서 사용할 때 주의가 필요하다.

3. Azathioprine

1) 개요

Azathioprine은 림프구 분열에 필요한 de-novo purine 합성에 관여하는 중요한 효소인 inosine monophosphate dehydrogenase의 억제제로서 B 및 T 림프구의 수준을 저하시키고 면역 글로불린 합성을 유발한다.

2) 적응 질환

루푸스신염 및 ANCA 혈관염에서 투약할 수 있다.

3) 부작용

메스꺼움과 구토를 포함한 위장관 부작용이 흔하고, 이는 치료 중단의 주요 원인 중 하나이다. 또한, 간독성 및

췌장염의 발생 위험이 있고, 용량 의존적 골수 억제 위험이 있다. 특히, 이는 thiopurine methyl transferase (TPMT) 수치가 낮은 환자에서 심각하게 발생할 수 있다. 마찬가지로, 알로퓨리놀은 약물 축적을 유발하고 심각한 골수 억제를 초래할 수 있어 병용시 주의가 필요하다. 다른 면역 억제제와 마찬가지로, 백혈구 감소증은 감염의 발생 위험을 증가시키며, 악성 종양, 특히 피부암의 위험이 증가하는 것으로 알려져 있다.

생물학적 제제(Biologic agents)

1. Rituximab

1) 개요

Rituximab은 biologic agent 중 가장 흔하고 광범위하게 사용되는 약제로 Pre-B, Immature B, Mature B, Activated B 세포의 표면에 발현되는 CD20 항원에 대한 단일 클론 항체이다. B 세포는 항원 제시 및 사이토카인 방출과 같은 면역 조절 세포로서 중요한 역할을 하는 것으로 알려져 있고, 이들의 제거는 T 림프구, 수지상 세포 및 대식세포와 같은 다른 면역 세포에 영향을 줄 수 있어 다양한 면역억제 효과를 기대할 수 있다. 현재까지 자가 면역 질환, 특히 사구체질환에서 항-CD20 항체의 정확한 작용 메커니즘은 명확하지 않다. 다만, Rituximab은 여러 사구체 질환에서 보체 의존적 세포 독성을 통해 표적 세포의 세포 용해를 유발함으로써 항체 의존성 세포 독성을 매개한다는 것으로 알려져 있다.

2) 적응 질환

Rituximab은 다양한 사구체 질환에서 투약할 수 있으며, 특히 막신병증 및 ANCA 혈관염의 경우 병태생리학적 요인인 B 세포 및 항체 생성 과정에서 관여함으로써 치료 효과를 기대할 수 있다. 또한, 직접적인 면역 연계 질환이 아니더라도 B 세포 제거에 따른 T 세포의 억제, T 조절 세포의 복원, B 조절 세포의 활성화, 그리고 족세포에 대한

직접적 작용을 통해 신증후군에서 단백뇨의 소실을 이끌어낼 수 있다.

3) 부작용

투약 직후 발생할 수 있는 급성 부작용으로 피부 발진, 가려움증, 홍조, 메스꺼움, 구토, 피로, 두통, 현기증, 고혈압 등의 경미한 반응부터 아나필락시스와 쇼크, 부정맥, 호흡부전, 신장 손상과 같은 심각한 반응 또한 드물게 나타날 수 있다. 지연된 부작용으로는 혈청병과 B형 간염 및 잠복성 바이러스 감염의 재활성화 등의 위험이 증가할 수 있다. 항체 형성에 미치는 영향을 감안 할 때, Rituximab을 투약하는 동안 생백신 예방 접종은 피해야 한다.

2. Eculizumab

1) 개요

Eculizumab은 대체 보체 경로 활성화에 대한 내인성 억제제의 기능 장애를 특징으로 하는 질병에 사용하기 위해 만들어진 항-C5 단일 클론 항체이다. 이는 C5 전환효소에 의한 C5 분해를 억제함으로써 C5a 생성을 억제하고, 막공격복합체(membrane attack complex)의 형성을 저해하는 역할을 한다.

최근 Eculizumab 외에도 보체 경로의 C5a에 직접적인 작용을 하는 약제인 Avacopan이 개발되어 ANCA 혈관염 치료에 긍정적인 결과를 보인 바 있다.

2) 적응 질환

보체 경로가 주요 병인으로 작용하는 질환들에서 투약 가능하며, 비정형 용혈요독증후군 및 ANCA 혈관염에서 사용될 수 있다. 이외에도 C3 신병증 및 혈전혈소판감소자색반병 (thrombotic thrombocytopenic purpura, TTP)에서도 투약이 가능하다.

3) 부작용

전반적으로 eculizumab은 큰 부담없이 투약할 수 있는 약제이지만, Neisseria meningitides와 같은 박테리아에 의한 감염 위험이 증가할 위험성이 있다.

3. BAFF inhibitor

1) 개요

BAFF (B-cell activating factor)는 B lymphocyte stimulator (BLyS)로 불리는데, 대개 monocyte, macrophage, activated T 세포에서 발현되며, B 세포의 생존, 분화, 성숙, 면역 글로불린의 분화, 항체 형성 등을 조절하는 역할을 담당한다. BAFF는 단독으로 작용하는 경우도 있으나, APRIL (a proliferation inducing ligand)와 결합하는 형태로도 작용한다. 대표적인 BAFF 억제제인 belimumab은 soluble BAFF의 억제제로 BAFF 신호체계를 억제함으로써 B 세포의 사멸을 유도한다. 또다른 BAFF 억제제인 Blisibimod는 soluble BAFF 및 막결합 BAFF 모두를 억제하는 특징을 가지고 있고, Atacicept의 경우 BAFF 와 APRIL을 동시에 억제하는 특징을 보인다.

2) 적응 질환

Belimumab은 루푸스 신염, 막신병증, ANCA 혈관염 등에 투약 가능하며, Blisibimod 및 Atacicept의 경우 루푸스신염 및 IgA신장병 대상으로 임상시험이 진행되고 있다.

3) 부작용

구역, 구토, 발열 등의 경미한 부작용 및 주사제 투약에 따른 주입 부작용 등이 나타날 수 있다. 장기적인 투약에 있어 진행성 다초점 백질뇌병증(progressive multifocal leukoencephalopathy, PML) 및 암성 질환의 발생 위험이 증가하는 것으로 보고되고 있다.

▶ 참고문헌

• Brenner BM, et al: Brenner and Rector's The Kidney (vol. 1), 11th ed, edited by Yu ASL, Chertow GM, Luyckx VA, Marsden PA, Skorecki K, Taal MW, Elsevier, 2019, pp1165–1177.

- Chen M, et al: Complement in ANCA-associated vasculitis: mechanisms and implications for management. Nat Rev Nephrol 13:359–367, 2017.
- Isenberg D, et al: Efficacy and safety of atacicept for prevention of flares in patients with moderate-to-severe systemic lupus erythematosus (SLE): 52-week data (APRIL-SLE randomised trial). Ann Rheum Dis 74:2006–2015, 2015.
- Jayne D, et al: Efficacy and Safety of Belimumab and Azathioprine for Maintenance of Remission in Antineutrophil Cytoplasmic Antibody-Associated Vasculitis: A Randomized Controlled Study. Arthritis Rheumatol 71:952–963, 2019.
- Kidney Disease: Improving Global Outcomes (KDIGO) Glomerulonephritis Work Group: KDIGO Clinical Practice Guideline for Glomerulonephritis. Kidney Inter Suppl 2:139–274, 2012.
- Lech M, et al: The pathogenesis of lupus nephritis. J Am Soc Nephrol 24:1357–66, 2013.
- Merrill JT, et al: Phase III trial results with blisibimod, a selective inhibitor of B-cell activating factor, in subjects with systemic lupus erythematosus (SLE): results from a randomised, double-blind, placebo-controlled trial. Ann Rheum Dis 77:883–889, 2018.
- Noris M, et al: STEC-HUS, atypical HUS and TTP are all diseases of complement activation. Nat Rev Nephrol 8:622–33, 2012.
- Ruggenenti, et al: Treatment of membranous nephropathy: time for a paradigm shift. Nat Rev Nephrol 13:563–579, 2017.
- Sinha, et al: Rituximab therapy in nephrotic syndrome: implications for patients' management. Nat Rev Nephrol 9:154–69, 2013.

제 **5** 부

사구체질환

CHAPTER

06 IgA 신병증과 IgA 혈관염

임천규 (경희의대)

KEY POINTS

● 병인과 임상에서 갈락토스결핍 IgA1과 그에 대한 항체의 의미가 확실히 정립되었다.

● 옥스포드 병리소견 분류가 새로 소개되었고 이를 이용한 연구 결과들을 소개하였다.

● 스테로이드 치료에 관한 대규모 임상 연구 STOP-IgAN, TESTING 연구들의 결과와 의미를 소개하였다.

● 임상과 병리 소견을 종합한 맞춤 치료법을 고찰하였다.

● 부데소나이드 등의 새로운 치료법을 소개하였다.

IgA 신병증

IgA 신병증(IgA nephropathy)은 사구체 메산지움에 IgA가 침착되는 사구체질환으로서 1968년 처음 보고되었다. 지금은 가장 흔한 사구체질환이 되었으며, 장기적으로 서서히 말기신부전으로 진행되는 중요한 원인질환 중 하나로 자리 잡았다. 그동안 활발한 연구들 덕분에 임상 양상과 병인 및 치료에 관해 많은 사실들이 밝혀져 왔다.

1. 역학

IgA 신병증은 지역 간 인종 간 차이가 있어서 우리나라를 비롯해 일본, 홍콩, 호주, 핀란드, 남부 유럽 등에서 비교적 높은 유병률을 보인다. 발병률은 인구 백만 명당 25

명 이상이며, 유병률은 프랑스에서 1천 명당 2.4명이고, 신생검이 활발한 우리나라와 일본에선 더 높다. 한편 건강한 사람에서도 3~16%까지 신생검상 IgA 침착이 보고되는데 이것이 단순한 현상인지, 잠복기 상태인지는 확실치 않다.

IgA 신병증은 우리나라에서 사구체질환의 22~39%를 차지하며 계속 증가되고 있다. 또한, 혈뇨나 경한 단백뇨가 있으나 신생검을 시행하지 않거나, 이미 만성신부전으로 진행된 경우들에서도 IgA 신병증이 많을 것으로 추정된다. IgA 신병증은 전 연령층에서 발생할 수 있으나 10대와 20대에 주로 발병하여 15~25세에 28.9%, 25~35세에 28.1%라고 조사되었다. 성별은 외국에서는 2:1로 남자가 많으나 국내에선 남녀 차이가 없다.

2. 병인

지금까지 IgA 신병증의 병인에 관한 많은 연구들의 결과로 표 5-6-1과 같이 여러 기전이 밝혀져 왔다. 요약하면, 점막 면역을 통해 감작된 특정 B 림프구들이 골수로 전파되어 갈락토스가 결핍된 IgA1 (galactose-deficient IgA1; Gd IgA1)을 생성하고 이에 대한 자가항체가 생산되어 면역복합체가 형성된다. 이들이 메산지움에 침착하여 면역매개물질의 활성화로 메산지움증식사구체신염이 완성된다.

표 5-6-1. IgA 신병증의 병인

1) 유전적 경향
2) 점막 면역 이상에 의한 IgA1의 생산조절 장애
3) 갈락토스 결핍 IgA1 발생과 이에 대한 자가항체 생산
4) 면역복합체의 메산지움 침착과 염증 손상

1) 유전적 영향

IgA 신병증도 유전적 영향이 질환 발병의 배경이 된다. 일부 가계에서 IgA 신병증이 발생함이 보고됐고, 환자들의 친지들에서도 혈뇨가 나타나고 30~40%에서 환자들에서와 같이 Gd IgA1의 혈청 수치가 증가되어 있음이 관찰되었다. 또한 지금까지 많은 유전자의 다형성이 발병 또는 진행과 관련된다는 보고가 있어왔다. B세포 발달에 중요한 APRIL (a proliferation inducing ligand), 보체 factor H, IgA의 O-galactosylation 에 관여하는 효소 β-1, 3-galactosyltransferase (C1GALT1)의 유전자 다형성 등이 그 예이다. 염색체 6p의 MHC 부위와 IgA 신병증의 강한 연관성을 관찰하고, 이 신호는 HLA-DQ를 중심으로 일어난다고 발표한 연구들도 있다. 대규모 연구에서도 장내 병원체에 대한 면역반응과 관련된 부위가 발견되었다. 이처럼 위험 또는 저항의 유전자 부위들이 항원의 processing이나 소개 및 적응 면역에 영향을 주리라 판단되며, 이러한 유전자들의 변이와 환경 요인들의 상호작용으로 질환이 발생한다고 생각된다.

2) 점막 면역 이상에 의한 IgA 생산 조절 장애

환자들에서 특징적으로 상기도 감염과 함께 육안적 혈뇨가 나타나는 경우가 많다. 이때 감염 수일 후 polymeric IgA1이 증가한다. 그리고 여러 감염원들이나 음식 항원들이 원인으로 제시됐다. 환자들의 말초혈액과 골수에서 IgA 특정 helper T 림프구, IgA의 Fc수용체(Fcα)를 가진 CD4(+) T 림프구, IgA1과 IgA1 함유 면역복합체가 증가되어 있고, 이를 매개하는 세포인자인 인터루킨(IL)-2, IL-4, IL-5, IL-6와 인터페론 감마, transforming growth factor 등의 분비가 증가됨이 보고되었다. gut-associated lymphoid tissue (GALT)가 장내 병원체에 대한 면역반응으로 IgA를 과다 생산하는 중요 부위라는 주장도 있다. 또한 혈중의 B cell-activating factor (BAFF)와 TNF ligand superfamily의 하나인 a proliferation-inducing ligand (APRIL)가 증가되어 있는데 질환의 심한 정도와 연관되어 있음이 보고되었다. 이들은 B세포의 IgA 생산으로의 전환을 증가시키는 역할을 한다.

그러나 IgA의 증가가 나타나는 IgA myeloma 등에서 IgA 신병증의 발병이 없다는 점으로 보아 이러한 IgA1의 증가만으로 병인을 설명할 수는 없다.

소위 '점막-골수 축' 이론에 따르면, 점막 면역에서의 장애로 항원에 대해 감작되고 활성화된 특정 B 림프구들이 형질세포로 분화한 뒤 전신 순환계를 거쳐 mistrafficking으로 골수에 위치하여 polymeric IgA1을 생산함으로써 질환이 발생한다고 요약된다. IgA 신병증으로 인한 말기신부전 환자에게 이식된 정상 신장에서 IgA 신병증이 재발하고, IgA 신병증 환자의 신장을 다른 원인에 의한 말기신부전 환자에게 이식하면 사구체의 IgA 침착이 없어진다는 점은 IgA 신병증은 신장 외의 전신적인 요인에 의해 발병한다는 점을 말해준다. 특히 골수이식에 따라 IgA 신병증이 전이됨을 관찰함으로써 다름 아닌 골수줄기세포 질환이라고 주장된다.

3) 비정상적인 IgA 구조와 이에 대한 자가항체 생산

IgA 신병증 환자들의 IgA1이 jakalin에 대한 결합능이 저하되어 있음이 관찰되고, IgA1의 hinge 부위의

O-linked glycan이 갈락토스 부착이 되지 않은 N-acetylgalactosamine 형태임이 1992년 처음 보고되었다. 그 후 많은 연구들을 통해 이 결함이 기본적인 병인으로 인정받고 있다. 약 75%의 환자들에서 혈청 Gd IgA1이 증가되며, 사구체에 침착된 IgA1에서도 같은 소견이 관찰되었다. 그 원인으로 B세포에서의 효소 C1GalT1의 활성 감소와 이 효소의 안정화에 필요한 chaperone의 감소가 보고되었다. 또한 toll-like receptor (TLR) 9를 통한 선천 면역계도 편도선의 APRIL 발현을 유도하여 Gd IgA1의 생산을 증가시킨다. 이 Gd IgA1은 서로 응집되기 쉽고, 메산지움의 세포외기질에 부착이 잘 될 수 있으며, 구조적인 변형으로 항체생산의 되먹임 기전에 인지되지 않아 생산이 억제되지 못하고 청소율이 감소된다.

두 번째 단계로서 이 비정상적인 Gd IgA1에 대한 IgG 또는 IgA 자가항체가 생성되어 면역복합체를 형성함으로써 전형적인 자가면역 형태를 보인다. 이 특정 IgG의 혈청 수치가 진단적 가치가 있고 단백뇨의 정도 또는 말기신부전으로의 진행과 연관되어 있음이 보고되었다. 나아가서 이 IgG heavy chain의 variable region에 돌연변이가 일어나 alanine이 serine으로 치환된 사실도 관찰되었다. 한편 바이러스나 박테리아가 표면에 N-acetylgalactosamine을 발현함으로써 상호작용 때문에 이 자가항체의 형성을 쉽게 할 수 있다는 가설도 있다. 그러나 모든 환자의 조직에서 IgG가 관찰되지 않는다거나 보체가 전형적 보체 경로에 맞지 않는 점, 모든 환자에서 Gd IgA1이 관찰되지 않는 점, 또 이것이 유전적 결함이라기보다는 면역반응 과정에서의 변형 때문이라는 주장까지 아직 해결되어야 할 과제들이 남아있다.

4) IgA 함유 면역복합체의 메산지움 침착과 손상

Gd IgA1은 transferrin 수용체(CD 71)를 통하거나 IgG와의 면역복합체 형태로 메산지움에 침착할 수 있다. 메산지움의 세포외기질인 fibronectin이나 콜라겐에 부착될 수도 있다. 면역침착 후의 메산지움 손상은 다른 사구체질환과 같다. Polymeric IgA의 침착은 대체 경로와 lectin 경로의 보체 활성화를 일으키는데 이는 질환의 심한 정도와

관련이 있음이 밝혀졌다. 한편 IgA는 보체 활성화 능력이 약하므로 IgA-IgG 복합체의 IgG에 의한 보체 활성화가 중요하다는 주장도 있다. 또한 polymeric IgA의 침착으로 세포성장인자, 접착분자, 단백분해효소 및 화학주성인자 등의 생산 증가가 일어나서 메산지움 손상이 야기되고 메산지움 세포와 발세포 사이의 cross-talk가 일어나 발세포 손상으로 이어진다고 설명된다.

3. 병리학적 소견

IgA 신병증의 진단적인 소견은 면역 형광 검사상 IgA가 과립상으로 메산지움에 현저하게 침착되는 것이다(그림 5-6-1). 특히 polymeric IgA1이 lambda light chain과 함께 침착된다. 과반수에서 IgG 또는 IgM이 동시에 침착되며 거의 모두 C3가 함께 침착되나 C1q는 드물다. properdin이나 factor H도 침착되어 있음이 관찰된다. 이는 대체 또는 lectin 경로의 보체 활성화를 반영하는 소견들이다.

광학현미경의 전형적인 소견은 메산지움증식사구체신염으로서 메산지움의 세포증식과 기질 확장이 주가 된다. 메산지움의 세포증식만 경하게 관찰되기도 하지만 국소(focal) 또는 광범위(diffuse) 증식사구체신염, 심하면 국소 괴사나 초승달 병변소견까지 보인다. 일부에선 이미 만성 사구체 경화증 소견을 보이거나 혈관경화증과 간질의 단핵구 침윤, 섬유화증 및 세관 위축이 관찰된다.

전자현미경에서 메산지움 또는 메산지움 주위(paramesangial)의 기저막 밑에 큰 전자 고밀도 침착들이 관찰되는 것이 특징이다. 일부에서는 국소적인 내피 밑의 침착도 관찰된다.

단백뇨가 심한 환자들에서는 족돌기의 융합(fusion, effacement)이 동반된다. 신증후군을 보이는 환자들의 병리소견은 광범위 증식사구체신염 형태이거나 IgA 침착과 미세변화 신증후군의 병존 형태로 관찰된다.

한편 병리소견은 임상 양상의 반영이나 예후 판정에 도움이 된다. 현재 주요 분류가 된 옥스포드 분류는 표 5-6-2와 같다. 이를 바탕으로 한 예후 및 치료효과에 대한 임상 연구들이 계속되고 있다.

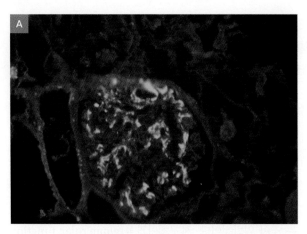
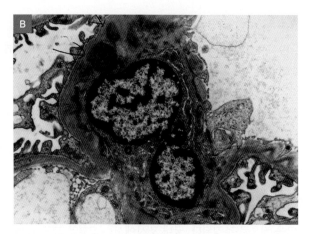

그림 5-6-1. **(A)** IgA 신병증의 면역형광 소견 및 **(B)** 전자현미경 검사 소견. 사구체 메산지움에서의 IgA와 전자고밀도 침착.

표 5-6-2. 옥스퍼드 병리소견 분류

- **M**esangial hypercellularity M0/M1 (≤50% of glomeruli with <4 mesangial cells/mesangial area/>50% of glomeruli with ≥4 mesangial cells/mesangial area)
- **E**ndocapillary hypercellularity E0/E1 (absent/present)
- **S**egmental glomerulosclerosis S0/S1 (absent/present)
- **T**ubular atrophy/interstitial fibrosis T0/T1/T2 (<25, 25~50, >50%)
- **C**rescent: cellular or fibrocellular crescents C0/C1/C2 (absent ,< and ≥ 25% of glomeruli)

4. 관련 질환

IgA 신병증과 IgA 혈관염(Henoch-Schönlein 자반증)은 동일 질환이라는 주장이 있다. 한 가족 내 특히 일란성 쌍생아의 다른 개체에서 두 질환이 존재한다거나, 한 환자에서 다른 시기에 각각 나타나는 점, Gd IgA1과 그 자가항체 등의 면역학적 이상이 같은 점 등은 전자의 주장을 뒷받침한다. 한편 IgA 신병증은 만성적으로 서서히 진행되는 사구체질환인 데 반하여, IgA 혈관염은 주로 청소년에서 급성으로 자색반 등의 전신질환 형태로 잘 나타난다. 그 밖에 간경변, Celiac disease, HIV 감염, 크론병, 강직성 척추염, 건선, dermatitis herpe tiformis, 단클론 IgA gammopathy 등의 질환에서 IgA 침착이나 IgA 신병증이 동반됨이 보고되어 왔다.

5. 임상 양상

IgA 신병증 환자들의 40~50%에서 관찰되는 주된 임상 양상은 상기도 감염과 함께 나타나는(synpharyngitic) 육안적 혈뇨이다. 특히 청소년기 환자들에서 잘 나타나며, 이때 감기와 같은 전신증상이나 옆구리 통증 등이 동반된다. 일부에선 급성신부전을 일으키기도 하지만 대부분 회복된다.

다음으로 많은 증상은 30~40% 환자들에서 무증상으로 현미경적 혈뇨가 단독 또는 경한 단백뇨와 함께 발견되는 경우로 주로 30세 이상의 성인에 많다. 일부에서 고혈압이 나타나는데 고혈압과 현미경적 혈뇨가 있으면 IgA 신병증이 가장 흔한 원인질환이라는 분석도 있다. 일부에선 육안적 혈뇨가 반복 발생하고 그사이에 현미경적 혈뇨와 단백뇨가 지속되기도 한다. 그 밖에 10% 이하의 환자들에서 급성사구체신염이나 신증후군, 또는 일부에서 급속

표 5-6-3. IgA 신병증의 대표적 증례들

(1) 17세 남자. 인후염 2일 후 콜라 색깔의 육안적 혈뇨와 근육통. 소변 검사상 다수의 적혈구와 단백뇨.
(2) 34세 여자. 종합검진에서 소변 검사상 다수의 적혈구와 단백뇨 (1+) 관찰. 혈압이나 혈청 크레아티닌 정상. 신우 조영술과 초음파 검사상 신장과 요로의 구조는 정상.
(3) 23세 여자. 부종. 소변 검사상 혈뇨와 하루 4.5 g의 단백뇨. 신기능은 정상.

진행사구체신염의 양상을 보이기도 한다. 또한 모르고 지내다가 진단 당시 이미 말기신부전으로 진행된 예도 적지 않을 것으로 추정된다. 국내 조사에서는 고혈압 27%, 육안적 혈뇨 38%, 신증후군 범위 단백뇨 25%, 신부전 20%로 나타났다. 따라서 신증후군 범위의 단백뇨를 보이는 환자의 원인질환을 알아볼 때도 이 IgA 신병증의 가능성이 크다는 사실을 염두에 두어야 한다. 표 5-6-3에서는 임상에서 접하는 대표적인 증례들을 예시하였다.

6. 검사실 소견

환자들의 소변검사에서 사구체 혈뇨를 반영하는 이형 (dysmorphic) 적혈구가 50%까지 관찰된다. 혈청 IgA가 IgA 신병증 환자들의 33~50%에서 증가되어 있지만, 진단적 가치는 없다. 혈청 보체는 정상범위인 점으로 보아 보체 활성화는 신장에서만 일어나고 전신적인 반응은 미약함을 알 수 있다. 일부에서 혈중 IgA-fibronectin 응집체 수치가 증가되거나 IgA 면역복합체나 IgA류마치스양 인자와 IgA 항중성구 세포질 항체가 발견될 수 있다. 피부 모세혈관에서도 IgA 침착이 관찰될 수 있다.

한편 Helix aspersa lectin을 이용한 혈중 Gd IgA1의 측정이나 dot-blot 분석을 통한 혈청 Gd IgA1 특정 IgG 항체 측정이 진단과 예후 판정에 유용할 것으로 제시되었고, 단클론항체를 이용한 ELISA 방법으로 하는 GdIgA1 측정이 임상에서 이용되고 있다.

7. 예후와 예후 인자

IgA 신병증은 장기간 서서히 진행하는 비교적 예후가 좋지 않은 질환이다. 자연 관해가 오는 경우는 4% 정도로 드물다. 현미경적 혈뇨와 단백뇨가 질병 경과 중에 지속되는 것이 일반적이다. 사구체여과율(glomerular function rate, GFR)의 감소 속도는 1~3 mL/min/년으로 완만하다.

말기신부전으로의 진행은 매년 1~2%씩 10년 후엔 10~20%, 20년 후엔 20~30%이며, 결국 약 40% 이상의 환자들이 말기신부전에 이른다고 알려져 있다. 말기신부전으로 진행되는 위험한 예후인자로는 진단 당시 신기능 감소, 지속적인 단백뇨, 고혈압, 남자, 고령, 육안적 혈뇨가 없는 경우, 조직 소견에서 사구체경화증이나 간질 섬유화가 있는 경우 등이다. 단백뇨는 1년 후 또는 달성된 단백뇨가 하루 1 g이냐를 기준으로 예후가 달라진다. 말기신부전의 발생 위험이 1일 1 g 이상이면 1 g 미만의 9배, 0.5 g 미만보다 46배나 높았다. 이는 1 g 넘는 정도의 단백뇨로는 예후가 좋은 막신병증의 경우와 대비가 된다. 흥미로운 것은 1일 0.5~1 g도 0.5 g 미만보다 9배나 위험이 컸다는 사실이다. 나아가서 신기능 저하와 단백뇨 1일 1 g 이상이 동반되면 10년 후 투석 받을 가능성이 46%에 달한다는 보고도 있다.

조직 소견들 중 간질 섬유화와 사구체 경화증이 있는 경우 예후가 좋지 않다. VALIGA (The Validation Study of the Oxford Classification for IgA Nephropathy)의 연구에 따르면, 최장 35년까지 장기간 관찰한 결과, 이러한 조직 소견과 신부전으로의 진행 위험 사이에 연관성이 확인되었다. 특히, M1과 S1, T1-T2 병변은 모든 연령에서 신부전으로의 진행과 관계가 있었다. 다변량 선형 회귀 분석에서는 T1-2가 eGFR 감소와 관련이 있었다. 또 면역요법을 받은 적이 없는 환자들에서는 C도 관련이 있었다. 다른 연구에서는 C4d 침착이 임상 예후와 연관되어 있음이 관찰되었다. 예후를 판단할 때 임상 양상과 조직 소견을 함께 고려하면 정확성이 높아진다. 한 보고에 의하면 고혈압, 1일 단백뇨 1 g 이상, 심한 병리학적 소견의 세 가지 위험인자가 모두 있는 환자들에선 20년 신생존율이 36%로서 하나도 없는 환자들의 96%에 비해 나빴다.

한편 혈뇨만 있고 단백뇨가 없거나 1일 0.5-1.0 g 미만인 경증의 IgA 신병증 환자들은 대부분 예후가 좋다. 그러나 이 환자들의 약 20~30%에서 평균 9년 후 단백뇨나 고혈압 또는 신기능 저하가 나타난다는 보고가 있으므로 이 환자들에서도 추적 관찰이 반드시 필요하다.

임신하는 경우엔 GFR < 70 mL/min 또는 혈청크레아티닌 > 1.4 mg/dL이면 신기능 저하의 위험이 크다.

IgA 신병증 재발은 신이식 후 5년은 30~50%에 평균 5년 뒤 재발한다. 이 재발이 신기능에 영향을 미치지 않으리라고 생각되어 왔으나, 8년이 지난 뒤에는 약 5%에서 신기능 소실이 일어난다는 사실이 보고되었다. 재발의 위험 요소로는 생체 친족 간 이식, HLA B35 등 특정 HLA allele, 스테로이드 중단 등이 있다. 특히 혈청 내 Gd IgA1이나 그에 대한 IgG 항체가 재발 위험과도 연관됨이 보고되었다.

8. 치료

IgA 신병증에서 병인을 근본적으로 치료함이 바람직하지만, 많은 임상 연구들에 의하여 증상에 따른 치료법들이 KDIGO 지침 가이드라인 등으로 소개되어 있다.

먼저 단백뇨량이 1일 0.5~1 g 이상인 모든 IgA 신병증 환자들에서는 안지오텐신 전환효소(ACE) 억제제나 안지오텐신 수용체 차단제(ARB)를 투여함이 바람직하다. 단백뇨 감소 효과의 극대화를 위해 이 약제들을 적정량으로 증량한다. 혈압 목표는 130/80 mmHg 이하이며, 단백뇨 1일 1 g 이상이면 125/75 mmHg이다. 한 연구에 따르면 ACE 억제제 투여로 단백뇨의 감소 효과는 물론, 신생존율이 92%로서 대조군의 55%에 비해 유의하게 높았다. 또한 ARB도 같은 효과가 보고되었다. 한편 ACE 억제제와 ARB를 병용 투여함에 대해서는 논란이 남아있다. 다른 대상군으로

시행한 ONTARGET 연구에서는 신기능 악화로 이 병합치료를 권유하지 않았다. 그러나 상대적으로 젊은 연령층으로 심혈관질환의 위험이 낮은 IgA 신병증 환자들에서는 그 결과가 다를 가능성도 있다.

다음으로 3~6개월 동안 이상의 치료로도 단백뇨가 1일 1 g 이상으로 지속되는 경우엔 혈청 크레아티닌 < 1.5 mg/dL 또는 GFR > 50 mL/min으로 비교적 신기능이 보존되어있으면 6개월 동안의 스테로이드 요법이 사용된다. 또한 조직적으로 활동성 병변일 때도 도움이 될 수 있다.

한 연구에 따르면 혈청 크레아티닌 < 1.5 mg/dL, 단백뇨 1일 1~3.5 g인 환자들을 대상으로 6개월 동안 메틸프레드니솔론 충격주사요법과 격일 프레드니손 0.5 mg/kg 복용을 격월로 시행한 후 10년 동안 추적 관찰하였을 때, 단백뇨 감소는 물론 혈청 크레아티닌이 2배로 증가되지 않는 신생존율이 97%로서 대조군의 53%에 비해 신기능 보존 효과가 있었다. 9개의 무작위 연구들을 포함하는 메타 분석 연구 결과에서도 스테로이드 치료가 신기능 소실을 의미있게 감소시켰다. ARB나 ACE억제제에 스테로이드를 병용 투여한 연구들에서도 그 효과가 좋았다.

이어서 시행된 STOP-IgAN (Supportive Versus Immunosuppressive Therapy of Progressive IgA Nephropathy) 연구에서는 eGFR ≥30 mL/min/1.73 m이고 6개월의 보존요법으로도 단백뇨 1일 0.75~3.5 g인 환자 162명을 무작위로 두 군으로 나눠 치료한 결과 스테로이드 요법 군에서 단백뇨 감소 효과가 나타났으나 신기능 변화는 차이가 없었다. 그 대신 감염과 당 내성 등의 부작용이 많았다. 이어서 비슷한 연구인 TESTING 연구(Therapeutic Evaluation of Steroids in IgA Nephropathy Global study)는 스테로이드 군의 심각한 감염 부작용으로 조기 종료되었다. 그러나 신기능 소실은 스테로이드 치료군에서 적었다(5.9 vs. 15.9 %). 따라서 두 연구에서도 스테로이드 치료의 효과는 있었으나 감염 등의 부작용 문제가 역시 대두되었다.

문제는 진행성으로 신기능이 악화되는 환자들인데, 일부 긍정적인 효과를 보고한 연구결과가 있으나 장기적인 치료효과는 좋지 않다. 세포독성 약제와 스테로이드를 병

용 투여한 연구 결과 단백뇨 감소 효과와 함께 5년 신생존율이 72%로서 대조군의 6%에 비해 높았다. 그러나 감염이나 당뇨병, 골수 억제 등의 약제에 따른 심각한 부작용이 문제였다. 면역요법은 특히 신기능 소실이 진행되기 전 조기 치료함이 중요하다. 혈청 크레아티닌 2.5 mg/dL을 불가역적인 지점으로 알려져 있다. 마이코페놀레이트 사용은 스테로이드의 용량을 줄일 수 있다는 장점이 있으나 그 치료 효과에 대해서는 상반된 결과가 나와 있다. 사이클로스포린과 타크로리무스도 같은 장점이 있으나 신독성 문제로 권유되지 않는다.

그밖에 오메가-3 지방산의 치료와 편도선절제술, B세포를 제거하는 rituximab, 항혈소판제, 면역글로불린 주사, 저항원 식이요법, 비타민 E 항산화 요법 등이 시도되어 왔다. 특히 편도선절제술과 메틸프레드니솔론 충격요법 등의 면역요법이 효과가 있음이 보고되었으나 그 결과들이 상반된다. 편도선 병변이 있는 환자들을 대상으로 편도선절제술을 시행함은 타당하다.

최근 목표 장기인 장의 Peyer patch의 점막 면역을 치료하는 부데소나이드 복용이 단백뇨를 감소시키고 신기능 보호 효과가 있음이 보고되었다. 일부 부작용이 나타났지만 비교적 안전한 치료법으로서 현재 임상 연구가 진행되고 있다. 이 치료에 대한 의문점으로는 IgA 신병증의 점막 면역의 이상이 장보다는 편도선 등의 상기도에서 주로 일어난다는 전형적인 증거들과 실험 결과들이 많다는 점이다.

한편 신생검에서 미세변화 신증후군 소견을 보이며 IgA의 침착이 있는 소위 'IgA nephrosis' 환자들에서는 미세변화신증후군에서처럼 프레드니손에 반응이 좋아 완전 관해가 일어난다. 초승달 병변을 동반하는 IgA 신병증은 다른 초승달 사구체신염에서처럼 메틸프레드니솔론 충격요법과 cyclophosphamide 등의 강력한 면역억제제 병용투여가 도움이 될 수 있다. 급성으로 육안적 혈뇨로 나타나는 경우는 일부 신기능 저하가 후유증으로 남는 경우가 있으나 특이 치료 없이 대부분 회복된다.

이상을 요약하여 다음 표 5-6-4와 같이 현재의 치료 지침을 정리해 볼 수 있다.

표 5-6-4. IgA 신병증의 치료 지침

1. 사구체 여과율 정상, 1일 단백뇨 0.5~1 g 이상 　- 안지오텐신 전환효소억제제 또는 안지오텐신 수용체 차단제 　- 목표 혈압 <130/80 (125/75) mmHg 2. 위 치료로도 3~6개월 후 1일 단백뇨 0.5~1 g 이상 지속 　1) 혈청 크레아티닌 <1.5 mg/dL 　　- 6개월의 고용량 스테로이드 투여 　2) 사구체 여과율 저하의 진행 　　- 사이클로포스파마이드+스테로이드 (?) 3. 조직검사에서 활동성 치료가역적인 소견이 있으면 스테로이드 치료(?)

이 지침은 임상 양상 위주로 연구된 결과들이 토대가 된다. 따라서 같은 신기능과 혈뇨, 단백뇨 수치이더라도 병리조직 상태가 다르고 치료에 대한 반응이 다를 수 있다. 또한 6개월 동안 지침대로 1단계 치료를 하는 동안 조직학적으로 활동성이 지속되면 불가역적인 변화가 진행될 가능성도 있다. VALIGA 연구에 따르면 옥스퍼드 분류에서 치료 가역적인 병리 소견인 메산지움 세포증식, 족세포 병변이 있는 분절성 경화증, 모세혈관내 세포증식, 세포성 초승달 병변이 있으면 면역요법으로 개선될 가능성도 크다. 반면 T2처럼 세뇨관 위축이나 간질 섬유화증이 심한 불가역적인 만성 변화가 있을 때는 안지오텐신 차단제만 사용한다. 이처럼 개개인의 환자에 따른 맞춤 치료법을 시행함이 바람직하다.

끝으로, 병인 각 단계에 따라 Gd IgA1 생산을 일으키는 점막 면역 개선, B세포 자극 인자 억제, 새로운 항B세포 항체 치료, proteasome 억제, lectin 보체경로의 활성화를 억제하는 단클론항체 치료, 다른 매개인자의 선택적 억제 등의 이상적인 치료법이 연구되고 있고 그 결과가 기대된다.

IgA 혈관염(헤노흐쉔라인 자반증)

IgA 혈관염은 작은 혈관들에 일어나는 IgA 면역복합체 질환으로서 피부, 위장관, 관절, 사구체를 침범한다. 성인에서의 발생률은 소아에 비해 적어서 10만 명당 0.1~1.8명 수준으로 드물다. 우리나라 보고에서는 여성 환자가 약간 더 많다. IgA 혈관염은 가을, 겨울, 봄에 호발하며, 환자들의 1/2에서 상기도 감염이 선행된다. 일부에서는 백신 접종과 관련이 있다.

1. 임상 양상

임상 양상으로는 피부 자반증과 관절통/관절염, 복통, 사구체신염의 네 가지가 대표적이다. 자반증은 안정 시 저절로 2주 내에 사라지거나 재발 또는 만성화된다. 압력이 가해지는 발목 둘레에 대칭적으로 생긴다. 일부에서는 괴사 또는 출혈성 양상을 띤다. 관절통도 2/3 환자들에서 발생하며 무릎과 발목 관절에서 일어난다. 위장관 증상도 흔하며 복통도 경련통이다.

신장 침범은 약 45~85%로 흔하다. 사구체신염은 전신 증상 발병 후 수일이나 1개월 사이에 일어난다. 현미경 혈뇨가 가장 흔한 초기의 증상이며 이형 적혈구가 관찰된다. 또한 경하거나 중간 정도의 단백뇨가 동반된다. 일부에선 신증후군이나 급성신부전, 고혈압이 나타나는데 이는 나쁜 예후와 연관된다. 성인에서의 IgA 혈관염은 유사한 증상을 보이는 다른 전신적 자가면역 질환 즉, ANCA 연관 혈관염, 낭창성 혈관염 등과 감별해야 한다.

2. 병인

IgA 혈관염은 유전적인 배경에서 감염 등의 환경 요인과 점막 면역 조절 장애가 작동하여 일어난다고 요약되며 IgA신병증과 같은 병인을 가질 것으로 추정된다. HLA DRBI 같은 HLA의 유전자 이상이 보고되었고, IgA1의 hinge 부위의 O-glycan의 당화가 결핍된 상태인 Gd-IgA1이 발생하고 그에 대한 자가 항체가 생산된다. 또한, 면역복합체를 이루는 IgG의 존재가 사구체 내 침착을 더 조장한다는 주장도 IGA 신병증과 같다.

그러나 Gd-IgA1이 IgA 혈관염의 전신 염증을 일으키는지는 확실치 않다. IgA 혈관염에서는 IgA 신병증과 다른 과정이 필요하다. 환자들에서 내피세포의 자가항원에 대한 IgA 항 내피세포 항체(AECA)의 혈중 수치가 증가되어 있는데 이는 유전적인 영향이나 molecular mimicry에 의한 것으로 추정된다. 이 IgA AECA가 내피세포의 자가항원에 결합하고 IgA와 Fc수용체 FcαR1(CD89)의 상호작용을 통해 중성구의 화학주성인자인 IL-8이 생산된다. 이어서 중성구 활성화와 집합이 일어나고 중성구와 내피세포 사이의 cross-talk를 거쳐서 혈관염이 일어난다는 이론도 있다.

3. 병리 소견

광학현미경 소견은 다양하여 메산지움 세포증식만 있는 경우부터 국소분절 증식, 심한 경우 초승달 사구체신염을 보인다. 메산지움에 IgA 중심의 면역 침착이 관찰되며 추가로 IgG, IgM, fibrinogen, C3도 관찰된다. C1q는 드물다. 전자현미경 소견으로 메산지움에 전자 고밀도 침착이 관찰되며 때로는 주위 모세혈관으로 확장된다. 이처럼 IgA 신병증과 동일한 소견이다. 피부엔 IgA의 혈관 침착이 나타난다.

4. 치료

일반적으로 대부분의 환자들은 보존적 치료와 진통제 투여로 충분하다. 그러나 일부 환자들에게는 스테로이드 등의 면역요법이 필요하다. 스테로이드는 관절통과 복통에 효과적이며 특히 뇌 혈관염이나 폐출혈이 있으면 고려해야 한다.

성인 IgA 혈관염 환자들의 치료는 근거가 많지 않아 제한적이다. 그러나 1일 1 g 이상의 단백뇨나 급성 신기능 저하가 있으면 조직검사를 시행하여 분류하고 활동성 병변 유무를 치료에 반영한다. 경한 환자들은 조직검사를 하지 않더라도 신기능 변화와 단백뇨 정도를 자주 검사하며 잘 관리해야 한다. 단백뇨가 1일 1 g 이상, 혈청크레아티닌 상승, 조직검사상 초승달 병변이 있으면 면역억제요법이 추천된다. 3일간의 메칠프레드니솔론 충격요법과 지속적인 프레드니손 투여를 6개월간 시행한다. 단백뇨 감소를 위해 안지오텐신차단제를 사용한다. 이처럼 IgA 신병증과 거의 같은 치료법이다. 스테로이드에 대한 반응이 없거나 사용할 수 없을 때 저용량 스테로이드와 함께 마이코페놀레이트나 사이클로스포린을 투여하면 단백뇨 관해와 스테로이드 감량 효과를 볼 수 있다. 그 밖에 사이클로포스파마이드, 면역글로불린 주사도 있다. Rituximab 투여는 단백뇨의 관해를 유도하고 신기능을 보전하는 안전하고 유용한 치료제로 소개되고 있다. 심한 초승달사구체신염이면 다른 초승달사구체신염에서처럼 메칠프레드니솔론 펄스요법이나 rituximab 투여 또는 혈장교환술까지 시행한다.

5. 예후

장기적인 예후는 성인에서는 좋지 않다. 진단 때 고령이나 신기능 저하, 고혈압, 신증후군 등이 예후가 좋지 않은 임상 요소들이다. 또한, 조직 소견 중 사구체경화증과 세뇨간질 섬유화증이 있거나 초승달 병변이 있는 사구체의 숫자가 50%를 넘으면 말기나 만성 콩팥병 단계로 진행될 위험성이 크다.

▶ 참고문헌

- Berthoux F, et al: Predicting the risk for dialysis or death in IgA nephropathy. J Am Soc Nephrol 22:752–761, 2011.
- Cattran DC, et al: The Oxford classification of IgA nephropathy: rationale, clinicopathological correlations, and classification. Kidney Int 76:534–545, 2009.
- Chang JH, et al: Changing prevalence of glomerular diseases in Korean adults: a review of 20 years of experience. Nephrol Dial Transplant 24:2406–2410, 2009.
- Choi S, et al: Prognostic relevance of clinical and histological features in IgA nephropathy treated with steroid and angiotensin receptor blockers. Clin Nephrol 72:353–359, 2009.
- Coppo R, et al: Is there long-term value of pathology scoring in IgA nephropathy? A VALIGA update. Nephrol Dial Transplant 35:1002–1009, 2020.
- Fellström BC, et al: Targeted-release budesonide versus placebo in patients with IgA nephropathy (NEFIGAN): a double-blind, randomised, placebo-controlled phase 2b trial. Lancet 389:2117–2127, 2017.
- Floege J, et al: Management and treatment of glomerular diseases (part 1): conclusions from a Kidney Disease: Improving Global Outcomes (KDIGO) Controversies Conference. Kidney Int 95:268–280, 2019.
- Kim SM, et al: Clinicopathologic characteristics of IgA nephropathy with steroid-responsive nephrotic syndrome. J Korean Med Sci 24:S44–49, 2009.
- Lee JH, et al: Severity of foot process effacement is associated with proteinuria in patients with IgA nephropathy. Kidney Res Clin Pract 39:295–304, 2020.
- Lv J, et al: Effect of oral methylprednisolone on clinical outcomes in patients with IgA nephropathy: The TESTING randomized clinical trial. JAMA 318:432–442, 2017.
- Park WY, et al: Clinical significance of serum galactose-deficient immunoglobulin A1 for detection of recurrent immunoglobulin A nephropathy in kidney transplant recipients. Kidney Res Clin Pract 40:317–324, 2021.
- Pozzi C, et al: Corticosteroid effectiveness in IgA nephropathy: Long-term results of a randomized, controlled trial. J Am Soc Nephrol 15:157–163, 2004.
- Praga M, et al: Treatment of IgA nephropathy with ACE inhibitors: a randomized and controlled trial. J Am Soc Nephrol 14:1578–1583, 2003.
- Rauen T, et al: Intensive supportive care plus immunosuppression in IgA nephropathy. N Engl J Med 373:2225–2236, 2015.
- Reich HN, et al: Remission of proteinuria improves prognosis in IgA nephropathy. J Am Soc Nephrol 18:3177–3183, 2007.
- Selewski DT, et al: Clinical Characteristics and Treatment Patterns of Children and Adults With IgA Nephropathy or IgA Vasculitis: Findings Fromthe CureGN Study. Kidney Int Rep 3:1373–1384, 2018.
- Suzuki H, et al: IgA nephropathy and IgA vasculitis with nephritis have a shared feature involving galactose-deficient IgA1-oriented pathogenesis. Kidney Int 93:700–705, 2018.
- Suzuki H, et al: The pathophysiology of IgA nephropathy. J Am Soc Nephrol 22:1795–1803, 2011.

CHAPTER
07 막신병증

박선희 (경북의대), **김용진** (경북의대 병리과)

KEY POINTS

● 발병기전: 일차성 막신병증은 발세포 표면에 존재하는 PLA2R 또는 THSD7A 항원에 대한 자가항체가 발병에 관련되며, 최근 새로운 항원이 규명되고 있다.

● 질병경과 표지자: 항PLA2R항체는 질병 활성도 반영, 치료 반응 평가 및 재발 예측인자로 가치가 있어 치료 시 정기적 추적검사가 권장된다.

● 치료적 접근: 위험인자에 따라 진행위험도를 나누고(저, 중, 고, 최고위험도) 그에 따라 보존적 치료 또는 면역억제제의 추가 사용을 결정한다.

● 치료제: 항CD20 단클론항체인 리툭시맙은 항체형성과 관련된 B림프구를 특이적으로 억제하여 단백뇨의 관해율을 증가시키며, 중등도 이상의 진행위험을 보이는 막신병증의 치료로 권고되나 신기능 보존에 대한 이득은 아직 근거가 부족하다.

막신병증은 성인 신증후군의 흔한 원인이며 특징적인 병리소견으로는 사구체 상피세포 하부에 면역복합체가 침착되며 이로 인해 광학현미경에서 사구체 모세혈관 벽의 비후가 나타난다. 원인에 따라 일차성과 이차성으로 나눌 수 있다. 전체 막신병증의 75~80%를 차지하는 일차성 막신병증은 사구체 내의 자가항원에 대한 항체매개 손상으로 발생하며 이차성 막신병증은 주로 감염, 자가면역질환, 약제 또는 종양 등과 관련되어 발생하며 약 20~25%를 차지한다.

병인

일차성 막신병증은 1959년 백서의 Heymann 신염을 통해 자가항체에 의한 발세포(podocyte)의 손상으로 발생하는 자가면역기전으로 설명되었으나, 그 이후 오랫동안 인간 항원에 대한 정보는 잘 알려지지 않았다. 원인항원을 특정하지 못했던 시기에도 기본적인 병인으로 발세포 표면에 존재하는 항원과 혈청 중 자가항체에 의한 in-situ 면역복합체의 형성, 그에 따른 보체의 활성화 및 염증반응에 의한 발세포 손상, 그리고 손상의 진행에 따른 항원결정부위(epitope)의 변화 등이 가정되었다. 이후 neutral endo-peptidase가 결손된 모체에서 출생한 신생아의 막신병증을 근거로 체액성 동종면역 기전도 병인으로 제시되었다. 2009년 M-type phospholipase A2 수용체(PLA2R)에 대한 혈청 항체가 일차성 막신병증 환자의 약 70%에서 존재함이 보고되면서 PLA2R이 발세포에 존재하는 원인 항원으로 밝혀졌고, thrombospondin type 1 domain-containing 7A (THSD7A) 도 일부 환자(~5%)에서 원인항원으로 제시되었다. 최근 Exostosin 1/Exostosin2, Neural epidermal growth factor-like 1 protein (NELL-1), Semaphorin 3B, serine protease HTRA1 등 새로운 원인 항원이 밝혀지고 있다. THSD7A- 및 NELL-1-연관 막신병증은 악성종양과의 관련성이 제기되었다. 막신병증의 병인 및 자가항체에 따른 분류를 제시하면 다음 표와 같다 (표 5-7-1).

막신병증의 유전적 소인으로 HLA-DQA1 대립유전자가 관련되며 이와 함께 PLA2R 유전자의 단일뉴클레오타이드다형성(SNP)과 연관되는 경우 약 80배 정도로 발생위험이 증가되었다. HLA DRB1*1501, DRB1*0301, DRB3*0202는 T임파구와 PLA2R 항원결정부위의 작용을 증가시켜 일차성 막신병증의 발생위험을 증가시켰다.

병리소견

광학현미경 소견의 특징은 모든 사구체에서 기저막(glomerular basement membrane, GBM)의 비후가 광범위하게 나타나는 것이다. 초기에는 대부분 세포증식이 없고, 두께가 정상처럼 보이지만 진행되면 사구체기저막의 비후를 Periodic acid-Schiff (PAS) 염색법 등으로 의심할 수 있다. Silver methenamine 염색을 추가하여 가시(spike) 모양의 사구체기저막 돌출을 관찰함으로써 확진할 수 있다(그림 5-7-1). 만성으로 진행되면 사구체경화증, 세관 위

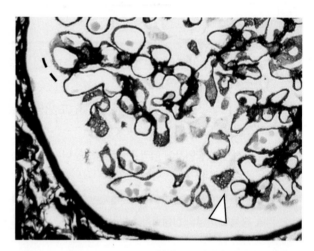

그림 5-7-1. Silver methenamine 염색으로 기저막 위에 가시 돌출(왼편 위쪽 점선)을 볼 수 있으나 잘리는 방향에 의해 거품(화살표)처럼 보이기도 한다. (x 600)

표 5-7-1. 막신병증의 분류

일차성	PLA2R-연관 막신병증
	THSD7A-연관 막신병증
	NELL-1-연관 막신병증
	항체 미확인 막신병증
이차성	감염: B형 간염, C형 간염, 말라리아, 매독, 나병
	자가면역성: 전신홍반루푸스, 혼합결합조직병, 류마티스관절염, 강직성척수염
	악성종양: 고형장기암종(폐, 유방, 대장, 신장, 전립선), 비호지킨림프종, 백혈병, 흑색종
	약제/독소: 비스테로이드소염제, 금(Gold salts), 페니실라민(penicillamine), 설린닥(sulindac), 수은, 리튬, 양이온 소혈청알부민(Cationic bovine serum albumin, 유아)
기타 (동종면역 관련)	산전 막신병증(항NEP항체)
	신이식 후 새로 발생한 막신병증
	이식편대 숙주반응(Graft-vs-host disease)

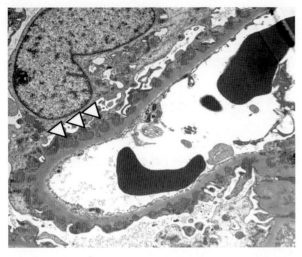

그림 5-7-2. 전자현미경으로 기저막 위에 일정 간격의 전자고밀도 침착물(3개의 화살표)이 광범위하게 관찰된다. 침착물 사이사이로 기저막이 자라 올라가고 있다. 이것들이 광학현미경에서는 가시처럼 나타나 보인다. (x 5000)

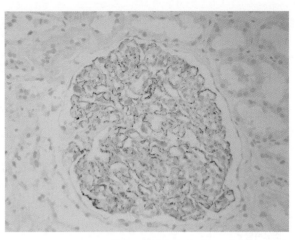

그림 5-7-3. 항PLA2 수용체 항체를 이용한 조직염색 사진. 기저막 표면을 따라서 작은 과립으로 염색된다. 기저막 위의 족세포는 염색이 안 되는 것이 특징이다. (x400)

축, 간질섬유화 등이 동반되며 드물게 초승달 형성이 있을 수도 있다. 면역형광검사에서 사구체기저막을 따라 과립상의 IgG와 C3의 침착이 특징이다. 전자현미경 소견에서 전자고밀도침착이 발세포 밑을 따라 관찰된다(그림 5-7-2). 이차성 막신병증의 감별은 쉽지 않으나 루푸스신염의 경우 세포의 증식이 보이고, 면역형광검사에서 강한 C1q 염색양성 등으로 감별할 수 있다. B형 혹은 C 간염바이러스 관련 사구체신염의 경우도 세포의 증식이 동반되거나 면역형광검사의 소견을 종합하여 의심할 수 있다. 부분적으로 막증식성사구체신염의 형태가 동반되어 도움이 되기도 한다. 그러나 반드시 바이러스 항원 양성의 혈액소견이 동반되어야 한다. 최근에는 조직에서도 항PLA2R 항체에 대한 면역형광 혹은 면역조직염색을 하여 감별에 활용하고 있다(그림 5-7-3). 일차성 막신병증의 경우 조직염색에서 PLA2R 양성의 빈도는 아직 확실히 정립되어 있지는 않으나, 2차성의 경우는 거의 모두 음성이었다(저자 경험).

역학 및 임상 양상

1. 역학

막신병증은 서구에서 성인 신증후군의 가장 흔한 원인질환으로 연간 인구 10만명당 1명의 발생율을 가지나 우리나라와 일본의 보고에서는 미세변화형 다음으로 흔한 신증후군의 원인질환이다. 발병시 평균 나이는 50대 초로 보고되며 국내 보고에서도 남자에서 더 호발하며 발병시 평균나이는 53세였다. 그러나 소아에서는 아주 드물다. 최근 중국의 보고에 의하면 막신병증의 발생빈도가 증가되는 추세이며 대기오염 및 미세먼지와의 관련성을 제기하였다.

2. 임상 양상

막신병증은 발병시 약 80%에서 신증후군의 임상양상 즉, 단백뇨, 저알부민혈증, 부종, 고지질혈증으로 나타나며, 발병양상은 일반적으로 수 개월에 걸쳐 서서히 나타날 수 있으며, 단백뇨의 범위도 신증후군 이하 ~ 20 gram 이상의 심한 단백뇨로 다양하다. 초기 단계에 발견되는 경

표 5-7-2. 막신병증의 위험인자에 따른 진행 위험도

진행 위험도	관련된 인자
저위험군	1) 정상 사구체여과율, 단백뇨 < 3.5 g/d 및 혈청 알부민 > 3.0 g/dL 또는 2) 정상 사구체여과율, 단백뇨 < 3.5 g/d 또는 보존치료 6개월 후 50% 이상 감소
중등도위험군	1) 정상 사구체여과율, 단백뇨 > 3.5 g/d 및 보존치료 6개월 후 50% 이상 지속 2) 고위험군 기준에 만족하지 않는 경우
고위험군	1) 사구체여과율 < 60 mL/min/1.73m^2 및/또는 6개월 이상 단백뇨 > 8 g/d 또는 2) 정상 사구체여과율, 단백뇨 >3.5 g/d, 보존치료 6개월 후 50% 이상 지속하며 아래 인자 중 하나 이상을 만족하는 경우; ① 혈청 알부민 < 2.5 g/dL ② 항PLA2R항체 > 50 RU/mL ③ 요 α1-microglobulin > 40 μg/min ④ 요 IgG > 1 μg/min ⑤ 요 β2-microglobulin > 250 mg/d, ⑥ selectivity index > 0.2
초고위험군	1) 치명적인 합병증을 동반한 신증후군 또는 2) 급격한 신기능 저하

출처: 2021년 KDIGO 보고서; g/d, gram/day

우, 신증후군의 증상 없이 우연한 단백뇨로 진단되기도 한다. 30~50%에서 현미경적 혈뇨가 동반된다. 발병시 대부분 혈압이나 사구체여과율은 정상이나, 갑자기 사구체여과율이 감소된다면 신정맥혈전증, 과도한 이뇨제 사용이나 안지오텐신전환효소억제제(ACEi) 또는 안지오텐신수용체차단제(ARBs), 칼시뉴린 억제제(Calcineurin inhibitors) 등 약제에 의한 사구체여과율의 감소, 또는 간질성신염의 동반 등을 고려하여야 한다. 특히 저알부민혈증이 심한 경우 혈전의 위험이 증가되어 병의 초기에 정맥혈전증으로 처음 진단되기도 한다. 일차성 및 이차성 막신병증의 감별을 위해 약제 노출 등을 포함한 면밀한 병력청취와 혈청검사가 중요하다.

3. 예후인자

막신병증은 자연관해부터 말기신부전에 이르는 다양한 예후를 가지므로 예후인자에 따라 치료 전략도 다르다. 일반적으로 30~35%의 환자가 자연관해에 이르며 지속적인 신증후군을 가진 환자의 30~40%에서 10년 내 말기신부전에 도달한다.

막신병증의 진행을 예측할 수 있는 임상적인 위험인자는 발병시 나이와 단백뇨, 사구체여과율, β2- microglob-

ulin 등의 저분자량단백뇨, 항PLA2R항체 농도 등이 알려져 있다. 특히, 항PLA2R항체는 질병활성도를 반영하며 단백뇨의 변화보다 더 빠르게 변화하므로 치료반응을 평가하는 유용한 표지자이다. 또한 관해 후 또는 신이식 후 항PLA2R항체가 증가된다면 재발을 예측할 수 있어 임상적으로 유용하다. 최근 Kidney Disease Improving Global Outcomes (KDIGO) 지침(2021)에서는 위험인자에 따른 진행 위험도를 아래와 같이 제시하였다(표 5-7-2).

4. 치료

1) 보존적 치료

막신병증의 모든 환자에서 ACEi 또는 ARBs를 사용하여 단백뇨를 조절하고, 혈압조절, 염분섭취 제한, 이뇨제 및 지질강하제 등을 포함한 보존적 치료를 시행한다. 신기능이 안정적이고 신증후군의 심각한 합병증이 없다면 보존적 치료를 시행하며 6개월 간 경과를 관찰할 수 있다. 막신병증은, 특히 저알부민혈증을 보이는 경우 혈전증의 위험을 증가시키므로 예방적 항응고제 사용이 고려된다. 그러나 항응고제는 출혈 위험을 증가시키므로 혈청 알부민 2.5 g/dL 이하이거나 혈전증의 다른 위험인자가 있는 경우, 출혈의 위험을 함께 평가하여 사용 여부를 결정한다.

2) 면역억제제

면역억제제는 예후인자에 따른 진행 위험도를 평가하고 면역억제제의 사용으로 얻을 수 있는 득과 실을 고려하여 결정한다. 면역억제제를 추가할 때, 단백뇨의 정도 뿐만 아니라 혈청 항PLA2R 항체의 변화도 중요하다. 단백뇨가 심하지 않더라도 혈청 항PLA2R 항체가 지속적으로 증가한다면 자연관해를 기대하기 어렵다. 또한 면역억제제의 선택시 아래와 같은 약제의 장단점을 고려하여야 한다.

(1) 사이클로포스파미드(Cyclophosphamide)와 코르티코스테로이드(corticosteroids)

막신병증의 치료로 스테로이드 단독 치료는 효과가 없으며 격월로 사용하는 코르티코스테로이드와 알킬화약물의 병합요법은 그 효과가 입증되어 고위험 막신병증의 표준치료로 제시되었다. 그러나 치료관련 부작용으로 백혈구 감소증, 감염, 암 발생 위험 증가 등이 있으며, 누적용량이 많을수록 젊은 환자의 생식기능장애를 초래하므로 사용 시 이득 대비 위험에 대한 평가가 필요하다.

(2) 리툭시맙(Rituximab)

일차성 막신병증 환자를 대상으로 한 관찰연구에서 항CD20 단클론항체인 리툭시맙은 B임파구를 억제하여 단백뇨 호전 효과를 보였다. 이후 무작위배정임상시험에서도 장기간 추적시 리툭시맙 치료는 보존적 치료에 비해 단백뇨의 관해율을 향상시켰다(GEMRITUX연구). 또 리툭시맙의 효과를 사이클로스포린(cyclosporin)군과 비교하였을 때 12개월째 단백뇨의 관해율은 비열등하였으나, 24개월째 관해유지는 더 우월하였다(MENTOR연구). 그러나 타크로리무스(Tacrolimus) 이후 리툭시맙을 순차적으로 사용하는 군과 싸이클로포스파미드와 코르티코스테로이드 병합군의 비교에서 후자에 의한 단백뇨 관해유도가 더 높았다(STARMEN연구). 리툭시맙 치료 시 주사 관련 합병증은 대부분 예방 가능하나, 감염의 위험을 증가시킬 수 있다. KDIGO지침(2021)에서 리툭시맙 치료는 중등도 이상의 진행위험을 가진 막신병증의 치료로 권고되나 신기능 보존에 대한 이득은 아직 근거가 부족하다. 리툭시맙에 저항을 보이는 경우 새로운 항CD20 단클론항체인 오비누투주맙(obinutuzumab)이 시도되기도 한다.

(3) 칼시뉴린 억제제(Calcineurin inhibitors, CNIs)

칼시뉴린 억제제는 면역억제효과 및 단백뇨 억제 효과를 보이며 일차성 막신병증에서 저용량의 스테로이드와의 병합요법이나 타크로리무스 단독요법은 보존적 치료에 비해 관해율을 증가시키나, 약제의 감량이나 중단시 재발 위험이 높은 단점이 있다. 부작용으로 신독성, 고혈압 등이 있으므로 사구체여과율 및 혈압을 추적하며 약제를 조절하는 것이 필요하다.

3) 기타 약제

부신피질자극호르몬(Adrenocorticotropic hormone, ACTH: 자연 또는 합성)을 이용한 일부 연구에서 막신병증의 단백뇨 관해유도 효과가 보고되었으나 근거가 충분하지 않아 추후 무작위배정임상시험 결과가 필요하다.

▶ 참고문헌

- Beck LH, et al: M-type phospholipase A2 receptor as target antigen in idiopathic membranous nephropathy. N Engl J Med 361:11-21, 2009.
- Choi JY, et al: Idiopathic membranous nephropathy in older patients: Clinical features and outcomes. PLoS One 15:e0240566, 2020.
- Cui Z, et al: MHC Class II risk alleles and amino acid residues in idiopathic membranous nephropathy. J Am Soc Nephrol 28:1651-1664, 2017.
- Dahan K, et al: Rituximab for Severe Membranous Nephropathy: A 6-Month Trial with Extended Follow-Up. J Am Soc Nephrol 28:348-358, 2017.
- Debiec H, et al: Antenatal membranous glomerulonephritis due to anti-neutral endopeptidase antibodies. N Engl J Med 346:2053-2060, 2002.
- Fernández-Juárez G, et al: The STARMEN trial indicates that alternating treatment with corticosteroids and cyclophosphamide is superior to sequential treatment with tacrolimus and rituximab in primary membranous nephropathy. Kidney Int 99:986-998, 2021.

- Fervenza FC, et al: Rituximab or Cyclosporine in the Treatment of Membranous Nephropathy. N Engl J Med 381:36–46, 2019.
- Heymann W, et al: Production of nephrotic syndrome in rats by Freund's adjuvants and rat kidney suspensions. Proc Soc Exp Biol Med 100:660–664, 1959.
- Jha V, et al: A randomized, controlled trial of steroids and cyclophosphamide in adults with nephrotic syndrome caused by idiopathic membranous nephropathy. J Am Soc Nephrol 18:1899–1904, 2007.
- Kidney Disease: Improving Global Outcomes (KDIGO) Glomerular Diseases Work Group: KDIGO 2021 Clinical Practice Guideline for the Management of Glomerular Diseases Kidney Int 100:S1–S276, 2021.
- Ponticelli C, et al: A 10-year follow-up of a randomized study with methylprednisolone and chlorambucil in membranous nephropathy. Kidney Int 48:1600–1604, 1995.
- Remuzzi G, et al: Rituximab for idiopathic membranous nephropathy. The Lancet 360:923–924, 2002.
- Sethi S, et al: Exostosin 1/Exostosin 2–Associated Membranous Nephropathy. J Am Soc Nephrol 30:1123–1136, 2019.
- Sethi S, et al: Neural epidermal growth factor–like 1 protein (NELL-1) associated membranous nephropathy. Kidney Int 97:163–174, 2020.
- Sethi S, et al: Semaphorin 3B–associated membranous nephropathy is a distinct type of disease predominantly present in pediatric patients. Kidney Int 98:1253–1264, 2020.
- Song EJ, et al: Anti-phospholipase A2 receptor antibody as a prognostic marker in patients with primary membranous nephropathy. Kidney Res Clin Pract 37:248–256, 2018.
- Stanescu HC, et al: Risk HLA-DQA1 and PLA(2)R1 alleles in idiopathic membranous nephropathy. N Engl J Med 364:616–626, 2011.
- Tomas NM, et al: Thrombospondin type-1 domain–containing 7A in idiopathic membranous nephropathy. New Engl J Med 371:2277–2287, 2014.
- Xu X, et al: Long-term exposure to air pollution and increased risk of membranous nephropathy in China. J Am Soc Nephrol 27:3739–3746, 2016.

CHAPTER

08 미세변화병

박지인 (강원의대)

KEY POINTS

- 미세변화병의 초기 치료로는 여전히 고용량 스테로이드가 추천되지만, 스테로이드 사용이 어려운 경우의 초기 치료, 빈번한 재발 환자 또는 스테로이드 의존 환자의 치료 경우에서 다양한 연구들이 시도되어 치료 선택지가 늘어나고 있다.

- 고용량 스테로이드 사용이 어려운 경우에는 초기 치료로 사이클로포스파마이드, 칼시뉴린억제제 또는 저용량 스테로이드와 mycophenolic acid analogue의 병합 요법을 사용할 수 있다.

- 빈번한 재발 또는 스테로이드 의존 환자에서는 사이클로포스파마이드, 리툭시맙, 칼시뉴린억제제, mycophenolic acid analogue를 이차약제로 사용할 수 있다.

미세변화병(minimal change disease)은 소아와 성인 신증후군의 주요 원인 질환으로 사구체의 상피 세포인 발세포의 손상으로 발생하는 질병이다. 소아에서 발생하는 신증후군의 약 80%를 차지하며, 성인에서는 신증후군의 10~20% 정도를 차지한다. 우리나라의 전체 신장생검 케이스에서는 약 5% 정도로 보고되고 있다.

원인 및 발병 기전

미세변화병은 대부분 일차성이며, 일차성 미세변화병의 발병 기전은 불분명하다. 가설로는 T세포의 기능 이상이 가장 유력하게 제시되고 있다. 이는 T세포 종양인 호치킨림프종에 동반하여 질병이 발생하기도 한다는 점과 스테로이드에 빠른 치료 반응을 보이는 점, 세포면역반응이 억제되는 홍역의 호전 기간에 질병의 완화가 오기도 한다는 점에 의해 뒷받침된다. 또한 B세포를 소멸시키는 리툭시맙이 미세변화병의 치료에 효과를 보인 것은 T세포 뿐 아니라 B세포도 질병의 발생에 영향을 미침을 시사한다.

일부에서는 다른 원인에 의해 이차성으로 미세변화병이 발생하기도 한다. 미세변화병을 유발할 수 있는 약제로는 비스테로이드소염제, sulfasalazine, D-penicillamine, 리튬, tyrosine-kinase inhibitor 등이 있고, 그 중 비스테로이드소염제가 가장 흔한 원인 약제이다. 또한 호치킨림프종, 백혈병 등 악성 종양에 미세변화병이 병발할 수 있으며, 알레르기, 감염, 자가면역질환에 의해서도 이차적으로 미세변화병이 발생할 수 있다.

병리소견

성인 신증후군에서 미세변화병 진단을 위해서는 신장생검을 통한 병리학적 진단이 반드시 필요하다. 미세변화병은 광학현미경에서 정상으로 보이는 것이 특징적이어서, 거의 변화가 없이 정상 소견을 보인다는 뜻에서 미세변화병이라는 이름을 갖게 되었다. 일부에서는 메산지움 세포와 바탕질이 약간 증가하는 미세한 변화를 보일 수 있다. 요세관의 구조는 대체로 정상인데, 성인에서는 일부 부분적인 위축 소견이 보일 수 있다. 요세관 위축과 간질섬유화가 동반되어 있는 경우 국소분절사구체경화증을 고려해 보아야 한다. 면역형광염색에서 보체 또는 면역글로불린의 침착은 거의 관찰되지 않으며, 사구체는 정상적인 크기와 구조로 보인다. 미세변화병의 진단을 위해서는 전자현미경 소견이 필요한데, 대부분의 발돌기가 전반적으로 짧아지고 넓어지면서, 서로 융합되어, 결과적으로는 발돌기가 뭉그러져 보이는 것이 특징적인 소견이다(그림 5-8-1).

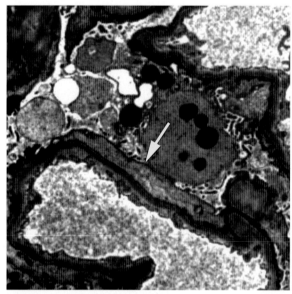

그림 5-8-1. 미세변화병의 전자현미경 소견
발돌기가 광범위하게 소실되어 있다(화살표).

임상양상

미세변화병은 대체로 급격히 발생한 부종 및 체중 증가로 발현한다. 부종은 처음 인지되는 가장 흔한 증상으로 대체로 심한 부종을 보이며 누르면 들어가는 오목부종이다. 복수가 동반될 수 있으나, 흉수가 생기는 경우는 드물다. 막신병증과 국소분절사구체경화증은 수주~수개월에 걸쳐 단백뇨가 증가하는 경과를 보이는데 반해, 미세변화병에서 증상 발현이 급성이라는 점은 구별할 만한 소견이라고 할 수 있다. 다른 사구제질환과 달리 혈압은 정상인 경우가 많다. 합병증으로 신정맥혈전증이 발생하는 경우를 제외한다면, 일반적으로 육안적 혈뇨는 관찰되지 않는다.

검사실 소견

검사소견으로는 다른 신증후군과 마찬가지로, 하루 10 g 정도의 심한 단백뇨(대부분 알부민으로 구성), 저알부민혈증 및 고콜레스테롤혈증이 나타난다. 소변검사에서 현미경적 혈뇨는 20%에서 관찰되며, 유리질원주와 지방질이 관찰될 수 있다. 신장 기능은 대부분 정상이지만, 일시적으로 혈관내 용적이 감소하여 급성신손상을 보일 수도 있다. 급성신손상은 알부민 수치가 낮고, 신장 내 부종이 발생한 경우 더 흔히 발생한다.

치료

1. 예후 및 치료 반응

미세변화병의 표준 치료인 스테로이드는 80% 정도의 환자에서 완전완화를 유도할 수 있다. 치료를 하지 않더라도 일부에서 자연완화가 온다는 보고가 있으나, 치료하지 않았을 때 발생할 수 있는 합병증을 고려하면 진단 후 치료를 미룰 이유는 없다. 그러나 치료에 잘 반응하여 완화가 오더라도, 재발을 잘 하는 것이 미세변화병의 특징이다. 소아에서는 미세변화병이 일차성 신증후군의 대부분을 차지하므로 신장생검 없이 스테로이드 치료를 시작하는 것이 일반적이고, 스테로이드에 반응이 없는 경우 신장생검을 시행하게 된다. 그러나 성인에서는 확진을 위한 신장생검이 필수적이다.

스테로이드에 대한 반응은 다음과 같이 나누어 판단한다. 단백뇨가 하루 0.3 g 미만으로 감소한 경우 완전완화, 단백뇨가 50% 이상 감소하여 하루 0.3 g 이상 3.5 g 미만에 이를 때 부분완화라고 정의한다. 완화 이후에 다시 단백뇨가 3.5 g 이상 증가하는 경우를 재발이라고 하며, 6개월에 2번 또는 1년에 4번 이상 재발하는 경우 빈번한 재발(frequent relapse)이라고 이른다. 스테로이드 의존성(corticosteroid−dependence)은 완화를 유지하기 위해 스테로이드 치료를 지속해야 하는 경우를 의미하며, 16주간의 고용량 스테로이드 치료에도 완화가 오지 않는 경우를 스테로이드 저항성(corticosteroid−resistance)이 있다고 말한다.

스테로이드 치료 시 완전완화에 이르는 기간은 성인의 경우 50% 정도의 환자가 4주 이내에 반응을 보이며 10~20%의 환자는 12~16주의 치료 기간이 필요하다. 스테로이드에 대한 초기 반응은 가장 중요한 예후 인자로 알려져 있다. 약 10~25% 정도가 빈번한 재발을 보이며, 25~30%는 스테로이드 의존성을 보인다. 발병처럼 완화도 급격히 일어나는 것이 특징적이며, 소변량이 증가하면서 부종이 호전되기 시작하는 것을 첫 반응으로 하여 1~2주 이내에 완전완화에 도달하는 것이 일반적이다. 재발은 대부분 치료 종료 1년 이내에 일어나며, 바이러스 감염 등이 재발에 관여한다는 보고가 있다.

2. 초기 치료

초기 치료로는 고용량의 경구 스테로이드가 추천된다. 성인에서 많이 쓰이는 용법은 경구 프레드니솔론 1 mg/kg(최대용량 80 mg)를 매일 복약하거나, 또는 2 mg/kg(최대용량 120 mg)을 격일로 복용하는 것이다. 부신 억제 효과를 최소화하기 위해 오전에 복용할 것을 권한다. 조기에

완전완화에 도달했더라도 같은 용량으로 최소 4주는 사용해야 하며, 완전완화에 도달하지 못한 경우는 완전완화에 도달할 때까지 최대 16주까지는 이 용량을 유지한다. 완화 2주 후부터 스테로이드 감량을 시작한다. 스테로이드 감량 방법은 다양하지만 일반적으로 매주 5~10 mg씩 감량한다. 약제의 부작용이 있는 경우, 감량 속도를 다소 빠르게 할 수 있겠으나 재발 위험도가 증가할 수 있으므로 스테로이드 총 사용기간은 적어도 24주가 되도록 한다.

16주간 고용량 경구 스테로이드를 복용함에도 완화에 도달하지 못한 경우를 스테로이드 저항성이라고 한다. 스테로이드 저항성을 보이는 미세변화병에서 가장 먼저 생각해야 할 것은 국소분절사구체경화증이 미세변화병으로 오진된 경우이므로, 신장생검을 다시 하는 것을 고려한다. 스테로이드 저항성 미세변화병의 치료는 스테로이드 저항성 국소분절사구체경화증과 동일하게 사이클로스포린 또는 타크로리무스를 사용한다.

조절되지 않는 당뇨병, 심한 골다공증, 정신질환 등 고용량 스테로이드 사용이 어려운 경우에는 사이클로포스퍼마이드, 칼시뉴린억제제, 또는 저용량 스테로이드와 mycophenolic acid analogue의 병합 요법을 사용할 수 있다. 각각의 완화 도달 비율은 사이클로포스퍼마이드 75%, 사이클로스포린 75%, 타크로리무스 90%였다.

최근 초기치료로서 스테로이드 사용량을 줄인 병합용법에 대한 연구들이 시행되고 있으며, 특히 우리나라에서 시행된 다기관 무작위대조시험에서 저용량 스테로이드와 타크로리무스의 병합요법이 고용량 스테로이드와 비교하였을 때 완전완화에 도달하는 성적이 비슷함을 보고하였다.

3. 재발에 대한 치료

스테로이드에 잘 반응하여 완화가 온 이후에 50~75%에서 적어도 한 차례의 재발을 겪게 된다. 스테로이드를 중단한 상태에서 재발을 하게 되면, 스테로이드를 다시 사용할 수 있다. 이 때 재발을 조기 발견하는 것이 치료에 도움이 되므로, 이를 위하여 1~2주 간격으로 자가로 요딥스틱

(dipstick)을 시행하는 것을 권장할 수 있다. 재발 시 사용하는 스테로이드 용법은 초기치료와 같은 방법으로 시도할 수 있지만, 스테로이드 사용량을 줄이기 위하여 치료기간을 짧게 하는 것이 보편적이다. 예를 들어, 프레드니솔론 1 mg/kg으로 4주간 복용하고 이후 5 mg 씩 3~5일 간격으로 감량하여 1~2개월 이내에 약제를 중단하는 것이다. 이후의 재발에서도 빈번하지 않다면(1년에 3회 이하) 같은 방식으로 완화를 유도할 수 있다.

1년에 3회 이상 빈번한 재발을 보이는 환자와 스테로이드 의존성 환자의 경우, 반복적인 스테로이드 사용으로 인한 부작용을 최소화하기 위해 이차약제로 사이클로포스퍼마이드, 리툭시맙, 칼시뉴린억제제(사이클로스포린, 타크로리무스), mycophenolic acid analogue를 사용할 수 있다. 대체로 스테로이드로 완화를 유도한 후, 재발 방지를 위하여 이차약제를 사용하게 되며, 스테로이드는 감량하여 중단한다. 칼시뉴린억제제에 비하여 사이클로포스퍼마이드가 더 낮은 재발률을 보이는 것으로 보고되고 있기 때문에 사이클로포스퍼마이드 사용력이 없다면 사이클로포스퍼마이드을 일차로 선택하고, 예전에 사이클로포스퍼마이드을 이미 사용하였거나 가임기 환자로 사이클로포스퍼마이드을 피해야 하는 경우라면 다른 약제를 선택한다. 용량은 사이클로포스퍼마이드는 2~2.5 mg/kg/day를 경구로 8~12주간 투여할 수 있으며, 12주까지 투여한 경우 재발이 낮다. 사이클로스포린은 3~5 mg/kg/day (목표농도 150~200 ng/mL), 타크로리무스는 0.05~0.1 mg/kg/day (목표농도 4~7 ng/mL)로 1년 정도 투여하고 가능하면 이후 점차 감량하여 총 1~2년 정도 투여해볼 수 있다. 리툭시맙은 375 mg/m²으로 1주 간격으로 4회 투여하거나 1 g을 2주 간격으로 2회 투여하여 완화를 유도할 수 있고, mycophenolic acid analogue의 경우 mycophenolate mofetil은 1,000 mg를 하루 2회, sodium mycophenolate는 720 mg를 하루 2회 투여한다.

4. 대증적 치료

부종이 있는 경우, 저염식이와 이뇨제가 일차적인 치료

가 된다. 고혈압이 있어 약제의 사용이 필요한 경우, 안지오텐신수용체차단제 또는 안지오텐신전환효소억제제를 사용한다. 미세변화병은 비교적 높은 완화율을 보이기 때문에 단백뇨와 고콜레스테롤혈증에 대한 보존적 치료는 필요하지 않은 경우가 많다. 다만, 빈번한 재발, 또는 스테로이드 저항성을 보이는 경우, 선택적으로 레닌-안지오텐신계 억제 요법이나 스타틴 치료가 도움이 될 수 있다. 미세변화병에서 급성신손상이 종종 동반되며 일부에서는 투석이 필요한 경우도 있는데, 환자 체액 상태에 대한 올바른 평가, 급성신손상에 대한 보존적 치료와 함께 스테로이드로 빠른 완화를 유도하는 것이 필요하다. 알부민 정맥주사는 심한 저알부민혈증이 있으면서 체액 부족이 동반한 경우 선별적으로 사용할 수 있다. 신기능은 완화와 함께 대부분 회복된다.

▶ 참고문헌

- Chin HJ, et al: Comparison of the Efficacy and Safety of Tacrolimus and Low-Dose Corticosteroid with High-Dose Corticosteroid for Minimal Change Nephrotic Syndrome in Adults. J Am Soc Nephrol 32:199-210, 2021.
- Hogan J, et al: The treatment of minimal change disease in adults. J Am Soc Nephrol 24:702-711, 2013.
- Johnson RJ, et al: Comprehensive Clinical Nephrology. 6th ed, Elsevier, 2018.
- Kidney Disease: Improving Global Outcomes (KDIGO): KDIGO Clinical Practice Guideline on Glomerular Diseases, 2020.
- Vivarelli M, et al: Minimal change disease. Clin J Am Soc Nephrol 12:332-345, 2017.

CHAPTER 09

국소분절사구체경화증

윤선애 (가톨릭의대), **최미선** (계명의대 병리과)

KEY POINTS

- 발세포 단백질의 유전자 변이, 순환투과인자, 바이러스 감염, 약물 독성, 네프론 수의 감소에 따른 부적응 반응, 혈류역학적인 부하 등 다양한 원인을 가지는 임상–병리학적 증후군이다.

- 무증상 단백뇨에서 신증후군까지 다양한 범위의 단백뇨를 보이고 고혈압, 미세혈뇨, 신기능 저하 등을 동반한다.

- 진단에는 신생검이 필수이며 병리적으로 면역복합체의 침착 없는 분절성의 사구체경화, 발세포의 발돌기소실을 보이며 NOS, perihilar, cellular, tip, collapsing형으로 분류된다.

- 치료에 반응하지 않는 대부분의 환자는 단백뇨가 증가하고 신부전으로 진행하며 이식 후 이식신에서 재발할 수 있다.

- 치료는 RAAS 억제제를 기본으로 하고 고용량 스테로이드, cyclosporine, tacrolimus, 스테로이드 저항성 환자에서 MMF, 스테로이드 의존성 환자에서 rituximab을 사용한다.

원인과 병태생리

국소분절사구체경화증(focal segmental glomerulosclerosis, FSGS)은 공통의 형태를 가지는 병리학적인 진단이면서 다양한 원인을 가지는 임상–병리학적 증후군이다. 원인은 발세포 단백질의 유전적 돌연변이, 순환투과인자, 바이러스 감염, 약물 독성, 네프론 수의 감소에 따른 부적응 반응, 혈류역학적인 부하 등 다양한데, 이런 모든 조건에서 결과적으로 나타나는 형태학적 조직변화가 국소경화증 병변이다. 신생검에서 처음에는 미세변화병(Minimal change disease)을 가지고 있는 것처럼 보였던 환자가 두 번째 조직검사에서 국소분절사구체경화증으로 발견되는

경우가 있는데, 첫 번째 조직검사에서 분절병변을 놓쳤던 것인지 미세변화병과 국소분절사구체경화증이 연속된 병인지는 알 수 없다. 이 두 병의 연관성은 특발국소분절사구체경화증에서 경화증이 없는 사구체의 병리학적 변화가 미세변화병의 사구체와 유사하다는 점에서 더욱 뒷받침된다. 따라서 미세변화병과 국소분절사구체경화증은 "발세포병증(podocytopathy)"이라는 범주 아래 종종 함께 고려된다.

1. 유전자 변이

발세포 유전자의 돌연변이는 발세포 신호전달(signaling)이나 틈새가로막(slit diaphragm)의 구조 단백질의 결손과 관련되어 국소분절사구체경화증을 일으킨다. Nephrin의 결손을 가져오는 NPHS1, podocin의 결손을 가져오는 NPHS2, α-actinin-4 결손을 가져오는 ACTN4, TRPC6 (transient receptor potential cation channel, subfamily C, member 6) 등의 유전자 변이가 가족력 있는 국소분절사구체경화증에서 관찰될 수 있다. 흑인에서 국소분절사구체경화증이 높은 빈도로 발생하는 요인으로 MYH9 다형성과 APOL1 유전자 변이가 제시되기도 한다. 유전적 소인은 바이러스나 면역학적인 자극에 의한 병의 시작(secondary hit)을 쉽게 한다.

2. 순환투과인자

미세변화병과 국소분절사구체경화증 공통으로 순환투과인자(circulating permeability factors)가 매개한다고 생각되고 있다. 스테로이드 저항성 환자 및 이신신에 재발된 환자에서 혈장분리교환술 후 단백뇨가 감소하는 등 역할이 예측되었으나 아직 밝혀진 것이 별로 없다. circulating serum soluble urokinase receptor (suPAR), B7-1 (CD80) 등이 매개체로 제시되었었으나 후속 연구는 부정적이다.

3. 바이러스 감염

국소분절사구체경화증의 병인에서 HIV 감염의 역할은 잘 확립되어있다. collapsing형 국소분절사구체경화증에서 parvovirus B19 등 선행 바이러스 감염과의 관련성을 보여주는 연구가 있지만 아직 밝혀지지 않았다.

4. 약물

Heroin, lithium, pamidronate, sirolimus, calcineurin inhibitors, tyrosine kinase inhibitors, interferon-α, β, γ 등과 같은 약물이 국소분절사구체경화증 표현형과 관련이 있다.

5. 부적응 반응

이차 국소분절사구체경화증이 선천적/후천적으로 네프론 수가 감소된 환자에서 또는 정상적인 수의 네프론에 혈역동학적 스트레스가 가해져서 오기도 한다. 네프론의 소실은 보상적인 사구체압 증가와 나머지 사구체의 비대를 일으킨다. 이 변화는 초기에는 "적응(adaptive)"으로 작용하지만 결과적으로 오는 과여과와 사구체압 증가는 "부적응 반응(maladaptive)"이며 진행성 사구체손상의 기전으로 작용한다. 보상적인 모세혈관 고혈압은 발세포 및 내피세포 손상과 메산지움세포 변화를 가져오고 국소분절경화증으로 진행된다. 비만관련사구체병증(Obesity-related glomerulopathy)은 전세계적으로 증가하고 있는데 사구체 비대는 과여과와 사구체 고혈압을 일으키며 고혈압, 당뇨, 고지혈증 등 대사증후군과 관련되어 있다.

6. 국소분절사구체경화증에서 신부전이 진행하는 병태생리

국소분절사구체경화증에서 단백뇨의 병인에 많은 관심이 집중되어왔지만 사구체경화가 간질섬유증과 세관 위축과 관련되어 신부전으로 진행한다는 것은 명백하다. 일부 국소분절사구체경화증에서 발세포는 탈분화, 증식, 세포자멸(apoptosis)과 같은 조절장애 형태로 나타나며 조직검사에서 변형된 발세포 표현형을 보인다. 국소분절사구체경화증 환자의 신장조직 검체에서 TGF-β1, thrombospondin 1, TGF-β2 수용체 단백질은 모두 증가되어 있다. 발세포 소실 후 혈관내피성장인자 합성의 감소와 벽세포(parietal cell) 범위 증가는 모세혈관 붕괴를 가져오고 발세포 고갈과 세포외기질(extracellular matrix)의 과생산은 경화증의 형태로 귀결된다.

분류

국소분절사구체경화증의 분류는 다음과 같다(표 5-9-1).

표 5-9-1. Classification of focal segmental glomerulosclerosis (FSGS)

Primary (idiopathic) Focla Segmental Glomerulosclerosis (FSGS)
FSGS not otherwise specified (NOS)
Glomerular tip lesion variant of FSGS
Collapsing variant of FSGS
Perihilar variant of FSGS
Cellular variant of FSGS
Secondary FSGS
With HIV disease
With intravenous drug abuse
With other drugs (e.g., pamidronate, interferon, anabolic steroids)
With identified genetic abnormalities (e.g., in podocin, alpha-actinin-4, TRPC6)
With glomerulomegaly: 　Morbid obesity 　Sickle cell disease 　Cyanotic congenital heart disease 　Hypoxic pulmonary disease
With reduced nephron numbers: 　Unilateral renal agenesis 　Oligomeganephronia 　Reflux-interstitial nephritis 　Post focal cortical necrosis 　Post nephrectomy

역학

전세계적으로 성인, 소아 모두에서 국소분절사구체경화증의 유병률이 증가하는 추세를 보이고 있다. 이러한 유병률의 변화가 조직검사 기술 및 질병분류의 변화 등과 관련되어있다고 해도 실제 국소분절사구체경화증의 빈도가 증가하고 있는 것으로 생각된다.

일차 국소분절사구체경화증은 여자보다 남자에서 약간 더 흔하며 발병률은 소아와 성인 모두에서 백인이나 아시아 사람보다 흑인에서 높다. 모든 인종에서 국소분절사구체경화증으로 인한 말기신질환의 빈도는 남자에서 여자보다 1.5~2배 높다. 특발 국소분절사구체경화증은 미국에서

신장생검에서 확인되어 말기신질환으로 진행하는 가장 흔한 일차사구체질환이다. 한국에서 2020년 새로 발생된 말기신질환 환자들의 원인 질환 중 9.1%가 만성사구체신염이었고 IgA신병증과 더불어 가장 많은 원인을 차지하고 있으리라 예상된다.

임상소견

단백뇨는 항상 동반되며 무증상 단백뇨 부터 전형적인 신증후군까지 다양한 범위를 보인다. 병의 발병 초기에 소아에서는 70~90%가 신증후군 양상을 보이지만, 성인에

서는 50~70%에서만 신증후군으로 나타난다. 고혈압은 진단 당시 소아와 성인 모두 30~65% 정도에서 발견된다. 미세혈뇨는 30~75%에서 나타나며, 신기능 저하는 20~50%에서 동반된다. 단백뇨 양은 하루 1 g 미만에서 30 g 이상으로 다양하며, 비선택적(non-selective)이다. 즉 소변은 알부민이 가장 많은 성분을 차지하지만 고분자량 단백질도 포함하고 있다. 혈청 보체와 그 외 혈청학적 검사는 정상이다. 어떤 환자는 세관 손상을 시사하는 포도당뇨, 아미노산뇨, 인산뇨, 농축장애 소견을 보인다.

사구체 tip형 환자는 임상 특징이 성인 미세변화병과 유사하여 전형적인 신증후군(90%)의 갑작스런 발병, 심한 단백뇨를 보이며, 세관간질질환(tubulointerstitial disease)은 덜 나타난다. 이들 환자들은 병의 시작부터 신생검까지의 간격이 더 짧기 때문에 tip형은 국소분절사구체경화증 발생에서 비교적 초기 병변이라고 볼 수 있다. cellular형 또한 NOS형 보다 더 많은 단백뇨와 신증후군의 발생을 보인다. collapsing형 환자는 더 많은 단백뇨, 더 본격적인 신증후군, 더 낮은 사구체여과율을 보인다.

진단 및 감별진단

국소분절사구체경화증의 진단에는 신생검이 필수이다. 국소분절사구체경화증의 사구체 병변은 국소성이고 병의 초기에는 보다 깊은 수질 옆에 국한되어 있기 때문에, 조직검사 검체에 병변이 포함되지 않을 수 있고 미세변화병과 비슷하게 보일 수 있다. 광학현미경에서 사구체 20개 이상을 포함하는 보다 큰 조직 검체가 국소성 병변을 확인하는데 도움이 될 수 있다.

국소분절사구체경화증 진단이 내려졌다 하더라도 임상-병리학적 소견을 고려하여 특발과 이차를 구별해야 한다. 일반적으로 잔여콩팥(remnant kidney)과 같이 과여과와 관련된 이차 국소분절사구체경화증에서는 특발성보다 단백뇨가 적고 저알부민혈증의 빈도도 낮고, 조직검사에서 발돌기의 소멸도 심하지 않다. 25세 이하의 젊은 환자이거나 국소분절사구체경화증의 가족력이 있을 때는 podocin,

TRPC6, α-actinin-4, inverted formin 2 등 발세포 유전자의 돌연변이를 유전적으로 검색하는 것이 유용할 수 있다. 미세변화병으로 기술된 조직검사에서 세관간질 손상 소견이 있거나 임상적으로 미세변화병으로 생각되는 환자가 스테로이드나 면역억제제에 반응이 좋지 않다면 국소분절사구체경화증일 수도 있다는 가능성을 생각해야한다.

병리소견

국소분절사구체경화증은 병리적으로 면역복합체의 침착 없이 분절성의 사구체경화를 보이는 질환이다(그림 5-9-1). 형태학적으로 국소분절성사구체경화는 모든 진행성 사구체질환에서 관찰될 수 있으므로 국소분절사구체경화증의 진단은 다른 사구체질환을 일차적으로 감별한 후 이루어진다. 국소분절사구체경화증에서 나타나는 분절성 사구체경화는 발세포의 손상과 그에 따른 탈락에 의한 것으로 미세변화병과 함께 발세포병증의 범주에 포함된다.

형광현미경검사에서 병리학적 정의상 의미 있는 침착물은 관찰되지 않으나 IgM이나 C3가 혈장단백이 빠져나온 부위에서 양성소견을 보일 수 있다.

전자현미경검사에서 면역복합체의 침착에 의한 고밀도 전자물질은 관찰되지 않으며 가장 주된 소견은 발세포의

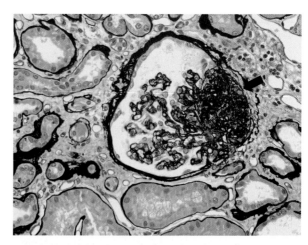

그림 5-9-1. 사구체의 분절성 경화 (화살표) (Periodic Acid Methenamine Silver (PAM)염색).

변화이다. 다양한 정도로 발세포의 발돌기소실이 나타날 수 있으며 원발성인 경우 미세변화병과 유사하게 발돌기의 소실이 미만성으로 나타나지만 이차성인 경우 상대적으로 국소적으로 관찰된다. 또한 발세포의 미세융모변환 (microvillous transformation), 공포형성(vacuolation) 등이 관찰된다. 발세포가 사구체기저막으로부터 탈락된 소견을 관찰할 수도 있으나 이는 한정된 사구체만을 검사하는 전자현미경검사의 특성상 드물게 관찰된다.

국소분절사구체경화증의 예후 및 손상의 평가를 위해

2004년 소위 'Columbia classification'이 제안된 바 있다. 이 분류에서는 사구체의 병리학적 소견만을 바탕으로 다섯가지 유형 (NOS, perihilar, cellular, tip, collapsing)으로 분류하였다. 이 유형 중 collapsing형이 가장 예후가 좋지 않으며 빠른 진행을 보이고 tip형이 면역억제치료에 가장 반응을 잘하며 예후도 좋은 것으로 알려져 있다. 각 유형의 빈도는 인종에 따라 다양하게 보고되고 있으며 우리나라의 경우 연구된 바가 적어 정확히 알려져 있지 않다. 우리나라 성인 원발성 국소분절사구체경화증 111명을 대

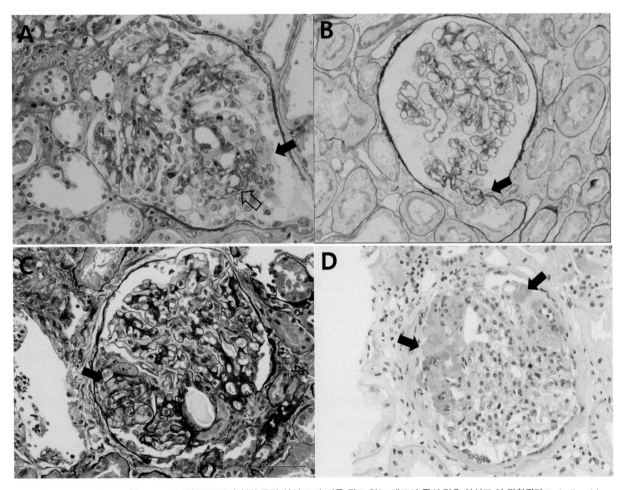

그림 5-9-2. (A) 'Collapsing형' FSGS. 모세혈관고리의 허탈(투명 화살표)과 이를 덮고 있는 세포의 증식(검은 화살표)이 관찰된다(Periodic acid–Schiff (PAS) 염색). (B) 'Tip형' FSGS. 세뇨관극 근처의 모세혈관토리 분절이 세뇨관극에 유착되어 있으며 주변 상피세포의 증식이 관찰된다(검은 화살표) (PAS 염색). (C) 'Celluar형' FSGS. 모세혈관 분절의 내강에 거품세포를 포함하여 세포증식이 관찰된다(검은 화살표) (Periodic Acid Methenamine Silver (PAM)염색). (D) 'Perihilar형' FSGS. 사구체에서 문주위에 유리질화(perihilar hyalinosis)를 동반한 분절성 경화가 관찰된다(검은 화살표) (PAS 염색).

상으로 한 한 연구에서 NOS형이 가장 많았으며 그 다음으로 tip형, perihilar형의 빈도로 나타났으며 cellular형과 collapsing형이 가장 낮은 빈도로 보고된 바가 있다. 이 분류는 원인 및 치료를 직접적으로 고려하지 않아 현재까지 그 유용성에 있어 찬반논의가 이어지고 있다.

병리학적으로 'collapsing형'은 모세혈관고리의 허탈과 함께 그 고리를 덮고 있는 상피세포의 비대와 증식을 보이는 사구체가 하나라도 있는 경우이다 (그림 5-9-2A). 'tip형'은 근위세관으로 연결되는 세관극근처의 모세혈관토리분절에 유착 또는, 경화에 동반된 상피세포의 증식이 있으면서 문(hilum)근처에 경화나 사구체혈관내 세포증식이 없고, collapisng형이 배제된 경우로 정의되어 진다 (그림 5-9-2B). 'celluar형'은 tip형과 collapsing형이 배제된 후 모세혈관 분절의 내강에 거품세포를 포함하여 세포증식이 관찰되는 사구체가 하나라도 있는 경우이다 (그림 5-9-2C). 네 번째 'perihilar형'은 적어도 하나의 사구체에서 문주위에 유리질증(perihilar hyalinosis)이 있으면서 경화가 있는 분절 중 50% 이상이 문주위 경화 또는 유리질증(perihilar sclerosis 또는 hyalinosis)이 관찰되는 경우이다 (그림 5-9-2D). 마지막으로 'NOS형'은 다른 유형들이 배제된 후 나머지 국소분절사구체경화증에서 진단할 수 있다.

사구체를 제외한 간질 및 세뇨관, 혈관의 변화는 비특이적으로 사구체손상의 정도와 대개 비례적으로 손상을 나타낸다.

자연경과 및 예후

국소분절사구체경화증의 자연경과는 매우 다양하지만 치료받지 않은 환자의 일부에서 단백뇨의 자연완화를 보이기도 하지만 무증상 단백뇨를 가지고 있는 환자도 시간이 지나면서 신증후군으로 진행된다. 치료에 잘 반응하지 않는 소아, 성인 모두 발현 5~20년 후에 말기신질환으로 진행하는데 이 중 50% 정도는 10년 이내에 진행한다. 더 빠른 신기능 저하 및 신부전으로의 진행과 관련이 있는 소견은 흑인 인종, 조직검사 당시 이미 낮은 사구체여과율 및

다량의 단백뇨, 조직검사에서 collapsing형 및 세관간질 손상 정도 등이다. 사구체경화의 심한 정도는 예후인자로서 연관이 덜하다. 치료과정 중에 단백뇨와 신증후군의 완화가 있었던 환자는 훨씬 좋은 신기능 유지 경과를 보인다. 경과는 tip형이 가장 좋고 collapsing형이 가장 나쁘다. 말기신질환 비율은 NOS형의 35%와 비교해 볼 때 collapsing형이 가장 높고(65%), tip형이 가장 낮으며(6%), cellular형은 중간이다(28%).

특발 국소분절사구체경화증은 이식 직후나 몇 년 후 이식신에서 재발할 수 있으며 심한 단백뇨와 신증후군을 동반한다. 이식신에서의 재발률이 높은 두 군은 소아 환자와 신부전으로의 빠른 진행을 보였던 환자들이다. 이식신에 재발성 국소분절사구체경화증이 발생하여 재이식을 한 경우가 가장 재발률이 높다. 혈장분리교환술은 재발과 관련된 단백뇨의 성공적인 관해를 유도하고 결과는 성인보다 소아에서 더 좋다.

치료

이차적인 원인의 국소분절사구체경화증은 면역요법에 잘 반응하지 않고 합병증이 많기 때문에 치료 시작 전 선행 원인의 가능성을 배제해야 한다(그림 5-9-3).

1. 레닌-안지오텐신-알도스테론계(RAAS) 억제제

안지오텐신전환효소억제제(ACEI)와 안지오텐신수용체차단제(ARB)는 단백뇨를 줄이고 말기신질환으로의 진행을 늦춘다. 신증후군 범위 미만의 단백뇨가 있는 환자는 예후가 좋기 때문에 충분한 용량의 레닌-안지오텐신-알도스테론계(RAAS) 억제제를 사용함으로서 혈압을 철저히 조절하는 것에 초점을 맞추어야 한다.

2. 스테로이드

프레드니손 또는 프레드니솔론을 1 mg/kg/day 또는 1.5~2 mg/kg 이틀에 한번 4~8주 동안 사용하고 관해에 이르면 점차 감량한다. 처음 반응율은 40~80%이다. 소아에서는 20~25%가 단기간 스테로이드 치료로 완전관해에 이르지만 성인에서는 더 장기간의 사용이 더 높은 관해율을 보인다. 완전관해에 이르는 평균 스테로이드 사용 기간은 3~4개월이다. KDIGO 지침은 고용량 스테로이드를 최소 4주에서 최대 16주까지 사용하고 완전관해 후 6개월에 걸쳐 천천히 감량하도록 권고하고 있다.

3. 면역억제제

스테로이드와 chlorambucil 또는 cyclophosphamide 병합요법은 스테로이드 저항성 국소분절사구체경화증의 기본치료로 사용되어오고 있다. 하지만 추가적인 관해율은 20% 미만밖에 되지 않는다. 많은 연구결과 스테로이드에 반응하지 않는 국소분절사구체경화증에서 저용량 cyclosporine 3~6 mg/kg/day를 2~6개월 투여한 경우 관해율은 60~70%를 보인다. Cyclosporine 중단 후의 재발과 신독성에도 불구하고 장기간 추적 결과 여전히 더 좋은 경과를 보인다. Tacrolimus는 효과와 주요 부작용은 cyclosporine과 비슷하지만, 잇몸비대, 다모증과 같은 미용적인 문제가 덜하다는 장점이 있다. 또한 cyclosporine에 반응하지 않은 경우에 효과를 보이기도 한다. MMF는 cyclosporine과 비슷한 관해율을 보이며 KDIGO 지침은 칼시뉴린억제제를 사용하지 못하는 스테로이드 저항성 환자에서 MMF와 덱사메타손을 사용하도록 제안하고 있다. Sirolimus는 단백뇨와 이식신에서 국소분절사구체경화증병변을

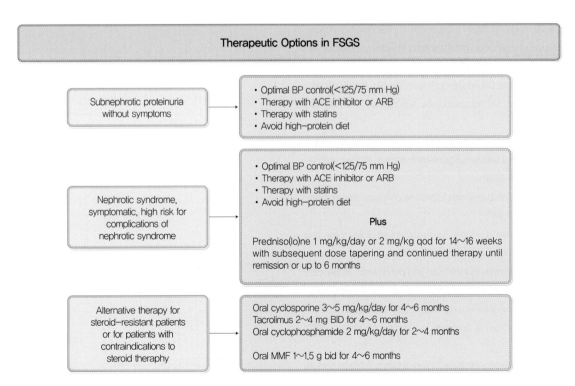

그림 5-9-3. Therapeutic options in focal segmental glomerulosclerosis (FSGS).

Treatment of secondary FSGS should be directed at the underlying cause whenever possible. For HIV-associated nephropathy, treatment with highly active antiretroviral therapy (HAART); for pamidronate nephrotoxicity, discontinue the medication; and for obesity-related glomerulopathy, weight loss. *ACE*, Angiotensin-converting enzyme; *ARB*, angiotensin receptor blocker; *BP*, blood pressure; *MMF*, mycophenolate mofetil.

유발할 수 있다는 점이 보고되어 사용에 논란이 있다. 신기능이 악화되고 급성신부전이 왔다는 연구결과도 있고 스테로이드 저항성을 보이는 환자에서 50% 이상의 완화를 보였다는 연구결과도 있다. Rituximab은 다른 치료에 실패했거나 의존적인 소수의 환자에서 사용되어왔는데 스테로이드 저항성 환자보다 스테로이드 의존성 환자에서 더 효과적이었다. 혈장교환술은 이식신에 재발한 국소분절사구체경화증병변을 치료하는데 성공적인 결과를 보이지만 일반적인 국소분절사구체경화증에는 별다른 효과가 없다. 말기신질환으로 진행되어 이식을 시행한 환자의 30%에서 이식신에 국소분절사구체경화증이 재발한다.

▶ 참고문헌

· 대한신장학회: 2020년 우리나라 신대체요법의 현황. 2020.

· D'Agati VD, et al: Recognizing diversity in parietal epithelial cells. Kidney international 96:16–9, 2019.

· D'Agati VD, Fogo AB, Bruijn AJ, Jennette JC: Pathologic classification of focal segmental glomerulosclerosis: A working proposal. Am J Kidney Dis 43:368–382, 2004.

· De Vriese AS, et al: Differentiating Primary, Genetic, and Secondary F SGS in A dults: A C linicopathologic A pproach. J ASN 29:759–74, 2018.

· Deegens JKJ, et al: Podocyte foot process effacement as a diagnostic tool in focal segmental glomerulosclerosis. Kidney international 74:1568–76, 2008.

· Feehally, John: Comprehensive Clinical Nephrology. 6th ed, Elsevier, 2019, pp228–240.

· Gilbert, et al: Primer on Kidney Diseases. 7th ed, Elsevier Inc. and National Kidney Foundation, 2018, pp181–189.

· Hara S, et al: Podocyte injury–driven lipid peroxidation accelerates the infiltration of glomerular foam cells in focal segmental glomerulosclerosis. The American journal of pathology 185:2118–31, 2015.

· KDIGO Clinical Practice Guideline for Glomerulonephritis, 2020, pp190–209.

· Kopp JB, et al: Podocytopathies. Nature reviews Disease primers 6:68, 2020.

· Kwon YE, et al: Clinical features and outcomes of focal segmental glomerulosclerosis pathologic variants in Korean adult patients. BMC nephrology 215:52, 2014.

· Miesen L, et al: Parietal cells–new perspectives in glomerular disease. Cell and tissue research 369:237–44, 2017.

· Rosenberg, Kopp: Focal Segmental Glomerulosclerosis. Clin J Am Soc Nephol 12:502–517, 2017.

· Yu: Brenner and Rector's The Kidney. 11th ed, Elsevier, 2020, pp1007–1091.

CHAPTER 10

막증식사구체신염과 C3사구체질환

오세원 (고려의대)

KEY POINTS

- 막증식사구체신염은 다양한 원인에 의해 나타날 수 있는 사구체 손상의 유형이다.

- 막증식사구체신염의 분류는 면역 복합체 매개, 보체 매개, 면역 복합체와 보체가 침착되지 않는 경우로 나눌 수 있다.

- 막증식사구체신염의 원인은 면역 복합체 매개의 경우 자가면역질환, 감염, 단클론감마병증이 있고 보체 매개의 경우 보체조절 단백 및 보체 인자에 대한 항체 형성 및 유전자 이상, 면역 복합체 혹은 보체가 침착되지 않은 경우 HUS/TTP, 항인지질 항체증후군 등이 있다.

- 막증식사구체신염은 신증후군, 급성 신염증후군, 무증상 소변 이상 등 다양한 임상 양상으로 나타날 수 있으며 상당 부분 신기능 저하 및 말기 신부전 등으로 진행된다.

- 면역 복합체 매개 막증식사구체신염의 치료는 원인이 밝혀진 경우 그 질환을 치료하고, 특발성인 경우 신증후군 범위 이하의 단백뇨를 보이면 보존적 치료를, 신증후군이나 신기능이 정상이라면 스테로이드 단독 치료를 신기능 저하 및 활동성 요침사 소견을 동반한다면 스테로이드와 면역억제제의 복합 치료를 할 수 있다.

- 중등도 이상의 심한 C3 glomeulopathy 환자에서는 초기 치료로 mycophenolate mofetil을 여기에 실패한다면 eculizumab 투여를 고려해 볼 수 있다.

막증식사구체신염(membranoproliferative glomerulonephritis, MPGN)은 '메산지움모세관(mesangiocapillary)' 또는 '소엽상(lobular)사구체신염'이라고도 불리운다. 막증식사구체신염은 조직병리소견이 사구체 메산지움세포 증식과 사구체 모세혈관 벽의 비후로 사구체소엽이 강조되어 관찰되며, 메산지움 삽입(interposition)으로 사구체 기저막의 분리가 일어나는 특징을 가진다. 따라서 막증식사구체신염은 병리학적 소견으로 정의되나 이러한 형태의 사구체 손상은 다양한 원인에 의해 나타날 수 있다. 따라서 최근 막증식사구체신염은 하나의 질병이 아니라 사구체 손상의 유형이라는 인식하에 분류 체계가 재정립되었다.

막증식사구체신염은 주로 신증후군을 일으키는 사구체 질환들 중의 하나로서 우리나라 성인 신증후군의 4.5~16%를 차지한다. 혈청 보체 감소가 빈번히 관찰되어 '지속적 저보체혈증(hypocomplementemia)과 연관된 만성사구체신염'으로 불리운 적도 있다.

막증식사구체신염의 치료는 대부분 원인 질환을 치료하는 것으로 결정된다. 그러나 드물게 원인 질환을 찾을 수 없는 경우 이를 특발성(idiopathic)으로 정의하며 면역억제제 치료를 하게 된다. 막증식사구체신염의 원인은 자가면역질환, 감염, 단클론감마병증 이외 보체 조절 단백 및 보체인자 유전자 돌연변이 및 항체 생성 등이 있다(표 5-10-1). 우리나라에서는 특징적으로 B형간염 바이러스에 의한 막증식사구체신염이 흔하여 과거 연구에서 성인 막증식사구체신염 환자들의 30~87.5%에서 혈중 HBsAg이 양성으로 나타나 정상 한국인에서의 양성율에 비해 높게 나타났다. 또한 과거에 특발 막증식사구체신염으로 진단된 예들 중 혼합한랭글로불린혈증(mixed cryoglobulinemia)을 동반하는 C형간염의 경우가 많아서 특발 막증식사구체신염의 진단에서 원인 질환을 파악하려는 노력이 필요하다.

병인

막증식사구체신염은 과거 면역복합체의 내피하 침착을 보이는 제1형과 사구체기저막내 고밀도 침착(dense deposit)이 특징적인 제2형, 제1형에 상피하 침착이 함께 나타나는 제3형으로 구분하였다. 제1형 막증식사구체신염은 혈중 면역복합체와 한랭글로불린의 존재, 사구체내 면역물질 침착, 보체계 활성화 등의 면역복합체 질환의 특성들을 가지고 있다. 순환면역복합체와 보체가 내피하에 침착하게 되면 급성으로 내피손상이 일어나고 단핵세포 등의 백혈구가 보체와 chemokine 등을 매개로 침윤하며, 이들에서 나오는 세포인자들의 작용과 메산지움세포 증식 및 활성화로 인해 만성적으로 병변이 진행된다. 제2형 막증식사구체신염은 당단백질 등의 구조 이상과 축적이 특징적인 사구체기저막 내 고밀도 침착이 근본원인으로 추정된다. 이 침착은 정상 사구체기저막을 구성하는 세포외기질 단백들에 대한 항체와 반응하지 않고 불포화 지방산이 많은사실 등에 비추어 생화학적으로 변형된 것이거나, 또는 침착물이 혈청 보체 감소 전에 발생하므로 아마도 이 침착이 대

표 5-10-1. 막증식사구체신염의 원인 질환

면역글로불린/면역 복합체 매개(Immunoglobulin/immune complex mediated MPGN)
자가면역질환(면역 복합체 침착)
• 루푸스 • 쇼그렌증후군(Sjören's syndrome) • 류마티스양 관절염 • 혼합 본태성 한랭글로불린혈증
감염(항원, 항체, 면역 복합체 침착)
• 바이러스: B형간염, C형간염 • 세균: 심내막염, 심실심방 단락, 내부장기 농양, 나병, 수막 구균성 뇌수막염 • 원충류: 말라리아, 주혈흡충증(schistosomiasis)
단클론감마병증(단클론성 면역글로불린 침착)
• 림프종, 백혈병, 다발골수종, Monoclonal gammopathy of undetermined significance (MGUS)
보체 매개 (Completement-mediated MPGN)
• 보체 조절 단백(CFH, CFI, CFHR5)의 돌연변이 • 보체 인자(C3)의 돌연변이 • 보체 인자에 대한 항체(C3, C4, C5 nephritic factor) • 보체 조절 단백(CFH, CFI, CFB)에 대한 항체
면역복합체 혹은 보체가 침착되지 않은 MPGN
• Hemolytic uremic syndrome/thrombotic thrombocytopenic purpura • Anti-phospholipid antibody syndrome • POEMS syndrome • Radiation nephritis • Sickcle cell anemia and polycythemia • Dysfibrinogenemia and other pro-thrombotic states • Anti-trypsin deficiency
특발성 (Idiopathic MPGN)

CFB, complement factor B; CFH, complement factor H; CFHR5, complement factor H-related protein 5; CFI, complement factor I; MPGN, membranoproliferative glomerulonephritis; POEMS, Polyneuropathy, Organomegaly, Endocrinopathy, Monoclonal protein, Skin changes

체보체경로(alternative complement pathway)를 활성화시킨다고 생각되지만 확실하지 않다. 그러나 이러한 분류는 병인에 기초한 것이 아니라 면역 복합체와 보체의 침착 위치, 즉 결과를 가지고 분류하기 때문에 다양한 병인을 가진 질병을 하나의 범주로 분류하게 된다.

따라서 막증식사구체신염을 과거 광학 전자현미경 중심에서 면역형광 현미경 중심으로 재분류하고 있다. 이러한 근거로는 메산지움, 내피하 및 사구체기저막에 침착되는 침착물의 종류에 두고 있다. 제2형 막증식사구체신염은 면역글로불린 침착 없이 주로 대체보체경로의 C3 침착을 보인다. 반면 제1형과 3형 일부에서는 면역글로불린과 전형적보체경로(classic complement pathway, C4, C1q, C3)와 terminal pathway의 산물이 침착되며, 일부에서는 면역글로불린의 침착 없이 대체보체경로의 C3만이 침착되는 경우가 있다. 그러므로 면역글로불린복합체(immune complex)에 의한 전형적보체경로가 활성화되는 면역복합체에 의한 막증식사구체신염(immune complex-mediated MPGN)과 대체보체경로만이 활성화되는 보체매개막증식사구체신염(complement-mediated MPGN, C3 glomerulonephropathy)으로 나누는 것이 병인에 기초한 분류라고 할 수 있겠다.

이러한 분류의 장점은, 그림 5-10-1과 같은 이전의 분류를 그림 5-10-2와 같이 간단히 구분할 수 있다. 면역복합체에 의한 막증식사구체신염은 이전 분류의 제1형과 3형의 일부가 포함되며, 만성적 항원 혹은 순환면역 복합체에 의해 발생이 된다. 면역 복합체에 의한 막증식사구체 신염은 다클론항체 침착과 단클론항체 침착으로 나누어 볼 수 있

다. 다클론항체 침착 막증식 사구체 신염 중 성인에서 가장 흔한 원인으로는 B형 혹은 C형간염바이러스에 의한 막증식사구체신염이며, 기타 세균성 감염, 기생충, 곰팡이 등에 의한 감염에 의해서도 발생될 수 있다(표 5-10-1). 전신적 자가면역질환에 의한 순환면역복합체에 의해서도 발생이 되며, 주로 루푸스, 쇼그렌 증후군, 한랭면역글로블린혈증 등이 이에 속한다. 또한 악성 종양과도 관련되어 나타날 수 있다. 단클론 항체가 침착된 막증식사구체신염은 다발성 골수종, waldenstrom macroglobulinemia, B세포 림프종 등 혈액 질환이 있을 때 동반될 수 있으나

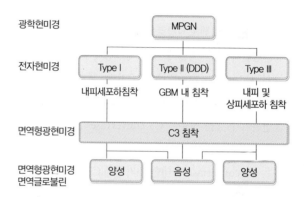

그림 5-10-1. 기존의 막증식사구체신염 분류

전자현믹여 소견과 면역형광 소견에서 중복이 있음. 즉, 제1형과 3형중 일부는 대체보체경로 C3만이 침착되고, 일부는 면역복합체와 전형적보체경로 C4와 C3가 침착되는 경우가 관찰되었음.

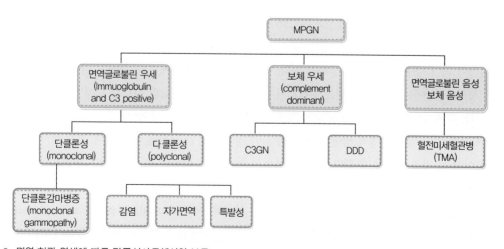

그림 5-10-2. 면역 형광 염색에 따른 막증식사구체신염 분류

C3GN, C3 glomerulonephritis; DDD, dense deposition disease; TMA, thrombotic microangiopathy

monoclonal gammopathy of renal significance (MGRS)로 분류되는 형질세포 및 림프구 이상이 뚜렷하지 않은 경우에도 흔하게 동반된다. 단클론 항체가 직접적으로 메산지움과 사구체 모세혈관에 면역 복합체가 침윤되어 막증식사구체신염이 유발될 수 있다. 신조직검사 당시 감염이 동반 되었다면 보체매개 막증식사구체신염이 면역 복합체 막증식사구체신염으로 오인될 수 있다. 면역 복합체에 의한 막증식사구체신염 중 원인에 대한 검사를 하였으나 밝혀지지 않았을 때 위 경우를 의심하여 보체 조절 이상에 대한 검사를 고려할 수 있다.

보체매개 막증식사구체신염은 대체보체경로와 말단보체복합체(terminal complement complex)의 조절 이상을 특징으로 한다. 대체보체경로의 조절이상은 보체조절단백들의 돌연변이 혹은 이들에 대한 자가항체에 기인한다. 예를 들어, C3 convertase 기능과 C3b의 제거를 조절하는 factor H, I, B, factor H−related protein 5 단백질 유전자의 돌연변이가 있는 경우에 C3 convertase의 활성도가 조절되지 않고 지속된다. Factor H, B 에 대한 자가항체의 존재 혹은 C3 convertase에 대한 자가항체(C3 nephritic factor) 역시 대체보체경로를 지속적으로 활성화시키는데, C3 nephritic factor는 C3 convertase의 비활성화를 억제하게 된다. Factor H 유전자의 polymorphism, Tyr402His, 역시 관련이 있는데, factor H의 His402는 factor H에 의한 C3 convertase의 조절기능이 없어 지속적인 보체 활성화가 유지된다. 이러한 대체보체경로의 보체 활성화는 C3b와 말단보체복합체를 활성화시키고, 이들이 메산지움과 내피세포하에 침착이 되어 사구체 염증을 유발하게 된다. 보체매개 막증식사구체신염에는 면역글로불린은 침착되지 않는 것이 특징이다. 유전적으로 보체계통의 이상이 있으나 생후 즉시 나타나지 않는 것은 환경적 영향 혹은 이차적인 인자의 영향이 있는 것을 예측할 수 있다. 이에 대해서는 확실히 밝혀진 바는 없으나, 막증식사구체신염의 환자들에서 인후염과 같은 감염후 육안적혈뇨가 발생되는 현상으로 유추할 수도 있다. C3 glomerulopathy는 소아나 젊은 환자에서 흔하지만 최근 단클론 단백을 생성하는 노령 인구에서 C3 glomerulopathy와 관련이 있다는 보고

가 있다. 50세 이상의 C3 glomerulopathy 환자에서 단클론성 감마병증의 유병율이 31−83%까지 보고되었다. 이에 대한 직접적인 이유는 밝혀져 있지 않으나 단클론 단백이 직접적으로 대체보체경로를 활성화시켜 보체 조절 이상을 유발하는 것으로 유추되고 있다.

병리학적 소견

1. 광학현미경 소견

메산지움세포의 증식과 메산지움기질의 증가로 인한 심한 메산지움의 팽창으로 인해 모세혈관고리 내강이 좁아지고 혈관벽이 불규칙하게 비후되는 것이 기본적인 소견이다. 메산지움의 심한 팽창으로 인해 사구체 소엽구조가 매우 강조되어 나타나는데 PAS 염색을 하면 메산지움기질이 양성으로 염색되어 이러한 소견을 더욱 쉽게 관찰할 수 있다(그림 5-10-3). 백혈구의 침윤이 자주 관찰되어 간혹 광학현미경 소견만으로는 연쇄구균감염후사구체신염과 유사하게 보일 수도 있다. 모세혈관벽의 변화는 정상으로부터 수배에 이르기까지 두께가 다양하며 하나의 모세혈관고리 내에서도 부위에 따라 차이가 심하다. 특징적으로 모세혈관벽이 기차선로모양('tram track')으로 두겹으로 보이는데 이러한 소견은 은염색을 시행하면 뚜렷하게 관찰할 수 있으나 PAS 염색 또는 trichrome 염색으로도 쉽게 관찰된다. 국소적인 경화증이나 초승달 형성이 간혹 관찰되는데 광범위한 경우 예후가 나쁘다. 사구체 메산지움세포 증식 및 메산지움 팽창과 사구체 모세혈관 벽의 비후가 동반되는 것이 막증식사구체신염의 특징적인 소견이나 이것은 특정 시간동안 나타날 수 있으며 조직 검사 시기에 따라 다른 형태로 나타날 수 있다. 같은 병인으로 인한 사구체 손상의 연장 선상으로 질병의 경과 중 모세혈관 내 증식성 사구체신염(endocapillary proliferative glomerulonephritis), 메산지움 증식성 사구체신염(mesangioproliferative glomerulonephritis), 반월상 사구체신염(crescentic glomerulonephritis) 등이 나타날 수 있다.

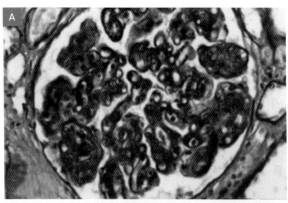

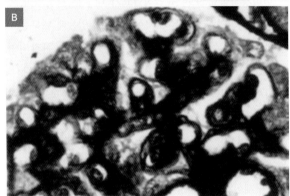

그림 5-10-3. 막증식사구체신염의 광학현미경 소견

(A) 메산지움이 심하게 확장되어 소엽구조가 뚜렷하며(PAS x200), (B) 모세혈관 벽이 특징적으로 두겹으로 보인다(periodic acid-methenamin silver, x100).

2. 면역현광 소견

가장 흔한 경우로서 면역글로블린과 C3가 모세혈관벽과 메산지움 모두에 과립상으로 침착이 되는 것이다(그림 5-10-4). 이를 면역복합체 막증식사구체신염(immune complex-mediated MPGN)이라 하며 면역글로불린과 보체가 모두 침착되거나 면역글로불린만 침착된 경우로 정의한다. 보체는 C3 외에도 약 70%에서 C1q나 C4같은 보체 경로의 초기 성분들의 침착을 동반한다. 보체매개 막증식사구체신염(complement-mediated MPGN, C3 glomerulonephropathy)의 경우 면역글로불린이 없거나 약하게 침착되어 있으며 C3가 주로 침착된 경우로 정의한다.

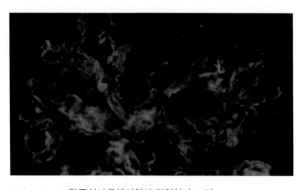

그림 5-10-4. 막증식사구체신염의 면역형과 소견

면역 물질이 모세혈관고리와 메산지움 모두에 침착되어 있다 (C3, x400).

3. 전자현미경 소견

광학현미경에서 두겹으로 보이는 기저막 중 바깥층의 기저막이 본래 존재하던 기저막이고 안쪽으로 관찰되는 기저막은 내피세포에 의해 새로이 형성된 기저막 유사 성분과 내피하공간으로 삽입된 메산지움 성분 중 메산지움 기질로 이루어진다. 이 두층 사이에 존재하는 것들은 메산지움세포, 전자고밀도물질과 내피세포의 세포질성분 등이다. 내피하 전자고밀도물질은 대체로 작은 크기이나 다량이 축적된 경우는 광학현미경에서도 혈관벽내측으로 주변보다 더 짙은 호산성의 균질성 물질로서 관찰된다(그림 5-10-5). 메산지움은 다양하게 팽창되는데 질환 초기에는

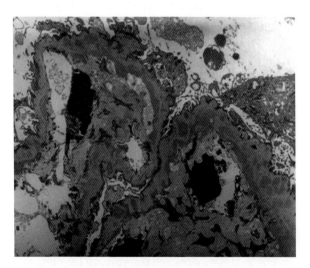

그림 5-10-5. 막증식사구체신염의 전자현미경 소견

사구체기저막이 내피하전자고밀도물질의 침착과 메산지움 및 메산지움세포 성분들의 삽입으로 두터워져 있다 (uranylacetate & lead citrate, x300).

291

메산지움세포의 증식이 더욱 현저하고 질환이 경과함에 따라 메산지움세포 증식은 감소하면서 메산지움기질의 양이 증가한다. 메산지움 내에서 전자고밀도물질의 침착이 관찰되며 중성구, 단핵구, 혈소판 및 섬유소 등도 관찰된다.

보체조절이상에 의한 막증식사구체신염인 경우는 모세혈관의 기저막, 보우만 피막 및 요세관 기저막 내부에 전자고밀도물질이 침착하는 dense deposit disease (DDD)와 C3 glomerulonephritis로 전자현미경 소견을 구분할 수 있다. dense deposit disease인 경우 광학현미경 소견은 대부분 제1형과 유사하나 때로 일부 분절만 침범하여 국소분절괴사사구체신염으로 나타난다. 내 전자고밀도물질이 축적되어 기저막이 분절상으로 방추상 비후를 보이고 그 사이 기저막은 전자고밀도물질의 침착이 없이 두께가 정상이거나 다소 얇아진다. 메산지움에도 같은 물질이 관찰되며 보우만 피막과 요세관 기저막도 함께 침범된다. 이러한 전자고밀도물질은 다른 사구체신염에서 보는 면역복합체 유형의 과립상 침착과 달리 더 전자밀도가 높고 비과립상이다. 침범된 모세혈관벽은 호산성 굴절성 비후를 보이고 PAS 염색상 강양성으로 염색되어 마치 소세지를 줄줄이 꿰어놓은 듯하게(string of sausage) 보인다. 면역형광검사에서 기저막내침착물 자체는 면역글로블린이나 보체 등에 대해 염색이 되지 않고 모세혈관벽이 C3에 대해 두 줄로 선상으로 염색되어 마치 기찻길을 연상케 한다. 약 반수에서는 메산지움 내에 C3에 양성인 결절양상을 보이는데 이를 메산지움환(mesangial ring)이라고 한다.

임상양상

대부분 6세에서 30세 사이의 소아와 청년에서, 특히 제2형은 20세 미만에서 발병하며 남녀비는 거의 같다. 환자들의 50~60%에서 신증후군 형태로 나타나며, 30% 정도는 무증상 단백뇨, 20%는 적혈구원주, 신기능 저하, 고혈압이 연관된 급성신염증후군 형태로 나타난다. 대부분에서 현미경적혈뇨를 동반하고, 신증후군의 증상을 볼 수 있으며, 환자들의 30%에서 고혈압이 나타나고 20%에서는 신기능 저하가 관찰된다. 환자들의 반수에서 상기도 감염 등의 감염이 선행한다고 한다. 이 경우 연쇄구균감염후사구체신염과 임상적으로 감별해야 한다.

검사실 소견

현미경적혈뇨 또는 육안적혈뇨가 대부분 관찰되며, 신증후군 범위의 단백뇨는 50%에서 볼 수 있는데 대부분 비선택성이다. 순환면역복합체가 30~70%에서 관찰되며, antistreptolysin-O (ASO) 치의 증가도 종종 발견된다. 막증식사구체신염의 특징적인 검사실 소견은 총용혈보체활성(total hemolytic complement activity)과 보체 C3의 감소인데, 이러한 혈청 C3의 감소는 이화작용의 증가와 생산의 감소 때문이라고 알려져 있다. 이전 분류의 제1형 막증식사구체신염에서는 경과 중 혈청 C3가 변동을 보일 수 있지만 환자들의 50~65%에서 감소된다. 동시에 제1형에서는 초기 전형적보체경로(C1q, C4, C2)와 말기 보체들(C5-9)의 혈청치가 흔히 감소되므로 제1형의 진단에 도움이 된다. 제 2형에서는 혈청 C3의 감소가 대부분의 환자들에서 지속적으로 더 심하게 감소된다고 한다. 제2형에서는 초기 보체들의 감소 없이 C3만이 감소되는데 이는 대체보체경로의 활성화를 나타낸다. 혈청 C3의 감소는 루푸스와 감염후사구체신염, 혼합한랭글로불린혈증 등에서도 나타나는데, 연쇄구균감염후사구체신염의 경우는 8주 이내에 정상화되기 때문에 지속적인 감소를 보이는 막증식사구체신염과는 감별이 된다. 또한 한랭글로불린혈증과 면역복합체가 관찰될 경우엔 C형바이러스감염과의 관련성을 생각해야 한다. C3신염인자(C3NeF, NFa)는 질병의 활성도와 반드시 일치하지는 않으며, dense deposit disease 환자들의 60% 이상, partial lipodystrophy에서 60~70% 정도 발견된다. 또한 말기보체요소들에 대한 자가항체인 말기신염인자(terminal nephritic factor;C3NeFt, NFt)도 제1형과 제3형 막증식사구체신염 환자들에서 보고되었다. 이는 properdin 의존성과 열감수성을 가지는데 대체보체

경로의 properdin이 부착되는 C3/C5전환효소를 안정화시켜 C5b-9 복합체를 선택적으로 활성화시킨다고 한다. 그 밖에 전형적보체경로의 C3 전환효소 복합체에 대한 자가항체인 C4신염인자가 제1형 막증식사구체신염에서 보고되었다.

또한 정상적혈구빈혈(normocytic anemia)이 반수 이상에서 나타나는데 미세혈관병(microangiopathic) 성상이며 신기능 저하에 따라 더 심해진다. 신정맥혈전증의 빈도도 증가된다.

예후 및 경과

경과는 다양하지만 일반적으로 서서히 진행하는 특성을 가진다. 여기에 간헐적으로 급성 악화와 회복이 반복될 수 있다. 장기적 예후로는 10년 신생존율이 60~65%이지만 지속적인 신증후군일 때는 40%, 신증후군 범위 이하의 단백뇨는 85%가 된다고 한다. 추적관찰 결과 정상 신기능이면서 지속적인 단백뇨 상태는 30~40%, 만성 신기능 저하 10~15%, 신대치요법이 필요한 말기신부전 40%이며, 7~10%만이 임상적으로 완화가 일어난다. 국내 보고에서는 신장생검을 시행한 1,943명의 사구체신염 환자 중 47명의 막증식사구체신염 환자들을 평균 90개월 추적한 결과 말기신부전은 27.7%, 사망은 23.4%에서 발생하였다. 이들 환자들은 일반인에 비하여 사망 위험도가 2.59배 높았고, 미세변화신증후군, 국소분절사구체경화증, IgA신장병 및 막신병증 환자보다도 사망 위험도가 높았다. 예후에 영향을 주는 악화 인자들은 다른 사구체질환과 비슷하여 신증후군, 초기의 신기능 저하, 고혈압, 광범위한 초승달 병변, 사구체경화증, 간질부위 손상의 조직병리소견으로 알려져 있다. 이식 후 막증식사구체신염의 재발율은 27~65% 정도이며, 단클론항체가 동반된 경우 재발이 빨리 나타나고 임상적 예후가 좋지 않다고 보고되었다.

치료

제1형 막증식사구체신염에 대한 치료 결과 중 1970~80년대의 보고들은 C형간염과 관련된 막증식사구체신염이 다수 포함되었을 것이므로 특발 막증식사구체신염 치료의 근거로 삼기는 힘들다. 신증후군 범위 이하의 단백뇨 환자들은 치료한 경우와 하지 않은 경우에 차이가 없다는 보고가 있으며, 10년 신생존율 85%로 예후가 좋다고 알려져 있다. 그러나 일부 환자들에서 말기신부전으로 진행되었다는 보고도 있어서 단백뇨나 신기능 악화 및 고혈압 발생을 잘 추적 관찰해야 할 것이다.

막증식사구체신염을 치료하는 것을 결정하기 앞서 기저질병에 대한 원인 파악이 선행되어야 할 것이며, 원인이 없는 특발성이라면 면역 억제 치료를 고려할 수 있다. 치료 대상은 신증후군 범위의 단백뇨나 신기능 저하 환자들이다. 현재까지 주된 치료약제들인 부신피질호르몬과 항혈소판 약물들의 효과에 관한 보고들이 있었으나 아직 확립되어 있지 않은 상태이다. 부신피질호르몬은 제1형 막증식사구체신염을 가진 소아환자들에서 사용되어 왔는데, 일례로 프레드니손 2 mg/kg을 격일로 1년간 사용하고 3~10년 동안 감량한 연구에 따르면 대부분 환아에서 신기능을 유지하는 효과를 보였다고 한다. 또한 ISKDC 연구에서도 5년간 프레드니손 40 mg/m² 격일요법을 시행하였을 때 10년 후 신기능유지가 61%로서 위약대조군의 12%에 비해 우수한 결과가 나왔으며, 추적 신장생검에서도 메산지움기질 확장과 모세혈관벽의 비후 등이 개선되었다. 그 밖에 소아에서 스테로이드 매일요법의 효과도 보고된 바 있으며, 크레아티닌 청소율이 50 mL/min 이하로 저하된 경우에 메틸프레드니솔론 충격요법의 효과도 보고되었다. 한편 스테로이드요법의 부작용 때문에 단기간의 스테로이드 치료와 안지오텐신전환효소억제제 투여로 적극적인 고혈압 치료가 이상적이라는 주장도 있으며, 조기 치료가 중요하다는 이론도 있다. 그러나 성인에서는 아직까지 스테로이드 요법의 효과가 입증되지 못하였다.

세포독성약제의 사용에 관한 결과는 제한적이며, 세포독성약제와 스테로이드의 병합요법이 스테로이드 단독보다 효과가 우월하다는 보고가 있다. 최근 개정된 Kidney Disease: Improving Global Outcomes (KDIGO) 가이드라인에서는 특발성 면역복합체 막증식사구체신염인 경우 신증후군이며 신기능 저하가 없다면 스테로이드 요법을, 신기능 저하가 있거나 활동성 요침사 소견이 있는 스테로이드와 mycophenolate mofetil, cyclophophamide, rituximab 등 면역억제제 병합치료를 제안하고 있다. Cyclophosphamide와 항혈소판 약제, 와파린의 병합요법의 효과는 입증되지 못하였으며, 비스테로이드소염제의 치료에 관한 보고도 있었으나 최근에는 후속 연구가 없다. C3 glomerulopathy에 대한 치료 또한 아직 정립되지 않았다. 최근 60 명의 C3 glomerulopathy를 대상으로 한 연구에서 mycophenolate mofetil과 스테로이드의 병합치료가 다른 면역억제제 치료군과 비교하여 말기 신부전과 혈청 크레아티닌 상승을 낮추었다는 보고가 있다. 또한 30명의 C3 glomerulopathy를 대상으로 한 연구에서 평균 3년의 추적 관찰 기간동안 2/3 환자에서 혈청 크레아티닌과 단백뇨가 안정적이거나 호전된 경과를 보였다.

최근의 병태생리 기전 중 보체계의 이해가 증가함에 따라 보체조절이상에 대한 치료를 고려해 볼 수 있으나 현재까지는 임상적인 증거는 미약한 실정이다.유전적인 결함에 의한 보체조절이상인 경우는 보체계의 말단복합체인 membrane attack complex의 억제제(예: anti-C5 monoclonal antibody인 eculizmab)를 고려할 수 있다. 3명의 dense deposition disease 환자와 3명의 C3 glomerulonephritis 환자를 대상으로 하여 12개월동안 eculizumab을 투여한 뒤 3명의 환자가 신기능 혹은 단백뇨가 호전되었으며 한명의 환자가 조직학적 호전을 보였다. 또한 모든 환자에게서 soluble C5b-9 수치가 정상화되었다. 26명의 C3 glomerulopathy 환자를 대상으로 한 후향적 연구에서 중앙값 14개월 동안의 관찰 기간동안 eculizumab을 투여 후 46%의 환자가 임상적인 호전을 보였으며, 신기능 저하가 심할수록, 급속 진행성 사구체 신염인 경우, 신 조직검사상 모세혈관외 증식이 심할 경우 치료에 더 잘 반응하였다. 이상의 소규모 연구 결과를 바탕으로 KDIGO 가이드라인에서는 조직 검사상 중등도 이상의 심한 증식이 있거나 단백뇨가 2g/day 이상의 중등도 혹은 심한 C3 glomerulopathy의 경우 초기 치료로 mycophenolate mofetil을 제안하고, 여기에 반응하지 않는다면 eculizumab을 투여하는 것을 제안하고 있다.

요약하면 신증후군 범위 이하의 단백뇨를 보이는 특발성 면역복합체 막증식사구체신염 환자들은 보존적 치료를, 신증후군이나 신기능이 정상이라면 스테로이드 단독 치료를, 신기능 저하 및 활동성 요침사 소견을 동반한다면 스테로이드와 면역억제제의 복합 치료가 추천되며 중등도 이상의 심한 C3 glomeulopathy 환자에서는 초기 치료로 mycophenolate mofetil을 여기에 실패한다면 eculizumab 투여를 고려해 볼 수 있다.

▶ 참고문헌

- 오국환 등: 성인신증후군의 임상. 병리학적 고찰. 대한신장학회지 16:651, 1997.
- 대한신장학회: 임상신장학. 1판, 서울, 광문출판사, 2001, pp249-254.
- Avasare RS, et al: Mycophenolate Mofetil in Combination with Steroids for Treatment of C3 Glomerulopathy: A Case Series. Clin J Am Soc Nephrol 13:406-413, 2018.
- Bomback, A. S., et al. Eculizumab for dense deposit disease and C3 glomerulonephritis. Clin. J. Am. Soc. Nephrol 7:748-756, 2012.
- Brenner BM: The Kidney. 6th ed. Philadelphia, W.B. Saunders, 2000, pp1263-1276.
- Bruns FJ, et al: Sustained remission of membranous glomerulonephritis after cyclophosphamide and prednisone. Ann Int Med 114:725, 1991.
- Cameron JS, et al: Idiopathic mesangiocapillary glomerulonephritis: Comparison of types I and II in children and adults and long-term prognosis. Am J Med 74:175, 1983.
- Cattran DC, et al: Results of a controlled drug trial in membranoproliferative glomerulonephritis. Kidney Int 27:436-441, 1985.
- Chauvet S, et al: Both Monoclonal and Polyclonal Immunoglobulin Contingents Mediate Complement Activation in Monoclonal Gammopathy Associated-C3 Glomerulopathy. Front Immunol 9:2260, 2018.
- Choi MJ, et al: Mycophenolate mofetil treatment for primary glomerular diseases. Kidney Int 61:1098-1114, 2002.
- D'Amico G, et al: Mesangiocapillary glomerulonephritis. J Am Soc

Nephrol 2:S159, 1992.

- D'Amico G: Renal involvement in hepatitis C infection: Cryoglobulin-emic glomerulonephritis. Kidney Int 54:650, 1998.
- Goodship TH, et al. Atypical hemolytic uremic syndrome and C3 glomerulopathy: conclusions from a "Kidney Disease: Improving Global Outcomes" (KDIGO) Controversies Conference. Kidney Int 91:539–551, 2017.
- International Study of Kidney Disease in Children: Nephrotic syndrome in children. A randomized trial comparing the two prednisone regimen in steroid responsive patients who relapse early. J Pediatr 95:239, 1979.
- International Study of Kidney Disease in Children: Prospective controlled trial of cyclophosphamide in children with nephrotic syndrome. Lancet 2:423, 1974.
- Jones G, et al: Treatment of idiopathic membranoproliferative glomerulonephritis with mycophenolate mofetil and steroids. Nephrol Dial Transplant 19:3160–3164, 2004.
- KDIGO Clinical practice guideline on glomerular diseases. public review draft June 2020.
- Kim Y, et al: Immunofluorescence studies of dense deposit disease. The presence of railroad tracks and mesangial rings. Lab Invest 40:474, 1979.
- Le Quintrec M, et al: Patterns of Clinical Response to Eculizumab in Patients With C3 Glomerulopathy. Am J Kidney Dis 72:84–92, 2018.
- Lee H, et al: Mortality and renal outcome of primary glomerulonephritis in Korea; Observation in 1,943 biopsied cases. Am J Nephrol 37:74–83, 2013.
- Leung N, et al: The evaluation of monoclonal gammopathy of renal significance: a consensus report of the International Kidney and Monoclonal Gammopathy Research Group. Nat Rev Nephrol 15:45–59, 2019.
- Lorenz EC, et al. Recurrent membranoproliferative glomerulonephritis after kidney transplantation. Kidney Int 77:721–728, 2010.
- Lu DF, et al: A descriptive study of individuals with membranoproliferative glomerulonephritis. Nephrol Nurs J 34:295–302; quiz 303, 2007.
- Miller RB, et al: Idiopathic membranoproliferative glomerulonephritis, in Immunologic Renal Diseases, edited by Neilson EG, Couser WG, New York, Lippincott-Raven, 1997, pp1133–1145.
- Nasr SH, et al: Dense deposit disease: clinicopathologic study of 32 pediatric and adult patients. Clin J Am Soc Nephrol 4:22–32, 2009.
- Rabasco C, et al: Effectiveness of mycophenolate mofetil in C3 glomerulonephritis. Kidney Int 88:1153–1160, 2015.
- Ramos EL: Recurrent diseases in the renal allograft. J Am Soc Nephrol 2:109, 1991.
- Ravindran A, et al: C3 Glomerulopathy: Ten Years' Experience at Mayo Clinic. Mayo Clin Proc 93:991–1008, 2018.
- Rennke HG: Secondary membranoproliferative glomerulonephritis. Kidney Int 47:643–656, 1995.
- Schmitt H, et al: Long-term prognosis of membranoproliferative glomerulonephritis type I. Significance of clinical and morphological parameters: An investigation of 220 cases. Nephron 55:242–250, 1990.
- Sethi S, et al: Membranoproliferative glomerulonephritis—A new look at an old entity. N Engl J Med 366:1119–1131, 2012.
- Sethi S, et al: Membranoproliferative glomerulonephritis and C3 glomerulopathy: Resolving the confusion. Kidney Int 81:434–441, 2012.
- Sethi S, et al: Membranoproliferative glomerulonephritis: Pathogenetic heterogeneity and proposal for a new classification. Seminars in Nephrology 31:341–348, 2011.
- Sibley RK, et al: Dense intramembranous deposit disease: New pathologic features. Kidney Int 25:660–670, 1984.
- Strife CF, et al: Autoantibody to complement neoantigens in membranoproliferative glomerulonephritis. J Pediatr 116:S98–102, 1990.
- Tarshish P, et al: Treatment of mesangiocapillary glomerulonephritis with alternate-day prednisone: A report of the International Study of Kidney Disease in Children. Pediatr Nephrol 6:123–130, 1992.
- Varade WS, et al: Patterns of complement activation in idiopathic membranoproliferative glomerulonephritis types I, II, and III. Am J Kidney Dis 26:196–206, 1990.
- Welch TR, et al: Major-histocompatibility-complex extended haplotypesin membranoproliferative glomerulonephritis. N Engl J Med 314:1476–1481, 1986.
- West CD: Idiopathic membranoproliferative glomerulonephritis. in Therapy in Nephrology and Hypertension, edited by Brady HR, Wilcox CS, Philadelphia, W.B. Sounders Company, 1999, pp199–203.
- Zauner I, et al: Effect of aspirin and dipyridamole on proteinuria in idiopathic membranoproliferative glomerulonephritis: A multicentre prospective clinical trial. Nephrol Dial Transplant 9:619–622, 1994.

CHAPTER 11

전신혈관염과 연관된 사구체질환 및 항기저막병

성은영 (부산의대), 고현정 (울산의대 병리과)

KEY POINTS

- 2012년 CHCC의 변경된 명칭에 따라, 항중성구세포질항체 연관 혈관염에는 육아종증다발혈관염(과거 Wegener's), 미세다발혈관염, 호산구 육아종증다발혈관염(과거 Churg-Strauss)이 포함된다.

- 치료를 위해 rituximab의 사용이 보편화되었는데, 관해유도를 위해 corticosteroid+cyclophosphamide 혹은 corticosteroid+rituximab을 사용하고, 관해유지 치료에도 rituximab의 사용이 권고되었다.

- 호산구 육아종증다발혈관염에서 자주 재발하거나 치료에 반응하지 않는 심한 천식을 치료하기 위해 mepolizumab (항 IL-5 항체)을 사용해 볼 수 있다.

전신혈관염은 혈관벽의 염증과 손상으로 인한 조직의 허혈, 괴사를 특징으로 하는 질환이다. 여러 장기에서 다양한 크기와 형태의 혈관을 침범할 수 있어 임상증상이 다양하게 나타난다. 주로 침범되는 혈관 크기에 따라 그림 5-11-1과 같이 질환을 분류할 수 있지만, 몇몇 혈관염은 다양한 크기의 혈관에 병변을 일으킨다. 신장혈관을 침범하여 사구체질환을 유발하는 질환은 대부분 소혈관염(small-vessel vasculitis)이며, 기전에 따라 항중성구세포질항체(anti-neurtophil cytoplasmic antibody, ANCA) 연관, 혹은 면역복합체(immune complex) 연관 소혈관염으로 분류한다. 2012년 Chapel Hill Consensus Conference (CHCC) 명명법에 따르면 항중성구세포질항체 연관 혈관염에는 육아종증다발혈관염(granulomatosis with polyangiitis, GPA, Wegener's), 미세다발혈관염(micro-scopic polyangiitis, MPA), 호산구 육아종증다발혈관염(eosinophilic granulomatosis with polyangiitis, EGPA, Churg-Strauss)이 포함되고, 면역복합체 연관 소혈관염에는 한랭글로불린혈증 혈관염(cryoglobulinemic vasculitis), 면역글로불린A 혈관염(immunoglobulin A vasculitis, IgAV, Henoch-Schönlein), 저보체혈증두드러기 혈관염(hypocomplementemic urticarial vasculitis, anti-C1q vasculitis), 항사구체기저막병(anti-GBM antibody disease) 등이 있다. 여기서는 육아종증다발혈관염, 미세다발혈관염, 호산구 육아종증다발혈관염과 항사구체기저막병에 대해 다루기로 한다.

Immune complex small vessel vasculitis
Cryolobulinemic vasculitis
IgA vasculitis (Henoch–Schonlein)
hypocomplementemic urticarial vasculitis
(Anti–C1q vasculitis)

Anti–GBM disease

Medium vessel vasculitis
Polyarteritis nodosa
Kawasaki disease

ANCA–associated small vessel vasculitis
Microscopic polyangiitis
Granulomatosis with polyangiitis (Wegener's)
Eosinophilic granulomatosis with polyangiitis
(Churg–Strauss)

Large vessel vasculitis
Takayasu's arteritis
Giant cell arteritis

그림 5-11-1. 침범 혈관 크기에 따른 질환의 분류. 오른쪽부터 순서대로 대동맥, 큰동맥, 중형동맥, 소동맥/세동맥, 모세혈관, 세정맥, 정맥을 의미한다. Anti-GBM, anti-glomerular basement membrane; ANCA, antineutrophil cytoplasmic antibody.

병인 및 병태생리

혈관염의 병인은 다양한 항원 자극에 대한 면역학적 기전으로 설명되고 있으나 아직 정확한 기전에 대해서는 밝혀진 바가 없으며 환경적, 유전적 요인들이 함께 관여하는 것으로 보인다.

1. 항중성구세포질항체(Anti-neutrophil cytoplasmic antibody, ANCA)

항중성구세포질항체는 중성구의 세포질과립 단백질에 대한 항체로 세포질 항중성구세포질항체(cytoplasmic ANCA, C-ANCA)와 핵주위 항중성구세포질항체(perinuclear ANCA, P-ANCA) 두 종류가 있다(그림 5-11-2A,2B). C-ANCA의 주요 항원은 단백질분해효소 3(proteinase 3, PR3)이며, P-ANCA는 주로 골수세포과산화효소(myeloperoxidase, MPO)에 대한 항체이다. 육아종증다발혈관염의 60~90%(주로 C-ANCA), 미세다발혈관염의 70%(주로 P-ANCA), 호산구 육아종증다발혈관염의 50%(주로 P-ANCA)에서 양성을 보인다. 이러한 질환들은 항중성구세포질항체가 양성이면서 소혈관의 혈관염을 보이므로 항중성구세포질항체 연관 혈관염이라고 칭한다.

현재까지 알려진 바에 따르면 중성구가 혈관 손상에서 가장 중요한 역할을 하는데, 감염이나 염증 등에 의한 반응으로 염증사이토카인(tumor necrosis factor-alpha, interleukin-1), 지다당류(lipopolysaccharide), 보체 C5a에 중성구가 노출되면 PR-3와 MPO 항원이 세포막으로

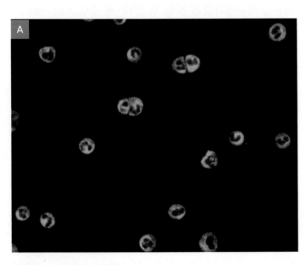

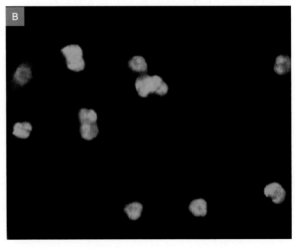

그림 5-11-2. **(A)** C-ANCA

(B) P-ANCA

이동하는 시동(priming) 상태가 된다. 세포막으로 이동한 항중성구세포질항원은 항중성구세포질항체와 반응하여 중성구는 활성화되고, 부착분자(adhesion molecules), 반응산소종(reactive oxygen species, ROS), 단백질분해효소(protease) 등을 분비하여 내피세포 손상을 일으키고, 자가반응 T세포(autoreactive T cells)와 단핵구(monocytes)를 불러오고 대체보체경로(alternative complement pathway)를 활성화시켜 조직 손상을 야기한다.

2. 면역복합체(Immune complex)

면역복합체 매개 조직 손상을 병인으로 하는 질환은 한랭글로불린혈증 혈관염(cryoglobulinemic vasculitis), 면역글로불린A 혈관염(immunoglobulin A vasculitis, IgAV, Henoch-Schönlein), 저보체혈증두드러기 혈관염(hypo-complementemic urticarial vasculitis, anti-C1q vasculitis) 등이 있다. 항원-항체 복합체가 혈관벽에 침착하면 histamine, bradykinin, leukotriene 등의 분비가 증가하고 혈관벽의 투과성이 증가한다. 또한 면역복합체 침착에 의한 보체계의 활성으로 호중구 등이 혈관벽에 침착하고 다양한 효소를 분비하여 혈관벽 손상 및 혈관내강 이상이 발생하여 조직 손상이 생기는 것으로 생각된다. 혈관벽의 손상 정도는 그물내피계통(reticuloendothelial system)의 활성도, 면역복합체의 물리화학적 성상, 혈관바탕(vascular bed)의 혈역동학적 성상 등에 따라 다양하다.

육아종증다발혈관염(Granulomatosis with polyangiitis, GPA)

육아종증다발혈관염은 소혈관의 괴사혈관염(nerotizing vasculitis)을 일으키는 질환으로 과거에 Wegener육아종증으로 불렸으나 2012년 CHCC에서 개정 명명하였다. 육아종증다발혈관염은 전신혈관염과 함께 상부 및 하부 호흡기계, 사구체의 괴사 및 육아종 염증이 특징이다. 인구 10만 명당 3명의 유병률을 보이는 드문 질환이며, 40~60대에서 발병률이 높은 것으로 보고되고 있다.

1. 병인

질환의 발병 기전은 명확하지는 않지만, 일부 감염과 관련된 환경적 요인과 항중성구세포질항체와 관련된 면역기전이 관여할 것으로 생각된다. 다른 사구체질환과 달리 면역복합체의 침착이 관찰되지 않는 것이 특징이다. 황색포도알균(Staphylococcus aureus)의 비강 내 보균자에서 재발이 잘 되는 것으로 보고되었지만, 직접 병인과 관련이 있는지에 대한 증거는 부족하다. 말초혈액 단핵구에서 INF-γ, TNF-α의 생성이 증가되고, IL-12 증가 소견 등으로 도움T세포(Th1) 사이토카인(cytokine)의 불균형이 연관된 것으로 보여진다. 대부분의 환자에서 항중성구세포질항체 양성 소견을 보여 자가면역기전이 병인의 주요 기전으로 알려져 있다.

2. 임상증상 및 검사소견

대부분의 환자에서 급성기에 열, 병감, 전신허약, 체중감소와 같은 비특이 증상이 나타나며, 열은 질병활성도와 관련이 있지만 감염 여부도 반드시 감별해야 한다. 상기도 증상이 95%에서 보이는데, 부비동 통증, 화농성 혹은 혈성 비루가 있다가, 심한 경우 코중격천공, 장액중이염, 성대문밑 기관협착증을 보일 수 있다. 폐 침범은 85~90%에서 보이는데 무증상부터 기침, 객혈, 호흡곤란, 가슴통증까지 다양하다. 호흡계 증상 없이 영상검사에서만 이상소견이 나타날 수 있다. 15~50%에서는 주로 하지에 반점, 구진, 피하결절, 자반 등의 피부증상이 나타나며, 피부생검에서 혈관염과 육아종 소견이 관찰된다. 신경 침범으로 다발단일신경염(mononeuritis multiplex)이 특징적으로 발생하며 중추신경계 침범도 가능하다. 활성기에는 혈관염에 의한 혈관 내피세포의 손상 및 응고항진성(hypercoagulability)으로 혈전증과 색전증이 생길 수 있다. 신장 증상은 전신질환과 함께 혹은 그 후에 나타나는데, 질병 발생 1~2년 이내에 50~90%에서 신장 침범이 발생하는 것으로

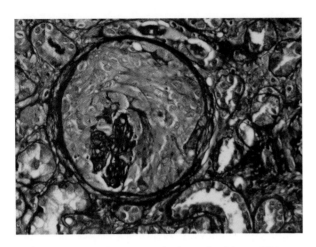

그림 5-11-3. Fibrocellular crescentic glomerulus (Masson-Trichrome stain, x 400).

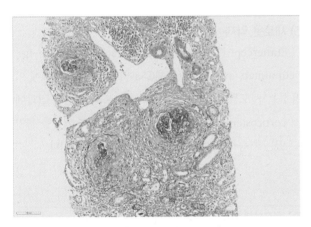

그림 5-11-4. Crescentic glomerulonephritis with severe interstitial inflammatory cells infiltration (PAS statin)

알려져 있다. 단백뇨, 현미경혈뇨 및 적혈구원주 등 소변 이상만 보이는 경증인 경우도 있지만, 일단 콩팥기능장애 가 생기게 되면 콩팥기능의 급격한 감소를 보이는 급속진 행사구체신염으로 진행하고, 치료하지 않으면 치명적이다.

신장생검에서는 사구체의 괴사 손상 및 초승달(crescent) 형성(그림 5-11-3, 5-11-4), 간질의 육아종과 혈관염 소견이 관찰된다. 적혈구침강속도 및 C반응단백질의 증가, 빈혈, 백혈구증가와 함께 고감마글로불린혈증, 류마토이드 인자의 증가가 관찰될 수 있다. 호산구증가는 드물고, 항 핵항체, 보체 수치, 한랭글로불린은 음성이거나 정상 소견 을 보인다. 항중성구세포질항체는 질병의 활성기에 90%에

서 양성이며 대부분이 PR3에 대한 항중성구세포질항체이 지만, 일부에서는 MPO-항중성구세포질항체이거나 항중 성구세포질항체 음성 소견을 보이기도 한다.

3. 치료 및 예후

이전에는 적절한 치료가 이루어지지 않아 진단 후 수개 월 안에 사망하는 치명적인 질환이었으나 cyclophosphamide의 도입과 함께 5년 생존율이 80%까지 향상되었다. 적절한 관해(remission) 후에도 50~70%에서 재발이 가능 한데, 항중성구세포질항체 역가 상승과 재발이 반드시 일 치하지는 않는다. 재발 후 다시 관해가 유도되는 경우가 많지만, 다수에서 어느 정도의 비가역적인 손상이 생긴다.

치료는 크게 2단계로 나누어 설명하는데 1) 관해 유도 (induction)와 2) 유지(maintenance) 요법이다. 약제의 선 택은 질병의 중증도과 환자 개개인의 상황 (금기, 재발 병 력, 동반 질환) 등을 고려하여 결정한다.

1) Cyclophosphamide 관해유도

중증질환에서 cyclophosphamide와 corticosteroid 병용 치료로 관해율과 생존율이 향상되었다. Prednisolone 1 mg/kg/day(최대 60~80 mg/day)을 1개월간 투여 후 6~9 개월 사이에 점차 감량하여 중단할 것을 권장한다. 생명 을 위협하는 위중한 상태인 경우 즉, 급속진행사구체신염 (혈청 크레아티닌 >4.0 mg/dL), 폐출혈, 다발단일신경염 이 있을 때는 3일간의 methylprednisolone (7 mg/kg/day, 최대 용량 500~1,000 mg) 정맥주사 후 경구 corticosteroid로 변경한다. Cyclophosphamide는 2 mg/kg/day 경 구 요법으로 병용투여한다. 고령의 환자와 콩팥 기능이 감 소된 경우 용량 감량이 필요하다. Cyclophosphamide는 정맥주사(2주마다 15 mg/kg 3회 주사 후 3주 간격으로 투 여)하는 경우 경구요법에 비해 축적용량이 적고 백혈구감 소증이 적게 발생하지만, 재발율은 더 높은 것으로 알려져 있다. 1~2주 간격으로 혈액검사를 하면서 투여하고 관해 유도 치료기간은 3~6개월을 넘지 않도록 한다. 중증의 신 부전(혈청 크레아티닌 >4.0 mg/dL), 폐출혈 등으로 위중

한 경우 혈장분리교환을 추가할 수 있으나, 최근 연구에서 예후에 영향을 미치지 않는 것으로 보고되어, 그 효과에 대한 논란이 있다.

2) Rituximab 관해유도

Rituximab은 B림프구의 CD20에 대한 단클론항체 (monoclonal antibody)로, 여러 연구에서 rituximab (375 mg/m²/week, 4회)과 corticosteroid 병용치료가 cyclophosphamide+corticosteroid 치료와 유사한 관해유도를 보였고, 재발한 환자에서도 rituximab 치료가 효과를 보였다. Cyclophosphamide의 유해반응인 방광 독성이나 불임 등을 일으키지는 않지만, 장기사용 안전성에 대한 정보가 아직 부족하다. 관해유도 치료로 cyclophosphamide와 rituximab 중 어떤 것을 선택할지는 질병의 중증도, 재발 여부, 약제 금기사항, 동반질환 등 여러 가지를 면밀하게 고려하여 결정해야 한다.

3) 관해유지

유도된 관해를 유지하기 위해 관해유지 치료가 필요한데, 약제 선택은 관해유도 치료의 종류, 이전의 재발 여부, 약제의 금기사항 및 동반질환 등을 고려하여 결정한다. Cyclophosphamide를 관해유도 약제로 사용하였다면, 3~6개월 사용 후 중단하고 관해유지를 위해 다른 약제로 변경해야 한다. Azathioprine (1~2 mg/kg/day)을 경구 투여하는 치료를 많이 사용한다. Methotrexate(초기 0.3 mg/kg/week로 시작하여 20~25 mg/week까지 증량 가능)는 치료 효과는 비슷하나 부작용 때문에 신기능 저하 환자에게는 권장하지 않는다. Azathioprine이나 methotrexate 투여가 불가능한 경우 혹은 이러한 약제 사용 후 재발한 경우에는 mycophenolate mofetil (1,000 mg 2회/day)를 유지치료요법으로 사용한다.

과거부터 azathioprine과 methotrexate를 많이 사용하여 축적된 자료가 많지만, 최근 rituximab의 사용도 점차 증가하고 있다. Rituximab 500 mg을 6개월 간격으로 정맥주사하였을 때 azathioprine에 비해 재발율이 낮았지만, 장기간 추적 관찰에 대한 자료는 없는 상태이다. 유지치료

요법 기간에 대해서는 정해진 바가 없으나 최소 18개월에서 2년 이상을 권장하고 있다.

4) Trimethoprim−sulfamethoxazole (TMP−SMX)

호흡기감염이 호중구의 감작과 항중성구세포질항체를 활성화하여 상기도 침범 재발률을 증가시킨다는 보고가 있어 trimethoprim−sulfamethoxazole (TMP−SMX)의 예방적 투여가 도움이 될 것으로 기대하였으나, 주요장기에 대한 재발 예방에는 효과가 없는 것으로 보인다. 하지만, 폐포자충(pneumocystis) 폐렴의 예방을 위해 cyclophosphamide 투여하는 동안 혹은 rituximab 사용 후 6개월간은 저용량으로 사용하기를 권고한다.

5) 새로운 약제

Etanercept (TNFα 억제제), abatacept (CTLA4−Ig), belimumab, avacopan (보체C5a 억제제) 등을 치료에 이용하는 시도들이 있었다. Avacopan은 최근 연구 결과에서 corticosteroid의 용량을 감량하거나, 투여 기간을 줄일 수 있는 가능성을 보여, 향후 기대가 되는 약제이다.

미세다발혈관염(Microscopic polyangiitis, MPA)

미세다발혈관염은 결절다발동맥염(polyarteritis nodosa) 환자에서 사구체신염이 관찰되면서 처음 소개된 질환이다. 신장의 모세혈관, 세정맥, 세동맥과 같은 작은 혈관에 괴사혈관염과 사구체신염이 발생하며 폐모세혈관염도 종종 동반된다. 육아종 염증 소견이 보이지 않아 육아종증다발혈관염과 구별할 수 있다. 10만 명당 3~5명의 유병률을 보이는 드문 질환으로, 평균 발병 연령은 57세 전후로 보이며, 남자에서 보다 흔하게 발생한다.

1. 병인

일반적으로 면역복합체 침착 소견은 없으며, 항중성구

세포질항체가 병인에 중요하게 작용하는데, 특히 MPO 항원이 감염 등에 의해 발현이 증가되면 항중성구세포질항체와 반응하여 호중구가 활성화되고 반응산소종의 분비 증가 및 혈관내피세포의 손상이 발생하는 것으로 보인다.

2. 임상증상 및 검사소견

임상증상은 육아종증다발혈관염과 유사하나 상기도 침범 소견 및 폐결절은 특징적이지 않아 육아종증다발혈관염과 감별할 수 있다. 초기에는 열, 체중감소, 근육통 등의 비특이 전신증상을 보인다. 사구체신염은 80% 이상의 환자에서 나타나는데 급성진행사구체신염으로 신부전에 이를 수 있다. 12%에서는 폐포 출혈이 동반하여 객혈이 발생하기도 한다.

적혈구침강속도의 증가, 빈혈, 백혈구증가, 혈소판증가와 같은 염증 소견이 관찰되며, 70% 이상에서 항중성구세포질항체 양성인데, 주로 MPO 항원에 대한 항중성구세포질항체이다.

3. 치료 및 예후

치료의 원칙과 방법은 육아종증다발혈관염과 동일하다. 적절한 치료를 하였을 때 5년 생존율은 74% 정도로 보고되고 있으며, 폐포 출혈, 위장관, 심장, 신장의 침범 정도가 사망률에 영향을 미친다. 재발률은 34% 정도인데 재발 부위와 정도에 따라 관해유도 치료를 다시 반복해 볼 수 있다.

호산구 육아종증다발혈관염(Eosinophilic granulomatosis with polyangiitis, EGPA)

호산구 육아종증다발혈관염은 과거 Churg-Strauss 증후군으로 불렸으나 2012년 CHCC에서 개정 명명하였다. 혈관염, 천식, 말초 및 조직의 호산구증가를 특징으로 하는 아주 드문 질환으로 평균 발병 연령은 50세 전후로 신장 증상은 25~50%까지 다양하게 관찰된다.

1. 병인

원인은 불명확하나 천식, 호산구증가, 면역글로불린E 상승 등의 소견으로 보아 알레르기, 과민반응이 관여하는 것으로 보인다. Eosinophilic cationic protein (ECP), IL-2 수용체, 가용성 thrombomodulin 등이 질병 활성도와 관련 있는 것으로 알려져 있다. 세포 매개성 면역도 관여하여 피부 조직 육아종에서 도움T세포가 많이 관찰된다. 그 외 유전적 요인도 존재할 것으로 생각된다. 또한, 항중성구세포질항체가 40~60%에서 양성이므로, 병인에 주요 역할을 하는 것으로 여겨진다. 괴사혈관염이 발생하며 침범된 조직과 혈관벽에서 육아종이 동반되고, 신장생검 소견은 정상에서부터 중증의 사구체신염, 혈관염, 사이질신염 등 다양한 양상을 보인다.

2. 임상증상 및 검사소견

열, 병감, 식욕부진, 체중감소 등의 비특이 전신증상과 함께, 특징적으로 심한 천식발작과 폐 침윤을 보인다. 천식 발생 수년 후에 혈관염이 발생하거나 동시에 나타나기도 한다. 천식 중증도가 혈관염의 정도와 일치하지는 않으며, 호산구증가와 함께 주로 폐, 피부, 심혈관계, 신장, 말초신경 등에 호산구 침윤이 발생하면서 혈관염이 발병한다. 다발단일신경염은 70% 정도에서 관찰되고, 알레르기비염과 부비동염도 60%에서 보인다. 심장을 침범하게 되면 사망률이 높아진다. 신장 증상은 육아종증다발혈관염이나 미세다발혈관염보다 빈도가 낮고 증상도 경하게 나타나지만, 급속진행사구체신염 양상을 보이기도 한다.

80% 이상의 환자에서 호산구가 1,000 cells/mm^3 이상 증가되는 호산구증가증이 관찰된다. 적혈구침강속도 증가, 빈혈, 백혈구증가, 섬유소원(fibrinogen) 증가도 보인다. 50% 정도의 환자에서 항중성구세포질항체 양성 소견을 보이는데 대부분이 MPO에 대한 항중성구세포질항체이며

일부에서는 PR3에 대한 항중성구세포질항체가 관찰된다.

3. 치료 및 예후

치료하지 않는 경우 5년 생존율은 25%이지만, 적절히 치료할 경우 5년 생존율이 70% 정도로 보고되고 있으며, 주요 사망원인은 심근 침범 등에 의한 심혈관질환이다. 천식 발생에서 혈관염 발병까지 기간이 짧을수록 예후는 좋지 않다. 많은 환자들에서 스테로이드 단독 치료에 잘 반응하며 천식 증상에 따라 스테로이드 용량을 감량할 수 있으나, 천식이 수년간 지속되면 스테로이드 소량 유지가 필요하다. 괴사사구체신염을 포함한 주요 장기의 침범 소견이 있는 경우 육아종증다발혈관염이나 미세다발혈관염 치료와 마찬가지로 cyclophosphamide 병용치료 후 유지 치료가 필요하다. 기존 약제에 반응이 없거나 이러한 약제를 사용할 수 없을 때 rituximab 치료를 시도해 볼 수 있다. 자주 재발하거나 치료에 반응하지 않는 심한 천식을 치료하기 위해 mepolizumab(항 IL-5 항체)을 사용할 수 있다.

항사구체기저막병 (Antiglomerular basement disease)

항사구체기저막병(antiglomerular basement disease)은 항사구체기저막 항체로 인해 사구체신염과 폐포 출혈이 생기는 질환으로, 과거 굿패스처증후군(Goodpasure's syndrome)으로 불리었다.

1. 병인

제4형 콜라젠(type IV collagen)에는 6종류의 α 사슬이 존재한다. 이들은 각각 collagenous domain과 non-collagenous (NC) domain으로 이루어져 있다. 항사구체기저막항체의 주표적은 제4형 콜라젠의 alpha-3 chain의 NC1 domain(α3 NC1 domain)인데, 주로 사구체기저막과 폐포

기저막에 많이 발현된다. 항체가 어떠한 기전으로 생성이 되는지에 대해 아직 잘 모르지만, 감염, 흡연, 산화제 등의 환경적 원인들에 의해 사구체기저막 제4형 콜라젠의 이합체 상태가 손상되어 단량체(monomer)가 되면 단량체의 결합 부위에 숨겨져 있던 항원결정부위(epitope)가 면역계에 노출되어 생기는 것으로 알려져 있다. 그 외 자가반응 T세포와 유전자이상 등이 관여하는 것으로 생각된다.

2. 임상증상 및 검사소견

열, 병감, 체중감소, 관절통 등의 비특이 전신증상이 초기에 있을 수 있다. 90% 이상의 환자에서 급속진행사구체신염을 보이며, 20~60%에서 폐포 출혈이 함께 나타난다. 일부에서는 폐 증상만 보일 수도 있다. 호발 연령은 두봉우리분포(bimodal distribution)를 보이는데, 두 군의 임상 양상은 차이를 보인다. 20대, 주로 남성에서 발생하는 경우 급작스럽게 증상이 나타나는데 주로 폐출혈, 호흡곤란과 같은 폐 증상이 많이 나타난다. 60~70대에 발생하는 경우 무증상으로 서서히 진행하는 경우가 많아, 진단 당시에 이미 신손상이 심하여 예후가 나쁜 예가 많다.

진단을 위하여 혈청이나 조직에서 항사구체기저막항체

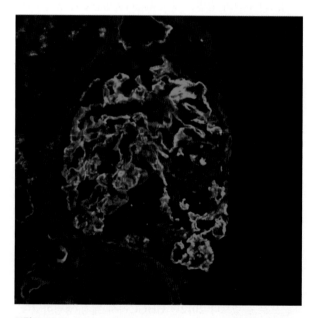

그림 5-11-5. Immunofluorescence microscopy demonstrates the linear deposition of IgG along the glomerular capillaries

의 확인이 필요한데, 혈청 검사는 부정확할 수 있어, 특별한 금기가 없으면 확진을 위해 신장생검을 시행하여 면역글로불린G가 사구체모세혈관을 따라 선상 침착한 것을 확인하여야 한다(그림 5-11-5). 그 외 국소 혹은 분절사구체경화증 소견과 초승달사구체신염 소견도 함께 볼 수 있다. 신장생검은 진단뿐만 아니라 신장 침범의 활성도 및 만성도를 평가하여 치료 계획을 세우는데 도움을 줄 수 있다.

10~15% 정도의 환자에서 항중성구세포질항체 양성 소견(대부분 MPO에 대한 항중성구세포질항체)인데, 이 경우 치료에 대한 반응이 좋아 예후가 좋은 편이다.

3. 치료 및 예후

치료하지 않는 경우 대부분 말기신장병으로 진행하기 때문에, 조기 진단하는 것이 중요하다. 진단 당시에 신장생검에서 초승달이 50% 이상이면서 심한 경화 소견이 있는 경우, 혈청 크레아티닌이 5~6 mg/dL 이상, 핍뇨, 투석이 필요한 경우 치료에 반응이 없고 예후가 나쁘다. 폐 출혈이 있을 경우 신장손상 여부와 상관없이 혈장분리교환이 필요하다. 8~10회의 혈장분리교환과 prednisolone과 cyclophosphamide 병용치료를 한다. 말기콩팥병에 이르면 신장이식이 가능하지만, 재발의 위험 때문에 최소 6개월 이상 기다려 항사구체기저막항체가 소실된 후 시행한다.

▶ 참고문헌

• de Groot K, et al: Pulse versus daily oral cyclophosphamide for induction of remission in antineutrophil cytoplasmic antibody-associated vasculitis: a randomized trial. Ann Intern Med 150:670-80, 2009.

• Geetha D, et al: ANCA-Associated Vasculitis: Core Curriculum 2020. Am J Kidney Dis 75:124-137, 2020.

• Guillevin L, et al: Rituximab versus azathioprine for maintenance in ANCA-associated vasculitis. N Engl J Med 371:1771-80, 2014.

• Jameson JL, et al: Harrison's Principles of Internal Medicine. 20th ed. McGraw Hill, 2018.

• Jayne DRW, et al: Avacopan for the treatment of ANCA-associated vasculitis. N Engl J Med 384:599-609, 2021.

• Jennette JC, et al: 2012 revised International Chapel Hill Consensus Conference Nomenclature of Vasculitides. Arthritis Rheum 65:1-11, 2013.

• Jennette JC, et al: ANCA glomerulonephritis and vasculitis. Clin J Am Soc Nephrol 12:1680-1691, 2017.

• Jones RB, et al: Rituximab versus cyclophosphamide in ANCAassociated renal vasculitis. N Engl J Med 363:211-220, 2010.

• Kidney Disease: Improving Global Outcomes (KDIGO) Glomerulonephritis Work group. KDIGO Clinical Practice Guideline for Glomerulonephritis. Kidney Inter Suppl. 2:139-274, 2012.

• McAdoo SP, et al: Anti-Glomerular Basement Membrane Disease. Clin J Am Soc Nephrol 12:1162-1172, 2017.

• Rovin BH, et al: Management and treatment of glomerular diseases (part 2): conclusions from a Kidney Disease: Improving Global Outcomes (KDIGO) Controversies Conference. Kidney Int 95:281-295, 2019.

• Stone JH, et al: Rituximab versus cyclophosphamide for ANCAassociated vasculitis. N Engl J Med 363:221-222, 2010.

• van Daalen EE, et al: Predicting Outcome in Patients with Anti-GBM Glomerulonephritis. Clin J Am Soc Nephrol 13:63-72, 2018.

• Walsh M, et al: Plasma exchange and glucocorticoids in severe ANCA-associated vasculitis. N Engl J Med 382:622-631, 2020.

• Wechsler ME, et al: Mepolizumab or Placebo for Eosinophilic Granulomatosis with Polyangiitis. N Engl J Med 376:1921-32, 2017.

CHAPTER
12 루푸스신염

박혜인 (한림의대)

KEY POINTS

- 증식성 루푸스신염(Class III/IV)의 초기치료에서 저용량의 부신피질호르몬과 함께 저용량의 IV cyclophophamide 또는 경구 mycophenolate mofetil을 사용하는 것이 선호된다.

- 증식성 루푸스신염(Class III/IV)의 유지치료에서 mycophenolate mofetil이 azathoprine보다 선호된다.

- 루푸스신염의 치료는 초기치료 및 유지치료 포함 최소 36개월 이상 유지할 것이 권고된다.

- 루푸스신염의 치료에 칼시뉴린억제제를 포함한 3제병합요법이나 B-cell depleting 제제의 사용이 시도되고 있다.

- 루푸스신염의 치료효과는 단백뇨, 신기능, 치료기간을 함께 평가하여 판정한다.

- 만성신부전에 도달한 루푸스신염 환자에서 신장이식이 투석치료보다 더 선호되는 신대체요법이다.

역학

루푸스신염(lupus nephritis, LN)은 전신홍반루푸스(systemic lupus erythematosus, SLE) 환자에서 발생하는 신장 합병증이다. 루푸스신염은 전신홍반루푸스 환자의 20~50%에서 발생하며, 전신홍반루푸스 환자에서 가장 흔한 만성신부전의 원인이다. 루푸스신염은 대부분 전신홍반루푸스 질환의 초기 6~36개월 사이에 진단되며, 40~60%의 환자는 전신홍반루푸스 진단 당시 이미 루푸스신염이 함께 진단된다.

전신홍반루푸스는 여성에서 훨씬 더 호발하지만, 루푸스신염은 젊은 나이, 남성에서 호발하며, 또한 남성에서 발생하는 루푸스신염의 중증도가 일반적으로 여성보다 높다. 인종적으로는 백인(14~23%)보다 흑인(34~51%), 아시안(33~55%), 히스패닉(31~43%)에서 호발한다. 흑인 및 히스패닉의 경우에는 예후가 좋지 않고 만성신부전에 도달하는 경우가 더 많으며, 이는 유전적 요인과 함께 낮은 사회경제적 환경이 기여할 것으로 생각된다.

전신홍반루푸스 환자에서 루푸스신염의 동반은 사망의 가장 큰 위험인자이며, 증식루푸스신염으로 진단받았을 경우 5년 이내 신장합병증으로 사망할 확률이 5~25%에 달한다. 또한 루푸스신염 환자의 10~30%에서 신대체요법을 요하는 만성신부전으로 진행하며, 이는 증식루푸스신염에서 더 빈도가 높다. 루푸스신염에서 임상적인 완전관해에 도달하는 것이 신장예후에 가장 중요한 요소이다.

발병기전

1. 유전학적 기전

전장유전체 연관분석에서 루푸스신염을 동반하지 않은 전신홍반루푸스 환자보다 루푸스신염을 동반한 전신홍반루푸스 환자에서 apolipoprotein L1 (APOL1), platelet-derived growth factor receptor alpha (PDGFRA), hyaluronan synthase 2 (HAS2) 유전자 돌연변이가 더 빈번하게 발견되었다. 또한 HLA-DR4와 HLA-DR11 유전형은 루푸스신염에 좋은 영향을 미치는 반면, HLA-DR3와 HLA-DR15는 루푸스신염의 위험도를 높이는 것으로 연구되었다. 이러한 유전학적 요소는 일부 인종간 루푸스신염의 발생율과 위험도를 설명할 수 있는데, 예를 들어 흑인에서는 면역글로불린 G의 Fc 수용체 IIA (IgG;FcγRIIA)의 유전자 돌연변이가 흔한데, 이로 인해 흑인 환자에서 면역글로불린복합체의 청소율이 떨어지는데 기여할 것으로 생각되고 있다. 또한, 흑인에서 APOL1 유전자의 2개의 risk allele을 모두 가지고 있는 경우 risk allele을 가지고 있지 않는 경우보다 만성신부전에 도달하는 위험도가 약 2.5배 증가한다.

2. 면역학적 기전

전신홍반루푸스의 주된 면역학적 기전은 B 림프구의 과도한 활성화와 이로 인해 자가항원, 특히 핵산 및 핵산의 전사 및 해독에 관여하는 물질(dsDNA, Sm, Lo, Ra, RNA, histone)에 대한 자가항체를 과다하게 생산하는 것이다. 그 결과 다양한 면역복합체가 전신 순환계에 존재하며, 순환면역복합체가 사구체의 메산지움 및 혈관내피세포에 침착하면 이로 인해 보체 활성 및 염증성 반응이 일어나는 것이 증식성 루푸스신염의 주요 기전이다. 일부에서는 annexin-2와 같은 사구체 내 항원이나 세포자멸사 후

발생하는 chromatin에 대해 항체가 결합하여 in situ로 면역복합체가 형성되기도 한다. 면역복합체의 침착 및 보체의 활성은 보체에 의한 조직 손상뿐만 아니라 혈액응고계의 활성, 백혈구 침윤, 단백질 분해 효소의 활성, 세포의 증식 및 세포외 기질의 생성을 촉진하는 다양한 cytokine 분비를 통하여 사구체 손상을 유발한다.

면역복합체는 Toll-like receptors (TLRs)의 리간드로서 작용하여 인터페론-α의 발현을 증가시키고, 이로 인해 세관간질에서 형질세포 발현의 증가 및 자가항체의 생산 증가를 초래한다. 또한 조절 T세포(regulatory T cell)의 수와 기능이 감소하면서 자가 반응적인 B 세포의 자가항체 생산이 늘어난다. 한편, 면역복합체의 제거기능의 저하로 인해 백혈구 침윤 및 활성도는 더욱 증가하여 직접적으로 신장조직의 손상을 초래한다.

진단

1. 진단적 접근법

European League Against Rheumatism/American College of Rheumatology (EULAR/ACR 2019)의 진단적 기준을 충족하는 전신홍반루푸스 환자에서 단백뇨, 혈뇨 및 적혈구원주, 세포원주, 백혈구 원주 등 사구체 손상을 시사하는 소견이 있으면 루푸스신염을 의심해 볼 수 있다. 루푸스신염이 의심되는 환자에서 선별검사로 혈청 크레아티닌, 소변검사, 그리고 단백뇨 정량검사를 시행하고, 하루 단백뇨 0.5g 이상이거나 사구체여과율이 지속적으로 60mL/min/1.73m² 으로 감소되어 있다면 신장생검으로 루푸스신염을 진단한다(그림 5-12-1).

항핵항체(ANA)는 전신홍반루푸스의 진단에 필수적이지만 ANA의 형광양상이나 역가가 루푸스신염 발생이나 중증도와는 상관관계가 없다. 항dsDNA항체는 약 75%의 환자에서 관찰되고 전신홍반루푸스에 비교적 특이적이며 루푸스신염의 발생과 임상적 활성도와 연관관계가 있다. 항Sm항체는 전신홍반루푸스에 매우 특이적이나 약 25%

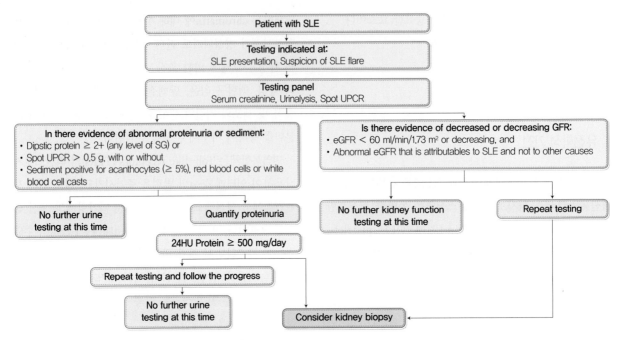

그림 5-12-1. 전신홍반루푸스 환자에서 루푸스신염의 진단을 위한 모식도

의 환자에서만 검출된다. 전신홍반루푸스 환자의 약 30~50%에서 항인지질항체가 발견되며 임상적으로 혈전 형성과 신장내 혈전미세신병증의 발생과 연관된다.

전신홍반루푸스 환자의 CH50과 C4의 혈중 농도는 통상적으로 감소되며, 경우에 따라 C3농도도 감소된다. 혈중 보체는 임상적 악화에 선행하여 감소하므로 경과 관찰에 유용하다. 일부 전신홍반루푸스 환자에서 선천적으로 보체 결핍이 있으며, 이들에서는 혈중 보체 농도 감소와 임상적 악화와 연관관계가 없다.

2. 병리학적 진단

1) 병리소견의 임상적 의의

루푸스신염의 병리소견은 환자의 임상 양상, 경과 및 예후와 밀접한 연관성을 지니며, 치료계획 수립에 결정적 역할을 한다. 또한 치료 후 추적 신장생검을 통하여 치료효과의 판정 및 비가역적 병변 발생에 대한 평가가 가능하며, 이는 향후 치료 방침의 재설정에 매우 큰 도움을 준다.

2) 루푸스신염의 병리학적 분류

루푸스신염 환자의 병리소견을 보다 명확하고 표준화된 방식으로 규정하고 임상적으로 의미있는 병리소견을 강조하고자 1974년 이래 사용되었던 WHO 분류대신 2004년에 루푸스신염에 대한 International Society of Nephrology/Renal Pathology Society (ISN/RSP) 분류가 발표되었다(표 5-12-1).

ISN/RSP 분류에서는 WHO분류에서 사용되던 "증식성"의 표현을 삭제하고 활동성 병변(active lesion) 및 만성 병변(chronic lesion)의 존재를 정확히 기술하도록 하였다. 활동성 병변은 면역억제제 투여에 의하여 정상화 가능성이 있는 병변을 의미하며, 만성은 비가역적인 소견이므로, 환자의 신장생검에서 활동성 및 만성 병변의 평가는 치료 결정 및 환자의 예후 판단에 중요한 역할을 한다.

Class I은 면역복합체가 사구체간질에 축적을 보이는 경미한 경우이며, 광학현미경적 변화없이 면역형광현미경이나 전자현미경에 의한 변화만 관찰된다. Class II는 어느 정도의 사구체간질세포증식을 특징으로 하지만, 내피하 침착이나 사구체반흔은 없는 경우이다. Class III는 모든

표 5-12-1. 루푸스신염 병리학적 분류(ISN/RPS 2003)

분류	설명
Class I	Minimal mesangial lupus nephritis
Class II	Mesangial proliferative lupus nephritis
Class III	Focal lupus nephritis Class III(A) active lesion Class III(A/C) active and chronic lesion Class III(C) chronic lesion
Class IV	Diffuse segmental (IV-S) or diffuse global (IV-G) lupus nephritis Class IV-S(A) active lesion Class IV-G(A) active lesion Class IV-S(A/C) active and chronic lesion Class IV-G(A/C) active and chronic lesion Class IV-S(C) chronic lesion Class IV-G(C) chronic lesion
Class V	Membranous lupus nephritis
Class VI	Advanced sclerotic lupus nephritis

사구체 수의 50% 이하를 침범하는 초점성 루푸스신염이
며, Class IV는 모든 사구체 수의 50% 이상을 침범하는
미만성 루푸스신염이다. Class III와 class IV를 합하여 증
식성 루푸스신염으로 정의하며, 활동성 병변의 범위에 따
라 면역억제제의 치료가 필요한 군이다. Class V는 전체적
혹은 분절성으로 연속된 과립상 상피하 면역복합체가 모
세혈관벽을 따라서 있고 흔히 사구체간질에 면역침착이
동반되는 막성 루푸스신염이다. 마지막으로 Class VI는 진
행된 루푸스신염으로 사구체의 90% 이상의 사구체 경화
가 있는 생검을 의미한다.

루푸스신염의 면역복합체의 침착은 IgG가 가장 흔하나,
IgA나 IgM도 동반 침착한다. IgG, IgM, IgA의 침착과 함
께 C3와 C1q가 모두 침착되는 경우를 "full house stain-
ing"이라고 하며, 이는 증식성 루푸스신염의 특징적인 소
견이다. 전자현미경에서 면역복합체는 과립상의 높은 전자
밀도로 나타나며, 침착위치는 면역형광소견과 잘 일치한
다.

활동성 요침사 소견을 보이는 전신홍반루푸스 환자의
약 5%에서는 루푸스신염 외 다른 병리소견을 보이기도 하

는데, 혈전미세혈관병(thrombotic microangiopathy)나 세
관간질신염(Tubulointerstitial nephritis), 급성세뇨관괴사
(acute tubular necrosis)등 소견을 보일 수 있다.

치료

1. 일반 치료 원칙

루푸스신염에서의 치료방향은 질병의 활성도와 신장 손
상의 위험도에 따라 결정된다. 신기능이 정상이고 단백뇨
량이 많지 않은 Class II와 Class V와 같은 비증식성루푸스
신염의 경우에는 보존적 치료를 시행한다. 보존적 요법은
레닌-안지오텐신계 차단제를 사용하여 혈압을 조절하고
항말라리아제인 hydroxychloroquine을 사용하는 것을 포
함한다. Class III나 IV와 같은 증식성 루푸스신염의 경우
에는 보존적 요법에 더하여 면역억제치료를 적극적으로 하
는 것을 권장한다. Class V의 경우에도 Class III나 Class
IV가 동반되어 있거나 신기능 저하 또는 신증후군이 동반
되어 있는 경우에는 면역억제치료 대상에 속한다.

2. Class I 또는 Class II 루푸스신염의 치료

0.5g 미만의 단백뇨가 동반되어 있는 경우에는 전신홍
반루푸스 신장외 증상에 따라 면역억제제를 사용하여 치
료한다. 신증후군이 동반되어 있는 경우에는 루푸스신염
에 동반된 podocytopathy 여부를 평가하고 미세변화신증
(minimal change disease)에 준하여 부신피질호르몬 치료
를 시행하고 완전관해가 이루어진 뒤에는 저용량 부신피질
호르몬과 다른 면역억제제(mycophenolate mofetil, aza-
thioprine, 또는 tacrolimus)를 함께 사용하는 것을 고려한
다.

3. 증식루푸스신염(Class III/IV)의 치료

1) Induction therapy

막성 사구체 신염의 동반유무와 상관없이 Class III 및 class IV에서 활동성 병변(A or A/C)이 동반된 경우 면역억제치료를 고려한다. 초기 치료로는 부신피질호르몬과 함께 cyclophosphamide 혹은 mycophenolate mofetil의 병용요법이 권장된다(표 5-12-2). 최근에는 고용량의 면역억제제를 사용하는 것보다는 저용량의 부신피질호르몬과 저용량의 cyclophosphamide 또는 경구 MMF를 사용하는 것을 더 선호한다.

(1) 부신피질호르몬

초기 1 mg/kg/day의 고용량으로 시작하여 6~12개월에 걸쳐 5~10 mg/day로 점진적으로 감량한다. 초기 0.25~0.5 g을 충격요법으로 정주 투여 후에 점진적으로 감량하기도 한다. 최근에는 이러한 standard dose regimen 대신 절반 용량으로 사용하는 reduced-dose regimen을 사용하기도 한다.

(2) Cyclophosphamide

가장 표준적인 cyclophosphamide 투여 방법은 NIH요법으로 단위 체표면적당 0.75~1 g을 한 달에 한 번 6개월간 정주한다. 가장 많은 연구에 의하여 효과가 검증되고 흑인을 비롯한 모든 인종 및 심한 루푸스신염에서도 효과가 증명된 방법이다. 0.5 g의 cyclophosphamide를 2주 간격으로 총 6회 투여하는 소위 Euro-lupus 요법은 총 투여량이 적은 장점이 있으나 치료반응이 좋은 서양인에서만 검증된 방법이다. 1.0~1.5 mg/kg/day의 cyclophosphamide를 경구로 3~6개월간 투여하는 요법은 NIH요법에 비하여 투여가 편리하나 총 투여량이 많고 부작용 빈도가 상대적으로 높은 것으로 보고되었다.

사구체 여과율이 20 mL/min 미만인 환자에서는 25%의 투여량 감소가 필요하다. 또 총 누적투여량이 36g을 넘지 않도록 권유되고 있다. 모든 투여 환자에서 정기적으로 말초혈액의 백혈구수를 감시하여야 하며 충분한 수분 섭취를 통하여 방광 독성을 예방하여야 한다. 불임 발생에 대비하여 필요시 난소조직의 냉동보존이나 정자은행을 이용한다.

표 5-12-2. 증식성 루푸스신염 (Class III/IV)의 초기 치료 및 유지 치료

면역억제제 종류	면역억제제 Regimen	용량
초기 치료: First-line therapy		
Cyclophosphamide (CYC)	NIH	IV CYC 0.75~1 g/m²; monthly for 6 months
	Euro-Lupus	IV CYC 500 mg; every 2 weeks for 3months
	Oral cyclophosphamide	1~1.5 mg/kg/d (maximum dose 150mg/d) for 3~6 months
Mycophenolate mofetil (MMF)	Oral MMF	MMF up to 3g/d for 6 months
초기 치료: Emerging therapy		
Rituximab	IV rituximab	1,000 mg on Day 1 and 14
Multitarget regimen	Tacrolimus or cyclosporine plus MMF	0.05 mg/kg/d tacrolimus (target trough level 4~6 ng/mL) or 3~5 mg/kg/d cyclosporine plus MMF up to 1~2 g/d for 6 months
유지 치료		
MMF	-	1~2 g/d
Azathioprine	-	1.5~2 mg/kg/d

(3) Mycophenolate mofetil

하루 최대 3 g의 mycophenolate mofetil을 6개월간 투여하는 방법은 아시아인을 대상으로 한 연구와 흑인과 서양인을 비롯한 다인종과 심한 루푸스신염 환자들을 대상으로 포함한 무작위 대조연구인 ALMS연구에서 초기 6개월 효과나 부작용면에서 cyclophosphamide와 적어도 동등함이 증명되었다. 그러나 mycophenolate mofetil 요법의 장기간 경과 후 치료 효과에 대해서는 아직 검증이 필요하다.

(4) Novel therapy

① Triple regimen

중국 환자를 대상으로 시행된 무작위 대조연구에서 부신피질호르몬과 저용량 Tacrolimus (4mg/d), 그리고 저용량 mycophenolate mofetil (1g/d) 3제 병합요법은 NIH요법보다 우수한 초기 치료성적을 보였으나, 장기적 치료효과는 아직 검증이 필요하다. 현재 진행중인 AURA-LV phase 3 임상시험에서 cyclosporin 계열의 voclosporin과 저용량 부신피질호르몬, 저용량 mycophenolate mofetil 병합요법의 치료성적이 기대를 모으고 있다.

② B-cell depleting therapy

CD20에 대한 monoclonal antibody인 Rituximab을 표준치료에 추가한 효과를 평가한 LUNAR 임상시험에서 Rituximab을 추가하여 사용하여도 치료 효과의 상승이 관찰되지 않았다. 그러나 여전히 B-cell depleting therapy가 루푸스신염에서의 역할이 있을 것으로 생각하고 있으며, 또 다른 강력한 monoclonal Anti-CD20 Ab 인 Obinituzumab과 Circulating B-cell activating factor (BAFF)에 대한 항체인 Belimumab에 대한 임상시험이 현재 진행중이다.

2) Maintenance therapy

초기 치료로 NIH요법을 시행받은 경우, 유지 요법으로 mycophenolate mofetil이나 azathioprine을 투여받은 환자가 3개월 간격으로 cyclophosphamide 정주 받은 환자보다 사망이나 만성신부전으로의 진행 빈도가 낮고 부작용도 적었다. 한편, ALMS 연구에서 초기 치료에 반응이 있었던 환자를 대상으로 한 연장 연구에서 mycophenolate mofetil을 유지요법으로 투여받은 환자가 azathioprine 유지요법을 받은 환자에 비하여 사망, 말기신부전, 혈중 크레아티닌의 2배 상승, 질병의 악화 비율이 유의하게 낮았다. 따라서 mycophenolate mofetil을 저용량의 경구 부신피질호르몬과 병용 투여하는 것이 표준적인 유지요법이다. Azathoprine이나 mycophenolate mofetil을 사용할 수 없는 환자에게는 저용량 tacrolimus나 cyclosporin, 또는 Mizoribin 을 대신 사용할 수 있다. 유지요법은 최소한 1년 이상 유지 후 점진적으로 감량하며, 감량 도중 루푸스신염이 악화되면 악화 전 수준으로 면역억제제 투여용량을 증량한다. 초기 치료부터 유지 치료까지 총 치료기간은 최소 36개월을 유지해야 한다.

4. Class V의 치료

막성 루푸스신염을 보이는 Class V에서는 단백뇨 정량에 따라 치료방침이 정해진다. 단백뇨가 많지 않은 경우에는 보존적 요법만 유지하지만, 신증후군을 동반하거나 신기능이 악화되는 경우에는 부신피질호르몬과 추가적인 면역억제제(cyclophosphamide, CNI, MMF, azathioprine 중 한가지)를 선택하여 치료한다.

치료효과의 판정

치료효과는 6~12개월의 치료 후 단백뇨 정량과 신기능의 변화로 판단한다(표 5-12-3). 치료효과는 완전반응(complete response; CR), 부분반응 (partial response; PR), 그리고 무반응 (no response)로 나눈다. 무반응의 경우에는 신장생검을 다시 하여 활동성 병변과 만성 병변에 대해 재평가한다. 만약 신장생검에서 활동성 병변이 지속적으로 관찰된다면 alternative regimen을 사용하여 치료한다. 초치료 후 완전반응 또는 부분반응에 도달하였다가

표 5-12-3. 치료효과의 판정

Criteria	Definition
Complete response	• Reduction in proteinuria to <0.5g/g • Stabilization or improvement in kidney function (±10-15% of baseline) • Within 6-12 months of starting therapy
Partial response	• Reduction in proteinuria by at least 50% and to <3g/g • Stabilization or improvement in kidney function (±10-15% of baseline) • Within 6-12 months of starting therapy
No kidney response	• Failure to achieve a partial or complete response within 6-12 months of starting therapy

다시 루푸스신염이 악화되는 경우를 루푸스신염 재발이라고 부르며, 이 경우에는 초치료와 같은 regimen으로 치료를 시도한다. 신장생검에서 루푸스신염과 혈전미세혈관병이 공존하는 경우에는 혈전미세혈관병의 원인에 따라 항응고제 사용, 혈장교환술, 또는 eculizimab을 사용하기도 한다.

루푸스신염과 임신

임신은 루푸스신염 환자에서 임신 합병증(고혈압, 전자간증, 자간증, 뇌졸중, HELLP 증후군, 사망), 태아합병증(조기분만, 발육장애, 태아소실), 신기능의 악화를 유발할 수 있다. 이러한 임신의 악영향은 질병이 6개월 이상 완화된 환자에서는 드물고, 활동성 병변이 있거나 고혈압, 단백뇨, 신기능 감소가 있는 환자에서는 현저히 증가하므로 질병이 완화될 때까지 피임하도록 권고한다. 이미 신손상이 있는 환자에서는 임신에 따른 위험성에 대하여 충분히 상의하여야 한다. 임신이전 이미 면역억제제나 hydroxychloroquine을 투여중인 환자에서 약제의 감량이나 중단은 질병을 악화시킬 수 있으므로 약제의 투여를 지속해야 한다. 단 cyclophosphamide, MMF, rituximab, 레닌-안지오텐신계 차단제는 임신시 사용 금기이며, 부신피질호르몬, calcineurin inhibitor, azathoprine은 임신에 주의하면서 사용이 가능하다. 저용량의 아스피린은 태아 소실의 위험성을 감소시키므로 임신 16주 이전 투여를 권고한다.

신대체요법의 결정

전신홍반루푸스 환자가 말기신부전에 도달하면 병의 활성도가 감소하여 관절염, 피부 증상 등 신장 외 임상증상이나 혈청학적 소견이 감소하며, 이는 투석 기간이 경과할수록 더욱 두드러진다. 루푸스신염으로 인한 투석 환자의 생존율은 일반 투석 환자와 차이가 없으나, 항인지질항체가 양성인 환자에서는 동정맥루 혈전으로 인한 폐색이 증가하므로, 항응고제 투여를 고려한다.

일반적으로 루푸스신염 환자에서 신장이식은 투석보다 성적이 우수하며, 6개월 이상 루푸스 활성도가 없는 것을 확인하고 진행한다. 일반적으로 루푸스신염 환자의 신장이식 성적은 다른 이식 환자와 차이가 없으며, 이식 후 루푸스신염이 재발하는 빈도도 낮다. 따라서, 만성신부전에 도달한 루푸스신염 환자에서 신대체요법은 이식이 투석치료보다 선호된다.

▶ 참고문헌

• Appel GB, et al. Lupus nephritis, in Comprehensive Clinical Nephrology edited by Floege J, et al: St. Louise, Elsevier Saunders, 2010, pp308-321.

• Appel GB, et al. Mycophenolat mofetil versus cyclophosphamide for induction treatment of lupus nephritis. J Am Soc Nephrol 20:1103-1112, 2009.

• Appel GB, et al: Secondary glomerular disease, in Brenner & Rector's The Kidney (vol 1) edited by Taal MW, et al.: Philadelphia,

Elsevier Saunders, 2012, pp1193–1206.

- Bejema I, et al. Revision of the International Society of Nephrology/Renal Pathology Society classification for lupus nephritis: clarification of definitions, and modified National Institutes of Health activity and chronicity indices. Kidney Int 93:789–796, 2018.

- Bertsias GK, et al: Joint European League Against Rheumatism and European Renal Association–European Dialysis and Transplant Association (EULAR/ERA–EDTA) recommendations for the management of adult and paediatric lupus nephritis. Ann Rheum Dis 71:1771–1778, 2012.

- Cattaran DC, et al: KDIGO Clinical practice guideline for glomerulonephritis. Kidney Int Suppl 2:221–232, 2012.

- Contreras G, et al: Sequential therapy for proliferative lupus nephritis. N Engl J Med 350:971–980, 2004.

- Dooley MA, et al. Mycophenolate versus azathioprine as maintenance therapy for lupus nephritis. N Engl J Med 365:1886–1895, 2011.

- Houssiau FA, et al. Immunosuppressive therapy in lupus nephritis: the Euro–Lupus Nephritis Trial, a randomized trial of low–dose versus high–dose intravenous cyclophosphamide. Arthritis Rheum 46:2121–2131, 2002.

- Lech M, et al: The pathogenesis of lupus nephritis. J Am Soc Nephrol 24:1357–1366, 2013.

- Liu Z, et al. Multitarget therapy for induction treatment of lupus nephritis: a randomized trial. Ann Intern Med 162:18–26, 2015.

- Parikh SV, et al: Update on Lupus Nephritis: Core Curriculum 2020. Am J Kidney Dis 76:265–281, 2010.

- Rovin BH, et al. A randomized, controlled double–blind study comparing the efficacy and safety of dose–ranging voclosporin with placebo in achieving remission in patients with active lupus nephritis. Kidney Int 95:219–231, 2019.

- Rovin BH, et al. Efficacy and safety of rituximab in patients with active proliferative lupus nephritis: the Lupus Nephritis Assessment with Rituximab study. Arthritis Rheum 64:1215–1226, 2012.

- Weening JJ, et al: The classification of glomerulonephritis in systemic lupus erythematosus revisited. Kidney Int 15:241–250, 2004.

제 5 부 사구체질환

CHAPTER
13 혈전미세혈관병과 관련된 사구체질환

이하정 (서울의대), **문경철** (서울의대 병리과)

KEY POINTS

- 혈전미세혈관병은 미세혈관병 용혈빈혈, 혈소판 감소증, 미세혈관병에 의한 장기손상의 징후를 특징으로 하는 급성 증후군으로 혈전성 혈소판감소자반증과 정형 및 비정형 용혈요독증후군을 포함한다. 병리학적으로 내피세포 손상에 의한 사구체 기저막, 동맥 및 세동맥의 급·만성 변화가 발생하며 이로 인한 세뇨관 및 사이질의 허혈 손상이 동반된다.

- 혈전성 혈소판감소자반증은 ADAMTS-13의 기능적 결핍이 주된 원인으로 심한 혈소판 감소증이 특징적이다. 혈장 치료가 일차 치료이다.

- 비정형 용혈요독증후군은 유전적 소인이 있는 환자에서 유발 요인으로 작용할 수 있는 상황이 발생했을 때 활성화되는 것으로 생각된다. 유전적 소인은 대체보체경로의 과도한 활성화를 유도하는 것으로 생각되며 유발요인은 임신, 약제, 이식, 감염, 악성 종양 등 다양하다. 과활성화된 대체보체경로를 안정화시키기 위한 C5 억제제가 일차 치료로 권고되며 이외에 혈장치료 및 이식을 고려해 볼 수 있다.

정의

혈전미세혈관병(thrombotic microangiopathy, TMA)은 미세혈관병 용혈빈혈(microangiopathic hemolytic anemia, MAHA), 혈소판 감소증, 그리고 미세혈관병에 의한 다양한 장기 손상의 징후를 특징으로 하는 급성 증후군이다. 1924년 Moschowitz 등에 의해 혈전성 혈소판감소 자반증(thrombotic thrombocytopenic purpura, TTP)이, 그리고 1952년 Symmers 등에 의해 용혈 요독-증후군(hemolytic uremic syndrome, HUS)이 최초로 기술되었지만, 각 질환의 병태생리에 대하여 밝혀지기 시작한 것은

1980년대 이후의 일이다. 1982년에는 혈전성 혈소판감소자반증이 von Willebrand factor(vWF) multimer의 크기를 조절하는 ADAMTS-13 (A Disintegrin-Like And Metalloproteinase with Thrombospondin-1-like domains)의 활성도가 감소하거나 ADAMTS-13 억제 항체가 작용하여 비정상적으로 큰 크기의 vWF가 형성되고 이것이 미세혈관의 내피세포막에 부착되어 이곳에 혈소판이 흡착되어 혈전을 유도한다는 사실이 밝혀졌다. 이러한 기전으로 인해 혈소판감소자반증이 발생하면 미세혈관이 풍부한 뇌, 심장, 부신피질, 신장과 같은 장기에 혈전성 미세혈관 폐쇄 및 허혈성 장기 기능 부전이 발생하게 된다.

표 5-13-1. 혈전미세혈관병(TMA syndrome)의 구분

구분	원인
일차성	
혈전성 혈소판감소 자반증	ADAMTS-13 결핍 혹은 활성도 저하
정형 용혈 요독증후군	Shiga-toxin
보체매개 미세혈관병	보체 조절 인자의 결핍 혹은 자가항체 발생으로 인해 과활성화된 alternative complement pathway
대사매개 미세혈관병	Cobalamin metabolism 장애
응고매개 미세혈관병	DGKE, Thrombomodulin, plasminogen, protein kinase C-associated protein의 유전적 변이
이차성	
임신	심한 임신중독증, HELLP syndrome
악성 고혈압	
고형 장기 혹은 조혈모세포 이식	
약물 유도 미세혈관병	idiosyncratic/immunologic or toxic
자가면역질환	루푸스, 전신경화증, 항인지질항체증후군
감염	
악성 종양	

1985년에는 용혈요독증후군를 유발하는 원인으로 대장균에서 분비되는 Shiga-toxin이 밝혀졌고, 이후에 용혈요독증후군의 다양한 원인들이 밝혀졌다. 이후에 Shiga-toxin에 의한 용혈요독증후군를 정형 용혈요독증후군로, 그 외의 원인에 의한 용혈요독증후군를 비정형 용혈요독증후군으로 일컫게 되었다. 최근에는 혈전 미세혈관병이라는 포괄적인 용어를 사용하며 angiogenesis, 혈액 응고, 혈소판 활성화 및 보체 시스템 등의 이상에 의한 미세혈관 내피세포의 손상을 주된 병태생리로 하는 임상 증후군으로 정의한다. 손상 기전 및 원인에 따라 표 5-13-1과 같이 구분된다.

진단

혈전미세혈관병은 미세혈관병 용혈빈혈, 혈소판 감소증, 그리고 장기 손상의 근거가 되는 검사실 소견의 이상으로 정의된다. 미세혈관병 용혈빈혈은 혈색소가 정상 이하로 감소하면서 분절된 적혈구(fragmented erythrocytes, schistocytes or helmet cells), 망상 적혈구 수의 증가, 혈청 젖산탈수효소(lactate dehydrogenase, LDH)의 정상 범주 이상 상승 검사실 소견으로 정의된다. 비면역적 용혈반응이므로 Coombs test는 음성을 보인다. 혈소판감소증은 150,000/ul 미만으로 감소해 있거나, 기저 값의 25% 이상 감소하는 경우로 정의한다. 장기 손상의 근거가 되는 검사실 소견은 대표적인 장기인 신기능 저하 혹은 단백뇨 발생 여부를 확인할 수 있다. 혹은 어떤 장기이든 microangiopathy 에 합당한 임상 증상 혹은 병리학적 소견이 입증되는 경우 진단할 수 있다. 위장관 침범으로 인한 설사, 중추신경계 침범으로 인한 의식 혼란, 경련, 뇌경색 및 뇌병증, 호흡기 침범으로 인한 폐출혈 및 폐동맥고혈압, 심혈관계 침범으로 인한 악성 고혈압 및 심근경색, 망막 혈관 침범에 의한 망막 박리 등이 가능하다.

TMA syndorme이 진단되면 세부 원인에 대한 감별진단이 필요하다. 혈소판감소자반증과 나머지 질환들의 임상양상의 차이가 크고, 비교적 쉽게 진단이 가능하기 때

문에 혈소판감소자반증을 먼저 구분하고, 이후에 나머지 질환들을 감별하는 것이 일반적인 접근이다. 혈소판감소자반증은 ADAMTS-13 activity가 10% 미만으로 감소한 경우 진단이 가능하다. ADAMTS-13 검사가 가능하지 않은 경우 임상적 접근이 필요할 수 있다. 혈소판감소자반증은 일반적으로 용혈요독증후군보다 심한 혈소판 감소증을 보이고, 신장 침범이 상대적으로 적으며, 신경계를 침범하는 경우가 많다. 이러한 임상 양상을 근거로 하여 개발된 PLASMIC score를 활용하는 것이 감별진단에 도움이 될 수 있다. 혈소판감소자반증이 배제되면 Shiga-toxin 검사를 통해 전형 용혈요독증후군를 진단할 수 있다. ADAMTS-13 activity가 10% 이상이고, Shiga-toxin 음성인 경우, 유발인자에 대한 확인 및 보체계 관련 검사를 통해 세부 원인별 진단에 접근할 수 있다.

병리학적 소견

혈전미세혈관병은 몇 가지 임상적, 병리학적 소견들을 특징으로 하는 일련의 증후군이다. 임상적으로는 혈소판감소증, 미세혈관병용혈빈혈(microangiopathic hemolytic anemia)과 장기손상을 보이며, 병리학적으로는 미세혈관 내피세포 손상과 혈전증을 특징으로 한다. 임상적으로 혈전미세혈관병은 혈전혈소판감소자반병(thrombotic thrombocytopenic purpura, TTP)과 용혈요독증후군을 포함하며 전자는 주로 뇌를 침범하고 후자는 주로 신장을 침범한다. 또한 용혈요독증후군은 쉬가유사독소(Shiga-like toxin)에 의한 전형용혈요독증후군(typical HUS)과 그 외 다양한 원인에 의한 비전형용혈요독증후군(atypical HUS)으로 나누어진다.

위와 같이 혈전미세혈관병을 원인에 따라 여러 가지로 분류할 수 있으나 대부분 유사한 병리소견을 보이며, 신장에서는 주로 사구체와 소동맥에서 병리학적 이상소견을 발견할 수 있다.

1. 육안소견

급성기에는 신장이 커지며 신장 표면에 점상 출혈 혹은 괴사소견이 나타날 수 있고, 만성으로 진행하여 신손상이 심한 경우에는 신장의 크기가 작아질 수 있다.

2. 현미경소견

혈전미세혈관병의 현미경소견은 급성소견과 만성소견으로 나눌 수 있으며, 한편으로는 사구체를 침범한 소견과 동맥, 세동맥 등의 혈관을 침범한 소견으로 나눌 수 있다.

1) 급성혈전미세혈관병(Acute TMA)

(1) 사구체
사구체에서는 내피세포 손상에 의한 여러 가지 소견들이 관찰될 수 있다. 대표적으로 내피세포하팽창(subendothelial expansion)이 일어나는데 이 소견은 전자현미경에서 뚜렷하게 관찰할 수 있고(그림 5-13-1), 광학현미경에서는 모세혈관벽이 두꺼워지는 소견으로 관찰된다. 그 외에도 내피세포부종, 메산지움용해(mesangiolysis) 등의 소견과 혈전이 관찰될 수 있다(그림 5-13-2).

(2) 혈관
동맥 및 세동맥에서 내피세포부종, 점액성내막부종(mucoid intimal edema), 내강협착 등의 소견과 혈전형성이 관찰될 수 있으며, 섬유소모양괴사(fibrinoid necrosis)가 관찰되기도 한다(그림 5-13-3).

(3) 간질 및 신세관
급성신세관손상(acute tubular injury)과 간질부종(interstitial edema)이 동반될 수 있고, 심한 경우 피질괴사(cortical necrosis)가 관찰될 수도 있다.

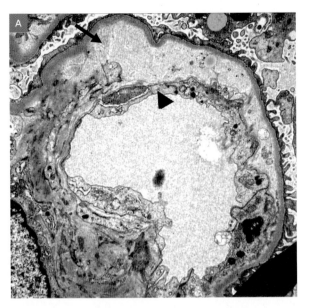

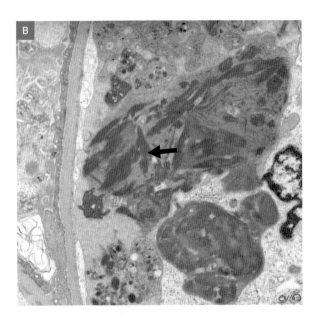

그림 5-13-1. 급성혈전미세혈관병 사구체 전자현미경 소견

A. 사구체기저막과 내피세포 사이가 확장되어있는 내피세포하팽창(subendothelial expansion)(화살표)이 관찰되며, 내피세포구멍(endothelail fenestration)이 소실되어 있다(화살표머리). (전자현미경, ×8000) B. 사구체모세혈관 내에 섬유소혈전(fibrin thrombi)이 관찰된다(화살표). (전자현미경, ×8000)

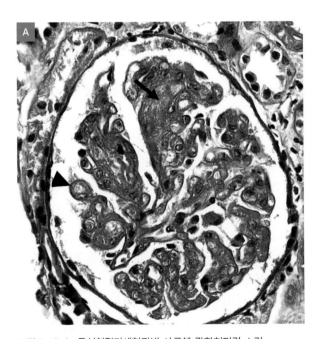

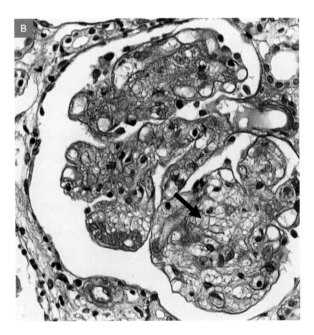

그림 5-13-2. 급성혈전미세혈관병 사구체 광학현미경 소견

A. 혈전(화살표)과 모세혈관벽 비후(화살표머리). B. 메산지움융해(화살표) (PAS 염색, ×400)

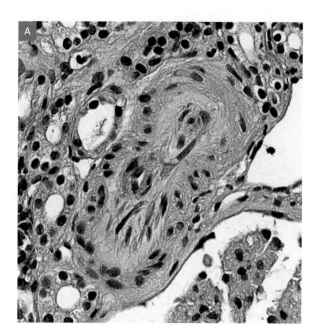 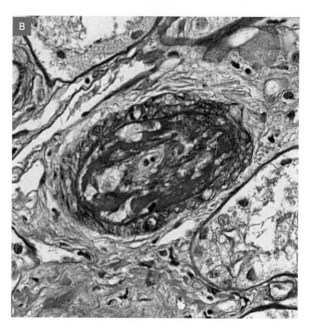

그림 5-13-3. 급성혈전미세혈관병의 대표적인 혈관변화

A. 점액성내막부종. (H&E 염색, ×400) B. 소동맥 내 혈전. (PAS 염색, ×400)

2) 만성혈전미세혈관병(Chronic TMA)

(1) 사구체

광학현미경에서 특징적으로 이중사구체기저막(GBM duplication) 소견이 나타나며, 이 소견은 전자현미경검사에서 흔히 메산지움세포가 사구체기저막과 사구체내피세포 사이로 끼어들어가는 현상(mesangial interposition)과 함께 나타난다(그림 5-13-4). 또한 사구체손상에 의해 다양한 정도의 사구체 분절경화(segmental sclerosis) 혹은 완전경화(global sclerosis)가 관찰될 수 있으며, 동맥 및 세동맥의 내강협착에 의해 사구체의 허혈성변화를 유발하여 다양한 정도의 사구체기저막의 주름이 관찰될 수 있다.

(2) 혈관

동맥 및 세동맥의 내막섬유화(intimal fibrosis)와 이로 인한 내강협착이 발생한다. 특히 내막섬유화가 동심원모양으로 층을 지어 나타날 수 있어 양파껍질모양(onion-skin appearance) 변화가 관찰되기도 한다(그림 5-13-5).

유발인자

최근 혈전미세혈관병의 병태 생리와 관련된 많은 새로운 지식들이 축적되었지만 아직까지 완전하게 밝혀지지 않은 부분들이 많고, 이로 인해 질환의 분류가 아직까지 임상적 분류에 기반한 경우가 많다. 이차성 혈전미세혈관병으로 생각되었으나, 일차성 혈전미세혈관병에서 발견되는 유전적 이상이 확인되는 경우가 늘어나면서 이차성 혈전미세혈관병이 아니라 유전적 소인이 있는 환자에서 유발요인으로 작용할 수 있는 상황이 발생했을 때 혈전미세혈관병이 활성화된다는 개념이 확산되었다. 따라서 대표적인 유발인자들의 임상적 의미에 대하여 살펴보고자 한다.

임신은 대표적인 혈전미세혈관병 유발인자이다. 임신 연관 혈전미세혈관병은 대부분 출산 후에 발생하는데 약 76%의 환자에서 회복되지 못하고 말기신부전에 이르게 된다. 최근 연구에 의하면 약 50%의 임신 연관 혈전미세혈관병에서 보체 관련 유전자 이상이 확인되었다. 악성 고혈압은 잘 알려진 혈전미세혈관병 유발인자이다. 혈전미세혈

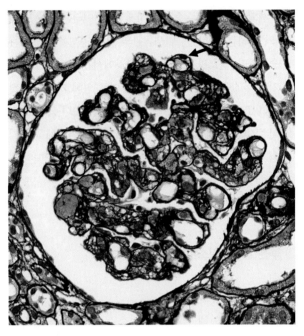

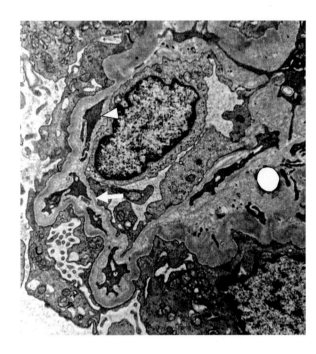

그림 5-13-4. 이중사구체기저막(GBM duplication)

A. 광학현미경에서 사구체기저막이 두 줄로 관찰됨(화살표). (Jones silver 염색, ×400) B. 전자현미경에서 관찰되는 이중사구체기저막(GBM duplication)(화살표). Mesangial interposition과 함께 관찰된다(화살표머리). (전자현미경, ×5000)

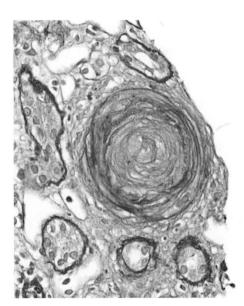

그림 5-13-5. 소동맥의 내막섬유화 및 내강협착. 내막섬유화가 동심원모양으로 층을 지어 나타나는 양파껍질모양(onion-skin appearance) 변화가 관찰된다. (PAS 염색, ×400)

관병에 의한 미세혈관 내피세포 손상이 혈압을 올릴 수 있고, 반대로 과도하게 높아진 혈압에 의해 미세혈관 내피세

포 손상이 악화될 수 있다. 최근 연구에 의하면 이러한 경우에도 보체 관련 유전자 이상이 발견될 수 있는 것으로 되어 있으나 그 비율이 높지 않아 일상적인 유전자 검사가 추천되지는 않는다. 고형장기 혹은 조혈모세포 이식 후에도 혈전미세혈관병이 발생할 수 있는데, 원인은 잘 밝혀져 있지 않다. 대부분 이식 후 사용하는 주된 면역억제제인 칼시뉴린 억제제, 바이러스 감염, 항체 매개 거부반응, 조혈모세포이식의 경우 이식편 대 숙주 반응(graft versus host disease) 등이 관여할 것으로 생각된다. 가능한 원인을 배제하는 것이 주된 치료가 된다. 다양한 약제가 혈전미세혈관병을 유발할 수 있다. quinine, cyclosporine, tacrolimus, sirolimus, bevacizumab, gemcitabine, interferon, mitomycin C, oxaliplatin, sunitinib 등이 대표적인 약제이다. 약제에 의한 TMA는 immune-mediated 와 direct toxic effect의 두 가지 기전으로 발생한다. 자가면역질환에 의한 혈전미세혈관병은 주로 루푸스, 전신 경화증, 항인지질항체 증후군, ANCA 혈관염 등에서 나타날 수 있다. 이외에도 감염 혹은 조절되지 않는 악성 종양에 의

해서도 혈전미세혈관병이 발생할 수 있다.

개별 질환에 따른 발병기전, 임상양상과 치료

혈전미세혈관병의 다양한 형태에 따라 예후와 적절한 치료 방법이 상이하므로 이에 대한 감별 진단이 매우 중요하다.

1. 혈전성 혈소판감소자반증(Thrombotic thrombo-cytopenic purpura, TTP)

혈소판감소자반증은 연간 인구 백만 명당 2~4명이 발병하는 드문 질환이다. 남녀비는 2:3~5로 여자에서 호발하며 20~30대에서 흔하지만 어느 연령에서도 발병할 수 있다. 전형적인 5개의 징후는 혈소판감소증, 미세혈관성용혈빈혈, 발열, 신경기능 장애, 신기능 장애이다. 혈소판 감소증은 대부분의 환자에서 60,000/mm³ 이하의 수치를 보인다. 자반증은 소수에서 관찰되거나 나타나지 않는다. 신경 증상은 병의 경과 중 환자의 90%에서 나타나는데 두통, 뇌신경마비, 혼동(confusion), 혼미(stupor), 발작, 혼수 증상이 관찰되며, 뇌의 회백질 혈전폐색에 의한 중추신경계 침범으로 발생한다. 대부분 일시적 증상이 발생하지만 재발하여 나타날 수 있다. 하지만 과반수의 환자에서 신경 합병증이 남을 수 있다. 급성신손상이 동반될 수 있으나 흔하지 않아 보고에 따라서는 25%까지로 여겨진다. 그 외 급성복통, 췌장염 등의 증상이 드물게 발생한다.

1) 병태생리

큰 분자량의 당단백질인 vWf는 전단스트레스(shear stress)가 있을 경우 혈관 손상 부위에 혈소판 마개를 형성하여 일차적 지혈에 중요한 역할을 담당한다. 혈관내피세포와 거핵구에서 생산되고 자극에 의해 커다란 크기의 다중결합체(ultra-large multimers)의 형태로 분비된다.

이 거대 다중결합체 vWf는 정상적으로는 ADAMTS-13 에 의해 다양한 크기(500~20,000 kDa)의 다중결합체로 분해되어 정상 혈류순환을 하게 된다. 이러한 ADAMTS-13의 단백분해작용은 미세혈관의 혈전 형성을 예방하는데 중요하다. 혈소판감소자반증 환자에서는 ADAMTS-13의 기능적 결핍이 주요한 이상이며 이로 인해 거대 다중결합체 vWf의 축적이 혈소판과 강한 반응을 보여 과다 응집을 일으킨다. 크게 ADAMTS-13에 대한 자가항체를 가지고 있거나(후천적 혈소판감소자반증), 유전적 돌연변이에 의해 발생하는 선천적 혈소판감소자반증으로 구분할 수 있다.

2) 후천 혈소판감소자반증

(1) 발생기전

면역매개에 의해 발생하며 혈소판감소자반증 환자의 60~90%를 차지한다. ADAMTS-13에 대한 자가항체가 결합하여 심한 기능적 결핍이 나타나고 이는 일시적으로 발생할 수 있고 병의 회복이후 자가항체가 사라지기도 한다. 주로 IgG 자가항체나 소수에서 IgM, IgA 자가항체도 있다. 조혈모세포이식, 악성종양, HIV 감염에 의해 이차적으로 발생한 혈소판감소자반증은 심각한 ADAMTS-13 결핍을 야기하지 않으며 IgG 자가항체에 의해 발생한다. Ticlopidine이나 clopidogrel에 의해 발생한 혈소판감소자반증은 심각한 ADAMTS-13 결핍을 야기할 수 있다. 효과적인 치료에 의해 완화가 되면 환자의 혈액에서 자가항체가 없어지며 ADAMTS-13 활성도 정상화된다. 후천 혈소판감소자반증의 경우 50%에서 재발하는데, 완화 시기에도 ADAMTS-13 활성도가 없거나 자가항체가 지속적으로 있는 경우에 재발위험이 증가한다.

(2) 임상양상

선천 혈소판감소자반증에 비해 심한 임상양상과 높은 사망률을 보인다. 신경증상이 특징적이며 뇌 미세순환에서 지속적인 혈전 형성으로 인해 순간적 증상이 나타나거나 변동하는 임상양상을 보일 수 있다. 심한 경우 발작, 혼수 등의 합병증이 발생한다. ADAMTS-13에 대해 높은 자가항체가를 보일 경우 재발이나 불량한 예후와 연관된다. 환자의 생존율은 67% 정도이며 조기치료와 혈장치료에 의해 개선될 수 있다.

(3) 치료

혈소판감소자반증 급성기에 가장 중요한 치료는 혈장치료이다. 혈장은 결핍된 단백분해효소의 활성을 보충함으로써 완화를 유도한다. 혈장주입보다는 혈장교환이 ADAMTS-13 자가항체를 빨리 제거하므로 더 이로울 수 있다. 스테로이드 치료도 자가 항체의 생성을 저해하는 효과가 있으며, 혈장 교환과 같이 사용할 경우 90%에서 완화가 유도된다. 치료에 의한 임상적 완화는 ADAMTS-13에 대한 자가 항체가 완전히 사라지고, 정상 ADAMTS13 활성도의 10% 이상일 경우로 정의한다. Rituximab 치료는 표준적인 매일의 혈장교환과 스테로이드 병합 치료에 반응을 보이지 않는 환자와 ADAMTS-13 자가항체가 증명된 환자에서 급성 혈소판감소자반증이 재발한 경우에 안전하고 효과적이다. 또한 자가 항체를 가진 환자에서 재발을 막기 위한 목적으로도 선택적으로 사용해 볼 수 있다.

3) 선천 혈소판감소자반증

(1) 발생기전

혈소판감소자반증의 약 5%을 차지하고, 가족성으로 발생하기도 하며 가족력이 없는 경우도 있다. 약 80개 이상의 ADAMTS13 유전자 돌연변이가 알려져 있다.

(2) 임상양상

약 60% 이상의 환자에서 신생아와 영아기에 첫번째 혈소판감소자반증 발현이 일어나며, 10~20%의 환자에서만 20대 이후에 발병한다. 재발은 흔하다. 환경적인 인자가 병의 활성에 관여하는데, 대표적인 것이 *E. coli* O157:H7 감염과 임신이다.

(3) 치료

혈장치료를 통해 활성화된 단백분해효소를 공급해주는

것이다. 실제적으로 ADAMTS-13 활성도를 5% 정도만 제공하여도 미세혈관병의 완화를 유도할 수 있다. 이러한 효과는 단백분해효소가 긴 반감기(2~4일)를 가지고 있으므로 상당기간 유지될 수 있다. 하지만 개별적 혈소판감소자반증 발생은 치료에 반응이 있다 하더라도, 지속적인 완화 유도를 달성하기 어렵기 때문에 장기 예후는 불량하다.

2. 정형 용혈요독증후군(Hemolytic uremic syndrome, HUS)

1955년 Gasser 등이 소아에서 용혈 빈혈, 혈소판 감소증, 심한 급성신부전을 일으키는 치명적 질환으로 처음 기술하였다. 정형 용혈요독증후군은 대부분 5세 이하의 소아에서 흔히 발생하며, 소아 환자의 90% 이상에서 shiga-toxin을 생성하는 대장균과 연관이 있다. 이런 경우 흔히 shiga-toxin associated HUS로 명명한다. 90% 이상의 환자에서 출혈성 설사가 선행하며, 발열소견은 없다. 풍토병 혹은 유행병의 형태로 나타날 수 있으며 후자의 경우에는 대개 오염된 물이나 음식에 의해 발생한다. Streptococcus pneumoniae는 shiga-toxin과 연관되지 않은 약 40%의 감염성 용혈요독증후군의 원인이다.

1) 발병기전

정형 용혈요독증후군은 shiga-toxin을 생산하는 대장균(*E. coli*), *Shigella dysenteriae*의 감염에 의해 발생한다. shiga-toxin이라는 용어는 *S. dysenteriae* type 1에 의해 생성되는 외 독소를 설명하는데 처음 사용되었다. 몇몇 종류의 대장균(주로 혈청형 O157:H7, 그 외 O111:H8, O103:H2, O123, O26)은 사람의 설사를 동반한 감염에서 동정되었으며 shiga-toxin과 유사한 독소를 만들어낸다. shiga-toxin을 생성하는 균에 오염된 음식을 섭취하고 난 후 독소가 장에서 유리되면 장의 점막을 직접적으로 손상시켜 수양성의 혈변을 일으킨다. shiga-toxin을 분비하는 *E. coli*는 위장관 점막 상피세포에 밀착하여 솔가장자리융모(brush border villi)를 파괴한다. 독소는 세포가로방향 경로(transcellular pathway)를 통해 혈류로 들어가 다형핵 백혈구와 결합하여 신장과 그 외 표적장기로 이동하고 미세혈관혈전과 염증을 일으킨다.

2) 진단

Sorbitol-MacConkey 대변배양검사에서 *E. coli* O157:H7이나 다른 shiga-toxin을 생성하는 세균을 찾아내는 것이다. 빠른 진단을 위해 대변에서 시가독소에 대한 항체와 *E. coli* O157:H7 지질다당질을 이용하는 혈청 검사도 연구 개발되어 있다. 1990년대 이후 *E. coli* O157:H7과 다른 시가독소를 생성하는 대장균에 의해 세계각지에서 다수의 폭발적 발생이 발생하여 중요한 보건문제가 되고 있다. 오염된 덜 익힌 간 쇠고기와 고기 파이, 생 채소, 과일, 우유, 식수 등이 세균의 전염경로로 알려져 있다. 세균의 독성에 따라 임상적인 경과가 차이가 있다. 이차적인 사람-사람 간의 접촉도 주요한 전파경로인데 특히 보육시설과 요양원 등에서 발생보고가 있다.

3) 임상경과

shiga-toxin 생성 대장균에 노출된 후 38~61%에서 혈성설사를 보이며, 산발적 발생에서는 3~9%, 유행성 발생은 20%에서 용혈요독증후군이 발생한다. 용혈요독증후군를 동반하지 않은 환자에서는 대개 자연회복의 경과를 밟으며, 장기적으로도 고혈압 및 신장 이상 발생 위험이 증가되지 않는 것으로 알려져 있다. 정형 용혈요독증후군은 전구증상인 설사에 이어 급성신손상이 발생하는 것을 특징으로 한다. 노출에서 증상 발생까지의 평균기간은 3일이며, 증상은 복통과 설사로 시작한다. 70%의 환자에서 1~2일내에 혈성 설사로 바뀌며, 구토 30~60%, 발열은 30%에서 나타난다. 용혈요독증후군은 설사 발생 후 6일경에 진단되며, 증상이 회복되고 난 이후에도 몇 주간 환자의 분변에서 원인균을 검출할 수도 있다. 혈성설사, 발열, 구토, 백혈구 증가증, 영유아, 여성, 장운동저하 약물을 사용한 경우에 대장균 감염에 의한 용혈요독증후군의 위험이 증가한다. 정형 용혈요독증후군 환자의 70%는 적혈구 수혈이 필요하고, 50%에서 투석치료가 시행된다. 환자의 25%에서 뇌졸중, 발작, 혼수와 같은 신경증상이 발생한다. 영유아 환자의 경우 집중치료를 시행하더라도 3~5%에서 급성기간에 사망한다. 급성 병변시의 중증도, 즉 신경증상 발생, 투석치료, 초기 6~8개월간의 미세알부민뇨는 불량한 장기 예후와 연관이 있다.

4) 치료

전형적인 치료는 빈혈, 신부전, 고혈압, 전해질과 수분 불균형에 대한 보존적 치료를 시행하는 것이다. 질환이 의심되면 배양검사 결과가 없더라도 초기 4일 이내에 충분한 수액공급을 통한 체액유지가 필요하다. 이를 통해 신기능장애의 중증도를 낮추고 신대체요법의 필요성을 감소시킬 수 있다. 장 휴식은 출혈성 장염이 있는 경우에 필요하다. 장운동저하 약물은 사용을 피해야 하는데, 대장균이 장내에 오래 머물게 될 경우 독소에 대한 노출이 더 증가되기 때문이다. 정형 용혈요독증후군에서는 항생제를 사용하면 세균에 손상이 발생하여 이미 형성되어 있던 많은 독소가 일시에 유리될 수 있으므로 항생제 사용은 가능한 피해야 한다. 또한 항생제 사용이 장염의 경과를 개선시키지도 못하며 정형 용혈요독증후군은 세균혈증이 드물게 발생하므로 항생제를 처방해야 할 이유는 없다. 하지만 저개발 국가에서 출혈성장염을 일으키는 *S. dysenteriae* type 1의 경우에는 조기의 경험적 항생제 치료가 설사 기간과 경과를 짧게 하고 합병증의 빈도를 낮추며 병의 전파 위험을 감소시킬 수 있다. 혈압 조절과 레닌-안지오텐신계 차단약물은 만성콩팥병 환자에게 도움이 된다. 헤파린과 혈전용해제는 출혈위험을 증가시키므로 피해야 한다. 혈장 치료는 *E. coli* O157:H7에 의한 정형 용혈요독증후군에서 사망률을 낮추는 것으로 알려져 있으나 보다 많은 연구가 필요하며, 심한 신부전이나 중추신경계 침범을 보이는 성인 환자에서 혈장주입 및 혈장교환을 고려해볼 수 있다. 신장이식은 말기신부전으로 진행한 소아환자에서 효과적이고 안전한 치료방법이다. 재발률은 0~10% 정도이고 이식신의 생존율은 다른 질환의 환자들과 비교하여 더 우수한 편이다.

3. 비정형 용혈요독증후군(Atypical HUS, aHUS)

1) 원인

어느 연령에서도 발생할 수 있으며 가족성, 산발성이 있다. 가족성 비정형 용혈요독증후군은 1965년 Campbel l과 Carre가 일란성 쌍둥이에서 용혈성 빈혈과 신부전 발생을 처음 보고하였다. 초기 보고 이후 주로 소아에서 발견되나 성인에서도 보고가 있다. 상염색체열성 및 상염색체우성으로 유전되며 예후는 불량하다. 사망이나 말기신부전으로 진행하는 경우가 50~80%이다.

2) 발병기전

(1) 보체 이상(Complement abnormalities)

1974년 이후 비정형 용혈요독증후군 환자 일부에서 혈청 C3가 감소되어 있고 C4는 정상수치인 것이 알려졌다. 여러 가지 단백효소가 보체계 활성화에 관여하며, 이와 반대로 일부 효소는 보체계 억제에 작용한다. 보체계는 전형적 보체경로, 렉틴보체경로, 대체보체경로를 통해 C3전환효소(C3 convertases)와 C5전환효소와 같은 단백질분해효소복합체를 생성하여 C3와 C5를 분해하고 최종적으로 C5-9 복합체인 membrane attack lytic complex를 형성하게 된다. 전형적 보체경로와 렉틴보체경로를 통한 C3전환효소는 C2와 C4에 의해서 형성되지만, 대체보체경로에서는 C3의 자발적 분할만으로도 C3전환효소를 생성한다. 이러한 자발적 분할로 인해 대체보체경로는 쉽게 활성화될 수 있는데 이는 외부 침입자, 감염, 손상된 세포, 자가사멸된 세포 등을 제거하는 파수꾼 역할의 기전이 된다. 그러나 이러한 자발적 활성화가 과도하게 지속되면 건강한 자기 세포를 파괴할 수 있기 때문에 대체보체경로 활성 억제자가 혈중 혹은 혈관내피세포에 부착된 형태로 존재한다. 이러한 대체보체경로 활성 억제자 관련 유전자의 변이로 인해 적절히 억제되지 못하고 과활성화 되어 혈전미세혈관병을 유발한다.

최근 유전학 기술의 발전으로 인해 대체보체경로의 과도한 활성화를 유도하는 유전적 이상이 발견되고 있다. 통상적인 next-generation sequencing(NGS) 혹은 Sanger sequencing을 통해 흔히 발견되는 유전자 변이는 보체조절단백인자 H (complement Factor H, CFH), 보조인자단백 (membrane cofactor protein, MCP), 보체조절단백인자 I (complement factor I, CFI), 보체조절단백인자 B (complement factor B, CFB), C3이다. 최근까지 이 5개의 유전자에서 500개 이상의 변이가 발견되었는데, 이 중 CFH 관련 변이가 약 50%를 차지한다. 최근 Multiplex ligation-dependent probe amplification(MLPA) 방법을 이용하여 CFHR1-CFH hybrid gene 과 같이 통상적인 NGS로 발견하기 어려운 커다란 크기의 유전자 분석을 시도해 볼 수 있어 유전자 검사의 폭이 확대되었다. 유전자 검사의 양성율은 질환 발병 당시 나이, 유발인자 유무 및 상황 등에 따라 다양하게 나타날 수 있으나 26-62%로 보고된다. 혈중 C3, C4, CFH, CFB, CFI level은 환자에서 정상으로 나타날 수 있어 진단적 가치가 적다.

3) 임상양상

돌연변이의 종류에 관계없이 비정형 용혈요독증후군의 67%는 소아에서 발병한다. 급성기에는 심한 용혈빈혈, 혈소판감소증, 급성신손상이 발생한다. 정형 용혈요독증후군에 비해 나쁜 예후를 보인다. 약 50%은 말기신부전으로 진행하고, 25%는 급성기에 사망한다. 신경학적 증상과 발열이 30%의 환자에서 발생하며 폐, 심장 그리고 소화기 증상이 발생할 수 있다. 신경계와 다른 장기 침범도 환자의 20%에서 나타나며, 단기 및 장기 예후는 환자의 보체계 이상의 종류에 따라 결정된다. 일반적으로 CFH, CFI, CFB, C3 유전자 돌연변이의 경우 나쁜 임상경과를 밟으며, MCP 유전자이상의 환자는 양호한 예후를 보인다.

4) 치료

권장되는 치료는 과활성화된 대체보체경로를 안정화시키는 것이다. 보체경로 활성화의 terminal C5에 대한 단클론성 항체인 Eculizumab은 C5를 경쟁적으로 억제하여 활성화된 대체보체경로에 의한 세포 손상을 효과적으로 차단한다. eculizumab은 기존 치료 대비 우월한 치료 효과를 보여 현재 비정형 용혈요독증후군의 일차 치료로 권고

표 5-13-2. 유도요법 및 유지 요법에 권고되는 용량 및 스케줄

체중(kg)	유도요법(mg/week)	유지요법(mg/week)
≧40	900 for week 1, 2, 3, 4	1,200 during week 5, then 1,200 every 2 weeks
30 to <40	600 for week 1, 2	900 during week 3, then 900 every 2 weeks
20 to <30	600 for week 1, 2	600 during week 3, then 600 every 2 weeks
10 to <20	600 for week 1	300 during week 2, then 300 every 2 weeks
5 to <10	300 for week 1, 2	300 during week 2, then 300 every 3 weeks

된다. 현재 Eculizumab은 식약처를 통과하여 비정형 용혈요독증후군에 사용이 가능하다. 유도요법 및 유지 요법에 권고되는 용량 및 스케줄은 표 5-13-2와 같다.

과거에는 부족한 보체조절인자를 보충해주기 위한 혈장치료(혈장교환 1~2혈장량/일 혹은 혈장주입 20~30 mL/kg/day)가 첫 번째 치료였다. 이 치료를 진단 24시간 이내에 시작하여, 5일 연속 매일 하고, 이후 임상 상황에 따라 tapering 하는 것이 권고되었다. 혈장교환은 환자에게 수액 과부하를 피하면서 보다 많은 혈장을 공급할 수 있어 더 선호되었다. 그러나 혈장치료는 효과가 일시적일 수 있으며, 장기적으로 혈장 저항이 발생하여 치료가 실패하는 경우가 많았다. 또다른 치료로 보체조절자를 생성하는 장기인 간을 이식하는 방법이 치료 옵션으로 고려되었다. 그러나 기증자의 부족, 수술 관련된 합병증 발생의 위험 등을 고려할 때 임상 적용에 어려움이 있다.

말기신부전이 발생한 비정형 용혈요독증후군 환자에서 신장이식이 고려될 수 있는데, CFH, CFI, CFB, C3 유전자 돌연변이에 의한 경우는 이식 후 재발이 약 50%로 보고되었고, 80~90%에서 이식신 소실이 발생한다. 이러한 높은 재발률 때문에 생체 신장 공여자이식은 고려되지 않았고, 간-신장 동시 이식이 고려될 수 있으나 기증자 부족 및 합병증 발생 가능성 높아 환자의 임상상황을 고려하여 결정해야 한다. 하지만 MCP 유전자 돌연변이의 경우에는 신장이식의 예후가 양호하며 약 80% 이상에서 재발하지 않는다. 최근 유전적 소인에 대한 지식이 축적되고 유전자 검사에 대한 접근 장벽이 낮아지면서 이식을 고려하는 비정형 용혈요독증후군 환자의 경우 유전자 변이를 해당 변이가 기증자에게 없다면 생체 기증 신장 이식도 고려해볼 수 있다. 이식 전 확진된 비정형 용혈요독증후군 환자라면 유전자 검사를 통해 이식 후 재발의 위험도를 평가한 후에 고위험인 경우 선제적 Eculizumab 치료를 위한 준비 후 신장 이식을 시행할 수 있다.

▶ 참고문헌

· Brocklebank V, et al: Thrombotic Microangiopathy and the Kidney. Clin J Am Soc Nephrol 13:300–317, 2018.
· Colvin RB, et al: Diagnostic Pathology Kidney Disease. 3rd ed. Elsevier, 2019.
· Fakhouri F, et al: Thrombotic microangiopathy in aHUS and beyond: clinical clues from complement genetics. Nat Rev Nephrol 17:543–553, 2021.
· Gallan AJ, et al: A New Paradigm for Renal Thrombotic Microangiopathy. Semin Diagn Pathol 37:121–126, 2020.
· George JN, et al: Syndromes of Thrombotic Microangiopathy. N Engl J Med 371:654–666, 2014.
· Goodship TH, et al: Atypical hemolytic uremic syndrome and C3 glomerulopathy: conclusions from a "Kidney Disease: Improving Global Outcomes" (KDIGO) Controversies Conference. Kidney Int 91:539–551, 2017.
· Jennette JC, et al: Heptinstall's Pathology of the Kidney. 7th ed. Wolters Kluwer, 2013.
· Lee H, et al: Consensus regarding diagnosis and management of atypical hemolytic uremic syndrome. Korean J Intern Med 35:25–40, 2020.

이정은 (성균관의대), **한만훈** (경북의대 병리과)

CHAPTER 14 이상단백혈증과 연관된 사구체질환

KEY POINTS

- 이상단백혈증에 의해 다양한 형태의 신장질환이 발생할 수 있음이 확인되었다. 사구체질환이 가장 흔한 형태이지만, 세관 손상이 특징이 질환도 가능하다.

- 임상소견 및 병리소견에서 이상단백혈증과 연관된 신장질환을 진단하게 되면, 이상단백혈증의 존재 및 이를 유발하는 클론을 확인하는 것이 중요하다. 보편적인 면역억제치료에 잘 반응하지 않고, 신장을 보존하는 데 이상단백혈증의 생성을 억제하는 치료가 필요하기 때문이다.

- 형질세포에 의해 유발된 이상단백혈증이라면, bortezomib을 기반한 항암치료를 일차적으로 고려할 수 있으며, 단클론 면역글로불린을 분비하는 세포가 B-임파구인 경우에는 rituximab을 기반으로 한 치료를 고려할 수 있다.

이상단백혈증(dysproteinemia)을 단어 그대로 풀어보면, 혈장에 병적인 단백질이 존재한다는 뜻으로, 파라프로테인 혈증(paraproteinemia)으로도 표현된다. 여기에서 병적인 단백질은 단클론 면역글로블린(monoclonal immunoglobulin)을 의미하므로, 이상단백혈증은 monoclonal gammopathy(단클론 면역글로불린병증)와 같은 의미로 이해할 수 있다. 단클론 면역글로블린은 형질 세포(plasma cell) 혹은 드물게, B림프구(B cell)에서 생성되므로, monoclonal gammopathy는 B림프구 혹은 형질 세포 질환의 존재를 의미하는 데, 이 때 혈액 질환은 다발성 골수종이나 B림프구 백혈병과 같이 악성 질환일 수도 있고, monoclonal gammopathy of undetermined significance (MGUS)와 같은 전암성(premalignant) 상태일 수도 있다.

이상단백혈증과 연관된 신장질환의 분류

단클론 면역글로블린은 다양한 형태의 사구체질환을 유발할 수 있다. 또한 사구체질환에 국한하지 않고, 세관 손상이 특징인 light chain proximal tubulopathy와 light chain cast nephropathy(경쇄신병증)도 유발할 수 있다. 이 중, light chain cast nephropathy는 단클론 면역글로블린의 양이 많을 때 발생하며, 거의 전적으로 다발성 골수종에서 동반하므로 이를 제외한 질환들이 monoclonal gammopathy of renal significance (MRGS)에 속한다.

MRGS에 포함되는 신장 질환은, 전자 현미경으로 확인되는 단클론 면역글로블린의 침착 형태에 따라 범주화할 수 있는데, 조직화된(organized) 침착과 비조직화된(nonorganized) 침착, 침착이 없는 형태의 3가지로 나눌 수 있다. 조직화된 침착을 동반하는 질병은, 침착물의 형태에 따라 더 세분할 수 있는데, 침착물이 원섬유 모양을 띄는 아밀로이드증(amyloidosis)과 fibrillary glomerulonephritis (원섬유사구체신염), 미세소관(microtubules) 형태를 이루는 질환[예, immunotactoid glomerulonephritis – 큰원섬유 사구체신염과 한냉글로블린혈증 사구체신염(cryoglobulinemic glomerulonephritis)], 결정체(crystal)를 이루는 질환(예, light chain proximal tubulopathy)으로 분류된다. 비조직화된 침착은 monoclonal immunoglobulin deposition disease (MIDD), proliferative glomerulonephritis with monoclonal immunoglobulin deposits (PGNMID)에서 관찰된다. 면역글로불린의 직접적인 침착은 없지만, 단클론 면역글로블린에 의해 C3 glomerulopathy와 혈전 미세혈관병(thrombotic microangiopathy)도 발생 가능하다.

단클론 면역글로블린의 신장 손상 기전과 임상양상

이상단백혈증에서 신장이 손상되는 이유는 경쇄 혹은 중쇄의 생화학적 특징에 의해 결정되는 경향이 있다. light chain cast nephropathy의 발병 기전을 먼저 보면, Tamm–Horsfall 단백질과 결합한 단클론 면역글로블린이 원주(cast)를 이루어 원위 세관의 내강을 막아 급성세뇨관괴사와 세관사이질 염증을 유발한다. 임상적으로는 급성 콩팥손상의 형태로 나타난다. 이러한 현상은 사구체 기저막을 자유롭게 통과하는 경쇄(light chain)가 혈중에 높은 농도로 존재할 때 발생하며, 대체로 농도 역치를 500 mg/L로 보고 있다. 경쇄의 농도가 높은 것 이외에도, 탈수가 되어 세관 내액이 농축되거나, 세관 내액이 산성화된 경우 원주 형성이 더 쉽게 일어날 수 있어 light chain cast nephropathy도 더 호발한다.

나머지 이상단백혈증과 연관된 신장 질환은 단클론 면역글로블린의 양과 무관하게 발생할 수 있다. 가장 흔한,

AL 아밀로이드증은 단클론 면역글로블린 경쇄의 일부 조각의 잘못된 접힘(folding)으로 원섬유 전구체가 발생하고, 이것들이 β-pleated sheets를 형성하면서 원섬유(fibrill) 형태의 아밀로이드(amyloid)를 이루어, 세포외 조직에 침착되는 병이다. 사구체기저막과 메산지움에 흔히 가장 심한 침착이 일어나지만, 혈관, 세관 기저막에도 침착이 함께 일어날 수 있다. 임상 양상으로는 75% 이상의 환자에서 다량의 단백뇨를 보이며, 때로는 20 g/day 이상의 단백뇨가 관찰되기도 한다. 혈뇨는 심하지 않으며, 사구체여과율은 서서히 감소하며, 20% 정도의 환자에서 말기신질환에 도달한다. 사구체보다 혈관이나 세관에 아밀로이드가 주로 침착될 수도 있는데, 이 경우에는 단백뇨는 심하지 않으면서 서서히 진행하는 신기능 감소로 발현할 수 있다. 신장 이외 타장기 침범이 흔한데, 심장 침범이 신장 다음으로 빈번하고, 환자의 예후와도 밀접한 관계가 있다. 일차 아밀로이드증 환자의 40% 정도는 다발성 골수종에 병발하여 발생한다.

메산지움과 사구체, 모세혈관에 원섬유상 물질이 불규칙하게 침착되는 또 다른 질병으로는 fibrillary glomerulonephritis이 있는데, 이 경우에는 congo red에 음성반응을 보이며 원섬유의 두께가 15~25 nm로 아밀로이드증에서 관찰되는 것보다 두껍다. 메산지움 증식(70%)이나 막증식사구체신염 양상을 보이며, 임상적으로는 신증후군, 현미경적 혈뇨 및 고혈압이 동반되고, 질병이 진행하면서 대부분 신기능 저하가 발생한다. fibrillary glomerulonephritis의 경우, 20% 이하에서 단클론 면역글로블린과 관련하여 발생하는 것으로 보고되며, 다른 원인으로는 고형암이나, 자가면역질환, C형 간염이 알려져 있다.

미세소관 형태의 침착을 특징으로 하는 질병에는, 비교적 드문 한냉글로블린혈증 사구체신염과 immunotactoid glomerulonephritis가 있다. 두 가지 질병은 병리적으로 구별이 쉽지 않은데, 한냉글로블린혈증 사구체신염은 단클론 면역글로블린이 한냉침전물(cryoprecipitate)을 형성하여 모세혈관내에 침착하여 미세혈전과 유사한 형태를 이루며, 막증식 사구체 염증을 유발한다. 모세혈관내 침착물은 Periodic acid-Schiff (PAS) 염색에 강한 반응을 보이

며, 일부가 전자현미경에서 미세소관의 형태로 보인다. 피부 발진, 관절염, 말초신경증 등의 신장외 증상이 자주 동반하고, 심한 고혈압도 종종 관찰되며, 저보체혈증도 흔하다. 한냉글로블린혈증 사구체신염은 그 원인에 따라 3가지로 분류하는데, 제1형이 단클론 면역글로블린과 관련된 질환이며, 이 경우 면역 형광염색에서 한 가지 경쇄에만 반응한다(light chain restriction). 신장 병리에서 미세소관이 관찰되면서, 신장외 증상이 없고, 가성 혈전(pseudo-thrombi)이라고 불리는, 모세혈관내 침착이 없는 경우, immunotactoid glomerulonephritis를 의심할 수 있고, 이 질병은 만성 백혈구성 백혈병에 동반하여 발생하는 경우가 많다. 사구체신염의 양상은 막증식 양상인 경우가 많아서 임상적으로 대부분 신증후군으로 발현하며 80~90%에서 monoclonal gammopathy가 확인되고, 저보체혈증도 드물지 않다.

단클론 면역글로블린의 비조직화된 신장 침착이 특징이 질환으로 PGNMID와 MIDD가 있다. PGNMID는 단클론 면역글로블린 중쇄가 메산지움에 침착하여 막증식사구체신염을 유발하는 질환으로 신증후군, 혈뇨, 신기능 저하가 나타난다. PGNMID는 다발성 골수종에 동반하여 발생하는 경우는 거의 없으며, monoclonal gammopathy도 드물게 확인된다. MIDD는 아밀로이드증 다음으로 흔한 MGRS인데, 경쇄 variable lesion의 특이적인 변화로 메산지움, 혈관, 세관 기저막에 경쇄가 침착하고, 매트릭스의 증가를 유발하여 결절 사구체병증을 유발한다. 대체로 kappa 경쇄와 관련되며, 신증후군과 신기능 저하가 특징적으로 일어나며, 드물게 단백뇨가 소량이면서 신장의 기능 저하가 진행하기도 한다. 다발성 골수종에 병발한 경우가 예후가 나쁘다.

아밀로이드증은 신장 뿐 아니라 심장, 간, 신경, 위장관 등의 다양한 장기를 침범하는 것이 특징이라면, MIDD에서는 타장기 침범이 가능하지만 드물고, PGNMID와 MIDD에서는 타장기 침범은 없는 것으로 알려져 있다.

light chain proximal tubulopathy는 경쇄의 variable lesion에 특징적인 변이가 발생하여, 근위 세관에서 재흡수된 자유 경쇄가 정상적인 세포의 가수분해 과정를 겪지 않고, 세포내에 결정체를 이루게 된다. 90% 이상이 kappa 경쇄와 관련된다. 이러한 결정체의 존재는 세포 손상을 유발하여 근위 세관의 재흡수 기능을 저해하여 판코니 증후군(Fanconi syndrome)을 유발한다.

혈전 미세혈관병과 C3 glomerulopathy는 단클론 면역글로블린이 직접적으로 신장에 침착되지 않지만, 간접적으로 사구체 질환을 유발하는 경우이다. 혈전 미세혈관병은 보체계의 비정상적인 활성화에 의해, 내피세포의 손상이 발생하고, 임상적으로 혈뇨, 단백뇨, 신기능 저하로 나타나는 질병인데, 단클론 면역글로블린이 Factor H를 포함한 보체계의 조절 단백질에 대해 자가 항체로 작용하여 발생한다. C3 glomerulopathy도 보체계의 활성화에 의해, 다른 면역 복합체의 침착없이 메산지움과 사구체 기저막에 C3가 침착하고 내피세포의 증식과 사구체 염증을 유발하여 단백뇨와 혈뇨, 신기능 저하를 일으킨다. 혈전 미세혈관병과 C3 glomerulopathy는 일부에서 단클론 면역글로블린과 연관되고, 대다수는 다른 원인에 의해 발생한다.

이상단백혈증과 연관된 신장질환의 병리소견

이상단백혈증과 연관하여 다양한 신장질환이 발생할 수 있는데, 이 중, 빈도가 흔하거나 소견이 특징적인 다음 4가지 질환의 병리소견에 대해 자세히 알아보고자 한다.

1. AL 아밀로이드증

AL 아밀로이드증의 병리소견은 다른 아밀로이드증과 유사한 소견을 보인다. 육안소견에서 신장의 크기가 커지고, 심한 경우에는 밀랍 같은 절단면을 보인다. 아밀로이드는 사구체, 사이질, 혈관과 같은 다양한 신장조직을 침범할 수 있다. 사구체에서 아밀로이드는 메산지움에서 침착되기 시작하여 모세혈관고리로 침범하는 양상을 보이며, 사이질에서는 주로 혈관 주변에서 침착을 시작한다. 혈관에서의 아밀로이드 침착은 세동맥에 흔하고 사구체 침착과 동반되는 경우가 많다. 헤마톡실린-에오신(Hematoxy-

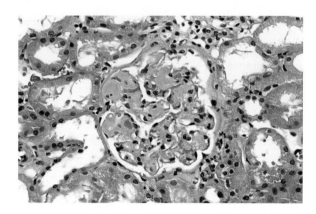

그림 5-14-1. 아밀로이드증
사구체에 호산성, 무정형의 아밀로이드가 침착되어 있다(광학현미경, H&E염색).

lin and Eosin, H&E)염색에서 아밀로이드는 호산성, 무정형의 침착물로 나타난다(그림 5-14-1). 사구체기저막에 침착된 아밀로이드가 긴 돌기 형태로 보일 수 있으며, Periodic acid methenamine silver (PAM) 같은 은염색에서 잘 관찰할 수 있다. 콩고레드(Congo-red)염색에서 아밀로이드는 주황색을 띄며, 이를 편광현미경에서 관찰하면 연초록의 복굴절을 보이는데 이것은 아밀로이드증의 특징적인 소견이다(그림 5-14-2). 병변의 초기 단계에서는 아밀로이드의 양이 적어 아밀로이드증을 간과하는 경우가 발생할 수 있어 주의를 요한다. 아밀로이드증이 의심되나 콩고레드염색에서 명확하게 관찰되지 않는 경우에는 두께를 4-8

㎛ 정도로 두껍게 박절하여 슬라이드를 제작하는 것이 진단에 도움이 된다. 면역형광염색에서 AL 아밀로이드증은 단클론 경쇄를 보이며, 주로 lambda 경쇄의 침착이 흔하다. 이에 반해, 비AL 아밀로이드증은 면역형광염색에서 주로 음성소견을 보이며, 면역조직화학염색 및 질량분광분석을 통해 그 종류를 감별할 수 있다. 전자현미경에서는 사구체, 사이질, 혈관과 같은 다양한 세포외조직에서 특징적인 아밀로이드 원섬유의 침착이 관찰된다(그림 5-14-3). 다양한 길이를 보이는 아밀로이드 원섬유는 분지하지 않으며 7-10 nm정도의 두께를 보인다. 사구체에서는 메산지움, 내피밑, 상피밑 공간에서 아밀로이드 원섬유의 침범을 관찰할 수 있고, 사구체기저막을 침범하여 발세포로 향하는 긴 돌기를 관찰할 수도 있다. 그리고 대부분 광범위한 발세포 발돌기의 소실을 보인다.

2. MIDD (monoclonal immunoglobulin deposition disease)

광학현미경검사에서 제일 특징적인 소견은 결절사구체병증이다(그림 5-14-4). 하지만 결절사구체병증은 당뇨병신병증에서도 관찰되는 소견이므로 진단에 주의가 필요하다. MIDD는 당뇨병콩팥병과는 달리 섬유결절이 좀 더 균일하게 퍼져 있는 경향을 보이며, 피막적(capsular drop),

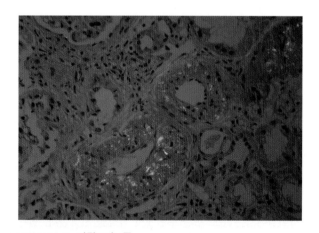

그림 5-14-2. 아밀로이드증
세동맥벽에 침착된 아밀로이드가 연초록의 복굴절을 보인다(편광현미경, 콩고레드염색).

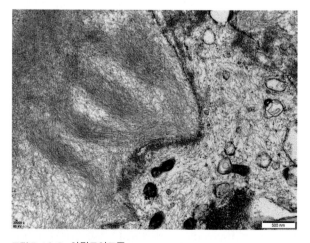

그림 5-14-3. 아밀로이드증
사구체기저막에 아밀로이드 원섬유가 침윤되어 있다(전자현미경).

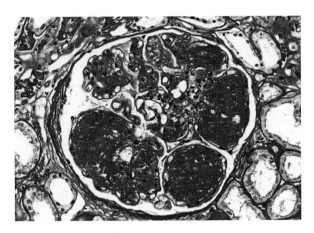

그림 5-14-4. monoclonal immunoglobulin deposition disease

사구체에 균일하게 퍼져있는 결절경화를 보인다(광학현미경, PAS 염색).

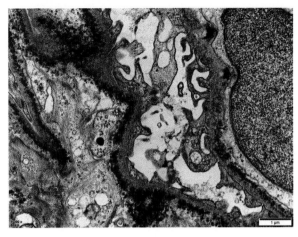

그림 5-14-5. monoclonal immunoglobulin deposition disease

사구체기저막의 내측을 따라 전자고밀도침착물이 띠를 이루고 있다(전자현미경).

섬유모자(fibrn cap) 같은 당뇨병신병증의 삼출병터의 소견은 관찰되지 않는다. 모세혈관벽과 세관기저막이 두꺼워질 수 있는데, 이것은 경쇄가 침착되기 때문이다. MIDD에서는 아밀로이드증과는 달리 콩고레드 염색에서 음성소견을 보인다. 초기병변의 사구체는 정상소견을 보일 수도 있고 메산지움 증식, 초승달(crescent) 형성과 같은 비특이적인 병변을 보일 수 있다. 하지만 이러한 병변은 결국 진행하여 결절경화가 되므로 시간이 흐른 뒤에 조직생검을 시행하면 특징적인 결절사구체병증을 확인할 수 있다. 면역형광염색에서 사구체의 모세혈관벽과 세뇨기저막을 따라 침착하는 단클론 경쇄를 확인할 수 있다. 주로 kappa 경쇄가 침착되며, G면역글로불린(IgG), M면역글로불린(IgM), A면역글로불린(IgA) 및 보체 C3, C1q는 음성소견을 보인다. 전자현미경검사에서는 경쇄가 메산지움, 모세혈관벽, 세뇨기저막에 가루형태로 침착되어 있다(그림 5-14-5). 사구체기저막에서는 가루형태의 침착물이 기저막의 내측을 따라 얇은 띠를 이루며, 세관기저막에서는 기저막의 외측을 따라 침착된다. 발세포 발돌기의 광범위한 소실이 동반된다.

3. light chain proximal tubulopathy

육안적으로 피질이 창백한 소견을 보여 급성세관괴사와 유사한 소견을 보인다. 광학현미경소견에서 근위세관세포의 솔가장자리 소실, 세관세포 탈락, 세관괴사와 같은 세관손상이 관찰된다(그림 5-14-6). 세관 내강 혹은 세관세포 세포질에 단클론 경쇄로 이루어진 결정봉입체가 관찰될

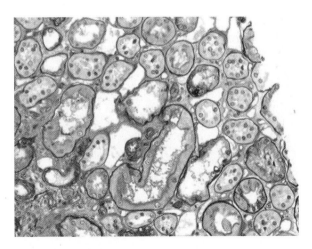

그림 5-14-6 Light chain proximal tubulopathy

일부 근위세관에서 솔가장자리소실, 세관괴사를 보인다(광학현미경, PAS 염색)

* 사진제공: 삼성서울병원 병리과 권기영교수

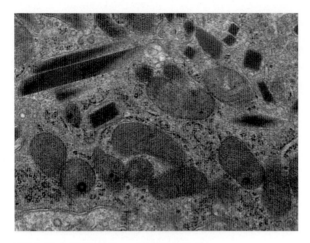

그림 5-14-7. Light chain proximal tubulopathy

세관 세포질에서 사각형 모양의 결정침착물이 보인다(전자현미경).

* 사진제공: 삼성서울병원 병리과 권기영교수

수 있으며, 결정봉입체는 판코니 증후군과 연관이 있는 경우가 많다. 결정봉입체는 H&E염색 혹은 trichrome염색에서 관찰이 용이하다. 결정봉입체를 형성하지 않는 경우에는 비특이적인 세관괴사의 형태로 보이기도 하며, 단클론 경쇄가 세관세포 세포질에 원섬유모양(비결정모양)의 형태로 침착되어 나타나기도 한다. 면역형광염색에서 세관세포 세포질에 위치한 단클론 경쇄가 관찰될 수 있으며, 주로 kappa 경쇄가 침착된다. 하지만 일반적인 면역형광염색을

시행하였을 때, 이 질환에서는 특이하게 경쇄에 대해 위음성을 종종 보일 수 있다. 이러한 경우에는 파라핀포매 조직절편으로 항원복구방법을 이용한 면역조직화학염색을 시행하면 단클론 경쇄를 용이하게 관찰할 수 있다. 전자현미경에서는 세관세포의 손상이 보이며, 비정형 용해소체의 증가를 관찰할 수 있다. 근위세관세포 세포질 내에서 바늘, 사각형, 원형, 막대기 모양의 결정 침착물이 주로 관찰된다(그림 5-14-7).

4. Proliferative glomerulonephritis with monoclonal immunoglobulin (PGNMID)

광학현미경에서 주로 막증식성사구체신염의 형태를 보인다(그림 5-14-8). 사구체 기저막이 두층으로 보이며 메산지움의 증식이 관찰된다. 드물지만 막사구체신염의 형태도 관찰될 수 있다. 대부분 면역복합체 매개성 막증식사구체신염 제1형과 유사한 소견을 보이기 때문에 감별을 위해서는 면역형광염색에서 면역글로불린의 확인이 필요하다. 면역형광염색에서 IgG의 단일 아형 침착 및 단클론 경쇄 침착을 확인할 수 있다. kappa 경쇄를 보이는 IgG3(IgG3 kappa 아형)가 가장 흔하며, IgG1 (IgG1 kappa 아형)이 두 번째로 흔한 아형이다. 보체 C3는 거의 항상 양성이며,

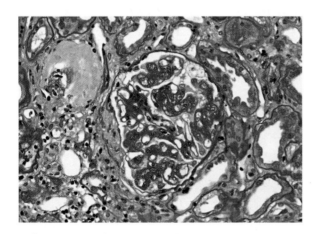

그림 5-14-8. Proliferative glomerulonephritis with monoclonal immunoglobulin

메산지움이 증식되고 사구체기저막이 두 층으로 나뉘어져 있다(광학현미경, PAS 염색)

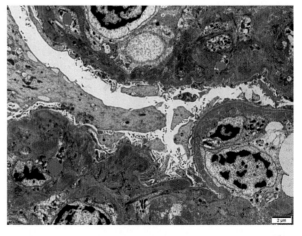

그림 5-14-9. Proliferative glomerulonephritis with monoclonal immunoglobulin

메산지움과 내피밑기저막에 전자고밀도침착을 보인다(전자현미경).

C1q 또한 양성으로 보일 수 있다. 전자현미경에서 메산지움과 내피밑 전자고밀도침착이 주로 관찰되며, 상피밑 침착도 관찰될 수 있다 (그림 5-14-9).

이상단백혈증과 연관된 신장질환의 진단

신장 질환이 있는 환자에서 신장질환과 단클론 면역글로블린과의 관련성을 확인하는 것은 매우 중요하다. 왜냐하면, 이상단백혈증과 연관된 신장질환은, 사구체 신염에 대한 보편적인 면역억제치료에 잘 반응하지 않고, 이상단백혈증이 지속되는 상황에서는 신장이식 후에도 재발하며, 기저 혈액질환도 혈액암으로 진행할 위험이 높기 때문이다. 즉, 이상단백혈증이 혈액암의 기준에 맞지 않더라도, 신장 질환의 원인일 수 있음을 고려해야 한다.

임상 연구에 따르면, 이상단백혈증을 동반한 상태로 신생검을 시행한 사람 중, 절반 정도에서 이상단백혈증에 의한 신장질환으로 진단된다고 하는데, 많은 단백뇨, 높은 혈청 경쇄농도비(serum free light chain ratio)와 혈뇨가 이상단백혈증에 의한 신장질환의 가능성을 높이는 인자들이다. 따라서, 이상단백혈증이 있는 환자에서 상기 소견이 있거나, 신기능 저하가 진행한다면 신생검을 적극적으로 고려해야 한다. 신생검 조직에서의 광학현미경, 면역형광염색, 전자현미경 소견이 모두 중요하지만, 두 가지 경쇄와 모든 면역글로불린 동형(isotype)에 대한 면역형광염색을 시행해야 한다.

신생검으로 이상단백혈증에 동반할 수 있는 신장질환이 확인되면, monoclonal gammopathy를 평가하기 위해, 혈청과 소변에서 단백질 전기영동 검사(protein electro-phoresis), immunofixation와 혈청 경쇄농도비를 시행한다. 단백질 전기영동 검사와 immunofixation 중 어떤 검사를 시행할지 고민스러울 때가 있는데, 이상단백혈증과 연관된 신장 질환의 대부분은 단클론 면역글로블린의 양이 많지 않더라도 발생할 수 있기 때문에, 이를 발견되는 데 예민한 immunofixation 검사가 더 추천된다. 다만, 급성콩팥손상이 발생한 환자에서는, 단백질 전기영동 검사가 더 추천된다. 이유는 급성콩팥손상으로 발현하는 이상단백혈증과 연관된 신장질환은 light chain cast nephro-pathy이고 이는 단클론 면역글로블린이 많을 때에만 발생하므로, 단백질 전기영동 검사가 음성이면서 혈청 경쇄비가 정상이라면, 이를 배제할 수 있다.

혈청 경쇄농도비 결과를 해석할 때, 주의할 점은 신장기

표 5-14-1. 이상단백혈증과 연관된 신장질환에서 관찰되는 혈액 질환

신장질환	비율 (%)				
	단클론 신장 침착	monoclonal gammopathy	다발성 골수종	MGRS	Other
Light chain cast nephropathy	100	100	99	0	~1
아밀로이드증	96	99	16	80	1~4
MIDD	100	100	0~20	78~100	1~2
Light chain proximal tubulopathy	100	97	12~33	61~80	3~8
한냉글로불린혈증 사구체신염	100	90~100	6~8	47~52	24~56
PGNMID	100	30~32	4	96	~1
Immunotactoid glomerulonephritis	69~93	63~71	0~13	25~50	25~50
C3 glomerulopathy	0	28~83	0~40	55~98	2~10

MGRS, monoclonal gammopathy of renal significance; MIDD, monoclonal immunoglobulin deposition disease; PGNMID, proliferative glomerulone-phritis with monoclonal immunoglobulin deposits

능이 감소한 경우, 정상적으로 농도비가 상승한다는 점이다. 정상 신기능을 가진 사람에서 농도비의 정상치가 0.26~1.65이다. 신장 기능이 감소한 경우, 경쇄의 신장 배설이 감소하는데, kappa 경쇄의 감소폭이 더 커서, kappa, lambda 경쇄의 농도비는 조금 증가하여 정상적으로 0.34~3.10으로 분포한다. 다시 말해, 농도비가 정상보다 낮은 경우는 대부분에서 lambda 경쇄의 단클론 생성을 의미하지만, 농도비가 정상보다 조금 상승한 경우는 신기능을 먼저 확인해야 한다. 소변 검체를 통해서도, 경쇄농도비를 측정할 수 있으나, 의미 있는 해석이 불가하므로, 검사를 권고하지 않는다.

다음 단계는, 병의 원인이 되는 단클론 면역글로블린을 분비하는 클론을 특정하기 위한 혈액학적 평가이다. 골수 검사를 포함하여, 임파선 생검이나, 흉부 및 복부 CT 등이 골수 외 부위의 혈액질환을 찾는 데 필요할 수 있으며, 혈액내과와의 협업이 요구되는 부분이다. 아밀로이드증과 MIDD, light chain proximal tubulopathy 등에서는 클론을 찾아내기가 어렵지 않은데, PGNMID에서 특정하기 어려운 경우가 많다. PGNMID 환자의 80%에서는 혈액학적으로는 이상이 없는 것으로 보고될 정도이며, 일부 임상 연구에서 밝힌 바로는, 클론을 특정할 수 있었던 PGN-MID 환자에서, 절반 정도는 혈장 세포에서 유래된 단클론 면역글로블린이었고, 절반 정도에서는 B림프구에서 유래된 것이었다. 신장질환별로 원인이 되는 혈액질환의 분포는 표 5-14-1과 같다.

이상단백혈증과 연관된 신장질환의 치료

이상단백혈증과 연관된 신장질환은 범주에 무관하게, 레닌-안지오텐신계 차단제도 효과가 없으며, 자가면역반응에 의한 사구체신염에서 적용하는 면역억제요법에 잘 반응하지 않는다. 이보다는 이상단백혈증을 유발하는 클론에 대한 치료가 더 효과적이므로 대체로 혈액암에서 사용하는 치료들이 효과를 가지는 데, 다만, 이상단백혈증과 연관된 신장질환은 그 자체로는 생명을 위협하는(life-

threatening) 경우가 드물기 때문에(예외, 타장기 침범이 있는 아밀로이드증), 치료의 효과와 치료제의 독성을 면밀히 견주어 치료 여부를 결정해야 한다.

이미 신장 기능의 저하가 많이 진행한 경우, 클론을 겨냥한 치료는 신장 이식 계획에 달려 있다. 즉, 신장 이식이 예정되어 있다면, 이식 후 재발을 막기 위해, 이상단백혈증을 유발하는 클론에 대한 치료가 정당화될 수 있지만, 이식 계획이 없고 다른 장기의 침범도 뚜렷하지 않다면, 클론에 대한 치료는 적용 대상이 되지 못한다. 또한 치료의 목표도 혈액암과는 다를 수 있는데, 혈액암에서는 완치가 목표이겠지만, very good partial hematologic response (침범하지 않은 경쇄의 혈청 농도가 40 mg/L이거나, 두 경쇄의 혈청 농도 차이가 90% 이상 감소한 경우로 정의)로도 이상단백혈증과 연관된 신장질환이 진행되지 않는 경우도 있다.

구체적인 치료 방법을 보면, 이상단백혈증을 유발하는 클론이 형질세포라면, bortezomib을 기반한 항암치료가 현재로서는 최선의 반응을 기대할 수 있다. 일부에서는 melphalan 투여 후 자가 조혈모세포 이식(autologous stem-cell transplantation)을 시행하는 것으로 완치를 기대할 수 있으나, 적용 대상이 제한적이다. CD38에 대한 단클론 항체인 daratumumab이 일차 아밀로이드증에 효과를 보인 바 있어, 현재는 MIDD와 PGNMID 환자를 대상으로 임상 연구가 진행 중이다. 단클론 면역글로블린을 분비하는 세포가 B림프구인 경우에는 rituximab을 기반으로 한 치료를 적용할 수 있는데, B림프구는 CD20을 대부분 표현하기 때문이다.

말기콩팥병으로 진행한 환자에서는 신장 이식이 가장 좋은 선택이 될 수 있지만 monoclonal gammopathy가 해결되지 않으면 재발이 매우 흔하다. PGNMID 환자의 경우, 이식 후 재발율이 90%까지 보고되며, 재발시기로 일러서, 이식 후 6개월 전후에 재발이 확인되는 경우가 많고, 이식신의 소실로 진행하는 비율도 높다. MIDD 환자도 비슷한 재발률을 보이지만, 재발 시기는 조금 더 늦다. 아밀로이드증의 경우, 재발도 느리고, 천천히 진행하여 이식을 먼저 시행하고 이후 클론에 대한 치료를 시행할 수 있다.

이 경우에도, very good partial hematologic response 이상의 결과를 얻게 되면 신장 예후도 좋을 것으로 기대할 수 있다. 혈액학적으로 완전 관해에 도달한 경우 이식 후 신장 질환의 재발이 가장 낮다. 이처럼, 치료 방침 결정에 여러 측면을 고려해야 하는 만큼 다학제 진료가 필요하다.

▶ 참고문헌

- Agnes B. Fogo, et al: AJKD atlas of renal pathology: Light chain proximal tubulopathy. Am J Kidney Dis 67:e9–e10, 2016.
- Bridoux F, et al: Diagnosis of monoclonal gammopathy of renal significance. Kidney Int 87;698–711, 2015.
- Do Hee Kim, et al: A case of Fanconi syndrome accompanied by crystal depositions in tubular cells in a patient with multiple myeloma. Kidney Res clin Pract 33:112–115, 2014.
- Frank Bridoux, et al: Proliferative glomerulonephritis with monoclonal immunoglobulin deposits: a nephrologist perspective. Nephrol Dial Transplant 36:208–215, 2021.
- J. Charles Jennette, et al: Heptinstall's Pathology of The Kidney. 7th ed. Wolters Kluwer, 2015.
- John Feehally, et al: Comprehensive Clinical Nephrology. 6th ed. Mosby, 2019.
- Leung N, et al: Dysproteinemias and Glomerular Disease. Clin J Am Soc Nephrol 13:128–139, 2018.
- Leung N, et al: Monoclonal Gammopathy of Renal Significance. N Engl J Med 384:1931–1941, 2021.
- Leung N, et al: The evaluation of monoclonal gammopathy of renal significance: a consensus report of the International Kidney and Monoclonal Gammopathy Research Group, Nat Rev Nephrol 15:45–59, 2019.
- Mark A. Lusco, et al: AJKD atlas of renal pathology: Proliferative Glomerulonephritis with monoclonal immunoglobulin deposits. Am J Kidney Dis 67:e9–e10, 2016.
- Robert B. Colvin, et al: Diagnostic Pathology, Kidney Diseases. 3rd ed. Elsevier, 2019.

제 5 부 사구체질환

CHAPTER 15

감염과 연관된 사구체질환

김현리 (조선의대)

KEY POINTS

- 세균성 감염과 연관된 사구체신염은 신조직검사로 진단이 가능하며 주치료는 항생제의 사용이다.

- B형과 C형간염과 연관된 사구체신염은 알려져 있는 임상치료에 준해 치료를 하여야 하며, 면역억제제의 사용은 바이러스의 증식을 조장할 수 있어 피해야 한다.

- 최근의 START와 TEMPRANO의 RCT연구를 바탕으로, HIV와 연관된 사구체신염 (HIVAN)은 CD4 count에 관계없이 초기에 항레트로바이러스 치료(antiretroviral therapy)를 추천하고 있다.

감염은 신장에 직접 또는 면역학적 기전을 통해 신장 기능 손상을 가져올 수 있으며 바이러스(virus), 세균(bacteria), 미코플라즈마(mycobacteria), 진균(fungus), 원충(protozoa) 등 모든 병원성 균이 감염과 연관된 사구체질환의 임상상을 나타날 수 있다. 임상적으로 중요한 감염과 연관된 사구체 질환은 소아에서 흔히 발생하는 연쇄구균 감염후 사구체신염과 성인에서 호발하는 포도구균연관 사구체신염이 있다

연쇄구균감염후 사구체신염

연쇄구균감염후 사구체신염(post-streptococcal glomerulonephritis, PSGN)은 그룹A 베타 용혈연쇄구균의 신염유발성 균주(nephritogenic strain)에 감염된 후 일정

한 잠복기가 지나고 발생하는 대표적인 감염 후 사구체질환(postinfectious glomerulonephritis, PIGN)으로 과거보다 발생이 많이 줄었으나, 개발도상국에서는 여전히 급성 사구체신염의 중요 질환 중 하나이다.

1. 역학

감염 후 사구체신염(post-infectious glomerulonephritis, PIGN)의 약 28~47%에 해당하며 전 세계적으로 소아에서 발생하는 급성 사구체신염의 가장 흔한 원인이며, 연간 발생률은 인구 10만 명당 9~28.5명 정도이다. 이 중 97% 이상이 개발도상국에서 발생하며, 선진국과 산업화된 나라에서는 발병률이 많이 감소하였다. 발생 나이는 5~12세 사이의 소아에서 가장 흔하며, 60세 이상의 노령인구에서도 발생하나, 3세 이하의 소아에서는 드물다. 연쇄구균

감염후 사구체신염은 산발적으로 그리고 그룹A 베타 용혈연쇄구균 감염의 유행 시기에 발생하는데, 그룹A 베타 용혈연쇄구균 유행 시기에 감염된 소아 인두염(pharyngitis) 환자의 5~10%, 피부감염 환자의 약 25%에서 연쇄구균감염후 사구체신염이 발생하는 것으로 알려져 있다. 지역과 기후적으로는 온대 지방은 겨울철에 가장 흔히 발생하며 인두염 후에 발생하는 경우가 많으나, 열대지방에서는 여름에 피부감염과 연관되어 발생하는 경우가 많다.

2. 병인

연쇄구균감염후 사구체신염을 유발하는 연쇄구균의 신염유발형 균주는 대부분 그룹A 연쇄구균에 속하며, 신염유발형 그룹A는 M단백과 T단백이라는 세균세포벽의 단백질에 의해 혈청학적 분류가 가능하다. 연쇄구균감염후 사구체신염을 유발하는 대표적인 연쇄구균 신염유발항원(nephritogenic antigen)은 nephritis-associated plasmin receptor (NAPlr)과 streptococcal pyrogenic exotoxin B로 알려져 있다. 사구체의 손상에 대한 면역학적 주된 기전은 사구체 기저막내에 침착된 연쇄구균의 항원들과 이 항원들에 의해 형성된 항체의 결합으로 인한 사구체내(in situs)에 면역복합체의 형성에 따른 신 손상이다.

3. 임상 소견

임상 증상은 무증상부터 현미경적 혈뇨부터 육안적 혈뇨, 부종, 단백뇨, 고혈압, 혈청 크레아티닌 상승을 동반하는 급성 사구체신염의 형태까지 다양하게 나타날 수 있다. 그룹A 베타 용혈연쇄구균의 인두감염 또는 피부감염이 증상 발생 전에 선행되며, 그룹A 베타 용혈연쇄구균의 감염과 사구체신염으로 발현까지의 잠복기는 감염부위에 따라 다르다. 인두염 후에는 대개 1~3주의 잠복기를 가지는 반면, 피부감염에는 3~6주의 잠복기를 갖는다. 환자의 약 2/3에서 전신부종을 관찰할 수 있으며 영유아기에서 좀 더 흔하다. 이는 나트륨과 수분저류로 인하여 발생하며, 심한 경우에는 체액과다로 인한 폐부종으로 호흡곤란도 나타난다. 육안적 혈뇨는 30~50%의 환자들에서 관찰되며 소변은 탁하고 콜라색(cola-colored urine)으로 보이기도 한다. 옆구리통증은 신장 내 부종으로 신 피막의 신전으로 인하여 발생한다. 비록 어느 연령에서나 발생이 가능하지만 성인보다는 소아에서 좀 더 잘 발생한다. 고혈압은 50~90%의 환자들에서 나타나며, 고혈압성 뇌증은 흔하지는 않으나 발생 시 심각한 합병증을 유발할 수 있으므로 응급처치를 필요로 한다. 신기능 감소가 발생할 수 있으나 투석을 필요로 할 정도의 급성신부전은 흔하지 않다.

4. 검사실 소견

혈뇨와 단백뇨는 다양한 정도로 나타나며 원주가 흔히 나타난다. 적혈구원주는 신선뇨에서 잘 검출되며, 이형적 혈구(dysmorphic RBC)는 사구체성 혈뇨의 증거로 일반적으로 위상차 현미경에서 관찰된다. 요세관 상피세포원주, 과립상 원주 및 백혈구를 관찰될 수도 있다. 단백뇨는 대부분 신증후군 수준 이하이며, 신증후군 범위의 단백뇨는 약 5%에서만 관찰된다. 혈청 크레아티닌 증가는 흔하나 대개 정상 범위의 상한선 내로 상승하는 것이 일반적이며, 약 25%의 환자에서는 혈청 크레아티닌이 2mg/dL 이상으로 상승한다. 사구체질환의 발현은 선행 감염의 수주 후에 나타나기 때문에 환자의 25%에서만 인후 또는 피부검체 배양에서 양성을 보인다. 농가진의 형태로 피부감염이 나타날 때는 피부검체 배양에서 균이 관찰될 가능성이 크다.

환자의 약 90%에서 발병 첫 1주 동안 C3와 CH50이 저명하게 감소되어 있다. 반면 C4와 C2는 대개 정상이거나 약간 감소 되어 있다. 그리고 감소한 C3와 CH50은 발병 4~8주 이후엔 정상으로 돌아온다. 하지만, 보체가 정상화 되는 것은 환자의 예후를 반영하지는 못한다. 지속적으로 보체가 낮을 경우에는 다른 질환을 고려하여야 한다. C3 nephritic factor는 소수에서 발견될 수 있으나 만약 이 factor가 저명하게 상승되었거나 상승이 지속될 경우에는 막증식사구체신염(MPGN)을 의심하여야 한다. 혈청학적 검사에서는 연쇄구균이 분비하는 물질에 대한 항체가의 상승을 측정하여 최근 그룹A 베타 용혈연쇄구균 감염의 증거로 이용된다. 서로 다른 5종류의 연쇄구균 항체를 측정하는 streptozyme test에서 인두염은 95%, 피부감염은 80%에서 양성소견을 보인다. 여기에 속하는 항체는 항스트렙토신 O (anti-streptolysin O, ASO), anti-hyaluronidase (AHase), anti-streptokinase (ASKase), anti-nicotinamide adenosine dinucleotidase (anti-NAD), anti-DNase B antibodies 등이다. 이들 항체는 개별적으로도 검사를 시행하여 진단에 도움이 될 수 있다. 인두염 후에는 ASO, anti-DNAse B, anti-NAD, AHase 역가가 상승하며, 피부감염 후에는 anti-DNAse B, AHase 역가가 주로 상승한다. 따라서 ASO 역가 검사만을 그룹A 베타 용혈연쇄구균 감염의 선별검사로 사용 시 인두염과 다르게 피부감염이 있는 환자에서는 역가가 낮거나 음성의 결과가 나올 수 있다. 또한, 인두염 환자에서도 항생제 치료를 받았다면 ASO 역가가 상승하지 않을 수도 있다.

5. 병리소견

광학현미경에서 뚜렷한 내모세혈관 증식과 다수의 중성구 침착이 관찰되는 미만성 증식성 사구체질환의 형태를 관찰할 수 있다(그림 5-13-1). 트리크롬염색(trichrome stain)에서는 상피세포하에 작은 혹(hump) 모양의 침착물을 관찰할 수 있다. 병변 정도와 침착 정도는 일반적으로 임상 증상과 비례한다. 무증상 또는 질병의 정도가 가벼운 환자에서 시행한 신장 생검에서는 사구체 침범이 적은 반면, 증상이 저명한 급성 사구체신염 환자의 신장 생검은 미만성의 내모세혈관 증식성 사구체신염의 형태를 보인다. 4~6주가 지나면 중성구는 더이상 관찰되지 않으며, 주로 단핵구의 침착과 메산지움 세포의 증식을 관찰할 수 있다. 질환의 후반기에는 모세혈관 내강은 비교적 잘 유지되고 사구체의 과다증식은 점차로 호전을 보이게 되나, 메산지움의 과증식은 수 개월간 지속하기도 한다, 초승달 (crescent) 형성은 드물지만 관찰될 경우 나쁜 예후를 시사한다. 면역형광검사에서 IgG와 C3가 과립상으로 메산지움과 모세혈관벽을 따라 침착된다. IgM의 침착은 질병의 초기에 관찰할 수 있으나 시간이 경과 할수록 관찰할 수 있는 양은 줄어든다. 전자현미경에서 가장 특징적으로 관찰할 수 있는 소견은 상피세포 아래에 돔(dome) 모양의 전자고밀도침착, 즉 hump가 관찰된다(그림 5-13-2). 이 hump는 면역글로블린을 포함하고 있으며 면역형광검사에서 IgG와 C3의 침착과 일치한다. Hump는 다량의 단백뇨와 관련이 있으며, 4~8주에 호전을 보이고 대부분 질환의 마지막 시

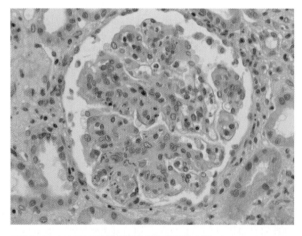

그림 5-13-1. 급성사구체신염의 광학현미경 소견

사구체 세포의 증식과 혈관내강에 중성구들이 침윤되어 있다 (H & E stain, x 200)

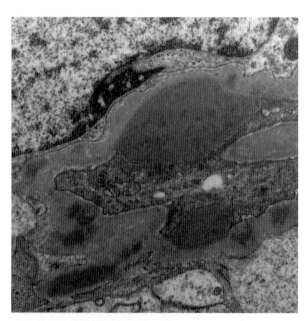

그림 5-13-2. 급성사구체신염의 전자현미경 소견

기저막위 발세포아래로 hump가 관찰된다.

기에 소실된다. 내피세포하와 메산지움 및 기저막내의 침착물들은 hump가 소실되고 나서 좀 더 이후에 사라진다.

6. 진단

연쇄구균감염후 사구체신염은 일반적으로 급성 콩팥병의 임상 증상과 최근 그룹A 베타 용혈연쇄구균 감염의 증거를 통하여 진단할 수 있다. 혈뇨, 다양한 정도의 단백뇨, 부종, 고혈압 등 급성 콩팥병의 임상 증상과 피부 또는 인두배양검사 양성 또는 혈청학적 검사(ASO, Streptozyme test) 양성소견으로 최근에 발생한 그룹A 베타 용혈연쇄구균 감염을 확인할 수 있다. 낮은 C3와 CH50 수치도 진단에 도움이 되나, 이들 보체는 막증식사구체신염을 포함한 다른 사구체질환에서도 감소할 수 있다.

신장 생검은 일반적으로 연쇄구균감염후 사구체신염의 확진을 목적으로 시행하지는 않는다. 대부분 임상소견이 진단에 도움이 되고 증상 발현 후 1주일 내로 호전되기 때문이다. 조직검사를 시행하는 경우는 일반적으로 연쇄구균감염후 사구체신염의 전형적인 임상 경과와 차이가 있거나, 선행되는 연쇄구균의 감염 과거력 없이 다른 사구체질환의 존재를 고려해야 할 때 시행한다. C3가 6주 이상 지속해서 감소하는 경우, 2주 이상 증상 악화가 진행되는 경우, 그리고 4~6주 이상 혈뇨나 고혈압이 지속되는 경우에는 C3 glomerulopathy, IgA 신병증, 막증식사구체신염, 이차성 원인에 의한 사구체신염(lupus nephritis, IgA vasculitis) 및 다른 균에 의한 감염후 사구체질환 (PIGN) 등을 감별하기 위해 신장 조직검사가 필요하다.

7. 치료

연쇄구균감염후 사구체신염의 진단 시 감염의 증상이 있다면 항생제(penicillin) 치료가 필요하다. 연쇄구균감염에 대한 항생제 치료는 환자를 포함한, 감염된 가족 구성원 또는 긴밀한 접촉이 있는 사람들을 대상으로 시행한다. 대증적인 치료로 혈압 관리와 부종 조절이 가장 중요하다. 체액과다로 인한 합병증인 고혈압, 폐부종의 조절이 필요

하며, 나트륨과 수분 섭취 제한, 고리작용 이뇨제의 사용이다. 심한 고혈압으로 인하여 고혈압성 뇌증을 일으킬 수도 있으며, 이 경우 즉각적으로 혈압강하제를 사용하여야 한다. 코르티코스테로이드(corticosteroid), 면역억제치료, 혈장분리교환술 등은 일반적으로 시행되지는 않으나, 급속진행 사구체신염을 보이는 환자에서 신장 생검을 시행하여 적응증이 된다면 사용할 수 있다. 만약 사구체의 30% 이상에서 초승달이 관찰된다면, 단기간의 코르티코스테로이드 충격요법을 시행할 수 있다. 또한, 신기능 저하를 보이는 일부 환자들에서는 급성기에 투석이 필요할 수도 있다.

8. 임상경과

임상 증상은 빠르게 호전되어 감염의 호전과 동시에 회복되기 시작한다. 일반적으로 1주일 이내에 이뇨가 시작되고, 3~4주가 되면 혈청 크레아티닌도 기저치까지 회복된다. 혈뇨는 3~6개월 사이에 회복되며, 단백뇨는 좀 더 느리게 회복된다. 15%의 환자들은 3년 후에도 단백뇨가 지속되며, 2~7%의 환자들은 10년까지도 단백뇨가 관찰된다. 이 질환은 신증후군 범위의 단백뇨가 있는 경우에는 6개월 이상 지속되기도 하고, 혈뇨가 사라진 후에 오랫동안 관찰되기도 한다. 심한 단백뇨를 동반하였을 때에는 미세변화신증후군, 국소분절사구체신염, 막사구체신염과 같은 일차 사구체질환과 감별이 필요하다. 신염 발생에 관여하는 연쇄구균 항원에 대한 항체가 오랫동안 지속되기 때문에 재발하는 경우는 드물다.

9. 예후

대부분의 소아 환자들에서 예후는 매우 좋다. 산발적으로 발생 하거나 유행성으로 발생하는 경우 모두 예후에 차이가 없는 것으로 알려져 있다. 지속적인 소변검사 및 조직학적 이상소견은 소아와 성인 모두 수년간 지속될 수도 있다. 하지만 성인에서는 연쇄구균감염후 사구체신염의 장기 예후가 항상 좋은 것만은 아니어서 일부 환자에서는 발병

후 10~40년간 고혈압, 단백뇨가 지속되고 신 손상이 나타날 수 있다. 장기적인 신장 합병증은 손상을 입은 사구체에 대한 정상 사구체의 보상성 과 여과가 진행되어 발생한다.

포도구균연관 사구체질환

감염후 사구체질환이라는 용어는 주로 소아 환자에서 연쇄구균 감염후 발생한 사구체신염과 동일한 병명으로 사용된다. 연쇄구균 감염후 사구체신염의 발생비율이 상대적으로 적은 성인에서는 과거 포도구균 감염후 사구체신염(poststaphylococcal glomerulonephritis)으로 불리던 포도구균 연관 사구체신염(Staphylococcus-associated glomerulonephritis)이 감염후 발생하는 사구체질환의 흔한 원인이다. 연쇄구균감염후 사구체신염은 신 질환의 발생이 인두염이나 피부감염이 자발적으로 소실되거나 또는 효과적으로 치료된 후 발생하나 포도구균연관 사구체신염에서는 신장질환이 감염이 지속되는 과정 중에 발생하는 차이가 있다.

1. 역학

포도구균연관 사구체질환 자체는 흔하지는 않으며, 주로 중년 이상에서 발생한다. 고령 환자들의 감염 후 사구체질환은 그룹A 베타 용혈 연쇄구균에 의한 감염보다 포도구균 감염에 의한 사구체신염이 더 흔하게 발생한다. 또 당뇨, 알코올중독, 암, 약물 남용자들에서도 포도구균 감염이 흔하게 발생한다.

2. 병인

포도구균연관 사구체신염은 면역복합체 매개성 질환이다. 면역복합체의 항원은 연쇄구균감염후 사구체신염과 비슷하게 감염 균주의 항원이다. 병리기전에 대해 아직은 확실한 연구가 없지만, 혈중에서 생성된 면역복합체의 사구체 침착이 포도구균연관 사구체신염의 주요 발병기전으로 생각된다. 포도구균연관 사구체신염에서 신장염증이 지속되기 위해서는 지속적인 항원 생성이 필요하며, 이는 활동성 감염이 있어야 한다. 만약 감염이 효과적으로 치료된다면, 사구체 신염의 활성도도 감소된다. 포도구균의 항원은 초항원(super antigen)으로 작용하여, T세포를 활성화 시키고 이후 B세포를 활성화시켜 IgA, IgG, IgM을 생산한다. 이들 항체중 특히 IgA의 침착이 두드러질 경우 IgA-dominant postinfectious GN (IgA-PIGN)으로 진단명을 사용하기도 한다. IgA-PIGN 은 PIGN의 형태학적 변형으로 주로 피부질환의 staphylococcal aureus 감염으로 나타난다. 주로 고령에서 발생하며, 종양, 알콜중독, HIV감염 환자에서 자주 생긴다. 일반적인 PIGN보다 예후가 더 나쁘며 PSGN과 IgA nephropathy와의 감별이 필요하다.

3. 임상증상

환자들은 대부분 전신 감염질환을 앓고 있으며 혈뇨, 단백뇨, 혈청 크레아티닌 상승, 부종 등의 증상을 보일 수 있다. 초기 임상 증상은 다른 원인에 의한 사구체질환과 유사하다. 말초부종은 환자의 약 50%에서 관찰되며, 병의 경과 중 12~29% 환자에서 고혈압이 새로 발생한다. 혈뇨는 거의 대부분의 환자에서 관찰되고, 단백뇨의 정도는 다양하게 나타나며 22~35%에서 신증후군이 발생한다. 심부전이 새로 생기거나 기존 심부전이 악화될 수도 있다. 포도구균 감염부위는 다양하며, 일부 연구에 의하면 포도구균연관 사구체신염이 발생한 환자의 감염부위를 조사한 결과 심장(심내막염 23%), 피부(궤양, 봉와직염 22%), 골(골수염,22%), 폐(폐렴 8%), 심부농양(8%), 비뇨기계감염(6%)으로 보고되었다. 포도구균연관 사구체신염은 연쇄구균감염후 사구체신염과 여러 가지 점에서 다른 임상 소견을 보이는데 포도구균 연관 사구체질환은 선행되는 감염부위가 다양하고(피부, 연부조직, 도관 삽입 부위 등), 상기도 감염이 흔히 선행되는 감염부위가 아니다. 신기능의 예후는 연쇄구균감염후 사구체신염에 비해 더 나쁘며, 연쇄구균감염후 사구체신염에서 나타나지 않는 피부혈관염이 발생할 수 있다.

4. 검사실 소견

혈청 전해질, 크레아티닌. 알부민, 보체(C3, C4)검사와 전혈검사, 소변검사, 단백뇨 정량검사 등을 반드시 시행해야 한다. 초기 검사결과는 다른 형태의 사구체질환과 비슷하게 나온다. 혈뇨(98%), 농뇨(65%) 등이 나타나며, 평균 단백뇨 3 g/day, 신장 생검 당시 평균 크레아티닌 수치는 5.1 mg/dL 정도이다. 일반적으로 혈중 보체 수치는 감소한다. 연쇄구균감염후 사구체신염과 달리 포도구균의 감염을 확인하기 위한 혈청학적 검사는 없다. 따라서 포도구균의 감염을 확인하는 방법은 오직 배양을 통해 포도구균을 동정하는 것이다.

5. 진단

뚜렷한 신염의 임상 증상과 함께 최근 또는 현재 포도구균 감염이 있는 경우에 추정 진단이 가능하다. 성인 환자에서는 비교적 흔하지 않은 질환으로 저보체혈증을 보이는 다른 사구체신염들과 감별해야 한다. 감염부위가 다양하여 감염에 의한 임상적 증거가 불충분하므로 확진을 위해선 신장 생검이 필수적이다. 광학현미경 소견은 내모세혈관 증식과 삼출성 신염 소견을 보이며 면역 형광 검사에서 C3와 IgA 침착이 보인다. 전자현미경소견에서는 hump 모양의 상피세포하 침착물이 나타난다. 성인에서 사구체질환과 함께 검사에서 포도구균 감염이 있는 환자에서 다음 소견 중 최소 2개를 충족시킬 때는 포도구균 연관 사구체 질환을 진단할 수 있다. 1) 낮은 혈중 보체 (low C3), 2) 광학현미경에서 내모세혈관 증식과 삼출성 사구체질환 소견 3) 면역형광검사에서 C3가 우세하게 침착되는 소견 (많은 경우 IgA도 동시 침착) 4) hump 모양의 상피세포하 침착물이 전자현미경에서 관찰된 경우이다.

6. 치료와 경과

감염의 완치 및 고혈압과 부종과 관련된 증상의 조절이 중요하다. 항고혈압제와 이뇨제 및 소금 섭취의 제한이 도움이 될 수 있다. 면역억제제치료는 사용하지 않는다. 감염 치료를 위해 적절한 항생제를 사용하며, 필요하면 수술도 시행할 수 있다. 성공적인 감염의 치료는 신염을 호전시키고, 혈청 크레아티닌의 안정화, 혈뇨의 소실 및 보체 수치의 정상화 등을 보여준다. 이 신염은 장기간 지속하지 않고 재발 또한 흔하지 않다. 그러나 일부 환자에서는 기저 수준의 크레아티닌 수치로 회복하지 못하고 지속적 단백뇨를 보이기도 하며, 환자가 고령이고 만성질환을 동반하는 경우에는 장기적인 예후가 좋지 않다.

간염바이러스와 관련된 사구체질환

1. B형 간염바이러스 관련 사구체질환

B형 간염바이러스(Hepatitis B virus, HBV) 감염은 다양한 신질환과 관련이 있다. HBV 관련 사구체질환은 B형 간염의 풍토성이 높은 지역에서 많이 발생하는데, 특히 유아기, 청소년기에 감염이 발생한 경우 만성보균자로 진행하면서 HBV 관련 사구체질환의 빈도가 증가한다. 반면 미국과 서유럽에서는 HBV 관련 신질환의 빈도가 낮으며, 이는 전반적으로 유아기 감염이 적고 만성 B형 간염바이러스 감염 이환율이 낮기 때문이다. 우리나라의 경우 현재 광범위한 B형간염 예방접종으로 HBV 관련 신질환의 발생률은 감소하고 있다. HBV와 관련되어 사구체질환이 발병된 환자에서는 일부 급성간염의 과거력이 있으나 대부분 만성 경과를 취하며 혈청 아미노전달효소(aminotransferase)의 증가만 관찰되고 있다. 이러한 환자들은 일반적으로 HBsAg과 anti-HBc 양성이며, 막사구체신염 환자의 경우는 HBeAg에 대해 양성이다. HBV 감염의 병인론적 역할은 주로 막사구체신염에서 HBeAg의 침착을 포함하여 신장 병변 내의 B형간염 항원-항체 복합체를 면역형광검

사로 확인하고 있다. HBV DNA와 HBV RNA는 사구체와 요세관 세포에 위치해 있으나, 신장손상 발생에 있어 이러한 바이러스 핵산의 역할은 추가적인 연구가 필요한 상태이다.

HBV 관련 신질환 중 흔한 것은 막사구체신염, 막증식사구체신염, 결절다발동맥염이다. 막사구체 신염은 소아에서 흔하게 나타나며 성인에서는 IgA 침착과 막증식사구체신염이 흔하다. HBV 관련 이차 막사구체신염은 일차 막사구체신염과 마찬가지로 신증후군 범위의 단백뇨가 관찰된다. 조직 검사상 전형적인 상피하 침착 이외에도 메산지움 또는 내피하 면역침착의 소견은 일차보다 이차막성 신장병을 시사하는 소견이다. HBV 관련 막증식사구체신염은 다른 형태의 막증식사구체신염과 마찬가지로 혈뇨가 나타나며 주로 이형적혈구 또는 적혈구원주가 관찰되고, 다양한 범위의 단백뇨, 사구체여과율 감소 및 고혈압을 특징으로 한다. 메산지움과 내피하 공간의 순환면역복합체의 조직학적 침착이 HBV 관련 막증식사구체질환의 특징적인 소견이다. 결절성다발동맥염은 다발성장기 침범을 유발시키는 괴사성혈관염으로 주로 작은 혈관과 중간 혈관을 침범한다. 신장 침범시 다양한 정도의 사구체여과율 감소와 고혈압이 유발된다. HBV 관련 결절다발동맥염의 임상 특징은 특발 결절다발동맥염과 유사하다. 기저 사구체 병변의 확진을 위해서는 신장 생검이 필요하다. 가끔 이러한 질환에서 조직 검사상의 HBV의 병인론적 역할을 확인하는 것은 어려울 수 있다. 이는 신장 내에서 바이러스 항원의 침착을 확인 하는 것이 쉽지 않고 또한 신장 조직 내에 바이러스 항원의 존재가 인과 관계를 나타내기보다는 우연히 발견 되는 경우도 있기 때문이다. 그러나 신장 생검에서 HBV 관련 신질환을 보이면서 환자가 HBV 유행지역의 소아이거나, 또는 혈청검사에서 순환 HBsAg과 HBeAg 양성 소견을 보이는 성인의 경우 추정 진단을 내릴 수 있다. 치료는 HBV DNA level 2000 IU/ml 이상이며 사구체 질환이 동반한 경우 적응증이 되고 항바이러스 약제인 nucleoside/nucleotide analog의 사용이 가장 중요한 치료법이다. 면역억제제 사용은 일부 급속 진행사구체신염(rapidly progressive glomerulonephritis, RPGN) 환자에서 사용할 수 있으나 이 경우에도 항바이러스 치료가 병행되어야 한다.

2. C형간염바이러스 감염 관련 사구체질환

만성 hepatitis C (HCV) 감염과 관련된 주된 사구체질환은 혼합한랭글로불린혈증, 막증식사구체신염, 막사구체신염 및 결절다발동맥염이다. 혼합한랭글로불린혈증은 전신혈관염으로, 이환된 환자는 보통 비특이적인 전신증상과 더불어 자반, 관절통, 발열, 신질환, 신경병증 및 보체감소(C4 < C3) 등이 나타난다. 임상적으로 혈뇨와 신증후군 범위의 단백뇨 및 신부전으로 나타날 수 있다. HCV 감염과 막증식사구체질환의 연관성(한랭글로불린혈증이 없는 상태)은 아직 논란이 있다. 연구에 차이는 있지만, 일부 막사구체신염도 만성 HCV 감염에 의해 발생할 수 있다고 보고되었다. 치료는 항바이러스 제제를 사용하고 있으며, 최근 개발된 direct acting anti-viral agent(DAA)가 좋은 효과를 보이고 있다.

사람면역결핍 바이러스 연관 신병증 (HIV associated nephropathy, HIVAN)

HIV 감염은 최근 복합 antiretroviral theraphy(ART)로 인해 치료에 좋은 효과를 보이고 있다. HIV에 의한 신손상은 급성 콩팥 손상과 만성 콩팥병으로 나타난다. 1984년 처음으로 기술된 HIV연관신병증(HIV-associated nephropathy, HIVAN)은 HIV 감염과 관련된 전형적인 신장병이지만 비교적 초기의 HIV 감염이나 급성 혈청 전환 시에도 발생할 수 있다. HIVAN의 병인은 주로 두 가지 요인이 관여하는 것으로 추정된다. 첫째로 HIV의 신장 상피 감염이고 둘째로 감염된 신장 세포 내의 HIV 유전자 발현과 숙주의 유전적 감수성을 포함하는 숙주 요인이다. HIV연관신병증은 HIV에 걸린 흑인에 더욱 잘 발생한다. HIVAN은 겸상적혈구병을 제외한 어떠한 다른 원인의 말기신부전보다 흑인과 더 밀접한 관련성을 보여준다. HIV

연관신병증의 임상적인 특징은 흑인에서 더 흔히 발생하며, 진행된 HIV 질환뿐만 아니라 급성감염 초기에서도 보고되고 있다. 심한 단백뇨가 나타나며, 일부 연구에서는 72%의 환자에서 신증후군 범위의 단백뇨를 보였다. 급속한 신기능 저하가 특징이며, 성인 환자는 HIVAN 진단 당시 종종 진행된 신부전을 보이고, 급속한 경과 악화를 보인다. HIVAN이 의심되는 환자에서 신장 생검을 통해 진단되며, 조직학적으로 국소분절사구체신염의 붕괴 형태(collapsing form)이 특징이다. 국소분절사구체신염의 붕괴 형태뿐만 아니라 요세관의 확장과 간질성 염증(microcystic tubular dilatation and interstitial inflammation)이 전형적으로 나타난다. HIVAN 치료는 바이러스 치료인 고효능 항레트로바이러스 치료법(HAART)을 포함하여 RAS 억제제(안지오텐신전환효소억제제, 안지오텐신수용체차단제), 글루코코티코이드가 있다. HAART의 도입은 HIV 감염된 환자들 가운데 HIVAN에 의한 말기신부전으로의 진행을 감소시켰다. 전반적으로 예후는 좋지 않으며 HAART 치료를 받은 환자에서도 많은 수가 말기신장병으로 진행한다.

기타 감염과 관련된 사구체질환

1. 감염심내막염, 단락 감염과 관련된 사구체질환

감염심내막염 환자는 감염과 관련된 면역복합체에 의한 사구체질환을 일으킬 수 있다. 임상적으로 급성 신부전의 증상을 보이며 대부분 환자에서 혈뇨 소견을 보이는 급성 사구체신염의 임상상을 나타내나 흔하지는 않다. 환자의 50% 이상에서 C3 감소를 보이며 1/3에서 ANCA 양성 소견을 보인다. 관련된 감염의 가장 흔한 원인균은 *staphylococcus aureus*(53%)이며 *streptococcus* 균이 다음으로 흔하다. 조직 검사시 광학현미경 소견으로 초승달사구체신염(crescentic glomerulonephritis)이 흔하게 나타난다. 치료는 감염에 대한 항생제를 사용한다. 단락 감염으로 인한 사구체질환은 수두증(hydrocephalus) 치료에 사용되는 ventricular shunt가 감염되어 발생하나 최근에는 ventriculovascular shunt로 시술법이 개량되어 단락 감염의 발생 비율이 현저히 감소하였다. 증상이 있는 환자에서 혈액과 뇌척수액 배양에서 *staphylococcus epidermidis*가 주로 관찰된다.

2. 매독 사구체병증(Syphilitic glomerulonephritis)

선천매독 환자의 8% 이상에서, 후천성 감염은 1% 미만에서 신증후군이 발생하는 것으로 알려져 있다. 현재는 대규모의 선별검사와 치료가 시행되어 매독 관련 신증후군은 선진국에서는 보기 힘든 병이 되었다. 병리소견은 광학현미경에서 막사구체신염과 비슷한 형태로 관찰된다. 전자현미경에서 다양한 정도의 기저막의 비후와 함께 외피세포와 내피세포하에 전자 고밀도 침착이 관찰되기도 한다. 임상 증상으로는 선천매독에 감염된 소아에서 1~4개월에 부종과 혈압 상승이 관찰된다. 반점 및 간신비대가 나타나며, 전형적인 선천매독의 방사선학적 소견이 관찰된다. 성인에서는 이차 매독의 활성화 시기에 신증후군의 특징을 보인다. 간혹 급성 사구체질환 형태로 나타나기도 한다. 매독의 혈청학적 검사에서 양성반응을 보인다. 페니실린이 주 치료약제이며, 환자 대부분에서 성공적으로 치료할 경우 단백뇨는 6주 이내에 감소한다.

3. 기생충 질환에 의한 사구체질환

사람에 질병을 일으키는 말라리아는 *Plasmodium vivax*, *P. falciparum*, *P. malariae*와 *P. ovale*로 알려져 있으며, 이 중 *P. malariae*와 *P. falciparum*이 신장을 침범한다고 알려져 있다. Falciparum 말라리아는 세계적으로 열대지방에 널리 유행하고 있고 심한 합병증을 일으키기 때문에 임상적으로 중요한 질환이다. 이는 일시적이고 잠재성의 사구체질환을 일으킬 수 있으며, 25~50% 환자에서 경미한 단백뇨, 현미경적 혈뇨 및 원주를 보인다. 이와 더불어 혈청 보체의 감소와 *P. falciparum*의 순환면역복합체가 나타난다. 이 외에도 schistosomiasis, leishmaniasis, trypansomiasis, filariasis, trichinosis, echinococcosis, toxoplasmosis 등도 감염에 의한 사구체질환을 일으키는 것으로 알려져 있다.

▶ 참고문헌

• BhimmaR, et al: Treatment of hepatitis B virus–associated nephropathy in black children. Pediatr Nephrol 17:393–399, 2002.

• Blyth C C, et al: Post–streptococcal glomerulonephritis in Sydney: a16–year retrospective review. J Paediatr Child Health 43:446–450, 2007.

• Bruggeman LA, Ross MD, Tanji N, et al: Renal epithelium is a previously unrecognized site of HIV–1 infection. J Am Soc Nephrol 11:2079–2087, 2000.

• Chirinos JA, et al: Endocarditis associated with antineutrophil cytoplasmic antibodies: a case report and review of the literature. Clin Rheumatol 26:590–595, 2007.

• Choi HK, Lamprecht P, Niles JL, et al: Subacute bacterial endocarditis with positive cytoplasmic antineutrophil cytoplasmic antibodies and anti–proteinase 3 antibodies. Arthritis Rheum 43:226–231, 2000.

• Fabrizi F, et al: Meta–analysis: anti–viral therapy of hepatitis B virus–associated glomerulonephritis. Aliment Pharmacol Ther 24:781–788, 2006.

• IgA dominant postinfectious glomerulonephritis secondary to cuta–neous infection by methicillin resistant staphylococcus aureus. Nephrologia 39(4):434–454, 2019.

• KDIGO clinical practice guideline on glomerular disease. 210–237, 2020.

• Koyama A, et al: Staphylococcus aureus cell envelope antigen is a new candidate for the induction of IgA nephropathy. Kidney Int 66:121–132, 2004.

• Majumdar A, et al: Renal pathological findings in infective endocarditis. Nephrol Dial Transplant 15:1782–1787, 2000.

• Nadasdy T, et al: Infection–related glomerulonephritis: understanding mechanisms. Semin Nephrol 31:369–375, 2011.

• Nasr SH, et al: Acute postinfectious glomerulonephritis in the modern era: experience with 86 adults and review of the literature. Medicine (Baltimore) 87:21–32, 2008.

• Nasr SH, et al: Bacterial infection–related glomerulonephritis in adults. Kidney Int 83:792–803, 2013.

• Rvodríguez–Iturbe B, et al: Pathogenesis of poststreptococcal glomerulonephritis a century after Clemens von Pirquet. Kidney Int 71:1094–1104, 2007.

• Rodriguez–Iturbe B, Musser JM: The current state of poststreptococcal glomerulonephritis. J Am Soc Nephrol 19:1855–1864, 2008.

• Ross MJ, Bruggeman LA, Wilson PD, Klotman PE: Microcyst formation and HIV–1 gene expression occur in multiple nephron segments in HIV–associated nephropathy. J Am Soc Nephrol 12:2645–2651, 2001.

• Roy S 3rd, Stapleton FB: Changing perspectives in children hospitalized with poststreptococcal acute glomerulonephritis. Pediatr Nephrol 4:585–588, 1990.

• Sabry A A, et al: A c omprehensive study of the association between hepatitis C virus and glomerulopathy. Nephrol Dial Transplant 17:239–245, 2002.

• Sumida K, et al: Hepatitis C virus–related kidney disease: various histological patterns. Clin Nephrol 74:446–456, 2010.

• Wen YK, Chen ML: Remission of hepatitis B virus–associated membranoproliferative glomerulonephritis in a cirrhotic patient after lamivudine therapy. Clin Nephrol 65:211–215, 2006.

• Yoshizawa N, et al: Nephritis–associated plasmin receptor and acute poststreptococcal glomerulonephritis: characterization of the antigen and associated immune response. J Am Soc Nephrol 15:1785–1793, 2004.

CHAPTER 16 약물연관 사구체질환

황진호 (중앙의대)

KEY POINTS

- 2015년부터 2019년까지 보고된 다양한 원인 약물이 조직학적으로 분류한 약물연관 사구체신염 표에 추가되었다.

- 약물연관 사구체질환은 다양한 사구체 이상을 일으킬 수 있으며, 치료의 근간은 원인 약물의 중단이다.

- 국소분절사구체경화증을 일으키는 약물 중 anabolic steroids와 sirolimus는 모두 레닌-안지오텐신-알도스테론 차단제 사용이 단백뇨 감소에 도움이 된다.

- 약물연관 ANCA 혈관염은 특발성 ANCA 혈관염에 비해 자가항체 복합 양성 소견이 빈번하다.

- 루푸스유사신염(lupus-like nephritis)이 약물유발루푸스(drug-induced lupus)로 용어가 변경되었고, 약제 사용 기간동안 발생하였다가 중단하면 호전되는 경우로 정의하나, 호전이 더딘 경우 면역억제치료를 요할 수 있다.

- 약제연관 혈전미세혈관병의 대표적인 원인 약제로 thienopyridine-derivatives, 칼시뉴린 억제제, 혈관발생억제제, gemcitabine이 있다.

신장은 많은 혈류량과 농축기전으로 인해 내부에 높은 약물 농도가 유지되며 약물 분해에 의한 이차 대사산물의 형성 등으로 인해 약물의 독성에 흔히 노출되는 장기이다. 또한 많은 약물과 화학물질은 사구체에 구조적 손상을 일으켜 큰 분자물질의 투과성을 증가시킬 수 있으며, 이러한 사구체의 이상은 단백뇨와 신증후군의 형태로 흔히 나타난다. 이를 약물연관 사구체질환이라 한다. 막신병증과 미세변화 신증후군이 가장 흔하며, 국소분절사구체경화증과 초승달사구체신염과 같은 사구체 이상을 보이기도 한다(표 5-16-1). 조기진단이 중요하므로 위험성이 잘 알려진 약제를 사용하는 경우에는 혈액, 소변검사의 이상, 혈압 변화를 정기적으로 관찰하여야 한다.

막신병증

약물연관 막신병증은 일차 막신병증보다 전자현미경에서 관찰한 면역글로불린 침착이 작고, 국소적이며 일정하지 않다. 원인 약물이 근위세관에 손상을 일으켜 분비하게 되는 항원이 사구체 발세포 항원과 교차반응을 일으켜서 발생하는 것으로 생각하고 있다.

표 5-16-1. 조직학적으로 분류한 약물연관 사구체신염

Glomerulopathy	Drugs
막신병증	NSAIDs (both COX-1 and COX-2), Gold salts, D-penicillamine, captopril, bucillamine, diuretics, Interferon, organic mercury, lithium, chlorpropamide, aprotinin, adalimumab
미세변화 신증후군	NSAIDs (both COX-1 and COX-2), quinolones, ampicillin, rifampicin, cefixime, tiopronin, interferon-α, β, lithium, pamidronate, tamoxifen, penicillamine, bucillamine, etanercept, gold, methimazole, enalapril, mercury
국소분절사구체경화증	Pamidronate, zoledronate, interferon-α, sirolimus, everolimus, anabolic steroids, lithium, heroin, mercury
ANCA 혈관염	D-penicillamine, sulfasalazine, TNF-α inhibitors, rifampicin, propylthiouracil, methimazole, interferon-α, foscarnet, isoniazid, minocycline, cefotaxime, ethosuximide, trimethadione, paramethadione, pantoprazole, phenytoin, allopurinol, clozapine, montelukast, statins, thioridazine, levamisole/cocaine
약물유발루푸스	Procainamide, quinidine, amiodarone, hydralazine, methyldopa, captopril, β-blockers, minoxidil, clonidine, hydrochlorthiazide, chlorthialidone, spironolactone, propylthiouracil, methimazole, isoniazid, minocycline, sulfamethoxazole, tetracycline, cefuroxime, streptomycin, carbamazepine, phenytoin, valproic acid, chlorpromazine, lithium, statins, sulfasalazine, TNF-α inhibitors
혈전미세혈관병	Anti-platelet agents, anti-angiogenesis drugs, mitomycin-c, gemcitabine, cisplatin/carboplatin, estramustine, cytarabine, tamoxifen, bleomycin, daunorubicin, hydroxyurea, interferon-α, calcineurin inhibitors, mTOR inhibitors, anti-CD33, valcyclovir, penicillins, rifampin, metronidazole, tetracycline, albendazole, NSAIDs, conjugated estrogens/progestins, quinine, simvastatin, iodine, cocaine

1. Gold salts

투여 환자의 약 30%에서 단백뇨가 나타나고 2~5%에서 신증후군이 발생한다. Gold연관신증후군의 90%는 막신병증의 형태로, 일부에서는 미세변화 신증후군으로 발생한다. 원인 약을 중단하면 신증후군은 대개 4~18개월 내에 정상으로 회복되며, 스테로이드나 면역억제제 치료는 병의 경과에 크게 영향을 미치지 않는다.

2. D-penicillamine

투여 환자의 7~30%에서 단백뇨가 발생한다. 신증후군을 보이는 경우가 가장 흔하며, 스테로이드 사용이 회복에 도움이 될 수 있다. 조직학적으로 막신병증의 형태로 나타

나는 경우가 약 85% 이며, 메산지움증식사구체신염 10%, 그 외 미세변화 신증후군, 국소괴사사구체신염의 형태도 보고된 바 있다. 안전한 사용을 위해서는 저용량을 사용하거나 단백뇨가 하루 3 g 이상 발생하는 경우 원인 약을 중지한다.

3. Captopril

Captopril은 막신병증에 의해 단백뇨와 신증후군을 일으키는 유일한 안지오텐신전환효소억제제이며, 신증후군은 사용 환자의 3.7%에서 발생한다. 투여용량이 150 mg 미만인 경우와 기저 신질환이 없는 경우에는 발생이 증가하지 않는다. Captopril 대신 enalapril을 사용하면 신증후군이 개선되며, captopril 내에 함유된 sulfhydryl group이

직접적 혹은 면역학적인 과정을 통해 사구체신염을 일으키는 것으로 추정된다.

미세변화 신증후군

약물연관 미세변화 신증후군은 사구체여과장벽의 투과성을 변성시키는 순환인자에 의해 발병하는 것으로 추정된다.

1. 비스테로이드소염제(NSAID)

비스테로이드소염제는 미세변화 신증후군에 의한 신증후군, 급/만성사이질신염, 급성세관괴사 등 여러 형태의 신장손상을 일으킨다. 대개 약제사용 6개월 후(2주~18개월)에 발병하며 부종, 소변량 감소, 다량의 단백뇨가 나타날 수 있다. 약제를 중단하고 2주 내에 단백뇨가 감소되지 않는 경우에는 스테로이드 치료가 도움이 될 수도 있다. 기본적으로 모든 종류의 비스테로이드소염제에서 발생할 수 있으며 COX-2 차단제도 원인이 된다.

2. Lithium

리튬은 신세관산증, 신장기원요붕증에 의한 다뇨증, 만성세관사이질신염을 일으킨다. 리튬에 의한 신증후군의 가장 흔한 원인은 미세변화 신증후군으로, 대개 약제 사용 1년 이내에 발병하며, 약물중단 후 빠르게 회복된다.

3. Quinolone

드물지만 급성콩팥손상에 동반된 신증후군이 ciprofloxacin 과 norfloxacin을 사용한 환자에서 보고된 적이 있으며, 하루 8~11 g 정도의 많은 단백뇨가 발생한다. 투약 후 4~8일 내에 발생하고, 약제 중단 이후 회복된다. 스테로이드 치료로 빠른 회복을 도모할 수 있다.

국소분절사구체경화증

1. 헤로인(Heroin)

사용자의 1% 미만에서 국소분절사구체경화증과 신증후군이 발생한다. 약물 노출 기간은 6개월에서 30년까지 다양하며, 예후는 불량하여 대개 신증후군으로 시작하여 진행하며 65%에서 수년 내에 말기신부전에 이른다. 미세변화 신증후군, 사이질신염, 횡문근융해증에 의한 급성콩팥손상과 헤로인결정신병증(heroin crystal nephropathy) 등도 발생할 수 있다.

2. Bisphosphonate

허탈성(collapsing) FSGS 형태를 보이고 광범위하고 심한 세관 위축과 내강 확장, 솔가장자리 소실, 세포질 공포형성, 다양한 정도의 사이질섬유화 소견을 보인다. Pamidronate가 가장 흔하게 연관된다. 약의 중단이나 감량으로 신증후군이 호전될 수 있으며, 약 8개월 정도에 걸쳐 서서히 단백뇨가 하루 1 g 이하로 호전된다.

3. Anabolic Steroids

합성대사남성화 스테로이드(anabolic-androgenic steroid, AAS)는 FSGS-NOS와 연관성이 있으며, collapsing이나 perihilar 형도 보고된 바 있다. 비교적 좋은 예후를 보이며, 레닌-안지오텐신-알도스테론차단제가 단백뇨를 줄이는데 도움이 된다. 사구체내 압력 증가에 대한 적응반응으로 사구체가 확장하고, 발세포의 비대와 물리적 스트레스로 발세포가 사구체기저막으로부터 탈락, 지속되는 사구체내 압력에 의해 사구체토리와 보우만캡슐의 벽세포(parietal cell)가 서로 유착한다.

4. Sirolimus

사용자의 23~94%에서 단백뇨가 발생하고, 그중

3.6~56%는 신증후군으로 발현하며, FSGS의 유병율은 14.3~33%로 보고되었다. VEGF의 합성을 감소시킴으로써 발세포의 구조를 약화시켜 자연사를 초래하는 것이 기전으로 알려져 있다. 사구체내압을 증가시키고 신장 혈류를 감소시키는 특성 때문에 레닌-안지오텐신-알도스테론차단제 사용 시 효과가 있다.

ANCA 혈관염

특발성 ANCA 혈관염은 MPO 나 PR3 중 한가지에 대한 면역글로불린 양성 소견을 보이지만, 약물연관 ANCA 혈관염은 매우 높은 anti-MPO 항체가를 보이거나, anti-MPO 와 anti-PR3 이중양성 소견을 보일 수 있고 다양한 다른 자가항체(lactoferrin, anti-histone, anti-elastase, antiphospholipid 등)가 함께 검출되기도 한다.

1. 항갑상샘제

대개 MPO-ANCA 혈관염과 연관된다. Propylthiouracil (PTU) 복용자의 4.1~64%에서 ANCA 양성을 보이며, MMI 복용자에서는 약 6% 양성을 보이나 이들 중 15~40%에서만 증상이 발현한다. 폐-신장증후군은 PTU-연관 ANCA 혈관염 환자의 약 15%에서 발생하며, 약제 중단시 80%에서 호전된다. PTU가 비정상적인 호중구 세포외 트랩(neutrophil extracellular trap)을 형성시켜 T세포를 활성화시키는 것이 원인으로 보인다.

2. Hydralazine

평균 발생연령은 64세, 평균 4.7년의 노출 기간을 보인다. 발생 기전은, hydralazine이 중성구 내에 축적되어 DNA methylation을 저해하여 MPO와 PR3의 후성유전자 침묵을 반전시키는 것이다. 이로 인해 세포독성물질이 형성되어 중성구의 세포자멸사를 초래한다. 폐-신장증후군이 발생한 경우는 치료에도 불구하고 40% 정도의 높은

사망률을 보인다. Slow acetylator인 환자들에서 혈관염 발생 위험이 증가한다.

약물유발루푸스(Drug-Induced Lupus)

약물연관루푸스는 SLE의 이력이 없는 환자에서 약제 사용을 지속하는 동안 발생하였다가 약제를 중단하면 호전되는 시간관계가 있을 때 정의한다. 항핵항체, 항크로마틴 (항히스톤)항체, 류마티스인자, 항카디오리핀항체 등에 양성을 보이나, 항이중가닥DNA항체와 항스미스항체는 보통 음성이다. 항MPO항체도 종종 동반 양성 소견을 보인다.

1. Procainamide

약물유발루푸스를 일으키는 대표적인 약물로, 복용 환자의 약 83%에서 항핵항체 양성을 보이며 이중 64%는 항히스톤항체 양성, 20%는 SLE 증상이 발현한다. Slow acetylator 에서 항핵항체 양성률이 증가된다. 신장 침범은 발병 환자의 1% 미만으로 드물다.

2. 항갑상샘제

항갑상샘제-연관 루푸스는 약 26%에서 신장을 침범한다. PTU에 의한 약물유발루푸스는 평균 36개월 복용 후 나타나며, 약제를 중단하면 약 58%에서 자연 호전되지만, 나머지에서는 글루코코티코이드 치료를 요한다.

3. Hydralazine

사용자 중 약 50%에서 항핵항체 양성을 보인다. 복용량이 많을수록 발생이 증가하며, 여성, HLA-DR4, slow acetylator에서 더 많이 발생한다. 신장침범은 4.5~54% 까지 보고되었다. 약제를 중단하면 80%에서 자연호전되나, 20% 정도의 환자들은 면역억제치료를 요한다. 발병한 상

태에서 약제를 지속하면 4주에서 4개월만에 말기신부전에 이를 수 있다.

4. 항종양괴사인자-α (Anti-TNF-α)

Etanercept(약 51.7%), adalimumab, infliximab 순서로 신장침범을 잘 일으킨다. 피부병변, 급성신손상, 혈뇨, 신증후군 범위의 단백뇨, 항핵항체 역가 ≥ 1:640, anti-dsDNA, class IV 루푸스신염을 보인다. 스테로이드 치료를 요하는 경우가 약 40%이며, 다른 면역억제제의 추가 사용 등 적극적인 치료에도 불구하고 25%에서만 완전관해가 된다.

5. Minocycline

Minocycline 사용자에서 8.5배 발생이 증가한다. 여성, 고용량 사용시 위험이 더 증가한다. 약 70%에서는 MPO-ANCA 동시 양성을 보인다. 평균 약제 사용 기간은 19~28개월이며, 신장침범은 2%로 드물다. 약제를 끊었다가 재개하면 24시간 이내에 급격히 재발한다.

혈전미세혈관병 (Thrombotic microangiopathy)

1. Thienopyridine-Derivatives

Ticlopidine은 약제 시작 후 2~12주 사이에 1/1,600 ~5,000의 발병률로 혈전혈소판감소자반병을 일으킨다. Clopidogrel 은 1998~2011년에 혈전혈소판감소자반병과 가장 흔히 연관되는 약제였으며, 3일 이내 혈장교환술을 하면 예후가 좋았지만, 전체 생존율은 71.2%였다. 약제로 인해 형성된 ADAMTS13에 대한 자가항체가 큰 vWF를 혈장에 축적시키고, 혈소판에 붙어 혈전증을 촉진하는 것으로 알려져 있다.

2. 칼시뉴린 억제제(Calcineurin inhibitors)

Cyclosporine은 신장이식 환자에서 혈전미세혈관병을 가장 많이 일으키는 약제로(2.9~12%), 이식 후 3개월 이내부터 1년 이후까지 다양한 기간에 발생한다. 증상 없이 신생검에서 발견되는 경우도 있다. 약제를 끊으면 81-85%에서 호전되며, 일반적으로 혈장교환술은 효과가 좋지 않다. Tacrolimus에 의한 혈전미세혈관병의 발생율은 1~4.7% 정도이고, 약제 중단 시 대개 호전된다.

3. 혈관발생억제제(Antiangiogenesis Drugs)

혈전미세혈관병은 VEGF 리간드에서 흔하고(bevaci-zumab, ramucirumab, aflibercept), 발세포병변은 VEG-FR-TKI에서 흔하다(sunitinib, pazopanib, axitinib, cabozantinib, cediranib, lenvatinib, vandetanib). 신세포 암종에서 신장절제를 하면 반대쪽 콩팥의 과여과와 Akt 세포 생존경로 활성화가 일어나는데, VEGFR-TKI 치료 시 Akt 경로가 차단되어 발세포 불안정화와 단백뇨를 초래한다.

4. Gemcitabine

혈전미세혈관병 발생률은 0.19~1.13%이며, 아급성 고혈압과 급성콩팥손상 악화를 보인다. 약제를 중단해도 25%에서는 투석을 지속하게 되며 완벽한 회복은 24~33%에서만 보인다. 약제 중단 외에 별다른 효과적인 치료도 없으나, rituximab이 비교적 좋은 효과를 보일 수 있다.

기타 약물들

1. 인터페론(Interferon)

대표적인 인터페론인 α, β, γ 인터페론은 각각 비림프구성 백혈구, 섬유아세포, T 세포 및 자연살해세포에서 생성되며, 인터페론 치료에 의해 가장 흔하게 보고되는 신독성은 단백뇨이다. 급성콩팥손상의 형태로 발현한 경우에 미세변화 신증후군, 혈전미세혈관병, 국소분절사구체경화증의 사구체 병변을 나타낼 수 있다.

2. Foscarnet

급성세관괴사, 전해질 불균형, 세관사이질신염, 원위세관산증, 요붕증 및 사구체병증을 일으킬 수 있다. 조직검사에서 사구체 모세혈관 및 근위세관에 결정 침착을 보이며, 많은 경우에서 섬유세포성 초승달 병변(5~50%)과 비가역적인 사구체 경화를 보인다.

▶ 참고문헌

- Howard T et al: Glomerulonephritis, 736–762, 2019.
- Izzedine H, et al: Drug–induced glomerulopathies. Expert Opin Drug 5:95–106, 2006.
- John R, et al: Renal toxicity of therapeutic drugs. J Clin Pathol 62:505–515, 2009.
- Karl S, et al: Secondary glomerular disease, in Brenner and Rector's The Kidney. 10th ed. Saunders, 1157–1159, 2016.

임·상·신·장·학

PART 06 당뇨병콩팥병

한상엽 (인제의대)

CHAPTER 01 발생과 진행 기전

한상엽 (인제의대), 차대룡 (고려의대)

KEY POINTS

- ACE-2/angiotensin-(1-7)/Mas 축과 ACE/안지오텐신 II/AT1R 축 사이의 불균형이 염증반응과 신섬유화 반응에 관여한다.

- SGLT2 억제제는 사구체내압을 줄이는 기전 외에 염증반응과 저산소증을 개선하는 효과를 보이는 등 다양한 기전을 통해 당뇨병콩팥병의 진행을 차단한다.

- Toll-like receptor와 선천면역, 다양한 사이토카인과 chemokine의 활성화, T와 B세포의 신장 내 침윤 등 염증반응의 활성화는 병인에 중요한 역할을 한다.

- DNA 메틸화와 히스톤단백 변화, non-coding RNA 발현 등 후성 유전적 변화와 다양한 종류의 microRNA 변화가 병인에 관여한다.

서론

당뇨병콩팥병(diabetic kidney disease)은 전세계적으로 만성콩팥병과 말기신부전증의 가장 흔한 원인 질환이다. 당뇨병콩팥병은 diabetic nephropathy와 diabetic kidney disease로 혼용되어 사용중이다. Diabetic nephropathy는 당뇨병 환자에게서 알부민뇨가 동반된 상태를 말하며 diabetic kidney disease는 알부민뇨는 물론이고 알부민뇨가 없더라도 사구체 여과율 감소까지 포함한 광의의 진단명이라 할 수 있다. 당뇨병콩팥병의 특징적인 병리 소견은 사구체 기저막 비후와 내피세포 손상, 메산지움 증식으로 병이 진행됨에 따라 사구체 경화나 세관사이질부 섬유화 등이 나타나는데, 여기에는 다양한 기전이 관여한다. 고혈당

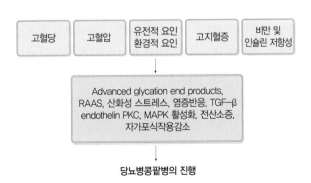

그림 6-1-1. 당뇨병콩팥병의 발병기전

에 의한 세포 내 대사 변화, 신호전달 체계 이상, 사구체 압력 증가 등 혈류역학적 요인, 성장인자 및 사이토카인 활성화, 유전적인 소인 등이 복합적으로 작용한다(그림 6-1-1).

사구체 세포 간 상호작용
(Intercellular crosstalk)

당뇨병콩팥병의 발생에서 사구체 세포 간의 상호작용이란 사구체 구성 세포인 메산지움세포(mesangial cell), 발세포(podocyte) 및 사구체 내피세포(glomerular endothelial cell)는 각기 다른 기전에 의해 손상을 받는 것이 아니라, 손상 받은 세포에서 분비하는 물질에 의해 서로 영향을 주고 받는 것을 의미한다(그림 6-1-2). 가장 대표적인 예로서 vascular endothelial growth factor (VEGF)−nitric oxide(NO) uncoupling 현상이다. 발세포에서 분비하는 VEGF−A는 사구체 내피세포의 증식과 이동, 혈관투과성 및 염증반응에 관여하여 알부민뇨 발생에 중요한 역할을 한다. VEGF 수용체인 VEGF−R1과 VEGF−R2는 메산지움세포 및 사구체 내피세포에서 발현되며, 발세포는 VEGF−R2만 발현한다. 당뇨병콩팥병 초기에는 신조직 내 VEGF−A와 VEGF−R2의 발현이 증가하고 신병증이 진행될수록 발세포 손상으로 VEGF−A 발현은 줄어든다. 한편 사구체 내피세포에서 분비되는 NO는 내피세포의 eNOS (nitrogen oxide synthase)에 의해 조절이 되며, 내피세포의 기능유지 및 혈관투과성에 관여한다. 특히 당뇨병콩팥병 초기에 합성이 증가된 NO는 사구체과여과(glomerular hyperfiltration) 및 사구체비대(glomerular hypertrophy)를 유발한다. 그러나 당뇨병콩팥병이 진행하면서 신조직 내 NO 합성과 내피세포 eNOS 활성도가 줄어든다. 이로 인해 상대적으로 VEGF 활성도가 증가하고, 증가된 VEGF는 VEGF−R1에 작용하여 메산지움세포의 증식과 사구체로 염증세포 이동을 유발한다. 또한 VEGF−R2 활성화는 내피세포 증식을 초래하여 사구체 손상을 악화시킨다. 반면 사구체 내피세포에서 thrombomodulin에 의해 조절되는 활성형(activated) protein C (APC)는 혈관의 항응고작용을 한다. 당뇨병콩팥병에서는 APC 발현이 줄어들면서 알부민뇨의 발생과 내피세포 및 발세포의 세포자멸사(apoptosis)를 초래한다.

이외에 내피세포에서 분비된 전환성장인자(transforming growth factor−β, TGF−β)가 발세포 손상을 야기하고

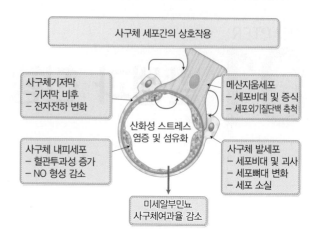

그림 6-1-2. 사구체 세포간 상호작용

발세포에서 활성화된 TGF−β receptor 1과 endothelin (ET)−1이 주위 발세포와 내피세포 손상을 유발한다. 이와 같이 세포사이 상호작용은 당뇨병콩팥병 발병 기전에 중요한 역할을 한다.

당뇨병콩팥병의 발생과 진행기전

당뇨로 인한 고혈당은 최종당화산물(advanced glycation end products) 생성을 유발하고 혈류역학적인 변화, 산화성 스트레스 반응과 염증반응을 촉진하여 사구체과여과를 유발한다. 이는 결국 사구체 내 혈압 상승과 사구체비대 등 사구체의 구조적인 변성을 야기하여 결국 사구체를 손상시킨다. 이러한 일련의 과정에 관여하는 기전은 다음과 같다.

1. 고혈당과 포도당 대사 이상

고혈당은 이미 많은 세포실험 및 동물실험을 통해 본 질환의 발병과정에서 시발점이자 가장 중추적인 기전으로 인정받고 있다. 고혈당은 polyol, hexosamine, protein kinase C (PKC), 최종당화산물 등 다양한 경로를 활성화하여 결과적으로 활성산소족 생성을 촉진한다. 축적된 활성산소족은 정상 세포막을 구성하는 단백질 및 지질 구조

의 산화를 통해 구조적 변형을 일으킨다. 또한 DNA의 구조 변화와 손상을 유발하고 다양한 세포내 신호전달체계(JAK-STAT, MAPK 등) 반응을 자극하여 메산지움세포의 증식과 세포외기질 단백의 합성을 증가시켜 당뇨병콩팥병의 진행에 관여한다. 세포 안으로 포도당 유입을 증가시키는 포도당 이송체(glucose transporter) 발현을 증가시킬 경우에도 고포도당 자극결과와 유사한 세포 손상을 보인다. 따라서 고포도당 자극 및 세포 내 포도당 유입의 증가가 본 질환의 발병기전에서 중요한 역할을 한다는 것을 알 수 있다.

2. 비만 및 인슐린저항성, 고지혈증

비만은 당뇨 환자에서 흔히 동반되고 신장질환의 진행과 연관이 있다. 비만은 사구체여과율과 단백뇨를 증가시키는데, 체중이 줄면 이 변화들은 호전되는 것으로 보아 비만과 신장질환의 연관성을 알 수 있다. 비만과 연관된 신손상 기전 중 하나가 고지혈증과 같은 지질대사 이상으로 신질환의 진행에 중요한 역할을 한다. 신질환에 동반되어 이차적으로 발생하는 지질대사 이상은 기존의 지질대사 이상을 더욱 악화시킴으로써 지질에 의한 신손상을 더욱 빠르게 할 것으로 추정된다.

지질대사 이상은 사구체와 세관 손상을 유발한다. 내장지방의 증가는 전신적인 체내 염증지표인 C-reactive protein, fibrinogen, intercellular adhesion molecule-1 (ICAM-1), interleukin (IL)-6, P-selectin, tumor necrosis factor (TNF) receptor-2와 유의한 상관관계가 있으며, 소변으로 배설되는 산화성 스트레스 지표인 isoprostane, monocyte chemoattractant protein-1 (MCP-1) 등과도 유의한 상관관계가 있다. 이는 비만이 전신적인 염증반응 및 산화성 스트레스를 악화시킴으로써 콩팥손상을 유발할 가능성을 시사해준다.

지방세포에서 분비되는 아디포카인(adipokine)은 대사증후군에 악영향을 미치는 TNF 및 plasminogen activator inhibitor-1 등의 분비를 억제한다. 비만 혹은 대사증후군에서는 adiponectin의 분비가 줄어들어 발세포 기능

이상과 알부민뇨가 발생한다. 또한 비만 상태에서는 체내 레닌-안지오텐신-알도스테론계(renin-angiotensin-aldosterone system, RAAS)가 활성화되어 고혈압 및 내피세포 기능이상을 동반한 조직손상을 유발한다.

신장조직 내 지질대사 이상도 중요한 발병기전 중의 하나이다. 지질대사 이상은 고지혈증 실험동물의 신장조직 내에 메산지움 확장(mesangial expansion)과 산화성 스트레스, 단핵세포 침윤, TGF-β 등의 발현을 유발한다. 또한 신장조직 내 콜레스테롤 및 중성지질 함량이 증가하고, 필수 지방산 함량은 줄어들어 신장에서의 지질대사의 이상이 일련의 역할을 하리라 추정된다.

3. 고혈압 및 신혈류역학적 변화와 RAAS

당뇨병콩팥병에서 전신 고혈압 및 신장의 혈류역학적 변화는 중요한 역할을 한다. 본태성 고혈압과 달리 신장 질환이 있는 고혈압 환자의 경우 혈압에 따른 신장 손상의 민감도는 급격하게 증가하는데, 이때 중요한 기전이 사구체 고혈압이다. 사구체 고혈압과 관련하여 가장 중요한 기전이 RAAS 활성화로 인한 날세동맥 수축이다. 본 질환의 초기에 관찰되는 사구체과여과는 들세동맥 이완과 날세동맥 수축에 기인하며, 여기에는 NO와 VEGF, prostaglandin, TGF-β1, endothelin 및 안지오텐신 II 등이 관여한다. 사구체고혈압은 단백뇨를 유발하고 사구체 세포에서 성장 인자 및 사이토카인 분비를 증가시켜 신장 손상을 악화시킨다.

최근 신장에서 포도당 대사와 관련하여 많은 연구들이 이루어지고 있으며, 가장 각광받고 있는 것이 sodium-glucose cotransporter-2 (SGLT2)이다. 사구체에서 여과된 포도당은 근위세관의 S1 segment에서 90% 이상 체내로 흡수되는데 이때 근위세관에서 포도당 재흡수에 관여하는 주된 단백이 SGLT2이다. 당뇨 환자는 근위세관의 SGLT2 활성도가 정상인에 비해 증가되어 있어 원위세관으로 나트륨 이동이 감소하고 이를 macular densa에서 감지하여 tubulo-glomerular feedback 기전을 통해 들세동맥의 이완을 유도함으로써 사구체고혈압이 악화된다. 최

근 SGLT2 특이적인 길항제인 gliflozin 계열 약물들이 근 위세관에서 포도당 및 나트륨 재흡수를 억제하여 원위세 관으로 나트륨 이동양을 증가시켜 tubulo-glomerular feedback을 통해 들세동맥을 수축시킴으로써 사구체 내압 을 낮추는 것으로 알려져 있다.

고혈당으로 인한 신장 내 RAAS 활성화는 잘 알려져있 다. 안지오텐신 II와 알도스테론은 사구체 내압에 영향을 줄뿐 아니라 염분 대사와 체액량 조절에도 관여한다. 또한 이들 기전들과 무관하게 직접적인 조직손상을 유발한다고 알려져 있다. 최근 RAAS 계와 연관이 있는 angiotensin converting enzyme (ACE)-2/angiotensin-(1-7)/Mas 축 의 역할이 대두되고 있다. 이 축의 활성화는 신장을 보호 하는 기능을 하고 있다. 이 축과 ACE/안지오텐신 II/AT1R 축 사이의 불균형이 염증반응과 신섬유화 반응에 중요한 역할을 할 것으로 추정된다.

4. 단백의 구조적 변화 및 자가포식작용

1) 최종당화산물(Advanced glycation end products)

당뇨병콩팥병의 병태생리에서 가장 널리 알려진 변형 단백질이 최종당화산물이다. 고포도당 환경 하에서 형성 되는 최종당화산물은 세포 내 신호전달체계를 활성화하고 사이토카인 분비를 촉진하며 세포외기질 단백과 결합함으 로써 조직의 섬유화를 초래한다. 또한 최종당화산물은 발 세포 손상 및 비대를 초래하고 특히 PKCα를 통해 활성산 소족을 자극하여 발세포 손상을 야기한다.

최종당화산물은 이들의 수용체인 RAGE (receptor for advanced glycation end product)와 결합하고 PI3K, JAK, MAPK 경로 등을 통해 NADPH oxidase (NOX)를 활성 화하여 신조직 내 활성산소족의 농도를 높이고, VEGF, TGF-β, MCP-1 IL-6 및 콜라겐 합성을 증가시킨다. 또 한 RAGE는 NK-κB 활성화를 통해 염증 반응을 촉진한 다. 최종당화산물-RAGE 신호체계를 억제하는 것에 대해 연구가 이루어지고 있으며, 현재 실험모델에서 RAGE에 대 한 선택적 억제제가 당뇨병콩팥병 진행을 차단하는 긍정적 인 결과를 보여주고 있다.

2) 자가포식작용(Autophagy)

자가포식작용은 사구체와 세관의 항상성을 유지하는데 중요한 역할을 한다. 당뇨 상태에서는 고혈당 및 증가된 산화성 스트레스로 인해 많은 단백들의 변형이 발생한다. 자가포식작용은 정상적으로 기능을 하지 못하는 변형된 단백질들을 제거하고, 세포내 자원을 재활용하는 역할을 한다.

당뇨병콩팥병에서는 자가포식작용이 감소된다. 이러한 변화는 streptozotocin 모델과 제2형 당뇨병 환자의 신생검 조직에서도 확인되었다. 고혈당은 mammlian target of rapamycin (mTOR) complex 1 (mTORC1)을 유도하고 이 로 인해 Unc-51-like kinase 1 (ULK1)이 억제되어 자가포 식작용이 줄어든다. 반면 고혈당으로 인해 AMP-activat-ed protein kinase (AMPK)나 silent information regulator T1 (SIRT1) 발현이 줄어들면 자가포식작용이 억제된다.

신장 내 대부분의 세포가 자가포식작용을 하지만 특히 발세포에서 자가포식작용이 활발한 것으로 알려져 있다. 발세포에서 자가포식은 autophagy-realted gene (Atg)5와 Atg12의 접합을 통해 활성화된다. ET-1에 의해 활성화된 ET-A 수용체는 β-arrestin을 통해 발세포 손상을 일으키 는데, 이때 β-arrestin이 Atg12-Atg5 접합을 줄여 자가포 식을 억제하고 발세포 손상을 유발한다.

5. 산화성 스트레스

당뇨병콩팥병의 병태생리에서 산화성 스트레스의 증가 는 조직 손상의 최종 공통 경로로 여겨진다. 활성산소족 은 다양한 기전을 통해 생성된다. 고혈당이 PKC, hexos-amine, 최종당화산물 경로 등을 활성화하면, 이로인해 cytocrhome P450계, uncoupled NOS, 미토콘드리아 기능 이상, xanthin oxidase, NOX 활성화 등을 통해 활성산소 족이 생성된다. 활성산소족은 다양한 염증세포를 신장내 로 끌어들이고 염증 사이토카인과 성장인자, 전사인자의 생성을 자극한다. 또한 정상 세포막을 구성하는 단백질 및 지질 구조의 산화를 통해 구조적 변형과 DNA 손상을 유 발한다.

당뇨 환경에서 발생하는 산화성 스트레스는 알부민뇨가 발생하기 이전에 이미 활성화된다. 정상 알부민뇨를 지닌 환자에서도 정상인에 비해 상승되어 있고 신증이 진행할수록 더욱 증가된다. 또한 당뇨 환자의 신장조직에서 glycoxidation외에 lipoxidation 산물이 정상인에 비해 증가되어 있는데, 신장 조직 내 지질 합성에 관여하는 sterol regulating element binding protein-1c (SREBP1c)가 NOX를 활성화한다고 보고된 바 있다.

Pro-oxidant 효소인 NOX는 활성산소족 형성과정에서 가장 중요한 역할을 한다. NOX는 신장조직의 NF-κB 활성화를 통한 염증반응에도 관여하여 본 질환의 진행에서 여러 가지 기전을 통해 질병을 악화시킨다. 당뇨병 신장조직 내에는 특히 NOX4의 역할이 중요하다고 알려져 있다. 실험동물모델에서 NOX4 차단제는 단백뇨 감소와 함께 신장의 조직 손상을 호전시키고, 신증의 진행을 예방하는 효과가 있었다.

6. 염증반응

당뇨병콩팥병에서 조직 내 염증반응 활성화의 중요성은 genome-wide transcriptome 분석을 포함한 다양한 임상 및 기초연구를 통해 제시되었다. Toll-like receptor나 대식세포 침윤 등과 같은 선천(innate) 면역 반응 뿐만 아니라 adhesion molecule이나 chemokine, 사이토카인, 보체도 당뇨병콩팥병의 염증반응에 관여한다. 만성적인 염증반응은 비만 및 인슐린 저항성의 진행에 중요한 역할을 한다. 당뇨 환자에서 혈중 염증지표인 CRP, fibrinogen, IL-6 등의 농도가 정상인에 비해 증가되어 있고, 이들의 농도는 알부민뇨 및 신질환의 진행과 비례한다.

1) Pattern recognition receptors

Toll-like receptors (TLRs)은 주로 선천면역반응에 관여하지만 신장의 세관세포와 내피세포, 발세포, 메산지움 세포에서도 발현된다. 고혈당 등으로 인해 유도된 TLRs은 MAPK, NFkB 등을 활성화한다. 당뇨병 환자의 신장에서 TLR 2, 4 등이 과발현되며, 특히 TLR 4는 대식세포 침윤

과 단백뇨 상승, 신기능 감소와 관련성이 있다고 보고되었다.

2) 선천면역

사구체 내 대식세포 침윤은 다양한 염증 반응을 야기하는데, 사구체 여과율 감소 및 신장조직 변화와 상관관계가 있다. 신조직 내에도 대식세포 침윤에 관여하는 adhesion molecule인 E-selcetin, VCAM-1, ICAM-1 등이 발현이 증가된다. 당뇨쥐 모델에 macrophage scavenger receptor를 차단하는 경우 알부민뇨와 메산지움 확장, 염증유도인자, TGF-β의 과발현이 억제되었다.

VCAM1 (CD106)과 ICAM1 (CD54) 또한 신장 염증 초기단계에서 중요한 역할을 담당한다. 이들은 당뇨병콩팥병 환자의 신생검 조직에서 과도하게 표현되어 있으며, 혈중 농도 또한 상승되어있다. 사구체 여과율 감소와 알부민뇨 증가는 VCAM1의 혈중농도 증가와 함께 관찰되며, 쥐실험에서 ICAM1 유전자 결손은 신장의 염증반응을 완화시킨다고 보고되었다.

3) 사이토카인과 Chemokine

당뇨 환자의 소변 내 IL-1, TNF-α, Nrf2, MCP-1 등은 농도가 상승되어 있고, 신기능과 관계가 있다. 이러한 염증반응은 만성적인 조직 손상의 결과물일 뿐만 아니라 조직 손상을 유발하는 역할을 한다. 다양한 사이토카인 중 IL-1, IL-6, IL-18, TNF-α에 대한 연구가 잘 이루어져 있다. 혈액과 소변 내 IL-1 농도는 발세포와 세관 세포의 손상과 관련이 있다. IL-6도 당뇨병콩팥병 환자들의 혈액과 소변에서 상승되어 있으며, T 세포와 B 세포를 활성화한다. TNF-α는 사구체와 세관 세포에 모두 발현하여 사구체비대와 사구체과여과에 관여한다. 특히 세관 내 TNF-α 발현은 알부민뇨가 발생하기 전에 상승한다고 보고되었다.

신장조직 내 대식세포 침윤은 MCP1 발현 증가와 관련이 있다. 뇨중 MCP1 농도는 단백뇨 및 신기능과 밀접한 연관이 있어 당뇨병콩팥병 진행에 대한 소변 마커로서 고려될 수 있다. 또한 MCP-1의 신조직 내 침윤을 억제하는

면역억제제 치료가 당뇨병콩팥병의 진행을 예방한다는 일련의 보고들은 본 질환의 진행에서 MCP-1의 중요성을 시사해준다. 또한 MCP-1 수용체인 CCR2 역시 당뇨병 신조직에서 중요한 역할을 하며, CCR2 차단제를 사용할 경우 알부민뇨가 감소되었다. 이외에 CCL5 (RANTES), CX3CL1 (Fractalkine) 등도 당뇨병콩팥병 병인에 관여한다고 보고되었다.

4) 적응(Adaptive) 면역

당뇨병콩팥병의 진행에 있어 선천면역 반응에 비해 적응면역의 역할은 아직 명확하지 않다. T 세포와 B 세포 모두 신장에 침윤은 하나 선천면역에 관여하는 세포에 비해 그 양이 적다. 최근 T 세포의 역할에 대해 점차 밝혀지고 있으며 Th1과 Th17 T 세포의 증가와 regulatory T 세포의 감소 등이 보고되고 있다.

7. 저산소증

저산소증은 당뇨병콩팥병 진행을 촉진시키는 중요한 요인으로 보고되고 있다. 동물실험모델에서 BOLD-MRI 같은 방법을 통해 당뇨신장에서 산소포화도를 측정한 결과 저산소증이 관찰되었다. 저산소증은 고혈당과 산화스트레스를 받은 미토콘드리아에서 산소 요구량은 증가하나, 세관주위모세혈관(peritubular capillary)과 사이질의 섬유화 등으로 산소공급량이 요구량에 미치지 못하는 불균형 때문에 발생한다. 아직까지 더 연구가 필요하겠지만 저산소증이 신장기능 감소와 관련된 중요한 인자일 것으로 보인다.

8. 전환성장인자(Transforming growth factor, TGF-β)

TGF-β는 신장 세포를 포함한 다양한 세포에서 세포의 증식 및 분화, 세포외기질 단백의 형성에 관여한다. 고혈당과 이로 인해 생성된 최종당화산물은 TGF-β 합성을 촉진하는데, TGF-β는 당뇨병콩팥병의 섬유화 과정에 중추적인 역할을 한다. 대부분의 신장 세포에서 TGF-β1은 NOX를 활성화하여 활성산소족 합성을 촉진하고 Smad2/3, ERK, MAPK 경로 등을 통해 세포외기질 단백의 합성을 증가시키고, 세포외기질 단백의 분해를 촉진시키는 matrix metalloproteinase의 합성을 억제하여 메산지움 확장과 사구체와 세관 기저막 비후를 유도한다. 또한 발세포의 세포자멸사를 유발하고 integrin을 감소시켜 발세포 분리와 발세포 감소(podocytopenia)를 야기한다. 실험동물에서 TGF-β1은 근위세관에서 알부민 재흡수에 관여하는 megalin 생성을 저해하여 알부민뇨 발생에도 기여한다. 동물 모델에서 TGF-β1 중화 항체를 이용하여 TGF-β를 억제하면 알부민뇨 감소와 함께 신장의 조직학적 소견을 호전시켰다. 그러나 TGF-β1이 면역체계에 미치는 부작용 등으로 인해 최근에는 TGF-β1의 하부에 작용하여 직접적인 신손상에 관여하는 Smad 2/3를 억제하는 치료법이 주목받고 있다.

9. Endothelin-1

Endothelin-1 (ET-1)은 혈관 내피세포에서 분비되어 endothelin converting enzyme에 의해 활성화되는 강력한 혈관수축 물질이다. ET-1은 두 가지 수용체에 결합하여 작용을 하는데 ET-A 수용체는 주로 혈관 평활근세포에 분포하여 혈관 수축을 유발하고, ET-B 수용체는 혈관 내피세포에 분포하여 NO 및 prostacyclin을 통해 혈관을 이완시킨다. ET-1 발현은 메산지움세포 비대나 증식뿐만 아니라 세포외기질 단백 생산으로 이어지는 신호 전달 경로를 활성화한다. 또한 당뇨병콩팥병 초기의 사구체과여과 과정에 관여하여 알부민뇨를 유발한다. 동물실험에서 ET-A 수용체 길항제는 알부민뇨를 줄이고 사구체경화를 늦추었다. 또한 임상 연구에서도 제2형 당뇨 환자에서 알부민뇨를 줄여주었다.

10. 세포 내 신호전달

1) Protein kinase C (PKC)

PKC는 혈관 투과성, 세포 증식, 세포외기질 단백 합성을 조절하는 중요 신호전달효소이다. PKC는 현재까지 연구된 세포내 신호전달 효소 중 가장 많은 연구가 이루어진 효소로서 고포도당은 diacylglycerol로 전환되어 PKC 경로를 활성화한다. PKC는 prostaglandin E2와 NO를 활성화하여 들세동맥을 이완하고 안지오텐신 II 작용을 증가시켜 날세동맥을 수축함으로써 사구체과여과에 기여한다. PKC는 또한 VEGF 합성을 증가시켜 미세알부민뇨 발생을 유발한다. 이외에 CTGF, TGF-β, fibronectin, type IV collagen 생산을 증가시켜, 사구체기저막 비후와 세포외기질 단백 축적을 야기한다. 당뇨병콩팥병의 동물모델에서 PKCβ 특이 길항제인 ruboxistaurin을 투여할 경우 알부민뇨와 신조직 내 세포외기질 단백, 염증 반응이 감소되었다.

2) Janus kinase-2 (JAK-2)

JAK 경로와 signal transducers and activators of transcription (STAT)은 당뇨병콩팥병의 발병에서 중요한 역할을 한다. 고포도당 및 안지오텐신 II, 활성산소족은 당뇨병콩팥병 초기부터 JAK-2/STAT 경로를 활성화하여 세포 증식 및 세포외기질 단백 합성을 증가시킨다. 질병 초기 단계에서 세관 내 발현은 명확하지 않지만 사구체 여과율이 감소될수록 발현이 증가하였다. 당뇨 환자에서 세관사이질부위의 JAK-2/STAT-1 발현 정도는 본 질환의 진행과 밀접한 연관이 있었다. JAK-1,2 억제제인 baricitinib는 제 2형 당뇨 환자를 대상으로 한 2상 연구에서 알부민뇨를 유의하게 낮추었다. 임상에서 흔히 사용중인 안지오텐신 전환효소 억제제와 항고지혈증제는 JAK/STAT 경로를 억제하여 신 보호효과가 있다고 보고되었다.

3) Rho-kinase

Rho-kinase는 serine/threonine kinase로서 small GTPase인 Rho를 활성화시키는 효소로서 혈관 수축 및 염증 반응에 관여한다. Rho-kinase는 안지오텐신 II에 의한 신장손상에서 중요한 매개체로 NF-κB, TNFα, MCP-1, NOX 및 CTGF와 같은 염증 및 섬유화 단백의 발현을 증가시킨다. 동물 모델에서 Rho-kinase 차단제는 알부민

뇨 감소와 함께 신조직의 항염증, 대식세포 침윤 억제, 항섬유화 효과가 있었으며, 항고지혈증제인 스타틴 역시 Rho-kinase 를 억제한다고 보고되었다.

4) Nrf2

Nuclear factor erythroid 2-related factor 2 (Nrf2)는 leucine zipper family의 전사 인자로 활성산소족 중화 및 산화 환원 항상성 유지를 위해 세포 내 항산화 반응을 조절하는 중요한 기능을 담당한다. Nrf2는 IL-1이나 IL-6와 같은 염증 사이토카인들의 발현이나 M1 대식세포 축적을 억제한다. 또한, Nrf2 활성화는 산화 스트레스와 TGF-β 발현, 세포외기질단백을 감소시켜 사구체 변화를 개선하였다. Nrf2 activator인 barodoxolone methyl은 제2형 당뇨환자에서 세포외기질 단백을 줄이고 사구체 여과율을 개선하였다.

5) NF-κB and AP1

NF-κB는 염증 신호 조절에 중요한 전사인자 계열 중 하나이다. 고포도당은 산화 스트레스와 최종당화산물, PKC, MAPKs 등을 통해 NF-κB를 활성화하여 MCP-1, IL-6, TNF-α 등의 염증 사이토카인을 자극한다. 당뇨 모델에서 신장 내 NF-κB의 증가는 사구체 및 세관세포 손상과 관련이 있다. Activated protein 1(AP1) 또한 NF-κB와 유사하게 포도당으로부터 활성화되어 TGF-β 발현을 조절한다. Thiazolidinedione과 같은 PPARγ ligand는 AP1을 억제하여 항염증반응을 유도하고, 당뇨쥐 모델에서 알부민뇨와 메산지움 확장, TGF-β 등을 감소시켰다.

6) Wnt/β-catenin

다양한 신장 질환에서 의미가 있다고 알려진 Wnt/β-catenin은 당뇨병콩팥병에서 아직 의미가 명확하지 않다. 사구체여과장벽 균형과 발세포 생존에 TGF-β 신호체계와 함께 Wnt/β-catenin 경로의 역할이 큰 것으로 밝혀지고 있다. Wnt/β-catenin 발현은 당뇨병콩팥병에서 증가하는데, 발세포에서 이 물질의 발현을 증가시키면 알부민뇨가 증가하고 사구체 손상이 발생하였다. 그러나 Wnt/

β-catenin 발현을 과도하게 억제하는 경우 오히려 신손상이 악화되었다. 따라서 당뇨병콩팥병에서 Wnt/β-catenin의 역할에 대해서는 좀더 연구가 필요하겠다.

7) ASK-1

Apoptosis signal-regulating kinase (ASK-1)은 p53 MAPK, JNK를 활성화하는 MAP kinase의 일부이다. ASK-1은 정상 상태에서는 비활성형으로 존재하다가 고혈당과 같은 병적 상태에서만 활성화되는데, 산화스트레스로 인한 세포자멸사와 염증, 섬유화 반응에 중요한 역할을 한다. 동물실험 모델에서 ASK-1 억제제는 알부민뇨와 사구체여과율, 사구체 손상을 완화하였다.

11. 유전적인 인자

1) 유전적 소인(Genetic susceptibility)

당뇨병콩팥병은 유전적 소인과 후성적 소인이 모두 관여한다. 고혈당 정도나 당뇨 유병기간이 당뇨병콩팥병의 발생과 무관하다는 점은 본 질환의 발병 및 진행기전에서 유전적 소인의 중요성을 시사해준다. 당뇨병콩팥병의 가족력이 있는 경우 질환의 발생 및 진행과 연관성이 있다. Pima Indian을 대상으로 시행된 연구에서 자녀에게서 단백뇨가 발생하는 빈도는 당뇨를 지닌 부모 모두 단백뇨가 없는 경우 14%인 반면, 한명의 부모만 단백뇨가 있을 경우 23%, 부모 모두 단백뇨가 있는 경우 46%로 증가한다고 보고되어 유전적 소인의 중요성이 제시된 바 있다. 최근 GWAS 분석을 통해 다양한 유전적 변이가 당뇨병콩팥병과 연관이 있다고 보고되고 있다. 그러나 인종에 따라 연관성 여부가 차이가 나는 등 아직 특정 유전적 소인은 잘 알려져 있지 않다.

2) 고혈당 기억(Metabolic memory)과 후성 유전

특정 유전적 소인 보다는 오히려 고혈당 기억과 같은 후성 유전적 변화가 중요해지고 있다. DCCT 및 UKPDS 연구를 통해 철저한 혈당 조절이 신보호 효과가 있다는 것은 증명되었다. 연구 종료 후에는 대상자들의 혈당이 비슷해

졌음에도 불구하고 미세혈관과 대혈관 합병증 발생에 차이가 났는데, 기존에 혈당을 철저히 조절했던 군에서 이 합병증들의 발생이 낮았다. 이러한 변화는 초기에 철저한 혈당 조절을 하지 못했을 때 DNA 서열에는 변화가 없이 유전자 표현에 영향을 미치는 후성유전적 변화가 대혈관 및 미세혈관 병변의 발생에 영향을 준다는 것을 의미한다. 당뇨로 인한 후성 유전적 변화는 DNA 메틸화, histone 단백 변화, noncoding RNA 발현 등 다양한 기전이 보고되고 있다.

3) MicroRNA

MicroRNA (miRNA)는 22개의 뉴클레오티드로 구성된 non-coding RNA로서 유전자 조절 과정에서 중요한 역할을 한다. MiRNA는 특히 단백의 전사 과정을 조절 하는데, 현재 인체에는 500종 이상이 보고되었고 체내 단백질의 30% 정도가 miRNA의 조절을 받으리라 추정된다. 신장에서 miRNA가 풍부하게 발견되는데 miR-21, miR-34a-5p, miR-141, miR-370, miR-184, miR-377 등은 발현이 증가하고, Let-7과 miR-25, miR-93, miR126, miR-130b, miR-424, miR-146a 등은 발현이 감소한다고 보고되었다. 특히 당뇨모델의 초기에 사구체 내 miR-192 발현이 증가하여 메산지움세포에서 TGF-β1과 collagen 합성을 자극한다. 이때 miR-192를 차단하면 사구체 확장과 신섬유화, 단백뇨가 회복되었다. 이러한 효과는 miR-21을 억제하는 경우에도 유사하게 나타났다. 이와 같이 miRNA는 당뇨병콩팥병의 특정 경로에 관여하여 유전자 발현을 조절하는 것으로 알려져있어, 바이오마커이자 치료 타깃으로 연구가 이루어지고 있다.

결론

당뇨병콩팥병의 발생과 진행은 어느 하나의 인자가 아닌 고포도당에 의한 세포 손상, 성장인자 및 염증반응의 활성화, 사구체 압력 증가, 산화성 스트레스 등 여러 요인들이 복합적으로 작용하여 유발된다. 그러나 가장 기본적

인 소인은 고혈당에 의한 조직 손상이다. 특히 당뇨병콩팥병에서 조직 손상은 어느 하나의 세포에 국한된 것이 아니고, 손상받은 세포로부터 인접한 다른 신세포에 영향을 주어 지속적인 조직 손상을 유발하므로 발병기전을 밝히기 위한 보다 체계적인 접근이 필요하겠다.

▶ 참고문헌

- Barrera-Chimal, et al: Pathophysiologic mechanisms in diabetic kidney disease: A focus on current and future therapeutic targets. Diabetes Obes Metab, 22:16-31, 2020.
- Fakhruddin S, et al: Diabetes-Induced Reactive Oxygen Species: Mechanism of Their Generation and Role in Renal Injury. J Diabetes Res. 2017:8379327, 2021.
- Fioretto P, et al: The kidney in diabetes: dynamic pathways of injury and repair. The Camillo Golgi Lecture 2007. Diabetologia 51:1347-1355, 2008.
- Gil CL, et al. Diabetic Kidney Disease, Endothelial Damage, and Podocyte-Endothelial Crosstalk. Kidney Med 3:105-115, 2020.
- Ihnat MA, et al: Reactive oxygen species mediate a cellular "memory" of high glucose stress signalling. Diabetologia 50:1523-1531, 2007.
- Jha JC, et al: Diabetes and Kidney Disease: Role of Oxidative Stress. Antioxid Redox Signal 62(9):1712-1726, 2019.
- Matoba K, et al: Unraveling the Role of Inflammation in the Pathogenesis of Diabetic Kidney Disease. Int J Mol Sci, 20:3393, 2019.
- Pérez-Morales RE, et al: Inflammation in Diabetic Kidney Disease. Nephron 143:12-16, 2019.
- Pichler R, et al: Immunity and inflammation in diabetic kidney disease: translating mechanisms to biomarkers and treatment targets. Am J Physiol Renal Physiol 312:F716-F731, 2017.
- Sugahara M, et al: Update on diagnosis, pathophysiology, and management of diabetic kidney disease. Nephrology (Carlton) 26:491-500, 2021.
- Thallas-Bonke V, et al: Inhibition of NADPH oxidase prevents advanced glycation end product-mediated damage in diabetic nephropathy through a protein kinase C-alpha-dependent pathway. Diabetes 57:460-469, 2008.

CHAPTER

02 임상상

이은영 (순천향의대)

KEY POINTS

● 최근 기존에 알려져 있던 당뇨병콩팥병의 전형적인 임상경과(사구체 과여과, 알부민뇨, 사구체여과율 저하, 말기신부전 등 점진적인 경과)를 보이지 않는 비전형적인 임상경과를 보이는 환자들이 많이 보고되고 있다.

● 알부민뇨의 발생 없이도 사구체여과율 저하 및 말기신부전으로 진행하는 등 다양한 새로운 임상경과들이 보고되고 있어, 기존의 알부민뇨와 혈중 크레아티닌 검사 이외에도 진단, 예후 및 치료 결정에 도움이 되는 새로운 바이오마커의 도입이 시급하다.

● 당뇨병 환자에서 비전형적인 임상경과를 보이는 경우 신장조직검사가 추천된다.

서론

당뇨병콩팥병은 당뇨병 때문에 신장에 발생하는 대표적인 만성 합병증으로 말기신부전 및 환자 사망을 초래할 수 있는 심각한 질환이다. 당뇨병 환자의 약 40%에서 발생하며, 우리나라를 포함하여 전세계적으로도 만성신부전의 가장 흔한 원인질환이다. 최근 당뇨병, 비만, 대사증후군의 증가 및 수명의 연장으로 당뇨병콩팥병 환자의 수는 급격하게 증가하는 추세이다.

임상경과

당뇨병콩팥병은 병이 상당히 진행된 후까지도 무증상인 경우가 많아 진단이 늦어질 수 있다. 따라서 병의 임상경과를 잘 알고 조기진단이 가능하도록 하는 것이 중요하다.

1. 당뇨병콩팥병의 임상경과

1) 제1형 당뇨병

제1형 당뇨병에서는 다음에 기술하는 다섯 단계의 특징적인 임상경과가 비교적 잘 알려져 있다.

(1) 1단계 : 초기 신비대 및 과여과

제1형 당뇨병으로 진단받을 때부터 관찰되는 소견으로 양측 신장 특히 사구체의 크기가 커지고 사구체여과율은 정상인에 비하여 증가한다. 알부민뇨 및 혈압은 정상범위이다. 이러한 초기의 변화는 인슐린 치료에 의하여 정상화될 수 있다.

(2) 2단계 : 임상소견이 없는 신병변

당뇨병 진단 2~3년 후부터는 신장조직검사에서 기저막의 비후 및 메산지움의 증대가 관찰된다. 1단계와 비슷하게 사구체여과율은 증가되나 인슐린 치료에 의하여 정상화될 수 있다. 알부민뇨 및 혈압은 정상범위이며, 5~15년까지도 지속될 수 있다.

(3) 3단계 : 잠복성 당뇨병콩팥병

당뇨병 진단 6~15년 후부터는 알부민뇨(30 mg/day 이상)가 검출되기 시작한다. 사구체 여과율은 정상이거나 약간 증가하지만 점차로 감소하며, 혈압은 상승하기 시작한다. 기저막의 비후 및 메산지움 기질의 증대는 더 악화된다. 알부민뇨는 당뇨병 환자에서 임상적 신병증의 발생을 예견할 수 있는 지표가 되고 심혈관계 사망의 위험증가와 관련되어 있다. 엄격한 혈당 및 혈압 조절로 알부민뇨와 사구체여과율의 감소속도를 줄이거나 안정화시킬 수 있다.

(4) 4단계 : 임상적 당뇨병콩팥병

300 mg/day 이상의 알부민뇨, 사구체여과율의 지속적인 감소, 고혈압 등이 특징적이며 당뇨병 진단 15~25년 후부터 관찰될 수 있다. 시험지봉(dipstick)에 의한 일반 소변검사에서도 쉽게 단백뇨가 검출될 수 있으며, 단백뇨가 증가하면서 부종, 저알부민혈증, 고콜레스테롤혈증 등을 동반하는 신증후군이 발생하기도 한다. 당뇨병콩팥병의 전형적인 병리소견들이 뚜렷하게 관찰된다. 사구체여과율 감소속도가 10 mL/min/year로 매우 빠르며, 혈압도 5 mmHg/year로 지속적으로 상승한다. 엄격한 혈당 및 혈압조절이 사구체여과율 감소의 둔화에 도움이 되지만, 일단 신기능이 저하되기 시작하면 혈당조절에 의한 신기능 보호효과는 감소한다.

(5) 5단계 : 말기신부전

일단 임상적 단백뇨가 발생되면 10년 이내에 반수의 환자가 말기신부전으로 진행한다. 당뇨병 진단 25~30년 후에 관찰되는 당뇨병콩팥병의 마지막 단계로 신대체요법이 필요하게 된다.

2) 제2형 당뇨병

제2형 당뇨병에서는 당뇨병콩팥병의 임상경과가 다양하게 나타날 수 있다. 당뇨병 진단 당시부터 이미 알부민뇨가 동반되기도 하는데 이는 당뇨병이 진단되기 전까지 무증상으로 지낸 시기가 길었음을 시사한다. 또한 고령의 환자가 많아서 단백뇨를 발생시킬 수 있는 다른 신장질환이 동반되었을 가능성이 있으며, 임상적인 당뇨병콩팥병의 발생 이전에 사망하는 환자가 많다.

2. 비전형적인 임상경과

최근의 역학 연구에서는 제1형 및 제2형 당뇨병 모두에서 기존에 알려져 있는 당뇨병콩팥병의 특징적인 임상경과와는 달리 알부민뇨의 발생 없이도 사구체여과율 저하 및 말기신부전으로 진행하는 등 다양한 새로운 임상경과들이 보고되고 있다. 이러한 당뇨병콩팥병에서 관찰되는 임상경과의 다양성이 합병증의 진단, 예후 및 치료에도 중요한 영향을 미칠 수 있다고 추정되고 있지만, 아직 이러한 임상경과의 다양성의 병인이나 병리소견과의 관련성에 대한 연구결과는 충분하지 않은 상태이다.

레닌안지오텐신 차단제를 포함한 당뇨병 치료약제의 발전에 의한 혈당, 혈압, 지질 조절의 개선이 알부민뇨의 유병률을 효과적으로 감소시켰으나 사구체여과율 저하 환자의 유병률 감소에는 효과적이지 못한 것으로 관찰되었는데, 아마도 개선된 치료법에 인한 알부민뇨의 예방 또는 정상알부민뇨로의 회복이 증가함에 따라 비알부민뇨성 당뇨병콩팥병의 임상경과가 부각되는 것으로 추정되고 있다. 비알부민뇨성 당뇨병콩팥병은 전형적인 사구체 병변 대신 비전형적인 혈관 및 세관사이질 병변과 관련이 있다고 추정되고 있으나, 알부민뇨 없이 신기능이 저하되는 임상경과를 보이는 환자의 경우에는 아직 충분한 자료가 없어서 추후 광범위한 연구가 필요하다.

한편 당뇨병 환자를 대상으로 신장부검을 시행하였던 연구에 의하면 전체 당뇨병 환자의 63%가 병리학적으로 당뇨병콩팥병의 소견이 관찰되었는데 병리학적 당뇨병콩팥병 환자 중 20%에서는 알부민뇨나 사구체여과율의 저하가 전혀 관찰되지 않아 알부민뇨가 없고 사구체여과율의 저하가 관찰되지 않더라도 당뇨병콩팥병이 없다고 확신할 수는 없다는 결과를 보고하였다.

진단

당뇨병콩팥병은 당뇨병의 유병 기간 및 당뇨병성 망막증의 존재와 같은 임상적 특징과 함께 알부민뇨의 증가(소변 알부민/크레아티닌비 30 mg/g 이상 또는 소변 알부민량 30 mg/day 이상) 또는 사구체여과율의 저하(eGFR<60 mL/min/1.73m²)에 의해 임상적으로 진단할 수 있다. 보조적인 증거로는 정상 혹은 증가된 신장의 크기, 당뇨병성 망막증, 양성의 뇨침사 검사(알부민뇨 또는 단백뇨 등)이다.

당뇨병콩팥병을 조기에 진단하기 위한 선별검사는 제1형 당뇨병 환자는 당뇨병 진단 5년 후부터, 제2형 당뇨병 환자는 당뇨병 진단시점부터 매년 알부민뇨 및 혈중 크레아티닌 검사가 추천된다. 알부민뇨는 일정시간 수집된 요에서 알부민배설율을 측정하는 것이 표준화된 방법이지만 임상에서는 단회뇨에서의 알부민-크레아티닌비가 주로 이용되고 있다. 소변 알부민/크레아티닌 비는 요로감염이 없는 단회뇨에서 측정하여야 하며, 가능하면 아침 첫소변을 이용하여 3~6개월에 걸쳐 3차례 시행하며 그 중 2차례 이상 양성이면 진단할 수 있다. 일부의 환자에서는 알부민뇨가 정상범위인 경우에도 신기능 감소를 보이는 경우가 있기 때문에 혈중 크레아티닌으로 계산하여 추정한 사구체여과율도 신기능 평가에 함께 이용한다. 추정 사구체여과율의 기울기는 신장 기능이 정상일 때 시작하여 혈청 크레아티닌를 자주 측정하여 계산해야 한다.

사구체여과율의 저하와 관련이 있는 지표로는 알부민뇨 이외에도 종양괴사인자(tumor necrosis factor) 수용체 1과 2, 세관 손상 표지자 및 심혈관질환 및 동맥경화 표지자들이 있다.

감별 진단

전형적인 당뇨병콩팥병의 임상경과를 따르지 않는 경우에는 당뇨병콩팥병 이외의 신장질환을 감별해야 한다. 다음과 같은 경우에는 신장조직 검사 등 감별진단을 위한 검사가 필요할 수 있다. ① 당뇨병의 유병기간이 짧을 때 (특히 제1형 당뇨병의 경우) ② 당뇨병성 망막증이 없을 때 ③ 다른 전신적 질환의 징후와 증상이 있을 때 ④ 혈뇨를 동반할 때 ⑤ 급속히 증가하는 알부민뇨 또는 신증후군의 발생 ⑥ 사구체여과율의 저하가 10 mL/min/year 이상으로 빠른 경우 ⑦ 불응성 고혈압 ⑧ 레닌-안지오텐신 억제제 시작 후 2~3개월 이내에 30% 이상의 사구체여과율 감소 등이다. 제2형 당뇨병 환자의 신장조직검사에서는 종종 원발성 사구체병증, 노화 관련 신병증 또는 급성 신장 손상 등 다른 병리소견이 관찰될 수 있다.

예후

말기신부전이 당뇨병콩팥병에 의한 가장 심각한 임상경과이지만, 실제로 대부분의 당뇨병콩팥병 환자는 말기신부전이 발생하기 전에 이미 심혈관질환이나 감염성 질환에 의하여 사망하는 것으로 알려져 있다. 알부민뇨가 발생한 환자의 반수가 10년 내에 말기신부전으로 진행하여 신대체요법이 필요하게 된다. 당뇨병콩팥병이 동반된 환자는 신병증 발생 후 10년간의 누적 사망률이 50~77%에 달하여 신병증이 없는 환자에 비하여 사망의 위험이 현저히 증가한다. 또한 말기신부전으로 진행되면 심혈관계질환에 의한 사망률이 급격히 증가한다. 전형적인 당뇨병콩팥병과 비교할 때, 비알부민뇨성 당뇨병콩팥병은 심혈관질환의 위험은 비슷한 반면 말기신부전으로의 진행 위험은 낮다고 알려지고 있다. 현재까지의 당뇨병콩팥병의 치료전략들이 알부민뇨를 감소시키는데는 효과적이지만 사구체여과율의 저하에는 효과적이지 않아서 당뇨병성신병증의 예후를 호전시키기 위해서는 사구체여과율 저하를 효과적으로 제어할 수 있는 새로운 약제의 개발이 절실히 필요하다.

▶ 참고문헌

- 이은영: 당뇨신병증. 임상상. 대한신장학회 편저, 임상신장학. 군자출판사, 2015, pp348–351.
- Alicic RZ, Rooney MT, Tuttle KR. Diabetic Kidney Disease: Challenges, Progress, and Possibilities. Clin J Am Soc Nephrol 12:2032–2045, 2017.
- American Diabetes Association Professional Practice Committee; American Diabetes Association Professional Practice Committee: 11. Chronic Kidney Disease and Risk Management: Standards of Medical Care in Diabetes-2022. Diabetes Care 45(Suppl 1):S175–84, 2022.
- Klimontov VV, et al: Albuminuric and non-albuminuric patterns of chronic kidney disease in type 2 diabetes. Diabetes Metab Syndr 13:474–9, 2019.
- Mogensen CE: How to protect the kidney in diabetic patients: with special reference to IDDM. Diabetes 46(suppl 2):104–11, 1997.
- Pugliese G, et al: Diabetic kidney disease: new clinical and therapeutic issues. Joint position statement of the Italian Diabetes Society and the Italian Society of Nephrology on "The natural his-tory of diabetic kidney disease and treatment of hyperglycemia in patients with type 2 diabetes and impaired renal function". J Nephrol 33:9–335, 2020.
- Ricciardi CA, et al: Kidney disease in diabetes: From mechanisms to clinical presentation and treatment strategies. Metabolism 124:154890, 2021.
- Viazzi F, et al: Natural history and risk factors for diabetic kidney disease in patients with T2D: lessons from the AMD-annals. J Nephrol 32:517–525, 2019.

제 6 부 당뇨병콩팥병

CHAPTER

03 병리소견

한지영 (인하의대 병리과)

KEY POINTS

- 당뇨병콩팥병의 중요 병리소견은 사구체 및 신세관 기저막의 두께 증가, 메산지움의 확장, Kimmelstiel-Wilson 결절, 메산지움의 분해 및 모세혈관의 미세혈관류, 유리질 침착(삼출성 병변)이며 병리 진행됨에 따라 사이질 섬유화와 요세관의 위축이 동반된다.

- 당뇨병콩팥병의 병리분야의 감별진단에는 특발결절사구체경화증, 단클론면역글로불린병증/경쇄침착질환, 3형 콜라겐사구체병증, 막증식사구체신염, 아밀로이드증, 섬유결합소신병증, 큰원섬유사구체신염 등이 있다.

- 당뇨병콩팥병의 RPS 병리는 사구체의 병변, 사이질 섬유화와 신세관 위축의 정도, 혈관 병변의 정도에 따라 분류한다.

- RPS병리분류에 따른 5년 신장 생존율은 class I; 100%, class IIa; 88~100%, class IIb; 53~75%, class III; 33~66.7%, class IV; 21~38.7%이다.

서론

당뇨병콩팥병은 사구체, 요세관, 사이질(interstitium), 혈관을 모두 침범하며, 주된 병리 소견은 세포외기질 침착과 삼출성 병변이다 이에 대한 현미경 소견은 표 6-3-1에 요약되어 있다.

당뇨병콩팥병의 초기 변화

가장 초기의 사구체 변화는 사구체 비후이며 이는 당뇨 초기 사구체 과순환/과여과의 표지자로 간주된다. 다른

표 6-3-1. 당뇨병콩팥병의 주요 병리 소견

사구체 및 신세관 기저막의 두께 증가
메산지움의 확장
Kimmelstiel-Wilson 결절
메산지움의 분해 및 모세혈관의 미세혈관류
유리질 침착(삼출성 병변)
피막방울
섬유성 모자
들세동맥 및 날세동맥의 유리질 침착
신세관 위축 및 사이질 섬유화

초기 변화로는 사구체 기저막의 비후이다. 이러한 초기 변화는 2년 미만의 당뇨병 초기 환자에서도 관찰된다. 이와

더불어 세포외기질 침착으로 인한 메산지움의 경미한 확장이 동반된다. 메산지움의 세포 수는 초기에는 증가하나 후기에는 세포 수 증가 없이 세포외기질만 증가한다.

당뇨병콩팥병의 진행성 변화

사구체; 메산지움의 분해, 메산지움의 수복이 나타나고 궁극적으로 메산지움 기질의 심한 증가가 뒤따른다. 사구체 기저막은 메산지움의 확장과 동반되어 점차로 두꺼워지는데 모세혈관의 내강을 감소시켜 초미세여과 면적을 감소시키는 결과를 낳는다. 메산지움 기질의 증가는 미만성 또는 결절성 양상을 보이는데 이 중 결절성 증식은 소위 Kimmelstiel-Wilson 결절이라고 불리며 당뇨병콩팥병의 특징적인 소견이다(그림 6-3-1). Kimmelstiel-Wilson 결절은 15년 이상의 진행된 당뇨 환자의 약 1/4정도에서 나타

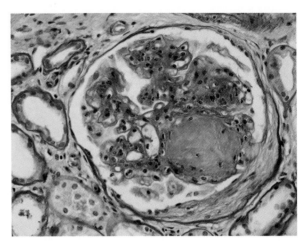

그림 6-3-1. Kimmelstiel-Wilson결절

메산지움의 결절성 증식으로서 둥글거나 난원형의 모양이다. 결절 내부에는 세포가 거의 없으며 가장자리를 따라 메산지움 세포가 둘러싸며 특징적인 층상구조가 관찰된다.

나며 당뇨병콩팥병의 좀 더 심한 병리 유형임을 시사한다.

표 6-3-2. 사구체 결절성 병변을 보이는 신질환의 감별

질환	광학현미경 소견	면역형광 소견	전자현미경 소견
당뇨병콩팥병	메산지움 결절성 경화증; PAS와 silver 염색 양성	IgG의 선형 침착/결절성 경화부위에 IgM과 C3의 침착이 있을 수도 있음	메산지움 확장/광범위 기저막 비후
특발결절사구체경화증	메산지움 결절성 경화증; PAS와 silver 염색 양성	당뇨병콩팥병과 유사	기저막 비후가 분절성으로 중등도로 비후/전자 고밀도 및 섬유소 침착 없음
단클론면역글로불린병증/경쇄침착질환	메산지움 결절성 경화증; PAS 양성 silver 음성	사구체와 신세관, 혈관 기저막에 단클론 κ 또는 λ양성	사구체와 신세관의 기저막에 과립성의 가루모양의 침착
막증식사구체신염	메산지움 결절성 경화증; PAS와 silver 염색 양성; 메산지움의 삽입; 이중 윤곽의 기저막	여러종류의 면역글로불린과 보체의 침착	주로 내피밑과 메산지움 부위 또는 상피밑 전자 고밀도 침착
신장 아밀로이드증	메산지움 결절성 경화증; congo red 양성	AL 유형인 경우 사구체 및 신세관, 사이질 혈관에 λ 양성	아밀로이드 원섬유(직경 10~11 nm)
3형 콜라겐 사구체병증	메산지움 결절성 경화증; 약한 PAS 양성	콜라겐 III 양성	평행하는 콜라겐 섬유(직경 100 nm)
섬유결합소신병증	메산지움 결절성 경화증; PAS 양성 congo red 음성	섬유결합소 양성	과립성 짧은 섬유 침착 (직경 12-14 nm)
큰원섬유사구체신염	메산지움 결절성 경화증; PAS 양성 silver 음성	IgG와 보체의 다양한 침착	원섬유소 또는 미세관 침착 (직경 15-60 nm)

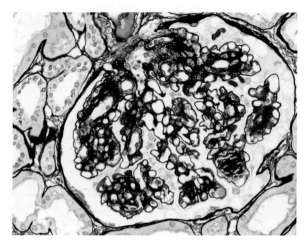

그림 6-3-2. 메산지움의 분해와 모세혈관의 미세혈관류가 관찰된다.

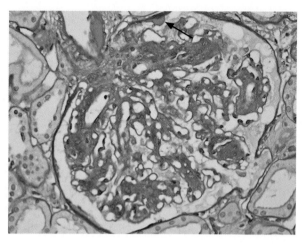

그림 6-3-3. 사구체 기저막이 광범위하게 두꺼워지고 메산지움의 미만성 확장이 관찰된다. 보우만 피막과 벽상피세포사이에 유리질이 침착되어 형성된 작은 피막방울이 관찰된다.

결절은 메산지움안에 균질한 호산성 물질이 침착되어 메산지움이 둥근 모양으로 확장된 것으로, 결절 내부에는 세포가 거의 없으며 가장자리를 따라 메산지움 세포가 둘러싸며 때때로 층상 구조가 관찰된다. Kimmelstiel-Wilson 결절은 당뇨에서 잘 관찰되기는 하지만 당뇨병에서만 특이적이지는 않고 그 외 특발결절사구체경화증, 단클론면역글로불린병증/경쇄침착질환, 3형 콜라겐사구체병증, 막증식사구체신염, 아밀로이드증, 섬유결합소신병증, 큰원섬유사구체신염 등에서도 관찰된다. 이에 대한 감별진단은 표 6-3-2에 기술하였다. 이 중 특히 특발결절사구체경화증은 병리소견이 당뇨병콩팥병과 매우 유사하여 감별이 어려운데 당뇨병콩팥병에서 기저막의 비후가 좀더 광범위하고 심하며 혈관변화도 더 심하게 나타난다. 그리고 특발결절사구체경화증에서 결절의 크기가 비교적 균일하며 각 사구체에서 결절의 수가 좀 더 많다. 그러나 병리소견만으로 특발결절사구체경화증과 당뇨병콩팥병을 구분하는 것은 힘들고 임상소견에서 당뇨의 병력이 없고 흡연, 고혈압, 비만 등의 병력이 있는 경우 감별에 도움이 된다.

또한 메산지움의 분해와 모세혈관의 미세혈관류가 관찰되는데(그림 6-3-2) 반복되는 메산지움의 분해와 미세혈관류의 형성 후 모세혈관의 허탈과 과도한 수복과정을 거쳐 궁극적으로 여러 층 구조를 가지는 커다란 메산지움결절

이 형성되는 것으로 추론하고 있다. 그리고 다양한 형태의 삼출성 병변이 관찰된다. 그 중 하나인 피막 방울(capsular drop)은 보우만 피막의 기저막과 벽상피세포 사이에 유리질이 침착되는 것이다(그림 6-3-3). 섬유성 모자(fibrin cap)는 유리질 물질이 사구체 모세혈관 내피세포와 기저막 사이에 침착되는 것으로서(그림 6-3-4) 혈관내피세포의 손상에 의해 발생되는 것으로 추론한다. 지방방울 또는 지방을 함유하는 대식세포가 섬유성 모자 내에서 관찰 될 수 있다. 이 유리질 물질은 포착된 혈장 단백질과 작은 양의 세포외 기질단백의 혼합물로 구성된다. 병변이 진행됨 에 따라 유리질 물질의 침착은 점점 커져서 결과적으로 모세혈관의 내강을 막게 된다. 삼출성 병변은 당뇨병콩팥병의 심한 정도와 소동맥 경화증정도와 상관관계가 있다. 그 외 기타 병변으로 신세관이 없는 사구체(무신세관 사구체, atubular glomeruli)와 분절사구체경화증이 관찰된다. 무신세관 사구체는 사구체 모세혈관은 열려있지만 근위신세관과 연결이 없어져 여과물을 형성할 수 없는 사구체를 말한다. 분절사구체 경화증은 신세관 입구에서 특히 잘 나타난다.

신세관, 사이질 및 혈관; 신세관의 기저막도 사구체 기저막과 마찬가지로 비후되며 신세관 위축과 사이질 섬유화가 동반된다. 사이질의 염증도 관찰되는데 염증세포는 주

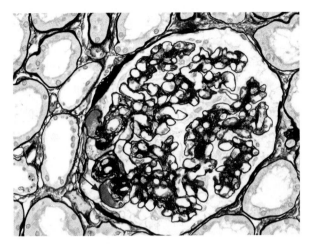

그림 6-3-4. 유리질물질이 사구체 모세혈관 내피세포와 기저막 사이에 침착되는 섬유성 모자가 관찰된다.

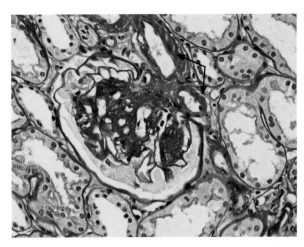

그림 6-3-5. 수입세동맥과 수출세동맥벽 양쪽 모두에서 유리질 침착이 관찰된다.

로 T 세포와 대식세포로 구성된다. 당뇨병콩팥병의 특징인 수입세동맥과 수출세동맥 양쪽 모두에서의 유리질 물질 침착이 관찰된다(그림 6-3-5). 사구체 및 세동맥 병변이 진행됨에 따라 신장은 허혈성 변화를 보이게 되고 신세관의 위축과 사이질 섬유화가 더 심해지면서 신장의 크기가 수축되는 양상을 보인다.

1형과 2형 당뇨병은 비슷한 형태학적 소견을 보이나 2형 당뇨병에서 좀 더 심한 혈관병변, 비균질적인 병변 양상을 보이고 좀 더 연령이 높은 군에서 발생하며 고혈압과 같은 질환이 더 잘 동반된다. 메산지움의 확장, 세동맥의 유리질 침착 정도, 전구성 경화를 보이는 사구체의 비율, 사이질의 확장이 당뇨병콩팥병환자의 사구체여과율과 알부민뇨량과 관련이 있는 병리소견으로 알려져 있다 .

면역형광염색 및 전자현미경 소견

면역형광염색에서 IgG, IgM, C3, albumin 등이 사구체 및 신세관의 기저막을 따라 끈모양으로 관찰되는데 그 정도는 항사구체기저막질환 에서 관찰되는 것보다 정도가 약하며 전자현미경에서는 면역 복합체의 침착이 관찰되지 않는다. 이러한 염색결과는 면역학적인 기전에 의한 것이 아니라 진행된 당화최종산물이 기저막과 결합하여 기저막의

구조적 변화를 일으켜서 혈청 단백질이 비특이적으로 포착되어 일어나는 것으로 생각한다. 사구체와 세동맥의 유리질 병변은 IgM과 C3에 양성 반응을 보인다. 전자현미경에서 사구체 기저막의 밀집 반(lamina densa)이 광범위하게 두꺼워지고 발세포의 발돌기의 광범위 소실이 관찰 된다. 또한 메산지움의 세포외 기질 축적이 동반되어 메산지움이 확장된다(그림 6-3-6). 유리질 병변은 미세한 과립성 형태로서 전자-밀집양상을 보이는데 피막방울, 유리 질

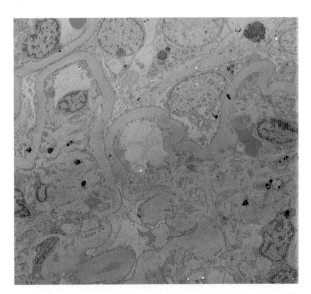

그림 6-3-6. 사구체 기저막이 두꺼워지고 발돌기의 광범위 소실이 있으며 메산지움에 세포외기질 축적이 동반되어 메산지움이 확장된다.

침착이 있는 경화부위에서 관찰된다. 전자현미경에서 이러한 유리질 침착은 면역복합체가 매개된 사구체 질환이 병발된 경우 전자-밀집 면역물질 침착과 감별이 어려운데 이러한 경우 조직학적 소견과 면역형광 염색소견과 연계하여 진단하여야 한다.

당뇨병콩팥병의 병리학적 분류

2010년 Renal Pathology Society (RPS)에서 병리학적 소견과 임상 양상을 고려하여 당뇨병콩팥병의 병리학적 분류법을 제시하였다(표 6-3-3, 6-3-4). 이 분류법에서는 당뇨병콩팥병을 사구체, 신세관, 사이질, 혈관의 세 부분으로 나누어 각 각을 분류하였다.

표 6-3-3. 당뇨병콩팥병의 사구체 병변 분류

등급		진단 기준	5년 신장 생존율
I	미약한 비특이적인 광학현미경 소견 및 전자현미경에서 기저막의 두께 증가	9세 이상의 환자에서 사구체 기저막의 두께가 여자는 395 nm, 남자는 430 nm를 초과	100%
IIa	경미한 메산지움의 확장	경미한 메산지움 확장이 관찰된 메산지움의 25%를 초과	88~100%
IIb	심한 메산지움 확장	심한 메산지움 확장이 관찰된 메산지움의 25%를 초과	53~75%
III	결절성 경화증(Kimmeltiel-Wilson 병변)	적어도 한 개 이상의 Kimmelstiel-Wilson 병변	36~66.7%
IV	진행된 당뇨병 사구체경화증	전구성 사구체경화증이 50% 초과 및 I-III등급의 병변이 공존	21~38.1%

표 6-3-4. 당뇨병콩팥병의 사이질과 혈관 분류

병변	진단기준	점수
사이질병변		
IFTA	IFTA없음	0
	<25%	1
	25%~50%	2
	>50%	3
사이질염증	없음	0
	염증세포 침윤이 IFTA와 연관된 부위만 있는 경우	1
	염증세포침윤이 IFTA없는 부위에 있음	2
혈관병변		
세동맥 유리질증	없음	0
	세동맥 유리질증이 한 부위에 있는 경우	1
	세동맥 유리질증이 한 부위 이상에서 있는 경우	2
큰혈관 존재		있음/없음
동맥경화(가장 심한 병변을 가진 동맥)	혈관내막 비후 없음	0
	내막층의 비후가 중막층의 두께보다 얇은 경우	1
	내막층의 비후가 중막층의 두께보다 두꺼운 경우	2

1. 사구체 병변의 분류

Class I은 사구체 기저막의 두께만 두꺼워진 병변으로서 9세 이상의 환자에서 기저막의 두께가 여자는 395 nm, 남자는 430 nm를 초과하는 경우에 해당된다. 9세 미만인 환자인 경우에는 정상두께보다 2표준편차 이상 두꺼워진 경우에 Class I으로 진단한다. 광학현미경 소견은 정상이거나 미약한 비특이적 병변을 보인다. Class II는 메산지움 확장이 있는 병변으로서 이전에 미만성 당뇨병 사구체경화증으로 불린 병변이 이에 해당된다. Class II 병변은 메산지움이 확장된 정도에 따라 경미한 메산지움 확장이 관찰된 메산지움의 25%를 초과하는 경우 IIa, 심한 메산지움 확장이 관찰된 메산지움의 25%를 초과하는 경우 IIb로 나눈다. ClassIII는 결절성 경화증(Kimmelstiel-Wilson 병변)이다. Kimmelstiel-Wilson 병변이 하나라도 관찰되는 경우에 그렇지 않은 경우보다 예후가 나쁘며 당뇨병 망막질환의 발생과도 밀접한 관련이 있다는 연구 결과가 있다. Class IV는 진행된 당뇨병 사구체 경화증으로서 위에서 언급한 모든 병변이 보이며 50%를 넘는 사구체에서 전구성 경화증이 보이는 경우이다.

2. 신세관 사이질 병변의 분류

사이질 섬유화와 신세관 위축(interstitial fibrosis and tubular atrophy, IFTA)은 사구체 경화와 동반되며 궁극적으로 만성신질환에 이르게 하는 중요 원인이다. IFTA의 평가는 사이질과 신세관의 병변 침범 정도에 따라 IFTA가 없으면 0점, IFTA가 25% 미만이면 1점, 25%에서 50% 사이이면 2점, IFTA가 50%를 초과하면 3점으로 한다. 사이질의 염증 정도는 염증세포 침윤이 없는 경우 0점, 위축된 신세관 주변에만 침윤된 경우 1점, 위축된 신세관외에 다른 부위에 염증세포 침윤이 있는 경우 2점으로 한다.

3. 혈관 병변의 분류

혈관병변의 평가는 세동맥과 큰 혈관을 분류하여 평가

한다. 세동맥인 경우, 세동맥의 유리질침착 정도에 따라 하게 되며, 세동맥 유리질 병변이 없으면 0점, 하나의 세동맥에서 유리질 병변이 있으면 1점, 두 개 이상의 세동맥에서 발견되면 2점으로 한다. 큰 혈관에서는 가장 심한 변화를 보이는 동맥에서 평가하며 혈관 내막층의 비후가 없으면 0점, 내막층의 비후가 중막층의 두께보다 적으면 1점, 내막층이 중막층의 두께보다 두꺼워지면 2점으로 한다.

이 분류법을 이용한 후속 연구에서 사구체의 등급과 사이질 병변의 심한 정도와 신장의 예후가 상관관계가 높았으며 당뇨병콩팥병의 초기 진단에도 도움을 줄 수 있음을 보고하였다. 사구체 등급에서는 특히 IIb 이상인 경우 신장 생존율과 상관관계가 높았으나 사구체 등급보다는 IFTA점수와 사이질 염증 점수가 예후와 상관관계가 높았다.

당뇨병에서 나타나는 신장의 기타 질환

면역력의 약화로 당뇨가 없는 일반인에 비해 재발성 요로감염과 급성 또는 만성 신우신염이 더 자주 발생하며 발병 양상 또한 더 심하다. 신우신염은 보통 사이질에서 시작 하여 신세관으로 퍼지는 양상을 보인다. 유두괴사는 급성 신우신염의 한 형태로서 높은 이환율과 사망률을 보이는 심각한 합병증이다. 육안 소견에서 괴사된 회백색 또는 황색의 피라미드 부분이 관찰된다. 광학 현미경에서는 특징적인 응고성 괴사 소견을 보이며 백혈구가 괴사된 부위의 경계부위에서 관찰된다. 당뇨병콩팥병은 다른 사구체 질환이 잘 동반되는데 이중 가장 흔한 것은 막사구체신염이다. 또한 고지질혈증으로 인한 세동맥경화증과 심한 죽종 동맥경화증이 흔하게 발생한다.

참고문헌

- 박문향: 신장질환, 병리학, 8판, 대한병리학회 편저, 서울, 고문사, 2017, pp734-738.
- Alpers CE, et al: Diabetic nephropathy, in Robbins and Cotran

Pathologic basis of disease. 9th ed. edited by Kumar V, Abbas AK, Aster JC, Philadelphia, Elsevier, 2015, pp1118–1119.

- Mise K, et al: Renal prognosis a long time after renal biopsy on patients with diabetic nephropathy. Nephrol Dial Transplant 29:109–118, 2014.

- Najafian B, et al: Pathology of human diabetic nephropathy. Contrib Nephrol 170:36–47, 2011.

- Oh SW, et al: Clinical implications of pathologic diagnosis and clas─sification for diabetic nephropathy. Diabetes Res Clin Pract. 97:418–424, 2012

- Olson JL, et al: Diabetic Nephropathy, in Heptinstall's Pathology of the Kidney (vol. 1). 7th ed, edited by Jennette CJ, Olson JL, Silva FG, D'Agati VD, Philadelphia, Wolters Kluwer, 2015, pp901–914.

- Qi C, et al: Classification and Differential Diagnosis of Diabetic Nephropathy. J Diabetes Res. 2017;8637138, 2017

- Tervaert TWC, et al: Pathologic classification of diabetic nephropathy. J Am Soc Nephrol 21:556–563, 2010.

- Xu YAF, et al: Renal histologic changes and the outcome in patients with diabetic nephropathy. Nephrology Dialysis Transplant, 30:257–266, 2015.

CHAPTER 04 예방과 보존적 치료

노현진 (순천향의대)

KEY POINTS

- 추정 사구체여과율 30 mL/분/1.73m² 이상의 만성콩팥병을 동반한 2형 당뇨병 환자에서 초기치료는 metformin과 sodium-glucose cotransporter 2 억제제(SGLT2i)이다.

- 상기 초치료제로 혈당조절이 되지 않거나 사용할 수 없는 경우에 glucagon-like peptide 1 receptor agonist의 사용을 우선적으로 고려한다.

- Metformin은 젖산혈증을 유발할 위험이 있어 추정 사구체여과율 30 mL/분/1.73m² 미만인 환자들에서는 사용을 제한하며 45 mL/분/1.73m² 미만인 환자들에서는 새롭게 시작하지 않는다.

서론

만성콩팥병은 당뇨병 환자의 이환율과 사망률을 증가시키는 주된 요인이고 당뇨병콩팥병은 말기신부전의 가장 많은 원인질환으로 잘 알려져 있다. 따라서 당뇨병 환자에서 만성콩팥병의 발생과 진행을 억제하는 것은 임상적으로 매우 중요하다. 당뇨병콩팥병의 예방과 보존적 치료는 크게 혈압과 혈당의 조절, 혈청 지질 조절과 식이, 기타 생활습관 교정 등이 포함된다. 본 장에서는 비약물 요법과 당뇨병콩팥병 및 만성콩팥병을 동반한 당뇨병 환자에서의 혈당 조절에 관하여 기술한다.

저단백식이

당뇨병콩팥병 동물모델에서 단백 섭취의 증가가 신기능의 악화에 영향을 미친다는 것이 알려진 후 고단백식이는 신장의 혈류량, 사구체여과율을 증가시키고 사구체 내 고혈압을 유발하며 신장 내 레닌 안지오텐신 알도스테론계를 활성화 시키는 것으로 이해되어 왔다. 이러한 동물 실험결과에 힘입어 저단백식이가 사구체여과율과 단백뇨에 미치는 효과를 알아보려는 다양한 임상 연구가 진행되었으나 서로 일치하지 않는 결과를 보고하였고 이를 바탕으로 한 메타 분석 또한 상반된 결과를 보고하였다. 예를 들어 121명의 2형 당뇨병 환자를 대상으로 진행된 초기 임상 연구에서 하루 0.8 g/kg 이내로 단백 섭취를 제한한 군에서 그렇지 않은 군에 비하여 6개월과 12개월째 알부민뇨의 억제를 유도하였고 이러한 효과는 혈압을 보정한 후에도 유지되었다. 그러나 같은 연구자들에 의한 후속연구에서는 이 같은 효과를 입증하지 못하였다. 112명의 2형 당뇨병콩팥병 환자를 대상으로 한 또 다른 연구에서는 하루 0.8 g/kg의 단백 섭취와 1.2 g/kg의 단백 섭취를 비교하였을 때 5년간의 사구체여과율 변화에 영향을 미치지 못하였다. 이러한 연구 결과의 다양성은 1형 당뇨병에서도 비슷해서 82명의 1형 당뇨병 환자를 대상으로 4년간 관찰한 연구에서 하루 0.6 g/kg의 단백 섭취군이 일반적 단백 섭취군에 비하여 말기신부전 혹은 사망에 이르는 위험을 의미 있게 감소시켰다는 보고가 있는 반면 22명의 1형 당뇨병 환자를 대상으로 한 연구에서는 하루 0.8 g/kg의 단백 섭취가 1.6 g/kg의 단백 섭취와 비교하여 사구체여과율 감소는 억제하였으나 단백뇨에는 큰 영향이 없었던 것으로 보고하였다. 이와 같이 저단백식이가 당뇨병콩팥병의 경과에 미치는 영향이 연구에 따라 서로 다른 결과를 나타내는 이유는 첫째, 식이에 대한 임상 연구 자체가 환자의 순응도에 따라 크게 좌우되고 저단백식이와 대조군 사이의 실제 단백 섭취량은 시간이 갈수록 차이가 적어지게 되는 점, 둘째, 연구 대상자의 수가 적고 관찰기간이 상대적으로 짧다는 점, 셋째, 고나트륨식이가 저단백식이의 보호효과를 상쇄했을 가능성 등이 제기된다.

저단백식이의 효과에 대한 이와 같은 일관되지 않은 임상 연구 결과와 더불어 최근 보고된 메타 분석에서는 콩팥병을 동반하지 않은 당뇨병 환자의 평균적 단백 섭취, 즉, 하루 1~1.5 g/kg의 단백 섭취와 비교하여 콩팥병을 동반한 당뇨병 환자에서의 단백 섭취 제한이 갖는 장점이 뚜렷하지 않은 것으로 보고되기도 하였다. 현재 Kidney Disease: Improving Global Outcomes (KDIGO)와 National Kidney Foundation (NKF), 미국 당뇨병 학회(American Diabetes Association) 등의 진료지침에서는 세계보건기구(WHO)에서 권장하는 일반인의 하루 단백 섭취량 0.8 g/kg과 같은 양의 단백 섭취를 하도록 권장하며 이보다 낮은 양의 단백 섭취는 혈당조절이나 심혈관계 위험, 사구체여과율의 감소 등에 영향을 주지 않으면서 환자의 영양실조 위험을 증가시킬 수 있어 권장하지 않는다. 반면 하루 열량의 20% 이상을 단백질로 섭취하거나 하루 1.3 g/kg를 초과하는 단백의 섭취 또한 알부민뇨의 증가 및 신기능 저하, 심혈관계 합병증과 관련성이 있는 것으로 보고된 바 있어 권장하지 않는다.

금연

당뇨병 환자의 흡연은 심혈관계 위험의 증가, 조기 사망, 미세혈관 합병증의 발생, 혈당 조절의 불량 등과 연관된다. 흡연은 산화 스트레스의 증가, 성장인자의 활성화, 내피세포 기능 부전 등 다양한 기전을 통하여 신손상을 유발하며 당뇨병콩팥병 환자에서 단백뇨의 증가 및 사구체여과율의 감소와 관련성이 있는 것으로 알려져 있다. 당뇨병콩팥병 환자, 혹은 만성콩팥병을 동반한 당뇨병 환자를 대상으로 진행된 무작위 연구는 없으나 대규모 코호트 연구를 통하여 흡연이 알부민뇨의 발생과 연관된 독립적 인자임이 보고되었고 금연 후에 알부민뇨가 개선되는 것이 확인되었다. 1형 당뇨병 환자를 대상으로 한 Diabetes Control and Complications Trial (DCCT)의 추적 연구인 Epidemiology of Diabetes Interventions and Complications Study (EDIC)에 따르면 흡연자와 비흡연자에서 크레아티닌 청소율로 평가된 사구체여과율은 각각 연간 −0.77 mL/분/1.73m^{2}과 −0.18 mL/분/1.73m^{2}의 감소 속도를 보여 흡연자에서 빠르게 감소함을 알 수 있었다. 2형 당뇨병 환자를 대상으로 한 연구에서도 흡연은 사구체여과율의 감소에 영향을 미치는 독립적 인자로 보고된 바 있다. KDIGO, 미국 당뇨병 학회, 유럽 당뇨병 학회(European Association for the Study of Diabetes) 등은 간접흡연과 전자담배를 포함하여 모든 종류의 흡연을 금하도록 권장한다.

운동과 체중조절

운동은 일반인 뿐 아니라 당뇨병 환자에서도 심혈관대

사, 인지기능 및 신기능을 개선시키는 효과가 있는 것으로 알려져 있으나 당뇨병콩팥병의 예방이나 치료 효과를 입증할 수 있는 임상적 근거 수준은 매우 낮다. 그럼에도 불구하고 KDIGO, 미국 당뇨병 학회, 유럽 당뇨병 학회 등은 주 150분 이상, 중등도 이상의 운동을 연속 2일 이상 거르지 않도록 적어도 주 3일에 걸쳐서 시행하되 개인의 심폐능력과 신체 활동능력 등을 고려하여 조정할 것을 권장한다.

비만은 사구체비대, 메산지움의 확장 및 경화, 발세포의 변화 및 국소분절성 사구체 경화증을 유발하고 기능적으로 사구체 과여과와 단백뇨를 유발하는 것으로 알려져 있다. 1형 당뇨병 환자를 대상으로 한 단면 연구 FinnDiane 연구에서는 남성과 여성의 복부 둘레가 각각 102 cm, 88 cm를 초과할 경우 당뇨병콩팥병의 발생과 독립적으로 연관성이 있었고 1,279명을 대상으로 진행된 8년간의 추적 연구에서는 복부 둘레가 10 cm 증가할수록 미세알부민뇨의 위험이 34% 증가하였으나 사구체여과율과의 의미 있는 연관성은 관찰되지 않았다. 과체중 혹은 비만한 2형 당뇨병 환자 5,145명을 대상으로 약 8년간 진행된 Look AHEAD (Action for Health in Diabetes) 연구에서는 강화된 생활습관 교정을 통하여 대조군에 비하여 약 4 kg의 체중을 감소시킬 경우 사구체여과율 30 mL/분/1.73m² 미만, 사구체여과율 45 mL/분/1.73m² 미만이면서 단회 알부민뇨 30 mg/g 크레아티닌 이상, 사구체여과율 60 mL/분/1.73m² 미만이면서 단회 알부민뇨 300 mg/g 크레아티닌 이상, 혹은 신대체요법의 시작 등으로 정의된 매우 고위험의 만성 콩팥병 발생 비율을 약 31% 낮추는 결과를 얻었다. 이러한 결과들은 적절한 운동과 체중관리를 통하여 당뇨병콩팥병의 발생과 진행을 억제할 수 있을 가능성을 시사한다. 본 장에서 다루지는 않으나 최근 관심을 받고 있는 비만대사 수술이 당뇨병콩팥병의 경과에 긍정적인 영향을 미치는 것으로 보고되고 있으므로 이를 주목할 필요가 있다.

혈당 조절

당뇨병 환자에서 철저한 혈당조절이 당뇨병콩팥병을 포함한 미세혈관 합병증의 발생을 낮출 수 있음은 대규모 무작위 연구를 통하여 입증되었다. 1형 당뇨병 환자 1,441명을 대상으로 진행된 DCCT 연구에서는 평균 당화혈색소 (HbA1c)를 약 7%로 조절한 환자군에서 약 9%로 조절한 환자군에 비하여 당뇨병콩팥병, 망막증, 신경병증 등의 미세혈관합병증의 발생이 50~76% 감소하였고 DCCT의 추적 연구인 EDIC 연구에서는 이러한 혈당조절의 차이가 없어진 후에도 미세혈관합병증에 대한 보호 효과가 장기적으로 지속됨을 확인하였다. 당뇨병의 평균 유병 기간이 2.6년이면서 정상 알부민뇨를 보였던 726명의 환자가 속한 일차예방 코호트(primary prevention cohort)에서는 철저한 혈당조절에 의하여 미세알부민뇨의 발생이 34% 감소되었고, 당뇨병의 평균 유병 기간이 8.8년이면서 하루 알부민뇨가 200 mg 이하였던 715명의 환자가 속한 이차예방 코호트(secondary prevention cohort)에서는 엄격한 혈당 조절에 의하여 미세알부민뇨 및 알부민뇨의 발생이 각각 43%와 56% 감소되었다. 이와 같은 적극적인 혈당 조절의 당뇨병콩팥병에 대한 보호 효과는 새로 진단된 2형 당뇨병 환자를 대상으로 진행된 UK Prospective Diabetes Study (UKPDS) 연구와 그 추적 연구에서도 유사하게 관찰되었다. 당화혈색소를 정상 수준까지 낮추었을 때의 이득과 관련하여 Action to Control Cardiovascular Risk in Diabetes (ACCORD), Action in Diabetes and Vascular Disease: Preterax and Diamicron Modified Release Controlled Evaluation (ADVANCE), Veterans Affairs Diabetes Trial (VADT) 등의 주요 연구들에서는 당뇨병의 유병 기간이 길고 심혈관계 합병증을 이미 동반하였거나 고위험인 환자들에서는 미세혈관합병증에 대한 보호 효과에도 불구하고 저혈당의 위험이 높고 심혈관계 합병증에 대한 보호효과가 없으며 궁극적으로 환자의 사망률을 증가시킴을 보고하였다. 따라서 KDIGO, 미국 당뇨병 학회 등에서는 당뇨병의 유병기간, 환자의 기대여명, 동반질환의 유무, 혈관합병증의 유무 등에 따라 환자별로 개별화된 맞춤형 당화혈색소의 조절을 추천한다. 즉, 저혈당의 위험이 적고 치료 부작용에 대한 우려가 없다면 대개 6.5% 혹은 7% 미만을 유지하도록 하되 기대여명이 짧고 치료에 따른 부작용이나 위험성이 우려되는 환자에서는 약 8% 미만의 범위까지도 허용할 것을 권장한다. 만성콩팥병을 동반한 당뇨병 환자의 경우 만성콩팥병이 진행할수록 저혈당의 위험이 높아지므로 이를 고려해야 한다.

만성콩팥병을 동반한 당뇨병 환자에서는 당화혈색소의 측정에 있어서 많은 제한이 있다. 즉, 상승된 체내 요소에 의하여 carbamylated hemoglobin이 증가한 것을 당화혈색소가 증가한 것으로 과하게 측정할 수 있고 그 외에도 적혈구의 수명 감소, 조혈호르몬 투여에 의한 적혈구의 교체율(turnover) 증가, 잦은 수혈, 철분 결핍, 대사성 산증 등에 의하여 당화혈색소의 측정이 부정확할 수 있다. 그러나 이러한 당화혈색소의 제한점을 극복할 수 있을 것으로 기대하였던 당화 알부민(glycated albumin)이나 fructosamine 등의 표지자도 당화혈색소와 비교하였을 때 뚜렷한 잇점이 없고 이들 역시 비정상적인 단백질의 교체율을 보이는 영양실조, 만성 염증, 복막 투석, 단백뇨 등에 의하여 영향을 받는 것으로 알려져 있어 현재까지는 만성콩팥병의 동반 여부와 관계없이 당화혈색소를 혈당조절의 표지자로 이용하도록 권장한다.

2형 당뇨병 환자에서 혈당을 조절하기 위한 다양한 혈당 강하제가 사용되고 있으며, 특히 최근에 개발된 sodium-glucose cotransporter 2 억제제(SGLT2i)와 glucagon-like peptide 1 receptor agonist (GLP-1RA)는 신장과 심혈관계 보호효과가 탁월한 것으로 보고되고 있다. 다음에서 인슐린을 제외한 대표적 혈당 강하제에 관하여 기술한다.

1) SGLT2i

SGLT2i는 신장의 근위세관에 위치한 SGLT2를 억제하는 약물로 SGLT2의 활성이 증가된 당뇨병 환자에서 포도당의 재흡수를 억제하여 혈당을 낮출 뿐 아니라, SGLT2와 Na^+/H^+ exchanger isoform 3 (NHE3)와 같은 기타 Na 수송체를 억제하여 natriuresis를 유발한다. Natriuresis는 혈압을 낮추고 tubuloglomerular feedback을 활성화하여 사구체 내 혈압과 과여과를 감소시키는 효과를 보이며 이것이 신장과 심장에 대한 보호효과를 나타내는 주요 기전

일 것으로 이해하고 있으나 이 외에도 다양한 분자생물학적 기전이 관여하여 혈당 조절과는 독립적인 보호 효과를 갖는 것으로 보고되고 있다. SGLT2i의 혈당 강하 정도는 위약 대비 당화혈색소 0.5~0.7% 정도의 감소로 비교적 약한 것으로 알려져 있으나 저혈당의 위험이 낮고 혈압과 체중을 낮추는 효과가 있다. SGLT2i의 신보호 효과는 최초 심혈관계 예후를 평가하기 위한 목적의 대규모 임상 연구 Empagliflozin, Cardiovascular Outcomes, and Mortality in Type 2 Diabetes (EMPA-REG OUTCOME), Canagliflozin and Cardiovascular and Renal Events in Type 2 Diabetes (CANVAS Programme), Dapagliflozin and Cardiovascular Outcomes in Type 2 Diabetes (DECLARE-TIMI 58)의 이차 분석을 통하여 확인되었고 이후 진행된 다음의 임상 연구들, Canagliflozin and Renal Outcomes in Type 2 Diabetes and Nephropathy (CREDENCE), Dapagliflozin on Renal Outcomes and Cardiovascular Mortality in Patients with Chronic Kidney Disease (DAPA-CKD)에서 그 효과가 뚜렷하게 입증되었다. CREDENCE 연구에서는 추정 사구체여과율이 30~89 mL/분/1.73m²이고 안지오텐신 II 억제에도 불구하고 단회 알부민뇨가 300 mg/g 이상인 4,401명의 당뇨병 환자를 대상으로 하루 100 mg의 canagliflozin과 위약의 효과를 비교한 결과, 2.6년이 경과하는 동안 말기신부전의 발생, 혈청 크레아티닌의 2배 증가, 심부전으로 인한 입원, 심혈관계 사망 및 모든 사망의 의미 있는 감소를 보였다. DAPA-CKD 연구에서는 추정 사구체여과율이 25~75 mL/분/1.73m²이고 안지오텐신 II 억제에도 불구하고 단회 알부민뇨가 200~5,000 mg/g인 4,304명의 환자를 대상으로 하였고 이중 1/3은 비당뇨병 환자를 포함하였다. 하루 10 mg의 dapagliflozin과 위약을 비교하였을 때 2.4년의 추적 기간 중 말기신부전의 발생, 추정 사구체여과율의 50% 이상 감소, 모든 원인에 의한 사망이 의미있게 감소하였다. 이상의 결과들을 토대로 KDIGO, 미국 당뇨병 학회 등은 추정 사구체여과율 30 mL/분/1.73m² 이상의 만성콩팥병을 동반한 2형 당뇨병 환자에서 metformin과 함께 SGLTi를 초치료제로 사용하도록 권장하며 SGLT2i를 사

용하는 중에 추정 사구체여과율이 30 mL/분/1.73m² 미만으로 진행하더라도 신대체요법을 시작할 때까지는 유지하도록 제안한다. SGLT2i의 주된 부작용으로는 생식기 감염, euglycemic 당뇨병 케톤산증, 하지 절단의 위험 증가 등이 있다.

2) GLP-1RA

GLP-1RA는 endogenous GLP-1과 구조가 유사하지만 dipeptidyl peptidase 4 (DPP-4)에 의해 분해되지 않아 혈당 의존적인 인슐린 분비를 증가시키고, glucagon의 분비를 감소시킴으로써 혈당을 개선시킨다. 또한, 위 배출시간을 지연시키고 식욕중추에 작용하여 식욕을 감소시키는 효과가 있어 체중이 감소하게 된다. 심혈관계 예후를 평가하기 위한 목적의 대규모 임상 연구를 통하여 liraglutide, semaglutide, dulaglutide의 신보호 효과가 보고되었으나, 이 연구들은 일차적으로 미세혈관합병증을 평가하기 위하여 진행된 연구들이 아니고 상대적으로 짧은 기간 동안 진행되었다는 제한점이 있어 추가적인 연구 결과가 필요하다. KDIGO, 미국 당뇨병 학회 등은 심혈관계 합병증의 위험, 특히 동맥경화성 심혈관 질환의 위험이 우려되는 만성콩팥병 환자에서 metformin, SGLT2i로 혈당조절이 되지 않거나 이러한 약물을 사용할 수 없는 경우에 GLP-1RA의 사용을 우선적으로 고려하도록 제안한다. DPP-4 억제제와의 병용투여는 추가적인 혈당 강하 효과가 없어 피하도록 하며 오심, 구토, 설사 등의 소화기 증상이 주된 부작용이고 저혈당의 위험은 매우 낮다.

3) Metformin

Metformin과 같은 biguanides는 인슐린 감수성 개선제로 저혈당을 유발하지 않으며, 주로 소변으로 대사되지 않은 채 배설된다. 신기능 저하환자에서는 체내에 쉽게 축적되고 심각한 젖산혈증을 유발할 위험이 있어 추정 사구체여과율이 30 mL/분/1.73m² 미만인 환자들에서는 사용을 제한하며 45 mL/분/1.73m² 미만인 환자들에서는 새롭게 시작하지 않도록 한다. Metformin은 장에서의 비타민 B$_{12}$ 흡수를 방해하므로 4년 이상 장기간의 metformin 복용자

는 비타민 B12를 모니터하는 것이 좋다.

4) 설폰요소제(sulfonylurea)

설폰요소제는 췌장 베타세포의 설폰요소제 수용체에 작용하여 인슐린의 분비를 증가시키는 약제로, 장기간 당뇨병을 앓고 있는 환자에서는 췌장 베타세포의 분비능이 손상되어 설폰요소제만으로 당조절이 불충분 할 수 있다. 비교적 초기 당뇨병 환자에서는 다른 종류의 경구 혈당강하제에 비하여 효과가 빠르게 나타나지만, 인슐린의 과다 분비에 의하여 저혈당의 위험도가 증가하므로 저혈당의 고위험군인 만성콩팥병 환자에서는 주의가 요구된다. 설폰요소제는 단백질, 특히 알부민에 강력하게 결합되므로 혈액투석으로 잘 제거되지 않는다. 만성콩팥병을 동반한 당뇨병 환자에서는 설폰요소제의 투여 시 용량과 제거의 경로에 대한 주의를 요하며 glipizide, glimepiride, gliclazide가 만성콩팥병 환자에서 선택할 수 있는 설폰요소제이다.

5) Meglitinides

Meglitinide는 설폰요소제와 작용기전이 유사한 약제로 인슐린 분비를 증가시킨다. 약효가 빠르게 나타나며, 매우 신속하게 흡수, 배출되므로 식후 혈당을 낮추는 목적으로 사용하기 쉽고 저혈당의 위험성은 상대적으로 낮다. Repaglinide와 nateglinide가 이 계열에 속하는 약물로, repaglinide가 혈당강하 효과가 좀 더 우수하고 만성콩팥병 환자에서도 비교적 안전하게 사용할 수 있는 것으로 알려져 있으나 사구체여과율 20 mL/분/1.73m² 미만인 환자에서는 연구된 바 없다.

6) DPP-4 억제제

DPP-4 억제제는 저혈당의 위험이 적고 내약성이 좋아 널리 사용되는 경구 혈당강하제이다. Incretin은 식사에 의해 위장관에서 분비되는 물질로 췌장 베타세포에서 인슐린의 분비를 증가시키며, 알파세포에서 glucagon의 분비를 억제한다. Incretin인 GLP-1과 gastric inhibitory polypeptide (GIP)는 DPP-4에 의해 빠르게 분해되므로, DPP-4 억제제를 사용하면 GLP-1과 GIP의 분해를 억제

하여 혈당을 조절하는 작용을 나타내게 된다. Sitagliptin 과 saxagliptin은 신장으로 배설되므로 신기능이 저하되어 있는 환자에서는 용량을 조절하여야 하나, linagliptin은 간에서 대사되므로 신기능 저하환자에서도 용량 조절 없이 사용이 가능하다.

7) α-glucosidase 억제제

α-glucosidase 억제제인 acarbose는 탄수화물의 소화에 관여하는 효소를 차단하여 식후 혈당을 낮추는 약제이다. 소화불량 등의 부작용이 있을 수 있으며, 신기능이 저하된 환자에서는 사용을 권하지 않는다.

8) Thiazolidinediones

Thiazolidinediones은 peroxisome proliferator-activated receptor (PPAR) gamma (PPAR-γ) 수용체에 작용하여 말초기관에서 인슐린 감수성을 개선시키는 약제로 일반적으로 일차 치료제보다는 다른 경구 혈당 강하제로 혈당 조절이 불충분하거나 저혈당의 위험이 높은 경우, 심한 인슐린 저항성을 보이는 환자 등에서 병합요법으로 사용된다. 그러나 부종, 심부전의 위험이 증가되고 골절이나 방광암의 위험에 대한 우려도 있어 주의를 요한다. Rosiglitazone은 심혈관계 위험도를 증가시킬 수 있는 것으로 보고된 바 있고 혈액투석 환자에서 모든 원인에 의한 사망, 심혈관계 원인에 의한 사망을 증가시켰다는 보고가 있어 사용이 제한된다. Pioglitazone은 심부전의 위험은 증가시키나 주요 동맥경화성 심혈관계 사건의 발생은 감소시키는 것으로 보고되어 사용이 가능하되 진행된 만성콩팥병 환자, 특히 심부전을 동반하였거나 부종 및 심부전의 위험이 있는 환자에서는 사용을 권하지 않는다.

▶ 참고문헌

- American Diabetes Association. Standards of medical care in diabetes 2021. Diabetes Care 44(S1):S1-S232, 2021.
- Duckworth W, et al: VADT Investigators. Glucose control and vas—cular complications in veterans with type 2 diabetes. N Engl J Med 360:129-139, 2009.
- Heerspink HJL, et al: DAPD-CKD Trial Committees and Investiga—tors. Dapagliflozin in patients with chronic kidney disease. N Engl J Med 383:1436-1446, 2020.
- Holman RR, et al. 10-year follow-up of intensive glucose control in type 2 diabetes. N Engl J Med 359:1577-1589, 2008.
- Ismail-Beigi F, et al: ACCORD trial group. Effect of intensive treatment of hyperglycaemia on microvascular outcomes in type 2 diabetes: an analysis of the ACCORD randomised trial. Lancet 376:419-430, 2010.
- Kidney Disease: Improving Global Outcomes (KDIGO) Diabetes Working Group. KDIGO 2020 clinical practice guideline for diabetes management in chronic kidney disease. Kidney Int 98(4S):S1-S115, 2020.
- Lachin JM et al: Diabetes Control and Complications Trial/Epidemiology of Diabetes Interventions and Complications Research Group. Retinopathy and nephropathy in patients with type 1 diabetes four years after a trail of intensive therapy. N Engl J Med 342:381-389, 2000.
- Nathan DM, et al: Diabetes Control and Complications Trial Research Group. The effect of intensive treatment of diabetes on the development and progression of long-term complications in insulin-dependent diabetes mellitus. N Engl J Med 329:977-986, 1993.
- Patel A, et al: ADVANCE Collaborative Group. Intensive blood glucose control and vascular outcomes in patients with type 2 diabetes. N Engl J Med 358:2560-2572, 2008.
- Perkovic V, et al: CREDENCE Trial Investigators. Canagliflozin and renal outcomes in type 2 diabetes and nephropathy. N Engl J Med 380:2295-2306, 2019.
- UK Prospective Diabetes Study (UKPDS) Group. Intensive blood-glucose control with sulphonylureas or insulin compared with conventional treatment and risk of complications in patients with type 2 diabetes (UKPDS 33). Lancet 352:837-853, 1998.

CHAPTER
05 약물 치료

차진주 (고대의대)

KEY POINTS

- 미세알부민뇨, 거대알부민뇨 및 콩팥기능 저하를 동반한 당뇨병콩팥병 환자에서 혈압 목표는 130/80 mmHg 미만으로 권고한다. 단, 연령이나 기저 사구체 여과율에 따른 개별화된 혈압 목표를 세워야 한다.
- 당뇨병콩팥병의 치료로 레닌-안지오텐신-알도스테론계(RAAS) 억제제를 우선적으로 사용한다. RAAS 억제제의 병용 치료나 direct renin inhibitors의 병용 치료는 권고하지 않는다.
- 당뇨병콩팥병 환자에서 이상지혈증의 조절은 심혈관 질환 발생 위험도에 따라 치료 방향을 정한다.

당뇨병콩팥병의 발병 및 진행 기전은 복합적이고 유전적 및 환경적인 요인들의 상호작용을 통하여 유발되기 때문에 당뇨병콩팥병의 진행 과정을 가속화시키는 요인들이 개인마다 다양하여 한 가지 요인에만 초점을 둔 치료는 효과가 적다. 따라서 당뇨병콩팥병의 진행을 억제시키는 치료로 진행 과정에 가장 중요한 역할을 하는 1) 고혈당을 조절하고, 2) 고혈압을 조절하며, 3) 항진된 레닌-안지오텐신-알도스테론계(Renin-angiotensin -aldosterone system, RAAS)를 억제하고, 4) 이상지혈증 등 혈관합병증 위험인자를 예방 및 치료하는 다각도적인 접근이 필요하다. 이번 장에서는 혈당 조절을 제외한 약물치료요법에 대해 다루고자 한다.

혈압 조절과 레닌-안지오텐신-알도스테론계 억제

고혈압은 단독요인으로도 콩팥 기능을 악화시킬 수 있으며, 당뇨병콩팥병의 진행을 가속화하는 독립요인이기도 하다. 당뇨병 환자에서 고혈압의 이환율은 연령, 인종, 국가에 따라 다르게 보고되나, 대략적으로 제1형 당뇨병 환자의 25%, 제2형 당뇨병 환자의 50%에서 보고되고 있으며, 비당뇨인에 비하여 약 두 배 되는 유병률을 갖는다. 다수의 실험 연구에서 당뇨병에서 고혈압의 직접적인 영향을 입증하였는데, 유전적으로 고혈압을 유발하는 본태성 고혈압 쥐[Spontaneous hypertensive rat (SHR)]에 스트렙토조토신을 투여하여 당뇨를 유발한 결과 대조군에 비하여 단백뇨의 증가와 당뇨병성 사구체 병변의 악화를 보였으며 고혈압을 동반하지 않는 당뇨쥐와 비교하여 현저한 가속화가 관찰되었다. 당뇨에서 고혈압은 콩팥에서의 RAAS 항진, 자동 조절 기전의 손상을 유발하고 콩팥에서의 염증 및 산화 스트레스의 증가를 악화시켜 혈관 내피세포의 기능장애와 혈관수축을 가속화한다. 다수의 임상 연구에서 제1형 및 2형 당뇨병 환자에서 혈압을 조절하는 치료가 단백뇨를 억제하고 콩팥기능의 악화를 늦출 수 있다고 보고하였다.

당뇨병 환자에서 혈압의 정확한 치료 목표는 아직 논란이 있으나 당뇨병콩팥병 환자를 포함한 임상연구들을 기반으로 2018년 발표된 유럽 심장학회와 고혈압학회에서는 당뇨병 환자에서 130/80 mmHG 이하, 고령자(연령이 65세 이상인 경우)에서는 수축기 혈압을 130~140 mmHg로 조절하도록 하고 있으며, 2020년 미국 당뇨병 학회(American Diabetes Association)에서는 혈압 목표를 140/90 mmHg 미만, 알부민뇨가 300mg/day 이상, 심혈관 질환 합병의 위험도가 높은 환자에서는 130/80 mmHg 미만으로 권고하고 있다. 2021년 최근 발표된 국제신장학회(Kidney Disease Improvement Global Outcome)에서는 당뇨 환자에서 알부민뇨의 유무와 상관없이 심혈관 합병증을 예방하기 위해 수축기 혈압을 120 mmHg 이하로 유지하도록 권고하고 있으나 개인별 혈압 측정방법의 차이를 고려하지 않아 임상 적용에 한계가 있다. 국내 학회에서도 이러한 임상근거를 바탕으로 당뇨병 환자에서 심혈관 질환이 동반되거나 신병증이 동반된 환자에서 130/80 mmHg 미만을 목표로 권하고 있다. 주의해야 할 사항은 환자의 연령이나 기저 사구체여과율에 따른 개별화된 혈압 목표를 세워야 한다는 것이다.

Angiotensin converting enzyme (ACE) 억제제나 Angiotensin II Receptor Blockers (ARB)는 당뇨병콩팥병의 진행에 중추적인 역할을 하는 RAAS 억제제로 당뇨병콩팥병 환자에서 우선적으로 선택해야 한다. RAAS 억제제의 효과는 당뇨의 종류와 당뇨병콩팥병의 단계에 따라 다소 다르게 나타난다. 정상 알부민뇨 및 정상 혈압을 보이는 제1형 당뇨 환자에서 RAAS 억제제는 당뇨병콩팥병의 진행을 억제하지 못했다. 대표적으로 Diabetic Retinopathy Candesartan Trial (DIRECT)-Prevent 1,

DIRECT-Protect 1의 임상 연구 결과에서 4.7년의 추적 기간 동안 candesartan의 치료는 미세알부민뇨의 발생을 예방하지 못했다. 하지만, 알부민뇨와 현성 단백뇨를 동반한 경우에는 RAAS 억제제의 효과가 제1형 당뇨 환자에서도 의미 있게 관찰된다. ACE억제제 captopril의 치료는 미세알부민뇨를 보이는 정상 혈압의 제1형 당뇨환자에서 8년간의 추적기간 동안 미세알부민뇨 배설의 감소와 사구체여과율의 호전 효과를 보였으며, 거대알부민뇨를 보이면서 고혈압을 동반한 제1형 당뇨환자에서는 치료하지 않은 군과 비교하여 4년의 추적 기간 동안 알부민뇨 배설량의 감소 및 콩팥 기능의 악화를 늦추는 효과를 보여줬다. 정상 알부민뇨를 보이는 제2형 당뇨 환자에서 RAAS 억제제의 효과는 연구마다 다르게 보고되고 있는데, Micro-Heart Outcomes Prevention Evaluation (HOPE) 연구에서는 정상 알부민뇨를 보이는 환자에서 ramipril 치료는 미세알부민뇨로의 진행을 예방하지는 못했으나 Bergamo Nephrologic Diabetes Complications Trial (BENEDICT) 연구에서는 trandolapril 치료가 대조군에 비교하여 알부민뇨의 발생을 효과적으로 예방하였다. Randomized Olmesartan and Diabetes Microalbuminuria Prevention (ROADMAP) 연구는 정상 알부민뇨를 보이면서 고혈압을 동반한 제2형 당뇨 환자에서 olmesartan의 치료를 대조군과 비교하였는데, 치료군에서 미세알부민뇨로의 진행하는 환자가 더 적었으며(8.2% 대 9.8%) 미세알부민뇨가 합병되는 시기를 23% 지연시켰다. 미세알부민뇨를 보이는 환자에서 현성 단백뇨로의 진행을 예방하는 효과는 Effect of Irbesartan in the Development of Diabetic Nephropathy in Patients With T2DM (IRMA-2) 연구에서 발표되었다. 미세알부민뇨를 보이는 제2형 당뇨 환자에서 irbesartan 150mg, 300mg를 위약군과 비교하여 2년간 추적한 결과 알부빈뇨의 배설 감소가 150mg 군에서 24%, 300mg 군에서 38%로 관찰되었으며, 위약군에서는 2%만 감소를 보였다. 현성 단백뇨를 보이는 제2형 당뇨병콩팥병에서 혈압의 유무과 상관없이 RAAS 억제의 효과를 입증한 연구가 The Irbesartan Diabetic Nephropathy Trial (IDNT) 와 Reduction of Endpoints in NIDDM with the Angiotensin II

Antagonist Losartan (RENAAL) 연구이다. IDNT에는 irbesartan, amlodipine 및 위약을 고혈압을 동반한 현성 단백뇨를 보이는 제2형 당뇨환자에게 투여하였으며, 2.6년 후 추적 결과 혈청 크레아티닌이 2배로 증가된 환자는 irbesartan 투여군에서 대조군보다 33% 적었으며 amlo-dipine 투여군보다 37% 적었다. 투석을 시작한 환자도 irbesartan 투여군에서 다른 군보다 23% 적었다. RENAAL 연구에서는 losartan을 다른 항고혈압제제와 비교하여 투여한 결과 3.4년의 추적 기간 동안 혈청 크레아티닌이 2배로 증가된 환자는 losartan 치료군에서 대조군과 비교하여 25% 감소, 투석을 시작한 환자도 투석을 시작한 환자도 28% 감소하였으며 혈청 크레아티닌 수치가 2배로 증가 후에도 ARB 차단제를 유지한 경우 투석의 시작시기를 6개월 정도 지연시킬 수 있었다. 이 두 연구의 의의는 현저한 단백뇨를 보이는 콩팥 기능이 감소되어 있는 제2형 당뇨 환자에서 ARB가 콩팥합병증을 예방하는 효과를 보였다는 점이다. ACE 억제제나 ARB간의 당뇨병콩팥병의 치료 효과 면에서 큰 차이를 보이지 않으며, 칼슘통로차단제, 베타 차단제, 알파 차단제 등 다른 항고혈압제보다 더 우월한 효과를 나타낸다. 대부분의 연구에서 보인 바와 같이 고혈압은 대개 한 가지 약제로 조절되지 않는 경우가 흔하다. 모든 계열의 약물을 각각 병합하여 장기적인 콩팥 보호 효과를 본 위한 연구는 아직 많지 않다. RAAS 억제제와 칼슘통로차단제, 이뇨제 중에서 두 가지 약제를 병용하는 경우 비교적 좋은 결과를 보이며 이 중 RAAS 억제제를 칼슘통로차단제와 병용할 때 이뇨제와 병용하는 경우보다 우월하다는 보고가 있다. RAAS 억제제를 시작할 때는 치료 후 2주에서 4주 내에 혈압, 혈청 크레아티닌 및 혈중 칼륨의 추적이 필요하며, 혈청 크레아티닌이 기저치 대비 30% 이내로 상승하고 혈중 칼륨이 5.5 mEq/L 이상 증가하지 않으면 약제를 중단할 필요는 없다. 관련된 부작용을 평가하면서 용량을 최대용량까지 증량하도록 하며, 만약 부작용으로 최대용량을 유지할 수 없다면 적은 용량이라도 유지하는 것이 권고된다. 사구체 여과율이 계속 감소하는 환자에서 RAAS 억제제를 중단해야 하는 시기에 대하여 정해진 바가 없으나, 최근 관찰 연구에서

RAAS 억제제의 중단이 만성 콩팥병(사구체 여과율 <30 mL/min/1.73m²)에서 심혈관 합병증의 증가를 유발시킬 수 있다고 보고되고 있다.

RAAS 억제의 효과를 강화시키기 위한 ACE 억제제와 ARB의 병용요법, 레닌 억제제(direct renin inhibitor, DRI)의 병용은 현재 권고되지 않는다. 제2형 당뇨 환자에서 진행된 ACE 억제제와 ARB 차단제 병용요법의 임상 연구인 Ongoing Telmisartan Alone and in Combination With Ramipril Global Endpoint (ONTARGET)에서는 병용 요법 환자에서 크레아티닌 상승, 투석 시작이 더 흔하게 관찰되었으며 Veterans Affairs Nephropathy in Diabetes (VA NEPHRON-D)는 병용 요법으로 오히려 급성 신손상 및 고칼륨혈증의 위험도가 증가하여 연구가 조기 종료되었다. DRI인 Aliskiren을 이용한 연구인 Aliskrien Trial in T2DM Using Cardio-Renal Endpoints (ALTI-TUDE)는 ACE 억제제나 ARB 중 한 가지 약물과 Aliskiren의 병용투여군과 ACE 억제제나 ARB 차단제 단독투여군간 비교한 연구로 중간 분석단계에서 급성 신손상과 고칼륨혈증의 위험도 증가하고 이익 효과가 보이지 않아 조기종료 되었다.

미네랄코르티코이드 수용체 길항제도 당뇨병콩팥병에서 콩팥 보호 효과를 보인다. spironolactone 또는 eplerenone을 투여한 소규모의 연구에서 제1형 및 2형 당뇨환자에서 단독 또는 ACE억제제나 ARB와 병용했을 때 알부민뇨 감소가 보였으며, 최근 발표된 대규모 임상 3상 연구인 FIDELIO-DKD(The Finerenone in Reducing Kidney Failure and Disease Progression in Diabetic Kidney Disease) 연구 및 FIGARO-DKD (Reducing Cardio-vascular Mortality and Morbidity in Diabetic Kidney Disease) 연구에서는 콩팥 기능이 저하된 제2형 당뇨환자에서 RAAS 억제제와 선택적 비스테로이드 미네랄코르티코이드 길항제인 finerenone을 병용하여 사구체여과율의 40% 이상 감소, 투석, 사망의 콩팥 합병증 등 신장합병증을 의미 있게 감소하였으며, 심혈관계 합병증을 유의하게 감소시켰다. 하지만 병용군에서 심각한 고칼륨혈증이 더 흔하게 관찰되어 4형 신세관산증이 합병되기 쉬운 당뇨 환

자에서 미네랄코르티코이드 수용체 길항제를 처방하는 경우 반드시 고칼륨혈증에 대한 주의가 필요하겠다.

이상지혈증의 조절

당뇨 환자에서 혈당 조절이 잘 되지 않을 경우, 혈청 중성 지방이 증가하고 고밀도 지단백(high density lipoprotein, HDL) 콜레스테롤은 감소하며, 크기가 작고 밀도가 높은 저밀도 지단백(low density lipoprotein, LDL) 콜레스테롤이 증가하는 양상의 이상지혈증이 관찰된다. 이상지혈증의 결과로 혈관 내 죽상경화증과 동맥경화가 촉진되며 심혈관, 뇌혈관 및 말초 혈관질환의 위험 인자가 된다. 다수의 당뇨병 모델을 이용한 실험 연구에서 이상지혈증과 고혈당이 직접적으로 콩팥 손상을 유발하며, 콩팥에 축적된 지방산의 산화 증가 및 지질독성이 당뇨병콩팥병의 진행에 기여한다고 보고하였다. 이러한 이유로 이상지혈증의 예방 및 치료를 위해서 엄격한 혈당 조절과 운동 및 식이요법을 동반한 생활습관 변화가 병행되야 하며 치료 목표에 도달하지 못하는 경우 약물치료를 시작하여야 한다. 스타틴은 LDL 콜레스테롤을 효과적으로 낮출 수 있는 약물로 실험 연구에서 콩팥에서의 염증 반응과 섬유화 반응을 감소시키는 것으로 알려져 있으나 실제 환자에서 당뇨병콩팥병에 대한 개선효과는 확실하지 않다. 당뇨병콩팥병 환자에서 스타틴을 사용한 임상 연구를 대상으로 한 메타분석에서, 30 mg/day 이상의 알부민뇨를 동반한 제2형 당뇨 환자에서 단백뇨 배설 감소효과를 보였으나 사구체 여과율 변화와 관련성은 없었다. 당뇨 및 비당뇨인 진행성 만성 콩팥병 환자를 대상으로 한 SHARP (Study of Heart and Renal Protection) 연구에서도 콩팥 합병증의 사후 분석결과를 보면 사구체여과율 감소율을 개선시키지 못했으며 투석 시작을 지연시키지 못했다. 당뇨병콩팥병을 예방하거나 치료하기 위한 혈청 콜레스테롤 및 중성지방 목표에 대한 임상 연구가 부족하나 심혈관 합병증을 예방하기 위한 임상 연구를 근거로 치료 목표를 제시하고 있으며, 관련된 치료 목표 및 약물 요법은 당뇨병콩팥병의 심혈관

합병증 파트에서 다루고 있다.

기타 약물치료

다음으로 당뇨병콩팥병의 발생 기전을 겨냥하여 개발되었으며 잠재적인 콩팥 보호 효과가 있어 임상 연구까지 진행된 약물을 소개한다.

1. NF-E2-related factor 2 activator

Nrf2 (Transcription factor NFE2-related factor 2)로 항산화 유전자의 유도발현에 영향을 주는 전사인자로 항산화 및 항염증 작용을 일으킨다. Bardoxolone methyl은 Nrf2의 조절인자인 Kelshi-like ECH-association protein 1 (Keap1)과 결합하여 Nrf2의 활성화를 유발한다. 2011년, 사구체 여과율이 20에서 40 mL/min/1.72m²로 낮은 제2형 당뇨 환자에서 2상 연구가 진행되었으며, 사구체 여과율의 의미있는 개선효과가 있어 3상으로 진행되었으나 심부전으로 인한 입원과 사망률을 증가시켜 조기 종료되었다. 일본에서 심부전이 합병되지 않은 만성 콩팥병 3에서 4단계의 당뇨환자에서 연구를 진행하여 사구체 여과율의 개선을 확인하여 2018년부터 3상이 진행 중이다.

2. Endothelin receptor antagonists

콩팥에서 Endothelin-1의 증가는 콩팥 내 혈관수축과 발세포의 구조적 변화, 염증 및 섬유화 반응을 유발하여 당뇨 환자에서 당뇨병콩팥병의 진행을 악화시키는 역할을 한다. 비선택적인 endothelin 수용체 차단제인 avosentan이 먼저 개발되어 3상 임상연구 중 부작용으로 수분 저류가 빈번하게 관찰되어 조기 종료되고 난 후, 선택적인 endothelin A 수용체 길항제인 Atrasentan 이 개발되었다. 2020년 발표된 3상 연구인 SONAR 연구에서는 사구체 여과율 25~75 mL/min/1.72m²이며 거대알부민뇨가 동반된 제2형 당뇨환자를 대상으로 Atrasentan을 투여하였으며,

2.2년간의 기간 동안 콩팥 기능의 악화나 투석시작의 위험률이 감소하였으며 심각한 수분저류는 대조군 대비 발생하지 않았다.

3. Xanthine Oxidase inhibitors

고요산혈증과 당뇨병콩팥병의 연관성은 실험연구에서 이미 보고되어 있으며, xanthine oxidase 억제제가 실험연구에서 신장의 염증 반응 및 산화스트레스를 호전시키는 것으로 알려져 있다. 임상 연구에서 당뇨병콩팥병이 동반된 제2형 당뇨 환자에서 allopurinol 100 mg의 투여는 알부민뇨 및 사구체여과율의 개선시켰다. 일본에서 진행된 febuxostat 연구인 FEATHER 연구는 총 443명의 제2형 당뇨 환자를 대상으로 하였는데 febuxostat 40 mg 투여군에서 사구체여과율의 개선은 보이지 않았다. 아직 당뇨병콩팥병에서 적정 혈중 요산 목표는 정해지지 않았다.

4. Phosphodiesterase inhibitors

Pentoxifylline (1,200 mg/day) 은 만성 콩팥병 3 및 4단계의 제2형 당뇨 환자 169명을 대상으로 한 PREDIAN 연구에서 투여군에서 알부민뇨를 의미있게 감소시켰으며, 콩팥 기능의 악화를 지연시켰다. CTP-499는 pentoxifylline의 활성 대사제로 당뇨병콩팥병의 개선에 강화된 효과가 있을 것으로 기대중으로 2016년 1상까지 진행되었다.

5. Selective Vitamin D receptor activators

VITAL 연구에서 제2형 당뇨 환자에 2 ug paricalcitol의 투여를 통한 선택적인 vitamin D 수용체의 활성화는 RAAS 억제제와 함께 병용시 알부민뇨를 대조군에 비교하여 의미있게 감소시켰다. Cholecalciferol도 63명의 소규모 연구에서 알부민을 개선시키는 효과를 보였다.

6. 항염증 및 항산화 약제

당뇨병콩팥병의 진행에서 염증 반응을 유발하는 chemokine인 Monocyte chemoattractant protein 1 (MCP-1)와 MCP-1의 수용체인 C-C chemokine receptor 2 (CCR2)와 CCR5를 겨냥한 길항제인 PF-04634817 및 CCR2의 선택적 길항제 CCX 140-B는 제2형 당뇨 환자를 대상으로 한 2상 시험에서 의미있게 알부민뇨를 감소시켰다. 항산화효과를 보이는 colchicine, N-Acetylcysteine을 이용한 3상 연구 및 nicotinamide adenine dinucleotide (NAPDH) oxidase를 억제하는 선택적 억제제인 경구 GKT137831과 광범위 억제제인 APX-115가 현재 제2형 당뇨 환자에서 2상 임상 시험을 진행 중이다. Apoptosis Signaling-Regulating Kinase 1 (ASK-1) 억제제인 Selonsertib은 제2형 당뇨 환자에서 2상 연구의 결과로 알부민뇨의 감소 효과는 보이지 못했으나, 사구체여과율의 감소를 둔화시키는 효과를 보였다.

7. 그 외 약제

Janus Kinase (JAK)1와 JAK2 억제제인 Baricitinib, Galectin-3 길항제, Advanced glycated end product (AGE) 형성 inhibitor인 pyridoxamine, 항섬유화제제인 Pirfenidone 등 모두 2상에서 제2형 당뇨병 환자에서 알부민뇨를 개선시켰다.

결론

당뇨병콩팥병을 예방하고 치료하기 위해서는 엄격한 혈당과 혈압 조절이 필요하며, RAAS 억제제를 우선적으로 선택하여 진행을 적극적으로 억제하는 것이 무엇보다 중요하다. 당뇨의 기전과 관련된 혈관 합병증의 기전이 꾸준히 밝혀지고 있으나 아직까지는 단기간의 소규모 임상 연구에서의 결과라서 향후 발병 기전을 겨냥한 안전하고 적용 가능한 신약 치료제가 대규모 임상연구를 통해 검증을 받아

서 RAAS 억제제에 병합(add-on) 요법으로 제시할 수 있
기를 기대한다.

▶ 참고 문헌

- AASK Collaborative Research Group; Intensive blood-pressure control in hypertensive chronic kidney disease. N Engl J Med 363:918-929, 2010.
- Arnold JM, et al: Prevention of Heart Failure in Patients in the Heart Outcomes Prevention Evaluation (HOPE) S tudy. Circulation 107:1284-1290, 2003.
- Brenner BM, et al: Effects of losartan on renal and cardiovascular outcomes in patients with type 2 diabetes and nephropathy. N Engl J Med. 345:861-869, 2001.
- George L Bakris, et al: Effect of Finerenone on Chronic Kidney Disease Outcomes in Type 2 Diabetes. N Engl J Med 383:2219-2229, 2020.
- Kidney Disease: Improving Global Outcomes (KDIGO) Diabetes Work Group; KDIGO 2020 Clinical Practice Guideline for Diabetes Management in Chronic Kidney Disease. Kidney Int 98:S1-S115, 2020.
- Lewis EJ, et al: Renoprotective effect of the angiotensin-receptor antagonist irbesartan in patients with nephropathy due to type 2 diabetes. N Engl J Med 345:851-860, 2001.
- Lewis EJ, et al: The effect of angiotensin-converting-enzyme inhibition on diabetic nephropathy. The Collaborative Study Group. N. Engl. J Med. 329:1456-1462, 1993.
- Mathiesen ER, et al; Randomised controlled trial of long term efficacy of captopril on preservation of kidney function in normotensive patients with insulin dependent diabetes and microalbuminuria. BMJ 319:24-5, 1999.
- Parving HH, et al: The effect of irbesartan on the development of diabetic nephropathy in patients with type 2 diabetes. N Engl J Med 345:870-878, 2001.
- US Prospective Diabetes Study Group: Tight blood pressure control and risk of macrovascular and microvascular complications in type 2 diabetes: UKPDS 38. BMJ. 317:703-713, 1998.
- Yamazaki T, et al. Treatment of Diabetic Kidney Disease: Current and Future. Diabetes Metab J 45:11-26, 2021.

CHAPTER

06 합병증과 말기신부전

이소영 (차의대)

KEY POINTS

- 당뇨병콩팥병 합병 시 심혈관질환 발생 위험율이 2.5배 이상 높아진다.
- 혈압의 조절, 베타차단제, 지질저하약물의 사용은 당뇨병 환자 또는 만성콩팥병 환자에 대한 권고사항을 따른다.
- 만성콩팥병 3b기 이상의 당뇨 환자에서 심혈관 질환 이차 예방을 위한 저용량의 아스피린 사용이 권고되며 일차 예방을 위해 사용할 경우 출혈 위험 인자가 없어야 한다.
- 당뇨병 말기신질환자에서 조기 투석의 생존 이득은 없다.
- 당뇨병 말기신질환자에서 혈액투석과 복막투석 간에 생존율은 차이가 없다.
- 당뇨병 말기신질환자에서 신장이식은 투석 치료에 비해 생존율이 높을 뿐 아니라 합병증의 진행, 환자의 삶의 질 면에서도 우수한 결과를 보인다.

당뇨병 관련 합병증은 여러 장기에 영향을 주어 다양한 질환의 발생과 사망에 기여한다. 표 6-6-1에 당뇨병 관련 합병증과 포괄적 관리 지침을 요약하였다. 당뇨병콩팥병 환자는 여러 당뇨병 관련 합병증을 동시에 가지고 있는 경우가 많고 더욱 심한 양상으로 나타나기도 한다. 이들에서는 감소된 신기능으로 인해 약물 치료에서도 주의가 필요하다.

심혈관 합병증

당뇨병과 만성콩팥병은 모두 심혈관 질환의 주요한 위험 인자이다. DCCT-EDIC (Diabetes Control and Complication Trial and Epidemiology of Diabetes Intervention and complication trial) 연구에서는 당뇨환자가 당뇨병콩팥병 합병시 심혈관 질환 발생 위험율이 2.5배 이상 높아진다고 보고하였다.

1. 관상동맥질환의 치료

당뇨병콩팥병 환자는 관상동맥심장병의 유병률이 높고 발생 시 나쁜 예후를 보인다. ERBP (European Renal Best Practice) 가이드라인에서는 당뇨가 있는 3b기 이상의 만성콩팥병 환자의 관상동맥질환 치료에 대해 안정적 관상

표 6-6-1. 당뇨병 관련 합병증 및 관리

당뇨병 관련 합병증	관리
미세혈관 합병증	자가 혈당 관리
안과질환: 망막병, 황반부종	당화혈색소 연 2-4회 측정
신경병: 감각, 운동, 자율신경	매년 당뇨 관리에 대한 환자 교육
신병증	매년 의학적 영양 관리 교육
대혈관 합병증	매년 또는 2년마다 눈검진
관상동맥질환	발검진: 연 1~2회 의료인 검진 및 매일 자가 검진
말초혈관질환	매년 알부민뇨, 사구체 여과율, 혈청 지질 검사
뇌혈관질환	분기별 혈압 측정
기타	인플루엔자, 폐렴구균, B형 간염 예방접종
위장관 및 배뇨생식기 기능 이상	
피부질환, 감염질환	
백내장, 녹내장	
손관절병, 치주질환, 난청 등	

동맥질환, ST분절 상승과 비 ST분절 상승 심근경색증에 따라 다음과 같이 권고하고 있다.

안정적 관상동맥심장병의 경우 약물 치료를 유지하되 심허혈부위가 크거나 왼쪽 주관상동맥의 심한 협착 또는 왼쪽 주관상동맥의 근위부 병변이 의심된다면 관상동맥 우회술(coronary artery bypass graft, GABG)을 고려해야 한다. ST분절 상승 심근경색증 발생 시 섬유소용해약물 치료가 아닌 관상동맥 성형술(percutenous coronary intervention, PCI)을 빠른 시간 내에 시행하여야 한다. 비 ST분절 상승 심근경색증 발생 시 적극적 약물 치료와 조기 침습적 치료(early invasive strategy, 4~48시간 이내 혈관조영술 시행)가 권고된다. 그러나 신부전 초기 환자의 경우 비ST분절 상승 심근경색증환자에서 조기 침습적 치료를 시행하는 것이 명백한 이득을 보이지만 진행된 신부전 환자의 경우 이러한 이득이 감소하기 때문에 조영제 사용 후 신장 기능 저하 위험성과 비교하여 혈관조영술을 계획하여야 한다. Syntax 점수는 관상동맥의 복잡성을 수치화한 것인데 Syntax 점수 22 초과이거나 여러 관상동맥혈관에 걸쳐 병변이 있다면 경피하 관상동맥 성형술보다는 관상동맥 우회술이 선호된다. 주의해야 할 점은 3b기 이상의 당뇨병 만성콩팥병 환자에서 조영제 사용에 의한 신기능 감소를 우려하여 관상동맥 조영술 검사를 무조건 피해서는 안 된다는 점이다.

2. 심혈관 질환 위험 인자 관리

RAAS (renin angiotensin aldosteron system) 억제제는 당뇨병콩팥병의 진행을 억제하고 심장질환 예방에도 효과가 있지만 신기능 감소, 고칼륨혈증의 부작용이 있어 진행된 만성콩팥병 환자에서 사용에 주의가 필요하다. 당뇨병콩팥병 환자에서 ACE (angiotensin converting enzyme) 억제제와 ARB (angiotein II receptor blocker)의 효과를 보고한 50개의 연구를 메타 분석한 결과 최대 용량의 ACE 억제제를 사용한 그룹에서만 유의한 생존 이익(RR 0.78, 95% CI 0.61-0.98)이 나타났다. 이를 근거로 ERBP 가이드라인에서는 당뇨가 있는 3b기 이상의 만성콩팥병 환자가 심부전, 허혈성 심장질환이 있을 경우 ACE 억제제를 최대 용량으로 투여하라고 권고하고 있다. ARB를 투여한 연구들에서 심혈관 질환 발생이나 사망 억제 효과가 뚜렷하지 않았으므로 심혈관 질환 예방 목적으로 ACE 억제

표6-6-2. 스타틴 강도에 따른 분류

고강도	중등강도	저강도
LDL-C 50% 이상 감소	LDL-C 30~50 % 감소	LDL-C 30% 미만 감소
Atorvastatin 40~80 mg Rosuvastatin 20~40 mg	Atorvastatin 10~20 mg Rosuvastatin 5~10 mg Simvastatin 20~40 mg Pravastatin 40~80 mg Lovastatin 40 mg Fluvastatin 80 mg XL Fluvastatin 40mg bid Pitavastatin 2~4 mg	Simvastatin 10 mg Pravastatin 10~20 mg Lovastatin 20 mg Fluvastatin 20~40 mg Pitavastatin 1mg

제 6 부 당뇨병콩팥병

제 대신 ARB를 투여하는 것은 현재 근거가 부족하다. Ramipril과 Telmisartan을 함께 투여하였던 ONTARGET 연구에서 오히려 사망률이 증가하는 결과를 보고하였으므로 여러 종류의 RAAS 억제제 복합 투여를 하지 않도록 권고되고 있다. 만성콩팥병 5기로 진행한 환자에서 RAAS 억제제를 중단하는 것에 대해서는 결론이 나지 않은 상태이지만 신대체요법의 사용을 미루어 보는 목적으로 중단해 볼 수 있다.

혈압의 조절, 베타차단제, 지질저하약물의 사용에 대한 당뇨병 만성콩팥병 3b기 이상의 환자를 대상으로 한 연구가 부족하므로 당뇨 환자 또는 만성콩팥병 환자에 대한 권고사항을 따르게 된다. 당뇨가 있는 만성콩팥병 3b기 이상의 환자가 심부전이 동반되어 있다면 일반적인 심부전 환자와 마찬가지로 베타차단제의 사용이 생존 이득이 있을 것으로 생각되며 친유성 선택적 베타차단제 사용이 권고된다.

2018 한국 이상지혈증 치료지침에 따르면 당뇨병 환자는 고위험군으로 분류되나 표적장기 손상이 있을 경우 위험도를 상향 조정할 수 있다고 하였다. 2018 ACC/AHA (American collage of cardiology/american heart association) 가이드라인에 의하면 40세 이상의 당뇨 환자는 혈중 콜레스테롤 농도와 관계없이 중등강도 이상의 스타틴 치료 대상자로 분류된다. 이는 당뇨환자가 일생 동안 심혈관

질환 발생 고위험군인 점을 고려한 것이다. 특히, 당뇨 환자에서 당뇨병콩팥병이 병발된 경우(하루 알부민뇨 30 mcg 이상 또는 사구체 여과율 60 mL/min/1.73m² 이하)는 심혈관 질환 발생 위험도가 더욱 높아지므로 고강도 스타틴 치료가 권고된다(표 6-6-2). 2019 ESC/EAS (The European Society of Cardiology and European Atherosclerosis Society) 가이드라인에서는 당뇨병콩팥병과 같이 표적기관손상이 있는 당뇨환자를 초고위험군(very high risk group)으로 분류하고 혈중 LDL 콜레스테롤 목표치를 기저 농도의 50% 이하이면서 절대값 55 mg/dL 이하로 제시하였다. SAHARP (Study of Heart and Renal Protection) 에는 2,094명의 당뇨 환자가 포함되어 있었는데 대조군에 비해 simvastatin 20mg, ezetimibe 10mg 복합체를 투여받은 군에서 주요 동맥경화질환(관상동맥질환으로 인한 사망, 심근경색, 비출혈성 뇌경색, 혈관 재개통) 발생 위험율이 17% 감소하였다(위험도 0.83, 신뢰구간 0.74-0.94). KDOQI (the Kidney Disease Outcomes Quality Initiative) 가이드라인에서는 만성콩팥병이 있거나 신이식을 받은 당뇨 환자에게 스타틴 단독 또는 스타틴과 ezetimibe 복합 치료를 권고하고 있다.

당뇨가 있는 만성콩팥병 3b-5기의 환자에서는 스타틴 치료를 시작 할 수 있으나 5D기로 진행한 경우 시작하지 않도록 권고되고 있다. 이는 투석환자를 대상으로 한 연구

에서 스타틴 투여가 의미 있는 효과를 보이지 않았기 때문이다. 그러나 만성콩팥병 5D기 환자에서 기존 스타틴의 투여 중지에 대해서는 논란이 있고 실제 임상에서는 대부분의 당뇨가 있는 투석 환자가 이미 스타틴을 복용 중인 경우가 많다. 사구체 여과율 30~60 mL/min/1.73m²인 환자를 대상으로 한 연구에서 피브레이트 치료는 혈중 지질 개선 효과와(총콜레스테롤과 중성지방 감소, HDL 콜레스테롤 증가) 심혈관질환으로 인한 사망률을 의미있게 감소시켰다. 따라서 피브레이트는 스타틴 복용이 어려운 당뇨병콩팥병 환자에서 이상지혈증 치료제으로 대체되어 사용될 수 있으나 피브레이트 사용 초기에 혈청 크레아티닌 상승이 나타날 수 있으므로 사구체 여과율 30 mL/min/1.73m² 이상인 환자에서 소량으로 시작하는 것이 안전하다.

당뇨병콩팥병 환자는 심혈관질환의 위험도 높지만 신기능 저하시 요독성 혈액응고장애도 함께 나타나므로 항혈소판제제의 사용에 어려움이 있다. Palmer 등은 만성콩팥병 환자를 대상으로 한 연구들을 사후 분석하였는데 만성콩팥병 3b기 이상의 당뇨병콩팥병 환자에서 급성 관상 동맥 증후군 발생시 glycoprotein IIb/IIIa 억제제의 사용이 명백한 이득은 없이 출혈을 증가시켰다고 보고하였다. 또한 안정적 심혈관 질환자 또는 심혈관 질환이 없는 환자에서 항혈소판 제제의 사용시 사망률 감소 효과는 미미하였으며 대신 출혈 경향이 증가하였다. 또한 Dasgupta 등은 당뇨병콩팥병이 있는 2형 당뇨 환자에서 2제 항혈소판제(clopidogrel 과 아스피린) 투여 시 사망률이 증가하였다고 보고하였다. JPAD (Japanese Primary Prevention of Atherosclerosis and Aspirin for Diabetes) 연구는 심혈관 질환 과거력이 없는 2,439명의 2형 당뇨 환자에게 저용량의 아스피린(81~100mg)을 투여하였는데 하위 그룹 분석 결과 사구체 여과율 60 mL/min/1.73m² 이하인 환자에서는 임상적 이득이 없었다. ERBP 가이드라인에서는 만성콩팥병 3b기 이상의 당뇨 환자에서 심혈관 질환 과거력이 있을 때 이차 예방을 위한 저용량의 아스피린 사용이 권고되고 있으며 부작용 등으로 아스피린 복용이 어려울 경우 clopidogrel을 대신 사용할 수 있다.

안과 합병증

당뇨병은 망막, 수정체, 각막 등 눈의 모든 조직에 이상을 초래할 수 전신 질환이며, 실제로 60% 정도의 당뇨병환자가 당뇨병성 망막병증, 백내장 또는 녹내장 등의 눈의 이상을 가진다. 당뇨병성 망막병증은 콩팥병, 신경병증과 함께 미세혈관합병증의 하나로 유병기간이 길수록 혈당조절이 불량할수록 발생률이 높아진다. 당뇨병콩팥병과 망막병증은 연관성이 높아 당뇨병콩팥병과 망막병증이 함께 발생하는 경우는 1형 당뇨에서는 약 90% 이상, 2형 당뇨에서는 약 50~60% 라고 보고된 바 있다. 당뇨병성 망막병증의 다른 위험 인자들은 흡연, 이상지혈증, 고혈압이며 1형 당뇨병 환자에서는 사춘기, 임신시에도 망막병증이 악화된다고 알려져 있다. 시력의 보존을 위해서 당뇨병성 망막병증 및 황반변성 등 안과 합병증의 조기 발견 및 치료가 중요하다.

당뇨병성 신경병증

가장 흔한 말초신경병증으로 비외상성 사지절단의 주요한 원인이다. 고혈당의 정도와 노출기간이 유병율과 관계된다. 당뇨병콩팥병은 당뇨병성 신경병증의 위험인자이며 다른 위험 인자로는 나이, 체중, 흡연, 고혈압, 이상 지질혈증, 당뇨병성 망막병증이 알려져 있다. 원위부대칭성다발성신경병증(distal symmetric polyneuropathy), 자율신경병증(autonomic neurpathy)이 가장 흔한 형태이며 여러 가지 유형의 증상이 동시에 같이 나타나는 경우도 있다. 자율신경기능 장애로 발생하는 체위성 저혈압은 혈액투석 치료 도중 또는 치료 종료 후 더욱 심한 양상으로 나타날 수 있다. α1 수용체 작용제인 midodrine을 투석 전 투여할 수 있으나 심한 심장질환, 요저류, 갑상선중독증, 크롬친화세포종 환자에게는 금기이다. 혈액투석 시 저혈압이 반복된다면 복막투석으로 전환해 볼 수 있다. 위무력증은 위장관 자율신경계 이상으로 나타나며 복부불편감, 식욕부진, 복부 팽만감을 호소하거나 아무런 증상이 없을 수

표 6-6-3. 신기능 저하시 pregabalin 과 gabapentin 최대 권장 용량

사구체 여과율 (mL/min/1.73m²)	최대 권장 용량	
	Pregabalin	Gabapentin
30~59	150 mg 하루 두 번 100 mg 하루 세 번	700 mg 하루 두 번
15~29	75 mg 하루 두 번 50 mg 하루 세 번	700 mg 하루 한 번
< 15	75 mg 하루 한 번	300 mg 하루 한 번
혈액 투석 후 보충	75~150 mg 투석 후	100~300 mg 투석 후

제 6 부 당뇨병콩팥병

도 있다. 약물 흡수에 영향을 주기 때문에 신이식 후 면역억제제 혈중 농도를 변화시킬 수 있다. Metoclopromide, domperidone, erythromycin, betanechol 등을 투여해 볼 수 있으며 위궤양보다는 위산 분비 저하로 인한 위축성 위염이 잘 발생한다. 당뇨병성 신경병증에서 나타나는 신경병증성 통증 치료의 약제인 pregabalin, gabapentin은 신장을 통해 배설되므로 신기능이 감소된 환자에서 사용에 주의하여야 한다. 표 6-6-3은 Rowland-Tozer 방법을 이용하여 신기능 저하자에서 pregabalin과 gabapentin의 최대 복용량을 제시한 것이다.

빈혈

당뇨병콩팥병 환자는 다른 원인으로 인한 만성콩팥병 환자에 비해 초기에 더 심한 강도로 빈혈이 발생한다고 알려져 있다. 당뇨병콩팥병에서 빈혈이 생기는 기전으로 자율신경계 이상으로 인한 산소분압 감지력 감소, 당뇨성 혈관질환으로 인한 골수 허혈, RAAS 억제제 사용, 염증성 사이토카인 상승으로 인한 erythropoietin 저항성 등이 알려져 있다. 당뇨병콩팥병 환자의 빈혈 관리 및 치료는 만성콩팥병 환자의 진료 지침에 따른다.

말기신질환

당뇨병콩팥병이 진행하여 만성콩팥병 5기가 되면 말기신질환자로 분류되며 혈액투석, 복막투석, 신이식과 같은 신대체 요법이 필요하다. 당뇨병콩팥병 환자라고 하여 조기투석을 할 필요는 없다. IDEAL 연구에서 전체 말기신부전 환자 분석 및 당뇨환자 대상 하위 그룹 분석 결과 조기 투석의 생존이득을 증명하지 못하였으므로 당뇨병콩팥병에 의한 말기신부전 환자는 다른 말기신부전 환자와 마찬가지로 조절되지 않는 요독증상을 보일 때 신대체 요법 대상자가 된다. 그러나 당뇨병성 신경병증, 위무력증 등과 같은 만성 당뇨 합병증이 요독 증상과 비슷하여 비당뇨 환자에 비해 적절한 투석 시작 시점을 정하는 것에 어려움이 있다.

투석 치료를 받는 당뇨병콩팥병 환자는 당뇨가 없는 투석 치료 환자에 비해 사망률이 높으며 관상동맥질환과 뇌혈관질환이 주요 사망 원인이다. 지금까지 전체 투석 치료 환자를 대상으로 두 가지 투석 방법 간의 생존율을 분석한 연구들의 결과는 서로 일치하지 않는다. 그러나 총괄적으로는 혈액투석 환자와 복막투석 환자간에 생존율의 차이가 없다고 알려져 있다. 2020 우리나라 신대체 요법 현황 보고서에 따르면 2010년 이전에 높았던 복막투석환자의 사망률이 2010년 이후 꾸준히 낮아져 혈액투석환자와 비슷한 사망률을 보인다. USRDS (United States Renal

Data System)의 연례 보고서에서도 2009년에 비해 2018년 투석 환자의 사망률이 1,000명의 환자-년당 192.9명에서 164.6으로 약 15% 감소하였으며 특히 복막 투석 환자의 사망률이 1,000명의 환자-년당 164.2명에서 131.5명으로 20% 정도 월등한 감소를 보였다. 지속적인 기술 향상, 환자 교육, 감염율 감소가 최근 복막투석치료를 하는 당뇨환자와 비당뇨환자의 생존율 증가에 기여하였을 것으로 생각된다. 따라서 의료진은 신대체요법이 필요한 당뇨병콩팥병 환자에게 선입견 없이 혈액투석, 복막투석에 대한 정보를 제공하고 환자의 상태와 선호도에 따라 선택할 수 있게 하여야 한다.

1. 혈액투석

혈액투석 치료를 받는 당뇨병콩팥병 환자들은 비당뇨환자에 비해 저혈압 발생 빈도가 약 20% 정도 많고 투석간 체중 증가도 약 30~50% 가량 더 많아 투석 중 저혈압 발생에 더욱 기여한다. ERBP 가이드라인에서는 혈액투석 치료를 받는 당뇨환자에게 저유량 투석막 보다는 고유량 투석막을 사용하도록 권고하고 있는데 이는 고위험 환자에서 고유량 투석막 사용시 사망률이 감소하였던 MPO (membrane permiability outcome) 연구를 기반으로 한 것이다. 당뇨병콩팥병으로 인해 혈액투석 치료를 받는 환자들만을 위한 혈관접근로 생성에 대한 지침은 없으나 다른 혈액투석 환자와 마찬가지로 이중도관카테터의 사용이 감염율, 사망률과 관계가 높을 것으로 예상되므로 미리 혈관접근로를 준비하여 혈액투석을 시작할 수 있도록 하여야 한다.

2. 복막투석

복막투석은 혈액투석에 비해 초여과 속도가 느리므로 투석 중 심혈관 질환 악화 및 저혈압 발생률이 적다. 복막투석액에 포도당이 함유되어 있어 하루 100~200 g 정도의 포도당이 체내로 흡수되어 혈당 상승에 기여하므로 당뇨병콩팥병 환자에게 복막투석 적용 시와 복막 투석 처방

변경시 혈당 검사 및 혈당 강하제 용량 조절이 필요하다. 복막 내 인슐린 투여를 통해 혈당 조절을 시도해 볼 수 있으나 도관 내 인슐린의 흡착 및 감염 위험으로 인해 잘 사용되지는 않는다. 포도당이 포함되어 있지 않은 복막 투석액(예: icodextrin) 사용시 고혈당과 포도당 분해 산물에 의한 부작용을 피할 수 있고 대신 삼투압을 오랫동안 유지하여 초여과율을 높힐 수 있는 장점이 있다. 그러나 icodextrin 의 대사산물 중 일부가 혈당 측정기의 포도당 탈수수효소에 의해 분해되어 혈당을 과대평가 할 수 있다.

3. 신장이식

당뇨병 말기신질환자에서 신장이식은 투석 치료에 비해 생존율이 월등히 높을 뿐 아니라 합병증의 진행, 환자의 삶의 질 면에서도 우수한 결과를 보인다. USRDS 연례 보고서에 따르면 당뇨환자의 5년 생존율은 투석 치료를 유지하는 경우 29%, 뇌사자신이식을 하는 경우 75%, 생체신이식을 하는 경우 85%이다. 따라서 당뇨병환자에서도 금기증이 없는 한 신이식을 우선적으로 고려해야 한다. 다만 당뇨 환자는 비당뇨 환자에 비해 신이식 후 심혈관 합병증에 의한 사망이 유의하게 높으므로 이식 전 심혈관계질환의 철저한 평가가 필요하다.

1형 당뇨 환자의 경우 생체 신이식 단독, 신-췌장 동시 이식, 또는 순차 신-췌장 이식, 즉 생체 신이식 후 뇌사자 췌장 이식을 시행할 수 있다. 국외 임상 연구에서는 신-췌장 동시 이식의 경우 1년 환자 생존율 90% 이상이며 80% 이상에서 이식신이 생존하고 70% 이상에서는 더 이상 인슐린 주사가 필요하지 않게 되었다고 보고하였다. 신-췌장 동시 이식의 경우 수술 전후 사망률이 다소 높지만 장기간 추적 관찰 시 단독 신이식보다 높은 생존율과 높은 이식신 생존율을 보인다고 보고되었으나 이후 차이가 없거나 반대의 결과를 보고하는 임상 연구도 발표되었다. Poommipaint 등은 순차 신-췌장 이식이 신-췌장 동시 이식보다 입원 기간이 짧고 높은 환자 생존율과 높은 이식신 생존율, 낮은 이식 췌장 생존율을 보인다고 보고하였다. 신이식 후 췌장 소도 이식은 생존 이득에 대한 근거가 없어

현재 권고되고 있지 않다. 따라서, ERBP 가이드라인에서는 생체 신장 공여자가 있다면 단독 생체 신이식을 먼저 시행하고 후에 뇌사자 췌장 이식을, 생체 신장 공여자가 없으면 뇌사자 신-췌장 동시 이식을, 심혈관계 질환이 동반되어 있거나 수술 위험도가 높다면 단독 뇌사자 신이식을 계획하도록 권고한다. 2형 당뇨병 환자는 인슐린 저항성으로 인해 혈당 상승이 발생하므로, 췌장 이식은 권고되지 않는다. 그러나 인슐린 저항성이 낮은 55세 이하 2형 당뇨병 환자를 선별하여 신-췌장 동시 이식 시행시 1형 당뇨 환자에서와 비슷한 생존율과 이식신 생존율을 보이고 혈당 조절에서도 이득이 있다고 보고되었다.

▶ 참고문헌

- 대한당뇨병학회: 당뇨병학. 5판. 범문에듀케이션. 2017.
- Christina M Papageorge, et al: Expanding access to pancreas transplantation for type 2 diabetes mellitus. Curr Opin Organ Transplant. Jun 18. online ahead of print. 2021.
- DM Nathan, et al: Intensive diabetes treatment and cardiovascular disease in patients with type 1 diabetes. N Engl J Med. 353:2643-2653, 2005.
- Guideline development group: Clinical Practice Guideline on management of patients with diabetes and chronic kidney disease stage 3b or higher (eGFR <45 mL/min) Nephrol Dial Transplant 30:Suppl 2:ii1-142, 2015.
- J. Larry Jameson et al: Harrison's Principles of Internal Medicine. 20th ed. McGraw-Hill Professional. 2018.
- Lan H de Boer et al: Executive summary of the 2020 KDIGO Diabetes Management in CKD Guideline: evidence-based advances in monitoring and treatment. Kidney Int. 98:839-848, 2020.
- Mach F, et al. 2019 ESC/EAS Guidelines for the management of dyslipidaemias: lipid modification to reduce cardiovascular risk. Eur Heart J 41:111-188, 2020.
- National Kidney Foundation: KDOQI Clinical Practice Guideline for Diabetes and CKD: 2012 Update. Am J Kidney Dis 60:850-86, 2012.
- System URD. Annual Data Report. Bethesda, Md: National Institutes of Health, National Institute of Diabetes and Digestive and Kidney Diseases 2002.

제 6 부 당뇨병콩팥병

PART 07 고혈압과 신장, 신혈관 질환

김수완 (전남의대)

CHAPTER 01 본태고혈압 발병기전

조종태 (단국의대)

KEY POINTS

- 고혈압 발병기전으로 과도한 염분 섭취에 의한 심박출량 증가와 혈압 상승은 시간이 경과하면서 말초혈관저항의 증가로 고혈압이 지속된다. 이는 교감신경계 및 호르몬 경로를 통한 간접 작용뿐만 아니라 소듐이 혈관내피세포에 직접 작용하여 이루어질 수 있다.

- 본태고혈압에서 교감신경계 역할과 관련하여 최근에는 유전과 교감신경계 경로(genetic-neurobiology pathway), 교감신경계와 염증 및 면역 경로(sympathetic-inflammatory and immune pathway) 등의 연구가 이루어지고 있다.

- 내피세포 기능장애와 고혈압은 순차적(sequential) 관계보다는 서로 악순환(vicious cycle)을 초래하는 순환적(cyclical) 관계로 보인다.

- 고혈압 발병에 유전적 요인이 중요하지만 유전 방식은 복합적이고 여러 인자에 의해 영향을 받으므로 고혈압 발병기전을 규명하기 위해 omics (genomics, epigenomics, transcriptomics, proteomics, and metabolomics) 등을 활용한 연구가 진행되고 있다.

- 고혈압과 면역 기전의 정확한 인과관계는 아직 불분명하지만 고혈압 발병에 면역 기전과 염증 및 산화 스트레스의 역할을 뒷받침하는 연구 결과들이 발표되고 있다.

대부분(90~95%)의 고혈압은 특정 원인 질환 없이 발생하는 것으로 알려져 있고 흔히 본태고혈압(essential hypertension) 혹은 일차고혈압(primary hypertension)이라 불린다. 고혈압은 심박출량 증가나 말초혈관저항의 상승에 의해 발생하므로 이론적으로 이러한 두 가지 변수에 영향을 줄 수 있는 여러 인자 중에서 한 가지 이상이 존재하면 발생할 수 있다(그림 7-1-1). 이와 같은 고혈압 발생에 관여하는 본태고혈압 발병기전(pathogenesis of essential hypertension)으로 신장, 호르몬, 신경계, 심장 및 혈관 기전이 존재한다.

신장 기전(Renal mechanism)

과도한 염분 섭취 및 잔류는 체액량을 증가시키고 심박출량을 크게 하여 고혈압을 초래할 수 있다. 소듐이 혈압을 상승시키는 효과는 주로 염화소듐(sodium chloride) 형태의 염분에 의한 것이고 비염화소듐 형태의 염분(non-

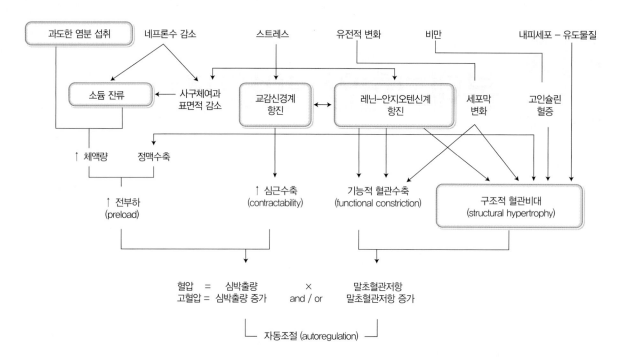

그림 7-1-1. 혈압 조절에 관여하는 인자

chloride salts of sodium)과는 별로 관련이 없다.

1. 과도한 염분 섭취(Excess salt intake)

역학조사(epidemiological survey)에 의하면 염분 섭취와 고혈압은 그 정도가 크지는 않지만 의미있는 상관관계가 있다. 중재연구(interventional study)에서도 항상 그런 것은 아니지만 염분 섭취 제한이 혈압을 낮출 수 있다. 여러 연구에 의하면 저염식은 고혈압 환자의 50~75%에서 유의하게 혈압을 하강시키고 정상 혈압인 사람에서는 25~40%에서 유의하게 혈압을 하강시키며 반대로 고염식은 혈압을 상승시킨다. 사람에서 이러한 염분민감성(salt sensitivity)이라는 현상이 존재한다는 것에 대해서는 별 이론이 없다. 염분민감성은 흑인, 노령, 비만, 당뇨병, 신기능장애, 사이클로스포린(cyclosporine) 사용 환자 등에서 빈도가 높다. 임상적으로 미세알부민뇨, nocturnal non-dipper 등의 소견을 보일 수 있으며 심혈관계 사건(cardiovascular events) 빈도가 3배 이상 높다. 또한 염분민감성

이 있으면 비록 현재는 혈압이 정상이더라도 10년 후 고혈압 발생률이 더 높다.

현대인의 과도한 염분 섭취는 최근 수백 년 동안 식생활 변화에 의해 형성되었다. 구석기 시대와 현대 미국인의 식단를 비교한 자료에 의하면 구석기 시대의 하루 소듐 섭취량은 0.69그램으로 염분으로 1.7그램에 불과하다. 그러나 현대 미국인의 하루 소듐 섭취량은 2.3~6.9그램이고 염분으로는 6~17그램으로 구석기 시대보다 3~10배나 많이 섭취한다. 이러한 사실을 근거로 염분민감성은 인류 진화과정에서 유전적 적응(genomic adaptation)의 결과라는 가설이 있다. 인류가 장구한 기간 동안 소듐 섭취량이 적은 환경에 있었고 이에 적응하기 위하여 소듐 잔류 기전(sodium retention mechanism)이 발달하고 소듐 배설 기전(sodium excretion mechanism)은 발달하지 못하는 방식으로 진화하였는데 현대 인류처럼 염분을 많이 섭취하는 환경에 노출되면 소듐 잔류와 고혈압이 발생하게 된다는 것이다.

2. 신장 소듐 잔류(Renal sodium retention)

신장이 본태고혈압의 주요 원인이라는 주장은 오래전부터 있었지만 입증되지 않았다. 그러던 중에 신장이 본태고혈압의 주요 원인이라는 주장을 인정하게 된 결정적인 계기는 1974년 신장교차이식연구(kidney cross-transplantation study)이다. 본태고혈압의 동물 모델인 본태고혈압 쥐(spontaneously hypertensive rats; SHR)의 신장을 정상 혈압 쥐에 이식하면 고혈압이 발생하고, 반대로 정상 혈압 쥐의 신장을 고혈압 쥐에 이식하면 고혈압이 없어진다. 고혈압이 신장과 함께 이동한다는 것이다. 1983년에는 사람에서도 신장이식 후에 본태고혈압이 좋아진다는 보고가 있었다. 본태고혈압으로 인해 신경화증(nephrosclerosis)과 신부전이 발생하여 정상 혈압인 사람으로부터 신장이식을 받은 6명의 흑인에서 본태고혈압이 없어졌다는 것이다.

신장이 본태고혈압 발병에 관여하는 병태생리 기전으로 스탈링(Starling)은 체액량과 혈압이 밀접하게 연관되어 있다는 이론을 제시하였고, 용적과부하(volume overload)에 의해 고혈압(체액량의존고혈압; volume-dependent hypertension)이 발생한다는 것이다. 1972년 Guyton은 신장에서 소듐 배설과 체액량, 그리고 혈압의 연관성을 설명하는 혈압나트륨배설현상(pressure natriuresis phenomenon)을 제시하였다. 정상적으로 혈압이 갑자기 상승하면 신장에서 소듐 배설이 증가하고 체액량이 감소하여 혈압이 정상으로 돌아오는 정상적인 혈압나트륨배설(pressure natriuresis) 곡선을 보인다. 그러나 고혈압 환자는 신장에서 소듐 배설 장애가 있어서 소듐 배설에 더 높은 혈압이 필요하여 혈압나트륨배설 곡선이 우측으로 이동한다는 것이다(그림 7-1-2). 가령 정상적으로 신장에서 소듐 잔류가 없으면 염분 섭취 증가에 의해 체액량이 증가하거나 말초혈관수축으로 혈압이 상승하더라도 혈압나트륨배설현상에 의해 혈압은 정상으로 돌아와서 고혈압이 지속되지 않지만, 신장의 소듐 배설 장애가 동반되어 있으면 혈압나트륨배설 곡선의 우측 이동에 의해 고혈압이 지속된다.

신장의 소듐 배설 장애는 그 자체로 용적과부하와 심박출량 증가로 혈압이 상승할 뿐만 아니라 혈압나트륨배설

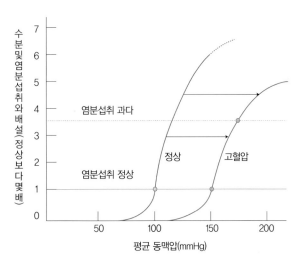

그림 7-1-2. 정상 및 고혈압 환자에서 혈압나트륨배설현상

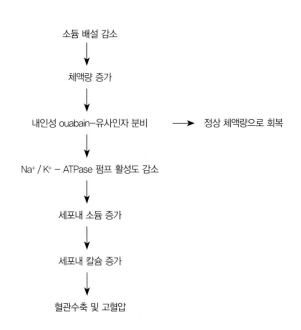

그림 7-1-3. 소듐 잔류가 고혈압을 유지시키는 기전

곡선의 우측 이동에 의해 고혈압이 지속된다. 또한 혈관 평활근(smooth muscle) 세포막에 있는 소듐/포타슘 ATP 분해효소(Na^+/K^+-ATPase) 펌프를 억제하여 세포내 소듐과 칼슘이 증가하고 그 결과 혈관수축이 발생하여 고혈압이 지속 또는 악화된다(그림 7-1-3).

본태고혈압에서 소듐 잔류의 원인은 첫째, 소듐 배설에 관여하는 유전자 변이, 둘째, 네프론(nephron) 수의 선천

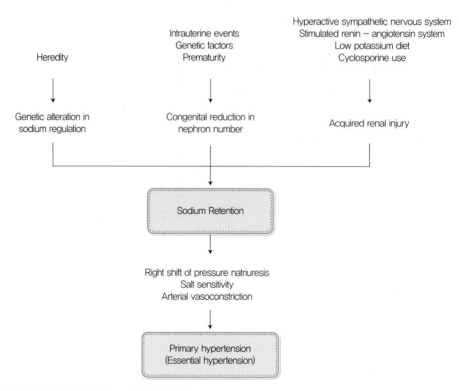

그림 7-1-4. 본태고혈압의 발병기전으로 작용하는 소듐 잔류의 원인

적 감소, 셋째, 교감신경계 활성화, 레닌-안지오텐신계
(renin-angiotensin system; RAS) 활성화, 저포타슘 음
식, 사이클로스포린 사용 등으로 발생한 신혈관수축에 의
한 후천적 신손상 등으로 대별할 수 있다(그림 7-1-4).

1) 소듐 배설에 관여하는 유전자 변이

멘델의 법칙으로 유전되는 고혈압과 저혈압 환자의 분
자유전학 연구 결과를 보면 미네랄코티코이드(mineralo-
corticoid) 호르몬 관련 돌연변이(mutation), 미네랄코티코
이드 수용체 관련 돌연변이, 신장이온통로(renal ion
channel) 돌연변이 등이다. 모든 경우에서 궁극적으로는
신장 소듐 재흡수와 배설에 관련되는 것이다.

신장 소듐 재흡수와 배설에 관련되는 신장이온통로는
① 바터증후군(Bartter's syndrome)과 관련 있는 furose-
mide 작용 부위인 헨레고리(loop of Henle)의 TAL (thick
ascending limb)에 있는 NKCC2 (sodium potassium 2
chloride) 통로(bumetanide sensitive cotransporter;

BSC), ② 지텔맨증후군(Gitelman's syndrome)과 관련 있
는 thiazide 작용 부위인 DCT (distal convoluted tubule)
에 있는 NCC (sodium chloride cotranporter) 통로(thia-
zide sensitive cotransporter; TSC), ③ 리들증후군(Liddle'
s syndrome)과 관련 있는 CCT (cortical collecting
tubule)에 있는 ENaC (epithelial sodium channel) 등이
있다. 그밖에 미네랄코티코이드 호르몬 관련 돌연변이와
미네랄코티코이드 수용체 관련 돌연변이도 결국에는
ENaC과 연관된다.

멘델의 법칙으로 유전되는 고혈압은 전체 고혈압 환자
의 극히 일부에 해당하기 때문에 전체 인구를 대상으로
하는 본태고혈압 유전자 연구가 필요하다. 그러나 본태고
혈압의 유전은 여러 유전자가 관여하는 효과(polygenic
effect)로 인해 일부 유전자 변이만으로 혈압 변이를 충분
히 반영하기 어렵다. 또한 본태고혈압에서 유전자 발현은
환경 요인과 행동 양식의 상호 작용(epigenetics)에 영향을
많이 받기 때문에 전체 인구를 대상으로 하는 본태고혈압

유전자 연구는 일관된 결과를 얻기 어렵다. 그러나 현재까지 나온 결과들을 보면 최종 공통 경로는 적어도 부분적이라도 신장 소듐 재흡수와 배설 장애와 연관된다. 예를 들면 안지오텐시노젠(angiotensinogen)이나 안지오텐신전환효소(angiotensin converting enzyme; ACE) 유전자 돌연변이와 다형성(polymorphism)에 의한 안지오텐신 II 자극은 근위세관(proximal tubule)에 있는 소듐−수소 교환체(Na$^+$−H$^+$ exchanger type3; NHE3)를 통해 염분 잔류가 발생한다. 교감신경계의 활성화도 안지오텐신 II 자극을 통하거나 직접 NHE3 활성화를 통해 염분 잔류가 발생한다. 신장 소듐 재흡수와 배설은 NHE3, BSC, TSC, ENaC과 같은 세관내 소듐 수송체(luminal sodium transporter) 뿐만 아니라 기저외측 소듐 펌프(basolateral sodium pump)도 관련 있다. 가령 알파 아덕신(adducin) 유전자 돌연변이와 다형성은 기저외측 소듐 펌프를 통해 염분 잔류가 발생한다.

2) 네프론 수의 선천적 감소

네프론 수 감소가 고혈압과 신부전의 원인이 될 수 있다는 주장이 있다. 이러한 네프론 수 감소가 본태고혈압의 원인이 될 수도 있겠다는 Brenner 가설을 입증하기 위하여, 사고사한 10명의 본태고혈압 환자와 10명의 정상 혈압 대조군의 신장에서 사구체 수와 용적을 비교한 연구 결과에 의하면 본태고혈압 환자의 사구체 수는 약 70만 개로 대조군 약 140만 개보다 절반 정도였고, 사구체 용적은 대조군보다 두 배가 넘었다. 그 기전으로 태아 프로그래밍(fetal programming)이 제시되고 있다. 자궁내 환경, 유전적 요인, 미숙(prematurity) 등이 선천적으로 네프론 수 감소를 초래하고, 성인이 되어 사구체 고혈압, 사구체비대, 사구체경화증, 네프론 수의 후천적 감소, 염분 잔류로 이어지면서 고혈압이 발생한다는 것이다.

3) 후천적 신손상

부검이나 생검을 시행한 거의 모든 고혈압 환자에서 사구체전세동맥경화증(preglomerular arteriolosclerosis)과 요세관간질 변화(tubulointerstitial change)가 관찰된다. 이러한 세동맥경화증은 다른 장기보다 신장에서 일관되게 관찰된다. 이러한 신장의 미세혈관질환(renal microvascular disease)이 고혈압의 원인이 된다는 Goldblatt 가설을 시험하기 위해 Goldblatt's two−kidney one−clip model로 고혈압 발생을 입증했다. 이러한 모형의 신동맥협착은 신장의 미세혈관질환과 동일하지는 않지만 신장의 미세혈관질환도 신동맥협착과 마찬가지로 신허혈(renal ischemia)을 초래하고 그 결과 고혈압이 발생할 것이라고 설명했다.

Johnson 등은 동물실험으로 세동맥경화증과 요세관간질 변화를 만들고 염분민감성 고혈압이 발생함을 보여주었다. 즉 안지오텐신 II를 2주 동안 정상 혈압 쥐에게 투여하면 일시적으로 고혈압이 발생하지만 투여를 중단하면 혈압은 정상으로 돌아온다. 그러나 신생검을 해보면 세동맥경화증과 요세관간질 변화가 관찰되고, 고염식을 투여하면 고혈압이 발생하고 저염식을 투여하면 정상 혈압을 보이는 염분민감성이 관찰된다. 대조군에서는 고염식을 투여해도 혈압은 정상이었다. 따라서 고혈압 발병기전은 교감신경계 활성화, 레닌−안지오텐신계 활성화, 사이클로스포린 사용 등으로 신혈관수축이 생기고, 그로 인해 후천적 신손상과 소듐 잔류가 초래된다. 그 결과 혈압나트륨배설 곡선의 우측 이동, 염분민감성 및 고혈압이 발생한다는 것이다.

레닌-안지오텐신계 (Renin-angiotensin system)

레닌−안지오텐신−알도스테론계는 주로 안지오텐신II의 혈관수축과 알도스테론의 염분 잔류에 의해 혈압을 조절하는 역할을 한다. 가령 치밀반(macula densa)에 인접한 헨레고리의 TAL 부위에 염분 전달의 감소(탈수), 신장 들세동맥(afferent arteriole) 압력의 감소(저혈압), 교감신경계 항진 등과 같은 레닌 분비 자극들에 의해 레닌−안지오텐신계가 항진된다. 레닌−안지오텐신계의 최종 산물인 안지오텐신 II는 1형안지오텐신 II수용체(AT1)를 통해 혈관 평활근과 부신 피질 뿐만 아니라 심장, 신장, 중추신경계 및 자율신경계에 작용하여 결과적으로 혈압과 관련 있는 심

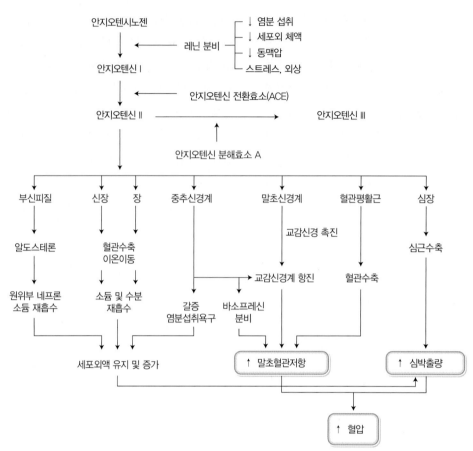

그림 7-1-5. 레닌-안지오텐신계 및 안지오텐신II의 작용

박출량과 말초혈관저항을 결정하는 4가지 주요 변수(전부하, 심근수축, 혈관수축, 혈관비대)에 관여한다(그림 7-1-5). 이러한 레닌-안지오텐신계가 부적절하게 활성화되면 고혈압을 초래할 수 있다. 레닌분비종양과 신혈관고혈압은 레닌의존고혈압(renin-dependent hypertension)의 대표적 사례이다.

본태고혈압에서 약 10~15%에서만 혈장레닌활성도(plasma renin activity; PRA)가 상승되어 있고 대부분은 PRA가 정상이거나 감소되어 있다. 이와 같은 현상은 일견 본태고혈압 발생에 있어서 레닌-안지오텐신계의 역할을 뒷받침하지 못하는 것으로 보일 수 있다. 그러나 일부 본태고혈압에서 PRA가 감소되어 있다 하더라도 이는 혈장에서 측정한 결과이지 조직에서 측정한 것이 아니고, 고혈압에서는 PRA가 감소되어 있어야 정상 생리현상으로 타당한 점을 감안하면 오히려 실제 임상에서 많은 경우에 PRA가 부적절하게 정상이거나 증가되어 있다는 것이다. 이와 같은 현상은 일부 허혈 상태에 있는 네프론이 국소적으로 과도한 레닌을 생성한다는 것으로 설명할 수 있다. 한편 레닌-안지오텐신-알도스테론계 활성도가 언제나 고혈압과 관련되는 것은 아니다. 가령 저염식, 탈수, 저혈압, 울혈성 심부전, 간경화 등이 대표적인 사례이다.

교감신경계
(Sympathetic nervous system)

스트레스, 체액 감소 및 혈압 하강 등에 의해 항진된 교감신경계는 레닌-안지오텐신계, 혈관, 심장, 신장 등에 작

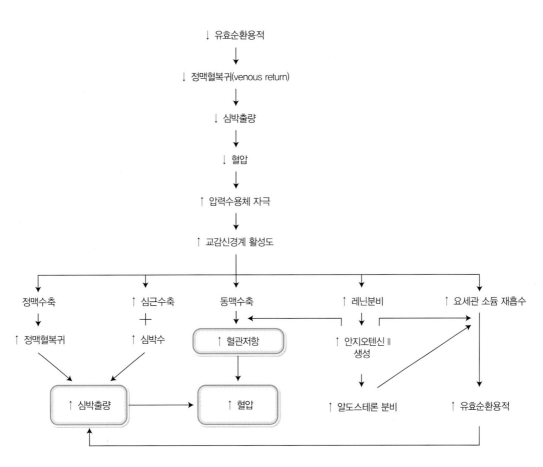

그림 7-1-6. 교감신경계의 작용

용하여 염분 및 체액 소실을 최소화하고 혈압을 유지한다. 가령 대동맥궁(aortic arch)과 목동맥팽대(carotid sinus)에 있는 동맥압력수용체(arterial baroreceptor)는 동맥압 변화를 감지하고 정맥계에 있는 심폐부피수용체(cardiopulmonary volume receptor)는 정맥계 확장 및 충만의 변화를 감지하여 뇌간에 있는 혈관운동중추(vasomotor center)에 신호를 전달하면 그곳에서 나오는 교감신경계 활성도를 조절하여 작용한다(그림 7-1-6). 이러한 교감신경계의 부적절한 항진은 심박출량과 말초혈관저항을 증가시킴으로서 고혈압을 유발할 수 있다. 종양에 의해 카테콜아민(catecholamine)이 과잉 생성되는 크롬친화세포종(pheochromocytoma)이 대표적인 예이다.

레닌-안지오텐신계와 마찬가지로 혈압이 상승되면 교감신경계 활성도는 감소되어야 한다. 그러나 대부분의 본태

고혈압 환자에서 혈장 에피네프린 농도는 정상이거나 약간 증가되어 있다. 또한 국소적인 신장 교감신경계 항진, 에피네프린 민감도 항진, 스트레스에 대한 간헐적 교감신경계 항진 등을 고려할 때 혈장 에피네프린 농도는 전체 교감신경계 활성도보다 과소평가되고 있다. 따라서 대부분 본태고혈압 환자의 교감신경계는 비정상적으로 항진되어 있다고 할 수 있다. 이에 대한 기전으로는 압력수용체 민감도 감소, 혈관에 의한 뇌줄기(brainstem) 압박, 스트레스와 이에 대한 과다반응(hyperreactivity), 유전적 소인 등이 있다. 교감신경계 항진은 본태고혈압 환자뿐만 아니라 비만이나 수면무호흡(sleep apnea)과 연관된 고혈압, 경계고혈압, 고혈압 가족력이 있는 정상 혈압인 사람 등에서도 관찰된다. 또한 본태고혈압 환자에게 교감신경차단제를 투여하거나 교감신경절제술 등에 의해 혈압이 정상화되는 현

상은 교감신경계 항진이 본태고혈압의 근본 원인이라고 단정할 수는 없지만 적어도 고혈압의 유지(maintenance)에 중요한 역할을 한다고 생각할 수 있다. 본태고혈압에서 교감신경계 역할과 관련하여 최근에는 유전과 교감신경계 경로(genetic-neurobiology pathway), 교감신경계와 염증 및 면역 경로(sympathetic-inflammatory and immune pathway) 등의 연구가 이루어지고 있다.

혈관 기전(Vascular mechanism)

고혈압은 심박출량 증가나 말초혈관저항의 상승에 의해 발생하므로 말초혈관저항에 영향을 줄 수 있는 요인이 존재하면 고혈압이 발생할 수 있다(그림 7-1-1).

1. 구조적 혈관 비대(Structural vascular hypertrophy)

구조적 혈관 비대는 고혈압의 원인(initiation)이 될수 있다. 또한 고혈압이 지속되면 합병증으로 혈관 손상이 발생하여 고혈압을 유지 및 악화시킬 수도 있다. 가령 안지오텐신II와 같은 물질이 혈압을 상승시키면(immediate pressor action) 안지오텐신II와 이로 인한 고혈압이 유전적 요인과 기타 혈관 비대 유발 요인들과 함께 혈관 비대를 초래하고 (slow hypertrophic effect) 그 결과 고혈압이 지속되고 악화된다. 따라서 고혈압 초기에는 고혈압 유발 요인이 드러날 수 있지만 고혈압이 어느 정도 진행되면 혈관 비대로 인한 효과가 커져서 상대적으로 고혈압 유발 요인은 간과되어 원인불명 즉 본태고혈압으로 분류되기 쉽다는 것이다.

만성 고혈압이 혈관 손상을 초래하는 세 가지 상호연관된 기전으로는 박동혈류(pulsatile flow), 내피세포 변화, 혈관 평활근 세포의 증식 및 재형성(remodeling) 등이 있다. 이러한 혈관 손상의 주요 병리소견은 동맥경화이다. 이와 같이 고혈압, 고지혈증, 노화 등에 의해 동맥이 손상을 받으면 혈관이 좁아지거나 강직(stiffness)되고 탄성

(compliance)이 떨어진다. 고혈압은 심박출량 증가나 말초혈관저항 상승에 의해 발생하고 심박출량 증가는 일회박출량(stroke volume)이나 심박수 증가에 의해 발생한다. 이중에서 심박수나 말초혈관저항이 상승하면 수축기 및 이완기 혈압이 모두 상승하지만 일회박출량이 증가하거나 동맥 탄성이 감소하면 수축기 혈압이 주로 상승한다. 동맥 탄성은 말초혈관저항과 동의어는 아니다. 가령 말초혈관저항은 혈관내 직경 4제곱에 반비례하므로 혈관내 직경에 변화가 없으면 말초혈관저항이 증가하지 않고도 동맥 탄성이 감소할 수 있다. 그 결과 평균 혈압은 변하지 않고 맥압(pulse pressure)은 증가하여 수축기 고혈압과 이완기 저혈압을 초래할 수 있다.

2. 내피세포 기능장애(Endothelial dysfunction)

혈관내피세포는 혈액과 혈관 평활근 세포 사이에 장벽으로서의 기능과 혈전 형성 및 예방, 혈액 내 여러 물질의 제거 및 활성화, 혈관 비대 및 섬유화 등에 주요한 역할을 할 뿐만 아니라 혈관저항과 혈류를 조절하는 핵심적인 역할을 수행한다. 혈관내피세포에서 생성되어 혈관저항과 혈류를 조절하는 물질로는 혈관확장 물질인 산화질소(nitric oxide), 프로스타싸이클린(prostacyclin), EDHF (endothelium-dependent hyperpolarization factor)와 혈관수축 물질인 엔도텔린(endothelin), 트롬복세인(thromboxane) A2, 프로스타글랜딘(prostaglandin) H2 등이 있다. 이러한 혈관작용 펩타이드(vasoactive peptide)가 고혈압의 병태생리에 관여하리라는 것이다. 가령 혈관확장 물질과 혈관수축 물질의 불균형으로 신장 및 전신 혈관저항이 증가하여 고혈압이 발생할 가능성과 고혈압에 의한 혈관내피세포 손상이 혈관내피세포에서 혈관작용 펩타이드를 비정상적으로 생성할 가능성 등이 제시되고 있다. 이러한 내피세포 기능장애와 고혈압은 순차적(sequential) 관계보다는 서로 악순환(vicious cycle)을 초래하는 순환적(cyclical) 관계로 보인다.

3. 혈관 평활근 세포막 변화(Cell membrane alterations)

고혈압이 있는 동물 및 사람에서 일차적으로 혈관 평활근 세포막에 변화가 있고 그 결과 비정상적 이온 이동으로 세포내 환경 변화를 초래하여 혈관수축과 세포증식이 유발될 수 있다. 고혈압 발병에 관여하는 것으로 생각되는 세포막 이온 운반 체계의 변화는 주로 혈관 평활근 세포와 관련되지만 이를 검사하기 위해 검체를 채취하는 데에 문제가 있기 때문에 대용으로 적혈구나 백혈구 등을 이용한다.

1) 소듐 펌프(sodium pump; Na+/K+-ATPase)

소듐 펌프는 세포내외의 소듐이온과 포타슘이온의 농도 경사를 일정하게 유지하는 역할을 한다. 가령 ouabain과 같은 물질에 의해 소듐 펌프가 억제되면 세포내 소듐 농도가 증가하고 소듐-칼슘 교환체(Na^+-Ca^{++} exchange)가 항진되어 세포내 칼슘 농도가 증가하고 그 결과 혈관수축과 고혈압이 발생할 수 있다. 고혈압 환자의 세포내 소듐 농도는 대부분 증가되어 있다. 본태고혈압 환자에서 소듐 펌프의 활성도는 감소되어 있다고 생각되지만 그렇지 않다는 보고도 있다. 또한 소듐 펌프의 활성도는 염분 섭취 정도와 인종에 따라 차이가 있다. 가령 저염식을 하면 소듐 펌프가 항진되고 흑인은 백인보다 소듐 펌프의 활성도가 낮다고 알려져 있다.

2) 소듐-수소 역방향운반(Na+-H+ antiport)

Na^+-H^+ antiport는 세포밖 소듐이온과 세포내 수소이온을 1:1 교환하고 그 결과 세포내 pH, 세포 부피 및 성장을 조절한다. 또한 세포내 소듐 농도가 증가하고 소듐-칼슘 교환체가 항진되어 세포내 칼슘 농도가 증가한다. 많은 고혈압 환자에서 Na^+-H^+ antiport가 항진되어 있다. Na^+-H^+ antiport가 항진되면 혈관 평활근 세포내 소듐과 칼슘 및 pH가 상승하여 혈관수축과 성장이 촉진되고 그 결과 말초혈관저항의 상승과 고혈압이 초래된다. 다른 한편으로는 근위세관 세포에서 소듐의 재흡수가 증가하여 소듐 잔류와 체액량 증가 및 고혈압이 초래된다.

3) 소듐-리튬 역방향수송(Na+-Li+ countertransport)

Na^+-Li^+ countertransport(SLC)는 Na^+-H^+ antiport와 유사하다. 그러나 Na^+-H^+ antiport는 amiloride에 의해 억제되지만 SLC는 amiloride에 의해 억제되지 않는다. 많은 고혈압 환자에서 SLC가 항진되어 있고 SLC가 항진되어 있는 환자에서 인슐린 저항성, 당뇨병, 고지혈증과 같은 대사장애의 빈도가 높다. SLC는 고혈압 환자에서 적혈구 소듐 수송(RBC sodium transport)을 측정할 수 있는 좋은 지표로 알려져 있다.

기타

1. 유전적 결정인자(Genetic determinants)

고혈압 발병에 유전적 결정인자는 많은 환자에서 중요한 것으로 생각되고 있다. 가령 흑인에서 고혈압은 더 흔하고 심하며 사망률과 말기신부전 발생빈도가 높다. 또한 전체 본태고혈압 환자의 약 70~80%에서 가족력이 있을 뿐만 아니라 부모 모두 고혈압이면 자녀의 고혈압 발병 위험도는 2.5배 증가하는 것으로 알려져 있다. 이러한 가족적인 발병 경향이 환경적 요인을 공유함으로서 나타날 수도 있지만 부부 사이나 양자(adopted children)에서는 낮게 관찰된다는 사실로 볼 때 유전적인 영향이 중요하다는 것을 알 수 있다.

유전 방식은 단일 유전자에 의한 것보다는 여러 유전자의 상호작용에 의한 것으로 생각된다. 즉 분자 수준에서 고혈압 유전자가 발현하여 여러 단계(세포, 조직, 장기, 전신)에서 각종 유전자와 환경적 요인이나 행동적 결정인자에 의해 영향을 받아서 고혈압이 발병한다는 것이다. 이를 규명하기 위해 최근에는 omics (genomics, epigenomics, transcriptomics, proteomics, and metabolomics) 등의 방법론을 활용한 연구가 진행되고 있다. 고혈압 관련 유전자 DNA 염기서열과 기능 연구(genomics), 환경적 요인 등에 의해 변형될 수 있는 유전자 발현에 관여하는 기전 연구(epigenomics), 유전자가 발현되는 순간의 RNA 전사물 연구(transcriptomics), 체내에서 변형되거나 생산되어 혈압 변화에 작용하는 단백질 연구(proteomics) 및 대사산물 연구(metabolomics) 등에 의해 얻어진 자료들을 통합하고 분석하여 혈압 조절과 고혈압 발병기전에 접근하고자 하는 시도이다.

2. 행동적 결정인자(Behavioral determinants)

과도한 염분 섭취 및 소듐 잔류에 의한 세포내 소듐 과잉 뿐만 아니라 세포내 포타슘 결핍은 세포내 칼슘을 증가시켜 혈관 평활근을 수축하고 혈압을 올린다. 소듐 과잉과 포타슘 결핍은 고혈압 발병기전의 행동적 결정인자로서 가장 중요한 부분이다. 과도한 열량 섭취 또한 고혈압 발병기전의 중요한 행동적 결정인자이다. 비만인 사람에서 고혈압이 더 많고 이는 주로 인슐린 저항성과 그로 인한 고인슐린혈증에 기인한다(대사증후군). 또한 비만이 동반되지 않는 인슐린 저항성 및 고인슐린혈증도 고혈압 발병에 관여하는 것으로 알려져 있다. 인슐린 저항성과 고인슐린혈증이 고혈압을 유발하는 기전으로 고인슐린혈증은 교감신경계를 항진시키고, 신장에서 소듐 재흡수를 증가시키며, 혈관 비대를 초래한다. 비만에서 교감신경계 항진은 지방 연소를 위한 보상 기전으로 설명되고 있고, 일부 비만 환자에서 동반되는 수면무호흡이 지속적인 교감신경계 항진을 초래할 수 있다.

3. 면역 기전, 염증, 산화 스트레스

고혈압 환자의 혈액에 자가항체가 증가되어 있고 면역 반응이 활성화되어 있으며 T림프구를 포함한 염증이 동반되어 있음이 알려져 있다. 이러한 염증과 혈관 늘임(vascular stretch), 안지오텐신II 및 염분 등은 반응산소종(reactive oxygen species; ROS)을 생성하여 T림프구를 변형하고 염증을 더욱 항진시킨다. 또한 ROS는 내인성 혈관확장물질의 효과를 약화시키고 실험동물에서 혈압나트륨배설

곡선을 변형하여 고혈압 발생에 기여한다. 이와 같이 고혈압 발병에 면역 기전과 염증의 역할을 뒷받침하는 많은 연구 결과가 있지만 정확한 인과관계(cause-effect relationship)는 아직 불분명하다.

▶ 참고문헌

- Adrogue HJ, et al: Sodium and potassium in the pathogenesis of hypertension. N Engl J Med 356:1966-1978, 2007.
- Arnett DK, et al: Omics of blood pressure and hypertension. Circ Res 122:1409-1419, 2018.
- Garfinkle MA: Salt and essential hypertension: pathobiology and implications for treatment. J Am Soc Hypertens 11:385-391, 2017.
- Grassi G, et al.: Evidence for a critical role of the sympathetic nervous system in hypertension. J Am Soc Hypertens 10:457-466, 2016.
- Johnson RJ, et al: Subtle acquired renal injury as a mechanism of salt-sensitive hypertension. N Engl J Med 346:913-923, 2002.
- Kotchen TA: Hypertensive vascular disease, in Harrison's Principles of Internal Medicine (vol. 2), edited by Jameson JL, et al, New York, 20th ed, McGraw Hill Education, 2018, pp1890-1894.
- Lifton RP, et al: Molecular mechanisms of human hypertension. Cell 104:545-556, 2001.
- Mattson DL: Immune mechanisms of salt-sensitive hypertension and renal end-organ damage. Nat Rev Nephrol 15:290-300, 2019.
- Mordi I, et al: Endothelial dysfunction in human essential hypertension. J Hypertens 34:1464-1472, 2016.
- Rodriguez-Iturbe B, et al: Pathophysiological mechanisms of salt-dependent hypertension. Am J Kidney Dis 50:655-672, 2007.
- Victor RG: Arterial hypertension, in Goldman-Cecil Medicine (vol. 1), edited by Goldman L, Schafer AI, Philadelphia, 26th ed. Elsevier Saunders, 2020, pp444.

CHAPTER
02 본태고혈압의 임상상 및 평가

김수완 (전남의대)

KEY POINTS

- 고혈압의 기준은 수축기 혈압이 140 mmHg 이상이거나 이완기 혈압이 90 mmHg 이상인 경우로 정의되며, 수축기혈압이 140~159 mmHg 또는 확장기혈압이 90~99 mmHg인 경우 '1기 고혈압' 그리고 수축기혈압이 160 mmHg 이상 또는 확장기혈압이 100 mmHg 이상인 경우 '2기 고혈압'으로 분류한다.
- 수축기 혈압과 확장기혈압 모두 120 mmHg과 80 mmHg 미만일 때를 정상혈압으로 분류한다. 수축기혈압이 120~129 mmHg 그리고 확장기혈압이 80 mmHg 미만일때는 주의혈압으로 분류한다. 고혈압전단계는 수축기혈압이 130~139 mmHg이거나 확장기혈압이 80~89 mmHg인 경우로 정의한다.

고혈압의 정의

현재 널리 받아들여지고 있는 고혈압의 기준은 수축기 혈압이 140 mmHg 이상이거나 이완기 혈압이 90 mmHg 이상인 경우로 정의 되며, 2회 이상 진료실을 방문하여 2회 이상 측정한 혈압의 평균값을 이용하여 고혈압의 유무를 정의한다. 이러한 정의는 고혈압 약을 복용하고 있지 않으며 급성질환을 앓고 있지 않은 성인에게 적용된다. 고혈압은 혈압의 높이에 따라 수축기혈압이 140~159 mmHg 또는 확장기혈압이 90~99 mmHg mmHg인 경우 '1기 고혈압' 그리고 수축기혈압이 160 mmHg 이상 또는 확장기혈압이 100 mmHg 이상인 경우 '2기 고혈압'으로 분류한다.

수축기 혈압과 확장기혈압 모두 120 mmHg과 80 mmHg 미만일 때를 정상혈압으로 분류한다. 수축기혈압이 120~129 mmHg 그리고 확장기혈압이 80 mmHg미만일때는 주의혈압으로 분류한다. 고혈압전단계는 수축기혈압이 130~139 mmHg이거나 확장기혈압이 80~89 mmHg인 경우로 정의한다(표 7-2-1). 또한 고립수축기고혈압(isolated systolic hypertension)은 이완기 혈압이 90 미만이면서 수축기만 140 mmHg 이상일 때를 의미하며, 고립이완기고혈압(isolated diastolic hypertension)은 수축기 혈압이 140 미만이면서 이완기는 90 mmHg이상일 때를 의미한다.

표 7-2-1. 고혈압의 정의와 분류

분류	수축기혈압(mmHg)		확장기혈압(mmHg)
정상혈압	<120	그리고	<80
주의혈압	120~129	그리고	<80
고혈압전단계	130~139	또는	80~89
고혈압 1기	140~159	또는	90~99
고혈압 2기	≥16	또는	90~99

고혈압의 원인별 분류

1. 본태고혈압

고혈압 환자의 80~95%는 본태고혈압으로 진단받는다. 본태고혈압의 병인은 잘 밝혀지지 않은 상태이다. 본태고혈압은 가족성 성향이 강하며 환경인자와 유전적 요인의 상호작용의 결과인 듯하다. 본태고혈압의 유병률은 나이에 따라 증가하며, 젊은 나이에 상대적으로 높은 혈압을 가진 사람들은 이후 고혈압이 발전될 위험이 증가한다. 본태고혈압은 여러 병태생리를 기전으로 하는 다양한 질환들에 의해 나타나는 것으로 보인다. 현재까지 고혈압의 발생에 기여하는 수많은 위험인자들이 알려져 있는데, ① 흑인(더 흔하고 더 심각하다), ② 모성, 부성 혹은 양쪽 모두의 유전적 소인, ③ 염분 과다 섭취(염분 제 한은 혈압을 낮춤), ④ 과다한 알콜 섭취, ⑤ 비만과 체중 증가, ⑥ 육체적 무활동(운동은 혈압을 낮추는 효과), ⑦ 이상지질혈증, ⑧ 특정 개별 성격(적대적인 성격이나 시간에 촉박한 성격, 우울증), ⑨ 비타민 D 결핍 등이 이에 속한다.

2. 이차고혈압의 원인

5~20%의 고혈압 환자들은 혈압을 높이는 특정한 기저질환이 확인 된다(표 7-2-2). 이차고혈압 또는 원인을 찾을 수 있는 기저질환에 의한 고혈압으로 흔한 원인은 다음과 같다. ① 일차 신장질환 −급성 혹은 만성 신장질환, 특히 사구체 혹은 혈관 이상이 흔하다. ② 경구 피임 약제 −대개 정상 범위 내에서 혈압을 상승시키지만 간혹 정상을 초과하기도 한다. ③ 약물 유발 −만성적인 NSAID 사용이나 많은 항우울제는 고혈압을 유발할 수 있으며 만성 음주나 알콜 남용도 혈압을 올린다. ④ 크롬친화세포종(Pheochromocytoma) −절반 이상이 일시적인 고혈압을 동반하며 나머지 중 대부분도 원발성 고혈압의 형태로 나 타난다. ⑤ 일차 알도스테론증 −고혈압, 설명되지 않는 저칼륨혈증, 대사 알칼리증이 있으면 일차 광물부신겉질호르몬 과다, 일차 알도스테론을 의심해야 한다. 칼륨은 정상일 때도 있으며 조절되지 않는 고혈압일 경우 일차 알도스테론증을 고려해야 한다. ⑥ 콩팥혈관질환 −전반적인 동맥경화가 있는 환자에서 흔히 발생한다. ⑦ 쿠싱증후군 −쿠싱증후군 환자에서 고혈압은 사망률의 주요 원인이다. ⑧ 다른 내분비적 이상 −갑상선기능저하증, 갑상선 기능항진증, 부갑상선기능항진증 등이 있다. ⑨ 폐쇄성 수면무호흡 −수면중 호흡장애도 전신적인 고혈압의 독립된 위험인자이다. ⑩ 대동맥축착증 −어린 소아에서 이차고혈압의 흔한 원인 질환이다.

유병률

국민건강영양조사(Korean National Health and Nutritional Examination Survey, KNHANES)에서는 검진 당시 수축기 혈압이 140 mmHg 이상 또는 이완기혈압이 90

표 7-2-2. 다양한 원인에 따른 이차고혈압과 임상 양상

원인 질환	임상 양상
이차고혈압을 의심해야하는 경우	- 중증 또는 불응성 고혈압 - 안정적인 상태에서 급격하게 혈압이 상승 - 사춘기 이전에 발병의 확인 - 가족력상 고혈압이나 비만이 없는 30세 미만의 고혈압 환자
신혈관성 질환 (Renovascular disease)	- 앤지오텐신 전환 효소 억제제 또는 앤지오텐신II 수용체 차단제 투여 후 혈청 크레아티닌이 최소 30% 이상 급격히 상승한 경우 - 미만성 죽상경화증, 일측성으로 신장의 크기가 작은 경우, 또는 다른 원인에 의해서는 설명할 수 없으면서 양쪽 신장의 크기가 1.5 cm 이상 차이나는 환자에서 중등도 이상의 고혈압이 관찰되는 경우 - 반복적으로 급성 폐부종(Recurrent episodes of flash pulmonary edema)가 관찰되는 중등도 이상의 고혈압 환자 - 55세 이후에 2단계 이상의 고혈압이 발생한 경우 - 수축기 또는 이완기에 복부 잡음(Abdominal bruit)이 들리는 경우 (민감도는 높지 않음)
일차 신질환 (Primary renal disease)	- 혈청 크레아티닌 수치의 증가 - 비정상 요분석 결과
경구 피임제 (Oral contraceptives)	- 약제 사용과 관련하여 일시적으로 혈압이 새롭게 상승
갈색세포종 (Pheochromocytoma)	- 혈압의 발작성 상승 - 두통, 심계항진, 발한의 세증후(Triad)
일차 알도스테론증 (Primary aldosteronism)	- 설명할 수 없는 저칼륨혈증에 동반된 요중 칼륨 배설 증가 (그러나 절반 이상의 환자는 혈중 칼륨 수치가 정상임)
쿠싱 증후군 (Cushing's syndrome)	- 월상안(Moon face), 중심성 비만, 근위부 근력 약화, 반상출혈(Ecchymosis) - 당질 스테로이드(Glucocorticoid) 사용의 기왕력
수면 무호흡증 (Sleep apnea syndrome)	- 수면 중 코골이가 심한 비만한 남성 - 주간에 졸음, 피로 등을 호소하며, 특히 아침에 심함
대동맥축착증 (Coarctation of aorta)	- 상지에서만 고혈압이 측정되며, 대퇴동맥 맥압은 감소하고, 하지 혈압은 낮거나 측정이 불가능 - 좌측 쇄골하 동맥(Subclavian artery)의 기시부가 축착된 곳보다 원위부이면 좌측 상완동맥(Brachial artery)의 혈압은 감소되어 대퇴동맥의 혈압과 동일
갑상선저하증 (Hypothyroidism)	- 갑상선 저하증의 증상을 동반 - 혈중 갑상선 자극 호르몬(Thyroid stimulating hormone) 수치가 상승
일차 부갑상선항진증 (Primary hyperparathyroidism)	- 혈청 칼슘 증가

mmHg 이상이거나 고혈압약을 복용하고 있는 경우를 고혈압으로 정의한다. 국민건강영양조사에 따르면 고혈압 유병률(만30세이상, 표준화)은 2019년 남자 31.1%, 여자 22.8%이며, 남녀 모두 2018년 대비(33.2%, 23.1%) 소폭 감소하였다. 2019년 고혈압 인지율은 71.4%, 치료율은 67.1%, 유병자의 조절률은 48.8%, 치료자의 조절률은 72.0%이었다. 30대와 40대의 고혈압 인지율과 치료율이 다른 연령대에 비해 50% 미만으로 낮은 수준이었다. 고혈압 치료율이 낮은 원인은 다양한데, 보건의료에 접근성이 떨어진다든지 대개 무증상인 경우가 많아 장기간 치료에 순

응도가 좋지 않아서이다. 실제로 고혈압의 치료는 삶의 질을 저하시키면서 그 효과는 눈에 당장 보이지 않는다. 이런 이유로 고혈압은 급성 심장병과 뇌졸중의 가장 흔한 위험인자가 된다. 표적장기 손상은 혈압의 상승에 따라 유의하게 높아지는 경향이 있었다. 정상 혈압군의 표적장기 손상 유병률은 8.5%인 반면 고혈압 전 단계군은 12.5%, 고혈압군은 20.4%로 증가했다. 당뇨병 인구를 제외한 경우에도 혈압 상승에 따른 표적장기 손상률은 혈압 상승에 따라 8.3%, 11.6%, 17.1%로 유의하게 상승했다. 고혈압 인구에서 기타 심혈관 위험인자 유무에 따른 표적장기 손상 유병률을 비교했을 때 당뇨병을 제외한 대사증후군, 흡연, 과음, 비만 중 대사증후군에 따른 유병률 증가가 가장 컸다. 고혈압군이라도 대사증후군에 해당하지 않을 경우 표적장기 손상 유병률은 14.8%였지만 대사증후군에 해당하는 경우는 18.6%나 됐다. 한국인 고혈압의 가장 큰 특징은 합병증으로 뇌출혈이 발생할 위험이 서양인보다 2~3 배 높다는 것이다. 기전은 명확하게 밝혀져 있지 않으나 고혈압 조절이 잘되지 않고 짠 음식을 많이 먹기 때문인 것으로 추정되고 있다. 그 외에도 다양한 고혈압의 임상적 특징이 있을 수 있지만 아직 연구가 많이 부족하다.

고혈압 환자의 평가

1. 선별검사

수축기 혈압 120 mmHg 미만 이완기 혈압 80 mmHg 미만인 사람들은 각각 2년마다 한 번씩 선별검사를 추천하고 있고, 수축기 혈압 120~139 mmHg 사이이거나 이완기 혈압이 80 mmHg에서 89 mmHg 사이인 사람에 한해서는 매해마다 검진할 것을 추천하고 있다.

2. 혈압의 측정

혈압에 대한 적절한 측정과 해석은 고혈압을 진단하고 관리하는데 있어 매우 필수적이다. 이 과정에서 가장 최대

치의 정확도를 얻기 위해 수반되어야 하는 많은 거쳐야 할 단계들이 있다. 장기의 손상이 없다면, 가벼운 고혈압의 진단은 최소 3번에서 6번의 측정, 수주에서 수달 동안 측정해야 진단을 내릴 수 있다. 이어지는 연구에 따르면 한 차례에서 세 차례 정도 의사를 방문하여 경증의 고혈압을 진단받은 환자가 6번 이상 방문하였을 시 평균 10 에서 15 정도의 혈압 강하와 함께 정상 수치를 보이는 것으로 나타났다. 따라서 많은 환자들이 실제로는 정상혈압인데, 첫 방문 시에 고혈압으로 진단받았을 것으로 생각 된다. 다양한 혈압 측정법에 덧붙여, 혈압은 반드시 양팔에서 측정되어야 하고, 몇몇 사람들에게서는 체위에 따른 측정법이 필요하다. 왼팔과 오른팔에서 측정된 수축기 혈압은 대략 비슷하여야 한다. 15 mmHg 이상의 이상의 차이는 쇄골하 동맥 협착, 즉 말초 동맥 질환을 나타낸다. 체위성 저혈압은 누웠다가 일어났을 때 20 mmHg 이상의 혈압강하가 나타났을 때 정의되고, 65세 이상의 환자에서 시행되어 어지러움 증상 또는 당뇨병이 있는 사람이나 자세에 따른 무기력증을 예측해 볼 수 있다.

1) 진료실 혈압 측정

정확한 혈압 측정은 성공적인 치료를 위한 필수 요건이다. 측정 기구가 아네로이드 수은, 전자 혈압계 등으로 다양할 수 있으나, 이 모두 정기적으로 정비와 인증을 통한 관리가 필요하다. 혈압계를 다루는 의료진은 반드시 교육을 받아야 하며, 정기적으로 표준화된 방법으로 재교육을 받아 측정법을 숙지하고, 또한 환자를 적절히 준비시키고 자세를 유지할 수 있어야 한다. 전통적으로 혈압은 상완 동맥에 압력 커프를 위치하여 Korotkoff 음의 출현과 소실을 청진함으로써 측정하였다(표 7-2-3). 환자는 진료용 침대보다는 의자에 똑바로 앉은 자세로, 두 발은 바닥에 팔은 심장 높이에 위치하도록 하여 적어도 5분 이상 안정 상태를 유지한 후 측정되어야 한다. 카페인, 운동, 흡연 등은 측정 전 최소 30분 동안은 삼가야 한다. 기립성 저혈압이 의심되는 경우는 앉은 자세와 선 자세에서 모두 혈압을 측정하여 비교하여야 하며, 최소 2분간 선 자세를 유지한 후 측정한다. 적절한 크기의 커프를 사용하는 것이 중요한

표 7-2-3. 고혈압의 진단과 치료를 위한 혈압 측정의 진료지침

환자 상태	
자세	- 가장 먼저 자세변화에 따른 혈압 변동 여부를 확인하기 위해, 5분간 양와위(Supine position)에서 혈압을 측정하고, 일어선 직후와 2분후에 혈압을 측정한다. 이 과정은 65세 이상, 당뇨, 또는 항고혈압 약제를 복용하는 환자들에게 특히 중요하다. - 앉아서 측정하는 혈압은 정기적인 추적관찰 때 권고된다. 환자가 등받이에 몸을 기댄 상태로 조용히 5분간 앉아 휴식을 취한 후, 팔을 심장 높이에 위치에 지지시킨 상태에서 혈압을 측정해야 한다.
환경	- 혈압 측정 1시간 전부터 카페인 섭취는 제한되며, 흡연은 측정 30분 전부터 제한된다. - 비충혈 억제제나 점안액에 포함되어있는 페닐레프린(Phenylephrine) 등의 교감신경 자극제의 사용은 제한된다. - 조용하고 아늑한 상태에서 측정해야 한다. - 집에서 혈압을 측정할 때는 다양한 조건에서 측정해보아야 한다.
장비	
커프의 크기 (Cuff size)	- 길이는 상완 둘레의 80%, 너비는 최소 40%가 되어야 한다.
압력계 (Manometer)	- 아네로이드 기압계(Aneroid gauge)는 수은 압력계로 6개월 마다 보정해야 한다.
측정술기(Technique)	
측정 횟수	- 매 방문시마다 가급적 긴 시간 간격을 두고 최소 2회 측정해야 하며, 측정 간에 5 mmHg 이상 차이가 관찰되는 경우 연속하여 측정된 혈압이 근사할 때까지 추가로 혈압을 측정한다. - 고혈압 진단을 위해서는 최소 일주일씩의 간격을 두고 세 번의 혈압 측정이 필요하다. - 처음에는 양쪽 팔에서 혈압을 모두 측정하고, 만약 양쪽의 혈압이 다른 경우에는 혈압이 높게 측정되는 쪽의 팔을 이용한다. - 팔에서 혈압이 높은 경우, 특히 환자가 30세 미만이라면, 한쪽 하지에서도 혈압을 측정한다.
실제측정 (Performance)	- 커프를 요골동맥의 맥이 소실되는 시점으로 추정되는 수축기 혈압보다 20 mmHg 더 높은 압력까지 빠르게 팽창시킨다. - 커프에서 초당 3 mmHg씩 감압한다. - Korotkoff 5기(소리가 사라지는 시기)에 해당하는 압력을 이완기 혈압으로 기록한다. 단, 소아에서는 Korotkoff 4기(소리가 작아지는 시기)가 선호된다. - Korotkoff 음이 약한 경우, 환자에게 손을 올려 5~10회 가량 주먹을 쥐었다 펴도록 반복시킨 후, 커프를 빠르게 팽창시킨다.
기록	- 압력, 자세, 혈압 측정에 사용된 팔, 커프 크기 등을 기록한다. (예: 140/90, 앉은 자세, 오른쪽 팔, 성인용 커프 사용)

데, 팔 둘레 80% 이상을 감을 수 있는 낭대(bladder)를 사용하는 것이 적당하다. 적어도 두 번 이상 혈압을 측정하여 평균치를 기록한다. 수동 혈압계로 측정하는 경우, 요골 동맥의 맥박이 사라지는 압력을 수축기 혈압으로 예상하고, 이보다 20~30 mmHg 높은 압력까지 커프를 팽창시킨 후 초당 2 mmHg 정도의 속도로 천천히 바람을 빼며 Korotkoff 음을 청진한다. 수축기 혈압의 경우 청진음이 처음 2박 이상 들리기 시작하는 혈압(Korotkoff sound Phase I)으로 하고, 이완기 혈압은 청진 음이 완전 히 소실

되는 혈압(Korotkoff sound Phase V)으로 하는 것이 정확한 측정지점이다. 임상의는 환자에게 구두로 또는 적어서 혈압 측정 결과 및 목표 혈압에 관해 정보를 제공해 주는 것이 좋다.

2) 활동 혈압 측정

활동 혈압은 24시간 혈압계를 통해서 측정한다. 장비를 달고 24시간 동안 생활하면, 매 30분마다 혈압을 측정하여 24시간 평균 혈압과 주간/야간 동안의 평균 혈압 등의

계측치를 알 수 있다. 활동 혈압측정(ambulatory blood pressure monitoring, ABPM)은 낮 시간 활동할 때와 수면 중의 혈압에 대한 정보를 알 수 있다. 이 방법으로 혈압을 측정할 경우 대다수에서는 야간의 평균혈압이 주간의 그것보다 최소한 10 % 낮다. 활동혈압측정에 의한 고혈압의 진단기준은 일중 평균혈압이 130/80 mmHg 이상, 주간혈압은 135/85 mmHg 이상으로, 야간혈압은 120/70 mmHg 이상으로 정한다. 활동 혈압측정은 백의 고혈압 환자의 감별과 야간 혈압강하가 없는 환자(non-dipper)의 확인을 위해 대개 사용한다. 활동 혈압이 진료실 혈압에 비해 좌심실비대, 단백뇨, 망막병증 등의 표적장기 손상을 예측하는데 더 낫다. 고혈압 환자 중 야간에 혈압감소(10% 이상)가 없는 예(non-dipper)에서는 있는 예(dipper)에서 보다 사망, 심근경색, 뇌졸중 같은 심혈관 사고의 위험이 3배 더 높다. 활동 혈압측정이 적응되는 경우는 백의고혈압이 의심 될 때, 항고혈압제에 반응하지 않을 때, 간헐적인 고혈압이 있을 때, 그리고 자율신경장애가 있을 때 등이다.

3) 가정 혈압 측정

의공학의 발달로 진료실 밖에서 혈압을 편리하고 비교적 정확하게 측정할 수 있는 전자혈압계가 널리 이용되고 있으며 손목형보다는 상완형이 더 낫다. 자가측정혈압은 진료실 혈압에 보완적으로 사용되며, 백의고혈압과 지속적 고혈압의 감별, 항고혈압제의 효과 판정, 저혈압과 관련된 증상 확인, 치료 순응도를 높이고, 치료비를 감소시킬 수 있다는 장점을 가지고 있다. 아직까지 정상 자가측정혈압의 기준이 정하여 있지는 않으나, 진료실혈압의 기준보다 낮아 135/85 mmHg 이상인 경우 고혈압으로 고려되고 있다. 자가측정혈압이 표적장기 손상에 대한 정도를 예측하는지에 대한 연구결과는 아직까지 부족한 상태이다. 너무 잦은 측정은 환자에게 불안감을 줄 수 있어 피하도록 한다. 정확한 기계는 수은혈압계와 비교하여 5 mmHg 이내의 범위 내로 측정되어야 한다. 가정 혈압의 측정은 혈압이 안정된 경우에는 주 3회, 하루 2회가 권고된다. 아침에는 기상 후 1시간 이후 배뇨 이후에, 저녁에는 취침 전에

안정 후 측정하도록 하고 혈압과 맥박수를 동시에 기록하도록 권유한다.

3. 고혈압의 평가

지속적인 고혈압 환자라고 확정되면 다음 정보를 확인하기 위한 평가가 시행되어야 한다. 이러한 평가는 이차고혈압일 가능성 확인, 고혈압 위험인자에 대한 확인 및 표적 장기 손상 여부 확인에 목적을 두어야 하며 이를 통해 치료법을 결정하는데 도움이 되어야 한다.

1) 병력

혈압의 자연적 경과, 표적기관 손상의 정도, 심혈관계 질환의 다른 위험인자의 존재, 촉진 인자나 악화 인자(처방약물, 비처방 비스테로이드성 항염증제, 알코올 섭취량)의 존재를 결정하는데 도움을 주는 사실들을 찾아보아야 한다(표 7-2-4).

2) 진찰

신체진찰의 주요목적은 말단 장기 손상의 징후(예: 망막병증)와 속발성 고혈압 원인의 증거를 평가하기 위함이다(표 7-2-5).

3) 기초 검사실 검사

일상적으로 수행되어야 하는 유일한 검사들은 다음과 같다. 적혈구용적률, 요분석, 혈액화학검사(당, 크레아티닌, 전해질), 측정된 사구체여과율, 지질 검사(총 콜레스테롤, 고밀도리포단백질 콜레스테롤, 트리글리세리드, 심전도

4) 임의 검사

병력, 진찰, 그리고 기본적 검사실 검사에서 특정 원인에 의한 고혈압이 의심될 경우 특별한 검사가 추가적으로 필요할 수 있다. 이러한 경우에는 사구체여과율, 미세알부민뇨, 24시간 단백뇨량, 혈청 칼슘, LDL 콜레스테롤, 당화혈색소, 갑상선 자극호르몬, 좌심실비대 및 구출율을 위

표 7-2-4. 고혈압 환자에서 문진시 주의사항

유병기간
마지막으로 혈압이 정상으로 측정된 것이 언제인지 확인
혈압의 변동 추이(Course of the blood pressure)
이전의 고혈압 치료
사용했던 약물의 종류, 용량, 부작용 등
고혈압을 유발할 수 있는 약물의 복용력
에스트로젠
부신 스테로이드(Adrenal steroids)
코카인
교감신경 항진제(Sympathomimetics)
과량의 소듐
가족력
고혈압
조발성 심혈관계 질환이나 사망
기타 가족력을 동반할 수 있는 질환들: 갈색 세포종, 신질환, 당뇨, 통풍
이차성 원인에 의한 증상
근력 약화
빈맥, 발한, 진전의 발작성 증상 반복
피부가 얇아짐(Thinning of skin)
옆구리 통증
표적기관 손상의 증상
두통
일시적인 위약감 또는 맹시(Blindness)
시력 소실
흉통
호흡곤란
파행(Claudication)
기타 위험인자의 동반 여부
흡연, 당뇨, 이상지질혈증, 비활동적인 생활 습관
식생활
소듐, 알코올, 포화지방
정신사회적 측면(Psychosocial factors)
가족 구조(Family structure)
직장
교육수준
성기능
수면 무호흡 증상
이른 아침의 두통
주간의 졸음
심한 코골이
불규칙적인 수면

표 7-2-5. 고혈압 환자에서 신체 검진시 주의사항

정확한 혈압 측정
전반적인 용모
신체 지방의 분포
피부 병변
근력
의식수준
안저검사
출혈
유두부종
코튼-울 병변(Cotton-wool spot)
목
경동맥의 맥박과 청진
갑상선
심장
크기
율동(Rhythm)
심음
폐
통음(Rhonchi)
라음(Rales)
복부
신장 종괴
대동맥이나 신동맥에서 들리는 잡음(Bruits)
대퇴동맥 맥박
말단부
말초부 맥박
부종
신경학적 검사
시력 이상
초점성 근력 약화(Focal weakness)
혼돈(Confusion)

제 **7** 부 고혈압과 신장, 신혈관 질환

한 심초음파 검사, 안저검사, 24시간 활동혈압측정을 실시한다. 미세알부민뇨는 점차 심혈관계 질환의 독립적인 위험인자로 인식되고 있다. 그 외 특별한 경우에는 자세한 심초음파검사, 혈관의 구조적 이상 여부를 알기위한 초음파검사, ankle/arm index, 혈장 renin 활성도, 요 나트륨 측정 등을 시행한다.

고혈압의 합병증

고혈압은 다양하고 심각한 합병증을 초래한다. 이러한 합병증은 혈압에 따라 다양하게 발생한다. 모든 연령에서 혈압이 115/75 mmHg 이상 오르면 위험도가 증가하기 시작한다. 그러나 이러한 관계가 인과관계를 증명하지는 못하며 무작위 연구에 의해서만 혈압 감소의 효과가 증명된다. 고혈압과 관련된 심혈관계 위험은 다른 위험인자가 존재하는지 혹은 없는지에 따라 중요하게 영향을 받는다. 고혈압은 조기 심혈관질환의 주된 위험인자이며 흡연, 이상지질혈증, 당뇨 등 다른 위험 인자보다 더 흔하다. 고혈압 환자의 주요 사망원인은 심장질환, 뇌졸중 그리고 신부전이고, 특히 상당한 망막병증이 있는 환자에서 이러한 질환들이 흔히 병발된다.

1. 심장에 대한 영향

심장질환은 고혈압 환자의 가장 흔한 사망원인이다. 고혈압 심질환은 좌심실비대, 이완기 기능이상, 울혈성 심부전, 관상동맥의 죽상경화와 미세혈관 질환으로 인한 혈류이상, 부정맥 등으로 인한 심장의 기능적, 구조적 변성의 결과이다. 높은 전신성 동맥압으로 인한 심장의 과부하에 대한 심장의 대상 작용 결과 좌심실의 동심성 비후가 발생하며, 종국에는 좌심실이 확장되고 좌심실의 기능이 악화되어 심부전의 증상과 징후가 나타난다. 또한 관상동맥 질환이 촉진되고, 증가된 심근 질량 때문에 심근의 산소 요구량이 증가되어 협심증이 발생할 수 있다. 유전적, 혈역학적 인자들이 좌심실 비대에 관여한다. 임상적으로 좌심실

비대는 심전도를 통해서 진단할 수 있지만, 심초음파가 좌심실 벽 두께에 대해서 보다 정확한 측정치를 제공 한다. 좌심실비대가 있는 사람들은 선천성심기형, 울혈성 심부전, 뇌졸중 그리고 급사의 위험성이 증가한다. 고혈압 을 적극적으로 치료하는 것은 좌심실비대를 억제하거나 줄일 수 있으며 심혈관계질환의 위험을 낮춘다. 울혈성 심부전은 수축기능부전, 이완기능부전 혹은 두 가지 모두의 조 합으로 이루어진다. 무증상 심질환에서부터 전반적 심부전에 이르는 이완기 기능의 이상은 고혈압 환자에서 흔히 동반된다.

2. 신경계통에 대한 영향

오래 지속된 고혈압의 신경계통에 대한 영향은 망막의 변화와 중추신경계통에 대한 영향으로 나눌 수 있다. 망막은 동맥과 세동맥을 직접 관찰할 수 있는 유일한 조직이기 때문에 검안경 검사를 반복하면 고혈압으로 인한 혈관변화의 진행과정을 관찰할 수 있다. 고혈압으로 인한 망막변화에 대한 Keith-Wagener-Barker 분류법은 고혈압 환자를 연속적으로 평가하는데 있어 간단하고도 훌륭한 방법이다. 고혈압이 심해지면 세동맥에 국소적 경련을 일으키고, 직경이 점차 진행성으로 좁아지며, 출혈, 삼출물, 그리고 유두부종을 일으키게된다. 이들 망막의 병변으로 자주 암점이 생기며, 흐린 시야와, 특히 유두부종 혹은 황반의 출혈이 있을 때는 실명까지도 일으킨다. 고혈압 병변은 급성으로 발생할 수도 있으며, 만약 치료하여 혈압이 유의하게 떨어지게 되면 신속히 소멸될 수도 있다. 이들 병변은 치료하지 않고도 소멸되는 일은 드물다. 대조적으로 망막동맥 경화증은 내피세포와 근육의 증식으로 인하여 일어나며, 이것은 다른 기관에서의 변화와 비슷한 변화를 정확히 반영한다. 경화성 병변은 고혈압 병변과는 달리 신속하게 발생하지 않으며, 또한 치료하더라도 눈에 띄게 호전되지도 않는다. 세동맥벽이 두껍고 경직하여지는 결과 로, 경화성 세동맥은 비틀리게 되고, 같은 섬유초 내에서 교차하는 정맥을 누르며, 혈관벽의 혼탁한 정도가 증가하기 때문에 세동맥에서 반사되는 광선 조가 변하게 된다. 고혈압

환자에서는 중추신경계 기능장애도 빈번히 일어난다. 주로 아침에 자주 있는 후두통은 고혈압의 초기 증상 중 가장 현저한 것이다. 어지러움, 이명, 그리고 흐린 시야 혹은 실신 등이 또한 관찰되는데, 이들 증상 중 심한 것은 혈관의 폐색, 출혈 혹은 뇌병증으로 나타난다. 혈관 폐색 과 출혈의 발생기전은 각각 다르다. 뇌경색은 고혈압 환자 에서 관찰되는 죽상경화증이 악화된 결과인데 반하여, 뇌 출혈은 동맥압 상승과 미세동맥류의 결과이다. 단지 연령 과 동맥압만이 이 미세동맥류 발생에 영향을 미친다. 따라서 동맥압과 뇌출혈의 상관관계가 뇌 또는 심근 경색과의 관계 보다 더 예측성이 있다. 고혈압 뇌병증은 심한 고혈 압 또는 갑작스런 혈압 상승시에 신경기능의 가역성 변화 가 일어나는 것이 특징이다. 악성고혈압 합병증의 일환으로 일어나는 것이 보통이지만 160/90 mmHg 정도의 혈압에 서도 갑작스런 혈압상승의 경우에 발생할 수 있다. 두통, 의식 장해, 오심, 시력 장애, 발작 등의 임상증상을 나타낸 다. 고혈압 뇌병증에서는 국소적 신경 징후가 드물며, 만약 있다면, 경색, 출혈, 혹은 일과성 뇌 허혈발작일 가능성이 높다.

3. 신장에 대한 영향

고혈압은 만성신질환의 원인 질환이자 합병증이며, 심혈관 질환의 위험인자이기도 하다. 구심성 및 원심성 세동맥과 사구체모세혈관총의 동맥경화성 병변이 고혈압에서 가장 흔한 신혈관병변이며, 그 결과로는 사구체여과율의 감소와 요세관 기능장애가 초래된다. 고혈압은 그 자체가 신기능 감소의 위험인자이며, 단백뇨 등 신기능 감소의 다른 인자들에도 영향을 미친다. 따라서 혈압을 낮춤으로써 심혈관 질환의 위험을 줄이고 신장 질환의 진행을 막는 것은 논리적으로 타당하며, 대부분의 가이드라인에서 혈압 조절의 목적으로 제시하고 있다. 혈압이 높아짐에 따른 위험도의 증가는 정상 혈압 이상의 혈압 전 범위에서 단계적으로 연속적으로 나타난다. 신장에 대한 위험도는 이완기 혈압 보다는 수축기 혈압과 더 연관이 있는 것으로 보인 다. 단백뇨는 만성신질환의 중등도를 나타내며, 질환 악화

의 예측인자이다. 3 g/24 hr 이상의 많은 양의 소변 단백 배출을 하는 환자들이 적은 양의 단백뇨를 보이는 환자와 비교하여 예후가 좋지 않다. 신장에서 고혈압과 연관되어 발생하는 혈관질환은 사구체 이전 세동맥에 일차적으로 영향을 미치는데, 그 결과 사구체와 사구체 이후 구조물에 허혈성 변화가 생긴다. 사구체 손상은 또한 사구체와 과관류로 인한 사구체모세혈관의 직접적 손상의 결과일 수도 있다. 신장손상과 관련된 고혈압 연구들에서 수입세동맥(들세동맥, afferent arteriole)에서 신류량의 자동 조절능력 저하에 따라 사구체로 보호되지 않은 채 많은 혈류가 지나가게 되고 과여과, 과증식, 결과적으로 초점 국소 분절사구체경화가 발생한다. 신장의 손상이 진행됨에 따라 신혈류량과 사구체 여과 속도의 자동 조절능을 상실 하게 되고 결과적으로 낮은 혈압으로도 신장에 손상을 가져 오게 되며 조그만 혈압의 변화로도 큰 신손상을 초래하게 된다. 그 결과 신손상과 네프론 상실의 악순환을 가져 오게 되며 더 심한 고혈압, 사구체의 과여과, 신손상을 초래 하게 된다. 사구체의 병변은 사구체경화로 진행하여 결국 에는 신장의 세관 또한 허혈되어 점차 위축된다.

▶ 참고문헌

- 2019 국민건강통계 국민건강영양조사 제8기 1차년도 국민건강통계. 보건복지부, 질병관리본부.
- 대한고혈압학회 진료지침재정위원회. 2018년 대한고혈압학회 고혈압 진료지침.
- Hall JE: The kidney, Hypertension, Obesity. Hypertension 41:625–633, 2003.
- K/DOQI clinical practice guidelines on hypertension and antihypertensive agents in chronic kidney disease. Am J Kidney Dis 43:S1290, 2004.
- Longo D, et al: Harrison's Priciples of Internal Medicine, 20th ed. McGraw-Hill Education, 2018.
- Staessen JA, et al: Essential hypertension. Lancet 361:1629–1641, 2003.

제 7 부 고혈압과 신장, 신혈관 질환

CHAPTER 03 이차고혈압-신실질성 고혈압

배은희 (전남의대)

KEY POINTS

- 이차고혈압은 전체 고혈압의 10%에 해당한다. 신장을 침범하는 대부분의 질환들은 신실질성 고혈압(renal hypertension)을 유발할 수 있으며 신실질성 고혈압은 이차성 고혈압 원인질환의 50%를 차지한다.

- 2017년 새로운 미국 고혈압기준(AHA/ACC Hypertension guideline) 따르면 당뇨유무나 단백뇨 유무에 상관없이 모든 만성 신장질환자는 130/80 mmHg 미만을 기준으로 하고 있다.

- 건강한 사람은 밤에 혈압이 10~20% 떨어지나, 만성 신장질환이 있는 환자의 경우 야간 혈압이 떨어지지 않는 'non-dipper' 패턴이 나타난다. Non-dipper는 심혈관 질환을 잘 발생하여, 혈압약을 저녁 식사 후에 복용하는 것은 이러한 non-dipper 패턴을 보완하는 하나의 방법이 된다.

서 론

신실질성 고혈압은 이차고혈압의 가장 흔한 원인으로 전체 고혈압의 2.5~5%을 차지한다. 대부분의 신장염들에서 고혈압이 동반되고, 고혈압이 적절히 조절이 안되면, 신장 손상을 가속화시킨다.

신실질성 고혈압은 여러 독립적인 메커니즘의 상호 작용으로 나타나는데, 전통적으로 제시되고 있는 두 가지 기전은 염분배설장애에 따르는 체액량 과다(volume dependent)와 레닌-앤지오텐신-알도스테론계(renin dependent)의 과 활성화이다. 최근에는 이 두 가지 기전 이외에 교감신경 (sympathetic nervous system, SNS)의 과활성, 엔도텔린(endothelin)의 과합성, 혈관내피세포 기원의 혈관 확장 물질의 감소, 신장허혈, 수면 무호흡, 비만 등의 대사성 질 환 등이 중요한 원인으로 부각되고 있다.

신생검으로 사구체질환 진단을 받은 환자들의 23~61%에서 고혈압이 동반되었으며, 그 중에서도 증식성 사구체신염들과 당뇨병성 신증, 다낭신 등에서 고혈압이 잘 발생한다. 급성 신염에서도 대부분에서 고혈압이 동반되며, 신증후군을 일으키는 만성 사구체질환들에서도 흔히 고혈압이 동반된다.

고혈압은 단백뇨와 함께 신기능 저하 및 신 손상을 진행시키지만, 또한 치료가 가능한 중요한 예후인자로 이장에서는 신실질성 고혈압에 대해 살펴보자.

정의 및 유병률

신실질의 병변 때문에 고혈압을 일으키는 경우를 신실질성 고혈압이라 한다. 여기에는 급, 만성 사구체신염, 당뇨신병증 등 양측성 신실질성 질환으로 오는 양신성 고혈압과 단측성의 신실질병변에 의한 편신성 고혈압이 있다. 전자는 대부분이 외과적 요법의 대상이 되기는 어려우나 후자는 신적출 등으로 치료가 가능하므로 비뇨기과 질환으로 취급된다. 편신성 고혈압의 원인질환으로 신우신염, 신결핵, 신종양, 신의 발육부전, 요로기형 등이 있다. 그러나 이들 모두가 고혈압을 일으키는 것은 아니며 그 5~50%에서 고혈압이 발생한다.

대한고혈압학회가 발표한 '2020 고혈압 팩트시트'에 따르면 고혈압 유병자는 약 1200만명, 20세 이상 성인 중 유병률은 29%에 이른다. 고혈압환자의 인식율은 67%, 치료율은 63% 이지만, 조절률은 47%에 그쳤다. 이차고혈압은 전체고혈압의 10%에 해당한다. 신장을 침범하는 대부분의 질환들은 신실질성 고혈압(renal hypertension)을 유발할 수 있으며 신실질성 고혈압은 이차고혈압 원인질환의 50%를 차지한다. 유발된 고혈압은 점차 신기능을 악화시키는 주요한 원인이 된다. 우리 나라의 경우 말기신부전의 원인이 되는 두 가지 원인 질환은 당뇨신병증과 고혈압 신증이며 신기능이 악화될수록 고혈압의 유병률은 높아지며 환자가 말기신부전에 이르면 약 80~90%의 환자가 고혈압을 동반하게 된다.

신실질성 고혈압의 병인과 병태생리

1. 체액량 과다(Volume dependent)

소듐 섭취가 높은 사람들이 고혈압 유병률이 높은 연구결과들로 보아 소듐 축적과 고혈압과는 명확한 상관관계가 있음을 알 수 있다. 소듐의 축적은 체액량의 증가를 동반하게 되어 혈압이 증가하게 된다. 신장질환의 경우 사구체여과율이 떨어짐에 따라 소듐의 배설도 감소하게 되어

소듐의 축적과 체액량의 증가로 인해 고혈압이 발생할 수 있게 된다. 이러한 현상은 레닌-앤지오텐신-알도스테론계의 활성화와 동반되어 더욱 악화된다.

2. 레닌-앤지오텐신-알도스테론계(Renin dependent)의 과활성

손상된 신장의 구조적 변화 및 신장 혈류량의 감소는 레닌(renin)의 분비를 촉진시키고 레닌-앤지오텐신-알도스테론계를 활성화시켜 앤지오텐신II의 양을 증가시킨다. 앤지오텐신II는 혈관 수축 작용을 통해 혈압을 올리고 근위요세관에서 소듐의 흡수를 촉진시키고 알도스테론의 합성을 증가시켜 원위요세관에서도 소듐 흡수를 증가 시킨다.

3. 교감신경(Sympathetic nervous system, SNS)의 과활성

교감신경의 활성화는 부신에서 노르에피네프린의 분비를 촉진 시키고 말초혈관을 수축시켜 혈압을 증가시킨다. 신장은 여과기관인 동시에 감각신경이 풍부하게 발달되어 있는 감각기관이기도 하다. 따라서 교감신경 자극을 받아 신혈류량 및 여과 기능이 조절되는 동시에 신장은 신혈류량 및 여과물의 상황을 감지하여 교감신경계를 조절하는 출발점이기도 하다. 신장에 분포되어 있는 주요 구심성 감각신경섬유(afferent sensory nerve fiber)는 신혈류량 및 신장내 압력을 감지하는 물리적 감각 신경섬유와 허혈 에 의한 부산물인 아데노신(adenosine)이나 요독물질(uremic toxin)을 감지하는 화학적 감각 신경섬유이며 감지된 신호는 뇌로 전달되어 교감신경계를 항진시켜 고혈압 을 유발하게 된다.

4. 엔도텔린(Endothelin) 의 과합성

혈관 및 신장생리학에서 혈관내피세포의 역할에 대해서는 많은 연구가 진행되어왔다. 특히 endothelin-1은 혈관

수축 작용을 통해 고혈압을 유발하며 요세관에서 소듐 재흡수를 증가시키는 역할을 한다.

5. 혈관내피세포 기원의 혈관 확장물질의 감소

혈관수축 유발물질의 증가와 더불어 혈관확장인자의 감소는 혈압을 증가시키는 중요한 기전이다. Nitric oxide 합성 억제제인 메틸화된 L-아르기닌 유도체가 만성 신질환 환자에서는 제거에 안되, 이러한 화합물의 순환농도가 증가하게 되고, 결국 혈관 확장물질인 nitric oxide 합성을 억제한다.

6. 신장허혈

신동맥의 동맥경화증에 의한 신혈관고혈압의 기전은 잘 알려져 있다. 하지만 혈관성형술을 통한 신동맥협착의 개선이 항상 혈압조절의 개선을 의미하지는 않는다. 따라서 신장의 미세 혈관의 병변에 의한 microcirculation 의 장애 역시 레닌-앤지오텐신-알도스테론계를 활성화시켜 혈압을 증가시키는 것으로 생각된다.

7. 수면 무호흡

고혈압을 가진 만성신질환 환자에서 수면 무호흡증은 흔히 나타난다. 수면 무호흡에 의한 산소포화도의 감소가 혈압을 증가시키는 것으로 알려져있다.

신실질성 고혈압과 신질환 진행과의 관계

대부분의 만성신질환은 서서히 진행하여 말기신부전에 이르게 되고 고혈압은 이 과정에서 주요한 악화 인자로 작용한다고 알려져 있다. 콩팥단위(nephron) 의 손실과 신장의 구조적 변화는 레닌-앤지오텐신-알도스테론계를 활성화시켜 증가된 앤지오텐신은 다음과 같은 작용을 통해 악영향을 미친다.

1. 수출 사구체 세동맥 (efferent glomerular arteriole)을 수축하여 남아있는 사구체의 압력을 증가시키고 단백뇨를 증가시킨다.
2. 직접적으로 체내 혈관을 수축하여 혈압을 올린다.
3. 요세관간질(tubulointerstitial)에 섬유화를 유발한다.
4. 혈압의 증가와 심근섬유화를 통해 좌심실비대를 유발한다.

만성신질환 환자에서 사망률이 높다는 것은 이미 잘 알려진 사실로, 실제로 투석을 받고 있는 20대의 사망률은 같은 나이대의 정상인에 비해 100 배 높으며 일반인구의 80대와 비슷한 사망률을 보인다. 따라서 철저한 혈압조절이 신질환의 진행 및 심혈관계 합병증과 사망률을 감소시킬 수 있다.

신실질성 고혈압의 치료

신실질성 고혈압의 약물치료와 관련하여 크게 두가지 사항을 고려하여야한다. 목표혈압과 신장보호 효과가 있는 혈압약의 사용이다. 2017년 새로운 미국 고혈압기준(AHA/ACC Hypertension guideline) 따르면 당뇨유무나 단백뇨 유무에 상관없이 모든 만성 신장질환자는 130/80 mmHg 미만을 기준으로 하고 있다. 이는 기존 전향적 연구에서 고혈압을 130/80 mmHg 미만으로 조절하면 신질환의 진행을 상당부분 지연시키고, 특히 단백뇨 1 g/일 이상인 환자에서 더욱 효과가 있다는 것을 배경으로 하였다. 미세단백뇨가 하루 300mg 이상, 또는 300 mg/g creatine 이상이면 안지오텐신 전환효소억제제(ACE inhibitor)을 일차약제로 선택하고, ACE inhibitor 사용이 어려운 경우는 AT1수용체 길항제를 사용하라고 권고하고 있다.

건강한 사람은 밤에 혈압이 10~20% 떨어진다. 반대로 염분에 민감한 유형의 고혈압 또는 만성 신장질환이 있는 환자의 경우 야간 혈압이 떨어지지 않는 비정형적인 일주기 혈압리듬패턴이 나타나는데 이를 'non-dipper'패턴이라 한다. 이러한 패턴은 심혈관 질환을 잘 유발한다고 알려져 있어, 혈압약을 저녁 식사 후에 복용하는 것은 이러한 non-dipper 패턴을 보완하는 하나의 방법이 된다.

▶ 참고문헌

- 대한고혈압학회. 2020 고혈압 팩트시트. URL: http://www.koreanhypertension.org/reference/guide?mode=read&idno=4406.
- Freedman BI, et al: Sympathetic activation in chronic renal failure. J Am Soc Nephrol 19:2047-2051, 2008.
- K/DOQI clinical practice guidelines for chronic kidney disease: evaluation, classification, and stratification. Am J Kidney Dis. 39(2 Suppl 1):S1-266, 2002.
- Kalra PA: Renal specific secondary hypertension. J Ren Care 33(1):4-10, 2007.
- Kimura G, et al: Salt sensitivity and circadian rhythm of blood pressure: the keys to connect CKD with cardiovascular events. Hypertens Res 33:515-520, 2010.
- Preston RA, et al: Renal parenchymal disease and hypertension. Semin Nephrol 15:138-151, 1995.
- Preston RA, et al: Renal Parenchymal Hypertension: current concepts of pathogenesis and management. Arch Intern Med 156:602-611, 1996.
- Renin-angiotensin-aldosterone system and progression of renal disease. J Am Soc Nephrol 17:2985-2991, 2006.
- V M Campese, et al: Hypertension in renal parenchymal disease: Why is it so resistant to treatment? Kidney International 69:967-973, 2006.
- Yancy CW, et al. 2017 ACC/AHA/HFSA Focused Update of the 2013 ACCF/AHA Guideline for the Management of Heart Failure: A Report of the American College of Cardiology/American Heart Association Task Force on Clinical Practice Guidelines and the Hear t Failure Society of America. Circulation 136:e137-e161, 2017.

CHAPTER

04 이차고혈압–신혈관고혈압과 허혈신병증

한병근 (연세원주의대)

KEY POINTS

- 고령의 고혈압 환자가 증가하고 있으므로 점차 진행하는 성격을 가지고 있는 죽상경화증에 의한 신동맥 협착의 가능성을 항상 고려해야 한다.
- 진단을 위한 검사도구들의 민감도가 높지 않지만, duplex Doppler 초음파검사, 컴퓨터 단층 촬영 혈관조영술, 자기공명 혈관조영술 등의 장·단점을 숙지하고 적절히 이용하는 것을 권고하고 있다.
- 단순히 혈압만 높은 신혈관고혈압 환자에게 중재치료가 필요한지에 대한 설득력 있는 데이터가 아직 부족하다.

서론

신혈관고혈압이란 신장에 혈액을 공급하는 주 동맥인 신동맥이 좁아져서 발생하는 모든 경우를 포함하는 이차고혈압의 한 가지 형태를 지칭한다. 모든 연령층에서 나타날 수 있으며 전체 고혈압 환자의 약 1~5% 정도를 차지하는 것으로 보인다. 이차고혈압 환자의 20~40% 정도를 차지하며 많게는 75% 정도를 보고하기도 한다. 신동맥의 내경이 50% 이상 좁아진 경우가 만성콩팥병이 있는 노인 환자에서는 약 25% 정도, 투석 치료를 시작하는 환자는 10~15%에서 동반되어 있다. 신동맥의 내경이 50~60% 이상으로 좁아지면 15~20 mmHg 이상의 압력 차이가 나타나고 신혈관고혈압의 시작을 유도하는 요인이 된다. 혈역학적으로는 신동맥의 내경이 70~80% 이상 좁아지면 상당량의 신혈류량이 감소한다. 신동맥 협착을 일으키는 대표적

인 원인으로 죽경화증 신동맥 협착(atherosclerotic renal artery stenosis, ARAS)과 섬유근이형성증(fibromuscular dysplasia, FMD)이 9;1의 비율로 보고되고 있다.

신동맥 협착은 단순히 영상검사에서 발견되었으나 무증상의 상태를 보이거나, 신혈관고혈압의 양상을 보이거나, 신장 조직의 병리학적 리모델링을 유도하는 만성 허혈신병증 등이 나타날 수 있으며, 궁극적으로는 불가역적인 신실질의 손상 및 만성콩팥병으로 진행될 수 있다. 혈역학적인 특성으로 인해 신전성(pre-renal) 형태의 급성신부전이 초래되기도 한다.

신혈관고혈압의 진단을 위한 검사도구들의 민감도가 높지 않고, 단순한 형태의 고혈압만을 보이는 환자를 위한 중재적 치료의 이점에 대한 설득력 있는 임상데이터가 부족하기 때문에 신혈관고혈압의 진단적 접근과 치료적 결정에 주의가 필요하다. 중요한 것은 완치까지도 기대할 수 있

는 질환군이므로 환자를 조기에 선별하고 적절한 치료방법을 적용하여 임상 경과를 호전시킬 수도 있다는 점이다. 최선의 치료를 위해서는 신동맥 협착의 원인과 협착 정도뿐만 아니라 진단 당시의 임상단계 등을 정확히 평가하는 것이 필수적이라 할 수 있다.

역학

ARAS는 55세 이상의 고령에서 잘 생기고 주로 남성에서 더 많이 발견된다. 전신적으로 죽경화증(atherosclerosis)이 동반되어 있는 환자에서 병변의 한 부분으로 발현되기도 한다. 대동맥의 죽상반 병변이 신동맥으로 확대되는 경우가 많기 때문에 신동맥의 기시부 1 cm 또는 신동맥 근위부 1/3 지점에서 많이 발생한다. 병변의 진행으로 인해 신동맥이 완전히 막히거나 만성적인 허혈의 부작용을 수반하기 때문에 본태고혈압에 의한 장기 손상의 임상적 특징과는 차이를 보인다. 그러므로, 고령자에서 발생하는 말기콩팥병의 주요 원인으로 보는 견해도 있다. 위험 인자로 당뇨병, 고혈압, 고지혈증, 흡연, 관상 동맥 질환, 말초 동맥 질환 등이 있다. 관상 동맥 질환이 의심되어 혈관조영술을 시행하는 환자의 25~30%에서, 말초 동맥 질환 환자의 30~40% 정도에서 같이 발견되며 말기콩팥병 환자에서는 최고 41%까지, 심부전 환자에서도 최고 54%까지 보고되기도 한다.

FMD는 두 번째로 흔한 신동맥 협착의 원인 질환으로 10~20%를 차지하며 30~50세의 여성에서 호발한다. 이는 죽경화증과 상관없이 비염증성으로 혈관의 중막(media)을 침범하는 경우가 전체 FMD의 85~90%를 차지하며, 신동맥의 중간부터 원위부 쪽으로 주로 침범하고 병변은 혈관조영술에서 염주 모양의 좁아진 신동맥 형태를 보인다. 경동맥 또는 대퇴동맥에서도 같은 병변이 동반되기도 하므로 전신적인 동맥질환의 한 형태로 볼 수 있다. FMD는 신동맥이 완전히 막히거나 허혈성 신위축이 유발되는 경우는 드물다. 감별질환으로 다발성 동맥류가 동반된 결절다발동맥염이 있다.

병태생리

앞서 언급한 바와 같이, 신장으로 가는 혈류의 감소로 인하여 레닌-안지오텐신-알도스테론계(Renin-Angiotensin-Aldosterone System, RAAS)의 활성화가 병태생리의 주된 메카니즘이다. 이는 1930년대에 처음 동물 실험모델을 통하여 밝혀졌다. Goldblatt의 "2 kidney - 1 clip 모델"에서 상대적으로 혈류량이 감소한 신장 때문에 혈압이 지속적으로 상승한다고 보고되었다. 이에 관여하는 물질로 레닌이 주 역할을 하고 있음이 밝혀졌다. 혈류가 감소한 신장은 치밀반(macula densa)으로 가는 소듐이 줄어들어 사구체 옆장치(juxtaglomerular apparatus)에서 레닌 분비가 자극된다. 레닌은 안지오텐시노젠을 안지오텐신 I으로 변환시키고 이는 안지오텐신 전환효소에 의해 강력한 혈관수축제인 안지오텐신 II를 생성한다. 이후로 알도스테론 분비가 늘어나서 염분과 수분의 재흡수가 증가하여 혈압이 상승한다. 또한, 증가된 안지오텐신 II는 교감신경계를 항진시켜 norepinephrine을 통해 혈압을 더욱 상승시킨다. 협착이 있는 신장에서 안지오텐신 II는 날사구체세동맥을 우선적으로 수축시켜 신혈류량이 감소하였음에도 불구하고 사구체 여과율의 유지에 기여한다는 점은 중요한 사항이다. 이때 협착이 없는 반대편 신장은 관류가 유지되고, 상승된 혈압으로 인한 압력 나트륨뇨배설(pressure natriuresis)의 항진으로 인해 염분과 수분의 배설이 일어나 전체적인 혈장량은 정상으로 유지된다. 그러나 혈장량이 안정적으로 유지되더라도 혈압의 조절에는 결정적인 역할을 하지 못하며, 협착이 있는 쪽으로 혈류는 지속적으로 감소하여 레닌분비의 증가도 유지되어 신기능 감소가 진행된다. 결과적으로 체내 과수분 상태와 고혈압이 초래되고 폐부종, 심부전 및 협심증 등이 발현될 수도 있다.

한편, 양측 신혈관 협착이나 단일 기능신에서 신혈관 협착이 발생한 경우에는 정상기능을 하는 신장이 없는 관계로 순수하게 염분과 수분의 축적으로 인한 고혈압이 발생하고 레닌 농도는 정상이거나 오히려 감소되어 있다. 이차적으로 심박출량이 증가하고 폐부종이 발생할 위험성이 수반된다. 그러므로, 신혈관고혈압의 병태생리는 신동맥

협착의 형태에 따른 각각의 병태생리(혈관 수축 모델 또는 과수분 모델)를 이해하는 것이 필요하다.

풍선을 이용하여 유도한 신동맥 폐색 모델에서, 풍선의 원위 압력이 병변의 근위 압력보다 10~20% 정도 감소를 하면 레닌이 분비되는 것을 확인할 수 있었다. 이는 최대 수축기 속도(peak systolic velocity, PSV)가 병변 전후로 최소 20~25 mmHg의 차이가 있거나 협착으로 인해 신동맥 내경이 최소 70% 정도 좁아졌다는 것에 해당한다. 그러나 신기능을 위협하는 정확한 혈관 폐색의 정도는 아직까지 정해지지 않았다. 허혈신병증은 신동맥의 협착이 진행하여 신혈류가 줄어들고 이로 인한 산소 공급의 감소로 신실질의 섬유화와 위축이 발생한다고 단순하게 생각할 수 있지만, 신장은 혈액내 10%의 산소만 존재하여도 신장이 요구하는 에너지를 충족시킬 수 있기 때문에 실제로 신동맥의 협착이 있어도 산소 공급의 장애가 발생하지는 않는다고 한다. 이점은 중등도 정도의 혈류량 감소에 대한 신장조직의 적응성이 비내과적 치료가 아닌 내과적 약물 치료가 더 효과적이라는 임상성적을 뒷받침하는 요소가 될 수 있다. 일정 수준 이상으로 신동맥이 좁아졌을 때 RAAS의 활성화가 유도되고 비로소 혈역학적으로 의미있는 신장 허혈을 일으킬 수 있는 것이다. 일부에서는 허혈신병증이라는 용어보다는 "azotemic renovascular disease"와 같은 다른 용어를 사용하는 것이 더 적절하다고 이야기하기도 한다. 이유는 허혈에 의한 저산소증뿐만 아니라 RAAS의 활성화로 인한 안지오텐신 II가 섬유화의 주된 원인물질이라 할 수 있고, TGB-β와 같은 여러 성장인자의 활성화, 혈관수축물질의 증가, 혈관확장물질의 감소 및 염증인자(TNF-α, MCP-1)의 증가 등이 복합적으로 작용하여 신실질의 경화와 섬유화에 기여하는 것으로 알려져 있기 때문이다. RAAS의 활성화는 교감신경계와도 밀접한 관련이 있지만 endothelin 시스템 및 kallikrein-kinin 시스템들과도 같이 활성화되어 혈역학적인 변화에도 관여한다.

진단

신혈관고혈압은 신동맥 협착으로 나타나는 임상결과를 완화시키기 위한 내과 또는 외과 치료방법을 적용한 후 6~12주 후에 개선 또는 완치를 보이는 경우에만 정확하고 적절하게 후향적으로 진단할 수 있다. 임상적으로 신혈관고혈압을 시사하는 특징들이 있으므로, 이는 조기 진단을 위한 중요한 요소가 될 수 있다. 가족력 없이 갑자기 발생한 고혈압, 잘 조절되던 고혈압의 악화, 3가지 이상의 약제에도 조절되지 않는 고혈압, 악성 고혈압 등의 양상을 보인다. 또한, 안지오텐신 전환효소 억제제 혹은 안지오텐신II 수용체 차단제를 사용하면서 크레아티닌이 30% 이상 상승하거나, 상대적으로 한쪽 신장의 크기 감소(>1.5 cm), 복부나 옆구리의 지속적인 잡음, 반복적인 원인 불명의 폐부종이 동반되기도 한다.

컴퓨터 단층촬영 혈관조영술(computed tomography angiography, CTA), 자기공명 혈관조영술(magnetic resonance angiography, MRA) 및 도플러 초음파검사(Doppler ultrasonography)는 일반적으로 사용되는 비침습적인 진단법이다. 신혈관고혈압을 진단하기 위해서는 필수 요건인 신동맥 협착을 확인하는 것이 중요하므로 신동맥 혈관조영술이 gold standard로 여겨지고 있다. 그러나 이 방법은 침습적이고 비용이 많이 들고 시간적인 제약도 있으며, 조영제로 인한 부작용, 시술 중에 생길 수 있는 위험성(예를 들어, 신동맥 박리 또는 콜레스테롤색전증) 등이 있어 처음부터 진단을 위해 적용하는 방법은 아니다.

1. 도플러 초음파검사(Duplex Doppler ultrasonography)

신동맥 협착의 증거로 양측 신장의 크기가 다른지를 확인할 수 있고 신동맥의 해부학적인 정보와 혈류량에 대한 기능정보를 동시에 얻는 장점이 있어 우선적으로 고려할 수 있는 스크리닝 방법이라 할 수 있다. 협착 부위의 혈관 재형성(revascularization) 후에 재협착에 대한 모니터링에도 유용하다. 다만, FMD 병변과의 감별은 어렵다. 일부 연구에서는 조영제를 이용한 혈관조영술과 높은 상관성을 보인다고 하지만 일관적인 결과를 보이지는 않고 있다. 비교적 가격이 저렴하고 비침습적이며 병변의 변화를 연속적으로 관찰할 수 있다는 장점이 있다. 신동맥의 PSV가 180 cm/s(일부에서는 200 cm/s) 이상을 보이면 60% 이상의 협착이 있음을 시사하며, 신동맥의 PSV와 대동맥의 PSV 비율이 3.5를 초과하면 협착을 의심해 볼 수 있다. 60% 이상의 협착을 확인할 수 있는 민감도와 특이도는 각각 90%와 70% 정도를 보인다. 또한, 저항지수(resistive index)를 측정할 수 있는데 0.7 이상이면 혈류의 저항이 있다는 것이며 0.8을 초과하면 혈관재형성에도 효과가 만족스럽지 않다. 이는 만성적인 허혈에 의해 신실질의 경화가 이미 상당히 진행되었기 때문이다. 도플러 초음파검사의 가장 큰 장애는 비만 환자에서 검사의 민감도가 낮고, 장내 가스 및 시술자의 숙련도에 따라 주 신동맥을 찾을 수 없는 경우도 있어 실패율이 10~20% 정도 된다. 그러므로, ARAS의 혈역학적 중증도를 확인할 수 없는 경우에 CTA 또는 MRA를 이용한 단면영상을 획득하는 것이 다음 과정으로 필요하다.

2. 컴퓨터 단층 촬영 혈관조영술(Computed tomography angiography, CTA) 및 자기공명 혈관조영술(Magnetic resonance angiography, MRA)

CTA와 MRA는 신동맥과 대동맥의 해부학적 구조를 모두 관찰할 수 있으며 초음파 검사에 비해 뛰어난 영상을 얻을 수 있는 비침습적인 검사이다. 그러나 신혈류량 및 협착 전후의 압력차이는 확인할 수 없다.

CTA는 특이도가 가장 높은 검사법으로 50% 이상 좁아진 병변에 대한 진단은 민감도 96%, 특이도 99%를 각각 보인다. 신동맥의 협착뿐만 아니라 신동맥 주변의 병변에 의한 협착, 신동맥의 박리와 같은 해부학적 평가를 동시에 할 수 있다는 장점이 있지만, 신독성이 있는 조영제를 상당량 사용해야 하므로 조영제유발 신손상을 염두에 두어야 한다.

MRA는 신동맥의 해부학적 구조 및 혈류에 대한 정보를 높은 민감도(97%)와 특이도(92%)로 평가할 수 있다. 신동맥에 심한 석회화가 동반된 경우에는 CTA보다 MRA가 더 좋은 도구이다. 그러나, 사구체 여과율이 30 mL/min/1.73 m² 미만으로 많이 저하된 환자에서는 가돌리늄에 의한 신장기원 전신 섬유증(nephrogenic systemic fibrosis)이 발생할 위험이 있다.

3. 신동맥 혈관조영술(Renal angiography)

임상적으로 신혈관고혈압이 강력하게 의심이 되지만 비침습적인 방법으로 결론을 내릴 수 없는 경우에는 카테터를 이용한 신동맥 혈관조영술이 필요하다. 이는 신혈관 협착을 진단하기 위한 gold standard로, 협착병변의 기시부와 원위부의 압력차이를 확인하여 병변의 혈역학적인 의미를 평가할 수 있다는 장점이 있다. 그러나 협착부위에 조영술을 위한 카테터가 위치하게 되므로 이 자체가 압력차이를 유발시킬 수 있어서 병변의 심한 정도를 과대평가할 수 있다는 점을 유념하여야 한다. 혈관직경의 70% 이상이 좁아진 경우를 심각한 수준의 협착으로 간주하며, 중등도의 협착(직경의 50~70%)이 있는 경우에는 병변으로 인한 압력의 차이를 평가하여야 한다. 협착 병변의 전후 수축기 압력차이가 20 mmHg 이상, 평균 압력차이가 10 mmHg 이상 또는 신장으로 가는 혈류량의 분획(renal fractional flow reserve)이 0.8 이하인 경우에 심한 혈관협착으로 간주한다. 진단뿐만 아니라 병변의 성격에 따라 즉각적으로 혈관재형성을 시도할 수도 있다.

4. Captopril Renography

신혈관고혈압에서는 안지오텐신 II에 의한 날사구체세동맥의 수축으로 사구체여과율과 신혈류량이 유지된다. Captopril과 같은 안지오텐신 전환효소 억제제를 투여하면 이러한 혈관수축 작용이 억제되어 방사성 동위원소의 신장내 분포 및 배설이 지연된다. 신기능이 저하되어 있거나 양측성 협착인 경우에는 검사의 정확도가 떨어지고, 민감도(74~94%)와 특이도(59~95%)가 일정하지 않기 때문에 초기 선별검사로 권장하지 않는다.

5. 생화학 검사

혈장 레닌 활성 수준은 신동맥 협착이 편측성 또는 양측성에 따라 다르고, 소듐 및 체액 보유 상태, 나이, 인종, 성별, 당뇨병과 같은 동반 질환에 영향을 받기 때문에 진단을 위한 역할은 제한적이며 민감도와 특이도도 상대적으로 낮다. 많은 양의 단백뇨가 동반된 경우는 신동맥 질환보다는 신장실질의 손상에 주목을 해야 한다. 이차고혈압을 유발시킬 수 있는 다른 질환들에 대한 감별이 필요하며, 원발성 알도스테로니즘을 감별하기 위해 혈장 알도스테론/레닌 비율을, 크롬친화세포종을 감별하기 위해 24시간 소변의 metanephrine 또는 vanillylmandelic acid 등을, 혈관염을 감별하기 위해 보체검사와 자가면역질환 검사를, 쿠싱 증후군 감별을 위해 24시간 소변 코르티졸 검사 등을 포함하여 진행하는 것이 바람직하다.

치료

다른 형태의 고혈압 치료와 마찬가지로, 고혈압으로 인한 장기 손상 및 심혈관 합병증을 예방하고 사망률을 감소시키는 것이 궁극적인 치료의 목표라 할 수 있다. 신동맥 협착에 의한 신혈관고혈압은 기저 원인에 대한 치료가 필요하며, 기본적으로는 내과 치료를 모든 환자에서 권유하고 있다. 적응증에 해당하면 신동맥 혈관성형술, 스텐트 삽입술, 수술 등과 같은 혈관재형성을 시도할 수 있다.

혈관재형성의 목적은 고혈압의 치료뿐만 아니라 신기능의 유지에 있다. 신기능의 급격한 악화, 조절되지 않는 혈압으로 인한 약제의 증가, 반복적인 'flash pulmonary edema'와 같은 고위험군에서 신동맥 혈관성형술이 이점이 있다는 관찰연구도 있지만, 최근의 여러 연구에서는 혈관재형성이 내과 치료와 비교하여 사망률, 혈압 조절의 우수성 및 신기능의 회복이나 유지 측면에서 우월하다는 증거를 보여주지는 못하였다. 이미 위축된 작은 신장, 수년에

걸쳐 서서히 진행되는 신기능 저하, 기본적으로 유의한 수준의 단백뇨를 보였던 환자에서 혈관재형성이 가지고 있는 임상적 유용성은 거의 없다. 반면에, 최근에 갑자기 신장 기능이 감소한 경우는 임상적으로 좋은 성적을 보인다.

1. 내과 치료

신혈관고혈압에서 내과 치료는 혈압 조절에 초점을 맞추며, 강력한 항고혈압제의 개발은 약물치료만으로도 혈압의 조절이 가능케 하였다. 고혈압의 조절뿐만 아니라 예후 측면에서도 안지오텐신 전환효소 억제제나 안지오텐신 II 수용체 차단제가 대부분의 환자에서 다른 항고혈압제보다 뛰어난 성적을 보여주고 있다. 이는 안지오텐신 전환효소 억제제와 안지오텐신 II 수용체 차단제가 안지오텐신 II의 작용을 억제하여 혈관 확장을 유발하고 소듐과 수분의 배설을 촉진시키는 것과 연관성이 있다. 그러나 이러한 약물은 양측 신동맥 협착증이 있는 경우나 단일 기능신에서는 급성신손상과 고칼륨혈증의 위험성이 있다. 사구체 내의 높은 압력에 의존하여 사구체 여과율이 유지되던 환자에게 이런 약제가 투여되면, 날사구체세동맥이 확장되고 사구체 내의 관류 압력이 낮아져 사구체 여과율은 감소하기 때문이다.

신혈관고혈압 환자에서는 내과 치료를 기본으로 하여야 하며, 단독 약제로 고혈압이 적절하게 조절되지 않는 경우에는 여러 약제를 조합하여 사용한다. 아스피린과 같은 항혈소판제와 고지혈증 치료제의 사용, 금연, 운동, 비만의 조절 등 일반적인 죽경화증의 진행 및 예방을 위한 치료를 병행하는 것이 보편적이다.

2. 경피적 혈관성형술(Percutaneous transluminal renal angioplasty, PTRA)

PTRA 등의 중재 치료는 신혈관고혈압 환자의 일부에서만 적응증이 된다. 약물 치료에 저항성을 보이는 고혈압, 설명하기 힘들고 반복적으로 발생하는 폐부종이나 울혈성 심부전, 안지오텐신 전환효소 억제제 또는 안지오텐신 II

수용체 차단제의 사용으로 사구체여과율이 지속적으로 감소하는 경우, 뚜렷한 원인을 찾을 수 없는 신부전 환자 또는 한 쪽 콩팥의 크기가 작은 환자들에게 적용할 수 있다. 그러나 이미 신장의 크기가 감소해 있는 경우(8 cm 미만), 이미 진행된 신부전 상태, 신증후군 범위의 단백뇨가 동반된 경우 등은 혈관재형성의 이점이 거의 없다. 비수술적 혈관재형성의 장점은 혈압 조절이 용이해지고, 일부에서 신기능의 호전이나 투석 치료의 중단, 그리고 신기능의 악화를 늦출 수 있다는 것 등이다. 단점은 조영제 사용으로 인한 신손상, 중재적 시술에 따르는 합병증(출혈, 혈종, 대동맥 파열, 박리 등), 죽경화증에 의한 색전증으로 인하여 뇌졸중, 장간막 허혈, 허혈성 손가락, 급성콩팥손상 등이 유발되는 것이다. 심한 협착을 가진 경우, 신혈류량이 잘 유지되는 경우, 비당뇨병 환자, 전신성 죽경화증이 없는 경우에서 PTRA 후 고혈압의 개선이 더 잘 이루어지는 것으로 알려져 있다. 일반적으로 PTRA는 주 신장 동맥에서 부분 폐쇄를 유발하는 병변에 적합하지만, 신동맥의 완전 폐쇄 또는 탄성 반동(elastic recoil)이 쉽게 나타나는 신동맥의 기시부 협착에는 적합하지 않다.

시술의 성공률은 병변의 원인과 병변의 위치에 따라 다르다. 성공률은 약 80% 정도이며 1년 이내에 재협착이 발생하는 경우는 약 10% 정도이다. 한쪽 신동맥의 죽경화증으로 인한 병변은 시술 후에 혈압의 조절이 완치 수준에 도달하는 경우가 8~20%, 호전을 보이는 경우가 50~60%, 혈압 조절에 실패하는 경우가 20~30% 정도 된다는 보고가 있다. 신동맥의 기시부에 생긴 병변, 신동맥의 여러 부위에 생긴 병변 및 하나의 동맥에 연속적으로 병변이 동반된 경우에 치료 성적이 좋지 않다. 재협착이 오면 스텐트의 삽입을 고려한다. PTRA와 내과 치료를 비교한 연구의 메타 분석에서 신기능의 호전 및 혈압의 조절 면에서 더 나은 성적을 보여주지는 못했다.

FMD에 의한 신동맥 협착은 PTRA로 교정하는 것이 원칙이고 그 성적도 우수하여 스텐트의 삽입까지는 필요치 않다. 기술적인 성공률이 90% 정도이고 약 30%에서 고혈압이 완치된다. 하지만 약 10~15%에서 재협착이 발생할 수 있고, 이 경우에도 다시 PTRA를 시행하는 것이 원칙

이다.

3. 스텐트 삽입술(PTRA with stent, PTRAS)

스텐트의 삽입은 재협착의 발생이 높은 병변에 권고되고 있으며, PTRA와 비교하여 신기능의 안정 또는 호전, 혈압의 조절 및 재협착률 등에서 월등한 성적을 보인다. 기시부에 발생한 ARAS는 스텐트 삽입술의 적응증이 된다. 기술적인 성공률은 100%에 가깝고 재협착률은 14~25% 정도이다.

한편, PTRAS와 내과 치료를 비교한 연구에서 신기능이나 혈압, 심혈관계 사건, 치명률 등에 있어 의미있는 차이가 없었고 오히려 시술에 따른 부작용이 수반되었다. 그러나 연구 디자인 측면에서, 두 군간에 임상시험 대상자의 임상적 특성(예를 들어 저항성 고혈압 환자는 포함되지 않았다는 점)에 차이가 있었다는 점을 감안하여 해석할 필요성이 있다. PTRAS의 이점을 최대로 받을 수 있는 협착 환자가 포함되지 않았다는 것은 혈역학적 중증도의 평가가 제대로 이루어지지 않았다는 것을 의미하고, 시술 결과의 평가 기준이 임상시험마다 각각 다르게 적용되었다는 연구의 한계가 있었다. 그러므로 이러한 문제점들을 극복하고 신뢰할 수 있는 데이터를 얻기 위해서는 보다 완벽하게 설계된 무작위 임상시험이 필요하다.

최대의 효과를 볼 수 있는 환자를 선별하는 것이 중요한데, 몇몇 가이드라인에서는 신장 기능이 진행성으로 악화하거나 급격히 악화하는 경우, 원인 불명의 반복적인 폐부종 및 고혈압 약제의 요구량이 급격히 증가한 환자에서는 PTRAS를 권고하고 있다. 이외에 무증상의 양측 협착 및 단일 기능신의 협착을 적응증으로 언급하는 곳도 있다. 시술 후 일정기간이 지나면 스텐트 내부로 재협착이 올 수 있는데 이에 대한 규정화된 검사법은 없다. 도플러 초음파 검사에서 PSV가 395 cm/s를 초과하는 경우에 70% 이상에서 스텐트 내 재협착이 발견되었다. 도플러 이외에 CTA를 추가로 이용할 수 있지만, MRA는 스텐트의 금속재질로 인하여 영상의 품질에 영향을 받기 때문에 이용하지 않는다. 재협착이 확인되면 일반적으로 스텐트를 추가로 삽

입하는 것이 선호되고 있다.

4. 수술적 혈관재형성술

1990년대 이후로 PTRAS가 널리 이용되면서 수술적 치료는 매우 제한적으로 사용된다. 약물치료로 혈압조절이 안되거나 비수술적 혈관재형성 후에 반복적인 협착을 보이면 혈관 우회술을 시도할 수 있다. 또한, 신동맥이 여러 분지로 나뉘어져서 PTRA로 접근이 힘든 병변이 존재하거나, 주 동맥이 일찍 분지되어 PTRA가 어려운 경우, 대동맥류나 대동맥 폐쇄 등으로 대동맥 수술이 필요한 경우 등에 적용할 수 있다. 혈관 우회술 이외에 병변이 있는 신장의 편측 신절제술을 시도한 경우도 있다. 합병증은 수술로 인해 죽종색전증의 발생, 대동맥 박리 및 감염의 위험성이 존재하고 상대적으로 사망률이 높다.

정리하면, 생활 습관 수정 및 약물투여는 치료단계에서 매우 중요하다. 약물 치료는 수술적 치료를 고려하기 전에 우선적으로 적용하고, 약제의 선택과 투여량은 최적화되어야 한다. 일부 경우에는 스텐트를 사용한 혈관 성형술이 효과적일 수 있다. 세심한 접근과 시기적절한 진단을 통해 신혈관고혈압의 부작용을 효과적으로 관리할 수 있으며 때로는 완전히 정상화시킬 수 있다.

▶ 참고문헌

- Dworkin LD, et al: Renal-artery stenosis. N Engl J Med 361:1972–1978, 2009.
- Herrmann SM, et al: Current concepts in the treatment of renovascular hypertension. Am J Hypertens 31:139–149, 2018.
- Mishima E, et al: Selection of patients for angioplasty for treatment of atherosclerotic renovascular disease: predicting responsive patients. Am J Hypertens 33:391–401, 2020.
- Prince M, et al: When and how should we revascularize patients with atherosclerotic renal artery stenosis? JACC Cardiovasc Interv 12:505–517, 2019.
- Safian RD, et al: Renal artery stenosis. N Engl J Med 344:431–442, 2001.
- Vassallo D, et al: Progress in the treatment of atherosclerotic renovascular disease: the conceptual journey and the unanswered questions. Nephrol Dial Transplant 31:1595–1605, 2016.

CHAPTER 05 고혈압 신경화증

이규백 (성균관의대), **엄민섭** (연세원주의대 병리과)

KEY POINTS

- 고혈압 신경화증은 악성 고혈압에서 주로 발생하며, 경증 중등도의 고혈압은 신경화증의 직접 원인으로 생각되지 않는다.

- 콩팥 조직 검사 소견에서 사구체 경화와 동백 경화를 보이는데, 이러한 소견은 고령, 지질대사이상, 흡연, 인슐린저항성, APOL-1 유전질환, 심혈관질환 등에서 관찰된다.

- 고혈압은 만성콩팥병의 주요 원인으로 생각되나, 향후에 다양한 콩팥 질환에 의한 이차적인 고혈압과 구별이 필요하고, 이에 대한 연구가 필요하다.

서론

악성 고혈압이 콩팥에 손상을 주고, 말기콩팥병의 발병 원인에 관한 확실한 증거들이 있다. 그러나 비악성 고혈압이 콩팥에 손상을 주어 말기콩팥병의 발병원인으로 작용하는 지는 논란이 있어 왔다.

신경화증의 소견은 악성 고혈압 뿐만 아니라, 고령, 비만, 고지혈증, 흡연, 동맥경화, APOL1 유전자 변이 콩팥병, 여러 유전성 콩팥병에서 볼 수 있는 소견이다. 최근 들어서 비악성 고혈압은 콩팥병의 발병원인으로 생각되지 않으며, 고혈압 콩팥병이나, 고혈압 신경화증이란 용어는 혼동을 주는 용어로 정립이 필요할 것으로 보인다

경도 중등도의 고혈압은 신경화증의 원인이 아니다

경증 중등도의 고혈압은 신경화증과 말기콩팥병의 원인으로 생각되고 있지 않다. 이유로는 ① 고혈압이 만성콩팥병을 유발한다면 고혈압을 치료하면 발생을 줄일 수 있을 것이다. 그러나 혈압을 낮춰도 콩팥병이나 말기콩팥병 발병에 큰 영향을 주지 못한다는 결과를 보여준 연구들이 있다. African American Study of Kidney Disease and Hypertension (AASK) 연구를 보면 RAS 억제제등을 사용한 혈압 조절에도 만성콩팥병의 발생을 막을 수 없었다. ② 고혈압 신경화증 환자에서 여러가지 유전성 콩팥병들이 발견되고 있다. 임상적으로 고혈압 콩팥병은 아직도 밝혀지지 않은 기저 콩팥병이 있었을 것으로 생각된다. ③ 고혈압 자체가 만성콩팥병을 진행시키는 위험요인으로 고혈압과 콩팥병 발병의 인과성을 모호하게 만든다. 원인이

밝혀지지 않은 기저콩팥병이 발병하고, 고혈압이 이차적으로 동반되어 콩팥병이 진행할 경우 고혈압 신경화증으로 진단을 하는 오류가 생긴다.

병인

1. 콩팥 혈류량 자가조절 이상(Loss of auto-regulation of renal blood flow)

고혈압으로 이차적인 수입세동맥 혈류량의 증가는 혈관 내 평활근 수축을 일으키고, 사구체 직전 혈관의 마지막 부위에 위치하는 치밀반점(macula densa)으로부터 요세관 사구체 되먹이기(tubuloglomerular feedback)가 일어나서, 사구체 내 모세혈관의 혈류량과 압력의 자가 조절을 가능케 한다. 이러한 자가조절기전 이상은 고혈압 신경화증 기전을 설명할 수 있다.

2. 허혈(Ischemia)

고혈압에 의한 과도한 자가조절기전 반응이 일어나면, 수입세동맥 수축과 사구체 혈류량과 압력이 떨어짐으로써 결국 사구체의 전역의 경화증(global sclerosis)이 발생하게

된다. 또한 감소된 수입세동맥 혈류량에 의한 콩팥 내에 레닌-안지오텐신 시스템의 활성화는 TGF-β의 과분비를 유도하여 섬유화를 일으킨다. 사구체의 허혈과 섬유화가 발생하고, 이어서 요세관과 간질 부위의 섬유화가 진행된다. 고혈압 신경화증에서 나타나는 변화는 고혈압에서만 특이적이지 않고, 다른 콩팥병의 중요한 발병 기전의 하나이다. 유사한 변화는 고령 콩팥에서도 발생하며, 여러 콩팥병의 손상 과정에서도 나타난다(그림 7-5-1).

3. 콩팥 감수성 유전자(Renal susceptibility genes)

수입 세동맥의 수축 반응에 장애가 있는 고혈압 실험 동물 모델에서는 혈압이 높지 않음에도 초점분절 사구체 경화증과 진행성 콩팥병이 발생한다. 이는 콩팥의 감수성으로 인하여 같은 강도의 고혈압에 노출시켜도 다른 콩팥 손상을 보여준다. 또한 고혈압 말기콩팥병의 발병에서 가족력이 중요하다는 여러 연구는 콩팥병 감수성 유전자의 존재를 알 수 있다. 이러한 고혈압 신경화증 발병에 관여하는 것으로는 수입세동맥의 압력이나 혈류량 증가에 반응하여 내피세포와 평활근에 영향을 주거나, 치밀반점까지 전달되는 염분 증가에 대한 반응을 변화시킬 수 있는 근거리 호르몬, 단백질, 관련 유전자들이 있다. 이러한 물질로 칼리크레인(Kallikrein), 일산화질소 합성효소(Nitric oxide

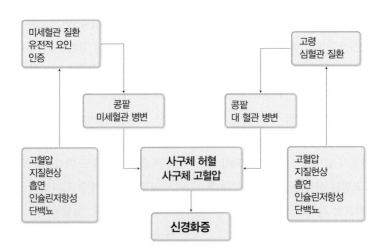

그림 7-5-1. 신경화증을 일으키는 요인

고혈압, 지질대사이상, 흡연, 인슐린저항성, 유전질환, 고령, 심혈관 질환 등 여러 유발요인에 의하여 사구체 허혈과 사구체 고혈압으로 신경화증이 발생한다.

synthase) 엔도텔린(endothelin), TGF-β, PDGF, 알도스 테론(aldosterone) 등이 고혈압에 대한 혈관성 반응을 결정하는 역할을 하는 것으로 추정된다.

4. APOL1 유전자와 콩팥병

APOL1 유전자는 염색체 22번에 존재하는 유전자로 기생충병인 아프리카 트리파노좀 수면병(Trypanosome Sleep Sickness)에 관련된 것으로 알려져 있다. 인류의 진화과정에서 APLO-1 유전자 변이는 트리파노좀에 대한 저항성을 가지게 되어, 사하라 이남 아프리카에서 APOL-1 유전자 변이가 있는 집단이 증가하게 되었다. 변이 APOL-1 단백질은 트리파노좀의 세포막을 파괴하여 수면병을 예방하는 효과가 있지만, 콩팥의 족세포의 세포골격에 세포독성을 보여서 콩팥병을 발생시키는 것으로 밝혀졌다.

아프리카계 미국인에서 고혈압과 콩팥병이 유전적인 원인을 찾는 연구가 오랫동안 진행되었다. 마침내 2010년에 유전병 집단연구인 GWAS (genome-wide association study)와 MALD (mapping by admixture linkage disequilibrium) 방법으로 APOL-1유전자 변이가 콩팥병을 일으키는 것을 발견하였다. APOL1 유전자의 G1변이는 두 개의 아미노산의 대체변이(S342G, I384M)이고, G2변이는 두 개 아미노산의 삭제변이(del388N389Y) 이다. 이러한 G1과 G2변이를 두가지 가지고 있을 경우에 (G1/G1, G2/G2, G1/G2 변이) APOL-1 유전자 관련 콩팥병인 고혈압 관련 말기콩팥병, 초점분절 사구체 경화증 등이 발생하게 된다. 즉 과거에 알려진 고혈압 신경화증 가운데 고혈압에 의하여 신경화가 발병하는 것이 아니라, APOL1 유전 콩팥병으로 신경화가 일어나고 고혈압은 이차적으로 발생하게 된다. APOL1 유전자의 연구는 그동안 이해하지 못하였던 콩팥병을 해결하는 데 큰 연구성과를 거두었다.

진단(Diagnosis)

고혈압 신경화증은 ① 임상적으로 고혈압, 고혈압 장기손상(심장비대 등), 위축된 콩팥, 단백뇨, 진행되는 콩팥기능 감소 ② 다른 콩팥병 배제(당뇨, 사구체 신염) ③콩팥생검 소견에서 사구체 혈관의 고혈압 변화와 사구체 경화소견을 보인다.

그러나 이러한 진단 기준이 비특이적이고, 원인이 불분명한 콩팥병과 고혈압이 동반되었을 때 고혈압 콩팥병이나 고혈압 신경화증으로 분류되는 경우가 많아서 정확한 병명의 정립이 필요하다.

표 7-5-1. APOL1 유전자 관련 콩팥병.

표현형	APOL1 G1, G2 유전자 변이 오즈비	APOL1 G1, G2 유전자 변이 유병율
아프리카인 대조군	-	12~14%
HIV 동반 콩팥병	29	72%
초점분절 사구체경화증	17	72%
AASK 연구		
- 고혈압 신경화증	26	23%
- 요단백-크레아티닌>0.6 g/g	6.3	48%
- 혈중 크레아티닌>3 mg/dl	4.6	40%
고혈압 말기콩팥병	7.3	-

APOL1 유전자 변이가 있는 아프리카인에서 고혈압 신경화증, 고혈압 말기콩팥병, HIV 동반 콩팥병, 초점분절 사구체경화증이 증가한다.

제 7 부 고혈압과 신장, 신혈관 질환

고혈압 신경화증 진단

1. **임상적 특징**
   - 고혈압 병력
   - 고혈압 장기손상–심비대
   - 단백뇨, 콩팥기능 감소
   - 영상검사–콩팥실질손상

2. **다른 콩팥병 배제**
3. **콩팥생검**
   - 사구체 경화, 동맥경화

진단의 문제점

1. **임상적 특징**
   - 고혈압 콩팥병
   - 콩팥병에 동반된 고혈압
   감별이 어려운 비특이적인 임상소견

2. 고혈압 콩팥병으로 진단된 질환에서
   최근 유전성 콩팥병들이 발견함
   - APOL1 유전자 관련 콩팥병,
   - 유전성 낭성 콩팥병
   (Alport 증후군, ADTKD, Nephronophthsis...)

3. **콩팥생검**
   - 사구체 경화, 동맥경화가 다양한 요인으로 관찰됨

그림 7-5-2. 고혈압 신경화증의 진단과 문제점

ADTKD; autosomal dominant tubulointerstitial kidney disease

병리소견(Pathology)

광학현미경 소견: 전신적인 만성 고혈압에 의해 신장은 손상을 받는데, 사구체, 세관, 간질, 혈관 등 모든 구조에 영향을 주며 혈관에 가장 뚜렷한 변화를 보인다. 주로 근육성 동맥과 소동맥에서는 내막의 섬유화가 뚜렷이 관찰되고 중막이 얇아지는 소견을 볼 수 있다. 또한 세동맥에서는 미만성 유리질증(hyalinosis)을 볼 수 있으며 이러한 소견은 당뇨신병증이나 노화신장에서도 볼 수 있다. 특히 악성(가속) 고혈압이 있는 환자에서는 소동맥의 '양파껍질' 모양 변화(onion skin appearance)를 볼 수 있고 점액성 내막 부종(mucoid intimal edema) 및 혈관벽의 섬유소모양 괴사(fibrinoid necrosis)의 소견도 관찰될 수 있다(그림 7-5-3). 사구체에도 변화가 관찰되는데, 사구체와 보우만 피막과의 부분적 유착이 발생할 수 있고 심한 경우에는 국소분절사구체경화증(focal semental glomerulosclerosis)이 발생할 수 있으며 주로 문맥주변형(perihilar type)으로 관찰된다. 또한 사구체가 전체적으로 위축되고 사구체 모세혈관벽이 주름진(wrinkled) 모습을 보이는 것이 특징적이다. 말기에는 주로 허혈성 형태(ischemic type)의 사구체 경화증이 발생하며 결국 사구체의 기능이 소실된다(그림 7-5-4). 세관과 간질에는 동시에 변화가 관찰되는데 부분

적으로 세관의 위축과 간질의 섬유화가 발생하고 만성 염증세포의 침윤이 동반될 수 있다(그림 7-5-5). 임상적인 신장의 기능저하는 다른 구조의 변화보다도 세관과 간질의 손상과 밀접한 관계가 있다고 알려져 있다.

면역형광염색 소견: 비특이적이긴 하지만 유리질화된 혈관벽에서 C3와 IgM이 침착되는 경우가 있고 악성(가속) 고혈압이 환자에서는 혈관벽이 괴사된 부위에서 섬유소원(fibrinogen) 침착이 관찰될 수 있다.

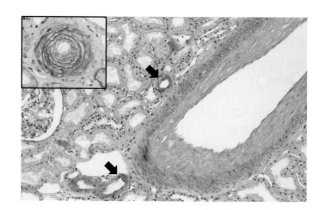

그림 7-5-3. 근육성 동맥에서 내막이 섬유화되고 중막이 얇아지며 (오른쪽) 작은 세동맥에서 내막의 유리질화(화살표)가 관찰됨(Periodic acid schiff, x200). 악성(가속) 고혈압인 경우, 소동맥의 '양파껍질' 모양 변화가 특징적으로 관찰됨(inlet, Periodic acid-schif, x400).

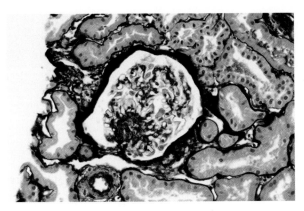

그림 7-5-4. 사구체의 위축과 사구체 모세혈관벽이 부분적으로 주름진 모습이 관찰됨(Jones methenamine silver, x400). 문맥주변형(perihilar type) 국소분절형사구체경화증이 관찰됨(화살표).

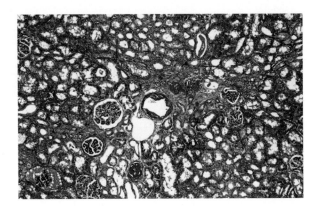

그림 7-5-5. 세관의 위축이 관찰되고 간질의 섬유화(파랑색) 및 만성 염증세포의 침윤이 관찰되며 주변에 경화된 사구체가 관찰됨(Masson's trichrome, x100).

전자현미경 소견: 사구체 기저막의 주름(wrinkling)이 뚜렷하게 관찰되고 악성(가속) 고혈압 환자에서는 혈전미세혈관병증(thrombotic microangiopathy)과 유사하게 내피밑공간(subendothelial space)이 확장되어 기저막이 이중으로 보이는 경우도 있다.

결론(Conclusion)

악성고혈압은 높은 압력을 콩팥의 수입세동맥에 전달하고, 초자질 축적이 동반된 세동맥은 평활근 위축, 사구체 과순환과 비후를 유발시킨다. 사구체 혈관의 자가조절 기전에 장애와 동맥경화로 인한 허혈성 사구체손상은 신경화증을 일으킨다.

그러나 경도나 중등고의 고혈압은 신경화증의 발병원인으로 생각되지 않으며, 고령, 지질대사이상, 흡연, 인슐린저항성, 유전질환, 심혈관 질환 등 여러 유발요인에 의하여도 신경화증의 소견을 볼 수 있다. 향후에 고혈압 콩팥병에 대한 많은 연구와 용어의 정리가 필요할 것으로 생각된다.

▶ 참고문헌

• Barry I Freedman, et al: Hypertension-attributed nephropathy: what's in a name? Nat Rev Nephrol 12:27-36, 2016.
• Carriazo S, et al: Hypertensive nephropathy: a major roadblock hindering the advance of precision nephrology. Clin Kidney 13:504-509, 2020.
• Friedman DKJ, et al: APOL1 Nephropathy: From Genetics to Clinical Applications. Clin J Am Soc Nephrol 16:294-303, 2021.
• Kopp JB. Rethinking hypertensive kidney disease: arterionephrosclerosis as a genetic, metabolic, and inflammatory disorder. Curr Opin Nephrol Hypertens 22:266-272, 2013.
• Marín R, et al: Systemic and glomerular hypertension and progression of chronic renal disease: the dilemma of nephrosclerosis. Kidney Int Suppl 99:S52-6, 2005.
• Meyrier A. Nephrosclerosis: a term in quest of a disease. Nephron 129:276-282, 2015.
• Ruilope LM, et al. Renal function and target organ damage in hypertension. Eur Heart J 32:1599-1604, 2011.

CHAPTER

06 고혈압 치료

이상호 (경희의대), 강영선 (고려의대)

KEY POINTS

- 고혈압의 치료는 심혈관질환의 합병증을 감소시키고 표적장기 손상을 줄이는 것이다. 목표혈압은 표적장기별로 확립되어 있지 않지만 만성콩팥병 환자의 목표혈압은 130/80 mmHg을 권고한다.

- 고혈압의 치료는 약물요법 이전에 체중조절과 저염식사 등 비약물요법인 생활습관의 개선이 중요하다.

- 고혈압의 항고혈압제는 나이, 심혈관질환의 위험인자, 동반질환 등에 따라서 순응도를 고려하여 개별적으로 선택하여 적용한다.

- 고혈압 약물의 병합요법은 혈압상승 정도와 표적장기 손상 유무에 따라서 결정한다.

- 만성콩팥병 환자에서 일차적인 항고혈압 약제는 안지오텐신수용체차단제 혹은 안지오텐신전환효소억제제이다. 투여 시작후 혹은 증량시 2~4주 이내 혈중 크레아티닌과 혈청 칼륨수치를 모니터해야 한다.

고혈압의 치료

고혈압은 뇌졸중, 심근경색, 울혈성 심부전, 만성콩팥병, 말초혈관질환과 같은 심혈관질환의 위험 요인이다. 고혈압을 치료하면 경증의 고혈압이 중증의 고혈압으로 진행하는 것을 막을 수 있고 고혈압에 의한 표적 장기 손상을 줄일 수 있어서, 고혈압의 합병증을 감소시킬 수 있다. 고혈압은 흔히 다른 심혈관계 위험인자와 동반되어 있으므로, 고혈압 환자를 치료할 때에는 혈압을 조절하는 것 이외에도 심혈관계 질환의 위험인자를 찾아 교정함으로써 환자의 이환율과 사망률을 감소시키는 것을 목표로 삼는다.

심혈관계 위험인자 및 표적 장기손상의 평가

고혈압 환자에서 심혈관계 질환의 발생 위험이 증가하는 것은 고혈압의 정도뿐만 아니라, 표적 장기 손상의 유무와 다른 위험인자의 동반 여부에 의하여 결정된다. 따라서 고혈압을 치료할 때에는 혈압의 측정과 함께 표적장기 손상 유무와 다른 위험인자에 대한 평가를 동시에 시행하여야 한다. 최근 발표되는 다양한 고혈압 임상지침에서도 역시 고혈압의 예후 및 치료에 영향을 미치는 생활 습관과 기타 심혈관계 위험인자를 규정하고 표적 장기 손상을 고혈압 환자 평가에 포함할 것을 권고하고 있다.

표 7-6-1. 고혈압 환자에서 심혈관계 위험인자 및 표적장기 손상

주요 심혈관계 위험인자
고혈압
흡연
비만
육체적 비활동성
지질 대사 이상
당뇨
미세단백뇨 또는 예상 사구체여과율<60 mL/min
고령(남자 55세 이상, 여자 65세 이상)
조기 심혈관질환의 가족력 (남자 55세 이하 또는 여자 65세 이하)
표적장기 손상
심장병 　좌심실비대 　협심증/심근경색증 　관상동맥 재개통(revascularization)의 과거력 　심부전
뇌졸중 또는 일과성 허혈성 마비
만성신질환
말초혈관질환
망막증

고혈압 치료의 목표

고혈압 치료의 목표는 혈압을 조절하여 혈압상승에 의한 심혈관질환을 예방하고 사망률을 낮추는 것이다. 심혈관 질환이 이미 발생한 환자에게는 혈압을 조절하여 질환의 진행을 억제하고 재발을 막음으로써 사망률을 감소시키고 삶의 질을 향상시키는 것이 목표이다. 심혈관질환의 위험이 높은 환자일수록 혈압치료에 따른 이득이 크다. 대부분의 고혈압 임상연구 결과 수축기혈압을 10~20 mmHg 정도, 확장기혈압을 5~10 mmHg 정도 낮추면 뇌졸중은 30~40%, 허혈성 심장질환은 15~20% 정도 감소

한다. 일반적으로 합병증이 없는 고혈압 환자에서 목표혈압은 수축기혈압 140 mmHg, 확장기혈압 90 mmHg 미만이다. 그러나 심혈관계 위험성이 높은 일부 환자들 또는 당뇨병이나 만성콩팥병이 있는 환자에서는 목표 혈압 130/80 mmHg 이하와 같이 보다 적극적인 혈압 조절이 도움이 되는 것으로 보고되어 과거 고혈압 임상 지침에서 권고된 바 있다. 하지만 최근 임상연구들에서 고령, 당뇨, 만성콩팥병 환자에서 수축기 혈압은 130 mmHg 미만으로 떨어뜨린 경우에 심혈관질환의 예방에 대한 효과는 입증되지 못하였다. 오히려 일부 연구에서는 고위험군에서 심혈관계 합병증의 위험이 증가한다고 보고하였다. 특히 노인 고혈압에서는 혈압 강하에 의한 효과가 뚜렷하지만 140 mmHg 미만으로 낮추기가 쉽지 않고, 또 목표혈압이 140 mmHg 미만일 때와 150 mmHg 미만일 때 예후에 차이가 없다는 보고가 있다. 이 같은 추세를 반영하여 최근 영국, 유럽, 미국 등에서 개정된 임상지침들은 고령 및 당뇨, 만성콩팥병 환자의 혈압 조절 목표를 상향 조정하게 되었다. 확장기 혈압의 경우에도 고위험 고혈압에서 진행된 연구들에서 확장기 혈압이 65~70 mmHg 이하로 내려갈 경우 사망률과 심혈관질환 발생률이 증가하는 'J 커브 가설'이 대두되어 확장기 혈압을 70 mmHg 이하로 내려가지 않도록 할 것을 권고하고 있다. 따라서 표적 장기 손상이 있는 고혈압 환자에서 목표 혈압의 일률적인 임상 적용보다는 연령, 기존 심혈관계 동반질환, 당뇨, 만성콩팥병, 단백뇨 여부 등 개개인의 임상적 특성에 맞는 맞춤 치료가 요구되며 이에 대한 향후 연구가 필요한 상황이다.

비약물적 치료요법

비약물적 치료요법으로는 체중 조절, 운동, 절주, 식사습관의 개선 등의 생활 요법을 의미한다. 비약물적 치료요법은 그 자체가 혈압을 강하시키는 효과가 있을 뿐만 아니라, 약물요법과 병용할 경우 약물의 항고혈압 효과를 증대시킴으로써 약물의 용량을 줄일 수 있으므로 비약물적 치료요법은 약물적 치료요법 전에 또는 약물적 치료요법과

함께 시행한다.

환자에 대한 식사 습관, 음주 기왕력, 체형과 체지방 분포에 대한 검사를 실시하여 비약물적 고혈압 치료요법 중 어떤 항목이 환자의 치료와 관련이 있을 수 있는지 파악한다. 비약물적 치료요법을 처음 치료에 적용하는 경우에 환자에게 치료 효과를 기대하기 위해서는 수주에서 수개월이 걸릴 수 있다는 것을 설명하고 경우에 따라서 비약물적 치료요법만으로 혈압이 감소되지 않을 수 있으므로 약물요법이 추가로 필요할 수 있다는 것도 설명해야 한다.

1. 체중조절

과체중과 고혈압의 상관성은 잘 알려져 있으며 체질량지수(BMI)가 25 kg/㎡ 이상이면 혈압 상승과 밀접한 관계가 있다. 특히 복부 비만은 고혈압, 이상지질혈증, 당뇨병과 관상동맥질환의 사망률과 밀접한 관련이 있다. 과체중 환자에서 적절한 체중 감량은 혈압을 감소시키고 인슐린 감수성을 증가시키는 것으로 보고하고 있다. 따라서 과체중인 고혈압 환자는 체중을 조절해야 한다. 일반적으로 체중을 감량하기 시작하여 이상 체중에 도달하기 전에도 항고혈압 효과가 있으며 체중을 1 kg 감소시키는 경우에 수축기와 확장기 혈압은 각각 1.6 mmHg, 1.3 mmHg 감소한다고 알려져 있다 체중감량으로 인해 혈압이 떨어지는 기전은 소변으로 소듐 배설 증가, 교감신경계 활성도 감소, 인슐린 감수성 증가, 염분에 대한 감수성 감소 등이 제시되고 있다. 따라서 체중감량에 의한 혈압 하강은 운동, 절주, 소금 섭취 제한 등으로 그 효과가 증강된다.

2. 식이 염분 섭취의 제한

염분 섭취를 많이 하는 사람들에서 고혈압의 빈도가 증가하는 것은 잘 알려진 사실이며 반대로 염분섭취의 감소는 의미 있는 혈압 감소 효과가 있음이 보고되었다. 특히 염분섭취 감소는 정상인에서는 감압 효과가 크지 않지만 고혈압 환자는 혈압 감소 효과가 더 크게 나타난다는 것이 증명되었다. 그러나 염분 섭취량에 따라 혈압의 상승 정도는 사람에 따라 다르게 나타나 염분 섭취에 따른 혈압의 반응(salt-sensitive 또는 salt-resistant)이 다른 것으로 생각된다. 여러 연구에 의하면 나이가 많은 경우, 당뇨병 환자의 경우, 고혈압 환자, 미국 흑인인 경우 염분 섭취에 민감한 것으로 알려져 있으므로 이런 환자군의 고혈압 치료에서 소듐 섭취를 줄이는 것이 특히 도움이 된다.

세계보건기구 및 많은 가이드라인에서 하루 소금 섭취량을 6 g 이하로 권고하고 있으나 한국인은 하루 평균 10 g (소듐 3.9 g)의 소금을 섭취하는 것으로 추정되고 있다. 하루 소금을 10g정도 섭취하는 고혈압 환자가 소금 섭취를 절반으로 줄이면 수축기 혈압이 4~6 mmHg 감소 효과가 있다. 더불어 소금을 인위적으로 배설시키기 위하여 이뇨제를 복용할 필요가 없어지고, 이뇨제에 의한 칼륨 소모를 줄일 수 있고, 좌심실비대를 완화시킬 수 있으며, 소변 내 칼슘의 배설을 줄여서 골다공증과 신결석 발생을 예방할 수 있다. 소금에 대한 감수성은 고령, 비만, 당뇨병 또는 고혈압의 가족력이 있는 사람에게 더욱 높다. 소금에 대한 감수성이 높을수록 적극적인 저염식을 시행할 때 혈압은 더 효과적으로 낮아진다. 소금 섭취와 칼로리 섭취의 상관관계가 높기 때문에 칼로리 섭취를 줄이면 소금 섭취량을 줄일 수 있다. 소금이 많이 함유된 가공식품을 피하고, 자연 재료로 직접 조리된 음식을 먹도록 권장해야 하며, 소금으로 미리 절이거나 조리과정 중 소금이 다량 들어간 음식을 피하도록 한다.

3. 건강한 식사요법

식사요법이 혈압 강하에 미치는 효과에 대한 연구들은 과체중 환자에서 저칼로리 식이를 하고, 포화지방산과 지방의 섭취를 줄이고 야채, 채소, 저지방유제품의 섭취를 증가시키는 것이 혈압 조절에 긍정적으로 작용함을 보고하고 있다. 일반적으로 채식주의자들은 육식을 하는 사람들보다 혈압이 낮으며 채식 위주의 식단은 고혈압 환자의 혈압을 하강시킨다. 이런 효과는 단백질의 유무보다는 과일, 채소, 섬유질의 섭취와 포화지방산 섭취의 감소 등과 같은 복합적인 효과 때문으로 생각된다.

DASH (Dietary Approaches to Stop Hypertension) trial은 8주간의 저지방 유제품, 과일과 야채가 풍부한 식단이 경도의 고혈압 환자에서 혈압을 낮추는 효과가 있음을 증명하였다. 과일과 채소에는 칼륨, 마그네슘과 섬유질이 많고 유제품은 칼슘이 풍부하게 함유되어 있다. 고칼륨 식이는 고혈압의 발생을 예방할 뿐만 아니라 고혈압 환자의 혈압을 조절하는 데에 효과적인 것으로 알려져 있기 때문에 고칼륨 식이는 고혈압 환자의 비약물적인 치료에 이용된다. 그러나 진행된 만성콩팥병 환자, 고령, 엔지오텐신전환효소억제제(ACE inhibitor) 억제제, 엔지오텐신수용체차단제(ARB) 혹은 칼륨 보존형 이뇨제를 복용 하는 환자는 칼륨 섭취의 증가후 고칼륨혈증이 발생할 위험이 있음을 주의해야 한다. 칼륨이 혈압을 강하시키는 기전으로 추정되는 것은 내피세포 기능호전, free radical 형성 억제, 혈관 평활근 증식억제제 등이 있고 최근 집합관 ENaC 통로 억제제를 통한 염분 감수성 저하 등이 제시되었다.

4. 금주 혹은 절주

과도하게 술을 마시면 혈압이 상승하고 고혈압 약에 대한 저항성이 올라간다. 일반적으로 음주는 알코올 양을 기준으로 남자는 하루 20~30 g, 여자는 10~20 g 미만으로 줄여야 한다. 여성이나 체중이 낮은 사람은 알코올에 대한 감수성이 크기 때문에 언급한 양의 절반만 허용된다. 과음자에게는 뇌줄중의 위험이 높아진다는 것을 경고한다. 고혈압 환자에서는 금주를 권하고, 혈압 조절이 잘 되는 경우에 한하여 하루 1잔(10g)이하로 알코올 섭취를 제한해야 한다.

5. 운동

규칙적인 운동은 혈압을 낮추고 심폐기능을 개선시키며 체중 감소 및 이상지질혈증의 개선으로 고혈압 환자에서 전반적인 심혈관계 질환의 위험을 낮추는 데 유용하다. 따라서 적절한 운동을 하는 것은 고혈압 치료를 받는 모든 사람에게 필요하다. 운동에 의한 혈압 감소의 기전으로 제시된 가설로는 교감신경계 활성을 저하시키며 동맥벽의 긴장(stiffness)을 줄이고 내피세포 유래 nitric oxide의 분비가 증가되고, 체중 감소로 인한 인슐린 감수성의 증가 등이 있다. 운동은 지속적인 등장성(isotonic) 유산소운동으로 걷기, 조깅, 수영, 자전거 타기, 에어로빅 등을 1주일에 5~7회 규칙적으로 실시한다. 아령 등 근력기구를 이용한 등장성 및 등척성(isometric) 악력운동도 혈압 감소효과와 근력을 강화시키므로 1주일에 2~3회 병행한다. 혈압이 조절되지 않는 경우에는 일시적으로 혈압을 상승시키므로 피해야 한다.

6. 금연

흡연 시에는 담배 중의 니코틴에 의하여 일시적인 혈압 상승이 올 수 있지만, 흡연 자체는 지속적인 혈압 상승에는 큰 역할을 하지 않는다. 그러나 흡연은 고혈압과 마찬가지로 심혈관 질환의 강력한 위험인자이므로 고혈압 환자에서 흡연을 한다면 심혈관 질환의 위험을 피할 수 없다. 따라서 흡연자에게는 금연하도록 명백하게 권고 하여야 한다.

7. 기타

스트레스는 혈압을 상승시키고 심혈관 질환의 위험과 관련이 있다. 그러므로 스트레스 해소는 고혈압의 치료와 순응도에 매우 중요하다. 현재까지 혈압의 치료를 위하여 각종 스트레스 조절방법(명상, 이완요법과 바이오피드백)의 효과에 관해서는 아직 논란의 여지가 있어 계속적인 연구가 필요하다.

약물요법

항고혈압약제의 선택과 병합은 환자의 나이, 다른 심혈관계 질환의 위험인자, 동반질환, 고혈압의 정도를 고려하여 결정해야 하며 실제적으로 환자의 순응도를 고려하여 치료비용, 부작용, 투여 횟수 등에 따라 약제를 선택하는 것이 중요하다.

1. 약물요법의 적응증

2기 고혈압 또는 고위험(표적장기손상, 심뇌혈관질환) 1기 고혈압은 생활습관 개선과 함께 항고혈압약제를 바로 투여할 것을 권고한다. 혈압이 160/100 mmHg 이상이거나 목표혈압보다 20/10 mmHg 이상 높은 고위험군에서는 강압효과를 극대화하고 혈압을 빠르게 조절하기 위해 처음부터 고혈압약 저용량 병용투여를 고려한다. 심뇌혈관질환이나 표적장기 손상이 없는 1기 고혈압은 수개월간의 생활습관 개선 후 목표혈압 이하로 혈압조절이 안된다면 약물치료를 시작할 것을 권고한다.

2. 항고혈압약제의 선택의 일반 지침

1) 고혈압 약물선택의 일반적 원칙

다른 특별한 적응증이 없는 환자에서 일차약제 사용에 대해서는 그동안 시행된 대규모 무작위 임상시험의 결과를 토대로 지난 수십년 동안 많은 변화가 있어왔다. 1990년대 중후반에는 이뇨제와 베타차단제, 2000년대 초반 JNC 7차 진료 지침에서는 이뇨제의 사용이 추천되었다. 하지만 최근의 진료 지침들에서는 안지오텐신수용체차단제, 안지오텐신전환효소억제제 혹은 칼슘 통로 차단제, 티아지드계 이뇨제, 베타차단제를 일차약제로 사용하도록 권고 하고 있다. 특별한 적응증이 없는 경우 이같은 일차약제를 적절한 조합으로 사용할 것이 권고되며, 아래에 기술한 특수 적응증에 해당하는 경우에는 그에 따르는 약물을 우선 선택할 것을 고려해야 한다.

2) 약물 선택시 고려 사항

항고혈압약제를 처음 선택할 때는 고혈압과 동반된 다른 질환 또는 상태를 고려하여 약물을 선택한다. 절대적 금기에 해당될 경우 회피할 것이 권고되며 상대적 금기는 약물 사용의 득과 실을 고려하여 선택하도록 권고한다. 예

를 들면, 단백뇨 혹은 신기능장애시 안지오텐신전환효소억제제나 안지오텐신수용체차단제가 우선적으로 추천된다. 무증상 죽상동맥경화증에서는 칼슘 통로 차단제나 안지오텐신전환효소억제제제, 심실비대는 칼슘 통로 차단제나 안지오텐신수용체차단제, 안지오텐신전환효소억제제제, 심근경색증에서는 베타차단제, 안지오텐신전환효소억제제제, 안지오텐신수용체차단제, 협심증에서는 베타 차단제, 칼슘 통로 차단제, 심부전증에서는 베타 차단제, 안지오텐신전환효소억제제제, 안지오텐신수용체차단제, 이뇨제, 알도스테론 차단제, 대동맥류에서는 베타차단제, 말초혈관질환에서는 안지오텐신전환효소억제제제, 칼슘 통로 차단제, 수축기 단독 고혈압에서는 이뇨제, 칼슘 통로 차단제, 대사증후군에서는 안지오텐신전환효소억제제제, 안지오텐신수용체차단제, 칼슘 통로 차단제, 당뇨병에서는 안지오텐신전환효소억제제제, 안지오텐신수용체차단제, 임신시에는 베타차단제, 메틸도파, 칼슘 통로 차단제의 투여를 우선적으로 권고한다. 반면에, 통풍에서는 티아지드계 이뇨제 투여가 금기이며, 천식과 2, 3도 방실차단에서는 베타 차단제가, 임신과 혈관부종, 고칼륨혈증, 양측 신동맥협착증에서는 안지오텐신전환효소억제제제나 안지오텐신수용체차단제가, 급성 신부전증이나 고칼륨혈증에서는 알도스테론 차단제가 금기이다.

2) 고혈압 약물의 병합요법

표적장기 손상이 없는 1기 고혈압은 단일제로 시작하고 2~3개월 후 목표혈압 이하로 조절이 안되면 약제의 용량을 올리거나 약제를 추가하는 병용요법을 고려한다. 표적장기 손상이 있는 1기 고혈압 또는 2기 고혈압은 처음부터 2제 이상의 저용량 병용요법을 고려한다. 적절한 병용요법은 안지오텐신전환효소억제제제(또는 안지오텐신수용체차단제)/칼슘 통로 차단제, 안지오텐신전환효소억제제제(또는 안지오텐신수용체차단제)/티아지드계 이뇨제, 칼슘 통로 차단제/티아지드계 이뇨제를 고려한다. 베타차단제/티아지드계 이뇨제 병용요법은 혈압강하 측면에서는 효과적이나 인슐린 저항성의 증가에 따른 혈당상승, 이상지질혈증 발생의 위험이 증가한다. 또한 혈압강하 측면에서는 안지오텐

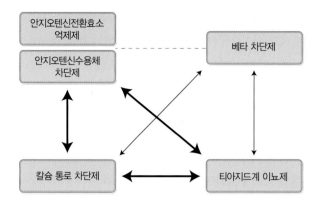

그림 7-6-1. 굵은 실선은 1차로 권고되는 약물 조합이고, 보통 실선의 조합은 할 수 있으나 1차로는 권고되지 않는 약물 조합이며, 점선은 권고되지 않는 약물 조합입니다.

신전환효소억제제제(또는 안지오텐신수용체차단제)/베타차단제 병용요법은 권고되지 않으며, 안지오텐신전환효소억제제/안지오텐신수용체차단제의 병용요법도 권고되지 않는다. 2제요법을 사용함에도 목표혈압 이하로 조절되지 않는다면 금기가 있지 않는 이상 티아지드계 이뇨레를 포함한 3제요법의 사용을 고려한다.

항고혈압약제의 종류 및 작용기전

1. 이뇨제

이뇨제는 오랫동안 고혈압 치료의 중요한 약물로 사용되어 왔으며, 특히 thiazide계 이뇨제가 단독 혹은 기타 약제와의 병합요법으로 널리 이용되어 왔다. Thiazide 이뇨제는 원위요세관에서 Na^+과 Cl^- 의 재흡수를 억제하는 약물로서, Na^+ 배설에 의하여 세포외체액을 감소시켜 강압 효과를 나타내며 4~8주간의 장기간 사용하는 경우 말초혈관 저항을 감소시킴으로써 혈압을 감소시킨다.

Thiazide 이뇨제는 효과적이며 안정성도 입증되었으며 비용 역시 저렴하며 부작용도 비교적 경미하다. 이뇨제는 심부전이 동반된 고혈압 환자에서 사용하면 이로운 점이 있으나 사구체여과율이 약 40 mL/min 이하로 저하된 경우에는 thiazide의 이뇨 효과가 감소되므로 혈청 크레아티닌이 2~3 mg/dL 이상인 경우에는 투여하지 말아야 한다. Thiazide계 이뇨제의 부작용으로는 저칼륨혈증이 가장 빈번하게 관찰되고, 고요산혈증 , 당불내성(glucose intolerance), 고지혈증, 저마그네슘혈증, 저나트륨혈증, 고칼슘혈증 등이 발생할 수 있다. 이런 부작용의 빈도는 thiazide의 용량과 비례하므로 thiazide계 이뇨제를 낮은 용량(6.25~25 mg/day)으로 사용하면 부작용을 줄이면서 혈압 조절 효과를 기대할 수 있다.

Furosemide, torsemide, bumetanide를 포함한 루프이뇨제도 고혈압의 치료에 이용할 수 있는 약제로서 헨레 리관의 두꺼운 상행관(thick ascending limb of the loop of Henle)에서 Na^+, K^+, $2Cl^-$의 재흡수 억제로 그에 따른 체액량 감소가 주요 강압 기전으로 알려져 있다. 루프이뇨제는 thiazide계 이뇨제에 비하여 약물 작용 시간이 짧고 말초혈관 저항의 감소 작용이 적어 항고혈압 효과가 약하며, 일반적으로 사구체여과율이 감소하거나 (혈청 크레아티닌 >2.5 mg/dL) 심부전, minoxidil과 같은 강력한 혈관확장제 치료로 발생한 부종과 염분저류 환자에서 사용된다.

2. 레닌 −안지오텐신계 차단제

1) 안지오텐신전환효소억제제

안지오텐신전환효소억제제제는 안지오텐신I에서 안지오텐신II로 전환하는 안지오텐신전환효소를 억제하여 혈장내 안지오텐신II와 알도스테론을 감소시키고 혈관확장물질(bradykinin)의 분해를 억제하여 혈압을 강하시킨다. 안지오텐신전환효소억제제제는 심부전 환자의 이환율, 사망률을 감소시키고 좌심실 비대를 억제하고 동맥경화의 억제작용이 있으며 혈당 및 지질에 미치는 영향이 적다. 혈관 내피세포기능의 개선과 혈관 재형성에 좋은 효과도 나타낸다. 안지오텐신전환효소억제제제는 전신혈압(systemic hypertension)을 감소시키는 것 이외에도 사구체 내의 모세혈관 혈압을 감소시켜 단백뇨를 줄임으로써 콩팥 보호 효과를 나타낸다. 또한 안지오텐신전환효소억제제제는 인슐린 작용을 개선하고 이뇨제에 의한 당 대사의 부작용을 개선하는 것으로 보고되고 있다. 이런 점을 고려해 볼 때 단백뇨가 있는 당뇨병 환자에서 고혈압이 동반되는 경우나, 심부전과 고혈압이 동반된 경우, 그리고 심근경색 후에 동반되는 고혈압 환자에서 안지오텐신전환효소억제제가 유용하게 사용될 수 있다. 안지오텐신전환효소억제제는 양측성 신장혈관성 고혈압이 있는 경우에는 사용해서는 안되며, 심한 심부전 및 이뇨제를 사용하던 경우 그리고 저염식을 하는 경우와 같이 레닌안지오텐신계(renin-angiotensin system)가 활성화된 경우 사용하면 심한 저혈압이 발생할 수 있으므로 투여할 때 주의해야 한다. 임신 중 특히 제2~3분기의 여성에게는 영아 사망 및 태아 기형을 일으키므로 임신 시에는 투여하지 않아야 하며, 가임 여성에서 안지오텐신전환효소억제제를 복용하는 경우에는 피임을 권해야 한다. 안지오텐신전환효소억제제 사용 후에 마른 기침은 약 15%에서 발생하며 그 기전으로는 bradykinin이 증가하기 때문으로 추정하고 있다. 투약을 중단하면 수일 내지 수주일 내에 증상이 소실된다. 혈압부종 (angioedema)은 흔하지 않지만 발생하면 치명적일 수 있으며 약제 투여 수개월 후에도 발생할 수 있다. 안지오텐신전환효소억제제의 부작용으로 신동맥 협착이 있는 신장에서 수출 소동맥의 확장 (efferent renal arteriolar dilatation)으로 인해 기능성 신부전(functional renal insufficiency)이 발생 할 수 있다. 안지오텐신전환효소억제제로 인한 신부전은 탈수, 심부전, 비스테로이드소염제 복용 중인 경우에도 잘 발생할 수 있다. 저알도스테론증에 의한 고칼륨혈증도 안지오텐신전환효소억제제의 부작용으로 종종 나타나므로, 안지오텐신전환효소억제제 투여 전과 후로 칼륨과 신기능을 검사 한다. 안지오텐신전환효소억제제 또는 안지오텐신수용체차단제 사용 후 혈청 크레아티닌이 30%이상 상승하거나 고칼륨혈증이 조절되지 않는다면 약제의 사용을 중단하여야 한다.

2) 안지오텐신수용체차단제

안지오텐신수용체차단제는 안지오텐신 II가 작용하는 수용체 중에서 제1형 안지오텐신수용체(AT 1)를 선택적으로 차단하여 용량에 비례하여 혈압강하작용을 한다. 안지오텐신수용체차단제는 안지오텐신전환효소억제제와 공통

적으로 renin-angiotensin-aldosterone계의 차단 효과가 있지만 안지오텐신전환효소억제제와 달리 bradykinin에 대한 영향이 없어 기침의 부작용이 드물다. 안지오텐신수용체차단제의 강압 효과 및 부작용, 금기는 안지오텐신전환효소억제제와 비슷하며, 기침 등으로 안지오텐신전환효소억제제를 투여할 수 없는 경우에 사용 한다. 안지오텐신전환효소억제제와 안지오텐신수용체차단제 병용은 혈압 감소에 효과적이지 않을 뿐 아니라 부작용이 증가하는 것으로 보고되었다. 하지만 단백뇨를 가진 고혈압 환자에서 안지오텐신전환효소억제제억제제와 안지오텐신수용체차단제병합 치료가 단독 치료에 비교하여 좀 더 효과적으로 단백뇨를 감소시켰다는 예비자료도 제시되고 있다.

3) 레닌억제제

레닌억제제는 고혈압의 원인이 되는 레닌계(renin system) 활성화의 시작을 촉발시키는 효소인 레닌을 억제시키는 작용을 한다. 처음 임상에 사용이 허가된 약제는 Aliskiren이며 이는 안지오텐신전환효소억제제나 안지오텐신수용체차단제와 비슷한 혈압 강하 효과를 보이는 것으로 보고되고 있다. 다른 기전의 레닌억제제들이 현재 개발 중이나 Aliskiren 은 현재 고혈압 치료의 일차 선택약으로 인정되고 있지는 않다.

3. 칼슘 통로 차단제

칼슘 통로 차단제는 혈관과 심장의 세포막의 칼슘 통로 (calcium channel)를 차단하여 칼슘의 유입을 억제함으로써 혈관을 확장시켜 혈압을 낮춘다. 이러한 혈관에 대한 작용외에 심장전도시 칼슘 유입을 억제하여 심장수축력을 억제하고 박동수를 낮추는 작용도 있다. 칼슘 통로 차단제는 verapamil로 대표되는 phenylalkylamine 제제, diltaizem 으로 대표되는 benzothiazepine 제제, 그리고 항고혈압약제로 주로 사용되는 dihydropyridine 계열의 약제로 나눌 수 있다. 비dihydropyridine계 약물은 심장근수축력 감소효과(negative inotropic effect), 방실전도 장애 효과 (atrioventricular block)가 더 많고 , 말초혈관이완 효과는

dihydropyridine계 약물에 비하여 상대적으로 적다. 반면 nifedipine으로 대표되는 dihydropyridine계 칼슘 통로 차단제는 말초혈관이완 작용이 강하다. 대부분의 dihydro-pyridine계 약물은 L형 통로를 차단하여 혈관 확장 작용을 나타낸다. 최근 다른 칼슘통로인 T형, N형 통로에도 동시에 작용을 하는 efonidipine, cilnidipine 등이 임상에 적용되고 있다. 이러한 약제는 교감 신경 억제효과로 기존의 dihydropyridine 계열의 칼슘 통로 차단제 사용 후 나타나는 반사적인 심박수 증가 및 기타 부작용을 감소시킬 수 있는 것으로 알려져 있으나 추후 대 규모 연구가 필요하다. 칼슘통로차단제는 신장의 수입세동맥을 선택적으로 이완시켜서 신장혈류량과 사구체여과율 을 증가시킴으로써 이뇨 효과를 유발하여 신기능을 유지 하는데 이로운 점이 있지만, 반면에 사구체경화증이 가속화될 수 있다는 보고가 있다. dihydropyridine계 칼슘 통로 차단제는 평활근에 더 선택적으로 작용하는 약물로서 빈맥(reflex tachycardia)이 발생할 가능성이 높다. 따라서 작용 시간이 짧은 dihydropyridine계 약물, 예를 들면 nifedipine은 심혈관질환의 빈도를 증가시키므로 허혈성심장질환(심근경색)이 동반된 환자에서는 사용하는데 주의하여야 한다. 비 dihydropyridine계 약물은 방실전도 장애를 일으키고 심근의 수축력을 저하시키므로 심부전이 있는 고혈압 환자에서 비dihydropyridine계 약물을 투여 하는 것은 주의해야 한다. 일반적으로 dihydropyridine계 칼슘 통로 차단제는 하지부종, 안면홍조, 두통, 빈맥, 오심 등을 유발하는 반면에 verapamil은 변비, 심장의 방실 전도 장애, 서맥을 유발한다. Verapamil과 diltiazem은 심근의 수축력과 심박수를 감소시키므로 베타차단제와 병용 투여할 때마다 심부전이나 심각한 전도장애를 발생시키는지 주의를 요한다.

4. 알도스테론 길항제

Spironolactone은 단독 혹은 thiazide 이뇨제와 병합해서 사용되는 비선택적 알도스테론 길항제이다. 특히 저레닌형 본태고혈압, 악성고혈압, 일차성 고알도스테론혈증이 있는 환자에서 효과적으로 사용될 수 있다. 특히 심부전 환자에서 저용량의 spironolactone은 심부전으로 인한 사망률을 감소시킨다고 알려져 있어 유용하다. 알도스테론 길항제의 사용에 가장 주의할 점은 고칼륨혈증이며 신부전 환자, 안지오텐신전환효소억제제 또는 안지오텐신수용체 차단제를 동시에 사용하는 환자에서는 특히 주의해야한다. Spironolactone은 프로게스테론과 안지오텐신수용체 차단제와 결합하기 때문에, 부작용으로는 남성의 여성형 유방증과 발기부전, 여성의 월경불순을 일으킬 수 있다. 이러한 부작용을 피하기 위해 선택적인 알도스테론 길항제 eplerenone이 개발되었으며 최근에 효과가 입증되어 고혈압의 치료제로 미국에서 승인되었다.

5. 베타차단제

베타차단제는 심장의 β1-수용체를 차단하여 심박동수와 수축력을 감소시켜 심박출량이 감소되어 혈압을 떨어뜨린다. 또한 베타차단제는 레닌의 분비를 감소시키고 신경세포접합부를 차단(presynaptic blockade)하여 카테콜아민의 분비를 감소시키며, 말초혈관의 저항을 감소시켜 혈압을 떨어뜨린다. 심근경색, 협심증에 동반하는 고혈압에서 사용하면 심장 보호 효과가 있으며 편두통, 떨림(intention tremor), 녹내장이 있는 고혈압에서 사용할 수 있다. 베타차단제는 단독 사용하는 것 이외에도 다른 약물 과 같이 사용하여 혈압 강하 효과를 가진다. Minoxidil, hydrala-zine과 같은 혈관이완제를 투여하는 경우는 심박 동수가 증가(reflex tachycardia)할 수 있는데 이때 베타 차단제를 같이 투여할 수 있고 이뇨제를 투여하는 경우에 혈장 레닌 활성도(plasma renin activity)가 증가되는데 이때 베타차 단제를 같이 투여하기도 한다. 베타차단제는 베타수용체 subtype에 대한 차단 효과에 따라서 ① 선택적인 β1-수용체 차단제(심장의 선택적인 차단제, selective beta-1 blocker)와 비선택적인 베타수용체 차단제(non-selective beta-blocker)로 분류할 수 있고 ② 내인성 교감신경 흥분작용(intrinsic sympathomimetic activity)의 유무에 따라 내인성 교감신경 흥분작용이 있는 약물과 내인성 교감신경 흥분작용이 없는 약물로 분류할 수 있으며 ③ 지용성 (lipophylicity)의 정도에 따라서 분류할 수 있다. 선택적으로 β1-수용체를 차단하는 약물로서는 atenolol, metoprolol, acebutolol, betaxolol, bisopro-lol, celiprolol, esmolol, nebivolol 등이 있고 비선택적으 로 β1-수용체를 차단하는 약물로 propranolol, timolol, carteololol, carvedilol, pindolol 등이 있다. 심장선택성과 비선택성 베타차단제의 혈압 강압 효과에는 차이가 없는 것으로 보인다. 일부의 베타차단제에서는 부분적으로 베타 수용체를 흥분시키는 작용을 관찰할 수 있는데, 이러한 성질을 내인성 교감신경 유사작용이라 한다. 심장에 선택적으로 작용하면서 내인성 교감신경 유사작용이 있는 약물은 acebutolol이며, 비선택적으로 베타 수용체를 차단하면서 내인성 교감신경 유사작용이 있는 약물은 pindolol이다. 내인성 교감신경 유사작용을 가진 베타차단제가 궁극적으로 심장 치료에 이득이 되는지 해가 되는지 아직까지 분명하지 않다. 내인성 교감신경 유사작용이 없는 베타차단제는 급사, 사망률, 심근경색 재발률을 감소시킨다. 심부전 환자에서 베타차단제는 입원율과 사망률을 감소시키는 것으로 보고되고 있다. α와 β-수용체를 모두 차단하는 작용을 가진 약물로서 labetalol, carvedilol이 있으며 α와 β-수용체 차단이 고혈압 치료에 어떤 잠재적 이득이 있는지는 아직 분명하지 않다. 베타차단제의 지용성 정도는 약물에 따라 매우 다양하다. Propranolol이나 metoprolol과 같이 지용성이 높은(lipophilic) 약물은 주로 간에서 대사되므로 문맥계를 순환하는 동안 약 70%가 제거되므로, 이런 약물을 경구로 복용한 경우에는 혈관으로 투여한 경우보다 약물의 생물학적 유용도 (bioavail-ability) 가 낮다. 반면에 atenolol, nadolol과 같이 지용성이 낮은 (lipophobic) 약물은 주로 신장으로 배설되므로 신장 기능이 심하게 손상된 환자에서 지용성이 낮은 약물을 투여할 때에는 용량을 조절할 필요가 있다. 베타차단제가 기관지 천식을 악화시킬 수 있으며, 선택적으로 β1-수용체를 차단하는 약물이 비선택적 약제보다 이론적으로 더 이점이 있으나, 심장이나 기관지에는 두 부류의 수용체가 부분적으로 같이 존재하기 때문에 선택적으로 β1-수용체를 차단하는

약물이더라도 절대적으로 β1-수용체에 대한 선택성이 있지는 않다. 이외에도 당뇨병 환자에서 베타차단제를 사용하면 저혈당 시에 발생하는 빈맥이 감소될 수 있고 저혈당에서 회복이 늦어질 수 있기 때문에 주의를 요한다. 베타차단제는 심박출량을 감소시키기 때문에 쇠약감 , 피로감, 운동능력저하, 그리고 말초혈관질환의 증상이 악화될 수 있다. 불면증, 우울증, 고칼륨혈증, 발기부전 , 중성지방의 증가와 함께 HDL 콜레스테롤의 감소 등의 부작용이 있다.

6. 알파아드레날린 차단제

알파차단제는 아드레날린성 알파수용체를 차단하여 혈관의 확장을 유발, 말초 혈관 저항을 줄여 혈압을 떨어뜨린다. 알파차단제는 혈관을 확장시키지만 약간의 교감신경이 활성화되기 때문에 심박출량을 감소시키지 않으면서 강압효과를 가진다. 알파차단제는 단독요법이나 혹은 다른 약제와의 병합요법으로 사용되는 효과적인 강압제이다. 하지만 고혈압 환자를 대상으로 한 임상시험에서 알파차단제는 다른 계열의 강압제와 같은 심부전에 대한 보호효과나 심혈관계 질환의 이환율과 사망률을 줄이지 못하는 것으로 보고되고 있다. Prazocin, terazocin, doxazocin 등은 선택적으로 α1-수용체만을 차단하여 카테콜라민에 의한 혈관수축을 억제하여 혈압강하 효과를 가진다. 이런 약물은 α1-수용체만을 선택적으로 차단하기 때문에 α2-수용체를 통한 음성되먹이기(negative feedback) 기전에 의해서 노르에피네프린이 더 유리되지 않는다. 따라서 선택적으로 α1-수용체를 차단하는 약물은 노르에피네프린의 유리증가에 의한 현상으로 빈맥, 심박출량 증가, 레닌상승 등이 적다. 반면에 phentolamine 과 phenoxybenzamine은 α1-수용체와, α2-수용체를 모두 억제하는데, 이때 α2-수용체를 차단함으로써 되먹이기기전에 의해서 교감신경 말단에서 노르에피네프린의 유리가 증가된다. 따라서 노르에피네프린의 유리 증가에 의한 현상으로 빈맥, 심박출량 증가, 레닌상승이 발생할 수 있다. 갈색세포종과 같이 혈중 카테콜라민의 양이 증가된 경우에 비선택성 알파차단제는 유용하게 사용할 수 있다. 알파차단제는 혈중

저밀도지단백(LDL)을 감소시키고 고밀도지단백(HDL)을 증가시키며, 인슐린에 대한 감수성을 증가시키는 것으로 알려져 있어서 당뇨병이나 고지혈증 환자에서 사용할 수 있다. 또한 고령의 남성 환자의 전립성비대증이 동반된 경우에 사용한다. 심각한 부작용으로 기립성 저혈압과 실신이 발생하기도 한다. 주로 체액량이 부족한 환자에서 발생 가능성이 높으므로 이런 부작용을 예방하기 위하여 적은 용량으로 시험적으로 투약한 후에 점차 용량을 증량하고 약물 투여 전체 액량이 부족한지 확인한다. 이 외에도 어지러움, 두통, 빈맥 등의 부작용이 발생할 수 있다 .

7. 혈관확장제

혈관확장제는 말초혈관의 평활근에 직접 작용하여 혈관을 이완시켜서 항고혈압 효과를 나타내는 약물로서 sodium nitroprusside, hydralazine, diazoxide등이 사용 되고 있으며 이런 혈관 확장제는 정맥주사용 약물로 사용 되며 hydralazine, minoxidil 등의 약제는 경구용 혈관 확장제로 사용된다. 혈관확장제들은 대부분 동맥혈관에 직접 작용하여 혈관을 이완시킴으로써 반사성 교감신경 활성화로 인한 염분과 수분저류, 빈맥이 발생하기 쉽다. 따라서 심장근의 산소 소모가 증가되어 기존의 심혈관질환에 의한 증상을 악화시킬 수 있으므로 심혈관질환 환자에서 혈관확장제의 사용은 주의를 필요로 한다. 베타차단제, 이뇨제 그리고 비 dihydropyridine계 칼슘통로차단제 등을 같이 복용함으로써 상기의 부작용을 줄이면서 혈압 강하 효과를 높일 수 있다. Hydralazine은 경구나 정주용으로 사용되는 혈관확장제로서 주로 소동맥에 작용하고 정맥 확장 효과는 영향이 적은 것으로 알려져 있다. Hydralazine 투여 후에 반사적으로 교감 신경이 활성화 되어 빈맥과 심박출량이 증가하는데 이런 이유 때문에 심 혈관질환이 있는 환자에서 사용에 주의해야 한다. Hydralazine 투여 시에 베타차단제 또는 methyldopa, clonidine을 같이 투여하면 교감신경의 활성화를 방지하여 혈압강하 효과가 더욱 높아진다. 하루 200 mg 이상의 hydralazine 을 복용하면 홍반성 낭창양 증후군 (lupus like syndrome)의 발생 빈도가 높아지며 오심, 구토, 설사, 진전, 감각이상, 수액저류 등의 부작용이 있다. Minoxidil도 소동맥의 평활근에 직접 작용하여 혈관을 이완시키며 정맥에 대한 작용은 적은 약제로, 혈압강하 효과는 hydralazine 보다 강하다. 주로 다른 약제에 저항성인 신부전 환자의 고혈압 치료에 이용되고 있다. 반사성 교감신경 활성화와 레닌-안지오텐신계의 활성화로 인한 빈맥, 심박출량 증가 등을 관찰할 수 있다. 주로 간에서 대사되는 약물이므로 신부전 환자에서 용량을 조절할 필요는 없으 며, 흔한 부작용으로는 다모증과 심낭삼출이 있으며 그 외에 폐고혈압, 수분저류, 심계항진 등이 있을 수 있다(표 7-6-2).

만성콩팥병환자에서 고혈압의 치료

만성콩팥병에서 고혈압은 중요한 원인 질환이면서 합병증으로 만성콩팥병 환자의 50~70%에서 고혈압이 동반된다. 반면, 고혈압은 콩팥병의 진행과 심혈관계 질환의 중요한 위험인자이다. 만성콩팥병 환자에서 조절되지 않는 고혈압은 콩팥기능 악화와 심혈관계 합병증 발생의 주요 원인이므로 반드시 그리고 적절히 조절되어야 한다. 만성콩팥병 환자에서 고혈압의 치료 목적은 콩팥기능의 악화를 예방 또는 완화하고, 빈발하는 심혈관계 합병증 및 사망률을 줄이는 데 있다. 만성콩팥병 환자의 혈압 조절을 위해서는 두 가지 임상적 고려사항이 존재한다. 첫째는 어느 정도로 혈압을 조절해야 하는가 즉, 혈압 조절의 목표이며 둘째는 어떠한 약제가 콩팥기능 보전과 심혈관계 합병증 측면에서 효과적인가 하는 문제이다.

생활요법

식이요법, 운동, 절주 등과 같은 생활습관의 개선은 모든 고혈압 환자에서 필요하며, 만성콩팥병 환자에서도 고혈압을 조절하고 장기적 심혈관 예후를 향상시키기 위해 생활요법을 시행해야 한다. 체질량지수(BMI)가 25 kg/㎡

표 7-6-2. 경구용 항고혈압약제

약제 계열	약제	일일총용량 (일 투여 횟수)	적응증	금기/주의
이뇨제				
Thiazide	hydrochlorothiazide	6.25~50 mg (1~2)	-	당뇨, 고요산혈증 통풍, 이상지혈증,저칼륨혈증
	chlorthalidone	25~50 mg (1)	-	
Loop 이뇨제	furosemide	40~80 mg (2~3)	심부전 신부전	당뇨, 고요산혈증 통풍, 이상지혈증,저칼륨혈증
	ethacrynic acid	50~100 mg (2~3)		
알도스테론차단제	spironolactone	25~100 mg (1~2)	심부전, 일차성 알도스테론증	신부전, 고칼륨혈증
	eplerenone	50~100 mg (1~2)		
칼륨 보존형 이뇨제	amiloride	5~10 mg (1~2)	-	신부전, 고칼륨혈증
	triamterene	50~100 mg (1~2)	-	
β 차단제				
심장선택적	atenolol	25~100 mg (1)	협심증, 심부전, 심근경색 후, 동성빈맥, 심실 빈맥성 부정맥	천식, 만성폐쇄성 폐질환. 2~3도 심차단, 동기능부전증 후군
	metoprolol	25~100 mg (1~2)		
비선택적	propranolol	40~160 mg (2)		
	propranolol LA	60~180 (1)		
α/β 차단제	labetalol	200~800 mg (2)	심근경색후, 심부전	-
	carvedilol	12.5~50 mg (2)	-	-
α 차단제				
선택적	prazosin	2~20 mg (2~3)	전립선비대증	-
	doxazosin	1~16 mg (1)	-	-
	terazosin	1~10 mg (1~2)	-	-
비선택적	phenoxybenzamine	20~120 mg (2~3)	갈색세포종	-
레닌-앤지오텐신계 차단제				
ACE억제제	captopril	25~200 mg (2)	심근경색후, 저박출성 심부전, 신병증, coronary syndrome,	급성신부전, 양측성 신동맥협착증, 임신, 고칼륨혈증
	lisinopril	10~40 mg (1)		
	ramipril	2.5~20 mg (1~2)		
ARB	losartan	25~100 mg (1~2)	저박출성 심부전, 신병증, ACE억제제로 인한 기침	신부전, 양측성 신동맥협착증, 임신, 고칼륨혈증
	valsartan	80~320 mg (1)		
	candesartan	2~32 mg (1~2)		
레닌억제제	aliskiren	150~300 mg (1)	당뇨신병증	임신
칼슘통로차단제				
Dihydropyridines	nifedipine (서방형)	30~60 mg (1)	-	-
Nondihydropyridines	verapamil (서방형)	120~360 mg (1~2)	심근경색후, 협심증, 상심실성 빈맥	2~3도 심차단
Nondihydropyridines	diltiazem (서방형)	180~420 mg (1)		
혈관확장제				
	hydralazine	25~100 mg (2)	-	중증 관상동맥질환
	minoxidil	2.5~80 mg (1~2)	-	

이상이면 혈압상승과 밀접한 관계가 있으며, 과도한 알코올 섭취는 혈압을 상승시키며 항고혈압제에 대한 저항성을 높인다. 운동은 혈압을 낮추고 심폐기능을 개선하며 체중 감소를 유발하고 고지혈증을 개선시킨다.

만성콩팥병에서 콩팥으로 소듐 배설 장애가 관찰되고, 소듐 저류는 만성콩팥병의 고혈압 발생에 주된 원인으로 세포외액량의 증가를 일으킨다. 식이 염분 섭취 제한 은 세포외액량을 감소시키고 혈압을 낮추기 위해 추천된다. 하루 소듐 섭취량을 2그램 (염분 5그램) 미만으로 제한하고, 1주일에 150분 이상 중등도 이상의 운동을 권고한다.

만성콩팥병 환자의 혈압 조절 목표

1. 치료 목표

최근 업데이트된 2021년 KDIGO 임상 지침에서는 2012년 KDIGO 임상 지침의 상당 부분이 변경되었다. 첫째로, 오피스혈압측정을 표준으로 삼았고, 둘째로 수축기 혈압 (Systolic blood pressure)의 목표를 120 mmHg 미만으로 하였다. 이 때 확장기 혈압은 고려하지 않았다. 마지막으로 이번 임상 지침에서는 이러한 혈압목표를 단백뇨, 당뇨병, 고령등 특수한 상황에 상관없이 일관되게 적용하였다. 2012년 KDIGO 임상 지침은 이전의 ACCORD등의 임상 연구에서 혈압조절의 이점을 증명하는데 실패하였다는 점을 근거로 하여 혈압 기준을 높게 제시하였다면, 이후에 발표된 SPRINT 연구결과와 ACCORD 분석연구결과 혈압을 엄격하게 낮추는 게 잠정적으로 긍정적인 결과를 얻었다는 점을 고려하였다. 또한 2017년도 ACC/AHA 임상 지침에서는 만성콩팥병 환자에서 혈압조절 목표를 130/80 mmHg미만으로 권유하였는데, 유럽의 ESC/SSH는 여전히 140/90 mmHg 미만을 권유하고 있던 바 논란이 되어 왔다. ACC/AHA의 임상 지침은 오피스혈압, 가정혈압, 활동혈압 등을 동일하게 인정하였지만, KDIGO Work Group은 이에 대한 근거부족으로 오피스측정 혈압을 표준화된 혈압으로 결정하였다. 수축기혈압 120 mmHg 미

만의 엄격한 혈압조절이 기립성 저혈압, 실신, 전해질 불균형등을 유발할 수 있지만, 이러한 소견들은 대부분 경증이고 일시적이며 적절한 치료에 의해 바로 회복이 될 수 있는 점을 고려하였다. 오히려 혈압이 엄격하게 조절되지 않았을 때 발생할 수 있는 치명적인 합병증을 고려하여 엄격한 혈압조절이 이점이 더 크다고 판단하였다. 다만, 엄격한 혈압조절의 목표기준은 환자와의 공유의사결정(Shared decision making)을 통하여 변경될 수 있으며, 증상이 있는 기립성 저혈압 환자나 잔여생존기간이 짧게 예상되는 환자에서는 엄격한 혈압 기준을 완화할 것을 권고하였다. 2012 KDIGO 임상 지침은 MDRD, AASK등의 연구결과를 토대로 하여 단백뇨가 없는 환자보다 단백뇨가 있는 환자에서 엄격한 혈압목표를 권고하였으나, 수축기 혈압 120 mmHg 미만에서는 혈압을 더 낮춰도 큰 이득이 없었다. 또한, 수축기 혈압 120 mmHg 미만을 목표로 한 SPRINT, ACCORD등의 연구에서는 상대적으로 만성콩팥병 환자 수가 적거나 다량의 단백뇨(1 g/d이상) 환자가 제외되긴 하였으나, 대상군의 혈압차이가 신기능 악화에 있어서 영향을 미치지 않았다. 오히려 최근 메타분석에 의하면 수축기 혈압 140 mmHg미만과 비교하여 120 mmHg미만 조절이 전체 사망률을 낮추는 효과가 있었다. 이식환자에서는 목표혈압을 수축기 혈압은 130mmHg미만, 확장기 혈압은 80 mmHg미만으로 조절을 권고하고 있다.

2. 항고혈압약제

만성콩팥병 환자에서 항고혈압약제는 안지오텐신수용체차단제 혹은 안지오텐신전환효소억제제를 일차적으로 고려한다. 이는 만성콩팥병의 진행의 억제효과뿐만 아니라 심혈관 질환에 대한 보호효과 때문이다. 당뇨유무와 상관없이 단백뇨가 중등도 이상 증가하는 경우에는 안지오텐신수용체차단제 혹은 안지오텐신전환효소억제제를 우선적으로 투여한다. 안지오텐신수용체차단제 혹은 안지오텐신전환효소억제제의 투여를 시작하거나 증량한 후 2~4주 이내에는 혈압측정과 혈중 크레아티닌 수치와 혈청 칼륨 수치를 모니터해야 한다. 4주 이내 혈중 크레아티닌 수치가

30% 이상 상승하지 않으면 안지오텐신수용체차단제 혹은 안지오텐신전환효소억제제의 투여를 유지한다. 증상을 동반한 저혈압 소견과 조절되지 않는 고칼륨혈증, 사구체여과율 15 mL/min/1.73 m²미만의 요독증상 동반시에는 안지오텐신수용체차단제 혹은 안지오텐신전환효소억제제의 용량을 줄이거나 투여 중단을 고려한다. 안지오텐신수용체차단제와 안지오텐신전환효소억제제, 레닌억제제등 약제중 병합요법은 권고하지 않는다. 이식환자에서 dihydropyridine계 칼슘 통로 차단제 혹은 안지오텐신수용체차단제를 일차 항고혈압약제로 권고한다.

저항성 고혈압의 치료

일반적으로 이뇨제를 포함한, 작용기전이 다른 항고혈압약제를 3가지 이상 병용하여 각각의 충분한 용량을 사용함에도 불구하고 혈압이 140/90 mmHg 이하로 조절되지 않는 경우를 말한다.

저항성 고혈압의 원인

저항성 고혈압의 원인들로는 표 7-6-3과 같이 환자의 순응도 감소, 백의 고혈압, 약물과의 상호 작용 그리고 이차 고혈압의 가능성을 우선적으로 고려해야 한다. 처방한 대로 약물을 복용하지 않는 환자의 순응도 부족이 가장 흔한 원인이다. 비만, 과도한 음주 등의 생활습관문제, 염분 섭취 과다, 부족절한 이뇨제 사용 등의 체액 과잉 그리고 감기약, 비스테로이드소염진통제, 부신피질 스테로이드, 피임제 등의 약물의 부작용 등이 원인이 된다. 항고혈압약제의 효과를 감소시킬 수 있는 약제들에는 많은 종류가 있으며, 저항성 고혈압 환자에서는 자세한 약물 복용력을 파악할 필요가 있다. 동일인에서 cuff methods와 혈관내 혈압 측정 방법과의 사이에 혈압 차가 심한 가성고혈압(pseudohypertension)의 경우는 노인에서 흔히 볼 수 있고 대부분 동맥경화에 의한 것으로 발견하기가 쉽지 않으므

표 7-6-3. 저항성 고혈압의 원인

부적절한 혈압 측정
백의 고혈압 또는 진찰실에서의 혈압 상승
노년층의 가성 고혈압
뚱뚱한 팔에 표준 커프 사용
체액 과잉
소금 섭취 과다
신장질환에 의한 체액 과다
부적절한 이뇨제 사용
약제와 관련된 요인
용량이 적거나 부적절한 병용요법
약 부작용
약물과의 상호 작용
비스테로이드소염제(NSAIDs). 아스피린 포함
Sympathomimetic agents (다이어트약, 코카인)
Stimulants (methylphenidate, amphetamine, methamphetamine, modafinil)
피임약
부신스테로이드 호르몬,
Cyclosporine과 tacrolimus
Erythropoietin
감초
Herbal compounds (마황)
알콜 과다 섭취
이차고혈압

로, 혈압 정도에 비해 장기 손상이 적으면서 잦은 저혈압 증세가 나타날 경우 의심해 볼 필요가 있다. 만약 고혈압 저항성에 대한 다른 설명이 뚜렷하지 않다면, 일차성 알도스테론증과 신동맥 협착 등의 이차고혈압에 대한 평가도 시행되어야 한다.

저항성 고혈압의 치료

저항성 고혈압에 대한 치료적 접근은 다음과 같다.

1. 정확한 진단과 원인 인자 교정

1) 치료 순응도를 확인한다. 장기간 작용하는 항고혈압 약제로 24시간에 한 번 투약하도록 처방하는 것도 도움이 된다.
2) 가정 혈압이나 24시간 활동 혈압 측정을 통해 백의 고혈압 또는 진찰실에서의 혈압상승의 가능성을 배제한다(그림 7-6-2).
3) 환자의 동반된 질환을 파악한다. 만성콩팥병 여부를 확인하고 과체중시에는 체중을 감량한다.
4) 이차고혈압 가능성을 고려한다. 일차성 알도스테론증에 대한 검사 및 수면 무호흡증에 대한 검사를 고려하고 쿠싱 증후군, 갈색세포종, 부갑상선기능항진증 등과 같은 드문 이차고혈압 원인도 생각해 보아야 한다.
5) 체액용적 과부하(volume overload) 여부를 파악하고, 자세한 약물 복용력을 확인한다. 염분 섭취를 줄이고 혈압강하제의 효과를 낮출 수 있는 약제를 찾아 조정한다.

1) 이뇨제 용량을 증량(혹은 hydrochlorothiazide을 chlorthalidone으로 변경)하거나 사구체여과율이 30 mL/min 미만인 경우는 루프 이뇨제로 변경한다.
2) 금기가 없는 한, spironolactone (12.5 mg/일로 시작)을 첫 번째로 추가한다. eplerenone (25 mg/일로 시작) 혹은 amiloride (2.5 mg/일로 시작)으로 대체할 수 있다. Spironolactone은 3가지 이상의 약물에 저항성을 보이는 고혈압 환자에서 약 20 mmHg의 수축기 혈압을 감소시킬 수 있었다. spironolactone을 추가한 경우 안지오텐신전환효소억제제나 안지오텐신 수용체차단제를 복용중인 환자에서 특히 칼륨 수치에 주의 하여야 한다.
3) 혈관을 확장시키는 베타차단제(예, carvedilol, labetalol, nebivolol)를 사용한다.
4) 다른 종류의 칼슘 통로 차단제를 추가한다(예, dihydropyridine계 약물을 복용 중이었다면 비dihydropyridine계 약물을 추가).
5) 혈관확장제(hydralazine, minoxidil) 추가를 고려해 본다. 전립선비대증이 있는 경우는 알파차단제도 좋은 선택이 될 수 있다.

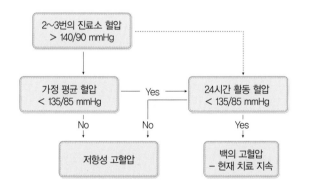

그림 7-6-2. 저항성 고혈압 의심될 때 접근

2. 효과적인 다제 약물 요법

저항성 고혈압에 대한 약물 치료로 가능한 옵션은 다음과 같다.

▶ 참고문헌

- 대한신장학회: 만성콩팥지침서: 만성신질환 환자에서 고혈압의 치료지침. 대한신장학회지 1:14, 2009.
- 대한의학회: 일차의료용 고혈압 임상진료지침 근거기반 가이드라인. 2019.
- Kotchen TA: Hypertensive vascular disease, in Harrison's Principles of Internal Medicine (vol. 2), edited by Jameson JL, et al, New York, 20th ed, McGraw Hill Education, 2018.
- National Institute for Health and Clinical Excellence. Hypertension: clinical management of primary hypertension in adults (update). 2011.
- KDIGO Clinical Practice Guideline for the Management of Blood Pressure in Chronic Kidney Disease. 2021.
- Hypertension. The clinical management of primary hypertension in adults. Clinical guideline 127. National Institute for Health and Clinical Excellence 2011.

제 7 부 고혈압과 신장, 신혈관 질환

- Calhoun, DA, et al: Resistant hypertension: diagnosis, evaluation, and treatment. A scientific statement from the American Heart Association Professional Education Committee of the Council for High Blood Pressure Research. Hypertension 51:1403, 2008.
- American Heart Association(AHA). ACCF/AHA 2011 Expert Consensus Document on Hypertension in the Elderly: A Report of the American College of Cardiology Foundation Task Force on Clinical Expert Consensus Documents. Circulation 123:2467–2468, 2011.
- European Society of Cardiology(ESC). 2018 ESC/ESH Guidelines for the management of arterial hypertension. European Heart Journal 39:3021–3104, 2018.
- Sarnak MJ, et al: Kidney disease as a risk factor for development of cardiovascular disease: a statement from the American Heart Association Councils on Kidney in Cardiovascular Disease, High Blood Pressure Research, Clinical Cardiology, and Epidemiology and Prevention. Circulation 108:2154–2169, 2003.

CHAPTER

07 신혈관 질환

송영림 (한림의대), 윤종우 (한림의대)

KEY POINTS

- 신혈전색전질환인 신경색에서 최근에 알려진 내용은 신동맥 혈전의 원인으로 심인성이 가장 흔한 것으로 알려진 이전 보고에 비교하여 최근 적극적 검사를 통하여 원인 감별검사 시 신동맥 손상에 의한 신경색의 유병률이 높아 신경색 발생 시 적극적인 원인 감별검사를 통해서 불필요한 항응고요법을 피할 수 있도록 하는 것이 중요하다고 하겠다.

- 콜레스테롤색전증에서 최근 알려진 내용은 병리기전에 관한 것으로 자가면역성 성격을 가지며 NLRP3/IL-1 경로가 중요한 역할을 하는 것이 보고되었고, 콜히친이 이러한 면역반응을 저해하는 것이 알려졌으나 콜레스테롤색전증에 대한 효과에 관해서는 아직 추가 연구는 부족한 실정이다.

콩팥은 우리 몸의 다른 기관 및 장기에 비하여 혈관의 양과 비율이 월등히 높아 혈관 덩어리라고 말해도 지나치지 않는다. 또한 여과 기관으로서의 역할을 하고 있기 때문에 우리 몸에서 뇌와 더불어 가장 많은 혈류량을 제공받는 기관이며, 다양한 종류의 혈관들로 구성되어 있고 각 부위에 따라 혈류량도 차이가 크다. 피질은 여과가 주로 일어나는 부위로 체적에 비해 혈관과 혈류가 풍부하고 수질은 상대적으로 낮은 혈류와 높은 산소요구도로 인해 허혈성 질환이 발생하기 쉽다. 이와 같이 복잡한 구조의 신장 혈관분포는 다양한 종류의 신장혈관 질환을 발생시킨다. 또한 신장은 가장 많은 혈류량을 받는 기관인 만큼 신장 밖의 기관과 혈관으로부터 발생하는 다양한 물질들이 녹아있는 혈액에 그대로 노출되어 있다. 최근 인구의 고령화와 만성소모성질환의 유병률이 높아짐에 따라 신혈관

질환도 복잡하고 다양해지고 있다(표 7-7-1).

신혈전색전 질환
(Renal thromboembolic disease)

혈전색전(thromboembolus)에 의해 신동맥이나 동맥의 분지가 폐쇄되는 경우 신경색(renal infarct)을 유발하여 통증과 발열, 신기능의 저하 및 고혈압을 유발하게 된다. 일반적으로 부검을 통한 결과 보고에 의하면 신경색의 유병률은 0.5~1.5% 정도로 흔하지 않은 질환이지만 실제 발생 빈도는 이보다 높을 것으로 예상되는데, 이는 많은 경우 그 증상이 모호한 경우가 많고 신결석이나 신우신염과 같은 다른 질환과 증상이 비슷하여 진단이 잘 되지 않는

표 7-7-1. 신동맥 폐쇄의 원인

1. 심인성(색전성 원인)
심방세동
판막성심장질환
모순색전증
감염성심내막염
심근경색 합병증에 의한 심벽 혈전
종양이나 지방 색전
2. 신동맥 손상
신동맥 박리증
섬유근이형성증
신동맥을 침범한 혈관염
외상
3. 응고항진상태
신증후군
항인지질증후군
항트롬빈 III 결핍증
호모시스틴뇨증
4. 특발성 또는 원인불명

경우가 많기 때문이다. 곁순환(collateral circulation)이 제대로 유지되지 않은 채로 신동맥으로 가는 혈류가 차단되게 되면 신장 조직의 경색이 유발된다. 굵은 신동맥부위의 혈전차단으로 인한 신장 전체의 경색도 발생할 수 있지만 대부분의 경우는 신피질이나 신수질 일부 부위에 한정된 신경색이 흔하다. 혈전색전증이나 제자리 혈전증(in situ thrombosis)에 의하여 발생할 수 있으며 중등도에 따라 신경색은 향후 신혈관고혈압, 만성콩팥병, 말기신부전으로 진행할 수 있다.

1. 병인

신경색의 가장 중요한 원인은 혈전색전증에 의한 것으로 Bourgault 등에 의해 흔히 네 가지로 분류된다. 첫째는 심장과 대동맥으로부터 발생하는 혈전으로 가장 흔하게 발생한다. 심방세동(atrial fibrillation) 환자의 좌심방, 심

근경색증 환자의 좌심실, 대동맥의 죽상판(atheromatous plaque), 감염성심내막염 환자에서 발생하는 심장판막의 증식판(valvular vegetation), 드물게 열린타원구멍(patent foramen ovale)에서의 모순색전증(paradoxical embolism) 등이 있다. 두 번째는 신동맥 자체의 손상, 신동맥 박리증, 섬유근이형성증(fibromuscular dysplasia)이 있는 경우에 발생하는 혈전색전이다. 세 번째는 신증후군이나 항인지질 증후군과 같이 응고항진상태(hypercoagualbe state)에서 혈전이 생성되어 신경색을 유발하는 경우이다. 그 밖에 감별 검사에서 뚜렷한 원인을 찾을 수 없는 경우 특발성으로 분류된다. 최근에는 고령 환자의 증가와 동맥경화질환의 증가에 따른 각종 혈관 시술 및 수술 후에 발생하는 신경색의 빈도가 증가하고 있고 결절다동맥염(polyarteritis nodosa) 및 코카인 남용 등에서도 드물게 발생할 수 있다. 이전 보고에서는 심인성 원인에 의한 색전성 신경색이 가장 흔하고(50% 전후), 검사 후에도 뚜렷한 원인을 알 수 없는 원인불명이나 특발성이 30~50%까지 차지하는 것으로 보고되었으나, 비교적 최근에 발표된(2017년) 186명의 환자를 대상으로 한 후향적 연구에서는 적극적 원인 감별을 통하여 검사할 경우 신동맥 손상에 의한 것이 이전 다른 연구보다 많았으며(81.2%), 특발성이 3.8%로 이전 연구보다 월등히 적어 가능한 원인 감별을 위한 노력이 필요하다고 할 수 있다.

2. 임상양상

평균 발병 연령은 심인성 혈전색전증이나 응고항진상태에 의한 경우는 65세 전후, 신동맥 손상에 의한 경우는 45세 전후로 보고되었으며, 심인성 혈전색전증에 의한 신경색은 고혈압이나 고지혈증, 허혈성 심장질환 등의 일반적인 심혈관질환들을 동반하는 경우가 많다. 가장 흔한 증상으로는 구역과 구토, 열과 같은 비특이적 증상과 함께 허리와 옆구리 통증이나 전반적인 복통 등이 발생하지만 약 25%에서는 무증상으로 영상소견이나 기능검사에서 뒤늦게 발견되기도 한다. 경색에 의해 손상된 주위의 조직에서의 레닌 분비의 증가에 의한 레닌-안지오텐신-알도스테

표 7-7-2. 신동맥 폐쇄에 의한 증상 및 검사 결과

	증상	검사 결과
급성	옆구리 통증(90%)	혈청 크레아틴 상승(53%)
	발열(50%)	LDH 상승(90%)
	구역, 구토(40%)	백혈구증가(85%)
	혈뇨	혈뇨(80%)
	혈압 변화	아미노기전환효소 상승(드물게)
	핍뇨(양측성, 단일신 신경색)	혈뇨(70%)
	요독증	-
만성	무증상	혈청 크레아틴 상승
	고혈압	-
	신기능 악화	-

론계의 활성화로 갑작스런 혈압 상승을 보이기도 한다(표 7-7-2). 약 15%에서는 양측성으로 발병되고 신장 이외 장기의 경색증이 동반되어 국소적인 신경학적 증상이 동반되기도 한다. 양측성 신경색이나 단일신에서 발생하는 신경색의 경우 핍뇨나 무뇨증과 같은 심한 증상과 함께 급성신손상의 형태로 나타나기도 한다. 신조직의 허혈성 손상에 의해 발생 되는 급성요세관괴사, 반사성 혈관수축, 인지되지 않은 저혈압, 조영제 사용에 따른 모세혈관의 수축 등으로 신기능 이 저하되어 크레아티닌의 경한 상승을 보이기도 하지만 대부분의 경우는 일시적이며 곁순환 및 반대쪽 신장의 기능 보상에 의해 곧 회복되는 임상 양상을 보인다.

3. 진단

혈전색전증의 위험요소가 높은 환자에서 옆구리 통증이 발생할 경우 신경색을 의심하는 것이 가장 중요하다. 진단을 위해 권유되는 검사는 전체혈구계산(complete blood count), 요검사, 혈청 크레아티닌, 젖산탈수소효소(lactate dehydrogenase, LDH), 요검사, 심방세동 확인을 위한 심전도이며 영상검사를 통해 확진할 수 있다.

요검사에서는 약 50%에서 현미경적 혈뇨나 육안적 혈뇨가 나타나고 단백뇨가 나타날 수도 있다. 급성기에 혈청 효소 상승이 관찰될 수 있는데, 초기부터 크레아틴인산화효소(creatine kinase,CK), 아스파트산아미노기전달효소(aspartate transaminase, AST), LDH가 상승한다. AST의 상승은 발병 직후부터 증가하여 3~4일 후면 기저치로 감소하고, LDH는 발병 1~2일부터 증가하기 시작하여 정상치의 3~4배까지 상승하며 2~3주까지 높게 유지되어 진단을 위해 가장 신뢰도가 높은 혈청검사이다. 특히 AST의 상승에 비해 LDH의 상승이 저명한 경우 신경색의 진단 정확도가 높다. 알카리성인산염분해효소(alkaline phosphatase, ALP)는 발병 3~4일에 최고치를 기록한 후 3~4주까지 증가된 상태를 유지하기도 한다. 조영제를 사용한 컴퓨터단층촬영술을 시행하는 것이 가장 중요한 진단법으로 쐐기 모양의 관류 결손을 관찰할 수 있고 신동맥 기시부에 혈전색전이 있는 경우 신장 전체에 관류 결손이 나타나기도 한다(그림 7-7-1). 혈관성 신경색 감별을 위해서는 컴퓨터단층혈관조영술의 시행이 권유되며 조영제 사용이 어렵거나 컴퓨터단층촬영이 불가능할 경우 Gadolinium을 사용한 자기공명영상도 컴퓨터단층촬영을 대치할 수 있는 방법이고 동위원소 신스캔에서 신관류가 감소가 관찰되기도 한다(그림 7-7-2). 심방세동이 동반된 신경색 환자 44명을 대상으로 한 연구에서 동위원소 신스캔의 민감도는

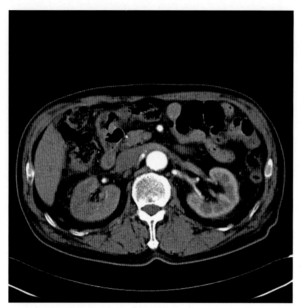

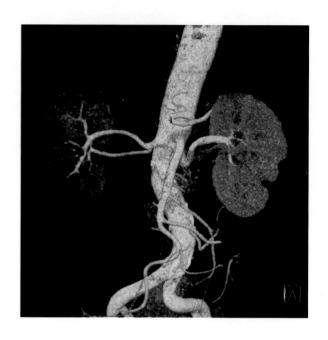

그림 7-7-1. 신경색의 컴퓨터단층촬영 소견

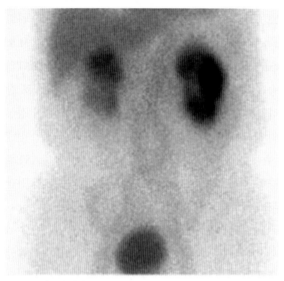

그림 7-7-2. 신경색의 신스캔 소견

97%, 조영제를 사용한 컴퓨터단층촬영의 민감도는 80%였고 도플러초음파는 11%로 낮은 민감도를 보였다.

4. 치료 및 예후

신경색 자체의 기본적인 치료 원칙은 통증을 조절하고 혈압이 상승한 경우 혈압을 낮추는 등 보존적 치료(con-

servative management)가 원칙이다. 그 밖에 항혈전제, 혈전용해제, 혈관내 시술 및 더 나아가 외과적 수술까지 고려할 수 있다. 이러한 방법들의 적용은 환자의 전신적 상태와 전신적 질환 여부, 이환된 신장조직의 규모와 재발 가능성, 신동맥 혈관이상 여부 등에 따라 결정될 수 있다. 즉 신동맥의 기시부나 분절 가지를 침범하였으며 발병 1~2일내의 초기의 경우 경피적 혈관성형술과 혈전용해제의 사용(thrombolytic therapy)등과 같은 적극적인 치료를 고려할 수도 있다. 그러나 혈전용해법으로 손상된 신조직을 구제하려는 노력에도 불구하고 그 성공률은 제한적이고 급성 경색부위의 크기를 감소시켰다는 증거도 부족한 실정으로 출혈 경향 등의 금기증이 없는 경우에 선별하여 사용할 필요가 있다. 신동맥 박리와 같은 내부의 혈관이상이 있을 때 경피적 혈관성형술과 스텐트 삽입을 시행하는 것이 일부 도움이 된다는 보고도 있다. 대부분의 혈전색전 질환의 치료는 항응고요법이다. 특히 심방세동을 동반한 혈전이 있거나 응고항진상태(hypercoagulable state)에 의한 혈전 형성의 경우에는 전신 항응고요법(systemic anti-coagulation)이 사용된다. 헤파린의 정맥주사 후에 와파린을 경구투여 하는 것이 표준 치료방식이다. 보통 헤파린의 정맥주사 후 INR (international normalized ratio)을 측정하여 그 수치가 안정적으로 유지되면 경구 와파린으로 전환한다. INR 2.0~3.0을 목표로 하며 심방세동 환자에서 와파린 투여 중에 신경색이 발생한 경우나 류마티스성 심장질환, 인공심장판막을 가지고 있는 경우와 같은 고위험군에서는 목표를 2.5~3.5로 높일 수 있다. 2~6개월간 와파린을 사용한 후 아스피린으로 바꿔 사용할 수 있다. 항응고요법의 목적은 경색의 범위를 제한하고 장래에 발생할 수 있는 위험을 예방하는 것이다.

신죽상색전질환 (Renal atheroembolic disease)

콜레스테롤 색전증(cholesterol embolism)에 의한 신질환을 신죽상색전질환이라 한다. 혈전색전증(thromboembolism)이 죽상판(atheromatous plaque) 부위에 혈전이 순환하다가 혈관 폐쇄를 유발하여 발생하는 질환인 반면, 콜레스테롤 색전증은 대동맥이나 중간 크기 이상의 동맥에 발생한 죽상판이 파열되어, 콜레스테롤 결정 및 혈소판, 피브린(fibrin)으로 이루어진 죽상판의 파편이 여러 기

관의 소동맥 및 세동맥을 막으면서 발생하는 질환이다. 콜레스테롤 색전증은 단순히 물리적 혈관 폐쇄 뿐 아니라 전신적인 염증 반응에 의해 조직 손상이 유발되는 전신 질환이며, 염증 반응은 일반적으로 3단계로 진행하는데 1) 급성염증반응, 2) 이물질 반응(foreign body reaction)과 혈관 내 혈전 생성, 3) 내피세포 증식과 섬유화로 진행하게 된다(그림 7-7-3). 최근 연구에 의하면 자가면역성 성질을 띠며 NLRP3/IL-1 경로가 콜레스테롤색전증 병인에 중요한 역할을 담당하는 것이 알려졌다. 혈역학적 변화, 염증, 출혈은 죽상판의 미란이나 파열을 유발하는데, 자연적으로 발생할 가능성보다는 보통 침습적 혈관 조작이나 항응고제, 혈전용해제 사용 등에 의해 죽상판이 파열되어 발생할 확률이 높다. 최근 심한 동맥경화증이 동반된 노인 환자들이 증가하는 추세이고, 침습적 혈관검사의 시행이 늘어나면서 그 발생률 역시 증가하는고 있다. 60세 이상의 환자에서 급성신손상 원인의 6~10%가 콜레스테롤 색전증에 의한 것으로 보고된 바 있으며, 이 질환이 임상적으로 중요한 이유는 그 증상이 혈관염, 교원성질환, 감염성 심내막염 등의 전신 질환과 유사한 경우가 많아 감별진단이 힘들기 때문이다.

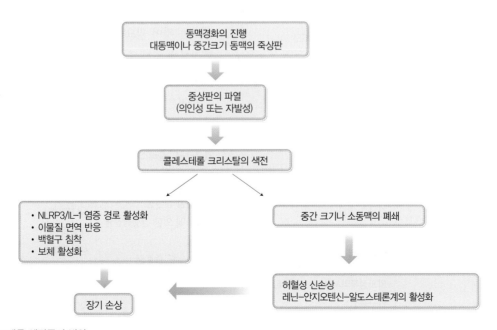

그림 7-7-3. 콜레스테롤 색전증의 병인

1. 임상 양상

콜레스테롤 색전증의 발생 빈도는 2~30%로 매우 다양하게 보고되었으나, 임상 증상이 없는 경우까지 고려하면 실제 발생은 더 빈번할 것으로 생각되며, 대부분 60세 이상의 고령층에서 잘 발생한다. 단순한 혈관 폐쇄에 의한 증상 뿐 아니라 전신 염증 반응에 의해 발열, 구역, 체중감소, 근육통과 같은 증상도 나타날 수 있다. 침범하는 장기는 신장, 비장, 췌장, 위장관계, 중추신경계, 근육, 피부, 망막 등으로 다양하며, 임상 양상도 침범하는 장기 및 정도에 따라 다양하게 나타날 수 있다. 흔한 임상적 소견은 피부 병변(51%), 종아리 파행(16%), 장출혈(15%), 체중감소(13%), 발열(13%), 망막 콜레스테롤색전증(11%) 등이다. 주로 직경 100~200 μm의 세동맥을 침범하여 고혈압, 신기능 저하, 망막 색전증, 심근경색, 척수 경색, 사지 괴저 등의 합병증을 유발한다. 이 중 가장 흔한 임상 증상은 망울

혈반(livedo reticularis), 청색 발가락 증후군(blue toe syndrome), 궤양 등과 같은 피부병변이며 이런 특징적인 피부 병변은 주로 하지에 나타나서 콜레스테롤 색전증을 진단하는 데 도움이 된다. 신장에 발생할 경우 신기능 저하와 단백뇨가 흔히 나타나는 임상 양상이며 잘 조절되지 않는 고혈압으로 발현되기도 한다(표 7-7-3).

2. 진단

감염이나 외상의 병력이 없이 갑자기 하지 또는 족부의 통증, 망울혈반, 청색증, 냉감이 시작될 경우, 당뇨병, 통풍, 레이노증후군, 버거씨병 등과 함께 콜레스테롤 색전증을 감별 진단해야 한다(표 7-7-4). 콜레스테롤 색전증의 경우 정상적인 족배동맥 및 후경골동맥 맥박이 있음에도 허혈성 병변이 진행하는 소견이 특징적이고, 또한 상지의 침범 없이 하지만을 침범할 경우 콜레스테롤 색전증을 강력히 의심해 볼 수 있다. 청색 발가락 증후군(bleu-toe syndrome)은 특징적인 소견이나 비특이적이며, 혈액 검사에서 C반응단백질(C-reactive protein)이 상승하고 백혈구증가, 혈청 보체 수치 감소 소견이 관찰될 수 있고, 80%에서 호산구증가증이 나타난다. 특이적인 임상 증상이나 검사 소견이 없어 고위험군에서 콜레스테롤 색전증을 의심해보는 것이 필요하다. 또한 대퇴동맥조영술 검사에서 동맥경화에 의한 중, 소동맥의 불균일한 협착은 보이나 완전폐쇄 소견은 보이지 않는 것이 보통이다 .

확진은 생검으로써 가능하며, 동맥 내의 콜레스테롤¹구

표 7-7-3. 콜레스테롤색전증의 임상증상

전신증상	신장 증상
발열 피로감, 쇠약감 구역감, 구토 체중감소 근육통	신기능저하 단백뇨 악성 고혈압 사구체신염(주로 FSGS) 말기신부전 신경색
피부 증상	**위장관 증상**
망울혈반, 청색증 냉감 피부 궤양, 괴사 자반증 홍반결절 청색 발가락 증후군	복통 설사 출혈 장허혈, 경색, 천공 괴사성 췌장염 간세포 괴사 담낭염
중추신경계 증상	**안과 증상**
두통 어지럼증 인지기능저하 허혈성 중풍	일과성흑암시(Amaurosis fugax) 안구통증 시력저하

표 7-7-4. 콜레스테롤혈전증의 감별진단

조영제 신독성 허혈성 신손상 약물에 의한 간질성신염 통풍 레이노드 증후군 버거씨병 한랭글로블린혈증 항인지질항체증후군 림프종	허혈성 급성신손상 심내막염 대동맥 박리 심방점액종 참적혈구증가증(Polycythemia vera) 혈전혈소판감소자반증 자가면역 혈관염 피부근염(dermatomyositis)

열(cholesterol clefts)을 증명하면 된다. 증상이 없는 부위라도 골격근 또는 피부생검을 통하여 진단할 수 있으며, 신장의 경우 콜레스테롤 구열이 주로 불규칙하고 반점상으로 나타나기 때문에 진단이 어려울 수 있다. 신질환의 경우 병리소견은 비교적 특징적이며, 큰 혈관이 막혀서 생긴 신경색과는 구별이 확실하다. 주로 직경 150~200 μm의 활꼴동맥(arcuate artery)과 소엽사이동맥(interlobular artery) 등의 세동맥이 폐쇄되며, 그에 따른 병리 반응은 단계적으로 일어난다. 신장 실질은 반점상의 불규칙한 위축성 소견을 보이며, 비교적 균일하게 사구체, 요세관 전체에 걸쳐 침범하고 육안적으로 신장은 크기가 작아지며, 표면은 거칠고 과립상으로 되며 신피질은 불균일하게 얇아진다. 현미경적으로 콜레스테롤 색전이 양쪽이 볼록한 바늘모양으로 세동맥 혈관 안에 관찰된다. 일반적인 파라핀 절편에서는 콜레스테롤이 용해되어 보이지 않으나 구열이 남아있어 구분할 수 있다.

3. 치료 및 예후

일반적으로 예후는 불량하며, 콜레스테롤 색전증에 의한 신질환을 가진 환자의 30~50%에서 투석이 필요한 말기신부전으로 진행하고, 일년 사망률이 64~87%로 높게 보고되었다. 2018년 648명의 환자를 대상으로 한 보고에서도 누적 사망률은 63%였다. 치료는 주로 보존적 요법으로 효과적인 치료 방법은 아직 없다. 가장 중요한 점은 첫째 항응고요법을 시행하지 않는 것이며, 둘째 정확한 진단을 함으로써 불필요한 검사들을 피하는 것이다. 혈소판 억제제, 혈관확장제 또는 덱스트란 등의 시도는 별 효과가 없다고 보고되었다. 일부 연구자들은 스테로이드로 치료받은 증례들을 분석하여 저용량의 스테로이드 사용이 도움이 된다고 보고하였으나, 그 효과는 아직 불분명하다. 콜히친(colchicine)은 최근 콜레스테롤색전증 병인에 중요한 역할은 담당하는 것으로 알려진 NLRP3와 IL-1경로를 저해하는 것이 알려지고 심혈관 합병증의 예방 효과와 하지궤양이 동반된 환자에서 스테로이드와 병용투여로 호전되는 것이 보고된 바 있으나 추가적인 연구가 필요하다. 또한

선택적인 IL-1 저해제인 canakinumab이 동맥경화성질환에서 긍적적인 효과가 보고 되었으나 아직 콜레스테롤색전증에서 무작위 연구는 보고된 것이 없다.

신정맥혈전증(Renal vein thrombosis)

신정맥혈전증은 흔하지 않은 신혈관 질환이지만, 만성적으로 발생할 경우 무증상인 경우가 많아 실제 발생률은 더 많을 것으로 추측된다. 신생아나 영아에서는 주로 심한 탈수와 연관되어 발생하며, 남아의 발생율이 2배 높다. 우측보다 좌측 신정맥이 더 길어 보다 높은 빈도를 보이며, 성인에서는 신증후군, 신장 종양, 응고항진상태 및 신혈관 수술이나 손상 후에 주로 발생한다. 신정맥은 신장주위 정맥얼기와 연결되어 있기 때문에 혈전증이 발생하여도 곁순환이 잘 발달할 경우 증상이 없을 수도 있으며, 좌측의 요관정맥, 생식샘정맥, 부신정맥 및 횡경막정맥은 좌측 신정맥으로 연결되므로 좌측 신정맥혈전증 발생 시 주위 정맥 혈류 장애 및 고환정맥류를 유발할 수 있다.

1. 병인

신혈류 감소와 응고항진상태가 가장 중요한 원인이다(표 7-7-5). 영유아의 경우 탈수에 의한 혈류감소 및 혈액농축은 정맥 혈전을 유발하는 주요 원인이 되며, 삼천판 폐쇄부전이나 협착심장막염에 의한 정맥압 상승으로 발생하기도 한다. 신정맥혈전증은 신증후군 환자에서 가장 흔하게 발생하는 혈전성 질환이지만 서서히 발생할 경우 증상이 없는 경우가 많고 유병률도 5~65%로 다양하게 보고된다. 막사구체신염에서 가장 높은 발생 빈도를 보이지만, 신증후군을 유발하는 모든 신질환에서 발생할 수 있으며 심한 저알부민혈증이 지속될 경우 위험성이 증가한다. 신증후군에서 갑자기 단백뇨량이 증가하고 신기능 저하가 발생할 경우 의심해볼 수 있다. 림프절 증대, 종양, 후복막섬유증(retroperitoneal fibrosis), 농양, 동맥류 등에 의하여 신정맥이 압박될 경우, 신정맥 혈류가 감소하면서 신정맥혈

표 7-7-5. 신정맥혈전증의 원인

응고항진상태
신증후군
패혈증
요로감염
임신과 분만
경구피임제
Protein C 결핍
Protein S 결핍
항인지질항체증후군
혈관염
신혈류의 감소
심한 탈수; 설사, 구토, 출혈
외부 종괴나 혈관에 의한 신정맥 압박
신이식 후 신정맥 꼬임
내피세포 손상
외상
혈관조영술에 의한 손상
신이식술
신이식후 급성거부반응
혈관염
주위 종양의 혈관 침범

전증이 발생할 수도 있다. Wysokinski 등의 보고에 의하면 218명의 성인 신정맥혈전증의 원인을 분석한 결과 종양(66.2%), 신증후군(19.7%), 감염(14.4%) 순이었으며 11.9%에서만 특발성으로 발생하여, 성인에서 신정맥혈전증이 진단된 경우 원인에 대한 검사가 중요하다. 특발성 신정맥혈전증은 항인지질항체증후군이 흔한 원인 질환이며, protein C와 protein S 결핍질환 등에 서도 관찰된다. 신이식수술 후 발생하는 신정맥혈전증은 0.1%로 드문 합병증이지만 대부분 이식신의 경색을 유발하므로 중요하다고 하겠다. 주로 수술 1주일 이내 발생하고 탈수로 인한 혈액농축이 주요 위험인자이다. 임신은 응고항진상태를 유발하므로 임산부에서 옆구리 통증과 혈뇨 발생시 의심해 보아야 한다. 신장 종양은 신정맥혈전증의 중요한 원인으로 신세포암 환자의 부검 연구에서 50%에서 동반된 것으로 보고되었다.

2. 임상양상

신정맥혈전증의 임상양상은 기저 질환과 원인, 혈전 형성 속도와 폐쇄 정도, 곁순환의 발달 정도에 따라 다양하게 나타난다. 급성 완전폐쇄부터 만성 불완전폐쇄까지 다양하게 나타나므로 그 증상 또한 여러 형태로 발현된다. 급성 완전 폐쇄성 신정맥혈전증의 흔한 증상은 옆구리 통증, 육안적 혈뇨와 신기능 저하이다. 효과적인 곁순환 형성은 수일이 소요되므로, 급격하게 혈전이 발생하여 신정맥 완전폐쇄를 유발한 경우 급격한 신정맥압 상승을 가져와 심한 옆구리 통증, 발열, 신장 팽대, 혈뇨, 단백뇨, 백혈구 증가, 신기능 저하를 보이며 심할 경우 신파열로 인한 쇼크상태로 발현될 수도 있다. 만성 신정맥혈전증이 보다 흔하게 발생하며 충분한 곁순환이 형성될 경우에는 신정맥압 증가가 거의 없어 무증상인 경우가 많다. 신증후군에서 발생하는 만성 신정맥혈전증은 옆구리 통증이나 육안적 혈뇨 없이, 대부분 단백뇨가 증가하거나 신기능 저하, 요세관 기능저하로 발현된다.

3. 진단

신정맥혈전증은 여러 방사선학적 검사를 통하여 이루어진다. 검사 소견은 혈전 형성 속도와 폐쇄 정도에 따라 다양하게 나타날 수 있다. 신기능 저하 환자의 경우 신장 초음파가 처음 검사로 이용될 수 있고, 신장 크기 증가와 간

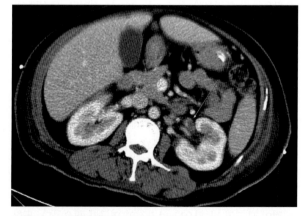

그림 7-7-4. 신정맥혈전증의 컴퓨터단층촬영

질 부종으로 인한 신장 에코음영의 감소, 신정맥내 혈전이 관찰될 수 있다. 컴퓨터단층촬영술은 신정맥내 혈전을 직접 진단할 수 있으며(그림 7-7-4), 종양과 동맥류 등의 원인 질환을 감별할 수 있는 장점으로 인하여 신동맥조영술이나 신정맥조영술과 같은 침습적 검사를 대체하여 주로 이용된다. 신기능 저하 환자의 경우 조영제 신독성을 예방하기 위하여 자기공명혈관촬영술을 이용하기도 한다.

4. 예후 및 치료

신정맥혈전증의 예후는 진단시 신기능 상태, 기저질환 및 혈전증의 재발 정도에 따라 결정되며 급성신손상을 동반한 급성 신정맥혈전증 환자의 사망률은 40~60%에 이른다. 주된 사망원인은 신기능 저하, 반복적인 혈전색전성 질환의 발생, 패혈증이다. 신정맥혈전증 치료 원칙은 기저질환의 치료와 신장 기능의 유지, 혈전 진행 및 색전증의 예방이다. 치료 방법은 아직 논란의 여지가 있으나, 혈전 생성 속도 및 신장 기능, 응고항진 여부에 따라 결정한다. 혈전용해요법은 응고항진 상태에서 급성신손상을 동반하여 신정맥혈전증이 발생한 경우 고려해 볼 수 있으나 혈전용해요법의 효과에 대한 연구는 아직 부족한 실정이다. 경피적 카테터 혈전제거술은 급성 신정맥혈전증에서 혈전용해요법에 비하여 합병증 발생이 적고 신기능 회복에 도움이 되는 것으로 보고된 바 있어 신기능 전하가 발생한 환자에서 고려되기도 한다. 만성 신정맥혈전증에서 혈전용해요법은 모두 권유되지 않으나 증상을 동반하는 신정맥혈전증의 경우 혈전 진행 및 색전증의 예방을 위하여 항응고요법을 고려하고, 5~7일간 헤파린 정주 요법 후 경구 와파린 투여가 권유된다. 항응고요법 치료 기간은 INR 2~3사이로 응고항진 유발인자가 교정이 가능할 경우는 6~12개월 정도 유지하고, 교정이 불가능할 경우는 장기간 항응고 약물을 투여하도록 한다. 신증후군 환자의 경우는 혈청 알부민이 3 g/dL 이상이 될 때까지 추천되는 것이 일반적이다.

▶ 참고문헌

- Antopolsky M, et al: Renal infarction in the ED:10-year experience and review of the literature. Am J Emer Med 30:1055-1160, 2012.
- Barbano B, et al: Thrombosis in nephrotic syndrome. Semin Thromb Hemost 39:469-476, 2013.
- Bourgult M, et al: Acute renal infarction: a case series. Clin J Am Soc Nephrol 8:392-398, 2013.
- Domanovits H, et al. Acute renal infarction. Clinical characteristics of 17 patients. Medicine(Baltimore) 78:386-394, 1999.
- Faucon A-L, et al: Cause of renal infarction: retrospective analysis of 186 consecutive cases. J Hypertens 36:634-640, 2018.
- Faucon AL, et al: Etiology of renal infarctions: a retrospective analysis of 229 consecutive cases admitted to a single tertiary center over 15 years. J Hypertens 34(S2):e20-21, 2016.
- Kim HS, et al: Catheter-directed thrombectomy and thrombolysis for acute renal vein thrombosis. J Vasc Interv Radiol 17:815-822, 2006.
- Kronzon I, et al. Cholesterol embolization syndrome. Circulation 122:631-641, 2010.
- Laville M, et al: The prognosis of renal vein thrombosis: a re-evaluation of 27 cases. Nephrol Dial Transplant 3:247-256, 1988.
- Martínez GJ, et al: The NLRP3 inflammasome and the emerging role of colchicine to inhibit atherosclerosis-associated inflammation. Atherosclerosis 269:262-271, 2018.
- Nakayama M, et al: The effect of low-dose corticosteroids on short- and long-term renal outcome in patients with cholesterol crystal embolism. Ren Fail 33:298-306, 2011.
- Ploubin PF, et al: High prevalence of multiple arterial bed lesions in patients with fibromuscular dysplasia: the ARCADIA registry (Assessment of Renal and Cervical Artery Dysplasia). Hypertension 70:652-658, 2017.
- Ridker PM, et al. CANTOS Trial Group.: Antiinflammatory therapy with canakinumab for atherosclerotic disease. N Engl J Med 377:1119-1131, 2017.
- Takahashi T, et al: Renal cholesterol embolic disease effectively treated with steroid pulse therapy. Intern Med 42:1206-1209, 2003.
- Verneuil L, et al: Efficiency of colchicine and corticosteroids in a leg ulceration with cholesterol embolism in a woman with rheumatoid arthritis. Rheumatology (Oxford) 42:1014-1016, 2003.

PART 08 임신과 신장

권영주 (고려의대)

CHAPTER

01 임신 중 신장 생리

김수현 (중앙의대)

KEY POINTS

- 임신 초기에는 신장 혈류가 증가하고 사구체여과율이 크게 증가하는데 이러한 변화는 relaxin에 의해 매개된다.
- 사구체여과율의 측정에 사용할 수 있는 24시간 소변의 크레아티닌 청소율 값이나 MDRD/CKD-EPI 식 모두 임신 시에는 부정확하다고 알려져 있다. 따라서 크레아닌 값을 정기적으로 추적하여 혈청 크레아티닌의 작은 변화에도 주의를 기울여 콩팥 손상의 가능성을 의심해야 한다.

임신은 순환기 및 요로계의 생리적 변화를 일으킨다. 만성콩팥병 환자의 경우, 신기능 악화를 유발할 수 있고 다양한 이환율과 사망률의 증가로 이어질 수 있으므로 임신에 의한 신장 생리의 변화를 알고 혈액검사의 변화를 숙지할 필요가 있다.

생리적 변화

1. 체액 변화

임신은 체내 수분대사에 영향을 준다. 다양한 원인에 의해 혈청 삼투질농도(serum osmolality)가 5~10 mOsmol/kg정도 감소한다. 갈증과 항이뇨호르몬(arginine vasopressin, AVP) 분비에 대한 삼투압 문턱값(osmotic threshold)도 감소한다. 임신 중 전체 체내 수분은 6~8 L

증가하며, 혈장량은 1.1~1.6 L 증가하여 4.7~5.2 L에 달하며 이는 비임신시와 비교하여 30~50%가 증가한다. 체내 수분의 증가는 900~1,000 mEq의 나트륨 저류와 연관되어 경한 부종을 유발한다. 적혈구량(red blood cell mass)은 임신 말에는 기저치보다 20~30% 증가하나, 혈관내 용적(intravascular volume) 증가가 상대적으로 커서 생리적 빈혈(physiologic anemia)이 나타난다.

2. 심박출량

임산부는 4주 이내에 혈관이 확장되면서 이로 인해 전신 혈관 저항이 감소된다. 임신으로 인해 혈액량이 증가하는 반면에 동맥 혈압과 혈관 저항이 감소하므로 심박출량은 증가한다. 심박출량은 임신 초기부터 현저히 증가하며 임신 중반에 40% 증가하게 되어 임신 기간 내내 증가한 채로 유지된다. 심박출량 증가는 혈액량(blood volume) 증가

표 8-1-1. 임신 중 생리적 변화

	임신시 변화
혈역학적 변화	
혈장 체액량	기저치의 30~50% 상승
혈압	임신 전보다 약 10 mmHg 감소하고 제2삼분기에는 제일 낮은 수치를 보이다가 제3삼분기에는 임신전 수준으로 점차적으로 상승
심박출량	30~50% 상승
심박수	15~20회 상승
신장 혈류량	기저치의 80% 상승
사구체여과율	150~200 ml/min(기저치의 40-50% 상승)

에 따른 전부하(preload) 증가와 전신혈관저항 감소에 따른 후부하(afterload) 감소, 그리고 산모의 맥박수 증가에 따른다. 심박출량은 산모의 자세와 밀접한 관련이 있으며, 이는 커진 자궁이 하대정맥(inferior vena cava, IVC)을 누름에 따라 전부하의 변화가 발생하기 때문이다.

3. 혈압의 변화

동맥혈압은 임신시 감소하여 임신 24~26주경 최저에 이르렀다가 그 후 다시 상승하게 된다. 팔꿈치에서 측정하는 혈압은 임신 동안에 큰 변화가 없지만 누운 자세에서 측정되는 대퇴정맥압은 임신 후기로 가면서 점차 증가한다. 임신 후기에 하지 혈류는 서행하기 때문에 임산부가 만삭에 가까워지면 중력을 받는 곳에 부종이 생기게 된다. 레닌-안지오텐신-알도스테론계는 염분과 수분의 균형을 통하여 혈압조절에 큰 영향을 주게 된다.

이러한 전신혈관저항의 감소 및 혈관 확장은 안지오텐신 II나 노르에피네프린, 바소프레신(vasopression)에 대한 반응의 감소 및 프로스타사이클린, 산화질소(nitric oxide)와 같은 혈관확장 인자의 증가 및 대동맥 경직(aortic stiffness)의 감소에 의한다.

4. Relaxin

Relaxin은 사람융모성 성선자극호르몬(human chorionic gonadotropin, hCG)에 반응하여 태반과 탈락막에서 분비되는 혈관 확장 호르몬으로 임신 중 혈관 확장을 일으키는 주요한 기전으로 알려져 있다. 콩팥에서 relaxin은 엔도텔린(endothelin) B receptor를 증가시켜 엔도텔린 제거와 산화질소의 생성을 유발하여 콩팥 혈관을 확장하여 혈류를 증가시키고 이는 eGFR의 증가로 이어지게 된다.

5. 레닌-안지오텐신-알도스테론계(Renin-angiotensin-aldosterone system, RAS)

레닌-안지오텐신-알도스테론계 또한 정상 임신에서 활성화된다. 에스트로젠은 직접적으로 간에서 안지오텐시노젠의 생성을 자극하고, 프로제스테론은 콩팥의 레닌생성을 증가시켜 영향을 미친다. 결국 안지오텐신 II 와 알도스테론이 콩팥에서 소듐을 저류시켜 혈장을 증가시키게 된다. 안지오텐신 II가 증가해도 프로제스테론과 프로스타사이클린 증가와 AT1 receptor 비활성화로 인하여 혈관반응이 떨어지기 때문에 고혈압은 발생하지 않는다. 안지오텐신 II를 주입해도 혈압의 변화가 일어나지 않는 현상을 "안지오텐신 II 불응성"이라고 한다. 임신 중 혈압이 올라가는 산모는 안지오텐신 II에 대한 불응성이 나타나지 않는다고 한다.

해부학적 변화

1. 콩팥

임신하면 콩팥 크기가 약간 증가하는데 임신 전에 비해 10% 정도 커지고 장축이 약 1~1.5 cm 정도 증가한다. 이는 신혈관 및 간질의 부피 증가에 의하며, 사구체 수의 증가나 특별한 조직학적 변화는 동반하지 않는다.

2. 수신증 및 요관확장

임신 주수 진행에 따라 자궁의 크기가 커져서 골반 밖으로 나오게 되면 요관 위에 위치해서 요관을 바깥쪽으로 밀게 되어 수신증이나 요관확장이 생긴다. 요관확장의 경우 빠르면 임신 6주부터 보인다. 좌측 요관은 구불창자에 의해 압박이 완충되나 우측 요관은 우회전된 자궁에 의해 압박을 받아 우측 요관과 콩팥(85~90%)에 잘 발생한다. 임신시 발생하는 생리적인 수신증과 질환에 의한 수신증은 감별이 쉽지 않다. 요관확장과 수신증으로 인해, 많게는 300 mL의 소변이 정체되고 그 결과 신우신염과 같은 감염성 질환을 일으킬 수 있다. 심한 경우 드물지만 폐쇄요로병(obstructive uropathy)을 초래할 수도 있다.

3. 방광

방광 점막은 붓고 충혈된다. 방광 용적은 프로제스테론의 영향으로 증가되기는 하지만, 자궁이 커짐에 따라 방광이 눌리게 되어 결과적으로 용적 감소가 일어난다.

4. 방광요관역류(Vesicoureteral reflux)

방광요관 밸브(vesicoureteral valve)의 기능이 약해지고, 방광 내압의 증가와 요관 내압의 감소로 인해 간헐적인 방광요관역류(vesicoureteral reflux)가 발생할 수 있다.

혈액 및 요검사의 변화

1. 사구체여과율

임신시 신혈관 확장과 신혈관 저항성의 감소로 사구체여과율은 증가하며, 임신 후 1개월 이내부터 관찰되어 2삼분기 초에 기저치 대비 40~50%가 증가해 최대치에 달하며, 이후 점차 감소한다. 산후 2주가 지나면 임신 전 기준 수준으로 돌아가게 된다. 신장 혈류량(renal blood flow)도 임신시 80% 정도 증가를 보인다. 임신시에 신장 혈관 확장이 일어나는 기전은 난소에서 유래된 혈관확장 호르몬인 relaxin이 산화질소 의존 혈관확장을 유발하는 것으로 알려져 있다.

크레아티닌은 사구체여과율의 감소를 확인하는데 부정확하다. 예를 들어 임신시에는 크레아티닌이 정상값이어도 사구체여과율이 심하게 감소할 수 있다. 따라서 크레아티닌의 약간의 변화에도 주의를 기울여야 한다. 사구체여과율의 측정에 사용할 수 있는 24시간 소변의 크레아티닌 청소율 값이나 MDRD/CKD-EPI 식 모두 임신시 부정확하다고 알려져 있다. 따라서 크레아닌 값을 정기적으로 추적하여 혈청 크레아티닌의 작은 변화에도 주의를 기울여 콩팥 손상의 가능성을 의심해야 한다.

2. 크레아티닌과 요소질소

임신시 크레아티닌의 생성은 변화 없으나, 크레아티닌제거율(creatinine clearance)은 증가하기에, 임신 중 정상 혈청 크레아티닌은 임신 전에 비해 평균 0.4 mg/dL 감소하여 정상범위는 0.4~0.8 mg/dL이다(표 8-1-2). 혈액요소질소(blood urea nitrogen, BUN)도 감소하여 8~10 mg/dL의 정상범위를 보인다.

3. 요산

요산은 임신 초기부터 사구체여과율(glomerular filtration rate, GFR) 증가로 인해 감소하여, 임신 22~24주에는

표 8-1-2. 임신 시 정상 검사 수치

Blood urea nitrogen (BUN), mg/dL	8~10
Creatinine, mg/dL	0.4~0.8
Creatinine clearance, mL/minute	150~200
Sodium, mEq/L	130~135
Uric acid, mg/dL	3.2~4.0
Arterial pH	7.4~7.45
PCO_2, mmHg	27~32
HCO_3^-, mEq/L	18~21
24hr urine protein, mg	<300

2.0~3.0 mg/dL에 이른다. 이 후 신장 세관에서 재흡수가 증가함에 따라 임신 말에는 임신 전 수치를 회복하나, 3삼분기까지 대개 4.5 mg/dL를 넘지 않는다.

4. 소듐

임신시 사구체여과율 증가로 인한 과도한 용질의 손실을 막기 위해 세관에서 재흡수가 증가하여 전체적인 균형을 유지한다. 그러나, hCG 및 relaxin과 같은 호르몬 작용을 매개로 항이뇨호르몬(antidiuretic hormone, ADH) 분비 및 갈증 유발을 야기하는 삼투압 문턱값(osmotic threshold)이 10 mOsm/kg 감소하여, 결과적으로 임신시 혈장 삼투압(plasma osmolality)은 감소하여 270 mOsmol/kg정도로 유지되며, 소듐 농도도 4~5 meq/L 감소하게 된다.

이러한 변화는 혈관확장과 이에 따른 동맥 저충만(arterial underfilling)에 의해 ADH 분비와 갈증 자극에 의한다. 임신 중 증가된 hCG는 relaxin의 분비를 증가시켜 저나트륨혈증에 관여한다. 임신시 보일 수 있는 경도의 저나트륨혈증에 대해서는 특별한 치료는 필요치 않으며, 출산 후 1~2개월이 지나면 임신 이전 수치로 회복된다.

5. 포타슘

포타슘은 임신시 정상범위를 유지한다. 이는 임신 중 알도스테론이 증가하나, 증가된 프로제스테론이 포타슘 보존 효과를 나타내기에 정상범위가 유지되는 것으로 추정된다.

6. 칼슘

전체 칼슘 수치는 임신 중 감소하나, 이온화 칼슘은 정상범위를 유지한다. 콩팥과 태반에서 칼시트리올 생성이 증가되고, 그 결과 위장관에서 칼슘 재흡수가 증가하여, 결과적으로 소변에서 칼슘 배설이 하루 300 mg 이상 증가할 수 있다. 부갑상선호르몬은 정상보다 다소 낮으며, 이는 칼시트리올 증가와 부분적으로 관련 있다.

7. 산염기 변화: 만성 호흡성 알칼리증

분당 환기량(minute ventilation)이 임신 초기 증가하여 출산 전까지 지속되는데, 이는 프로제스테론의 직접적인 호흡 자극 및 호흡 중추의 이산화탄소에 대한 민감도 증가로 발생한다. 그 결과, PCO_2는 27~32 mmHg로 유지되며, 호흡성 알칼리증이 초래된다. 이에 대한 보상반응으로 콩팥에서 탄산수소염 분비는 증가한다. 결과적으로 임신시 동맥혈의 pH가 다소 증가되며 혈중 탄산수소염 경우 약 4 mEq/L정도 감소될 수 있다. 분당 환기량 증가는 임신시 20~33% 정도 증가된 산소소모량에 대한 충분한 산소농도(partial pressure of oxygen, PO_2)를 유지하도록 한다.

8. 단백뇨 및 기타 요검사 이상

요검사에서 요당 및 단백뇨는 당뇨병이나 신질환이 없어도 소량 검출될 수 있다. 이는 사구체여과율 증가에 따른 여과된 당과 단백을 세관에서 재흡수하지 못하기 때문이다. 따라서, 임신시 단백뇨는 하루 300 mg까지 정상으로 간주한다. 정상 사구체여과율에서 소변에서 요당 검출 역치는 혈장 혈당 기준으로 200 mg/dL정도이다. 그러나, 임신과 같은 과다여과(hyperfiltration)가 발생하는 경우, 보다 낮은 혈장 혈당 수치에서 요당이 검출될 수 있다. 이 외에 아미노산, 요산과 칼슘 배설도 증가한다.

임신시 흔한 요로계 증상

1. 다뇨 및 요붕증

태반의 바소프레신분해효소(vasopressinases)로 AVP 분해가 증가하여 일시적인 요붕증이 올 수도 있으며, 심한 경우 치료를 요하기도 한다.

임신 8주에서 중반까지 태반에서 분비되는 바소프레신분해효소에 의해 ADH 대사가 4~6배 증가하며, 바소프레신 분해효소는 점차 증가하여 3삼분기에 최대를 보이고, 출산 후 감소되어 2~4주 경에는 검출되지 않는다. 정상적으로는 바소프레신분해효소에 의해 ADH가 제거되더라도, 뇌하수체(pituitary gland)에서 보상적으로 많이 생성하여 ADH는 정상범위를 유지하나, 과다한 바소프레신분해효소 분비로 인해 일시적인 요붕증이 발생할 수 있다. 이러한 경우, 임신 3삼분기에 심한 다음과 다뇨 증상을 보이거나, 혈장보다 낮은 소변 삼투질농도와 정상이거나 높은 나트륨혈증이 동반되는 경우 의심할 수 있다.

치료는 데스모프레신(desmopressin, dDAVP)을 비강에 5~20 mcg 또는 경피주사로 2~5 mcg을 매 12시간 내지 24시간마다 투여한다. 데스모프레신은 바소프레신유사체(vasopressin analog)로 바소프레신분해효소에 의해 제거되지 않으며, 임신 중에도 안전하게 사용가능한 약제이다. 데스모프레신 치료 중에는 의인성 저나트륨혈증의 발생을 막기 위해 하루 수분 섭취를 1,000 mL 정도로 제한토록 한다.

2. 빈뇨 및 야간뇨

가장 흔한 요로계 증상은 빈뇨와 야간뇨로 임신 중 80~95%에서 나타난다. 빈뇨는 방광기능의 변화 및 소변량의 증가와 연관있으며 대개 임신 1삼분기부터 시작된다. 야간뇨는 대개 임신 주수 진행에 따라 발생하여, 임신시보다 많은 양의 나트륨과 수분을 야간에 배설하게 되고, 아울러 야간의 체위변동에 따른 부종의 이동으로 인한 것으로 설명된다.

3. 절박뇨 및 요실금

자궁의 크기 증가에 따른 방광 압박 및 호르몬 영향으로 발생하며, 임신 중 요실금은 산욕기동안 요실금이 지속되는 위험과 연관된다.

▶ 참고문헌

- Abbassi-Ghanavati M, et al: Pregnancy and laboratory studies: a reference table for clinicians. Obstet Gynecol 114:1326-1331, 2009.
- Aleksandrov N, et al: Gestational diabetes insipidus: a review of an underdiagnosed condition. J Obstet Gynaecol Can 32:225-231, 2010.
- Anantharaman P, et al: Current Diagnosis and Treatment Nephrology and Hypertension, edited by Lerma EV, Berns JS, Nissenson AR, McGraw Hill, 2009, pp492-506.
- Beydoun SN: Morphologic changes in the renal tract in pregnancy. Clin Obstet Gynecol. 28:249-256, 1985.
- Davison JM, et al: Influence of humoral and volume factors on altered osmoregulation of normal human pregnancy. Am J Physiol 258(4 Pt 2):F900-907, 1990.
- Davison JM, et al: Renal hemodynamics and tubular function normal human pregnancy. Kidney Int 18:152-161, 1980.
- Sachdeva M et al: Obstetric and Gynecologic Nephrology, Springer International Publishing, 2020, pp14-20.

CHAPTER 02 임신 중 고혈압

김남호 (전남의대)

KEY POINTS

- 임신 중 고혈압 정의는 140/90 mmHg 이상이다. 고혈압 빈도는 젊은 연령층은 초산에, 상대적으로 나이든 연령층은 다산에 많다.

- 임신 중 고혈압은 전자간증(자간증), 기존 고혈압 혹은 기존 신장질환에 병발한 전자간증, (본태성, 만성)고혈압, 임신고혈압이 있다.

- 임신고혈압은 고혈압 외 다장기 침범이 없고 임신 20주 후 발생하며 산후 12주 이후 정상화되므로 산후 12주에 재평가한다.

- 전자간증(자간증)은 다장기 침범이 있고 정상 임신과 달리 신혈류량과 사구체여과율이 감소한다. 감별진단으로 급성지방간, HELLP 증후군 등이 있다.

임신고혈압

1. 정의

임신고혈압은 임산부 고혈압의 한 원인이며 임산부의 6%에서 발생한다. 임신고혈압은 전에 혈압이 정상이었던 임산부에서 주수 20주 후에 수축기 혈압 140 mmHg 또는 이완기 혈압 90 mmHg 이상이고 단백뇨가 없는 경우로 정의한다. 수축기 혈압 160 mmHg 또는 이완기 혈압 110 mmHg 이상 꾸준히 상승된 경우에는 심한 임신고혈압으로 간주한다. 임신고혈압은 전자간증이나 만성 고혈압의 정의에 해당하지 않을 때 사용하는 진단이다.

전자간증은 단백뇨 존재가 특징적이며 만성 고혈압은 임신 전부터 혹은 임신 20주 전에 고혈압이 발생해서 출산 12주 이후까지 혈압 상승이 지속되는 것으로 정의된다. 임신고혈압은 진행과정에서 단백뇨가 발생하면서 전자간증으로 진행하거나 출산 12주 이후에도 지속되어 만성 고혈압으로 진행할 수도 있으며, 만약 출산 12주 후 혈압이 정상화 되면 일과성 임신고혈압으로 진단된다. 따라서 최종 진단을 위해서는 산후 12주 때 재평가가 필요하다.

전자간증으로 진행하는 고위험 임신고혈압의 병태생리는 알려져 있지 않다. 임신고혈압과 전자간증이 비슷한 표현형(혈압)을 가진 다른 질환인지 임신고혈압이 전자간증의 초기 단계인지는 명확하지 않다.

전자간증과 임신고혈압이 다른 질환임을 제시하는 자료는 다음과 같다.

- 초산은 전자간증의 강력한 위험 인자이나 임신고혈압과는 상관이 없다.
- 임신고혈압의 재발률은 전자간증보다 몇 배 더 높다 (20~47% vs 5%).
- 총 혈액 및 혈장량이 임신고혈압 여성(3,139 mL/m², 2,132 mL/m²)보다 전자간증 여성(2,660 mL/m², 1,790 mL/m²)에서 훨씬 더 낮다.

임신고혈압을 진단받은 여성의 15~25%에서 전자간증으로 발전한다고 알려져 있으며 전자간증으로 진행한 여성은 단백뇨가 없는 고혈압이 지속되는 여성과 다른 특징을 가진다.

- 이른 시기에 임신고혈압이 발생한 여성이 늦은 시기에 발생한 여성보다 전자간증 진행이 더 많았다. 한 연구에서 임신고혈압 여성에서 전자간증으로 진행시 진행하지 않을 때 보다 4주 일찍 더 임신고혈압이 나타났다(33주 vs. 37주). 다른 연구에서는 36주 이후에 임신고혈압이 나타난 여성에서는 10% 정도에서 전자간증으로 발전한 반면 30주 이전에 임신고혈압이 나타난 여성의 40~50%에서 전자간증으로 발전하였다.
- 전자간증으로 발전한 여성이 합병증 없는 임신고혈압 여성보다 총 혈관 저항성이 더 높게 측정되었다.
- sFlt-1 level 측정시 전자간증으로 발전한 여성에서는 상당히 증가한 반면, 임신고혈압 여성에서는 정상이거나 약간 증가하는 양상을 보였다.

2. 진단

임신고혈압의 진단은 임상적으로 진단한다. 전에 혈압이 정상이었던 20주 이후의 임산부에서 수축기 혈압 140 mmHg 또는 이완기 혈압 90 mmHg 이상이고 단백뇨가 없는 경우 임신고혈압으로 정의한다. 고혈압이 나타난 임산부에서 초기 평가의 목적은 치료와 결과에 영향을 미칠 수 있는 임신고혈압과 전자간증으로 구별하고 혈압의 정도를 평가하는 것이다. 고혈압으로 진단된 환자에서 백의성 고혈압은 반드시 배제해야 하며 다음의 검사가 필요하다.

1) 단백뇨 측정

단백뇨 유무가 환자의 임신고혈압과 전자간증의 진단에 임상적 증거를 제공하므로 단백뇨 측정은 반드시 필요하다. 낮은 요비중(<1.010), 높은 염농도, 산성뇨, 비알부민 단백뇨시에는 위음성 결과를 보일수 있으므로 dipstick 검사에서 음성으로 판명되어도 단백뇨를 배제해서는 안 된다. Dipstick 검사 양성(특히 1+) 시에도 위양성이 있을 수 있으므로 확진 검사가 필요하다. 단백뇨는 임의뇨 단백크레아티닌 비 또는 24시간 소변 수집을 통해서 정량적으로 구할 수 있다.

이러한 평가 후에도 전자간증을 확실히 배제하기는 쉽지 않다. 한 연구에서 전자간증 환자의 10%에서는 단백뇨가 보이지 않았으며 자간증(전자간증의 심각한 형태) 환자의 20%에서 경련 발작이 있기 전에 단백뇨를 보이지 않았다. 따라서 고혈압이 증상이나 징후와 동반된다면 단백뇨가 없더라도 심한 전자간증으로 간주하고 처치해야 한다.

2) 심각한 전자간증의 증상과 징후 평가

심각한 전자간증의 증상과 징후에는 두통, 시력 변화, 상복부 통증, 구역/구토 및 소변량 감소 등이 있다. 이러한 증상과 징후는 고혈압 정도가 심하지 않거나 단백뇨가 없더라도 발생 할 수 있다.

3) 혈액 검사

혈액 검사는 임신고혈압이 아닌 전자간증 환자에서 장기 침범이 있는지 평가하는데 도움을 준다. 심한 전자간증에서 혈액농축, 혈소판감소증, 크레아티닌농도와 간 아미노기 전이 효소와 유산 탈수소효소 농도의 상승이 있다.

4) 고혈압의 정도 평가

수축기 혈압 160 mmHg 또는 이완기 혈압 110 mmHg 이상 상승된 경우에는 중증 고혈압으로 간주하고 수축기 혈압 140 mmHg 또는 이완기 혈압 90 mmHg 이상인 경우에는 경증 고혈압으로 간주한다. 임신에서 중등도 고혈압의 뚜렷한 정의는 없다.

5) 태아 건강 상태 평가

모든 고혈압 임산부에서 태아 건강 상태는 양수 및 비스트레스 검사로 행해진다. 초음파를 이용한 태아 몸무게의 측정과 제동맥 색도플러검사 등도 시행해 볼 수 있다.

3. 주산기 예후

경증 임신고혈압 환자의 예후는 대체적으로 양호하다. 평균 출생시 체중, 태아 성장 제한 비율, 조산, 유산 및 주산기 사망률 등은 일반적인 산과 인구에서와 비슷하였다.

반면 중증 임신고혈압 환자는 산모와 주산기 유병률이 증가하였다. 중증 임신고혈압 환자에서의 조기분만, 적은 재태기간의 신생아와 태반 조기 박리의 비율은 일반적인 산과 인구보다 훨씬 높았으며 중증 전자간증 환자와는 비슷하였다.

4. 조치

1) 경증 임신고혈압

대개 매주 산전 신찰로 외래 환자로 안전하게 관리 할 수 있다. 휴식은 고혈압 악화의 위험성을 줄일 수는 있지만 휴식과 저용량의 아스피린 사용이 중증 전자간증의 발생과 예후를 향상시키지는 못한다.

(1) 환자 교육 및 상담

임신고혈압 환자는 전자간증으로의 발생 빈도와 다른 임신 합병증이 증가하므로 환자 교육 및 상담이 관리에 있어서 중요한 요소를 차지한다. 의사는 환자가 중증 질환(심한 두통, 시력 변화, 상복부 통증, 구역/구토, 소변량 감소)을 시사하는 증상이 있으면 바로 병원에 오도록 교육해야 한다. 또한, 태아 움직임의 감소, 질 출혈 같은 태아/태반장애 및 조기 분만 징후를 교육해야 한다.

(2) 태아 평가

태아 평가의 필요성, 종류와 빈도에 대해서는 아직 논란이 있다. 태아 사망이나 신생아 사망률을 감소시킬 수 있는 일상적인 감시 방법에 대한 대규모 무작위 연구는 아직 없다. 그럼에도 불구하고 산전 태아 모니터링은 정황 증거를 기준으로 일상적으로 사용하고 있다. 경험적으로 의료진은 경증 임신고혈압 환자에게 매일 태아 움직임을 모니터링하고 태아 움직임이 감소하거나 없을 경우 호출하도록 교육한다. 양수 지수의 초음파 측정과 3~4주마다 태아 성장을 모니터링하기 위해서 초음파 검사를 시행한다.

(3) 항고혈압 치료

무작위 임상 연구에서 경증 고혈압의 약물 치료가 산모 및 태아의 예후를 향상시키지 못하였다. 따라서 심한 고혈압이 아니라면 항고혈압 약제의 사용은 필요치 않다.

(4) 출산 전 당질코르티코이드 사용

경증 임신고혈압 임산부에서 출산 전 당질코르티코이드의 사용은 일반적으로 추천되지 않는다. 경증 임신고혈압이 주수 34주 이후에 주로 진행해 조산의 적응증에 해당하지 않기 때문이다. 경증 임신고혈압 환자의 1~5%에서만 34주 이전에 분만하였다.

(5) 분만 시기

고혈압 환자에서 자궁 경부가 불안정하더라도 주수 40주째 유도 분만이 기대 요법보다 부작용이 낮음이 무작위 연구 및 후향적 코호트 연구에서 보고되었다.

그러나 The Eunice Kennedy Shriver National Institute of Child Health and Human Development (NICHD)와 the Society for Maternal-Fetal Medicine (SMFM)에서는 전자간증으로의 진행 위험성 때문에 모든 임신고혈압 산모에서 37주에서 38주 7일 사이에 분만할 것을 추천하고 있으며 the American College of Obstetricians and Gynecologists (ACOG)에서 승인을 받았다.

안전 분만 컨소시엄에서 후향적 코호트 연구 저자들은 38주에서 39주 사이의 유도 분만이 가장 낮은 산모 및 신생아 이환율/사망률을 보인다고 하였다. 분만 시기에 대해서 고혈압의 정도, 동반 질환의 유무와 부정적인 임신 결과에 영향을 줄수 있는 위험 요인의 존재에 따라 개별화하도록 하였다.

혈압이 140/90 mmHg 미만의 임신인 경우에는 40주 7일까지 기다려 볼 수 있겠다. 경증 고혈압(160/100 mmHg 미만) 환자에서는 특정 요인(고혈압의 심각도, 부정적인 임신 결과에 영향을 줄 수 있는 위험 요인의 존재, 과거 산과력, 고혈압의 시간 경과에 따른 증가)에 따라 37주에서 39주 사이에 분만할 것을 추천한다. 안정적인 경증 고혈압 환자에서 39주 이전 유도 분만은 피하는 것이 좋겠다. 조산 신생아가 만삭아와 비교하여 사망률의 위험성이 증가하기 때문에 조산은 이로움이 없다.

분만시에도 전자간증이 나타날 수 있기 때문에 단백뇨, 고혈압 악화와 중증 질환을 시사하는 증상이 나타나는지 감시해야 한다. 경련 예방을 위한 황산마그네슘 투여는 하지 않는다.

2) 중증 임신고혈압

160/100 mmHg 이상의 중증 임신고혈압 여성은 조기 분만한다. 수축기 혈압 160 mmHg 또는 이완기 혈압 105 mmHg 이상의 고혈압 환자에서는 산모의 뇌혈관 질환의 감소를 위하여 항고혈압제로 치료한다(표 8-2-1) .

(1) 항고혈압제

① 메틸도파(Methyldopa)

메틸도파는 임신 여성에서 널리 사용되고 태아에 안전성이 입증된 약제이다. 그러나 경증 고혈압에서만 사용할 수 있고 3~6시간으로 작용 시작 시간이 느린 단점이 있다.

② 베타차단제

라베타롤(labetalol)은 α, β 아드레날린수용체길항제로

표 8-2-1. 임신 시 항고혈압약제의 FDA 분류

	설명	분류
1차 항고혈압약제		
Alpha-methyldopa	졸림	B
Nifedipine	하지 부종	C
Labetalol	천식 환자에서 주의한다.	C
2차 항고혈압약제		
Beta blockers	태아 성장 지연	D atenolol B pindolole C metoprolol
Clonidine	약제 중단 시 고혈압 반동(rebound) 태아 성장 지연	C
Hydralazine	신생아 혈소판감소증 약인 루푸스	C
Prazosin	First-dose hypotension	C
Diuretics	태반 혈류량 감소 가능하나 심혈관계 적응증에서 사용	B hydrochlorothiazide amiloride
금기		
Short-acting nifedipine	급격한 혈압 감소로 태반 혈류량 감소	D
ACE-i	기형	D
ARB	기형	D

기존의 베타차단제보다 많은 양의 자궁태반 혈류를 보존할 수 있다. 메틸도파보다 작용 시간이 빠르며(2시간 이내) 경구나 정주로 투여할 수 있다. 핀돌롤(pindolol)이나 메토프로롤(metoprolol)이 대체약제로 사용된다.

프로프라놀롤(propranolol)은 조산, 신생아 가사, 태아 성장 지연, 서맥과 저혈당 등이 보고된 바 있어 논란이 있다. 아테놀롤(atenolol)은 임신 초기에 사용 시 낮은 태반 및 태아 체중과 연관이 있을 수 있어 추천되지 않는다.

③ 칼슘통로차단제

칼슘통로차단제는 임신 중 안전하게 사용할 수 있는 약제이다. 지속형 니페디핀(nifedipine) 제제가 특별한 문제없이 사용된다. 암로디핀(amlodipine)제제는 고혈압 환자에서 널리 사용되지만 임산부에서의 경험은 적다. 베라파밀(verapamil)과 딜티아젬(diltiazem) 등도 사용 할 수 있다.

④ 히드랄라진(Hydralazine)

히드랄라진은 임신 중 고혈압에서 가장 흔히 사용되는 안전한 약제이다. 히드랄라진 정주 요법은 중증 고혈압의 급성 치료로 광범위하게 사용되어 왔다. 그러나 경구 히드랄라진의 경우 반사 빈맥이나 수분 저류의 부작용이 있을 수 있다.

⑤ 이뇨제

이뇨제는 전자간증 환자에서 폐부종이 발생하지 않는다면 일반적으로 사용하지는 않는다.

⑥ 안지오텐신전환효소억제제, 안지오텐신수용체차단제, 레닌 억제제

안지오텐신전환효소억제제, 안지오텐신수용체차단제, 레닌 억제제는 태아 신장, 심장 이상과 연관되기 때문에 모든 임산부에서 금기이다. 따라서 임신 중 이러한 약제를 투여하지 않도록 하고 약제를 투여 중인 여성 환자에서 임신을 계획하는 경우 약제를 중지하고 다른 항고혈압약제로 변경해야 한다.

⑦ 니트로푸루시드(Nitroprusside)

니트로푸루시드는 4시간 이상 사용시 태아 시안화 중독 가능성 때문에 임산부에서 금기이다.

중증 임신고혈압 환자는 중증 전자간증 환자와 임신합병증의 비율이 비슷하므로 처치가 거의 같게 된다. 34주 또는 그 이후에 분만하고 34주 이전의 환자에게 산전 당질 코르티코이드 투여를 한다. 또한 경련 예방을 위하여 황산 마그네슘 투여를 한다.

5. 산모 예후

1) 산후 코스

대부분의 임신고혈압 환자들은 산후 첫 주 이내에 정상 혈압으로 돌아오게 된다 모든 임신고혈압 환자들은 산후 12주 때 정상 혈압을 보여야 하며 약 15% 환자에서는 고혈압이 지속되어 만성 고혈압으로 분류하게 된다.

2) 재발률

임신고혈압은 다음 임신시 재발하는 경향이 있다. 연구 결과 첫 임신시 임신고혈압이 있는 여성에서 다음 임신시 임신고혈압의 유병률은 22~47%였다.

전자간증(Preeclampsia)

전자간증은 임신 중 고혈압과 다장기 침범이 특징이며 경련이 동반되면 자간증(eclampsia)이라 한다. 전자간증은 임신 32주 이후 나타나지만, 기존 고혈압이나 기존 신장질환 병발시 더 일찍 나타난다. 흔하지는 않아도 분만 후 24~48시간에 나타날 수 있고, 산후 7일경 보고되기도 한다. 전자간증은 초산이 다산보다 약 6~8배 빈도가 높고, 기존 고혈압이나 신장질환 환자에서 빈도가 높고, 모계로 유전적 경향이 있다.

전자간증의 고혈압 병인은 말초혈관 저항 증가이며 정상 임신과 달리 혈장량, 신혈류량과 사구체여과율이 감소한다. 단백뇨 범위는 다양하고 혈뇨는 동반하지 않는다.

표 8-2-2. 전자간증, 고혈압과 임신고혈압

전자간증	임신 20주 후 단백뇨(300 mg/dL 이상, 단백 크레아티닌 비 30 mg/mg 이상), 100,000/mcL 이하의 혈소판 감소, 정상보다 2배 이상의 transaminase 상승, 크레아티닌 상승(1.1 g/dL 이상 혹은 2배 이상), 폐부종, 뇌 혹은 시야 장애 동반
고혈압(chronic hypertension)	임신 전부터 고혈압이 있거나, 임신 주수 20주 전 혹은 출산 후 12주 후에도 고혈압
고혈압과 중복전자간증(chronic hypertension with superimposed preeclampsia)	
임신고혈압(gestational hypertension)	임신 20주 후 고혈압이 있으며 출산 후 12주에 호전 단백뇨 동반하지 않고 혈소판감소증, 간기능 이상, 신장기능 이상, 폐부종, 뇌 혹은 시야 장애 동반하지 않음.

전자간증은 내피세포 이상에 의해 신장, 간, 태반, 중추신경계와 심장 등을 침범하므로, 증상은 두통, 시력 변동, 상복부 통증, 불안 및 부종 등이다.

검사에서 혈액농축, 미세혈관용혈빈혈, 혈소판감소, 단백뇨, 혈중 크레아티닌과 요산 증가, 간기능 이상 등을 보이므로, 혈전성혈소판감소자반증 등 다른 질환과 감별을 요한다(표 8-2-2).

치료는 심한 임신고혈압 치료를 참조한다.

▶ 참고문헌

- ACOG Committee on Practice Bulletins–Obstetrics. ACOG practice bulletin. Diagnosis and management of preeclampsia and eclampsia. Number 33. January 2002. Obstet Gynecol 99:159–167, 2002.
- ACOG Committee opinion no. 560: medically indicated late–preterm and early–term deliveries. Obstet Gynecol 121:908–910, 2013.
- Barton JR, et al: Elective delivery at 340/7 to 366/7 weeks' gesta—tion and its impact on neonatal outcomes in women with stable mild gestational hypertension. Am J Obstet Gynecol 204:44. e1–5, 2011.
- Barton JR, et al: Mild gestational hypertension remote from term: progression and outcome. Am J Obstet Gynecol 184:979– 983, 2001.
- Brown MA, et al: Can we predict recurrence of pre–eclampsia or gestational hypertension? BJOG 114:984–993, 2007.
- Buchbinder A, et al: Adverse perinatal outcomes are significantly higher in severe gestational hypertension than in mild preeclampsia. Am J Obstet Gynecol 186:66–71, 2002.
- Corrêa RR, et al: Placental morphometrical and histopathology changes in the different clinical presentations of hypertensive syndromes in pregnancy. Arch Gynecol Obstet 277:201–206, 2008.
- Crowther CA, et al: Does admission to hospital for bed rest prevent disease progression or improve fetal outcome in pregnancy complicated by non–proteinuric hypertension? Br J Obstet Gynaecol 99:13–17, 1992.
- Cruz MO, et al: What is the optimal time for delivery in women with gestational hypertension? Am J Obstet Gynecol 207:214. e1–6, 2012.
- Davis GK, et al: Predicting transformation from gestational hypertension to preeclampsia in clinical practice: a possible role for 24 hour ambulatory blood pressure monitoring. Hypertens Pregnancy 26:77–87, 2007.
- Ferrazzani S, et al: The duration of hypertension in the puerperium of preeclamptic women: relationship with renal impairment and week of delivery. Am J Obstet Gynecol 171:506–512, 1994.
- Hauth JC, et al: Pregnancy outcomes in healthy nulliparas who developed hypertension. Calcium for Preeclampsia Prevention Study Group. Obstet Gynecol 95:24–28, 2000.
- Hjartardottir S, et al: Recurrence of hypertensive disorder in second pregnancy. Am J Obstet Gynecol 194:916–920, 2006.
- Hnat MD, et al: Perinatal outcome in women with recurrent pre–eclampsia compared with women who develop preeclampsia as nulliparas. Am J Obstet Gynecol 186:422–426, 2002.
- Knuist M, et al: Intensification of fetal and maternal surveillance in pregnant women with hypertensive disorders. Int J Gynaecol Obstet 61:127–133, 1998.

- Koopmans CM, et al: Induction of labour versus expectant monitoring for gestational hypertension or mild pre-eclampsia after 36 weeks' gestation (HYPITAT): a multicentre, open-label randomised controlled trial. Lancet 374:979–988, 2009.
- Magee LA, et al: Serious perinatal complications of non-proteinuric hypertension: an international, multicentre, retrospective cohort study. J Obstet Gynaecol Can 25:372–382, 2003.
- Nicholson JM, et al: The impact of the interaction between increasing gestational age and obstetrical risk on birth outcomes: evidence of avarying optimal time of delivery. J Perinatol 26:392–402, 2006.
- Noori M, et al: Prospective study of placental angiogenic factors and maternal vascular function before and after preeclampsia and gestational hypertension. Circulation 122:478–487, 2010.
- Report of the National High Blood Pressure Education Program Working Group on High Blood Pressure in Pregnancy. Am J Obstet Gynecol 183:S1–22, 2000.
- Saudan P, et al: Does gestational hypertension become pre-eclampsia? Br J Obstet Gynaecol 105:1177–1184, 1998.
- Schiff E, et al: Low-dose aspirin does not influence the clinical course of women with mild pregnancy-induced hypertension. Obstet Gynecol 76:742–744, 1990.
- Sibai BM. Eclampsia. VI: Maternal-perinatal outcome in 254 consecutive cases. Am J Obstet Gynecol 163:1049–1054, 1990.
- Sibai BM: Diagnosis and management of gestational hypertension and preeclampsia. Obstet Gynecol 102:181–192, 2003.
- Silver HM, et al: Comparison of total blood volume in normal, pre-eclamptic, and nonproteinuric gestational hypertensive pregnancy by simultaneous measurement of red blood cell and plasma volumes. Am J Obstet Gynecol 179:87–93, 1998.
- Spong CY, et al: Timing of indicated late-preterm and early-term birth. Obstet Gynecol 118:323–333, 2011.
- Tajik P, et al: Should cervical favourability play a role in the decision for labour induction in gestational hypertension or mild preeclampsia at term? An exploratory analysis of the HYPITAT trial. BJOG 119:1123–1130, 2012.
- Valensise H, et al: Maternal total vascular resistance and concentric geometry: a key to identify uncomplicated gestational hypertension. BJOG 113:1044–1052, 2006.
- Villar J, et al: Preeclampsia, gestational hypertension and intrauterine growth restriction, related or independent conditions? Am J Obstet Gynecol 194:921–931, 2006.
- Yoder SR, et al: Hypertension in pregnancy and women of childbearing age. Am J Med 122:890–895, 2009.

CHAPTER
03 임신 중 신장질환

안신영 (고려의대)

KEY POINTS

- 임신 중 요로감염은 가장 흔하게 발생하는 감염 질환의 하나로 무증상세균뇨, 방광염 및 신우신염으로 나눌 수 있으며, 산모와 태아의 예후에 영향을 미칠 수 있기 때문에 적절한 선별검사와 치료가 중요하다.

- 무증상세균뇨 및 방광염의 치료는 적절한 항생제를 3~7일 복용하는 것이며, 세균뇨 재발에 대한 주기적인 선별검사 시행 및 예방적 항생제 사용이 신우신염의 발생 위험성을 낮출 수 있다.

- 임신 중 나타나는 호르몬과 해부학적 변화에 따라 수신증이 동반되며, 임신 주수가 증가할수록 빈도가 증가하며, 주로 우측 요관에서 나타나고, 분만 후 호전된다.

- 요로결석은 임신 중 가장 흔하게 발생하는 비뇨기과 문제로 임신 자체가 요로결석 형성의 독립적 위험인자이며, 주로 인산칼슘결석이 흔하다. 진단을 위한 검사로 초음파와 비조영 자기공명요로조영술을 고려할 수 있고, 수분 공급, 통증 조절 등의 보존적 치료와 함께 동반된 합병증에 따라 중재 또는 수술을 고려할 수 있다.

- 비외상성 파열은 임신 중 드물게 나타나는 합병증으로 주로 질환이 동반된 신장에서 나타나며, 종양과 관련된 경우가 가장 흔하다.

요로감염

요로감염은 흔하게 발생하는 감염 질환 중의 하나로 여성에서 더 흔하며, 원인은 해부학적 구조상 짧은 요도, 항문 및 질과 근접한 위치, 성활동에 의한 병원성미생물의 쉬운 침투 등이다. 특히 임신 중에는 다양한 호르몬과 해부학적 변화로 인하여 요로감염이 더 잘 발생할 수 있다 (표 8-3-1). 임신 초기 약 7주에는 프로제스테론(progesterone)에 의한 평활근(smooth muscle)의 이완으로 요관(ureter)이 확장되며, 이후 22~26주에는 크기가 커진 임신 자궁(gravid uterus)에 의한 기계적 압박으로 수신증이 악화된다. 또한 임신 중 증가된 혈장량이 요의 농축 정도를 감소시키고, 방광의 용적을 증가시켜 요의 정체 및 방광–요관 역류를 일으키며, 요의 pH와 오스몰의 변화, 임신유발 당뇨(glycosuria)와 아미노산뇨(aminoaciduria)가 요 중 세균의 번식과 요로감염을 촉진한다.

임신 중 요로감염은 무증상세균뇨, 방광염 및 신우신염으로 나눌 수 있으며, 하부요로 감염에 해당하는 무증상

표 8-3-1. 임신 중 요로계의 변화

신장	신장의 길이 증가 (약 1cm), 사구체여과율의 증가 (30~50%)
집합계(collecting system)	연동 운동의 감소
요관	연동 운동의 감소, 기계적 폐색
방광	앞쪽 및 위쪽으로 위치 변화, 평활근의 이완, 용적의 증가

세균뇨 또는 방광염의 20~30%가 신우신염으로 진행할 수 있다. 또한, 하부요로 및 상부요로감염은 모두 조산을 포함한 산모와 태아의 예후에 나쁜 영향을 줄 수 있으므로 임신 중 세균뇨에 대한 선별검사와 그에 대한 적절한 치료가 필요하다.

1. 무증상세균뇨

1) 개요

임신 중 요로감염은 증상 유무에 따라 나눌 수 있는데 무증상세균뇨는 하부요로감염과 관련된 증상-배뇨통, 절박뇨, 빈뇨, 혈뇨, 치골위 불편감 등- 없이 요배양 검사에서 세균이 적어도 10⁵CFU/ml 이상 배양된 경우로 정의할 수 있다. 무증상세균뇨는 임산부의 2~15%에서 발생하고, 치료하지 않을 경우 약 40% 환자에서 신우신염으로 진행할 수 있으며, 신우신염은 태아의 조기출산 및 저체중과 관련이 있다. 따라서 미국예방서비스태스크포스(United States Preventive Services Taskforce, USPSTF), 미국감염병학회(Infectious Diseases Society of America, IDSA), 미국산부인과학회(American College of Obstetricians and Gynecologists, ACOG), 미국가정의학학회(American Academy of Family Physicians, AAFP) 등에서 임산부에게 무증상세균뇨에 대한 선별검사를 시행할 것을 추천하고 있다. 미국감염병학회나 미국산부인과학회에서는 임신 초기에 요배양 검사를 시행할 것을 추천하고 있고, 미국예방서비스태스크포스 또는 미국가정의학학회에서는 임신 12~16주 또는 첫 산전 방문이 늦다면, 첫 산전 방문 때 시행할 것을 권고하고 있다.

2) 진단

무증상세균뇨를 진단하기 위한 검사로는 요배양 검사가 최적의 표준검사 방법이며, 중간뇨로 검체를 얻는다. 원인균은 *Escherichia coli*가 가장 흔하며 약 70~80%를 차지하고 있고, 그 외에도 *Klebsiella, Enterobacter*를 포함하는 *Enterobacteriaceae, Proteus, Pseudomonas, Citrobacter* 등의 그람음성균이 원인균을 차지한다. 그람양성균의 경우에는 Group B Streptococci (GBS)가 가장 흔하며, 약 10%를 차지한다.

3) 치료

치료는 항생제를 3~7일 투여하는 것을 권장한다. 무증상세균뇨에 대한 치료는 세균뇨를 호전시킬 수 있고, 신우신염의 유병률을 유의하게 낮출 수 있다. 항생제를 선택할 때는 산모와 태아에 대한 안전성을 고려해야 하며, 임신에 의한 신체적 변화에 의해 약동학 및 약물의 혈중 농도가 변할 수 있음을 고려해야 한다. 대부분의 항생제는 태반을 통과하여 태아에게 영향을 줄 수 있기 때문에 기형발생 등의 해로운 영향을 줄 수 있는 약물은 피해야한다. 무증상세균뇨에 대한 치료 후에는 면밀한 감시 또는 예방적 항생제 치료를 고려할 수 있다. 예방적 항생제 치료가 적절하게 시행되지 않은 환자의 약 1/3까지 세균뇨가 재발할 수 있기 때문에 주기적인 선별검사가 권장된다. 예방적 항생제 치료로는 nitrofurantoin 50 mg 또는 100 mg를 매일 복용하는 방법을 고려해 볼 수 있다. 임산부에서는 예방적 항생제 치료가 세균뇨를 감소시킨다는 임상적 근거가 제한적이지만, 비임산부에서는 잘 성립되어 있다. 그러나 크렌베리 주스 등의 비약물적 예방법은 권장하지 않는다.

2. 방광염

방광염은 하부요로감염 증상, 배뇨통, 절박뇨, 빈뇨, 혈뇨, 치골위 불편감 등이 있고, 요배양 검사에서 세균이 배양된 경우로 정의할 수 있다. 임신 중 방광염의 유병률은 약 1~2%이며, 진단과 치료 및 예방에 대한 관리는 무증상세균뇨의 경우와 같다.

3. 신우신염

1) 개요

신우신염의 유병률은 약 4% 이상이었으나 임산부에서 무증상세균뇨에 대한 선별검사 및 치료가 시행된 후부터는 약 1% 미만으로 보고되고 있다. 신우신염의 위험인자로는 무증상세균뇨, 젊은 나이, 초산부, 신우신염의 기왕력, 당뇨, 그 외 면역억제 상태 등이 알려져 있으며, 대부분의 경우 요정체나 수신증이 명확하게 나타나는 2삼분기와 3삼분기(trimester)에서 발생하고, 약 10~20%의 경우에만 1삼분기에서 발생한다. 신우신염은 태아의 조기출산 및 저체중과 관련이 있으며, 임산부에게는 빈혈, 급성콩팥손상, 패혈증, 폐기능부전 및 급성호흡곤란증후군 등을 초래할 수 있다.

2) 진단

진단은 세균뇨 및 농뇨와 함께 발열, 오한, 측부통증, 구역, 구토, 늑척추각 압통 등이 있으면 임상적으로 진단한다. 요배양 검사가 필수적이며, 약 20~30%의 신우신염 환자에서 혈액배양 양성 소견이므로 혈액배양 검사도 같이 시행한다. 그러나 영상 검사는 신우신염의 진단에 필수적인 검사는 아니다.

표 8-3-2. 임신 중 세균뇨 발생의 위험인자

요로감염의 기왕력
요로계의 해부학적 이상구조
요로계의 기능적 이상
당뇨
Sickle cell disease
낮은 사회경제적 계층
다산부
성활동 빈도의 증가

표 8-3-3. 임신 중 요로감염의 유병률, 진단, 치료 및 추적관찰

	유병률 (%)	진단	치료 (일)	예방 및 추적관찰
무증상세균뇨	2~10	- 무증상 - 세균뇨	3~7	- 세균뇨 재발에 대해 주기적으로 선별검사 시행 - 예방적 항생제 사용 고려
하부요로감염 (방광염)	1~2	- 배뇨통 - 절박뇨 - 빈뇨 - 혈뇨 - 치골위 불편감 - 세균뇨	3~7	- 세균뇨 재발에 대해 주기적으로 선별검사 시행 - 예방적 항생제 사용 고려
상부요로감염 (신우신염)	≤1	- 발열 - 오한 - 측부통증 - 구역 - 구토 - 세균뇨	7~14	- 세균뇨 재발에 대해 주기적으로 선별검사 시행 - 예방적 항생제 사용 권고

3) 치료

치료는 정맥내 항생제 투여와 수액 치료가 기본이며, 항생제는 경험적 항생제를 시작하지만, 배양검사 결과에 따라 필요시 조정해야 한다. 경험적 항생제로는 ampicillin과 gentamycin 또는 ceftriaxone과 같은 cephalosporine 단독 투여를 고려해 볼 수 있으며, 경험적으로 72시간 내에 95% 이상의 경우에서 호전되는 경과를 보이지만 지역사회 내의 항생제 내성률 정도를 고려하여 항생제를 선택한다. 또한, 배양 결과에 맞춰 적절한 항생제를 투여하여도 호전을 보이지 않으면, 신농양, 신결석증 또는 다른 해부학적 이상 여부를 확인하기 위하여 영상 검사를 시행한다. 신우신염의 치료 기간은 비임산부의 경우와 같이 7~14일이 추천되며, 치료 후 무증상세균뇨 또는 방광염처럼 요배양 검사를 시행하고, 신우신염의 재발 위험을 낮추기 위하여 필요시 예방적 항생제 치료를 한다.

요로폐색

1. 수신증

임신 기간 중 나타나는 호르몬의 영향과 해부학적 변화에 따라 수신증이 야기될 수 있으며, 임산부의 43~100%에서 나타날 수 있고, 임신 주수가 진행할수록 수신증의 빈도가 증가한다. 확장된 요관에는 약 200~300cc의 소변이 정체되어 있기 때문에 무증상세균뇨가 동반된 임산부의 경우 신우신염이 발생할 위험도가 40% 정도 증가한다. 수신증에 대해 평가하기 위해서는 초음파 검사를 일차적으로 시행하지만, 초음파로 평가하기 어려울 때는 자기공명영상검사를 시행하여 내부적 요인 또는 외부적 요인에 의한 수신증인지 감별한다. 임신 중 프로제스테론(progesterone)의 영향으로 요관의 긴장도(tone), 연동운동(peristalsis), 수축압력(contraction pressure)이 감소하면서 요관이 확장된다. 수신증은 주로 우측 요관에서 나타나며, 약 86%를 차지한다. 이유는, 우측 요관이 장골혈관(iliac vessels) 및 난소혈관(ovarian vessels)과 위골반문둘레(pel-

vic brim)에서 급격한 각도를 형성하며 교차하기 때문에 난소혈관과 비교적 평행하게 주행하는 왼쪽 요관보다 수신증이 잘 발생할 수 있다. 임신으로 인한 수신증은 임신 6~11주부터 나타나기 시작하여 분만 후 4~6주가 되면 호전된다.

2. 요로결석

1) 개요

요로결석은 임신 중에 발생할 수 있는 비뇨기과 문제 중 가장 흔한 문제로, 200~1,500 임신 중 1회의 빈도로 발생하는 것으로 보고되고 있고, 이 중 증상을 동반한 요로결석의 유병률은 약 3,300 임신 중 1회의 빈도로 보고되며, 비임신 여성과 유병률은 유사하다. 다산의 경험이 있는 임산부에서 더 흔하게 발생하고, 요로결석이 있는 임산부의 80~90%가 주로 2삼분기와 3삼분기(trimester)에 증상이 나타난다. 요로결석은 양측 신장 또는 요관에서 동일하게 발생할 수 있으나, 주로 결석이 요관에 위치해 있을 때 증상이 동반된다. 약 25% 임산부에서 요로결석이 재발할 수 있으며, 비임신 여성의 경우와 비슷하다.

2) 발생기전

전체 인구에서 요로결석이 발생할 수 있는 위험인자로는 수분섭취의 감소, 덥고 건조한 기후, 칼슘, 염분, 붉은 고기 등의 섭취 증가, 당뇨, 비만, 고지혈증 등의 대사증후군 등이 있으며, 임신 자체도 독립적인 위험인자이다.

요로결석의 80%는 칼슘성분이며, 일반적으로 옥살산칼슘결석(calcium oxalate, CaOx)이 인산칼슘결석(calcium phosphate, CaP)보다 더 흔하지만, 임산부에서는 인산칼슘결석이 더 흔하다. 결석이 형성되기 위해서는 결석을 형성하는 염(salts)으로 과포화(supersaturation)된 소변, 결석형성억제제의 결핍, 신장의 고정된 부위에서 결정체(crystals)의 정체(retention) 등의 조건이 필요하며, 세관(tubule)에서 결정체의 형성(formation), 정체, 그리고 축적(accumulation)의 과정을 통해 결석이 형성된다.

특히, 임신 중에 초래되는 생리적인 변화들은 요로결석

이 더 잘 생길 수 있는 조건을 만든다. 임신 중 증가된 프로제스테론(progesterone)은 요관의 평활근을 이완시키고 연동운동(peristalsis)을 감소시켜 요관의 확장을 일으키며, 임신자궁(gravid uterus)에 의한 기계적인 압박이 수신증을 악화시킨다. 충혈된 자궁 정맥과 팽대된 자궁의 위치 변화는 주로 우측 요관의 수신증을 일으킨다. 이러한 생리적 변화가 요의 정체와 결정체의 형성을 촉진하고 신우(renal pelvis)의 압력을 높여 결석을 요관쪽으로 이동시켜 증상을 유발한다. 또한, 임신 중에는 심박출량이 증가하고 전신혈관저항이 감소하며, 소듐뇨배설호르몬(natriuretic hormone)이 증가하여 사구체여과율(40~50%)과 신장혈류(~80%)가 증가한다. 이러한 혈역학 변화는 칼슘과 소듐, 요산(uric acid), 옥살산염(oxalate) 등 결석형성인자의 배설을 증가시킨다. 또한 구연산염(citrate), nephrocalcin, 마그네슘, uromodulin, 글리코사미노글리칸(glycosaminoglycan) 등과 같은 결석형성억제제의 배설도 같이 증가되는데 이중, 구연산염은 구연산칼륨과 구연산(citric acid) 형태인데, 구연산칼륨은 요의 pH를 알칼리화시켜 인산칼슘결석이 결정화되는 과포화점(supersaturation point)을 변화시켜 결석 형성을 촉진시킬 수 있다.

3) 진단

요로결석의 최적표준 진단검사는 신장-방광 초음파이며, 결석이 하부요로나 요관방광경계(ureteral-vesical-junction, UVJ)에 위치해 있는 경우 질경유초음파(transvaginal ultrasonography)가 진단에 도움이 된다. 진단에 대한 초음파의 민감도는 34%, 특이도는 86%이나 임산부와 태아에 안전하다. 임신을 하지 않은 일반 환자에서 요로결석의 최적표준 진단검사는 비조영 컴퓨터단층촬영(computed tomography, CT)이다. 미국산부인과학회(American College of Obstetricians and Gynecologists)에서는 50 mGy 미만의 방사선 노출은 태아에게 기형발생의 위험성을 높이지 않으며, 안전하다고 제안하고 있고, 복부-골반 컴퓨터단층촬영(abdominal and pelvis CT)을 시행할 경우 태아에게 노출되는 평균 방사선량은 8 mGy 정도이다. 따라서 정확한 진단이 필요한 경우 신중하게 CT 촬영을 고려해 볼 수 있으나 일반적으로 임신 중에는 방사선 노출을 최소화하려고 하기 때문에, 최근에는 요로결석을 진단할 때 초음파로 진단이 어려울 경우, 비조영 자기공명요로조영(magnetic resornance urography, MRU) 검사(T2-weighted half-fourier single-shot turbo-spin echo protocol, HASTE protocol)를 시행한다. 검사 시간이 15분 이내로 짧고, 정확도도 CT와 유사하며, 수신증의 원인이 결석에 의한 폐색인지 임신에 의한 것인지 감별할 수 있는 장점이 있다.

4) 임상상

결석의 가장 흔한 증상은 측부의 급경련통(colicky pain, 85~100%), 혈뇨(75~95%)이나 구역, 구토, 발열, 하부요로증상 등이 나타날 수 있고, 드물게 전자간증(preeclampsia)이 동반되기도 한다. 일부 연구에서 요로결석은 임신부와 태아에게 심각한 합병증을 동반할 수 있다고 알려져 있다. 임산부에서는 결석으로 인한 요관의 폐색, 상부요로감염, 요로성패혈증, 신장주위고름집 등을 야기할 수 있고, 이는 즉각적인 입원과 중재가 필요하다. 또한, 조기 진통(premature labor), 조산(preterm delivery), 조기 양막파열(premature rupture of membranes), 반복적인 유산, 경한 전자간증 등을 유발하여 태아의 건강도 위협할 수 있다.

5) 치료

요로결석은 산모와 태아의 건강을 위협할 수 있으므로 비뇨기과, 산과, 영상의학과, 마취과, 그리고 신생아 전문의로 이루어진 다학제 접근이 필요하다. 초기 기본 치료는 통증조절과 탈수를 예방하기 위한 수분 공급이며, 구토 등의 증상이 없다면 경구 수분 섭취를 더 권장한다. 적절한 수분 섭취는 소변량을 증가시켜 결석이 저절로 빠질 수 있는 기회를 제공할 수 있다. 또한 감염이 동반된 경우에는 항생제, 구토 증상이 있다면 구토억제제도 같이 투여한다. 통증 조절은 증상의 정도에 따라 접근할 수 있는데, 초기에는 아세트아미노펜(acetaminophen), 코데인(codein), hydrocodone, 옥시코돈(oxycodone) 등의 경구

약을 투여할 수 있다. 비스테로이드소염제(nonsteroidal anti-inflammatory drug, NSAID)는 3삼분기에 투여될 경우 태아에게 양수과소증(oligohydramnios) 등의 부작용을 유발할 수 있기 때문에 금기이다. 만약 환자가 구토 등의 증상으로 경구 섭취가 어렵거나 경구 진통제 투여에도 통증이 호전되지 않는다면 morphine sulfate, hydromorphone, meperidine, acetaminophen 등의 주사제로 통증을 조절할 수 있다.

만약, 요로결석과 함께 중증의 증상이 동반된다면 입원하여 정맥을 통한 수액 공급과 마약류의 진통제 투여가 필요하며, 감염증, 신기능 저하, 요로성패혈증 등을 동반한 경우 즉각적인 수술적 중재가 필요하다. 적극적인 수술적 중재가 필요한 적응증은 조절되지 않는 통증, 지속적인 구토, 발열, 산과적 합병증이 동반된 경우, 단일 신장, 양측 신장결석, 1 cm 이상 크기의 요관결석, 그리고 임상 증상이 악화되는 경우이다.

(1) 신장배액술

요로배액술은 수술적 치료가 불가능한 경우에 시행된다. Double J 카테터삽입술 또는 신장창냄술(nephrostomy)은 최소한의 마취로 시술이 가능하지만 일시적인 시술이며, 임신기간동안 주기적으로 교체를 해야하는 단점이 있다. 이러한 신장배액술은 요로결석과 함께 급성염증이 동반된 경우, 크고 양측성 결석인 경우, 해부학적 이상소견 동반되거나 산과적 합병증이 동반된 경우에 시행하며, Double J 카테터삽입술과 신장창냄술(nephrostomy)의 효과는 비슷하다.

(2) 수술

임산부에서 요로결석과 함께 감염증, 산과 합병증 등의 동반증상이 없고, 1삼분기가 지난 경우 수술적 치료를 고려해 볼 수 있다. 또한, 일시적인 신장배액술에서 필요한 주기적인 스텐트 또는 튜브 교체에 대해 불편감을 느낄 때 수술적 치료를 고려해 볼 수 있다. 기술의 발전과 덜 침습적인 특성으로 요관신장경술(ureterorenoscopy, URS)을 일차적 수술 방법으로 고려할 수 있다. 그 외에 요로결석

에 대한 치료 방법으로 충격파쇄석술(shock wave lithotripsy)이나 경피적신장절개결석제거술(percutaneous nephrolithotomy, PCNL)을 고려해 볼 수 있으나 합병증 발생률이 높고, 기형발생 위험도가 높아 임산부에서는 금기이다.

비외상성 파열

임신 중에 드물지만 외상에 의한 것이 아닌, 자발적인 요로계 파열(spontaneous rupture of urinary tract)이 유발될 수 있는데, 대부분 질환이 동반된 신장에서 나타나며, 종양과 관련된 경우가 가장 흔하다. 임신 18주부터 분만 후 1일째까지 발생할 수 있으며, 신장에 감염, 흉터, 선천적인 구조 기형, 악성 또는 양성 종양, 물혹 등이 동반된 경우에 나타날 수 있다. 비외상성 파열은 신장의 집합계(collecting system) 또는 신실질(renal parenchyme)에서 모두 나타날 수 있으나 신우(renal pelvis) 또는 신배(renal calyx)에서 가장 흔히 동반된다. 증상은 파열 부위에 따라 다를 수 있는데, 신실질이 파열된 경우에는 혈뇨, 허리의 통증 및 촉지되는 덩이, 저혈압 등으로 나타나고, 집합계에서 파열된 경우에는 주로 허리의 통증으로 나타난다. 요로계 파열은 요로결석, 급성 양수과다증, 담낭염, 태반의 조기박리, 조기산통 등과 감별이 되어야 하기 때문에 영상 검사에 따른 진단이 필수적이다. 정맥요로조영술, 초음파, 자기공명영상(MRI) 등을 시행할 수 있으며, 컴퓨터단층촬영(CT)도 고려해 볼 수 있으나 임신 18주 이후에 가능하다. 치료는 신장의 파열된 부위와 중증도에 따라 선택할 수 있으며, 아직 증거기반의 일치된 치료 방법은 없으나 치료의 공통 목표는 신기능 보존, 통증 완화, 파열부위의 자발적인 치유, 안전한 만기 정상분만 및 태아에게 미치는 영향 최소화 등이다. 보존적인 약물치료 및 Double J 카테터삽입술 또는 신장창냄술(nephrostomy) 등을 고려해 볼 수 있으나 소변종(urinoma)이 크거나 소변과 혈액의 혈관외 유출이 심한 경우 탐색적 수술(explorative surgery)도 고려할 수 있다. 그러나 환자에게 가장 최선의 치료 방법을

제공하기 위해서는 환자에 따라 개별화된 전문가 집단의 분석 및 판단이 중요하다.

산과적 급성콩팥손상

임신관련 급성콩팥손상은 다양한 원인에 의해서 나타날 수 있으며, 산모와 태아의 예후에 중요한 영향을 미친다. 지난 50여년간 산과적 진료의 발달과 패혈유산(septic abortion)의 감소로 임신관련 급성콩팥손상의 유병률은 감소되었다. 특히, 인도, 중국 등의 개발도상국에서 유병률의 감소가 뚜렷하게 나타나고 있다. 그러나 이들 나라에서도 투석을 요하는 중증의 급성콩팥손상 환자들은 꾸준히 발생하고 있고, 캐나다, 미국 등의 선진국에서는 최근 임신관련 급성콩팥손상 유병률이 오히려 증가하고 있다. 이는 진단기준의 변화와 선별검사의 확대에 따른 진단률의 증가 및 산모의 나이 증가, 산전 고혈압 또는 만성콩팥병 유병률의 증가 등을 원인으로 고려할 수 있다. 임산관련 급성콩팥손상을 유발할 수 있는 다양한 원인들은 해부학적 기준 및 임신 시기에 따라 분류할 수 있다(표 8-3-4, 그림 8-3-1).

표 8-3-4. 임신관련 급성콩팥손상의 원인

신전 원인 **(prernal)**	임신오조(Hyperemesis Gravidarum)
	패혈증 – 유산후, 산후, 요로감염
	심부전
	약 – 이뇨제, 비스테로이드소염제
신성 원인 **(intrinsic)**	급성세뇨관괴사/급성피질괴사 – 산과적 대량 출혈(태반조기박리, 자궁파열) – 패혈증(유산후, 산후, 요로감염)
	전자간증(Preeclampsia)
	HELLP (Hemolysis, elevated liver function test, low platelets)
	혈전미세혈관병증(Thrombotic microangiopathy, TMA) – 혈전성혈소판감소자반(Thrombotic thrombocytopenic purpura, TTP) – 비정형용혈요독증후군(Atypical hemolytic uremic syndrome, aHUS) – 파종혈관내응고(Disseminated intravascular coagulation, DIC)
	임신급성지방간(Acute fatty liver of pregnancy, AFLP)
	루푸스신염(Lupus nephritis)
	항인지질항체증후군(Antiphospholipid antibody syndrome, APS)
	신우신염(Pyelonephritis)
	약(Medication) – 신독성(Nephrotoxicity) – 급성사이질신염(Acute interstitial nephritis)
	폐색전증(Pulmonary embolism)
	양수색전증(Amniotic fluid embolism)
신후 원인 **(postrenal)**	방광 또는 요관에 대한 자궁의 압박에 의한 수신증
	요로결석에 의한 요관의 폐색
	제왕절개(cesarean section) 또는 질분만(vaginal delivery) 과정에 동반되는 요관, 방광, 요도의 손상
	질분만 과정에서 동반되는 방광, 요도의 자발적인 손상

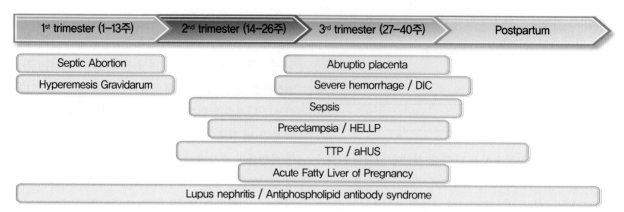

그림 8-3-1. 임신 시기에 따른 급성 신손상

▶ 참고문헌

- Cheung KL, et al: Renal physiology of pregnancy. Adv Chronic Kidney Dis 20:209–214, 2013.
- Chu CM, et al: Diagnosis and treatment of urinary tract infections across age groups. Am J Obstet Gynecol 219:40–51, 2018.
- Glaser AP, et al: Urinary Tract Infection and Bacteriuria in Pregnancy. Urol Clin North Am 42:547–560, 2015.
- Grette K, et al: Acute pyelonephritis during pregnancy: a systematic review of the aetiology, timing, and reported adverse perinatal risks during pregnancy. J Obstet Gynaecol 40:739–748, 2020.
- Jim B, et al: Acute Kidney Injury in Pregnancy. Semin Nephrol 37:378–385, 2017.
- Kalinderi K, Delkos D, Kalinderis M, Athanasiadis A, Kalogiannidis I: Urinary tract infection during pregnancy: current concepts on a common multifaceted problem. J Obstet Gynaecol 38:448–453, 2018.
- Koves B, et al: Benefits and Harms of Treatment of Asymptomatic Bacteriuria: A Systematic Review and Meta-analysis by the European Association of Urology Urological Infection Guidelines Panel. Eur Urol 72:865–868, 2017.
- Loughlin KR: Management of urologic problems during pregnancy. Urology 44:159–169, 1994.
- Masselli G, et al: Stone disease in pregnancy: imaging-guided therapy. Insights Imaging 5:691–696, 2014.
- Masselli G, et al: The role of imaging in the diagnosis and management of renal stone disease in pregnancy. Clin Radiol 70:1462–1471, 2015.
- Nicolle LE: Asymptomatic bacteriuria. Curr Opin Infect Dis 27:90–96, 2014.
- Pedro RN, et al: Urolithiasis in pregnancy. Int J Surg 36(Pt D):688–692, 2016.
- Rao S, et al: Acute Kidney Injury in Pregnancy: The Changing Landscape for the 21st Century. Kidney Int Rep 3:247–257, 2018.
- Semins MJ, et al: Kidney stones during pregnancy. Nat Rev Urol 11:163–168, 2014.
- Taber-Hight E, Shah S: Acute Kidney Injury in Pregnancy. Adv Chronic Kidney Dis 27:455–460, 2020.
- Wingert A, et al: Asymptomatic bacteriuria in pregnancy: systematic reviews of screening and treatment effectiveness and patient preferences. BMJ Open 9:e021347, 2019.
- Wolff JM, et al: Non-traumatic rupture of the urinary tract during pregnancy. Br J Urol 76:645–648, 1995.
- Zhang H, et al: Spontaneous rup—ture of the renal pelvis caused by upper urinary tract obstruction: A case report and review of the literature. Medicine (Baltimore) 96:e9190, 2017.

CHAPTER 04

기존 신장질환 환자의 임신

김양욱 (인제의대)

KEY POINTS

- 임신이 신장질환에 미치는 영향은 사구체 내 고혈압 등으로 인한 신장질환 진행의 가속화인데, 고혈압, 단백뇨와 신기능 저하가 심하거나 전자간증이 동반될수록 크다.
- 신장질환이 태아에 미치는 영향은 유산, 태아의 미성숙, 미숙아와 신생아 사망 등인데, 고혈압, 단백뇨와 신기능 저하가 심하거나 활동성 루푸스신염, 전자간증과 당뇨병성 신증이 동반될수록 많다.
- 신장질환이 태아 외 임신에 미치는 영향은 사구체여과율 증가의 둔화, 세관 기능의 부적응과 전자간증 빈도의 증가이다.
- 임신계획에 대한 상담은 원인신질환, 복약, 고혈압, 단백뇨와 신기능 저하 정도에 따라 개별적으로 접근한다.

만성콩팥병을 가진 여성에게 임신은 위험을 초래할 수 있는 요인이다. 일반적으로 투석환자는 수태율이 낮아 임신이 어렵지만 이식 후 임신율이 증가하는 것으로 알려져 있다. 만성콩팥병을 가진 환자에서 임신의 임상적 중요성은 임신이 신기능에 미치는 영향과 임신에 대한 신기능 저하의 영향이 무엇인가 하는 것이다.

1. 발생빈도

임신 중에서 만성콩팥병이 동반되는 빈도는 정확한 통계 자료는 없으나 임신 여성 10,000명당 2~12명으로 이같이 낮은 이유는 만성콩팥병을 가진 여성에서 불임이 많기 때문이다.

2. 병태생리

정상 신기능을 가진 여성의 임신 중 해부학적 변화는 신장 크기가 커지고 신우신배 부위가 확장된다. 임신 초기에 신장 혈류량이 증가하고 임신 2삼분기 때 최대가 된 후 3삼분기에 다시 감소한다. 사구체여과율이 증가하고 이로 인하여 혈청 크레아티닌과 요소질소는 감소하며, 단백뇨가 발생하나 정상적으로 하루 300 mg을 넘지 않는다. 만성콩팥병 경우, 정상 임신에서 나타나는 사구체여과율의 증가 정도가 둔화하고, 임신 동안이나 분만 후에 감소할 수 있다. 단백뇨는 임신 시 신기능 장애를 나타내는 표지자로, 1+ 이상의 단백뇨가 검출되는 경우 24시간 소변 검사나 단백뇨 크레아티닌 비율을 통하여 단백뇨 양을 측정해야 한다.

3. 임신이 신기능에 미치는 영향

많은 환자에서 혈압이 상승하고 단백뇨가 증가하며 사구체여과율이 비가역적으로 감소할 수 있다.

Registry of pregnancy in dialysis patient에서는 말기 신부전 임신 여성의 79%가 고혈압이 있고, 48%는 임신 동안 170/110 mmHg 이상으로 악화하며, 중등도에서 중증의 만성콩팥병 여성은 임신 3기시 28~48%에서 고혈압의 발생률이 증가한다고 보고하였다. 만성콩팥병 환자 일부에서 임신은 급격한 신기능 저하를 초래할 수 있다. 그러나 일반적으로 예후는 동반 질환의 유무 특히 고혈압이나 단백뇨 정도와 질환의 중증도에 따라 다르다.

정상 혈압인 경증의 만성콩팥병(혈청 크레아티닌 <1.4 mg/dL)은 예후가 좋으며 중등도(혈청 크레아티닌 1.4 mg/dL~2.4 mg/dL)는 20% 정도에서 신기능의 급격한 악화 위험이 있고, 기저 혈청 크레아티닌이 2.5 mg/dL 이상은 심한 신기능 저하로 약 45%에서 1년 내 말기신부전으로 진행하기도 한다.

임신 중에 신기능 악화원인은 아직 불확실하나 단백뇨 및 고혈압의 악화가 요인으로 알려져 있다. 고혈압은 사구체 내 고혈압을 유도하여 신손상을 가속하므로 기존에 만성콩팥병이 있는 경우 고혈압은 신기능을 악화시키게 된다. 임신 중에는 수입 세동맥이 확장되는데 이런 이유로 고혈압이 있으면 쉽게 신손상이 일어난다. 임신 중 신혈류역동의 변화는 만성콩팥병이 있는 환자도 정상 임신과 비슷하다. 그러나 신장기능이 나쁘면 상대적으로 사구체여과율의 증가와 신혈류량의 증가가 제대로 이루어지지 않게 된다.

단백뇨의 경우 하루 소변 단백뇨가 2 gm 이상인 임신부 중 50%는 출산 후에도 혈압이 올라가고 혈청 크레아티닌이 증가한다.

신장생검은 드물게 시행하며 임신 초기에 심한 신증후군이나 설명할 수 없는 신기능 저하 발생 시 시행한다. 그러나 32주 이상이면 신장생검을 시행하지 않는다. 임신 동안 발생하는 신장질환은 막증식성사구체신염, IgA 신병증, 국소분절사구체경화증, 역류성신병증 등의 원발성 사구체신염, 루푸스신염, 사이질신염이나 급성콩팥손상 등이다. 이러한 질환에서 임신 중 고혈압과 신기능악화에 유의해야 한다. 또한, 고혈압을 동반한 다낭콩팥병에서 태아 및 임산부 합병증 발생 위험이 매우 크나, 정상 혈압이며 경증의 신장질환인 경우 보통 합병증 발생이 적다. 루푸스에서 임신 전 6개월 이상 안정적이고 비활동성인 경우는 좋은 예후를 보인다. 그러나 임신 중 갑작스러운 재발로 단백뇨, 고혈압 및 신기능 저하 등이 나타나는 경우 전자간증과의 구별이 어려울 수 있다. 당뇨병신병증도 임신 후 단백뇨나 고혈압의 악화 등의 비슷한 임상 경과를 보인다.

4. 신장질환이 태아에 미치는 영향

만성콩팥병이 있으면 임신이 어려우나 드물게 투석 중인 환자도 임신이 된다. 투석치료를 받는 임신가능 연령의 여성 중 약 2%에서만 실제 임신을 하지만 유산, 태아의 미성숙, 미숙아 등의 위험이 크며 고혈압이 이런 위험의 중요한 요인이다. 투석하지 않는 만성콩팥병 환자라도 상태가 비교적 안정되어 있으면 태아의 생존율이 높으나 전자간증이 합병되면 태아 사망률이 40~50%에 이른다. 조산이나 미숙아의 빈도는, 신장질환은 있으나 신장기능이 정상이고 고혈압이 없는 환자라 하여도 정상 산모보다 3~4배가 높다. 태아 사망률이 정상 임신에서 약 5% 이하이지만, 만성콩팥병이 있는 환자에서 태아 사망률은 약 30% 정도이다. 전자간증의 발생빈도는 신장질환이 있는 경우 신장질환이 없는 환자에 비해 20~40%가 높다.

신장질환으로 인한 전자간증은 초산이나 경산부 모두 비슷하게 나타나며 임신 32주가 되기 전에 나타난다. 현재까지 전자간증을 예방하기 위한 확립된 치료는 아직 없다.

5. 신기능 저하가 임신에 미치는 영향

루푸스 외 질환에서 질환 자체보다는 신기능 저하 정도가 임신에 중요하다. 특히 루푸스에서 임신으로 재발 시 신기능을 급격히 악화시키며 항카디오리핀항체(anticardiolipin antibody)와 루푸스항응고인자(lupus anticoagulant)가 있는 경우 태아 사망이 높다.

일반적으로 신기능 저하가 있더라도 태아 생존율은 좋다. 그러나 투석 환자에서 임신 성공률은 약 50% 미만이며 투석시간을 주 36시간 이상으로 늘리면 태아 생존율을 향상할 수 있다. 그러나 이러한 조치에도 임신에 대한 예후는 태아 사망, 발육 저하와 조산 등 태아뿐 아니라 임신부에게도 불량하므로 투석환자에게 임신은 권유하지 않는다.

6. 임신 계획

일반적으로 만성콩팥병에서 임신을 권유하지 않는 경우는 다음과 같다.

1) 만성콩팥병 3~5단계
2) 조절되지 않는 고혈압: 혈압이 조절되기 전까지 연기
3) 심한 단백뇨: 최소 6개월 동안 단백뇨가 하루 1g 이하로 조절될 때까지 연기
4) 활동성 루푸스신염
5) 중등도~심한 신기능 장애가 있는 당뇨병신병증

1) 수태 시기
수태 시기는 환자의 나이, 질환의 종류 및 원인과 활동성 등에 따라 다르다(표 8-4-1).

2) 투약 검토
현재 투약하는 약물의 검토는 임신 계획에 중요하다. 몇 가지 약물은 태아에 기형을 유발하거나 영향을 줄 수 있다.

(1) 면역억제제(표 8-4-2)
(2) 안지오텐신전환효소억제제/안지오텐신수용체차단제
(3) 아스피린-저용량 아스피린은 고위험군에서 전자간증 발생을 감소시키며 루푸스에서는 임신의 예후를 좋게 하는 것으로 알려져 있다.

7. 관리

임신한 만성콩팥병 환자의 관리는 약제의 조정, 혈압 조절, 주기적인 검사, 태아 감시 등이 필요하다.

1) 면역억제제
(1) Corticosteroid
임신 동안 가능한 최소량을 유지하며 prednisone 혹은 prednisolone이 적합하다. 투여된 prednisone의 약 10%가 태반을 통하여 태아에게 들어가나 소량일 경우는 안전하다. 그 외 부작용은 일반적으로 알려진 당뇨, 고혈압, 감염과 골다공증 등의 발생 위험이 증가한다.

표 8-4-1. 원인질환에 따른 만성콩팥병의 수태시기

만성콩팥병의 원인	추천 수태시기	설명
신장이식	이식 후 1년	연기시키는 것이 임신 및 신장병의 예후를 호전
루푸스신염	안정된 후 6개월	활동기일 경우 질환의 악화 및 임신 예후 불량
당뇨병	적절한 혈압과 혈당 조절시	고혈당에서는 조산, 제왕절개, 사산, 선천성기형 발생의 위험도가 증가
35세 미만 4~5단계의 진행하는 만성콩팥병	이식시까지 수태 연기	이식은 임신의 예후를 호전
35세 이상 4~5단계의 진행하는 만성콩팥병	수태 진행이 필요하나 임신으로 인한 신기능 악화로 신대체요법 필요 증가	

표 8-4-2. 임신 시 면역억제제의 FDA 분류

분류	설명	
A	임신 여성을 대상으로 한 대조임상시험에서 태아에 대한 위험성이 없음이 증명	
B	조절된 동물실험 결과, 태아에 대한 위험성이 없었으나 임상시험은 실시되지 않음 또는 조절된 동물실험 결과 태아에 대한 위험성이 나타났지만 대조임상시험에서 증명되지 않음	Basiliximab(노출 후 4개월간 임신 피할 것)
C	조절된 동물실험 결과, 태아에 대한 부정적인 작용이 증명되었으나 임상시험은 실시되지 않음. 또는 조절된 동물실험 또는 임상시험이 실시되지 않음	Prednisone Cyclosporin Tacrolimus Sirolimus Everolimus Belatacept Methylprednisolone Thymoglobulin OKT3 Rituximab Alemtuzumab(노출후 6개월간 임신 피할 것)
D	대조임상시험 결과, 태아에 대한 부정적인 작용이 증명되었으나, 약물 사용의 유익성이 위험성보다 큼	Azathioprine Mycophenolate (MMF/MPA) Cyclophosphamide Simulect
X	임신 중 여성에 대해서는 절대로 사용할 수 없음	Leflunomide

(2) Hydroxychloroquine

임신 중이라도 신장질환의 관해 유지 혹은 루푸스 활동성 조절을 위해 시작 혹은 지속적으로 사용해야 하며 중단 시 임신 중 재발의 위험성이 증가한다.

(3) Azathioprine

임신 중 사용 가능하며 특히 신장이식 환자에서 임신 중 사용하더라도 선천성 기형의 발생 위험은 증가하지 않는다.

(4) Calcineurin inhibitors

Cyclosporin A 및 tacrolimus는 기형의 위험을 증가시키지 않아 임신 시 사용 가능하며 약물의 체액 분포 및 간 대사의 증가로 임신 2삼분기(second trimester)부터 임신 전 사용 용량의 20~25% 정도 증량해야 한다. 분만 후 다시 이전 용량으로 감량이 필요하다.

(5) Mycophenolate mofetil 과 cyclophosphamide

두 약제는 임신 시 기형의 위험이 있어 중단해야 하며 임신 1삼분기(first trimester)에서 유산 및 심한 선천성 기형을 유발할 수 있다.

(6) Rituximab

태반을 통과할 수 있고 신생아의 B세포 고갈을 유발한다. 임신 중반부터 만삭까지 정도와 발생빈도가 증가하므로 임신 1삼분기까지 치료선택으로 권고하고 있다.

2) 혈압 조절

임신 동안 혈압은 130-140/80-90mmHg를 목표로 한다. 과도한 저혈압은 태반의 혈액 관류 장애를 유발하여 태아의 성장과 발달에 영향을 준다. 임신 중 안전하게 사용할 수 있는 약제로는 methyldopa, labetalol, long-acting nifedipine 등이 있다(표 8-2-1).

3) 유지투석 환자에서 투석

표 8-4-3. 유지혈액투석에서 임신 시 투석

투석횟수	매일 투석 혹은 주당 5~7회 투석
투석시간	중분자 물질과 인산 제거위해 가능한 길게
건체중	탈수와 oligoamnios없이 가장 적절한 체중
혈류속도	150~250 mL/min
투석액 속도	300 mL/min
투석효율	BUN 10~15 umol/L
투석막	생체적합

8. 예후

임신한 만성콩팥병을 가진 환자의 예후는 다음과 같은 요인에 따라 영향을 받는다.

1) 신기능 저하의 정도
2) 고혈압의 유무
3) 단백뇨 양
4) 신장질환 유발 원인

임신 중 신장질환은 기존 질환의 악화이든 임신 중 발생하였든 간에 산모나 태아에게 나쁜 영향을 미칠 수 있으며 출산 후에도 지속할 수 있다는 데 문제가 있다. 따라서 임신의 위험성과 경과에 대해 산부인과와 신장내과 의사의 도움을 받는 것이 좋다. 또한, 만성콩팥병에 사용되는 약물 중 태아에 영향을 줄 수 있는 약물은 안지오텐신수용체차단제, 안지오텐신전환효소억제제와 면역억제제(cyclophosphamide, mycophenolate mofetil)로 임신 초기에 사용해서는 안 된다. 따라서 가임기 여성에서는 이 약물에 대한 교육이 필요하다.

▶ **참고문헌**

- Anantharaman P, et al: Pregnancy & Renal Disease Current Diag─nosis & Treatment – Nephrology & Hypertension, McGraw Hill, 2011, pp492-506.
- August P. Pregnancy in women with underlying renal disease. In: UpToDate, Lockwood C(Ed.), UpToDate, Waltham, MA, 2014.
- Bramham K, et al: Pre-pregnancy counseling for women with chronic kidney disease. J nephrol 25:450-459, 2011.
- Kapoor N, et al: Management of women with chronic renal disease in pregnancy. The Obstetrician & Gynaecologist 11:185-91, 2009.
- Weichun He: Pregnancy in chronic kidney disease. Chronic Kidney Disease Springer Nature Singapore, 2020, pp57-69
- Williams D, et al: Chronic kidney disease in pregnancy. BMJ 336:211-215, 2008.

제 **8** 부 임신과 신장

CHAPTER
05 임신과 신장이식

김지은 (고려의대)

KEY POINTS

- 가임 연령의 여성에서 신장이식 전과 이식 후 임신에 대한 상담 및 피임 교육을 한다. 피임 방법은 이식 후 경과, 이식신 기능과 합병증 유무에 따라 선정한다.

- 신장이식 후 1~2년 경과 시 사구체여과율 60 mL/min 이상, 단백뇨 500 mg/일 이하, 최근 1년간 거부반응이나, 재발성 요로감염이 없고, 혈압 조정이 잘 되는 순응도가 좋을 때 임신을 시도한다. 연령, 비만과 당뇨병은 일반 임신에 준한다.

- 임신 중 면역억제제는 칼시뉴린억제제, azathioprine과 스테로이드가 추천된다. mycophenolic acid와 mTOR 억제제는 임신 6주 전에 중단하거나 azathioprine으로 교체한다.

- 신장이식 환자에서 고혈압, 전자간증, 임신 당뇨, 미숙아 및 저체중 신생아 위험 등이 높으므로 다학제 접근을 한다.

- 신장공여자는 태아 위험이나 자간증 위험은 차이가 없어도 전자간증 위험이 증가한다고 알려져 있으므로, 이에 대해 충분히 설명하고 임신 시 세심한 추적을 요한다.

말기신부전의 여성은 시상하부–뇌하수체–생식샘 축의 손상으로 인해 일반 인구보다 생식력이 저하되어 있다. 여성 투석환자 90% 이상이 불규칙한 월경 주기 혹은 무월경으로 보고되었으며, 여성 투석환자의 수태율은 0.9~7% 정도로 낮다. 그러나 신장이식 후 생식 능력은 6개월 이내에 급격히 회복되며, 이에 임신을 원하는 말기신부전 여성에서 신장이식은 희망적인 치료 선택권이 될 수 있다.

1. 신장이식 후 생식력의 회복

신장이식 후에는 말기신부전에 비해 시상하부–뇌하수

체–난소 기능 개선으로 LH, FSH, 프로락틴과 에스트로젠 수치가 정상화되어 생식 능력이 호전되지만, 이식환자의 생식 능력은 일반 인구보다 낮게 보고된다. 여성 신장이식 수혜자 대부분이 이식 후 1년 이내에 규칙적인 생리주기가 회복되며, 배란은 빠르게는 이식 후 첫 달부터 회복될 수 있다.

2. 신장이식 후 적절한 임신 시기

KDIGO (Kidney Disease: Improving Global Outcome) 임상진료지침과 European Best Practice 가이드라

표 8-5-1. 이식 수혜자의 임신 전 권고 사항

권고 사항
- 이전 년도에 거부 반응이 없을 것.
- 안정적인 신장 기능(예시: 혈청 크레아티닌 <1.5 mg/dL)을 유지하며, 단백뇨는 없거나 매우 적은 양으로 유지될 것
- 태아에 영향을 줄 수 있는 급성 감염이 없을 것
- 유지 면역억제제의 용량이 안정적일 것
- 그 외 고려해야 할 인자: 　이식 첫 해 거부반응(추가적인 이식신 평가를 고려해야 함) 　모체의 나이 　임신 및 이식신 기능에 영향을 줄 수 있는 기저질환들 　낮은 의학적 순응도

인은 각각 이식 후 1년 및 2년 이후로 임신을 미룰 것을 권고한다. 미국 메디케어 데이터에서, 이식 후 2년 이내 임신 시 이식편 손실의 위험도가 증가함이 보고되었다. 또한, 이식신 기능 및 혈압 등을 포함한 임신 전 모체의 건강 상태에 따라 모체 및 태아의 합병증 및 결과가 변동될 수 있어, 미국 이식학회(American Society of Transplantation)의 지침에서는 이식 환자의 임신 권장 시기에 대해 다음과 같이 권고하고 있다(표 8-5-1). 덧붙여 혈압 140/90mmHg 이하로 안정적이고 단백뇨는 500 mg/일 이하이다.

3. 신장이식 환자에서의 피임법

신장이식 후 생식 능력이 급격히 회복되는 반면, 태아 및 모체의 안정적인 임신을 위해 이식 후 조기에는 임신이 권고되지 않기 때문에 가임 연령의 이식수혜자는 이식 전 피임에 대해 의료진과 상담을 진행해야 한다. 과거 연구에서 이식 수혜자에서의 계획되지 않은 임신은 33~93%에 이른다.

미국 질병관리본부(Centers for Disease Control and Prevention)는 고형 장기이식 환자에서 사용할 수 있는 피임법의 권고사항을 제시하였으며, 이식 장기 기능에 따라 서로 다른 피임법을 권장한다. 안정적 이식편 기능을 보이는 환자에서는 모든 종류의 호르몬 제제(에스트로겐-프로게스테론 복합제 포함) 및 구리 또는 호르몬 분비 자궁내

장치가 안전하게 사용될 수 있으며, 불안정한 이식편 기능을 보이는 환자에서 에스트로젠은 이식 6주 이내 하지 정맥염을 유발할 수 있고, 혈압상승과 CNI 약제 대사에 영향을 줄 수 있어 프로게스틴 단독 약제를 유지하는 것을 권고하며, 구리 또는 호르몬 분비 자궁내장치는 권고하지 않는다. 그러나 최근의 연구들에서 자궁내장치의 유리한 안전성이 제시되고 있다. 이식팀 의료진은 신장이식 수혜자의 생활 방식을 고려하여 각 피임 방법의 위험과 이점을 논의하고 가장 효과적인 피임 방법을 결정하도록 한다.

4. 신장이식 환자의 임신시 합병증

1) 모체 합병증

이식 수혜자는 일반인구 여성보다 임신 중 모체 합병증의 발생이 증가하며, 특히 임신고혈압, 전자간증, 제왕절개의 위험도가 증가한다. 이식 수혜자는 면역억제제 복용과 연관된 합병증으로 인해 임신 전 고혈압의 유병률이 52~69%로 보고되며, 이러한 기저의 고혈압 및 단백뇨에 의해 임신 중 중복자간전증(superimposed preeclampsia)의 진단이 까다롭다. 이식 수혜자의 전자간증 발생은 21.5% 가량으로 보고되며 이는 일반 인구에 비해 6배의 위험에 달하며, 전자간증의 발생은 제왕절개율을 상승시키고, 조기분만의 위험도를 높인다. 혈청 요산 수치 증가가 이식 수혜자에서 전자간증 감별에 도움되지 않으므로 바

이오마커로 fms-like tyrosine kinase 1 (sFlt-1)에 대해 연구 중이다.

이식 수혜자에서 제왕절개율은 일반 인구에 비해 2배가량 높다. 그러나 분만의 종류는 이식편의 상태 보다는 산과 적응증에 따르며, 자연분만이 금기는 아니다. 제왕절개 시 수술 과정에서 이식편의 손상 가능성이 있으므로, 제왕절개 전 해부학적인 위치를 숙지하는 것이 중요하며 산전 수술 계획 및 논의가 산과의와 이식팀 간에 충분히 이루어져야 한다.

또한, 일부 연구에서 임신 시 인슐린 저항성과 면역억제제로 이식 수혜자의 임신당뇨병 위험도 상승에 관해 보고되어 있다. 대개 임산부에서 열량은 30~35 kcal/kg, 단백 1 g/kg, 비타민 D와 엽산 보충을 권고하며 혈당과 지질 추적이 필요하다.

당뇨병이 있는 이식 수혜자는 임신 준비기부터 임신 동안 HbA1c를 6% 이하가 되도록 혈당을 조절하며 매달 HbA1c를 감시한다. 급격한 혈당 조절은 당뇨병 망막증을 악화시키므로 임신 전에 안과 검진을 시행하고 이후 정기적으로 관찰한다. 임산부는 인슐린이 가장 좋으며, 인슐린 요구량은 임신주수 10주까지 감소하다가 이후 늘어나므로 1일 혈당 측정은 식후 2시간에 100~129 mg/dL, 식전, 취침, 새벽 2시~4시에 60~99 mg/dL를 목표로 하고 1일 4회 혹은 지속적 혈당 감시를 한다.

2) 태아 합병증

미국 National transplant pregnancy registry와 메타분석 들에서 이식 수혜자 모체에서 생아 출생률은 71~76%로 보고되며, 이는 일반인구와 크게 다르지 않다. 그러나 이식 수혜자의 아기는 조기 출생, 임신나이 저체중(small for gestational age), 출생 시 저체중을 보일 수 있다.

이식수혜자 아기의 조기 출생률은 50-54%로 일반인구 12.3%에 비해 높으며, 태아의 성장이 느려 임신나이 저체중은 33~45%로 보고된다(일반 인구에서 5%). 이러한 임신나이 저체중 및 조기 출생의 위험은 모체의 고혈압과 기저 이식편 기능 이상(크레아티닌 >1.5 mg/dL) 시 위험도가 증가한다. 반면 출생 결함의 위험은 일반인구와 차이가 없다(4.5% vs. 3~5%).

3) 이식편에 미치는 영향

임신 중에는 생리적으로 사구체 여과율이 임신 1기부터 최대 40%까지 증가하여 임신 중 그리고 분만 후까지 유지된다. 따라서 이식신 기능의 저하를 추정할 때 더 낮은 문턱값을 적용해야 하며, 주의 깊게 신장 기능의 추적을 요한다.

신장 기능이 양호하며 면역억제제 용량이 안정적인 상태에서 이식 수혜자의 임신은 이식편 소실의 위험도나 거부반응 발생의 위험도를 높이지 않는다. Transplant Pregnancy Registry International에 따르면 임신 중 거부반응의 유병률은 0.9%, 출산 후 3개월 내 1.4%로 보고된다. 이식 2년 내 이식편 소실은 5.9%로, 비임신 이식 환자와 유사하다. 그러나 임신 전 고혈압 및 이식신 기능저하의 심각성에 따라 이식신 수혜자의 이식편 소실의 위험도는 증가한다.

5. 이식 후 유지 면역억제제와 임신

임신 중 면역억제제의 안전성은 그 근거연구에 따라 (1) 일반적으로 안전함 – 칼시뉴린 억제제(cyclosporine과 tacrolimus), prednisone, azathioprine, (2) 임신 중 금기 – mycophenolic acid, mycophenolate mofetil, (3) 근거 부족 – sirolimus, everolimus, belatacept 로 분류된다(표 8-4-2).

Cyclosporine과 tacrolimus를 포함한 칼시뉴린 억제제는 임신 중 흔하게 사용되는 면역억제제로 이전에 출생 결함의 위험도를 상승시킨다는 우려가 있었으나 대규모 연구에서 일반인구와 비교하여 유사한 출생 결함의 발생을 보여 안전성이 확인되었다. 임신 중 사구체 여과율의 변화 및 cytochrome p450 활성도 증가로 인한 약제 대사의 변화로 약물 농도가 변동될 수 있으며, cyclosporin은 임신 3삼분기에, tacrolimus는 약효가 있는 미결합 분획이 증가할 수 있으므로 임신 이전 약물 농도보다 50% 감량하였다가 임신 3삼분기에 cyclosporin과 마찬가지로 전체 용량의

20~25% 가량 증량을 고려해야 한다. 약물 농도는 임신 1삼분기와 2삼분기에서 2주마다, 3삼분기와 분만 후는 매주 측정을 추천한다.

Mycophenolate mofetil과 mycophenolate sodium을 포함하는 Mycophenolic acid product (MPA)는 면역억제제제 중 가장 위험도가 크게 알려진 약제로, 임신 시 MPA를 복용하던 약 45%의 여성에서 자연 유산되며, MPA를 복용하던 산모에서 태어난 아기의 22%가 발생이상(developmental anomaly)을 보였다. MPA 사용과 연관된 출생 결함으로는 구개-얼굴, 식도, 심장 및 콩팥 이상과 외이 발생 이상인 소이증(microtia)이 있다. 임신을 준비하는 이식 환자는 임신 시도 최소 6주 전부터 MPA를 중단해야 하며, azathioprine으로 변경 및 prednisone을 추가하거나 용량을 늘리는 전략을 고려해야 한다.

Prednisone은 태반에서 대사되어 태아에서 투여량의 10% 이하로 검출되므로 임신 시 15 mg 이하는 안전하다고 알려져 있다. Azathioprine 역시 태반 통과가 미미하므로 2 mg/kg 이하의 용량 사용은 비교적 안전하다.

Sirolimus와 evelolimus를 포함한 mTOR inhibitor와 belatacept의 안전성에 대해서는 근거가 제한되어 있다. 동물 연구에서 sirolimus는 태아 저체중 및 태아 사망을 증가시켰으나 현재까지 인체에서 보고된 바는 없다. Sirolimus나 everolimus에 대해 적은 수의 연구만 존재하기 때문에, 계획되지 않은 임신 때 임신 중절을 권하지는 않더라도 임신 중 안전성에 대해 확신할 수 없으므로 사용을 권장하지 않는다.

6. 이식 수혜자의 모유 수유

이식 수혜자의 모유 수유는 일반적으로 안전하다. 소아과 협회에서는 일반 인구에서 첫 6개월간의 모유 수유를 권장하며, 이식 환자에서도 이러한 권장사항은 그대로 적용될 수 있다. 모유에서 tacrolimus, azathioprine 및 prednosone 사용 시 일부 약제 또는 약제 대사체가 검출될 수 있으나 그 양이 적고 대체적으로 안전하다. 반면 MPA나 mTOR inhibitor는 모유로의 검출량 등에 대한 정보가 거의 없어 모유 수유 시 사용이 권장되지 않는다.

7. 신장이식 공여자의 임신

신이식 공여자는 특별한 기저질환이 거의 없고, 면밀한 의학적 검사를 거친 건강한 사람들로, 공여 이후의 신장 기능은 정상의 75~80% 정도로 보고된다. 이들에서의 임신에 따른 합병증에 대해서 일부 연구가 있으며, 주산기 고혈압 또는 전자간증의 위험도가 공여 전에 비해 또는 일반 인구에 비해 증가함이 공통적으로 보고되었다.

▶ 참고문헌

- Bramham K. Pregnancy in Renal Transplant Recipients and Donors. Semin Nephrol 37:370-377, 2017.
- Chandra A, et al. Immunosuppression and Reproductive Health After Kidney Transplantation. Tran splantation 103:e325-e333, 2019.
- Chittka D, et al. Pregnancy After Renal Transplantation. Transplantation 101:675-678, 2017.
- Gonzalez Suarez ML, et al. Pregnancy in Kidney Transplant Recipients. Adv Chronic Kidney Dis 27:486-498, 2020.
- McKay DB, et al. Reproduction and transplantation: report on the AST Consensus Conference on Reproductive Issues and Transplantation. Am J Transplant 5:1592-1599, 2005.
- Ong SC, et al. Pregnancy in a Kidney Transplant Patient. Clin J Am Soc Nephrol 15:120-122, 2020.
- Richman K, et al. Pregnancy after renal transplantation: a review of registry and single-center practices and outcomes. Nephrol Dial Transplant 27:3428-3434, 2012.
- Sarkar M, et al. Reproductive health in women following abdominal organ transplant. Am J Transplant. 18:1068-1076, 2018.
- Shah S, et al. Pregnancy outcomes in women with kidney transplant: Metaanalysis and systematic review. BMC Nephrol 20:24, 2019.
- Watnick S. Pregnancy and contraceptive counseling of women with chronic kidney disease and kidney transplants. Adv Chronic Kidney Dis 14:126-31, 2007.
- Webster P, et al. Pregnancy in chronic kidney disease and kidney transplantation. Kidney Int 91:1047-1056, 2017.

임·상·신·장·학

PART
09 세관사이질질환, 독성신병증, 낭콩팥병

이동원 (부산의대)

CHAPTER 01 세관사이질질환의 분류

한상웅 (한양의대)

KEY POINTS

- 대한신장학회 '2018년 우리나라 신대체요법의 현황'에 따르면 2012년에서 2017년까지 새로 발생한 말기콩팥병 환자의 약 0.8~1.0%에서 사이질신염이 원인이었다.

- 급성 세관사이질신염은 임상양상이 비특이적이기 때문에 과소진단 될 수 있다.

- 사구체신염, 낭콩팥병 외 다양한 신장질환이 세관사이질에서 천천히 시작하여 신생검에서 만성사이질신염이 확인되기까지 발견되지 않은 상태로 진행할 수 있다.

세관사이질질환(tubulointerstitial disease)은 임상적으로 이질적인 질환들로 구성되어 있는데 세관과 사이질손상이라는 유사점을 공유하고 있다. WHO 신장질환 조직 분류 협력센터에서는 아래와 같은 세관사이질질환의 분류를 제시하고 있다(표 9-1-1). Rastegar A 등이 질환의 급성과 만성 구분에 관계없이 1차 세관사이질신염의 좀 더 단순한 분류를 제시하고 있어 소개한다(표 9-1-2). 그 외 2차 세관사이질신염은 사구체질환, 혈관질환과 구조 이상 질환으로 나누고 있다. 구조 이상은 낭콩팥병과 폐쇄요로병증 그리고 역류신병증으로 구분하고 있다.

역학

급성사이질신염은 국내외 보고에서 전체 신생검의 1~3%에 해당한다. 그러나 급성콩팥손상으로 한정할 경우 10~20%에 달한다. 급성사이질신염은 단백뇨 또는 혈뇨를 가진 무증상 환자에서 1% 미만의 발생을 보이지만 원인을 알 수 없는 급성콩팥손상을 보이는 입원 환자의 약 15% 정도에서 관찰되는 흔한 원인 중 하나이다.

대한신장학회 "2018년 우리나라 신대체요법의 현황"에 따르면 2012년에서 2017년까지 새로 발생한 말기신부전 환자의 약 0.8~1.0%에서 사이질신염(신우신염과 약물 및 신독성 물질 포함)이 원인이었다. 2006년에서 2010년 USRDS (United States Renal Data System) 자료에 따르면 미국에서 새로 발생한 말기신부전 환자의 0.9%에서 1차 만성사이질신염(진통제 남용 및 납 신병증 포함)이 원인이었다. 두 나라에서 만성사이질신염에 의한 말기신부전의 발생률은 1% 이하로 낮게 보고되지만 원인이 알려지지 않은 만성콩팥병의 일부분을 차지할 것으로 추정된다.

표 9-1-1. 세관사이질질환의 WHO 분류

감염
급성 감염 세관사이질신염
전신감염 연관 급성세관사이질신염
만성 감염 세관사이질신염(만성신우신염)
특정 신장 감염(결핵, 나병)
약제유발 세관사이질신염
급성 약제유발 세관독성 손상
약제유발 과민 세관사이질신염
만성 약제유발 세관사이질신염
면역질환 연관 세관사이질신염
세관항원 반응 항체 유발
자가 또는 외인 항원항체 복합체 유발
세포매개 과민 연관 또는 유발
즉시 과민(IgE 매개) 유발
폐쇄요로병증
방광요관역류 연관 신병증(역류신병증)
유두괴사 연관 세관사이질신염
중금속 유발 세관 및 세관사이질 병변
급성세관손상/괴사(독성/허혈)
대사장애 유발 세관 및 세관사이질신병증
유전 신장 세관사이질질환
종양 연관 세관사이질신염
사구체 및 혈관질환의 세관사이질 병변
기타: 발칸 풍토 신병증

표 9-1-2. 1차 세관사이질신염의 분류

감염
세균 신우신염
한타바이러스
렙토스피라증
면역매개
쇠그렌증후군
항세관기저막병
약제 유발
급성사이질신염
진통제 유발 사이질신염
리튬
사이클로스포린
한약제
독소(납)
대사 질환
통풍신병증
고칼슘혈증 사이질신염
저칼륨혈증 사이질신염
유전 세관사이질신염
윌슨병
시스틴증
고옥살산뇨
혈액 질환
낫적혈구병
경쇄신병증
원주신병증
경쇄침착질환
아밀로이드증
기타: 발칸 신병증

세관사이질신염

　　세관사이질신염은 1차성으로 세관사이질에서 발생하거나 2차성으로 사구체 모세혈관 손상이나 신장혈관질환으로부터 시작될 수 있다. 1차 세관사이질신염은 세관 세포 손상을 동반한 사이질염증을 일으키는 다양한 질환들로 구성되어 있다. 전통적으로 세관사이질신염은 임상소견 및 형태학적 특징에 따라 급성과 만성으로 나누어진다. 급성 형태는 흔히 갑자기 발생하여 원인 인자가 진정되면 신장염도 호전되어 일부 기존 질환을 가진 환자에서 손상을 일으키는 경우를 제외하면 많은 경우에서 사구체여과율이

정상화된다. 만성세관사이질신염은 비가역적인 섬유화에 의해 기능하는 네프론 수가 감소하는 등 경과가 지속된다. 독성신병증은 만성 형태의 신장염과 유사한 양상을 보인다. 몇 주 이내에 세관사이질이 광범위하게 파괴되는 경우 급성과 만성 손상의 감별이 어려운 경우도 있다.

1. 급성 세관사이질신염

　　급성세관사이질신염은 약물이 가장 흔한 원인이며 항생

제와 비스테로이드소염제 등이 가장 빈발하는 유발약제이다. 임상 특징으로는 신기능이 급성 또는 아급성으로 저하되고 조직소견에서 세관사이질에 림프구, 대식세포, 호산구, 그리고 형질세포와 같은 급성 염증세포 침윤과 사이질부종이 특징이다. 발열, 피부발진, 관절통, 말초 호산구증가증 등 특징적인 소견이 진단에 도움을 주지만, 많은 환자에서 임상양상이 비특이적이기 때문에 과소진단 될 수 있다. 확진은 신생검에 의해 이루어진다. 대부분의 환자들은 의심되는 원인의 제거 등 보존요법의 대상이 된다.

2. 만성 세관사이질신염

만성세관사이질신염은 급성에 비하여 서서히 진행하는 경과를 보인다. 약제나 감염원과 같은 원인 인자에 만성적으로 낮은 강도로 노출되어 발생할 수 있다. 급성세관사이질신염보다 훨씬 더 다양한 원인들이 있는데, 감염, 약물, 독성물질, 폐쇄요로병증, 혈액-종양 질환, 면역연관 질환, 대사질환, 유전질환 및 기타 원인 등이 만성사이질신염의 원인이 될 수 있다. 노출은 간헐적이거나 지속적일 수도 있다. 조직소견은 세관사이질의 섬유화와 위축이 특징이다. 급성과 유사하게 단핵세포의 침윤과 연관되어 있다. 시간이 경과함에 따라 사구체와 혈관구조의 변화도 수반되는데 신장의 진행성 섬유화와 경화를 보인다.

모든 형태의 신장 손상은 그 원인과 관계없이 만성사이질신염을 통하여 말기신부전으로 진행해 간다. 사구체신염, 낭콩팥병 외에도 다양한 신장질환이 세관사이질에서 천천히 시작하여 흔히 신생검에서 만성사이질신염이 확인되기까지 발견되지 않은 상태로 진행할 수 있다.

▶ 참고문헌

- ESRD Registry Committee, Korean Society of Nephrology: Current renal replacement therapy in Korea 2017. [Date accessed: 1 June 2021] URL: http://www. ksn.or.kr.
- Perazella MA, et al. Tubulointerstitial diseases, edited by Yu ASL, Chertow GM, Luyckx VA, Marsden PA, Skorecki K, Taal MW, Brenner and Rector's The Kidney, 11th ed, Philadelphia, PA: Elsevier, 2020, pp1196-1122.
- Rastegar A, et al. The clinical spectrum of tubulointerstitial nephritis. Kidney Int, 54:313-327, 1998.

제 9 부 세관사이질질환, 독성신병증, 낭콩팥병

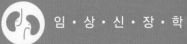

CHAPTER
02 급성사이질신염

임학 (고신의대), **최성은** (차의대 병리과)

KEY POINTS

- 피부 발진, 관절통 및 호산구증가증 등 고전적인 증상 발현은 약제 사용 환경변화로 현재는 감소하였다.
- 양성자펌프억제제 등 증상이 경미하여 조기 발견이 어려운 원인들에 대한 주의가 필요하다.
- 약제유발로 추정되는 경우 치료의 근간은 조기 발견 및 조기 중지이다.

급성사이질신염(acute interstitial nephritis, AIN)은 급성콩팥손상(acute kidney injury, AKI)의 흔한 원인으로서, 콩팥에서 면역반응을 일으키는 약제 노출 후 가장 빈번히 발생한다. 감염, 자가면역질환, 전신질환 등 다양한 질환들도 AIN을 유발한다고 알려져 있다. 주증상은 혈청 크레아티닌의 경한 상승, 단백뇨 등이며 발열, 발진, 호산구증가증의 세 가지 주증상(triad)은 드문 편이다. 신생검으로 확진 가능하며, 사이질에 림프구와 단핵구의 조밀한 침윤을 보이며, 이와 함께 형질세포, 호산구, 조직구 등이 관찰되기도 한다. 치료는 원인을 찾아 제거하는 것이 가장 중요하며, 스테로이드 치료가 도움이 될 수도 있다. 핵심은 신속한 진단과 신속한 치료로써 콩팥손상을 되돌릴 수 있다는 점이다.

AIN의 빈도는 상황에 따라 다양한데 단백뇨, 미세혈뇨 등 무증상 환자들에게는 단지 0.7%만이 발생하는 반면, 원인불명의 급성콩팥손상으로 입원한 경우엔 10~15%가량 발생한다고 알려져 있다. AIN은 모든 연령에서 발생되

나 노인에게 더 흔하며, 이는 노인이 약제 또는 기타 유발요인에 더 많이 노출되었기 때문으로 풀이된다.

임상 양상

AIN은 여러 약제를 사용한 환자에서 주로 발생하며, 급성 또는 아급성 형태로 콩팥기능 저하를 보인다. 피부 발진, 관절통 및 호산구증가증 등 고전적인 증상들은 과거 50%까지 나타난다고 알려졌었으나 약제사용 환경변화에 따라 현재 5~10%에 불과하며, 페니실린 유도체 약제군에서 상대적으로 자주 발생한다. 비스테로이드소염제(NSAIDs)로 인한 증상발현은 이보다 적다. 피부 발진은 1/3의 환자에서 반구진(maculopapular) 또는 홍역 모양(morbilliform)으로 몸통에 나타나며, 약제 과민 반응의 경우 더 자주 발생한다. 특이한 증상 징후는 없는 경우가 많고 기존 만성콩팥병이 있을 경우 더욱 진단이 어렵다.

그러므로 뚜렷한 원인 없이 신기능이 급성 또는 아급성으로 감소될 경우 AIN의 가능성을 염두에 두어야 한다.

검사 소견

AIN에서는 흔히 사구체여과율(GFR)이 감소하며, 이는 서서히 그리고 지속적인 형태를 보이는 경우가 많다. 약제유발 급성사이질신염(drug-induced acute interstitial nephritis, DI-AIN)의 경우 전형적으로 약제사용 7~10일 후 GFR 저하를 보인다. 그러나 이전에 동일 약제에 노출된 경우 빠르고 심각한 GFR 저하를 보이기도 한다. 한편 NSAIDs 또는 양성자펌프억제제(proton-pump inhibitors, PPI)는 약제사용 후 수주 또는 수개월 후 AIN이 발생하기도 하며 전신질환, 대사질환, 감염병의 경우 AIN의 발생 시기는 더욱 다양하다. 호산구증가증은 베타락탐 항생제 관련 AIN에서 흔하여 최대 80%까지 보고되며, 다른 DI-AIN에서는 약 1/3에서 호산구증가증을 보인다.

요검사 및 요침사가 평가에 유용하다. 대부분 1~2+ 경한 단백뇨를 보이며, 정량 시 하루 1g 미만이며, 사구체질환과는 달리 요단백의 대부분은 비알부민성이다. AIN 환자의 약 80%에서 백혈구에스테라제 양성을 보인다. 미세혈뇨는 절반에 가까운 환자에게 있으나 육안혈뇨는 드물

다. 메치실린에 인한 AIN의 경우 거의 대부분 환자에서 농뇨를 보이지만, 타 약제로 인한 경우는 농뇨의 빈도가 상대적으로 낮으므로, 농뇨가 없다 하여 진단을 배제할 수 없다. 기타 다양한 빈도로 적혈구원주 및 백혈구원주가 관찰된다. 호산구뇨(eosinophiluria)가 한 때 AIN의 특이소견으로 여겨졌으나, 검사의 민감도 및 특이도의 한계로 인해 진단에 적용하기는 어렵다. 또한 방광염, 신우신염, 죽종색전콩팥병, 급속진행사구체신염 등에서도 호산구뇨가 나타나는 등 특이성이 낮으므로 진단에 주의를 요한다.

병리

AIN은 모든 신생검의 1~3%를 차지하며, 급성콩팥손상으로 제한할 경우 13~27%에 이른다. AIN의 주요 병리 소견은 사이질 부종, 염증, (사구체 또는 혈관 침범이 없는) 세관염 등이다. 사이질의 염증세포 침윤은 전반적 또는 국소적 양상 모두 가능하며 주로 림프구, 단핵구, 호산구, 호중구, 형질세포 등이 침윤한다(그림 9-2-1A, 1B). T림프구는 대개 CD4 및 CD8 세포로 구성된다. 염증세포가 세관기저막을 관통하여 세포 내에 존재하는 것을 세관염(tubultis)이라 부르며, 이는 심한 염증 시 주로 관찰된다.

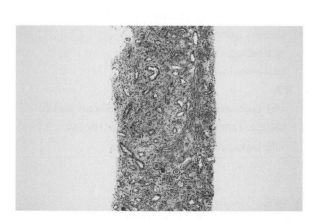

그림 9-2-1A. 급성사이질염의 H/E 소견. 광범위한 사이질 염증과 부종이 있다(H&E stain, x100).

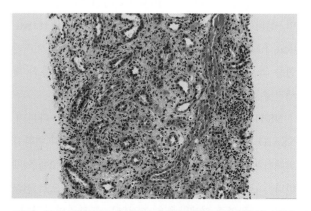

그림 9-2-1B. 단핵구와 중성구가 간질에 광범위하게 침윤하고 있으며, 세관에 침윤하는 세관염이 있다. 세관 내의 중성구 원주도 동반되어 있다(H&E stain, x200).

호산구 침윤은 가변적이나, DI-AIN에서 비교적 뚜렷해 보인다. 유육종증(sarcoidosis) 및 DI-AIN에서는 간혹 육아종이 발견되기도 한다. 예후는 염증의 정도보다는 사이질 섬유화 및 세관 위축 정도와 더욱 관련이 있다고 알려져 있다.

병태 생리

AIN은 콩팥사이질에 T림프구 등 다양한 염증세포들이 침윤하는 것으로 보아, 면역학적 원인으로 콩팥 손상이 시작되고 진행되는 것으로 추정된다. 약제에 노출된 사람들 중 소수에서만 급성사이질신염이 발생하는 점, 용량의존성이 아닌 점, 전신증상이 동반되기도 한다는 점, 약제에 다시 노출 시 재발한다는 점 등은 AIN을 면역 기전으로 볼 수 있는 단서가 된다. 콩팥 손상을 일으키는 내인성 항원은 Tamm-Horsfall 단백질, 메갈린, 세관기저막 구성물질 등이, 외인성 항원은 다양한 약제들이 지목된다. 외인성 항원은 합텐으로 작용하여 세관 항원에 결합하거나, 정상 세관 또는 사이질 항원과 유사하게 작용하여 면역반응을 초래한다. 항원제시림프구에 항원이 제시되어 T세포가 활성화되며, 연이어 지연과민반응 및 세포독성을 담당하는 다른 T세포의 분화 및 증식이 초래된다.

사이질에 침윤된 염증세포는 TGF-β, EGF, FGF-2 등 섬유소생성 사이토카인(fibrinogenic cytokines)을 생성하며, 상피-중간엽 이행(epithelial-mesenchymal transition, EMT)으로 섬유아세포가 사이질에 침투한다. 이러한 염증 과정의 결과로 세포외기질 축적, 사이질 섬유화 및 세관 손상이 진행된다.

NSAIDs로 인한 AIN은 이상의 발병기전과는 다른데, NSAIDs는 아라키돈산이 프로스타글린딘H2로의 변환을 촉매하는 고리산소화효소(cyclooxygenase)-1과 2를 억제한다. 이로 인해 아라키돈산은 우선 류코트리엔으로 전환되며, 결국 염증 연쇄반응을 조절하는 프로스타글란딘-류코트리엔 등 염증 매개체의 불균형이 초래된다.

원인

AIN의 주요 원인은 약제에 의한 경우가 70~75%로 가장 흔하며, 이 중 항생제가 30~50%를 차지한다. 그 외 유육종증, 쇠그렌증후군, 전신홍반루푸스 등 전신질환 10~20%, 감염 4~10% 등이다(표 9-2-1).

표 9-2-1. 급성사이질신염의 원인

항생제 및 항바이러스제
β-lactams, quinolones, sulfonamides, vancomycin, linezolid, erythromycin, minocycline, rifampin, ethambutol, acyclovir, indinavir
진통제
NSAIDs, COX-2 inhibitors
이뇨제
thiazides, furosemide, triamterene
항경련제
phenytoin, valproate, carbamazepine, phenobarbital
기타
PPI, H2 blockers, captopril, mesalazine, allopurinol, Chinese herb
급성세관폐색
Acute urate nephropathy
Acute phosphate nephropathy
악성종양
Light chain cast nephropathy (myeloma kidney)
Lymphoproliferative disorders
자가면역질환
Tubulointerstitial nephritis with uveitis (TINU)
Sjögren's syndrome,
Systemic lupus erythematosus
IgG4-related systemic disease
감염
세균: Legionella, Streptococcus, Staphylococcus, Yersinia
바이러스: CMV, Hantavirus, Polyomavirus, HIV, EBV
기타: Leptospira, Rickettsia, Mycoplasma

1. 약제

1) 베타락탐 항생제

베타락탐 계열의 약제들의 콩팥손상 기전은 과민반응

이며 약제에 감작되지 않은 경우, 약제사용 10~14일 후 AIN이 발생할 수 있으나 그 기간은 다양하다. 급성콩팥손상과 함께 발열, 발진, 관절통 및 호산구 증가 등이 생기기도 하지만, 많은 경우에서 증상이 없거나 일시적이므로 진단에 주의를 요한다. 경한 단백뇨, 혈뇨 그리고 약 75%에서 백혈구뇨(leukocyturia)를 보인다. 메치실린은 DI-AIN를 유발하는 대표적 약제였으나 현재는 임상에서 사용되지 않는다.

2) 비 베타락탐 항생제

리팜핀에 의한 AIN은 약제를 연속적으로 사용한 경우보다 간헐적으로 사용했을 때 더 빈번히 심하게 발생한다. 대개 용량 의존적으로 발생하며, 혈액에서 리팜핀에 대한 항체가 검출되기도 한다. 발열, 오한, 복통, 근육통 등 전신증상, AST 및 ALT 상승, 용혈빈혈, 혈소판감소증 등 검사소견, 그리고 신생검에서 단핵구 및 호산구의 사이질 침윤 등이 관찰된다. 약제에 다시 노출되지 않도록 주의가 필요하다.

설폰아마이드는 약제 또는 대사물이 세관 내에서 결정형태로 침착되어 세관 폐색을 일으키는 것이 대표적 콩팥손상의 형태였으나, 발열, 발진, 호산구증가를 특징으로 하는 급성과민반응 형태로도 발현된다. HIV 감염, 신장이식 수여자, 기존 만성콩팥병 환자들은 과민반응에 취약하며 항생제 trimethoprim-sulfamethoxazole을 사용해야 하는 경우가 많아 콩팥손상에 유의하여야 한다. 플루오로퀴놀론 특히 시프로플록사신은 다양한 기전으로 콩팥손상을 일으킬 수 있으며, 과민반응 양상 없이 완만히 진행하는 AIN을 보이곤 한다.

3) 비스테로이드소염제(NSAIDs)

널리 사용 중인 약제로서, 기존 NSAIDs뿐 아니라 선택적 COX-2 억제제 모두 AIN을 유발할 수 있다. NSAIDs로 인한 콩팥손상은 증상이 거의 없는 경우가 많으며, 약제사용 후 평균 6~18개월경에 발생한다. 대개 과민반응 없이 발생하므로 발열, 발진, 호산구증가증도 드물다. 수많은 NSAIDs의 종류에도 불구하고 콩팥손상 형태는 상당히 유사하다.

4) 양성자펌프억제제(Proton pump inhibitors, PPI)

1990년대 초 오메프라졸 출시 이후 PPI는 현재 전 세계적으로 가장 많이 사용하는 약제 중 하나이며, DI-AIN의 빈도는 낮은 듯 보이나 약제사용이 늘고 있어 특히 노인에게 주의가 필요하다. 약제사용 후 평균 11주 만에 진단되며, 증상이 없거나 매우 가벼워 단지 10% 환자에서 발열, 발진, 호산구증가증 등 고전적인 과민반응을 보인다. 조기 발견 및 조기 치료 시 예후는 양호하여 신대체요법이 필요한 경우는 드물지만, 일부 연구에서는 PPI 사용으로 만성콩팥병 위험이 29~50% 증가한다고 보고하였다. 한 연구에 의하면, PPI에 의한 DI-AIN이 항생제로 유발된 경우보다 사이질 섬유화 및 세관 위축이 심한데, 이는 PPI를 원인 약제로 의심하기 어려워 장기간 사용한 결과로 설명하고 있다.

5) 이뇨제

이뇨제 관련 콩팥손상은 주로 혈관 내 용적감소 및 콩팥 혈류저하로 인해 발생하는 급성콩팥손상이다. 그러나 furosemide, hydrochlorothiazide, chlorthalidone, triamterene 등은 드물게 과민반응 관련 AIN을 유발하며, 약제 중단 시 대개 콩팥기능이 회복된다고 알려져 있다.

2. 급성세관폐쇄

다양한 종류의 결정이 세관세포나 사이질에 침착하거나, 세관폐쇄를 일으킬 경우 AKI가 발생할 수 있다. Sulfadiazine, indinavir, atazanavir, acyclovir (IV) 등 사용 후 종종 발생하며 핍뇨, 측복통 등을 보인다. 원인 약제에 따라 요침사의 형태가 다양한데 설폰아마이드 결정은 밀짚단(sheaf of wheat), indinavir 결정은 개별 또는 집합체 바늘모양(individual or parallel clusters of needle-shaped), acyclovir는 적녹색의 이중굴절 바늘모양(red-green birefringement needle-shaped)을 보인다. 탈수 때 자주 발생하므로, 수액보충과 함께 원인 약제를 중지하면 대개 회복된다.

림프증식질환 또는 골수증식질환 환자에서 세포독성 화학요법 후 혈중 요산이 급격히 상승하여 급성세관폐색 및 핍뇨 콩팥손상을 초래하는 급성요산신병증은 분해증후군(tumor lysis syndrome)의 대표적인 임상형태이다. 이 중굴절을 보이는 요산 결정이 소변에서 발견되기도 한다. 화학요법 전 알로퓨린올과 수액을 투여하면 상당히 예방 가능하다.

세관 세포 내 옥살산칼슘결정 침착은 에틸렌글리콜 중독, 회장절제술 또는 소장우회수술 후, 유전 고옥살산뇨 등에서 발생할 수 있다. 급성인산염신병증은 대장내시경 전 장정결제에 함유된 고농도 인산염이 세관과 사이질에 인산칼슘 결정 형태로 침착하여 발생한다. 특히 탈수 또는 기존 콩팥병 환자에게 호발하므로, 만성콩팥병 환자에게서는 사용을 피해야 한다.

3. 악성 종양

암환자는 종양 자체 그리고 암치료와 관련된 여러 상황으로 인해 AKI 위험이 높다. 비호지킨림프종과 급성림프모구백혈병(acute lymphoblastic leukemia)은 흔히 콩팥을 침범하며, 다발골수종과 형질세포질환은 사구체에서 여과된 경쇄가 모여 세관내강을 막아 콩팥손상을 유발한다. 폐쇄원주는 결국 세관 손상과 사이질신염을 초래하게 된다.

1) 경쇄원주신병증(Light chain cast nephropathy, LCCN)

다발골수종 환자는 저체액량, 감염, 고칼슘혈증, 약제, 방사선조영제 등에 의해 AKI가 흔히 발생하며, 이에 더해 경쇄가 세관 내강에 쌓여 폐색을 초래하는 LCCN 또한 콩팥손상의 중요 원인이다. 여과된 단클론 면역글로불린 경쇄(Bence-Jones 단백)가 원위세관에서 분비된 Tamm-Horsfall 단백질과 함께 세관 내 응집체(원주)를 형성하여 네프론 폐색을 초래한다. 이어 이물반응을 비롯한 제반 염증반응과 사이질 섬유화가 진행된다(그림 9-2-2A, 2B). LCCN은 대개 다발골수종에서 발생하나, 골수종이 없는 단클론 감마글로불린병증에서도 발생 가능하다. 여과된 단클론 경쇄가 폐색을 일으키지 않은 경우, 콩팥 증상 또한 가벼워 세관산증 정도에 머물기도 한다. 주로 중년 이상의 환자에서 빈혈, 뼈 통증, 고칼슘혈증, 저알부민혈증, 고감마글로불린혈증으로 인한 음이온차 감소 등이 있을 경우 질환을 의심해 볼 수 있다. 소변 dipstick 검사는 알부민은 검출하지만 면역글로불린 경쇄는 검출하지 못한다.

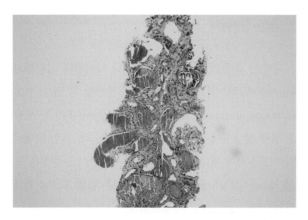

그림 9-2-2A. 경쇄원주신병증의 H/E 소견. 여러 방향으로 골절된 호산 원주가 원위세관에 축적되어 있다(H&E stain, x100).

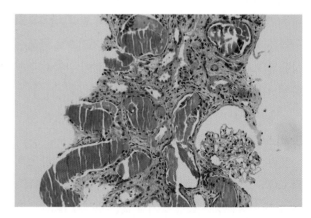

그림 9-2-2B. 호산 원주는 원위세관의 확장과 위축, 사이질의 염증을 동반한다. 원주의 일부에서 대식세포가 포식하는 giant cell reaction이 관찰되며 이것은 경쇄원주신병증에 특징적이다(H&E stain, x200).

즉, 요화학검사에서 단백뇨가 뚜렷하나 dipstick 검사에서 음성일 경우 소변에 Bence-Jones 단백이 포함되어 있음을 강하게 의심할 수 있으며, 혈청과 소변의 단백전기영동 및 면역고정전기영동 검사로써 단클론 밴드 존재 여부를 반드시 확인해야 한다.

4. 자가면역질환

1) 세관사이질신염 및 포도막염(Tubulointerstitial nephritis with uveitis, TINU)

TINU는 원인미상의 전신자가면역 질환으로서 AIN의 5% 미만을 차지하며, 여성에게 3배 호발하며, 발병연령 중앙값은 15세이다. 안통, 시야 흐림, 눈부심 등을 호소하는 전방 포도막염(양안)과 주로 림프구가 침윤하는 사이질신염을 특징으로 한다. 환자의 1/3에서만 안구증상이 선행하거나 동반하기 때문에 진단의 어려움이 있으며 발열, 식욕부진, 체중 감소, 복통, 관절통 등을 보이기도 한다. 크레아티닌 상승, 무균 농뇨, 경한 단백뇨, 판코니증후군, ESR 상승 등을 보일 때 의심해 보아야 한다. 자가면역질환의 혈청 검사들은 대개 음성이며, 진단은 다른 원인의 포도막염과 다른 원인의 콩팥질환(쇠그렌증후군, 베체트병, 유육종증, 전신홍반루푸스 등) 등을 배제 후 가능하다.

2) 쇠그렌증후군

쇠그렌증후군은 전신자가면역질환으로서, 주로 눈물샘과 침샘이 1차 표적이며 안구와 구강 건조를 주증상(sicca syndrome)으로 한다. 림프구가 주로 침윤하는 사이질신염과 함께, 제1형 세관산증, 신장기원요붕증 등을 보인다. anti-Ro (SS-A) 및 anti-La (SS-B) 항체 양성 시 강하게 의심할 수 있다.

3) 전신홍반루푸스(Systemic lupus erythematosus, SLE)

콩팥을 침범한 전신홍반루푸스(class III 또는 IV)의 주 소견은 단핵세포의 사이질 침윤과 사구체병변이며, 약 절반 환자에서 면역복합체가 세관기저막에서 발견된다. 세관사이질신염이 우세한 경우 사구체신염 양상 외에 제4형 세관산증 증상 등이 나타나기도 한다.

4) IgG4관련 질환(IgG4-related disease, IgG4-RD)

면역매개질환의 하나로서, IgG4-RD에서 IgG4 발현 형질세포가 콩팥 사이질에 빽빽이 침윤하여 AIN을 유발한다. 자가면역췌장염, 경화담관염, 후복막섬유증, 만성경화침샘염 등이 동반되기도 한다. IgG4-RD는 거의 모든 장기에 영향을 미칠 수 있다고 알려져 있으며, 조직의 섬유화 및 염증을 유발하여 때로 거짓종양(pseudotumor)을 형성하는데 이로 인해 절제술로 이어지는 경우가 있어 주의를 요한다.

5. 감염

감염증 치료를 위해 항생제를 사용한 후 AKI가 발생했다면, 콩팥손상의 원인으로 감염증 자체보다는 항생제를 우선 의심해야 한다. 항생제 중지 후에도 AKI가 지속되면 급성감염후사구체신염(post-infectious glomerulonephritis, PIGN)이나 AIN을 고려해야 한다. 사이질신염은 신우신염처럼 원인균이 직접 침습하여 발생하기도 하며, 면역매개에 의해 간접적으로 발생하기도 한다. AIN과 달리 신우신염은 통상 콩팥추체(pyramid) 하나에 국한되면서, 조영증강 CT에서 쐐기모양의 염증 부위 소견을 보이는 경우가 많다. EBV, CMV, adenovirus, 레지오넬라, 마이코플라스마, 렙토스피라, 진균, 매독 등은 콩팥을 침습하여 AIN을 유발할 수 있다. 한타바이러스는 콩팥 사이질에 다형백혈구, 호산구 및 단핵구 침윤과 함께 사이질 부종과 출혈을 초래한다.

치료

AIN의 치료는 염증반응을 일으키는 기저 질환에 따라 다르다. 예를 들어 선행 질환이 악성종양인 경우 원인 종양을, 감염인 경우는 감염증의 완전한 치료를, 면역질환의 경우는 염증상태로부터의 회복이 기본 방향이다.

DI-AIN의 치료는 의외로 간단치 않다. 가장 중요한 것은, 조기에 발견하여 약제를 조기에 중단하는 것이지만 현실적으로 수많은 약제들 중 원인 약제를 특정하는 것은 매우 어려운 일이다. 약제사용 이력을 꼼꼼히 살펴서 의심되는 약제를 규명하도록 노력하며, 이를 즉시 중지하거나 다른 등급(class)으로 교체해야 한다. 약제를 중지한 상태에서 3~5일 동안 관찰 후 콩팥기능이 회복되는지 확인해야 하며, 콩팥기능 개선이 없거나 빠르게 나빠지는 경우 스테로이드 사용을 고려한다. 예후는 조기 발견과 약제 조기 중지에 따라 달라진다. 그럼에도 불구하고 적지 않은(최대 35%) 환자가 만성콩팥병으로 진행한다.

AIN에 대한 스테로이드 치료 효과에는 다양한 의견이 있으나, 진단 1~2주 내 조기에 스테로이드 치료를 시작할 경우, 뒤늦게 시작하는 경우보다 콩팥기능이 개선될 가능성이 높다고 알려져 있다. 투석이 절박하지 않은 경우 의심되는 약제 중단 후 3~7일 관찰하며, 이 기간 동안 안정화되지 않을 경우 신생검과 함께 경구 스테로이드(prednisone 1 mg/kg)를 시작한다. 수일 내 투석이 필요할 정도로 심각한 경우 경구 스테로이드 또는 스테로이드 충격치료(methylprednisolone 0.5~1.0g iv, 3일)를 고려하며, 치료가 효과적일 경우 4~6주간 점진 감량한다. 치료 3~4주 후에도 콩팥기능의 상당한 호전이 없으면 스테로이드 사용을 중단해야 한다. NSAIDs가 원인일 경우는 대개 스테로이드 치료에 반응하지 않는다. Mycophenolate mofetil, cyclosporine, cyclophosphamide 등 면역억제제 사용에 관한 연구는 아직 부족한 실정이다.

▶ 참고문헌

- Baker RJ, et al: Nephrol Dial Transplant 19:8-11, 2004.
- Fogazzi GB, et al: Urinary sediment findings in acute interstitial nephritis. Am J Kidney Dis 60:330-332, 2012.
- Gilbert SJ, et al: National Kidney Foundation's Primer on Kidney Diseases. 7th ed. Elsevier, 2018.
- González E, et al: Early steroid treatment improves the recovery of renal function in patients with drug-induced acute interstitial nephritis. Kidney Int 73:940-946, 2008.
- Jameson JL, et al: Harrison's Principles of Internal Medicine, 18th ed. McGraw Hill, 2018.
- Muriithi AK, et al: Clinical characteristics, causes and outcomes of acute interstitial nephritis in the elderly. Kidney Int 87:458-464, 2015.
- Raghavan R, et al: Acute interstitial nephritis-a reappraisal and update. Clin Nephrol. 82:149-162, 2014
- Uptodate.com

CHAPTER
03 만성사이질신염

이종호 (건국의대)

KEY POINTS

● 만성사이질신염(chronic interstitial nephritis)은 병리학적으로 세관 및 사이질 조직 손상에 의해 세관위축, 면역세포의 침윤, 사이질 섬유화가 진행하는 질환이다.

● 1차 사이질신염에 비해 2차 사이질신염이 더 흔히 발생하므로 사이질신염의 독자적인 양상을 파악하기 어려운 경우가 많다.

● 알로퓨린올 또는 페북소스타트를 사용하여 만성콩팥병 환자의 신기능을 보호한 임상 연구가 있으나 혈중 요산치의 조절과 신기능 보호와의 연관성에 대하여 더 많은 연구가 필요하다.

● IgG4관련 질환은 최근 인식되고 있는 전신 염증질환으로 신장을 침범하는 경우 IgG4관련 신장질환 또는 IgG4 사이질신염이라고 한다.

정의

만성사이질신염(chronic interstitial nephritis)이란 병리학적 진단으로 세관 및 사이질 조직의 손상에 의해 세관위축, 면역세포의 침윤, 사이질섬유화가 진행하는 특징을 갖는 질환이다. 통상 세관사이질신염(tubulointerstitial disease)과 사이질신염(interstitial nephritis)은 혼용된다. 실제 임상 증례에서는 순수한 의미의 사이질신염(1차 사이질신염)보다는 사구체질환, 고혈압, 당뇨병, 다낭콩팥병 등의 질환에 병발하는 사이질 병변(2차 사이질신염)이 더 흔히 관찰되고, 나이에 따른 변화도 겹쳐질 수 있으므로 사이질신염의 독자적인 양상은 파악하기 어려운 경우가 많다.

발병 기전

1. 면역 기전

세관과 사이질은 독성 물질(중금속 등), 약제, 결정체(칼슘, 요산 등), 감염, 요로폐쇄, 면역 손상, 허혈 등 다양한 원인에 의해 손상 받을 수 있으나 결과적으로 공통적인 발병 과정을 보인다. 즉, 손상된 세관 및 사이질은 화학주성 물질(chemotactic substance)을 분비하여 염증세포를 끌어들이며, 세관 상피세포는 항원제시세포로 기능하여 신장 내부 또는 외부의 항원들을 제시하여 림파구 및 보체를 활성화시키고, 염증매개 물질 및 혈관활성 물질들을 분비하게 된다. 한편, platelet-derived growth factor (PDGF), epidermal growth factor(EGF), transforming growth factor-β(TGF-β), 안지오텐신II 등은 세관 상피세포를 상피-간엽이행(epithelial-mesenchymal transition, EMT) 기전을 통해 섬유아세포로 변형시킨 후 이들을 증식시키고 활성화시켜 사이질의 기질(matrix) 침착 및 섬유화를 유도하게 된다. 시간이 지나면 세관 주변의 모세혈관 손상과 기질의 증가에 따라 사이질의 국소 저산소증이 심해지고 세포자멸사와 섬유화가 더욱 진행된다.

2. 사구체신염의 사이질 병변 발병 기전

사구체신염 환자에서 염증 및 섬유화 반응은 사구체에 국한되지 않고 인접 사이질의 염증반응을 유발한다. 이에는 여러 경로가 제시되고 있는데 첫째, 사구체신염에 동반되는 단백뇨가 세관을 통과하는 동안 세관 상피세포와 접촉하여 염증매개 물질(사이토카인, 케모카인 등)의 합성을 촉진하고, TGF-β 같은 섬유화를 유발하는 매개물질을 만들며, 일부 세관 상피세포의 세포자멸사를 유발하기도 한다. 둘째로는 사구체신염이 있을 경우 거대분자에 대한 사구체기저막의 투과도가 증가하여 혈중 성장인자(IGF-1, HGF, TGF-β 등), 또는 사이토카인들이 사구체를 통과 후 세관과 접촉하면서 섬유화, 세포 증식 및 염증반응을 유발할 수 있다. 셋째로는 사구체신염에서 보일 수 있는 지질뇨증(lipiduria)의 영향으로 세관 손상이 오기도 한다. 마지막으로 사구체 정수압의 변화에 의한 2차 세관 손상과 사구체의 면역반응이 사구체옆장치(juxtaglomerular apparatus)를 경유하여 인접 세관 및 사이질로 퍼져 반복적인 염증을 유발할 수도 있다.

사이질 병변과 사구체여과율의 관계

단면 연구 또는 지속관찰 연구 모두에서 사이질 병변의 정도와 사구체여과율 저하 사이에 양의 상관관계가 있음이 밝혀진 바 있는데 그 기전은 다음과 같다. 첫째, 사이질의 염증 및 섬유화에 의해 세관폐쇄가 발생하여 세관 내 압력이 증가하고, 요 배설 장애가 초래되며 결국 사구체여과율이 감소할 수 있다. 둘째, 사이질 병변에 의해 모세혈관의 양적, 질적 변화로 사이질의 허혈손상이 올 수 있다. 또, 사이질 모세혈관의 정수압 증가에 의해 사구체정수압이 증가할 수 있다. 이러한 사구체정수압의 증가는 장기적으로는 사구체여과율의 점진적인 감소를 유발하게 된다. 셋째, 세관사구체되먹임(tubuloglomerular feedback) 기전의 장애로 사구체 혈류의 자동조절이 어려워 질 수 있다. 넷째, 사구체-세관 단절(glomerular-tubular disconnection)이 발생하여 신장의 배설 기능의 장애를 초래할 수 있다. 따라서 사이질의 상대적인 부피, 사구체와 단절된 근위세관의 빈도, 사이질의 염증반응 정도 등의 병리 소견과 신기능 소실의 정도가 정비례 관계를 갖게 된다.

역학

나라에 따라 유병률이 다르며, 스코틀랜드에서는 말기신부전 환자의 42%까지 보고되어 있으나, 대부분의 국가에서 말기신부전 환자의 5% 미만일 것으로 추정된다. 국내 말기신부전 환자에서 만성사이질신염이 차지하는 비율도 5% 내외일 것으로 추정된다.

병리 소견

만성사이질신염은 세관의 위축 및 확장, 사이질의 염증변화와 섬유화가 핵심적인 병변이다. 사이질의 염증세포 침윤은 다양한 양상으로 보이나 T임파구와 대식세포의 침윤이 전형적이며, 경우에 따라 호산구, 비만세포 등도 관찰될 수 있고, 육아종이 형성되기도 한다. 육아종사이질신염(granulomatous interstitial nephritis)은 결핵 뿐 아니라, 진균 감염, 유육종증, 약제에 의한 반응 등에서 관찰될 수 있다. 세관기저막의 비후가 관찰되기도 하며, 세관의 크기는 다양하나 상당수의 세관이 심하게 팽창되어 있으면서 원주(cast)로 채워진 모양을 보여 갑상선화(thyroidization)로 불리는 소견을 보이기도 한다. 1차 사이질신염의 경우 사구체는 초기에는 정상이나, 사이질 병변이 심해지면 사구체주위 섬유화(periglomerular fibrosis)나 사구체경화증 등이 보일 수 있다. 혈관 조직에서는 죽경화증이나 섬유성 내막비후(fibrointimal thickening) 등이 나타날 수 있다.

임상 소견

다양한 정도의 사구체여과율 저하가 가장 기본소견으로 건강검진 등을 통해 우연히 발견되는 경우가 많다. 사구체여과율의 소실 속도는 느린 편이며 발견 당시 사구체여과율에 따라 환자는 무증상일 수도 있고, 피로, 쇠약감, 식욕 부진, 체중 감소 등의 비특이적 증상을 보이기도 한다. 대부분 하루 단백뇨 배설량은 1g 미만이며, 알부민이 아닌 저분자량 단백질(lysozyme, β2-microglobulin, retinol-binding protein 등)이 주성분이다. 혈뇨는 드문 편이고, 무균 농뇨(sterile pyuria)가 보일 수 있다. 에리트로포이에틴 생산 세포의 손상으로 비교적 초기에 빈혈이 나타날 수 있고, 요산염신병증이 아닌 경우에는 혈청 요산치는 세관에서의 요산 재흡수 저하로 낮은 경우가 많다. 고혈압은 약 50% 정도에서 관찰된다.

근위세관 손상을 시사하는 소견으로는 신성당뇨, 아미노산뇨, 인산염뇨, 근위세관산증, Fanconi 증후군 등이 있으며, 원위세관 손상으로 원위세관산증, 고칼륨혈증 등이 보일 수 있다. 요농축 장애로 다뇨, 등장뇨가 보일 수 있고, 심할 경우 신장기원요붕증이 관찰되기도 한다. 일부 환자에서는 염분소실신병증 소견이 보이며, 염분민감고혈압(salt sensitive hypertension)이 관찰될 수도 있다. 신기능 손상이 진행되면 결국 전신 쇠약감, 오심, 가려움증, 수면 장애 등의 요독 증상들이 나타나게 된다.

병력 청취 시 중금속 노출여부, 자가면역질환의 기왕력, 통풍 여부, 진통제, 리튬, 한약제 등의 섭취를 확인할 필요가 있으며, 검사 결과 질소혈증과 신증후군 범위 미만의 단백뇨 및 전해질 이상, 특히 저칼륨혈증, 고칼슘혈증, 고요산혈증 등을 주목해야 한다. 영상 검사에서 신장 크기

가 감소되어 있음을 관찰할 수 있으며, 원인에 따라 다양한 이상 소견이 보일 수 있다. 면역학적 원인이나 감염에 의한 사이질신염의 경우 신생검이 도움이 될 수 있다.

치료

만성사이질신염에 대한 특이적 치료 방법은 없으며 원인이 확인된 경우는 해당 질환을 치료하도록 노력하며, 특히 독성 물질이나 약제를 적절히 중단해야 한다. 경우에 따라 스테로이드 치료가 필요할 수도 있다. 보존적 치료로는 고혈압이 있을 경우 혈압 조절이 필수적이며 항고혈압제로 안지오텐신전환효소억제제나 안지오텐신II수용체차단제가 선호된다. 이들은 혈압 및 사구체정수압을 감소시켜 단백뇨를 줄이고 추가적인 신손상을 예방할 수 있으며, 사이토카인들을 억제하여 염증 반응과 섬유화를 억제할 수 있다. 진통제신병증이나 아리스톨로크산 신병증(aristolochic acid nephropathy)의 경우 요로계 악성종양의 위험이 높아지므로 특별히 주의가 필요하다.

각론

1. 진통제신병증(Analgesic nephropathy)

페나세틴, 아스피린, 카페인, 아세트아미노펜 등이 복합적으로 포함된 진통제를 수년간 지속적으로 복용할 경우에 발생하는 질환으로 미국, 스코틀랜드, 벨기에, 호주 등에서 많이 보고되었으나 페나세틴 등의 규제 후 1990년대 이후로는 감소 추세이며, 국내에서도 드물 것으로 추정된다. 발병기전은 페나세틴, 아스피린, 파라세타몰 등의 대사산물 농축에 의한 신장수질(콩팥속질)의 허혈손상, 저산소증 및 산화 스트레스 증가에 의해 신장유두괴사(renal papillary necrosis), 세관위축, 사이질섬유화가 발생되는 것으로 볼 수 있으나 정확한 원인 물질과 기전은 밝혀지지 않았다. NSAIDs만을 단독으로 장기간 복용 시에 진통제

신병증은 잘 발생하지 않는 것으로 보인다. 임상적으로 이미 만성 통증을 겪고 있던 중년 여성에서 서서히 진행하는 질소혈증과 요농축 장애, 신세관산증, 빈혈 등이 보일 때 의심할 수 있다. 유두괴사가 있을 경우 옆구리 통증과 육안혈뇨가 발생할 수 있으며, 원인 약제를 중지할 경우 신기능 악화를 상당히 예방할 수 있다. 진단은 약제 복용 병력과 함께 CT 결과 신장 크기가 작고, 신장 표면이 울퉁불퉁한 소견을 보이거나, 유두석회화(papillary calcification)가 있을 경우 진단할 수 있다. 진통제신병증 환자는 15~20년 후 요로계 악성종양의 빈도가 높아지므로 지속적인 경과 관찰이 중요하며, 특히 새로운 혈뇨가 나타날 경우 요세포검사, 방광경검사, CT 등으로 종양의 증거를 찾아야 한다.

2. 아리스톨로크산신병증(Aristolochic acid nephropathy)

1992년 벨기에에서 체중 감량을 위해 한약제를 복용한 환자들에서 기술되기 시작하였으며, 사이질섬유화가 심하고 말기신부전으로 비교적 빨리 진행하며, 요로계 악성종양의 위험이 증가한다. 발병기전은 한약제 등에 포함된 아리스톨로크산 성분에 의해 TGF-β/SMAD 경로 및 JNK/MAPK 경로를 통하여 사이질섬유화가 촉진되는 것 같으며, 아리스톨락탐의 DNA adduct 형성이 악성종양 발생과 관련이 있을 것으로 보고되어 있다. 임상상은 진행성 질소혈증, 빈혈, 세관 기능장애(Fanconi 증후군 등) 등이 보이며, 고혈압은 드물다. 진단은 아리스톨로크산이 포함된 약제를 장기간 복용한 병력과 함께 신생검에서 심한 사이질섬유화 소견이 보이면 내릴 수 있으며, 사이질섬유화의 정도에 비해 염증세포 침윤은 심하지 않은 것이 특징이다. 치료를 위해 원인 약제를 중지해야 하나, 중지한 후에도 계속 신기능은 악화될 수 있는데 일부 환자에서 스테로이드가 도움이 될 수 있다. 환자가 신장 이식을 받을 경우 종양 발생을 예방하기 위해 양측 신장요관절제술이 고려된다.

3. 리튬신병증(Lithium nephropathy)

조울증의 치료에 쓰이는 리튬은 다양한 급성 및 만성 중독 증상을 일으킬 수 있다. 급성 중독 시 경련, 혼수, 오심, 구토 등의 신경계 증상과 급성콩팥손상이 나타나며, 만성 중독 시 신장기원요붕증과 만성사이질신염의 양상을 보인다. 리튬은 세관에서 소듐과 함께 흡수되어 adenylate cyclase를 억제하여 aquaporin 2의 발현을 줄임으로써 신장기원요붕증을 일으키게 되는데, 만성 신장 독성에는 이 외에도 inositol 결핍과 세포 증식 억제 등의 기전이 관여할 것으로 추정된다. 병리 소견에서는 만성사이질신염 소견을 보이는데 소낭 변화(microcystic change)가 특징적이고, 사구체경화증도 보인다. 사이질섬유화의 정도는 리튬 섭취량 및 섭취기간에 비례한다. 임상적으로 다뇨가 관찰되며, 드물게 고칼슘혈증이나 신세관산증도 관찰될 수 있다. 리튬독성의 치료를 위해서는 가능한 리튬을 중단하거나 용량을 줄여야 하며, 다뇨가 있을 경우 아밀로라이드가 집합관에서의 리튬 흡수를 억제하므로 치료에 도움이 될 수 있으나, thiazide 계열 약제는 근위세관에서의 소듐 및 리튬 재흡수를 촉진하므로 사용하지 않는 것이 좋다. 리튬 중지 후에도 신기능은 지속적으로 악화될 수 있으므로 경과 관찰이 필요하며, 리튬이 꼭 필요한 환자의 경우 신중하게 용량을 조절하여 투여하되 정기적인 사구체여과율과 혈청 리튬치의 측정이 필요하다.

4. 요산염신병증(Urate nephropathy)

통풍신병증(gouty nephropathy)이라고도 하며, 과거 고요산혈증이 있던 환자들이 대부분 신기능 손상 소견을 보인 바 있어서 알려지게 되었으나, 1980년대부터는 고요산혈증 환자에서 잘 동반되는 고혈압, 납중독, 심혈관 질환 등에 의한 신장 이상과 구분하기 어려워 통풍신병증이라는 개념에 이의가 제기된 바 있었다. 그러나 현재는 여러 연구를 통해 고요산혈증이 만성콩팥병의 발생 및 진행에 독립 위험인자임이 밝혀지고 있다. 요산염신병증의 발병기전은 요산(sodium urate) 결정의 세관 내 침착으로 세관

폐쇄와 주변 사이질의 염증 및 섬유화 유발이라 할 수 있으며, 고요산혈증에 의한 내피세포 기능장애, 허혈손상, 산화 스트레스, 혈관평활근세포의 염증 유발 등도 역할을 할 것으로 알려져 있다. 병리 소견에서는 수질 부위 세관의 요산 결정의 침착과 함께 사이질섬유화, 동맥경화, 사구체경화증 등이 관찰되며, 임상적으로는 질소혈증, 고혈압, 단백뇨 및 요농축 장애가 관찰된다. 통풍 환자에서는 식이 및 약물 치료로 혈중 요산치의 조절이 필수적인 반면, 만성콩팥병 환자에서 동반되는 무증상 고요산혈증의 치료에는 논란의 여지가 있다. 만성콩팥병 환자에서 알로퓨린올 또는 페북소스타트(febuxostat)를 사용하여 신기능을 보호한 임상 연구가 있기는 하나, 아직 혈중 요산치의 조절과 신기능 보호와의 연관성에 대하여는 더 많은 연구가 필요한 상황이다. 신기능이 저하된 환자에서 알로퓨린올을 처방할 경우 용량 조절이 필요하며, 알로퓨린올 자체도 신장 독성이 있을 수 있다는 동물실험 결과가 있으므로 주의가 필요하다. 한편, 만성콩팥병 환자에서 고요산혈증이 동반되어 있을 경우 과당 섭취를 제한하고, 저단백, 저퓨린 식이를 권유하는 것은 추천할 만하다.

5. 저칼륨신병증(Hypokalemic nephropathy)

저칼륨혈증이 3년 이상 장기간 지속되면 신장낭, 다뇨, 사이질신증, 신기능 저하 등이 진행될 수 있다. 특징적 병리 소견은 근위세관 상피세포의 공포형성(vacuolization)이며, 나중에는 사이질섬유화, 세관위축, 낭성 변화 등이 보인다. 저칼륨혈증은 신장 혈관을 수축시켜 허혈손상을 일으키는 것으로 보이며, 근위세관의 암모니아 생산 촉진과 이에 따른 보체 활성화 및 세포내 산성 변화 등이 신손상에 관여할 수 있다. 임상적으로 일반적인 사이질신염의 임상상 외에 다뇨, 야간뇨 등의 요농축 장애가 특징적이며, 바소프레신 투여로 호전되지 않는다. 치료는 저칼륨혈증을 유발하는 원인 질환의 교정과 함께 경구 칼륨 공급으로 혈청 칼륨치를 유지하도록 한다.

6. 고칼슘신병증(Hypercalcemic nephropathy)

고칼슘혈증은 가역적인 신혈관 수축으로 신기능 저하를 유발할 수 있으며, 세관 상피세포의 괴사나 세관 폐쇄를 통해 만성사이질신염을 일으킬 수도 있다. 병리 소견에서 국소 세관 상피세포의 퇴화와 괴사가 흔히 보이며, 만성인 경우 사이질 내 칼슘 침착이 증가하여 신석회증(nephrocalcinosis) 소견을 보일 수 있다. 임상적으로 요농축 장애(다뇨, 다음)가 있으며, 원인 질환을 교정하면 대부분 신장 기능이 회복되나, 드물지만 장기간의 고칼슘혈증으로 사이질의 칼슘 침착이 심할 경우 말기신부전으로 진행할 수도 있다.

7. 납신병증(Lead nephropathy)

만성적으로 낮은 수준의 납에 노출될 경우 만성콩팥병 또는 고혈압을 유발할 수 있음이 여러 대규모 연구에서 알려진 바 있는데 체내로 흡수된 납은 주로 근위세관에 축적되어 핵내봉입소체(intranuclear inclusion body)를 형성하고, 비교적 세포증식이 적은 사이질신염을 일으킨다. 임상적으로는 질소혈증, 근위세관 기능장애(당뇨, 아미노산뇨, 인산염뇨 등) 및 고요산혈증 또는 통풍이 잘 나타나고, 통상 단백뇨는 하루 2g 미만이며, 대부분 고혈압이 동반되어 고혈압신병증으로 오진하기 쉽다. 기타 말초신경병증, 빈혈 등이 보일 때도 있다. 진단을 위해 병력 청취가 필수적이며, 요산염신병증이나 고혈압신병증과 감별해야 한다. 확진을 위해서는 단순 혈중 납 농도보다는 CaNa2 EDTA chelation test가 필요하다. 치료는 납에 노출되는 상황을 확인하고 이를 피해야 하며, CaNa2 EDTA를 이용한 chelation therapy가 효과적이나, 사이질섬유화가 진행된 환자에서는 치료 효과가 좋지 않다. 국내에서 소수의 환자를 대상으로 chelation therapy를 시도한 연구에서는 약 2년간에 걸친 반복적인 치료가 큰 독성 없이 신장의 기능 안정에 어느 정도 기여함을 보인 바 있다.

8. 쇼그렌증후군(Sjörgen's syndrome)

쇼그렌증후군의 약 70%까지 신장 사이질 침범이 관찰되며, 주로 림프구의 침윤이 특징적이며, 점차 세관위축 및 사이질섬유화로 진행될 수 있고, 면역형광 소견에서 세관기저막에 IgG와 C3의 과립모양 침착이 관찰된다. 임상적으로 질소혈증이 있으나 심하지는 않고, 요침사 소견도 특별한 이상을 보이지 않는다. Fanconi 증후군, 원위세관산증 1형, 저칼륨혈증, 신장기원요붕증 등이 보일 수 있는데 저칼륨혈증은 신세관산증이 없을 경우에도 나타나며, 소듐 보존 장애 및 고알도스테론증 때문으로 보인다. 신기능 소실을 방지하기 위해서는 초기에 스테로이드가 효과적이며, 말기신부전으로 진행하는 경우는 드물다.

9. 염증 장질환

염증 장질환의 치료제 중 aminosalicylate를 복용할 경우 드물게 만성사이질신염이 발생할 수 있다. 대부분 aminosalicylate 사용 1년 내에 발생하며, 사용량과는 무관하므로 특이반응(idiosyncratic reaction)으로 추정된다. 가능하면 원인 약제를 중지하도록 하며, 약제 중단 후에도 신기능의 호전이 없으면 스테로이드 치료를 고려할 수 있다.

10. 유육종증(Sarcoidosis)

유육종증 환자의 일부에서 신장 침범이 일어나며, 사구체 침범 소견은 미세변화병, 국소분절사구체경화증, 초승달사구체신염, 막증식사구체신염 등이 보이나 흔하지는 않다. 사이질 침범은 육아종사이질신염 소견이 특징적이며, 고칼슘혈증 및 고칼슘뇨증과 이에 따른 신장결석, 신석회증 및 질소혈증 등의 소견을 보인다. 혈청 ACE치는 질환의 활성도 및 치료에 대한 반응의 지표로서 유용하다. 스테로이드 치료에 반응하여 신장 기능이나 고칼슘혈증 등이 호전될 수 있으며, 말기신부전으로의 진행은 드물다.

11. IgG4관련 신장질환(IgG4-related kidney disease, IgG4-RKD)

IgG4관련 질환은 최근 인식되고 있는 전신 염증질환으로 일부 환자에서는 신장을 침범하여 이를 IgG4관련 신질환(IgG4-RKD) 또는 IgG4-TIN (tubulointerstitial nephritis)이라고 부르기도 한다. 그 외 IgG4-RKD 환자 중 일부는 막신병증이나 후복막섬유증의 양상을 보이기도 한다. IgG4-RKD는 주로 중장년기의 남성에서 발현되며, 일본의 경우 신생검의 0.7%, 호주의 경우 신생검의 1%에서 진단되는 빈도를 보이고 있다. 대부분의 환자는 무증상이며, 신장 침범의 증거는 우연히 발견되는 질소혈증이나 CT의 이상 소견으로 드러난다. 신장 외 췌장, 담관, 침샘, 림프절, 폐 등의 사이질염증을 동반하므로 이러한 타 장기의 이상 소견으로 진단에 도움을 받을 수도 있다. 임상적으로 서서히 진행하는 질소혈증이 주 소견이며, 단백뇨는 심하지 않고, 대부분 저분자량의 신세관에서 유래하는 단백질 성분으로 구성된다. 혈뇨나 농뇨는 드문 편이다. 혈청 검사에서 IgG4 농도의 증가와 보체치의 감소가 주요 소견이나, 일부 환자에서는 혈청 IgG4치가 정상일 수 있다. 병리 소견에서 IgG4 양성 형질세포의 침윤과 함께 심한 사이질섬유화 소견이 보이는데 storiform fibrosis라고 부르는 소용돌이 모양의 섬유화가 특징적이다. CT 결과 신장의 종괴 모양의 팽창이나 양측 신수질 부위의 원형 또는 쐐기 모양의 저밀도 음영 증가가 특징이며, 확진은 임상적으로 의심되는 증례에서 혈청 IgG4 농도 측정과 신생검으로 가능하다. 대체로 스테로이드제에 잘 반응하나 일부 환자에서는 재발하거나 진행하는 경과를 보이기도 한다.

▶ 참고문헌

- 남기덕 등: Chinese herbs nephropathy 1예. 대한신장학회지 19:751-755, 2000.
- 송민수 등: 만성 납 중독성 신증 환자에서 장기간의 킬레이트 치료의 안전성. 대한신장학회지 23:793-799, 2004.
- 여호명 등: Sjogren 증후군에서 신장 가성림프종에 의한 급성 간질성

신염 1예. 대한신장학회지 22:744–748, 2003.

- 이상구: 사구체신염에서 세뇨관 간질 손상의 기전. 대한신장학회지 19(부록2호):S103–S105, 2000.

- 이유화 등: 간질성신염을 동반한 자가면역성 췌장염. 대한내과학회지 83:775–780, 2012.

- 최창렬 등: Fanconi 증후군으로 발현한 Chinese herb nephropathy 1예. 대한신장학회지 22:118–123, 2003.

- 하혜정 등: 리튬에 의해 동시에 발생한 미소변화 신질환 및 만성 세뇨관간질성신염 1예. 대한신장학회지 23:500–504, 2004.

- Boffa J–J, et al: Renal involvement in IgG4–related disease. Presse Med 49:104017, 2020.

- FitzGerald JD, et al: 2020 American college of rheumatology guideline for the management of gout. Arthritis & Rheumatology 72:879–895, 2020.

- Kang DH, et al: Uric acid and chronic kidney disease: New understanding of an old problem. Seminars in Nephrol 31:447–452, 2011.

- Kim S, et al: Renoprotective effect of febuxostat compared with allopurinol in patients with hyperuricemia: A systematic review and meta–analysis. Kidney Res Clin Pract 36:274–281, 2017.

- Kim TY, et al: Comparative clinical manifestations of IgG4–related and IgG4–negative primary tubulointerstitial nephritis. Clin Nephrol 76:440–446, 2011.

- Nagaku M: Chronic interstitial nephritis, in Comprehensive Clinical Nephrology, 5th ed, edited by Johnson RJ et al, Elsevier Saunders, 2015, pp746–758.

- Perazella MA & Rosner MH: Tubulointerstitial diseases, in Brenner & Rector's The Kidney, 11th ed, edited by Yu A et al, Elsevier, 2020, pp1196–1222.

제 9 부 세관사이질질환, 독성신병증, 낭콩팥병

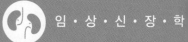

CHAPTER
04 독성신병증

양동호 (차의대)

KEY POINTS

● 아미노당화물신병증 예방을 위해서는 아미노당화물 제제를 하루에 한번만 투여하는 것이 유리하며 저점 농도만 한번 측정함
  으로써 번거로운 혈중 농도 측정을 피할 수 있다.

● 비이온 저삼투압 조영제의 콩팥손상 방지효과는 확실치 않으나 신기능이 저하된 환자 특히 당뇨병 환자와 같은 고위험 환자
  군에서는 효과가 강조되고 있다.

신장은 심박출량의 25%에 해당되는 많은 혈류가 지나
가면서 체내의 노폐물, 화학물 및 투여한 약물이 걸러져
농축된 상태로 배설되는 곳으로 신조직은 이러한 물질에
의해 지속적으로 노출되면 손상을 받기 쉬운 장기이다. 이
러한 손상은 근위세관에서부터 신장수질(콩팥속질)과 원
위세관까지 다양하며 그 손상의 부위와 정도에 따라 다양
한 임상양상을 보인다.

항생제에 의한 신병증

약물에 의한 독성신병증의 가장 흔한 원인은 항생제이
다. 항생제 자체의 신독성도 있으나 대개 당뇨병 및 만성
콩팥병 등의 심각한 만성질환을 앓는 환자에서 더욱 심한
신독성을 보일 수 있다. 대표적인 항생제는 aminoglyco-
side, amphotericin B, vancomycin, acyclovir, rifampin,

sulfonamide 등이다. 이러한 약제들이 신부전을 일으키는
기전은 약제에 따라 다르며 환자의 기저질환에 따라 발생
위험성에 차이가 있을 수 있다.

1. 아미노당화물(Aminoglycoside)신병증

입원 환자에서 볼 수 있는 독성신병증의 가장 흔한 원인
으로 생각되며 신독성의 빈도는 아미노당화물을 투여 받
은 환자의 7~36%에서 발생하지만 빈도는 치료기간과 함
께 증가하여 2주 이상 치료하는 경우 약 50%까지도 증가
할 수 있다. 환자의 병리 상태에 따라 콩팥손상 정도는 다
양하게 나타날 수 있다. 약물의 혈중 농도를 안정 범위로
유지 한다 해도 콩팥손상은 발생될 수 있으며 이들 약물
은 흔히 고농도로 근위세관 세포 내에 축적됨에 따라 근위
세관 세포의 기능적, 생화학적, 구조적 이상을 초래하는
것으로 알려져 있다.

1) 발생 기전

아미노당화물이 세관 세포 표면의 수용체에 결합하는 강도는 이 약제가 띠는 양전하 정도에 비례한다. 세관 내강에서 음전하의 인지질이나 수소–유기이온 교환체와 결합하여 아미노당화물은 신속히 세관 속으로 들어가서 신독성을 보이게 된다. 이에 따라 몇몇 동물 실험에서 이 약제의 양전하를 약화시킴으로써 신독성을 줄일 수 있다는 보고가 있어 약제의 양전하가 강할수록 신독성이 심할 수 있다. 일단 세포 속으로 들어오면 이 약제는 세포내 용해소체(lysosome) 속에 축적된다. 이는 용해소체 내의 단백분해능을 감소시켜 결국 아미노당화물에 의한 세관 세포 손상 및 괴사를 초래함으로써 급성콩팥손상을 유발할 수 있다. 이러한 발생기전을 이용하여 다음과 같은 약제들이 아미노당화물신병증 예방에 사용될 수 있다.

(1) Verapamil 같은 양이온의 칼슘통로억제제를 동시에 투여하면 이는 아미노당화물과 세포막의 음전하 막지질에 경쟁적으로 부착함으로써 아미노당화물의 세포내 축적을 억제한다.

(2) Polyaspartic acid를 투여하면 아미노당화물의 음이온 부위에 강력히 결합하여 신독성이 없는 복합체를 형성하게 되어 독성의 정도를 낮춘다.

(3) 탄산수소염(bicarbonate) 투여로 소변을 알칼리화하여 아미노당화물의 총체적인 양전하를 약화시켜서 세관 세포 내 축적을 감소시킬 수 있다.

(4) Ticarcillin 같은 penicillin계 항생제를 함께 투여하면 기전은 알 수 없으나 아미노당화물의 축적을 막을 수 있다.

2) 임상 양상 및 위험인자

콩팥손상은 흔히 비핍뇨성으로 발현하고 치료용량으로 사용하는 경우라도 약 10~30%에서 콩팥손상이 동반될 수 있다. 비핍뇨성 콩팥손상의 기전은 사이질손상에 의해 신장수질의 고장성이 유지되지 않아 농축기전이 마비되는 것이 한 원인으로 알려져 있다.

일단 여과된 아미노당화물 제제의 일부분은 근위세관 세포 내로 침투하여 침착됨으로써 신독성을 나타내게 된다. 일단 침착되면 3주 이상은 저류가 지속되므로 약제 투여를 중단했음에도 불구하고 수일 후에 콩팥손상이 발생하여 혈청 크레아티닌이 0.5~1 mg/dL 증가하거나 기저농도 보다 50% 이상 농도가 증가할 수 있다.

이러한 아미노당화물 신독성은 원위세관에도 작용하여 다뇨와 저마그네슘혈증을 나타내며 저마그네슘혈증은 2차적으로 저칼륨혈증과 저칼슘혈증을 나타내게 된다. 아미노당화물에 의한 마그네슘 손실은 마그네슘을 경구로 투여하여 교정할 수 있으나 여분의 마그네슘 또한 모두 소변으로 배설되므로 치료에 제한이 있다. 아미노당화물 신독성의 위험인자는 다음과 같다.

(1) 투여기간과 신허혈

콩팥손상의 발생은 일반적으로 적어도 치료 시작 7일째 후에 발생하지만 저혈압이나 체액감소와 같은 신장에 허혈을 가져올 수 있는 상황이라면 치료 1~2일 만에도 발생할 수 있다. 이는 신허혈과 아미노당화물 신독성의 상승작용으로 생각된다. 아미노당화물은 세포의 에너지 생성을 억제하며 신 허혈이 있을 경우엔 이를 더욱 가속화시킨다. 이 상승작용은 근위세관의 마지막 S3 분절에 더 확연히 나타나는데 이는 이 부위가 신장피질(콩팥겉질)에 비해서 비교적 산소분압이 낮은 신장수질 쪽에 위치해 있기 때문이다. 신허혈 자체가 세포막 지질층에 변성을 가져올 수 있는데 특히 내강 내 세포막의 phosphatidylinositol이 증가되게 된다. 여과되어 나온 아미노당화물이 세포막의 증가된 phosphatidylinositol과 근위세관에서 결합하여 세포 내로 반입된 후 축적 된다.

(2) 용량

아미노당화물 투여 시 혈중 약물농도의 측정은 매우 중요하다. 그러나 완벽하게 혈중 농도를 지키면서 투여한다고 하더라도 신부전이 발생할 수 있는데 이는 아미노당화물의 침착이 투여기간에 비례하기 때문이다.

과거 아미노당화물계 항생제는 혈중 농도가 높으면 독성이 잘 발생할 것으로 생각되어 하루 여러 차례 분할 투여되어 왔다. 그러나 아미노당화물계 항생제는 농도가 높을수록 살균력이 높아지는 농도 의존형 살균효과와 혈중 농도가 최소억제농도 아래로 떨어져도 살균력이 유지되는 post-antibiotic effect가 있음이 알려지게 되었다. 또한 아미노당화물계의 독성은 같은 용량을 2~3회 나누어 투여할 경우 1회 투여한 경우에 비해 더욱 심한 것으로 보고되어 있어 1일 다회 투여법 대신 1일 1회 투여법이 제안되어 아미노당화물 신병증 예방을 위해 사용되고 있다. 즉 아미노당화물 제제를 하루에 한 번만 투여하면 콩팥손상의 정도를 줄일 수 있을 뿐 아니라 저점 농도만 한번 측정함으로써 번거로운 혈중 농도 측정을 피할 수 있다.

(3) 기타 신독소들

탈수와 더불어 패혈증에 의한 내독소 역시 아미노당화물의 신독성을 증가시킨다. 내독소는 신혈관을 수축시켜서 신허혈을 유발하기도 하지만 약물의 축적을 직접적으로 증가시킴으로서 신독성을 유발할 수 있다.

신독성을 가지는 다른 물질과 동시에 투여 시 신독성을 증가시키는데, 예를 들어 아미노당화물과 vancomycin을 동시 투여 시 급성콩팥손상의 빈도가 2배 이상 증가한다.

(4) 간질환

폐쇄성 황달 환자에서는 아미노당화물의 신독성이 증가한다.

3) 경과

진단에 있어서 중요한 병력은 적어도 콩팥손상이 발생하기 5일 이전에 아미노당화물 제제를 투여한 병력이 있어야 한다. 요침사 소견은 대개 비특이적이나 과립원주나 상피세포원주가 보이는 수가 있으며 소듐분획배설(FENa)은 대개 1% 이상으로 나타난다. 초기 치료는 보존적 치료이며 일단 아미노당화물의 투여를 중단하고 수분 및 전해질의 균형을 맞추어 준다. 약제의 투여를 중단하면 대개 급성콩팥손상은 3주 내에 회복되지만 환자가 탈수, 패혈증, 분해대사(catabolism) 상태이면 그 회복기간이 지연될 수 있다.

2. 그 외 항생제에 의한 신병증

1) Amphotericin B에 의해서 신병증이 유발될 수 있으며, Amphotericin B에 의한 신독성은 사용량과 기간에 비례하여 증가한다. 신독성의 정도는 투여 받은 총 누적용량과 비례한다. 콩팥손상의 기전으로는 첫째로 약물에 의한 급성 신혈관 수축으로 사구체여과율의 감소가 유발되고 둘째로는 세관의 세포막과 결합하여 전해질의 투과성에 영향을 주는 손상을 일으킨다. 신병증 병발 시 다뇨, 저마그네슘혈증, 저칼슘혈증, 대사산증을 동반하는 경우가 많다.

2) Acyclovir는 심각한 신독성은 없으나 체내에서 crystal 생성을 증가시켜 세관폐쇄로 인한 신부전을 유발할 수 있으며 탈수 상태이거나 기존의 콩팥손상이 있을 경우, 또는 고용량($500\ mg/m^2$)을 정맥주사했을 때 발생이 증가할 수 있다. 신부전은 일반적으로 약물 투여를 중단하면 호전된다.

3) Vancomycin의 경우도 신부전이 드물게 발생하기는 하나 환자가 고령일 때, 고용량을 사용하였을 경우, 투여기간이 길수록, 함께 사용하는 신독성 약제가 있는 경우 신독성을 잘 일으킨다고 알려져 있다.

조영제에 의한 급성콩팥손상

방사선 조영제(iodinated radiocontrast) 투여는 가역적인 급성콩팥손상을 야기할 수 있다. 방사선 조영제 투여로 endothelin이 분비되어 신혈관에 수축을 야기하여 콩팥손상을 발생시킬 수 있으나 이것만으로 급성콩팥손상 발생의 기전을 설명하기에는 충분치 못하다. 이와 더불어 활성산소가 형성되어 콩팥손상에 관여할 것으로 생각되며 이는 신허혈이 있는 경우에는 더욱 가속화되는 것으로 알려져 있다. 실제 신허혈이나 체액의 심한 감소는 조영제 투여에 의한 콩팥손상 발생을 증가시킨다고 알려져 있다.

조영제 외에도 진단을 위해 사용하는 약제 중 MRI 촬영 시 사용되는 gadolinium이나 대장내시경 검사를 위한

sodium phosphate를 포함한 하제 또한 급성콩팥손상을 유발할 수 있다. Gadolinium의 경우 조영제(iodinated radiocontrast)로 인한 콩팥손상을 피하기 위해 사용하는 경우가 있는데 gadolinium 역시 신기능이 떨어진 환자에서는 신장기원전신섬유증(nephrogenic systemic fibrosis; NSF)을 일으킬 수 있다. 따라서 급성콩팥손상 및 만성콩팥병이 있는 환자에서 사구체여과율 30 mL/min/1.73m² 미만인 경우 gadolinium 조영제를 주의해서 사용하도록 미국 FDA에서 권고하고 있다.

또한 형광안저촬영에 사용되는 조영제(flurorescein)가 신독성을 유발한다는 연구가 보고되었다. 그러나 만성콩팥병 환자를 대상으로 하여 조영제 사용 시 사구체여과율의 변화를 추적 관찰한 최근의 여러 연구들에서 통계적 유의성을 보여주고 있지 못하다. 당뇨신병증 환자들이 대부분 당뇨 안병변을 가지고 있으며 그에 따른 검사가 필요함을 생각해 볼 때 이에 대한 연구가 더 필요하다.

1. 위험 인자

조영제 투여 후에 0.2 mg/dL 정도의 경미한 혈청 크레아티닌의 상승은 발생할 수 있지만 심각한 정도의 급성콩팥손상 발생은 다음과 같은 경우에 증가할 수 있다. ㉠ 혈청 크레아티닌이 1.5 mg/dL 이상인 경우, ㉡ 당뇨신부전, ㉢ 심한 심부전 환자, ㉣ 많은 양의 조영제를 사용한 경우, ㉤ 다발골수종 환자(표 9-4-1).

표 9-4-1. 방사선 조영제 투여 후 급성콩팥손상 발생의 위험인자

신기능 감소
당뇨신병증
울혈심부전
체액결핍
고령
다발골수종
다량의 방사선 조영제
안지오텐신전환효소억제제 및 신독소 노출

대부분의 환자에서는 신기능의 저하는 가역적이고 임상적으로 큰 문제는 없으나 간혹 조영제 투여 후 혈청 크레아티닌치가 5 mg/dL 이상 증가되어 응급투석을 하는 경우도 있다. 당뇨병 환자에서 혈청 크레아티닌이 증가되어 있는 경우에는 조영제에 의한 급성콩팥손상 발생이 급격히 증가하고 혈청 크레아티닌이 1.5 mg/dL 이상인 경우는 50% 이상에서 급성콩팥손상이 발생할 수 있다.

다발골수종 환자에서의 콩팥손상은 세관에 Bence-Jones 단백과 Tamm-Horsfall 단백이 침착되기 때문이다. 노인 환자에서 요로조영술이나 혈관조영술을 시행한 후에 원인모를 콩팥손상이 발생했을 경우에는 한번쯤 다발골수종을 감별하여야 한다.

2. 임상양상

가장 흔히 관찰되는 임상양상은 조영제 사용 후 24~48시간 후 혈청 크레아틴이 상승하기 시작하여 3~5일 사이 최고치를 이루다가 1주일 안에 이전 수치로 떨어지는 양상을 보인다.

비핍뇨 콩팥손상이 흔하고 이는 조영제 투여 전에 혈청 크레아티닌이 높았던 경우에 더 잘 발생하고 조영제 투여 전에 신기능이 정상이거나 경미한 신기능 저하가 있는 경우에는 콩팥손상이 2~5일 정도 지속되고 약 1주일 정도 지나면 신기능이 회복되는 경우가 많다.

3. 진단

조영제 사용 후 24~48시간 내에 핍뇨가 발생하며 비핍뇨인 경우는 혈청 크레아틴이 기저치에 비해 0.5~3.0 mg/dL 이상 증가한 경우 의심해 볼 수 있다. 조영제 검사 후 24~48시간까지도 지속적으로 신조영상이 관찰된다면 조영제에 의한 급성콩팥손상의 특징적인 소견으로 볼 수 있으나 특유의 소견은 아니다.

4. 예방 및 치료

조영제에 의한 급성콩팥손상이 일단 발생하면 특별한 치료법이 없기 때문에 발생을 예방하는 것이 중요하다. 이를 위해 ㉠ 위험성이 있는 환자에서는 가능한 한 조영제 사용을 자제한다. ㉡ 조영제를 가능한 한 적게 사용하고 연속해서 조영술을 시행하지 않는다. ㉢ 조영제 사용 전후 생리식염수로 충분히 수액공급을 한다. ㉣ 탈수상태를 피하고 비스테로이드소염제 사용을 절제한다. ㉤ 가능한 한 비이온 조영제를 사용한다. ㉥ N-acetylcystein 제제와 같은 항산화제를 조영제 사용 전후에 투여한다.

최근에 나온 비이온 저삼투압 조영제의 콩팥손상 방지 효과는 아직 확실치 않으며 최초에 신기능이 정상이었던 환자에서는 기존의 조영제에 비해 탁월한 방지 효과는 볼 수 없었으나 신기능이 저하된 환자에서는 효과가 있음이 입증되어 신기능 감소가 있는 당뇨병 환자와 같은 위험도가 높은 환자군에서는 그 효과가 강조되고 있다.

조영제 사용에 의한 콩팥손상 예방에 있어서 중요한 것은 수액 주입을 통해 세포외액을 증가시키는 것이며 이는 수액 주입으로 조영제 자체가 희석되는 효과와 함께 세포외액의 증가로 바소프레신을 억제시켜 조영제에 의한 저산소증을 완화시키는 효과에 의한 것으로 여겨진다. 생리식염수 주입에 있어 정해진 프로토콜은 없으나 조영제 사용 12시간 전 1 mL/kg/h 속도로 생리식염수를 지속 공급하는 방법이 가장 많이 쓰인다.

외래 환자에 있어서 경구 수분섭취를 통해 콩팥손상을 줄이는 방법을 고려해 볼 수 있으나 연구에 따르면 통계적으로 유의하게 경구 수분섭취가 콩팥손상을 감소시키는 결과는 없으며 특히 N-acetylcystein을 포함하지 않는 수분만을 섭취하는 것은 권장하고 있지 않다. 이외에 만니톨이나 이뇨제의 효과는 아직 증명되지 않았다.

N-acetylcystein 제제는 항산화 작용과 혈관확장 작용으로 조영제 유발 콩팥손상을 감소시키는 것으로 여겨지나 정확한 기전은 알려져 있지 않다. 2012년 KDIGO Guideline에서는 고위험군에서 N-acetylcystein의 사용을 권장하고 있다. 사용법에 대해서는 연구마다 차이가 있으나 가장 많이 사용되는 것은 600mg을 경구로 하루에 2회 복용하는 것이다.

이 외에도 theophylline, aminophylline, nifedipine, captopril, prostaglandin E 등과 같은 혈관확장제를 사용함으로써 조영제로 인한 신혈관 수축을 방지하여 조영제에 의한 콩팥손상을 완화시키고자 하는 시도는 있었으나 그 효과는 아직 미지수로 권장되고 있지 않다. 흔히 조영제 사용 후에 단백뇨 위양성 반응이 나올 수 있음에 주의하여야 한다.

진통제신병증

비스테로이드소염제(NSAIDs)에 의한 급성콩팥손상의 형태는 크게 두 가지로 분류된다. ㉠ 신장유두괴사 등을 보이는 혈류역학적인(hemodynamic) 변화에 의한 신염 ㉡ 급성사이질신염(간혹 신증후군을 동반하기도 함). 이들 모두는 비스테로이드소염제에 의해서 신장 내 프로스타글란딘(prostaglandin) 생성이 억제됨으로써 발병한다.

1. 혈류역학적인 변화에 의한 신장염

프로스타글란딘은 정상인의 신장에서는 미량으로 존재하여 신혈류 순환에는 중요한 작용을 하지 않지만 신기능이 감소된 환자에서는 그 생성이 증가되어 신장 내 혈류순환을 증가시킴으로써 상대적으로 사구체여과율을 향상시키는 기능에 관여한다.

신장 내 저관류 상태에서는 프로스타글란딘의 생성이 증가되어서 사구체 모세혈관의 투과성이 심하게 감소되어 있음에도 불구하고 정상에 가까운 사구체여과율을 유지할 만큼의 신장내 혈류량을 증가시키게 된다. 이러한 상황에서 비스테로이드소염제 투여로 프로스타글란딘의 생성이 억제되면 급속히 신허혈이 발생하고 사구체여과율이 떨어져 급성콩팥손상이 발생한다. 대개 혈청 크레아티닌은 비스테로이드소염제 투여 후 3~7일에 올라가기 시작한다. 영상검사 결과 신장유두 석회화나 불규칙한 신장의 윤곽선이 관찰되기도 한다.

어떠한 비스테로이드소염제 제제도 신병증을 유발할 수 있다고 여겨지나 저용량의 아스피린(40 mg/day), piroxicam, sulindac 제제는 다른 약제에 비해 신장 내 프로스타글란딘 생성을 억제하지 않으므로 비교적 안전한 제제로 알려져 있다. Sulindac은 신장 내에서 신속히 대사되고 cyclooxygenase (COX)를 억제하는 정도가 약해 전반적인 프로스타글란딘 생성 억제능력이 떨어진다고 하나 콩팥손상이 전혀 발생하지 않는 것은 아니다. 특히 ketorolac의 경우 다른 비스테로이드소염제에 비해서 신독성의 위험이 높은 것으로 알려져 있는데 5일 이상 ketorolac을 투여한 환자의 경우 5일 이내로 투여한 환자에 비해 신병증의 상대위험도가 2배 이상 높다. 그러나 ketorolac을 투여한 환자에서 전체 신병증 발생률은 1% 정도로 보고되고 있다.

신장질환이 있는 환자에서는 비스테로이드소염제 사용을 신중하게 고려하여 사구체여과율을 그대로 유지하는 것이 목적이지만 만성사구체신염 환자에서 불가피하게 비스테로이드소염제를 사용하게 될 경우 약간의 사구체여과율이 감소하더라도(20~25%) 장기적으로 보면 이러한 사구체여과율의 감소 및 사구체 모세혈관 압력의 감소를 통해 혈류역학적인 콩팥손상을 최소화할 수 있다는 이점도 고려하여야 할 것이다.

2. 급성사이질신염과 신증후군

진통제에 의해 급성사이질신염과 신증후군이 발생할 수 있다. 이는 급성콩팥손상의 또 다른 형태로 T림프구가 사이질 내로 침입하고 활성화된 T림프구로부터 세포독성 lymphokine이 분비되어 콩팥손상을 초래한다. Fenoprofen이 대표적인 약물로 주로 cyclooxygenase를 억제하여 arachidonic acid가 lipoxygenase (LOX) 경로를 통해 leukotriene으로 더 많이 전환됨으로써 보조 T림프구를 활성화시킨다. 이러한 병변은 경구투여에서 특징적으로 발병하지만 피부를 통한 국소적 투여에서도 발병 할 수 있다. 이 경우 비스테로이드소염제 사용을 중단하고 스테로이드치료를 고려할 수 있으며 비스테로이드소염제를 재투여할 경우 재발할 수 있다.

비스테로이드소염제에 의해 유발된 신증후군은 미세변화병(minimal change disease)이 대부분이며 간혹 막신병증(membranous nephropathy)을 보이는 경우도 있다.

항암제에 의한 신병증

암의 치료에 이용되고 있는 많은 약물들은 신장을 손상시킬 수 있다. 이런 약물들과 연관이 있는 콩팥손상들을 이해하고 적절한 예방조치를 하는 것은 매우 중요하다.

1. 시스플라틴(Cisplatin)

시스플라틴은 광범위한 항암효과를 가지고 있는 매우 효과적인 항암제이나 부작용으로 신독성이 있다. 신독성의 양상으로 급성콩팥손상, 만성사이질신염, 요마그네슘의 배설 증가로 저마그네슘혈증, 저칼슘혈증, 저칼륨혈증을 유발하고 시스플라틴이 주로 신장으로 배설되기 때문에 신장피질에 축적되어 신독성을 나타내게 된다. 급성콩팥손상은 주로 가역적인 변화이며 이는 시스플라틴이 혈관수축을 야기하여 발병한다. 저마그네슘혈증은 시스플라틴 투여의 가장 심각한 합병증으로 투여 받은 환자의 약 70% 이상에서 발생하며 약물 사용을 중단한 이후에도 50%의 환자에서는 수개월간 지속된다. 시스플라틴 신독성은 충분한 수분 공급, 이뇨 등을 통해 치료할 수 있으며 시스플라틴을 천천히 주입함으로써 예방할 수 있다. 과량으로 투여된 경우에는 혈장교환술을 주기적으로 시행하는 것이 효과적이며 혈액투석으로는 약물제거가 충분치 못한 것으로 알려져 있고 sodium thiosulfate를 동시 투여하여 신독성을 줄일 수 있다. 시스플라틴 이외에 CCNU, BCNU, streptozocin과 같은 alkylating agents도 용량에 비례하여 신독성을 유발하고 mithramycin은 세관에 침작하여 신독성을 나타내므로 이러한 약제의 사용에는 신기능 변화에 대한 면밀한 관찰이 필요하다. 이 외에 bevacizumab은 혈전미세혈관병증(thrombotic microangiopathy)을 유발하여 단백뇨와 고혈압이 나타날 수 있으며, mitomycin C와 Gemcitabine 등도 혈전미세혈관병증에 의한 급성콩팥손상을 유발할 수 있다.

2. 사이클로포스퍼마이드(Cyclophosphamide)

사이클로포스퍼마이드는 림프종과 다른 혈액암을 치료하는 데 광범위하게 사용된다. 가장 흔한 부작용은 출혈방광염이다. 고용량의 사이클로포스퍼마이드(50 mg/kg 이상)를 사용하는 경우 저나트륨혈증이 관찰될 수 있다.

3. 메토트렉세이트(Methotrexate)

메토트렉세이트는 암을 치료하는데 사용하는 대사길항제이다. 메토트렉세이트는 신장 상피세포에 직접적인 독작용을 가지고 있다. 수액을 주입하여 하루 3L 이상의 요량을 유지하고 요의 알카리화로 메토트렉세이트와 그 대사산물의 용해도를 증가시키는 것이 예방에 도움이 된다.

항류마티스 약제에 의한 신병증

금(gold), 페니실아민(penicillamine), 메토트렉세이트 및 최근에 사용되고 있는 TNF-α 억제제인 인플릭시맙(infliximab) 등의 항류마티스 약제는 약제에 따라 유사한 또는 상이한 신병증을 보일 수 있다.

메토트렉세이트는 저용량에서는 신독성이 거의 나타나지 않으나 대부분 신장으로 배설되는 것을 고려하여 정기적인 신기능 검사가 필요하며 혈청 크레아티닌 상승 시 약물의 중단이 필요하다. 임상적으로 금에 의한 신독성은 단백뇨이며 이는 금 치료 환자의 약 3~25%에서 발생한다. 현미경혈뇨가 단백뇨와 함께 나타날 수 있으나 단독 혈뇨는 드물다. 신생검 결과로는 막신병증이 잘 나타난다. 단백뇨의 출현은 대부분 금 치료를 시작한지 4~6개월에 나타난다. 단백뇨의 정도는 금의 투여량과 비례하지는 않는다. 경구 투여와 정맥 투여는 유사한 빈도의 단백뇨가 나타난

다. 치료의 중단으로 단백뇨는 소실되며 신증후군이 발생한 경우에는 고단백식이와 이뇨제로 치료하며 대개 스테로이드 치료는 필요치 않다. 단백뇨가 나타날 경우 일단은 금 치료를 중단하고 다른 대체약물을 고려해야 한다. 페니실아민에 의해서도 막신병증을 보일 수 있으며 금에 의한 신병증과 유사하고 증세는 혈뇨 또는 단백뇨이며 1/3~2/3에서 신증후군이 발생한다. 대부분 페니실아민 중단 후 평균 8개월에 호전된다. 인플릭시맙은 신장과 관련된 독성이 드물다고 알려져 있으나 막신병증이 병발한 경우가 보고되고 있다.

중금속에 의한 신병증

가장 대표적인 중금속은 납과 카드뮴이며 그 외에 비소, 바륨, 비스무스, 구리, 수은, 규소 등이 보고된 바 있다. 납에 의한 만성세관사이질신염은 납이 함유된 음료를 장기간 섭취하였거나 가솔린, 산업 연료, 페인트 등의 환경요인에 지속적으로 노출되었을 때 발생할 수 있다. Fanconi 증후군의 양상으로 나타나 저인산혈증, 당뇨(glucosuria), 아미노산뇨(aminoaciduria) 등이 나타난다. 고혈압과 고요산혈증이 흔히 동반되며 약 반수에서는 통풍이 발생하기도 한다. 납중독에 의한 전신 증상이 없이도 납에 노출된 환자의 약 반수에서는 국소적인 만성사이질신염이 유발될 수 있다. 혈청 납 농도는 대개 정상이므로 ethylene diamine tetraacetic acid (EDTA)를 투여한 후 소변으로 배설되는 납의 양을 측정하는 것이 진단에 도움이 된다. EDTA가 납의 체내 저장량을 감소시키는 것을 이용하여 납중독의 치료에 사용할 수 있으나 체내 납이 재배치되어 신경계에 축적되는 등 부작용이 있을 수 있으므로 신중히 치료하여야 한다. 카드뮴은 근위세관에서 농축되어 카드뮴-메탈 복합체를 형성하며 이것에 의하여 만성세관사이질신염이 유발된다. 주요 임상증상은 근위세관의 기능 장애에 의한 것이며 25% 환자에서는 신 결석이 발생할 수 있다.

그 외 독성 물질에 의한 신병증

부동액(ethylene glycol)은 칼슘옥살산염결정체(calcium oxalate crystal)의 축적에 의한 세관의 직접적인 손상을 통해 급성콩팥손상을 유발한다. 멜라민(melamine)을 포함한 음식물을 섭취했을 때 요석과 급성콩팥손상이 발생할 수 있다. 일부 한약제에 포함된 아리스톨로크산(aristolochic acid) 또한 급성콩팥손상을 유발할 수 있다.

▶ 참고문헌

- Clive DM, et al. Renal syndromes associated with nonsteroidal antiinflammatory drugs. N Engl J Med 310:563–572, 1984.
- Davenport MS, et al. Use of Intravenous Iodinated Contrast Media in Patients with Kidney Disease: Consensus Statements from the American College of Radiology and the National Kidney Foundation. Radiology 294:660–668, 2020.
- deVries CR, Freiha FS. Hemorrhagic cystitis: a review. J Urol 143:1–9, 1990.
- Ekong EB, et al. Lead-related nephrotoxicity: a review of the epidemiologic evidence. Kidney Int 70:2074–2084, 2006.
- Humes HD. Aminoglycoside nephrotoxicity. Kidney Int 33:900–911, 1988.
- Andrassy KM: Comments on "KDIGO 2012 clinical practice guideline for the evaluation and management of chronic kidney disease." Kidney Int 84:622–623, 2013.
- Munckhof WJ, et al. A meta-analysis of studies on the safety and efficacy of aminoglycosides given either once daily or as divided doses. J Antimicrob Chemother 37:645–663, 1996.
- Persson PB, et al P. Pathophysiology of contrast medium-induced nephropathy. Kidney Int 68:14–22, 2005.
- Portilla D, et al. Metabolomic study of cisplatin-induced nephrotoxicity. Kidney Int 69:2194–2204, 2006.

CHAPTER
05 약물중독의 투석 요법

길효욱 (순천향의대)

약물중독의 치료원칙

중독(poisoning/drug overdose)은 약물, 화학 물질 등에 여러 경로로 노출되어 용량 의존적으로 발생하는 독작용을 말한다. 중독 환자의 일반적인 치료 지침은 활력징후를 안정화시키면서 독극물의 흡수를 억제하고, 흡수되었다면 제거를 촉진시키는 것이다. 이중 체내에 있는 독을 몸 밖으로 제거하는 것을 체외여과라고 하고 다양한 방법이 시도된다(표 9-5-1). 이중 혈액투석이 가장 많이 이용되고 있다. 체외여과의 적응증은 보존적 치료에도 불구하고 임상적으로 상태가 악화되는 경우, 중독 물질의 정상적인 배설 경로에 장애가 있는 경우, 심각한 대사 장애가 발생한 경우, 중뇌작용의 억제로 저환기, 저체온, 저혈압을 유발하는 경우, 내인성 청소율보다 체외 제거율이 높은 경우, 중독의 뚜렷한 증상 및 징후가 있는 경우 등이다. 중독 환자의 특성상 전향적 무작위 연구가 제한적이기 때문에 활용 가능한 자료가 부족한 경우가 많다. 이에 임상의

표 9-5-1. 독소를 체외로 배설 시킬 수 있는 방법

Chelation
Diuresis
Exchange transfusion
Hemodialysis
Hemodiafiltration
Manipulation of urine pH
Multiple dose of activated charcoal, cholestyramine, kayexalate, prussian blue
Nasogastric suction
Peritoneal dialysis
Sorbent hemoperfusion
Toxin-specific antibody fragments
Whole-bowel irrigation

사는 체외여과법의 장단점을 파악하고, 중독 물질의 특성을 고려하여 적절한 체외여과 방법을 선택할 수 있어야 한다. 최근에는 이러한 문제를 극복하고자 다국적 전문가 그

룹인 EXTRIP (EXtracorporeal Treatment In Poisoning)에서 각 약제와 체외여과에 대한 정보를 제공하고 있어 활용이 가능하나, 제공되는 중독 정보가 제한적이라는 단점이 있다.

체외여과 방법 선택 시 고려해야 할 요인

중독환자에게서 체외여과를 시도할 때 미치는 요인은 크게 두 가지로 중독 물질 자체의 특징과 체외여과법이 갖는 요인으로 나눠진다.

1. 중독 물질 특징에 따른 고려 사항

중독 물질의 다양한 특징을 고려하여 체외여과법을 선택할 수 있다. 첫 번째 인자는 독성 물질의 분자량이다. 체외여과 방법에 따라 제거될 수 있는 분자량이 다르기 때문에 독성 물질의 분자량에 따라 체외여과법을 선택해야 한다. 과거에 주로 사용된 low flux dialyzer를 이용한 혈액투석(hemodialysis, HD)은 500 daltons(Da) 이하의 물질만 제거되나, 현재 사용되고 있는 high flux dialyzer는 15,000Da 이하까지 제거가 가능하다. 또한 최근 개발된 high-cutoff 또는 medium-cutoff 투석막을 사용하는 경우 이론적으로 50,000Da까지 제거가 가능하다. 대부분의 중독 물질은 500Da 이하이나, 단클론 항체(monoclonal antibody)등 분자량이 큰 물질을 제거할 때 적절한 투석막을 선택해야 한다. 두 번째 인자는 독성 물질의 단백 결합능으로 단백에 결합된 물질은 일반적으로 혈액투석으로 제거가 불가능하다. 흡착을 기전으로 제거하는 혈액관류(hemoperfusion, HP)를 고려하여야 한다. 세 번째 인자는 독성 물질의 분포 용적(volume of distribution)으로 혈액 이외에 다른 조직으로 분포된 정도를 나타낸다. 혈액투석은 혈액 내 물질을 제거하므로 분포 용적이 작을수록 제거가 용이하다. 통상적으로 1~1.5 L/kg 이하의 물질이 제거가 용이하며, 2 L/Kg 이상의 물질은 제거가 어렵다. 대표적으로 digoxin은 단백 결합능이 25% 이하이고 분자량이 780Da로 제거가 가능하나 분포 용적이 4~7 L/kg 이상으로 체내에 넓게 분포되어 체외여과법으로는 효과적인 제거가 어렵다. 네 번째 인자는 재분포(redistribution)로, 독성물질이 조직과 단백질에 결합되었다가 혈액으로 재분포되는 속도를 말하며 일반적으로 분포용적이 클수록 재분포 속도도 느리다. 재분포가 느린 물질은 체외 여과를 통해 혈액 내 농도가 낮아져도 다시 서서히 혈중 농도가 올라가 다시 증상이 나타날 수 있다. 마지막으로 약물의 약동학을 고려하여야 한다. 중독 증상은 약동학에 따라 달라질 수 있는데, 이는 일반적인 약물농도와 과용량에 의해 발생하는 약동학이 서로 다를 수 있기 때문이다. 예를 들어 valproic acid는 단백질에 결합능력이 강해 투석으로 쉽게 제거되지 않지만 과용량이 체내에 돌아오면 단백질 결합이 포화상태에 도달하고 자유 형태의 약제가 증가하여 제거가 가능하여 치료 수준의 혈중농도로 낮춰줄 수 있다. 이와 같은 요인들을 고려하여 적절한 체외 여과법을 선택하여야 한다(표 9-5-2).

2. 체외여과 종류에 따른 고려 사항

체외여과의 종류로는 혈액투석, 혈액여과, 혈액관류, 지속적 혈액투석여과 등이 있다. 최근에는 혈액투석이 가장 많이 사용되고 있으나 다른 치료법들도 중독환자에서 적용되는 사례들이 있다. 혈액투석의 경우 투석막의 표면적, 투석막의 종류(low flux, high flux, medium-cutoff), 혈류 및 투석액의 속도, 투석 시간에 따라 제거의 효과가 달라진다. 혈액 관류의 경우 카트리지(cartridge)가 독성물질을 흡착시키게 되는데 포화 상태가 되면 관류시간을 늘려도 더 이상 제거가 불가능하다. 이러한 체외여과 종류를 고려하여 중독 환자에게 적용 할 수 있다.

체외여과의 선택

일반적으로 체외여과는 심각한 독성 작용이 나타나거나 예상되는 경우, 다른 길항제가 없는 경우, 체외여과로 제거

표 9-5-2. 체외 여과법으로 제거가 가능한 물질들의 특징

약물/독소	분자량(daltons)	수용성	분포 용적(L/kg)	단백질 결합(%)	내부 제거율 (ml/min.kg)	추천 방법
효과적인 물질						
Bromide	35	Yes	0.7	0	0.1	HD
Ethylene glycol	62	Yes	0.6	0	2	HD
Isopropanol	60	Yes	0.6	0	NA	HD
Methanol	32	Yes	0.6	0	0.7	HD
Salicylate	138	Yes	0.2	50	0.9	HD,HP
Theophylline	180	Yes	0.5	56	0.7	HP>HD
Valproic acid	144	Yes	0.13~0.22	90	0.1	HD,HP
가능 물질						
Amanita toxin	373~990	Yes	0.3	0	2.7-6.2	HP
Aminoglycosides	>500	Yes	0.3	1.5	<10	HD/HF
Atenolol	255	Yes	1	2.5	<5	HD or HP
Carbamazepine	236	No	1.4	74	1.3	HP
Disopyramide	340	No	0.6	1.2	90	HP
Meprobamate	218	Yes	0.5~0.8	0~30	Low	HP
Methotrexate	454	Yes	0.4~0.8	50	1.5	HF
Paraquat	186	Yes	1	6	24	HP
Phenobarbital	232	No	0.5	24	0.1	HP
Phenytoin	252	No	0.6	90	0.3	HP
Procainamide	272	Yes	1.9	16	8	HF
Sotalol	272	Yes	2	2	<5	HD or HP
Trichlorethanol	149	Yes	0.6	0.4	0.7	HD

NA, not avaliable; HD, hemodialysis; HP, hemoperfusion; HF, hemofiltration.

가 용이하고, 인체 내에서 제거율이 4 ml/min/kg 이하이고, 분포 용적이 1 L/Kg 미만인 경우 시작을 고려한다. 이때 단백 결합능력이 95% 이상인 경우 치료적 혈장교환술, 80~95% 경우 혈액관류, 그 이하의 경우 독성물질의 분자량에 따라 다양한 투석막을 이용한 혈액투석을 고려할 수 있다. EXTRIP 그룹에서는 체외여과를 추천하는 중독 물질로 barbiturates, lithium, methanol, metformin, salicylates, thalium, theophylline, valporate를 제시하였다.

1. 혈액투석(Hemodialysis)

혈액투석은 체외여과 방법 중 가장 많이 이용되는 방법으로, 수용성 물질의 제거가 가장 용이하다. 대표적인 예가 toxic alcohol인 methyl alcohol, ethylene glycol 등으로 중독 물질 자체 및 대사된 물질을 혈액투석으로 제거하기 용이하고, 독작용으로 대사성 산증을 보이기 때문에 혈액투석을 통해 독성 물질의 제거 및 산-염기 교정이 가능하다. 혈액투석의 장점은 독성 물질의 제거 이외에도 급성콩팥손상이 합병되거나, 산-염기 불균형, 전해질 이상

등이 동반된 경우 이를 완화시켜줄 수 있다는 점이다. 또한 다양한 투석막이 있어 중독 물질의 분자량을 고려하여 선택한다면 효과적인 방법이 된다. 일반적인 말기신부전 환자에서 시행하는 투석과 같은 방법으로 시행하며, 일반적으로 투석 용량을 증가하면 독성 물질의 제거도 증가한다.

2. 혈액관류(Hemoperfusion)

혈액관류는 활성탄에 흡착(adsorption)될 수 있는 약물이면 사용이 가능하며, 특히 단백질과 결합하는 물질인 경우 투석으로 제거가 어렵기 때문에 혈액관류를 시행하게 된다. 일반적으로 활성탄에 흡착되는 물질은 혈액투석에 비해 제거율이 더 뛰어나다. 하지만 활성탄이 충전된 카트리지가 혈액 안에 있는 약물을 흡착하기 때문에 시간이 지나감에 따라 제거율이 떨어지고 포화상태에 이르면 더 이상 흡착할 수 없어 카트리지를 교환하여야 한다. 통상 2~4시간 이내로 혈액관류를 시행하고 혈류속도는 혈액투석과 비슷한 정도로 유지한다. 흡착능력으로 인해 카트리지 내에서 혈액이 응고될 수 있어 헤파린의 초기 용량(loading dose)을 혈액투석에 비해 2~3배가량 사용하여야 하며 유지용량은 혈액투석에 준해 사용하게 된다. Gabexate mesilate와 nafamostat mesilate는 활성탄에 흡착되어 항응고 작용이 소실되므로 사용하지 않아야 한다. 혈액관류의 흡착력으로 경한 혈소판감소증이 올 수 있으며 대개 24~48시간 이내에 호전된다. 그 외에도 일시적 백혈구 감소, 저칼륨혈증, 저인산혈증이 생길 수 있고 출혈경향, 알레르기 반응 등 혈액투석에 비해 부작용이 더 흔하게 보고되고 있다. 현재 혈액관류의 사용은 줄고 있지만 독성 물질 성질에 따라 혈액관류를 선택할 수 있어야 할 것이다.

3. 지속적 혈액투석여과법(Continuous hemodiafiltration)

지속적 혈액투석여과법은 현재 급성콩팥손상 환자에서 흔히 사용되고 있는 방법이다. 혈액투석과 혈액여과가 같이 시행되기 때문에 급성콩팥손상을 동반하는 경우나 분자량이 비교적 큰 물질을 제거하는 데 용이하다. 하지만 중독 환자의 특성상 초기에 혈중농도를 빨리 낮추는 것이 도움이 되기 때문에 혈액투석을 통해 높은 혈류 속도와 면적이 넓은 투석막을 사용하는 것이 더 효과적일 수 있다. 지속적 혈액 투석여과법의 장점은 혈압 저하 등 생체 징후가 불안정한 환자에게 적용이 가능하다는 점이고, 천천히 재분포가 일어나는 procainamide, lithium과 같은 약제나 분포 용적이 큰 약제를 혈액 투석 이후에 사용을 고려할 수 있다. 일반적으로 혈액투석보다 혈류 속도와 투석 양이 적어 혈액투석의 50~80% 이하로 제거가 일어나므로 혈액투석이 가능하다면 먼저 혈액투석을 하는 것을 권고한다.

4. Albumin dialysis

간부전 환자에게서 사용되는 albumin dialysis는 비용이 많이 드는 치료나 단백질에 결합된 독성 물질을 제거하는 데 용이하다. 현재 대규모 연구는 없으나 버섯 중독, 칼슘통로차단제 중독 등에서 독성 물질의 제거가 가능하다는 보고들이 있어 간부전을 동반하거나, 동반하지 않았어도 단백질에 결합된 약물을 제거하는데 이용할 수 있는 방법이라 생각된다. 고비용임을 감안하여 혈액관류 등을 먼저 시행하고 효과적이지 않을 때 시행될 수 있을 것으로 생각된다.

5. 혈장분리교환(Plasmapheresis)

혈액으로부터 혈장(plasma)을 제거할 수 있으나 독성 물질 제거율은 50 mL/min을 넘지 못한다. 중독 물질이 95% 이상 단백 결합을 보이거나, 단클론 항체처럼 분자량이 50,000 Da을 넘는 중독에서 고려할 수 있으나, 합병증을 고려하면 일반적으로 추천되지 않는다.

제 9 부 세관사이질질환, 독성신병증, 낭콩팥병

6. 그 외의 요법

복막투석은 혈액투석과 비슷한 성질로 수용성, 저분자 물질을 제거할 수 있으나 복막투석 자체가 천천히 일어나므로 혈액투석에 비해 효과가 적어 잘 사용되지 않는다.

요약

중독 환자에서 사용되는 다양한 체외여과법 중 혈액투석, 혈액관류, 지속적 혈액투석여과법 등은 독소 제거에 용이한 치료법이다. 독성 물질의 종류와 환자의 상태를 고려하여 적절한 여과법을 선택함으로써 중독 환자의 예후를 향상시킬 수 있을 것이다. 독성 센터(poisoning center)가 없는 국내 사정을 고려한다면 신장내과 의사의 역할이 중요하다.

▶ 참고문헌

- EXTRIP workgroup. URL: httt://wwww.extrip-workgroup.org/recommendations.
- Ghannoum M, et al: Use of extracorporeal treatments in the management of poisonings. Kidney Int 94:682-688, 2018.
- Gil HW, et al: Clinical outcome of hemoperfusion in poisoned patients. Blood Purif 30:84-88, 2010.
- Goldfrank LR, et al: Goldfrank's toxicology Emergency. 10th ed. McGraw-Hill, 2014.
- Hong SY, et al: Effect of haemoperfusion on plasma paraquat concentration in vitro and in vivo. Toxicol Ind Health 19:17-23, 2003.
- King JD, et al: Extracorporeal Removal of Poisons and Toxins. Clin J Am Soc Nephrol. 14:1408-1415, 2019.

CHAPTER
06 보통염색체우성 다낭콩팥병

박혜인 (한림의대)

KEY POINTS

- 보통염색체우성 다낭콩팥병의 치료는 총신장부피를 이용한 고위험군 예측모델을 통해 결정한다.

- 향후 신기능이 빠르게 나빠질 것으로 예상되는 고위험군의 경우에는 바소프레신 수용체 억제제를 포함한 disease-modifying agent를 사용해 볼 수 있다.

- 신기능 감소속도가 빠르지 않거나 비전형적 신장낭 분포를 보이는 경우에는 혈압관리, 저염식이, 수분섭취 등 보존요법을 유지한다.

서론 및 역학

보통염색체우성 다낭콩팥병(autosomal dominant poly-cystic kidney disease, ADPKD)은 양측 신장에 다수의 낭을 특징으로 하며, 출생 인구 1,000~4,000명 중 1명꼴로 발생하는 가장 흔한 유전성 신장질환이다(그림 9-6-1). 전 세계적으로 말기신부전 환자의 3~10% 정도의 원인 질환으로 추정되고 있으며, 국내에서도 투석 환자의 원인 중 약 2%를 차지하여, 당뇨병, 고혈압, 사구체신염에 이어 말기신부전의 네 번째로 흔한 원인으로 알려져 있다. 또한 이 질환에 이환되면, 신장 뿐 아니라 간, 췌장, 정낭(seminal vesicle), 지주막(arachnoid membrane) 등에 낭이 형성되거나, 탈장(hernia), 뇌동맥류(cerebral aneurysm) 승모판탈출증(mitral valve prolapse) 등의 전신 합병증이 동반되기도 하여, 임상적으로 치명적인 결과를 초래 할 수 있다.

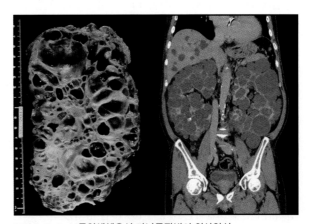

그림 9-6-1. 보통염색체우성 다낭콩팥병의 임상양상

보통염색체우성 유전방식으로 대대로 질병에 이환된 구성원을 보이나, 약 10%에서는 가족력이 없이 de novo mutation으로 발생할 수 있다. 질병 유전자를 가지고 있으면 100% 증상이 나타나지만(100% penetrance), 같은 유전자를 가지고 있는 가계라도 구성원마다 다양한 중증도와 표현형을 보이는 특징이 있다.

원인 및 병태생리

1. 원인 유전자 및 원인 단백질

보통염색체우성 다낭콩팥병을 일으키는 원인 유전자로는 PKD1(16p13.3)과 PKD2(4q21)의 두 가지가 가장 잘 알려져 있으며, 이 외에도 GANAB, HNF1β가 경증의 다낭콩팥병을 일으키는 것으로 밝혀졌다. PKD1과 PKD2 유전자는 각각 polycystin-1과 polycystin-2 단백질을 합성한다. polycystin-1과 polycystin-2는 거의 모든 조직과 기관에서 발현하며, 두 단백질이 일차 섬모(primary cilia)에서 복합체를 이루면서 물리적 자극에 반응하여 칼슘의 세포 내 유입에 관여하는 것으로 알려져 있다. 보통염색체우성 다낭콩팥병은 PKD1 또는 PKD2 유전자 돌연변이에 의해 이러한 세포 내 칼슘 유입 및 하부 신호전달 체계에 이상이 생겨 발생하는 것으로 생각되고 있다.

전체 환자의 약 80~85%가 PKD1 유전자 돌연변이와 관련이 있으며, 15~20%가 PKD2 유전자 이상에 기인한다. PKD1 변이는 PKD2 변이와 일치하는 표현형을 나타내지만, PKD1 변이에서 PKD2 변이보다 질병의 중증도가 높다. PKD1 변이를 가지는 경우 대부분 20대에 신장낭이 발견되기 시작하여 같은 연령대의 PKD2 변이를 가지는 환자보다 신장낭의 개수가 많고 신장 크기가 크며, 55세 이전에 말기신부전으로 진행하여 신대체요법을 필요로 한다. 반면 PKD2 변이를 가지는 경우에는 진단 연령이 늦고 말기신부전에 도달하는 연령이 10~15년 정도 늦으며 고혈압, 혈뇨, 요로감염 등 합병증의 빈도도 PKD1 변이에 비해 낮은 것으로 알려져 있다.

2. 발병기전

신장낭이 생기는 네프론은 전체의 5% 미만이지만, 낭내에 수분이 차면 낭의 크기가 점점 커지면서 신실질을 압박하고 신기능 감소를 유발한다. 발병기전은 세관 상피세포의 증식, 낭 상피세포에서의 비정상적인 수분 분비, 세포 분화능의 변화, 세포 외 기질의 변화 등이 관여하는 것으로 생각되고 있다.

보통염색체우성 다낭콩팥병의 유전학적 발병기전은 two-hit 가설로 설명되고 있으며, de novo를 제외한 모든 환자는 다낭콩팥병을 가진 한 쪽 부모로부터 생식계열 유전자 변이(germline mutation)를 물려받는데, 이 유전자 변이는 모든 세포에 존재한다. 두 번째 유전자 변이는 개별적인 세포 단위로 일어나는 체세포 변이(somatic mutation)를 말하며, 이 두 번째 유전자 변이가 있어야 낭이 형성되고 자라게 된다. 같은 생식계열 유전자 변이를 가지고 있는 가계 구성원 중에서도 진단 시기와 중증도가 다른 점은 이러한 두 번째 유전자 변이가 얼마나 빨리, 그리고 광범위하게 일어나는지와 관련이 있다. 일부의 연구자들은 낭 성장을 가속화시키는 인자로 다른 유전자의 활성화나 비활성화, 후성유전체, 감염이나 급성콩팥손상과 같은 촉발인자 등을 'third hit'로 제시하기도 하였다. 최근 제시되는 또 다른 유전학적 발병기전으로 gene dosage 가설이 제시되고 있다. 이는 유전자 돌연변이로 인한 유전자 발현정도가 일정 수준 이하로 감소하게 되면 낭이 형성되거나 자라게 된다는 가설이다.

분자생물학적 발병기전으로는 일차 섬모 소실에 따른 세포 분화능의 변화가 제시되고 있다. 원인 단백질인 polycystin-1과 polycystin-2는 일차 섬모에 위치하며, 일차 섬모는 운동 섬모(motile cilia)와는 달리 운동성은 없으나 각종 자극에 대한 수용체 역할을 담당하고 있다. 세관 상피세포의 일차 섬모는 정상적으로는 소변 유속 등의 물리적 자극에 의해 세포 내 칼슘 이온의 유입을 일으키며, polycystin-1과 polycystin-2는 이러한 외부자극에 대한 감지기 역할을 하여 세포 분화에 중요한 역할을 하는 것으로 알려져 있다. 일차 섬모가 소실되면 세관 상피세포가 분화능을 잃고, 세포 증식과 자멸사가 증가하며, 분비능이 증가하고, 세포 외 기질의 리모델링이 일어난다. 이에 관여하는 세포 내 신호전달 체계로는 세포 내 칼슘 항상성의

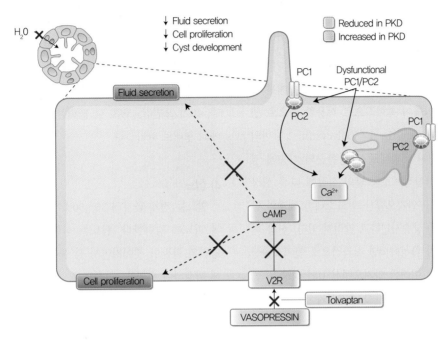

그림 9-6-2. 보통염색체우성 다낭콩팥병과 연관된 신호전달체계 및 톨밥탄의 작용 부위

변화, cAMP (cyclic adenosine monophosphate) 신호체계의 활성화, Ras/MAPK 신호체계의 활성화, Wnt 신호전달체계의 변화, 요농축능의 결함 등이 알려져 있다. 특히, 섬모의 기능이 없어지면, 세포 내 칼슘신호가 감소하면서 adenylyl cyclase activity의 증가, phosphodiesterase activity의 감소가 일어나고, 이는 세포 내 cAMP를 증가시켜 낭의 성장을 촉진하고 낭 내로 수분 유입을 촉진시켜 낭의 크기를 크게 하는 것으로 알려져 있다. 한편, 바소프레신은 신장의 집합관 주세포에서 수용체와 결합 후 adenylyl cyclase를 활성화해서 cAMP를 상승시키는 데, 최근 tolvaptan이라는 약물이 이 기전을 저해하여 다낭콩팥병 치료제로서 FDA 승인을 받았다(그림 9-6-2).

표 9-6-1. 보통염색체우성 다낭콩팥병의 신장 및 신장 외 합병증

임상양상	우리나라 빈도	외국 빈도
신장합병증		
고혈압	65~87.6%	80%
통증	12.9~50%	60%
혈뇨	4.9~69%	50%
요로감염	2.2~29%	30~50%
요로결석	16~29.1%	25~30%
낭 출혈	29%	60%
신장 외 합병증		
간낭	58~85%	>80%
뇌동맥류	12.3%	9~12%
심장판막질환	15%	25%

임상양상

보통염색체우성 다낭콩팥병에 수반되는 신장 및 신장 외 임상양상은 표 9-6-1과 같다.

1. 신장 임상양상

1) 고혈압

고혈압은 보통염색체우성 다낭콩팥병에 동반되는 가장 흔한 신장 임상양상이며, 신기능 감소, 심혈관계 합병증

및 사망의 주된 원인이다. 대부분의 다낭콩팥병 환자는 신기능 감소 이전에 이미 고혈압을 동반하며 35세 이전에 고혈압을 진단받은 환자군은 그렇지 않은 환자보다 말기신부전으로 진행할 위험이 높다. 고혈압의 발병기전은 매우 복잡하고 여러 가지 원인들이 복합적으로 작용할 것으로 생각된다. 원인 단백인 polycystin-1과 polycystin-2 발현의 감소는 직접적으로 혈관 내피세포 및 평활근의 기능에 영향을 줄 수 있으며, 간접적으로는 낭의 성장에 따른 신장 내 허혈성 손상이 레닌-안지오텐신-알도스테론 체계의 활성화를 일으켜 혈압을 상승시킨다고 알려져 있다. 신장 허혈로 인해 레닌 분비가 활성화되면 결과적으로 안지오텐신 II의 분비가 촉진되며, 이러한 안지오텐신 II의 상승은 혈관 저항을 증가시키고, 성장 인자를 증가시켜 신장낭을 더욱 자라게 하고, 알도스테론을 증가시켜 소듐 저류를 통해 고혈압을 유발한다. 최근에는 전신 레닌-안지오텐신-알도스테론 체계의 활성뿐만 아니라, 신장 자체에서 생산되고 분비되는 국소 레닌-안지오텐신-알도스테론 체계의 활성이 만성적인 고혈압 및 장기손상의 원인으로 제시되고 있다.

2) 말기신부전

50세에 20~25%, 60세에 50%, 70세에 50~75%가 말기신부전에 도달한다. 우리나라의 보통염색체우성 다낭콩팥병 환자 중 말기신부전에 도달하는 중앙 연령은 65세이다. 신기능의 감소 속도는 개인마다 차이가 있지만, 사구체여과율이 50 mL/min 이하로 감소한 이후에는 매년 5.8 mL/min의 속도로 감소하며, 일단 고질소혈증이 발생한 이후에는 5~13년 사이(평균 8년)에 말기신부전에 도달한다. 말기신부전의 위험인자에는 PKD1 유전자형, 남성, 조기 발병 등의 유전성 요인과, 고혈압, 4회 이상의 임신, 좌심실비대, 요로감염, 신장 크기, 육안혈뇨, 심한 단백뇨 등의 비유전성 요인이 알려져 있다.

3) 통증

전체 환자의 50~60%에서 신장관련 통증이 있으며, 나이가 증가할수록, 낭의 크기가 클수록 통증의 빈도가 증가한다. 급성통증은 낭 출혈, 혈전이나 결석에 의한 요로폐쇄, 감염, 낭 파열에 의해 발생한다. 만성통증은 3개월 이상 지속되는 통증으로 낭의 팽창에 의해 발생한다. 만성통증은 간헐적인 급성통증의 형태를 띠거나, 지속되는 통증, 조기 포만감, 호흡 시 불편감, 압박에 의한 신기능 장애의 형태로 나타난다.

4) 혈뇨

혈뇨는 전체 환자의 30~50%에서 발병하며, 대부분 반복 혈뇨를 경험한다. 혈뇨는 심한 운동으로 충격에 의해 낭벽의 혈관이 찢어지면서 낭 출혈이 생기거나 결석에 의해 발생하며 수혈을 할 정도로 심한 경우는 드물다. 낭 출혈은 고혈압이 있거나 신장이 큰 환자에게 흔하며, 혈압을 조절하고 안정을 취하면 대부분 출혈 후 2~7일 사이에 자연히 지혈된다. 그러나 특별한 원인이 없는 50세 이상의 환자에서 1주일 이상 지속되는 출혈인 경우는 종양을 의심해 보아야 한다. 낭이 요로와 연결되어 있지 않는 경우에는 낭 출혈이 발생하여도 혈뇨 없이 통증만 발생할 수 있다.

5) 요로감염 및 낭 감염

전체적으로는 남성의 19%, 여성의 68%에서 발병하며, 우리나라 환자 중에는 20~25%의 발생빈도를 보인다. 요로감염은 방광염, 급성 신우신염, 낭 감염, 신장주위 농양으로 분류된다. 일반 인구에서와 마찬가지로 보통염색체우성 다낭콩팥병 환자에서도 여성에서 남성보다 요로 감염 발병률이 높으며, 대장균이 가장 흔한 원인균이다.

임상적으로 요로감염이 의심될 때 신우신염과 낭 감염을 구분하는 것이 매우 중요하다. 신우신염의 경우, 소변의 균배양 검사가 흔히 양성이면서, 혈액배양검사는 50% 정도의 낮은 양성율을 보이고, 항생제에 쉽게 반응한다. 반면, 낭 감염은 감염된 낭 주위로 국소 압통이 동반되며, 소변 배양검사는 음성, 혈액 배양검사만 양성인 경우가 많다. 또한 낭 감염은 항생제에 대한 반응이 더디다.

낭을 천자하여 흡인한 낭액에서 중성구가 있거나 도말 또는 배양검사를 시행하였을 때 원인균이 관찰되면 낭 감염을 확진할 수 있다. 그러나 대부분 보통염색체우성 다낭콩팥병 환자는 다수의 신장낭 또는 간낭을 가지고 있으며, 임상양상만으로는 감염된 낭을 찾기 어려우며, 감염된 낭 천자가 어려운 경우가 많기 때문에, 3일 이상 38.5℃ 이상의 발열이 있으면서 복부 국소 통증, C반응단백질이 5 mg/dL이상으로 상승되어 있으면 임상적으로 진단할 수 있다. 초음파, CT, MRI, 핵의학 검사 등 영상검사가 진단과 국소화(localization)에 도움을 줄 수 있다.

6) 결석

환자의 20%에서 관찰되며, 신장 내 소변 정체와 요중 구연산(citrate)의 감소가 발병의 주요기전이다. 요산 결석이 칼슘 결석보다 더 빈번한데, 이는 암모니아 배설 장애에 따른 요 산성화에 의한 것으로 해석된다. 결석을 가지고 있는 환자들은 그렇지 않은 환자에 비해 구조적, 대사적 위험인자를 가지고 있는데, 구조적으로는 낭의 크기와 수가 증가되어 있음이 보고되었고, 24시간 소변의 화학적 분석 결과, 소변양이 적고, 소변 내 인산, 마그네슘, 칼륨, 구연산의 양이 적었다.

초음파를 이용한 보통염색체우성 다낭콩팥병에서의 결석 진단은 신장 구조의 변형과 흔히 동반되는 낭벽의 석회화 때문에 어렵다. 조영증강을 하지 않은 CT가 초음파보다 결석 진단에 더 유용하다.

2. 신장 외 임상양상

1) 간낭

간낭은 보통염색체우성 다낭콩팥병에서 가장 많이 합병되는 신장 외 임상양상(그림 9-6-3)으로, 연령에 따라서 간낭이 증가하여 20세 이전에는 드물지만 60세 이상에서는 70% 정도의 유병률을 보인다. 외국에서는 간낭의 빈도가 50%로 보고되었으나, 우리나라에서는 이보다 많은 80~90%로 보고되었다. 심한 다발성 간낭은 주로 여자에게 흔하며 다산, 경구 피임제의 사용과 연관이 있으나 정확한 기전은 밝혀지지 않았다. 간낭의 수가 많아지고 간부피가 커져도 간기능은 보존되나, 심한 경우에는 간의 종물로 인한 메스꺼움, 포만감, 호흡 곤란, 위-식도 역류 같은 압박 증상 및 문맥압 상승, 간 내 하대정맥 폐색에 의한

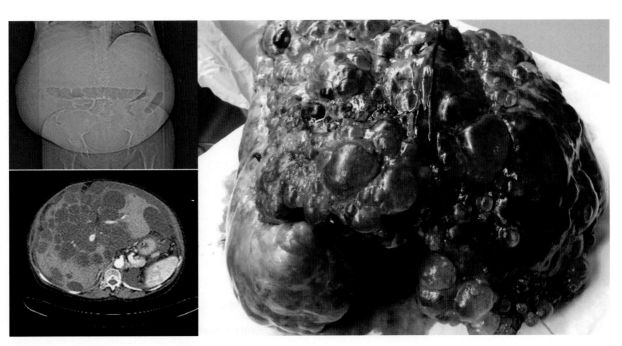

그림 9-6-3. 보통염색체우성 다낭콩팥병에 동반된 거대 간낭

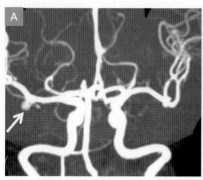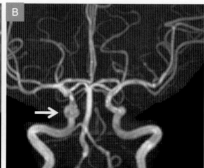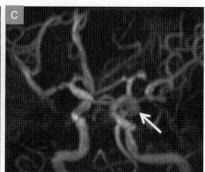

그림 9-6-4. 보통염색체우성 다낭콩팥병에 동반된 뇌동맥류

(A) 우측 중대뇌동맥, **(B)** 우측 내경동맥, **(C)** 후교통동맥

부종과 복수, 간낭 압박에 의한 급성 담도염 등 합병증을 동반한다.

2) 뇌동맥류

약 5~10%의 환자에게서 관찰되며(정상인의 5배 정도), 보통염색체우성 다낭콩팥병 환자에서 사인의 6%를 차지한다. 신장질환의 중증도와는 상관이 없으나 가족력과 관련이 있어 뇌동맥류의 가족력이 있는 환자에서 2.6배나 높은 발병율을 보인다(22~25%). 발병되는 부위는 대부분 전순환계(anterior circulatory system) 부위이고, 중대뇌동맥, 전교통동맥, 내경동맥의 순으로 호발하며, 다발성인 경우가 15% 이상이다(그림 9-6-4). 뇌동맥류가 파열되는 경우에는 치명적인 합병증을 남길 수 있으므로 주의를 요한다. 특히 일반인보다 젊은 연령인 40~45세에 파열하는 경우가 80%이며, 사망률이 35~50%이고, 회복되더라도 50%에서 후유증을 남긴다.

아직 모든 보통염색체우성 다낭콩팥병 환자에서 뇌동맥류에 대한 선별검사를 해야할지, 또는 고위험군에서만 선별검사를 시행해야 할지에 대한 확실한 결론이 나지는 않은 상태이다. 그러나, 현 시점에서는 모든 보통염색체우성 다낭콩팥병 환자에서 뇌동맥류에 대한 선별검사를 하는 것은 추천하지 않는다. 뇌동맥류는 가족 구성원 내에 뇌출혈이나 뇌동맥류가 있는 가계에 집중하는 경향을 보이며, 무증상의 환자에서 발견된 뇌동맥류는 크기가 작고 출혈 가능성이 낮아서 치료를 요하지 않기 때문이다. 무증상 보통염색체우성 다낭콩팥병 환자에서 뇌동맥류의 선별검사를 요하는 적응증은 다음과 같다(그림 9-6-5).

(1) 뇌동맥류가 발견되었거나 지주막하 출혈의 병력이 있는 가족 내 구성원이 있는 경우

(2) 뇌동맥류의 파열 과거력이 있는 경우

(3) 혈역학적으로 불안정 상태에 놓이게 될 수술 시행을 앞두고 있는 경우

(4) 항공기 조종사 등과 같은 위험 직업군

뇌동맥류의 선별검사로는 자기공명혈관촬영술(magnetic resonance angiography, MRA)이 추천된다. 첫 번째 선별검사에서 뇌동맥류가 발견되지 않은 경우에는 5년 간격으로 추적검사한다(그림 9-6-5). 또한 뇌동맥류 출혈의 병력이 있는 환자에서도 정기적으로 뇌동맥류 선별검사를 시행한다. 그러나 이 경우에는 선별검사 시행 간격에 대해서는 자료가 없다. 상기 두 가지 위험군이 아닌 경우에는 선별검사를 10년 간격으로 권한다.

3) 기타

보통염색체우성 다낭콩팥병 환자에서는 뇌동맥류 이외에도 심장판막질환(승모판부전증과 승모판탈출증), 대동맥박리 및 동맥류(대동맥, 관상동맥, 장골동맥), 대동맥근확장증(aortic root dilatation) 등의 혈관 이상이 흔하게 관찰된다. 심장판막질환은 40%에서 관찰되며, 이 중 승모

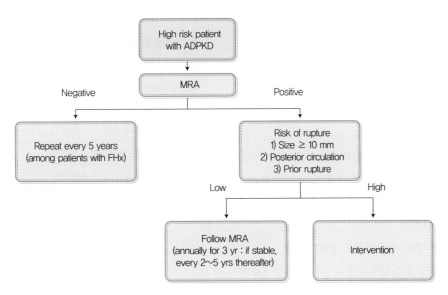

그림 9-6-5. 보통염색체우성 다낭콩팥병에서 뇌동맥류의 선별검사와 치료 알고리즘

판부전증과 승모판탈출증(25~30%)이 가장 흔하게 관찰된다. 흉부 대동맥박리는 정상인의 7배 정도로 증가한다.

진단

1. 임상진단

보통염색체우성 다낭콩팥병은 가족력과 나이에 따른 낭의 개수를 가지고 임상적으로 진단한다(표 9-6-2). 낭을 확인하기 위한 영상검사로는 초음파가 추천된다. 그러나 2~3mm의 작은 낭의 경우에는 초음파로는 확인이 어려울 수 있다. 이런 경우에는 초음파보다 해상도가 우수한 조영

증강 컴퓨터단층촬영(CT) 또는 자기공명영상(MRI)을 이용하여 진단을 할 수 있다. 보통염색체우성 다낭콩팥병의 가족력이 있는 16~40세 환자의 경우 MRI에서 양측 합하여 총 10개 이상의 낭이 있는 경우 100%의 민감도와 특이도를 가지고 다낭콩팥병을 진단할 수 있다. 그러나 영상검사의 종류와 상관없이 보통염색체우성 다낭콩팥병의 가족력이 없는 경우에는 그대로 적용할 수 없다는 점을 주지할 필요가 있다. 보통염색체우성 다낭콩팥병의 가족력이 없는 경우에는 신장낭(적어도 양측 각각 10개)뿐 아니라 다른 장기에서 보통염색체우성 다낭콩팥병의 특징적인 소견이 관찰되는지 확인해야 하고, 필요하다면 유전자 검사 등의 추가 검사를 의뢰해야 한다. 또한 다낭콩팥병 진단을 배제할 목적으로 초음파를 시행하는 경우라도 40세 이전

표 9-6-2. 초음파를 이용한 보통염색체우성 다낭콩팥병의 진단기준

나이(세)	낭종의 개수	양성 예측도(%)	음성 예측도(%)
15~29	한쪽 또는 양쪽 합쳐서 ≥3	100	85.5
30~39	한쪽 또는 양쪽 합쳐서 ≥3	100	96.4
40~59	좌우 신장 각각 ≥2	100	96.4
≥60	좌우 신장 각각 ≥ 4	100	100

의 젊은 나이에서는 음성 예측도가 충분히 높지 않으므로, 40세까지는 반복적으로 영상검사를 통해 낭의 유무를 판별하는 것이 필요하다.

2. 유전진단

다음과 같은 경우 유전진단이 필요하다.
1) 가족에게 신장이식 기증을 원하나, 보통염색체우성 다낭콩팥병의 가족력이 있으면서 영상검사에서 음성 또는 모호한 경우
2) 가족력이 없는 환자에서 확진이 필요한 경우
3) 비전형적 임상양상을 보이는 경우 (가족 내 중증도가 다르거나 어린 나이에 심한 임상양상을 나타내는 경우)
4) 조기에(≤20세) 말기신부전으로 진단받은 가족력

고위험군의 선별

보통염색체우성 다낭콩팥병의 치료는 향후 신기능이 빠르게 나빠질 것으로 예상되는 고위험군(rapid progressor) 여부에 따라 결정된다. 보통염색체우성 다낭콩팥병에서 만성콩팥병으로 진행하는 위험인자로는 총신장부피(total kidney volume, TKV), PKD1 유전자형, 남성, 조기에 진단된 경우, 35세 이전에 혈뇨 또는 신장합병증을 동반한 경우, 35세 이전 고혈압 여부가 있다(표 9-6-3). 여러 인자 중에서 임상적으로 가장 많이 사용되고 있는 고위험군 예측모델은 Mayo imaging classification이다(그림 9-6-6). 이는 나이 및 키로 보정한 TKV(HtTKV)을 기준으로 연간 htTKV 변화율을 예측하는 지표로서, 연간 변화율을 기준으로 <1.5%(1A군), 1.5∼3.0%(1B군), 3.0∼4.5%(1C군), 4.5∼6.0%(1D군), >6.0%(1E군)으로 나눌 수 있고, 1C∼1E군을 고위험군으로 정의한다. Mayo imaging classification을 기준으로 나누어 분석하였을 때 10년 이내에 만성콩팥병에 도달하는 비율이 1A군 2.4%에 비해 1E군에서 66.9%로 현격히 차이가 있음을 알 수 있다. Mayo imag-

표 9-6-3. 보통염색체우성 다낭콩팥병에서 만성신질환 진행 위험인자

만성콩팥병 위험인자
남성
HtTKV > 600mL/m
HtTKV의 변화율 > 연간 3%
PKD1 유전형 (특히 PKD1 protein truncating mutation)
55세 미만에서의 만성콩팥병 가족력
연간 사구체여과율 감소 > 4mL/min
30세 미만에서 다낭콩팥병 진단력
35세 미만에서 고혈압 진단력
35세 미만에서 단백뇨 및 육안혈뇨, 신장합병증 동반력

ing classification 기준으로 1C∼1E군에 해당하는 고위험군은 바소프레신 수용체 억제제인 Tolvaptan 등의 신약의 적용대상이 되며, 1A∼1B군에 해당하거나 비전형적인 다낭콩팥병인 경우에는 보존요법을 시행한다(그림 9-6-7).

치료 및 관리

1. 보존 요법

1) 고혈압

안지오텐신전환효소억제제 또는 안지오텐신II수용체차단제가 고혈압 치료의 1차 약제로 추천된다. 혈압조절이 신장부피 및 신기능 감소속도에 미치는 영향을 확인하기 위해 진행된 HALT-PKD 임상시험에서 초기 신기능 60 mL/min/1.73m² 이상의 정상 신기능을 가지고 있는 환자 554명을 대상으로 혈압을 130/80 mmHg 미만으로 조절한 군과 혈압을 110/75 mmHg 미만으로 더 낮게 유지한 군을 비교한 결과 혈압을 낮게 유지한 군에서 총신장부피의 증가속도가 지연되었으며, 단백뇨 및 좌심실비대가 호전됨을 확인하였으나, 신기능 감소속도의 지연효과는 없었다. 또한 신기능이 25∼60 mL/min/1.73m² 으로 중등도 이상으로 감소되어 있는 환자 486명을 대상으로 안지오텐신전환효소억제제 또는 안지오텐신II수용체차단제 단독으로

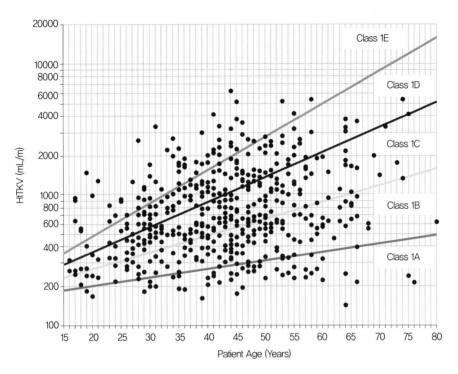

그림 9-6-6. Mayo imaging classification (고위험군 예측모델)

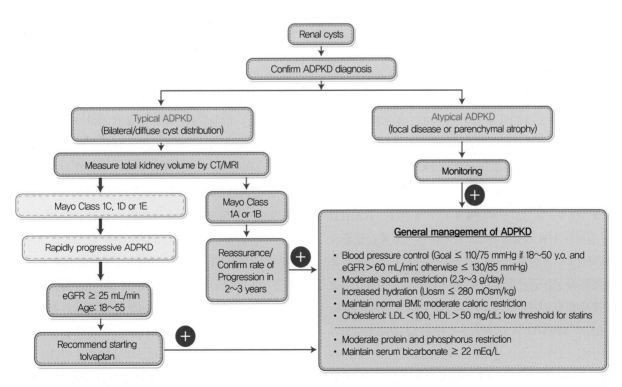

그림 9-6-7. 보통염색체우성 다낭콩팥병의 치료 알고리즘

사용한 군과 양쪽 혈압약을 모두 사용한 군을 비교한 결과 신장부피, 신기능, 약제 부작용에는 차이가 없어 안지오텐신전환효소억제제 또는 안지오텐신II수용체차단제 단독으로도 충분히 효과가 있음이 입증되었다. 그러나 본 임상시험은 15~49세의 젊고 상대적으로 신기능이 보존되어 있는 환자를 대상으로 시행하였기 때문에 115/75 mmHg 미만의 혈압조절 목표를 일반화하기는 어렵다. 현재로서는 130/80 mmHg 미만으로 유지할 것을 권고하고 있다.

2) 저염식이

HALT-PKD 임상시험의 후속연구에서 신기능이 60 mL/min/1.73m² 이상으로 비교적 보존이 되어 있는 환자에서 염분섭취는 신장부피의 증가와 유의한 상관관계가 있었으며, 신기능이 60 mL/min/1.73m² 미만으로 감소되어 있는 군에서는 염분섭취가 신장부피의 증가율 뿐 아니라 신기능 감소속도와도 유의한 상관관계가 있었다. 따라서 보통염색체우성 다낭콩팥병 환자에서는 별다른 예외사항이 없으면 하루 3g 미만의 소듐 섭취를 권장한다.

3) 수분섭취

신기능이 30 mL/min/1.73m² 이상으로 비교적 신기능이 유지되는 보통염색체우성 다낭콩팥병 환자에게는 충분한 수분(하루 3~4 L)의 섭취가 권장된다. 이는 전임상시험에서 충분한 수분섭취가 혈중 바소프레신 분비를 억제해서 신장낭의 성장을 늦추고 세포 내 cAMP의 농도를 낮추는 것으로 알려겼기 때문이다. 또한 충분한 수분 섭취는 보통염색체우성 다낭콩팥병에서 자주 동반되는 요로감염 및 결석의 위험도 낮출 수 있다. 그러나 다낭콩팥병 환자를 대상으로 시행한 소규모 연구에서는 아직 충분한 수분섭취의 확실한 근거가 없으며, 현재 다량의 수분섭취가 총신장부피 및 신기능에 미치는 영향에 대한 임상시험(PRE-VENT-ADPKD)의 결과가 주목된다. 그 결과가 나오기 전까지는 소변 오스몰 농도를 280 mOsm/kg 미만으로 유지할 수 있도록 하루 2~3 L 정도의 수분섭취가 다낭콩팥병 환자에서 권장된다.

4) 체중관리

과체중(overweight)과 비만(obesity)은 총신장부피의 증가속도 및 신기능 감소속도와 유의한 상관관계를 보였다. 정상체중군에서는 연간 6.1%의 총신장부피가 증가하는데 비해, 과체중(체질량지수 25~29.9kg/m²) 환자군에서는 연간 7.9%의 총신장부피가 증가하였고, 비만(30kg/m² 이상) 환자군에서는 연간 9.4%의 총신장부피가 증가하였다. 따라서 체질량지수 25 kg/m² 미만으로 유지하는 것이 권장된다.

2. 고위험군 치료

질병이 빠르게 진행할 것으로 예상되는 고위험군에서는 질병의 경과를 바꾸기 위한 disease-modifying agent를 사용해 볼 수 있다. 낭의 성장 억제를 통한 만성콩팥병의 진행 예방을 목표로 여러 약물들이 임상시험 진행 중이거나 결과가 발표되었으며, 현재까지 결과가 발표된 약물은 cAMP를 감소시키거나 세관 세포 증식을 억제시키는 약물이다. 그 중 바소프레신 수용체 차단제인 톨밥탄(Tolvaptan)은 여러 동물실험 및 임상시험 결과 신장 낭의 성장을 억제함이 밝혀졌다. 1,445명의 18~50세 다낭콩팥병 환자를 대상으로 시행된 TEMPO 3:4 연구에서는 톨밥탄을 3년간 투여하였을 때 신장용적 증가가 위약군에서 연 5.5%인 반면 치료군에서 2.8%로 나타나 약 50%의 억제 효과를 나타냈다. 또한 신장과 관련된 통증과 신기능 감소속도를 완화하였다. 후속연구로 이루어진 TEMPO 4:4 임상시험에서는 임상시험약을 조기에 복용한 군일수록 총신장부피의 증가속도를 유의하게 더 늦출 수 있음을 보여주었으며, REPRISE 임상시험에서는 신기능이 더욱 감소되어 있거나 고령의 환자(18~55세, 25~65 mL/min/1.73m² 또는 56~65세 25~44 mL/min/1.73m²)에서도 톨밥탄이 유의하게 신기능의 감소속도를 늦출 수 있음을 보여주었다. 그러나 톨밥탄 투여군에서 소변량 증가가 빈번히 관찰되었으며, 환자들이 소변량 증가로 인한 갈증과 삶의 질 악화를 경험하였다. 한편 간 효소 수치 상승이 4.4%에서 관찰되어 톨밥탄 처방 시에는 정기적인 간기능 모니터링이 필요하다. 국내에서도 고위험군 다낭콩팥병 환자를 대상으로 톨밥탄의 사용이 2015년 식약처의 허가를 받았으며, 현재 한국인 다낭콩팥병 환자에서의 톨밥탄 사용의 안전성과 효과를 평가하는 ESSENTIAL 임상시험이 진행되고 있어 그 결과가 주목된다.

3. 합병증 치료

1) 신대체요법

말기신부전으로 신대체요법을 시작하는 보통염색체우성 다낭콩팥병 환자들은 다른 질환으로 인해 신대체요법을 받는 환자에 비해 10년 정도 젊고, 심혈관계 합병증도 적다. 다른 말기신부전 환자들처럼 보통염색체우성 다낭콩팥병 환자도 투석(혈액 또는 복막) 및 이식을 신대체요법으로 고려해 볼 수 있다.

신장이식은 말기신부전에 도달한 보통염색체우성 다낭콩팥병 환자에게 가장 좋은 신대체요법이다. 그러나 유전질환이라는 한계 때문에 가계 내에서 가능한 장기 기증자를 찾기가 어렵다. 말기신부전에 도달한 환자가 신장이식을 고려하고 있는 경우 유전 진단을 이용하여 가계 내 가능한 기증자를 스크리닝하기도 한다. 신장이식은 말기신부전 환자의 삶의 질 및 생명 연장에 큰 도움이 될 수 있다. 그러나 이식 후에도 보통염색체우성 다낭콩팥병에 동반되는 다양한 합병증이 동반될 수 있으며, 이식 후 당뇨병, 적혈구증가증, 뇌동맥류, 요로감염, 게실염이 호발할 수 있다는 점을 염두에 두어야 한다. 이식 전 또는 이식과 동시에 다낭콩팥병의 일측 또는 양측을 절제하는 수술을 시행하기도 하는데, 이로 인해 이식을 위한 충분한 공간을 확보할 수 있으며, 반복적인 낭 감염이나 출혈 및 신세포암종을 예방할 수 있다. 그러나 다낭콩팥 제거 시점 및 방법에 대해서는 아직 논란이 있다.

혈액투석 및 복막투석 모두 보통염색체우성 다낭콩팥병에서 말기신부전에 대한 신대체요법으로 사용될 수 있다. 다만 말기신부전에 이른 대부분의 보통염색체우성 다낭콩팥병 환자들은 큰 신장 용적을 가지고 있기 때문에 복막투석액을 넣었을 때 탈장, 요통 등의 물리적인 합병증이 발생할 수 있고, 투석효율이 떨어질 가능성이 있다. 그러나 다른 질환보다 이른 나이에 말기신부전에 도달하여 한참 일하는 나이에 신대체요법을 시작한다는 점에서 복막투석이 적절한 신대체요법의 하나로 시행될 수 있다.

2) 통증

낭으로 인해 커진 신장 및 간의 용적 때문에 보통염색체우성 다낭콩팥병 환자들은 종종 옆구리 통증과 요통을 호소한다. 환자가 급성 통증을 호소할 때는 감염, 출혈, 결석 등의 유발 원인을 감별하고 이에 맞게 치료하는 것이 가장 중요하다. 그러나 신장 및 간의 용적으로 인한 만성 통증을 호소하는 경우에는 냉찜질, 마사지, 운동 등의 비약물 요법을 사용하거나 비마약성 진통제를 사용하여 통증을 경감시켜야 한다. 진통제를 사용할 때에는 신기능에 영향을 주지 않는 acetaminophen 계열이나 tramadol 등을 사용하도록 한다. 만약 비마약성 진통제에도 경감되지 않는 극심한 통증이 있는 경우에는 마약성 진통제를 소량, 단기간 사용해 보거나 낭 감압술이나 수술요법을 사용해 볼 수 있다.

3) 출혈

낭 파열이나 낭 출혈은 대개 안정 가료, 수액 요법, 진통제 등의 보존적인 방법으로 1주일내에 호전된다. 이러한 치료에도 반응하지 않는 지속적인 출혈이나 혈역학적으로 불안정성을 보이는 심각한 출혈의 경우에는 신동맥 색전술이나 신장절제술 등의 중재 요법을 사용해야 할 수도 있다.

4) 요로감염 및 낭 감염

신우신염이나 낭 감염이 의심되지만 증상이 경미한 환자에서는 경구 항생제를 사용한다. 그러나 발열과 함께 증상이 심하거나 초치료에 반응하지 않는 요로감염을 동반한 환자에서는 입원치료 및 주사 항생제 치료가 필요하다. 이러한 중증 요로감염이 의심될 때에는 영상검사를 통해 요로폐쇄, 사슴뿔결석(staghorn calculus), 또는 신장주위 농양 등의 다른 감염 요인이 있는지 확인해야 한다. 또한 방광염과 같은 하부 요로감염은 상부 요로계로 상행성 감염을 유발할 수 있으므로 조기에 치료하는 것이 필요하다.

요로감염에 사용하는 경험적 항생제로는 지질 친화적이며 낭 침투율이 좋은 fluoroquinolone을 우선 사용한다. 경험적 항생제 치료를 시작한 후에도 균 동정 및 항생제 감수성 결과에 따라 적절한 항생제 변경이 필요할 수 있다.

항생제 유지 기간은 증상의 정도, 항생제에 대한 반응성, 진단의 확실성 등에 기반하여 결정한다. 신우신염의 경우에는 10~14일 정도 항생제를 유지하며, 낭 감염이 의심되는 경우에는 4~6주간 항생제를 유지하며, 가능하면 원인이 되는 낭을 찾아 흡인하는 것이 추천된다. 방광염 등의 하부 요로감염의 경우에는 3~5일 단기간의 경구항생제 치료로 충분하다. 사슴뿔결석이나 기타 결석이 반복 요로감염의 원인으로 판단되는 경우에는 결석을 제거하는 시술이 필요할 수 있다.

5) 결석

결석으로 인한 통증이 동반된 경우에는 충분한 수분을 섭취하게 하고, 적절하게 진통제 및 항연축제(anti-spasmodic)를 사용하여 증상을 경감시킨다. 대개 보통염색체우성 다낭콩팥병 환자에서는 다수의 큰 낭 때문에 피부경유신장창냄술(percutaneous nephrostomy)이나 체외충격파쇄석술(extracorporeal shock-wave lithotripsy, ESWL)을 사용하기 어렵다. 아직 충분한 경험과 증거가 있는 것은 아니지만, 2cm 미만의 작은 결석의 경우에는 ESWL 이나 피부경유신장절개결석제거술(percutaneous nephrolithotomy)을 사용할 수 있다.

6) 거대 간낭

간낭의 크기가 매우 클 경우에는 거대한 공간을 점유하는 종괴에 의해 복부 불편감 증가, 식사량 감소, 호흡곤란, 복수, 다리 부종 등이 나타날 수 있고, 통증 및 출혈 등의 증상이 동반된다. 현재 신장낭의 크기를 줄이거나 진행속도를 줄여보고자 여러 가지 약물 요법이 시도되고 있으나, 간낭의 크기를 줄여보고자 진행되는 연구는 극히 제한적이다.

크기가 큰 낭이 표면에 위치하고 있으며 3~5개 미만일

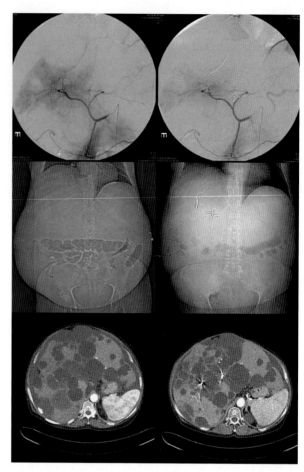

그림 9-6-8. 보통염색체우성 다낭콩팥병에 동반된 거대간낭에서 피부경유 간동맥 색전술

좌: 시술 전, 우: 시술 후

때에는 낭 흡인술 및 경화요법(cyst aspiration and sclerotherapy)을 사용하거나 수술로 창(fenestration)을 만들어주는 방법을 시도해 볼 수 있다. 그러나 크기가 작은 낭이 국소적으로 많이 몰려있으면서 전체적인 간 용적이 증가되어 있는 경우에는 피부경유간동맥색전술(그림 9-6-8)이나 부분 간절제술(partial hepatectomy)을 시도해 볼 수 있다. 낭이 거의 간실질을 대체하는 거대 간낭의 경우에는 간이식을 고려해 볼 수 있으나, 간이식의 경우에는 장기 기증자를 찾아야 하는 현실적인 어려움이 있다.

7) 뇌동맥류

현재까지 보통염색체우성 다낭콩팥병에 특이적인 뇌동

맥류 치료에 관한 문헌은 별로 없고, 대부분의 문헌은 일반 인구에서 발생한 뇌동맥류의 치료원칙에 근거한다. 뇌동맥류가 파열되었거나 증상을 동반하는 경우에는 뇌동맥류의 경부(neck)를 외과적으로 클립(clipping)하거나 혈관 내 코일(endovascular coiling) 치료를 한다. 무증상 뇌동맥류의 경우에는 크기에 따라 다른 치료 원칙을 가진다. 10 mm 이상의 큰 뇌동맥류의 경우 수술 또는 혈관 내 코일 치료를 시행하며, 6~9 mm인 경우에는 증상 출현과 크기 변화를 보고 결정한다. 5 mm 미만이거나 무증상 선별 검사에서 발견된 경우에는 1년 간격으로 추적하여 크기가 증가하면 수술 또는 혈관 내 코일 치료를 한다. 크기 외에도 뇌동맥류의 위치가 후방순환계에 있거나 과거에 파열되었던 병력이 있는 경우 역시 적극적인 중재술이 필요하다. 혈관 내 코일 치료가 클립 방법보다 합병증은 적으나, 장기간 치료 효과에 대해서는 아직 입증되지 않았다.

전망

최근 보통염색체우성 다낭콩팥병의 세포수준에서의 병태 생리가 밝혀지고, 이를 기반으로 한 약물 치료가 가능해 지면서 보통염색체우성 다낭콩팥병에 대한 전임상 및 임상연구가 활발히 이루어지고 있다. 또한 차세대 염기서열 분석의 시대가 도래하면서 기존의 방법으로는 분석이 어려웠던 PKD1/2 유전자의 돌연변이 분석도 수월해졌다. 이러한 활발한 연구에 힘입어 다양한 계열의 약물이 개발되고 평가되고 있다. 전임상시험에서 유용하다고 평가된 약물이 사람을 대상으로 한 임상시험에서 효과를 보기 위해서는 앞으로 보통염색체우성 다낭콩팥병의 병태생리를 좀 더 가깝게 반영하는 실험 동물모델이 구축될 필요가 있다. 또한 크레아티닌 및 사구체여과율, 신장 용적 이외에 질환의 경과를 잘 반영할 수 있는 바이오마커의 개발 또한 시급하다. 각 환자의 유전자 돌연변이 분석과 표현형의 분석에 따라 맞춤치료를 할 수 있는 시대가 곧 다가올 것으로 기대한다.

▶ 참고문헌

- Chapman AB, et al: Autosomal dominant polycystic kidney disease (ADPKD): executive summary from a Kidney Disease: Improving Global Outcomes (KDIGO) Controversies Conference. Kidney Int 88:17–27, 2015.
- Chapman AB, et al: Hypertension in autosomal dominant polycystic kidney disease. Adv Chronic Kidney Dis 17:153–163, 2010.
- Chebib, et al: A practical guide for treatment of rapidly progressive ADPKD with Tolvaptan. J Am Soc Nephrol 29:2458–2470, 2018.
- Grantham JJ, et al: Volume progression in polycystic kidney dis—ease. N Engl J Med 354:2122–2130, 2006.
- Harris PC, et al: Molecular diagnostics for autosomal dominant polycystic kidney disease. Nat Rev Nephrol 6:197–206, 2010.
- Huang E, et al: DNA testing for live kidney donors at risk for auto—somal dominant polycystic kidney disease. Transplantation 87:133–137, 2009.
- Irazabal MV et al: Imaging classification of autosomal dominant polycystic kidney disease: a simple model for selecting patients for clinical trials. J Am Soc Nephrol 26:160–172, 2015.
- Irazabal MV, et al: Extended follow—up of unruptured intracranial aneurysms detected by presymptomatic screening in patients with autosomal dominant polycystic kidney disease. Clin J Am Soc Nephrol 6:1274–1285, 2011.
- O'Sullivan DA, et al: Autosomal dominant polycystic kidney disease, in Comprehensive Clinical Nephrology, 3rd ed, edited by Feehally et al, Philadelphia, Mosby, Inc, an affiliate of Elsevier Inc, pp505–517, 2007.
- Oh YK, et al: Clinical and genetic characteristics of Korean autoso—mal dominant polycystic kidney disease patients. Korean J Intern Med 36:767–779, 2021.
- Ong A, et al: Molecular pathogenesis of ADPKD: the polycystin complex gets complex. Kidney Int 67:1234–1247, 2005.
- Pei Y: Practical genetics for autosomal dominant polycystic kidney disease. Nephron Clin Pract 118:c19–30, 2011.
- Pei, Y, et al: Unified criteria for ultrasonographic diagnosis of ADPKD. J Am Soc Nephrol 20:205–212, 2009.
- Sallee M, et al: Cyst infections in patients with autosomal dominant polycystic kidney disease. Clin J Am Soc Nephrol 4:1183–1189, 2009.
- Torres VE, et al: Tolvaptan in later—stage autosomal dominant poly—cystic kidney disease. N Engl J Med 377:1930–1942, 2017.
- Torres VE, et al: Tolvaptan in patients with autosomal dominant polycystic kidney disease. N Engl J Med 367:2407–2418, 2012.

제 9 부 세관사이질질환, 독성신병증, 낭콩팥병

송상헌 (부산의대), **박유진** (한림의대 소아청소년과)

KEY POINTS

- 낭콩팥병은 발생원인과 형태에 따라서 임상적 의미와 관리 방법이 다르기 때문에 낭콩팥병의 분류에 따라 구분하여 관리 계획을 세우는 것이 매우 중요하다.

- 단순신장낭 분류기준인 보스니악 분류(2004년)의 일부 단점을 보완한 2019년 신장낭 분류 개정안(Proposed Update to the Bosniak Classification, version 2019)이 발표되었고 추후 연구와 검증이 필요한 상태이다.

- 2015년 보통염색체우성 세관사이질신염의 진단, 분류 및 관리에 대한 KDIGO 지침(Autosomal dominant tubulointerstitial kidney disease: diagnosis, classification, and management-A KDIGO consensus report)이 발표되었다.

낭콩팥병의 분류

낭콩팥병(cystic kidney disease)은 콩팥에 국한되어 나타날 수도 있고, 전신 증상의 하나로 발견되기도 한다. 원인에 따라 유전, 비유전, 선천 등으로 분류할 수 있다(표 9-7-1). 후천 원인 중에서 단순신장낭(simple renal cyst)은 나이가 들면서 단일 혹은 다발로 나타나고, 후천낭콩팥병(acquired cystic kidney disease)은 만성콩팥병이 진행하면서 동반되는 것으로 주로 양측에 다발로 나타난다. 속질해면콩팥(medullary sponge kidney)은 비유전 질환이지만, 다른 발달 이상과 동반되거나, 형성 이상의 소견을 나타내기 때문에 발달 이상으로 간주한다. 한쪽신장낭병(unilateral renal cystic disease)은 보통염색체우성 다낭콩팥병(autosomal dominant polycystic kidney disease)과 형태학적으로 차이가 없지만, 양쪽 콩팥 중 한쪽에만 다수

의 낭들이 발생하고, 비유전이고 콩팥기능을 저해하지 않으며 다른 장기의 이상을 동반하지 않는다는 차이가 있다.

유전 낭콩팥병은 유전 방식에 따라서 보통염색체우성, 보통염색체열성, X염색체연관으로 분류한다. 보통염색체우성 다낭콩팥병 중 보통염색체우성 다낭콩팥병, 결절경화증, 본히펠-린다우병의 감별이 중요한데, 이에 대해서는 표 9-7-1를 참고한다. 속질낭콩팥병(medullary cystic kidney disease)라고도 불리는 보통염색체우성 사이질콩팥병(autosomal dominant interstitial kidney disease)과 신장황폐증(nephronophthisis)은 사이질신염(interstitial nephritis)이 공통된 주요 병리 소견이지만 유전 방식과 발병 연령에서 차이가 난다. 선천 다낭콩팥병은 흔히 염색체 이상으로 인해 태아기 또는 출생 직후 다른 전신 증상과 함께 발견된다.

본 장에서는 여러 낭콩팥병 중 보통염색체우성 다낭콩

표 9-7-1. 낭콩팥병의 분류

비유전(non-hereditary)
후천(acquired)
단순신장낭(simple renal cyst)
후천낭콩팥병(acquired cystic kidney disease)-만성콩팥병 연관
저칼륨혈증 관련 신장낭(hypokalemia-related renal cyst)
발달이상(developmental)
속질해면콩팥(medullary sponge kidney)
다낭형성이상콩팥(multicystic dysplastic kidney)
한쪽신장낭병(unilateral renal cystic disease)
유전(hereditary)
보통염색체우성유전
보통염색체우성 다낭콩팥병(autosomal dominant polycystic kidney disease)
결절경화증(tuberous sclerosis)
본히펠-린다우병(von Hippel-Lindau disease)
보통염색체우성세관사이질콩팥병(autosomal dominant tubulointerstitial kidney disease)
보통염색체열성유전
보통염색체열성 다낭콩팥병(autosomal recessive polycystic kidney disease)
신장황폐증(nephronophthisis)
메켈증후군(Meckel syndrome)
젤웨거증후군(Zellweger syndrome)
X염색체연관유전
입얼굴손가락증후군(orofaciodigital syndrome)
선천(congenital)
염색체이상: 21삼염색체증후군(trisomy 21 syndrome), 13삼염색체증후군(trisomy 13 syndrome), 18삼염색체증후군(trisomy 13 syndrome)
원인미상

팥병을 제외한 질환의 특징과 발병기전을 다루고자 한다.

비유전 낭콩팥병(Non-hereditary cystic kidney disease)

1. 단순신장낭(Simple renal cyst)

1) 역학

단순신장낭은 콩팥에서 발견되는 종괴 중에서 가장 흔

하다. 나이가 들면서 빈도와 크기가 증가하며, 건강 검진이 널리 시행되면서 발견이 더욱 늘고 있다. 국내에서 1998년 성인 504명에서의 초음파 결과 단순신장낭의 유병률이 30세 이상에서 10%, 50세 이상에서 12%로 보고된 바 있다. 2006년에는 6,603명의 건강검진 결과 단순신장낭의 유병률이 7.8%였고 그 중 40세 이하 남자 2.5%, 여자 1.4%, 70세 이상 남자 30.1%, 여자 18.3%로 보고된 바 있으며 2020년에는 115,132명의 건강검진 결과 Bosniak 분류 I과 II에 해당하는 신장낭 병변만을 분석한 결과 단순신장낭

표 9-7-2. 조영증강 컴퓨터단층촬영을 이용한 신장낭의 분류(Bosniak Classification)

군	낭벽	격막	석회화	조영증강	다른 형태 신장낭	악성위험
I	얇음	-	-	-	-	<1%
II	얇음	소수 : 얇음	미세하거나 일부 약간 두꺼움	인지 가능 (perceive)	3 cm 이하의 균질한 고감쇠 덩이 소견을 보이고 조영증강되지 않는 신장낭	3%
IIF	미약한 정도로 고르게 두꺼워짐	다수 : 얇음	두껍고 결절성	인지 가능 (perceive)	3 cm 초과의 고감쇠 덩이 소견을 보이고 조영 증강되지 않는 신장낭	5~15%
III	두껍고 불규칙	두껍고 불규칙	두껍고 결절성	측정 가능: 낭벽과 격막	-	40~60%
IV	두껍고 불규칙	두껍고 불규칙	두껍고 결절성	측정 가능: 연부조직	-	85~100%

의 유병률이 7.22%였고, 남자가 9.66%, 여자가 4.36%였고 0~10세의 연령에서는 0.56%이고 연령이 증가할수록 유병률이 증가하여 80대에는 28%의 유병률을 보였다.

2) 임상 소견

단순신장낭은 주로 피질에 위치하며, 형태는 명확한 경계를 가지는 구형 또는 난원형이다. 대개 일측의 단일 종괴로 발견되지만, 양측, 다발인 경우 유전 낭콩팥병과 감별이 필요하다. 신장낭의 크기는 1 cm 미만에서 10 cm 이상까지 다양하다. 성장 속도는 매년 평균 1.6 mm 또는 4~5%로, 젊은 연령, 양측, 다발인 경우 증가속도가 빠르다.

대부분 증상을 일으키지 않으나 간혹 크기가 커지면서 종괴로 만져지거나 육안혈뇨, 간헐적인 통증이 동반될 수 있다. 신우 근처의 거대 낭은 요로폐색을 유발할 수 있다. 단순신장낭의 약 6%에서 출혈이 발생할 수 있으며, 그 외에 감염, 파열이 합병할 수 있다. 콩팥 기능에는 영향을 미치지 않지만, 일부 보고에서 고혈압과의 관련성이 제기되고 있다. Bosniak I과 II에 해당하는 단순신장낭에 관한 6.3년 추적관찰 연구에서 Bosniak I 단순신장낭의 7.2%가 Bosniak II로 진행하였지만 Bosniak III 신장낭으로 진행한 경우는 없었다.

3) 진단과 분류

단순신장낭의 초음파 진단 기준은 (1) 둥근 모양, (2) 내부 에코가 없음, (3) 분명한 경계, (4) 후방 음영 증강의 4가지이다. CT에서는 둥글고, 조영 증강되지 않으며, 벽이 얇은 저음영[Hounsfield 단위(HU) 20 이하]의 물과 유사한 특성을 갖는다.

1986년 영상의학의 전문가인 Morton A. Bosniak이 조영증강 CT에서 관찰되는 낭벽의 두께, 격막 유무, 석회화, 낭벽 및 격막의 조영증강 등의 소견을 기준으로 네 개의 군으로 나눈 분류법을 제안했고, 이 분류법은 감염, 염증, 혈관의 문제로 인해 발생한 신장낭을 제외한 분류법이다. 이후 2004년에 제2군을 추적관찰의 필요에 따라서 II와 IIF(F: follow up)으로 세분한 개정 분류법이 현재까지 널리 쓰인다(표 9-7-2). I~II군은 대부분 양성이므로 더 이상의 검사가 필요 없으나, 환자가 젊고 낭의 크기가 큰 경우, 또는 II와 IIF의 구분이 불확실한 경우나 유전신장암 증후군(hereditary renal cancer syndrome)의 경우에는 6~12개월 후 영상 검사를 추적해서 변화를 비교해 볼 수 있다. IIF군은 6개월 후 추적 검사해서 변화가 있으면 악성 가능성을 고려해야 한다. 변화가 없다면 6개월 간격으로 2회 추적 검사하고 이후 1년 간격으로 전체 5년 동안의 추적관찰을 권한다. III군의 경우 MRI와 생검을 통해서 출혈 낭종, 낭종 감염, 다방(multiloculated) 양성종양 등 양성질환과 감별을 고려한다. 조영증강 되는 병변은 III~IV군의 특징으로 악성 가능성이 40~90%에 달하므로 절제가 필요할 수 있으므로 비뇨의학과 전문의에게 의뢰하는 것을 권한다. 최근 2004년에 만들어진 Bosniak 분류에서는 민감도가 강조되어 불필요한 영상검사를 과도하게 이루어지고 있고 전통적으로 악성의 가능성이 매우 높게 평가된 분류 III과 IV에서도 50%, 10%에서는 수술 후 양성으로 판정된 경우와 같은 몇 가지 단점을 극복하고자 2019년에 Bosniak 분류의 개정안이 제시되었다. 현재 2019년 개정안의 경우 검증과 평가를 비롯한 의견 수렴이 많이 필요한 상태이다(표 9-7-3).

4) 감별 진단

다발 단순신장낭은 보통염색체우성 다낭콩팥병과의 감별이 중요하다. 노인에서 다수의 신장낭이 관찰되나 콩팥

표 9-7-3. 2019년 신장낭 분류 개정안

군	컴퓨터단층촬영	자기공명영상
I	낭벽의 경계가 분명하고 얇으며 (≤2 mm) 부드러움; 균질한 음영의 단순 액체 (-9~20 HU); 격벽이나 석회화 병변이 없음; 낭벽이 조영증강될 수 있음	낭벽의 경계가 분명하고 얇으며 (≤2 mm) 부드러움; 균질한 음영의 단순 액체 (신호강도가 뇌척수액과 유사함); 격벽이나 석회화 병변이 없음; 낭벽이 조영증강될 수 있음
II	6종류의 형태가 있으며 모두 낭벽의 경계가 분명하고 얇으며 (≤2 mm) 부드러움 1. 얇은 (≤2 mm) 수개 (1~3개)의 격벽이 있는 낭덩이 (cystic mass); 격벽과 낭벽은 조영증강될 수 있음; 석회화 동반가능† 2. 비조영증강 CT에서 균질한 고감쇠 덩이 (≥ 70 HU) 3. 신장덩이 프로토콜 CT에서 균질하고 조영증강되지 않는 덩이 (> 20 HU); 석회화 존재가능 4. 비조영증강 CT에서 균질한 덩이 (-9~20HU) 5. 간문맥조영 CT에서 균질한 덩이 (21~30HU) 6. 균질한 저감쇠의 작은 덩이	3종류가 있으며 모두 낭벽의 경계가 분명하고 얇으며 (≤2 mm) 부드러움 1. 얇은 (≤2 mm) 수개 (1~3개)의 격벽이 있는 낭덩이 (cystic mass); 비조영증강 격벽; 석회화 동반가능 2. 비조영증강 MR의 T2 강조영상에서 균질하고 고강도 신호를 가진 덩이 (뇌척수액 강도와 유사) 3. 비조영증강 MR의 T1 강조영상에서 균질하고 고강도 신호를 가진 덩이 (정상 실질의 신호강도의 2.5배 정도)
IIF	부드러우면서 약간 두껍고 (3 mm) 조영증강되는 낭벽을 가진 낭덩이; 부드러우면서 약간 두껍고 (3 mm) 1개 이상의 조영증강되는 격벽을 가진 낭덩이; 4개 이상의 부드럽고 얇은 (≤2 mm) 조영증강되는 격벽을 가진 낭덩이	2종류의 형태: 1. 부드러우면서 약간 두껍고 (3 mm) 조영증강되는 낭벽을 가진 낭덩이; 부드러우면서 약간 두껍고 (3 mm) 1개 이상의 조영증강되는 격벽을 가진 낭덩이; 4개 이상의 부드럽고 얇은 (≤2 mm) 조영증강되는 격벽을 가진 낭덩이 2. 비조영증강 지방억제 T1강조영상에서 비균질적인 고강도신호를 가진 낭덩이
III	한 개 이상의 조영증강되는 두꺼운 (≥4 mm 너비) 낭벽이나 격벽 조영증강되는 불규칙한 (3 mm이하의 둔각 경계를 가진 볼록한 돌출) 낭벽이나 격벽	한 개 이상의 조영증강되는 두꺼운 (≥4 mm 너비) 낭벽이나 격벽 조영증강되는 불규칙한 (3 mm이하의 둔각 경계를 가진 볼록한 돌출) 낭벽이나 격벽
IV	한 개 이상의 조영증강되는 결절 (4 mm이상의 둔각 경계를 가진 볼록한 돌출; 예각 경계를 가진 볼록한 돌출)	한 개 이상의 조영증강되는 결절 (4 mm이상의 둔각 경계를 가진 볼록한 돌출; 예각 경계를 가진 볼록한 돌출)

* Bosniak 분류는 감염, 염증, 혈관원인, 괴사된 덩이를 제외한 신장낭에 대해 적용 가능하며 한 가지 이상의 다른 Bosniak분류를 가진 다발 신장낭의 경우에는 가장 높은 단계로서 분류함.

† 두껍거나 결절모양의 석회화를 가진 신장덩이; 고감쇠의 균질하고 조영증강되지 않는 석회를 가진 3cm 이상의 신장덩이; 비균질적인 신장 덩이 등은 신장낭의 분류를 확정하기 전에 자기공명영상 촬영을 통해 정확한 영상학적 확인이 필요할 수 있음.

(Proposed Update to the Bosniak Classification, version 2019)

이 커져 있지 않고, 신낭종이 크지만 주변에 다수의 작은 낭종이 동반되지 않으며, 간낭종 등 다른 장기에 이상이 없는 점으로 다낭콩팥병과 감별할 수 있다. 30대 이하의 젊은 연령에서 단순신장낭은 매우 드물기 때문에 초음파에서 적은 수의 낭이 발견되더라도 다낭콩팥병을 반드시 감별해야 한다. 그러나 초음파보다 해상도가 우수한 CT나 MRI에서는 2 mm 크기의 신장낭도 발견되기 때문에 감별에 주의해야 한다. MRI를 이용한 한 연구에서는 30세 미만의 건강한 성인 중 17%, 30~44세에는 23%에서 2개 이상의 신장낭이 발견되었다.

5) 치료

단순신장낭은 특별한 치료가 필요 없으나, 낭의 크기가 6cm 이상으로 크거나, 신장낭 때문에 통증, 혈뇨, 요로 폐쇄 등의 증상이 있는 경우 낭의 크기를 줄이기 위한 감압술을 시행할 수 있다. 천자후경화요법(cyst aspiration and sclerotherapy)이 대표적으로 천자 후 에탄올, n-Butyl cyanoacrylate, 아세트산 등의 경화제를 주입해서 낭상피세포를 고정시켜 재발을 막는다. 단순 감압술의 경우는 30~80%에서 다시 낭액이 다시 찰 수 있으며 경화요법을 시행한 경우에는 재발률이 30%로 보고한다. 시술과 관련해서 통증, 발열, 출혈, 경화제의 복강 내 유출 등이 있으며, 드물게 에탄올 중독 및 쇼크가 합병할 수 있다. 매우 큰 신장낭, 신우 주위 낭 등은 천자 후 경화요법의 치료 성공률이 낮으므로 껍질제거(decortication), 주머니형성술(marsupialization) 등의 수술치료를 고려 할 수 있으나 수술 후 합병증이 3~15%로 보고된다.

2. 후천낭콩팥병(Acquired cystic kidney disease)

후천낭콩팥병(acquired cystic kidney disease)은 투석을 필요로 하는 만성콩팥병 환자에서 주로 발생하는 양측으로 여러 개의 다양한 크기의 신장낭을 특징으로 하는 질환이다. 양쪽 콩팥에 3개 이상이며, 신장낭의 크기는 3cm 이상으로 큰 경우도 있으나 대부분 0.5 cm 이하로 작고 콩팥 부피는 작아져 있다(그림 9-7-1). 진행하면서 낭의

숫자와 크기가 증가하면 보통염색체우성 다낭콩팥병과 구분하기 어려울 수도 있다. 대부분 임상 경과와 가족력을 통해서 감별이 가능하다.

1) 역학

만성콩팥병 환자의 7%, 유지투석 환자의 22%에서 동반된다. 투석 기간에 비례해서 유병률이 증가하고, 투석을 시작한 후 2년 이내에 35%, 4~6년 사이에 74%, 8년 이상 혈액 투석을 받은 환자의 92%에서 발견할 수 있다. 또 다른 연구에서 신장낭이 없는 환자의 평균 투석 기간은 15개월인데 비해서 1~3개인 경우 28개월, 후천낭콩팥병(4개이상) 환자는 49개월이었다.

2) 임상 증상

대부분 증상이 없으나, 약 14%에서 혈뇨, 허리 통증, 요로감염이 발생할 수 있다. 시간이 경과하면서 신장낭이 커지면 낭의 혈관이 파열되면서 통증과 육안혈뇨가 발생할 수 있으며 흔하지는 않지만, 신장주위로 출혈, 후복막 출혈로 진행하여 저혈압을 초래할 수 있다.

3) 신세포암종과의 연관성 및 스크리닝

8~10년의 투석 기간 중 4~7%에서 신세포암종이 발생한다. 신세포암종의 25~50%는 다발, 양측으로 나타난다. 투석 기간, 남자(남:여, 7:1), 신장낭의 크기가 주요 위험인자이다. 투석기간과 만성콩팥병의 중등도, 기대여명에 따라 선별검사 계획은 달리 설정할 수 있으나 정해진 가이드라인은 없다. 일반적으로 3~5년 이상 투석을 유지한 환자에서 매년 초음파로 후천낭콩팥병에 대한 선별검사를 시행해야 하고, 선별검사에서 후천낭콩팥병이 발견되면 동반된 신세포암종을 조기 발견할 목적으로 조영증강 CT 혹은 MRI를 시행한다. 투석환자는 일반인에 비해서 신세포암종의 발생 빈도가 30~50배 높으며, 종종 양측이고 다발로 발생한다. 특히 육안혈뇨, 옆구리 통증 등 증상이 새로 나타나거나, 큰 신장낭을 가진 젊은 환자에서 위험이 높다. 신장이식 수혜자에서 원래 콩팥에 후천다낭콩팥병이 있는 경우 신세포암종 발병률이 19%로 크게 증가하기 때

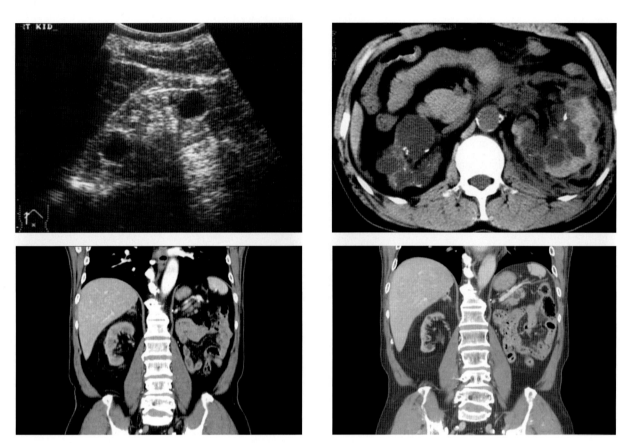

그림 9-7-1. 후천낭콩팥병
초음파(위좌측)에서 우측 콩팥이 작아져 있고 에코가 증가되어 있으며 2개의 신장낭이 관찰됨. 조영증강 CT (위우측)는 작아져 있는 양측 콩팥에 분포하는 다수의 신장낭을 보여주고 있다. 왼쪽 콩팥 주위로 감쇠계수(attenuation coefficient)이 증가되어 있는 신장주위 혈종(perirenal hematoma)이 보임.
조영증강 CT (아래좌측)에서 혈액투석 시작할 당시의 신장에 하나의 작은 신장낭이 관찰되고 5년 뒤 조영증강 CT (아래우측)에서 다수의 5 mm 미만의 작은 신장낭이 관찰됨.

문에 적극적인 스크리닝이 필요하다.

3. 속질해면콩팥(Medullary sponge kidney)

속질해면콩팥(medullary sponge kidney, MSK)는 신장의 내측 속질에 국한된 수많은 작은 낭이 특징인 발달 이상 질환으로 영상 검사로 진단한다. 조직학적으로는 집합관이 확장된 소견으로 경정맥요로조영술에서 확장된 신배(renal calyx) 부위에 조영제가 채워지면서 "paintbrush-like" 소견이 나타나고 진행하면 "bouquets of papillae" 소견이 나타난다(그림 9-7-2). 1939년 처음 영상학적 특징이 기술되었고, 1948년에 자세한 기술과 함께 제시되었다.

1) 역학

정확한 유병률은 알기 어렵지만, 정맥신우조영상(intravenous pyelography)을 시행한 환자의 0.5~1%에서 발견되며 콩팥 결석이 있는 환자의 약 3~5%, 최대 20%까지 보고된다. 선천 반쪽비대(hemihypertrophy), 말굽콩팥(horseshoe kidney), 마르판증후군(Marfan syndrome), 엘러스-단로스증후군(Ehlers-Danlos syndrome), 일측신장무형성(unilateral renal aplasia), 다낭콩팥병, 카롤리병(Caroli's disease) 등 여러 가지 유전, 선천 이상과 동반되어 나타나기도 한다. 몇몇 보통염색체우성 가족력이 보고되고 있으나 대부분은 가족력 없이 산발적으로 발병하며, 성별에 따른 빈도의 차이는 없다.

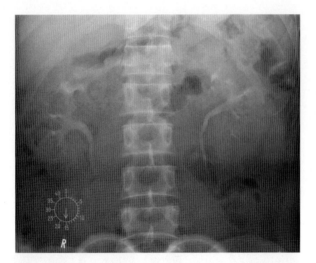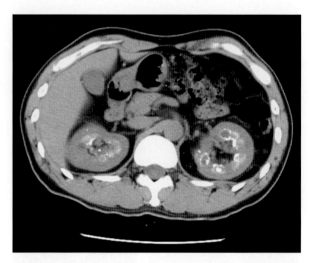

그림 9-7-2. 속질해면신장의 정맥신우조영상(intravenous pyelography)과 CT소견
조영제 주입 후 정맥신우조영상에서 신배로부터 바깥쪽으로 뻗어나가는 "paintbrush-like" 소견이 좌측 신장에서 관찰되고 CT에서는 신배확장과 속실석회화 소견이 양측 신장에서 관찰됨.

2) 증상

속질해면콩팥 환자의 대부분은 무증상이나, 콩팥 결석에 의한 통증, 육안혈뇨, 신석회증(nephrocalcinosis), 요로감염으로 나타날 수 있다. 고요산뇨증(hypercalciuria), 원위세관산증(distal tubular acidosis), 저구연산염뇨 (hypocitraturia)과 함께 이차적으로 부갑상선항진증이 동반된다. 대부분 신기능은 정상이고 신부전 진행은 매우 드물다.

3) 진단과 치료

초음파나 CT로는 초기 변화를 발견하기 어렵기 때문에 정맥신우조영상이 여전히 표준 진단법이다. 정맥신우조영상에서 양측 신장에 광범위한 특징적인 꽃다발 모양을 보인다(그림 9-7-2). CT에서는 속질신석회증(medullary nephrocalcinosis) 소견이 보인다.

치료는 신결석을 예방하고 요로감염을 치료하는 데 있다. 고칼슘뇨증을 선별검사하고, 동반된 경우 수분 공급, 저염식이, 저단백식이, 싸이아자이드(thiazide) 이뇨제로 결석 생성을 줄인다. 산증이나 저구연산염뇨가 있으면 구연산포타슘(potassium citrate)을 고려한다.

유전 낭콩팥병 (Hereditary cystic kidney disease)

1. 결절경화증(Tuberous sclerosis)

1) 역학

결절경화증(tuberous sclerosis complex, TSC)은 피부, 뇌, 신장, 망막 등 여러 장기에 과오종(hamartoma) 또는 결절(tuber)이 나타나는 것을 특징으로 하는 질환으로 10만 명에 9명꼴로 발병한다.

2) 유전학

보통염색체우성 유전으로, 9번 염색체의 TSC1과 16번 염색체의 TSC2가 원인 유전자로 알려져 있다. 이들 유전자가 코딩하는 harmatin과 tuberin 단백은 mammalian target of rapamycin(mTOR) 신호전달 체계를 억제하는 기능을 하며 이 단백이 비활성화되면 mTOR 신호전달 체계가 과활성화되게 된다. 전체 환자의 2/3는 산발적으로 나타나며 산발적 사례의 10~15%에서 TSC1, 75~80%에서 TSC2 유전자 변이가 발견된다. 일반적으로 TSC2 유전자 변이가 있는 환자의 임상 증상이 TSC1 환자에 비해서 심하며, 2~3%의 환자에서는 TSC2와 인접한 PKD1 유전자의 결실(deletion)이 일어나 심한 표현형으로 나타나기도 한다(contiguous gene deletion syndrome).

3) 임상 소견

결절경화증의 90% 이상에서 피부 증상이 나타나고, 약 90%에서 신경계 병변, 70~90%에서 신장 병변, 50%에서 망막의 과오종이 발견된다. 임상 증상은 환자의 연령에 따라 다르게 나타나며 영아기에는 피부, 뇌, 심장 병변이 흔하고 신장 병변은 그 이후에 콩팥이 성장하면서 나타난다.

결절경화증에서 동반되는 가장 흔한 신장 병변은 혈관근지방종(angiomyolipoma)으로 약 80%에서 발견되며 신장낭은 약 50%에서 발견된다. 혈관근지방종은 일측 또는 양측으로 나타날 수 있으며 단일 혈관근지방종의 경우 결절경화증과 상관없이 발견될 수 있지만, 양측, 다발 혈관근지방종이 발견된 경우 결절경화증 가능성이 높으므로 피부 진찰, 안과 검진, 신경학적 진찰 및 뇌 자기공명영상을 통한 면밀한 검사가 필요하다. 다수의 신장낭은 대부분 증상이 없으나 일부 16번 염색체에 인접하여 위치한 TSC2와 PKD1이 함께 결실되는 경우 다수의 커다란 신장낭이 발생하여 조기에 말기신부전(ESKD)에 도달하기도 한다.

4) 진단

대부분 영아 또는 소아기에 진단된다. 결절경화증의 유전적 진단기준과 임상적 진단기준은 표 9-7-4와 같다. 결절경화증 환자는 신장 병변에 대한 주기적인 감시가 필요하며 이를 위하여 복부 영상검사는 진단 당시와 이후 1~3년을 주기로 시행하고 자기공명영상 검사가 선호된다.

5) 치료 및 예후

신장 병변이 있는 결절경화증 환자의 신기능과 소변 검사 이상은 적어도 매년 확인하여 평가해야 한다. 또한, 고혈압의 위험이 높으므로 정기적인 혈압 측정을 통해 혈압을 조절하여 만성콩팥병으로의 진행을 늦추고 심혈관계 합병증을 예방하여야 한다.

성인 결절경화증의 주요 사망 원인은 신장 합병증으로,

표 9-7-4. 결절경화증의 유전적 진단 기준과 임상적 진단 기준

가. 유전적 진단 기준
정상 조직의 DNA에서 확인된 TSC1 또는 TSC2 유전자의 병적 돌연변이의 확인

나. 임상적 진단 기준
주요 기준 중 두 가지 이상, 또는 주요 기준 한 가지와 두 가지 이상의 부기준
(의증: 주요 기준 한 가지 또는 두 가지 이상의 부기준)

주요 기준
1. 저색소반점(hypomelanotic macules, 최소 직경 5mm 이상, 3개 이상)
2. 얼굴의 혈관섬유종(3개 이상) 또는 이마의 플라크(plaque)
3. 손발톱 섬유종(2개 이상)
4. 샤그린 반(Shagreen patch)
5. 다발 망막 결절과오종(multiple retinal hamartomas)
6. 대뇌피질 이형성(cortical dysplasias)
7. 뇌실막밑 결절(subependymal nodules)
8. 뇌실막밑 거대세포 별아교세포종(subependymal giant cell astrocytoma, SEGA)
9. 심장 횡문근종(cardiac rhabdomyoma)
10. 림프관근종증(lymphangioleiomyomatosis)
11. 콩팥 혈관근지방종(angiomyolipomas, 2개 이상)

부기준
1. 색종이 조각("Confetti") 피부 병변
2. 치주 섬유종(3개 이상)
3. 구강내 섬유종(2개 이상)
4. 망막 탈색소반(retinal achromic patch)
5. 다발 신낭종
6. 신장 외 과오종

혈관근지방종의 출혈은 크기에 비례하여 위험이 높아진다. 2012년에 발표된 권고안에서 증상이 없는 직경 3cm 이상 크기의 혈관근지방종의 일차 치료로 mTOR 억제제를 권고하였다. mTOR 억제제 복용 시에는 구내염, 상기도감염, 설사, 이상지질혈증, 골수부전, 단백뇨, 관절통 등 흔히 동반되는 부작용에 대한 주의가 필요하며, 고혈압 치료제로 안지오텐신전환효소억제제를 함께 병용할 경우 혈관부종의 위험이 높아질 수 있다. 드물지만 직경 4cm 이상의 혈관근지방종에서 다량의 출혈이 있거나 출혈을 예방할 목적으로 선택적 동맥색전술 또는 부분 신절제술(partial nephrectomy or nephron-sparing surgery)을 시행할

수 있다.

전체 환자의 2~3%에서는 신세포암종이 합병할 수 있으며, 다수의 혈관근지방종 및 신장낭으로 인하여 말기신부전에 도달한 환자가 신장이식을 하는 경우 고유 신장(native kidneys)를 제거하여 면역억제제 사용에 따른 신세포암종 발생을 예방한다.

2. 본히펠-린다우병(Von Hippel-Lindau disease)

1) 역학

본히펠-린다우병(von Hippel-Lindau disease, VHL)은 망막 또는 중추신경계의 혈관모세포종(hemangioblastoma), 투명세포신세포암종(clear cell renal carcinoma), 크롬친화세포종(pheochromocytoma), 내분비 췌장종양 등을 특징으로 하는 질환으로 약 3만 6천명당 1명의 빈도로 발병하는 매우 드문 질환이다.

2) 유전학

보통염색체우성 유전으로, 원인 유전자는 종양 억제 유전자인 3번 염색체(3p25-p26)의 VHL이다. 대부분 가족력이 있으나 약 20%는 산발적으로 발생한다. 본히펠-린다우병은 크롬친화세포종 동반 여부에 따라 단백 절단형 돌연변이(truncating mutation)가 있는 제1형과 주로 과오 돌연변이(missense mutation)가 발견되는 제2형으로 나눌 수 있다. 제1형 본히펠-린다우병은 크롬친화세포종이 발생하지 않는 대신, 다른 종양의 동반이 흔하다. 제2형 본히펠-린다우병은 신세포암종 발생 위험에 따라 위험이 낮은 2A형, 위험이 높은 2B형, 그리고 크롬친화세포종만 발생하는 2C형으로 세분한다. 이러한 분류는 경과에 따라 변할 수 있으므로 지속적인 추적 관찰이 필요하다.

3) 임상 소견

주로 20대에 발병하며 망막 또는 중추신경계(주로 소뇌, 척수)의 혈관모세포종이 가장 흔한 증상이다. 다발 신장낭은 전체 환자의 50~70%에서 발견되며 일반적으로 신종양이 발생하기 앞서 발견된다. 신세포암종의 경우 전체 환자의 30%에서 발견되며 평균 진단 연령은 35~44세로, 20세 이전에는 드물고 연령이 증가함에 따라 발병률이 증가하여 60세까지 약 70%에서 발견된다.

4) 진단

본히펠-린다우병은 망막 또는 중추신경계에 다발 혈관모세포종이 발견되거나 단일 혈관모세포종과 함께 다른 종양이 발견되는 경우 또는 가족력이 있는 경우 임상적으로 의심하고 유전자 검사를 통해 진단한다. 보통염색체우성의 낭콩팥병 중 보통염색체우성 다낭콩팥병, 결절경화증과 감별이 필요하며, 다음의 표에 감별 요소를 정리하였다(표 9-7-5).

5) 치료 및 예후

가족력이 있는 경우 VHL 유전자 검사를 하여 돌연변이를 확인하고 증상이 나타나기 전에 감시를 시작하도록 한다. 본히펠-린다우병 환자는 연령, 이전 발견된 종양의 종류, 가족력에 따라 다르게 추적 관찰하는데 제1형, 2B형 VHL의 경우 신세포암종의 위험이 높으므로 늦어도 16세 이후부터는 매년 조영증강 컴퓨터단층촬영 또는 자기공명영상 검사를 시행하여 조기 진단해야 한다. 신장낭은 전암병변으로 간주하며 고형 부분이 발견되면 신세포암종으로 판단하고 대처한다.

임상적 진단과 감시 기술의 발전에도 불구하고 기대 수명은 평균 40~52세로 낮다. 주요 사망 원인은 전이 신세포암종과 중추신경계 종양으로 신세포암종은 조직학적으로 모두 투명 세포형이며 신장낭 벽에서 기원하거나 콩팥 실질에서 비롯한다. 신세포암종이 발견되더라도 병변의 크기가 3 cm 이상인 경우에 전이의 위험을 낮추기 위하여 수술로 제거하도록 권유한다. 절제술 이후에도 새로운 종양이 나타날 확률이 10년간 약 81%이므로 가능한 콩팥 실질을 보존하는 수술적 접근을 시도해야 한다. 병변의 크기가 3cm 미만인 경우에서 시행한 경피적 또는 복강경 고주파절제술의 치료 효과가 보고된 바 있으나 이러한 경우 더욱 신중한 감시와 개입이 필요하다.

표 9-7-5. 보통염색체우성 낭콩팥병의 감별

특징	ADPKD	TSC	VHL
유병률	1:400~1,000	1:10,000~100,000	1:36,000
원인 유전자 위치	16번, 4번 염색체	9번, 16번 염색체	3번 염색체
새로운 돌연변이	<10%	60~70%	6.5~16%
발병 연령	태아~성인	신생아~성인	소아~성인
말기신부전	~50%	가능	없음
침범 장기			
신장			
낭종	100%	10~20%	흔함
양성 종양	20%	50~80%	?
신세포암	드묾	발생	38~55%
중추 신경계			
혈관	~10%	-	-
뇌	드물게 낭종	90%	50~60% 종양
눈	-	~80%	~60%
심장	심장판막이상	~60%	-
폐	-	드묾	-
간	간낭종, 80~90%	-	드물게, 선종
췌장	가끔 췌장 낭종	-	흔히 낭종과 종양
부신	드물게, 선종	-	크롬친화세포종, 7~19%
뼈	-	낭종	-
피부	-	90%	-

3. 보통염색체우성 세관사이질신염(Autosomal dominant tubulointerstitial kidney disease)

1) 역학

보통염색체우성 세관사이질신염(autosomal dominant tubulointerstitial kidney disease, ADTKD)은 매우 드문 비사구체성 보통염색체우성 콩팥병으로 세관사이질 섬유화와 말기신부전으로의 이행을 특징적으로 보이는 질병이다. 과거 수질낭콩팥병(medullary cystic kidney disease, MCKD)이나 가족 소아고요산혈증신장병(familial juvenile hyperuricemic nephropathy, FJHN), 유로모듈린(uromodulin) 관련 콩팥병(uromodulin-associated kidney disease, UAKD) 등으로 불렸던 질환군을 모두 포함한다.

2) 유전학

원인 유전자는 UMOD, HNF1B, REN, MUC1, 그리고 SEC61A1이며 이들 유전자는 중위 또는 원위 네프론(intermediate or distal nephron)의 세관에 발현하며 특징적으로 UMOD는 세관고리의 상행비후각(thick ascending limb of Henle's loop)에 발현한다. UMOD, REN, MUC1은 임상 증상이 신장에 국한되는 반면, HNF1B는 다양한 신외 증상을 동반하는 것이 특징이다. 발생 빈도는 UMOD와 MUC1에 의한 보통염색체우성 세관사이질신염이 HNF1B나 REN에 의한 보통염색체우성 세관사이질신염보다 높다. UMOD 유전자 변이가 있으면 초기에 고요산혈증과 통풍이 나타나며, REN 유전자 변이 시에는 초기에 일시적인 빈혈이 발생하는 특징이 있다. HNF1B 유전자 변이는 소아 당뇨, 생식기 이상, 췌장 위축 등 다양한 신외 증상을 동반하며 신장 단독으로 발병하는 경우는 드물다.

3) 임상 소견

보통염색체우성의 가족력이 있으면서 서서히 진행하는 원인 미상의 신기능 저하가 있다. 소변 검사 결과에서는 특이 소견이 없거나 미미한 혈뇨나 단백뇨가 관찰되며 요농축능이 저하되어 다뇨 또는 야뇨가 동반될 수 있다. 대개 초기에는 고혈압이 동반되지 않는다. 신장낭의 수나 크기는 다양하게 나타나며 일반적으로 만성콩팥병의 단계가 진행한 이후에 발견된다. 조직학적으로 사이질 섬유화, 세관 위축 또는 확장, 세관 기저막의 비후와 층화가 관찰되며 면역형광 검사에서 보체나 면역글로불린의 침착은 없고 전자현미경 검사에서 세관고리의 상행비후각에 변종 유로모듈린(uromodulin)의 침착이 확인되기도 한다.

4) 진단

보통염색체우성 세관사이질신염의 진단 기준은 표 9-7-6과 같다.

표 9-7-6. 보통염색체우성 세관사이질신염의 진단 기준

가. 의심 기준
- 보통염색체우성 세관사이질신염에 해당하는 가족력이 있는 경우
- 보통염색체우성 세관사이질신염에 해당하는 가족력은 없으나 부합하는 조직학적 소견, HNF1B 유전자 변이에 동반되는 신외 증상 또는 초기에 고요산혈증이나 통풍이 있는 경우

나. 진단 기준
- 보통염색체우성 세관사이질신염에 해당하는 가족력이 있으면서 적어도 가족 중 한명이 부합하는 조직학적 소견이 있는 경우
- 원인 유전자 돌연변이가 환자 또는 가족 중 적어도 한 명에서 확인된 경우

5) 치료 및 예후

보통염색체우성 세관사이질신염의 치료는 일반적인 만성콩팥병 권고안을 따른다. 그러나 안지오텐신전환효소억제제 또는 안지오텐신II수용체차단제의 사용이 이 질병으로 인한 만성콩팥병의 진행 경과에 어떠한 영향을 주는지는 아직 확인되지 않았다.

UMOD 유전자 변이는 고요산혈증 또는 통풍에 대한 치료 및 예방을 위하여 알로퓨린올(allopurinol), 페북소스타트(febuxostat) 등을 사용할 수 있다. 아직까지 UMOD 유전자 변이에서 저퓨린식의 효과에 대해서는 확인되지 않았다. 또한, UMOD와 REN 유전자 변이에서 고요산혈증과 혈량저하증을 악화할 수 있으므로 저염식은 권고하지 않으며 이러한 환자에서 이뇨제를 사용할 때에도 주의가 필요하다.

비스테로이드소염제(NSAIDs)는 모든 보통염색체우성 세관사이질신염 환자에서 사용하지 않으며 특히 REN 유전자 변이에서 급성콩팥손상의 원인이 될 수 있다. REN 유전자 변이에서는 빈혈의 치료를 위하여 적혈구형성자극제(erythropoiesis-stimulating agent, ESA)의 사용을 고려할 수 있다.

말기신부전에 이르면 신대체요법을 시행하게 되고 당뇨병이 농반된 HNF1B 유전자 변이의 경우 신-췌장 농시 이식을 고려할 수 있다.

4. 신장황폐증(Nephronophthisis)

1) 역학

신장황폐증(nephronophthisis)은 보통염색체열성 유전 질환으로, 광자극, 물리적 자극, 삼투압농도, 온도 등을 감지하고 세포 분열 및 세포 주기의 조절에 중요한 역할을 하는 일차 섬모(primary cilia), 기저소체(basal bodies) 및 중심체(centrosome)에 관련된 여러 가지 유전자의 돌연변이에 의해 발병하는 만성세관사이질신염이다. 신생아 10만 명에 1~2명꼴로 발생한다고 알려져 있으며 미국의 경우 소아청소년 말기신부전의 원인의 약 2.4%, 유럽의 경우 15%를 차지한다고 보고되었다.

2) 유전학

원인 유전자로 현재까지 25개의 원인 유전자가 알려져 있으며 이중 NPHP1 유전자 변이가 가장 흔하며 전체 유

전자 변이의 약 20~25%를 차지한다. 이 유전자들은 대부분 NPHP1-4-8(the NPHP complex), NPHP5-9, NPHP2-3-9-ANK6, 그리고 MKS 등 nephrocystin module과 상호작용하는 네트워크와 연관이 있다.

3) 임상 소견

대부분 30대 전 말기신부전에 도달하며, 말기신부전에 도달하는 연령에 따라 신생아형(infantile), 소아형(juvenile), 청소년형(adolescent)으로 분류한다. 소아형이 가장 흔하며 다음, 다뇨, 성장 지연, 만성 빈혈 등의 증상을 동반한다. 염분 소실로 인해 고혈압은 잘 동반되지 않으며 평균 13세경 말기신부전에 도달한다. 초음파 검사에서 크기가 정상이거나 작고 피질-수질의 경계가 불분명하고 음영이 증가된 콩팥이 확인되며 약 50%에서 신장낭이 발견된다. 조직학적 소견으로 세관 섬유화, 두껍고 불규칙한 세관 기저막, 피질-수질의 경계에 신장낭 등이 관찰된다. 신생아형은 얼굴과 사지의 기형, 자궁 내 성장지연 등 Potter syndrome이 나타날 수 있으며 생후 3년 이내에 말기신부전으로 이행한다. 청소년형은 임상 소견이 대개 소아형과 비슷하나 평균 19세에 말기신부전에 이른다.

신외 증상은 전체 환자의 약 10~20%에서 동반된다. 대표적인 원인 유전자와 특징적인 신장 외 증상은 아래와 같다(표 9-7-7).

4) 진단

초음파 검사 등 영상 검사에서 임상적으로 의심되거나 특징적인 신외 증상이 있는 경우(예: 색소 망막염 – NPHP5), 가족력이 확인된 경우 확진을 위하여 관련 유전자 검사를 시행할 수 있다.

5) 치료 및 예후

수액 및 전해질 불균형, 빈혈, 고혈압 그리고 신기능 부전에 대한 관리가 필요하며 말기신부전에 이르면 신대체요법을 시행하게 된다.

5. 보통염색체열성 다낭콩팥병(Autosomal recessive polycystic kidney disease)

1) 역학

보통염색체열성 다낭콩팥병(autosomal recessive polycystic kidmey disease, ARPKD)은 약 10,000~40,000명에 1명꼴로 발병하는 신장과 간을 침범하는 유전 질환으로 보인자(carrier)는 약 70명에 한 명꼴로 알려져 있다.

2) 유전학

원인 유전자는 6번 염색체(6p21)에 위치한 PKHD1이며 fibrocystin 또는 polyductin이라는 단백을 코딩한다.

표 9-7-7. 신장황폐증의 대표적인 원인 유전자와 특징적인 신장 외 증상

임상분류	유전자위치	유전자	코딩단백	신장 외 증상
소아형	2q12-q13	NPHP1	nephrocystin-1	흔하지 않음. 색소성 망막염(retinitis pigmentosa), 안구운동불능실행증(oculomotor apraxia)
	1p36	NPHP4	nephrocystin-4/nephroretinin	안구운동불능실행증
	3q21	NPHP5	nephrocystin-5	색소 망막염(100%, Senior-Loken 증후군)
	12q21	NPHP6	nephrocystin-6	Leber 선천흑암시(Leber's congenital amaurosis)
신생아형	9q22-q31	NPHP2	inversin	좌우바뀜증
청소년형	3q22	NPHP3	nephrocystin-3	-

Fibrocystin은 신장 집합관 상피세포의 일차섬모에 위치하며 polycystin 단백과 함께 기능한다고 알려져 있다. 또한 신장 세관고리의 상행비후각과 간의 담관세포에도 발현한다. 단백이 절단되는 돌연변이(truncating mutation) 2개가 있는 환자에서 가장 심한 임상 증상이 나타나며, 과오 돌연변이(missense mutation)가 있는 경우 말기신부전으로의 진행이 상대적으로 경미하다.

3) 임상 증상

주로 산전 혹은 출생 직후 초음파 검사에서 양수 과소, 양측 콩팥의 크기가 큰 소견으로 발견되며 신생아기 호흡곤란 또는 기흉과 관련이 있을 수 있다. Potter syndrome, 폐 형성 저하, 호흡 곤란 등이 동반될 수 있으며 출생 후 수 주간 고혈압이 나타난다. 주산기 또는 신생아기에 증상이 발생한 경우, 약 20~30% 환자에서 초기에 신기능 저하가 나타나며 약 50%의 환자에서 10세경 말기신부전으로 진행한다.

콩팥 병변은 증상이 없는 초음파 이상에서부터 전신고혈압이나 콩팥 기능부전까지 다양하게 나타난다. 또한, 연령이 증가함에 따라 간섬유화와 간문맥 고혈압 등의 간증상이 주로 나타나며 간문맥 고혈압에 의한 정맥류 출혈, 간-비장 종대, 상행 담관염, 그리고 혈소판감소증 등이 합병할 수 있다.

4) 진단

폐 형성저하, 양수 과소 그리고 고혈압이 있는 영아에서 복부 측면에 양측 덩이가 만져지고 부모의 신장 초음파 검사 결과가 정상일 때 강력히 의심할 수 있다. 또한, 산전 혹은 출생 직후 시행한 신장 초음파 검사에서 신장 피질과 수질의 구별이 소실된 크고 음영이 증가한 신장이 확인되거나 간 섬유화의 증거 또는 보통염색체열성 다낭콩팥병의 가족력이 확인되면 임상적으로 의심하고 유전자 검사를 통해 진단한다.

5) 치료 및 예후

신생아기에 폐 형성저하, 저환기 등으로 인한 호흡곤란으로 호흡 보조 요법이 흔히 필요하다. 이외에도 초기 고혈압의 조절, 수액 및 전해질 불균형, 골감소증, 신부전에 대한 관리가 필요하다. 말기신부전에 이르면 신대체요법을 시행하게 되며 향후 말기간부전으로 진행할 가능성이 있으므로 간문맥 고혈압이 동반된 경우 간-신 동시이식을 고려할 수 있다.

신생아기 발병한 경우 사망률은 약 30%이지만 호흡 보조요법과 신대체요법의 발달로 출생 후 1년을 생존한 환자의 10년 생존율은 80% 이상이다. 전체 환자의 50%는 10년 내 신부전으로 진행하며 신대체요법이 필요하다.

▶ 참고문헌

- 김교순: 낭성 질환, 신장학, 연세대학교 신장질환연구소 편저, 의학출판사, 1999, pp242-260.
- 안규리: 다낭콩팥병, 임상신장학, 대한신장학회 편저, 광문출판사, 2001, pp539-549.
- 이중건, 등: 단순신장낭. 대한신장학회지 30:429-4733, 2011.
- Arts HH, et al: Current insights into renal ciliopathies: what can genetics teach us? Pediatr Nephrol 28:863-874, 2013.
- Bissler JJ, et al: Everolimus for angiomyolipoma associated with tuberous sclerosis complex or sporadic lymphangioleiomyomatosis (EXIST-2): a multicentre, randomised, double-blind, placebo-controlled trial. Lancet 381:817-24, 2013.
- Bleyer A: Autosomal dominant interstitial kidney disease (medullary cystic kidney disease). UpToDate, accessed at July 2013.
- Chin HJ, et al: The clinical significances of simple renal cyst: Is it related to hypertension or renal dysfunction? Kidney Int 70:1468-1473, 2006.
- Curatolo P, et al: Tuberous sclerosis. Lancet 372:657-668, 2008.
- Eckardt K, et al: Autosomal dominant tubulointerstitial kidney disease: diagnosis, classification, and management—A KDIGO consensus report. Kidney Int, 88:676-683, 2015.
- Fairbanks LD, et al: Early treatment with allopurinol in familial juvenile hyperuricemic nephropathy (FJHN) ameliorates the long-term progression of renal disease. QJM 95:597-607, 2002.
- Gabow PA: Cystic diseases of the kidney, in Inherited Disorders of the Kidney, edited by Morgan SH and Grunfeld JP, Oxford, Oxford University Press, 1998, pp132-162.
- Gambaro G, et al: Medullary sponge kidney (Lenarduzzi.Cacchi.Ricci disease): A Padua Medical School discovery in the 1930s.

Kidney Int 69:663–670, 2006.

- Guay–Woodford LM et al.: Consensus expert recommendations for the diagnosis and management of autosomal recessive polycystic kidney disease: report of an international conference. J Pediatr 165:611–617, 2014.

- Kim B: Renal cysts and cystic diseases, in Radiology Illustrated: Uroradiology, edited by Kim SH, Saunders, 2003, pp173–206.

- Narasimhan N, et al: Clinical characteristics and diagnostic considerations in acquired renal cystic disease. Kidney Int 30:748–752, 1986.

- Nascimento AB, et al: Rapid MR imaging detection of renal cysts: age–based standards. Radiology 221:628–632, 2001.

- Neumann HPH: The spectrum of renal cysts in adulthood,discussion of eight cases. Nephrol Dial Transplant 14:2234–2244, 1999.

- Northrup H, et al: Recommendations of the 2012 International Tuberous Sclerosis Complex Consensus Conference. Pediatr Neurol 49:243–254, 2013.

- Salomon R, et al: Nephronophthisis, in Oxford Textbook of Clinical Nephrology, 3rd ed, edited by Davison AM et al, Oxford University Press, 2005, pp2325–2333.

- Schieda N, et al: Bosniak Classification of Cystic Renal Masses, Version 2019: A Pictorial Guide to Clinical Use. Radiographics 41:814–828, 2021.

- Silverman SG, et al: Bosniak Classification of Cystic Renal Masses, Version 2019: An Update Proposal and Needs Assessment. Radiology 2019;292:475–488.

- Torres VE, et al: Cystic diseases of the kidney, in Brenner & Rector's the Kidney, 8th ed, edited by Brenner BM, et al, Saunders, 2008, pp1428–1462.

- Wolf M, et al: N ephronophthisis. Pediatr N ephrol 26:181–194, 2011.

- Yang B, et al: Long–term follow–up study of the malignant transformation potential of the simple renal cysts. Transl Androl Urol. 9:684–689, 2020.

제 9 부 세관사이질질환, 독성신병증, 낭콩팥병

임·상·신·장·학

PART 10 요로감염 및 비뇨기계 질환

장태익 (국민건강보험공단 일산병원)

CHAPTER 01 요로감염

이강욱, 최대은 (충남의대)

KEY POINTS

- 요로감염의 치료에서 국내의 항생제 내성균의 발생상황과 지역별 발생 추이를 고려하여 경험적 항생제 선택을 하는 것이 필요하다.
- 단순 급성방광염의 치료에서 국내 항생제 내성균의 증가를 고려할 때 과거의 권고와는 달리 요 배양검사를 시행하는 것이 권고된다.
- 단순 급성신우신염의 경험적 항생제 사용에 있어서, 국내 항생제의 내성을 고려하여 좀더 광범위한 항생제를 초기에 사용하는 것을 고려할 수 있다.
- 급성전립선염의 치료에서 국내 fluoroquinolone의 요로감염 원인균에 대한 내성을 고려할 때, 입원이 필요한 환자에 대한 정주용 항생제로는 3세대 cephalosporin, 광범위 β-lactam/β-lactamase inhibitor, carbapenem 등을 초기 경험적 항생제로 치료하는 것이 권고된다.

요로감염은 지역사회 및 병원에서 흔하게 발생하는 감염질환으로 하부요로계부터 상부요로계에 이르기까지 모든 부위에 발생할 수 있다. 요로감염의 임상양상은 무증상부터 요로계 증상(잔뇨감, 빈뇨, 절박뇨, 배뇨통, 혈뇨) 및 발열과 패혈성 쇼크에 이르기까지 다양하고, 기저질환과 요로계의 기능적 또는 해부학적 이상에 따라 단순 및 복잡성 요로감염으로 다양한 중증도를 보여서, 이 질환의 다양성과 경과에 대해 충분히 이해하고, 적절한 치료 전략을 수립하는 것이 중요하다. 특히 지역사회 감염과 병원 획득 감염에 따라서 원인균의 분포와 항생제의 내성 균주의 증가 양상을 파악하여, 적절한 항생제를 투여하는 것이

필요하다.

원인과 병태생리

1. 역학 위험요인

단순 요로감염은 여성에서 흔하며 대략 50% 정도의 여성이 평생에 걸쳐 한 번 이상 경험하게 된다. 신생아기에는 남아가 선천성 기형의 빈도가 높아서 여아보다 요로감염의 빈도가 약간 높다. 젊은 여성에서 신우신염의 발병률은

1,000인년당 3명 정도인 반면 젊은 남성의 단순 요로감염은 10,000인년당 5~8명으로 현저하게 낮다. 그러나 50세 이후에는 남성에서 전립샘비대에 의한 요로폐쇄의 빈도가 높아져 요로감염의 발생률이 증가한다. 학동기소녀의 경우 1~3% 정도에서 요로감염의 빈도를 보이나 청년기여성에 성적 접촉이 증가하면서 발생빈도가 급격히 증가한다. 살정제가 포함된 피임용격막의 반복적 사용, 잦은 성접촉, 과거 방광염의 병력은 급성방광염의 중요한 독립 위험인자이다. 성접촉 후 48시간 이내 방광염의 위험도는 6배까지 증가하는 것으로 알려져 있다. 폐경 이후 여성에서는 성접촉, 당뇨병, 요실금이 요로감염의 중요 위험인자이다. 요로감염을 앓은 여성의 20~30%는 반복감염이 발생할 수 있는데 2주 이내의 반복감염은 재감염보다는 재발일 가능성이 높다. 가임기 백인여성에서의 반복성 요로감염의 위험인자들은 살정제 사용, 새로운 성파트너, 15세 이전에 요로감염 병력, 어머니의 요로감염 병력 등이 알려져 있다. 방광류, 요실금, 잔뇨 등 배뇨장애를 동반하는 경우는 요로계 반복감염과 매우 밀접한 관련이 있다. 건강한 남성의 요로감염과 관련된 위험 요인에는 감염된 여성 파트너와의 성교, 항문 성교 등이 알려져 있다.

무증성 세균뇨는 20~40대 사이의 여성들은 약 5% 정도의 발생빈도를 보이며 젊은 남성에서는 드물다. 70세 이상 남성의 경우 19%, 장기 요양시설에 있는 노년 남성들은 무증상 세균뇨의 비율이 40%까지 증가하는 것으로 알려져 있다. 노년 여성에서는 50%까지 증가하는 것으로 보고된다. 도뇨관이 장기간 유치된 노인은 거의 대부분 세균뇨가 검출된다. 무증상 세균뇨는 일시적 혹은 지속적 혹은 재발하는 양상 등 다양하게 나타날 수 있으며, 증상이 있는 요로감염으로 발현하기도 한다. 그러나, 무증상 세균뇨로 인한 사망률이 증가한다는 근거는 확인되지 않았다.

2. 원인균

요로감염을 일으키는 원인균들은 임상상에 따라 매우 다양하지만 그람음성 장내간균(enteric gram-negative rods)이 대부분이다. 합병증을 동반하지 않은 급성방광염은 75~90%가 *E. coli* (*Escherichia coli*)에 의하며 *Staphylococcus saprophyticus*(특히 젊은 여성)가 5~15%를 차지하고 *Klebsiella species*, *Proteus species*, *Enterococcus species*와 *Citrobacter species* 등이 나머지 5~10%를 차지한다.

합병증을 동반하지 않은 급성신우신염을 일으키는 균주도 *E. coli*가 가장 많다. 그러나 다른 그람음성 간균 *Klebsiella species*, *Proteus species*, *Citrobacter species*, *Acinetobacter species*, *Morganella species*, 그리고 *Pseudomonas aeruginosa* 등도 자주 동정된다. 입원 환자의 경우 E. coli가 흔하기는 하지만 지역사회 거주민보다는 덜 하고, 항균제 사용과 비뇨기과적인 처치로 인해 항균제에 내성 균주들이 자주 동정된다. *Proteus* 균주는 요소분해효소(urease) 및 암모니아 생성을 촉진하여 요 pH를 상승시키고, *Klebsiella* 균주는 세포 외 점액(extracellular slime)과 다당류(polysaccharides)를 형성하여 결석을 잘 만들게 하므로 요로결석이 있는 환자들에서 자주 동정된다. *Proteus mirabilis*는 유아에서 요로감염을 잘 일으키고 *Pseudomonas aeruginosa*와 *Serratia marcescens*는 유행성 요로감염을 일으키기도 한다.

*Enterococci*와 *Staphylococcus aureus* 등 그람 양성 균주와 효모균도 합병증이 동반된 신우신염에서 중요 원인균으로 검출된다. *Staphylococcus aureus*는 요로결석이 있거나 이전에 비뇨기과적 처치를 받았던 사람에서 염증을 잘 일으킨다. 소변에서 *Staphylococcus aureus*가 동정될 때는 신장에 혈행성으로 파급된 감염을 의심해야 한다. 표피포도상구균(*Staphylococcus epidermidis*, *S.epidermidis*)은 가장 흔한 외음부와 요도의 오염균이다.

혐기성세균은 요로감염의 원인으로 드물게 검출된다. 혐기성세균은 정상적으로 회음부, 요도, 질 등에 있을 수 있으며 도뇨관을 삽입하고 있는 사람이나 요로계의 구조 이상이 있는 경우 전립선 농양, 신우신염, 신농양 및 신장 주위 농양의 원인이 될 수 있다. *Bacteroides fragilis*, *Fusobacterium* 등이 요로감염에서 흔한 혐기성 원인균이다.

*Adenovirus*는 소아 젊은 성인에서 급성 출혈성 방광염을 일으키며 때로는 유행성 요로감염을 일으키기도 한다. 다른 바이러스(예: *cytomegalovirus*)들이 소변에서 분리될

수도 있지만 이들이 요로감염을 일으키는 것으로는 생각되지 않는다. 칸디다(*Candida*)와 다른 진균들은 주로 혈행성 감염 또는 도뇨관, 당뇨가 있는 사람에서 흔히 정착할 수 있고 일부 환자에서 신농양, 신경색 및 유두괴사를 일으키기도 한다.

질 입구와 요도하부는 정상적으로 *diphtheroids, streptococcal species, lactobacilli, staphylococcal species*가 정착되어 있어 소변배양검사 시 오염을 잘 감별해야 한다.

최근 일반적으로 사용하는 항생제(trimethoprimsulfamethoxazole 또는 ciprofloxacin)에 내성을 보이는 *E. coli*들이 점차 증가하고 있다. 이러한 내성균주의 발견빈도는 지역, 환자, 및 시기에 따라서 매우 다양하다. 따라서 해당 지역 검사실의 최신 자료들을 잘 참조하여 항생제를 선별해야 한다.

3. 발병기전

요로계는 구조적으로 요도로부터 신장까지 연결된 하나의 통로로 가정할 수 있으며 대부분의 요로감염은 박테리아가 요도로부터 상부로 올라가며 진행한다. 방광 내 세균이 유입되었을 경우 반드시 요로감염이 유발되는 것은 아니며 숙주, 병원체와 환경요인들의 상호작용에 의해 다양한 임상양상을 보이게 된다. 정상적으로는 방광 내에 세균이 유입되더라도 정상 배뇨작용과 숙주의 방어인자들에 의해 제거된다. 그러나 어느 요인이든 방광 내 박테리아 침투를 증가시키거나 방광 내 잔류를 촉진시키는 요인들은 요로계 감염의 위험도를 증가시킨다.

남성에서 요로감염의 발생요인으로 남성의 요도의 길이가 더 길고, 항문과 요도 사이의 거리가 멀고, 남성 요도를 둘러싼 환경이 더 건조한 것들이 있다.

박테리아는 균혈증 등 혈류로부터 요로계에 침투할 수도 있다. 그러나 혈행성 요인에 의한 요로감염은 전체 요로감염의 2% 미만으로 추정되며 보통 *Salmonella* 또는 *Staphylococcus aureus*와 같은 비교적 유독성 세균류에 의한 균혈증에 의해 나타날 수 있다. 혈행성 세균에 의한 감염의 경우 신장에 국소농양을 발생시킬 수 있으며 요배양 검사에서 균이 검출되기도 한다.

4. 환경요인

1) 여성 질의 생태(Ecology)

여성에서 질의 생태는 매우 중요한데 요도주변이나 질입구에 장내세균 무리의 유입이 요로감염기전의 첫 번째 중요 단계이다. 성접촉은 여성에서 질내에 *E. coli* 같은 세균의 집락형성을 초래하고 요로감염의 위험도를 증가시킨다. 살정제(nonoxynol-9) 성분은 질내 정상세균무리들에 독성이 있어 *E. coli*의 질내 집락형성을 촉진시키고 세균뇨의 위험성을 증가시킨다. 폐경이후의 여성에서는 정상세균무리인 젖산균류(lactobacilli)가 그람음성균 집락으로 대체된다. 국소 에스트로젠 연고가 이러한 폐경기 이후여성에서 요로감염의 예방효과가 있는지는 아직 논란이 있다. 그리고 경구용 에스트로젠이 요로감염의 예방약제로 권고되지는 않는다.

2) 요로계의 구조 또는 기능이상

요로계에서 요의 흐름을 막거나 소변을 정체시키는 환경은 요로감염의 위험도를 증가시킨다. 요로결석이나 도뇨관은 정상 요로계 점막에 세균집락을 유도할 수 있으며 균막(biofilm)형성을 촉진한다. 따라서 방광요로역류와, 전립샘비대, 신경성방광, 요로전환술(urinary diversion) 등에 의한 요로계 폐쇄는 요로감염을 잘 일으킨다. 특히 임신한 여성에서 요도연동운동의 억제와 요로긴장도의 감소는 신우신염 발생의 중요한 발생기전이 될 수 있다. 요도와 항문입구와의 거리가 여성에서는 남성보다 매우 짧은 이유도 여성에서의 잦은 요로감염의 원인이 될 수 있다.

3) 숙주요인

정상 상태에서는 방광 내에 있는 세균은 빠르게 제거되는데 소변을 보면서 씻겨 내려가거나 희석된다. 또한 소변과 방광점막 자체에 항균 효과가 있기 때문이기도 하다.

소변 내의 요소농도와 삼투압이 높기때문에 정상 성인의 소변은 균의 번식을 억제하거나 사멸시킨다. 전립샘액도 살균작용이 있다.

구조적 요로계 이상이 없는 젊은 여성에서 발생하는 반복적인 요로감염에는 유전적인 요인이 작용할 것으로 추정된다. 반복적인 요로감염을 보이는 여성에서는 15세 이전에 첫 요로감염을 경험하는 경우가 많으며 환자의 어머니도 이러한 요로감염의 병력을 갖는 경우가 많다. 반복적인 요로감염을 보이는 여성의 질 또는 요도 점막은 반복감염이 없는 여성의 점막보다 요로계 병원성 균주들이 3배이상 더 잘 부착된다고 한다. 이러한 여성들에서 상피세포는 E. coli가 잘 부착하고 균집락을 형성하거나 침투하기 좋은 특이한 수용체들을 갖고 있거나 수용체의 수가 더 많을 수 있다. Toll-like receptors (TLR) 또는 IL-8수용체(interleukin-8 receptor)와 같은 숙주 방어유전자들에서의 돌연변이는 반복 요로감염이나 신우신염과 관련이 있다고 한다. IL-8 특이수용체 유전자인 C-X-C motif chemokine receptor 1 (CXCR1)의 유전자다형성은 신우신염에 대한 감수성이 증가된다.

호중구 표면의 CXCR1의 발현이 낮은 경우 신장조직에 대한 호중구 의존성 숙주방어기전장애를 초래할 수 있다. 당뇨병, 면역이상 그리고 신이식 후 면역억제제를 복용하고 있는 환자의 경우 중증 요로감염이 발생할 수 있다. 당뇨병 환자의 경우 무증상세균뇨가 많으며 여성이 남성보다 빈도가 높다. 또한 신경성방광(neurogenic bladder)의 합병률이 높고 합병증으로 신장유두괴사가 발생할 수 있다.

4) 미생물 요인

구조적으로 이상이 없는 요로계는 감염에 대하여 강력한 방어력이 있다. 정상인에게 침입하여 요로감염을 유발하는 E. coli 균주는 요로상피세포에 존재하는 수용체들에게 결합을 매개하는 표면 부착소(adhesion)를 포함하는 유전적인 발병력 요소(virulence factor)를 나타내기도 한다. 가장 잘 알려진 부착소들은 털과 비슷한 단백구조체인 P-섬모(P-fimbriae)인데 신장의 상피세포에 있는 특정 수용체와 잘 반응한다. P는 이러한 섬모가 혈액형 항원인 P (d-galactose-d-galactose residue 포함)와 결합하는 능력을 뜻한다. P-섬모들은 급성신우신염의 발생과 신장으로

부터 혈류 내로 균주의 침입을 매개하는 병태생리에 매우 중요하다. 다른 부착소로는 type 1 pilus (fimbria)인데 모든 E. coli 균주들이 갖고 있으나 모든 E. coli 균주들이 표현형을 나타내지는 않는다고 한다. Type 1 pili는 E. coli 방광감염을 유발하는 데 중요 역할을 한다. 이들은 방광표면 요로상피세포의 uroplakin에 부착하는 것을 매개한다. E. coli의 type 1 섬모의 요로상피세포 수용체 부착은 상피세포들의 세포자멸사와 박탈을 일으키며 탈락된 상피세포들에 E. coli가 부착된 채로 소변으로 떨어져 나온다.

임상소견

1. 임상상

요로감염의 임상상은 무증상세균뇨, 합병증을 동반하지 않은 방광염, 신우신염, 전립샘염 또는 합병증을 동반한 요로감염으로 구분할 수 있다.

무증상세균뇨는 세균뇨가 있지만 환자가 요로감염과 관련된 국소 또는 전신증상이 없는 경우를 말한다. 또한 발열이나 백혈구증가증 의식변화 등 전신증상이 있더라도 요로감염을 의심할만한 다른 소견이 없는 경우 소변배양검사에서의 세균검출이 반드시 요로감염을 의미하지 않을 수도 있다.

전형적인 방광염은 배뇨통, 빈뇨, 요절박 등의 증상을 동반한다. 야뇨증, 배뇨지연, 치골상부 불쾌감, 육안적 혈뇨 등도 자주 동반된다. 등 부분과 옆구리통증은 보통 상부요로감염에서 나타난다. 발열증상은 보통 신장이나 전립샘의 침습적인 감염을 시사한다.

경증의 신우신염은 미열을 동반하거나 요통 또는 늑골척 추각부위 통증을 동반할 수도 있다. 그러나 심한 신우신염은 고열, 심한 요통, 옆구리통증을 동반한다. 증상은 보통 갑자기 나타나며 방광염 증상을 동반하지 않을 수도 있다.

발열은 신우신염과 방광염을 구분하는 중요한 증상이다. 신우신염에서의 발열은 특징적으로 매우 높게 스파이

크 패턴을 보이며 치료를 시작하면 보통 72시간 이내 반응한다. 20~30%에서는 균혈증이 동반된다. 당뇨병 환자에서는 심한 요로감염 시 신장유두괴사로 떨어져 나온 신유두 조각이 요관을 막아 요로폐쇄 증상을 동반할 수 있다. 이러한 신장유두괴사는 요로폐쇄증, 낫적혈구병(sickle cell disease), 진통제신장병(analgesic nephropathy) 등에 합병되어 나타날 수 있다. 이러한 경우 갑작스런 혈청 크레아티닌치의 상승을 관찰할 수 있다. 기종성신우신염(공기증깔때기콩팥염, emphysematous pyelonephritis)은 신장과 신주위조직에 가스의 생성을 동반하는 매우 심한 형태의 신우신염으로 대부분 당뇨병 환자나 요로계 폐쇄가 동반된 환자들에서 잘 발생한다. 황색육아종신우신염(xantho-granulomatous pyelonephritis)은 만성요로폐쇄증(사슴뿔결석)이 만성 요로감염과 함께 신장조직을 화농성으로 파괴하여 발생한다. 남아있는 신장조직에 지방을 가득 포함한 대식세포가 침윤되어 노란색을 나타낸다. 신농양 등 합병증도 동반될 수 있는데 항생제 치료에도 발열이 지속되거나 균혈증이 지속될 때 의심할 수 있다.

전립샘염은 전립샘의 감염성과 비감염성 염증을 모두 포함한다. 전립샘감염은 급/만성 세균감염에 의한다. 감염성 전립샘염은 비감염성의 만성골반통증증후군(chronic pelvic pain syndrome−과거 만성전립샘염)보다는 드물다.

급성 세균성전립샘염은 배뇨통, 빈뇨, 전립선, 골반, 회음부통증을 동반하며 매우 중증의 감염증상을 보일 수 있다. 만성 세균성전립샘염은 골반 및 회음부 통증을 동반한 반복적인 방광염을 보일 수 있다. 그러므로 남성에서 반복적인 방광염 증상을 보일 때는 전립샘에 대한 검사가 필요하다.

합병증을 동반한 요로감염은 요로계의 구조적 이상이 동반되었거나, 요로계에 이물질이 들어있는 경우, 또는 기타 치료에 대한 반응이 늦어지게 하는 요인들이 동반된 경우를 의미한다.

2. 진단검사

1) 병력

환자의 병력청취는 합병증을 동반하지 않은 급성방광염의 진단에 매우 중요하다. 병력과 신체검사의 요로감염 진단에 대한 메타분석결과에 의하면 배뇨통, 빈뇨, 혈뇨 또는 요통 등 요로계 증상 중 최소 한 가지가 있으며 합병증과 관련된 요인이 없다면 급성방광염이나 급성신우신염의 가능성은 50%이다. 잦은 요로감염을 앓고 있는 여성에서는 이러한 증상만으로도 자가진단의 정확도가 높으며 재발성 방광염의 자가치료 성공률이 높다. 특히 질 분비물이 없고 합병증과 관련된 요인이 없다면 진단 가능성은 90%로 매우 높다. 이 경우 특별히 진단검사가 필요하지 않을 수도 있다. 배뇨통과 빈뇨가 함께 있으며 질 분비물이 없다면 요로감염의 가능성은 96%로 상승한다. 따라서 이러한 경우 치료 전에 다른 특별한 검사가 필요하지 않을 수 있다. 그러나 소아, 사춘기 여성, 임신한 여성, 성인 남성, 합병증 요인이 있는 환자들에서는 병력과 신체검사 외에 다른 진단검사들이 필요하다. *Chlamydia trachomatis* 같은 성매개감염이 단순 요로감염으로 잘못 진단되어 치료받을 수 있는데 특히 25세 미만의 젊은 여성에서 문제될 수 있다. 여성이 배뇨통과 함께 자궁경부염(*C. trachomatis*, *Neisseria gonorrhoeae*), 질염(*Candida albicans*, *Tricho-monas vaginalis*), 헤르페스요도염, 간질방광염, 비감염성 질염, 외음부염을 동반할 경우 이에 대한 감별진단이 필요하다. 여러 명의 성파트너가 있으며 콘돔을 잘 사용하지 않는 여성에서는 요로감염과 성매개성 감염의 빈도가 높으며 증상만으로 감별하기는 어렵다.

2) 소변시험지봉검사, 소변검사, 소변배양검사

소변시험지봉검사나 일반 소변검사는 요로감염 진단에 매우 간단하며 유용한 검사이다. 소변배양검사는 요로감염의 확진검사이다.

Enterobacteriaceae 균주는 질산염(nitrate)을 아질산염(nitrite)으로 변화시킨다. 그리고 소변시험지봉검사에서 검출되려면 충분한 양이 요에 누적되어야 한다. 방광염 등

요로감염이 있는 환자가 수분섭취를 많이 하고 소변을 본다면 E. coli에 감염되어 있더라도 시험지봉 아질산염 반응에서 음성결과를 보일 수 있다.

시험지봉 백혈구에스테르분해효소(leukocyte esterase)검사는 숙주의 다핵백혈구내의 에스테르분해효소를 검출한다. 전형적인 단순방광염은 환자의 병력, 시험지봉 아질산염검사와 백혈구 에스테르분해효소검사로 진단할 수 있다. 혈뇨도 요로감염에서 자주 동반된다.

임신부에서 소변시험지봉검사 음성만으로 세균뇨를 배제하기는 어렵다. 남성에서 소변시험지봉검사는 요로감염 진단에 대한 특이도가 높고 도뇨관을 사용하지 않고 가정에서 요양 중인 와상의 환자들에서는 요로감염에 대한 소변시험지봉검사의 예민도가 높다.

거의 모든 방광염 환자들에서 요현미경검사상 농뇨를 관찰할 수 있다. 혈뇨도 함께 관찰되는 경우가 많다. 최근에는 많은 병원에서 수동검사보다는 자동화장비를 이용하여 요백혈구, 적혈구, 세균, 결정체들을 검출한다. 일반적으로 요백혈구, 적혈구 수보다는 세균 수가 비교적 덜 정확하다고 한다. 그리고 환자의 증상과 임상증상이 일치하지 않을 때에는 검사실 결과보다는 우선적으로 환자의 임상상을 고려해야 한다.

소변배양검사는 요로감염 진단의 최적의 표준검사지만 24시간 이내에는 결과를 얻을 수 없으며 세균의 종류를 감별하기까지 또 24시간 이상이 필요하다. 방광염 증상이 있는 여성에서 소변배양검사상 집락수 105/mL 이상을 문턱값으로 했을 때보다 집락수가 102/mL 이상으로 한 경우 진단의 민감도 95% 특이도 85%로 높다. 남성에서는 소변배양검사상 집락수 103/mL 이상을 요로감염 진단의 문턱값으로 한다.

요요체는 요도 끝부분, 질, 그리고 피부표면의 정상 균무리에 의해 자주 오염될 수 있는데 상온에 오래 검체를 보관할 경우 이러한 균주들의 번식증가로 오염 문제가 잘 발생할 수 있다. 대부분 소변배양검사상 여러 균주가 복합적으로 배양된 경우는 오랫동안 도뇨관을 삽입하고 있는 경우, 만성적인 요저류, 요로계와 장 또는 생식기계와 누공이 있는 경우를 제외하면 검체가 오염되었을 가능성이 크다.

무증상세균뇨는 세균학적 진단기준과 임상진단기준으로 진단할 수 있는데 소변배양검사상 집락수 105/mL 이상인 경우로 하며 도뇨관을 사용하여 채취한 경우는 집락수 102/mL 이상을 문턱값으로 한다.

3) 여성 단순방광염의 진단

대부분 합병증을 동반하지 않은 단순방광염의 진단은 환자의 병력만으로도 진단할 수 있다. 진단이 불확실한 경우 소변시험지봉검사를 시행해야 한다. 요아질산염과 백혈구 에스테르분해효소검사로 50~80%에서 요로감염의 가능성을 예측할 수 있으며 경험적 치료를 시작할 수 있다. 그러나 이러한 검사가 음성이더라도 요로계 증상이 동반되어 있다면 요로감염을 배제할 수 없고 소변배양검사, 골반검사 등이 필요하다.

4) 남성 방광염 진단

남성에서 방광염의 증상과 징후도 여성과 유사하지만 남성의 특성상 전립선 질환과 감별이 중요하다. 특히 남성이 요로계 증상을 호소할 경우 소변배양검사가 꼭 필요하다. 급, 만성 전립샘염, 항균제 치료에 반응이 없고 세균뇨를 동반하지 않는 만성골반통증증후군 등과의 감별이 필요하다. 진단이 불확실하다면 세균성과 비세균성 전립샘증후군을 감별하기 위해 전립선마사지 후 2~4 glass Meares-Stamey 검사를 시행해야 한다. 또한 비뇨기과 정밀검사가 필요할 수 있다. 발열증상과 요로감염이 있는 남성은 자주 혈청 전립샘특이항원(prostate specific antigen, PSA)치가 상승되며 초음파검사상 전립샘비대, 정낭비대를 보이면 전립샘염이 관련되어있음을 시사한다. 요저류증상, 잦은 요로감염 재발, 지속적인 혈뇨, 배뇨장애가 지속되면 요로계 전산화단층촬영 등 요로계 정밀검사가 필요하다.

무증상세균뇨

1. 진단

무증상세균뇨(asymptomatic bacteriuria)는 요로감염 증상이나 징후 없이 세균이 의미 있는 정도로 소변에 존재하는 것을 의미한다. 의미 있는 세균뇨는 여성에서 같은 균주가 청결채취 중간뇨 1 mL당 105개 이상 2회 연속 배양되는 경우로 정의한다. 남성에서 청결채취 중간뇨 1 mL당 105개 이상 한 번이라도 배양되어야 하고, 남녀 모두 도뇨 검체에서는 1 mL당 102개 이상이면 진단할 수 있다.

2. 원인균

지역사회 거주 여성에서 무증상세균뇨의 원인미생물로 *E. coli*가 가장 흔하고, 그 외에 *Klebsiella pneumoniae*, *Enterococcus* spp.가 분리된다. 입원 환자의 경우 *E. coli*가 흔하기는 하지만 지역사회 거주민보다는 덜 하고, 항균제 사용과 비뇨기과적인 처치로 인해 항균제에 내성인 *K.pneumoniae*, *Citrobacter*, *Serratia*, *Enterobacter*, *Pseudomonas aeruginosa*, *Candida* 등이 자주 분리된다.

3. 치료

무증상세균뇨에 대한 불필요한 항균제 투여는 항균제 내성을 유발하고 약제 부작용도 나타날 수 있다. 그러므로 항균제 치료는 이득이 밝혀진 사람으로 제한해야 한다. 농뇨가 동반되더라도 무증상세균뇨가 항균제 치료의 절대적인 적응증은 아니다. 농뇨 유무로 무증상세균뇨와 감염을 구분할 수 없으며 도뇨관이 있는 환자에서 소변에서 냄새가 나거나 탁하다고 반드시 감염은 아니며 항균제 투여의 적응증도 아니다.

폐경 전 비임신 여성의 무증상세균뇨는 일반적으로 치료하지 않는다. 당뇨병 여성에서 무증상세균뇨의 치료로 항균제를 사용할 경우 장기적으로 세균뇨의 지속을 차단하고 특정균주의 보균을 줄 일 수 있었으나 증상이 있는 요로감염의 발생을 줄이지는 못한 것으로 보고된바 있다. 또한 당뇨병 환자에서의 무증상세균뇨의 존재는 신장기능의 악화에 영향을 주지 않는다. 따라서 당뇨병 여성에서 무증상세균뇨의 선별검사 및 치료를 권장하지 않는다. 대규모 연구에서도 지역사회 거주 노인에서도 무증상세균뇨의 선별검사와 치료는 권장되지 않으며 척수손상 환자 및 도뇨관이 있는 환자에서도 무증상세균뇨의 선별검사와 치료는 권장되지 않는다.

무증상세균뇨가 있는 임신부를 대상으로 한 연구에서 분석결과 항균제 치료군에서 저체중 출생아의 발생이 유의하게 감소하였고 신우신염의 발생이 감소한 것으로 보고된 바 있다. 현재 감염학회 가이드라인에서 강한 권고수준으로 임신 초기에는 세균뇨를 선별하고 치료할 것을 권장하고 있다. 그러나, 최근의 연구들과 메타분석에서 임산부의 무증상세균뇨를 치료하는 것에 대한 회의적인 결과들이 제시되어 근거 수준은 낮아진 상태이다.

요도경유전립선절제술(transurethral resection of the prostate, TURP)을 받을 예정인 환자는 무증상세균뇨를 선별검사하고 치료해야 한다. 항생제 투여는 처치 전날 저녁 혹은 직전에 시작하고 처치 직후 항균제 투여를 종료한다. 점막출혈이 예상되는 다른 비뇨기과 처치에도 무증상세균뇨에 대한 선별검사와 치료가 권장된다.

단순요로감염

요로감염은 흔한 감염으로서 모든 여성의 절반은 일생동안 적어도 한 번 이상 요로감염을 앓는다고 한다. 감염 부위에 따라 급성방광염과 급성신우신염으로 나누며 급성신우신염은 중증 질환으로 진행할 수 있어서 원인균과 항균제 감수성에 따라서 항균제를 적절하게 사용하는 것이 중요하다. 국내에서는 흔히 사용되었던 trimethoprim–sulfamethoxazole (TMP-SMX)의 사용빈도가 줄면서 TMP-SMX에 대한 내성이 감소하는 추세이나, ciprofloxacin의 내성은 증가하고 있어 이에 대한 주의와 평가가 요구되고 있다. 특히 2006년 단순 방광염에서 분리된 대장균의 ciprofloxacin 내성률은 서울 24.6%, 경상도 40.0%, 경기도 14.7%, 충청전라도 32.1%로 차이를 보였다. 따라서 경험적 항생제의 선택에 지역별 내성률 자료를 참고하는 것이 도움이 될수 있다.

1. 원인균 및 진단

국내에서 가장 흔한 원인균은 *E. coli*이며 *K. pneumoniae*, *Proteus mirabilis*, *Enterococcus* 균주, *Staphylococcus saprophyticus* 등이 분리된다. 연령에 따라서 원인균의 분포에는 차이가 있다. 국내 *E. coli*의 ciprofloxacin과 TMP-SMX에 대한 감수성은 각각 77~86%와 61~71%로서 미국과 유럽에 비해 낮다고 한다.

급성방광염은 배뇨 시의 통증, 빈뇨, 긴박뇨, 야간뇨, 치골위 불쾌감 등의 하부 요로감염 증상이 특징적인 소견이다. 급성신우신염은 발열, 오한, 오심, 구토 등의 전신증상과 옆구리 통증, 늑골척추각 압통이 나타나고 하부 요로감염 증상은 없는 경우도 있으며 균혈증이나 패혈증 증상 및 징후가 나타날 수도 있다.

급성방광염은 전형적인 하부요로감염 증상과 함께 농뇨가 관찰되면 진단한다. 외국에서는 일반적으로 소변배양검사가 반드시 필요하지 않다고 하지만 국내에서는 요로계감염균의 항균제 내성율이 높아 소변배양검사를 하는 것이 좋다. 또한 자세한 병력 청취를 통하여 요실금, 요로감염 과거력, 파킨슨병, 당뇨신경병증, 뇌졸중, 척수손상 등 복잡요로감염의 가능성을 확인해야 한다. 급성신우신염은 상부요로감염 증상과 농뇨가 특이적이다. 급성신우신염이 의심되면 소변검사를 하고 요와 혈액을 배양한다. 하부 요로감염 증상이나 늑골척추각 압통이 없이 발열만 있는 경우도 있으므로 임상증상, 검사소견 및 영상검사 결과 등을 종합적으로 분석하여 판단해야 한다.

요로계의 구조이상을 진단하기 위해 복부초음파검사, 복부 및 골반 전산화단층촬영, 핵의학 영상검사 등이 필요할 수 있다.

2. 급성방광염의 치료

현재 급성방광염의 치료로 제시되는 치료요법은 다음과 같다.

1) Nitrofurantoin monohydrate/macrocrystals 100 mg 하루 2회씩 5일 이상 투여
2) Fosfomycin trometamol 3 g 단회 투여
3) Pivmecillinam 400 mg을 하루 3회씩, 3일 이상 투여
4) 경구용 fluoroquinolone 계열 항생제를 3일 이상 투여
5) Beta-lactam 계열로는 2, 3세대 경구 세팔로스포린을 5일 이상 투여

우리나라의 항생제 내성 상황을 고려했을 때, Fosfomycin이 효과 및 부작용 면에서 좋은 것으로 평가되고 있으나, 아직 널리 보급되지는 않은 상황이다. 또한 nitrofurantoin이나 pivmecillinam과 같은 1차 약제는 아직 국내 도입이 되지 않은 상황이다.

현재로서는 fluoroquinolone과 경구 세팔로스포린 계열 항생제의 사용이 불가피하다. 단순 급성방광염에 대한 항균제 투여기간에서 3일 요법이 5~10일 요법과 임상적인 치료 효과에서 차이가 없으나 세균학적 치료 효과에서는 5~10일 요법이 우월하였다. 그러나, 부작용 또한 5~10일 군에서 통계적으로 의미 있게 자주 발생하여 세균의 박멸이 반드시 필요한 경우에만 5~10일 치료를 고려할 수 있다. fluoroquinolone과 베타-락탐 항생제의 비교에서 fluoroquinolone이 단기 증상 개선과 세균학적 치료에서 더 효과적이었다. 단순 방광염 치료에 있어 fluoroquinolone 간의 임상적 또는 미생물학적 효과의 차이는 없었으나, 약물 이상반응의 발생 빈도나 양상은 차이가 있었다. 특히, fluoroquinolone계열 항생제의 사용 시 인대, 근육, 관절, 신경, 중추신경계 등의 이상반응이 보고되고 있어 주의를 요한다.

과거에는 단순방광염에 대해서 소변배양 검사 없이 바로 경험적 항생제를 치료하는 것으로 권고되어 왔으나, 최

근 감염학회의 권고안에 따르면 신우신염이 의심되는 경우, 비전형적인 증상이 있는 경우, 임신부인 경우, 남성의 요로감염이 의심되는 경우, 치료 종료 후 2~4주 이내에 증상이 호전되지 않거나 재발한 경우에는 반드시 배양검사가 필요하고, 국내의 요로감염 원인균의 항생제 내성률 증가 상황을 고려했을 때 일반적으로 소변 배양검사를 하는 것을 권고하고 있다.

3. 급성신우신염의 치료

현재 급성신우신염의 치료로 제시되는 치료요법은 다음과 같다.

1) 입원이 필요하지 않은 경우

(1) 정주용 ceftriaxone 1~2 g 또는 amikacin 1일 용량을 투여한 후, 배양 결과가 확인될 때까지 경구용 fluoroquinolone을 투여 하거나, 정주용 ciprofloxacin 400 mg을 투여한 후, 배양 결과가 확인될 때까지 경구용 ciprofloxacin (500 mg 하루 2회)을 투여.

(2) 배양 검사가 확인된 이후에 다음의 경구용 항생제를 7~14일 투여
  ① ciprofloxacin (500 mg 하루 2회 또는 서방형 ciprofloxacin 1,000 mg 하루 1회)
  ② levofloxacin (500 mg 하루 1회 또는 750 mg 하루 1회)
  ③ TMP/SMX (160/800 mg 하루 2회)
  ④ 경구용 beta-lactam 항생제

2) 입원이 필요한 경우 다음의 정주용 항생제를 투여
  (1) fluoroquinolone,
  (2) aminoglycoside ± ampicillin
  (3) 2세대 cephalosporin
  (4) 광범위 cephalosporin
  (5) beta-lactam/beta-lactamase inhibitor ± aminoglycoside

(6) aminoglycoside ± beta-lactam
(7) carbapenem
(8) 해열이 된 후에는 분리된 원인균에 감수성이 있는 경구용 항생제 또는 내성률을 토대로 결정된 경구용 항생제로 변경하여 투여.

3) 중증 패혈증이나 패혈 쇼크 등으로 중환자실 입원이 필요한 급성신우신염 환자에서는 국내 내성률 등을 고려하여 piperacillin/tazobactam 또는 carbapenem을 투여.

모든 급성신우신염 환자는 경험적 항생제 투여 전에 소변 배양을 반드시 실시해야 한다. 단순 급성신우신염은 중증의 질환으로 진행할 수 있으므로, 원인균의 항생제 감수성 결과에 따른 적절한 항생제 치료가 필요하다.

입원이 필요한 경우는 지속적인 구토와 탈수가 있는 경우, 병이 악화되는 경우 또는 패혈증이 의심되거나 초기 외래 치료동안 회복이 없는 경우에 고려할수 있다.

단순 급성신우신염의 경험적 항생제 사용에 있어서, 항생제의 내성을 고려해서, 좀더 광범위한 항생제를 초기에 사용한 후에 요 배양검사의 결과에 따라서 선택적 항생제로 교체하는 치료 전략을 고려할 수 있다. 이러한 치료 전략의 근거가 되는 특정 항생제의 내성 유병률 기준은 fluoroquinolone의 경우 내성 유병률이 10%로, 그 이상으로 내성 유병률을 보이는 경우 대체 항생제를 초기 경험적으로 사용할 것을 권고하고 있다. 지역사회 요로감염 원인균의 항생제 내성이 점차 증가함에 따라서 항생제 감수성 결과를 얻을 때까지 3세대 cephalosporin, piperacillin-tazobactam, 또는 carbapenem계 항생제와 같은 광범위 항생제를 사용할 수 있다. 중환자실 입원 치료가 필요한 중증 패혈증이나 패혈 쇼크를 동반한 급성신우신염 환자를 치료할 때, 요로감염의 원인균에서 ESBL 생성균주의 빈도가 높은 곳에서는 감수성결과를 확인할 때까지 carbapenem계 항생제를 초기 경험적 치료로 고려할 수 있다. ESBL 생성균주에 의한 단순 급성신우신염에서 non-carbapenem계 항생제의 치료요법을 고려하는 경우가 많으나, 명확한 근거는 별로 없다. 일반적으로 항생제 감수성

을 보이는 ESBL 생성균주에 대해 fosfomycin, TMP-SMX, cefepime, ceftazidime-avibactam, ceftolozane-tazobactam, amoxicillin-clavulanate, piperacillin-tazobactam, amikacin을 carbapenem 대체로 사용해 볼 수 있다. 그러나, ESBL 생성 균주에 의한 중증의 요로감염 환자에게는 non-carbapenem계 항생제를 대체해서 사용하지 않도록 권고하고 있다.

당뇨병 환자에서의 요로감염

당뇨병이 있는 여성의 경우 당뇨병이 없는 여성에 비해 세균뇨가 2~4배 정도 더 흔하며, 상부요로감염의 빈도도 높고, 신농양, 신주위농양, 신유두괴사 등 합병증 발생도 흔하다. 이는 고혈당으로 인하여 백혈구 포식작용 등의 방어기전에 장애가 있고 당뇨병의 합병증으로 발생할 수 있는 신경성방광(neurogenic bladder)으로 인한 소변정체와 요관 역류가 발생할 수 있기 때문이다.

1. 원인균

당뇨병이 없는 환자에서의 요로감염의 원인균과 크게 다르지 않다. *E. coli*가 가장 흔한 원인균이다. 당뇨병이 없는 환자와 비교할 때 상대적으로 *K. pneumoniae*가 보다 흔한 원인균이다. 기종성방광염(공기증방광염, emphysematous cystitis)과 기종성신우신염(공기증깔때기콩팥염, emphysematous pyelonephritis)의 가장 흔한 원인균도 *E. coli*이다. Candida species에 의한 기종성신우신염도 보고가 있다.

2. 증상

급성방광염과 급성신우신염의 임상증상은 당뇨병이 없는 환자와 별 차이가 없다. 그러나 신우신염의 경우 양측 신장을 모두 침범하는 경우가 더 흔하다. 또한 신농양과 같은 합병증의 위험이 더 크며 이 경우 발열이 오래 지속

될 수 있다. 기종성방광염의 경우 육안적 혈뇨나 공기뇨(pneumaturia)가 있을 수 있고, 기종성신우신염의 경우는 중증 패혈증의 임상상을 보이고 측부에 종괴가 만져지거나 촉진시 마찰음(crepitus)이 있을 수 있다.

3. 진단

급성방광염과 급성신우신염의 진단은 당뇨병이 없는 환자에서와 차이가 없다. 기종성방광염은 방사선 검사상 방광벽에 공기 음영이 보일 때 진단할 수 있고, 기종성신우신염은 방사선검사상 신우 또는 신장실질, 또는 신장주위에 공기 음영이 보일 때 진단할 수 있다.

4. 치료

당뇨병 환자에서의 항생제 선택은 일반적인 요로감염의 치료에 준해서 한다. 당뇨병이 없는 환자에서와 치료기간을 달리 할 것인가에 대한 비교 임상연구는 없으며 일부 전문가들은 방광염에서 3일 치료보다는 7일 치료를 권장한다. 기종성신우신염 환자를 대상으로 어떤 경험적 항균제를 사용할 것인가에 대한 비교 임상연구는 없다. 중증 신우신염에 준해서 항균제를 사용하며 신독성이 있는 항균제를 피하는 것이 바람직하다. 기종성신우신염이 의심되는 환자는 질환의 진단과 침범정도의 파악을 위해 컴퓨터단층촬영이 필요하며 요로폐색이 있는 경우에는 이를 교정해야 한다. 기종성신우신염을 진단하는데 단순복부 X-선 촬영은 65~69%의 정확도를 보였으며, 초음파는 검사자에 의한 차이가 많고 기종을 결석이나 장관 내 가스와 구분하는데 어려움이 많은 반면, 컴퓨터단층촬영검사는 100%의 정확도를 보였다. 한 연구에서 가스가 신우에 국한되거나 신장 실질에 국한된 경우 항생제만을 사용한 환자들의 6%만이 사망한 반면, 가스 형성이 신장 주변부까지 광범위하게 침범한 경우나 양측 기종성 신우신염에서는 각각 21%, 50%가 사망한 것으로 보고해서, 침범 범위에 따라서 환자의 임상 양상과 중증도가 매우 다르게 나타날 수 있다. 기종성신우신염은 가스형성이 신우에 국한되

고 신장실질의 침범이 없는 경우는 항균제만 투여하여 치료할 수 있으며, 신장실질을 침범하는 경우는 항균제 투여와 함께 경피적 배농술이나 수술을 시행해야 한다. 특히 가스형성이 신장 주변부까지 광범위하게 침범한 경우와 경피적 배농술에도 호전이 없는 경우는 신장절제술을 고려해야 할수 있다.

합병요로감염 - 도뇨관 관련

도뇨관(카테터)을 유치한 환자의 요로감염은 무증상세균뇨 및 증상이나 징후를 동반한 요로감염으로 나눈다. 도뇨관 관련 세균뇨는 가장 흔한 의료기관 관련 감염질환 (약 40%)이고 지역사회 획득성은 상대적으로 드물다. 도뇨관 관련 요로감염은 국가와 지역, 의료기관의 종류, 도뇨관의 종류와 유치기간, 환자의 기저질환에 따라서 임상적 특징이 다양하다. 보통 도뇨관 관련 요로감염은 도뇨관이 유치되어 있거나 제거한 지 48시간 이내의 환자에서 발생한 요로감염으로 정의한다.

1. 원인균

도뇨관을 단기간(30일 이내) 유치한 경우는 한 가지 원인균이 대부분이며 *E. coli*가 가장 흔하지만 전체 감염의 1/3 이하이며 *Klebsiella, Serratia, Citrobacter, Pseudomonas*와 같은 그람음성균, *coagulase negative Staphylococci*나 Enterococcus 같은 그람양성균이 원인균이다. 환자의 3~32%에서 칸디다와 같은 진균감염이 보고된다. 장기간 (30일 이상) 도뇨관을 유치한 환자는 여러 가지 원인균에 의한 요로감염이 더 흔하다. 이 환자들은 위와 같은 원인균과 함께 균막(biofilm)에 집락을 잘 형성하는 *P. mirabilis, Morganella morganii, Providencia stuartii* 등이 상대적으로 흔하다.

도뇨관 관련 세균뇨의 발생률은 도뇨관 유치 하루당 3~8%이며 도뇨관 유치기간이 도뇨관 관련 세균뇨 발생의 가장 중요한 위험요인이다. 유치기간이 1개월이 넘으면 대부분 모든 환자에서 세균뇨가 나타난다. 도뇨관을 제거한 후 24시간 이후에도 세균뇨 발생의 위험은 존재한다. 도뇨관에 의한 균막의 형성이 도뇨관 관련 요로감염의 발병기전에 중요한 역할을 한다. 균막의 형성은 요로감염의 치료를 어렵게 하고 원인균을 변화시키며 항균제에 대한 반응을 변화시킨다.

2. 증상 및 진단

도뇨관 관련 요로감염과 관련된 증상과 징후는 새로 발생하거나 악화되는 발열이나 오한, 의식의 변화, 전신권태, 원인이 불분명한 기면, 옆구리통증, 늑골척추각압통, 급성혈뇨, 골반통증 및 도뇨관이 제거된 환자에서의 배뇨곤란, 빈뇨, 긴박뇨, 두덩위동통 등이다. 도뇨관 유치 환자의 농뇨는 도뇨관 관련 요로감염을 진단하거나 항균요법의 치료기준으로 부적절하다. 다른 증상이나 징후가 없는 도뇨관 유치한 환자의 소변악취나 혼탁은 소변배양 검사나 항균요법의 기준으로 하기에 부적절하다고 한다. 도뇨관 관련 요로감염 환자는 배뇨곤란, 빈뇨, 긴박뇨 등의 요로 증상이 드물고 발열, 백혈구증가증과 같은 전형적인 징후로 진단할 수 없다. 장기요양시설의 환자를 대상으로 개발한 알고리듬을 적용하여 늑골척추각압통 및 오한이나 섬망이 발생한 환자를 대상으로 항균요법을 시도하여 항균제의 오용과 남용을 줄였다는 보고는 있으나 입원한 도뇨관 유치 환자의 진단과 치료 권고안은 아직 개발되지 않았다.

3. 치료 및 도뇨관 관련 요로감염 예방

많은 연구에서 불필요한 도뇨관의 유치가 드물지 않고 도뇨관의 유치기간이 필요 이상으로 길다는 보고가 있다. 도뇨관 유치를 줄이면 도뇨관 관련 요로감염을 줄일 수 있다. 수술 환자를 대상으로 무작위 대조군연구를 하여 도뇨관 삽입의 빈도와 유치기간을 줄인 결과 도뇨관 관련 요로감염을 약 60% 감소시키고 항균제의 사용도 줄였다는 보고가 있다. 도뇨관은 반드시 적응증이 되는 경우에만 유치하도록 하고 도뇨관 관련 요로감염을 줄이기 위해

도뇨관은 가능하면 조기에 제거해야 한다. 유치 도뇨관에 비해 간헐적 도뇨관 배뇨는 세균뇨, 신우신염, 부고환염, 요도주변 농양, 요로결석 등의 합병증 발생의 빈도가 비교적 낮았다. 최근 Cochrane 평가의 메타분석 결과 도뇨관 유치 환자에 비해 간헐적 도뇨관 배뇨 환자에서 세균뇨가 감소하였다고 한다. 도뇨관이 필요한 경우 장기 유치 도뇨관 대신 간헐적 도뇨관 배뇨를 우선적으로 고려한다. 또한 도뇨관 관련 요로감염을 줄이기 위해 유치 도뇨관은 무균 처치법과 멸균기구를 사용하여 삽입하고 폐쇄식 배뇨법(closed catheter drainage system)을 유지한다.

단기 혹은 장기 도뇨관 유치 환자에서 예방 목적의 일상적 항균요법은 권장되지 않는다. 도뇨관 관련 세균뇨나 요로감염을 줄이기 위해 유치 도뇨관을 항균제로 세척하는 것도 일반적으로 권장되지 않는다. 임신부와 점막출혈이 예상되는 비뇨기시술 환자를 제외하고 유치기간과 무관하게 도뇨관 관련 무증상세균뇨는 항균요법이 권장되지 않는다.

병원균이 나앙하고 항생제 내성률이 높으므로 도뇨관 관련 요로감염이 의심되면 항균요법을 시작하기 전에 반드시 소변배양 검사를 해야 한다. 도뇨관을 2주 이상 유치한 환자가 도뇨관 관련 요로감염이 발생하고 도뇨관의 지속적 유치가 필요하면 증상 완화와 재감염을 줄이기 위해 도뇨관을 교환한다. 도뇨관 유치 여부와 무관하게 적절한 항균제로 치료하였을 때 1~2주간의 치료가 권장된다.

합병요로감염 - 기능적 혹은 구조적 요로계 폐쇄 관련

요로폐쇄는 신우신염의 병태생리에 중요하다. 정상적인 요배출장애가 발생하면 세균이 요로 내로 유입되고 결석 등의 이물질이 있으면 표면에 균막이 형성되어 세균뇨가 지속될 수 있다. 요로폐쇄의 기간이 길어지면 신조직의 영구적인 손상이 초래된다. 일반적으로, 요 농축력은 요로폐쇄가 1주일 정도면 완전 회복이 가능하지만 4주간 지속되면 요 농축력이 영구적으로 소실될 수 있다. 따라서, 요로

폐쇄에 의한 요로감염은 세균감염에 대한 항균제 치료와 더불어 요로폐쇄의 감압이 신속히 이루어져야 한다.

1. 원인

요로폐쇄를 일으키는 주요한 질환들은 연령에 따라 다양하다. 가장 흔한 원인 질환으로는 전립선비대증과 신경성방광(neurogenic bladder), 요로결석 등이다. 젊은 연령에서는 결석이 흔한 원인이며, 고연령에서는 전립샘비대증, 전립샘암 및 복강 내 종물이 흔한 원인 질환이다. 여성에서는 골반강 내 장기를 침범하는 질환들(방광류, 직장류, 자궁탈출, 골반강 내 종물, 후굴자궁)이 요로폐쇄를 일으킬 수 있다.

2. 임상증상

폐쇄성 요로감염에서 완전 요로폐쇄가 더 심한 임상증상을 나타내고 패혈증을 질 동반할 수 있으며 신장, 신주위 및 요도주변 농양, 뼈와 관절로의 전이성 감염이나 심내막염과 같은 화농성 합병증도 더 흔하다. 요로폐쇄는 연령이 증가하면서 유병율이 증가하고, 무증상에서 급성신손상까지 다양한 임상양상을 보인다. 상부 요로폐쇄를 일으키는 요관 결석은 급성 측배통이 전형적인 증상이고 하부요로폐쇄를 시사하는 증상으로는 요저류, 폐쇄 증상, 폐쇄와 방광 자극 증상, 대량 혈뇨, 방광자극증상, 요실금 등이 있다.

3. 원인균

국내연구에 의하면 수신증과 동반된 요로감염에서 원인균으로서 *E. coli*, *Pseudomonas*, *Aerobacter*, *Proteus*, *Enterococcus*, *Citrobacter* spp. 순으로 흔하였다. 신경성방광의 요로감염에서 가장 흔한 균은 *E. coli*였고 *E. faecalis*, *P. aeruginosa*, *P. mirabilis*, *K. pneumoniae*, *Streptococcus agalactiae* 등이 원인균이었다. 특히 *Enterococcus* spp.에 의한 감염이 발생하면 요로폐쇄의 가능성을 시사한다. 신

경성방광 또는 신경학적 이상을 동반한 환자에서 *Entero-coccus*와 *Pseudomonas* spp.가 다른 요로감염에 비해 중요한 원인균이다.

감염성 요결석이나 녹각석(infectious urinary stone, struvite stone)이 생기려면 요소분해효소를 생성하는 균주에 의한 요로감염이 선행되어야 한다. *Proteus, Morganella, Providencia* spp.는 모두 요소분해효소를 생산하나 *Klebsiella, Pseudomonas, Serratia, Staphylococcus* spp.는 균주에 따라 다양하게 요소분해효소를 생산한다. 사슴뿔결석(staghorn calculus) 환자의 82%가 요소분해효소를 생산하는 미생물에 감염되어 있고 흔한 원인균은 *Proteus, Klebsiella, Pseudomonas, Staphylococcus* spp. 등으로 알려져 있다.

4. 진단

요로폐쇄와 관련된 요로감염의 치료 전에는 소변배양 혹은 혈액배양 검사를 반드시 시행해야 한다. 상부 요로폐쇄에서 초기 진단방법으로 단순복부촬영술, 초음파검사, 비조영증강나선식 전산화단층촬영술(unenhanced helical CT, UHCT) 중에서 한 가지를 시행할 수 있고 UHCT가 다른 검사법보다 우수하며 신기능에 관계없이 시행할 수 있다. 하부 요로폐쇄는 방광의 요저류로 흔히 나타난다. 요저류가 의심되면 배설 후 잔뇨를 측정하여 100 mL를 초과하면 의미 있는 하부 요로폐쇄를 시사한다. 폐쇄발생 초기에는 배뇨일지, 소변세포검사, 초음파검사, 전산화단층촬영이 필요하며 중년 이후 남자환자에서는 특히 혈중 전립샘특이항원(PSA) 검사가 필요하다. 범람 요실금, 파킨슨병, 당뇨성 신경병증, 뇌경색, 척추 손상, 신경학적 질환이 동반되거나 재발성 요로감염이 있으면 폐쇄성 요로감염이나 신경성방광을 원인질환으로 고려해야 한다. 초기에 전반적인 신경학적 검사와 항문반사긴장도, 항문 주위 감각(S2, S5)을 검사하고 이상이 발견되면 요역동학검사(uro-dynamic test), 또는 필요시 뇌나 척추자기공명영상검사를 시행한다.

5. 치료

폐쇄성 요로감염 환자는 항생제 치료 중 요로폐쇄의 제거 여부, 동반 질환의 중증도 및 기저 요로계 손상정도에 따라 예후가 달라진다. 초기 경험적 항생제로는 flouro-quinolone, aminopenicillin/β−lactamase inhibitor, 3세대 cephalosporin, aminoglycoside 및 carbapenem을 사용할 수 있다. 패혈증이 의심되는 중증감염이나 병원 내 감염에서는 항녹농균 항균제를 초기에 사용해야 한다는 의견도 있다. Aminopenicillin/β−lactamase inhibitor, ceftazidime, cefepime, carbapenem 단독 또는 aminogly-coside나 fluoroquinolone과 병합하여 사용할 수 있다. 최근 녹농균의 fluoroquinolone 내성이 높아서(30~70%) 주의를 요한다. 항생제 병합 요법이 감수성이 좋은 항생제로 단독 요법을 적절하게 시행한 것보다 우월하다는 근거는 부족하다. 원인균과 항생제 감수성 결과를 아는 경우 신우신염의 치료 항생제로서 일반적으로 추천하는 감수성 있는 항생제를 단독 요법으로 사용하면 충분하다. 그러나, 패혈증이 의심되는 중증 감염, 재발이 많았던 경우나 의료 관련 감염인 경우는 경험적 치료를 강화하여 병합 요법을 고려할 수 있다. 국내 연구에 따르면, ESBL 생성 대장균 균주에서 piperacillin/tazobactam과 amikacin 을 병합 투여할 경우 carbapenem과 거의 유사한 항균 범위를 보였으며, fluoroquinolone 내성률이 amikacin 내성률보다 훨씬 높아서 일반적으로 amikacin과의 병합요법의 효과가 더 좋다. 요로폐쇄 유발 원인이 교정되고 추가적 감염의 요소가 없다면 7일에서 14일간 항균제를 사용한다. 원인질환의 치료나 증상의 호전 및 요로폐쇄의 교정이 불충분하면 3주 이상 치료를 연장할 수 있다. 결석이 제거되지 않고 남아있으면 장기간 항균제 치료를 고려한다. 폐쇄성 요로감염은 항균제치료와 함께 감압이 필요하다. 급성 요로폐쇄는 즉시 감압이 필요한 응급상황이며 수술이 필요할 수도 있다. 초기에는 최소한의 침습적 방법(도뇨관 삽입, 경피적 신루설치술, D−J stent 등)으로 감압하는 것이 좋다.

전립샘비대에 의한 급성 요로폐쇄 환자에서 도뇨관의 적정한 유치기간은 아직 결정되지 않았다. 도뇨관 삽입 초기 또는 자발뇨 시도 3일 전부터라도 알파차단제(alfuzo-cin, tamsulosin 등)를 사용하면 자발적 배뇨의 성공률을 높일 수 있다고 한다. 14일 이상 도뇨관을 유지한 경우는 치골상부 카테터삽입(supurapubic catheterization)을 고려할 수도 있다. 신경성방광의 기능이상은 높은 방광내압(범람성 요실금)이나 요저류 증가 또는 두 가지 모두에 의해서 나타나는데, 감염의 치료와 함께 항콜린제 약물을 단독 투여하거나 또는 알파차단제도 병합해서 사용할 수 있다.

세균전립샘염

전립샘염의 유병률은 약 10%로 매우 높고, 약 50%의 남성이 일생 동안 한 번은 이 증상을 경험한다고 한다. 그러나 이 중 약 7%만이 세균감염이 증명되는 세균 전립샘염이며, 나머지 대부분은 요로감염이 확인되지 않은 비세균 만성선립샘염/만성골반통증후군이다. 무증상전립샘염은 전립샘 비대증 환자 또는 전립샘암 환자에서 조직검사나 수술을 시행한 후 우연히 진단되는 경우가 대부분이다.

전립샘염 증후군은 미국 국립보건원의 분류에 따라 4가지 범주로 나눌 수 있다.
1) 급성세균전립샘염(acute bacterial prostatitis, category I)
2) 만성세균전립샘염(chronic bacterial prostatitis, category II)
3) 만성골반통증후군(chronic pelvic pain syndrome, category III)
   A. 염증성(inflammatory)
   B. 비염증성(non-inflammatory)
4) 무증상전립샘염(asymptomatic inflammatory prostatitis, category IV)

1. 정의 및 원인균

1) 급성세균전립샘염

급성세균성전립선염은 하부요로기관의 심한 폐쇄증상 및 자극증상, 전립선 부위 통증 그리고 전신증상을 동반한다. 발병의 90%에서는 원인미상이고 나머지는 요로생식기에 대한 시술이나 조작 후에 발생한다. 원인균들로는 *E.coli*를 비롯하여 그람음성균인 *Proteus* spp., *Klebsiella* spp., *Pseudomonas* spp. 등이 흔하며, 장기간 도뇨관을 유치한 경우는 *Staphylococcus aureus*가 원인균이 되기도 한다. 드물게는 혐기성 균인 *Bacteroides* spp.가 원인균으로 검출된다.

2) 만성세균전립샘염

만성세균전립샘염은 전립샘의 만성세균감염으로 발생하는데, 증상은 있을 수도 또는 없을 수도 있다. 보통 구조적 이상이 없는 재발성 요로감염환자의 전립샘에서 동일균이 검출된다. *E. coli*가 가장 흔한 원인균이며, *S.aureus*, *Enterococcus faecalis*와 같은 그람양성균이 원인이 되거나 그람음성균과 그람양성균의 복합감염 형태로 발생하기도 한다.

2. 임상증상

1) 급성세균전립샘염

급성세균전립샘염은 중증 급성전신질환이다. 요로감염에 의한 증상(배뇨통, 빈뇨, 절박뇨), 전립샘염에 의한 증상(회음부 통증, 성기 통증, 요통, 직장 통증), 그리고 세균혈증에 의한 증상(발열, 오한, 관절통, 근육통) 등이 나타날 수 있다. 직장수지검사 시 전립샘 부위의 열감이 느껴지며, 부드럽지만 붓고 긴장된 전립샘이 촉지되면서 극심한 압통이 특징이다. 합병증으로는 급성 요로폐쇄, 부고환염, 전립샘농양, 패혈증, 만성세균전립샘염 등이 발생할 수 있다.

전립샘농양은 2~18%에서 발생하며 특히 요로생식기계의 조작 후에 발생한 전립샘염의 경우에서 자주 발생한다.

2) 만성세균전립샘염

동일균에 의한 재발성 요로감염, 요도염 또는 부고환염은 만성세균전립샘염의 특징적인 소견이다. 이때, 요로감염이 없는 시기에는 증상을 호소하지 않을 수 있다. 증상은 만성골반통증후군과 구분이 되지 않으며, 골반 통증 또는 불쾌감(기간 > 3개월), 배뇨 시 자극증상(빈뇨, 절박뇨), 성기능장애 등을 나타낼 수 있다. 보통 항균제치료 시작 후에도 증상의 완화와 악화가 반복되는 경향을 보인다. 발열 등의 전신증상은 나타나지 않으며, 직장 수지검사에서도 특이 소견은 없다.

3. 진단

1) 급성세균전립샘염

급성세균전립샘염의 진단은 미생물학적으로 중간뇨에서 병원균을 발견하는 것이다. 세균혈증의 진단을 위해 혈액배양검사를 실시한다. 전립선 마사지는 심한 통증을 유발하고, 세균혈증을 조장할 수 있어서 급성세균전립샘염에서는 금기이다. 혈청 전립샘특이항원(prostate specific antigen, PSA)이 증가되며, 이는 항균제 치료에 의해 감소된다. 전립샘농양 유무를 확인하기 위해 경직장전립샘초음파검사 또는 전산화단층촬영이 필요할 수 있다.

2) 만성세균전립샘염

만성세균전립샘염은 대개 동일균에 의한 재발성 요로감염의 과거력이 있으면서 다른 원인, 특히 영상검사에서 구조적 이상이 없는 만성전립샘염증후군을 보이는 경우 진단할 수 있다. 만성골반통증후군과 구별하기 위해서 4배분뇨법 또는 2배분뇨법을 시행할 수 있는데, 전립선 마사지를 통한 전립샘분비액 또는 전립샘마사지 후 소변에서 중간뇨보다 10배 이상의 세균이 검출될 때 진단할 수 있다.

4. 치료

1) 급성세균전립샘염

급성전립샘염은 급성 중증 질환으로 초기 입원치료가 필요하며 소변 및 혈액배양 검사를 위한 검체수집 후 즉각적인 경험적 항균제의 주사치료가 필요하다. 항균제는 3세대 cephalosporin 제제, flruroquinolone 제제를 단독으로 사용할 수 있으나, 국내 fluoroquinolone의 요로감염 원인균에 대한 내성을 고려할 때, 입원이 필요한 환자에 대한 정주용 항생제로는 3세대 cephalosporin, 광범위 β-lactam/β-lactamase inhibitor, carbapenem 등을 초기 경험적 항생제로 치료하는 것을 권고하고 있다. 초기에 고농도의 정주용 항생제를 투여하고 이후 항생제 감수성 결과에 따라서 항생제를 변경한다. 급성기 이후에는 만성세균전립샘염 발생을 예방하기 위해서, 증상이 호전되면 경구 항생제로 전환하여 2~4주간 지속할 것을 권장한다. 초기 경험적 항생제에 aminoglycoside를 추가하는 것에 대한 근거는 많지 않다. 국내외의 후향적 연구들에 따르면 특히 과거 하부요로의 조작이 있었던 환자에서는 병합 요법이 효과적이었다.

만약 잔뇨가 있다면 알파차단제를 투여해야 하고 급성 요로폐쇄가 있을 때에는 치골상부 도뇨관을 유치해야 한다. 요폐색의 증거가 없는 환자에서의 요도 도뇨관 유치는 만성 전립선염으로의 진행 가능성을 높일 수 있다.

적절한 항균제 요법에도 불구하고 임상적으로 완전히 호전되지 않을 경우에는 전립샘농양발생을 의심해야 하며, 경직장전립샘초음파검사 또는 전산화단층촬영을 시행한다. 전립샘농양이 발견되면 회음부 또는 요도를 통한 천자 및 배농을 고려해야 한다.

2) 만성세균전립샘염

Fluoroquinolone 제제가 사용되기 이전에는 TMP-SMX이 만성세균전립샘염의 주요 항균제였다. Fluoroquinolone 제제는 다른 항균제에 비해 전립샘 내로 비교적 잘 투과되며, 넓은 항균범위를 가지고 있어 만성세균전립샘염의 선택적 약물이 되었다. 전향적 다기관임상연구를 통해 ciprofloxacin 500 mg 1일 2회 4주요법은 만성세균전립샘염의 표준요법으로 권장되었고, 이후 무작위대조군연구를 통해 levofloxacin 500 mg 1일 1회 4주요법이 ciprofloxacin 4주요법과 동일한 효과를 보인다고 보고되었다. 다른

fluoroquinolone 제제인 lomefloxacin, prulifloxacin 4주 요법도 무작위대조군연구를 통해 ciprofloxacin, levofloxacin과 동일한 효과가 있음이 밝혀졌다. 만성세균전립샘염에서 fluoroquinolone 제제는 경구로 투여할 수 있으며, 4주간 투여한다. 일반적으로는 fluoquinolone 제제가 TMP-SMX 보다 우월하지만, 만약 병원균이 fluoroquinolone 제제에 내성이 있을 경우, TMP-SMX 3개월 요법을 고려할 수 있다. 4주간의 치료에도 불구하고 재발성 요로감염이 발생하면 원인규명을 위한 추가검사를 고려해야 하며, 항균제감수성검사 후 재치료를 시작한다. 이 경우 3~6개월의 장기간의 항균제 치료가 권장되기도 한다. 근치적 경요도전립선절제술 또는 전립선절제술 등의 수술적 방법은 최후의 방법으로 고려될 수 있지만, 일반적인 치료로 권 장되지는 않는다.

Chlamydia trachomatis에 의한 만성세균성전립선염의 치료에 대한 무작위대조군연구에서 azithromycin 4주 요법, doxycycline 4주 요법, 그리고 clarithromycin 2~4주 요법이 fluoroquinolone 제제에 비해 효과적이었다는 보고가 있다.

칸티다뇨증(Candiduria)

소변에서 효모균의 검출은 특히 중환자실, 광범위항균제 치료 중인 환자와 당뇨환자들에서 유치 도뇨관의 흔한 합병증으로 빈도가 증가하고 있다. Candida albicans가 가장 흔한 효모균이나 Candida glabrata나 다른 균주도 자주 동정된다. 무증상세균뇨부터 신우신염, 패혈증까지 다양한 임상상을 보일 수 있다. 무증상 환자들에서는 유치도뇨를 제거하면 1/2 이상에서 칸디다뇨증이 사라진다. 파종성감염의 위험도가 높거나 증상을 동반하는 방광염, 신우신염환자들은 치료를 받아야 한다. Fluconazole (200~400 mg/d, 14 일간)치료가 소변내 약물 농도를 충분하게 높일 수 있어 칸디다 감염의 일차 치료방법이다.

다른 새로 개발된 azole과 echinocandin은 소변 내 약물농도를 충분하게 얻기 어려워 일반적으로 권고되지 않지만 fluconazole, 경구용 flucytosine 또는 amphotericin B 주사치료에 내성이 있는 경우 제한적으로 사용할 수 있다. 칸디다뇨증에서 amphotericin B 방광세척치료는 권고되지 않는다.

여성 반복 요로감염의 예방

가임기 여성에서 방광염의 재발은 매우 흔하다. 이러한 증상이 환자의 삶의 질을 저하시키는 원인이 된다면 적극적인 예방요법이 요구된다. 감염빈도와 함께 환자의 주관적인 요구도 고려해야 한다. 재발성 요로감염 예방목적으로 폐경 후 여성에게는 에스트로젠 질좌약을 사용할 수 있으나 예방효과는 분명하지 않다고 한다. 성접촉이 활발한 젊은 여성은 피임법의 대체를 우선 권할 수 있겠다. 그러나 우리나라는 살정제 사용이 보편화되어있지 않아서 피임법에 대한 권고는 현실적이지 않다. 크랜베리 추출물은 다른 예방법이 효과적이지 않다면 적어도 폐경전 여성에게 시도해 볼 수도 있으며 대장균 추출물을 이용한 면역강화 예방요법은 앞으로 좀 더 많은 연구결과를 지켜볼 필요가 있다. 기타 물 많이 마시기, 성관계 직후 배뇨, 배뇨 혹은 배변 후 앞쪽에서 뒤쪽으로 닦기, 소변 참지 않기, 면제품 속옷과 헐렁한 옷 입기, 욕조에서 목욕하지 않기 등의 생활습관교정은, 역학연구에서 예방효과가 명확하게 증명되지는 않았지만, 위생적이며 비용이 들지 않고 우려할 만한 부작용이 없어 흔히 권장되고 있다. 이러한 예방법이 실패한 경우 항균제 예방요법을 적용할 수 있으나 장기사용에 따른 항생제 내성 유발과 약제 부작용이 문제될 수 있다.

항균요법으로는 지속적 요법, 성교 후 요법, 자가치료 등 3 가지 방법을 고려할 수 있다. 지속적 요법과 성교 후 요법은 보통 저용량의 TMP-SMX, fluoroquinolone, 또는 nitrofurantoin을 사용하는 방법이다. 보통 6개월간 사용하고 중지할 수 있는데 중지 후 다시 반복 요로감염이 나타날 수 있다. 이 경우 더 오랜 기간 동안 약물을 사용할 수도 있다. 자가치료 방법은 환자에게 일정기간 동안의 항균제를 처방하고 요로감염 증상이 발생하면 소변배양검체를 채취한 후 처방받은 항균치료를 시작하는 것이다.

예후

방광염은 재발성 방광염과 신우신염의 위험요인이다. 무증상세균뇨는 노인 및 도뇨관을 삽입하고 있는 환자들에서 흔하게 발생하지만 사망위험도를 높이지는 않는다고 한다. 재발요로감염, 신우신염과 신부전증의 관련성에 대하여 많은 연구들이 있었는데 요로계 구조적 이상이 없는 한 소아와 성인에서 요로감염의 재발은 만성신우신염이나 신부전증을 초래하지는 않는다. 또한 감염이 만성 사이질 신염의 일차적 원인이 되지는 않는다. 이러한 경우 대부분 일차적 원인은 진통제 남용, 요로폐쇄, 역류, 신독성 물질에 노출된 경우가 많다. 요로폐쇄를 일으키는 결석 등 요로계에 구조적 문제가 있는 경우 요로감염은 신장조직의 파괴를 가속화하는 중요한 이차적 요인이 된다. 장기간 유치도뇨를 하고있는 척수손상 환자들에서 방광암의 위험도가 높은데 만성염증을 초래하는 만성 세균뇨가 한 원인으로 작용할 가능성이 있다.

▶ 참고문헌

- Disorders of the kidney and urinary tract: Urinary Tract Infections, Pyelonephritis, and Prostatitis. Harrison's Principles of Internal Medicine 18th ed. McGraw-Hill 2012.
- Grabe M, et al: Guidelines on urological infection limited update-March 2013.
- Gupta K, et al: Treatment of Acute Uncomplicated Cystitis and Pyelonephritis in Women: A 2010 Update by the Infectious Diseases Society of America and the European Society for Microbiology and Infectious Diseases. Clin Infect Dis 52:e103-20, 2011.
- John Feehally, et al: Comprehensive clinical nephrology. Edinburgh: Mosby, 2018.
- Korea Centers for Disease Control and Prevention: Guidelines for the antibiotic use in urinary tract infections. 2018.
- LEE SJ: Guidelines for childhood urinary tract infection. Korean Journal of Pediatrics 52:976-983, 2009.
- Nicolle LE, et al: Infectious Diseases Society of America Guidelines for the Diagnosis and Treatment of Asymptomatic Bacteriuria in Adults. Clin Infect Dis 40:643-644, 2005.
- The Korean Society of Infectious Diseases, The Korean Society for Chemotherapy, Korean Association of Urogenital Tract Infection and Inflammation, The Korean Society of Clinical Microbiology: Clinical Guideline for the Diagnosis and Treatment of Urinary Tract Infections: Asymptomatic Bacteriuria, Uncomplicated & Complicated Urinary Tract Infections, Bacterial Prostatitis. Infect Chemother 43:1-25, 2011.

제**10**부 요로감염 및 비뇨기계 질환

CHAPTER
02 요로결석

김재영, 장태익 (국민건강보험공단 일산병원), **나성은** (가톨릭의대 영상의학과)

KEY POINTS

- 요로결석의 증상으로는 측복통과 혈뇨가 흔하며, 칼슘결석이 주된 구성성분이다.

- 저하된 수분 섭취, 고염식이 및 동물성단백식이 등이 요로결석 발생의 위험인자로 생각되는 한편, 높은 식이 칼슘은 오히려 낮은 요로결석 발생의 위험도와 연관성이 확인되었으나 반면 칼슘 보충제를 통한 칼슘 섭취량 증대는 요로결석의 위험도 상승과 연관성이 확인되었다.

- 진단을 위해 CT 스캔이 가장 흔히 사용되며, 결석의 크기와 위치에 따라 보존적 치료 혹은 비뇨기과적 시술이 이어질 수 있다.

- 최근 칼슘결석의 발생과 관련된 몇 가지 유전적 다형성이 전장 유전체 연관분석(genome-wide association study, GWAS) 연구 결과들을 통해 확인되었다. 세관 내 칼슘 및 인의 재흡수와 관련된 단백질을 코딩하는 유전자, 칼슘 침전 억제와 연관된 단백질을 코딩하는 유전자, 근위세관의 수분통로(aquaporin)를 코딩하는 유전자 등이 포함된다.

서론

요로결석은 일차진료 영역에서 흔한 질환으로 발병 빈도가 점차 늘어나는 추세이다. 미국통계에서 1992년부터 1994년까지는 10만명당 년간 178회의 요로결석으로 인한 응급실 방문이 있었으나 2007년부터 2009년 까지는 10만명당 년간 340회로 증가하였다는 보고가 있었고, 전체 남성의 19% 및 여성의 9%에서 일생에 요로결석을 한 번 이상 경험하는 것으로 확인되었다.

요로결석을 경험하는 대부분의 환자들에서 신장급통증(renal colic)과 혈뇨와 같은 전형적 증상이 나타난다. 그러나 일부 환자에서는 증상이 없을 수 있고, 애매한 복부 통증, 구역질, 절박성뇨, 빈뇨, 배뇨의 어려움, 음경 통증, 또는 고환 통증 등과 같은 비특이적 증상이 있을 수 있다.

원인

약 80%의 환자에서 칼슘결석이 원인이고 주된 구성성분은 옥살산칼슘(calcium oxalate)이며 다음으로 인산칼슘(calcium phosphate)이 흔한 원인이다. 그 외에 요산결석(uric acid stone), 스트루바이트(magnesium ammonium phosphate, MgNH4PO4, 마그네슘암모늄인산염)결석, 시스틴결석(cystine stone) 등이 존재한다. 한 환자에서 두 가지 형태의 돌이 발생하기도 한다(예, 옥살산칼슘과 요산).

결석의 형성 과정에 관한 하나의 설은 소변 내 용해되어 있는 물질(즉, 칼슘 혹은 옥살산염 등)이 과포화(supersaturation)되어 결정 형성이 시작된다고 하는 것이다. 결정이 서로 응집하여 집합관의 말단에 달라붙고 시간이 지남에 따라 크기가 증가하게 된다. 달라붙는 과정은 상피세포 손상 부위에서 일어나며, 세포 손상은 결정 자체로 유발된다고 추측된다.

또 다른 설은 결석의 형성이 신장 수질의 사이질에서 시작된다고 하는 것이다. 사이질에서 칼슘 결정이 형성되고 이것이 신장의 유두로 배출되면서 형성된 Randall씨 판(Randall's plaque)이라 불리는 구조 위로 추가적인 옥살산칼슘 혹은 인산칼슘 결정이 축적된다.

위험인자

요로결석 발생에는 소변 성상 외에도 식이 관련 혹은 비식이 관련 위험인자간의 복합적인 작용이 영향을 미치는 것으로 생각된다.

저하된 수분 섭취에 따른 소변량 감소는 소변 내 결석 생성을 유도하는 인자들의 농도를 상승시킬 수 있는 흔하면서도 쉽게 교정이 가능한 위험인자로 알려져 있다. 한편, 소변 내 높은 칼슘 농도는 옥살산칼슘결석 및 인산칼슘결석 형성의 증가, 그리고 소변 내 높은 옥살산염 농도는 옥살산칼슘결석 형성의 증가와 각각 연관성이 확인되었다. 마찬가지로 소변 내 요산 농도의 상승이 요산결석의 위험인자로 확인된 반면, 소변 내 구연산염(citrate)은 칼슘결석 형성을 저해하는 것으로 확인되었다. 요산결석의 경우 pH 5.5 이하의 산성뇨에서 발생하나, 인산칼슘결석의 경우 오히려 pH 6.5 이상의 소변에서 호발하는 것으로 나타났다.

과거에는 식이를 통한 칼슘 섭취가 요로결석의 위험인자로 생각되었으나, 일부 전향적 연구들에서 높은 식이 칼슘이 오히려 낮은 요로결석 발생의 위험도와 연관성이 확인되었다. 반면 칼슘 보충제를 통한 섭취량 증대는 요로결석의 위험도 상승과 연관성이 확인되었다. 고염식이 및 고

표 10-2-1. 칼슘결석의 주된 위험인자

소변 요소
감소된 요량
높은 칼슘 농도
높은 옥살산염 농도
낮은 구연산염 농도
높은 pH (인산칼슘결석의 경우)
해부학적 요소
속질해면콩팥(medullary sponge kidney)
말굽콩팥(horseshoe kidney)
식이 요소
저하된 수분 섭취
저칼슘식이
고옥살산염 섭취
저칼륨식이
동물성단백식이
고염식이
고자당(sucrose)
고과당(fructose)
저피트산염(phytate)
고비타민 C
다른 의학적 요소
일차부갑상샘항진증
통풍
비만
당뇨

자당(Sucrose)식이 역시 소변 내 칼슘 배설을 늘릴 수 있는 위험인자이며, 옥살산염을 함유한 식이 섭취의 증대는 소변 내 옥살산염 농도를 증가시킬 수 있는 위험인자이다. 동물성단백질의 섭취 증가는 소변 내 칼슘 및 요산 배설을 증가시키는 한편 구연산염 배설 감소로 이어질 수 있다. 반면 고칼륨식이의 경우 소변 내 칼슘 배설을 줄이며 소변 내 구연산염 배설을 증가시키는 것으로 알려져있다. 남성에서 비타민 C의 과잉 섭취는 요로결석 발생의 위험인자이다.

당뇨병, 비만, 고혈압과 같은 대사성 질환을 가진 환자

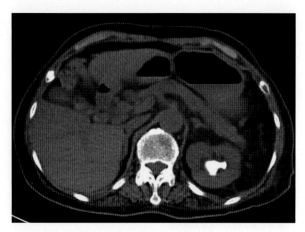

그림 10-2-1. 스트루바이트결석의 CT 스캔사진

군에서 요로결석 발생 위험도의 증가가 확인되었다. 일차 부갑상샘항진증 환자들에서 골흡수에 뒤따르는 소변 내 칼슘 배설의 증가로 칼슘결석의 위험성이 증가한다. 통풍의 경우 소변 내 요산 배설의 증가와 산성뇨로 인해 요산결석의 위험도를 높일 수 있다. 한편 환경적 요인 혹은 직업 역시 소변량의 변화와 소변 내 결정화에 영향을 미쳐 요로결석 발생의 위험인자로 작용할 수 있다.

상부요로감염의 경우 스트루바이트결석(struvite stone)으로 이어질 수 있고, 척수손상의 결과로 발생한 방광기능 이상으로 요로감염이 발생하는 것이 대표적인 예이다. 스트루바이트결석은 상부요로에서 요소분해효소 형성균인 *Proteus*, *Klebsiella* 등에 의해 형성된다(그림 10-2-1).

요로결석 가족력이 있는 환자에서 그렇지 않은 환자보다 위험성이 2배 높은 것으로 확인되었으며, 요로결석의 가족력이 강력한 위험인자로 작용하는 경우는 희귀 유전질환인 댄트병(Dent's disease), adenine phosphoribosyltransferase deficiency, 시스틴뇨증(cystinuria) 등이 있다. 시스틴뇨증의 진단은 소변에서 질병 특징적인 육각형 시스틴 결정을 확인하면 내릴 수 있다.

최근 칼슘결석의 발생과 관련된 몇가지 유전적 다형성이 전장 유전체 연관분석(genome-wide association study, GWAS) 연구 결과들을 통해 확인되었다. 세관 내 칼슘 및 인의 재흡수와 관련된 단백질을 코딩하는 유전자, 칼슘 침전 억제와 연관된 단백질을 코딩하는 유전자, 근위

세뇨관의 수분통로(aquaporin)를 코딩하는 유전자 등이 포함된다.

드물게 소변에서 결정 형성을 증가시키는 약제의 사용도 위험인자가 될 수 있다. 이러한 약제들로는 indinavir, acyclovir, sulfadiazine, triamterene, ceftriaxone 등이 있다.

요로결석의 종류

요로결석을 확보할 수 있는 경우 성분 분석을 의뢰하는 것이 결석 환자 평가에서 가장 중요하다.

1. 칼슘결석

다양한 상황에서 옥살산칼슘결석이 발생할 수 있으며, 인산칼슘결석은 옥살산칼슘결석과 대부분 같은 위험인자에서 발생한다.

소변 내 높은 칼슘 농도와 칼슘결석 형성 사이의 연관성은 농도에 비례하는 것처럼 보이나, 그 기전에 관해서는 추가적인 연구들이 필요하다. 소변 내 칼슘 농도를 결정하는 요인으로는 위장관 내 흡수, 촉진된 골대사 등이 있다.

특히 경구 칼슘 섭취량의 증가가 옥살산염의 위장관 흡수를 저하시켜 소변 내 옥살산염 농도를 감소시킨다. 장에서 옥살산염 흡수가 증가된 환자에서도 결석 형성 위험성은 증가하며 위우회술, 비만치료를 위한 수술, 짧은창자증후군이 대표적인 원인들이다. 증가된 옥살산염의 요배출은 요로결석 환자 중 남성에서 40%, 여성에서 15%까지 확인된 바 있으며 옥산살칼슘결석의 주된 위험인자이다. 심한 고옥살산염뇨증은 보통 염증성장질환(inflammatory bowel disease)이나 흡수장애, 또는 일차성 고옥살산뇨증(primary hyperoxaluria)에서 보인다.

소변 내 구연산염은 칼슘결석 형성의 저해 요인으로 알려져 있으며 만성 대사산증에서 일반적인 경우보다 더 낮은 농도로 관찰된다. 그러나 임상적으로 확인되는 대사성산증이 없더라도 요로결석 환자의 많은 수에서 낮은 소변

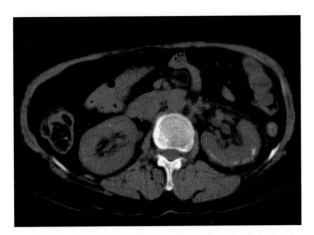

그림 10-2-2. 일차성 일차부갑상샘항진증에서의 신석회증(nephro-calcinosis)

내 구연산염 농도가 확인된다.

칼슘결석이 호발하는 기저 질환으로 일차부갑상샘항진증, 속질해면콩팥(medullary sponge kidney), 1형 신세관산증 등이 있다. 일차부갑상샘항진증의 경우 높은 소변 내 칼슘 농도와 함께 고칼슘혈증 혹은 정상 범위의 혈중 칼슘 농도가 확인될 때 의심해볼 수 있으며(그림 10-2-2), 수질해면신장은 칼슘결석 환자의 12~20%에서 찾아볼 수 있다. 1형 신세관산증은 소변 pH가 알칼리성이며 인산칼슘결석이 호발하고 수질신석회증(medullary nephrocalcinosis)이 잘 일어난다.

2. 요산결석

요산결석은 중탄산염 소실과 체액이 감소하는 만성 설사 등의 상황에서 소변 pH가 낮은(pH 5.5 미만) 경우 지속적 산성뇨가 요산의 결정화와 요산결석의 형성을 증가시키게 되어 위험도가 증가한다. 또한 요산 과다생성(over-production)과 과다배설이 동반되는 경우 잘 발생한다. 통풍, 당뇨, 비만 등의 대사성 질환에서 요산결석 발생이 증가함이 확인된 바 있다.

3. 스트루바이트결석

스트루바이트결석은 요소분해 형성 세균인 *Proteus*나 *Klebsiella*에 의한 만성적인 상부요로감염 환자에서 발생한다. 간혹 소변에서 다수의 마그네슘암모늄인산 결정을 볼 수 있다. 수주에서 수개월 동안 매우 빠르게 형성되고 적절히 치료하지 않으면 녹각 혹은 가지 모양 돌이 전체 신장의 집합계를 침범할 수 있다(그림 10-2-1). 요석의 전형적인 증상은 없는 경우가 많다. 진단은 재발성의 요로감염환자가 경한 측복통, 혈뇨가 있으면서 지속적으로 알칼리뇨(pH 7.0 초과)를 보이며 때로 다수의 마그네슘암모늄인산 결정을 소변에서 볼 수 있을 때 의심할 수 있다.

4. 시스틴결석

시스틴결석은 시스틴뇨증(보통 상염색체열성 질환) 환자에서만 발생한다. 소변검사에서 특징적인 육각형 격자의 시스틴 결정을 확인하고 소변 시스틴 농도가 250 mg/L 이상이면 진단이 가능하다.

임상증상

1. 통증

통증은 요로결석의 가장 흔한 증상 중 하나로 강도는 경증에서부터 주사용 진통제가 필요할 정도까지 매우 다양하다. 통증은 주로 요로 폐색과 신장피막의 팽창 때문에 발생한다. 통증은 특징적으로 강도가 더함과 덜함을 반복하다가 요관에서 결석의 이동 및 요관의 경련과 관련되어서 굽이침 혹은 발작 형태로 나타난다. 발작적인 심한 통증은 보통 20분에서 60분 정도로 지속된다.

결석이 이동하면서 발생하는 폐색의 위치에 따라 통증의 위치가 변할 수 있다. 상부 요관 또는 신우의 폐색은 측복통과 동통을 유발한다. 하부 요관 폐쇄는 동측의 음낭 혹은 음순으로 방사한다. 요산결석과 같은 경우 소변모래

(gravel) 형태로 흔히 배출되기도 하며, 이러한 소변모래나 결석이 요관을 빠져 나가는 경우 이를 자각할 만한 증상을 많은 환자들이 경험하기도 하나 결석이 요관 내에서 이동하지 않는 경우는 증상만으로 위치를 추정하기는 어렵다. 또한 통증의 위치가 변함으로써 급성 복통이나 대동맥박리 등으로 오진되는 경우도 있다. 만성적인 통증을 호소하는 환자는 영상학적 검사를 동원하지 않고는 요로결석의 진단이 힘든 경우도 있다.

경우에 따라 다른 목적으로 시행한 검사 중 우연히 요로결석이 발견되거나 혹은 과거 요로결석의 병력이 있어 시행한 검진에서 무증상으로 발견되기도 한다. 무증상 요로결석이 진단된 107명의 환자에서 31개월의 추적검사 시약 70%는 무증상으로 남아있었다.

2. 혈뇨

증상이 있는 요로결석 환자의 많은 경우에서 육안적 또는 미세혈뇨가 나타난다. 혈뇨의 소견은 결석 혹은 소변모래의 배출 이외에 측복통으로 표현되는 환자에서 요로결석의 유일하고도 가장 특징적인 예측 인자이다.

그러나 급성 측복통에서 혈뇨가 없으면 요석이 아니라고 할 수는 없다. 요로결석 환자의 10~30%는 혈뇨가 검출되지 않는다. 또한 통증의 시작과 소변검사시간의 간격이 늘어날수록 혈뇨 검출율이 떨어진다. 한 연구에서는 첫날에 혈뇨는 95%에서 존재하는데 3일과 4일에서는 65%와 68%로 저하된다고 하므로 소변 검사 시 이러한 점도 염두에 두어야 한다.

3. 기타 증상

흔한 다른 증상으로는 구역, 구토, 배뇨통, 절박뇨 등이 있다. 뒤의 두 증상은 결석이 원위부 요관에 존재할 때 특징적으로 발생한다.

합병증

요로결석은 지속적인 요관 폐색을 유발할 수 있고 치료하지 않으면 영구적인 신장 손상을 유발한다. 약 이백만명 이상의 일반 인구집단을 대상으로 한 코호트 연구에서 한번 이상 요로결석을 경험한 군은 요로결석을 경험하지 않은 대조군에 비해 말기신장병의 발생에 대해서는 2.16배, 3b기 이상의 만성신부전의 발생에 대해서는 1.74배의 위험비의 상승과 연관성을 보이는 것이 확인되었다. 녹각석 (staghorn calculi)은 요로의 폐색이나 감염이 있지 않는 한 증상이 없다. 그러나 양측으로 발생되는 경우 수년 후에 신부전을 초래할 수 있다. 한 연구에서는 8년 동안 28% 환자에서 신장기능 저하가 일어났음을 보고하였다.

요로결석의 재발은 흔하다. 첫 칼슘결석을 치료하지 않은 환자에서 두번째 결석이 발생할 확률은 1년 내 15%, 5년 내 35~40%, 10년 내 50%로 보고된 바 있다. 최근의 전향적 연구 데이터에서는 첫 5년 동안 1년에 5%의 재발률을 보고하고 있다.

감별진단

신세포암종의 경우 신장으로부터의 출혈에 따른 혈전이 요관 폐색을 일으켜 드물게 신장통증을 유발할 수 있다. 반면에 사구체 유래 혈뇨는 혈전이 발생되지 않으므로 통증 유발이 없다. 신우신염은 흔히 통증, 발열, 농뇨를 동반한다. 하지만 요로결석의 경우는 발열은 흔하지 않다. 여성에서 하부 요관의 요로결석은 급뇨 혹은 빈뇨와 같은 증상을 유발하여 방광염으로 오인될 수 있고 소변검사에서 혈뇨 및 농뇨가 관찰될 수 있으나 소변 배양검사 결과는 음성으로 나타난다.

자궁외임신, 난소낭종의 파열이나 꼬임도 측부 복통을 유발한다. 이런 경우 초음파가 진단에 도움이 된다. 월경통은 월경 주기 직전 혹은 주기 중에 발생하며 측복통으로 발현되는 경우는 드물다.

대동맥 박리, 급성 장관폐색, 게실염, 충수돌기염, 쓸개

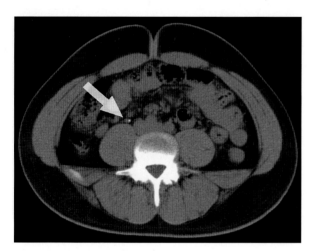

그림 10-2-3. 매우 작은 요관결석
단순 복부촬영 등에서 보이지 않을 수도 있으나 CT 스캔으로 진단이 가능하다.

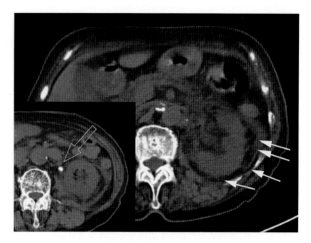

그림 10-2-4. 신장주위가닥형성(perinephric stranding)
근위부 요관결석(빈 화살표)이 요로 폐색을 일으켰으며 이차적인 압력으로 임파계나 정맥계의 확장으로 콩팥주위가닥형성(다수의 화살표)을 나타낸다.

급통증 등은 급통증으로 표현될 수 있으나 혈뇨가 동반되지는 않는다. 대상포진도 측복통을 유발할 수는 있지만 특징적인 피부병변이 있고 혈뇨를 동반하지 않는다.

진단

1. 조영제 사용 없는 나선형 CT 스캔

조영제를 사용하지 않은 나선형 CT 스캔은 결석과 요관폐색을 모두 진단할 수 있다. 단순복부 X선촬영이나 경정맥신우조영술로 보이지 않는 결석까지 CT 스캔으로 발견 가능하기 때문에(그림 10-2-3) 가장 민감한 검사법이고, 특이성도 거의 100%에 달하여 양성의 검사결과로 요로결석을 확진할 수 있다. CT 스캔은 절편두께 3~5 mm로 시행하는 것이 진단에 적절하다.

조영제 사용 없는 CT 스캔은 요로폐색의 이차적인 합병증도 진단할 수 있으며 이러한 소견의 발생은 통증의 기간에 따라 달라진다. 일례로 요로결석 환자 대상의 연구에서 2시간과 8시간째의 영상 소견을 비교 하였을 때 요관확장은 각각 84%, 97%에서 볼 수 있었고 수집계 확장은 각각 68%, 89%, 그리고 중등도 내지 고도의 신장주위가닥

형성(perinephric stranding)(그림 10-2-4)이 각각 5%, 51%에서 확인되었다.

요로 폐색이 없는 경우 정맥결석(phlebolith)과의 감별이 어려울 수 있다. 요로결석 주위의 부종을 나타내는 "가장자리 징후(rim sign)"는 요로폐색에서 발생하므로 감별에 도움이 될 수 있다.

예외적으로 indinavir로 인한 요로결석인 경우 방사선 투과성이 높고 폐색의 증상은 약하거나 없어 조영제 사용 없는 CT 스캔에서 진단되지 않을 수 있다. 이러한 환자는 조영제를 사용하여야 진단이 가능하다.

CT 스캔에서 결석의 밀도, 위치, 전반적 형태가 결석의 구성 성분을 시사해 줄 수 있다. 마그네슘암모늄인산결석과 시스틴결석이 간혹 방사선 불투과성이지만 옥살산칼슘결석이나 인산칼슘결석만큼 밀도가 높지 않다. 신석회증이 존재하면 인산칼슘결석일 가능성이 있으며 신세관산증을 시사한다. 양쪽 신장의 피질수질경계에서 석회화 침착이 있는 것은 속질해면콩팥(medullary sponge kidney)에서 특징적으로 보이며 옥살산칼슘결석 또는 인산칼슘결석이 발견된다. 신우의 큰 돌은 스트루바이트결석을 시사한다. 일반적으로 요산결석, 시스틴결석, 스트루바이트결석들은 옥살산칼슘결석과 구별되지만 CT 스캔은 옥살산칼슘결석의 서로 다른 형태, 즉 이수하물(dehydrate)과 일수

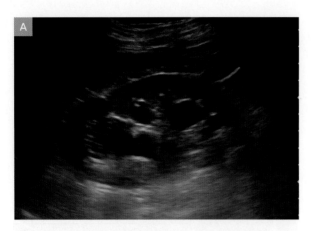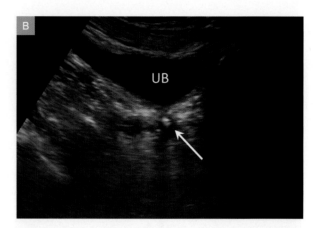

그림 10-2-5. 원위부 요관결석에 의한 수신증의 초음파소견

(A) 우측 신장 초음파영상에서 신우신배계가 늘어나 있는 수신증이 보인다.
(B) 골반강을 스캔하면 우측 원위부 요관에 고에코를 보이고 후방음영감쇠를 보이는 결석(화살표)이 보인다. UB = 방광

화물(monohydrate)을 구별하거나 옥살산칼슘결석과 인산칼슘결석을 구별할 수 있을 정도로 민감하지는 않다. 이중에너지 CT (dual energy CT)는 두 가지 에너지원을 이용하는 기법으로 기존의 CT보다 결석의 구성성분 예측에 더 효과적으로 여겨진다.

2. 진단에서 사용빈도 감소하는 검사법

사용 빈도가 줄어들고 있는 검사법으로는 초음파, 단순복부 X선촬영, 경정맥신우조영술, 자기공명영상이 있다. CT 스캔검사가 여의치 않을 경우에만 대체검사로 이용되고 있다.

1) 복부 초음파

방사선을 피해야 하는 소아, 임산부에서 시행할 수 있다. 요로폐색은 진단할 수 있지만 요로결석의 진단은 부정확할 수 있다(그림 10-2-5). 원위부 요관의 결석은 질을 통한 초음파 촬영을 통해 발견되기도 한다.

여러 영상학적 기법을 조합하여 시행하면 진단의 정확도가 상승한다. 한 연구에서 초음파검사와 단순복부 X선촬영의 조합이 조영제를 사용하지 않는 나선형 CT 스캔의 경우와 비교할만한 성적이 확인되었다. 하지만 이러한 조합이 CT 스캔이 불가한 상황에서의 대체검사 방법이 될 수 있는지에 관해서는 연구가 더 필요하다.

2) 단순복부 X선촬영

크기가 큰 칼슘결석, 스트루바이트결석, 시스틴결석 등의 방사선불투과결석은 단순복부 X선촬영에서 찾아낼 수 있다. 크기가 작은 결석이나 방사선투과성인 요산결석, 복강 내 구조물과 겹쳐져 보이는 결석은 놓칠 수 있고 요로폐색도 진단할 수 없다. 초기 진단을 위한 방법으로 부적절하지만 경정맥신우조영술과 함께 시행될 때 진단의 민감도와 특이도가 높아질 수 있다(그림 10-2-6).

3) 경정맥신우조영술

높은 민감도와 특이도를 보이며 요로폐색의 정도에 관한 정보를 제공한다. 이전에는 가장 효과적인 진단 방법이었지만 조영제 사용에 따른 부작용, 상대적으로 낮은 민감도, 높은 방사선 피폭량 등의 이유로 조영제 사용 없는 나선형 CT 스캔으로 대체되었다.

4) 자기공명영상

결석을 확인하기에 부적절하기 때문에 임신한 여성 이외에는 거의 사용되지 않는다.

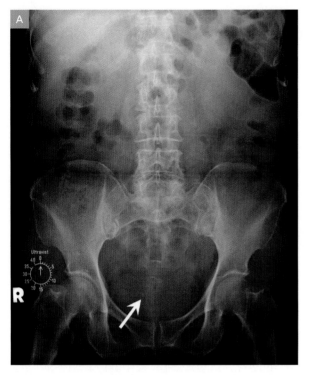
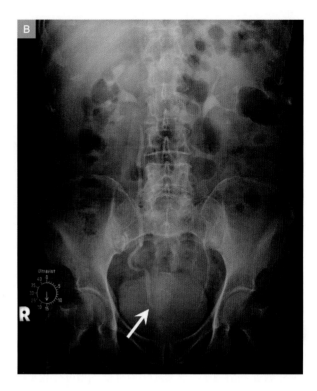

그림 10-2-6. 요로폐쇄를 초래한 작은 원위부요관결석

(A) 신장요로방광단순촬영에서 우측 골반강에 작은 결석(화살표)이 있다.
(B) 정맥요로조영술 15분 지연영상에서 경미한 수신증이 있고, 결석(화살표)의 위치가 원위부 요관임을 확인할 수 있다.

첫 요석이 발생한 환자의 평가

처음으로 요로결석이 진단된 환자에게는 철저한 병력조사, 영상학적 검사, 기본 검사실 검사를 시행하여야 한다. 그리고 다수의 결석이 발견되거나, 가족력이 있는 환자, 활성적인 결석질환(재발성, 기존 결석의 크기 증가, 소변모래의 재발성 배출) 환자는 기본 검사실 검사를 포함하는 전체물질대사평가(complete metabolic evaluation)를 시행한다.

1. 병력조사

철저한 병력조사는 결석의 위험인자(표 10-2-1)가 있는지 확인하는 목적으로 시행된다.

수분 섭취가 감소하거나 신장외 경로로 수분 손실(발한 또는 위장관 소실)이 증가하면 소변 내 결석 형성 인자의 농도가 상승한다. 동물성단백의 섭취 증가는 소변 내 칼슘 및 요산 농도의 상승과 구연산염 농도의 저하, 소변의 산성화를 초래하여 결석 형성을 촉진한다. 고염식이는 소변 내 칼슘배설을 증가시킨다. 시금치, 견과류는 옥살산염 함유량이 높은 음식이어서 주의가 필요하나 식이를 통한 옥살산염 섭취가 소변 내 옥살산염에 미치는 영향에 대해서는 아직 논란이 있다.

낮은 칼슘 섭취는 장관 내에서 옥살산칼슘 형성을 감소시켜 장관으로의 옥살산염 흡수를 증가시키고 결과적으로 옥살산염의 소변배설을 증가시킨다. 과다한 당류(과당)섭취는 칼슘 그리고/혹은 옥살산염의 소변배설을 증가시킨다.

2. 검사실 검사

처음 결석이 발생한 환자에게서 전체물질대사평가를 시

행하여야 하는지에 관해서는 아직 논란이 많다. 요로결석이 첫 진단된 환자도 재발성 환자들과 비슷한 물질대사이상을 보이며, 24시간 소변검사 결과로 결석 형성을 어느 정도 합리적으로 예측할 수 있으므로 첫 진단 시부터 결석에 관한 전체물질대사평가를 하여야 한다고 주장하는 연구자가 있고, 처음부터 광범위한 의학 검사를 시행하는 것은 비용 효율적이지 않다는 연구자도 있다.

첫 진단시 검사실 검사로는 3가지 선택이 있다. 이는 제한적인 평가방법, 전체물질대사평가방법(다수의 결석형성 혹은 활성적 결석 형성 환자에서와 동일하게), 일부 환자만 시행하는 표적설정 접근법이다.

1) 제한적인 평가방법

대부분의 증상 있는 결석이 비수술적으로 비교적 간단하게 치료될 수 있고, 재발의 양상이 다양하며 또한 재발하지 않을 사람에게는 불필요한 검사를 시행하지 않도록 하기 위하여 요로결석의 첫 진단 시에는 제한된 검사만을 진행하자는 주장이 있다. 이 경우 일반적인 생화학검사를 시행한다.

그러나 첫 검사에서 혈중 칼슘 농도가 높은 정상값을 보여주는 환자는 적어도 다시 한번 칼슘 농도를 측정하여야 하는데, 그 이유는 수술적으로 완치 가능한 질환인 일차부갑상샘항진증으로 인한 요로결석 환자의 대부분에서 혈중 칼슘 농도는 10.2~11.0 mg/dL (2.55~2.75 mmol/L) 전후로 확인되기 때문이다. 낮은 혈중 인 농도, 낮은 혈중 중탄산염 농도는 원위신세관산증이나 만성 설사를 시사한다.

2) 표적설정 접근법

재발할 위험성이 중등도로 높은 환자에서만 전체물질대사평가를 하는 것이다. 여기에 속하는 환자군은 아래와 같다.

- 중년의 백인남자이면서 요로결석의 가족력이 있는 경우: 만성적 설사 그리고/혹은 흡수장애, 병적인 골절, 골다공증, 요로감염
- 통풍환자인 경우: 결석의 성분이 시스틴, 요산

- 인산칼슘결석 또는 스트루바이트결석의 경우

3) 전체물질대사평가방법

처음 결석이 발생한 환자에서 전체물질대사평가를 시행하자는 의견이 있으며 이는 첫 결석이 형성된 후 재발율이 높고, 반복되는 재발성 결석으로 인한 신장 손상의 우려가 있으며, 음성칼슘평형으로 골밀도가 저하될 위험성이 높은 환자를 선별하기 위해서이다.

혈청검사, 소변검사 및 적어도 2회 이상의 24시간 소변수집을 포함한다.

(1) 소변검사

특정 진단을 내릴 수 있는 소견이 있기 때문에 주의 깊은 소변검사가 필요하다. 소변 pH 7.0 이상에서 인산염결정이 관찰되는 경우 인산칼슘결석 또는 스트루바이트결석을 의미한다. 시스틴뇨증에서 육각형의 시스틴결정이 발견되며, 요산결정이나 옥살산칼슘결정은 요로결석 환자가 아닌 경우에도 발견되지만 결석이 있는 환자에서 특정 결정은 결석의 구성성분을 암시하는 것일 수 있다. 소변검사상 결정의 발견은 향후 새로운 결석 형성의 주요 위험인자이다.

(2) 소변 칼슘-크레아티닌 비

일부 기관에서 사용되고는 있지만 일상적으로 수행되지는 않는다.

(3) 24시간 소변수집

식이 섭취에 변화가 클 수 있기 때문에, 그리고 소변 내에서 많은 정보를 확보하기 위해서는 적어도 2회 이상의 분리된 24시간 수집이 필요하다. 2번의 검사가 상당 부분 일치하지 않는 경우에는 3번째 검사가 필요하다. 많은 환자들에서 24시간 소변수집이 주말에 시행되는 경우가 흔하기에 일상생활과의 괴리를 고려하여 검사결과 해석에 주의가 필요하다. 요관 폐색이 있거나 요로감염이 있는 경우는 소변수집을 시행하지 않는다.

소변량, pH, 칼슘, 요산, 구연산염, 옥살산염, 소듐, 크

레아티닌을 측정하며 정상범위는 다음과 같다.

> 칼슘: 여성에서 하루 250 mg 미만 또는 남성에서 하루 300 mg 미만
> 요산: 여성에서 하루 750 mg 미만 또는 남성에서 하루 800 mg 미만
> 옥살산염: 하루 45 mg 미만
> 구연산염: 하루 320 mg 이상

경험 많은 검사실에서는 결석형성인자의 농도를 전부 측정하여 소변 과포화(supersturation)를 계산하여 제공하는데 이것이 결석형성 예측에 중요하게 사용되기도 한다.

크레아티닌 배설양은 24시간 소변이 잘 수집되었는지를 확인하는데 사용된다. 50세 이하 남성의 경우 20~25 mg/kg (lean body weight, 마른 체중), 여성의 경우 15~20 mg/kg 정도 되어야 소변 채집이 적절하게 이루어진 것이다.

소듐 배설의 측정도 중요하다. 일반적으로 소듐 배설이 증가하면 칼슘 배설이 증가한다. 칼슘 배설을 줄이기 위하여 티아지드(thiazide) 이뇨제를 사용할 때 약제의 효과가 있는지 소듐과 칼슘 배설을 측정하여 판단할 수 있다.

요산은 중성 혹은 알칼리용액에서 측정되어야 하고, 칼슘과 옥살산염은 염산 혹은 질산에서, 구연산염은 산성용액에서 측정되어야 한다.

(4) 소변 수집의 시간대

소변의 수집은 결석이 발생한 시점으로부터 적어도 1개월에서 3개월이 지난 이후에 시행하여야 하는데, 그 이유는 환자들이 요로결석의 진단 후 식습관을 변화시킬 수도 있기 때문이다. 따라서 소변의 수집은 반드시 외래에서 시행되어야 하며 평소와 같은 식이상태를 유지하고 있을 때 시행되어야 한다. 또한 수술 후 환자가 완전히 회복되고, 소변의 감염이나 폐색이 없는 상태에서 시행되어야 한다.

치료

1. 급성 치료

미국비뇨기과학회와 유럽비뇨기과학회에서는 요관결석의 치료를 아래와 같이 제안하였다.

크기가 ≤10 mm의 새로이 진단된 결석이고 증상이 조절되면 첫번째 치료선택으로써 정기적으로 평가하면서 경과 관찰한다. 관찰하는 동안 결석 배출을 촉진시키기 위한 약제 투여를 고려할 수도 있다. 적극적으로 결석 제거를 할지, 내과적 배출 치료(medical expulsive therapy, MET)와 같은 보존적 치료를 할지의 결정은 환자의 여건을 고려하여 결정한다. MET의 필수 조건은 환자가 보존적 치료에 순응하고 적극적인 결석 제거 시행의 이점이 없다고 판단될 때이다.

결론적으로 ≤10 mm 직경의 결석을 가진 환자에서는 자연 배출을 촉진시키기 위하여 tamsulosin(0.4 mg 하루 1회)을 4주 동안 투여한다. 그때까지 자가 배출이 일어나지 않으면 다시 영상 검사를 시행한다. 환자는 일반적으로 ketololac 같은 비스테로이드소염제도 필요하다.

10 mm 보다 큰 결석, 의미 있는 불편감, 의미 있는 폐색 혹은 4~6주 후에도 배출되지 않는 결석은 비뇨기과와의 상의를 필요로 한다.

1) 수액공급

신장급통증 환자의 많은 수에서 결석이 배출될 때까지 진통제 투약과 수액공급을 통한 보존적인 치료를 할 수 있다. 그러나 많은 양의 생리식염수를 짧은 시간에 투여하는 (2리터/2시간) 강제적인 정맥수액공급(forced intravenous hydration)은 시간당 20 mL의 통상적인 정맥수액요법에 비해서 진통 약제의 투여를 줄이거나 결석의 배출을 증가시키지는 못하였다.

2) 소변 걸러내기(Straining urine)

환자에게 며칠 동안 소변을 걸러내도록 교육해서 결석이 배출되면 가져오도록 한다. 결석의 성분 분석을 통해

더 나은 예방법을 계획할 수 있다.

3) 통증 조절

약과 수분의 경구투여가 가능한 환자는 집에서 치료할 수 있다. 경구투여가 불가능하거나 통증이 조절되지 않거나 발열이 있으면 입원이 필요하다.

(1) 비스테로이드소염제(Nonsteroidal antiinflammatory drug)와 아편유사제(opioid)

비스테로이드소염제와 아편유사제는 전통적으로 신장급통증의 통증 조절에 사용되어 왔다. 비스테로이드소염제는 요관평활근의 긴장도를 감소시켜 통증의 주된 기전인 요관경련을 직접적으로 치료하는 장점이 있다. 비스테로이드소염제의 또 다른 이점으로는 적은 양에도 진통 효과가 확실하고, 구역, 구토 등의 부작용이 적은 점이다. 반면에 단점으로는 기존에 신장질환이 존재하던지, 심한 용적고갈상태에서는 급성 폐색에 대응하는 신장의 자가조절 기전을 간섭하여 급성콩팥손상을 유발한다.

전향적 무작위 조절연구(prospective randomized controlled trial)에서 비스테로이드소염제는 요로결석으로 인한 통증 조절에 있어 아편유사제만큼 효과가 있었고, 비스테로이드소염제와 아편유사제의 병합요법은 한 가지만 사용하였을 때보다 효과가 더 좋은 것으로 확인되었다. 체계적 문헌 고찰(systematic review)에서도 비스테로이드소염제, 아편유사제 모두 효과적인 진통제인 것으로 확인되었다.

비스테로이드소염제는 체외충격파쇄석술(extracorporeal shock wave lithotripsy)이 예정된 경우에는 출혈의 위험성을 최소화하기 위하여 3일 전에 끊어야 한다.

4) 결석 배출

결석의 크기가 자발적 결석 배출의 가장 중요한 결정인자이다. 크기가 ≤5 mm인 대부분의 결석은 자발적으로 배출되고 ≥10 mm인 경우 거의 배출되지 못한다.

75명의 요관결석 환자를 대상으로 한 연구를 참고해보면, 결석 직경이 2 mm인 환자 41명 중에서는 단지 2명

(5%)만이 중재술이 필요하였으며 중재술이 이뤄지지 않은 환자들에서 평균 결석 배출 시간은 8.2일이었고 95%는 31일 내에 일어났다. 결석 직경이 2~4 mm인 환자 18명에서는 3명(17%)에서 중재술이 필요하였으며 중재술이 이뤄지지 않은 환자들에서 평균 돌배출 시간은 12.2일이었고 95%는 40일 내에 일어났다. 결석 직경이 4~6 mm인 환자 16명에서는 8명(50%)에서 중재술이 필요하였고 중재술이 이뤄지지 않은 환자들의 평균 돌배출 시간은 22일이었으며 95%는 39일 내에 일어났다.

결석의 크기 이외에 결석의 위치도 중요하다. 근위부 요관의 결석은 자연배출율이 떨어져 한 연구에서는 근위부 요관에서는 48%, 요관방광접합부(ureterovesical junction)에서는 79%의 환자들에서 자연 배출이 일어났다.

(1) 결석 배출 촉진하기

몇 가지 내과적 조치를 통해 결석의 배출을 증가시킬 수 있고, 진경제, 칼슘통로차단제, 알파차단제, 스테로이드 투여 등을 고려해볼 수 있다.

911명의 환자가 포함된 11개 연구의 메타분석에서 요관 결석 배출은 보존적 치료군보다 알파차단제 치료 시행군에서 44% 더 많이 일어난 것으로 확인되었다. 또다른 메타분석에서는 칼슘통로차단제(보통 nifedipine) 또는 알파차단제(보통 tamsulosin) 투여군에서 요관결석 배출이 65% 더 많이 일어난 것으로 확인되었다.

Nifedipine과 tamsulosin을 직접 비교한 연구에서는 결석 배출율이 비슷하거나 tamsulosin이 약간 더 높은 배출율을 보였다. Tamsulosin을 투약하는 경우 결석 배출이 더 빨라지며 한편 시술 횟수의 감소, 더 낮은 입원율과 연관성을 보이는 것으로 확인되었고, 다른 알파차단제도 비슷한 효과를 보여주었다.

2. 비뇨기과 협의진료와 비뇨기과적 시술

요로성 패혈증, 급성콩팥손상, 무뇨, 심하게 지속되는 통증, 구역, 구토가 있으면 신속한 비뇨기과와의 협의진료가 필요하다.

배출되지 않는 결석의 치료로는 충격파쇄석술(shock wave lithotripsy, SWL), 전기수압 또는 레이저 프르브를 활용한 요관경쇄석술, 경피성신장절개결석제거술, 그리고 복강경요석제거 등이 있다.

개복수술로 결석을 제거하는 경우는 매우 드물다. 수로는 SWL가 많이 시행되고 75%의 환자에서 좋은 결과를 보여준다. 신우나 상부요관에 위치한 결석에서 가장 효과가 좋다. 환자의 1/3에서 결석 조각으로 인한 폐쇄로 일시적인 경증의 발열, 10% 미만에서 요로감염이 일어날 수 있다.

SWL와 요관경 모두 요석 제거의 일차적 치료법으로 간주되며, 요관경이 결석제거율이 조금 높지만 합병증의 발생 가능성 역시 더 높다.

1.5 cm 이상 크기가 큰 경우, 경도가 높은(즉, 시스틴 또는 옥살산칼슘) 신장결석, 하부끝신배(lower pole calyx) 또는 요관 중간부위의 결석인 경우에서는 SWL가 단지 50% 정도 만의 성공률을 보여준다. 이러한 경우는 경피적 또는 요관경접근의 내시경적 결석 분쇄술이 추천된다.

3. 결석 형성의 예방적 치료

1) 일반적인 치료 및 구성 성분에 따른 치료
(1) 수분 섭취를 증가시킨다.
(2) 개인의 생활습관과 소변 구성 성분에 알맞는 식이요법을 교육한다. 일반적으로 과일, 채소류의 섭취량 증가와 저염식, 동물성 단백질의 섭취량 감소가 요구된다.
(3) 칼슘결석 환자는 식이습관 교정 뿐 아니라 다음과 같은 약제를 투여하는데, 소변 내 높은 농도의 칼슘이 확인되는 경우에는 저염식과 함께 티아지드 이뇨제, 소변 내 높은 농도의 요산이 확인되는 경우에는 allopurinol, 소변 내 낮은 농도의 구연산염이 확인되는 경우에는 potassium citrate 투여를 고려할 수 있다.
(4) 요산결석 환자는 소변을 알칼리화 시키기 위하여 potassium citrate를 투여하거나 allopurinol 사용을 고려한다.
(5) 시스틴결석 환자는 충분한 수분 섭취, 소변 알칼리화, 및 chelating agent로서 tiopronin 등의 약제 사용을 고려해볼 수 있다.
(6) 스트루바이트결석은 경피적 신장절개결석제거술(nephrolithotomy)로 완전한 돌 제거가 필요하며 요로감염의 예방과 치료가 중요하다.

2) 결석 성분을 모르는 경우
재발성의 요로결석 질환이 있는 경우에는 칼슘을 기본으로 하는 결석이라고 가정하는 것이 합리적이다. 이런 경우 칼슘결석과 연관된 몇가지 질환을 배제시켜야 한다. 재발성결석은 반드시 성분분석을 의뢰해 치료법을 결정하여야 한다. 결석의 성분을 모를 때는 24시간 소변결과로서 치료를 선택한다.

3) 소변 내 높은 칼슘 농도
소변 내 칼슘 농도가 증가되어 있을 때는 이를 감소시키기 위해 티아지드 이뇨제를 고려할 수 있다. 일차성부갑상샘항진증, 유육종(sarcoidosis), 1형 신세관산증의 가능성을 고려한다.

4) 소변 내 낮은 구연산염 농도
소변 내 구연산염 농도가 낮으면 치료방법 결정이 어려워질 수 있다. 구연산포타슘(potassium citrate) 투여로 구연산염의 섭취를 증가시키면 소변 내 구연산염 배설을 증가시킬 수 있다. 그러나 구연산염이 중탄산염으로 대사되어 소변 pH의 증가를 초래하므로, 인산칼슘결석의 경우 요로결석의 형성을 촉진할 수 있다. 따라서 소변 pH를 측정해서 pH 6.5 이상이라면 구연산염 투여는 매우 조심해야 한다. 그렇지만 구연산염 자체는 인산칼슘 결정형성을 방해하는 것으로 생각되나, 실제 결석 형성 저하 효과 혹은 소변 pH 상승으로 인한 결석 형성 촉진에 관한 효과는 불확실하다.

신세관산증 환자는 소변의 알칼리성 변화에도 구연산염 투여가 치료에 도움이 된다.

5) 소변 내 높은 옥살산염 농도

소변 내 옥살산염 농도가 높은 경우 우선 옥살산염의 섭취를 제한하여야 한다. 피해야 할 음식은 시금치와 견과류 등이 있다.

소변 내 칼슘 농도가 증가되어 있는 경우라도 칼슘 섭취를 증가시키는 한편 옥살산염 섭취는 줄이되 이것만으로 부족하면 일반의약품인 구연산칼슘(calcium citrate)을 식이와 함께 공급할 수 있다. 그러나 식이 섭취를 통한 소변 내 옥살산염 농도는 매우 변화가 많아서 만약 환자가 저옥살산염식이를 하였음에도 불구하고 소변 옥살산염이 저하되지 않으면 옥살산염 제한은 불필요하다.

6) 소변 내 높은 요산 농도

만약 소변 내 요산 농도가 높게 확인되었다면 요산 형성을 저하시키기 위한 생활습관으로 퓨린 섭취를 제한하고 체중 감량을 시도해볼 수 있다.

7) 적은 소변량

소변량 감소가 원인으로 생각되는 환자들에서는 하루 소변량이 2리터 이상 되도록 수분 섭취를 증가하도록 한다. 특히 기온이 높거나 땀이 많이 나는 운동을 하는 경우에는 수분 섭취량을 더 늘려야 한다. 199명의 환자에서 대조시험을 시행한 결과 수분 섭취 증가를 통해 2리터 이상으로 소변량을 증가시킨 군에서 의미 있게 새로운 결석 형성이 감소되었다(12% 대 27%).

8) 명확한 대사이상이 없는 경우

일부 재발성 칼슘결석 환자에서는 특별한 대사이상이 발견되지 않는 경우가 있다. 그러나 주의 깊게 분석하면 이 환자들은 요로결석이 없는 군에 비해 소변 내 칼슘이나 옥살산염이 많고 구연산염은 적은 경향을 보이거나 비정상범위에 있지 않을 수 있다. 만약 이러한 환자에서 반복적인 요로결석이 발생하는 경우 소변 내 결석형성인자를 교정하여야 할 것이다.

한 단면 연구에서 24시간 소변 칼슘이 100 mg 미만인 군에 비해서 150~199 mg 군은 1.52의 결석 위험도,

200~249 mg 군은 1.84의 위험도, 250~299 mg 군은 1.93의 위험도를 보였고, 24시간 소변 옥살산염이 20 mg 미만인 군에 비해서 25~29 mg 군은 1.59의 결석 위험도, 30~39 mg 군은 2.51의 위험도를 보고하였다. 또한 소변 구연산염의 배출이 300 mg 미만인 군에 비해 300~399 mg 군은 0.72, 400~499 mg 군은 0.63, 500~599 mg 군은 0.60의 위험도를 보고하였다.

9) 계산된 과포화수치의 이용

소변 과포화(supersturation) 정도를 계산하여 제공하는 검사실이 존재하는 일부 기관에서는 어느 정도로 소변 성분을 변화시켜야 할지 결정할 수 있고, 해당 처치의 효과를 정량화하여 측정할 수 있다. 예를 들어 24시간 소변 칼슘량과 옥살산칼슘의 과포화 값을 제공 받음으로서 티아지드 투여 효과를 알아볼 수 있다. 효과가 있다면 두 값 모두 감소할 것이다.

10) 영상학적 모니터링

처음에는 1년마다 시행하여야 하고, 만약 음성이라면 이후에 재발의 경향에 따라 매 2~4년마다 시행한다. 기존의 결석이 초음파에서 관찰되었다면 초음파를 추적 관찰에 사용할 수도 있을 것이다. CT는 가장 민감한 검사법이나 방사선의 누적 피폭량이 증가할 위험이 있다. 저선량 CT는 피폭량을 줄여주는 이점이 있고 외래에서 추적검사에 유용하다.

▶ 참고문헌

- Abate N, et al: The metabolic syndrome and uric acid nephrolithiasis: novel features of renal manifestation of insulin resistance. Kidney Int 65:386–392, 2004.
- Alan Y, et al: Brenner and Rector's The Kidney. 11th edition. Philadelphia: Elsevier, 2020.
- Alexander RT, et al: Kidney stones and kidney function loss: a cohort study. BMJ 345:e5287, 2012.
- Arcidiacono T, et al: Idiopathic calcium nephrolithiasis: a review of pathogenic mechanisms in the light of genetic studies. Am J

Nephrol 40:499–506, 2014.

- Asplin JR, Coe FL. Hyperoxaluria in kidney stone formers treated with modern bariatric surgery. J Urol 177:565–569, 2007.
- Avci Z, et al: Nephrolithiasis associated with ceftriaxone therapy: a prospective study in 51 children. Arch Dis Child 89:1069–1072, 2004.
- Borghi L, et al: Comparison of two diets for the prevention of recurrent stones in idiopathic hypercalciuria. N Engl J Med 346:77–84, 2002.
- Borghi L, et al: Urinary volume, water and recurrences in idiopathic calcium nephrolithiasis: a 5–year randomized prospective study. J Urol 155:839–843, 1996.
- Cappuccio FP, et al: Kidney stones and hypertension: population based study o f a n independent c linical a ssociation. B MJ 300:1234–1236, 1990.
- Carr MC, et al: Triamterene nephrolithiasis: renewed attention is warranted. J Urol 144:1339–1340, 1990.
- Catalano O, et al: Suspected ureteral colic: primary helical CT versus selective helical CT after unenhanced radiography and sonography. AJR Am J Roentgenol 178:379–387, 2002.
- Chandhoke PS: When is medical prophylaxis cost–effective for recurrent calcium stones? J Urol 168:937–940, 2002.
- Coe FL, et al: The pathogenesis and treatment of kidney stones. N Engl J Med 327:1141–1152, 1992.
- Cole RS, et al: The action of the prostaglandins on isolated huma–nureteric smooth muscle. Br J Urol 61:19–26, 1988.
- Cordell WH, et al: Indomethacin suppositories versus intravenously titrated morphine for the treatment of ureteral colic. Ann Emerg Med 23:262–269, 1994.
- Curhan GC, et al: Family history and risk of kidney stones. J Am Soc Nephrol 8:1568–1573, 1997.
- Curhan GC, et al: Twenty–four–hour urine chemistries and the risk of kidney stones among women and men. Kidney Int 59:2290–2298, 2001.
- Curhan GC, Taylor EN: 24hr uric acid excretion and the risk of kidney stones. Kidney Int 73:489–496, 2008.
- Dalrymple NC, et al: The value of unenhanced helical computerized tomography in the management of acute flank pain. J Urol 159:735–740, 1998.
- Daudon M, et al: Type 2 diabetes increases the risk for uric acid stones. J Am Soc Nephrol 17:2016–2033, 2006.
- Dellabella M, et al: Randomized trial of the efficacy of tamsulosin, nifedipine and phloroglucinol in medical expulsive therapy for distalureteral calculi. J Urol 174:167–172, 2005.
- Duffey BG, et al: Roux–en–Y gastric bypass is associated with early increased risk factors for development of calcium oxalate nephrolithiasis. J Am Coll Surg 206:1145–1153, 2008.
- Elton TJ, et al: A clinical prediction rule for the diagnosis of ureteral calculi in emergency departments. J Gen Intern Med 8:57–62, 1993.
- Evan AP, et al: Randall's plaque of patients with nephrolithiasis begins in basement membranes of thin loops of Henle. J Clin Invest 111:607–616, 2003.
- Fwu CW, et al: Emergency department visits, use of imaging, and drugs for urolithiasis have increased in the United States. Kidney Int 83:479–486, 2013.
- Glowacki LS, et al: The natural history of asymptomatic urolithiasis. J Urol 147:319–321, 1992.
- Ha M, MacDonald RD: Impact of CT scan in patients with first epi→sode of suspected nephrolithiasis. J Emerg Med 27:225–231, 2004.
- Heneghan JP, et al: Soft–tissue "rim" sign in the diagnosis of ureteral calculi with use of unenhanced helical CT. Radiology 202:709–711, 1997.
- Hess B, et al: Metabolic evaluation of patients with recurrent idiopathic calcium nephrolithiasis. Nephrol Dial Transplant 12:1362–1368, 1997.
- Holdgate A, Pollock T: Systematic review of the relative efficacy of non–steroidal anti–inflammatory drugs and opioids in the treatment of acute renal colic. BMJ 328:1401, 2004.
- Hollingsworth JM, et al: Medical therapy to facilitate urinary stone passage: a meta–analysis. Lancet 368:1171–1179, 2006.
- Jameson JL, et al: Harrison's Principles of Internal Medicine. 20th ed. New York: McGraw Hill Education, 2018.
- Kim SC, et al: Stone formation is proportional to papillary surface coverage by Randall's plaque. J Urol 173:117–119, 2005.
- Kobayashi T, et al: Impact of date of onset on the absence of hematuria in patients with acute renal colic. J Urol 170:1093–1096, 2003.
- Kopp JB, et al: Crystalluria and urinary tract abnormalities associated with indinavir. Ann Intern Med 127:119–125, 1997.
- Manjunath A, et al: Assessment and management of renal colic. BMJ 346:f1985, 2013.
- Miller OF, Kane CJ: Time to stone passage for observed ureteral calculi: a guide for patient education. J Urol 162:688–690, 1999.
- Neil T, et al: Oxford Textbook of Clinical Nephrology. 4th ed. Oxford: Oxford University Press, 2015.
- Pak CY: Etiology and treatment of urolithiasis. Am J Kidney Dis 18:624–637, 1991.
- Pak CY: Should patients with single renal stone occurrence under–

go diagnostic evaluation? J Urol 127:855–858, 1982.

- Parks J, et al: Hyperparathyroidism in nephrolithiasis. Arch Intern Med 140:1479–1481, 1980.

- Parks JH, et al: A single 24-hour urine collection is inadequate for the medical evaluation of nephrolithiasis. J Urol 167:1607–1612, 2002.

- Parks JH, et al: Calcium nephrolithiasis and medullary sponge kidney in women. N Engl J Med 306:1088–1091, 1982.

- Parsons JK, et al: Efficacy of alpha-blockers for the treatment of ureteral stones. J Urol 177:983–987, 2007.

- Pfister SA, et al: Unenhanced helical computed tomography vs intravenous urography in patients with acute flank pain: accuracy and economic impact in a randomized prospective trial. Eur Radiol 13:2513–2520, 2003.

- Preminger GM, et al: 2007 guideline for the management of ureteral calculi. J Urol 178:2418–2434, 2007.

- Rodgers AL, et al: Crystalluria in marathon runners. III. Stoneforming subjects. Urol Res 19:189–192, 1991.

- Safdar B, et al: Intravenous morphine plus ketorolac is superior to either drug alone for treatment of acute renal colic. Ann Emerg Med 28:173–181, 2006.

- Sandhu C, et al: Urinary tract stones—Part I: role of radiological imaging in diagnosis and treatment planning. Clin Radiol 58:415–421, 2003.

- Sasson JP, et al: Renal US findings in sulfadiazine-induced crystalluria. Radiology 185:739–740, 1992.

- Scales CD Jr, et al: Changing gender prevalence of stone disease. J Urol 177:979–982, 2007.

- Schwartz BF, et al: Imaging characteristics of indinavir calculi. J Urol 161:1085–1087, 1999.

- Sheafor DH, et al: Nonenhanced helical CT and US in the emergency evaluation of patients with renal colic: prospective comparison. Radiology 217:792–797, 2000.

- Smith RC, et al: Acute flank pain: comparison of non-contrastenhanced CT and intravenous urography. Radiology 194:789–794, 1995.

- Springhart WP, et al: Forced versus minimal intravenous hydration in the management of acute renal colic: a randomized trial. J Endourol 20:713–716, 2006.

- Strauss AL, et al: Formation of a single calcium stone of renal origin. Clinical and laboratory characteristics of patients. Arch Intern Med 142:504–507, 1982.

- Taylor EN, et al: Diabetes mellitus and the risk of nephrolithiasis. Kidney Int 68:1230–1235, 2005.

- Taylor EN, et al: Dietary factors and the risk of incident kidney stones in men: new insights after 14 years of follow-up. J Am Soc Nephrol 15:3225–3232, 2004.

- Taylor EN, et al: Obesity, weight gain, and the risk of kidney stones. JAMA 293:455–462, 2005.

- Teichman JM, et al: Long-term renal fate and prognosis after staghorn calculus management. J Urol 153:1403–1407, 1995.

- Teichman JM: Clinical practice. Acute renal colic from ureteral calculus. N Engl J Med 350:684–693, 2004.

- Ulahannan D, et al: Benefits of CT urography in patients presenting to the emergency department with suspected ureteric colic. Emerg Med J 25:569–571, 2008.

- Uribarri J, et al: The first kidney stone. Ann Intern Med 111:1006–1009, 1989.

- Varanelli MJ, et al: Relationship between duration of pain and secondary signs of obstruction of the urinary tract on unenhanced helical CT. AJR Am J Roentgenol 177:325–330, 2001.

- Williams JC Jr, et al: High resolution detection of internal structure of renal calculi by helical computerized tomography. J Urol 167:322–326, 2002.

- Worster A, et al: The accuracy of noncontrast helical computed tomography versus intravenous pyelography in the diagnosis of suspected acute urolithiasis: a meta-analysis. Ann Emerg Med 40:280–286, 2002.

- Yagisawa T, et al: Contributory metabolic factors in the development of nephrolithiasis in patients with medullary sponge kidney. Am J Kidney Dis 37:1140–1143, 2001.

- Yilmaz E, et al: The comparison and efficacy of 3 different alpha1-adrenergic blockers for distal ureteral stones. J Urol 173:2010–2012, 2005.

- Zilberman DE, et al: In vivo determination of urinary stone composition using dual energy computerized tomography with advanced post-acquisition processing. J Urol 184:2354–2359, 2010.

- Zilberman DE, et al: Low dose computerized tomography for detection of urolithiasis—its effectiveness in the setting of the urology clinic. J Urol 185:910–914, 2011.

CHAPTER
03 요로폐쇄

김형우 (연세의대), 나성은 (가톨릭의대 영상의학과)

KEY POINTS

- 요로폐쇄란 소변의 배출이 장애를 받는 현상으로 신손상의 주요한 원인이다.
- 요로폐쇄의 원인은 내인성과 외인성으로 나눌 수 있으며 다양한 검사를 통해 원인을 빠르게 감별하고 치료하는 것이 환자의 예후에 중요하다.
- 종양에 의해서도 내인성 혹은 외인성 요로폐쇄가 나타날 수 있으며 종양에 대한 치료 및 신장 기능 보존을 위한 요로폐쇄 해결이 중요하다.

정의

요로폐쇄(urinary tract obstruction)란 구조적 혹은 기능적인 원인에 의해 정상적인 소변의 배출이 장애를 받는 현상을 말하며 성인과 소아에서 급성콩팥손상 및 만성신부전의 주요한 원인이다. 요로를 따라 콩팥 요세관(renal tubule)에서부터 요도 끝까지 어느 부위에서든 일어날 수 있으며, 특히 정상적으로 좁은 요관신우접합부(uretero-pelvic junction), 요관방광접합부(uterovesical junction), 방광목(bladder neck), 요도구(urethral meatus)에서 흔하게 발생한다. 이러한 폐쇄의 결과로 요로의 압력이 증가하게 되며 여러 구조적 변화와 생리적인 변동이 발생한다. 폐쇄요로병증(obstructive uropathy)은 정상 소변 흐름의 영향을 받는 구조적 기능적 변화를 설명하는 광범위한 용어이며, 수신증(hydronephrosis)은 요로폐쇄에 의하여 신장의 신우와 신배가 비정상적으로 확장된 것을 뜻한다. 폐쇄신병증(obstructive nephropathy)은 요로의 폐쇄로 인하여 신장에 기능적 및 병리적 변화가 일어난 경우를 말한다.

요로폐쇄의 분류 및 원인

1. 분류

요로폐쇄는 폐쇄의 원인, 기간, 부위, 정도로 분류한다. 폐쇄의 원인은 선천성 폐쇄와 후천성 폐쇄로 나누며, 기간은 급성(수 시간~수 일), 아급성(수 일~수 주), 만성(수 개월~수 년), 부위는 요관방광접합부를 기준으로 상부와 하부요로폐쇄로 나눈다. 폐쇄의 정도는 부분 폐쇄와 완전 폐쇄로 나뉘게 된다.

표 10-3-1. 요로폐쇄의 분류

요관	방광 출구	요도
선천성		
요관신우접합부 폐쇄 요관방광접합부 폐쇄 요관류(ureterocele) 아래대정맥뒤요관(retrocaval ureter)	방광목 폐쇄 요관류	앞요도판막 뒤요도판막 협착 요도구협착 포경
후천성 내인성		
결석 염증 감염 외상 신유두괴사 종양 혈전 침전물: Acyclovir, Bence Jones 단백질, Methotrexate, Sulfonamide, 요산	양성전립선비대증 전립선암 방광암 결석 당뇨병콩팥병 척수질환 약물: Anticholinergic, α-adrenergic antagonist	협착 종양 결석 외상 포경
후천성 외인성		
임신 자궁 후복막섬유증(retroperitoneal fibrosis) 대동맥류 자궁근종 암종: 자궁, 전립선, 방광, 대장, 직장 림프종 골반염, 자궁내막증 수술적 결찰(비의도적)	암종: 자궁경부, 대장 외상	외상

2. 원인

요로폐쇄의 원인은 연령과 성별에 따라 다르다. 소아에서는 선천성 요관신우접합부폐쇄(ureteropelvic junction obstruction)가 가장 많은 원인이며, 젊은 남성에서는 요로결석이, 젊은 여성에서는 골반의 악성종양이 가장 흔한 원인이다. 노년의 남성에서는 전립선비대증 등 전립선 질환이 가장 흔한 원인이다. 요로의 안쪽이나 요로 자체에 병변이 있는 것을 내인성 폐쇄(intrinsic obstruction)라고 하며 요로의 바깥쪽에서 눌려서 생긴 것을 외인성 폐쇄(extrinsic obstruction)라고 한다. 내인성 폐쇄는 결석, 결핵 등으로 염증성 요관 협착이 생긴 경우같이 요관의 구조적 이상이 있는 경우와 신경성방광(neurogenic bladder)같이 구조적 문제는 없으나 기능적 문제가 원인인 경우로 나뉜다. 그리고 외인성 폐쇄는 전립선, 난소, 직장, 대장, 혹은 후복막 등 요관 주위 기관의 종양 또는 염증성 병변이 있을 때 요관이 눌려서 생긴다.

요로폐쇄의 임상 양상 및 병태생리

1. 임상 양상

급성 요로폐쇄의 경우 특징적으로 갑작스러운 통증을 유발하며 이는 집합계 또는 신피막의 팽만 때문이다. 통증의 정도는 팽만의 정도보다는 팽만의 진행 속도와 연관성이 있다. 신우나 요관에 폐쇄 병변이 있는 경우 극심한 옆구리 통증을 동반하며, 결석이나 신장유두괴사의 경우 산통(colicky)의 양상을 보이기도 한다. 방광 이하 부위 요로폐쇄의 경우는 치골 상부의 통증과 풍만감(fullness)을 보인다. 부분 폐쇄의 경우는 빈뇨와 급박뇨 등의 배뇨 증상을 동반하며 완전 폐쇄의 경우는 무뇨증을 보이게 된다. 신체검사 시 타진 상 옆구리 압통을 느끼며 치골 상부에 종괴가 만져지기도 한다. 편측 폐쇄시에는 레닌 의존성 고혈압을 보일 수 있으며, 양측성 폐쇄인 경우 급성콩팥손상이 발생할 수 있다. 급성 요로폐쇄에서는 육안적 혹은 현미경적 혈뇨, 농뇨, 세균뇨 등이 관찰될 수 있으며 정상일 수도 있다.

만성 요로폐쇄의 경우 무증상일 수 있으며 비특이적이다. 폐쇄의 위치에 따라 옆구리와 치골 상부에 풍만감을 보이며 또는 빈뇨, 다뇨, 야간뇨 등과 배뇨 이상을 보이는 경우도 있다. 신체검사 상 수신증 때문에 복부 종괴가 만져지기도 하며 팽창된 방광 때문에 치골 상부에 종괴로 나타나기도 한다. 검사 소견은 급성 폐쇄의 소견과 비슷하나 단백뇨(대개 2g/일 이하)가 발견되는 경우가 흔하다. 양측성의 경우 만성신부전, 고칼륨혈증, 4형 신세관산증(type 4 RTA), 요 농축력 장애 등을 관찰할 수 있다.

2. 병태생리

1) 사구체 기능 변화

완전 요로폐쇄 후 사구체여과율은 점차 감소하게 된다. 급성 폐쇄 후 수 시간 이내에 근위요세관의 압력이 급격히 증가하기 시작하여 사구체 여과압이 감소하고, 그 결과로 사구체여과율이 감소한다. 동시에 보상적으로 프로스타싸

이클린(prostacyclin)과 프로스타글랜딘 E2(prostaglandin E2)의 생성이 증가하며 이로 인하여 들사구체세동맥(afferent glomerular arteriole)의 확장이 일어나며 신장 내 혈류가 증가하게 된다(혈관 확장기). 폐쇄 후 4~5시간이 지나면 요세관 내 압력은 저하되기 시작하는데 이는 요세관에서의 재흡수 증가, 집합세관의 확장 그리고 림프를 이용한 수분과 전해질의 흡수 때문이다.

만성 폐쇄가 지속 되면 들사구체세동맥의 수축 때문에 신장의 혈류는 감소하게 되며(혈관 수축기), 이로 인해 사구체 여과압이 더욱 저하하게 된다. 혈관 수축기를 일으키는 주원인은 안지오텐신II(angiotensin II), 트롬복산 A2(thromboxane A2)와 항이뇨호르몬의 증가 때문이며 반대로 내피세포유래이완인자(endothelium−derived relaxing factor)와 산화질소(nitric oxide)의 생성은 감소한다.

요로폐쇄 호전 후 사구체여과율의 회복은 폐쇄 지속기간을 포함하여 다양한 인자에 영향을 받는다. 최대한 빨리 폐쇄를 해결하는 것이 사구체여과율 회복에 중요하다.

2) 요세관 기능 변화

나트륨과 수분의 재흡수 장애, 칼륨과 수소 이온의 배설 장애가 요로폐쇄의 특징이다. 급성 폐쇄 시 초기에는 원위세관(distal renal tubule)으로 가는 수분이 적으므로 나트륨과 수분의 재흡수가 일시적으로 증가하게 된다. 이로 인해 검사 소견은 신전(prerenal) 급성 신부전의 형태를 보이게 된다. 즉 소변 내 나트륨 <20 mEq, 요 나트륨 분획배설율 <1%, 소변 삼투압 >500 mOsm 등을 보인다. 폐쇄 시간이 길어지고 만성화가 되면 점차로 요세관 기능 장애가 오게 되며 나트륨과 수분의 재흡수는 감소하게 되어 소변 내 나트륨 >20 mEq/L, 요 나트륨 분획배설율 >1%, 소변 삼투압 <350 mOsm의 검사 소견을 보이게 된다.

24시간 이상 지속된 요로폐쇄가 교정되면 이뇨 현상이 나타나는데, 이는 요세관의 나트륨−칼륨 펌프(Na+/K+−ATPase)의 활성 저하 때문에 생긴 나트륨 재흡수 저하로 요 나트륨 분획배설이 증가 되었기 때문이다. 이에 더해 소변의 농축능력도 저하되어 수분 분획배설이 증가한다. 그

이유는 수질옆신장단위(juxtamedullary nephron)의 근위
요세관에서의 나트륨과 수분의 재흡수, 헨레고리의 용질
의 재흡수, 피질 집합세관에서의 항이뇨호르몬에 의한 수
분 재흡수, 그리고 유두 집합세관에서의 수분과 염기의 재
흡수가 모두 감소하기 때문에 결과적으로 요 농축능이 감
소한다.

요로 폐쇄의 진단

1. 병력 청취 및 신체 진찰

배뇨 관련 이상 소견(통증, 빈뇨), 혈뇨, 신부전과 관련
된 증상들을 확인해야 하며 과거력 및 가족력도 자세히
알아봐야 한다. 또한 감염의 증거가 되는 생체 징후(발열,
빈맥), 체액 과다 등의 소견이 없는지 확인하여야 한다. 복
부 청진으로 대동맥류의 잡음(bruit) 유무을 확인하며, 촉
진을 통해 복부의 종괴 및 압통, 늑골척추각의 압통을 확
인한다. 남성의 경우 전립선 및 음경, 여성의 경우 자궁 및
질에 대한 확인이 필요할 수도 있다.

2. 검사실검사

소변검사와 소변배양검사가 필요하며 검사상 혈뇨, 농
뇨, 알칼리뇨, 요 원주 등이 보일 수 있다. 그 외 혈액 검
사를 통해 백혈구 수치, 혈액요소질소(blood urea nitro-
gen, BUN), 크레아티닌 수치를 확인해야 한다.

3. 영상진단

모든 원인불명의 급성콩팥손상 환자에서 반드시 영상검
사를 시행해야 하며 다양한 영상 검사를 통해 요로폐쇄를
진단할 수 있다. 각 검사가 장·단점이 있으므로 환자의 상
황에 맞게 잘 선택하여 실시해야 한다. 콩팥요관방광단순
촬영, 초음파검사, 정맥신우조영술, 핵의학검사, 배뇨방광
요도조영술, 컴퓨터단층촬영영술, 자기공명영상 등이 있으며

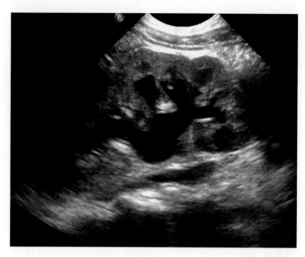

그림 10-3-1. 수신증의 초음파 소견
초음파영상에서 신우신배계가 늘어나 있는 수신증이 보인다.

그 밖에 필요한 경우 방광경검사, 요로 기능을 평가하기
위해 요역동학검사나 Whitaker 검사 등을 시행해 볼 수
있다.

1) 콩팥요관방광단순촬영(KUB)

콩팥의 크기와 위치, 요로의 석회화 병변 등을 관찰할
수 있다. 하지만 일반적으로 장내 가스에 의해 판독이 어
렵다.

2) 초음파검사

초기 선별 검사로서 가장 적합하다. 수신증의 정도 및
악화 유무를 확인할 수 있어 추적 검사로 유용하며 복강
내 다른 동반 기형도 알아낼 수 있다(그림 10-3-1). 그러나
기능적인 평가를 할 수 없다는 단점이 있다. 추가적으로
도플러 초음파검사가 수신증 발생 원인이 폐쇄로 인한 것
인지 아닌지 여부를 감별하는데에 도움이 될 수도 있다.

3) 정맥신우조영술(IVP)

초음파검사에 비해 요관의 형태를 세밀히 알 수 있는 장
점이 있어 성인 요로폐쇄의 원인 감별을 위해 시행한다(그
림 10-3-2). 영아의 경우에는 미숙한 신장기능 때문에 조영
제의 농축이 잘 되지 않아 좋은 영상을 얻기 어렵고 대부

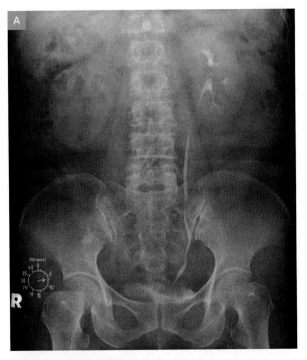
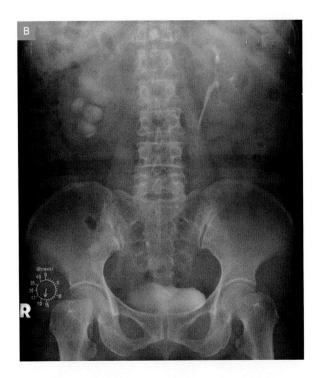

그림 10-3-2. 결석으로 인한 급성요로폐쇄의 정맥요로조영소견

(A) 정맥요로조영 7분 지연영상에서 정상적인 조영제 배출이 보이는 좌측 신장과는 달리 우측 신장이 커져 있고 신장조영영상이 진하게 보이며 집합계로의 조영제 배출이 보이지 않는다.
(B) 15분 지연영상에서 심하게 늘어난 우측 신배 내부에 조영제가 차면서 마치 공이 모여있는 듯이 보인다.

분 초음파만으로도 요로폐쇄의 원인을 진단할 수 있어 잘 시행하지 않는다.

4) 핵의학검사

초음파검사나 정맥신우조영술에 비해 요로의 형태를 파악하기에는 불리하지만, 기능을 평가할 수 있는 장점이 있어 수신증의 진단에 널리 쓰인다. 주로 사용되는 동위원소는 99 mTc-DTPA (diethylenetriamine pentaacetic acid)와 99 mTc-MAG (mercaptoacetyltriglycerine)이며 이들은 사구체나 요세관을 통하여 배출된 후 재흡수 되지 않는 특성을 가지고 있어 사구체여과율 측정과 더불어 요로폐쇄의 진단에 이용된다. 주로 이뇨신장촬영술(diuretic renography)을 시행하는데, 이뇨제를 투여하면 소변양이 늘면서 폐쇄 측 동위원소 배설이 심하게 늦어지므로 요로폐쇄의 정도를 진단할 수 있다.

5) 배뇨방광요도조영술(Voiding cystourethrography)

수신증의 원인 중 방광요관역류를 감별 진단하기 위해 시행한다. 한쪽에 요로 기형이 있을 때 반대편에 동반 기형이 흔하므로 꼭 시행해 보아야 한다.

6) 컴퓨터단층촬영술(CT)과 자기공명영상(MRI)

컴퓨터단층촬영술은 요로폐쇄에서 복강 내와 후복강의 특이 원인의 진단에 유용한 검사이다(그림 10-3-3, 10-3-4). 산통을 동반한 요로결석 의증 환자에서 초기 검사로 비조영 컴퓨터단층촬영술을 선택하는 경우가 많다. 대규모의 무작위 배정 연구에서 신장결석의 경우 초음파검사가 컴퓨터단층촬영술에 비하여 진단에는 차이가 없었으나 방사선 노출을 줄일 수 있는 것으로 보고되었다. 다낭신장병에서도 컴퓨터단층촬영술이 필요하다. 자기공명영상도 특이 폐쇄 원인의 판별에 유용하다(그림 10-3-5).

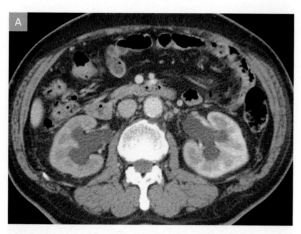
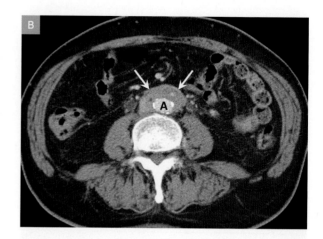

그림 10-3-3. 후복막섬유증에 의한 양측 신장의 수신증

(A) 조영증강 CT에서 양측 신장에 수신증이 보이며 신장조영증강과 조영제 배출이 지연되고 있다.
(B) 복부대동맥(A)을 둘러싸는 연부조직 음영(화살표)이 보인다. 후복막 섬유증에 의한 수신증을 진단할 수 있다.

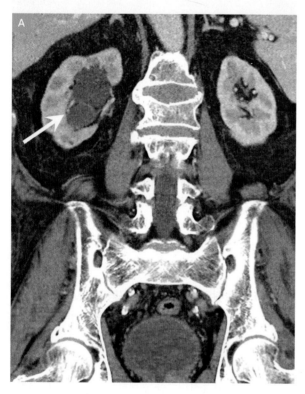
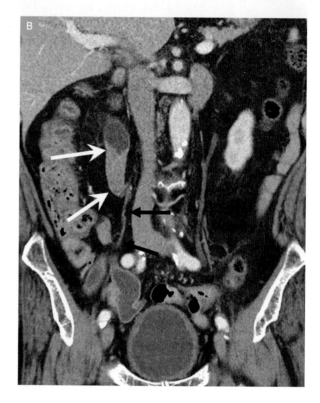

그림 10-3-4. 요관종양에 의한 수신증

(A) 관상면 조영증강 CT에서 우측 신장의 신우신배가 늘어나 있는 수신증(화살표)이 보인다.
(B) 우측 요관이 늘어나 있고 요관을 채우는 연부조직음영의 종괴(흰색 화살표)가 있다. 종괴 하방의 요관은 늘어나 있지 않다(검은 화살표).

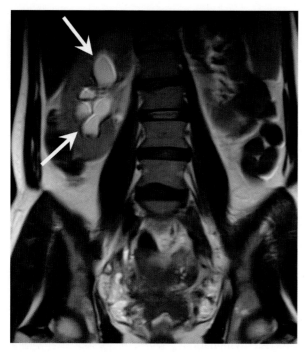
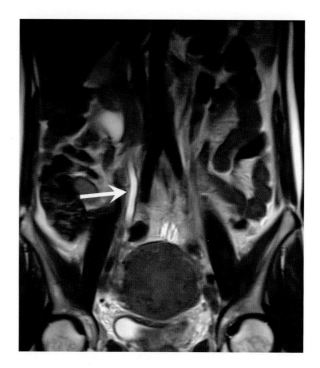

그림 10-3-5. 자궁경부암 환자에서 보인 수신증

(A) 관상면 T2 강조영상 MRI에서 우측 신장의 신우신배가 늘어나 있는 수신증(화살표)이 보인다.
(B) 관상면 T2 강조영상 MRI에서 늘어난 요관(화살표)이 고신호강도를 보인다.

4. 감별진단

방광요관역류, 이뇨제의 사용, 요붕증, 만성 신우신염과 같은 비폐쇄 요로확장인 경우가 있을 수 있어 폐쇄를 감별하기 위해 역행성신우조영술 등이 필요할 수 있다.

요로폐쇄의 치료 및 예후

1. 치료

요로폐쇄 치료의 목적은 신장기능을 보존하기 위함으로 폐쇄의 정확한 원인을 찾아서 빠르게 교정하는 것이 원칙이다. 요로감염, 고칼륨혈증 등과 같은 합병증이 동반된 경우에는 가능한 빨리 폐쇄를 해결해야 한다. 이에 중재적 시술로 요로전환술(urinary diversion)을 고려해 볼 수 있

으며, 기능이 좋은 쪽, 폐쇄 부위 바로 위에서 시행한다. 일반적으로 콩팥창냄술(nephrostomy)이 많이 시행되며, 방광 이하 폐쇄에서는 방광창냄술(cystostomy)이 시행된다. 그 외 내과적 치료로 수분 및 전해질 공급, 감염에 대한 적절한 항생제 치료, 고혈압의 조절, 신부전의 치료 등이 필요하다.

만성, 양측성 완전 폐쇄의 요로폐쇄 교정 이후 다량의 막힘후 이뇨(postobstructive diuresis)가 발생할 수 있는데, 이는 축적된 요소(urea)의 배설에 의한 삼투압이뇨(osmotic diuresis)의 유발, 요세관 내 압력 증가로 인한 $NaCl$ 재흡수의 장애, 축적된 나트륨이뇨인자(natriuretic factor)로 인한 염분과 수분의 재흡수 저하 때문이다. 이러한 이뇨 기간 중에는 소변량, 혈압, 저칼륨혈증, 저나트륨혈증 및 체액 평형을 주기적으로 평가하여야 하며, 적절한 수액 투여가 필요하다.

2. 예후

치료되지 않은 폐쇄요로병증은 비가역적인 콩팥단위(nephron)의 손상과 신반흔을 유발한다. 폐쇄의 기간, 감염의 동반 유무에 따라 예후는 달라질 수 있으며 1~2주 정도의 짧은 폐쇄는 신장 기능이 비교적 잘 회복되나, 12주 이상의 만성인 경우에는 회복이 제한적이다.

종양에 의한 요로폐쇄와 폐쇄요로병증

1. 원인

종양의 병리학적 성격에 따라서 양성종양에 의한 경우와 악성종양에 의한 경우로 구분된다. 발생 위치나 원인에 따라서는 요로 자체의 종양에 의한 내인성 폐쇄(intrinsic obstruction)와 요로 주위의 다른 장기나 구조물에 발생한 종양에 의한 이차적 폐쇄 즉 외인성 폐쇄(extrinsic obstruction)로 구분할 수 있다.

내인성 질환의 대표적인 종양은 신우암, 요관암, 요관용종(ureteral polyp), 방광암, 전립선암, 전립선비대증, 요도암 등이 여기에 해당하며, 외인성 질환이라고 말할 수 있는 대표적인 종양은 후복막강에서 원발성으로 발생하는 여러 종류의 양성 또는 악성종양과 후복막강으로 전이를 일으키는 악성 종양들이 이 범주에 속한다. 원발성 후복막강 종양의 70~80%는 악성종양으로 50~60대에서 발생하며 림프종(lymphoma)이 주종을 이룬다.

2. 병태생리

1) 신장

신장 이하 부위에서 어떠한 원인이든 요로폐쇄가 발생하면 신장은 형태학적 또는 기능적인 변화를 통하여 손상을 받는다. 형태학적 변화의 가장 두드러진 형태는 수신증으로 수신증의 정도는 폐쇄의 부위, 정도, 기간 및 신우의 해부학적 특성과 관계가 있다. 즉 폐쇄의 부위가 상부일수록 신 손상은 빠르게 진행되며, 그 정도 또한 심하다. 신우의 형태가 신 유문 외측으로 많이 돌출되어 존재하는 신외신우(extrarenal pelvis)일 경우, 신우가 신장의 내부에 존재하는 신내신우(intrarenal pelvis)에 비하여 신우가 더 크게 확장되지만 신 실질에 전달되는 역압(back pressure)이 적기 때문에 신 손상의 정도는 더디고 적다.

신장은 요로에 완전 폐쇄가 발생하더라도 다른 장기처럼 즉시 위축되거나 괴사에 빠지지 않고 요를 만들어 내는데, 이는 신장의 기능이 서서히 나빠지면서 수신증이 진행되는 기전이기도 하다. 즉, 신장 하부 요로의 폐쇄로 수신증이 발생하면 정상적으로는 0 mmHg인 신우내 압력이 증가하게 된다. 이러한 신우 내압이 사구체 여과압인 6~12 mmHg에 이르면 요의 생산이 감소하게 된다. 이때 신우 내로 배설되었던 요중 수액과 용해 물질들이 요세관과 림프관(lymphatics)을 통하여 재흡수되고 또한 안전장치(safty mechanism)가 활성화되어 해부학적으로 신장 내에서 가장 약한 부위인 원개(fornix)를 통하여 신우 내 소변이 신 실질 내로 누출(extravasation)되고 이는 다시 림프관을 통하여 흡수됨으로써 신우 내압이 감소하여 사구체 여과가 다시 일어나게 된다. 이러한 일련의 과정이 반복되면서 서서히 수신증이 진행하며 결국 신장기능이 감소하게 된다. 이렇게 수신증이 진행되는 동안 요로감염이 수반되지 않으면 수신증으로 인한 신장 내 소변의 저류가 그 환자의 일일 총 배출 소변량보다 많게 되는데 이러한 경우의 수신증을 특별히 거대수신증(giant hydronephrosis)이라 한다. 그러나 만일 요로감염이 수반되면 그로 인한 임상 증상이 나타나 거대수신증으로 진행되기 이전에 발견된다.

수신증이 진행되는 동안 신의 형태학적 변화를 보면 초기 병변은 신배(calyx)에서 나타나는데 정상에서 관찰되는 예리한 함몰(cupping)이 소실되고 원개는 둔하게(blunting)되거나 곤봉형(clubbing)으로 변한다. 신 실질이 손상되는 기전은 ① 역압에 의한 압박성 위축(compression atrophy)과 ② 신 혈류의 장애에 의한 허혈성 위축(ischemic atrophy)에 의한 것이다. 허혈성 위축은 엽사이동맥(interlobar artery)과 활꼴동맥(arcuate artery)이 역압에 의하여 혈행 장애를 받으며 요세관이 확장되며 세포들은 혈류 감소로 위축되어 버린다. 이러한 수신증에 따른 신장 기능 저하가 일측성으로 발생하면 반대측 정상 신은 보상 성 비대에 의해 기능이 항진되기 때문에 전체적으로 볼 때 신장기능은 정상적으로 유지된다. 그렇기 때문에 병변이 있는 신장이 수술적 교정을 통하여 기능을 회복할 가능성 이 있는 경우 정상 신장에서 완전한 보상성 비대가 이루어 지기 전에 교정을 하여야 병변이 있는 신장의 기능회복을 기대할 수 있다. 그러나 요로폐쇄가 양측성으로 발생할 경 우 돌이킬 수 없는 신장기능의 손상을 초래할 수 있다. 신 장기능 손실 중 가장 먼저 발생되는 대표적인 현상은 요 농축능력이 상실되는 것이다.

2) 요관

폐쇄가 발생한 근위부(상부) 요관에서 형태학적 변화가 관찰되는데 초기에는 요관근육이 비대해져 요관벽이 두꺼 워지고 폐쇄부위 상부 요관이 길어지기 때문에 요관은 심 한 굴곡을 나타낸다. 이러한 폐쇄가 장기간 지속되면 요관 은 역압에 대응하지 못하고 수축력을 상실하고 심하게 확 장되어 장관(bowel loop)처럼 보일 수 있다.

3) 방광

요로폐쇄에 의해 방광의 변화가 일어나기 위해서는 전 립선 비대증이나 전립선암, 방광 경부의 방광암 등 방광 출구 및 방광 하부에 폐쇄가 발생해야 한다. 이때 방광은 요관의 변화와 마찬가지로 초기에는 배뇨장애를 극복하기 위하여 방광근육의 수축력이 항진되고 근육이 비대해 진 다.

정상적인 방광의 표면이 지극히 평활한 것과는 달리 배 뇨근이 비대해지면 비대해진 근육이 방광 내측으로 돌출 되어 방광 표면이 마치 격자무늬와 같아 보이는데 이때 돌 출된 부분을 잔기둥형성(trabeculation)이라 하고 반대로 격자무늬 사이사이로 함몰된 곳을 작은주머니(cellule)라 한다. 이러한 작은주머니가 진행되면 소낭(saccule)을 이루 게 되고 방광근육 없이 마치 방광점막주머니가 방광 벽을 뚫고 외부로 탈출하는 양상을 보이게 되는데 이것을 게실

(diverticulum)이라 한다. 또한 양측 요관과 요도개구부를 연결한 삼각형 형태의 방광 기저부를 방광 삼각부(bladder trigone)라 하는데 이곳 역시 비대해져 상부 요관으로부터 소변이 방광으로 유입되는 것에 장애가 발생하여 상부 요 로의 확장과 수신증이 발생한다. 이러한 방광 하부 요로폐 쇄가 지속되면 결국 방광은 대상부전에 빠져서 용적이 크 게 증가하고 배뇨가 불완전하게 되어 다량의 잔뇨가 남게 된다.

3. 임상 양상

1) 내인성 종양에 의한 요로폐쇄

요로폐쇄의 원인이 요로 자체에서 발생한 양성 혹은 악 성종양에 의한 경우라면 그 원인에 관계없이 무통성 혈뇨 (painless hematuria)가 공통적으로 나타날 수 있다. 특히 무통성 육안적 혈뇨(painless gross hematuria)가 발견되 면 연령에 관계없이 주의를 기울여 조사하여야 하며, 40세 이후 장년층에서는 현미경적 혈뇨만 보이더라도 적극적인 검사를 실시하여야 한다.

(1) 증상

요도 및 방광폐쇄가 있는 경우 나타나는 대표적인 증상 으로는 배뇨지연(hesitancy), 요선약화(small weak stream), 배뇨말기 지림(terminal dribbling)이 있으며 폐 쇄에 요로감염이 동반되면 배뇨통(burning on urination) 이 수반된다. 반면 상부 요로폐쇄가 있는 경우 요관 주행 에 따라 방사되는 측복통(flank pain)과 위장관 증상이 나 타날 수 있으나 요독증이 발생할 때까지 임상 증상이 전혀 나타나지 않을 수 있을 뿐 아니라 편측 요관의 폐쇄인 경 우 신장의 기능이 완전히 없어질 때까지 아무 증상이 없다 가 초음파 등을 통하여 우연히 발견되거나, 감염에 따른 2 차 증상에 의하여 발견되는 경우도 흔하다.

(2) 징후

하부 요로폐쇄가 의심될 때 보일 수 있는 중요한 징후 중 하나는 직장수지검사 상 촉지되는 비대한 전립선이다.

전립선암이 의심될 때는 매우 딱딱한 경결이 만져지고 전립선의 표면이 불규칙하게 만져지지만 단순한 비대증일 경우 전립선은 전반적으로 커져 있고 중심구(central groove)가 없어지고 표면은 매끄럽다. 치골 상부의 촉진 상 충만된 방광이 만져지고 배뇨속도검사에서 일회 배뇨 시 가장 높은 요 배출 속도를 표시하는 최대 배뇨속도(Qmax)가 10 mL/sec 이하로 감소된다. 드물게는 방광이 복막 내 파열을 일으켜서 복막염을 일으킬 수 있다.

상부 요로가 폐쇄된 경우 수신증으로 인하여 커져 있는 신장이 촉지될 수 있으며 육안적 혈뇨로 인한 피떡(blood clots)으로 갑작스런 폐쇄가 발생하면 늑골척추각(costo-vertebral angle, CVA)에 심한 압통이 관찰된다. 또한 신원개(renal fornix) 부위의 파열에 의하여 소변이 후복막강 내로 누출되며 이에 따른 증상이 나타난다.

2) 외인성 종양에 의한 요로폐쇄

외인성 종양에 의한 요로폐쇄는 원발성 혹은 전이암 여부와 관계없이 후복막강 종양(retroperitoneal tumor)에 의한 것으로 총칭할 수 있다. 전이성 후복막강 악성종양은 주로 요관의 하 1/3 부위에 폐쇄를 유발하는데 임상적 증상 증후는 종양의 발생 위치에 따라 차이가 있다.

(1) 증상

종양이 후복막강의 상부에 있을 때 요통(backache), 오심, 구통 복부팽만감, 황달 등이 나타날 수 있고 종양이 허리 부분에 있을 때는 띠통증(girdle pain), 하지 부종 및 통증, 변비 등의 증상이 나타날 수 있다. 또한 종양이 후복막강하부에 존재하면 요통(sciatica와 비슷한 통증), 혈변, 빈뇨, 치질, 배뇨통, 혈뇨 등이 동반된다. 그러나 위와 같은 증상들이 종양의 위치와 관계없이 복합적으로 중복되어 나타날 수 있다.

(2) 징후

징후도 증상과 마찬가지로 종양의 위치에 따라 약간의 차이를 보이는데 종양이 후복막강의 상부에 있을 때는 병변이 있는 쪽 횡격막이 거상되고 신장, 간, 췌장 등의 위치가 변한다. 또 종양이 중부(허리부분)에 있으면 신장과 대장, 소장의 위치가 변한다. 종양이 하부에 존재할 때는 직장의 위치가 밀리고 방광이 외부의 압력에 의하여 눌린 것 같은 모양을 보인다.

4. 진단

1) 검사실검사

양측성 요관폐쇄가 장기간 지속 되어 요독증이 나타나면 대개는 빈혈이 동반되고 또 요로감염이 수반되면 백혈구 증가 소견을 보인다. 그러나 요로폐쇄에 따른 신장기능 저하의 경우 다량의 단백뇨나 요중 원주(cast)는 동반하지 않는다. 한쪽 요관의 폐쇄인 경우 반대편 신이 정상이기 때문에 PSP(phenolsulfonphthalein) 배설검사는 정상을 보이지만 양측성 폐쇄일 때는 양측 신장기능의 감소와 잔뇨로 인하여 PSP 검사 상 PSP의 배설이 감소된다.

전립선암이 의심될 때 전립선특이항원(prostate specific antigen; PSA)을 측정하는 것이 도움이 되며, 연령에 관계없이 4.0 ng/mL 이상이면 임상적 의미를 갖는다. 하지만 전립선암 환자의 약 25%는 정상 수치를 보이므로 이상소견이 있을 경우 전립생 생검을 시행해야 한다. 요로 이행상피암(방광암, 요관암, 신우암)에 의한 요로폐쇄가 의심되면 요세포 검사가 유용하다.

2) 영상진단
(1) 콩팥요관방광단순촬영(KUB)

수신증으로 커진 신장의 음영이 관찰되며 전이성 악성종양이 있는 경우 척추뼈나 골반뼈에 의심할 만한 소견을 볼 수 있다. 특히 이러한 뼈에 골형성변화(osteoblastic change)가 있으면 대표적인 원인 질환으로 전립선암을 생각해야 한다.

(2) 초음파검사

요로폐쇄에 의한 수신증을 진단하는데 도움이 되며 직장경유초음파촬영(transrectal ultrasound)상 저반향 병소

(hypoechoic lesion)가 나타나면 전립선암을 강력히 시사한다. 이러한 초음파 검사는 비침습적인 진단법으로 조직검사에서도 도움을 얻을 수 있다.

(3) 정맥신우조영술(IVP)

요로이행상피암인 경우 정맥신우조영술에서 각각의 위치에 따른 음영결손과 질환 상부 요로의 확장을 관찰할 수 있으며, 전립선암은 주로 요관방광접합부를 침윤하여 요로폐쇄를 유발하는 모습이 정맥신우조영술에서 관찰된다. 전립선비대증에 의한 요로폐쇄는 특징적으로 방광기저부가 상승되고 이로 인하여 양쪽 요관이 마치 낚시바늘 모양(fish hook deformity)을 하고 계실이나 잔기둥형성이 관찰된다.

후복막강 종양에 의한 요로폐쇄는 신장의 위치가 변화되기 때문에 신 하극과 신 상극을 연결하는 신축(renal axis)의 뒤틀림이 나타나지만 신 하극 신배와 신 상극 신배를 연결하는 신배축(caliceal axis)의 뒤틀림은 없는 것이 특징이고 요관조영사진(ureterogram)에서 외측으로 밀려난다. 후복막강에서 발생하는 종양의 대부분이 요관 주행 경로의 내측에서 발생하기 때문에 종양에 의한 요관의 변화는 대부분 외측으로의 위치 변화로 나타나며 내측으로의 위치 변화는 매우 드물다. 정맥신우조영술상 요관 내 또는 신우 내 병소가 불명확하고 상부 요로의 형태학적 변화가 불명확한 경우 역방향요로조영술(retrograde pyelography: RGP)을 실시하면 효과적이다.

(4) 컴퓨터단층촬영술(CT)과 자기공명영상(MRI)

후복막강 종양에 의한 요로폐쇄를 진단하고 질병의 정도를 평가하는 데 도움이 되며, 요로이행상피암의 경우는 진단적 가치보다는 병기(stage)를 결정하는 데 많은 정보를 얻을 수 있다(그림 10-3-4).

3) 기타 침습적인 검사법

방광암은 방광경을 통하여 종양의 위치나 정도를 직접 진단할 수 있다. 경정맥신우조영술상 신우나 요관 내 음영결손이 혈괴나 방사선 투과성 결석 등과 감별되지 않는 경우가 많다. 이때는 신요관경검사(renoureteroscopy)를 실시하여 직접 육안으로 확인할 수도 있고 필요한 경우 조직검사를 시행할 수 있다. 전립선암이나 후복막강 종양의 조직학적 확진을 위해서는 초음파 유도하에 침생검(needle biopsy)을 시행한다.

5. 치료

종양에 의한 요로폐쇄의 치료는 원인 질환에 따른 치료와 신장기능 보존을 위한 치료로 나눌 수 있다. 후자의 경우는 요로폐쇄를 해결하는 것이 중요하다. 특히 급성 요로폐쇄를 동반한 신부전은 종양에 의한 요로폐쇄의 주요한 사망원인으로 응급상황이며 즉시 평가 및 치료가 필요하다. 또한 요로폐쇄에서 흔히 동반되는 요로감염에 대한 치료도 신장기능을 보존에 중요하다.

1) 하부요로의 폐쇄

방광암, 전립선비대, 전립선암 등에 의한 하부 요로의 폐쇄는 방광암이나 전립선비대증에 대한 치료, 즉 요도경유절제술(transurethral resection of the bladder tumor or prostatectomy)로 폐쇄를 치료하여 신장기능을 효과적으로 보존할 수 있으나 진행된 전립선암은 양측 요관 말단부위 폐쇄를 유발하는데, 가장 이상적인 치료법은 내분비요법(hormonal therapy)이다. 전립선 절제술을 받을 수 없는 고령의 전립선 비대증 환자에서는 보존적 요법으로 열요법(thermotherapy), 요도스텐팅(urethral stenting), 풍선확장술(balloon dilation)을 시행할 수 있다.

2) 상부요로의 폐쇄

신우암이나 요관암의 경우 신요관절제술 및 방광낭내절재술(total nephroureterectomy with bladder cuff resection)이 치료 원칙이기 때문에 신장기능 보존이라는 원칙이 적용되기 어렵다. 다만 후복막강 종양에 의한 폐쇄일 때와 마찬가지로 원인 질환의 치료와 함께 신장기능을 보존하는 것이 중요하다.

(1) 경피콩팥창냄술(Percutaneous nephrostomy, PCN)

병변 쪽 신장에 수신증이 동반되어 있으면서 치료 후 신장기능이 회복 가능성이 있거나, 요로감염이 수반되어 화농신장(pyonephrosis)으로 이환되어 패혈증의 증상을 보이는 환자에서 응급으로 실시한다. 또한 요관스텐팅이 불가능할 경우에도 실시한다. 임상 증상이 호전된 후 경피콩팥창냄술를 지속적으로 유지하여야 할 때는 확장술을 실시하여 유치 카테터의 교환을 용이하게 하여야 한다.

(2) 요관스텐팅(Ureteral stenting)

신장과 방광 사이에 요관 카테터를 설치함으로서 신장기능을 유지하는 방법이다. 이는 경피콩팥창냄술보다 합병증이 적으며 덜 침습적인 장점이 있어, 종양에 의한 요관폐쇄에 우선적으로 고려된다. 하지만 실패율이 비교적 높다. 방법은 경피콩팥창냄술에 따라 앞방향(antegrade)으로 삽입하는 방법과 방광경을 통하여 삽입하는 역방향(retrograde)의 방법이 있다. 여러 종류의 카테터가 있으나 double J stent가 가장 흔히 사용되며, 이는 요로감염 및 결석형성의 가능성, 절단, 이차적 요관폐쇄의 가능성 때문에 4주에 한 번씩 교체하여 주는 것이 안전하다.

(3) 요로전환술(Urinary diversion)

요관 확장이 매우 심하고 신장기능이 나쁠 때, 요관피부문합술(uretorocutaneostomy)과 같은 요로전환술을 실시하기도 한다. 이 경우는 환자가 신체 외부에 소변을 모으는 부착 용기를 달고 살아야 하는 번거로움이 있다.

▶ 참고 문헌

· 대한비뇨기과학회: 비뇨기과학. 제5판. 일조각. 2014.
· David T. G. Wymer, et al: Imaging in Comprehensive Clinical Nephrology, 6th ed, Elsevier, 2019, pp53-71.
· Jørgen Frøkiaer: Urinary Tract Obstruction in Brenner and Rector's The Kidney, 11th ed, Elsevier, 2020, pp1250-1276.
· Julian L. Seifter: Urinary Tract Obstruction in Harrison's Principles of Internal Medicine, 20th ed, McGraw-Hill Education / Medical, 2018.
· Kevin M. Gallagher, et al: Urinary Tract Obstruction in Comprehensive Clinical Nephrology, 6th ed, Elsevier, 2019, pp704-716.
· Marshall L. Stoller: Urinary Obstruction & Stasis in Smith & Tanagho's General Urology. 19th ed, McGraw Hill Education / Medical, 2020.
· Meldrum KK: Pathophysiology of urinary tract obstruction, in Campbell-Walsh Urology, edited by AJ Wein et al, 11th ed, Elsevier, 2016, pp1089-1103.
· Robert L Chevalier: Obstructive nephropathy: towards biomarker discovery and gene therapy. Nat Clin Pract Nephrol 2:157-168, 2006.
· Smith-Bindman R, et al: Ultrasonography versus computed tomography for suspected nephrolithiasis. N Engl J Med 371:1100, 2014.

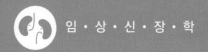
CHAPTER 04 신장 종양

이미정 (차의대), **김지섭** (가천의대 병리과), **나성은** (가톨릭의대 영상의학과)

KEY POINTS

- 우연히 발견되는 작은 국소 신장 종괴(small renal mass, SRM)의 빈도가 늘고 있으며, 2017년 미국비뇨의학회의 신장 종괴 및 국소 신장암에 대한 가이드라인에서는 종양 요소(종괴의 크기, 성장 속도, 조영 증강 양상 등), 환자의 특성, 만성콩팥병의 진행 위험, 치료법의 부작용을 고려하여 치료 방침을 결정할 것을 권고하고 있다.

- 신장암이 신장에 국한된 경우 수술적 절제가 원칙이며, 최근에는 신원보존의 목적으로 부분신장절제가 널리 시행되고 있다. 특히 수술 전 종양의 병기가 cT1a (신장에 국한된 크기 4 cm 이하 종괴)인 경우 부분신장절제술이 우선시되며, 해부학적 또는 기능적 단일 신장, 양측성 혹은 다발성 종양, 가족성 신장암, 기저에 만성콩팥병이 있는 경우에서는 부분 절제술이 선호된다.

- 전이를 동반한 신장암은 기존의 항암화학약물치료에 잘 반응하지 않아 불량한 예후를 보여 왔으나, 최근 VEGF 신호전달경로 표적 치료제와 면역관문억제제가 활발히 적용되면서 치료 반응률이 향상되고 있다. 특히 면역관문억제제인 CTLA-4 항체와 PD-1 항체가 좋은 효과를 보여주고 있다.

- 말기콩팥병 환자에서는 신세포암 발생 위험이 높으며 후천낭콩팥병과 연관된 것으로 생각되고 있다. 과거 연구에서는 신세포암 선별검사의 이점을 증명하지 못했으나 최근 일부 연구에서 선별 검사의 필요성과 프로토콜이 제시되고 있다.

작은 국소 신장 종괴(Small renal mass)

1. 정의

신장 종양은 인구의 고령화, 서구화된 식생활과 생활습관으로 인한 만성 질환의 증가, 건강 검진의 확대로 인해 발생률 및 유병률이 지속적으로 증가하고 있다. 특히 초음파와 컴퓨터단층촬영(computed tomography, CT) 등 영상의학의 발전으로 신장과 관련된 증상이나 징후 없이 작은 크기의 신장 종괴나 낭종이 우연히 발견되는 경우가 늘고 있다. 작은 국소 신장 종괴(small renal mass, SRM)는 복부 영상을 통해 확인된 직경 4 cm 이하의 신장에 국한된 종괴를 의미하며, 복잡 낭종(complicated cyst)부터 고형 종괴, 양성 종양부터 악성 종양까지 매우 다양한 병변을 포괄하는 임상적 진단명이다. 따라서 다양한 상황에 대한 개별화된 접근이 필요하며, 특히 수술 전 감별 진단, 치료법의 결정, 추적 관찰 방법에 대한 임상의의 판단이 중요하다.

2. 작은 국소 신장 종괴의 감별 진단

SRM이 우연히 발견된다면 CT 또는 자기공명영상(magnetic resonance imaging, MRI)과 같은 영상검사를 통해 종괴의 크기, 낭성 부분과 고형성 부분의 구별, 지방 조직의 유무, 조영 증강 여부, 내부의 균질성 등을 평가하는 것이 필수적이다. 하지만 영상 검사만으로 신장 종괴의 양성, 악성 종양 여부를 완벽히 구별할 수 없고, 특히 1 cm 이하의 SRM의 경우에는 크기가 너무 작아 영상학적 특성을 평가하는 것이 어려울 수 있으므로 주의가 필요하다. SRM에서 가장 감별을 필요로 하는 질환은 악성 종양인 신세포암종(renal cell carcinoma, RCC)이다. 조영 증강이 있는 고형성분의 SRM 중 대부분은 신세포암으로 알려져 있으며, 그 중 투명세포신세포암(clear cell RCC)이 가장 많은 것으로 보고되고 있다. SRM에 대한 수술 후 진단 결과, 투명세포신세포암이 약 55%, 유두모양 신세포암(papillary RCC)이 20%, 비염색신세포암(chromophobe RCC)이 5% 정도를 차지하였다. 하지만 초기 검사에서 조영 증강이 동반된 SRM으로 악성 의심 하에 수술적 치료를 시행한 결과 약 10% 정도에서는 양성 종양이 확인된 경우들도 있었다. 이외에 드물지만 타 장기에서 전이된 전이암, 림프종, 국소적인 염증과 감염도 보고된 바 있다.

SRM이 악성 종양일 가능성을 높이는 위험 인자 중 하나는 조영 증강이나 종괴의 복합성과 같은 영상학적 특징이다. 대표적인 양성 종양인 혈관근지방종(angiomyolipoma)의 특성인 종괴 내의 지방조직이 존재하지 않으면서, 조영 증강이 동반되는 고형성 종괴일 경우 또는 복잡 낭종의 경우 악성 종양의 위험이 높은 것으로 알려져 있다. 또한 종괴의 크기가 크고 성장 속도가 빠를수록 악성 종양의 가능성이 높아져, 1 cm 미만의 작은 종괴의 경우 약 40%에서, 1~4 cm 에서는 20%가 양성 소견을 보였으나 4 cm 를 초과하는 경우 5~10%만이 양성 소견을 보였다. 크기가 작은 종괴는 그 성장 속도가 연구에 따라 연 0.1~0.28 cm 정도로 느린 것으로 알려져 있고, 성장 속도가 느린 경우 전이의 위험도 낮은 것으로 되어 있다. 또한 남자의 경우 비슷한 크기의 SRM이라도 여자에 비해 악성 종양의 위험이 높은 것으로 알려져 있다. 그러나 종괴의 영상학적 특징, 크기, 성장 속도, 성별만으로 악성과 양성을 명확히 구분할 수 없음에 유의해야 한다.

3. 작은 국소 신장 종괴의 관리

SRM의 치료 및 추적 관찰 방침을 결정하기 위해서는 종괴 자체의 악성 위험도, 환자의 의학적 상태, 치료법의 위험과 효과와 같은 다양한 요소들을 종합적으로 고려하여야 한다. 2017년에 발표된 미국비뇨의학회(American Urological Association, AUA)의 신장 종괴 및 국소 신장 암에 대한 표준 진료지침에서는 종양 요소, 환자 요소, 만성콩팥병의 진행 위험, 치료법의 부작용을 모두 고려할 것을 권고하고 있다. 먼저 종양 요소로는 악성 종양의 가능성과 연관되어 있는 특징들, 종괴의 크기, 성장 속도, 조영 증강 양상 등이 있고, 환자의 성별, 나이, 기대 여명, 기저 질환, 가족력, 환자의 선호도와 같은 환자 요소도 고려해야 한다. 기존에 사구체여과율이 45 mL/min/1.73m² 미만이거나 단백뇨가 검출되는 경우, 당뇨가 합병되어 있거나, 수술이나 시술 후 사구체여과율이 30 mL/min/1.73m² 미만으로 감소할 가능성이 있는 경우와 같은 만성콩팥병의 진행 위험을 확인해야 한다. 수술은 급성기 위험이 높고, 동결/고주파 열 절제 시술(cryoablation/radiofrequency ablation therapy)의 경우 수술에 비해 급성기 위험은 낮으나 국소 재발이 가능하며 추적 관찰 중 재시술이나 수술이 필요할 수 있다. 또한 수술이나 시술 없이 능동감시를 시행하는 경우 전이의 가능성을 배제할 수 없으며 지속적인 추적이 필요하다. 따라서 SRM의 초기 평가에서는 영상 검사를 시행하여 종양 요소를 평가하고 전이 병변 유무를 확인하며, 콩팥 기능 평가를 위해 혈액검사, 사구체여과율 계산, 뇨검사가 시행되어야 하며, 한편 환자의 동반 질환과 기대 여명에 대한 평가가 필요하다. 만약 46세 이하의 젊은 나이에 양측 신장에서 다발성 신장 종괴가 발견된 경우나 신장암의 가족력이 있는 경우에는 유전 상담도 필요하다.

1) 신장 종괴 조직검사

SRM 중 고형 신장 종괴에 대해서는 경피적 신장 조직검사를 고려할 수 있다. SRM에서 신장 조직검사를 시행하는 빈도는 증가하고 있고 진단과 치료법 결정에 도움이 된다는 결과가 보고되고 있지만, 아직 SRM 관리에서의 표준 지침은 아니다. 조직검사가 반드시 필요한 경우는 수술적 치료가 아닌 전신 치료가 필요한 림프종과 같은 혈액학적 이상에 의한 종괴, 전이로 인한 종괴, 염증 또는 감염에 의한 병변의 가능성이 있을 때이다. 또한 기대 수명이 짧은 환자, 수술로 인한 위험이 높은 중대한 동반 질환이 있는 환자, 수술 대신 동결/고주파 열 절제 시술을 시행하고자 하는 환자에서는 조직검사가 환자의 치료와 관리 방침을 정하는 데에 도움을 줄 수 있다. Kidney Cancer Research Network of Canada (KCRNC) Consensus에서 발표된 결과에 따르면 SRM에 대해 시행된 조직검사는 대체로 안전하며 진단율은 약 80%였다. 조직검사는 초음파 또는 CT 유도 하에 시행되는데 세침흡인세포검사(fine needle aspiration cytology)보다는 중심부생검(core biopsy)이 선호되고, 조직검사 시 적어도 2~3개의 검체를 얻는 것이 진단율을 높일 수 있으며, 조직검사 경로로 암이 파종될 위험은 거의 없는 것으로 보고되고 있다. 조직검사에서 악성 종양을 진단하는 음성예측도는 종괴의 크기에 따라 다른 것으로 보고되고 있으며, 한 연구에 따르면 4 cm 미만의 종괴에서는 민감도 84%, 음성예측도 60%였으나, 4~6 cm 종괴에서는 민감도 97%, 음성예측도 98%를 보였다. 크기가 작을수록, 특히 1 cm 미만의 종괴에서는 병변에 대한 정확한 접근이 어렵기 때문에 진단율이 떨어지는 것으로 생각되나, 다른 한편으로 크기가 크면서 동시에 악성 종양을 시사하는 영상의학적 특징이 동반된 경우에는 수술적 절제가 우선시되므로 수술 전 조직검사가 추천되지 않는다. 조직검사에서 비 진단적(nondiagnostic) 결과가 나오는 경우도 10~20% 정도로 알려져 있기에, 조직검사를 시행하기 전 검사의 양성/음성 예측도, 비 진단적 결과가 얻어질 확률, 조직검사로 인한 합병증 발생의 위험에 대해 환자에게 충분히 설명해야 한다. 따라서 조직검사 결과가 비 진단적이거나 위음성으로 나올 수 있다는 가능성에 동의하지 못하는 젊고 건강한 환자나 조직검사에서 악성 종양이 나오더라도 전신상태로 인해 치료 방법이 달라지지 않을 고령의 환자에서는 조직검사가 필요하지 않다.

2) 신장 절제술

영상학적으로 악성 종양을 시사하는 소견이 있거나 조직검사에서 악성 종양으로 확인된 SRM은 수술적 치료를 고려할 수 있다. 근치신장절제술(radical nephrectomy)과 부분신장절제술(partial nephrectomy) 중에서는 신원보존술(nephron-sparing surgery)의 개념으로 부분신장절제술이 추천된다. 특히 크기가 작으며 신장에 국한되어 있는 SRM의 경우 부분신장절제술은 근치신장절제술에 비해 예후가 나쁘지 않았기 때문에 우선적으로 고려되어야 한다. 여기에 수술 이후 콩팥 기능이 저하될 위험이 높은 경우, 예를 들어 해부학적 또는 기능적 단일 신장, 양측성 신장 종괴, 가족성 신장 종양, 기저에 만성콩팥병이 있거나 단백뇨가 있는 경우에도 부분신장절제술이 우선시 된다. 최근에는 기술의 발전으로 복강경, 로봇-복강경을 통한 부분신장절제술이 증가하고 있는 추세이다. 근치신장절제술은 SRM의 크기, 성장 속도, 영상의학적 소견 등 종양요소가 악성 종양을 강력히 시사하면서, 종괴가 없는 반대편 콩팥이 정상이며, 기존에 만성콩팥병이나 단백뇨가 없는 환자에서, 혹은 부분신장절제술에 대한 경험이 많지 않은 기관의 경우에서 시행될 수 있다.

3) 동결/고주파 열 절제 시술

동결/고주파 열 절제 시술은 외래에서 전신마취 없이 시행할 수 있고 시술 후 콩팥 기능의 저하가 크지 않다는 장점을 갖고 있어, SRM이 확인된 고령이거나 수술의 위험성이 높은 기저 질환을 갖고 있는 환자에서 수술적 치료의 대안으로 시행될 수 있다. 이때 종괴의 조직학적 진단을 통해 예후를 예측하고 시술 후 관찰 주기를 결정하기 위해 시술 전 반드시 조직검사가 선행되어야 한다. 국소적인 통증, 주변 장기나 요관 손상 등의 합병증이 발생할 수 있으나 그 빈도는 비교적 낮은 것으로 알려져 있고, 합병증의 발생은 종괴의 위치와 연관성이 높으므로, 종양이 요관,

신우요관접합부, 대장, 소장, 혈관, 신경 등과 가까이 위치한 경우 시술의 위험을 충분히 고려하여 시행 여부를 결정해야 한다. 시술법은 냉동 절제와 고주파 열 절제법 모두 사용이 가능하며, 두 방법 간의 예후 차이는 없는 것으로 알려져 있다. 시술을 시행한 후에는 영상검사를 이용한 주기적인 추적 관찰이 필요하며, 한 연구에서는 약 14%의 환자에서 국소 재발이 발생하는 것으로 보고한 바 있다. 따라서 시술을 결정할 때에는 시술을 시행했음에도 불구하고 종괴가 완벽히 제거되지 못해 계속 잔존할 수 있는 가능성, 국소 재발의 가능성, 재발할 경우 추가적인 시술이나 수술이 필요할 수 있다는 점을 환자에게 충분히 설명한 후 시술을 결정해야 한다.

4) 능동감시

능동감시(active surveillance)는 기대 수명이 길지 않은 환자, 동반 질환으로 인해 수술이나 시술의 위험이 높은 환자에서 일차적으로 고려될 수 있다. 또한 종괴의 크기가 1cm 미만인 SRM의 경우 즉각적인 치료보다는 능동감시가 선호된다. 1 cm 미만의 SRM의 경우 약 40%는 양성이며, 악성 종양이라도 악성도가 낮고 전이의 위험이 낮은 것으로 보고되고 있으므로 능동감시를 시행해 볼 수 있다. 능동감시 동안 영상검사를 통해 종괴의 형태 변화나 성장 속도를 추적하게 되는데 종괴의 형태 변화가 없거나 성장이 거의 없다면 전이의 위험이 낮은 안정적인 병변으로 생각할 수 있다. 하지만 성장 속도만으로 악성과 양성 종양을 감별할 수는 없으므로 주의해야 한다. 능동감시의 주기에 대해서 정립된 바는 없으나, SRM에 대한 전향적 연구인 Renal Cell Carcinoma Consortium of Canada 연구에서는 조직검사를 시행하지 않았거나 조직검사 상 악성 종양인 경우, 첫 1년 동안에는 매 3개월, 6개월, 이후 2년 동안 매 6개월마다, 이후 매년 한번씩 CT, MRI, 또는 초음파를 시행하고, 조직검사 상 양성인 경우에는 1년에 한 번씩 검사를 시행하는 프로토콜로 능동감시를 시행하였다. 해당 연구는 SRM이 확인된 환자 중, 의학적 판단에 따라 고령이거나 동반질환으로 인해 수술이 어려운 경우 또는 수술이나 동결/열 고주파 열 절제 시술 등의 국소적 치료

를 거부한 환자 중 흉부 전이가 없는 환자를 대상으로 하였으며, 국소 진행(SRM이 4 cm 이상으로 커지거나 1년 동안 용적이 2배로 증가하는 경우)과 원격전이 여부를 확인하였다. 28개월간 능동감시를 시행한 결과, 국소 진행은 약 12%에서, 원격전이는 약 1%에서 관찰되었다. 또 다른 전향적 연구인 Delayed Intervention and Surveillance for Small Renal Masses (DISSRM) 연구는 CT와 MRI로 기저 종괴 크기를 측정하고, 다음 2년 동안 4~6개월마다, 이후에는 6~12개월마다 초음파로 크기 변화를 측정하였으며, 연간 0.5 cm 이상, 종괴 크기가 4 cm 이상으로 성장, 또는 혈뇨가 확인되는 경우를 진행으로 정의하였다. 25개월의 능동감시 기간 동안 16%에서 진행이 확인되었으나 전이는 발견되지 않았다. 두 연구 모두 추적 관찰 기간이 비교적 짧다는 한계가 있지만, 능동감시 기간 중 전이가 발생한 경우가 많지 않은 결과를 보여 환자의 상태와 종괴의 성질에 따라 능동감시도 충분히 고려할 수 있는 선택지임을 시사한다고 할 수 있다.

신장 종괴의 영상 진단

1. 개요

신장 종괴의 평가에 이용되는 영상검사로는 초음파, CT, MRI 등이 있다. 최근 영상검사 촬영의 급증으로 증상이 없는 환자에서 우연히 발견되는 신장 종괴가 증가하는 추세이다. 영상검사를 통해 신장 종괴를 발견하고 감별 진단하는 것은 환자의 예후를 예측하고 적절한 치료 계획 수립에 필수적인 요소이다. 신장 종괴는 형태적 특징에 따라 크게 낭성 종괴(cystic mass)와 고형성 종괴(solid mass)로 나눌 수 있다. 낭성 종괴 중 대부분은 치료나 추가 검사를 필요로 하지 않는 단순 낭종이지만, 출혈이나 중격을 동반한 복잡 낭종, 양성 종양, 악성 종양 등의 다양한 병리 스펙트럼이 있다. 반대로 고형성 종괴의 90%는 악성 종양이고, 악성 종양 중 90%가 신세포암종이므로 양성 낭성 종괴와 고형성 종괴의 구분이 매우 중요하다. 고형성 종괴

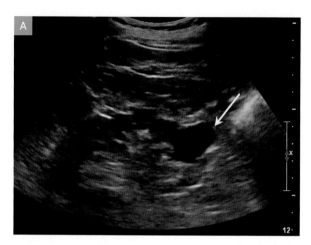
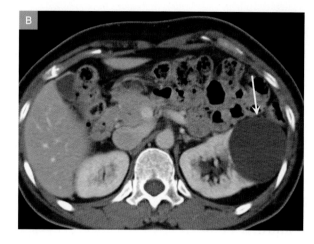

그림 10-4-1. 단순 신장 낭종

(A) 초음파검사에서 경계가 명확하고 내부 에코가 없는 신장 낭종(화살표)이 보인다.
(B) 조영증강 CT에서 좌측 신장에 뚜렷한 경계를 가지고 내부에 조영 증강을 보이지 않는 저음영의 낭종(화살표)이 보인다.

중 혈관근지방종은 특징적인 지방 성분이 있어서 영상 진단이 가능한 대표적인 양성 종양이다. 또한 고형성 종괴의 경우 신장기둥(column of Bertin), 낙타혹(dromedary hump) 등의 거짓종양(pseudotumor) 또는 염증성 병변인 신우신염이나 신농양 등과의 감별도 필요하다.

2. 영상검사

1) 초음파검사

초음파검사는 신장 종괴가 낭성인지 고형성인지 판단하는데 매우 유용하다(그림 10-4-1). 그러나 출혈성 낭종 및 내부에 찌꺼기(debris)가 있는 낭종, 중격이 많은 복잡 낭종의 경우는 진단이 어려울 수 있다. 낭성 종괴가 악성 종양인지 감별하기 위해 중격의 유무, 중격이 두껍거나 불규칙하고 조영증강이 되는지, 벽결절이나 고형성 성분이 동반되어 있는지 등의 평가가 매우 중요하고 이때 도플러 초음파검사 또는 조영제를 이용한 조영증강 초음파검사가 도움이 될 수 있다. 초음파에서 악성 종양이 의심되는 경우 CT 또는 MRI를 추가적으로 촬영하는 것이 권장된다.

2) CT

조영증강 CT는 신장 종괴의 진단 및 신세포암의 병기 결정에 가장 기본이 되는 검사이다. 신장 종괴 CT 프로토콜은 비조영기(unenhanced phase), 신피질수질기(cortico-medullary phase: 조영제 주입 후 30~45초), 신조영기(nephrographic phase: 조영제 주입 후 90~120초) 및 지연 배설기(delayed excretory phase: 조영제 주입 후 3~10분) 등을 포함한 다중시기 CT가 주로 이용되지만 의료기관 및 해당 질환에 따라 프로토콜에 약간씩 차이가 있을 수 있다. CT에서는 조영증강 여부를 판단하기 위해서 조영제 주입 전과 후의 영상에서 종괴의 CT 감쇄값을 측정하여 15~20 HU 이상 증가하는 경우 조영증강이 있는 고형성 종양으로 판단하고 조영증강 양상을 분석하여 신세포암종의 아형을 구분하게 된다.

가장 흔한 투명세포신세포암은 다른 아형에 비해 조영증강 초기에 강하고 불균일하게 조영 증강되고 신조영기에 빠른 씻김을 보이는 경향이 있다. 유두모양신세포암은 비교적 균일한 조영증강 양상을 보이고, 조영증강 정도가 약한 편이다. 비염색신세포암종은 비특이적이고 중간 정도의 조영증강을 보인다. 그러나 드문 양성 고형성 종양과 신세포암종을 완벽히 구분할 수 있는 결정적인 영상소견의 기준이 없으므로 고형성 종괴의 경우 결국 수술적 절제 또는 조직검사가 필요할 수 있다. 고형성 종괴 내부에 뚜렷한 지방 성분이 보인다면 양성 종양인 혈관근지방종으로 진단할 수 있다. CT에서 종괴 내부에 관심영역을 그려서 −10 HU 이하의 값을 보인다면 지방 성분이 있는 것을 의미한다. 그러나 지방 성분의 크기나 양이 적어 CT에서 지방 성분이 뚜렷하게 보이지 않는 혈관근지방종도 5% 정도 존재하여 신세포암종과 유사한 영상소견을 보일 수 있다. 감별이 어려운 경우 MRI를 추가적으로 시행하여 T2 신호강도와 지방 성분 유무를 확인해 볼 수 있다.

3) MRI

MRI는 방사선 노출을 피해야 하거나 CT 정맥 조영제에 과민반응을 보이는 경우 CT를 대체하여 유용하게 사용되고, CT에서 진단이 애매모호한 1.5 cm 이하의 작은 크기의 신장 종괴의 특성을 파악하기 위해 추가적으로 시행되기도 한다. MRI는 연부조직 관련 대조도와 해상도가 우수하고 종괴 내부 출혈, 지방 성분들을 찾는 경우 유용하다. 지방 성분은 MR T1 강조영상과 T2 강조영상에서 고신호강도를 보이고, 화학변위영상(chemical shift image)이나 지방억제영상(fat suppression image)을 이용하면 지방 성분을 확인할 수 있다. 종괴 내부에 지방 성분이 있는 경우 대부분 혈관근지방종이지만, 간혹 투명세포 신세포암에서도 세포 내 지방이 풍부하여 신호 감소를 일으킬 수 있어서 주의해야 한다.

양성 신장 종양

양성 신장 종양은 과거에는 악성 종양을 배제할 수 없어 수술을 시행한 경우 병리검사를 통해 진단되는 경우가 많았다. 약 3,000건의 신장 고형성 종괴 절제술에 대한 후향적 연구에서는 전체의 약 12.8%가 양성 종양의 소견을 보였다. 더욱이 종괴의 크기에 따라 분류하였을 때, 3 cm 미만의 종괴의 경우 약 25%, 2 cm 미만은 약 30%, 1 cm 미만의 경우는 약 44%가 양성 종양으로 진단되었다. 양성 신장 종양은 단순 낭종 또는 일부 복잡 낭종에서부터 혈관근지방종, 호산과립세포종(oncocytoma), 평활근종(leiomyoma), 림프관종(lymphangioma) 등 매우 다양한 진단

을 포함한다.

1. 혈관근지방종

1) 특징

혈관근지방종은 이형성을 갖는 비정상 혈관(dysmorphic vessel), 지방 조직, 평활근으로 구성된 종괴로 일반 인구에서 0.13%의 유병률을 보이며 50~60대의 연령, 여성에서 호발하는 것으로 알려져 있다. 혈관근지방종은 대부분의 경우 무증상으로 영상검사를 통해 우연히 발견되는 경우가 많지만, 자발성 후복막 출혈을 일으킬 수 있는 원인이므로 출혈과 통증을 통해 발견될 수 있다. 혈관근지방종이 양측 콩팥에서 모두 발견되거나 일측에 여러 개 발생한 경우 유전 질환과 연관되어 있을 가능성이 있으므로 유전적 상담이 필요하고, 대표적으로 결절경화증(tuberous sclerosis), 림프관평활근종증(lymphangioleiomyomatosis, LAM)과 연관성이 있는 것으로 알려져 있다.

2) 진단

신장의 혈관근지방종은 혈관, 지방 및 평활근의 조직 비율에 따라 다양한 영상소견을 보일 수 있다. 초음파에서는 주로 경계가 명확한 고에코의 종괴로 보인다(그림 10-4-2A). CT에서 종괴 내부에 소량 또는 다량의 지방 성분이 보이면 혈관근지방종의 가능성이 높다(그림 10-4-2B). 지방 성분은 CT에서 −20 HU 이하로 보이는 경우 확정적으로 진단할 수 있지만, 경우에 따라 −10~−20 HU으로 보이기도 한다. MRI에서는 T1, T2 강조영상에서 지방 성분이 고신호강도로 보이고, 화학변위영상이나 지방억제영상을 이용하면 종양 내 지방 성분을 확인할 수 있다(그림 10-4-3A, B).

3) 치료

혈관근지방종의 영상학적 진단이 이루어지고 난 후의 치료 계획은 종양의 크기, 증상 유무, 유전 질환과의 연관성, 향후의 출혈 가능성과 같은 요소들을 바탕으로 환자에 따라 개별적으로 세워져야 한다. 종양의 파열로 인해

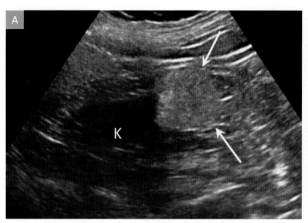
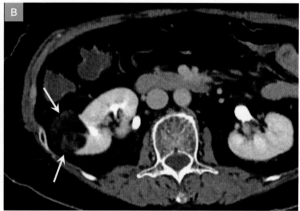

그림 10-4-2. 혈관근지방종의 초음파와 CT 소견

(A) 초음파검사 종단면스캔에서 우측 신장(K)에 에코가 높은 종양(화살표)이 있다.
(B) 조영증강 후 CT에서 우측 신장에 지방 음영을 포함한 경계가 명확한 종괴(화살표)가 있다.

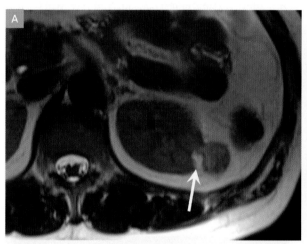
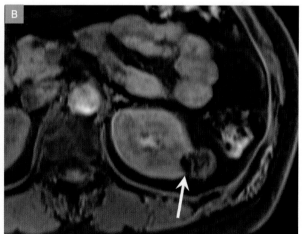

그림 10-4-3. 혈관근지방종의 MR 소견

(A) T1 강조영상에서 좌측 신장에 있는 종괴의 일부분에 고신호강도(화살표)가 보인다.
(B) 지방억제 T1 강조영상에서는 지방억제 전 영상에서 고신호강도를 보인 부위가 신호감소(화살표)를 보여 지방 성분을 확인할 수 있다. 종괴의 나머지 부위도 전반적으로 신호강도 감소를 보여 지방 성분이 섞여 있음을 알 수 있다.

급성 출혈이 발생했다면 쇼크 등 혈역학적으로 불안정한 상태까지 발전이 가능하므로 진단 즉시 선택적 신동맥 색전술(selective renal arterial embolization)을 우선으로 시행해야 한다. 이외에는 증상 유무와 향후 출혈이 발생할 위험도를 고려하는 것이 중요한데, 종양의 크기가 4 cm 이상이거나 종괴 내 동맥류(intra-lesional aneurysm)가 5 mm 이상인 경우 파열에 의한 출혈이 발생할 위험이 증가

하므로 이 경우에는 신원보존술의 개념으로 부분신장절제술, 동결/고주파 열 절제술, 또는 신동맥색전술 시행을 고려한다. 한 연구에서는 종양의 크기가 5 cm 미만인 경우 능동감시를 시행하는 동안 92%에서 종양의 크기가 변하지 않았음을 보고한 바가 있어, 무증상이며 종양의 크기가 4 cm 미만, 출혈의 위험성이 낮은 경우는 능동감시를 시행할 수도 있다. 다만, 임신 시 종양의 크기가 증가하고

출혈과 통증 발생의 위험이 증가하는 것으로 알려져 있으므로 가임기 여성의 경우에는 보다 적극적인 치료와 관찰이 필요하다. 결절경화증이나 림프관평활근종증과 같은 유전 질환과 연관된 경우에는 종양이 양측성, 다발성으로 발생하는 경우가 많고, 산발적(sporadic) 발생보다 재발도 더 흔하므로 증상이 없더라도 수술적 절제를 고려할 수 있으며, 이 경우 신원보존에 더욱 주의를 기울여야만 한다. 이외에 크기가 크고 다발성으로 발생한 결절경화증, 림프관평활근종증 연관 혈관근지방종에 mammalian target of rapamycin (mTOR) 억제제인 everolimus가 치료제로서 승인을 받은 바 있다.

2. 호산과립세포종

1) 특징

신장의 호산과립세포종은 양성 종양으로, 양성과 악성을 통틀어 전체 신장 종양의 약 3-7%를 차지하는 것으로 알려져 있다. 호산과립세포종은 영상학적 특징만으로는 악성 종양과의 감별이 어려워 수술을 통해 진단되는 경우가 대부분으로, 실제로 절제된 3 cm 미만의 신장 종괴의 약 25%가 호산과립세포종이었던 연구도 보고된 바 있다. 사실 호산과립세포종의 양성, 악성 여부에 대해서는 역사적으로 다양한 의견이 제시되어 왔으나, 최근의 유전자 연구를 통해서 양성 종양임이 확인되었다. 유전학적으로 호산과립세포종은 특징적으로 1, X, Y, 14, 21번 염색체의 소실과 11번 염색체 단완의 재배열이 관련되어 있는 것으로 알려져 있으며, Birt-Hogg-Dube 증후군에서 호발하여 해당 환자의 약 12~34%에서 호산과립세포종이 발생하는 것으로 알려져 있다.

2) 진단

호산과립세포종은 집합관의 사이세포(intercalated cell)에서 기원하는 것으로 알려져 있고, 동일하게 집합관 사이세포로부터 기원하는 비염색신세포암과 형태학적, 영상학적 특징을 일부 공유하여 이에 따라 영상학적 감별 진단이 어려울 수 있다. 병리 육안 소견 상 신피질에서 관찰되

며 피막으로 둘러싸여 있으며, 종괴의 단면은 마호가니 갈색에서 황갈색으로 보이며 중앙에 별 모양 반흔이 종종 관찰된다. 이러한 형태적 특징을 영상검사에서도 확인할 수 있어 중앙의 별 모양 무혈관성 반흔이 조영 증강 되지 않는 'central stellate scar'가 CT에서 관찰될 수 있다. 하지만 이런 소견은 호산과립세포종의 약 3분의 1에서만 나타나기 때문에 이 특징만을 이용해 호산과립세포종을 진단할 수는 없으므로 병리학적 진단이 주가 된다. 현미경 소견상 호산과립세포종은 기관유사모양이나 섬, 둥지, 세관낭종의 형태로 배열하는 커다란 원형의 호산성 상피 세포로 이루어져 있는데, 이를 이루는 세포를 호산과립세포(oncocyte)라고 한다(그림 10-4-4). 세포질은 호산성의 치밀한 과립으로 이루어져 있고, 핵은 작고 둥글며 중심에 핵소체를 가지고 있다. 호산과립모세포(oncoblast)라고도 불리는, 세포질이 적고 크기가 작은 세포의 집단이 반흔 주변이나 상피 세포의 가장자리에 존재하기도 한다(그림 10-4-4). 산발적으로 두 개의 핵을 가진 세포도 관찰되나 유사분열은 매우 드물다. 반흔 부위는 유리질 또는 점액성의 세포가 적은 기질로 이루어져 있고, 드물게 부분적 비정상 조직석회화나 골화를 보이기도 한다. 면역조직화학염색에서 호산과립세포종은 전형적으로 CD117(KIT), E-cadherin, S100A, 사이토케라틴 AE1/AE3, 저분자량 사이토케라틴에 양성이

그림 10-4-4. 호산과립세포종

기관유사모양으로 배열하고 있는 호산성의 큰 상피 세포(호산과립세포)가 주를 이루고 있으며, 상피 세포의 가장자리에는 세포질이 적고 크기가 작은 세포(호산과립모세포)가 일부 관찰된다.

며, CK7에 음성(또는 5% 미만 국소양성)이다. Vimentin은 일반적으로 호산과립세포에는 음성이지만, 반흔 주변이나 호산과립모세포에는 양성을 보일 수도 있다.

3) 치료

영상학적 진단이 어렵기 때문에, CT 상 호산과립세포종이 의심되는 경우에서 신장 조직검사를 시행하여 진단에 도움을 받은 케이스들이 보고된 바 있다. 하지만 메타분석에서의 조직검사를 통한 호산과립세포종 진단의 양성 예측도는 약 67%로 높지 않은 수준이었기 때문에 호산과립세포종에서의 조직검사의 유용성에 대해서는 이견이 존재한다. 조직검사가 어렵거나 악성을 배제할 수 없는 경우에는 수술적 절제가 원칙이며, 조직검사 결과를 바탕으로 능동감시를 시행하여 양호한 예후를 보고한 결과도 있다.

3. 기타 양성 종양

신장의 평활근종은 전체 신장 종양의 약 0.3%를 차지하는 드문 종양으로 여성에서 더 흔히 발견되는 것으로 알려져 있다. 평활근종은 비뇨기계의 어느 부위에서든 발생할 수 있고 방광에서 가장 흔히 발견되며, 신장에서는 신장의 피막에서 발생한 경우가 가장 많이 보고되고 있다. 평활근종 중 신장의 피막에서 발생한 경우, 경계가 깨끗하며 피막으로부터 뻗어나가는(exophytic) 형태를 보이며 비조영 CT에서는 신장 실질에 비해 고음영(hyperdense)을 보이고 조영 후 정맥기에서는 균일한 조영증강을 보임이 보고된 바 있는데, 이러한 조영증강 패턴은 투명세포신세포암, 비염색신세포암에서도 관찰이 가능하므로 영상학적 소견만으로 악성을 감별하기 어렵다. 수술 후 조직면역화학 염색에서 평활근 세포의 지표인 vimentin, desmin, caldesmon 등에 양성을 보이는 것으로 진단을 확인할 수 있다. Reninoma는 신장의 juxtaglomerular 세포로부터 기원한 양성 종양으로, 레닌의 과도한 생성으로 인한 다뇨, 다음, 두통 등의 증상과 고혈압, 저칼륨혈증, 단백뇨가 동반될 수 있다. 이외에 신장측부림프관으로부터 발생하는 림프관종, 신장의 속질에서 발생하는 콩팥수질간질종양(reno-medullary interstitial cell tumor), 신장 실질에서 발생하는 신장신경초종(intrarenal schwannoma) 등의 양성 종양이 드물게 보고되고 있으며, 이러한 드문 양성 종양들은 영상학적으로 악성과 감별이 어려운 경우가 많아 수술적 절제가 고려되는 경우가 많고, 신원을 보존하는 수술법(nephron-sparing surgery)이 선호된다.

악성 신장 종양

1. 역학

신장암(kidney cancer)은 신장에 발생한 악성 종양으로 개념상으로는 원발성 종양과 전이성 종양을 모두 포함하나, 대부분 원발성 종양인 경우가 많다. 신장의 원발성 종양은 발생하는 위치에 따라 신장의 피질(cortex)에서 발생하는 신세포암종과 신우에서 발생하는 신우암으로 나눌 수 있는데, 이 중 신세포암종이 약 85%를 차지하고 신우암은 5~10%정도이며, 신우암의 경우 요로상피암(urothelial cell carcinoma)이 대부분이므로 통상적으로 신장암이라고 하면 신세포암종을 지칭하는 경우가 많아 본 저술에서도 신세포암종을 중심으로 다루고자 한다. 신장암은 다른 비뇨기계 암에 비해서는 드물지만 남성에서는 비교적 흔히 발생하는 암종이다. 신장암의 발생률은 나라와 지역에 따라 차이가 있는데, 미국의 경우 연간 인구 10만명 당 16건이 새로 발생한다고 알려져 있으며 남자에서 여자보다 약 1.9배 더 흔하게 발생하는 것으로 알려져 있다. 2021년에 발표된 우리나라의 2018년 국가암등록사업 보고서에 따르면 2018년 한 해 동안 새로 진단된 신장암은 5,456건으로 발생률은 인구 10만명 당 10.6건이었고, 이는 전체 암 발생 중 2.2%를 차지하는 것으로 10위에 해당하였다. 우리나라에서도 여자보다 남자에서 신장암의 발생률이 높은 것으로 보고되고 있으며, 남자에서는 인구 10만명 당 14.9명으로 아홉 번째로 높은 발생률(전체 암의 3.0%에 해당)을 보였으나, 여자에서는 발생률 상위 10위 안에 포함되지 않았다. 연간 발생률은 1999년부터 2018년까지 지속적으로 증가하고 있어, 1999년 전체 인구 10만명 당 3.0명이었던 발생률은, 2018년 10.6명으로 연당 평균 4.5%의 증가 추세를 보이고 있다. 신장암은 주로 55~75세 사이에서 발생하는 것으로 알려져 있고 40세 이상부터 발생 위험이 증가한다. 대부분은 산발적 발생이나 4~6%는 가족성으로 발생하는 것으로 알려져 있다. 2018년 기준, 우리나라의 신장암 유병자수는 46,358명으로, 인구 10만명 당 90.4명이었으며, 전체 암 유병자 중 9위(2.3%)에 해당하고, 발생률과 마찬가지로 여자보다 남자에서 유병률이 높았다.

2. 위험인자

1) 신세포암의 종양생물학(Tumor biology)

다른 암에서와 마찬가지로 신세포암도 암 발생과 연관된 것으로 알려진 'metabolic reprogramming' 과정이 활발히 연구되고 있고 특히 투명세포신세포암과의 연관성이 잘 알려져 있다. 투명세포신세포암에서는 정상적인 세포와는 달리 암세포가 저산소환경이나 영양성분이 부족한 환경에서 살아남고 증식할 수 있는데, 대표적으로 glutathione oxidized glutathione (GSH/GSSG) 경로와 트립토판 경로가 활성화되는 동시에 tricarboxylic acid (TCA) 경로를 통한 에너지 생성과 urea cycle은 억제되기 때문으로 알려져 있다. 이처럼 변형된 대사과정을 통해 암세포의 성장이 촉진되고 진행하는 기전이 대두됨으로써 이와 연관된 신호 전달 경로들을 타겟으로 하는 특이 억제제 개발이 시도되고 있다. 이외에도 신세포암의 발생과 연관되어 있는 유전자와 신호 전달 경로가 활발히 연구되고 있으며 MET proto-oncogene, fumarate hydratase 유전자, folliculin 유전자, p53 종양억제유전자와 vascular endothelial growth factor (VEGF) 신호전달 경로, PI3 kinase-Akt-mTOR 신호전달 경로가 대표적이다.

2) 흡연

흡연은 가장 잘 알려진 환경적 위험인자로 연구에 따라 다르지만 흡연자의 경우 비흡연자에 비해 약 1.5~2.5배 정도 신장암 발생 위험이 높은 것으로 알려져 있다. 흡연에 의한 신장암 발생 위험은 흡연양과 흡연 기간에 비례하여 증가하는 것으로 되어 있고, 금연을 하는 경우 위험도가 감소하는 것으로 알려져 있다.

3) 비만, 고혈압

비만은 특히 비만의 유병률이 높은 서구에서 주요한 위험인자로 여겨지고 있으며, 체질량지수가 증가함에 따라 신장암의 발생률은 증가하는 것으로 보고되고 있다. 비만과 신장암의 발생 증가에 관련된 기전으로는 insulin-like growth factor-I (IGF-I)의 증가, 신장 세동맥 경화 진행, 국소적인 염증 증가 등이 알려져 있다. 한편 비만한 환자에서 신장암이 더 많이 발생하지만, 반대로 신장암 환자 중에서는 비만인 경우 생존율이 더 높은 비만의 역설(obesity paradox) 현상이 관찰된다. 고혈압도 신장암 발생의 위험인자 중 하나로 생각되고 있고, 고혈압이 지속될 경우, 고혈압에 의한 신장 손상, 지속적인 염증 상태, 세관의 대사적 또는 형태적 변화가 일어나게 되어, 암을 유발하는 인자들에 대해 취약한 상태가 되기 때문으로 설명되고 있다.

4) 가족성 신장암

(1) 폰히펠-린다우병(Von Hippel-Lindau disease)

폰히펠-린다우병은 상염색체 우성 질환으로 36,000명 중 1명의 확률로 이환되고 폰히펠-린다우종양억제유전자(pVHL)의 결손이 흔히 동반된다. 산발적으로 발생하는 신장암이 50~70대에 호발하는 것과 달리 폰히펠-린다우병에서 발생하는 신장암은 20~40대의 젊은 나이에서 주로 발병하며, 양측 콩팥에 다발성으로 발생하는 차이점을 갖는다. 우리나라의 연구에서 신장암은 폰히펠-린다우병 환자의 약 45%에서 발생하는 것으로 보고된 바 있다. VHL 유전자의 결손은 투명세포신세포암의 발생과 관련한 많은 종양생물학 연구들에서 조사되었다. 정상 산소상태에서 VHL 단백복합체는 hypoxia inducible factor (HIF)-1과 HIF-2를 분해시켜 주는 역할을 하는데, 폰히펠-린다우병에서 발견되는 VHL 유전자의 결손이나 억제는 정상 산소상태임에도 불구하고 HIF 단백의 축적을 유발하고 특히 증가된 HIF-2α는 VEGF 발현을 증가시켜 신세포암의 주요한 혈관생성촉진인자로 작용하게 만든다. 또한 실제 저산소상태가 아님에도 불구하고 저산소 관련 신호전달경로가 활성화되기 때문에 신장암의 metabolic reprogramming 과정이 활성화되어 암의 성장과 진행이 촉진된다.

(2) 유전성 유두모양신세포암

유전성 유두모양신세포암은 상염색체 우성으로 유전되며 c-Met 유전자의 돌연변이와 연관된 것으로 알려져 있다. 제1형 유두모양신세포암이 양측성, 다발성으로 발생하며, 두 명 이상의 가까운 친척이 제1형 유두모양신세포암으로 진단된 경우 의심할 수 있다.

(3) 유전성 평활근종신세포암 증후군

유전성 평활근종신세포암 증후군(hereditary leiomyomatosis and renal cell carcinoma, HLRCC)은 상염색체 우성 유전이며, fumarate hydratase 유전자의 돌연변이에 의한 질환으로 피부와 자궁의 평활근종과 함께 제2형 유두모양신세포암이 발생하는 가족성 신장암 증후군이다. 이 증후군 환자들의 약 15~20%에서 신세포암이 발생하며, 다른 가족성 신장암과는 다르게 일측성으로 1개의 종괴만 발생하는데 진행이 매우 빠른 특징을 지니므로 즉각적인 수술적 치료가 권장된다.

(4) Birt-Hogg-Dube 증후군

상염색체 우성 질환으로 종양억제유전자인 folliculin 유전자의 변이와 연관되어 있다. mTOR 신호전달 경로를 조절하는 folliculin 단백복합체가 작용하지 못하면서 mTOR 신호전달 경로가 조절되지 않아 암이 발생하게 된다. 피부의 섬유모낭종(fibrofolliculoma), 폐 낭종, 기흉과 함께 호산과립세포종, 비염색신세포암 등 원위 신원에서 기원하는 다양한 신장 종양 발생이 가능하다. 신장 종양은 해당 증후군 환자의 약 30%에서 발견되며 다른 가족성 신장암과 비슷하게 양측성, 다발성으로 발생하는 경우가 많다.

3. 임상증상

신장은 후복막에 국한된 장기이므로, 신장암의 대부분은 국소적으로 진행된 병기에 이르기까지 무증상인 경우가 많다. 신장암의 전형적인 증상이라고 할 수 있는 혈뇨, 측복부 통증, 촉진되는 종괴의 세 가지 증상이 모두 있는 환자는 전체 신장암 환자의 10%도 되지 않는 것으로 보고되고 있으며, 증상 없이 급성콩팥병, 요로폐색, 혈뇨의 원인을 감별하는 과정 중에서나, 검진 목적의 복부 영상검사를 시행하는 과정에서 발견되는 경우가 더 많다. 이러한 우연암이 차지하는 빈도는 1970년대에는 약 10%였으나, 1990년대 이후부터는 60% 이상으로 증가하여, 우리나라의 연구에 따르면 증상 없이 우연히 발견된 경우가 77%에 달했다. 부종양증후군(paraneoplastic syndrome)이 동반되는 경우에는 이로 인한 증상이 발생할 수 있다. 종양으로 인해 체중감소, 전신쇠약감, 야간 발한, 발열과 같은 비특이적인 증상이 약 10~20%의 환자에서 나타나고, 검사상 빈혈 또는 혈색소의 증가, 고칼슘혈증, 간기능 검사상 이상 소견이 동반될 수 있다. 혈색소의 증가는 1~5%의 환자에서 발생하는 것으로 알려져 있으며 metabolic reprogramming으로 인해 증가한 적혈구형성호르몬(erythropoietin)의 자극 때문으로 생각된다. 고칼슘혈증의 발생은 15%까지도 보고되고 있는데 뼈 전이에 의한 골용해 또는 부갑상샘호르몬관련단백질(parathyroid hormone related peptide)의 생성으로 인해서 발생할 수 있다. 부종양증후군이 발생한 치료는 신장암에 대한 수술적 절제를 시행하거나 전신 항암치료를 시행하여 원발 종양으로 인한 영향을 감소시키는 것이 근간이 된다.

4. 신세포암종의 조직학적 분류

신세포암종의 대표적인 조직학적 아형으로는 투명세포신세포암, 유두모양신세포암, 비염색신세포암, 집합관신세포암(collecting duct RCC) 등이 있으며, 상세불명신세포암(unclassified RCC)도 약 3~5% 정도로 보고되고 있다. 하지만 최근 분자생물학, 세포유전학, 면역조직화학 분석

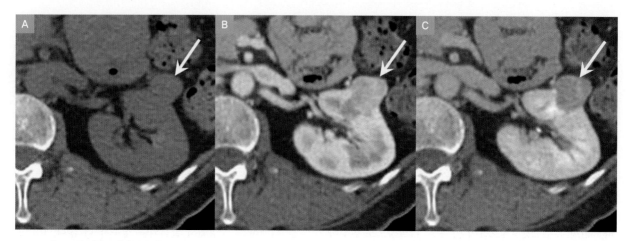

그림 10-4-5. 투명세포신세포암의 CT 소견

(A) 조영증강 전 CT에서 좌측 신장 상극에서 바깥쪽으로 자란 경계가 명확한 종괴(화살표)가 있다.
(B) 조영증강 후 신피질수질기 CT에서 종괴(화살표)는 비교적 강한 조영증강을 보인다.
(C) 조영증강 후 지연기 CT에서 종괴(화살표)는 조영제가 일부 씻겨 나가 신실질에 비해 낮은 음영을 보인다.

방법이 발전하면서 기존에 상세불명으로 분류되었던 신세포암의 새로운 특징들에 대한 논의가 지속적으로 이루어지고 있다.

1) 투명세포신세포암

신세포암 중 가장 많은 빈도를 차지하며 약 75~85%에 해당한다. 투명세포신세포암은 신장의 근위세관에서 기원하는 것으로 알려져 있으며, 대부분은 산발적 발생이나 약 2~3%는 유전질환과 연관되어 있고, 폰 히펠-린다우병에서 투명세포신세포암의 병태생리에 대한 연구가 많이 이루어졌다. 투명세포신세포암은 혈관분포가 풍부한 종양(hypervascular tumor)으로 CT에서 다른 아형에 비해 조영증강 초기에 강하고 불균일하게 조영 증강되고 신조영기에 빠른 씻김을 보이는 경향이 있다(그림 10-4-5).

투명세포신세포암은 육안 소견 상 신피질에서 튀어나온 구형의 종괴를 형성하며, 보통 섬유성 거짓 피막에 의해 둘러싸여 주변의 신장 실질과 명확하게 구분된다. 종괴의 단면은 종양 세포의 지질함량이 높아 특징적인 밝은 황금빛 노란색으로 관찰되며, 낭성변화, 괴사, 출혈 및 석회화를 종종 동반한다(그림 10-4-6). 현미경 소견 상 투명세포신세포암은 판, 둥지, 샘꽈리(acinar), 미세낭, 거대낭과 같

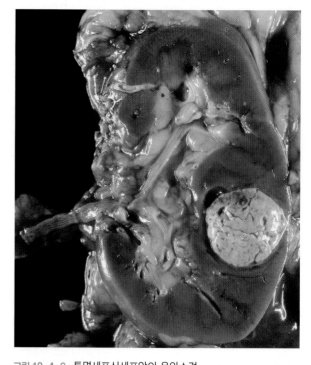

그림 10-4-6. 투명세포신세포암의 육안소견

신장에 국한된 구형의 종양으로 단면은 황금빛 노란색이며 주변의 신장 실질과 명확하게 구분되고 있다.

은 다양한 성장패턴을 보이며, 사이사이에는 전형적으로 규칙적인 망을 이루는 얇은 혈관이 있다. 종양 세포는 둥

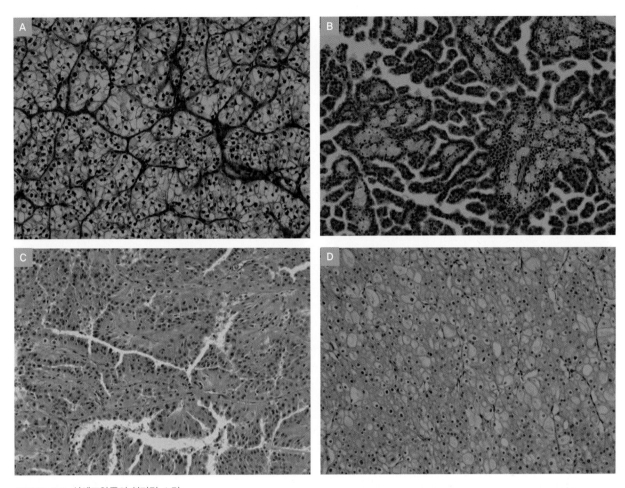

그림 10-4-7. 신세포암종의 현미경 소견

(A) 투명세포신세포암. 뚜렷한 세포막과 투명한 세포질을 가진 다각형의 세포가 둥지 구조를 이루고 있으며, 이를 둘러싸는 얇은 혈관망이 관찰된다.
(B) 제1형 유두모양신세포암. 적은 양의 세포질과 작은 핵을 가진 종양세포가 얇고 섬세한 유두구조를 이루고 있다. 섬유혈관줄기에는 거품대식세포가 관찰된다.
(C) 제2형 유두모양신세포암. 풍부한 호산성 세포질과 크고 불규칙한 핵을 가진 종양세포가 두꺼운 유두구조를 이루고 있다. 핵의 거짓중층화를 보이고 있다.
(D) 비염색신세포암. 뚜렷한 세포막과 솜털같은 세포질을 풍부하게 가진 커다란 비염색세포가 고형 판을 이루고 있으며, 진한 호산 과립성 세포질을 가진 작은 호산성세포도 혼재되어 있다. 고형 판의 사이사이에는 혈관성 중격이 관찰된다. 특징적인 핵주위 달무리가 보인다.

글거나 다각형 모양으로 뚜렷한 세포막을 가지고 있으며, 세포질은 지질과 글리코겐으로 채워져 있지만 조직학적 처리 과정에서 용해되어 투명한 세포질로 보인다(그림 10-4-7A1). 대부분의 투명세포신세포암은 염증반응이 거의 없지만 드물게 림프구나 중성구의 침윤이 관찰되기도 한다. 면역조직화학염색에서 투명세포신세포암은 전사인자 PAX8과 PAX2가 핵에 염색되고, 탄산 탈수 효소(carbonic anhydrase) IX와 근위세관의 표지자인 CD10은 세포막에 염색된다. RCC-Ma (renal cell carcinoma marker),

vimentin 및 상피 세포의 표지자인 사이토케라틴 AE1/AE3, CAM5.2, EMA에도 양성을 보인다. 그렇지만 CK7, CK20, 34E1β2, MUC1, parvalbumin, AMACR, Ksp-cadherin, CD117에는 음성을 보인다.

2) 유두모양신세포암

유두모양신세포암은 신세포암의 약 10~15%를 차지하며, 투명세포처럼 근위세관에서 기원한다. 유두모양신세포암은 조직학적 등급과 세포질의 특징에 따라 제1형과 제2

형으로 세분된다. 제1형은 대부분 1기나 2기의 초기에 진단되며 대체로 양호한 예후를 보인다. 대부분 산발적이나 일부는 유전성이며 MET 유전자의 변이와 연관이 높은 것으로 알려져 있다. 제2형은 1형에 비해 진행된 상태에서 진단되는 경향이 있고 예후가 나쁘다. fumarate hydratase 유전자의 변이에 의한 유전성 평활근종신세포암 증후군과 연관되어 있고 유전자의 변이는 산발적으로 발생하는 경우들에서도 발견된다.

유두모양신세포암은 육안소견 상 두꺼운 섬유성 거짓피막에 잘 둘러싸여 있으며 부서지기 쉬운 경도를 보인다. 단면에서의 색은 종괴 내 대식세포의 양과 출혈 정도 및 헤모시데린 축적 정도에 따라 밝은 회색, 황갈색, 적갈색으로 다양하게 나타난다. 크기가 큰 종괴는 섬유화와 괴사 및 낭성 변성을 동반하기도 한다. 현미경 소견상 유두 형태로 배열하고 있는 한층의 입방세포/낮은 원주 세포들과 거품대식세포와 사종체를 포함하고 있는 섬유혈관줄기로 이루어져 있다. 제1형 유두모양신세포암은 작은 상피세포로 구성되는데, 세포질은 소량이며 투명하거나 옅은 색으로 보인다. 핵은 저등급 핵을 특징으로 하는데, 크기가 작은 핵이 둥글거나 난원형을 가지며 한 층으로 배열되고 핵소체는 눈에 잘 띄지 않는다. 제1형에서의 유두는 보통 얇고 섬세하고 짧으며 부종액에 의해 종종 확장되어 있고, 거품대식세포가 유두 줄기 내에서 흔하게 관찰된다(10-4-7B). 제2형은 특징적으로 핵의 거짓중층화를 보이며, 핵소체가 눈에 잘 띄는 고등급 핵과 풍부한 호산성 세포질을 가진다(10-4-7C). 제2형에서의 유두는 보통 두껍고 섬유성이며, 부종은 덜 관찰되고, 대식세포는 유두줄기가 아닌 괴사 주변에서 관찰된다. 면역조직화학염색에서 유두모양신세포암은 AMACR, RCC-Ma, vimentin, CD10에 종종 양성을 보인다. CK7은 제2형보다는 제1형에서 더 흔하게 양성을 보인다.

3) 비염색신세포암

비염색신세포암은 신세포암의 약 3~5%를 차지하며 집합관의 사이세포에서 기원한다. Birt-Hogg-Dube 증후군과 연관성이 알려져 있고 folliculin 유전자의 변이뿐만 아니라 다수의 염색체 소실과도 연관성이 있는 것으로 알려져 있다. 젊은 여성에서 호발하며 다른 신세포암종보다 예후가 양호한 것으로 되어 있으나 육종성 변화를 보이는 경우 예후가 좋지 않으므로 주의가 필요하다. 비염색신세포암은 육안소견 상 피막에 둘러싸여 있지는 않지만 분명한 경계를 가지며, 대부분 신장에 국한된다. 단면은 단단하고 균일하며, 호산성 세포의 집중도에 따라 밝은 황갈색에서 갈색까지 다양한 색을 보인다. 현미경 소견상 전형적으로 고형 판으로 배열되며, 불완전한 혈관성 중격에 의하여 무작위적으로 분리된다. 비염색신세포암을 이루는 주된 세포는 비염색세포(chromophobe cell)인데, 풍부한 세포질을 가지는 커다란 다각형의 세포이다(그림 10-4-7D). 세포막은 식물세포 같이 뚜렷하며, 세포질은 거의 투명하고 솜털 같다. 이 외에도 진한 호산과립성 세포질을 소량으로 가진 작은 호산성세포들이 비염색세포와 혼재되어 있다. 핵은 진하게 염색되고 건포도와 같이 불규칙하게 주름진 모양이며, 거친 염색질을 가진다. 핵 주위 달무리(perinuclear halo)가 종종 관찰되는데, 이는 큰 진단적 중요성을 지니는 소견이다. 비염색신세포암은 조직학적 등급을 매기지 않는다. 면역조직화학염색에서 CK7, PAX8, CD117, parvalbumin, Ksp-cadherin에 양성이며, 상피세포의 표지자인 사이토케라틴 AE1/AE3와 EMA에도 양성을 보인다. 반면에, vimentin, CK20, AMACR에는 음성이다. Hale colloidal 철 염색에도 양성이다. CK7과 Hale colloid 철 염색에 미만성으로 양성인 소견은 호산과립세포종과의 감별에 도움이 되는 소견이다. 전자현미경에서 혐색소세포는 수많은 미세소포와 소량의 미토콘드리아를 포함하며, 호산성세포는 많은 미토콘드리아와 소량의 미세소포를 포함한다.

5. 신장암의 병기

신장암의 TNM 병기는 2017년 American Joint Committee on Cancer (AJCC)와 Union for International Cancer Control (UICC)에 의해 개정된 바가 있다. T 병기는 종양의 침범 범위와 크기에 의해 결정된다. 종양이 신

장 안에 국한되어 있는 경우, 크기에 따라 T1 (7 cm 미만)과 T2(7 cm 이상)가 나누어진다. T3는 신장을 벗어났으나 Gerota근막 내에 국한된 경우로 주위의 정맥 침범에 따라 T3a(신정맥, 신우신배 조직, 신장주위 지방조직 침범), T3b(횡격막 하부 하대정맥 침범), T3c(횡경막 상부 하대정맥 또는 하대정맥 혈관벽 침범)까지 다시 나누어진다. T4는 종양이 Gerota근막을 침범했거나 동측의 부신을 침범했을 때에 해당한다. 림프절 침범 여부에 따라 N0, N1이 결정되고, 원격전이 여부에 따라 M0, M1으로 분류한다. 1기(T1N0M0) 또는 2기(T2N0M0)는 종양이 신장에 국한되어 있다. T 병기와 상관없이 국소 림프절 침범이 있을 때(T1~3N1M0) 또는 주요 정맥이나 신장 주위 조직을 침범하였으나 Gerota근막은 넘지 않은 경우(T3N0M0)는 3기, Gerota근막 또는 동측 부신을 침범하거나(T4) 원격전이가 있을 경우(M1) 4기에 해당한다. 또한 핵의 성상에 따라 WHO (World Health Organization)/ISUP (International Society of Urologic Pathology) 등급체계를 이용하여 분화도를 나눈다. 지난 30여 년간 Fuhrman's 등급체계가 사용되었으나, 더이상 사용되지 않고 WHO/ISUP 등급체계가 사용되고 있다. 핵이 뚜렷한 다형태성(pleomorphism)을 보이거나 거대 종양 세포나 횡문근(rhabdoid) 및 육종(sarcomatoid) 변화를 보이면 WHO/ISUP 등급 4이며, 이들은 TNM 병기와 독립적으로 불량한 예후와 연관되어 있다.

6. 치료

1) 수술적 절제

신장암이 신장에 국한된 경우 수술적 치료가 원칙이다. 전통적으로 신장암의 1차 치료는 근치신장절제술로 전체 신장과 부신, 림프절을 포함한 주변 조직의 완전 절제가 우선적으로 적용되어 왔다. 그러나 SRM에 대한 신원보존 수술이 시도되고 이런 방침이 근치신장절제술에 비해 예후가 나쁘지 않고 특히 수술 후 만성콩팥병의 발생 위험이 적다는 점에서 최근에는 부분신장절제술이 널리 이루어지고 있다. 신장암에서 수술을 결정할 때에는 종양 자체의 특징에 대한 고려가 물론 필요하지만 수술 후 남겨지는 신장의 기능에 대해서도 주의를 기울여야 한다. 신장암 발생의 위험인자인 고령, 흡연, 비만, 고혈압 등은 만성콩팥병의 위험인자이기도 하므로, 수술 후 만성콩팥병이 새로 발생하거나, 기존에 만성콩팥병이 있는 경우라면 말기신장병으로 악화될 가능성에 대해 미리 고려할 필요가 있다. 따라서 수술 전 혈청 크레아티닌, 사구체여과율, 단백뇨(알부민뇨)를 평가해야 하며, 기저의 만성콩팥병과 만성콩팥병 발생의 위험을 높일 수 있는 당뇨, 고혈압의 유무를 확인해야 한다. European Organization for Research and Treatment of Cancer Genito-Urinary Group (EORTC-GU) 연구는 T1~T2N0M0 신장암이 의심되는 5 cm 이하의 단일 종괴(solitary mass)에 대해 근치신장절제술 또는 부분신장절제술을 시행하는 무작위 임상시험으로, 전체 종괴에 대해서 근치신장절제술의 10년 생존율은 81%, 부분신장 절제술의 생존율은 76%로, 근치신장절제술의 생존율이 높았으나, 종괴 중 가장 많은 부분을 차지하는 투명세포신세포암 환자들만 분석했을 때에는 두 수술법의 유의미한 생존율 차이는 없었다. 반면 수술 후 사구체 여과율이 60 미만으로 감소하는 만성콩팥병의 발생 위험은 부분신장절제술에서 더 낮았다. 이후의 캐나다 연구에서도 부분신장절제술을 시행한 경우, 근치신장절제술보다 말기신장병 발생할 위험이 약 50% 낮은 것을 보고하였다. 따라서 수술 전 종양의 병기가 cT1a(신장에 국한된 크기 4 cm 이하 종괴)인 경우 부분신장절제술이 우선시 되며, 해부학적 또는 기능적 단일 신장, 양측성 혹은 다발성 종양, 가족성 신장암, 수술 전 만성콩팥병이 있는 경우에서도 부분신장절제술이 선호된다. 근치신장절제술은 T1b, T2로 종양의 크기가 크고, 악성도가 높은 경우, 만성콩팥병이 없고 반대편 콩팥이 정상 소견일 때에 선호된다.

2) 동결/고주파 열 절제 시술

동결/고주파 열 절제 시술은 여러 동반질환이 있는 고령의 환자에서 신원보존술의 개념으로 시도될 수 있다. 또한 초기의 cT1a 신장암의 경우에서 고려해 볼 수 있으며, 이 경우에는 반드시 조직검사가 선행되어야 한다. 시술은 수술보다 합병증 발생률이 낮고 콩팥 기능을 보존할 수 있다는 장점이 있지만, 국소 진행이나 전이와 같은 재발 위험이 수술보다는 높으므로 이에 대해 환자와 충분히 상의한 후에 진행되어야만 한다.

3) 능동감시

능동감시 역시 초기의 cT1a 신장암 환자에서 고려해볼 수 있으나 기대 여명이 길지 않은 환자에서 선택적으로만 시행되어야 한다. 미국 임상종양학회/비뇨의학회의 표준 진료지침에서는 암의 크기가 2 cm 이하이면서 수술의 위험이 큰 환자에서 매 3~6개월마다 영상검사로 추적 관찰을 할 수 있는 경우에만 시행할 것을 권고하고 있다.

4) 전신 치료(Systemic therapy)

신장암은 전통적인 항암화학요법에 대해 반응이 좋지 않은 것으로 알려져 있다. 이에 신세포암 종괴 내의 면역세포 침윤을 근거로 interferon-α와 interleukin-2 (IL-2)를 이용한 면역치료가 먼저 시도되었다. 이들 사이토카인은 T세포와 자연살해세포(natural killer cell)의 활성도를 높여 암세포의 사멸을 촉진시키는 효과를 보였으나, 면역체계를 억제함으로써 생기는 부작용의 확률이 꽤 높았으며, 부작용에 비해 반응률은 3~25% 정도로 낮았고 생존율 향상의 효과도 크지 않았다. 하지만 최근의 종양생물학적 발견들을 바탕으로 한 표적치료와 면역관문저해제(immune checkpoint inhibitor)들은 더 좋은 효과와 적은 부작용을 보여주고 있다. 먼저 종양세포의 성장과 신생혈관생성에 관여하는 여러 신호전달 경로들이 연구되면서 VEGF, HIF, mTOR에 대한 표적치료가 신장암에서도 시도되었다. 대표적으로 투명세포신세포암의 경우 VHL 유전자의 변이가 암 발생과 연관되어 있다는 점이 밝혀지면서 이 유전자의 하위 신호전달 경로인 VEGF 경로를 타겟으로 하는 VEGF 수용체 억제제인 sunitinib, pazopanib, sorafenib, axitinib 등과 VEGF ligand monoclonal antibody인 bevacizumab이 허가를 받았다. 하지만 이러한 신생혈관생성 억제제들은 예상보다 효과가 아주 뛰어나지는 않았고, 이는 신세포암의 metabolic reprogramming 과정

이 VEGF 경로만으로 구성되는 것이 아니기 때문으로 생각되고 있다. 이외에도 암세포의 대사, 성장, 증식에 중요한 역할을 하는 mTOR 억제제의 활용 역시 신장암의 치료를 위해 시도된 바 있다. 최근에는 cytotoxic T lymphocyte-associated antigen-4 (CTLA-4) 항체인 ipilimumab과 programmed cell death protein-1 (PD-1) 항체인 nivolumab이 면역관문저해제로서 활발히 적용되고 있으며, 반응률은 10~70%까지로 좋은 효과를 보여주고 있다. 현재까지 원격전이가 동반된 투명세포신세포암에서는 VEGF 경로 표적치료제(sunitinib, pazopanib, bevacizumab/interferon)가 1차로 고려될 수 있다. 여기에 환자가 면역치료의 부작용을 견딜 수 있을 정도로 전신상태가 양호할 경우 고용량의 IL-2 치료를 시도해 볼 수 있다. 2차 약제로는 면역관문저해제(nivolumanb) 또는 VEGF 수용체 tyrosine kinase inhibitor (cabozantinib, axitinib, lenvantinib)를 사용할 수 있고, 마지막으로 mTOR 억제제인 everolimus가 고려될 수 있다. 신장암의 전신치료에 있어서 앞으로의 과제는 최근 좋은 결과를 보여주고 있는 면역관문저해제를 기존의 치료제와 잘 병합하여 최적의 조합을 만들어내는 것이라고 할 수 있겠다.

7. 예후

2018년 우리나라 국가암등록사업 보고서에 따르면, 우리나라에서 2014~2018년 사이 발생한 신장암 환자의 5년 상대 생존율은 84.1%로, 1995~1995년의 64.2% 대비 19.9% 증가, 2001~2005년 73.7% 대비 10.4% 증가, 2011~2015년 82.6% 대비 1.5% 증가하여 지속적인 생존율의 향상이 관찰되고 있다. 그러나 원격전이가 동반된 경우 전통적인 항암화학요법에 대한 반응이 좋지 않아 최근까지도 생존율이 현저하게 낮은 암 중 하나이다. 우리나라에서도 신장암의 병기에 따른 예후의 차이가 극명하여, 신장에 국한된 경우(localized)의 5년 생존율은 97.4%이나, 국소적으로 진행된 경우(regional) 78.5%, 원격전이의 경우(distant) 15.1%로, 전이가 동반된 진행된 신장암은 불량한 예후를 보이는 것이 확인되었다. 신장암에서 예후를 예측

할 수 있는 인자 중 가장 중요한 것은 병리학적 병기이다. TNM 병기 중, T 병기의 결정 요소인 종양의 크기, 종양이 신장 내에만 국한되어 있는지와 국소적 진행, 원격 진행 여부가 중요하다. T1a 종양의 경우 생존율이 98%이지만, T4의 경우 생존율이 10%까지 감소한다. 또한 핵의 분화가 좋지 않거나 육종성분화, 횡문양분화가 있는 경우도 예후가 좋지 않은 것으로 알려져 있다. 이외에도 조직학적 아형에 따라서도 예후에 차이가 있으며, 가장 흔한 투명세포신세포암의 경우 제1형 유두모양신세포암이나 비염색신세포암에 비해 예후가 좋지 않은 것으로 알려져 있다. 그러나 역설적으로 원격전이가 있는 경우 VEGF 기반 표적치료, 면역관문저해제, 고용량 IL-1 면역치료에는 반응이 더 좋은 것으로 알려져 있다.

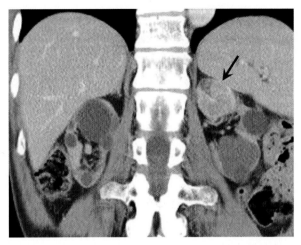

그림 10-4-8. 만성콩팥병 환자에서의 후천낭콩팥병과 동반된 신세포암

조영증강 CT에서 양측 신장 크기가 작아져 있고 여러 개의 다양한 크기의 낭종이 있다. 좌측 신장의 상극에 불균일하게 조영증강되는 고형 종괴(화살표)는 신세포암이다.

말기콩팥병 환자에서의 신장 종양

1. 투석 환자에서의 신장 종양

말기신장병으로 혈액투석이나 복막투석을 받고 있는 환자에서 악성 종양의 발생률은 일반 인구에 비해 약 3.6배 높으며, 특히 신세포암의 발생 위험은 더욱 높은 것으로 알려져 있다. 일본의 대규모 연구에서 신세포암은 투석을 하는 말기신장병 환자의 가장 흔한 비뇨기계 악성 종양이었으며, 우리나라 연구에서도 같은 결과가 확인된 바 있다. 투석 환자에서 신세포암의 발생 빈도가 높은 원인은 현재까지 논란의 여지는 있으나 장기간 투석을 유지하는 경우 높은 빈도로 나타나는 후천낭콩팥병(acquired cystic kidney disease)과 관련이 있는 것으로 생각되고 있다(그림 10-4-8).

한 연구에 따르면 전체 투석 환자의 신세포암 발생 빈도는 약 0.2~1.5%이나 투석 기간이 길수록 증가하는 후천낭콩팥병이 있는 경우에는 신세포암의 발생 빈도가 4~5.8%로 증가했다. 후천낭콩팥병의 발병 기전이나, 신세포암과의 연관 기전 모두 아직 명확히 규명되지는 않았으나, 다양한 자극에 의해 발생하는 신단위(nephron)의 소실이 전

암유전자(protooncogene)의 활성화나 표피성장인자(epidermal growth factor)를 포함한 여러 성장 인자들의 분비를 증가시켜, 콩팥 단위의 보상적 비대와 낭성 변화를 초래하고, 이러한 후천낭콩팥병은 활성산소에 의한 독성, 옥살산염의 침착이나, 전암유전자인 C-jun 등을 활성화시켜 신세포암의 발생을 증가시키는 것으로 생각되고 있다. 일반적으로 천천히 진행하여 전이가 많지 않은 것으로 보고되고 있으나 육종변화를 보이는 경우에는 예후가 좋지 않은 것으로 알려져 있다. 투석 환자에서 수술로 절제된 신장 종괴에 대한 우리나라의 단일기관 연구에 따르면, 종괴의 60%는 악성 종양이었고, 악성 종양의 대부분은 신세포암(91%)이었으며, 조직학적 형태는 투명세포형이 76%로 가장 많았다. 악성 종양의 TNM 병기는 대부분 1기로, 재발이나 전이, 신세포암에 의한 사망은 관찰되지 않았다.

2. 신장이식 환자에서의 신장 종양

신장이식 환자에서 악성 종양의 발생률은 일반 인구에 비해 3~5배 정도 높으며, 신세포암의 발생 위험은 약 15배 정도로 더욱 높은 것으로 알려져 있다. 신세포암은 주로

환자 본인의 신장(native kidney)에서 발생하며 이식 신장에서 발생하는 경우는 매우 드물다. 30년간 신장이식을 받은 환자들에 대한 우리나라 연구에서도 환자 본인의 신장에서 신세포암이 발생한 경우가 92%, 이식 받은 신장에서 발생한 경우가 8%였다. 장기간 투석을 시행 받은 환자에서 호발하며 신세포암의 발생과 연관된 후천낭콩팥병은 신장이식 환자에서도 약 20~50%까지 동반되는 것으로 보고되고 있다. 후천낭콩팥병과 신세포암의 밀접한 연관성은 신장이식 환자에서도 동일하게 발견되어, 후천낭콩팥병이 동반된 신장이식 환자가 그렇지 않은 환자보다 신세포암의 발생 위험이 더 높은 것으로 알려져 있다. 우리나라의 연구에 따르면 이식 후의 추적 기간이 길어질수록 신세포암의 발생이 유의하게 증가하였고, 인간 조직 적합 항원의 불일치, 주 면역억제제의 종류, 대사 길항제의 사용 여부 등은 발생률에 영향을 미치지 못했다. 특히 이식 후 15년 이상 경과하는 경우 신세포암의 발생률이 증가하였는데, 장기간의 면역억제제 복용으로 인한 악성종양의 발생 위험이 증가했기 때문이거나, 추적 기간이 길어질수록 연령이 증가하는 데에 따른 결과일 가능성도 있다. 이식 환자에서의 신세포암의 생존율은 다양하게 보고되고 있지만 일반 인구나 투석 환자보다는 다소 높은 경향을 보이며 이는 신장이식 환자들이 좀 더 면밀한 추적 관찰을 받는 경우가 많기 때문으로 생각되고 있다. 우리나라 연구에서 이식 신장의 생존율은 신세포암이 발생한 환자군과 발생하지 않은 군에서 차이가 없었으나, 환자 생존율은 신세포암이 발생한 군에서 유의하게 낮았다. 신장이식 환자에서 신세포암에 대한 정기적인 선별검사가 필요한지에 대해서는 아직까지 정립된 바가 없다. 2000년대 초반 연구에서는 신세포암의 발생 위험이 높은 이식 환자, 후천낭콩팥병을 동반한 이식 환자에서 초음파나 뇨세포검사를 통한 선별검사의 이점을 증명하지 못했다. 하지만 최근에는 초음파검사를 이용한 선별검사의 필요성과 프로토콜이 제시되고 있으므로 환자의 위험도를 판단하여 개별화하여 적용할 수 있겠다.

▶ 참고 문헌

- 박정재 등: 신장실질종양. 비뇨생식기영상진단 비뇨기영상. 2판. 일조각, 2019.
- 서성일: 신종양. 비뇨의학. 6판. 일조각, 2019
- 이미정 등: 말기 신부전증으로 투석을 받는 환자에서 발생한 신종괴의 임상적 특징. 대한내과학회지 79:263–270, 2010.
- 정윤태 등: 신장이식 후 발생한 신세포암의 임상양상과 위험인자. J Korean Soc Transplant 27:121–127, 2013.
- 지병훈 등: 한국인에서 신장암의 과잉 진단 및 작은 국소신장암에서 능동적 관찰의 의미. Korean J Urol Oncol 16:15–24, 2018.
- Campbell S, et al: Renal mass and localized renal cancer: AUA guideline. J Urol 198:520–529, 2017.
- Campbell SC, et al: Malignant renal tumors, in Campbell Walsh Wein Urology. 12th ed. Elsevier, 2020.
- Jewett M, et al: Canadian guidelines for the management of small renal masses (SRM). Can Urol Assoc J 9:160–163, 2015.
- Muhlfeld AS, et al: Acquired cystic kidney disease and malignant neoplasms, in Comprehensive Clinical Nephrology. 6th ed. Elsevier, 2019.
- Odisho AY, et al: Renal parenchymal neoplasm, in Smith & Tanagho's General Urology. 19th ed. McGraw Hill, 2020.
- Parker WP, et al: Benign renal tumors, in Campbell Walsh Wein Urology. 12th ed. Elsevier, 2020.
- Srinivasan R, et al: Treatment of advanced renal cell carcinoma, in Campbell Walsh Wein Urology. 12th ed. Elsevier, 2020.
- Tsili A, et al: The role of imaging in the management of renal masses. Eur J Radiol 141:109777, 2021.
- Weiss RH, et al: Kidney Cancer, in Brenner and Rector's The Kidney. 11th ed. Elsevier, 2019.
- Wymer DTG, et al: Imaging, in Comprehensive Clinical Nephrology. 6th ed. Elsevier, 2019.

PART 11

급성콩팥손상

김원 (전북의대)

CHAPTER
01 급성콩팥손상의 정의 및 역학

안선호 (원광의대)

KEY POINTS

● 급성콩팥손상의 정의는 신장의 구조 변화와 급격한 사구체여과율의 감소에 의한 신장 기능장애를 포괄하는 다양한 질병 상태의 임상 증후군으로, 혈청 크레아티닌이 7일 이내에 기준치의 약 50% 이상 증가, 혹은 48시간 이내 혈청 크레아티닌이 0.3 mg/dL 이상 증가하거나, 요량이 6시간 이상 동안 0.5 mL/kg/h 미만으로 감소한 경우이다.

● KDIGO 진단기준에 의한 메타분석에서 급성콩팥손상의 발생률은 모든 입원환자의 22%였으며, 특히 중환자실로 입원한 환자의 57%였다.

정의

급성콩팥손상(acute kidney injury, AKI)은 단일 질병이라기보다는 신장의 구조 변화와 급격한 사구체여과(glomerular filtration)의 감소에 의한 신장 기능장애를 포괄하는 다양한 질병 상태의 임상 증후군이다.

임상적으로 급성콩팥손상은 수시간 내지 수주에 걸쳐 단기간에 사구체여과율(glomerular filtration rate, GFR)의 감소로 인해 신장에서 정상적으로 배설되어야 하는 질소 대사물(nitrogenous waste products)을 포함한 다양한 요독 물질의 저류와 수분과 전해질의 균형을 유지하는 기능 저하로 세포 외 수분 용적의 증가, 전해질 및 산-염기 평형의 장애를 초래하는 상태를 지칭한다. 또한 급성콩팥손상은 장기간으로 중추 신경계 및 여러 장기의 기능 저하를 초래할 수 있고, 이환된 환자의 입원 기간을 연장시키

며, 만성콩팥병(chronic kidney disease, CKD)으로 진행하거나 신대체요법(renal replacement therapy, RRT)의 필요성 증가로 사망률의 증가를 일으킨다. 급성콩팥손상으로 인한 사망률은 발생 장소 및 지역에 따라 다양하지만 여러 문헌에서 10~20%로 보고하고 있다. 일반적으로 급성콩팥손상은 원인에 노출된 후 수시간에서 수일에 걸쳐 발생하며, 임상적으로 특별한 증상 없이 검사 소견의 이상으로 진단되는 경우가 대부분이지만 요량(urine volume)의 감소, 또는 체액 저류에 의한 부종으로 발현되어 진단되기도 한다. 심한 경우에 신대체요법이 요구되는 임상 양상으로 나타나기도 한다.

급성콩팥손상의 검사 소견은 혈청 크레아티닌(serum creatinine)이나 혈액요소질소(blood urea nitrogen, BUN)의 증가이며, 혈청 크레아티닌을 이용하여 계산된 사구체여과율의 감소 역시 급성콩팥손상의 특징적인 검사 소견

이다. 과거에는 급성콩팥손상이라는 명칭보다는 신기능의 감소를 강조한 급성신부전(acute renal failure, ARF)을 사용했다. 하지만 앞서 기술한 것처럼 급성콩팥손상은 사구체여과율 감소와 관련된 다양한 임상 증후군을 일컫는 개념으로 엄밀하게는 신기능의 저하를 초래하는 다양한 병인 및 병태생리학적 과정을 수반하는 증후군이라고 할 수 있다. 단순한 신기능의 감소뿐만 아니라 이와 관련된 병태생리학적 변화는 환자의 예후에 부정적인 영향을 미칠 수 있다. 따라서 현재 사용하고 있는 급성콩팥손상이라는 명칭은 이러한 임상적 증후군을 포괄하는 개념으로 더 적합할 수 있다.

현시점에서 보편적으로 사용하고 있는 급성콩팥손상에 대한 진단기준의 정의는 혈청 크레아티닌이 7일 이내에 기준치의 약 50% 이상 증가, 혹은 48시간 이내 혈청 크레아티닌이 0.3 mg/dL 이상 증가하거나, 요량이 6시간 이상 동안 0.5 mL/kg/h 미만으로 감소한 경우다. 이런 급성콩팥손상의 정의를 위하여 약 20년 전부터 혈청 크레아티닌의 지속적인 증가와 사망률 증가와의 깊은 관련성을 확인한 연구를 근거로 급성콩팥손상을 진단하기 위한 실제적이고 구체적인 합의가 이뤄지기 시작하였으며, Acute Dialysis Quality Initiative (ADQI)에서 2004년에 RIFLE 진단기준(diagnostic criteria)을 처음으로 정립하여 혈청 크레아티닌, 혹은 사구체여과율의 변화율($\triangle$GFR)과 요량을 기준으로 급성콩팥손상을 각 단계의 앞 글자를 이용하여 Risk(위험), Injury(손상), Failure(부전), Loss(소실), ESKD (End Stage Kidney Disease, 말기콩팥병)의 5단계로 구분하여 제시하였다(표 11-1-1). 구체적으로 RIFLE 진단기준에서는 7일 이내에 혈청 크레아티닌이 기준치의 1.5에서 1.9배로 증가, 혹은 사구체여과율의 변화율($\triangle$GFR)이 25% 이상 감소하거나, 요량이 6시간 이상 동안 0.5 ml/kg/hr 이하로 측정되면서 최소 24시간 이상 지속되는 경우를 위험(risk)으로 정하였으며, 혈청 크레아티닌 및 사구체여과율의 변화율과 요량의 변화 정도에 따라서 손상(injury), 부전(failure)으로 구분하였고, 지속적인 신기능의 소실이 4주 이상일 경우에는 소실(loss), 3개월 이상이면 말기콩팥병(end stage kidney disease, ESKD)으로 정하였다.

이후 RIFLE 진단기준에 의한 급성콩팥손상의 중증도와 예후 사이에 양의 상관관계(positive corelation)가 여러 연구를 통해서 입증되었으나 진단기준의 낮은 민감도(sen-

표 11-1-1. RIFLE 및 AKIN Criteria for AKI

RIFLE	사구체여과율 기준(GFR criteria)	요량 기준(urine volume criteria)
Risk	SCr>기준치의1.5배 혹은 $\triangle$GFR>25% 감소	UO<0.5 mL/kg/hr(6시간)
Injury	SCr>기준치의 2배 혹은 $\triangle$GFR>50% 감소	UO<0.5 mL/kg/hr(12시간)
Failure	SCr>기준치의 3배 혹은 $\triangle$GFR>75% 감소	UO<0.3 mL/kg/hr(24시간) 혹은 12시간의 무뇨증
Loss	지속적인 급성신부전 또는 신기능의 완전 소실이 4주 이상 지속	-
ESKD	말기콩팥병이 3개월 이상 지속	-
AKIN 분류 stage	SCr 기준	요량 기준
1	SCr≥0.3 mg/dL 혹은 SCr이 기준치의 1.5~2.0배로 증가	6시간동안 요량이 0.5 mL/kg/hr 이하
2	SCr이 기준치의 2.0~3.0배로 증가	12시간동안 요량이 0.5 mL/kg/hr 이하
3	SCr이 기준치의 3.0배 이상 증가하거나 0.5 mg/dL 이상 급격히 증가하여 4.0 mg/dL 이상이 된 경우 또는 신대치요법을 요하는 경우	요량이 24시간 이상 0.3 mL/kg/hr 이하 혹은 12시간 이상 무뇨증

GFR, glomerular filtration rate; SCr, serum creatinine; $\triangle$GFR, change of GFR; UO, urine output; ESKD, end stage kidney disease

sitivity)를 개선하고자 2007년 AKIN (Acute Kidney Injury Network) 기준이 새롭게 제시되었다(표 11-1-1). AKIN 진단기준에서는 RIFLE 기준과 다르게 사구체여과율의 변화율을 진단기준에서 배제하였고, 혈청 크레아티닌 수치 변화만을 진단기준으로 설정하였으며, 요량의 기준은 RIFLE 기준과 큰 차이는 없었다. 즉, 48시간 이내에 혈청 크레아티닌 농도가 0.3 mg/dL 이상 증가하는 경우 1기(RIFLE 기준의 risk에 해당)로 정하였다. 또한 기간과 관계없이 신대체요법을 시행하는 경우 3기(RIFLE 기준의 failure에 해당)로 정하였다.

이렇게 2가지 급성콩팥손상의 진단기준을 병합하여 임상이나 보건 역학 연구를 위하여 2012년에 Kidney Disease Improving Global Outcomes (KDIGO) 진단기준이 새롭게 발표되었다(표 11-1-2). KDIGO 진단기준에서도 혈청 크레아티닌과 요량을 기준으로 병기를 정하였으며, 요량의 기준은 앞선 두 진단기준과 큰 차이가 없었고, 혈청 크레아티닌 기준에서 AKIN 진단기준과 비슷하나, 3기에

18세 이하 소아의 경우에 추정 사구체여과율(estimated GFR, eGFR)이 35 mL/min/1.73m^2 미만으로 감소한 경우를 포함하였다. 요량을 기준으로 급성콩팥손상의 진단과 병기를 분류하는 것은 AKIN과 같이 KDIGO에서도 체액 상태를 최적화하고 요로장애(urinary tract obstruction)를 배제한 후에 시행하도록 권고하였다.

현재 보편적으로 사용하고 있는 KDIGO 급성콩팥손상 진단기준은 궁극적으로는 최근에 ADQI 합의체(consesus group)에서 제안한 신세관손상(renal tubule injury)에 대한 민감도와 특이도(specificity)가 높은 생체지표(biomarker)를 이용한 수정된 진단기준(표 11-1-3)으로 대체될 가능성이 높다고 판단된다. 왜냐하면 심근손상지표로 사용 중인 트로포닌(troponin)과 유사한 신장손상에 대한 생체지표를 사용하면 혈청 크레아티닌 또는 기타 기능지표에만 의존하지 않는 새로운 급성콩팥손상 분류를 개발할 수 있기 때문이다. 그러므로 현재 일부 사용 중인 생체지표들을 포함하여 급성콩팥손상에 대한 민감도와 특이도가 높

표 11-1-2. KDIGO criteria for AKI

stage	SCr 증가	요량
1	기준치의 1.5~1.9배 증가 또는 0.3 mg/dL 이상 증가	<0.5 mL/kg/hr (6~12시간)
2	기준치의 2.0~2.9배 증가	<0.5 mL/kg/hr (12시간 이상)
3	기준치의 3배 이상 증가, SCr≥4.0 mg/dL 이상, 신대체요법의 시작, 소아에서는 eGFR<35 mL/min/1.73m^2	<0.3 mL/kg/hr (24시간 이상) 또는12시간 이상 무뇨

AKI, acute kidney injury; SCr, serum creatinine

표 11-1-3. New ADQI diagnostic criteria for AKI

stage	기능적 기준(Functional Criteria)	손상 기준(Damage Criteria)	
1	기준치의 1.5~1.9배 증가 또는 0.3 mg/dL 이상 증가 또는 요량 <0.5 mL/kg/hr (6~12시간)	+	
2	기준치의 2.0~2.9배 증가 또는 요량 <0.5 mL/kg/hr (12시간 이상)	++	생체지표 발현 정도
3	기준치의 3배 이상 증가, SCr≥4.0 mg/dL 이상, 신대체요법의 시작, 소아에서는 eGFR<35 mL/min/1.73m^2 또는 요량 <0.3 mL/kg/hr (24시간 이상) 또는 12시간 이상 무뇨	+++	

ADQI, acute disease quality initiative

은 생체지표를 진료영역에서 쉽게 기본적인 검사로 활용할 수 있다면, 임상적으로 급성콩팥손상의 증상이 발현되기 전에 조기 진단할 수 있고, 손상에 대한 위험 평가 및 교정과, 조기 치료에 매우 유용하게 활용될 수 있을 것이다.

임상에서는 비교적 안정적이던 만성콩팥병에 중복된 급성콩팥손상(Acute Kidney Injury Superimposed on Chronic Kidney Disease, Acute on CKD)을 구분하기가 어려울 때가 있다. 만성콩팥병에 중복된 급성콩팥손상은 일반적 급성콩팥손상과 비교할 때 예후가 불량한 것으로 관찰된다. 환자의 이전 혈청 크레아티닌의 수치, 병력, 신장 초음파소견, 정상 세포성 빈혈(normocytic anemia), 이차성 부갑상샘항진증(secondary hyperparathyroidism) 및 말초신경병증(peripheral neuropathy)의 유무 등은 급성콩팥손상과 만성콩팥병을 구별되게 할 수 있는 유용한 임상적 근거로 활용될 수 있다. 따라서 이런 임상적 근거를 기반으로 만성콩팥병에 중복된 급성콩팥손상을 정확하게 진단하려는 노력을 기울여야 할 것이다. 일반적 급성콩팥손상은 가역적인 경과를 보이지만, 만성콩팥병에 중복된 급성콩팥손상은 만성콩팥병의 진행을 가속화하여 신기능의 회복을 어렵게 할 뿐만 아니라 기존 신기능의 감소를 초래하여 다양한 임상적인 합병증을 유발하고 결과적으로 병원내 이환율과 사망률의 증가를 일으킨다. 최근 인구의 고령화와 만성질환의 증가로 인하여 우리나라의 만성콩팥병의 유병률은 성인 인구 9명당 1명꼴로 급격한 증가를 관찰할 수 있고, 특히 발생 연령도 증가하고 있다. 65세 이상은 급성콩팥손상의 위험인자이기도 하므로 이런 고령인구에서의 만성콩팥병의 증가는 자연스럽게 만성콩팥병에 중복된 급성콩팥손상의 발생 증가를 일으킨다. 따라서 급성콩팥손상의 다양한 임상적 양상과, 만성콩팥병에 중복된 급성콩팥병의 불량한 예후 때문에 급성콩팥손상의 정확한 진단은 매우 중요하다.

역학

급성콩팥손상은 가역적이고 일시적인 임상 증후군 질병으로 만성콩팥병(Chronic Kidney Disease, CKD)과는 다르게 유병률(prevalence)보다는 발생률(incidence)이 더 중요하다. 앞에 기술한 것처럼 혈청 크레아티닌을 통한 급성콩팥손상의 진단 기준이 지속적으로 변천되었기 때문에 현재까지의 여러 연구에서 급성콩팥손상의 발생률은 다양하게 보고되었다. 급성콩팥손상은 모든 입원환자의 약 10-15%에서 나타나는 합병증으로, 특히 중환자실에서는 많게는 50% 이상까지 나타난다고 보고되고 있다.

급성콩팥손상이 사회와 인구의 구성에 따라 다르게 나타날 수 있는 점도 다양한 발생률의 요인이다. 한 미국 연구에 따르면 북부 캘리포니아(Northern California) 지역의 인구 100,000명당 522.4명의 급성콩팥손상이 해마다 발생하였으며, 그중 29.5명은 신대체요법이 요구되는 중증의 급성콩팥손상의 발생률을 보고하였다. 캐나다 코호트 연구에서는 입원환자의 급성콩팥손상(hospitalized AKI)의 발생률을 인구 100,000명당 100명에서 11,700명 정도로 상당히 높게 보고하였다. KDIGO 기준에 부합한 급성콩팥손상을 기준으로 시행했던 한 메타분석(meta-analysis)에 따르면, 입원환자의 약 25%에서 급성콩팥손상이 발생하였고, 약 10%에서는 신대체요법이 필요했다고 보고하였다. 급성콩팥손상의 발생률은 특수한 임상 상황에 따라서도 다양하게 나타난다. 한 연구에서는 심장 수술(cardiac surgery) 이후 급성콩팥손상은 약 19%의 발생률을 보였던 반면 이비인후과 수술(ear, nose, and throat surgery) 이후에는 약 4% 정도의 낮은 발생률을 보였다. 응급실을 통해서 입원하는 환자에서 급성콩팥손상은 약 5~7%정도 발생하였고, 연구마다 다소 차이가 있지만, 중환자실에 입원한 환자의 약 30% 정도가 급성콩팥손상이 발생했다고 보고했다. 최근 KIDIGO의 급성콩팥손상의 정의를 따르지는 않았지만 우리나라 건강보험공단에 등록된 중환자실 입원환자의 자료를 이용하여 시행한 분석에서 급성콩팥손상 발생률은 약 8.0%였고, 이중 신대체요법이 필요했던 환자는 20.4%였으며, 병원내 사망률은 38.9%라고 보고하였다. 이처럼 급성콩팥손상의 발생률은 해당 지역의 인구 및 사회의 구성원에 따라, 또한 그 인구의 특수한 임상 상황에 따라 다양하게 발생할 수 있다.

▶ 참고문헌

- Alan S.L. YU, et al: Brenner & Rector's THE KIDNEY, 11th ed, Philadelphia, Elsevier, 2020, pp636–637.
- Grams ME et al: Acute kidney injury after major surgery: a retrospective analysis of Veterance Health Administration data. Am J Kidney Dis 67:872–880, 2016.
- Hoste EAJ, et al: Global epidemiology and outcomes of acute kidney injury. Nat Rev Nephrol 14:607–625, 2018.
- Hwang S, et al: Changes in acute kidney injury epidemiology in critically ill patients: a population–based cohort study in Korea. Ann Intensive Care 9:65–74, 2019.
- Kim DK, et al: Definition and evaluation of acute kidney injury: clinical practice guidelines. Korean J Med 88:357–362, 2015.
- Murray PT, et al: Current use of biomarkers in acute kidney injury: report and summary of recommendations from the 10th Acute Dialysis Quality Initiative consensus conference. Kidney Int 85:513–521, 2014.
- Ronco C, et al: Acute kidney injury. Lancet 394:1949–1964, 2019.
- Ronco C, et al: Critical Care Nephrology, 3rd ed, Philadelphia, Elsevier, 2019, pp65–89.
- Sawhney S, et al: Epidemiology of AKI: Utilizing Large Databases to Determeine the Burden of AKI. Adv Chronic Kidney Dis. 24:194–204, 2017.
- Siew ED, et al: The growth of acute kidney injury: a rising tide or just closer attention to detail? Kidney Int 87:46–61, 2015.

제 **11** 부 급성콩팥손상

CHAPTER
02 급성콩팥손상의 원인과 병태생리

조상경 (고려의대)

KEY POINTS

- 급성콩팥손상의 원인은 신전 질소혈증, 신성 급성콩팥손상 및 신후 급성콩팥손상으로 나누어 진다.
- 신전 질소혈증이 가장 흔하며, 저용적, 유효순환혈장량의 감소 및 신장 자가조절기전 장애를 유발하는 약제의 사용 등이 원인이다.
- 신성 급성콩팥손상은 허혈, 패혈증 및 신독성 약제에 의해 주로 발생하며 신장의 허혈, 염증반응 및 세관상피세포에 대한 직접적 독성 등 다양한 기전에 의해 발생한다.
- 신후 급성콩팥손상은 다양한 원인에 의한 요로 폐쇄로 발생하며 증가된 세관 강 내 압력에 의한 혈역학적 변동에 의해 사구체 여과율의 감소를 초래한다.

신전 질소혈증

신전 질소혈증(prerenal azotemia)은 급성콩팥손상의 가장 흔한 형태로 사구체 여과를 위해 필요한 신혈류 및 사구체 내 정수압이 감소하여 혈청 크레아티닌이나 혈액요소 질소가 상승되는 상태이다. 구조적 변화는 없이 신장의 관류저하를 일으키는 상태에서 발생하며 여러 가지 원인에 의해서 발생하는 혈량저하증(hypovolemia), 심박출량 감소(low cardiac output), 전신성 혈관확장(systemic vasodilation) 또는 선택적인 신장 혈관수축에 의해 초래될 수 있다. 초기 상태는 신장에서 발휘되는 일종의 보상성 기전(compensatory mechanism)으로 신장이 체외용적감소를 감지하여 수분과 염분을 왕성하게 재흡수하여 체내

용적을 회복시키려는 상태이며 그 결과 뇨량이 감소하고, 체내 질소화합물의 축적(특히 BUN의 상승)이 경미하게 일어나지만 체내용적은 곧 회복된다. 그러나 신장의 관류저하가 심각하거나 오래 지속되면 세관의 손상이 일어나서 신성 급성콩팥손상으로 진행할 수 있다.

대부분의 신전 질소혈증은 원인질환을 교정하여, 신혈류와 사구체 여과압력을 정상화시키면 24시간 내지 72시간 내에 콩팥기능이 빠르게 회복되는데 그것은 콩팥 실질이 손상받지 않고 정상 상태로 유지되어 있기 때문이다. 실제로 신전 질소혈증 진단을 받은 환자의 콩팥을 정상 심혈관 기능을 가진 사람에게 이식하면 정상적인 기능을 유지한다. 그러나 지속적인 신장관류의 감소는 실질의 허혈을 초래하여 신성 급성콩팥손상으로 진행할 수 있다. 신전

질소혈증은 유효순환혈량(effective circulatory volume)이 감소되는 다양한 혈역학적 이상 상태 즉, 혈액량 감소, 심부전, 전신성 혈관확장 및 선택적인 신장혈관수축에서 발생한다. 외래환자에서는 구토, 설사, 수분섭취의 부족, 발열, 이뇨제의 사용, 심부전 등이 흔한 원인이다. 노인의 경우 혈액량 감소에 예민하고 신동맥의 동맥경화성 질환의 빈도가 높아 신전 질소혈증이 오기 쉽다. 안지오텐신전환효소억제제(angiotensin converting enzyme inhibitor, ACE inhibitor)/안지오텐신 II 수용체차단제(angiotensin II receptor blocker, ARB)와 이뇨제의 병용사용은 신혈관에 이상이 있는 환자에서 신전 질소혈증을 일으킬 위험이 높고 비스테로이드소염제를 사용하는 경우에도 신장관류가 저하된 환자에서 신전 질소혈증을 일으킬 수 있다. 입원 환자의 경우 심부전, 간기능이상 혹은 패혈증(sepsis) 등이 흔한 원인이다.

1. 유효순환혈량 감소에 대한 전신반응

혈량저하는 동맥과 심장의 압수용체(baroreceptor)에 의해서 감지되고 활성화된 압수용체는 교감신경계와 레닌-안지오텐신-알도스테론계의 활성화 및 아르기닌 바소프레신(arginine vasopressin, AVP)의 분비를 촉진시켜 동맥압과 혈류량을 유지하게 한다. 노르에피네프린(norepinephrine), 안지오텐신II(angiotensin II), 아르기닌 바소프레신은 심장과 대뇌의 혈류를 보존하기 위하여 상대적으로 덜 중요한 기관(근육, 피부, 내장)의 혈관을 수축시키고 땀샘으로부터의 염분 손실을 감소시키며, 수분과 염분의 섭취를 자극하며 신장으로부터의 수분과 염분의 저류를 촉진시킨다.

2. 유효순환혈량 감소에 대한 신장의 보상기전

정상 사구체여과율은 수입세동맥과 수출세동맥 사이의 혈관 저항 차이에 의해 형성된 사구체 내 모세혈관의 정수압에 의해 유지된다. 경미한 용적감소나 심박출량의 감소

또는 유효 순환량의 감소로 신장의 관류가 감소하면 신장 내의 보상적 생리기전이 유발된다.

신혈류량은 심박출량의 20%를 차지하며 신장 관류압의 감소는 신장혈관의 수축 및 염분과 수분의 재흡수 증가와 같은 보상성 변화를 초래하여 혈압과 혈관 내 용적 변화를 최소한으로 하려 한다. 이와 같은 보상성 변화를 통하여 전신혈역학적 변화가 최소한으로 일어나며, 특히 뇌혈류나 관상동맥으로 가는 혈액량을 일정하게 유지할 수 있게 한다. 이러한 반응을 매개하는 물질은 안지오텐신II, 노르에피네프린 및 바소프레신 등이 있다. 안지오텐신II는 직접적으로 근위세관에서 염분의 재흡수를 촉진하고, 원위세관에서 알도스테론을 통한 염분의 재흡수를 촉진하여 체내 용적을 보존하려는 작용과 함께 수출세동맥을 수축시켜 신혈류가 낮아져있는 상태에서도 사구체 내 정수압을 유지시켜 사구체여과율을 유지시키는 기능을 하게 된다. 신혈류가 감소하면 수입세동맥의 근반사(myogenic reflex)가 작동하여 수입세동맥의 혈관 확장이 일어나게 되고 낮아진 신혈류상태에서도 사구체로 가는 혈류를 어느 정도로 유지시킨다. 또한, 프로스타글란딘, 칼리크레인(kallikrein), 키닌, 일산화질소 등의 혈관확장성물질의 신장 내 생산 및 분비가 촉진되어 신혈관, 특히 수입세동맥의 혈관 확장과 함께 메산지움 세포의 이완이 일어나서 초미세여과계수(ultrafiltration coefficient)가 높아져 사구체여과율이 증가된다. 신장관류압이 낮아진 상태에서는 원위요세관의 기시부에 존재하는 치밀반(macula densa)에 의한 요세관사구체되먹임기전(tubuloglomerular feedback, TGF)도 중요한 역할을 하는데, 감소된 요세관강내의 염분이 (근위요세관에서의 염분 재흡수가 증가되어) 치밀반으로의 용질 전달을 감소시키고, 이는 일산화질소에 의해 매개되는 신호를 치밀반에 인접한 수입세동맥에 전달하여 혈관을 확장시키고 사구체여과율을 유지하는 작용을 하게 된다. 이상의 반응을 종합적으로 보면 전신적인 저혈압이나 유효순환혈량의 감소가 있는 경우에도 어느 정도(정상성인에서 수축기혈압 80 mmHg 이상)까지는 정상적인 신장의 보상반응에 의해서 수분과 염분의 재흡수를 최대한으로 하여 요량을 감소시키고, 전신적인 체액을 유지보존하려는 반응

으로 사구체여과율을 유지시킬 수 있다.

그러나 신장의 정상적 보상기전을 초과할 정도의 심한 저혈압이나 용적 감소가 있는 경우에는 사구체여과율이 감소할 수 있으며, 신실질의 손상까지 초래할 수 있다. 신전 질소혈증의 경우 사구체여과율이 감소된 경우에도 신실질의 손상은 심하지 않아 적절한 치료, 즉 원인질환을 교정하고 유효순환혈량을 충분히 확보하는 경우에는 사구체여과율이 72시간 이내에 회복되고, 요량이 정상화되는 경과를 보이는 것이 일반적이다. 그러나 몇 가지 요인에 의해 이러한 신장의 보상기전이나 자가조절기전에 제한이 생기면 신전 질소혈증이 발생 할 수 있는 위험성과 신성 급성콩팥손상으로 진행할 가능성이 높아진다. 고령 또는 오래된 고혈압 등은 신장 내 혈관의 동맥경화를 일으키고 혈관벽의 유연성을 저하시켜서 신혈류 감소 시에 일어나야 할 수입세동맥의 혈관확장이 일어날 수 없게 하며, 특히 만성콩팥병이 있는 경우 일종의 보상작용으로 수입세동맥이 확장되어 있는 상태(adaptive hyperfiltration)에서는 추가적인 혈관확장이 일어나기 어렵게 된다. 이러한 상태에서는 비교적 경미한 신장관류압의 감소, 즉 정상 상태라면 충분히 보상 될 수 있는 정도의 저혈류 상태에도 사구체여과율의 유지가 일어나지 못하여 신전 고질소혈증이 일어날 수 있고, 신실질의 손상까지 발생할 수 있다. 그 외에 고혈압이나 만성콩팥병에서 흔히 사용하는 안지오텐신전환효소억제제나 안지오텐신 II 수용체차단제는 낮은 신장관류압에서 수출세동맥을 수축시켜 사구체여과율을 보존하려는 안지오텐신 II에 의한 보상작용을 방해하여 신전 고질소혈증을 유발할 수 있다. 비스테로이드소염제는 혈관확장성 물질인 프로스타글란딘의 생산을 감소시켜 수입세동맥의 혈관확장이나 메산지움 세포의 이완을 감소시킴으로써 사구체여과율을 보존하려는 보상작용을 저해할 수 있다. 이러한 약물을 사용히고 있는 상태에서는 비교적 덜 심한 저혈압이나 저용적 상태에서도 신전 질소혈증의 발생 위험성이 높아지고 신실질의 손상 가능성도 높아진다. 특히 양측성의 신동맥협착증(bilateral renal artery stenosis) 이나 단일신의 신동맥협착증에서 안지오텐신전환효소억제제나 안지오텐신수용체차단제를 사용하는 경우에는 용적

감소나 저혈압이 없어도 신전 질소혈증이 유발될 수 있으며, 이러한 약물이 복합적으로 사용되거나, 기저의 만성콩팥병이 있는 상태에서 경한 용적 감소나 안지오텐신전환효소억제제/안지오텐신 II 수용체차단제, 비스테로이드소염제를 단독 또는 복합적으로 사용한 경우에 위험성이 증가된다.

3. 간신장증후군

간신장증후군(hepatorenal syndrome, HRS)은 독특한 형태의 신전 질소혈증으로, 진행된 간경화와 같은 만성간질환 또는 급성 간부전에 합병될 수 있다. 문맥고혈압과 복수가 합병되어 있는 진행된 간질환에서는 내장순환계의 혈관확장으로 인해 전신적인 혈관저항이 낮아져서 총체내 수분이 증가한 상태임에도 유효순환혈량은 낮아져있다. 그 결과 혈액량 감소에서 보이는 혈관수축성 신경체액반응 (노르에피네프린 등의 교감 신경계, 레닌-안지오텐신-알도스테론계, 아르기닌 바소프레신 등)이 활성화되어 신전 질소혈증이 나타날 수 있다. 임상양상에 따라 제1형, 2형 간신장증후군으로 나누어지며, 제1형의 임상경과가 빠르고 더욱 심하다. 대부분의 간신장증후군에서 요량은 1일 500 mL 이하, 요중 Na 농도는 10 mEq/L 이하이고, 요삼투압은 혈청 삼투압보다 높다.

전형적으로 간신장증후군의 고질소혈증은 수 주나 수 개월에 걸쳐서 간기능의 감소와 함께 천천히 발생하지만 출혈, 복수천자, 이뇨제 과다사용, 혈관확장제나 비스테로이드소염제의 사용 등 혈역학적 이상을 초래하는 다른 기전이 개입되어 있을 때는 급격히 악화되는 경과를 보일 수 있다. 간신장증후군은 충분한 혈장량을 유지하여 혈압을 정상화하였음에도 불구하고 급성콩팥손상이 계속 진행되는 것으로 일반적인 신전 고질소혈증과 감별할 수 있으며 다른 원인으로 인한 급성콩팥손상이 배제되었을 때 진단할 수 있다. 치료는 대부분 간이식을 필요로 한다.

표 11-2-1. 신전 질소혈증의 원인

발생기전	원인
체액량 감소	• 출혈, 화상, 탈수 • 소화기계 소실: 구토, 설사, 수술 후 배액 • 신성 소실: 이뇨제, 삼투성 이뇨, 부신기능 저하증 • 체액구획화, 혈장의 사이질내 이동: 췌장염, 복막염, 외상, 화상, 심한 저알부민혈증
심박출량 감소	• 심장질환: 심근경색증, 부정맥, 심장눌림증, 울혈성 심부전 • 호흡기질환: 폐동맥고혈압, 폐혈전색전증, 기계호흡
전신혈관과 신혈관의 혈관 저항성 변화	• 전신혈관 확장: 패혈증, 마취, 아나필락시스, 고혈압 약제, • 신혈관 수축: 고칼슘혈증, 노르에피네프린, 에피네프린, cyclosporine, FK506, amphotericin B • 간신장증후군
신장자율조정기능 장애와 동반된 저관류	Cyclooxygenase억제제, ACE 억제제
과다점성증후군(hyperviscosity syndrome)	다발성 골수종, Waldenstrom 마크로글로블린 혈증, 적혈구 증가증
복부구획증후군(abdominal compartment syndrome)	다량의 복수, 복강 내 출혈, 복강 내 장기 손상 또는 심한 장마비

제 11 부 급성콩팥손상

신성 급성콩팥손상

신성 급성콩팥손상(intrinsic acute kidney injury)은 신장의 구조적 손상으로 인해 발생하며 신장 내 구조 중 주된 침범부위에 따라 세관 손상, 신장의 큰 혈관 손상, 미세순환/사구체 모세혈관 손상 및 세관사이질 손상으로 구별되며 이중 허혈, 패혈증, 신성 혹은 외인성 신독성 물질에 의한 세관 세포손상이 가장 흔하다. 대부분 조직검사 없이 임상적으로 진단하지만 전통적으로 '급성세관괴사(acute tubular necrosis, ATN)'라는 병리학적 용어로도 불리운다. 그러나 일반적으로 패혈증이나 허혈에 의해 발생한 경우에 시행한 조직검사에서 실제적인 세관괴사의 소견은 거의 볼 수 없으며, 대신 염증, 세포사멸(apoptosis), 국소적인 관류 변화 등이 병태생리적으로 중요한 역할을 하는 것으로 생각된다.

1. 패혈증과 관련된 급성콩팥손상

급성콩팥손상은 심한 패혈증의 약 50%에서 합병되며,

사망의 위험도를 증가시키는 독립적인 요소이다. 심각한 저혈압이 없는 상태에서도 사구체여과율의 감소가 있을 수 있으나 패혈증에 합병되는 급성콩팥손상은 대부분 혈역학적으로 불안정한 상태에서 일어나며, 승압제가 필요한 정도의 저혈압이 있는 경우가 보통이다. 요검사상 발견되는 세관 잔해물질(debris), 원주 등은 세관 손상이 있다는 것을 가리키나, 심한 패혈증으로 사망한 환자의 사후 부검 결과에서는 세관세포의 괴사가 드물게 관찰되어, 염증, 미토콘드리아 부전 및 국소적 관류변화 등의 다른 요인이 패혈증에 의한 급성콩팥손상의 병인기전에 기여할 것으로 생각된다.

패혈증에서 혈역학적 변화가 일어나는 기전은 여러 가지 cytokine에 의해 inducible NO synthetase (iNOS) 발현이 증가되고 생성된 일산화질소가 전신적 동맥확장을 유발하며 이로 인해 사구체여과율이 감소하는 것으로 생각된다. 또한 패혈증 초기에 나타나는 수출 세동맥의 과도한 혈관 확장 및 교감신경계와 레닌 안지오텐신 알도스테론계의 활성화, 바소프레신 및 엔도텔린(endothelin)의 작용 등에 의한 신장혈관의 수축 등도 패혈증에 합병되는 사구체여과율 감소에 기여한다. 한편, 패혈증에 동반되는 혈관내피세포 손상에 의한 미세혈관 혈전증, 활성산소족 (reactive oxygen species, ROS)의 증가 및 염증반응 등에 의한 신장 세관세포의 손상도 중요할 것으로 생각되고 있으나 아직 패혈증에 합병되는 급성콩팥손상의 병인기전에 대해서는 잘 알려져 있지 않아 더 많은 연구가 필요한 실정이다.

2. 허혈과 관련된 급성콩팥손상

건강한 신장은 전체 신체용적의 0.5%에 불과하지만 혈액공급량은 심장 박출량의 20%에 이르며, 휴식기 산소소모량의 10%를 차지한다. 신장구조 중 수질부는 몸에서 가장 산소가 부족한 상태를 유지하고 있어서 피질부에 비하여 허혈성 손상을 받기 쉽다. 특히 허혈성 손상은 수질부에 위치한 근위세관의 S3 분절과 헨레고리의 비후상행각 (thick ascending limb)에서 주로 발생하는데, 이는 신장 수질부가 피질부에 비해 상대적으로 적은 혈류 공급과 산소의 역류교환(countercurrent exchange of oxygen)으로 인한 저산소상태(신수질부의 산소분압은 정상 상태에서도 10~20 mmHg)가 유지되는 반면 활발한 능동적 나트륨 이송 (ATP dependent)으로 인한 산소 요구량은 증가되어 있기 때문이다. 허혈성 급성콩팥손상은 신전 질소혈증과 같은 원인으로 발생되는 동일 스펙트럼상의 질병군으로 신전 질소혈증에 비해 더 심한 관류저하가 있을 때 발생된다. 관류저하가 아주 심한 경우에는 양측성 신피질 괴사 (bilateral cortical necrosis)가 생겨 비가역적인 콩팥손상을 유발할 수 있다. 허혈성 급성콩팥손상은 요세관 상피세포가 손상된다는 점에서 신전 질소혈증과 구별되며, 대개는 신전 질소혈증보다 심각한 관류저하, 즉 심한 외상, 출혈, 패혈증, 심한 탈수 등이 있는 환자에서 발생하고, 신독성 약물의 사용, 만성콩팥병 등의 위험인자가 있는 경우에는 상대적으로 덜 심한 관류저하가 있는 경우에도 발생된다. 허혈성 급성콩팥손상이 일단 발생하면 관류가 정상화된 후에도 1~2주간 신부전이 지속되며 이는 세관 세포가 재생하는 데 필요한 시간이다. 허혈성 세관손상은 시작,

확장, 유지 그리고 회복의 4단계의 경과를 거치게 된다. 시작단계(수시간~수일)는 초기 단계로 신장의 허혈성 손상이 발생하는 시기이다. 산소가 부족한 상태에서 세관세포가 허혈성 손상을 받게 되면 세포의 ATP 고갈이 일어나고 능동적 나트륨(Na) 수송이 억제되며 세포골격계가 파괴된다. 세포골격계의 파괴는 세포 극성의 소실을 초래하고, 세포 간 결합이나 교류가 없어지게 된다. 이후 세관세포는 세포사멸(apoptosis) 및 괴사의 과정을 거치게 된다. 사멸된 세포 또는 아직 살아있는 요세관세포들은 이후 요세관강내로 탈락하게 되며, 이들은 요세관강 내에서 뭉쳐서 세포덩어리를 형성하여 세관폐색을 일으킬 수 있으며, 세관세포의 탈락은 세관 벽의 연속성을 없애서 사구체에서 여과된 여과액의 역류(backleak)를 일으킨다. 이 단계에서 관류가 정상화되면 요세관 손상이 회복될 수 있기도 하지만, 많은 경우에 재관류 시 발생하는 활성 산소족에 의한 재관류 손상(reperfusion injury)이 일어날 수 있다. 시작단계를 지나면 지속적인 허혈손상, 혈관내피세포 손상으로 인한 울혈, 염증반응에 의해 신장손상이 더욱 악화되는 확장 단계가 이어진다. 혈관내피세포 손상은 혈관수축물질/혈관확장물질의 부조화로 인한 지속적 허혈 즉 엔도텔린, 아데노신, 안지오텐신Ⅱ, 트롬복산A2 (thromboxane A2), 류코트리엔(leukotriene)등의 혈관수축물질의 증가 및 일산화질소, 프로스타글란딘, 아세틸콜린 등의 혈관 확장성 물질의 감소와 동반되며 이는 재관류 후에도 지속적인 혈류를 감소시키는 원인이 될 수 있다(no reflow phenomenon). 혈관내피세포성장인자(vascular endothelial growth factor, VEGF)와 같은 혈관 생성물질의 생산 감소는 신장 수질부의 혈관 생성을 저하시켜 이 부위의 만성적 저산소증을 초래하게 되어 이후에 간질부의 섬유화를 유발하기도 한다. 한편 허혈/재관류 손상의 중요한 기전으로 신장에서 일어나는 염증반응도 조직손상에 중요한 역할을 하는데, 손상초기 Toll like receptor 등의 유형인식수용체 (pattern recognition receptors)는 조직손상에 의해 방출되는 다양한 종류의 손상연관분자유형(damage associated molecular patterns, DAMPs)을 인식하여 강력한 선천성 면역반응(innate immune response)을 일으킨다. 그 결

과 TNF(tumor necrosis factor)-α, IL(interleukin)-1β 등의 염증 사이토카인이 증가하고 이는 중성구, 단핵구, 임파구의 조직 내로의 이동을 촉진하며 더욱 강력한 염증반응을 유발한다. 허혈성 급성콩팥손상에서 염증반응의 역할이 중요하다는 것은 여러 가지 실험에서 입증되었으며, 특히 염증반응을 저하시킴으로서 (neutrophil depletion model, anti ICAM Ab 사용, T-cell depletion model 등) 콩팥손상의 정도가 약화된다는 것으로 증명되고 있다. 최근에는 급성콩팥손상 후의 재생과정에도 이러한 염증반응의 조절이 중요한 역할을 하고 있다고 밝힌 연구들이 있으나 임상적 의의에 대해서는 아직 확실하지 않다.

유지단계(보통 1~2주 지속)에서는 사구체여과율이 최저점(5~10 mL/min)에 도달하여 요량이 줄고, 요독으로 인한 여러 가지 합병증이 발생한다. 사구체여과율이 이처럼 감소되는 기전으로는 사구체 자체의 손상은 없으나 1) 손상된 세관세포가 탈락된 부분을 통한 사구체 여과액의 역류, 2) 탈락된 세포 덩어리에 의한 세관 폐색 및 3) 치밀반(macula densa) 부위로의 염분 부하 증가에 의해 활성화된 세관사구체되먹임기전에 의한 강력한 수입세동맥의 수축 등이 중요한 기전으로 생각되고 있다. 이중에서 역류나 폐색으로 인해 사구체여과율이 감소되는 부분은 상대적으로 작은 부분을 차지하는 것에 비하여 지속적 혈관수축으로 인해 사구체여과율이 감소되는 것이 주된 기전으로 생각되고 있다.

요세관사구체되먹임기전은 신전 질소혈증에서는 치밀반 부위에 용질의 이동이 감소하여 수입세동맥을 확장시켜 사구체여과율을 증가시키는 방향으로 작용하였지만 허혈성 급성콩팥손상에서는 반대로 수입세동맥의 수축으로 인해 사구체 여과율을 감소시키게 되며 아데노신과 아데노신 A2 수용체(adenosine A2 receptor)가 이 과정을 매개하는 물질로 알려져 있다.

유지 단계에는 추가되는 세관세포의 허혈성 손상은 없으나 신장 내 혈관의 지속적인 수축과 울혈, 활성산소족에 의한 재관류 손상, 염증세포의 침착 및 이들 세포에서 기원하는 여러 가지 염증 사이토카인의 작용들로 인해 신기능이 저하된 채 유지되고 있으며, 이와 동시에 세관세포의

활발한 재생이 일어나고 있는 시기이다. 회복기에는 사구체여과율의 회복과 함께 손상된 세관세포가 복구되고 재생이 일어나는 시기로, 사구체여과율의 회복에 비해 요세관세포 기능의 회복이 늦게 나타나고, 체내에 축적되었던 노폐물이 배설되며 과다한 이뇨현상이 나타날 수 있어 주의를 요한다.

급성콩팥손상 후 회복과정에서는 살아남은 세관세포의 분화 및 증식에 의해서 정상조직으로 회복되지만 투석이 필요할 정도의 심한 손상을 받은 경우는 세관사이질 부위의 섬유화가 발생하며 만성콩팥병으로 진행될 수 있다. 특히 기존에 만성콩팥병이 있거나 혹은 고령의 환자가 고위험군이며, 기전으로는 손상받은 외수질부의 혈관 밀도 감소에 의한 만성 저산소증, 세관세포의 세포주기 정지, 대식세포 등 염증세포 침윤 및 transforming growth factor (TGF-β) 등의 섬유화 촉진 사이토카인의 생성 증가 등이 알려져 있다. 최근까지도 급성콩팥손상 후 만성콩팥병으로의 진행 기전에 대한 연구가 활발하게 이루어지고 있다.

3. 수술과 관련된 급성콩팥손상

수술 후 발생하는 급성콩팥손상은 대부분 허혈과 관련되어 나타나게 된다. 수술 시 심각한 출혈이나 저혈압이 있었던 경우에 많이 나타나고, 특히 심장폐우회순환을 이용한 심장이나 큰 혈관의 수술, 수술 전후 금식을 오래하여야 하는 복강 내 수술 등에서 빈도가 높은 것으로 알려져 있다. 그 외에도 수술 중에 사용하는 마취제나 수술 전 시행한 방사선 검사에 사용한 방사선 조영제 등에 의해 급성콩팥손상이 발생할 수 있으며, 고령, 만성콩팥병, 울혈성 심부전 및 응급수술의 경우가 고 위험군에 해당한다. 심혈관계 수술을 시행하는 경우에 급성콩팥손상의 위험도는 상당히 커서 약 1% 정도의 환자는 수술 후 신대체요법이 필요할 정도의 심각한 콩팥손상이 일어날 수 있다. 특히 심장폐우회순환을 이용한 수술의 경우에는 장시간에 걸쳐 조직의 저관류 상태를 초래할 뿐 아니라 체외순환으로 인한 백혈구의 활성화 및 전신적 염증상태가 급성콩팥손상 발병에 기여하는 것으로 생각된다. 복강내 수술의 경

우에도 간을 절제하거나 간이식 수술을 하는 경우 3~4%의 빈도를 보인다. 그 외에 고령의 환자에서는 기존의 심각한 동맥경화로 인해 대동맥을 결찰하거나 이에 대한 처치를 하는 경우 죽상색전병(atheroembolic disease)이 발생하여 아급성의 신기능 저하를 초래할 수도 있다.

4. 화상 및 급성 췌장염

심한 화상 및 급성 췌장염과 동반되어 나타나는 급성콩팥손상은 체액의 부족이 주된 병태생리이다. 화상으로 인한 체액소실 또는 급성췌장염으로 인한 체내 용적의 구획분리 등은 유효혈관내 용적을 감소시키며, 이에 따른 심박출량의 감소, 체내 신경 체액계의 활성화 및 신장조직의 저관류는 허혈성 급성콩팥손상의 병태생리와 같다. 또한 동반되는 전신적 염증반응(systemic inflammatory response syndrome, SIRS), 자주 합병되는 패혈증 및 급성 폐손상 등이 모두 급성콩팥손상의 발생을 촉진시키게 된다. 이와 함께 조직의 저관류 상태를 회복시키기 위해 다량의 수액을 공급하고, 급성 췌장염으로 인한 장 마비가 함께 있는 경우에 복강 내 증가한 압력이 신정맥을 압박하면서 사구체여과율이 감소하게 되는 복부구획 증후군(abdominal compartment syndrome)도 급성콩팥손상 발생에 기여한다.

5. 신독성 급성콩팥손상의 병태 생리

다양한 약물이나 독성물질 같은 외인성 물질 또는 혈색소(hemoglobin), 근색소(myoglobin), 요산, 골수종 경쇄 등과 같은 신성 물질에 의해 신독성 급성콩팥손상이 발생할 수 있다. 신독성 급성콩팥손상은 고령이나, 만성콩팥병이 있는 경우, 혹은 유효 순환량이 감소된 환자, 동시에 여러 종류의 독성물질에 노출된 경우 등에서 그 빈도가 증가된다. 신장은 다른 장기에 비해 혈류의 공급이 풍부하고 독성물질을 세관세포와 사이질 내에서 농축시킬 수 있기 때문에 여러 종류의 독성 손상을 받기 쉽다. 신독성 급성콩팥손상에서도 허혈성 급성콩팥손상과 같이 신장 내 혈관수축과 세관 폐색 및 세관 상피세포에 대한 직접적인 손상으로 사구체여과율이 감소하며, 물질에 따라서는 광범위한 염증반응이 신장 내에서 일어나 신장손상을 일으킨다. 신장 내 혈관수축은 방사선 조영제(radiocontrast agents), 사이클로스포린(cyclosporine), 혈색소 및 근색소에 의한 급성콩팥손상의 초기단계에 중요한 기전으로 작용하며, 많은 항균제(aminoglycosides, amphotericin B)나 항암제(cisplatin, ifosfamide)는 세관 상피세포에 직접적인 독성을 나타내고, 골수종 경쇄(myeloma light chain), 요산 및 acyclovir는 세관폐색을 일으켜 급성콩팥손상을 일으킨다.

1) 조영제

조영제는 요오드를 포함하는 물질로 심혈관계 조영이나 컴퓨터 단층 촬영 등에 사용된다. 최근 고령의 환자 또는 당뇨병, 만성콩팥병이나 울혈성 심부전 등의 기저질환자에서 사용되는 빈도가 증가하면서 조영제에 의한 급성콩팥손상이 증가하고 있으며 병원 내에서 발생하는 급성콩팥손상의 중요한 원인이다. 대부분의 조영제 신병증(contrast induced nephropathy)은 경한 급성콩팥손상을 보이지만 기저 질환이 있거나 허혈성 신증과 동반되어 있는 경우 또는 다발성 골수종이 신장을 침범한 경우(myeloma kidney)에는 투석이 필요한 정도의 심각한 손상을 초래 할 수도 있다. 소변검사소견은 비교적 정상을 보이는 경우가 많으나 나트륨의 배설 분획이 낮아져 있어 신전 질소혈증과 비슷한 양상을 보인다. 이는 조영제 신병증의 병태생리가 강력한 신장혈관의 수축과 폐색으로 인한 신장의 외수질부의 허혈이 주된 기전이기 때문이며, 그 외에도 직접적인 세관세포의 손상, 활성산소족의 생성을 통한 손상 및 세관의 폐색 등이 관여하는 것으로 알려져 있다. 대부분의 조영제 신병증은 가역적인 경과를 보이며, 조영제에 노출된 후 24~48시간에 혈청 크레아티닌이 상승하기 시작하여 3~5일에 최고치에 이르고 1주일 이내에 회복되는 양상을 보인다. 조영제의 종류나 사용량에 따라 발생빈도나 정도가 다르며 일반적으로 높은 삼투압성 조영제(high osmolality contrast)를 사용할 경우 빈도가 증가한다. MRI 촬영을 위해 사용하는 가돌리니움이나 대장 청결제로 사용하는 sodium phosphate 등도 급성콩팥손상을 일으킬 수 있다.

2) 항생제

아미노글라이코시드는 치료 범위 내의 혈중 농도를 유지하는 경우에도 사용 경과 중 10~30%에서 비핍뇨성의 급성콩팥손상을 초래한다. 치료를 시작한 후 5~7일경부터 혈청 크레아티닌의 상승이 나타나며, 세관기능의 저하를 동반하여 요비중의 감소, 마그네슘 소실 등이 나타나고 원위세관 및 집합관에도 독성을 보여 소변량의 저하가 없는 비핍뇨형 급성콩팥손상을 보인다. 약물구조상 가지고 있는 아미노기가 세관세포에 대한 친화력을 보이므로 아미노기의 숫자에 따라 신독성이 결정된다. streptomycin은 1개, neomycin은 6개이며, tobramycin, gentamycin은 3~4개를 가지고 있어 neomycin의 신독성이 가장 크며, streptomycin이 가장 적다.

암포테리신 B에 의한 신독성 기전은 세관사구체되먹임 기전 활성화를 통한 강력한 신장혈관수축, 세관세포막의 콜레스테롤과 결합하여 세포막의 투과성의 증가 및 활성산소족을 통한 직접적 세관세포 손상이다. 신독성은 용량 의존적이며, 사용기간이 길수록 급성콩팥손상이 더욱 심하게 발생할 수 있다. 원위세관기능의 저하를 동반하여 제1형 신세관산증을 동반하고, 다뇨증 및 저마그네슘혈증, 고칼슘뇨증을 동반한 저칼슘혈증을 보인다.

Acyclovir는 고용량($500mg/m^2$)을 한꺼번에 정맥주사로 투여하는 경우에 세관 내 결정형성에 의한 세관폐색을 유발하여 급성콩팥손상을 일으킨다. 페니실린이나 리팜핀 등은 직접적인 손상보다는 과민반응을 유발하여 급성사이질신염(acute interstitial nephritis)을 일으켜 급성콩팥손상을 초래할 수 있다. 그 외에 많은 항생제들이 콩팥손상을 초래할 수 있으므로 사용시 충분히 주의하여야 하며, 신기능을 감시하고, 적정 혈중농도를 유지하도록 해야 한다.

3) 항암제

많은 종류의 항암제가 신독성을 가지고 있으며, 특히 시스플라틴이나 카보플라틴의 신독성은 잘 알려져 있다. 주로는 근위세관세포에 축적되어 세포의 괴사와 사멸을 초래하지만, 실험적 연구에서는 심한 염증반응을 동반하는 것으로 알려져 있다. 충분한 수액공급으로 요량을 증가시키면 신독성을 어느 정도 예방할 수 있다. 그 외에 ifosfamide는 요세관세포 독성에 의해 제2형 신세관산증(Fanconi 증후군) 및 다뇨, 저칼륨혈증을 유발하며 출혈성 방광염도 일으킬 수 있다. 혈관생성억제제제인 bevacizumab의 경우 사구체 미세혈관 및 발세포 손상을 일으켜 고혈압, 단백뇨 및 혈전성 미세혈관병증에 의한 급성콩팥손상을 유발할 수 있다. 미토마이신 C, gemcitabine과 같은 항암제도 혈전성 미세혈관병증에 의한 급성콩팥손상을 일으킬 수 있다.

4) 독성물질 섭취

에틸렌 글리콜, 멜라민, 아리스토로크산(aristolochic acid) 등 다양한 물질의 섭취에 의해서도 급성콩팥손상이 발생하는데 자동차 부동액의 에틸렌글리콜은 체내 대사과정에서 발생하는 oxalic acid, glycoaldehyde 및 glyoxalate가 직접적인 세관세포 독성을 유발함으로서 급성콩팥손상을 일으킨다. 멜라민이 포함된 음식(분유)은 신결석증 및 직접적 세관세포 독성, 세관폐색을 통한 손상을 유발하며 이전 중국약초신병증(Chinese herb nephropathy)이라 불려왔던 신병증의 원인이 아리스토로크산임이 알려져 있다.

5) 신성 독소

근색소, 혈색소, 요산 또는, 골수종의 경쇄와 같이 체내에서 만들어지는 몇몇 물질들에 의해 급성콩팥손상이 발생할 수 있다. 손상된 근육세포에서 유래된 근색소 혹은 대량의 용혈반응에서 혈중으로 방출되는 혈색소는 색소신병증(pigment nephropathy)의 원인이 된다. 횡문근 융해증의 원인은 다양하여 외상에 의한 압착 손상, 혈관수술이나 정형외과적 수술 시 발생하는 근육의 허혈, 혼수

표 11-2-2. 신성 급성콩팥손상의 원인

발생기전	원인
신혈관계 폐색	• 신동맥 폐색: 죽상경화판(artherosclerosis plaque), 혈전증, 색전증, 혈관염, 박리동맥류 • 신정맥 폐색: 혈전증, 압박
사구체 또는 미세혈관질환	• 사구체염, 혈관염 • 용혈요독증후군, 파종성혈관내응고증, 임신중독증, 악성고혈압 • 방사선신염, 경피증, 루푸스신염
급성세관괴사	• 패혈증 • 허혈성: 신전 콩팥손상의 모든 원인, 산과질환(전치태반, 분만 후 출혈) • 독성물질 　1) 외인성: 방사선조영제, 항생제(예: aminoglycosides), cyclosporine, 항암제(예: cisplatin), 유기용액(예: 　　ethylene glycol), 멜라민, 아리스토로크산 　2) 신성: 횡문근융해증, 용혈, 다발성골수종, 요산, 옥살산염
간질신장염	• 알레르기: 항생제(예: β-lactams, sulfonamides, trimethoprim, rifampicin), 비스테로이드소염제, 이뇨제, 　captopril • 바이러스 감염(예: *cytomegalovirus*), 진균감염(예: *candidiasis*) • 침윤: 임파종, 백혈병, 사르코이드증 • 원인불명
세관폐쇄	다발성 골수종, 요산, 옥살산염, acyclovir, methotrexate, sulfonamides

상태나 거동 불능 시 발생할 수 있는 근육 압박, 지속적인 경련, 과다한 운동, 열사병 등으로 인하여 발생할 수 있다. 급성콩팥손상이 발생하는 병태생리기전은 신장 내 혈관 수축, 직접적인 근위세관세포에 대한 독성과 함께 Tamm–Horsfall 단백(uromodulin, 소변 중 가장 흔한 단백질이며 헨레고리의 비후 상행각에서 생산됨)과 혈색소 또는 근색소가 함께 침착되어 원위세관의 폐색을 유발하는 것이며, 이 과정은 뇨가 산성일 때 촉진된다. 종양분해증후군(tumor lysis syndrome)은 주로 고등급 림프종(high grade lymphoma)이나 급성 림프구성 백혈병(acute lymphocytic leukemia) 환자에서 세포독성 치료 시작 후에 발생할 수 있다. 다량의 요산이 혈액 내로 방출되고(흔히 혈청 농도가 15 mg/dL 이상이 될 때) 이들이 신장 세관 내에 침전되어 폐색을 일으켜 급성콩팥손상이 발생할 수 있다. 종양분해증후군에 의한 급성콩팥손상의 경우 고칼륨혈증 및 고인산혈증을 흔히 동반한다.

골수종에서 유래되는 경쇄도 세관에 대한 직접적인 독작용과 Tamm–Horsfall 단백과 결합하여 세관강 내에 원주를 형성하여 기계적 폐색을 일으키는 기전을 통하여 급성콩팥손상을 일으키며 그 외에도 다발성 골수종에서 볼 수 있는 고칼슘혈증도 신장 내 혈관의 강력한 혈관 수축 및 용적 감소를 초래하여 급성콩팥손상을 유발할 수 있다.

6. 신성 급성콩팥손상의 다른 원인들

동맥경화가 진행된 환자에서는 대동맥, 신동맥의 수술이나 혈관조영술 시행 후 또는 외상 후, 드물게는 자발적으로, 콜레스테롤 색전(cholesterol embolization)에 의한 급성콩팥손상이 발생할 수 있다(죽상색전병 신장병, atheroembolic renal disease). 소혈관과 중혈관에 콜레스테롤 결정이 침착되면, 혈관벽 내에 거대세포가 자극되고 혈관벽의 섬유화 작용을 초래해서 혈관이 점차 좁아지거나 막히게 된다. 보통 죽상색전병 신장병은 주로 아급성의 신부전을 일으키는 경우가 많으며 비가역적 경과로 신기능이 완전하게 회복되지 않는다. 흔히 보체의 감소와 함께 호산구혈증(eosinophilia)이 나타난다.

사이질신염(interstitial nephritis)에 의한 급성콩팥손상의 가장 흔한 원인은 약제에 대한 알레르기성 사이질신염이다. 병리학적으로는 다양한 여러 약물들에 의해서 과립세포(항상 호산구는 아님), 대식세포, 림프구 등 여러 염증세포의 세관사이질 내 침윤과 간질 부종이 나타나며, 열, 발진, 관절통 등의 전신적 증상과 더불어 급성콩팥손상이 발생한다. 흔한 원인으로는 항생제(예: penicillins, cepha-losporins, trimethoprim, sulfonamides, rifampicin), 비스테로이드소염제 등이 포함된다. 비스테로이드소염제에 의해 발생되는 사이질신염은 항생제에 의한 경우와 달리 간질내의 세포 침착은 미약하면서 다량의 단백뇨 및 사구체여과율의 감소를 보이는 것이 특징적이다. 그 외 자가면역질환(루푸스), 침윤성질환(사코이드증), 감염성질환(출혈열신증후군, Legionnaire's disease) 등도 사이질신염에 의한 급성콩팥손상을 일으킬 수 있다.

전신혈관염이나 이와 동반된 급속진행사구체신염(rap-idly progressive glomerulonephritis, RPGN)도 드물지만 급성콩팥손상의 원인이며 조기에 면역억제제 혹은 치료적 혈장교환술로 콩팥기능의 회복이 가능하므로 조기 진단이 매우 중요하다.

신후 급성콩팥손상

요로 폐색(urinary tract obstruction)에 의한 신후 급성콩팥손상은 전체급성콩팥손상의 5% 미만을 차지한다. 한쪽 신장만으로도 질소성 폐기물을 충분히 배출할 수 있기 때문에 급성콩팥손상은 기저에 만성콩팥병이 있거나, 요도나 방광경부(bladder neck) 이하의 폐색, 양측성 요로폐색, 또는 단일신장 환자의 일측성 요로폐색이 있는 경우 발생한다. 요로폐색은 흔히 전립선 비대증, 전립선과 자궁경부의 악성종양 및 후복막 질환으로 생기며 신경성방광(neurogenic bladder)도 기능적인 요로폐색으로 급성콩팥

손상을 일으킬 수 있다. 드물게는 일측성 폐색이 반대측 신장의 반사적인 혈관 수축을 초래하여 급성콩팥손상을 일으키는 경우도 있다. 급성 하부요로 폐쇄의 다른 원인으로 응혈(blood clot), 결석 그리고 요도연축(urethral spasm)을 동반한 요도염 등이 포함된다. 요관 폐색은 결석, 응혈, 괴사된 신장유두 등에 의한 요관 내 폐쇄, 종양의 요관벽 침범, 후복막 섬유화, 신생물 또는 농양, 부적절한 수술적 결찰 등에 의한 외부압력에 의해서도 발생할 수 있다. 폐색의 초기(수시간 내지 수일)에는 수입세동맥의 확장에 의해서 혈액량이 증가하여 사구체여과율이 유지되지만 이후 안지오텐신II, 트롬복산 A2 및 바소프레신의 생산 증가 등에 의해 혈관수축이 일어나고, 사구체여과계수의 감소 등이 일어난다. 이와 함께 지속적인 사구체여과에 따라 폐색부위 상부의 관내 압력이 점차 증가되고 근위세관, 신우, 신배 등이 확장되면서 압력이 증가되면 세관 내 압력도 높아지게 되어 사구체여과율은 점차 감소하게 된다. 적절한 치료로 회복될 수 있는 가역적 변화이므로 빠른 진단이 필수적이다.

참고문헌

- Bellomo R, et al: Prerenal aztotemia: Flawed paradigm in critically ill septic patient. Contrib Nephrol 156:1-9, 2007.
- Blantz RC, et al: Analysis of the prerenal contributions to acute kidney injury. Contrib Nephrol 174:4-11, 2011.
- Bonventre JV: Pathophysiology of AKI: Injury and normal and abnormal repair. Contrib Nephrol 165:9-17, 2010.
- Garwood S: Ischemic acute renal failure. Critical care nephrology, 2nd ed. Elsevier Saunders, Philadelphia, 2008, pp157-166.
- Jefferson JA, et al: Pathophysiology and etiology of acute kidney injury, edited by Feehally J, et al, Comprehensive clinical nephrology, 6th ed, St Louis, Elsevier, Saunders, 2019, pp786-801.
- Perazella MA: Vulnerability of the kidney to nephrotoxin, edited by Ronco C, et al, Critical care nephrology, 2nd ed, Elsevier Saunders, Philadelphia, 2008, pp177-182.
- Singh P, et al: The role of tubuloglomerular feedback in the pathogenesis of acute kidney injury. Contrib Nephrol 174:12-21, 2011.
- Waikar SS, et al: Acute kidney injury. In Longo DL, Fauci AS, Kasper DL, Hauser SL, Jamason JL, Loscaljo J eds, Harrison's

principal of Internal medicine, 20th ed, New York, McGrow−Hill Co, 2018, pp2099−2111.

· Wan L, B, et al: Septic acute renal failure, edited by Ronco C, et al, Critical care nephrology, 2nd ed, Elsevier Saun−ders. Philadelphia, 2008, pp163−168.

CHAPTER 03

임상소견과 대사변화

구자룡 (한림의대)

KEY POINTS

- 급성콩팥손상을 신전(prerenal), 신후(postrenal), 신성(intrinsic)으로 구분하는 것에 더해, 유발 질환에 따라 신독성(neph-rotoxic), 간신장성(hepatorenal), 심신장성(cardiorenal), 패혈증성(sepsis associated) 급성콩팥손상 등으로 분류하는 것은 예방과 치료 면에서 질환 특이적인 접근을 가능하게 해준다.

- 울혈성심부전 환자에서 체액량 조절, 레닌-안지오텐신-알도스테론계 억제제 사용, 고혈압 환자에서의 혈압 조절 및 당뇨환자에서 SGLT2 억제제 사용 후 발생하는 혈청 크레아티닌의 생리학적인 증가는 오히려 대상 환자의 좋은 예후와 연관이 있을 수 있어 크레아티닌 농도에 근거한 급성콩팥손상의 진단에 주의해야 한다.

- 급성콩팥손상 1~2기 핍뇨 환자에서 furosemide stress test를 통해 콩팥손상의 정도 및 신대체요법의 필요성 여부를 예측할 수 있다. 이뇨제 사용 유무에 따라 1 mg/kg에서 1.5 mg/kg의 furosemide를 정맥주사 후 2시간 이내에 소변량이 200 mL 이상이면 예후가 좋아서 14%만이 신대체요법을 받았다.

- Proton pump inhibitor (PPI)는 요세관간질신장염을 통해 급성콩팥손상을 유발할 수 있다(PPI는 약물유발성 요세관간질신장염의 14%까지 차지하는 주요 원인이다).

급성콩팥손상의 유형

급성콩팥손상(acute kidney injury, AKI)의 증상과 징후는 원인 질환에 따라 다르게 나타날 수 있다. 그러므로 세심한 병력 청취와 신체검사가 급성콩팥손상의 원인을 밝히기 위한 가장 중요한 부분이다.

1. 발병 위치에 근거한 분류

1) 신전 급성콩팥손상(prerenal AKI)

유효순환혈액량(effective circulating volume)의 결핍에 의해 유발되며, 따라서 이들 원인에 해당되는 증상이나 징후가 각각 나타난다. 정상인에서도 수축기 혈압이 80 mmHg 이하이면 사구체여과율을 유지하는 자가조절기전의 조절 범위를 넘어서서 신전 급성콩팥손상이 발생할 수 있으며 동맥경화, 고령, 간경변증, 기저 만성콩팥병이 존재하거나 비스테로이드소염제, 안지오텐신전환효소억제제, 안지오텐신수용체차단제 같은 약물 사용 등이 임상에서 흔히 접하는 신전 급성콩팥손상의 위험인자들이다.

2) 신후 급성콩팥손상(postrenal AKI)

폐쇄요로병증에 의해 나타나며 특히 부분적 폐쇄일 경우 소변량이 줄지 않아서 초기 증상이 없는 경우가 많다. 배뇨곤란, 복부질환 등의 병력이나 전립선, 자궁경부, 혹은 골반강내의 병소를 찾아보아야 하며 복부초음파, 복부 CT 같은 영상의학적 검사가 필요하다.

3) 신성 급성콩팥손상(intrinsic renal AKI)

패혈증, 허혈(ischemia), 신독소(nephrotoxins)가 신성 급성콩팥손상의 3대 중요 원인이며 기타 혈관 및 사구체질환, 혹은 요세관간질신장염에 의해서도 발생하므로 이들 각각의 질환의 다양한 증상이나 징후가 나타날 수 있다. 중증 패혈증의 경우 50% 이상에서 급성콩팥손상이 발생하며 특히 혈압상승제(vasopressor)를 사용하는 경우가 고위험군이다. 허혈성 급성콩팥손상의 경우 저혈압 및 유효순환혈류량의 감소를 동반한 패혈증이나 대수술(major operation) 후에 흔히 발생한다. 특히 복부대동맥류수술, 심장수술(관상동맥 우회로 수술) 및 폐쇄성 황달의 교정수술에서 허혈성 급성콩팥손상이 흔히 발생한다. 신독소의 경우 조영제 및 아미노글리코시드(aminoglycoside), 암포테리신 B (ampotericin B), 반코마이신(vancomycin), 콜리스틴(colistin) 등이 주요 원인이므로 이들 제제의 사용 여부를 확인해야 한다. 특히 최근 많이 사용되고 있는 proton pump inhibitor (PPI)들도 요세관간질신장염을 통해 급성콩팥손상을 유발할 수 있어(약물유발성 요세관간질신장염의 14%를 차지함) 원인이 불확실한 급성콩팥손상의 원인 감별진단에 꼭 포함시켜야 한다.

2. 원인질환 특이적인 분류

급성콩팥손상을 원인질환에 동반된 증후군(syndrome)의 일부로 생각할 수 있으며, 따라서 해부학적 발병 위치가 아닌 유발 원인질환에 따라서 급성콩팥손상을 분류할 수 있다. 대표적으로 신독성(nephrotoxic), 간신장성(hepatorenal), 심신장성(cardiorenal), 패혈증성(sepsis associated) 급성콩팥손상으로 분류하는 것이며, 이런 원인질환의 발병기전에 따른 분류는 예방과 치료면에서 질환 특이적인 접근을 용이하게 해줄 수 있다.

급성콩팥손상의 지표로서 혈청 크레아티닌 농도와 소변량 변화

급성콩팥손상의 임상소견은 손상의 원인, 손상 정도, 그리고 신기능의 저하 속도에 따라 다양한 양상을 보이나 대체로 소변량의 급격한 감소, 혈액요소질소와 크레아티닌 수치의 수일간에 걸친 지속적 상승, 급성콩팥손상을 일으킨 원인 질환의 임상소견, 요독증의 합병증 등으로 나타난다. 임상에서 가장 흔하게 발견되는 급성콩팥손상의 양상은 증상 없이 우연히 발견된 혈중 크레아티닌의 수일간에 걸친 지속적 증가이다. 그러나 이런 경우 크레아티닌의 증가가 반드시 사구체여과율의 감소를 의미하는 것은 아니기 때문에 사구체여과율의 변화 없이 혈중 크레아티닌이 증가될 수 있는 경우(표 11-3-1)를 반드시 생각하여야 한다.

또한 울혈성심부전 환자에서 체액량 조절, 레닌-안지오텐신-알도스테론계(renin-angiotensin-aldosterone) 억제제 사용, 고혈압 환자에서의 혈압 조절 및 당뇨 환자에서 sodium-glucose cotransporter 2 (SGLT2) 억제제 사용

표 11-3-1. 사구체여과율이 정상이면서 혈청 크레아티닌이 증가될 수 있는 경우

크레아티닌 생성 증가	요세관 크레아티닌 분비 감소	크레아티닌 chromogen으로 오인
육류의 과다 섭취, 크레아틴 섭취, 횡문근융해	Cimetidine, trimethoprim	Ketones (acetoacetate), cefoxitin, flucytosine

후 발생하는 혈청 크레아티닌 농도의 생리학적인 증가는 오히려 대상 환자의 좋은 예후와 연관이 있을 수 있으며, 따라서 이런 예측 가능한 혈중 크레아티닌의 생리학적인 증가를 급성콩팥손상의 진단에 적용할 수 있을지는 의문이다.

급성콩팥손상의 초기에는 사구체여과율이 거의 50% 정도까지 감소해야 혈청 크레아티닌 농도가 의미있게 증가되기에 크레아티닌 농도는 초기 급성콩팥손상을 진단할 수 있는 민감한 지표로서는 부적절할 것이다. 크레아티닌 농도에 근거한 사구체여과율 예측 공식 또한 안정적인 신장기능을 가진 환자들에서만 정확하게 사용할 수 있다. 그 이유는 급성콩팥손상에서는 사구체여과율의 감소 속도가 혈중 크레아티닌의 증가 속도보다 빠르므로 아직 크레아티닌이 축적될 시간이 충분치 않은 상태에서 혈청 크레아티닌 수치로 계산된 추정 사구체여과율은 실제 사구체여과율을 정확하게 반영하지 못하기 때문이다.

소변량의 경우 유효순환혈액량의 변화에 민감하게 반응하여 혈청 크레아티닌 농도에 비해 급성콩팥손상의 더 민감한 지표이지만 실제 급성콩팥손상이 없어도 전신적인 유효순환혈액량에 따라 크게 변할 수 있어 급성콩팥손상 진단에서 특이도는 부족하다고 할 수 있다.

이와 같은 문제점들에도 불구하고 현실적으로 혈청 크레아티닌 농도나 소변량의 변화가 여전히 급성콩팥손상의 진단 및 중증도 분류에 여전히 사용되고 있으며 이에 대해서는 앞장의 "급성콩팥손상의 정의 및 역학" 부분을 참고해 주기 바란다. 또한 심장손상에서의 트로포닌 검사처럼 민감도와 특이도가 높으며 동시에 신장손상의 정도를 정량화할 수 있는 neutrophil gelatinase-associated lipocalin (NGAL), kidney injury molecule-1 (KIM-1), urinary interleukin (IL)-18, liver-type fatty acid-binding protein (L-FABP) 같은 급성콩팥손상의 생물학적표지자(biomarker)가 추후 급성콩팥손상의 좀 더 민감하고 특이도 높은 지표로서 이용될 수 있을 것으로 생각된다.

급성콩팥손상의 임상양상

1. 소변량의 변화

급성콩팥손상이 있음을 의심하게 하는 가장 흔한 증상은 소변량의 감소, 즉 핍뇨(oliguria)이다. 핍뇨는 0.3 mL/kg/hour 이하 혹은 1일 소변량이 500 mL 이하인 경우로 정의한다. 핍뇨의 정의를 이렇게 정한 이유는 요가 최대한 농축되었을 때 하루에 배설해야 되는 노폐물을 배설할 수 있는 최소 소변량이기 때문이다. 예를 들어 체중이 60 kg인 사람에서, 하루에 신장을 통해서 배설되어야 하는 노폐물의 양은 10 mOsm/kg이므로 총 600 mOsm이 된다. 신장의 최대농축능력(maximum concentrating ability)을 1,200 mOsm/kgH$_2$O으로 본다면, 600 mOsm의 노폐물을 배설시키는 데 필요한 소변량은 500 mL일 것이다. 그러므로 소변량이 500 mL 이하가 되면 노폐물이 체내에 축적되기 시작할 것이다.

그러나 최근에는 비핍뇨성 급성콩팥손상이 증가하는 추세이며 그 원인으로는 아미노글리코사이드나 반코마이신 등의 항생제, 시스플라틴(cisplatin) 등의 항암제, 방사선 조영제 같은 비핍뇨성 신독성 물질의 사용이 증가하였고, 동시에 이들 약제의 사용 후 환자에서 핍뇨나 다른 증상이 없어도 혈액검사를 하여 혈청 크레아티닌 농도의 증가 여부를 자주 확인하기 때문이기도 하다.

일반적으로 비핍뇨성 급성콩팥손상이 핍뇨성 급성콩팥손상에 비해 비교적 예후가 좋다고 알려져 있으며 그 이유는 콩팥손상의 정도가 경하기 때문이라고 생각하고 있다. 그러나 소변량은 사구체여과율과 요세관 재흡수율의 차이에 의해 결정되므로 소변량이 감소하지 않은 이유가 요세관 재흡수율의 감소에 의한 것이라면 사구체여과율로 표시되는 콩팥손상의 정도는 심할 수도 있어 해석에 주의를 요한다.

또한 급성콩팥손상 초기에 핍뇨와 체액과다가 동반되었을 때 furosemide를 80 mg에서 시작해서 200 mg까지 single dose로 정맥주사해 볼 수 있으나, 이후 2시간 동안 소변량이 200 mL 이상으로 증가하지 않는 경우 이뇨제를 더 이상 사용하는 것은 환자의 예후와 치료에 도움이 되지 않으므로 바로 신대체요법을 시작하는 것이 권장된다. 그리고 이러한 이뇨제에 대한 반응성을 이용한 furosemide stress test를 통해서 급성콩팥손상의 정도 및 신대체요법의 필요성 여부를 어느 정도 예측할 수 있는데, 급성콩팥손상 1~2기에서 이뇨제를 사용하지 않던 환자는 체중당 1 mg을, 이뇨제를 사용하던 환자는 체중당 1.5 mg의 furosemide를 주사 후 2시간 내에 소변량이 200 mL 이상이면 예후가 좋아서 14%만이 신대체요법을 받았던 것으로 보고되었다.

무뇨(anuria)는 일일 소변량이 50 mL 이하인 경우를 의미하고, 완전 무뇨(total anuria)는 소변량이 전혀 없는 경우를 말한다. 무뇨나 완전 무뇨가 나타날 수 있는 가장 흔한 원인은 심한 쇼크(shock)와 양측성 요로폐쇄(bilateral obstructive uropathy)이며 기타 급속진행사구체신염, 양측성 신피질괴사, 양측성 신동맥폐쇄 등이 있다. 일반적으로 무뇨는 양측성 요로폐쇄인 경우를 제외하고는 콩팥손상의 정도가 심함을 의미한다. 또한 다뇨와 무뇨가 번갈아 나타나는 경우는 간헐적 요로폐쇄에 의한 급성콩팥손상을 생각할 수 있다.

급성콩팥손상의 회복기에는 다뇨가 나타난다. 다뇨의 기전으로는 핍뇨기 동안의 체액 과다 저류, 저류되었던 용질(solute)에 의한 삼투성이뇨(osmotic diuresis), 사구체여과율이 회복된 상태에서 요세관기능의 회복 지연, 요세관의 항이뇨호르몬에 대한 저항성, 신수질의 고장성 유지장애 등을 들 수 있다.

2. 체액 및 전해질과 산염기의 이상

급성콩팥손상에서는 체액과 용질의 저류로 인해 폐부종, 뇌부종, 전해질 및 산염기 장애가 흔히 나타날 수 있다. 특히 패혈증과 동반된 급성콩팥손상 환자에서 혈압 저하를 교정하기 위해 다량의 수액이 공급되었을 경우 체액 과다가 흔히 발생하며 이러한 체액과다는 급성콩팥손상 환자의 예후를 악화시키는 중요한 요인이다. 비핍뇨성 급성콩팥손상의 경우에도 소변량이 정상인과 비슷하지만 체내외 환경의 변화에 따른 조절능력이 없이 소변량이 고정된 상태이므로, 섭취 및 수액 공급량은 핍뇨성 급성콩팥손상에서와 마찬가지로 전날의 소변량을 기준으로 정하는 것이 좋다.

저나트륨혈증은 유효순환혈액량의 감소가 동반된 신전 급성콩팥손상의 결과이거나 저장성 용액을 과다하게 투여함으로써 야기된다. 증상으로는 기면(lethargy), 둔화(obtundation), 발작(seizure) 등이 나타날 수 있다. 고나트륨혈증 역시 수분부족이 동반된 신전 급성콩팥손상의 결과이거나, 급성콩팥손상의 다뇨기에 나타날 수 있는데, 요세관이 아직 항이뇨호르몬에 대한 반응성을 회복하지 못하여 수분의 과다 손실이 일어나기 때문이다.

고칼륨혈증은 급성콩팥손상의 가장 위험한 합병증 중 하나이다. 과다이화(hypercatabolism)가 없는 급성콩팥손상 환자에서 혈청 포타슘 농도는 보통 하루에 0.3 mEq/L 이내의 속도로 증가한다. 그러나 심한 압궤손상(crush injury), 용혈, 횡문근융해증 같은 과다이화 상태 환자의 경우 세포내 포타슘의 세포외 이동으로 인해 하루 1 mEq/L 이상의 속도로 상승할 수 있으므로 매우 조심하여야 한다. 따라서 포타슘 농도가 6.5 mEq/L 이상이거나, 5.5 mEq/L 이상이지만 과다이화 상태에 있는 경우 가능한 한 빨리 투석하는 것이 좋다. 급성 고칼륨혈증의 경우 만성 고칼륨혈증보다 더 낮은 포타슘 농도에서도 중증 합병증이 나타날 수 있으며, 특히 심전도 소견의 변화가 혈청 포타슘 농도의 변화와 일치하지 않을 수 있어 주의를 요한다. 저칼륨혈증도 드물게 나타나는데 특히 암포테리신 B나 시스플라틴 같은 약제에 의한 비핍뇨성 급성콩팥손상에서 볼 수 있으며 급성콩팥손상의 다뇨기에도 비교적 흔히 나타난다.

정상 기능의 신장에서는, 단백질 대사 결과로 하루에 체중 1 kg당 1 mEq 정도 생성되는 비휘발성 산(nonvolatile acid)을 완충하는데 사용되는 HCO_3^-와 동량의 HCO_3^-를 재생산한다. 그러나 급성콩팥손상에서는 HCO_3^- 재생산의 장애와 함께 비휘발성 산 자체의 저류가 일어나 대사산증이 생긴다. 음이온차(anion gap)는 중등도의 증가를 보이는데 이유는 인산염과 황산염 같은 비휘발성 음이온이 저류되기 때문이다. 그러나 중증 급성콩팥손상 환자의 경우 동반질환에 의해 젖산(lactic acid)이나 케톤산(ketoacids)의 생성이 증가하거나 설사 등으로 인한 HCO_3^-의 소실에 의해서도 대사산증이 발생할 수 있다. 일반적으로 대사산증에서 투석치료나 중탄산염 공급을 통한 산증 교정의 적응증은 pH가 7.1 이하인 경우다.

저칼슘혈증은 사구체여과율 감소로 인한 인의 저류, 부갑상선호르몬의 골 흡수(resorption)작용에 대한 골저항성(skeletal resistance), 신장에서의 1-alpha-hydroxylation의 저하에 따른 활성형 비타민 D 농도의 감소 등에 의해 나타난다. 특히 횡문근융해증, 종양분해증후군(tumor lysis syndrome), 급성췌장염 등에 의한 급성콩팥손상에서는 칼슘의 혈관외 침착으로 인해 심한 저칼슘혈증이 나타날 수 있다. 또한 급성콩팥손상에 동반된 저칼슘혈증에서는 전형적인 저칼슘혈증의 증상이 나타나지 않는 경우가 많은데 그 이유는 대부분의 환자에서 대사산증이 동반되어있어 이온화칼슘(ionized calcium)의 농도는 비교적 정상으로 유지되기 때문이다. 또한 칼슘과 결합하는 혈청 알부민 농도에 따라 총 칼슘 농도가 변할 수 있으므로 이온화 칼슘 농도를 함께 검사하는 것이 반드시 필요하다.

고칼슘혈증은 횡문근융해증에 의한 급성콩팥손상의 회복기에 손상된 근육에서 혈액내로 칼슘이 다시 이동하면서 일시적으로 나타날 수 있으나 급성콩팥손상 초기부터 고칼슘혈증이 나타나면, 먼저 다발성골수종이나, 부갑상선호르몬 관련 펩타이드(parathyroid hormone-related peptide)를 생산하는 이소성 종양 등을 생각하여야 한다.

고인산혈증(hyperphosphatemia)은 사구체여과율의 감소 때문에 거의 모든 환자에서 나타나지만, 횡문근융해증이나 종양용해증후군에 의한 급성콩팥손상에서는 세포내 인의 혈액내 분비로 인해 혈중 인농도가 크게 증가하면서 혈관외 침착에 의한 심한 저칼슘혈증을 동반하기도 한다.

마그네슘은 신장으로만 배설되므로 급성콩팥손상에서는 마그네슘 배설장애에 의한 고마그네슘혈증(hypermagnesemia)이 나타날 수 있는데 특히 임신중독증으로 마그네슘 정맥주사 치료를 함께 받고 있는 환자에서 흔히 동반된다. 저마그네슘혈증(hypomagnesemia)은 시스플라틴,

암포테리신 B, 아미노글리코시드 등에 의한 급성콩팥손상에서 자주 나타나며 이는 신장에서 마그네슘 손실(wasting) 증가에 기인한다.

3. 심혈관계의 이상

급성콩팥손상이 발생하는 환자들에서는 고령에 이미 기저 심장 질환을 가지고 있는 경우가 많기 때문에 울혈성 심부전이나 폐부종이 흔히 발생한다. 저혈압과 심근기능의 저하는 패혈증, 체액량의 결핍, 심한 대사산증에 기인하고, 부정맥은 고칼륨혈증이나 저칼슘혈증 등과 관련이 있다. 고혈압은 핍뇨기가 지속되는 급성요세관괴사 환자나 급성사구체신염 환자에서 체액과다에 의해 나타날 수 있다. 요독증이 심할 경우 요독에 의한 심낭 내 염증 반응으로 인해 심낭염이 합병될 수도 있다.

심장 및 신장에 각각 1차적인 손상이 발생 시 교감신경 및 레닌-안지오텐신-알도스테론계의 자극, 신장으로의 혈류 장애, 신장 정맥압의 증가, 우심실 기능 부전 등의 기전으로 심장과 신장에 2차적인 추가손상이 발생할 수 있으며 이는 심신장증후군(cardiorenal syndrome)의 원인이 된다.

4. 혈액학적 이상

빈혈은 급성콩팥손상의 흔한 합병증이며 에리트로포이에틴(erythropoietin)의 생산 감소, 출혈, 혈액의 희석, 적혈구 생존기간의 감소 등에 의해 발생한다. 특히 급성콩팥손상 초기부터 빈혈이 심할 경우 위장관 출혈이나, 기존의 만성콩팥병 혹은 혈액 질환이 동반되어 있는지를 확인하여야 한다. 또한 갑작스럽게 빈혈이 악화될 경우에도 반드시 위장관 출혈 유무를 확인해야 한다. 신부전에서 출혈성 경향은 혈소판의 기능저하와 관련이 있다. 요독증 상태에서는 혈소판 내의 glycoprotein IIb/IIIa, adenosine diphosphate (ADP), 세로토닌, thromboxane A2 등의 기능이나 발현 부족에 의해 혈소판의 응집(aggregation)과 유착(adhesiveness)의 장애가 발생한다. 요독증 환자에서

의 또 다른 출혈유발인자로 혈소판의 응집을 억제하는 물질인 산화질소(nitric oxide)와 prostacyclin의 증가 및 혈소판과 내피세포의 유착에 특히 중요한 역할을 하는 von Willebrand factor (VWF) 발현이나 기능의 저하가 있을 수 있다.

대부분의 경우 혈소판 수는 정상 범위이지만 급성콩팥손상의 원인이 용혈요독증후군(hemolytic uremic syndrome)이나 파종성혈관내응고(disseminated intravascular coagulation)인 경우 혈소판의 수가 감소될 수 있어 이에 대한 확인이 필요하다.

5. 소화기계의 이상

식욕 감소, 구역, 구토, 설사 등이 요독증의 흔한 증상이지만 임상적으로 가장 중요하고 조기진단과 예방이 필요한 소화기계 이상은 위장관 출혈이다. 위장관 출혈은 급성콩팥손상의 주요한 원인이기도 하고 사망률을 증가시키는 주요 합병증이기도 하다. 특히 다발성장기부전(multiorgan failure)이 있는 급성콩팥손상 환자에서는 스트레스에 의한 다발성 미란이 위장관 출혈의 주된 원인이 되며, 요독증에 의한 출혈성 경향, 혈액투석이나 지속적 신대치요법에 사용되는 항응고제 등도 위장관 출혈에 기여할 수 있다.

황달은 울혈, 허혈, 패혈증 등과 관련된 간손상이나 용혈성 질환에서 나타날 수 있는데, 급성콩팥손상 환자에서의 황달은 대체로 예후가 좋지 않음을 시사한다.

6. 호흡기계의 이상

가장 흔한 합병증은 폐부종과 폐감염이다. 신장에서 체액 제거 능력이 감소된 급성콩팥손상 환자에서 저혈압의 치료, 영양공급 및 항생제 주사 등의 목적으로 투여된 수액은 폐부종 발생의 중요한 위험인자이며, 이는 특히 급성폐손상이 동반된 환자에서 사망률을 증가시키는 중요한 요인이다. 또한 패혈증과 동반된 다발성장기부전이 있는 급성콩팥손상 환자의 경우 성인형호흡곤란증후군(adult respiratory distress syndrome)이 흔히 합병되며 이 경우 예후는 매우 나쁜 것으로 알려져 있다.

7. 신경계의 이상

급성콩팥손상에서 나타나는 신경계의 이상은 경한 무기력증부터 지남력 저하, 의식 저하, 착란, 혼수, 발작에 이르기까지 다양하다. 이러한 요독뇌병증(uremic encephalopathy)의 증상은 신장손상의 정도에 대체로 비례하지만 젊은 환자보다는 고령이면서 중추신경계 질환이 동반된 환자에서 조기에 더 심하게 나타난다. 특히 발작은 심한 고혈압이나 저나트륨혈증, 저칼슘혈증 등과 관련되어 잘 나타난다. 투석 치료를 시작하는 과정에서 급격한 요독제거와 동반된 삼투압 변화 및 이에 의한 뇌부종으로 투석불균형증후군(dialysis disequilibrium syndrome)이 나타날 수 있어 급격한 요독의 교정은 피해야 한다.

8. 감염성 합병증

급성콩팥손상 환자의 50~90%에서 감염증이 발생하는데, 특히 패혈증이 잘 동반되며, 이 경우 높은 사망률을 보인다. 감염증이 가장 흔히 발생하는 부위는 호흡기와 요로 및 혈관내 감염이다. 감염증의 유발 원인으로는 요로유치도관(indwelling urinary catheter), 말초나 중심 정맥내의 수액 공급용 도관, 혈액투석 등을 위한 혈관 접근로(vascular access), 장기간의 기계환기(mechanical ventilation) 등을 들 수 있다.

9. 대사 및 영양성 합병증

급성콩팥손상에서는 단백질에너지영양장애(protein energy malnutrition)가 흔히 발생하며 이는 급성콩팥손상 환자의 예후를 악화시키는 중요 원인이다. 구체적으로는 단백질의 과다이화 및 이에 의한 근육단백의 소실과 함께, 탄수화물 대사의 장애가 주로 발생한다. 이러한 영양장애의 발생기전으로는 패혈증, 외상, 화상 같은 급성콩팥손상의 원인 인자들과 함께 급성콩팥손상에 동반된 전신적인 염증반응, 사이토카인, 산화스트레스, 대사산증 및 인슐린저항성, 신대체요법의 치료과정에서 발생하는 영양소 소실 등이 복합적으로 작용한다. 이러한 영양장애를 예방 및 치료하기 위해서는 일반적으로 20~30 kcal/kg/day의 총 에너지 공급과 함께, 분해대사작용의 정도 및 신대치요법의 유무와 종류에 따라 0.8~1.0 g/kg/day에서 최대 1.7 g/kg/day의 단백질 공급을 권장한다.

단백질에너지영양장애 이외에도 급성콩팥손상 및 동반 중증 질환에 의한 스트레스나 인슐린 저항성 및 간내 포도당생산(hepatic gluconeogenesis)의 증가에 의한 고혈당이 흔히 발생하며 이는 당뇨병이 없었던 환자에서도 예후를 악화시키는 위험인자로 알려져 있다. 그러나 인슐린을 이용한 엄격한 혈당 조절은 저혈당에 의한 부작용이 커서 인슐린을 사용할 경우 목표 혈당은 110~149 mg/dL가 적절하다.

▶ 참고문헌

• Kidney Disease: Improving Global Outcomes (KDIGO) Acute Kidney Injury Work Group. KDIGO Clinical Practice Guideline for Acute Kidney Injury. Kidney Int Suppl 2:1–38, 2012.

• Koyner JL, et al: Acute Kidney Injury and Critical Care Nephrology. Nephrology Self–Assessment Program. 18:49–118, 2019

• Okusa MD, et al: Overview of the management of acute kidney injury (AKI) in adults. In: UpToDate, Palevsky PM (Ed), UpToDate, Waltham, MA, 2021. (Accessed on June 21, 2021.)

• Ronco C, et al: Acute kidney injury. Lancet 394:1949–1964, 2019.

CHAPTER
04 허혈 급성콩팥손상

김혜영 (충북의대), **김유일** (가톨릭의대 병리과)

KEY POINTS

- 허혈 급성콩팥손상은 신전 질소혈증과 같은 원인에 의해 발생되는 동일 스펙트럼상의 질병군으로 세관 세포가 손상된다.

- 허혈 급성콩팥손상은 관류가 정상화된 후에도 2~3주간 신부전이 지속되는 전형적인 임상 경과를 보이며 시작기, 확장기, 유지기, 회복기의 단계를 거치게 된다.

- 허혈 급성콩팥손상의 진단은 대부분 임상적으로 가능하므로 병력청취가 중요하다.

- 허혈 급성콩팥손상의 치료에는 아직까지 특정 약물이 정립되어 있지 않으며, 예방이 중요하다.

허혈 급성콩팥손상은 신전 질소혈증(prerenal azotemia)과 같은 원인에 의해 발생되는 동일 스펙트럼상의 질병군으로 세관 세포가 손상된다는 점에서 신전 질소혈증과 구별되며, 허혈 급성세관괴사(acute tubular necrosis, ATN)라고도 한다.

원인

신전 질소혈증은 신장자체의 구조적 변화는 없이 신장의 관류저하를 일으키는 상태에서 발생하며 혈량저하증(hypovolemia), 저혈압, 저심박출량(low cardiac output), 전신 혈관확장(systemic vasodilation) 및 선택 신장혈관수축(selective renal vasoconstriction) 등에 의해 초래될 수 있다. 신전 질소혈증 상태에서 신장의 관류저하 상태가 심각하여 회복이 어렵거나 초기에 적절한 치료가 이루어지지 않고 지속되면 세관 세포손상이 일어나서 허혈 급성세관괴사로 진행한다(표 11-4-1). 허혈 급성콩팥손상은 대부분 신전 질소혈증보다 심각한 관류저하에서 발생하지만, 신장의 자동조절(autoregulation)기전이 손상된 위험인자가 동반된 경우에는 경도의 관류저하에서도 발생된다. 노령 또는 오래된 고혈압에서는 신장내 혈관의 동맥경화에 의해 혈관벽의 신전(extensibility)이 감소되어 있어 신혈류 감소에도 수입세동맥의 확장이 어렵고, 만성콩팥병(chronic kidney disease)에서도 적응 과여과(adaptive hyperfiltration)에 의해 수입세동맥이 확장되어 있는 상태이므로 추가적인 혈관확장이 일어나기 어렵다. 안지오텐신전환효소억제제(angiotensin converting enzyme inhibitor, ACE inhibitor)나 안지오텐신수용체차단제(angiotensin receptor blocker, ARB)는 안지오텐신Ⅱ의 수출세동맥

표 11-4-1. 허혈 급성콩팥손상의 원인

발생기전	원인
체액량 결핍	출혈:외상, 수술, 위장관
	소화기계 소실: 구토, 설사, 코위배액
	신성 소실: 이뇨제, 삼투이뇨, 부신기능저하 피부소실: 화상, 고체온
	췌장염, 복막염, 신증후군, 저알부민혈증
심박출량 감소	심장성쇼크, 심장막병, 울혈성 심부전
	호흡기 질환: 폐고혈압, 폐색전증
전신 혈관확장	패혈증, 마취, 아나필락시스
	간신장증후군
선택 신장혈관수축	cyclosporine, tacrolimus
	안지오텐신전환효소억제제
	안지오텐신수용체차단제
	비스테로이드소염제
복부구획증후군	다량의 복수, 복강 내 출혈, 복강 내 장기 손상 또는 심한 장마비

을 수축시켜 사구체여과율을 보존하려는 작용을 저해하고, 비스테로이드소염제(nonsteroidal antiinflammatory drugs)는 혈관확장물질인 프로스타글랜딘(prostaglandin)의 생산을 감소시켜 수입세동맥의 혈관확장이나 메산지움 세포의 이완을 감소시킴으로써 사구체여과율을 보존하려는 작용을 저해하므로 이러한 약물이 복합적으로 사용되는 경우 허혈 급성콩팥손상의 위험성이 증가된다.

수술과 동반된 허혈 급성콩팥손상은 수술 시 심각한 출혈이나 저혈압이 있었던 경우에 자주 발생한다. 특히 심장폐우회순환을 이용한 심장수술이나 복부 대동맥류 수술, 담즙산염(bile salt)의 분비가 저하된 폐쇄 황달 교정 수술 등에서 빈도가 높은 것으로 알려져 있다. 환자가 노령이거나 만성콩팥병, 울혈성 심부전 등이 동반되어 있을 때 위험도가 증가된다.

심한 화상 및 급성 췌장염과 동반된 허혈 급성콩팥손상은 체액량 결핍(volume depletion)에 의해 발생한다. 화상으로 인한 체액소실 또는 급성췌장염으로 인한 체내 용적의 구획분리 등은 유효순환용적을 감소시키며, 이에 따른 심박출량의 감소 및 관류저하로 허혈 급성콩팥손상을 일으킨다. 급성 췌장염에서 다량의 수액 공급과 동반된 장마비에 의해 복부구획 증후군(abdominal compartment syndrome)도 발생할 수 있다.

병태생리

신장의 혈액 공급량은 심박출량의 20%에 이르며, 휴식기 산소 소모량의 10%를 차지한다. 신장수질은 신장피질에 비해 상대적으로 적은 혈류가 공급되고 산소의 반류교환(countercurrent exchange)이 일어나고 있어 몸에서 가장 산소가 부족한 상태를 유지되므로 허혈 손상을 받기 쉽다. 특히 신장수질에 위치한 근위세관의 원위부인 S3 분절(segment)과 비후상행각(thick ascending limb)세포에서는 활발한 능동적 소듐이송이 이루어져 산소 요구량이 많으므로 허혈 손상이 가장 저명하다.

신전 질소혈증의 초기상태는 유효순환용적(effective circulatory volume)의 감소에 의해 발휘되는 신장의 보상기전(compensatory mechanism)이다. 혈량저하증이 발생하면 교감신경계 및 레닌-안지오텐신-알도스테론계가 활성화되고, 아르지닌 바소프레신(arginine vasopressin,

AVP) 분비가 촉진되어 동맥압과 혈류량이 유지된다. 신장의 관류저하가 있으면 안지오텐신II(angiotensinII)는 수출세동맥을 수축시켜 사구체 내 정수압을 유지시키고, 수입세동맥의 근육성반사(myogenic reflex)가 작동하여 수입세동맥의 혈관 확장이 일어나서 사구체여과율을 유지시킨다. 신장 관류압이 낮아진 상태에서는 혈관확장유발 물질인 프로스타글랜딘, 칼리크레인(kallikrein), 키닌(kinin), 산화질소(nitric oxide) 등의 신장내 생성이 증가하여 수입세동맥의 혈관 확장과 메산지움 세포의 이완이 일어나서 사구체여과율이 유지된다. 또한, 세관사구체되먹임(tubuloglomerular feedback)기전도 사구체여과율 유지에 중요한 역할을 한다. 신장 관류압이 낮아지면 근위세관에서의 염분 재흡수가 증가되어 치밀반(macula densa)으로의 용질의 전달이 저하되고, 치밀반에 인접한 수입세동맥에 산화질소에 의해 매개되는 신호를 전달하여 수입세동맥의 혈관 확장이 일어나서 사구체여과율이 유지된다. 하지만, 정상 보상기전을 초과할 정도의 심한 저혈압 또는 체액량 결핍이 있는 경우에는 사구체여과율이 감소하여 신전 고질소혈증이 발생하게 되고, 관류저하가 지속되면 세관 손상을 보이는 허혈 급성콩팥손상으로 진행된다.

허혈 급성콩팥손상이 발생하면 관류가 정상화된 후에도 2~3주간 신부전이 지속되며 손상된 세관 상피세포가 복구되어 재생하는데 필요한 시간이다. 허혈 급성콩팥손상은 시작기(initiation phase), 확장기(extension phase), 유지기(maintenance phase), 회복기(recovery phase)의 임상 단계를 거치게 된다(표 11-4-2).

시작기는 신장의 허혈성 손상이 발생하는 초기 과정으로 신전 손상에서 진행하여 세관 상피세포의 손상과 기능 저하가 일어나는 시기이다. 이 과정에서는 세관 상피세포의 손상이 특징적이며 혈관평활근세포와 혈관내피세포도 손상에 일부 관여된다. 세관 세포가 허혈성 손상을 받게 되면 세포의 ATP 고갈이 일어나고 능동적 소듐 수송이 억제되며 세포골격계가 파괴된다. 세포골격계의 파괴는 세포의 극성의 소실(loss of polarity)을 초래하고, 세포 간 결합이나 세포 간 교류가 없어지게 된다. 이후 세관 상피세포는 세포자멸사(apoptosis) 및 괴사의 과정을 거치게 된

다. 사멸된 세포 및 살아있는 세관 세포들은 세관강내로 탈락하게 되며, 세관폐쇄(tubular obstruction)를 일으키고, 사구체여과액의 역누출(back leakage)이 발생하게 된다. 이 단계에서 관류가 정상화되면 세관 손상이 회복될 수 있기도 하지만, 대부분 재관류(reperfusion)에 의한 재관류 손상이 일어난다. 재관류 시에는 반응산소종(reactive oxygen species)의 생성이 증가되어 상피세포 손상을 촉진하게 된다.

확장기에는 지속적인 허혈 손상과 함께 염증반응이 발생하여 콩팥손상을 악화시키며 이 과정에는 혈관내피세포의 손상 및 미세혈관 울혈이 관여된다. 허혈 손상후 엔도텔린(endothelin) 등의 혈관수축물질의 조직 내 농도가 증가되고, 산화질소 등의 혈관확장물질의 생산은 감소되어 허혈 후 신혈류 감소가 지속된다. 허혈 손상에 따라 백혈구-내피세포 상호작용이 증가하여 염증성 사이토카인의 분비가 증가되고, 백혈구 동원 및 활성 등 염증반응도 콩팥손상 악화에 관여된다.

유지기에서는 추가적인 세관 세포의 허혈성 손상은 없으나 신장 내 혈관의 지속적인 수축과 울혈, 반응산소종에 의한 재관류 손상, 염증세포의 침착 및 염증 사이토카인의 작용 등으로 인해 신기능이 저하된 상태로 유지되며, 이와 동시에 세관 상피세포의 재생이 시작되고 있는 시기이다. 유지기에서는 사구체여과율이 최저점에 도달하여 소변양이 줄고, 요독에 따른 합병증이 발생한다. 사구체여과율이 감소되는 기전으로는 사구체 자체의 손상은 없으나 손상된 상피세포로 인한 역누출, 탈락된 세포 덩어리의 세관 폐쇄 및 세관사구체되먹임 기전에 의한 것으로 생각되고 있다. 세관사구체되먹임 기전은 신전 질소혈증에서는 치밀반(macula densa) 부위에 용질의 이동이 감소하여 수입세동맥을 확장시켜 사구체여과율을 증가시키는 방향으로 작용하였지만, 허혈 급성콩팥손상에서는 근위세관의 손상에 의해 염분이 재흡수되지 못하여 치밀반 부위에 용질의 이동이 증가되므로 수입세동맥을 수축시키는 강력한 신호로 작용하여 사구체여과율을 지속적으로 감소시킨다.

회복기에는 손상된 세관 상피세포가 복구되고 재생이 일어나는 시기로 사구체여과율이 회복된다. 사구체여과율

표 11-4-2. 허혈 급성콩팥손상의 임상단계에 따른 변화

단계	세포변화 및 병태생리	신기능 및 임상양상
시작기	• 세관 상피세포 손상 • 혈관평활근 및 내피세포 손상 • 소듐수송억제 및 세포골격계 파괴 • 세포극성 소실 • 세포자멸사 및 괴사 • 신장의 허혈손상 시작	• 사구체여과율 저하 시작 • 수시간~수일
확장기	• 혈관내피세포 손상 • 미세혈관 울혈 • 염증 사이토카인 분비증가 • 염증반응에 의한 콩팥손상 • 신장의 허혈손상 지속	• 사구체여과율 저하 악화 및 지속 • 수일
유지기	• 혈관의 지속적인 수축과 울혈 • 반응산소종에 의한 재관류 손상 • 세관 상피생포 재생시작	• 사구체여과율 최저점 • 소변양 감소 • 요독 합병증 • 1~2주
회복기	• 손상된 세관 상피세포의 복구 • 세관 상피세포의 분화 및 재생	• 사구체여과율 회복 • 이뇨현상 • 2~3주

의 회복에 비해 상피세포 기능의 회복이 늦게 나타나므로 체내에 축적된 노폐물의 배설에 의해 이뇨 현상이 나타날 수 있다(표 11-4-2).

임상경과

신전 질소혈증은 신장의 실질이 손상받지 않고 신장 기능은 정상 상태로 유지되므로 원인질환을 교정하여 신혈류와 사구체 여과압력을 정상화시키면 24시간 내지 72시간 내에 신기능이 빠르게 회복된다.

허혈 급성콩팥손상으로 진행되면 관류가 정상화된 후에도 2~3주간 신부전이 지속되는 전형적인 임상 경과를 보이며 시작기, 확장기, 유지기, 회복기의 단계를 거치게 된다. 시작기는 수 시간에서 수 일에 해당되며, 신장의 허혈 손상이 발생하는 시기이다. 이 시기에서 관류가 정상화되면 세관 손상이 회복될 수 있기도 하지만, 대부분 재관류에 의한 재관류손상이 일어난다. 확장기에는 지속적인 허혈성 손상과 함께 염증반응이 발생하여 콩팥손상이 악화된다. 유지기는 보통 1~2주 지속되며, 사구체여과율이 최저점에 도달하여 소변양이 줄고, 요독으로 인한 여러 가지 합병증이 발생한다. 회복기에는 사구체여과율의 회복과 함께 손상된 세관 상피세포가 복구되고 재생이 일어나는 시기이다. 사구체여과율의 회복에 비해 상피세포 기능의 회복이 늦게 나타나서 체내에 축적되었던 노폐물의 배설이 이루어지므로 다뇨가 나타난다(표 11-4-2).

허혈 급성콩팥손상 후 회복 과정에서 대부분은 살아남은 상피세포의 분화 및 증식에 의해서 정상조직으로 회복되지만 투석이 필요할 정도의 심한 손상을 받은 급성콩팥손상 환자에서는 정상으로 회복되지 못하고 세관 사이질(interstitium) 부위의 섬유화가 진행되어 만성콩팥병으로 진행될 수 있다.

진단

1. 병리소견

허혈 급성콩팥손상은 신장조직검사 없이 대부분 임상적으로 진단되며, 임상경과가 급성세관괴사에 부합되지 않는 경우 신장조직검사를 시행할 수 있다. 급성세관괴사의 특징적인 병리 조직학적 소견은 광학현미경 저배율에서 관찰했을 때 세관의 광범위한 팽창과 단순화되고 얇아진 세관 상피가 눈에 띈다. 세관 상피가 탈락되거나 괴사 되어 내강에 고여 있기도 하고, 내강에 칼슘 침착이 생기기도 한다. 고배율에서 관찰했을 때 근위세관의 솔가장자리(brush border)가 소실된 것이 PAS 염색에서 확인된다. 또한 세관 상피세포의 핵이 커지고 유사분열이 보이기도 하는데 손상된 세관 상피세포의 재생성 변화이다. 사이질에는 어느 정도 부종이 있고 염증세포의 침윤은 경미하다(그림 11-4-1).

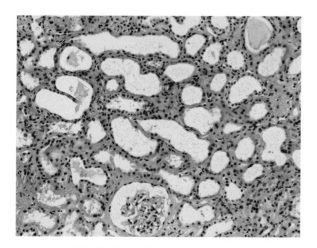

그림 11-4-1. 급성세관괴사의 병리소견(H&E 염색, 200x)

2. 병력 및 요검사소견

허혈 급성콩팥손상은 대부분 임상적으로 진단이 가능하므로 병력청취가 중요하다. 신전 질소혈증 및 허혈 급성콩팥손상은 병력에서 출혈, 구토, 설사, 금식 등 탈수를

유발할 만한 상황이 있으면서 갈증, 기립시 확장기 혈압감소가 10 mmHg 이상 감소하는 기립저혈압이 있는 경우, 액와부 발한 감소, 중심정맥압 감소, 점막부위 건조 등의 혈량저하증 증상 및 징후를 보이게 된다. 심각한 탈수가 없더라도 고혈압, 노인 등 신혈관의 신전이 감소되어 있는 경우, 신장의 자동조절을 저해하는 약물을 사용하는 경우, 기존 만성콩팥병이 있는 경우에는 허혈 급성콩팥손상의 발생 위험성이 높다. 따라서 혈량저하증 병력과 최근의 소변양, 체중의 변화와 약물 사용력 및 위험인자 동반 상황에 대해 자세한 병력 청취가 중요하다.

허혈 급성콩팥손상과 신전 질소혈증을 감별하는 데에는 수액요법 후 24~72시간 내에 회복되는지 여부를 확인하는 것이 가장 정확하다. 지속적인 신혈류 감소 후 급성콩팥손상이 발생하였고, 혈압이 정상화된 후에도 신기능 저하가 지속된다면 허혈 급성콩팥손상의 가능성이 높다.

허혈 급성세관괴사가 있으면 괴사된 세포가 포함된 muddy brown 과립원주(granular cast)가 관찰된다. 신전 질소혈증에서는 세관에서의 소듐의 재흡수가 왕성하게 일어나 여과된 소듐 중 소변으로 배설되는 양이 낮은데 비하여 급성세관괴사에서는 기능이 저하된 세관에서의 소듐 흡수가 감소하고 소변으로의 배설이 많아지므로 소듐분획 배설이 1%이상 높게 측정되므로 감별 진단에 도움이 된다.

예방과 치료

허혈 급성콩팥손상은 현재까지 특정 치료법이 정립되어 있지 않기 때문에 예방이 중요하다. 유효순환용적을 충분히 유지함으로써 수술, 외상, 화상, 위장관 소실 등에 의한 허혈 급성콩팥손상의 위험을 줄일 수 있다. 허혈 급성콩팥손상의 위험이 높은 고령 또는 만성콩팥병 환자, 수술을 받는 환자, 특히 복부 대동맥류 수술, 관상동맥우회로수술 및 황달의 교정 수술 등에서 심혈관계 기능과 유효순환용적에 대한 세심한 감시와 조절이 필요하다. 이뇨제, 비스테로이드소염제, 안지오텐신전환효소억제제, 안지오텐신수용체차단제 등은 체액량 결핍 상태에서 투여할 경우 신전 질 소혈증을 일으키거나 허혈 급성세관괴사로 진행될 위험이 높으므로 주의를 요한다.

체액량 결핍 상태에서는 충분한 수액을 공급하여 유효 순환용적을 확보하는 것이 중요하다. 하지만, 기존의 심폐 기능 저하가 있는 환자 또는 급성콩팥손상으로 인해 혈관 의 투과성이 증가되어 있는 환자에서는 과도한 수액을 투 여할 경우 급성 폐부종을 초래할 수 있으므로 유효순환용 적을 적절히 감시하는 것이 중요하다. 이뇨제는 체액량 과 잉을 해결하기 위해서 제한적으로 사용할 수는 있으나, 급 성콩팥손상 예방 및 치료 목적으로 추천되지 않는다.

허혈 급성콩팥손상을 치료하기 위해 여러 약제들이 시 도되고 있으나 아직까지 뚜렷한 치료 효과를 증명하지는 못하였다. 일반적인 보존치료에도 불구하고 신기능이 악화 되는 경우 신대체요법을 시행한다.

▶ 참고문헌

- Haseley L, et al: Pathophysiology and etiology of acute kidney injury. In Feehally J, Floege J, Tonelli M,Johnson RJ, eds. Comprehensive clinical nephrology, 6th ed, St Louis, Elsevier, 2019, pp786-881.

- Macedo E, et al: Clinical approach to the diagnosis of acute kidney injury. Edited by Gilbert SJ, et al, Primer on kidney disease, 7th ed, National kidney foundation, Elsevier Saunders, 2018, pp300-310.

- Molitoris BA: Acute kidney injury edited by Goldman Lee, Schafer AI. In Goldman-Cecil medicine, 26th ed, Elsevier Saunders, 2020, pp748-753.

- Turner JM, et al: Acute tubular injury and acute tubular necrosis, edited by Gilbert SJ, et al, Primer on kidney disease, 7th ed, National kidney foundation, Elsevier Saunders. 2018, pp311-319.

- Waikar SS, et al: Acute kidney injury, edited by Kasper DL, et al, Harrison's principal of Internal medicine, 19th ed, New York, McGrow Hill Co, 2015, pp1799-1811.

제 **11** 부 급성콩팥손상

CHAPTER 05 패혈증과 급성콩팥손상

나기량 (충남의대)

KEY POINTS

- 패혈증은 급성콩팥손상의 가장 흔한 원인이며, 환자의 유병률을 증가시키고 장기적으로 만성콩팥병으로 이행될 가능성이 크며 사망률을 6~8배 증가시킨다.

- 패혈증유발성 급성콩팥손상은 저관류(hypoperfusion)로만 완전히 설명할 수 없으며 급성세관괴사(ATN)와 동일하지도 않는다. 그러므로 일반적인 항생제 치료와 수액치료를 통한 거시적-혈역동학적인 소생술 치료는 부분적인 효과를 보인다.

- 손상에 대한 미세혈관기능부전, 염증반응과 세관상피세포의 metabolic reprogramming에 의한 반응은 패혈증유발성 급성콩팥손상의 임상적 양상을 설명하는 중요한 기전이다.

- 패혈증유발성 급성콩팥손상의 기전에 대한 연구는 패혈증이 어떻게 장기에 기능 부전을 초래하는지 이해하는 데 중요한 도움을 줄 것으로 생각되며, 이에 따라 기전에 따른 치료적 목표 전략을 제시할 수 있게 할 것으로 기대된다.

서론

패혈증은 중환자실 환자에서 발생하는 급성콩팥손상 (acute kidney injury, AKI)의 가장 중요한 원인 중 하나로 신대체 치료를 처방하게 하는 원인질환 중 15~20%를 차지한다. 이는 단기사망률과 연관성을 가지며 또한 추후에 나타나는 만성콩팥병으로의 진행과 말기신부전, 장기 사망률의 증가와도 관련이 있다. 중환자실에서 패혈증과 연관된 급성콩팥손상은 복부의 감염증이 가장 흔하게 관련이 있으나, 패혈증성 급성콩팥손상 환자는 대부분 다른 여러 가지 복잡한 위험인자를 동반하고 있고, 이러한 조건들은 환자의 정확한 평가와 치료를 어렵게 만들고 있다.

정의 및 진단

패혈증성 급성콩팥손상[septic acute kidney injury, S-AKI]은 패혈증과 동반된 급성콩팥손상과 기저 잔여 장기기능의 여력(reserve)에 가해지는 급성 손상의 정도에 따른 장기 추적결과와 연관된 장기(organ)기능 부전을 총칭하는 증후군이다. 최근 The Third International Consensus Definitions for Sepsis and Septic Shock (Sepsis-3)가 제안되었다. 이에 따르면 S-AKI는 급성콩팥손상의 원인이 의미 있게 발견되는 다른 원인이 없고, 패혈증이 원인이 되는 경우로 정의할 수 있다. 이전 장에서 언급한 대로 KDIGO에서 정한 기준에 따라 혈청크레아티닌과, 시간당 소변량을 기준으로 하는 두 가지 변수로 stage를 정할 수 있으며 또한 패혈증성 쇼크는 임상적으로 정의되는 패혈증의 증례에서 적절한 수액치료에도 불구하고 저혈압 상태가 지속되어 평균동맥압을 65mmHg 이상으로 유지하기 위하여 혈압상승제를 사용해야 하는 경우, 혹은 혈청 젖산의 농도가 2 mmol/L 이상으로 증가되어 있는 경우로 정의할 수 있다. 하지만 임상적으로 패혈증을 조기에 진단하는 것은 쉽지 않고 더불어서 크레아티닌 수치로 진단하는 것도 신기능의 악화가 비교적 진행된 이후에 가능하므로 조기 진단이나 치료에 많은 어려움이 있는 것이 사실이다. 실제로 패혈증 초기에는 근육으로의 혈류가 감소하여 크레아티닌 증가가 더디게 나타날 수 있고, 쇼크에 대한 대량의 수액치료는 크레아티닌 농도를 희석하는 효과가 있어서 크레아티닌은 실제 신장기능을 대변하기에는 적절하지 않을 수 있다. 더불어 소변량은 이뇨제 사용에 따른 변화가 다양하므로 실제 임상에서는 여러 가지 고려해야 하는 변수가 많음을 알아야겠다.

역학과 임상결과

패혈증과 AKI 이 두 분야에서 연구하는 연구자간의 합의, 조정된 진단기준으로서의 역학에 대한 자료가 부족하기 때문에 실제 S-AKI의 역학에 대해 알려진 자료는 부족한 실정이다. 몇 가지 자료를 살펴보면 다음과 같다. ICU 환자에서 AKI를 가진 환자의 40~50%에서 패혈증이 발견된다고 하며 중국이나 유럽에서의 보고에서도 41~47% 정도로 보고하고 있다. 그러나 AKI는 심한 패혈증이나 쇼크가 없는 환자에서도 비교적 흔하게 볼 수 있으며 심하지 않은 지역사회획득 폐렴의 34%에서도 AKI 가 발생한다고 한다.

S-SKI는 매우 불량한 예후를 보여준다. Bagshaw 등의 보고에 의하면 심각한 중증의 환자에서 발생하는 AKI 환자 중에서 S-AKI 환자는 원내사망률이 48% 더 높고, 더 긴 입원 기간(37 vs. 21일)을 보인다고 하였다. 또한 신대체치료가 필요한 경우는 높은 원내사망률을 보인다. S-AKI

이후 신기능의 회복을 보인 경우 생존율이 극적으로 향상되었는데 쇼크가 있고나서 24시간 이내에 AKI에서 회복될 경우 원내 사망률이 34% 감소되었다. 또한 AKI의 재발도 초기 회복이후 흔하다고 보고되었는데, 16,968 명의 중등도에서 중증의 AKI 환자를 분석한 Kellum의 보고에 의하면 초기 AKI에서 회복한 환자 중 32%의 환자에서 AKI의 재발을 경험하였다고 한다.

S-AKI의 생존에 관련된 장기간 예후는 AKI 의 중증도와 퇴원시의 회복상태에 따라 결정된다. 회복된 상태로 퇴원 하게 되는 경우 다른 원인에 의한 AKI의 경우와 비슷한 생존율을 보이는 반면 회복되지 않은 상태로 퇴원 하는 S-AKI의 경우 사망률이 44%로 보고되었다. AKI 로 회복되어도 환자들은 CKD로 진행할 수 있는 위험성을 가지고 있다. 이러한 CKD로의 진행하는 위험인자로는 AKI의 중등도, 신대체 치료가 필요한 경우, 입원 중 회복상태 등이 있다. Chua 등은 105명의 AKI 환자를 일 년 이상 추적관찰 하였는데, AKI 생존자 중에서 정상화(reversal), 회복된(recovery) 경우, 회복되지 않은(nonrecovery) 경우에 각각 21%, 30%, 79 %에서 CKD로 진행하였다.

병태생리

S-SKI에서의 병태생리에 대해서는 아직까지 완벽히 알고 있지는 못한 실정이다. 이는 실제 사람을 대상으로 신동맥혈류량(renal blood flow)과 미세동맥혈류량, 피질과 수질의 관류량과 산화상태 그리고 세관의 상태에 대한 모니터링이 불가능하다는 데 기인한다. 그러므로 동물모델에서의 연구에서 S-AKI에 대한 병태생리를 이해할 수 있다. 초기 동물 연구에서 내독소(Endotoxin) 주입에 따라 전신의 혈류저하와 동반된 전반적인 신동맥혈류가 감소한다고 보고하였고 이에 따라 신장의 관류저하에 따른 신동맥의 혈관수축과 허혈이 S-AKI의 주요한 원인 기전으로 생각하였다. 그러나 최근 hyperdynamic sepsis 연구에서 패혈증의 전신혈관확장에 신장 혈류도 증가한다고 보고하였고, 이를 계기로 이러한 hyperdynamic sepsis 상태에서는 신동맥혈

류량이 증가한 상태에서 S-AKI가 발생하게 된다는 것을 알게 되었다. 이렇게 심박출량이 증가하고 신동맥혈류량이 증가하거나 유지되는 상태에서 발생하는 전반적인 신장충혈(renal hyperemia)상태에도 불구하고 핍뇨와 AKI는 수시간 내에 심하게 진행된다. 따라서 신동맥혈류량이 증가하지만 사구체여과율이 감소하는 정반대의 해리 상태에 대한 기전적 설명이 필요하다. 이는 미세혈관인 intrarenal hemodynamic이 S-AKI에서 변화한다는 것이 합리적인 설명이 될 수 있다. 실제로 한 연구에서는 S-AKI에서 신수질에서 신피질로의 혈류가 재분배되면서 수질의 탈산소화(Deoxygenation)가 생긴다고 보고 하였다. 이러한 미세혈류 변화는 신장내에서의 우회로의 활성화를 의미한다.

패혈증에서 사구체 여과율이 감소되는 동안의 신세관 상태에 대한 전신적인 정보는 제한되어 있다. S-AKI에서 세관 손상에 대한 가설로 패혈증에서 발생하는 독성 혈액의 여과에 의해 세관에 스트레스와 손상이 초래될 것이라는 것이 제시되고 있다. 이러한 가설에 따르면 패혈증 동안 혈액내에는 소분자량 그리고 중간분자량 크기의 물질(cytokine, chemokine, complement fragments)들이 가득해지고, 이러한 물질이 여과되어 농축이 된 상태에서 세관세포에 독성효과를 보인다고 한다. 실제로 Dellepiane 등이 보고한 연구에 의하면 패혈증에서 보이는 lipopolysaccharide 같은 Pathogen-associated molecular patterns가 세관세포의 Toll-like receptors와 반응하여 결국 염증반응을 증강시키는 하부세포 신호체계를 자극하고 reactive oxygen species를 증가시키고, 미토콘드리아 손상을 초래할 수 있는데 이때 TLR 길항제를 투여할 경우 S-AKI를 경감시킬 수 있다고 하였다. 더불어서 신혈관 내피세포와 세관세포는 cytokine 수용체들을 표현하고 있고 동시에 pro-inflammatory 분자들을 분비해서 T세포를 신장으로 소환하여 세관세포의 세포자멸(apoptosis)을 유도한다고 하였다. 그러므로 염증에 대한 신장의 반응 중 하나는 organelles의 자가소화(autophagy), 미토콘드리아의 소화와 기능이상(mitophagy), 세포 극성의 손실 등을 통해 에너지 소모를 감소시키는 방향으로 전환할 수도 있음을 제시하고 있다. 즉 패혈증에서 일어나는 모든 장기의 손상에 대해 일반적으로 일어나는 방어기전으로 염증반응, 미세혈관혈류 이상, 대사반응의 재프로그램밍 현상이 신장에서 일어나고 있다고 설명할 수 있다.

다른 동물연구보다 인간의 패혈증과 비슷한 반응을 보이는 동물 연구로는 양을 이용한 연구가 있다. 최근 양을 이용하여 신기능과, 신 혈류량을 동시에 측정하면서 48시간에 걸쳐 순차적인 신조직검사를 시행한 S-AKI 에 대한 대조실험연구에 의하면 심한 S-AKI 가 진행하면 신동맥혈류와 신장의 산소소모는 변하지 않고 유일한 조직학적 이상은 미세한 국소 메산지움의 확장소견이 전자현미경적 소견으로 보인다고 하였다. 그러므로 기능과 구조사이의 연결이 되지 않는 현상이 S-AKI에서 나타난다. 그리고 패혈증의 초기 변화는 구조적인 변화 보다는 기능적인 이상을 우선적으로 보인다고 보고하였다. 이러한 초기 24~48시간 내에 S-AKI가 미세혈관과 세관의 기능적인 변화에 의해 나타나는 것이 사실이라면, 조기 중재와 진행의 예방이 매우 중요할 것으로 생각된다. 전반적인 병태생리에 대한 설명을 다음의 그림에 설명하였다(그림 11-5-1).

S-AKI에서 바이오마커

S-AKI에서 조기 진단은 적절한 치료와 추가적인 신장손상을 피하는데 있어서 매우 중요하다.

1. NGAL (Neutrophil gelatinase-associated lipocalin)

NGAL은 활성화된 중성구(neutrophil)와 세관 상피세포를 포함한 다양한 상피세포에서 유리된다. 초기 연구에서 NGAL은 AKI를 예측하는 데 좋은 민감도를 보였고 신대체 치료가 필요한지와 원내 사망률을 예측하는 중요한 예후 인자로 유용하였다. S-AKI 환자는 다른 원인에 의한 AKI보다 일반적으로 혈청과 소변 NGAL 수치가 높게 나타난다. 혈청 NGAL은 S-AKI 환자에서 퇴원 시에 신장의 회복을 예측하는 데 유용하다. 패혈증에서 NGAL의 해석

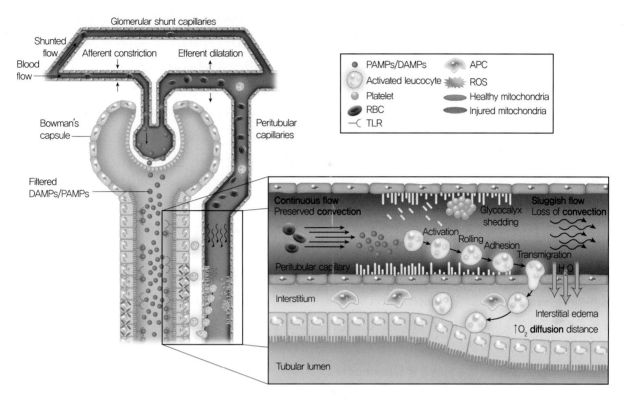

그림 11-5-1. S-AKI에서 미세혈관과 염증반응

Pathogen-associated molecular patterns (PAMPs) and damage-associated molecular patterns (DAMPs)
Toll-like receptors (TLRs), tubular epithelial cells (TECs).
Reactive oxygen species (ROS), Antigen-presenting cells (APCs)
Red blood cells (RBCs)

시 신장이외의 부위에서 기원될 수 있음을 고려해야 한다. NGAL은 AKI가 없는 상태에서 전신의 감염이나 염증에서도 증가될 수 있다. 또 일부의 연구에 의하면 패혈증의 상황에서 AKI와 Non-AKI 상황을 구분하지 못한다고 보고하였다. NGAL로 CKD와 AKI를 구분하는 것도 민감도와 특이도가 낮아서 제한적이라고 하였다.

2. KIM-1 (Urinary kidney injury molecule-1)

KIM-1은 신장손상의 표식자로 허혈과 신독성신장손상에서 신장의 근위부신세관 상피세포에서 상향조절(upregulation)된다. 소변의 KIM-1은 AKI의 좋은 예측인자로 메타분석에서 제시되고 있다.

3. Urinary liver-type fatty acid binding protein

이 단백질은 특히 저산소성 손상에서 근위부세관상피세포의 세포질 부위에서 상향 조절되어 나타나게 된다.

4. 소변 TIMP-2 (Tissue inhibitor of metallopro-teinase 2)과 IGFBP7 (Insulin-like growth factor binding protein)

TIMP-2와 IGFBP-7은 G1 세포주기정지(cell cycle arrest)와 연관된 조절단백질로 세포가 스트레스를 받을 경우 보호 기전으로 작용한다. 다른 생체표식자와 다른 점은 패혈증동안 신장외의 장기기능 부전의 경우 두 가지 단백질이 증가하지 않는다는 것이다.

S-AKI의 예방

S-AKI의 예방은 일반적으로 불가능하다. 대부분 발현 당시 S-AKI가 동반이 되기 때문이다. 심각한 감염증이 발생할 수 있는 고위험군에 대한 관리와 조기 치료가 가장 중요하다고 할 수 있다. 일단 발생하면 조기에 적절한 항생제와 감염원의 제거가 패혈증 치료에 있어서 가장 중요한 근간이며 추가적인 신기능 저하를 예방 할 수 있다. 항생제 치료가 늦어지는 경우 AKI가 조기에 발전할 수 있겠다. 더불어 신기능에 악영향을 미치는 체수분저하를 막도록 적절한 수액치료를 유지해야 하며 신독성 항생제인 Aminoglycoside와 특히 piepracillin-tazobactam 등과 병용 투여하는 vancomycin, 그리고 amphotericin 등의 사용에 주의를 기울여야 하고 위의 항생제를 사용할 경우 엄격하게 약물농도측정을 하면서 투여해야 한다. 더불어서 진단목적으로 시행하는 컴퓨터단층촬영(computed tomography, CT) 검사 시 조영제 사용도 감염원 확인의 장점과 신독성의 위험성에 대한 충분한 고려 이후 사용해야겠다.

S-AKI 의 치료

1. 수액치료

수액치료와 이어지는 혈압상승제 투여는 패혈증 치료에 있어서 제일 중요하다. 몇 가지 혈역학적지표에 대한 protocol에 기반한 수액치료가 제안이 되었지만 실제 패혈증 환자를 대상으로 시행한 임상연구에서 사망률과 신대체치료의 필요성 측면에서 일관적인 우월한 치료효과를 입증하지 못하였다.

2. 수액의 종류

등장성 crystalloid 용액이 AKI 위험성이 있는 환자에게 사용되어야 한다고 권고되어 왔다. 그러나 Chloride가 다량 포함된 생리식염수의 경우 동물과 사람을 대상으로 한 연구에서 신기능의 악화가 관찰됨을 보고하였다. 이후 생리식염수와 소위 balanced crystalloid(Ringer's 용액, Plasma-Lyte)를 비교한 여러 가지 연구에서 생리식염수에 비해 balanced crystalloid 용액을 사용한 경우 더 좋은 임상결과를 보였고 현재 패혈증 환자의 수액치료에서 balanced 용액을 사용해야 하는 근거가 되었다.

모든 정맥주사용 용액은 수액과부하와 신장부종(renal edema)으로 인한 신장과 환자의 결과에 악영향을 줄 수 있다. 이는 폐부종과 신장울혈을 초래하여 사구체여과율을 감소시키는 부작용으로 나타날 수 있다. 그러므로 과도한 수액치료는 매우 주의해야 하는 수액치료의 부작용임을 명심해야 한다. Hydroxyethyl starch는 AKI의 위험성과 신대체치료 필요성과 사망률을 증가시키는 것으로 나타났다. 특히 패혈증 환자에서 고용량으로 투여될 경우 이러한 현상이 뚜렷하게 나타났다. 하지만 저용량을 사용할 경우 장기 효과와 저위험군 환자에 대해서는 확실치 않다. gelatin도 crystalloid에 비해 AKI 빈도가 높았고 신대체치료 필요성이 더 높게 나타났다. 이에 반해 알부민의 경우 안전한 것으로 보고되었다. 그러나 최근 수술 후 쇼크에 대한 조기의 알부민 치료가 AKI 위험성과 연관되었다고 하는 보고가 있어서 추가적인 연구가 필요할 것으로 생각된다.

3. 혈압상승제와 목표혈압

노에피네프린은 패혈증성쇼크의 우선 선택해야할 치료제로 추전 되고 있다. 도파민은 신장보호효과가 없고 노에피네프린에 비해 더 나쁜 임상결과를 보여주고 있어서 추천되고 있지 않다. Vasopressin은 AKI 위험성을 증가시키지 않는 것으로 보이며 신대체치료 필요성을 감소시키는 것으로 보고되기도 하였다. 패혈증성쇼크 환자를 대상으로 목표혈압을 80~85 mmHg로 설정한 군과 65~70 mmHg으로 설정한 군을 대상으로한 대규모 비교대조연구에서 만성고혈압이 있는 일부군의 환자에서 신대체 치료의 필요성을 감소시켰다고 하였지만 생존에 대한 성적이 더 좋지는 않았다고 하였다.

4. 신대체치료

1) 조기시작 vs 후기 시작

중증의 S-AKI 환자에서 조기에 시작하는 신대체 치료가 더 좋은 생존을 보인다는 관찰연구가 있었지만, 무작위 대조비교연구에서는 일관된 결과를 보이지 않았다. AKIKI (Artificial Kidney Initiation in Kidney Injury) trial11)에서는 연구에 포함된 환자의 80%가 패혈증 이었는데 조기 신대체치료의 시작이 우월한 효과를 보이지 않는다고 보고하였다. 따라서 신대체치료의 시점에 대한 연구는 더 많은 연구가 시행되어야 할 것으로 생각된다.

2) 투석용량

고용량투석여과법(>35 mL/kg/h)과 일반적인용량 (20~25 mL/kg/h)의 투석여과법에 대한 비교연구가 있었지만 고용량투석여과법이 장기생존률과 임상경과를 더 좋게 한다는 결과를 보이지는 않았다. 고용량투석여과법이 초기 패혈증으로 유발되는 cytokine의 제거에 효과 적이며 이에 따라 임상적 효과가 좋을 수 있다는 이론적 근거가 제시되고 있지만 문제점으로는 항생제가 더 많이 제거될 수 있고, cytokine 중에 방어적 성격의 cytokine도 제거될 수 있는 점 등이 있다.

장기 추적

중증도와 상관없이 S-AKI로부터 생존한 모든 환자는 CKD로의 진행 여부, 패혈증의 재발 여부, AKI의 재발 여부와 심혈관계 합병증에 대한 장기 추적을 해야 한다. 상당수의 환자에서 CKD로의 진행이 관찰이 되고 일부는 이전의 신기능으로의 회복이 되지 않고 신기능이 감소된 상태로 서서히 진행되거나 유지되는 환자를 볼 수 있다.

[신증후출혈열]

서론

한타바이러스(Hanta virus) 에 의한 감염은 폐와 신장을 침범하는 치명적인 질병을 초래할 수 있다. 한타바이러스는 single stranded RNA virus로 임상적으로 신증후출혈열(hemorrhagic fever with renal syndrome, HFRS)과 한타바이러스심폐증후군(Hantavirus cardiopulmonary syndrome, HCPS)의 두 종류의 심한 열성질환을 초래한다. 특히 이중 한타바이러스에 의해 신장질환으로 발현하는 임상적인 증후군은 지역에 따라 유행출혈열(epidemic hemorrhagic fever), hemorrhagic nephrosonephritis, Songo fever, 한국형출혈열(Korean hemorrhagic fever), nephropathia epidemica 등으로 알려져, 세계 보건 기구 (WHO)에서는 혼동을 피하기 위하여 이러한 질병 들을 통칭하여 신증후출혈열으로 명칭을 정하였다.

원인 및 역학

1978년 대한민국의 이호왕 교수에 의해 발견이 되었다. 이후 수년에 걸쳐 신증후출혈열의 다른 원인바이러스인 서울바이러스(Seoul virus), 유럽의 푸우말라바이러스 (Puumala virus), 도브라바바이러스(Dobrava virus) 등이 발견되었다. 한타바이러스 감염은 쥐의 분변이나 침, 분비물 등이 미 세한 입자화(aerosolized)가 되면서 입자 중에 포함된 바이러스가 사람의 폐 등으로 침투하여 나타난다. 쥐에 물리거나 실험실 내 감염도 보고되었으며, 안데스바이러스(Andes virus) 감염에서는 사람과 사람 사이의 감염도 보고되었다. 발생지역으로는 아시아, 유럽, 남미, 북미 등이다.

국내에서는 일부 도서지방을 제외하고 전 지역에서 발생 한다. 국내에서 보고되는 신증후출혈열의 70%는 한타바이러스가 원인이며, 서울바이러스가 20%, 나머지는 수

총바이러스(Soochong virus)와 무주바이러스(Muju virus) 등이 원인이라고 보고되고 있다. 계절적으로는 봄과 가을에 주로 발생하고 10~12월 사이에 최대 발생을 보이지만 언제라도 발생은 가능하다. 최근 국내 보고에 의하면 남자가 여자보다 4:1의 비율로 많다고 보고되었고, 왕성한 사회활동을 하는 사람들에서 많다.

병인과 병태생리

혈관 투과도의 증가가 심한 한타바이러스 감염에서 나타나는 병태생리에 중요한 역할을 하는 것으로 생각된다. 임상적으로 헤마토크릿(hematocrit)이 증가하고 혈청 단백질이 감소하며 전신적인 혈관에서의 체액 누출 소견이 관찰된다. 신기능(사구체여과율)의 갑작스런 감소는 한타바이러스 감염 환자에서 자주 관찰되는 소견으로 신장내의 변화가 급성콩팥손상 발생에 중요한 역할을 한다.

콩팥손상을 초래하는 중요한 병태생리적 기전은 다음과 같다.

1. 혈관내피세포의 손상
2. 사이토카인과 다른 체액인자(humoral factor, TNF 등)에 의한 요세관과 간질의 손상은 급성 세관사이질신장염(tubulointerstitial nephritis)을 초래 한다.
3. 유전적 요인에 의해 초래된 푸우말라바이러스(Puumala virus)에 대한 증강된 면역반응이 출혈열신증후군에서 있을 수 있는 신장의 손상에 영향을 끼치는 것으로 보고되고 있다. 예를 들면, HLA B8과 DR3 alleles를 가진 환자에서 투석 치료를 필요로 할 정도의 심한 신 손상이 호발될 수 있으나, HLA B27을 가진 경우에는 경한 경과를 보일 수 있다고 한다.

병리

바이러스는 신조직검체에서 중합효소연쇄반응(PCR) 방법에 의해 증명할 수 있다. 가장 특징적인 신장조직 소견은 급성 세관사이질신장염으로 주로 단핵구와 CD8림프구로 구성된 염증성 세포가 침윤되어 있다. 그 외의 흔한 간질의 병리학적 소견은 신수질 혈관들의 울혈과 팽창, 수질 조직 내로의 출혈, 간질부종과 세관상피세포의 괴사 와 변성 등이다.

흔히 상당량의 단백뇨가 동반되지만 사구체에서의 조직학적 변화는 경미하다. 광학현미경상 사구체에는 약간의 단핵세포의 증식과 함께 메산지움의 증식이 있고 면역 현미경적으로 약간의 면역글로불린과 보체의 침착이 있을 수 있다. 푸우말라바이러스 감염과 연관된 메산지움모세혈관사구체신염(mesangiocapillary glomerulonephritis)이 보고되기도 하였다.

임상양상

전형적인 신증후출혈열은 발열, 출혈, 저혈압, 그리고 신 손상으로 나타난다. 그러나 임상양상은 감염된 한타바이러스의 종류에 따라 다양하게 나타날 수 있다. 일반적으로 잠복기는 4~24일(평균 2~3주)이며 특징적으로 5가지 병기를 보이는데 한탄바이러스 감염환자의 25~35%, 서울바이러스 감염자의 15~20%에서 이러한 전형적인 5병기를 보인다.

1. 발열기

신증후출혈열 환자의 거의 모든 예에서 나타난다. 고열, 오한, 몸살 등 감기증상과 비슷하다. 고열은 3~7일간 지속되고 심한 전두통, 후두통, 안구통, 시력장애, 광선공 포증 등을 호소하기도 한다. 위장관 증상으로는 심한 오심, 구토 및 복통을 호소한다. 심한 복통은 급성복증으로 오인될 수도 있다. 심한 고열이 약 일주일정도 지속되기도 한다. 초기 소견으로 결막과 인후에 충혈이 심하고 안면, 목, 혹은 상부 흉부에 홍조, 안와주위에 부종이 나타난다. 제3 병일부터 연구개, 결막 혹은 액와에 점상출혈이 나타나고 림프절이 목과 액와부위에서 촉진된다.

2. 저혈압기

입원환자의 20~40%에서 발생하며 수시간~3일 정도 지속된다. 기간이 짧아서 감지하지 못하고 지나칠 수도 있다. 저혈압은 해열과 동시에 또는 발열기말 1~2일 사이에 일어난다. 단백뇨 출현시기와 혈소판감소 1~2일 후에 나타난다. 이 시기에 위장관 증상이 더 심해지고 출혈증상이 심해진다. 경련, 혼수 등 신경계 증상이 나타날 수 있다. 전 환자의 10~25%에서 임상적 쇼크를 보인다.

3. 핍뇨기

환자들의 24~40%에서 나타난다. 발병 후 4~9일에 시작되어 3~5일간 계속된다. 전형적인 요독 증상과 함께 무뇨증이 나타날 수도 있으며 오심, 구토 등 일반적인 신부전증 증상이 동반된다. 측복통, 위장관 출혈 증상이 나타날 수 있으며 고혈압도 25~60%에서 동반된다.

4. 이뇨기

환자들의 거의 전 예에서 나타나며 고질소혈증이 없는 환자들의 일부에서도 나타난다. 이뇨기는 보통 10 병일경에 시작되어 2~3주간 지속된다. 급성콩팥손상의 이뇨기와 비슷하다. 심한 이뇨로 체액 및 전해질 불균형이 나타날 수도 있다.

5. 회복기

발병 후 3주~3개월이며 서서히 신장의 농축기능 등 전반적 기능이 회복된다. 때로는 다뇨증이 지속될 수 있다.

한탄바이러스와 서울바이러스 감염에 의한 신증후출혈열의 비율은 7:2 정도이며, 서울바이러스에 의한 경우가 임상적 쇼크, 출혈, 신장기능장애 정도가 경하다. 그러나 질환경과 중 나타나는 간기능장애 정도는 상대적으로 서울바이러스에 의한 경우에 더 심하게 나타난다.

진단

본 질환의 증상이 경미한 경우에는 특징적인 임상상이나 검사소견이 없어 혈청학적인 진단으로 확진할 수 있으나 전형적인 경우에는 특징적인 질병병기 및 임상상이 질환의 진단에 도움이 된다. 환자가 직업이나 여행력(군인, 야영, 외부 취침)에 따라서 설치류에 노출될 위험성이 있는지에 대한 병력 청취가 중요하다.

일반혈액검사에서 백혈구증가증, 혈소판감소, CRP증가, AST, ALT, LDH, BUN, 크레아티닌 치가 상승한다. 소변검사상 단백뇨, 혈뇨가 관찰되고 요침사 검사에서 거대 다핵세포가 관찰되기도 한다. 병원에 입원할 정도의 심한 환자들은 임상소견만으로도 90~95%에서 임상진단이 가능하다. 대부분의 임상증상이 있는 환자의 경우 한탄바이러스 IgM 항체가의 증가로 확진할 수 있다. 대부분 IgG 항체도 양성으로 나온다.

감별진단

렙토스피라증(leptospirosis) 및 리케차(rickettsia) 감염질환과 임상상이 유사한 경우가 많아 혈청학적인 검사로 감별한다. 일반적인 혈소판감소증이나 발열증상 및 신기능장애를 초래하는 많은 질환들과 감별을 요한다.

합병증

주요 합병증은 심한 내출혈, 뇌출혈, 이차감염증이다.

치료

설치류가 숙주이므로 설치류가 서식하는 곳을 피하는 것이 감염을 최소한으로 예방하는 방법이다. 국내에서 개발된 백신이 예방목적으로 접종되었으나 이에 의한 예방효과는 확실하지 않다. 접종 즉시 IgG titer는 거의 100%에서 상승하지만 짧은 시간 내에 다시 떨어진다고 알려져 있다. 특수한 치료제 및 특이 항바이러스제제는 없고 각 질환병기에 적절한 보존요법을 시행하고 콩팥손상이 심한 경우에는 일반적인 투석치료의 적응증에 따라 투석치료를 한다. 이차 감염이나 출혈 등의 합병증 예방이 매우 중요하다.

예후

보통은 기존의 신기능으로 완전히 회복되나 일부의 경우는 이전 신기능으로 완전히 회복되지 않고 신기능이 감소되는 경우도 있고 고혈압이 지속되는 경우도 있다. 일부에서 뇌출혈 등에 의한 후유증이 있을 수 있고 뇌하수체기능저 하증도 발생할 수 있다. 사망률은 한타바이러스 감염의 경우 약 5%이며 주 사인은 일차성 쇼크, 폐부전, 패혈증, 뇌 병증(뇌출혈)이다.

▶ 참고 문헌

• Bagshaw SM, et al: Septic acute kidney injury in critically ill patients: clinical characteristics and outcomes. Clin J Am Soc Nephrol 2:431–439, 2007.
• Chua HR, et al: Extended mortality and chronic kidney disease after septic acute kidney injury. J Inten sive Care Med 10.1177/0885066618764617. Accessed July 5, 2019.
• Dellepiane S, et al: Detrimental cross–talk between sepsis and acute kidney injury: new pathogenic mechanisms, early biomarkers and targeted therapies. Crit Care 2016:20:61, 2016.
• Gaudry S, et al: Initiation strategies for renal–replacement therapy in the intensive care unit. N Engl J Med 375:122–133, 2016.
• Kellum JA, et al: Recovery after acute kidney injury. Am J Respir Crit Care Med 195:784–791, 2017.
• Lee HW, et al: Isolation of the etiologic agent of Korean Hemor–rhagic fever. J Infect Dis 137:298–308, 1978.
• Maiden MJ, et al. Structure and function of the kidney in septic shock. A prospective controlled experimental study. Am J Resp Crit Care Med 194:692–700, 2016.

• Muranyi W, et al: Hantavirus infection. J Am Soc Nephrol 12:3669–3679, 2005.
• Mustonen J, Helin H, et al: Renal biopsy findings and clinicopatho–logic correlations in nephropathia epidemica. Clin Nephrol 41:121–126, 1994.
• Noh JY, et al: Clinical and molecular epidemiological features of hemorrhagic fever with renal syndrome in Korea over a 10–year period. J Clin Virol 58:11–17, 2013.
• Post EH, et al. Renal perfusion in sepsis: from macro– to microcir–culation. Kidney Int 91:45–60, 2017.
• Sadudee Peerapornratana, et al. Acute kidney injury from sepsis: current concepts, epidemiology, pathophysiology, prevention and treatment. Kidney Int 96:1083–1099, 2019.
• Self WH, et al. Balanced crystalloids versus saline in noncritically ill adults. N Engl J Med. 378:819–828, 2018.
• Semler MW, et al. Balanced crystalloids versus saline in critically ill adults. N Engl J Med. 378:829–839, 2018.
• Uchino S, et al. Acute renal failure in critically ill patients: a multina–tional, multicenter study. JAMA 294:813–818, 2005.

CHAPTER

06 조영제와 급성콩팥손상

임춘수 (서울의대)

KEY POINTS

- 조영제 연관 급성콩팥손상은 요오드화 조영제에 의해 발생하는 의인성 급성콩팥손상으로, 당뇨병이나 만성콩팥병 등의 위험 인자가 동반된 환자에서 발생 빈도가 높으며, 심혈관계 합병증 등의 발생 위험 및 사망률을 높인다.

- 위험 요소가 있는 환자에서는 가급적 조영제 사용 검사를 피하는 것이 좋으나 꼭 필요한 경우에는 수액 공급 등의 예방적 처치를 시행하며, 검사 후에 신기능을 추적 관찰한다.

- Nephrogenic systemic fibrosis는 MRI 촬영 시 사용하는 gadolinium에 의해 유발되며, 그 발생 빈도는 매우 낮지만 비가역적인 섬유화를 유발할 수 있으므로 만성콩팥병 제4~5기 환자에서는 가급적 gadolinium 사용을 피한다.

조영제에 의한 콩팥손상(조영제 신장병, contrast-induced nephropathy) 또는 조영제 연관 급성콩팥손상(contrast-associated acute kidney injury, CA-AKI)은 진단 및 치료 목적으로 요오드화 조영제(iodinated contrast media)를 사용하는 경우에 흔하게 발생하며 병원 내 획득 급성콩팥손상의 주요 원인 중 하나이다. 그 외에 비요오드화 조영제인 Gadolinium (Gd)에 의한 콩팥손상도 임상적으로 매우 중요하다.

요오드화 조영제에 의한 콩팥손상

1. 진단 기준 및 발생률

전통적으로 사용하는 진단 기준은 조영제 투여 후 2일에서 5일 사이에 혈청 크레아티닌이 0.5 mg/dL, 혹은 기저치의 25% 이상 상승하는 경우로 하고 있으나, KDIGO 진료지침에서는 급성콩팥손상을 정의하는 RIFLE/AKIN criteria(조영제 투여 7일 이내에 혈청 크레아티닌이 1.5배 이상 상승하거나 48시간 이내에 0.3 mg/dL 이상 상승)를 이용하여 분류하도록 권장한다. 조영제 투여 후 24시간에 10% 이상의 cystatin C가 상승할 경우에도 조기 진단에 도움이 된다고 보고되기도 하였다.

발생률은 환자군의 임상적 특성, 위험인자, 진단 기준에 따라 다양하게 보고된다. 정상 신기능을 가진 환자에서는 당뇨병이 있다 하더라도 약 1~2%에서 발생하지만, 이미 신기능이 저하되어 있거나 만성콩팥병, 당뇨병, 심부전, 고령, 신독성 약제의 병용 등 위험인자를 동반한 환자에서는 25%까지도 보고된다.

2. 기전

인체에서의 명확한 발병기전은 규명되어 있지 않으나 세관에 대한 직접적인 신독성과 허혈성 콩팥손상이 복합적으로 관여하며 활성 산소족이 매개 역할을 하는 것으로 제시되었다. 조영제의 투여에 의한 혈액의 점도 증가, 엔도텔린(endothelin), 산화질소(nitric oxide), 프로스타글란딘(prostaglandins) 등 혈관작용성 물질(vasoactive substances)의 변화 등은 신 허혈에 기여하며 비스테로이드소염제와 같은 약제를 병용 투여할 경우 신수질의 허혈을 더욱 조장하여 콩팥손상을 악화시킨다.

3. 임상양상

대개 가역적인 변화로 조영제 투여 후 3일 째에 혈청 크레아티닌의 상승이 최고치에 달한 후 10일 이내에 기저치로 회복된다. 그러나 24시간 이내에 0.5 mg/dL를 초과하는 혈청 크레아티닌의 상승이 있을 경우에는 의미 있는 콩팥손상이 우려된다. CA-AKI가 발생할 경우 그렇지 않은 경우에 비하여 환자의 사망률과 입원 기간, 심혈관 합병증이 증가하는 등 단기 및 장기 예후가 불량한 것으로 알려져 있다. 특히, 투석을 요하는 콩팥손상을 경험한 환자의 경우에는 사망률이 더욱 증가된다. 또한, 기저 만성콩팥병을 더욱 악화시키는 것으로 알려져 있는데, 특히 콩팥손상의 정도가 심할 경우에 위험도가 높다. 그러나 콩팥손상을 경험한 환자들 대부분이 심각한 기저질환을 가지고 있었으므로 콩팥손상이 환자의 불량한 예후를 유발한 직접적 원인인지는 불명확하다.

최근에는 CA-AKI의 빈도가 이전에 우려하였던 만큼 높지 않다는 연구 결과도 다수 발표되고 있다. 만성콩팥병 환자에서 이의 발생 위험성 때문에 꼭 필요한 검사나 시술을 시행하지 않는 위험이 더 크기 때문에 실제 발생 빈도에 대한 대규모 임상 연구가 필요하며, 조영제를 사용하는 검사나 시술이 필요한 고위험 환자에서는 충분한 예방적 처치를 하면서 시행을 하는 것이 옳은 방향으로 보인다.

4. 위험인자의 평가

CA-AKI의 가장 중요한 위험인자는 기저 신기능 저하이므로 사구체여과율이 60 mL/min/1.73 m² 이하로 저하되어 있는 환자, 특히 45 mL/min/1.73 m² 미만인 경우에는 조영제 사용에 매우 주의하여야 한다. 가능한 조영제 사용을 제한하되 부득이하게 사용한 경우 24~48시간 후 신기능을 재평가하도록 한다. 동맥 내로 조영제를 투여하는 경우, 신장 질환의 병력이 있는 경우, 단백뇨, 신장 수술력, 당뇨병, 고혈압, 통풍 등을 동반한 환자에서는 반드

표 11-6-1. 조영제에 의한 콩팥손상의 위험 인자들

환자와 관련된 위험 인자
기존의 신기능 저하; 혈청 크레아티닌 >1.5 mg/dL 또는 사구체여과율 <60 mL/min/1.73 m²
당뇨병콩팥병
나이 >75세
검사 전후의 저혈량증(탈수, 저혈압, 출혈, 등)
빈혈
울혈성 심부전증
대사 증후군
고혈압
고요산혈증
신독성 약물(NSAIDs, antiviral drugs, aminoglycosides, amphotericin B, furosemide, 등)
검사와 관련된 위험 인자
과량의 iodine agent 사용
높은 삼투압 혹은 고점성의 iodine agent 사용
72시간 이내 반복적인 조영제 사용
Imaging techniques(혈관조영술이 CT에 비해 위험성이 높음)
Embolization during femoral catheterization

NSAIDs, non-steroidal anti-inflammatory drugs; CT, computed tomography

시 투여 전 신기능을 확인하고, 조영제를 반복 투여해야 하는 경우 위험인자가 없는 환자에서는 적어도 48시간이 경과한 후에, 위험인자가 있는 환자에서는 72시간이 경과한 후에 투여하도록 한다(표 11-6-1).

Metformin을 투여하는 당뇨병 환자에서는 조영제 투여 후 젖산 혈증의 발생 위험이 있으므로 조영제 투여 48시간 전에 중단하고 사구체여과율이 $40 \text{ mL/min/1.73 m}^2$을 넘을 때까지는 투여하지 않도록 권장된다. 비스테로이드 소염제, 아미노글리코시드, 암포테리신 B, 고용량의 고리이

뇨제, acyclovir, foscarnet과 같은 항바이러스제는 중단하도록 권장된다.

5. 예방

신기능이 정상이고 위험인자를 갖고 있지 않은 환자에서는 다음과 같은 예방적 접근법이 필요하지 않으나 신기능이 저하되고 위험인자를 동반한 환자에서는 다음의 조치를 취한다(표 11-6-2).

표 11-6-2. 조영제에 의한 콩팥손상 예방법

1. 조영제에 의한 직접 손상을 줄이기 위한 전략
1) 적절한 조영제의 사용
① 환자 상황에 적합한 조영제의 선택(가능하면 저삼투질 혹은 등삼투질농도 조영제를 사용)
② 가능한 적은 용량의 조영제 사용(기저 사구체여과율의 2배 미만으로 제한)
③ 신독성이 없는 다른 영상법을 선택(예, CO2 angiography, dextran-based optical coherence tomography)
④ 조영제 용량 저감법(coronary sinus aspiration and the AVERT® system)
⑤ 가능하면 혈관조영술은 피함(IVUS나 MRA 등 사용)
2) 개별화된 수액 치료
① CVP-guide hydration
② LVEDP-guide hydration
③ BIVA-guide hydration
④ RenalGuard system
2. 조영제에 의한 신장 허혈을 줄이기 위한 방법
1) Adenosine receptor antagonist (theophylline); 일부 효과
2) NO promoter (sildenafil, tadalafil); 일부 효과
3) Calcium channel blocker (amlodipine); 일부 효과
4) Prostacyclin (iloprost); 일부 효과
5) Other vasodilators; no definite benefit
3. Antioxidants
1) NAC or sodium bicarbonate; 일상적인 사용은 권장되지 않음.
2) Other novel antioxidants; 추가 연구가 필요함.
4. 다른 방법들
1) 고용량의 statin; 효과가 있어 보임.
2) RIPC (remote ischemic preconditioning); 논란이 있음.

IVUS, intravascular ultrasonography; MRA, magnetic resonance angiography; CVP, central venous pressure; LVEDP, left ventricular end-diastolic pressure; BIVA, Bioelectrical impedance vector analysis; NO, nitric oxide; NAC, N-acetylcysteine

1) 비약물적 접근

고위험 환자에서는 가능한 최소량의 조영제를 사용하는 것이 필요한데, 특정한 역치는 정해져 있지 않지만 기저 사구체여과율의 2배 미만으로 용량을 제한하는 것이 한 방법이다. 투여 경로로 동맥보다는 정맥으로 투여하는 것이 위험을 낮출 수 있으며, 고삼투질농도 조영제는 피하고 저삼투질 혹은 등삼투질농도 조영제를 사용한다. 기존에 사용하고 있는 이뇨제나 안지오텐신 전환효소 억제제, 혹은 안지오텐신수용체 차단제를 중단하는 것의 잇점에 대해서는 아직 증거가 충분하지 않다. NSAIDs와 같이 신독성이 알려져 있는 약물은 중단하는 것이 필요하며, 당뇨병 환자에서 흔히 사용되는 metformin은 CA-AKI의 위험을 높이기 때문이 아니라 심한 급성콩팥손상이 발생하였을 경우에 젖산산증(lactic acidosis)을 유발할 가능성이 있으므로 중단하는 것이 좋다.

2) 약물적 접근

(1) 수액 공급

고위험 환자에서는 생리식염수나 탄산수소소듐 용액을 이용하여 수액을 공급한다. 탄산수소소듐용액은 생리식염수와 같이 체액을 확장하는 기전 외에도 세관의 pH를 증가시켜 활성산소족의 생성을 감소시키고 생성된 활성산소족 peroxynitrate를 제거하는 효과가 있어 콩팥손상 예방에 보다 우월할 것으로 기대하였으나 현재까지의 임상연구 결과로는 이러한 우월성을 뒷받침하지 못하였다. 두 가지 수액의 효과를 비교하는 대규모 무작위 대조군 연구인 PRESERVE 연구에서도 탄산수소소듐 용액의 우월성을 입증하지 못하였다. 수액의 투여 속도나 기간에 대한 명확한 근거 자료는 부족하나 대부분의 연구에서 적어도 조영제 투여 1~3시간 전에는 정맥을 통한 수액 공급을 시작하여 투여 후 3~6시간까지 지속할 것을 권장한다. 시간당 150 mL이상의 소변량을 유지하기 위하여 시간당 1.0~1.5 mL/kg의 수액을 조영제 투여 전 3~12시간부터 투여 후 6~12시간까지 공급하도록 권장하기도 하지만 외래 환자에 적용하기에는 어려움이 있다. 고위험 환자에서 경구 수액보충만으로는 정맥을 통한 수액 공급과 동등한 효과를

기대하기 어려워 현재로서는 권장되지 않는다. 중심정맥압 측정 등을 통한 개별화된 수액치료는 일부 연구에서 우월한 효과를 보였지만 대규모 연구가 필요하다.

(2) NAC (N-acetylcysteine)

NAC는 항산화효과와 혈관확장효과를 통하여 조영제에 의한 콩팥손상 예방에 유용할 것으로 기대되고 있으나 현재까지의 임상연구 결과는 이를 뒷받침하기에 부족하다. 대규모 PRESERVE 연구에서도 경구 NAC의 예방 효과를 입증하지 못하였다. KDIGO 진료지침에서는 NAC의 가격이 저렴하고 투여에 따른 위험이 적다는 점에 근거하여 경구투여를 제안하였지만, 현 시점에서 일상적인 투여는 권고되지 않는다. 투여 용량이나 시점은 연구마다 차이가 있으나 한 연구에서는 하루 2회 1,200 mg씩 48시간 동안 투여하였다.

(3) 기타

그 외에 아데노신 길항제인 테오필린(theophylline), 도파민 A1 수용체 항진제인 페놀도팜(fenoldopam) 등을 포함한 다양한 혈관확장제나 만니톨, 고리이뇨제를 이용한 강제적 이뇨, 예방적 목적의 혈액투석이나 혈액여과 등은 효과가 입증되지 않아 권장되지 않는다. 특히, 체액의 결핍이 일어나지 않도록 수액을 보충하면서 소변량을 유지하기 위하여 이뇨제를 사용하는 강제적 이뇨는 보고에 따라 오히려 콩팥손상을 증가시키기도 하므로 사용하지 않도록 한다. Rosuvastatin 40 mg이나 atorvastatin 80 mg과 같은 고용량의 statin을 단기간 사용하는 것이 항염증작용 등의 기전으로 예방 효과가 있다는 보고가 있으나 충분한 근거는 없다.

Gadolinium (Gd)에 의한 콩팥손상 및 nephrogenic systemic fibrosis

자기공명영상(magnetic resonance imaging, MRI) 촬영에 사용하는 조영제인 Gd은 급성콩팥손상을 유발할 뿐

만 아니라 진행된 신부전 환자에서 nephrogenic systemic fibrosis (NSF)라는 전신질환을 유발할 위험이 있어 주의를 요한다.

1. Gd 조영제의 신독성

Gd 조영제는 고삼투성이고 대부분이 사구체여과를 통하여 제거되므로 콩팥손상을 유발할 가능성이 있으나 요오드화 조영제에 비하여 점도가 낮고 사용량이 적어 상대적으로 안전한 것으로 평가되어 왔다. 하지만 4~5기의 진행된 만성콩팥병 환자에서는 신독성이 발생할 가능성에 주의를 기울여야 하고, 위험인자를 가진 환자에서 Gd 조영제를 고용량으로 사용하거나 동맥 내 주사하는 것은 신독성의 위험을 증가시킬 수 있다는 점에 유의하여야 한다.

2. NSF

NSF는 진행된 신부전 환자에서만 특이적으로 보고된 질환으로 Gd에 의하여 전신적 섬유화가 유발되는 질병이다. 대개 Gd에 노출된 후 2~4주 후에 발병하지만 짧게는 2일 후, 길게는 18개월 후에도 발생하였다고 보고된 바 있다. 이 질병은 2000년도에 처음 보고되었지만 당시에는 Gd과의 연관성을 알지 못하였고, 2006년에 Gd와의 연관성을 밝힌 여러 논문들이 발표되었다. 이후 European Medicines Agency에서는 사구체여과율 30 mL/min/1.73 m² 미만인 환자에서 gadodiamide의 사용을 금지하였고 30~60 mL/min/1.73 m²인 환자에서는 주의하도록 경고하였다. 미국 FDA는 사구체여과율이 30 mL/min/1.73 m²

그림 11-6-1. NSF 환자의 하지 사진

미만이거나 간신장증후군에 의한 모든 단계의 급성콩팥손상, 간이식 전후의 환자에서 모든 종류의 Gd 조영제 사용에 의한 NSF의 위험을 경고하였다. NSF를 주로 유발하였던 1군에 속하는 Gd 조영제 사용을 피하고, 또한 제4~5기 만성콩팥병 환자에서는 Gd 조영제 사용을 제한하면서 2015년부터는 NSF 발생이 급격하게 감소하였다.

1) 임상양상

임상 양상은 매우 다양하게 발현하는데, 일부 환자는 단지 약한 피부의 이상 소견을 보이기도 하지만 드물게는 사망에 이르기도 한다. 모든 환자에서 피부의 섬유화가 발생하고 일부 환자에서는 전신적 침범이 관찰된다. 피부의 섬유화는 주로 발목, 종아리, 발, 손에서 대칭적으로 시작하여 허벅지, 전완부 등 근위부로 진행하고 드물게 몸통이나 엉덩이를 침범한다. 피부의 섬유화 이전에 부종을 동반하여 종종 봉와직염으로 오인되기도 하나 부종이 가라앉은 후에도 피부가 두껍게 경화된 양상이 지속되고 병변부위의 화끈거리는 소양감이나 착색을 호소하기도 한다(그림 11-6-1). 관절 주위 피부의 섬유화로 인하여 관절의 움직임에 제한을 받아 운동 장애와 경축이 발생한다. 공막에 황색 반점이 비대칭적으로 관찰되는 경우가 흔하고 전신적으로는 간, 심장, 폐, 횡격막과 횡문근 등을 침범하여 환자를 사망에 이르게 하는 경우도 보고되었다. 이후에 Gd이 뇌에도 침착됨이 보고되었으며, 이렇게 다양한 장기에 침착되어 발생하는 여러 증상과 징후들을 총칭하는 "gadolinium deposition disease"라는 용어도 제시되었다.

2) 진단

NSF를 정확하게 진단하는 특이적인 방법은 없다. 하지만, Gd을 2~10주 이내에 사용한 병력이 있는 환자에서 화끈거리는 통증, 가려움증, 위약감, 그리고 피부의 부종을 동반한 구진(papule)이나 반(plaque)를 보이면 의심을 하여야 한다. 침범부위를 조직 검사하여 도움을 받을 수 있는데, 대개 염증이 없는 진피의 섬유화가 관찰된다. 여러 종류의 섬유아세포가 증식되는 것이 관찰되는데, 이런 세포들은 대개 제1형 procollagen과 CD34를 발현한다. 조직

검사를 시행할 때에는 피부 뿐 아니라 피하지방, 근막, 근육 등을 관찰할 수 있도록 깊게 시행한다.

3) 위험도 평가

(1) 신기능

정상 신기능을 가진 환자는 위험이 없으며 1~3기의 만성콩팥병 환자는 거의 위험이 없거나 저위험군이다. 말기 신부전 환자와 만성콩팥병 5기, 그리고 급성콩팥손상 환자는 고위험 군이며, 4기 만성콩팥병 환자는 그 중간 정도의 위험군이다.

(2) 조영제의 종류

현재까지 보고된 NSF는 대부분 ACR (American College of Radiology) 1군 조영제인 gadopentetate dimeglumine, gadodiamide와 gadoversetamide에 의해 유발되었고, 2군에 속하는 gadobutrol, gadoteridol, gadoterate meglumine, gadobenate dimeglumine, 그리고 3군인 gadoxetic acid (gadoxetate disodium)에 의한 발생률은 매우 낮은 것으로 보고되었다. 이는 조영제의 생화학적 구조에 따른 차이에 의한 것으로 보이는데, macrocyclic chelator가 Gd3+에 대한 결합력이 높고 안정적이어서 유리체(free form)로 분리가 잘 되지 않기 때문에 빈도가 낮은 것으로 보인다.

4) 치료

아직까지 증명된 치료 방법은 없다. 가능하다면 신기능을 정상화시키는 것이 필수적인데, 이를 통해 더 이상의 진행을 막을 수 있어 보인다. 일부 연구에서는 경정맥 면역 글로불린이나 광영동(photophoresis), 그리고 interferon의 국소적 투여가 피부 병변의 호전을 유도할 수 있다 하였다. 최근에는 자외선(ultraviolet) A 광선치료를 스테로이드, 그리고 methotrexate와 병합 사용하면 피부 증상의 호전을 기대할 수 있다는 보고가 있다. 경축에 의해 통증이 발생하면 마약성 진통제가 필요할 수 있으며, 관절의 운동성을 유지하고 경축을 막기 위한 물리치료가 매우 중요하다. 말기 신부전 환자에서는 신장이식이 증상 경감에 도움이 될

수 있다.

5) 예방

(1) 일반 사항

잔여 신기능이 없고 무뇨인 말기 신부전 환자에서는 진단적 효용성이 비슷하다면 조영제 증강 CT로 대체하도록 한다. 하지만, 다른 대체 조영법이 없으며 임상적으로 도움이 된다면 Gd 조영제 증강 MRI를 주의 깊게 관찰하면서 시행하도록 한다. Linear chelate보다는 macrocyclic chelate 조영제를 사용하고 가능한 최소량으로 사용하며 반복 투여는 피한다. 1군에 속하는 Gd의 사용은 피하고 2군 혹은 3군에 속하는 Gd을 사용한다(ACR에서는 3군인 gadoxetate도 사용하지 않도록 권고). 만성콩팥병 1~3단계 환자에서는 Gd 조영제 선택 시 특별한 주의를 요하지 않는다.

(2) 투석

Gd은 사구체여과를 통하여 제거되는 물질로 약 1.3~1.6시간의 반감기를 가진다. 주입된 양의 95% 이상이 24시간 이내에 소변으로 제거되고 3% 정도가 대변으로 제거된다. 말기 신부전 환자에서는 반감기가 30시간까지 연장되나 분자량이 작고 분포용적이 작으며 단백결합도가 낮아 혈액투석으로 제거되는 비율이 높다. 따라서 혈액투석 중인 환자에서는 조영제를 투여한 직후에 바로 투석을 시행하고, 입원중인 환자에서와 같이 가능한 경우에는 다음 날에도 연속으로 혈액투석을 시행한다. 그러나 이러한 투석 치료가 NSF의 발생을 예방한다는 근거는 없다. 복막 투석은 Gd의 제거에 혈액투석만큼 효과적이지 않으며 이들 환자에서의 Gd 사용에 관한 확립된 진료 지침은 현재로서는 없다. 투석 전단계의 만성콩팥병 환자에서 Gd 조영제를 제거하기 위해 혈액투석을 시행하는 것은 권장되지 않는다.

▶ 참고문헌

- Azzalini L, et al: Contrast-induced acute kidney injury—definitions, epidemiology, and implications. Interv Cardiol Clin 9:299–309, 2020.
- Kalantari K, et al: Use of gadolinium in individuals with reduced kidney function. Clin J Am Soc Nephrol 16:304–306, 2021.
- Kidney Disease Improving Global Outcomes (KDIGO) Acute Kidney Injury Work Group: KDIGO clinical practice guideline for acute kidney injury. Kidney Int Suppl 2:69–88, 2012.
- Lunyera J, et al: Risk for nephrogenic systemic fibrosis after exposure to newer gadolinium agents: a systematic review. Ann Intern Med 173:110–119, 2020.
- Mehran R, et al: Contrast-associated acute kidney injury. N Engl J Med 380:2146–2155, 2019.
- Rudnick MR, et al: Risks and options with gadolinium-based contrast agents in patients with CKD: a review. Am J Kidney Dis 77:517–528, 2021.
- Weisbord SD, et al; PRESERVE Trial Group: Outcomes after angiography with sodium bicarbonate and acetylcysteine. N Engl J Med 378:603–614, 2018.
- Zhang F, et al: Advances in the pathogenesis and prevention of contrast-induced nephropathy. Life Sci 259:118379, 2020.

제 11 부 급성콩팥손상

CHAPTER 07

항생제와 급성콩팥손상

박인휘 (아주의대)

KEY POINTS

- 항생제로 인한 급성-신손상은 급성 사이질신염과 급성 세관괴사가 흔한 임상 양상이며, 세관내 결정 침착, 면역학적 이상과 사구체 손상 등 다양한 양상으로 나타날 수 있다.

- Tenofovir disorproxil fumarate 투여 후 신세관 기능과 급성콩팥손상의 위험성이 있으며, tenofovir alafenamide는 낮은 용량에서 약효를 발휘하기 때문에 신손상 발생 위험이 낮은 것으로 알려져 있다

- 인디나비어와 아시클로버는 결정뇨(crystalluria)가 발생할 수 있다.

- 콜리스틴과 폴리믹신 B는 신독성이 흔하게 발생할 수 있다.

- 아즈트레오남은 페니실린에 과민반응이 있는 환자에서 사용되는데, 세팔로스포린과 페니실린보다 신독성이 낮다.

- 감염증 치료의 원칙에 따라 항생제를 사용할 때, 항생제로 인한 신손상의 위험성도 함께 고려된다면, 급성콩팥손상의 발생 빈도나 만성 신장질환으로의 이행률을 감소시킬 수 있다.

개요

신장은 약물과 그 대사산물의 주 배출 경로로 농축과정과 약물 간 상호작용 때문에 급성콩팥손상이 발생할 수 있다. 급성콩팥손상의 20~40%는 약과 관련되어 있고 이 중 상당수는 항생제와 관련이 있다. 항생제는 약제의 특성에 따라 다양한 기전에 의해 신독성을 유발할 수 있으므로 약제와 신장의 상호 관계를 이해하고 적절한 평가와 중재를 한다면 급성콩팥손상의 발생 빈도나 만성콩팥병으로의 이행률을 감소시킬 수 있다. 항생제로 인한 콩팥손상 관련 인자로 환자, 약제 그리고 신장으로 나누어 볼 수 있

다. 환자 관련 인자로는 나이, 성별, 동반질환(간, 기저 신장질환 등), 수분 상태, 대사 장애(혈액과 요의 산 염기, 전해질 변화), 알레르기, 약물 유전학적 이상이다. 약제 관련 인자로는 직접 신세포 손상 약물, 사용 용량과 사용 기간, 신독성 약물간의 조합, 세포내 축적 및 결정 생성 성향이다. 신장 관련 인자로는 신장 혈류 적절성, 신장 내 약물 농도, 활성 산소 발생 정도, 세관 세포의 약물 대사와 재흡수 및 재분비 능력 등이다.

발생 기전

콩팥손상 발생 유형은 판코니 유사 증후군, 원위세관 산증이나 신장기원요붕증과 같은 경미한 양상부터 신세관 괴사나 신세포 사멸과 같은 심각한 경우까지 다양하다. 세관 내 결정 형성으로 세관이 막히거나 사구체 기저막 침윤과 족세포 손상이 발생하기도 하며, 혈관 수축이나 혈전성 미세혈관병과 알레르기와 같은 과민 반응도 콩팥손상 발생의 기전이 될 수 있다. 신세관 독성은 세관 세포 내 항생제 농도 증가가 원인인 경우가 많다. 이는 근위세관에서 유기 음이온 수송체군(family of transporters)에 의한 세포 내로의 약물 유입 증가나 세포 외로의 유출 저하에 의한 것으로, 항생제에 노출된 수송체의 유전적 변이성에 영향을 받는다. 이로 인해, 세포분열에 관련된 단백질 대사 이상에 따른 세포 사멸을 통해 신세관 괴사가 일어나는 것으로 보고되고 있다. 더욱이, 일부 항생제들은 산화 스트레스, 혐기성 대사, 젖산 축적과 중성지방의 축적을 통해 미토콘드리아 DNA 손상이나 기능 이상을 일으킨다. 결정 침착은 항바이러스제에 의해 발생하는 경우가 많은데, 기저 신장질환, 요 pH 변화 그리고 수분 결핍 상황에서 더 자주 발생한다. 사구체 손상과 단백뇨 발생은 미세변화신증후군이나 국소분절사구체경화증 등 다양하게 나타난다. 하지만, 악성 종양, HIV 또는 각종 감염이 함께 동반되므로 항생제가 단독적인 원인이라고 단언하기 어려운 경우가 많다. 항바이러스제에 의한 결정 침착이나 항진균제에 의한 세입 동맥의 수축도 보고되고 있다. 혈전성 미세혈관병은 인터페론 알파나 일부 항균제 사용에 따른 항혈소판 항체 생성과 보체 활성화가 관련된다. 하지만, 항생제 사용 후 콩팥손상이 발생할 때 정확한 인과성 관계나 기전을 설명하기 어려운 경우가 많다. 왜냐하면, 신조직검사를 할 수 없는 상황이 많고, 손상을 나타낼 명확한 생체표지자가 부족하며, 환자의 위중한 감염 상태 자체가 콩팥손상의 원인이 될 수 있고, 여러 가지 약제가 흔히 병용되기 때문이다.

항바이러스제

1. 테노포비어(Tenofovir)

테노포비어는 유사 역전사 효소 억제제(nucleoside analog reverse transcriptase inhibitors, NRTI)로 HIV와 B형 간염에서 흔히 사용되고 있으며 염에 따라서 tenofovir disorproxil fumarate (TDF)와 tenofovir alafenamide (TAF)로 구분된다. TDF는 70~80%가 신장을 통해 배출되며, 일부 간에서 대사된다. 테노포비어로 인한 신세관 기능 이상은 17~22%, 급성콩팥손상의 위험성은 1% 정도로 알려져 있다. 주로 근위 신세관 기능 이상에 따른 일시적 신기능 저하로 나타나지만, 심한 경우 만성 신기능 손상으로 이어지는 예도 있다. 약물 중단 시 회복 여부는 명확하지 않다. TDF는 신기능 저하 외에 소화 장애, 골 손실과 젖산 산증의 부작용도 보고되고 있다. 이러한 약물 부작용은 높은 혈중 농도와 관련이 있는데, TAF는 TDF보다 91%나 낮은 용량에서 약효를 발휘하기 때문에 콩팥손상 발생 위험이 낮은 것으로 알려져 있다. TAF는 신기능감소시에 용량 조절이 필요하지 않은 것으로 알려져 있다.

2. 인디나비어(Indinavir)

인디나비어는 NRTI와 함께 HIV 치료에 사용되는 단백 합성 억제제이다. 인디나비어는 대부분 간에서 대사되고 20% 정도 요로 배출되는데, pH 3.5에서 용해되므로, 세관 내에서 쉽게 침착될 수 있다. 이로 인해 신 결석을 발생시킬 수 있는데, 사용량이나 사용 기간과 비례하지는 않는다. 요에서 직사각형의 결정이 편광현미경에서 관찰되는데, 인디나비어 사용 환자의 60%에 다다르는 환자가 무증상 결정뇨(crystalluria), 8%에서 심하지 않은 신기능저하증, 그리고 3% 정도에서 신 결석이 발생한다.

3. 아시클로버(Acyclovir)

아시클로버는 헤르페스 바이러스의 DNA 폴리머라제를 억제해 바이러스 복제를 억제하는 치료제이다. 아시클로버는 60-90%에서 간 대사 없이 소변으로 배출되는데, 인디나비어와 같이 소변에서 용해가 잘 안 되어 결정이 생성될수 있다. 결정은 아시클로버 복용 후 24~48시간 안에 발생하고, 12~48%에서 발생하는 것으로 알려져 있다. 바늘모양의 결정이 편광현미경에서 관찰되며 농뇨와 혈뇨가 동반되며, 결정 생성 없이 사이질신염으로도 신독성이 발생할 수 있다. 특별히 짧은 시간 내에 고용량(>1500 mg/m²)이 투여되는 경우 결정이 잘 생긴다.

4. 포스카르넷(Foscarnet)

포스카르넷은 파이로포스페이트 유사체(pyrophos-phage analog)로 거대세포바이러스(cytomegalovirus) 감염이나 아시클로버 저항성 헤르페스 바이러스 감염에서 사용한다. 신세관 괴사, 결정 생성과 수분통로인 aquaporin 2 발현 저하로 인한 신성 요붕증 발생이 복용 6-12일 후약 27% 정도에서 발생할 수 있으므로 콩팥손상 발생 시중단하거나 사용 용량을 줄여야 한다.

5. 인터페론(Interferon)

인터페론 알파는 근위세관에서 단백질 분해를 일으켜세관 괴사를 일으키거나, 국소분절사구체경화증 과 혈전성현미경적 혈관염을 일으키는 것으로 알려져 있다. 국소분절사구체경화증이 발생하면 말기신부전이 발생할 수 있을 정도로 예후가 좋지 않다.

항균제

1. 아미노글리코사이드(Aminoglycosides)

아미노글리코사이드는 99%가 신장으로 배설되며 10-20% 정도에서 콩팥손상을 가져올 정도로 잘 알려진 신독성 약물로 콩팥손상은 대부분 약물 사용 1주일 후부터 발생한다. 신독성은 주로 근위세관 S1과 S2 분절에서 재흡수 되고 미토콘드리아, 골지체와 핵에 축적되어 판코니 양 증후군이나 급성 신세관 괴사 형태로 나타난다. 젠타마이신(gentamicin)이 신독성을 가장 잘 일으키고, 다음으로 토브라마이신(tobramycin) 그리고 아미카신(ami-kacin) 순으로 알려져 있다. 네오마이신은 근위세관 세포에 친화도가 높은데 신독성, 신경독성, 이독성도 일으키기쉽다. 약제 중단 약 20일 후부터 신세관의 재생과 신기능회복이 일어나지만, 환자의 상태 즉, 패혈증, 수분 결핍이나 동반된 질병에 따라 회복이 늦어질 수 있다. 콩팥손상예방을 위해 신기능에 따라 투여 간격을 늘리고, 가능한 7일 이내에 사용을 중단하는 것이 좋으며, 혈중 농도를 측정하여 적절한 치료 농도를 초과하지 않도록 해야 한다.

2. 베타락탐(Beta-Lactams)

베타락탐은 박테리아를 보호하는 표면의 막 합성을 억제하여 살균 효과를 나타내는데, 그 종류로는 페니실린, 세팔로스포린, 카바페넴 그리고 모노박탐 등이다. 베타락탐은 세관 세포 내로 유입되어 표적 단백을 아실화(acyla-tion) 하고 지질에서 과산화(peroxidation)되는 과정을 일으켜 신세관 괴사를 일으킬 수 있다. 급성 사이질신염은 나프실린(nafcillin)과 메티실린(methicillin)에서 흔히 발생하는데, 농뇨, 혈뇨와 단백뇨가 발생하고, 호산구뇨증과 더불어 발열과 피부 발진이 발생할 수 있다. 환자의 기저상태나 동반된 질병 때문에 약제 단독으로 인한 급성콩팥손상 발생률은 잘 알려져 있지 않으나 페니실린과 세팔로스포린은 카바페넴(carbapenem)보다 신독성이 적다고 알려져 있다. 피페라실린-타조박탐(piperacillin-tazobactam)과 반코마이신(vancomycin)을 같이 사용하는 경우 반코마이신 단독 사용보다 2~3배 더 급성콩팥손상이 잘 생기므로 주의가 필요하다. 모노박탐(monobactam)계 아 즈트레오남(aztreonam)은 페니실린에 과민반응이 있는 환 자에서 사용되는데, 세팔로스포린과 페니실린보다 신독성 이 낮아, 아미노글리코사이드를 대신할 수 있는 약으로 알 려져 있다.

3. 트라이메토프림/설파메소사졸(Trimethoprim/Sulamethoxazole)

트라이메토프림은 세관을 통한 크레아티닌 배설을 억제 하므로, 신기능과 상관없이 혈중 크레아티닌 농도를 상승 시킬 수 있다. 또한, 집합관의 주세포 표면의 소듐 채널을 억제하여 소듐 재흡수와 포타슘 분비를 억제하므로 고칼 륨혈증 발생에 주의해야 한다.

4. 플루오로퀴놀론(Fluoroquinolones)

플루오로퀴놀론은 박테리아 DNA 합성을 억제하는 항 생제로 소화 장애, 신경 손상과 QT 연장화 등의 부작용과 관련 있으나 급성콩팥손상 발생은 드문 편이다. 하지만 시 프로플록사신(ciprofloxacin), 목시플록사신(moxifloxa-cin), 레보플록사신(levofloxacin) 순으로 급성콩팥손상을 일으키는 것으로 보고되고 있으며, 급성 사이질신염이 주 된 손상 기전이고, 일부 육아종 간질 신염이나 pH 6.5 이 상의 요에서 결정 침착에 대한 증례가 보고되었다. 요 알 칼리화를 억제하고 충분한 수분 공급을 통해 신독성 발생 빈도를 감소시킬 수 있다. 혈전성 현미경적 혈관염에 관한 증례도 있으나 정확한 원인은 아직 잘 모르는 상태이다. 다만, 약물에 의한 혈전성 현미경적 혈관염의 원인이 될 수 있는 퀴닌(quinine)과 구조가 비슷한 관련성이 있다고 추측된다.

5. 당펩타이드(Glycopeptide)

당펩타이드는 메티실린 내성 Staphylococcus aureus에 서 흔히 사용되는 항생제이지만 1958년에 승인된 이후로 신독성에 대한 우려 제기는 계속 되어왔다. 여러 연구에서 반코마이신에 의한 급성콩팥손상 빈도는 페니실린보다는 높고, 아미노글리코사이드나 암포테리신 B보다는 낮았으 며, 답토마이신(daptomycin)이나 리네졸리드(linezolid)보 다는 높았다. 급성콩팥손상은 사용 4~8일 후부터 발생하 고 사용 중단 후 호전되는 양상이다. 제기되는 손상기전은 전염증 산화(proimflammatory oxidation), 미토콘드리아 기능 저하와 근위세관 괴사 등이며, 급성 간질성신염이 피 부 병변과 함께 나타나기도 한다. 테이코플라닌(teico-planin)은 반코마이신보다 반감기가 길어 투여 횟수가 적 고, 더 지용성이며 신독성의 빈도가 낮다. 글라이코펩타이 드로 인한 콩팥손상의 위험 요인은 선행 신장 질환 유무, 기저 질환의 중증도, 아미노글리코사이드나 피페라실린 타조박탐 등의 병용 약제사용 등이다. 그러나 전체 사용량 이 중요한 위험인자이기 때문에 적절한 혈중 농도를 유지 하고, 사구체여과율과 체중 감소에 따른 사용량 및 투여 빈도를 조절하는 것이 급성콩팥손상 예방에 중요하다.

6. 폴리믹신(Colistin and Polymyxin B)

콜리스틴과 폴리믹신 B는 그람 음성 세포막을 투과하여 세포막의 인지질에 작용해 살균 효과를 나타낸다. 1980년 대까지 신독성으로 인해 사용되지 못하다가 다제내성 그 람음성균이 증가하여 최근 다시 사용되고 있는데, 신독성 발생률은 50%까지 보고되고 있으며, 근위세관에서 재흡 수되어 세포막의 수분 유입을 촉진하여 세포 팽창을 유도 하는 것이 세포 손상의 주된 기전으로 알려져 있고, 일부 급성 간질성 신염과도 관련이 있다.

7. 마크로라이드(Macrolides)

아지트로마이신(azithromycin), 클라리스로마이신

(clarithromycin), 에리트로마이신(erythromycin), 록시트로마이신(roxithromycin) 등의 마크로라이드에 의한 콩팥손상은 세포 매개 과민반응으로 약물을 중단해도 약물 사용 후 10일에서 6주 정도 후에도 신기능 저하가 나타나는 특징이 있다. 또한, 칼슘 길항제나 스타틴 계열의 약물들과 병용 시 급성콩팥손상이 더 자주 발생하는 것으로 알려져, 병용 사용되는 약제를 잘 살펴보아야 한다.

항결핵제

항결핵제 약제인 아이소나이아지드(isoniazid), 리팜피신(rifampicin), 에탐부톨(ethambutol), 피라진아마이드(pyrazinamide)와 스트렙토마이신(streptomyci)에 의한 급성콩팥손상은 7.1% 정도 보고되고 있다. 사이질 신염이 흔하고, 약제로서는 리팜피신 사용으로 인한 경우가 많다. 항결핵제는 신세관, 사구체, 사이질에 침윤되어 급성 신세관괴사와 사이질 신염을 일으키고, 혈중 면역 복합체 형성으로 다양한 장기를 침범하여 복통, 설사, 감기 양상의 증상과 빈혈, 백혈구 증가증과 혈소판 감소증을 동시에 일으키는 것으로 알려져 있다. 이러한 복합적인 증상 호전이 호전되면, 신기능도 함께 호전된다고 보고되기도 한다. 임상적으로 적절한 시기에 중단하면 스테로이드나 투석 없이 신장기능이 회복되는 경우가 많다. 사구체여과율 감소 시 아이소니아지드, 리팜피신은 투여 용량이나 투여 간격을 감량할 필요는 없으나, 혈액 투석 시에는 제거 될 수 있기 때문에 혈액 투석 후에 투여하고, 에탐부톨, 피라지나마이드와 스트렙토마이신은 사구체여과율 감소 정도에 따라 투여 간격을 1~3일로 두고 투여해야 한다.

항진균제

암포테리신 B (amphotericin B)는 진균의 엘고스테롤과 결합하여 진균 벽에 구멍을 만들어 효과를 나타내는데, 침습적인 아스퍼길로스증과 칸디다증에서 사용된다. 신독성은 신세관 막의 붕괴로 인한 세포 팽창을 통해 발생하는데, 원위세관 산증과 저칼륨혈증, 저마그네슘혈증을 일으키거나, 치밀반(macular densa)의 소듐 유입 증가로 세입 동맥을 수축시켜 사구체여과율을 감소시키는 양상으로 나타난다. 주로 사용 후 4일째 정도부터 발생한다. 가장 중요한 위험 인자는 누적 사용량(>600mg)이다. 리포솜 암포테리신 B (liposomal amphotericin B)는 낮은 혈중 농도에서도 항진균제를 나타내므로 신독성 발생 위험도도 낮아진다. 리포솜 암포테리신 B의 가격이 상대적으로 비싸지만, 신독성 치료에 사용되는 비용보다는 더 경제적인 것으로 알려져 있다. 한편, 카스포펀진(caspofungin)은 에키노칸딘(echinocandins)계열의 항진균제로 최소 억제농도(minimal inhibitory concentration, MIC)가 암포테리신 B보다 매우 낮고, 신독성 발생 빈도도 매우 낮다.

위험인자와 예방

항생제로 인한 급성콩팥손상의 위험인자는 나이나 동반 질환과 같이 중재하기 어려운 경우가 많다. 하지만, 몇 가지 예방에 필요한 전략은 다음과 같다. 1) 사구체여과율에 따라 투여 용량을 조절한다. 2) 가능하다면 혈중 약물 농도를 측정한다. 3) 항생제 치료 기간동안에 탈수되지 않도록 적절히 수분 공급을 한다. 4) 비스테로이드소염제(nonsteroidal antiinflammatory drug, NSAID)나 조영제와 같은 신독성 유발 약물의 병용을 최대한 자제한다. 5) 매일 항생제 사용의 적절성을 평가하고, 가능한 장기간 사용하지 않는다. 6) 장기간 항생제 사용이 필요할 경우 정기적으로 신기능을 평가한다. 콩팥손상으로 인해 신기능이 감소하면, 의심 약제 중단이 필요하다. 하지만, 항생제 사용을 중단할 수 없는 경우도 있다. 이런 경우, 사구체여과율에 따라 투여 용량을 줄이거나 투여 간격을 늘리거나, 또는 두 가지 방법을 병용하게 된다. 용량을 일정하게 유지하면서 투여 간격을 늘리는 방법은 약물의 효과가 최고 농도에 의존하는 아미노글리코사이드와 같은 약물에서 선호될 수 있다. 투여 간격을 그대로 유지하면서 용량을 줄이는 방법은 약물농도를 원인균의 MIC 이상으로 일정하게 유지하는 것이 효과적인 베타락탐계 항생제에서 선택된다.

▶ 참고문헌

- 대한감염학회: 항생제의 길잡이. 4판. 군자출판사, 2016.
- Cotner SE, et al: Influence of β-lactam infusion strategy on acute kidney injury. Antimicrob Agents Chemother 61:e00871-17, 2017.
- Morales-Alvarez MC: Nephrotoxicity of Antimicrobials and Antibiotics. Adv Chronic Kidney Dis 27:31-37, 2020.
- Park I, et al: High variability of teicoplanin concentration in patients with continuous venovenous hemodiafiltration. Hemodial Int 23:69-76, 2019.
- Perazella MA, et al: Pharmacology behind common drug nephrotoxicities. Clin J Am Soc Nephrol 13:1897-1908, 2018.
- Sinha Ray A, et al: Vancomycin and the risk of AKI: a systematic review and meta-analysis. Clin J Am Soc Nephrol 11:2132-2140, 2016.
- Uptodate.com

CHAPTER

08 항암제와 급성콩팥손상

김진국 (순천향의대)

KEY POINTS

- 항암제의 개발로 세포독성항암제와 함께 표적항암제와 면역항암제가 도입되어 급성콩팥손상과 전해질 장애 등 항암치료와 관련된 다양한 신장 질환이 발생한다.

- 시스플라틴에 의한 급성콩팥손상은 급성세관손상과 혈전미세혈관병증에 의해 유발되며 신독성을 줄이기 위해서는 소변량이 시간당 100 mL 이상 유지되도록 시스플라틴 투여 전후로 수액을 충분히 투여해야 한다.

- 혈관내피성장인자(VEGF) 억제제는 고혈압과 단백뇨를 흔히 유발하며 급성세관괴사, 급성요세관간질신장염, 혈전미세혈관병증 등에 의한 급성콩팥손상도 발생할 수 있다.

- Immune checkpoint (ICP) 억제제에 의한 급성콩팥손상의 가장 흔한 원인은 급성요세관사이질신장염으로 약물의 중단과 함께 스테로이드 치료를 하면 대부분 환자에서 호전이 되나 일부 환자에서는 말기신부전으로 진행하기도 한다.

- 여러 종류의 항암제 치료 과정에서 다양한 원인으로 급성콩팥손상이 발생할 수 있으므로 치료 시작 후 신기능에 대한 정기적 추적 관찰이 필요하다.

- 암의 치료 과정에서 항암제와 관련된 신손상을 조기에 발견하고 그 가능성을 예측하여 조기에 예방과 처치를 하는 것이 중요하다.

암 치료에 이용되고 있는 항암제는 암세포의 발육이나 증식을 억제하여 효과를 나타낸다. 항암제는 세포독성항암제를 시작으로 표적항암제나 면역항암제까지 여러 가지 약물들이 지속해서 개발되고 있다. 암의 치료 과정에서 항암제와 관련된 콩팥손상을 조기에 발견하고 그 가능성을 예측하여 적절한 예방과 처치를 하는 것은 항암치료의 성적을 올리는 데 중요하다.

항암제는 약물 자체나 대사산물이 사구체 여과나 세관 배설의 과정을 통해 신장으로 제거되는 경우가 많다. 이 과정에서 다양한 기전으로 사구체나 세관, 미세혈관 등에 손상을 유발하여 신독성을 나타낸다. 신독성의 위험성은 약제 사용량 등 약제 자체뿐만 아니라 다양한 인자에 따라 증가할 수 있다. 체액이 부족한 상태, 진통제나 항생제 등 신독성이 있는 약물을 사용한 경우, 조영제를 사용한 경우, 방사선 치료, 요로 폐쇄, 기저 신장질환이 있는 경우에 약제의 신독성이 더 흔히 나타난다.

항암치료 과정에서 급성콩팥손상은 약제에 의한 직접적인 손상 이외에도 다양한 원인으로 발생할 수 있다. 그러

표 11-8-1. 항암제에 의해 발생한 신독성의 임상 양상

항암제	신독성 양상
세포독성항암제	
시스플라틴	급성콩팥손상(급성세관손상, 혈전미세혈관병증), 저마그네슘혈증, 저나트륨혈증
사이클로포스퍼마이드	출혈성 방광염, 저나트륨혈증
메토트랙세이트	급성콩팥손상(crystal nephropathy)
미토마이신 C	혈전미세혈관병증, 고혈압
표적항암제	
혈관내피성장인자 억제제	고혈압, 단백뇨, 혈전미세혈관병증
Anaplastic lymphoma kinase 1 억제제	급성콩팥손상, 말초부종, 저인산혈증, 신낭종
BRAF 억제제	급성콩팥손상(급성세관손상, 급성요세관간질신장염), 단백뇨, 저칼륨혈증, 저나트륨혈증, 저인산혈증
표피성장인자 수용체 억제제	급성콩팥손상, 저마그네슘혈증, 저칼슘혈증, 저칼륨혈증, 저나트륨혈증
mTOR 억제제	고혈압, 단백뇨, 신기능 저하, 저인산혈증
Proteasome 억제제	급성콩팥손상(신전요인, 혈전미세혈관병증)
면역항암제	
Immune checkpoint 억제제	급성콩팥손상(급성요세관간질신장염), 단백뇨(미세변화병, 국소분절사구체경화증, 막신병증, 면역복합체사구체신염)
Chimeric antigen receptor T-cell	급성콩팥손상(신전요인, 급성세관손상), 저나트륨혈증, 저칼륨혈증, 저인산혈증
Interleukin-2	급성콩팥손상(신전요인), 저칼슘혈증, 저인산혈증, 저마그네슘혈증
인터페론	급성콩팥손상과 신증후군 (미세변화병, 국소분절사구체경화증, 혈전미세혈관병증)

므로 항암치료 과정에서 신장 문제가 발생하는 경우 신장 내과 전문의와 협진하여 원인을 신속하게 파악하고 적절한 조치를 하는 것이 암 환자의 치료 효과를 높이는 데 필수적이다.

세포독성항암제

1. 플라티니움 유도체(Platinum derivatives)

시스플라틴(cisplatin)은 많은 종류의 암에 효능이 있는 효과적인 약물로 신독성이 흔한 항암제 중에 하나다. 시스플라틴 주입 후 첫 24시간 동안 약물의 50% 이상이 소변으로 배설되고, 신피질에서 약물 농도는 혈장이나 다른 장

기보다 몇 배 더 높게 유지된다. 시스플라틴은 우선적으로 근위세관의 S3 segment 손상을 가해 사구체여과율 감소를 유발한다. 신세관 상피세포의 세포 괴사 및 세포자멸사(apoptosis) 형태로 나타난다. 시스플라틴 주입 후 바로 혈관수축으로 인한 신혈류량의 감소가 관찰된다. 시스플라틴 주입에 대한 신장의 반응으로 종양괴사인자알파(TNF-α), interleukin-6 등 전염증성 사이토카인이 증가한다. 세관 손상은 상피세포 대사에 직접적인 영향과 자유산소 라디칼의 발생으로 매개되어 진다.

신독성의 위험성은 투여 용량과 관계가 있으며 누적량이 증가할수록 높아진다. 가장 흔하면서도 중요한 신독성의 양상인 급성콩팥손상은 치료 환자의 20-30%에서 발생하나 환자의 탈수 정도에 따라 증가할 수 있다. 급성콩팥손상은 대부분 가역적이지만, 반복적인 투여로 콩팥손상

이 재발하면 비가역적인 신기능 감소를 초래할 수도 있다. 시스플라틴에 의한 급성콩팥손상의 대부분은 농축 기능의 장애로 인해 하루 소변량이 1,000 mL 이상으로 유지된다. 만성시스플라틴손상은 간질의 섬유화를 초래하여 임상적으로 가장 문제가 되는 신장 변화를 가져온다. 세관의 손상으로 신장의 마그네슘 소실을 유발하여 저마그네슘혈증이 발생할 수 있다. 또한 드물게 renal salt wasting으로 저나트륨혈증도 초래될 수 있다.

시스플라틴에 의한 신독성을 줄이기 위해서는 이전 항암치료 용량보다 더 적은 양의 시스플라틴을 투여하고, 동시에 적극적인 수액 공급으로 요량을 증가시키는 것이 도움이 된다. 요량을 늘리면 약물과 신장 상피세포 간의 접촉 시간을 줄여서 시스플라틴 독성을 감소시킬 수 있다. 세포 외 염소이온 농도를 증가시키면 시스플라틴이 독성이 더 심한 대사산물로 전환되는 것을 억제할 수 있으므로 공급 수액으로 등장성 생리식염수를 포함하는 것이 추천된다. 소변량이 시간당 100 mL 이상 유지되도록 시스플라틴 투여 전후로 수액을 충분히 투여해야 한다.

Carboplatin이나 oxaliplatin과 같은 2세대 플라티니움 화합물에서는 신독성의 위험성이 줄기는 하였으나 급성콩팥손상과 저마그네슘혈증이 발생할 수 있다. 시스플라틴을 투여할 수 없거나 신독성의 위험성이 높은 환자에서 시스플라틴의 대체재로 carboplatin을 고려해 볼 수 있다.

2. 알킬화제(Alkylating agents)

사이클로포스퍼마이드(cyclophosphamide)는 림프종을 비롯한 혈액암 치료에 광범위하게 사용되는 알킬화제이다. 흔한 부작용으로 골수억제와 위장관 독성과 함께 출혈성 방광염이 발생할 수 있다. 고용량의 사이클로포스퍼마이드는 원위세관에서 항이뇨작용으로 신장의 수분 배설을 억제하여 저나트륨혈증이 관찰될 수 있다. 저나트륨혈증은 약물 투여를 중단하면 24시간 이내에 급속하게 호전된다. 고용량의 사이클로포스퍼마이드 투여할 때 방광 출혈을 예방하기 위해 저장성 수액을 투여하는 것은 피해야 한다.

Ifosfamide는 출혈성 방광염과 함께 제2형 신세관산증,

다뇨, 저칼륨혈증, 저인산혈증 등으로 나타나는 신세관 손상 및 급성콩팥손상을 초래할 수 있다. Ifosfamide를 투여한 34명의 환자에서 순수 급성콩팥손상 14.7%, 신세관 손상이 동반된 급성콩팥손상 50%로 64.7%에서 급성콩팥손상이 발생하였다.

3. 대사길항제(Antimetabolites)

메토트랙세이트(methotrexate)는 다양한 고형암과 백혈병 치료에 사용되는 항암제다. 표준 용량의 메토트랙세이트 투여에서는 신독성의 발생이 드물지만, 고용량의 메토트랙세이트 투여에서는 심각한 신독성이 발생할 수 있다. 고용량의 메토트랙세이트는 신장 상피세포에 직접적인 독성을 가지고 있으면서 메토트랙세이트나 대사산물 결정체에 의한 침전으로 원위세관의 폐쇄를 유발하여 급성콩팥손상을 유발할 수 있다. 또한 수입세동맥의 수축과 사구체 모세혈관 표면적의 감소, 사구체 모세혈관 압력의 감소 등으로 일시적인 사구체여과율 감소를 초래할 수 있다. 고용량의 메토트랙세이트 치료로 발생한 급성콩팥손상은 전형적으로 비핍뇨성이고 가역적이다. 예방적으로 하루 3L 이상의 소변을 유지할 수 있게 수액을 투여하면 신독성을 줄일 수 있다. 메토트랙세이트와 대사산물의 용해도가 알칼리 상태에서 증가하므로 약물을 치료하는 동안 pH 7.0 이상 유지되게 요의 알칼리화가 추천된다.

Pemetrexed는 메토트랙세이트의 유도체로 진행성 소세포폐암이나 중피종의 치료에 사용된다. Pemetrexed와 관련된 신독성으로 급성콩팥손상과 함께 급성세관괴사, 신세관산증, 요붕증 등이 동반될 수 있다. 경증의 단백뇨가 동반된 급성콩팥손상은 약물 치료를 중단하면 안정화되지만, 일부에서는 영구적으로 진행할 수 있다.

Gemcitabine은 면역 매개와 독성 매개 기전으로 약물 유발성 혈전미세혈관병증(thrombotic microangiopathy)을 유발할 수 있다. 대부분 환자에서 용량 의존적으로 발생한다. 약물 유발성 혈전미세혈관병증이 발생하면 약물 투여를 중지하고 보존적 치료를 한다.

4. 항종양 항생제(Antitumor antibiotics)

미토마이신 C (mitomycin C)는 직접적인 신장 내피세포의 손상으로 신독성을 유발한다. 가장 흔한 임상양상이 혈전미세혈관병증이다. 대부분 치료 기간이 6개월 이상 지난 후에 발생하며 누적 용량과 관련이 있다. 천천히 진행되는 신부전이나 고혈압의 양상으로 나타난다.

표적항암제

1. 혈관내피성장인자(VEGF)와 혈관내피성장인자 수용체 억제제

종양에 있어서 혈관형성은 암세포가 성장할 수 있도록 산소와 영양분을 공급해 주고 원발한 장소에서 다른 장기로 전이하는 데 중요한 역할을 한다. 혈관내피성장인자는 종양의 혈관 증식에 중요한 역할을 하는 혈관형성전구인자로서 암의 생성과 전이를 촉진한다. 혈관내피성장인자를 표적으로 하는 치료제로서 단일클론항체(monoclonal antibody)인 bevacizumab과 circulating soluble receptor인 aflibercept가 대표적이다. 그 외에 혈관내피성장인자 수용체를 방해해서 효과를 나타내는 tyrosine kinase 억제제(tyrosine kinase inhibitor)로 sunitinib, sorafenib, pazopanib, axitinib, vandetanib 등이 있다.

혈관내피성장인자는 정상적으로 발세포(podocyte)의 생명을 유지하고 정상 사구체의 미세혈관 기능을 보존하여 사구체기저막의 형태를 유지하는 데 도움을 준다. 또한 nitric oxide와 prostacyclin을 상승시켜 신장의 혈류량을 유지해준다. 대부분의 혈관내피성장인자 억제제들은 혈관내피성장인자에 의해서 잘 유지되고 있는 정상 사구체 기능과 신혈류를 억제하여 신독성을 나타낼 수 있으므로 주의가 필요하다. Bevacizumab은 고혈압과 단백뇨를 흔히 유발하고 드물게 혈전미세혈관병증도 유발할 수 있다. Tyrosine kinase 억제제를 투여할 때에도 공통으로 고혈압과 단백뇨가 흔히 나타난다. 급성세관괴사, 급성세관사이

질신장염, 혈전미세혈관병증 등도 보고되었다. 신기능 저하나 단백뇨, 신장암이 신독성 발생의 위험인자이다. 약제를 사용 중에는 혈청 크레아티닌과 함께 단백뇨를 정기적으로 추적 관찰할 것을 추천한다.

2. Anaplastic lymphoma kinase 1(ALK) 억제제

Anaplastic lymphoma kinase 1의 변이가 비소세포폐암, 호지킨림프종, 역형성큰세포림프종(anaplastic large cell lymphoma), 횡문근육종에서 관찰되며, ALK 억제제가 이들 암의 치료에 효과적이다. Crizotinib은 ALK 양성 비소세포폐암 치료에 임상적으로 효과적이나 신장과 관련된 부작용이 관찰된다. 가성 또는 진성으로 발생하는 급성콩팥손상, 말초부종, 저인산혈증과 함께 신낭종의 발생이나 증대가 동반될 수 있다. 거짓급성콩팥손상(pseudo acute kidney injury)은 약물 투여 후에 혈청 크레아티닌의 상승이 약하게 발생하였다가 투여를 중단하면 빠르게 회복되는 현상이다. 기전은 crizotinib이 근위세관에서 크레아티닌이 배설되는 것을 억제하여 혈청 크레아티닌 수치가 상승하는 것으로 설명한다. Crizotinib으로 치료한 ALK 변이 양성인 비소세포폐암 환자 38명 모두에서 12주 사이에 평균적으로 23.9%의 사구체여과율의 감소가 있었으나 56.3%는 원래 수준으로, 43.8%는 기저치의 84%까지 회복되었다.

3. BRAF 억제제

BRAF는 B-raf 단백 생성에 관여하는 유전자로 BRAF 억제제인 vemurafenib과 dabrafenib은 BRAF V600 변이를 가진 진행성 흑색종 치료에 사용된다. Vemurafenib 투여 후 급성콩팥손상이 발생할 수 있으며 신장 조직검사에서 급성세관손상이나 급성세관사이질신장염 소견이 관찰된다. Vemurafenib을 투여한 74명의 환자에서 KDIGO 1 단계 이상의 급성콩팥손상이 약물 투여 3개월 이내에 60%에서 발생하였다. 투여를 중단하면 3개월 이내에 대부분 회복된다. Dabrafenib은 급성콩팥손상의 빈도는 상대

적으로 적으나 저칼륨혈증과 저나트륨혈증, 저인산혈증 등 전해질 장애가 동반될 수 있다.

4. 표피성장인자 수용체(EGFR) 억제제

표피성장인자 수용체에 대한 단일클론항체인 cetuximab, panitumumab, necitumummab 등은 표피성장인 자 수용체 양성 비소세포폐암이나 대장 직장암의 치료제 로 사용된다. 이 약제들은 신장에서 마그네슘 재흡수를 억제하여 저마그네슘혈증을 유발할 수 있다. 저마그네슘혈 증과 함께 저칼슘혈증과 저칼륨혈증, 저나트륨혈증도 동반 할 수 있다. 약물치료를 중단하면 대부분 호전된다. Cetuximab의 치료 과정에서 미국식품의약국(FDA) 부작 용 발생 보고를 보면 신기능 이상 발생이 cetuximab와 관 련된 전체 부작용의 36.8%로 가장 흔하다. 그러므로 cetuximab 치료 시에는 신기능에 대한 추적 관찰이 필요 하다.

5. mTOR 억제제

mTOR 억제제인 temsirolimus와 sirolimus, everolimus도 혈관 생성을 억제하는 작용 기전으로 항암치료에 사 용된다. 부작용으로 고혈압, 단백뇨, 신기능 저하, 그리고 저인산혈증을 유발할 수 있다. 기저 질환으로 신기능 저하 가 있는 신장암 환자에서 신독성이 주로 나타나는 것으로 알려져 있다. 신독성 발생 후 약제를 중단하면 대체로 호 전되는 추세를 보이며, 이 경우 재투약을 시도해 볼 수 있 다.

6. Proteasome 억제제

Proteasome 억제제인 bortezomib과 carfilzomib은 다 발성골수종 치료에 사용된다. 두 약제 모두 혈전미세혈관 병증의 발생이 보고되었다. Carfilzomib 사용 후 급성콩 팥손상은 대부분 약하게 일시적으로 발생하나 드물게는 진행성으로 발생하여 약제를 중단하는 예도 있다. Carfilzomib 사용 후 급성콩팥손상의 원인은 불명확하나 신전 요인(pre-renal)과 혈전미세혈관병증, tumor-lysis-like phenomenon이 관련 있을 것으로 보인다.

면역항암제

1. Immune checkpoint 억제제(ICPIs)

ICP 억제제는 악성흑색종이나 비소세포폐암 등 많은 암 치료에 효과적이다. Cytotoxic T lymphocyte antigen 4 (CTLA-4)와 programmed cell death protein 1 (PD-1) 은 종양 세포에 대항하여 생체방어에 관여하는 주요 immune checkpoint 수용체다. ICP 억제제는 단일클론항 체로 CTLA-4를 차단하는 ipilimumab과 PD-1을 차단 하는 nivolumab과 pembrolizumab이 있다. ICP 억제제 치료 후 급성콩팥손상의 빈도는 약 2% 정도로 보고되었 고, 가장 흔한 원인은 급성세관사이질신장염이다. 급성콩 팥손상은 3개월 내외에 발생하였고 임상양상으로 농뇨와 중등도의 단백뇨가 흔히 동반되나 발열이나 발진, 호산구 증가는 대부분 없다. 약물의 중단과 함께 스테로이드 치료 를 하면 대부분 환자에서 호전이 되나 일부 환자에서는 말 기신부전으로 진행하기도 한다. ICP 억제제 치료 후 단백 뇨가 발생한 환자의 신장 조직검사에서 미세변화병, 국소 분절사구체경화증, 막신병증, 면역복합체사구체신염 등이 보고되었다. 약물 치료 중단과 함께 스테로이드나 면역억 제제의 치료로 단백뇨가 호전되었다.

2. Chimeric antigen receptor T-cell (CAR T-cell)

CAR T-cell은 항암치료에 저항성을 가지는 급성림프구 백혈병과 만성림프구백혈병, 비호지킨림프종 등의 혈액암 과 췌장암, 중피종, 난소암, 전립선암 등의 고형암 치료에 사용된다. CAR T-cell 치료 후 급성콩팥손상이 발생할 수 있는데 신전요인과 급성세관손상이 관여한다. 급성심 근병증이 발생하여 심박출량이 감소하고 저혈압이 동반되어 신혈류량이 감소할 수 있다. 치료에 의한 부작용으로 고열과 오심, 구토, 설사가 동반되어 탈수가 생길 수 있다. 종양분해증후군이 발생하여 요산이나 칼슘/인 결정체의 세관 내 침전으로 급성콩팥손상이 발생할 수 있다. 급성콩팥손상 외에 저나트륨혈증, 저칼륨혈증, 저인산혈증 등 전해질 장애가 동반된다. CAR T-cell 치료에 의한 신독성을 예방하기 위해서는 약물 치료 전에 tumor burden을 줄이는 것이 중요하다. 치료 전 항암치료와 스테로이드 투여로 tumor burden을 최대한 줄여서 부작용을 최소화할 수 있다.

3. Interleukin-2 (IL-2)

IL-2는 1980년 중반에 처음 임상에 도입되어서 현재는 전이성 흑색종과 신장암을 비롯한 다양한 항암치료에 사용되고 있다. IL-2 투여 직후 capillary leak syndrome을 유발하여 신전 급성콩팥손상을 동반할 수 있다. 저혈압, 부종, 체중 증가, 소변량 감소를 특징으로 하며 약제를 중단하고 수액 치료를 하면 대부분 가역적이다. 급성콩팥손상은 비교적 흔하며 환자의 약 13%에서 혈청 크레아티닌의 상승으로 약제를 중단하게 된다. IL-2 치료 후 혈압은 평균적으로 20 mmHg 정도 감소하여 허혈성 콩팥손상의 유발요인이 될 수 있다. 저혈압에 대해서는 적절한 수액 치료와 필요시 혈압상승제를 투여한다. 저칼슘혈증, 저인산혈증, 저마그네슘혈증 등이 동반될 수 있으며 약제를 중단하면 회복된다. IL-2 치료 후 발생하는 혈청 크레아티닌의 심하지 않은 상승은 대부분 회복 가능하므로 약제 중단이 필요하지 않을 수 있으며 환자 개개인의 특성에 따른 조치가 고려된다.

4. 인터페론(Interferons)

인터페론은 만성골수성백혈병, 소포림프종, 털세포백혈병(hairy cell leukemia), 흑색종, 카포시육종 등의 치료에 사용된다. 인터페론 치료 후에 급성콩팥손상과 신증후군이 동반될 수 있다. 신장조직검사에서 미세변화병, 국소분

절사구체경화증, 혈전미세혈관병증이 관찰되었다. 약제 중단과 함께 스테로이드 치료로 호전 양상을 보이나 일부에서는 만성콩팥병으로 진행하여 투석이 필요한 경우까지 악화될 수도 있다.

▶ 참고문헌

- 배은진 등: 약물 유도 신독성. 대한의사협회지 63:30-35, 2020.
- Brosnan EM, et al: Drug-induced reduction in estimated glomerular filtration rate in patients with ALK-positive non-small cell lung cancer treated with the ALK-inhibitor crizotinib. Cancer 120:664-674, 2014.
- Crona DJ, et al: A systematic review of strategies to prevent cisplatin-induced nephrotoxicity. Oncologist 22:609-619, 2017.
- Enserguiex G, et al: Ifosfamide nephrotoxicity in adult patients. Clin Kidney J 13:660-665, 2020.
- Izzedine H, et al: Anticancer drug-induced acute kidney injury. Kidney Int Rep 2:504-514, 2017.
- Jhaveri KD, et al: Adverse renal effects of novel molecular oncologic targeted therapies: a narrative review. Kidney Int Rep 2:108-123, 2017.
- Malyszko J, et al: Nephrotoxicity of anticancer treatment. Nephrol Dial Transplant 32:924-936, 2017.
- Manohar S, et al: Cisplatin nephrotoxicity: a review of the literature. J Nephrol 31:15-25, 2018.
- Nicolaysen A: Nephrotoxic chemotherapy agents: old and new. Adv Chronic Kidney Dis 27:38-49, 2020.
- Nussbaum EZ, et al: Update on the nephrotoxicity of novel anticancer agents. Clin Nephrol 89:149-165, 2018.
- Perazella MA, et al: Nephrotoxicity of cancer immunotherapies: past, present and future. J Am Soc Nephrol 29:2039-2052, 2018.
- Rosner MH et al: Acute kidney injury in the patient with cancer. Kidney Res Clin Pract 38:295-308, 2019.
- Santos MLC, et al: Nephrotoxicity in cancer treatment: an overview. World J Clin Oncol 11:190-204, 2020.
- Sise ME et al: Diagnosis and management of immune checkpoint inhibitor-associated renal toxicity: illustrative case and review. Oncologist 24:735-742, 2019.
- Wanchoo R, et al: Renal toxicities of novel agents used for treatment of multiple myeloma. Clin J Am Soc Nephrol 12:176-189, 2017.

이영기, 조아진 (한림의대)

CHAPTER 09 신 독성물질과 급성콩팥손상

KEY POINTS

- 횡문근융해증 환자의 15~50%에서 급성콩팥손상이 동반할 수 있으며, 충분한 양의 수액을 공급하여 용적 감소를 교정하고, 요세관 내 원주 형성을 예방하는 것이 중요하다.

- 종양분해증후군은 암의 종류, 백혈구수, 젖산탈수소효소 수치에 따라 위험도를 나누어 각 위험도에 따라 수액과 고요산혈증 치료제를 사용하여 예방 및 치료를 한다.

신성 독성물질에 의한 급성콩팥손상에는 근색소뇨 (myoglobinuria)가 동반하는 횡문근융해증(rhabdomyolysis), 혈색소뇨(hemoglobinuria), 종양분해증후군(tumor lysis syndrome), 요산, 칼슘/인 결정 침착에 의한 급성결정유도신장병증(acute crystal-induced nephropathy), 다발골수종(multiple myeloma)에서 동반하는 가벼운사슬 (light chain) 침착 등이 있다. 여기에서는 횡문근융해증, 종양분해증후군, 급성요산신병증만 다루도록 한다.

횡문근융해증

횡문근융해증은 횡문근(striated muscle)의 파괴로 근육 세포 내 물질이 방출되어 생기는 질환이다. 유리 근색소 (myoglobin)에 의한 신세관 손상으로 급성콩팥손상이 발생할 수 있으며, 구획증후군(compartment syndrome), 고 칼륨혈증이나 저칼슘혈증과 같은 합병증도 동반할 수 있다.

1. 병태생리

횡문근융해증의 최종 경로는 근육섬유의 손상이나 파괴로 세포 내 물질이 세포외액이나 순환 혈액으로 이동하는 것이다. 근육세포가 손상을 받게 되면 adenosine triphosphate (ATP)가 감소하고, 근육세포막에 있는 채널이 열리면서 세포 내 칼슘이온 농도가 증가하게 된다. 이로 인해 free radical 생성과 protease 분비가 증가하고, 궁극적으로 근육세포의 괴사가 일어나게 된다. 재관류손상 (reperfusion injury)과 구획증후군도 횡문근융해증을 더욱 악화시킬 수 있다.

2. 원인(표 11-9-1)

1) 외상

횡문근융해증의 대표적인 원인은 외상이다. 전쟁, 자연재해, 교통사고, 산업재해 등이 외상에 의한 압궤손상(crush injury)을 일으킬 수 있다. 압궤손상과 압박에 의한 횡문근융해증의 손상 기전은 허혈기간 후에 발생하는 재관류에 의한 조직 손상이다.

2) 운동

과격한 운동과 같이 근육의 에너지 공급량이 요구량에 미치지 못할 경우 횡문근융해증이 발생할 수 있다. 특히 신체적으로 단련되지 않은 사람, 덥고 습한 날씨, 발한을 통한 체온 조절에 문제가 발생한 경우와 저칼륨혈증이 위험인자이다.

3) 대사근육병증(metabolic myopathy)

글리코겐분해(glycogenolysis), 해당작용(glycolysis), 지질대사에 관여하는 유전적인 근육효소 결핍도 횡문근융해증을 일으킬 수 있다. 대사근육병증은 드문 질환이지만, 유발 요인이 분명치 않으면서 재발하는 경우에는 이에 대한 검사를 시행해 보아야 한다.

4) 약물과 독소

스타틴, fibrate, 음주, 마약 등이 대표적이다. 스타틴의 경우 직접적인 근육 독성효과가 있으며, 지속적으로 세포 내 칼슘농도를 증가시킬 수 있는 것으로 알려져 있다.

3. 임상 증상

근육통, 전신쇠약, 근색소뇨에 의한 소변색 변화가 나타날 수 있고, 크레아틴인산화효소(creatine kinase, CK)와

표 11-9-1. 횡문근융해증의 원인

근육 손상
외상, 압박괴사, 전기충격(electric shock), 화상, 급성혈관질환
근육섬유 소진(myofiber exhaustion)
과도한 운동, 발작, 열사병
독소
음주, 코케인, 헤로인, 암페타민, 엑스터시, 뱀독
약물
스타틴, fibrate, zidovudine, azathioprine, theophylline, lithium, 이뇨제, 신경이완제악성증후군(neuroleptic malignant syndrome)
전해질 이상
저인산혈증, 저칼륨혈증, 고삼투압 상태
감염
바이러스: 인플루엔자, 사람면역결핍바이러스(HIV), 엡스타인-바바이러스(Epstein-Barr virus)
세균: *Legionella*, *Streptococcus pneumoniae*, *Staphylococcus aureus*, *Salmonella*
유전성(대사근육병증)
McArdle's disease, carnitine palmitoyl transferase deficiency, 악성고열(malignant hyperthermia)
기타
갑상샘저하증, 다발근육염(polymyositis), 피부근염(dermatomyositis)

제 11 부 급성콩팥손상

같은 혈청 근육효소가 상승한다.

1) 혈액 CK

혈청 CK 수치는 일반적으로 정상범위의 5배 이상 상승하며, 보통 1,500~100,000 U/L 이상 오른다. 근육 손상 발생 후 2~12시간 이내에 증가하기 시작하여 24~72시간에 최고치에 이른다. 근육 손상이 회복되면 3~5일 이내에 감소하는데, 반감기가 약 1.5일이므로 전날 수치의 40~50% 정도씩 감소하게 된다. CK가 1,000 U/L 이상 오르는 경우 AST와 ALT도 상승할 수 있다.

2) 소변 근색소

근색소뇨는 횡문근융해증이 없는 경우에는 나타나지 않기 때문에, 가장 특이적인 표지자이다. 손상된 근육으로부터 CK와 함께 근색소가 혈액 내로 분비되며, 이것이 신장에서 배설되어 진한 소변 색을 나타낸다. 일반적으로 혈중 근색소 농도가 1.5 mg/dL 이상으로 증가하면 소변 dipstick 검사에서도 잠혈반응 양성이 나타난다. 근색소는 반감기가 2~3시간으로 매우 짧아서 근색소뇨 없이 혈청 CK만 상승하는 경우도 많다. 혈액 근색소는 CK보다 먼저 상승하지만 빠르게 제거되고 변화되는 경우도 있어서 신뢰성 있는 검사는 아니다.

3) 수분, 전해질 이상

고칼륨혈증과 고인산혈증은 근육세포 내 물질이 분비되어 발생한다. 저칼슘혈증도 수일 이내에 동반될 수 있으며, 회복기에는 혈청 칼슘 수치가 정상으로 회복되거나 오히려 상승할 수도 있다. 고요산혈증과 고음이온차 대사산증도 동반될 수 있다.

4) 급성콩팥손상

횡문근융해증 환자의 15~50%에서 급성콩팥손상이 동반한다. 특히 압궤손상에 의한 경우와 CK 15,000~20,000 U/L 이상 증가, 용적 감소, 패혈증, 대사산증이 동반한 경우 급성콩팥손상의 발생 위험이 증가한다. 용적 감소에 의한 신장허혈, heme pigment 원주에 의한 세관 폐쇄와 free chelatable iron에 의한 세관 손상이 급성콩팥손상 발생에 관련된 것으로 생각된다.

5) 구획증후군

심한 횡문근융해증 환자에서 발생할 수 있는 치명적인 합병증이다. 근막으로 둘러싸인 공간 내 압력이 증가하여 구획 내 근육과 신경이 손상되며, 다리와 아래팔에서 흔히 발생한다. 초기에는 근육이 붓고 팽창되면서 신경압박에 의한 감각 이상이 나타나며, 나중에는 맥박이 잘 느껴지지 않는다. 구획 압력을 측정하여 이완기혈압과의 차이가 30 mmHg 이상이면 즉시 근막절개술(fasciotomy)을 시행해야 한다.

4. 진단

갑자기 근육 손상이나 근육질환이 생긴 환자에서 혈청 CK가 상승한 경우에 진단할 수 있다. 일반적으로 CK 수치가 정상치의 5배 이상 또는 5,000 U/L 이상 증가한 경우에 근육 손상이 있는 것으로 판단한다. 근색소뇨는 초기 상태에서는 50~75%에서 양성으로 나올 수 있다. 뼈스캔에서는 손상된 근육에 hot uptake가 증가하는 소견이 보인다.

5. 감별 진단

CK 상승을 보이는 급성심근경색, 육안혈뇨를 보이는 질환, 근육세포에 간접적으로 영향을 미칠 수 있는 길랭-바레증후군(Guillain-Barre syndrome)과 주기마비(periodic paralysis) 등을 감별해야 한다. 육안혈뇨는 근색소뇨 이외에 혈뇨, 헤모글로빈뇨 등에서도 나타날 수 있으므로, 이에 대한 감별이 필요하다.

6. 치료

급성콩팥손상을 예방하기 위해 충분한 양의 수액을 공급하여 용적 감소를 교정하고, 세관 내 원주 형성을 예방

표 11-9-2. 횡문근융해증의 치료

1. 용적상태, 중심정맥압, 소변량 확인*
2. 혈청 CK검사
3. 혈청 크레아티닌, 나트륨, 칼륨, 칼슘, 마그네슘, 인, 요산, 알부민, 일반혈액검사, 동맥혈 가스검사, 혈액응고검사
4. 소변검사: dipstick 및 현미경검사
5. 생리식염수 투여: 초기속도 약 400 mL/hr(환자 상태에 따라 200~1000 mL/hr로 조절)
6. 소변량 유지: 3 mL/kg/hr (200~300 mL/hr)
7. 혈청 칼륨과 칼슘 검사 및 교정
8. 횡문근융해증의 원인 확인
9. 소변 pH < 6.5인 경우 중탄산염 투여 고려
10. 심한 손상에서는 만니톨 투여 고려
11. 수액 투여는 근색소뇨가 소실될 때까지 지속(소변 dipstick검사에서 잠혈반응 음성)
12. 교정되지 않은 고칼륨혈증, 핍뇨, 용적과다, 심한 대사산증에서는 신대치요법 고려

CK, creatine kinase, *압궤손상(예: 지진, 건물 붕괴)의 경우, CK > 15,000 U/L이면 환자를 구출하기 전에 즉시 적극적인 수액 치료를 시작한다.

하는 것이 중요하다. 또한 원인 질환을 교정하고, 합병증 발생을 예방한다. 뇨 알칼리 치료나 만니톨 투여는 수액 치료만 유지하는 것에 비해 더 효과적이라는 임상적 증거는 아직 없는 상태이다. 횡문근융해증 환자의 일반적인 치료 원칙은 표 11-9-2와 같다.

1) 수액 치료

횡문근융해증 환자에서 수액 치료는 신기능을 유지하는데 가장 중요하며, 수액 공급이 6시간 이상 지연될 경우 급성콩팥손상의 위험이 증가할 수 있다. 압궤손상, 외상, 열사병, 중등도 이상의 CK 상승, 혈청 크레아티닌, 칼륨, 인, 칼슘 수치가 비정상인 경우에는 입원하여 수액을 투여하도록 한다. CK > 5,000 U/L인 모든 환자에서 생리식염수를 공급하며, 초기투여 속도는 보통 400 mL/hr 정도로 시작하며, 환자 상태에 따라 200~1000 mL/hr로 조절한다. 소변량이 200~300 mL/hr이 되도록 수액을 투여하며, CK < 5,000 U/L이고 소변 dipstick 검사에서 잠혈반응이 소실될 때까지 수액 공급을 지속한다. 증상이 경미하고, CK < 3,000 U/L인 경우는 급성콩팥손상의 위험이 낮으므로 입원하지 않고 경구 수분 섭취를 권유하면서 경과를

관찰할 수 있다.

2) 소변 알칼리화

중탄산염을 투여하여 소변을 알칼리화 시키면 세관 내 원주 형성을 억제하고, 고칼륨혈증의 발생 위험도 줄일 수 있다. 따라서 CK > 20,000 U/L, 압궤 손상과 같은 심한 횡문근융해증, CK 수치가 계속 상승하는 경우와 대사산증이 있는 환자에서만 중탄산염을 투여하는 것이 추천된다.

3) 만니톨

삼투성 이뇨제로 작용하며, 동시에 free radical scavenger로서도 작용할 수 있다. CK > 30,000 U/L의 심한 근육 손상에서는 만니톨 투여를 고려해 볼 수 있다.

4) 급성콩팥손상의 치료

이미 급성콩팥손상이 발생하여 체액과다가 나타나거나, 고칼륨혈증(K > 6.5 mEq/L 또는 심전도 변화), 심한 대사산증(pH < 7.1), 핍뇨, 요독증이 있는 경우 투석 치료의 적응증이 된다.

5) 압궤손상 환자의 치료

지진, 자연재해, 사고 등으로 압궤손상을 입은 환자에서는 급성콩팥손상의 발생 위험이 높고 신대체요법이 필요한 경우가 많기 때문에 각별한 주의와 즉각적인 치료가 필요하다. 구출을 시행하는 동안 또는 그 이전부터 최대한 빨리 생리식염수를 투여하여 1 L/hr의 속도로 공급하고, 2 L 주입 후에는 500 mL/hr로 조절한다.

7. 예후

횡문근융해증이 진단되면 가능한 한 빨리 치료를 시작하는 것이 환자의 예후를 향상시킬 수 있다. 일반적인 예후는 좋은 편으로, 증상이 심하지 않은 경우 CK가 정상으로 회복된 후 수주일 이내에 정상 생활이 가능하다.

종양분해증후군

종양분해증후군은 종양세포의 파괴에 의해 세포내 물질인 칼륨, 인, 핵산, 사이토카인이 다량 분비되면서 고요산혈증, 고칼륨혈증, 고인산혈증, 저칼슘혈증, 대사산증이 발생하는 혈액종양내과적 응급상황으로 신속한 대응이 필요하다. 급성콩팥손상, 심부정맥, 저혈압 등의 증상이 나타나며, 항암치료 후 발생되는 경우가 흔하나, 세포성장속도가 빠른 혈액암에서 치료 전에 발생하기도 한다.

1. 정의

항암치료 시작 3일 전부터 시작 후 7일까지 혈액검사에서 종양분해증후군에 합당한 2가지 이상의 이상소견을 보이고, 한 가지 이상의 임상증상을 동반한다면 종양분해증후군이라 정의할 수 있다(표 11-9-3). 1993년 Hande와 Garrow에 의해 제안되었으며, 2004년 Cairo와 Bishop에 의해 수정되었다.

2. 병태생리

고요산혈증과 고인산혈증이 특징적인 검사소견이다. 종양세포가 파괴되면서 푸린을 포함한 핵산이 혈액 내로 유리되고, 대사과정을 거쳐 요산이 만들어진다. 대사과정에서 핵산은 hypoxanthine에서 xanthine으로 전환되고, xanthine oxidase에 의해 요산이 생성된다. 다량의 요산이 생성되면 신장의 흡수 능력을 초과하게 되며, 요세관과 집합관의 산성뇨 환경에서는 요산의 용해능력이 저하되어 요관폐쇄와 급성콩팥손상이 발생한다. 종양세포는 인의 함량이 높으며, 종양분해과정에서 혈중으로 다량의 인을 유리하게 된다. 혈중의 다량의 인은 칼슘과 결합하여 저칼슘

표 11-9-3. 종양분해증후군의 정의

생화학적 기준	임상적 기준
항암치료 시작 3일 전부터 7일 후까지 검사 중 2가지 이상 동반: 　요산 ≥ 8 mg/dL 　칼륨 ≥ 6 mg/dL 　인 ≥ 6.5 mg/dL (소아) 　　≥ 4.5 mg/dL (성인) 　칼슘 ≤ 7 mg/dL 또는 위의 혈액검사 중 기저 수치에 비해 25% 이상 변화가 된 경우	다음의 임상증상이 한 가지 이상 동반: 혈중 크레아티닌 정상의 1.5배 이상 증가 심부정맥 발작 돌연사

혈증을 유발하며, 저칼슘혈증은 무증상인 경우도 많지만 생명에 위협이 되는 심부정맥, 발작의 원인이 된다. 또한 칼슘-인 복합체는 신세관에 침착하여 폐쇄성 콩팥손상과 신석회화를 일으킨다. 또한 칼륨은 세포내 주요 전해질로 종양분해과정에서 고칼륨혈증이 발생할 수 있으며, 치명적인 심부정맥과 사망의 원인이 된다.

3. 위험도 평가

2008년 국제 전문가 그룹에서 암의 종류와 백혈수 수치에 의한 위험도 평가기준을 제시하였으며, 저위험, 중등도위험, 고위험군으로 분류된다. 버킷림프종(Burkitt lymphoma), 급성림프구백혈병(ALL), 급성골수모구백혈병(AML), 진행된 림프종이 고위험군으로 분류되며, 백혈구와 젖산탈수소효소(LDH) 수치에 따라 위험도가 나뉜다. 백혈구 수치가 100,000/uL 이상이거나 젖산탈수소효소가 정상의 2배 이상 상승하면 고위험군, 백혈구 수치가 100,000/uL 미만이면서 젖산탈수소효소가 정상의 2배미만으로 상승하면 중등도 위험군으로 분류한다. 만성백혈병과 골수종, 고형암의 경우, 표적치료제나 생물학적제제요법(biologic therapy)을 사용한 경우 중등도 위험군이며, 그렇지 않은 경우 저위험군으로 분류된다.

4. 예방

예방요법은 종양분해증후군 발생 모니터, 수액공급, 고요산혈증 치료제 사용으로 이루어진다. 저위험군은 24시간마다 생물학적 모니터를 하면서 수액을 공급한다. 중증도 위험군은 allopurinol이나 rasburicase를 투여하면서 저위험군보다 많은 양의 수액을 공급하며 생물학적 모니터를 자주 시행한다. 고위험군은 rasburicase를 투여하면서 많은 양의 수액을 공급한다.

1) 생물학적 모니터: 요산, 전해질, LDH, 크레아티닌
  (1) 고위험군: 4~6시간 간격
  (2) 중등도위험군: 6~8시간 간격

  (3) 저위험군: 24시간 간격

2) 수액공급

적절한 용량의 수액을 공급하면서 많은 양의 소변을 유지하는 것이 종양분해증후군의 예방 및 치료에서 중요하다. 다량의 수액공급은 사구체여과율을 증가시키고, 요산과 칼슘-인 복합체의 침착을 막아주고, 대사산증을 약화시킨다. 그러나 급성콩팥손상이나 심부전이 동반되어 있는 경우 수분과다 상태에 유의해야 하며, 소변량 유지를 위해 고리이뇨제를 사용해볼 수 있다. 중등도 및 고위험군에서 하루 2~3 L의 수액을 투여하면서 소변량은 시간당 2 mL/kg 유지할 수 있도록 수액량을 조절한다. 수액공급 기간은 정해져 있지 않으며, 종양분해의 증거가 뚜렷하지 않을 때까지 유지한다.

3) 소변 알칼리화

소변 알칼리화는 요산의 용해도를 높이나 칼슘-인 복합체의 침착을 악화시키므로 추천되지 않는다. 고요산혈증이 있는 환자에서 제한적으로 사용될 수 있으나 고인산혈증이 동반되면 중단해야 하며, 요산산화효소를 투여하고 있는 환자에서는 필요치 않다.

4) 고요산혈증 치료제
  (1) Allopurinol

Xanthine 산화효소로 중등도위험군에서 혈중 요산수치가 8 mg/dL 미만일 경우 사용한다. 이미 생성된 요산에는 작용하지 않으며, xanthine 혈중 농도를 증가시켜 xanthine 침착에 의한 콩팥손상이 발생할 수 있다. 또한 드물게 스티븐슨-존슨증후군 같은 심각한 부작용이 발생할 있다. 하루 200~400 mg을 사용하며, 신기능이 감소된 환자는 용량을 50% 감량한다. 경구복용이 어려운 환자는 정맥 주사제를 사용할 수 있다. 항암제 투여 24~48시간 전부터 시작하고, 항암제 투여 후 3~7일 사이 요산수치가 정상화될 때까지 투여한다.

(2) Rasburicase

요산산화효소로 고위험군에서 요산 생성을 억제하기 위해 사용한다. 요산을 용해 가능한 상태로 분해하고 배출하므로 고요산혈증의 예방과 치료에 효과적이다. 고위험군이나 혈중 요산수치가 8 mg/dL 이상일 경우 0.2 mg/kg를 투여한다. 중등도위험군이 요산 수치가 8 mg/dL 미만의 경우 0.15 mg/kg를 투여한다. 통상 2일간 투여하나 상황에 따라 7일까지 사용될 수 있다. 6-인산포도당탈수소효소(G6PD) 결핍 환자는 용혈성 빈혈이 발생할 수 있으므로 금기이다.

(3) Febuxostat

Allopurinol이나 rasburicase 사용이 가능하지 않은 경우 사용한다. 콩팥손상이 동반되어 있는 경우 용량 변경이 요구되지 않는다.

5. 치료

예방요법을 적용한 환자라도 종양분해증후근이 3~5%에서 발생할 수 있다. 종양분해증후근이 발생되면, 4~6시간 간격으로 혈액검사를 시행하고, 초반에 rasburicase를 사용하지 않은 경우는 0.2 mg/kg로 투여하며, 수액과 이뇨제를 사용하며 요산을 배출시킨다. 고칼륨혈증은 심부정맥과 심장마비를 일으킬 수 있으므로 적극적인 대처가 필요하며, 조기에 혈액투석을 시행한다. 저칼슘혈증이 있는 환자는 칼슘투여를 고려할 수 있으나 칼슘-인 복합체 생성의 위험을 고려하여, 심한 증상이 있는 경우 저용량을 조심스럽게 투여할 수 있다. 혈액투석의 적응증은 일반적인 투석의 적응증과 같으나 신기능이 급격히 악화되고, 소변량이 줄면 조기에 시행하는 것이 환자의 예후 향상에 도움이 된다. 지속적 신대체요법이 간헐적 혈액투석에 비해 효율적인 치료가 가능하므로 종양세포로부터 다량의 칼륨, 인, 푸린이 지속적으로 유리된다면 고려해야 한다.

급성요산신병증

1. 병태 생리

요산이나 요산 결정에 의해 발생하는 신장질환에는 급성요산신병증, 만성요산신병증, 요산결석이 있다. 급성요산신병증은 요산 결절이 원위세관과 집합관에 침착되고, 사이질에 염증반응이 발생하는 급성콩팥손상을 특징으로 한다. 요산의 용해도는 pH와 농도에 따라 결정된다. 림프종, 백혈병, 골수증식질환(myeloproliferative disease)과 같은 악성종양세포의 전환(turnover)이 빠른 경우 요산이 과다 생산된다. 특히 항암화학요법이나 방사선치료 후 세포용해가 일어나면서 분비된 핵산이 요산으로 전환되므로 급성요산신병증이 발생할 수 있다.

2. 임상 증상

대부분 증상이 없으나, 요관 폐쇄가 동반되는 경우 옆구리 통증이 발생할 수 있다. 혈청 요산 수치가 15 mg/dL 이상 증가되면서 급성콩팥손상이 발생할 경우 급성요산신병증을 의심해야 한다. 신전 급성콩팥손상에서도 근위세관에서 요산 재흡수가 증가할 수 있으나, 대부분 혈청 요산 수치는 12 mg/dL 미만이다. 소변검사에서 요산 결정이 관찰될 수 있으며, 단회뇨 요산/크레아티닌 비가 1 이상인 경우 요산 과다배출로 판단할 수 있다.

3. 예방과 치료

고등급의 림프종이나 백혈병, 종양분해증후근과 같은 급성요산신병증 고위험군 환자에서는 적극적인 수액 치료와 recombinant urate oxidase (rasburicase) 또는 xanthine oxidase inhibitor (allopurinol, febuxostat) 투여가 중요하다. 중탄산염은 칼슘/인 침착 위험을 증가시킬 수 있으므로 투여하지 않는다. 혈액투석은 급성콩팥손상을 동반한 환자에서 과량의 요산을 제거하는데 효과적이다. 적절한 치료가 이루어질 경우 예후는 좋은 편이다.

▶ 참고문헌

- Bosch X, et al: Rhabdomyolysis and acute kidney injury. N Engl J Med 361:62–72, 2009.
- Cairo MS, et al: TLS Expert Panel. Recommendations for the evaluation of risk and prophylaxis of tumour lysis syndrome (TLS) in adults and children with malignant diseases: an expert TLS panel consensus. Br J Haematol 149:578–586, 2010.
- Cairo MS, et al: Tumor lysis syndrome: new therapeutic strategies and classification. Br J Harmatol 127:3–11, 2004.
- Candela N, et al: Short- and long-term renal outcomes following severe rhabdomyolysis: a French multicenter retrospective study of 387 patients. Ann Intensive Care 10:27, 2020.
- Coiffier B, et al: Guidelines for the management of pediatric and adult tumorlysis syndrome: an evidence-based review. J Clin Oncol 26:2767–2778, 2008.
- Conger JD: Acute uric acid nephropathy. Med Clin North Am 74:859–871, 1990.
- Ejaz AA, et al: The Role of Uric Acid in Acute Kidney Injury. Nephron 142:275–283, 2019.
- Howard SC, et al: The tumor lysis syndrome. N Engl J M ed 364:1844–1854, 2011.
- Jones GL, et al: British Committee for Standards in Haematology. Guidelines for the management of tumour lysis syndrome in adults and children with haematological malignancies on behalf of the British Committee for Standards in Haematology. Br J Haematol 169:661–671, 2015.
- Khan FY: Rhabdomyolysis: a review of the literature. Neth J Med 67:272–283, 2009.
- Long B, et al: An evidence-based narrative review of the emer—gency department evaluation and management of rhabdomyolysis. Am J Emerg Med 37:518–523, 2019.
- Mitchell H, et al: Brenner and Rector's The Kidney, 11th ed, Elsevier, 2019.
- O'Connor FG, et al: Rhabdomyolysis, Goldman's Cecil Medicine, edited by Goldman L, Schafer AI, Philadelphia, Elsevier Saunders, 2020, pp694–698.
- Sever MS, et al: Recommendation for the management of crush victims in mass disasters. Nephrol Dial Transplant 27(suppl 1):i1–67, 2012.
- Update: exertional rhabdomyolysis, active component, U.S. Armed Forces, 2013–2017. MSMR 25:13–17, 2018.

제 11 부 급성콩팥손상

CHAPTER

10 감별진단

이소영 (을지의대)

KEY POINTS

- 급성콩팥손상의 감별진단을 위한 신체검사 시 객관적인 수분 상태 측정방법에 중심정맥압, 심장 초음파상 하대정맥 직경 측정, 이외에 최근 신체에 미세한 전류를 흘려보내 신체의 구성성분을 측정하는 생체 전기저항 분석법(bioelectrical impedance analysis)이 이용되고 있다.
- 급성콩팥손상의 조기 진단 시 생물표지자로 G1 세포주기정지(cell cycle arrest)와 연관된 조절 단백질인 TIMP-2/IGFBP7(Tissue inhibitor of metalloproteinases-2 × insulin-like growth factor-binding protein7)의 소변 농도 측정이 도움이 될 수 있다.
- 다양한 생물표지자들이 신전신손상과 세관괴사를 감별 진단하거나, 원인감별 또는 향후 신기능 회복정도를 예측하고 신대체 요법의 필요성을 예측하는 데에 이용될 수 있도록 많은 임상 연구들이 진행되고 있다.

급성콩팥손상 환자는 매우 다양한 임상 양상을 나타낼 수 있다. 어떤 환자에서는 급성콩팥손상을 유발한 원인 질환에 동반되는 증세(예, 육안적 혈뇨 등)가 주로 나타날 수 있고, 다른 환자에서는 신기능 저하에 의해 동반 되는 증세(예, 부종, 고혈압, 소변량 감소, 요독증에 의한 증세)를 주되게 호소할 수도 있다. 또한 가장 흔하게는 무증상이면서 혈청 크레아티닌 상승이나, 요검사 이상 등으로 우연히 발견되기도 한다.

신기능이 저하되어 있는 환자를 평가할 때 자세한 병력, 신체검사와 소변 검사 등이 매우 중요하며, 최근의 약제 복용력, 검사기록에 대한 자세한 정보를 얻어야 한다. 이외에 방사선학적 검사와 필요한 경우 신장 생검을 할 수 있다.

병력 청취와 신체검사

1. 신전 급성콩팥손상(Prerenal acute kidney injury)

신전 콩팥손상의 경우 환자의 수분 상태 측정이 가장 먼저해야할 중요한 검사이다. 환자의 병력상 출혈, 구토, 설사, 금식 등 탈수를 유발할 만한 사건이 있으면서 갈증, 기립성저혈압(기립시 확장기 혈압감소, >10 mmHg), 맥박 증가(기립시 증가, >10/분), 액와부 발한 감소, 중심정맥압 감소, 점막부위 건조 등의 소견을 보인다. 그 외 객관적인 수분상태 측정 시 심장초음파 검사상 하대 정맥 직경감소, 중심정맥압 감소 소견이 있을 수 있고 또한 최근에는 신체에 미세한 전류를 흘려보내 신체의 구성 성분을 측정하는 생체 전기저항 분석법(bioelectrical impedance analysis)을 이용하여 환자의 수분 상태를 측정할 수 있다. 심각한 탈수가 없더라도 고혈압 등 신혈관의 신전이 감소되어 있는 노인에서는 약간의 탈수와 동반되어 신장의 자동조절(autoregulation)을 저해하는 약물(비스테로이드소염제, 안지오텐신전환효소억제제등)을 사용한 경우 급성콩팥손상이 올 수 있다. 따라서 위의 병력과 최근의 소변량, 체중의 변화와 약물 사용력에 대해 자세한 병력 청취가 중요하다. 무엇보다도 신혈류가 재개되었을 때 신기능이 회복되면 확진이 가능하다.

2. 신성 급성콩팥손상(Intrinsic renal acute kidney injury)

1) 신성 세관 사이질 질환

신성 세관 손상의 가장 흔한 원인은 신혈류감소에 의한, 즉 신전 콩팥손상의 연장선 상에서 혈류의 재개가 안되어 일어나는 신세관 괴사와 신독성 약제에 의한 손상, 그리고 최근 점차 증가 추세에 있는 패혈증이 가장 흔한 원인이라고 할 수 있다. 좁은 범위에서 허혈에 의한 신성 세관 괴사(acute tubular necrosis)는 지속적인 신혈류감소 후 급성콩팥손상이 발생하고, 혈압이 정상화된 후에도 지속되어, 그 원인이 체액 감소에 의한 것일지라도 지속적인 소변량 감소에 의한 부종을 동반할 수 있어서 환자의 체액상태는 부족 혹은 과잉 상태가 모두 가능하다. 그리고 모든 감염증에서 급성콩팥손상이 동반될 수 있으므로 전신성 염증 반응, 즉 발열, 오한 등의 전신증세와 장기별 감염의 동반 유무를 자세히 살펴보아야 한다. 또한 신독성물질 사용력에 대한 자세한 조사가 필요하다. 가장 흔한 원인으로는 비스테로이드소염진통제의 사용력, 최근 조영증강제를 사용한 방사선 검사력, 항바이러스약제나 항생제 사용력 등에 대한 자세한 병력 청취가 중요하며 이러한 약제 사용 시에는 세관 손상이외에도 알레르기성 사이질성 신염의 가능성도 고려하여 소양성 구진발진(pruritic erythematous rash)과 같은 피부 병변, 관절통, 발열 등의 증상을 확인한다. 그 외에도 고열에 동반되어 출혈소견이 있으면 출혈열에 동반된 콩팥손상을 의심해 볼 수 있다.

2) 신성 혈관 질환

신성 혈관질환에는 침범되는 혈관의 크기에 따라 미세혈관 질환과 큰 혈관 질환이 있으며 미세혈관 질환으로는 미세혈관염, 용혈요독증후군(microangiopathy and hemolytic anemia)과 혈전혈소판감소자반병(thrombotic thrombocytopenic purpura)과 같은 미세혈관병증(microangiopathy), 전신피부경화증, 죽종색전증, 악성고혈압등의 질환에 동반되어 콩팥손상이 나타나는 경우가 있다. 이 때 피부에 망울혈반(livedo reticularis), 자반증(purpura), 말단 괴사, 피부각화증등의 증상이 관찰 될 수 있고 폐출혈, 부비동염 등의 증상이 동반되는지 확인해야한다.

대동맥박리, 전신성 죽종색전증, 신장동맥질환(동맥류등), 급성 신정맥 혈전증등의 큰 혈관의 손상으로 콩팥손상이 일어나는 경우는 혈관폐색의 정도와 속도에 따라 증상이 다양하게 나타나며 측복통, 발열, 백혈구세포 증가 등의 염증 소견과 혈압 상승 등이 나타날 수 있다.

3) 신성 사구체 질환

신성 사구체 질환은 크게 1차성(특발성) 사구체 질환과 전신성 질환(전신성 류마틱 질환, 약제 유발성, 악성 종양)에 동반되는 2차성 사구체 질환으로 나눌 수 있다.이 때 나타나는 임상양상에 따라 신염증후군(nephritic syndrome)과 신증후군(nephrotic syndrome)으로 표현되는데, 두 경우의 증상이 상당히 겹치긴 하지만 신염증후군의 경우 빠른 신기능 손상, 고혈압, 혈뇨 등의 증상이 특징적이며 신증후군의 경우는 급성콩팥손상이 동반되는 경우는 드물고 주로 부종, 단백뇨를 주된 증상으로 나타난다.

3. 신후 급성콩팥손상(Postrenal acute kidney injury)

신후 급성콩팥손상이 있어도, 요로폐쇄가 서서히 진행되었다면 증상이 없을 수 있다. 그러나 전형적으로 나타나는 양상은 방광, 신우 부위의 팽창에 의해 치골상부나 측

표 11-10-1. 급성콩팥손상의 감별진단에 유용한 병력과 신체검사

급성콩팥손상의 분류		병력	신체검사
신전		체액 손실(구토, 설사, 이뇨제 사용, 화상)	혈압, 심박수의 기립성 변화, 체중감소, 구강 점막 건조 , 액와부 발한 감소
		간, 심장 질환의 병력	S3 갤럽, 양측성 폐수포음 복수, 말초부종, 경정맥 확장
		약물복용력(비스테로이드 소염제 안지오텐신 전환효소 억제제, 안지오텐신 수용체 차단제, 사이클로스포린)	
		조영제(컴퓨터 단층촬영, 혈관조영촬영 시행력)	
신성	세관괴사	체액손실의 과거력, 약제복용력(아미노글리코사이드 등)	체액 부족, 체액 증가 모두 가능
	큰 혈관질환	측복통, 외상병력, 혈관시술(심도자등) 항응고제사용력(심방세동등)	심한 고혈압, 망상혈관피반, 검안경검사 (Roth 반점, 콜레스테롤 색전, 출혈, 삼출물), 피부 손톱 부위의 출혈점
	사구체질환 미세혈관 질환	발열 등 전신 증상(루푸스), 관절통, 홍채막염, 반점 각혈, 체중 감소, 거품뇨, 혈뇨, 전신경화증	구강 궤양, 관절염, 심낭마찰음 피부각화증, 모세혈관확장증
	사이질질환	관절통, 발열, 약제 복용력(항생제, 알로퓨리놀 프로톤펌 프억제제)	발열, 약제 발진
신후		빈뇨, 절박뇨, 혈뇨, 야간뇨, 결석 진단, 자궁경부암 병력, 척추 손상 약제복용력(항콜린제)	치골 상부통, 회음부 종괴, 전립선 비대

표 11-10-2. 요지수(urinary indices)

	신전 콩팥손상	신성 콩팥손상
비중	>1,020	<1,010
요 삼투압(mOsm/kgH$_2$O)	>500	<350
요 쇼듐 농도(mEq/L)	<20	>40
소변오스몰랄농도/혈청오스몰랄농도	>1.3	<1.1
요/혈청 크레아티닌 비	>40	<20
소듐분획배설(FeNa, %)	<1	>1
신부전 지수(renal failure index)	<1	>1
요소분획배설(FeUrea, %)	<35	>35
요침사	정상; 드물게 초자원주(hyaline cast), 과립원주 (granular cast)	신세관 상피원주, granular and muddy brown casts

소듐분획배설(FeNa)=[U_{Na}xP_{Cr} / P_{Na}xU_{Cr}] x100; Renal failure index=U_{Na}xP_{Cr} / U_{Cr} ; FeUrea = =[U_{Urea}xP_{Cr} / P_{Urea}xU_{Cr}] x100
* 신전 콩팥손상에서 FeNa> 1% : 이뇨제, 탄산수소뇨, 기존의 만성콩팥병에 의한 salt wasting, 부신피질기능저하증
* 신전 콩팥손상 이외에 FeNa< 1% 인 경우: 비핍뇨성 급성세관괴사의 약 15%, 요로폐색, 사구체신염, 신혈관질환, 횡문근융해증에 의한 콩팥손상, 조영제 독성에 의한 콩팥손상, 패혈증성 콩팥손상
* FeUrea : 이뇨제 사용에 관계없이 35% 이하는 세관 기능이 유지됨을 의미하므로 신전 콩팥손상을 진단하는데 도움이 된다.

복부의 통증을 호소하는 경우가 많다. 회음부로 방사되는 측복부 산통을 호소할 때는 요관 결석을 의심할 수 있고, 전립선 질환이 있을 때는 야간뇨, 절박뇨, 빈뇨 등 하부요로증상이 있으면서 수지 항문 검사에서 전립선비대를 확인할 수 있다. 신경계 질환이 있거나 삼환계 항우울제(tricyclic antidepressants)와 같은 항콜린성 약물 복용력이 있으면 신경성방광(neurogenic bladder)의 악화로 인한 방광 기능저하를 의심해 볼 수 있다. 방광암이 진행하거나 자궁경부암이 진행하여 요로 또는 방광을 침범한 경우도 배재해야한다. 이러한 경우 초음파 검사 등의 영상의학적 검사를 통해 수신증을 확인하고 폐쇄를 해소했을 때 신기능의 빠른 회복을 보이면 확진이 가능하다.

소변검사

1. 소변량

무뇨(<100 mL/day)는 드물게 나타나지만 완전 요로폐색, 심한 허혈성 괴사(양측 피질 괴사), 신혈관 폐색, 급속 진행사구체신염, 심각한 혈관염에서 나타날 수 있으므로 이에 대한 가능성을 염두에 두고 검사를 진행한다. 핍뇨(<500mL/day)가 동반되는 경우는 소변량이 유지되는 경우보다 콩팥손상이 심각함을 의미한다고 할 수 있다. 콩팥손상이 있어도 소변량이 유지되는 경우는 보통 오래된 요로 폐색, 세관 사이질 콩팥손상, 시스플라틴(cisplatin), 아미노글라이코사이드(aminoglycoside) 항생제 신독성 등에서 동반되는 경우가 많다. 불완전 요로폐색이 있는 경우에는 일일 소변량의 변동이 심할 수 있다.

2. 요침사 검사(Urine sediment)

요침사 검사에서 여러 가지 종류의 세포, 원주, 결정(crystal)등의 존재를 확인해야 한다. 신전 콩팥손상이 있으면, 헨레 고리의 굵은오름다리세포에서 분비되는 Tamm-Horsfall 단백이 탈수 상태에서 응집되어 형성되는 유리질원주(hyaline cast)만 관찰되고 특이한 세포성분이 보이지 않아 이를 "bland", "benign", "inactive" 소견이라 한다. 허혈성 혹은 신독성 물질에 의한 세관괴사가 있으면 괴사된 세포가 포함된 "muddy brown granular cast"가 관찰된다. 적혈구원주는 사구체 손상이 동반된 질환에서 관찰되며, 호산구원주가 관찰되는 질환들로는 신장의 죽종색전 급성콩팥손상(atheroembolic AKI), 급성신우신염, 알레르기성 사이질신장염(allergic interstitial nephritis)등이 있다. 요산 결정은 콩팥손상에서도 보일 수 있으나, 급성요산염신장병(acute urate nephropathy)에서 다수 보이고, 옥살레이트 결정은 에틸렌글리콜 중독에서 많이 보여 이들의 존재로 이러한 질환을 추정할 수 있다.

1 g 미만의 단백뇨는 세관손상만 있어도 세관의 재흡수 기능 손상에 의해 동반될 수 있다. 그러나 1 g 이상의 단백뇨는 사구체 손상이나 골수종 경쇄(light chain)가 존재할 가능성을 시사하는 소견이다. 현미경 소견에서 적혈구는 음성이고 잠혈반응만 양성으로 보이는 경우에는 용혈이나, 횡문근융해증에서 관찰되는 헤모글로빈뇨, 미오글로빈뇨를 생각할 수 있다.

3. 신부전 지수(Renal failure index)

신전 콩팥손상과 신장 허혈로 인한 신세관 괴사는 치료의 원칙이 달라지므로 반드시 감별해서 치료를 시작해야 한다. 이때 유용하게 이용되는 검사가 콩팥손상 지표이다. 소듐분획배설(FeNa, fractional excretion of sodium)은 크레아티닌 제거율에 대한 소듐 제거율로서 가장 예민한 지표라고 할 수 있다. 신전 콩팥손상에서는 세관에서의 쇼듐의 재흡수가 왕성하게 일어나 여과된 쇼듐 중 소변으로 배설되는 양이 낮은데 비하여 급성 세관 괴사 시에는 기능이 저하된 세관에서의 쇼듐 흡수가 감소하고 소변으로의 배설이 많이 일어나게 되므로 쇼듐의 배설분율이 높아지게 되어 감별 진단에 도움이 된다. 신전 콩팥손상 시 소듐 분획배설 1% 미만은 신세관에서 쇼듐 재흡수가 충분히 일어남을 의미한다. 그러나 이뇨제를 사용하고 있거나 만성 콩팥병이 있는 환자, 탄산수소뇨(bicarbonaturia)가 있는 대사성 알칼리증 환자에서는 탈수 상태에서도 소듐분획추출이 1% 이상일 수 있음을 고려해야 한다. 이런 경우에는 고리이뇨제에 의해 영향을 안 받으면서 근위 세관에서 재흡수되는 요소를 이용하여 요소분획배설(FeUrea; fractional excretion of urea)을 측정하는 것이 세관 기능을 더 예민하게 반영 할 수 있다. 같은 기전으로 소변중 쇼듐 농도, 요비중, 요삼투압, 그리고 요: 혈장 크레아티닌 비율을 해석할 수 있다(표 11-3-2). 소듐분획배설과 콩팥손상 지표는 민감도와 특이도가 90% 정도로 신전과 신성 콩팥손상의 감별에 도움이 되는 검사이나 신폐색 초기, 급성사구체신염, 간콩팥손상, 조영제 사용, 초기 횡문근융해증 시에는 낮게 나오므로 신전 콩팥손상과의 감별이 어렵다.

혈액 검사

경과 중 혈청 크레아티닌의 증가 양상이 질환의 원인에 따라 다를 수 있어 감별에 도움이 될 수 있다. 신전 콩팥손상의 경우, 혈역학적 변화, 신혈류량의 변화에 따라 크레아티닌의 변화가 빠르게 나타나고, 원인이 교정되면 빠르게 정상화된다. 허혈성 세관괴사가 일어나면 1~2일후 크레아티닌이 상승하여, 7~10일 후에 최고치에 도달하며, 보통 14일 이내에 회복되는 경과를 보인다. 조영제 신독성의 경우는 조영제 사용 후 24~48시간에 상승하기 시작하여, 3~5일후 최고치에 도달하며 약 일주일 후 회복되는 양상을 보인다. 이와 대조적으로 신장 죽종색전증의 경우는 오랜 기간에 걸쳐 서서히 상승하나 상승폭이 크고 많은 경우에서 비가역적이다.

아미노글라이코사이드 항생제나 시스플라틴 같이 신장 세관 세포에 축적되어 독성을 나타내는 약제는 첫 사용 후 4~5일에서 2주 정도 지난 후 크레아티닌이 상승하게 된다.

온혈구계산(CBC)도 진단적인 가치가 있다. 급성콩팥손상 시 흔히 빈혈이 동반되는데, 빈혈이 심한 경우 용혈, 다발성 골수종, 혈전성 혈관병증의 가능성을 고려해야 한다. 또한 혈전성 혈관병증시에는 혈소판 감소증, 분혈적혈구, 젖산탈수소효소 증가, 합토글로빈감소등이 동반 될 수 있다. 말초 혈액 호산구 증가는 사이질신염, 죽종색전증(atheroembolism), 결절다발동맥염(polyarteritis nodosa), 처그-스트로스증후군(Churg-Strauss syndrome)등에서 관찰 될 수 있다.

횡문근 융해증, 종양용해증후군의 가능성이 있을 때 크레아틴인산화효소(creatine kinase), 혈중 요소 수치의 심한 증가가 동반될 수 있다. 급성콩팥손상 시 음이온차가 증가한 대사성 산증이 일반적이나, 음이온차와 오스몰차가 모두 증가한 산증의 경우, 에틸렌 글리콜 중독증을 의심할 수 있고, 이때는 소변에서 옥살산 결정을 관찰 할 수 있다. 이 밖에 음이온차가 감소한 산증의 경우 측정되지 않는 양이온(myeloma protein)이 증가하는 다발성 골수증 진단의 도움이 될 수 있다.

크레아티닌 상승과 단백뇨 증가가 동반되어 사구체 질환이나 혈관염이 의심되는 경우에는 보체 감소, 항핵항체, 항중성구세포질항체, 항사구체기저막항체, 한랭글로불린 등의 검사가 진단에 반드시 필요하다

영상의학 검사

1. 신장 초음파검사

신기능이 저하된 환자에서 급성콩팥손상과 만성콩팥병을 감별하는데 신장 초음파를 시행하면 신장의 크기와 함께 신장의 성상을 볼 수 있어 진단에 많은 도움이 될 수 있다. 만성콩팥질환이 있으면 신장 크기가 감소하고, 에코 발생(echogenicity)이 증가하므로 구별할 수 있다. 그러나 당뇨신장병, HIV-연관 신병증, 아밀로이드신증, 급성사구체신염, 급성 사이질 신염, 신정맥 혈전증이 동반된 경우 신장 크기가 정상 혹은 약간 크게 측정될 수 있음을 고려하여야 한다.

신장 초음파는 신후 급성콩팥손상 진단시 요로폐색에 의한 수신증을 진단하는 데에 확실한 도움을 줄 수 있다. 그러나 폐색이 요로 침윤성 질환에 의해 서서히 진행되는

경우(요로 침윤성 암, 후복막 섬유증 등)에는 요로폐색에 의한 콩팥손상이 있는 경우에도 수신증이 동반되지 않을 경우가 있다. 그러므로 다른 소견으로 신후 콩팥손상이 의심되는 경우에 수신증이 없는 것으로 가능성을 배제해서는 안된다. 또한 초음파 검사만으로는 폐색의 위치를 파악하기 어려우므로 필요하면 컴퓨터 단층 촬영이나 경피콩팥창냄술(percutaneous nephrostomy)을 통한 제방향깔때기조영술(antegrade pyelography)을 시행해야 한다.

2. 그 외 영상의학 검사

역방향깔때기조영술(역방향신우조영술, retrograde pyelography), 제방향깔때기조영술(제방향신우조영술, antegrade pyelography)등은 조영제로 인한 콩팥손상을 최소화할 수 있고 경피콩팥창냄술(percutaneous nephrostomy)을 시행할 수 있어 요로폐색의 진단과 치료에 유용한 방법이다. 컴퓨터단층촬영은 요로폐색의 위치, 후복막 병변(retroperitoneal fibrosis, cancer)등을 진단하는 데에 유용하다. 신혈관촬영은 혈전, 색전 등에 의한 신동맥폐색이 의심되거나 신좌상(renal trauma), 결절다발동맥염, 신정맥 혈전증 등의 진단에 유용하다. 그러나 컴퓨터단층촬영과 신혈관 촬영은 조영제를 사용하게 되므로 신기능을 더욱 악화시킬 수 있음을 고려하여야 한다. 가돌리늄을 이용한 자기공명영상검사의 경우, 신장기원전신섬유증(Nephrogenic systemic fibrosis) 발생의 가능성이 있어 특히 콩팥손상의 정도가 심한 환자에서 주의를 요한다.

신장생검

급성콩팥손상에서 신장생검은 신전 콩팥손상, 신후 콩팥손상, 신독성 약물 등이 원인이 아닌 경우, 급성세관괴사가 4~6주후에도 회복되지 않는 경우에 고려하게 된다. 보통 급속진행사구체신염, 사이질신장염, 혈전성 미세혈관병(thrombotic microangiopathy)등의 질환 진단 시 도움이 되므로 소변검사 또는 혈청검사 결과로 이러한 질환을

의심하는 소견이 있으면 바로 시행하여 치료를 서둘러야 한다. 급성세관괴사에서도 조직 검사를 시행하여 장기적 예후를 예측하기도 한다. 특히 이식신에서 급성콩팥손상이 발생한 경우 허혈성 세관괴사, 급성 거부반응, 칼시뉴린 억제제(calcineurin inhibitor) 독성을 감별하기 위해 조직 검사가 필요하다.

새로운 생물표지자(Novel biomarkers)

급성콩팥손상의 진단 기준 자체가 혈청 크레아티닌의 상승이긴 하나, 크레아티닌은 기능적인 콩팥손상을 의미하며 신기능 손상이 비교적 많이 진행되어야 상승 한다는 단점이 있다. 최근 KIM-1 (kidney injury molecule-1), NGAL (neutrophil gelatinase-associated lipocalin), L-FABP (liver type-fatty acid binding protein) 등의 생물표지자들이 기능적인 콩팥손상만을 보여주는 크레아티닌에 비하여, 신장 신질의 구조적 손상을 반영하는 표지자로서, 세관 세포 손상 시 매우 초기에 상승함이 알려지고 있다. 특히 NGAL, 시스타틴 C (cystatin C)등의 경우 임상에서의 사용이 점차 증가하고 있는데, NGAL은 신장 허혈시 많이 증가하여 신전 콩팥손상과 조기 세관 괴사를 감별하는데 유용하며 따라서 신기능 회복을 예측하게 하는 인자로서 의미가 있다고 보고되고 있다. 또한 미국 식약청(FDA)은 최근 소변중 Tissue inhibitor of metalloproteinases-2/insulin-like growth factor-binding protein7 (TIMP-2/IGFBP7)이 급성콩팥손상의 발생을 조기에 진단 할 수 있다고 승인한 바 있다.

향후 이러한 생물표지자들을 이용, 신전 콩팥손상과 세관괴사를 감별 진단하거나, 급성콩팥손상의 원인이 감염인지 약물인지 구분이 가능하도록, 또는 신장세포의 손상정도를 양적으로 평가하여 향후 신기능 회복정도를 예측하고 신대체 요법의 필요성을 예측 하는데에도 이용하도록 하는 많은 임상 연구들이 진행되고 있다.

▶ 참고문헌

- Bonventre JV: Acute Kidney injury. Harrison's principles of internal medicine 18th ed. chapter 279, pp 2293–2303.
- Brady HR, et al: Clinical evaluation, management, and outcome of Acute renal failure. Comprehensive clinical nephrology. 3rd ed. Philadelphia Mosby Inc., 2010, pp183–206.
- Haase M: The outcome of neutrophil gelatinase-associated lipo-calin-positive subclinical acute kidney injury: a multicenter pooled analysis of prospective studies. J Am Coll Cardiol 57:1752–1761, 2011.
- Herget-Rosenthal S: One step forward in the early detection of acute renal failure. Lancet 365:1205–1206, 2005.
- Holley JL: Clinical approach to the diagnosis of acute renal failure. Primer on kidney disease, 5th ed, National kidney foundation, Elsevier Saunders, 2005, pp277–283.
- Koyner JL: Tissue Inhibitor Metalloproteinase-2 (TIMP- 2)·IGF-Binding Protein-7 (IGFBP7) Levels Are Associated with Adverse Long-Term Outcomes in Patients with AKI. JASN 26:1747–1754, 2015.
- Thomas BJ: Biooelectrical impedance analysis for measurement of body fluid volumes : a review J Clin Eng 17:505–510, 1992.

CHAPTER

11 보존요법

이동원 (부산의대)

KEY POINTS

- 급성콩팥손상 발생 초기에 중증도에 따라 응급단계를 분류하고 교정 가능한 원인을 찾는 것과 동시에 즉각적인 신대체요법이 필요한 상황을 구분하는 것이 중요하다.
- 기본적인 치료원칙은 수분공급을 통한 유효순환용적의 회복, 수분, 전해질 및 산염기 대사장애의 교정, 신독성 약제의 중단 또는 감량 등이다.

급성콩팥손상(acute kidney injury, AKI)은 내과계 환자의 5~7%에서 발생하고, 투석이 필요한 중증 급성콩팥손상은 1~2% 정도이다. 입원 중인 환자에서는 발생률이 증가하여 성인 환자의 약 20%, 소아 환자의 약 33%, 중환자실 환자의 약 16~67%에서 발생한다. 투석과 중환자 관리의 기술적인 발전에도 불구하고 급성콩팥손상의 발생률은 매년 약 3% 지속적으로 증가하고 있고, 사망률은 여전히 50%를 상회하고 있다. 이것은 패혈증, 외상, 수술 및 다기관부전(multiple organ failure) 등과 동반되어 발생하는 급성콩팥손상의 사망률이 높기 때문인 것으로 해석되고 있다.

따라서 급성콩팥손상 발생 초기에 중증도(병기)에 따라 응급단계를 분류하고 교정 가능한 원인을 찾는 것과 동시에 즉각적인 신대체요법(renal replacement therapy)이 필요한 상황을 구분하는 것이 중요하다. 급성콩팥손상으로 인한 중증 합병증들은 수분 누적으로 인한 폐부종, 고칼

륨혈증, 대사산증, 심장막염(pericarditis), 원인 모를 의식저하, 경련 등이다. 신독성 약물이나 독물에 의한 콩팥손상, 적절한 약물치료에도 반응하지 않는 합병증, 또는 패혈(septic), 허혈(ischemic) 급성세관괴사(acute tubular necrosis, ATN)와 같은 중증 콩팥손상들은 투석치료를 요하는 경우가 많다. 성공적인 치료를 통해 신기능을 회복시키기 위해서는 콩팥손상 원인의 조기진단, 진행의 예방, 합병증의 교정, 시기적절한 신대체요법, 적극적인 보존요법 등이 필수적이다. 급성콩팥손상의 원인에 따라 치료의 주안점이 달라질 수 있으나, 기본적인 치료원칙은 수분공급을 통한 유효순환용적(effective circulating volume)의 회복, 수분, 전해질 및 산염기 대사장애의 교정, 신독성 약제의 중단 또는 감량 등이다(표 11-11-1).

표 11-11-1. 급성콩팥손상의 예방과 치료

일반적 치료원칙
유효순환용적의 회복: 수분공급, 혈압상승제(vasopressor)
수분, 전해질, 산염기 대사장애의 교정
신독성 약제의 중단, 감량
신대체요법의 준비
합병증의 예방과 치료
수분누적: 염분, 수분 섭취제한, 이뇨제, 혈액여과(hemofiltration)
고칼륨혈증: 포타슘 섭취제한, 포타슘보존이뇨제, 안지오텐신전환효소억제제(ACEI), 안지오텐신II수용체차단제(ARB), 비스테로이드소염제(NSAIDs) 등의 투여중단, 고리작용 이뇨제, 글루콘산칼슘, 인슐린, 베타2아드레날린작용제, 포타슘교환수지, 투석
대사산증: 탄산수소소듐(NaHCO$_3$), 투석
고인산혈증: 인 섭취제한, 인결합제
저칼슘혈증: 칼슘제제
고마그네슘혈증: 마그네슘제제(제산제) 중단
영양공급: 충분한 단백-열량 보충, 경구 또는 관영양
약물조절: 신독성 약제의 중단 또는 사구체여과율에 근거한 투여용량, 횟수 조절

급성콩팥손상의 예방과 일반적 치료

1. 급성콩팥손상의 예방

급성콩팥손상의 발생위험이 있는 환자들은 혈청 크레아티닌 치 및 소변배출량의 변화를 통해 수분용적과 혈류역학 상태를 면밀히 파악해야 한다.

허혈 급성콩팥손상의 위험이 높은 고령의 환자 또는 기존의 만성콩팥병 환자들에서는 심혈관계 기능과 유효순환용적에 대한 감시와 조절이 중요하다. 유효순환용적을 적절히 유지함으로써 수술, 외상, 화상, 위장관 수분소실(설사, 구토) 등에 의한 허혈 급성콩팥손상의 위험을 줄일 수 있다.

신독성 약제는 투여를 중단하거나 사구체여과율(estimated GFR, calculated from serum creatinine)에 따라 투여용량 또는 횟수를 조절해야 한다. 일반적으로 Cockcroft-Gault 공식(나이, 성별, 체중)이나 Modification of Diet in Renal Disease (MDRD) 공식(나이, 성별, 체중, 인

종)으로 사구체여과율을 평가하지만, 혈청 크레아티닌치가 불안정하거나 급성콩팥손상이 진행 중인 경우엔 오류가 발생할 수 있기 때문에 혈청 크레아티닌 치를 반복 측정하면서 기저치에 대비한 변화 추세를 관찰하는 것이 바람직하다. 아미노당화물 항생제(aminoglycosides), 항균제, 면역억제제(cyclosporine, tacrolimus) 등은 혈중 약물농도(TDM, therapeutic drug monitoring)에 따라 투여량을 조절하고, 이뇨제, 비스테로이드소염제, 안지오텐신전환효소억제제, 안지오텐신II수용체차단제, 혈관확장제 등은 수분용적이 부족한 상태에서 투여할 경우 신전(prerenal) 급성콩팥손상을 유발하거나 신전 급성콩팥손상을 허혈 급성콩팥손상, 급성세관괴사로 악화시킬 위험이 높으므로 주의를 요한다. 조영제신병증(contrast nephropathy)을 예방하기 위해선 조영제를 이용한 영상 촬영 전 충분한 수분공급이 가장 중요하다. 생리식염수가 가장 많이 사용되고 탄산수소소듐용액 또한 유용하다. 아세틸시스테인(N-acetylcysteine) 제제는 치료근거는 약하지만 부작용이 적어 조영제신병증의 고위험군 환자들에게 추천되고 있다.

2. 수분공급 및 유효순환용적의 감시

수분용적이 저하된 경우에는 충분한 수액을 공급하여 유효순환용적을 확보하는 것이 중요하며 초기 수액치료로는 출혈쇼크가 있는 경우가 아니라면 등장 결정질액(생리식염수)이 가장 유용하다. 심기능의 저하, 패혈쇼크, 혈관운동부전(vasomotor paralysis)이 동반되어 있는 경우엔 충분한 수액을 공급하면서 도파민, 노르에피네프린, 바소프레신 등과 같은 혈압상승제를 함께 투여할 수 있다. 반면 과도한 수분을 공급하게 될 경우 특히 기존의 심폐질환이 있는 환자 또는 급성콩팥손상으로 인해 혈관 투과성이 증가되어 있는 환자에서는 급성폐부종을 초래할 수 있다. 특히 핍뇨, 무뇨를 동반한 급성콩팥손상의 경우 과도한 수분축적으로 인한 합병증을 주의해야 한다.

따라서 유효순환용적을 적절히 감시하고 수분공급의 효과를 확인하는 것이 중요하며, 신체진찰을 통해 체중변화, 구강점막 상태, 피부긴장도 등을 확인하고 기립저혈압(orthostatic hypotension) 여부, 맥박수, 폐기저부 수포음, 제3심잡음 등에 주의를 기울여야 한다. 혈액요소질소, 혈청 크레아티닌, 소변소듐 농도, 소듐분획배설(FENa) 등도 수분용적을 파악하는 데에 유용하다. 집중치료가 필요한 경우엔 중심정맥압(central venous pressure, CVP)이나 폐동맥쐐기압(pulmonary capillary wedge pressure, PCWP) 등을 활용할 수 있다.

이뇨제는 급성콩팥손상의 예방 목적으로는 추천되지 않으며 수분축적이 심한 경우에 한해 제한된 기간 동안 사용할 수 있다. 퓨로세마이드(furosemide)와 같은 고리작용이뇨제가 주로 사용되는데 일시용량(bolus)으로 투여하기도 하고 지속적으로 정맥주입(infusion)하기도 한다. 혈류역학적으로 안정되어 있고 무뇨 상태가 아닐 때 퓨로세마이드를 일시용량으로 투여할 수 있으나 귀 독성(청력장애) 위험성을 고려하여 천천히 투여해야 한다.

3. 전해질, 산-염기 평형 유지

수분용적의 변화에 따라 소듐, 포타슘, 칼슘, 인 등 전해질 대사장애가 동반될 수 있다. 특히 고칼륨혈증은 생명에 위험을 초래할 수 있어 세심한 감시와 교정이 필요하다. 고칼륨혈증은 핍뇨 급성콩팥손상에서 흔히 발생할 수 있는데 분해대사(catabolism)가 심한 상태나 세포의 파괴가 심하게 일어나는 횡문근융해증, 종양분해증후군 등에서 특히 유의해야 한다. 혈청 포타슘농도도 6.5 mEq/L를 초과하는 경우, 심장 전도장애, 근력 저하 등의 신경-근육 증상을 동반하는 경우, 혈청 포타슘농도 5.5 mEq/L를 초과하면서 횡문근융해증과 같이 지속적인 조직손상이 동반되는 경우나 위장관출혈과 같은 지속적인 포타슘 흡수가 진행되는 경우엔 신대체요법과 같은 즉각적인 치료를 요한다. 먼저 글루콘산칼슘(calcium gluconate) 제제를 투여하여 심근을 안정시키고 인슐린이나 베타2아드레날린작용제를 투여하여 혈중 포타슘의 세포 내 유입을 유도할 수 있고 포타슘결합수지를 투여하여 위장관 내 포타슘의 배설을 촉진시킬 수 있다. 이와 같은 약물요법에 반응이 없는 심한 고칼륨혈증은 투석을 통해 교정해야 한다.

저칼슘혈증은 사구체여과율이 감소하면서 발생하는 고인산혈증과 함께 나타날 수 있으며 부갑상선호르몬에 대한 저항성, 활성비타민D (1,25(OH)$_2$D$_3$) 생성 저하 등과 관련되어 발생할 수 있다. 저칼슘혈증과 관련된 증상이 나타나게 되면 인결합제를 사용할 수 있고 심할 경우에는 칼슘제제의 공급과 투석을 고려할 수 있다.

대사산증은 pH 7.20 미만, 혈청 탄산수소 15 mEq/L 미만인 경우에 치료를 요한다. 경구 또는 비경구 탄산수소소듐 제제를 투여하여 치료할 수 있으며 과도한 교정으로 인해 대사알칼리증, 저칼슘혈증, 저칼륨혈증, 수분누적 등이 발생할 수 있으므로 감시가 필요하다. 무뇨 또는 핍뇨 상태로 수분축적이 심한 경우, pH 7.10 미만의 심한 대사산증에서는 신대체요법을 고려해야 하고 pH 7.20 초과, 혈청 탄산수소 20~22 mEq/L를 목표로 교정한다.

4. 영양 공급

급성콩팥손상으로 입원하는 환자의 40% 이상에서 단백-열량 영양결핍(protein-calorie malnutrition)을 보이며 이는 급성콩팥손상 환자의 사망률을 증가시킨다고 보고되고 있다. 급성콩팥손상의 병기에 상관없이 하루 20~30 kcal/kg의 열량공급이 필요하고 질소노폐물을 줄이고 투석치료를 피하기 위해 단백섭취를 제한하는 것은 바람직하지 않다. 투석을 시행하지 않는 경도–중등도 콩팥손상에서는 하루 0.8~1.0 g/kg의 단백질 공급이 필요하고, 투석을 시행 중인 경우엔 투석으로 인한 추가적인 영양 소실을 고려하여 하루 1.0~1.5 g/kg의 단백질 보충이 필요하다. 그러나 과도한 영양 공급은 질소혈증을 악화시킬 수 있고 정맥을 이용한 비경구영양공급(parenteral nutrition)으로 수분이 과잉 축적될 수 있으므로 주의해야 한다. 또한 가능한 한 경구 또는 관영양(tube feeding)을 조속히 시행하여 장 활동을 유지토록 하는 것이 회복에 유리하다.

신전(prerenal) 급성콩팥손상의 치료

신전 급성콩팥손상은 체내 유효순환용적의 감소로 발생하므로 적절한 수액요법을 통해 회복될 수 있으며, 투여하는 수액의 종류는 소실된 체액의 조성에 따라 결정된다. 체액 소실의 원인과 그 조성에 따라 결정질용액(crystalloid solution) 또는 교질용액(colloid solution)을 투여하여 유효순환용적을 보충함으로써 신기능을 회복시키고 급성세관괴사와 같은 신실질의 손상으로 악화되는 것을 예방할 수 있다.

심한 급성출혈의 경우에는 농축적혈구를 투여하지만 기타 출혈이나 혈장 소실(화상, 췌장염 등)에 의한 수분용적 감소 시에는 결정질용액 또는 교질용액을 투여한다. 등장성 생리식염수가 초기 수액요법으로 가장 적절하며 교질용액은 분자성분에 따른 영향, 교질삼투압에 미치는 영향 등으로 인해 결정질용액에 비해 우수하다는 증거는 부족하나 상황에 따라 활용해 볼 수 있다. 등장성 이상의 식염수를 사용할 때에는 염화물(chloride)의 과도한 공급으로 인한 대사산증(hyperchloremic metabolic acidosis)의 발생 가능성을 고려해야 한다. 대사산증이 심한 경우에는 탄산

수소소듐을 함유한 포도당용액을 사용한다.

소화관을 통한 수분소실의 경우에는 소실된 부위에 따라 체액의 조성이 다르므로 투여하는 수액의 성분을 맞추어 공급해야 한다. 구토나 비위관 배액에 의한 체액 소실은 저장성 1/2생리식염수에 염화포타슘(KCl)을 혼합하여 보충하며, 췌장, 담즙 또는 소장액의 소실은 생리식염수로, 설사에 의한 소실은 포도당용액에 탄산수소소듐과 염화포타슘을 혼합하여 정맥주사한다.

심부전이 동반되어 있을 경우엔 심박출량 및 신혈류량의 감소로 인한 허혈손상이 발생할 수 있으므로 심기능의 강화가 필요하다. 심근의 수축촉진제(inotropic agents), 심장의 전부하(preload) 및 후부하(afterload)를 감소시키는 약제, 항부정맥 약제 등이 필요하며 대동맥내풍선펌프(intraaortic balloon pump, IABP)와 같은 보조장치가 필요할 수 있다.

간부전, 복수 등과 동반되는 간신장증후군(hepatorenal syndrome)은 신전 급성콩팥손상과 감별이 어렵고 과도한 수분 공급으로 복수, 폐부종 등이 악화될 수 있으므로 주의를 요한다. 간 이식을 통해 회복될 수 있으나 이식 전 치료로 바소프레신(vasopressin analog), 소마토스타틴(somatostatin analog), 알파1아드레날린작용제, 노르에피네프린 등을 알부민 용액과 함께 투여할 수 있다. 간부전이 있을 때 이뇨제를 사용하면 전해질의 불균형과 함께 간성혼수(hepatic encephalopathy)를 초래할 수 있으므로 주의가 필요하다.

신증후군, 특히 미세변화병(minimal change disease)에서 신전 급성콩팥손상이 발생할 수 있으며 유효순환용적을 유지하면서 스테로이드제제, 면역억제제 등으로 기저 사구체질환을 치료하면서 신기능의 회복을 도모할 수 있다.

신성(renal, intrinsic) 급성콩팥손상의 치료

신성 급성콩팥손상은 염증(inflammation), 세포자멸사(apoptosis) 등에 의한 급성세관괴사(ATN)가 대표적이며

신성 급성콩팥손상으로 진행하는 경우가 많다. 또한 패혈증, 허혈 등에 의해 사구체(glomerular), 세관사이질(interstitial), 혈관(vascular) 손상이 발생할 수 있다. 일단 신실질의 손상이 발생하게 되면 교정이 어려운 경우가 많고 예후가 불량하기 때문에 예방이 중요하다.

수액투여로 유효순환용적이 충분히 보충되어도 소변량이 증가하지 않는 경우에 이뇨제를 사용하여 소변량을 늘림으로써 핍뇨형 콩팥손상을 비핍뇨형 콩팥손상으로 전환시킬 수 있다. 비핍뇨형 콩팥손상이 핍뇨형에 비해 예후가 좋다거나 소변량이 증가함으로써 급성콩팥손상의 경과를 호전시킨다는 증거는 없으나 비핍뇨형으로 전환되어 충분한 소변량이 확보되면 영양공급이나 이후의 수액치료를 안전하게 시행할 수 있고 투석의 필요성을 줄일 수 있다.

허혈 급성콩팥손상을 치료하기 위해 여러 가지 약제들이 시도되어 왔으나 뚜렷한 치료효과를 증명하지는 못하여 신실질의 손상을 조기에 발견할 수 있는 생물표지자(biomarker)의 개발과 조기치료의 중요성이 강조되고 있다.

급성사구체신염이나 혈관염에 의한 급성콩팥손상은 스테로이드제제, 면역억제제 또는 혈장분리교환(plasmapheresis) 등으로 치료될 수 있으므로 의심이 되면 신생검을 시행하여 사구체 손상을 조기에 진단하고 조기에 치료를 시작하여 비가역적인 손상을 예방해야 한다. 약물 또는 독물에 의한 사이질신염(interstitial nephritis)은 원인물질을 중단, 제거하는 것이 가장 중요한 치료원칙이며 악화될 경우엔 스테로이드제제를 사용해 볼 수 있다.

횡문근융해증은 횡문근세포의 파괴로 세포내 물질들이 혈류로 유입되면서 독작용을 나타내는 것으로 조기에 많은 양의 수액을 집중적으로 공급하여 이러한 독성 물질들을 제거하는 것이 중요하다. 하루 10 L 이상의 수액공급이 필요한 경우도 있으며 수액요법에 반응이 없고 악화되는 경우에는 신대체요법이 필요하다. 치료 중 많은 양의 수액을 공급하기 때문에 수분, 전해질 이상을 세심히 관찰해야 하며 특히 손상된 조직에 침착되거나, 회복되는 조직에서 유리되는 칼슘, 인으로 인한 장애를 주의해야 한다.

신후(postrenal) 급성콩팥손상의 치료

신후 급성콩팥손상은 신장-요로계의 폐색에 의해 신기능이 손상되는 것으로 폐색의 위치와 원인을 조기에 발견하여 소변의 흐름을 우회 또는 개통시켜 줌으로써 소변의 정체에 의한 신실질의 손상을 예방하는 것이 중요하다. 요도경유 또는 치골 위 도뇨관 삽입을 통해 요도폐색, 방광 기능장애 등을 확인하고 방광 상방의 요관폐색이 있는 경우엔 피부경유콩팥창냄술(percutaneous nephrostomy, PCN) 또는 요관 스텐트 시술 등을 시행한다. 요세관의 손상이 동반된 경우에는 요로폐색이 제거된 후에도 심한 다뇨가 지속될 수 있으므로 적절한 수분 및 전해질의 공급과 감시가 필요하다.

▶ 참고문헌

- Gaudry S, et al: Initiation strategies for renal-replacement therapy in the intensive care unit. N Engl J Med 375:122–133, 2016.
- Kidney Disease: Improving Global Outcomes (KDIGO) Acute Kidney Injury Work Group. KDIGO Clinical Practice Guidelines for Acute Kidney Injury. Kidney Int Supp 2:1–138, 2012.
- Lameire NH, et al: Acute kidney injury: An increasing global concern. Lancet 382:170–179, 2013.
- Moore PK, et al: Management of acute kidney injury: Core curriculum 2018. Am J Kidney Dis 72:136–148, 2018.
- Waikar SS, et al: Acute kidney injury, in Harrison's principles of internal medicine, 20th ed. (vol. 2), edited by Jameson JL, New York, McGraw Hill, 2018, pp2099–2111.

제 11 부 급성콩팥손상

CHAPTER
12 투석요법

정우경 (가천의대)

KEY POINTS

- 중증 급성콩팥손상 환자에 투석요법의 시작 시점에 대하여 최근 경향을 보면 조기 투석의 이점이 없으며, 급성콩팥손상의 회복을 지연시킬 수도 있음이 보고되어 관련 임상지침에 연구 결과의 반영이 필요해 보인다. 시급한 교정을 요하는 급성콩팥손상 합병증이 없는 환자에서는 주의 깊게 추적 관찰하여 투석 시작을 결정해야 하며, 환자의 다양한 임상상을 반영한 개별화가 필요하다.

- 현재까지는 특정 투석요법이 생존율이나 신장 기능의 회복에 이점이 있다는 증거는 없다. 다만, 혈역학적으로 불안정한 환자에서는 지속적신대치요법이나 PIRRT (Prolonged intermittent renal replacement therapy)가 좀 더 용인될 만하며 수분 균형 조절에 용이하다.

- 현시점의 투석요법으로는 투석량을 증가시켜도 생존율을 향상시키지 못한다. 그러나 투석량이 부족한 경우에도 사망률이 증가하였다. 따라서 적절한 투석량을 처방하는 것과 함께 처방된 투석량이 환자에게 잘 전달되었는지 확인하는 것이 중요하다.

- 불필요한 투석은 급성콩팥손상 환자의 신기능 회복을 지연시킬 수 있음을 인지하고 주기적으로 신기능을 평가하여 투석요법을 중단할 수 있도록 노력해야 한다.

급성콩팥손상 환자에서 투석요법의 역할은 산 염기, 전해질 대사 이상, 체액과다, 요독증 등 급성콩팥손상과 연관된 생명을 위협하는 합병증을 교정하고 콩팥손상이 회복될 때까지 지탱해주는 역할을 한다. 그렇지만 투석요법은 투석 중 저혈압 등의 합병증으로 오히려 신장 저관류 상태를 악화시켜 콩팥손상의 회복을 지연시킬 수 있으므로 신중한 선택이 필요하다. 급성콩팥손상 환자에서 투석요법은 약 60년 이상의 역사를 가지고 있지만, 투석의 적응증, 투석 시작 시점, 투석의 종류와 선택, 그리고 적절한 투석량 등 많은 부분에서 아직 해결되어야 할 과제로 남아

있다.

투석요법의 시작 시점

일반적으로 급성콩팥손상 환자에서 투석치료가 시급히 시행되어야 하는 경우는 1) 이뇨제 등의 약물 투여에도 불구하고, 폐부종과 같은 체액과다가 조절이 안 되어 저산소증을 유발하는 경우($PaO_2/FiO_2 \leq 200$) 2) 고칼륨혈증이 대증요법에도 불구하고 악화되는 경우 (예, 혈청 포타슘 농

도 ≥ 6mEq/L, 또는 심전도 변화) 3) 심한 대사산증(pH < 7.1 이하 또는 동맥 이산화탄소분압이 정상이거나 감소되었음에도 혈청 탄산수소염 농도 ≤ 12 mEq/L로 감소한 경우) 4) 오심, 구토, 식욕감소, 정신상태의 악화 및 뇌병증, 심낭염, 출혈 증상 등의 요독증 증상 등이 해당된다.

시급한 교정을 요하는 급성콩팥손상 합병증이 없는 환자에서 투석을 언제 시작하는 것이 적절한지에 대해서는 현재까지 논란이 되고 있다. 여러 진료지침에서는 투석 시작 시점을 임상의의 주관적 판단에 의존하여 결정할 것을 권고하고 있으며, 근거 수준도 전문가 의견에 기반하여 빈약하다. 최근 투석요법 시작 시점 선택에 대한 주목할 만한 새로운 연구결과들이 발표되고 있어 진료지침의 검토와 수정이 필요한 상태이다.

신기능의 진행과 회복을 예견하는 생물표지자가 없는 현실에서 관찰적 연구에 근거한 여러 메타분석에서 조기에 투석을 시행하는 것이 임상경과를 호전시킴이 보고되어 중증 급성콩팥손상 환자에서 급성콩팥손상 합병증이 진행하기 전에 투석을 선제적으로 시행하는 것은 흔한 임상 관행이었다. 조기 투석은 급성콩팥손상에서 비롯되는 산염기, 전해질, 수분 대사 불균형을 교정해주고, 신장 외 다른 장기의 부담을 덜어 회복에 필요한 시간을 벌어 주는 장점이 있다. 그러나, 자연적으로 신기능이 회복되었을 환자에서 투석에 수반되는 불필요한 위험(도관 감염, 항응고제 사용에 의한 출혈, 투석 중 저혈압과 신장 기능 회복지연, 영양분과 약물 소실)에 노출되게 한다는 단점도 고려해야 한다.

2020년 발표된 STARRT-AKI 연구는 3019명의 중환자실에 입원한 중증 급성콩팥손상 환자 중 주치의가 투석시행여부를 결정하여 투석시행여부를 판단을 할 수 없었던 환자를 대상으로 진행하였다. 진단 후 12시간 이내에 투석을 시행한 조기 투석군과 시급한 투석 적응증이 발생하거나 72시간동안 관찰하여 급성콩팥손상이 회복되지 않을 경우 투석을 시행한 지연 투석군을 대상으로 생존을, 투석의존도를 비교한 연구로 현재까지 발표된 가장 규모가 큰 연구였다. 조기 투석군에서는 97%에서 투석을 시행하였고, 지연 투석군에서는 62%에서 투석을 시행하였으며

연구 배정 시점에서 투석 시작 시점까지의 두 군 간의 차이는 약 25시간이었다. 90일 사망률은 두 군 간에 차이가 없었으며, 조기 투석군에서 90일 째까지 투석을 중단하지 못하는 경우가 더 빈번하였다.

전술한 연구와 더불어 최근 발표된 대부분의 연구에서 조기 투석 시행이 사망률을 호전시키는 증거가 없고, 투석 의존을 높인다는 연구 결과를 보이고 있어, 진단 즉시 투석을 시행하기 보다는 주의 깊게 환자의 경과를 지켜보며 투석 시행여부를 결정하여야 할 것이다. 하지만 투석을 언제까지 안전하게 연기할 수 있는 지 그 한계는 알려져 있지 않으나 이에 대한 힌트를 주는 연구가 최근에 보고되었다. Gaudry 등은 AKIKI-1 연구에서 KDIGO 3단계 환자를 대상으로 진단 즉시 투석을 시행한 군과 72시간 동안 관찰하여 BUN 농도가 112 mg/dL 이상으로 상승하거나, 시급한 투석을 요하는 합병증 또는 핍뇨가 지속된 경우 투석을 시행한 군을 비교하였으며, 두 군 간에 사망률의 차이가 없음을 보고하였다. 다음에 발표한 AKIKI-2 연구에서는 BUN 농도가 112~140mg/dL 범위로 상승하는지 관찰하여 이를 충족시키면 바로 투석을 시작한 군과, 좀 더 기다려 BUN 농도가 140 mg/dL 이상으로 상승하거나 시급한 투석 적응증이 발생할 경우 투석한 군을 비교하였다. 좀 더 지연되어 투석을 시행한 환자군 중 21%의 환자에서 투석을 회피할 수 있었으며, 좀 더 지연되어 투석을 시행한 환자 군에서 통계적 의미는 없었지만 28일 사망률과 60일 사망률은 증가하였다. 두 연구를 종합하면 KDIGO 3단계 환자에서 BUN 농도가 112 mg/dL 이하까지는 주의깊게 환자를 추적 관찰하며 투석을 연기할 수 있었으며, 112 mg/dL 이상에서는 투석을 지연시키는 이점이 사라지고 사망률이 증가하는 경향을 보여 투석을 미룰 수 있는 한계도 존재함을 시사한다.

투석 시작 시점을 결정하는 것은 현재 콩팥손상의 회복을 예측하거나 투석 필요성을 예측하는 도구가 없으므로 임상의가 주의 깊게 추적 관찰하여 환자의 개별특성 (수분, 전해질 균형, 신장질환의 중증도, 기저질환, 다른 장기의 기능 손상 정도)에 따라 결정하는 것이 중요하다고 결론 내릴 수 있다.

투석요법의 종류와 선택

신장의 기능을 대신하는 투석요법의 종류로는 혈액투석과 복막투석, 그리고 지속적신대체요법, 혈액투석과 지속적신대체요법의 중간 특성을 보이는 PIRRT (Prolonged intermittent renal replacement therapy) 등이 있다.지속적신대체요법은 그 특성에 따라 지속적정정맥혈액투석법, 지속적정정맥혈액여과법, 지속적정정맥혈액투석여과법 등으로 나눌 수 있다. 복막투석은 과거에 혈역학적으로 불안정한 급성콩팥손상 환자에게 사용된 투석요법이지만, 수분과 노폐물의 제거가 느리게 일어나므로 현재의 진료 여건 등을 고려한다면, 급성콩팥손상 환자에게 사용하기엔 부적절한 투석요법의 일종이라고 할 수 있다.

급성콩팥손상환자에서 투석요법 선택시 고려해야 할 요소로는 생존율이나 신기능 회복에 미치는 영향, 혈류역학적 상태, 체액 균형 상태나 산 염기, 전해질 대사 이상 교정의 시급성 등 환자의 여러 임상적 측면에서 고려되어야 한다. 지속적신대체요법은 지속적으로 서서히 용질과 수분 제거가 이루어지는 것이 특징으로 지속적신대체요법의 장점은 1) 치료 중 혈류역동학적 상태를 보다 안정되게 유지할 수 있고 2) 축적된 전해질, 수분, 요독물질을 보다 지속적으로 일정하게 제거할 수 있으며 3) 비경구 영양주입을 위시한 다량의 수분을 제한없이 공급할 수 있고 4) 패혈증시 유리되는 각종 사이토카인을 비롯한 여러 염증매개물질의 제거가 우수하다는 점이 제시되고 있다. 그러나 지속적신대체요법과과 간헐적 혈액투석을 비교한 여러 연구에서 생존율이나 신기능의 회복에 미치는 영향은 차이가 없는 것으로 보고되고 있다. 지속적신대체요법 중 혈액여과법은 대류에 의한 용질 제거가 이루어져 중분자 물질 제거에 이점이 있을 것으로 생각되지만, 용질 제거 방법 차이에 의한 생존율 차이는 없는 것으로 보고되고 있다. 이는 현재 투석 방법으로는 체내에서 생성되는 여러 염증매개물질에 비하여 투석으로 제거되는 양이 미약하며, 환자에게 이로운 항염증매개 물질도 동시에 제거되어 이점이 없는 것으로 해석되고 있다.

현재로서는 여러 임상 연구 결과에서 특정 투석방법이 우월함이 알려져 있지 않아 투석 방법의 선택은 상호 보완적이며 환자가 처한 임상적 상황이나 각 의료기관 자원의 이용가능성, 의료진의 숙련도 등에 의해 선택할 수 있다. 그렇지만 특정 임상 상황에서는 특정 투석요법 선택이 추천되기도 한다. KDIGO (Kidney Disease: Improving Global Outcomes) 급성콩팥손상 진료지침에서는 혈역학적으로 불안정한 환자에서는 지속적신대체요법과 PIRRT를 권고하고 있으며, 뇌압이 상승하는 간부전, 뇌졸중, 두부 외상 및 뇌부종이 동반된 급성콩팥손상 환자에서는 혈액 내 삼투압의 변화가 부드러워 지속적신대체요법이 뇌순환을 유지하는데 도움이 되어 추천되고 있다

투석량의 처방

신대체요법을 필요로 하는 급성콩팥손상 환자에서 투석량은 요소 제거율, 수분 제거량, 투석 시간, 투석 빈도, 중분자 물질 제거율 등으로 평가할 수 있다. 일반적으로 요소제거율이 임상에서 쉽게 측정할 수 있어 이용되나 적절한 투석 처방을 위해서는 다른 지표들의 평가도 고려되어야 한다. 투석량의 평가는 간헐적 혈액투석에서는 개별 투석 세션의 요소감소율과 투석 빈도에 의하여 결정되며, 지속적신대체요법에서는 시간당 혈액여과량을 환자의 체중으로 정규화하여 측정한다.

투석량이 급성콩팥손상 환자의 예후에 미치는 영향에 대한 연구를 살펴보면 중증이나 경증의 환자에서는 투석량이 예후에 미치는 영향이 제한적이나 중등도의 환자에서는 투석량이 예후에 영향을 미치는 것으로 보고된 바 있다. 또한 현재의 투석 방법에서는 투석량과 환자의 예후와의 관계는 상한과 하한이 있어 어느 수준 이상에서는 투석량을 증가해도 환자의 예후에 미치는 영향이 제한적이며, 또한 투석량이 충분히 제공되지 않을 경우에도 사망률이 증가하는 것으로 분석되고 있다.

여러 연구 결과를 종합하여 볼 때 주 3회 혈액 투석을 하는 급성콩팥손상 환자에서는 투석 세션당 $Kt/V \geq 1.2$의 투석량이 처방되어야 하며, 과다체액량, 과이화상태, 고칼

룹혈증, 산염기 대사 이상 교정이 필요한 경우, 그리고 처방된 투석량이 환자에게 전달하지 못할 경우에 투석 횟수를 추가할 수 있다. 지속적신대체요법에서는 혈액여과량(effluent volume)이 20~25 mL/kg/hour가 전달되도록 처방되어야 한다.

임상적으로 중요한 것은 실제 처방된 양이 환자에게 전달되었는지 확인하는 것이다. 환자에게 처방된 투석량과 실제 전달되는 투석량의 차이는 저혈압이나 투석기의 응고로 인한 투석 중단, 간헐적 혈액 투석에서는 충분한 혈류량이 유지되지 못하는 것 등이 흔한 원인으로 보고되고 있다. 간헐적 혈액 투석에서는 요소감소율을 측정하는 것이 유용하며, 요소감소율이 0.67 이상이면 Kt/V >1.2에 해당하는 것(민감도 99%, 특이도 77%)으로 밝혀졌다.

투석요법의 중단

투석요법은 일반적으로 신장기능이 회복될 때까지 지속한다. 투석요법 중단 시점에 대한 연구는 많은 관심을 받지 않아서 부족한 상태이며, 경험적으로 신장 기능의 회복을 판단하여 투석을 중단한다. 핍뇨를 보였던 환자에서는 신장기능의 회복을 소변양이 증가하는 것으로 판단할 수 있다. 그러나 핍뇨가 동반되지 않은 환자에서는 소변양으로 판단하기에는 분명하지 않은 부분이 있다. 안정적으로 투석을 받는 환자에서는 간헐적혈액투석에서는 투석 전에 혈청 크레아티닌 농도를 측정하고 지속적신대체요법에서는 혈청 크레아티닌 농도를 매일 측정하면서 혈청 크레아티닌이 안정화된 수치를 보인 후 감소 경향을 보이면 신장 기능의 회복을 예측할 수 있다. 좀 더 객관적인 평가를 하려면 크레아티닌 청소율을 측정하는 것이 도움이 된다. 급성콩팥손상 환자에서는 혈청 크레아티닌 농도가 소변을 수집하는 동안 변동을 보일 수 있으므로, 혈청 크레아티닌 농도를 혈액투석 시작과 종료 시점에 측정하여 평균을 구하여 사용할 수 있다.

현재까지 투석 중단이 가능한 신장 기능 수준은 명확하게 제시된 바는 없다. 한 연구에서는 크레아티닌 청소율이

20 mL/min 이상인 경우 투석을 중단하였고, 12 mL/min 미만인 경우 투석을 중단하기에는 충분하지 않다고 판단하였으며, 12 mL/min에서 20 mL/min 범위에서는 연구자가 판단하여 중단하도록 하였다.

투석요법이 신장 저관류를 유발하여 신기능의 회복을 지연시킬 수 있으므로, 주기적으로 신장 기능의 회복을 평가하여 불필요한 투석요법을 중단할 수 있도록 노력하여야 한다.

▶ 참고문헌

- Gaudry S, et al: Comparison of two delayed strategies for renal replacement therapy initiation for severe acute kidney injury (AKIKI 2): a multicentre, open-label, randomised, controlled trial. Lancet 397:1293, 2021.
- Gaudry S, et al. Initiation Strategies for Renal-Replacement Therapy in the Intensive Care Unit. N Engl J Med 375:122-133, 2016.
- Kidney Disease: Improving Global Outcomes (KDIGO) Acute Kidney Injury Work Group. KDIGO Clinical Practice Guideline for Acute Kidney Injury. Kidney Int Suppl 2:1-38, 2012.
- Lakhmir S Chawla, et al: Acute kidney disease and renal recovery: consensus report of the Acute Disease Quality Initiative (ADQI) 16 Workgroup. Nat Rev Nephrol 13:241-257, 2017.
- Paganini EP, et al. Establishing a dialysis therapy/patient outcome link in intensive care unit acute dialysis for patients with acute renal failure. Am J Kidney Dis 28(Suppl 3):S81, 1996.
- Palevsky PM, et al: Kidney replacement therapy (dialysis) in acute kidney injury in adults: Indications, timing, and dialysis dose. In: UpToDate, Post TW (Ed), UpToDate, Waltham, MA.
- Palevsky PM: Renal replacement therapy in acute kidney injury. Adv Chronic Kidney Dis 20:76-84, 2013.
- RENAL Replacement Therapy Study Investigators, Bellomo R, et al. Intensity of continuous renal-replacement therapy in critically ill patients. N Engl J Med 361:1627, 2009.
- STARRT-AKI Investigators, Canadian Critical Care Trials Group, Australian and New Zealand Intensive Care Society Clinical Trials Group, et al. Timing of Initiation of Renal-Replacement Therapy in Acute Kidney Injury. N Engl J Med 383:240, 2020.
- Steven D. Weisbord and Paul M. Palevsky Brenner and Rector's The Kidney, 11th ed, Elsevier; 2019, pp 940-977.
- VA/NIH Acute Renal Failure Trial Network, Palevsky PM, et al.

Intensity of renal support in critically ill patients with acute kidney injury. N Engl J Med 359:7-20, 2008.

• Vinsonneau C, et al. Continuous venovenous haemodiafiltration versus intermittent haemodialysis for acute renal failure in patients with multiple-organ dysfunction syndrome: a multicentre randomised trial. Lancet 368:379-385, 2006.

CHAPTER
13 간신장증후군

마성권 (전남의대)

KEY POINTS

● 진행성 간부전 및 문맥압 항진증을 동반한 급성 또는 만성 간질환 환자에서 급성콩팥손상(acute kidney injury)이 발생하고, 급성콩팥손상의 다른 명백한 원인들이 배제되었을 때, 간신장증후군(hepatorenal syndrome)으로 진단하며, 급성콩팥손상은 "The Kidney Disease: Improving Global Outcomes (KDIGO)"의 기준과 동일하게 정의한다.

● 간신장증후군은 신장 기능 저하의 정도와 진행 속도에 따라 제1형과 제2형 간신장증후군으로 분류한다. 제1형 간신장증후군은 2주 미만의 기간 동안 혈청 크레아티닌이 기저치의 2배 이상 증가하여 2.5 mg/dL 이상으로 상승된 경우이며, 제2형 간신장증후군은 제1형 간신장증후군보다 신장 기능 저하가 경한 경우에 해당한다.

● 신부전의 발병은 세균 감염에 의하여 촉발될 수 있으며, 감염이 의심되는 경우 신속히 항생제를 투여해야 한다. 특히, 간신장증후군은 자발성 세균성 복막염 환자에서 흔히 발생할 수 있다.

서론

간신장증후군(hepatorenal syndrome)은 급성 또는 만성 간질환 환자에서 발생하는 급성콩팥손상(acute kidney injury)의 중요한 원인 중 하나이다. 대부분의 환자에서 문맥 고혈압(portal hypertension)이 동반되어 있으며, 진행성 간 손상으로 인해 유발되는 신장내 혈관 수축에 의하여 발생한다. 간신장증후군을 진단하기 위해서는 다양한 다른 원인에 의한 신장 손상을 배제하여 한다. 간신장증후군 환자의 예후는 간기능 회복 여부에 크게 영향을 받으며, 적절한 치료를 시행하지 않으면 사망률이 매우 높다.

병태생리

간신장증후군에서 발생하는 혈역학적 변화와 신장 기능 저하의 가장 중요한 병태생리 기전은 문맥 고혈압에 의하여 유발되는 내장동맥 혈관 확장(splanchnic arterial vasodilation)이며, 이와 관련되어 유효순환혈량(effective arterial blood volume)의 감소와 극심한 신혈관 수축이 발생한다. 이와 같은 신혈관 수축은 혈관수축인자 활성도 증가와 혈관확장인자 활성도의 감소에 의해 초래되는데 전신순환계의 혈류역동학적 변화와 동반하여 나타난다. 간경변증으로 문맥압 항진이 발생하면 내장혈관에서 산화질소(nitric oxide)와 같은 혈관확장인자의 국소적 분비가 증가하여 현저한 내장혈관 확장 및 전신혈관 저항성(systemic vascular resistance) 저하와 유효순환혈량 감소가 유발된다. 이에 대한 보상 반응으로 신장, 뇌, 근육 등에서 레닌-안지오텐신계(renin-angiotensin system) 및 교감신경계(sympathetic nervous system)가 활성화되고 신혈관에 작용하는 혈관확장인자 억제 등에 의하여 유효순환혈액량을 유지하려고 한다. 항이뇨호르몬(antidiuretic hormone)이 자극되어 수분의 저류 및 희석형 저나트륨혈증(dilutional hyponatremia)도 나타나게 된다. 간경변증 진행 후기에는 유효순환혈액량의 감소 및 저혈압이 더욱 심해지면서 레닌-안지오텐신계와 교감신경계 및 항이뇨호르몬의 활성화가 극심해져 신장동맥 수축을 유발하게 된다. 초기에는 산화질소, 나트륨이뇨펩타이드(natriuretic peptide) 및 프로스타글란딘(prostaglandin)등의 혈관확장물질의 국소적 생성이 증가하여 신관류를 유지하나 나중에는 혈관확장물질의 생성이 감소하면서 신혈류량과 사구체여과율이 감소하고, 결과적으로 신기능 저하를 보이는 간신장증후군이 발생한다.

임상양상 및 진단

급성 또는 만성 간 질환 환자에서 급성콩팥손상과 관련된 임상양상인 점진적인 혈청 크레아티닌 상승, 소변 소듐 배설 감소가 동반되며, 중증도에 따라서 핍뇨가 발생할 수 있다. 소변 검사 소견은 다양하게 나타나며, 단백뇨의 양은 일반적으로 500 mg/day 이하이다. 간신장증후군은 신장 기능 저하의 정도와 진행 속도에 따라 제1형과 제2형 간신장증후군으로 분류한다. 제1형 간신장증후군은 2주 미만의 기간 동안 혈청 크레아티닌이 기저치의 2배 이상 증가하여 2.5 mg/dL 이상으로 상승된 경우이며, 제2형 간신장증후군은 제1형 간신장증후군보다 신장 기능 저하가 경한 경우에 해당한다. 신부전의 발병은 세균감염에 의하여 촉발될 수 있으며, 특히 자발성 세균성 복막염은 간신장증후군을 유발할 수 있다. 제1형 간신장증후군이 세균 감염과 관련된 경우에는 항생제 치료만으로는 신장 기능

의 개선을 기대하기 어렵다.

간신장증후군은 신장의 구조적 이상이 없이 발생하는 기능적인 이상이기 때문에 특이적 검사법이 없으며 임상적 기준에 따라 진단된다. 또한, 간 질환이 있는 환자에서 발생 가능한 잠재적인 다른 원인에 의한 다양한 신장 손상을 배제하여야 한다. 즉, 진행성 간부전 및 문맥압 항진증을 동반한 급성 또는 만성 간질환 환자에서 급성콩팥손상이 발생하고, 급성콩팥손상의 다른 명백한 원인들이 배제되었을 때, 간신장증후군으로 진단한다. 급성콩팥손상은 "The Kidney Disease: Improving Global Outcomes (KDIGO)"의 기준과 동일하게 적용하여 정의하므로, 혈청 크레아티닌이 48시간 이내에 0.3 mg/dL 이상 상승하거나, 7일 이내에 기저치보다 50% 이상 증가할 때, 급성콩팥손상으로 정의한다. 그러나, 간신장증후군 환자에서는 기저 간 질환 상태, 근육량 감소, 단백질 섭취 감소로 인하여 크레아티닌의 생성이 감소할 수 있어서, 혈청 크레아티닌에 의하여 추정되는 신기능보다 더 심한 신장 손상을 가질 수 있다.

이뇨제 과다사용, 출혈, 과량의 복수천자 등 신전 급성콩팥손상의 원인을 배제하여야 한다. 신기능 저하가 탈수에 의해 발생한 경우에는 수분공급으로 신기능이 빠르게 호전되나 간신장증후군에서는 호전되지 않는다. 간경변성 복수 환자에서는 약간의 탈수로도 급성콩팥손상이 발생할 수 있으므로 우선 이뇨제를 중단하고 적절한 수분공급을 한 후 신장 기능을 다시 평가해 보아야 하며, 알부민 투여가 식염수나 합성 혈장확장제보다 혈장확장에 더 효과적이다. 이뇨제 투여 자체가 간신장증후군을 유발하지는 않지만, 말초 부종이 없는 환자에게 이뇨제 투여는 신장 기능 악화를 유발할 수 있다. 이뇨제에 의하여 유발된 신장 기능 이상은 이뇨제 투여를 중단하고 체액량을 보충하면 개선될 수 있으나, 이에 비해 간신장증후군은 이뇨제 투여를 중단하더라도 악화된다. 급성요세관괴사와의 감별을 위해 소변량, 소변 내 소듐 농도 및 소변/혈장 삼투압 비율 등을 이용하였으나, 간경변성 복수 환자에서 급성요세관괴사가 발생하면 대개 핍뇨, 소변 내 소듐 농도 감소가 나타나고 소변의 삼투압이 혈장 삼투압보다 증가하는 경우가

많으며, 빌리루빈 수치가 높은 간신장증후군 환자에서 소변 내 소듐 농도가 높게 나올 수 있다. 신장 손상이 발생하기 이전에 쇼크가 있었다면 신장 손상이 급성요세관괴사에 의할 가능성이 높다. 또한, 간경변증 환자에서 감염이 있은 후 신부전이 발생한 경우에는 감염이 치료되면 신장 손상도 회복되는데, 이런 환자들이 1/3 정도를 차지한다. 그러므로 패혈성 쇼크가 없으며 항생제 투여 후에도 신장 손상이 회복되지 않는 경우에만 간신장증후군으로 진단해야 한다. 간경변증 환자는 아미노글리코시드 항생제, 비스테로이드소염제 또는 혈관확장제 등에 의해 신장 손상이 발생할 가능성이 높기 때문에 우선 이들 약제 투여를 중단한 후 신장 기능의 회복 유무를 확인해야 한다. 또한 B형간염, C형간염 및 알코올 간경화 환자에서는 사구체신염과 혈관염이 동반되는 경우가 많으므로 이러한 질환의 가능성을 배제하여야 한다.

치료

간신장증후군의 이상적인 치료는 간기능의 개선이지만, 간신장증후군과 관련된 급성콩팥손상을 회복시키기 위한 약물 치료가 필요하다. 내장동맥의 확장과 전신유효혈량의 감소가 간신장증후군 발생의 주된 기전이므로, 유효순환혈액량을 늘리고 신혈류를 개선시키는 것이 치료의 근간이다. 혈관수축제 투여에 의한 평균 동맥압 증가 정도는 혈청 크레아티닌 감소 정도와 유의하게 관련되어 있고, 알부민 투여 역시 간신장증후군 환자의 예후 개선에 효과가 있음이 보고되었다. 간신장증후군의 가장 효과적인 치료는 간이식이므로 간이식에 대한 평가와 함께 이식을 위한 준비를 시작해야 한다. 또한, 저나트륨혈증이 동반된 경우에는 수분섭취를 제한하고 이뇨제 투여를 중단하여야 하며, 감염이 의심되는 경우 신속히 항생제를 투여해야 한다. 특히, 간신장증후군은 자발성 세균성 복막염 환자에서 흔히 발생하며, 이러한 환자에서 노르플록사신(norfloxacin) 치료가 간신장증후군 발생을 지연시키고 생존율을 향상시킬 수 있음이 보고되었으며, 노르플록사신을 사용할

수 없는 경우에는 트리메토프림-설파메톡사졸(trimethoprim-sulfamethoxazole) 투여를 고려할 수 있다.

1. 혈관수축제

혈관수축제인 노르에피네프린(norepinephrine), 바소프레신(vasopressin), 오르니프레신(ornipressin), 털리프레신(terlipressin), 미도드린(midodrine), 옥트레오타이드(octreotide)는 간경변 환자에서 확장된 내장동맥혈관을 수축시키고 체내의 혈관수축물질들의 활성화를 억제하여 신혈류량을 증가시킨다. 노르에피네프린은 알파1-아드레날린 수용체 작용제(alpha1-adrenergic receptor agonist)로 알부민과 함께 사용하며 시간당 0.5~3 mg을 지속적으로 정맥 주입하여 평균 동맥압을 10 mmHg 높이는 것을 목표로 하여 용량을 조절하고, 알부민을 최소 2일 동안 정맥 주사(1 g/kg/day, 최대 100 g) 한다. 바소프레신을 정맥 투여할 경우에는 0.01 unit/min로 시작하여 용량을 조절한다. 오르니프레신과 털리프레신은 모두 피부 및 장간막의 혈관평활근세포의 V1 수용체에 작용하여 강력한 내장혈관 수축을 유발한다. 오르니프레신은 허혈성 합병증이 흔하게 발생하는 문제가 있어 최근에는 털리프레신이 주로 사용된다. 털리프레신은 대개 하루 3~6 mg으로 시작하여 3일 간격으로 반응을 평가하여 혈청 크레아티닌의 20~30% 이상의 감소가 관찰되지 않으면 점차 증량하여 하루 12 mg까지 증량한다. 털리프레신은 전통적으로 혈장량과 심박출량 증가 효과가 있는 알부민과 병용 투여한다. 알부민은 2일 동안은 1 g/kg/day(최대 100 g) 투여하고, 털리프레신 치료가 중단될 때까지 하루 25~50 g을 투여한다. 털리프레신을 사용할 수 없는 경우에는, 미도드린, 옥트레오타이드, 알부민의 병합요법을 시행할 수 있다. 경구용 약물인 미도드린은 알파1-아드레날린 수용체 작용제로 전신혈관을 수축시키고 옥트레오타이드는 신성 혈관확장물질을 억제시켜 신장 및 전신혈류역동학을 개선시킨다. 미도드린은 7.5 mg에서 시작하여 8시간 간격으로 용량을 증량하여 최대 15 mg까지 경구 투여하며, 옥트레오타이드는 시간당 50 μg을 지속적으로 정맥 주입하거나 피하 투여

(100−200 μg, 하루 3회) 하며, 미도드린과 옥트레오타이드 치료가 중단될 때까지 알부민을 함께 투여한다.

2. 경정맥경유 간내 문맥전신 순환션트(Transjugular intrahepatic portosystemic shunt, TIPS)

경정맥경유 간내 문맥전신 순환션트(TIPS)는 문맥과 간정맥을 연결하는 간내 스텐트를 삽입하여 내장순환계 혈액의 상당량을 전신순환계로 돌려보냄으로써 전신순환 기능을 회복시키고 레닌−안지오텐신계, 교감신경계 및 항이뇨호르몬의 활성을 억제하여 신관류 및 사구체여과율을 회복시키는 치료이다. 약물치료에 반응하지 않는 간신장증후군 환자에게 고려할 수 있는 치료법이다. 그러나 TIPS 시술 자체의 위험성, 출혈, 간으로의 혈류 감소로 인한 간기능 악화가 발생할 수 있으며, 조영제 사용과 관련된 급성콩팥손상 등 다양한 합병증이 발생할 수 있다.

3. 신대치요법

신부전으로 진행한 간신장증후군 환자들에서, 약물치료에 반응하지 않고, TIPS 시행이 어려운 상태이며, 간이식 대기 상태이거나, 간기능의 개선 가능성이 있는 경우에, 혈액투석, 지속적 동정맥 혈액여과(continuous arteriovenous hemofilatration), 지속적 정맥−정맥 혈액여과(continuous veno−venous hemofilatration) 등의 신대치요법을 고려할 수 있다. 그러나, 혈액투석은 혈역학적 불안정성, 저혈압으로 인하여 간신장증후군 환자에게 시행하기 어려운 경우가 많다.

4. 간이식

간이식은 가장 효과적인 치료법으로 혈관수축제나 신대치요법과는 달리 유일하게 장기 생존율을 증가시킬 수 있는 치료법이다. 간신장증후군 환자에서 간이식을 하는 경우 심한 감염, 수술 후 복강 내 출혈 빈도가 증가하고 중환자실 입원기간이 더 길다. 또한 간이식 전 신기능 정도가 이식 후 예후와 관련이 있기 때문에 간이식 수술 전에 신기능을 호전시키는 것이 권고된다. 간이식 후 신기능이 더욱 저하될 수 있으며 사이클로스포린(cyclosporine)과 타크로리무스(tacrolimus)와 같은 면역억제제는 이식 후 신기능이 회복된 후 투여하는 것이 바람직하다.

예후

간신장증후군이 발생하면 간부전 환자의 사망률이 급격하게 높아지며, 치료를 받지 않으면 대부분의 환자는 신장 기능 손상이 시작된 후 수 주 이내에 사망하게 된다. 간신장증후군 환자의 예후는 약물치료나 간이식 후 간기능 회복 여부에 크게 영향을 받는다. 간부전 회복 후 신장 기능 회복 속도는 불확실하며, 간이식을 시행하기 전의 신장 기능 등의 환자 상태에 영향을 받는다.

▶ 참고문헌

- Albornoz L, et al: Nitric oxide synthase activity in the splanchnic vasculature of patients with cirrhosis: relationship with hemodynamic disturbances. J Hepatol 35:452−456, 2001.
- Angeli P, et al: Diagnosis and management of acute kidney injury in patients with cirrhosis: revised consensus recommendations of the International Club of Ascites. J Hepatol 62:968−974, 2015.
- Angeli P, et al: Pathogenesis and management of hepatorenal syndrome in patients with cirrhosis. J Hepatol 48 Suppl 1:S93−103, 2008.
- Arroyo V, et al: Definition and diagnostic criteria of refractory ascites and hepatorenal syndrome in cirrhosis. International Ascites Club. Hepatology 23:164−176, 1996.
- Barreto R, et al: Type−1 hepatorenal syndrome associated with infections in cirrhosis: natural history, outcome of kidney function, and survival. Hepatology 59:1505−1513, 2014.
- Brinch K, et al: Plasma volume expansion by albumin in cirrhosis. Relation to blood volume distribution, arterial compliance and severity of disease. J Hepatol 39:24−31, 2003.
- Eknoyan G, et al: Hepatorenal syndrome: a historical appraisal of its origins and conceptual evolution. Kidney Int 99:1321−1330, 2021.

- European Association for the Study of the Liver: EASL clinical practice guidelines on the management of ascites, spontaneous bacterial peritonitis, and hepatorenal syndrome in cirrhosis. J Hepatol 53:397–417, 2010.
- Fagundes C, et al: Hepatorenal Syndrome: A Severe, but Treatable, Cause of Kidney Failure in Cirrhosis. Am J Kidney Dis 59:874–885, 2012.
- Fernández J, et al: Primary prophylaxis of spontaneous bacterial peritonitis delays hepatorenal syndrome and improves survival in cirrhosis. Gastroenterology 133:818–824, 2007.
- Francoz C, et al: Hepatorenal Syndrome. Clin J Am Soc Nephrol 14:774–781, 2019.
- Ginès P, et al: Renal failure in cirrhosis. N Engl J Med 361:1279–1290, 2009.
- Gluud LL, et al: Systematic review of randomized trials on vasoconstrictor drugs for hepatorenal syndrome. Hepatology 51:576–584, 2010.
- Gonwa TA, et al: Long-term survival and renal function following liver transplantation in patients with and without hepatorenal syndrome-experience in 300 patients. Transplantation 51:428–430, 1991.
- Salerno F, et al: Albumin treatment regimen for type 1 hepatorenal syndrome: a dose-response meta-analysis. BMC Gastroenterol 15:167, 2015.
- Salerno F, et al: Diagnosis, prevention and treatment of hepatorenal syndrome in cirrhosis. Gut 56:1310–1318, 2007.
- Skagen C, et al: Combination treatment with octreotide, midodrine, and albumin improves survival in patients with type 1 and type 2 hepatorenal syndrome. J Clin Gastroenterol 43:680–685, 2009.
- Velez JC, et al: Therapeutic response to vasoconstrictors in hepatorenal syndrome parallels increase in mean arterial pressure: a pooled analysis of clinical trials. Am J Kidney Dis 58:928–938, 2011.

제 11 부 급성콩팥손상

CHAPTER

14 심신장증후군

윤성노 (건양의대)

KEY POINTS

- 심신장증후군 진단에서 혈청 cystatin-C, 알부민뇨, proBNP (brain natriuretic peptide), 심장 트로포닌 농도 등을 소개하였다.
- 심신장증후군의 치료법으로 최근에 각광받고 있는 소듐 포도당 공동수송체(Sodium glucose cotransporter, SGLT)-2 억제제를 기술하였다.
- 심신장증후군의 당뇨군의 치료에서 SGLT2 억제제와 글루카곤유사 펩타이드(glucagon like peptide, GLP)-1 작용제가 추천된다.

정의와 분류

심장 혹은 신장의 급성 혹은 만성적인 기능 부전은 상대 기관에 급성 혹은 만성적 기능 부전을 유발한다. 또한 전신적인 급성 혹은 만성 질환은 신장 혹은 심장 기능에 손상을 유발한다. 이런 상호작용은 신장과 심장이 서로 관련이 있다는 점을 시사하고, 이러한 판단은 다음의 여러 임상 관찰 연구에 근거한다. 첫째, 심부전에서 사망률은 사구체여과율이 감소함에 따라 증가 하고, 둘째, 만성콩팥병 환자에서 죽상경화심혈관질환과 심부전 양측의 위험성이 증가하였고, 환자 사망의 50%는 심혈관 질환이 원인이었으며, 셋째, 급성 그리고 만성적인 전신질환은 심장과 신장 양측의 기능 부전을 유발한다는 것이다. 이렇게 심장과 신장이 질환에 따라 상호 영향을 미쳐 기존 질환보다 더 심한 상태로 진행되는 상태를 심신장증후군으로 명명한다.

심신장증후군을 공식적으로 정의하는 시도는 2004년에 NHLBI (National Heart, Lung, and Blood Institute) Working Group에서 이루어 졌고 신장과 다른 순환 구역 사이의 상호작용의 결과가 순환용적을 증가시켜 심부전의 증상을 악화시키고 심부전 진행도 악화시키도록 할 때로 정의 하였다. 2008년에 Acute Dialysis Quality Initiative는 두 가지 그룹으로 심신장(cardiorenal) 그리고 신심장(renocardiac) 증후군으로 명명하였는데, 이는 질병이 진행의 일차적인 방향을 기초로 하였다. 이후에 질병의 급성도와 이차적인 기관의 연루에 따라 5가지로 분류되었다 (표 11-14-1).

696

표 11-14-1. Acute Dialysis Quality Initiative의 심신장증후군의 분류

표현형 (phenotype)	명칭 (nomenclature)	설명 (description)	임상적 예
Type 1 CRS	급성 심신장증후군 (Acute cardiorenal syndrome)	심부전이 급성콩팥손상 초래	심신장증후군이 심장성 쇼크 와 급성콩팥손상 초래, 급성심부전이 급성콩팥손상 초래
Type 2 CRS	만성 심신장증후군 (Chronic cardiorenal syndrome)	만성심부전이 만성콩팥병 초래	만성 심부전
Type 3 CRS	급성 신심장증후군 (Acute renocardiac syndrome)	급성콩팥손상이 급성심부전 초래	용적 과부하, 염증의 급증, 요독증의 대사이상 상황의 급성콩팥손상 상태에서 심부전
Type 4 CRS	만성 신심장증후군 (Chronic renocardiac syndrome)	만성콩팥병이 만성 심부전 초래	만성콩팥병 연관 심근병증 상황의 좌심실 비대과 심부전
Type 5 CRS	2차 심신장증후군 (Secondary cardiorenal syndrome)	전신 질병 과정이 심부전과 신부전을 초래	아밀로이드증, 패혈증, 간경화

CRS, cardiorenal syndrome

유병률

심부전 환자에서 사구체여과율이 60 mL/min/1.73m² 이하로 저하된 환자의 빈도는 30~60%에 달하고 심부전 치료 중 혈청 크레아티닌이 0.3 mg/dL 이상 증가하여 1형 혹은 2형 심신장증후군에 해당하는 환자는 20~30%에서 발생한다.

입원 동안 신장기능 손상이 일어나는 위험인자로는 심부전 혹은 당뇨병의 기왕력, 입원 시 혈청 크레아티닌 1.5 mg/dL 이상, 그리고 조절되지 않는 고혈압 등이다.

혈청 크레아티닌의 상승은 입원 후 보통 3~5일내에 일어난다.

병태생리적 기전

심장기능부전으로 인하여 전방으로 혈류를 형성하지 못하면 신장으로 혈류가 감소하여 결과적으로 신전 저관류 (prerenal hypoperfusion)를 일으킨다. 신장으로 혈류 감소는 레닌-안지오텐신-알도스테론계(renin-angiotensin-aldosterone system, RAAS)를 자극시키고, 교감신경계와 아르기닌 바소프레신 분비를 자극시키며, 이것은 체액 저류를 유발하고, 전부하를 증가시켜서, 결국 심장 펌프부전이 심화된다. 나아가 사구체여과율 저하도 심화된다. 그러나 저 혈류량은 심신장증후군의 병태생리 중에서 일부분을 설명 할 수 있고, 다른 요인들도 작용하는 것으로 보인다.

1. 전신혈압의 감소

ESCAPE (Evaluation Study of Congestive Heart Failure and Pulmonary Artery Catheterization Effectiveness) 연구에서 심부전 치료 중에 수축기 혈압이 저하하는 군에서 신장기능의 악화가 발생하였는데, 수축기혈압 저하는 경구 혈관확장제와 이뇨제 사용 강도가 증가하기 때문이었다. 신장의 혈류와 사구체여과의 조절은 유량(flow) 보다는 압력(pressure)에 더 의존적일 수 있어서, 급성 심부전으로 입원한 환자에서 신장기능 변화는 심장박출양 보다는 혈압이 더 관련 될 수 있다.

2. 신경호르몬의 적응(Neurohumoral adaptations)

교감신경계가 활성화되고, RAAS 자극되며, 바소프레신과 엔도텔린(endothelin)의 분비가 증가되어 염과 수분저류를 증가시키고, 전신적인 혈관 수축이 유발된다. 이러한 적응은 반대 작용 즉, 혈관확장과 소듐배설증가 효과가 있는 나트륨배설펩타이드, 산화질소, 프로스타글랜딘, 브라디키닌을 압도하는 상태이다. 신경호르몬의 적응이라는 것은 순환계의 (신장 순환 포함) 동맥 혈관 수축으로 전신 혈압을 상승시키고 심근수축 및 심박수의 증가를 통해서 뇌, 심장이라는 생명 기관으로의 관류를 유지하는데 그 목적이 있다. 그러나 전신적인 혈관 수축은 심장 후부하(afterload)를 증가시키고 이것은 심박출량의 저하, 나아가 신장관류를 더욱 저하하게 한다.

3. 신장 정맥압의 상승, 복압의 상승

동물실험과 사람 대상 연구에서 중심정맥압의 증가 혹은 복강압력 증가는 신장정맥압력의 증가를 일으키고 사구체여과율을 저하시켰다. 급성 보상실패 심부전환자를 대상으로한 연구에서 신장기능악화가 일어나는 군는 악화가 일어나지 않는 군에 비해 중심정맥압이 더 높았으며 (18 대 12 mmHg), 신장기능악화가 가장 적은 군은 중심정맥압이 8 mmHg 미만인 환자들이었다. 또다른 연구에서는 복강내정맥압(intra-abdominal vepnos pressure) 이 8 mmHg 이상이면 증가되었다고 정의하고, 이 환자군은 정상 복강내 정맥압 군에 비해 크레아티닌이 의미있게 증가하였고(2.3 mg/dL 대 1.5 mg/dL), 효과적인 치료로 복강내 정맥압 저하와 사구체여과율의 호전이 일어났다.

4. 우심실 확장과 기능부전

2가지 기전으로 신장기능에 영향을 미친다. 첫째는 앞에서 설명한 중심정맥압의 증가의 기전, 둘째는 심실 상호 의존적인 효과로 우심실부전이 좌심실 충만을 손상하는 소위 역전 베른하임 현상(reverse Bernheim phenome-

non)의 기전이다. 확장되어 있는 우심실로의 압력이 증가하면 심실사이벽을 좌측으로 편향시켜 좌심실의 전부하와 수축력을 감소시키는 현상을 가리킨다.

5. 내피세포 기능이상과 염증촉진(proinflammatory) 상태

박출율 보존 심부전에서 신장기능 부전은 자주 볼 수 있다. 내피세포 기능이상과 염증촉진 상태가 심장신장 상호관계에서 중요한 매개자로 간주된다. 신장 기능부전은 대사 장애를 유발하고 전신 염증과 미세혈관기능부전으로 이어져 심근세포의 경화, 비대, 간질섬유화와 관련 있는 것 같다

진단

1. 신장 생물표지자

심신장증후군에서 사용할 만한 신장 생물표지자는 시스타틴C와 알부민뇨 2가지를 추천한다. 시스타틴C 는 13kDa의 시스틴 단백질분해효소이며 모든 유핵세포에서 일정한 속도로 형성되어 분비되고, 사구체에서 자유롭게 여과되고, 신장세관에서 분비되지 않기 때문에 크레아티닌을 대신하여 많이 사용되고 있다. 만성심부전 환자의 연구에서 시스타틴C의 가장 높은 4분위수는(>1.5 mg/L) 심혈관 사망률이 2 배로 높았다. 급성심부전 환자 대상의 연구에서 재입원과 사망률의 강력한 표지자이었다.

알부민뇨는 심부전 환자 대상의 많은 연구에서 모든 원인의 사망, 심혈관사망, 재입원율을 예측할 수 있는 예측인자이다.

2. 신장 세관 손상의 표지자

1) 요침사 중등도점수
급성신장손상에서 시행하는 소변 현미경검사로 세관 상

피세표와 과립원주의 숫자에 기초한 요침사 중등도 점수는 급성신장손상의 악화를 예측하는 예후 값의 의미가 있다.

2) 소변 NGAL (neutrophil gelatinase-associated lipocalin) 농도

NGAL은 중성구과립에서 발견되는 25-kDa 단백질이며, 신장 세관세포, 심근세포에서 분비된다. 심신장증후군에서 많이 연구되었고 급성심부전, 만성심부전에서 진단적인 가치 그리고 예후 가치가 증명되었다.

3. 심장 생물표지자

1) BNP (brain natriuretic peptide, 뇌나트륨배설펩타이드)와 proBNP

2017년 미국심장학회 가이드라인에서는 BNP와 proBNP를 심부전의 진단과 배제에 사용하는 것과, 급성심부전과 만성심부전의 예후 확정과 증등도의 정량화에 사용하는 것을 분류 1A로 권고하였다. 그러나 만성콩팥병 환자에서는 신장제거율이 저하되어있어 많은 경우에서 농도가 상승되어 있으므로 단독으로 판단하는 것에는 주의를 요한다.

2) 심장 트로포닌(troponin) I 와 T

심장 트로포닌 I 와 T는 급성심근경색의 진단 그리고 예후 지표자로 잘 알려져 있다. 급성심부전 환자에서 심장 트로포닌 상승은 심근혈혈이나 관상동맥질환이 없어도 사망률의 증가와 연관이 있다. 그러나 사구체여과율이 감소하면서 심장 트로포닌 제거율이 저하되므로 만성콩팥병 상태에서는 높은 정상 수치를 적용하여야 하는 것에 유의하여야 한다. 하지만 동일 환자에서 만성적으로 높았던 수치가 갑자기 상승하던지, 반복적인 검사에서 수치가 상승 혹은 저하하면 심근의 손상 병력을 진단 할 수 있다. 이러한 점을 고려하여도 만성콩팥병 환자에서 지속적인 증가는 높은 사망률과 연관이 있다.

치료

1. 울혈제거 치료(Decongestive therapy)

1) 이뇨제

이뇨제는 심신장증후군 유무와 관계없이 심부전 치료의 주춧돌이다. 심부전 증상을 즉시 호전시키지만 이 증상의 호전이 단기간 혹은 장기간의 사망률 감소와 연관되어 있는지는 명확하지 않다. 미국 심장협회는 2017년 가이드라인에서도 전문가의견만으로 기초하여 분류 1 (class 1) 권고로 승인하였다. 이뇨제 중에서도 고리작용이뇨제가 일차약제로 추천되고 퓨로세마이드(furosemide), 부메타나이드, 토르세마이드, 에타트리닉 산 등이 있다.

① 신장손상(제1형 CRS) 및 RAAS 자극상태와 고리작용이뇨제와의 관계

고리작용이뇨제의 RAAS 자극의 유해한 효과가 급성심부전의 신경호르몬적 불합리한 사이클을 더욱 심화시켜 신장 손상에 기여할 것으로 추정할 수 있다. 그러나 지금까지의 연구로 확인된 바에 의하면 고리작용이뇨제를 고용량으로, 간헐적으로 투여하는 방법은 안전하고 효과적인 방법으로 생각된다.

② 이뇨제의 저항성

이뇨제의 저항성은 같은 용량의 이뇨제를 투여하더라도 소듐과 염소의 배설이 저하하는 현상을 가리킨다. 이뇨제의 저항성을 일으키는 인자는 심부전과 음식물섭취, 저알부민혈증, 비스테로이드성 항염증제, 그리고 요독소 등이 있다. 만성콩팥병의 경우 세관강으로의 이뇨제 분비가 저하 될 수 있고, 소듐의 여과 부하 (filterd load)가 감소하여 이뇨제 작용이 저하하는 요인으로 작용한다. 심부전에서는 증가된 RAAS의해 소듐의 근위세관 흡수가 증가 될 수 있고, Na-K-2Cl 통로의 발현이 증가되어 저항성의 요인으로 작용 한다.

이뇨제의 사용은 짧은 기간에는 단절현상(breaking phenomenon), 장기간에는 원위세관 비대를 일으킨다. 단절 현상은 연속해서 이뇨제를 투여하는 경우 각각 다음의 이뇨 효과가 감소하는 것을 가리킨다. 이 효과는 수시간 내에 관찰할 수 있고 기전은 명확하지는 않다. 아마도 소실된 소듐이 근위와 원위 세관 소듐 수용체의 발현을 유발하는 것으로 추정된다. 소듐을 보충해주면 이러한 현상은 완화된다. 최근 연구에 의하면 근위세관보다는 원위세관 소디움 수송체 역할이 더 높은 것으로 생각되고 이러한 점은 원위세관에 작용하는 싸이아자이드(thiazide) 계열 이뇨제를 퓨로세마이드에 추가하여 사용하는 근거로 작용한다. 그러나 심신장증후군에서 퓨로세마이드와 싸이아자이드 병합요법에 관한 연구는 거의 없는 실정이고, ATHEN-HF 연구에서는 스피로노락톤의 병합요법을 시행하였으나 임상적 이점을 증명하지 못하였다.

최근 2019년 유럽심장협회는 이뇨제 투여 2시간후 소변 소듐 농도가 50~70 mEq/L 미만, 혹은 첫 6시간 동안 시간당 소변량이 100~150 mL 미만이면 불충분한 이뇨제 반응으로 판단하자고 제안하였다. 일반적으로 이뇨제 저항성이 있으면 투여 용량과 투여 횟수를 증가하는 것으로 해결이 되지만, 퓨로세마이드 경우 하루 총 500~1,000mg 투여 시 불가역적인 청력 손실을 유발하므로 주의를 요한다.

2) 초미세여과(Ultrafiltration)

체외투석기를 이용한 초미세여과는 울혈을 쉽게 제거할수 있고 고리작용이뇨제를 사용하지 않으므로 칼륨소실 감소, 레닌 알도스테론 자극의 감소, 소듐 소실의 증가를 일으킬 수 있어서 이뇨제 반응이 좋지 않은 경우에 자주 사용된다. 그러나 최근까지의 여러 전향적 연구결과를 보면 초미세여과를 심신장증후군의 일차치료법으로 적극 추천하기에는 아직 근거가 부족한 실정이다.

2. 신경호르몬의 조절과 혈관 확장치료 및 수축촉진 치료

톨밥탄(tolvaptan), 도파민, 네시리타이드(nesiritide) 등의 연구가 있었으나 효과는 회의적이다.

3. 만성 심신장증후군에서 RAAS 억제

1) 안지오텐신전환효소억제제제(ACEi)/안지오텐신수용체 차단제(ARB)

ACEi/ARB의 심부전, 만성콩팥병에서 장점은 여러 관찰연구와 전향적 연구에서 확인되었고, 많은 연구는 기존의 신장손상(2형 혹은 4형 심신장증후군)이 있는 심부전 환자에서 이루어졌다. 그러나 1형 심장증후군의 급성신부전환자 대상의 연구는 없는 상태이다.

2) 네프릴리신(neprilysin) 억제제 + RAAS 억제제

네프릴리신은 금속단백질분해효소로서 나트륨배설펩타이드를 분해한다. 최근 RAAS 억제제와 네프릴리신 억제제의 병합제인 sacubitril/valsartan과 omaprilat가 새로운 부류의 혈압약으로 대두되었다. 이들 약제는 아직 결론을 내리기에는 부족하여 임상적 경험과 연구가 더 필요한 상태이다.

3) 미네랄코티코이드 수용체 길항제(Mineralocorticoid Receptor Antagonists, MRA)

RAAS의 완전한 억제는 한계가 있는데, 알도스테론 이탈(aldosterone escape) 현상으로 혈중 알도스테론이 증가하기 때문이다. 따라서 전환효소억제제/안지오텐신수용체차단제에 MRA를 혼합해서 사용하면 장기적으로 심장신장의 이득 효과를 볼 수 있다. 신장기능이 유지된 군에서는 MRA가 사망률, 심혈관사건의 감소가 증명되어있다. 그러나 고칼륨혈증에대한 안정성 문제로 만성콩팥병 4기, 그리고 5기 환자에서의 연구는 부족한 실정이다.

4) 베타-아드레날린 차단제

여러 연구에서 베타-아드레날린 차단제는 심부전 환자에서 증상완화, 병원 입원 부담의 감소, 생존율의 증가가 확인 되었고, 2013년 미국 심장협회 심부전 치료 지침에서 분류 1A 증거로 추천되었다. 이러한 이점은 사구체여과율 전 영역에서 증명되는 것으로 생각된다. 그러나 일반적으로 사구체여과율이 낮은 환자일수록 베타 아드레날린 차단제를 사용하다가 도중에 중단하게 되는 경우가 많은데 이는 신부전과 연관된 체액 저류로 인하여 심부전, 느린 맥, 저혈압 그리고 피로감 등의 증상을 악화 시킬 수 있기 때문이다.

제2형 당뇨병에서의 심신장 증후군 치료

1. 메트포르민

제2형 당뇨병에서 심혈관 질환의 빈도와 사망률이 저하되는 매우 효과적인 약제이어서 생활습관중재(lifestyle intervention)와 병합하여 1차 약제로 가장 많이 추천되는 약제이다. 그러나 사구체여과율 30 mL/min/1.73m² 미만에서는 심한 대사성산증 발생으로 사용이 금기이다

2. 소듐 포도당 공동수송체(Sodium glucose cotransporter, SGLT)-2 억제제

SGLT2 억제제는 가장 최근 각광을 받는 약제이다. 2019년 미국당뇨병협회 가이드라인에서 확정된 죽상경화심혈관질환군, 심부전, 만성콩팥병에서 등급 A로 추천된 이후 2021년에는 더욱 확장되어 죽상경화심혈관질환 위험성이 높은 지표까지 포함하여 등급 A로 추천되었다. 죽상경화심혈관질환이 높은 위험성의 지표는 나이 55세 이상이고 관상동맥, 경동맥, 하지동맥 협착이 50% 이상이거나 좌심실비대가 있는 환자 군이다.

최근 DAPA-CKD (Dapagliflozin and Prevention of Adverse Outcomes in Chronic Kidney Disease) 연구에서는 당뇨병과 비당뇨병 군을 포함한 모든 군에서 다파글로플로진이 50%이상 사구체여과율 감소, 말기만성콩팥병, 신장 혹은 심혈관 원인의 사망으로 구성되는 복합요소의 위험을 감소함을 보여 주어 비당뇨 환자에서도 효과가 있음이 강조되었다. 2021년 4월에 미국식품의약국(FDA)은 다파글로플로진을 만성콩팥병 환자의 새로운 치료제로 승인하였다. 다른 SGLT2 억제제가 비당뇨군에서의 효과가

아직 확정되어 있지 않지만 향후 당뇨 혹은 비당뇨 관계없이 만성콩팥병 환자에서 기본 치료제로 등제될 가능성이 농후 하다.

3. 인크레틴 기초의 치료

1) 글루카곤유사 펩타이드(glucagon like peptide, GLP)-1 작용제

GLP-1은 식이 섭취후 장관에서 분비되는 인슐린을 자극하는 호르몬으로서 이것을 경유하여 혈당강하를 일으키는 약재로 GLP-1 작용제와 디펩티딜펩티다아제(dipeptidyl peptidase, DPP)-4 억제제가 있다. 리라글루티드(liraglutide)는 지속성 알부민뇨의 새로운 발생을 지연시켜서 당뇨병성 신장병에 기여하였다. 2021년 미국당뇨병협회에서는 죽상경화심혈관질환이 있거나 높은 위험도의 지표를 가진 환자에서 GLP-1 작용제 그리고/혹은 SGLT2 억제제를 추천하고 있다. 죽상경화심질환의 높은 위험도 지표는 위의 SGLT2 억제제 설명에서 언급하였다.

2) 디펩티딜펩티다아제(Dipeptidyl peptidase, DPP)-4 억제제

여러 연구에서 DPP-4 억제제는 높은 위험도가 있거나 확정된 죽상경화심혈관질환, 만성콩팥병 또는 심부전 환자에서 그 효과가 아직 입증되지 못하였다. 2021년 미국당뇨병협회 가이드라인에서도 단지 저혈당을 최소화 하는 치료법 중의 한가지로만 소개 되고 있다.

심장 장치 치료(Cardiac device therapy)

1. 삽입 심율동 전환 제세동기(Implantable cardioverter-Defibrillators, ICDs)

일반 심부전환자에서의 ICDs 의 적용기준은 현재 잘 확립되어있는 상태이지만 만성콩팥병이 있는 심부전 환자에서는 그 이득이 있는지는 확정되어 있지 않다. 만성콩팥병

환자에서 생존율이 저하한다는 보고가 계속 되고 있고 감염위험도 증가, 중심 정맥폐쇄의 증가 그리고 삼첨판 역류가 보고되고 있다.

2. 심장 재동기화 치료(Cardiac Resynchronization therapy, CRT)

CRT란 양심실에 박동조율기를 삽입하여 우심실과 좌심실을 동기화하여 심실의 수축을 호전시키고 승모판 역류 정도를 감소시키는 방법이다. CRT 의 메타분석 결과는 확장된 QRS 를 보이는 중등도~심한 좌심실부전에서 좌심실확장의 호전, 삶의 질 호전, 모든 원인의 사망률을 감소시켰다. 그러나 기존의 만성콩팥병 존재는 CRT 치료 후 모든 원인의 사망률이 의미 있게 증가하였다. 따라서 만성콩팥병 환자에서의 CRT는 신중하게 판단하여야 한다.

▶ 참고문헌

- Adams KF Jr, et al: Characteristics and outcomes of patients hospitalized for heart failure in the United States: rationale, design, and preliminary observations from the first 100,000 cases in the Acute Decompensated Heart Failure National Registry (ADHERE). Am Heart J 149:209–216, 2005.
- American Diabetes Association 9. Pharmacologic Approaches to Glycemic Treatment: Standards of Medical Care in Diabetes–2021. Diabetes Care 44:S111–S124, 2021.
- Bart BA, et al: Heart Failure Clinical Research Network. Ultrafiltration in decompensated heart failure with cardiorenal syndrome. N Engl J Med 367:2296–2304, 2013.
- Heerspink HJL, et al: Dapagliflozin in patients with chronic kidney disease. N Engl J Med 383:1436–1446, 2020.
- McAlister FA, et al: Cardiac resynchronization therapy for patients with left ventricular systolic dysfunction: a systematic review. JAMA 297:2502,2514, 2007.
- Mullens W, et al: The use of diuretics in heart failure with congestion – a position statement from the Heart Failure Association of the European Society of Cardiology. Eur J Heart Fail 21:137–155, 2019.
- Rangaswami J, et al: Cardiorenal syndrome: classification, pathophysiology, diagnosis, and treatment strategies: a scientific statement from t h e American heart association. Circulation 139:e840–e878, 2019.
- Ronco C, et al: Cardio–renal syndromes: report from the Consensus Conference of the Acute Dialysis Quality Initiative. Eur Heart J 31:703–711, 2010.
- Shlipak MG, et al: Cystatin–C and mortality in elderly persons with heart failure. J Am Coll Cardiol 45:268–271, 2005.
- Yancy CW, et al: 2017 ACC/AHA/HFSA focused update of the 2013 ACCF/AHA guideline for the management of heart failure: a report of the American College of Cardiology/American Heart Association Task Force on Clinical Practice Guidelines and the Heart Failure Society of America. Circulation 136:e137–e161, 2017.

PART 12 만성콩팥병

강덕희 (이화의대)

CHAPTER

01 만성콩팥병의 진단 및 분류

박정탁 (연세의대)

KEY POINTS

- 만성콩팥병의 정의 및 분류는 신장질환의 악화, 심혈관계 합병증 및 사망률의 위험도를 가늠할 수 있다는 점에서 임상적 의미를 갖는다.

- 만성콩팥병은 신장의 구조적 혹은 기능적 이상으로 정의되는 신장손상이 3개월 이상 지속되는 경우에 진단할 수 있는데, 신장손상은 (1) 신장의 병리학적(pathological) 이상 또는 (2) 영상의학적(imaging) 검사에서의 이상, 혈액 또는 소변검사에서 신장손상의 표지자(markers of kidney damage)의 이상 등으로 알 수 있다. 또한, 신장손상 여부와 상관없이 사구체여과율이 3개월 이상 60 mL/min/1.73m² 미만인 경우로 정의한다.

- 사구체여과율에 따른 만성콩팥병의 분류는 ≥90, G1; 60~89, G2; 45~59, G3a; 30~44, G3b; 15~29, G4; <15, G5으로 하였다.

- 사구체여과율 이외에도 신손상의 표지자로 알부민뇨를 측정하도록 하였으며, 이를 바탕으로 진단 및 분류를 하였다. 알부민뇨에 따른 만성콩팥병의 분류를 >300 (mg/g), A3; 30-300, A2; <30, A1으로 하였다.

- 인종을 고려하지 않는 CKD-EPI 공식이 2021년 새롭게 발표되었다.

만성콩팥병(chronic kidney disease, CKD)은 신기능이 비정상적인 상태에서 시간 경과에 따라 점차 그 기능이 감소해가는 여러 가지 병태생리 과정을 말한다. 만성콩팥병은 여러 가지 전신질환에 의해서 이차적으로 발생할 수 있고, 신장질환 자체에 의해서도 발생할 수 있다. 만성콩팥병의 정의와 분류 기준은 2002년도에 발표된 National Kidney Foundation (Kidney Dialysis Outcomes Quality Initiative, K/DOQI)의 지침(guideline)이 일반적으로 많이 사용되고 있다. 최근에는 Kidney Disease Improving Global Outcomes 2012 Clinical Practice Guideline for the Evaluation and Management (KDIGO 2012 지침)에 따른 만성콩팥병의 정의와 분류 또한 제시되었다. 여기에서는 각각의 지침에 따른 만성콩팥병의 정의와 분류를 간단하게 기술하고자 한다.

K/DOQI 지침에 의한 만성콩팥병의 정의와 분류

일반적으로 많이 사용되고 있는 K/DOQI 지침에서 만성콩팥병은 다음과 같이 정의하고 있다.

1. 사구체여과율(glomerular filtration rate, GFR)의 감소 여부에 상관없이, 신장의 구조적(structural) 혹은 기능적(functional) 이상으로 정의되는 신장손상이 3개월 이상 지속되는 경우. 신장손상은 ① 신장의 병리학적(pathological) 이상 또는 ② 영상의학적(imaging) 검사에서의 이상, 혈액 또는 소변검사에서 신장손상의 표지자(markers of kidney damage)의 이상 등으로 알 수 있다.

2. 신장손상 여부와 상관없이 사구체여과율이 3개월 이상 60 mL/min/1.73m^2 미만인 경우

만성콩팥병의 단계를 결정하는 것은 진단, 치료 및 이에 대한 평가에 있어 중요하며, 신장손상의 유무와 신장기능의 정도에 따라 결정된다(표 12-1-1).

만성콩팥병을 분류하기 위해서는 신장의 기능을 평가하는 것이 중요한데, K/DOQI 지침에서는 표 12-1-2와 같이 두 가지 공식에 의한 추정 사구체여과율(estimated glomerular filtration rate, eGFR)을 사용하도록 했다.

KDIGO 2012 지침(Clinical Practice Guideline for the Evaluation and Management)에 따른 만성콩팥병의 정의와 분류

KDIGO 2012 지침에서는 만성콩팥병의 진단과 분류 기준을 더욱 세분화해서 다음과 같이 제시하였다.

1. 만성콩팥병의 진단

만성콩팥병은 신장의 기능(function) 또는 구조적인(structure) 이상이 3개월 이상 지속 되어 건강에 영향을 미치는 상태로 정의하였고, 표 12-1-3과 같은 만성콩팥병의 기준 가운데 어느 하나가 3개월 이상 지속되는 경우를 만성콩팥병의 진단기준으로 제시하였다.

표 12-1-1. K/DOQI 지침에 따른 만성콩팥병의 진단과 분류

기 (stage)	사구체여과율 (mL/min/1.73m^2)	설명
1	≥90	정상 또는 증가된 사구체여과율과 동반된 신장손상(kidney damage with normal or increased GFR)
2	60~89	경미한 사구체여과율 감소와 동반된 신장손상(kidney damage with mild decreased GFR)
3	30~59	중등도의 사구체여과율 감소(moderate decreased GFR)
4	15~29	심한 사구체여과율 감소(severe decreased GFR)
5	<15 또는 투석	신장기능상실(kidney failure)

GFR, glomerular filtration rate (사구체여과율)

표 12-1-2. K/DOQI 지침에서 사용한 추정 사구체여과율 공식

1) Modification of Diet in Renal Disease (MDRD) 연구의 추정 사구체여과율 공식

eGFR (mL/min/1.73m^2) = 186 × (SCr)$^{-1.154}$ × (Age)$^{-0.203}$ × 0.742 (여자의 경우) × 1.21 (아프리카계 미국인)

2) Cockcroft-Gault 공식

CrCl (mL/min) = (140 - Age) × 체중 (kg) × 0.85 (여자의 경우) / 72 × SCr (mg/dL)

eGFR, estimated glomerular filtration rate(추정 사구체여과율); SCr, serum creatinine (혈청 크레아티닌); CrCl, creatinine clearance(크레아티닌 사구체여과율)

표 12-1-3. 만성콩팥병의 진단기준

신장손상의 표지자 **(1개 이상)**	알부민뇨(AER≥30 mg/24 시간; ACR≥30 mg/g)
	소변 침사 이상 소견(urine sediment abnormalities)
	요세관이상으로 인한 전해질 또는 다른 이상(electrolyte and other abnormalities due to tubular disorders)
	조직학적인 이상 소견(abnormalities detected by histology)
	영상의학적인 구조적 이상(structural abnormalities detected by imaging)
	신장이식의 과거력(history of kidney transplantation)
사구체여과율의 감소	사구체여과율 < 60 mL/min/1.73m² (사구체여과율에 따른 범주의 G3a~G5)

AER, albumin excretion rate(알부민 배설률); ACR, albumin/creatinine ratio(단회뇨 알부민/크레아티닌 비)

2. 만성콩팥병의 분류

성인에서 만성콩팥병의 분류는 ① 원인(사구체, 요세관 간질성, 혈관성, 낭성 및 선천성 질환), ② 사구체여과율에 따른 범주(G1~G5), ③ 알부민뇨(albuminuria)에 따른 범주(A1~A3)에 기준을 두었다.

1) 원인에 따른 만성콩팥병의 분류

만성콩팥병의 원인에 따른 분류는 전신질환 유무와 병리–해부학적인 소견에 근거하여 신장 내 손상된 위치에 따라 분류를 하였는데, 원인 확인 위해서는 개인력과 가족력, 사회적·환경적인 요인들, 약물, 신체검사, 검사실 검사소견, 영상, 병리학적인 소견들을 검토할 것을 추천하였다 (표 12-1-4).

표 12-1-4. 원인에 따른 만성콩팥병의 분류

	신장에 영향을 미치는 전신질환	1차성 신장질환 (전신질환 없음)
사구체 질환 (Glomerular diseases)	당뇨, 자가면역성 질환, 전신 감염증, 약제, 종양성 질환 (아밀로이드증 포함)	미만, 국소, 혹은 초승달 증식사구체신염 (diffuse, focal, or crescentic proliferative glomerulonephritis); 국소 및 분절 사구체경화증 (focal and segmental glomerulosclerosis), 막성 신증 (membranous nephropathy), 미세변화병 (minimal change disease)
요세관간질성 질환 (Tubulointerstitial diseases)	전신 감염증, 자가면역성 질환, 유육종증 (sarcoidosis), 약제, 요산, 환경유해물질 (납, 아리스톨로크산), 종양성 질환 (골수종)	요로감염, 결석, 폐쇄
혈관성 질환 (Vascular diseases)	동맥경화증, 고혈압, 허혈성 질환, 콜레스테롤 전, 전신 혈관염, 혈전성 미소혈관증 (thrombotic microangiopathy), 전신 경화증	ANCA 연관 신장 제한형 혈관염 (renal limited vasculitis), 섬유근성 이형성증 (fibromuscular dysplasia)
낭성 및 선천성 질환 (Cystic and congenital diseases)	다낭성 신장질환, 알포트 증후군, 파브리병	신장 이형성증 (renal dysplasia), 수질낭성 질환 (medullary cystic disease), 발세포병증 (podocytopathies)

2) 사구체여과율에 따른 만성콩팥병의 분류

사구체여과율에 따른 만성콩팥병의 분류는 표 12-1-5와 같이 하였다.

KDIGO 2012 지침에 따르면 신장기능을 처음 평가하기 위해서는 혈청 크레아티닌을 사용한 추정 사구체여과율 공식을 사용하고, 이 추정 공식을 사용하는 것이 정확도가 떨어질 때 추가검사로 혈청 cystatin C 또는 creatinine-cystatin C을 이용한 추정 사구체여과율 공식을 사용할 것을 추천하였다(표 12-1-6). 예를 들면, 크레아티닌을 사용한 추정 사구체여과율이 45~59 mL/min/1.73m² 이고, 신장손상의 증거가 없지만 만성콩팥병의 확진이 필요한 경우에는 cystatin C 또는 creatinine-cystatin C를 이용한 추정 사구체여과율이 <60 mL/min/1.73m² 이면 만성콩팥병으로 확진하고, ≥60 mL/min/1.73m² 이면 만성콩팥병으로 확진하지 않는다.

(1) 2009 CKD-EPI 크레아티닌 공식

$141 \times \min (SCr/\kappa, 1)\alpha \times \max (SCr/\kappa, 1)^{-1.209} \times 0.993^{Age}$
$(\times 1.018$ 여자인 경우$)(\times 1.159$ 아프리카계 미국인인 경우$)$

SCr, 혈청 크레아티닌(mg/dL); κ, 여자인 경우 0.7 그리고 남자인 경우 0.9; α, 여자인 경우 -0.329 그리고 남자인 경우 -0.411; min, SCr/κ와 1중 작은 수치; max, SCr/κ와 1중 큰 수치

(2) 2012 CKD-EPI cystatin C 공식

$133 \times \min (SCysC/0.8, 1)^{-0.499} \times \max (SCysC/0.8, 1)^{-1.328}$
$\times 0.996^{Age} (\times 0.932$ 여자인 경우$)$

SCysC, 혈청 cystatin C (mg/L); min, SCysC/0.8와 1중 작은 수치; max, SCysC/0.8와 1중 큰 수치

(3) 2012 CKD-EPI 크레아티닌-cystatin C 공식

$135 \times \min (SCr/\kappa, 1)\alpha \times \max (SCr/\kappa, 1)^{-0.601} \times \min (SCysC/0.8, 1)^{-0.375} \times \max (SCysC/0.8, 1)^{-0.711} \times 0.995^{Age} (\times 0.969$ 여자인 경우$)(\times 1.08$ 흑인종인 경우$)$

SCr, 혈청 크레아티닌 (mg/dL); SCysC, 혈청 cystatin C (mg/L); κ, 여자인 경우 0.7 그리고 남자인 경우 0.9; α, 여자인 경우 -0.248 그리고 남자인 경우 -0.207; min, SCr/κ와 1중 작은 수치; max, SCr/κ와 1중 큰 수치; min, SCysC/0.8와 1중 작은 수치; max, SCysC/0.8와 1중 큰 수치.

(4) 2021 인종을 고려하지 않는 CKD-EPI 크레아티닌 공식

$142 \times \min (SCr/\kappa, 1)^{\alpha} \times \max (SCr/\kappa, 1)^{-1.2} \times 0.9938^{Age}$
$(\times 1.012$ 여자인 경우$)$

SCr, 혈청 크레아티닌 (mg/dL); SCysC; κ, 여자인 경우 0.7 그리고 남자인 경우 0.9; α, 여자인 경우 -0.241 그리고 남자인 경우 -0.302; min, SCr/κ와 1중 작은 수치; max, SCr/κ와 1중 큰 수치.

표 12-1-5. KDIGO 2012 지침에서 사구체여과율에 따른 만성콩팥병의 분류

사구체여과율에 따른 구분	사구체여과율(mL/min/1.73m²)	용어
G1	≥90	정상 또는 높음(normal or high)
G2	60~89	경미한 감소(mildly decreased)
G3a	45~59	경미한 감소에서 중등도 감소(mildly to moderately decreased)
G3b	30~44	중등도 감소에서 심한 감소(moderately to severely decreased)
G4	15~29	심한 감소(severely decreased)
G5	<15	신장기능상실(kidney failure)

신장손상의 증거가 없는 경우 G1과 G2의 범주는 모두 만성콩팥병에 해당 되지 않는다.

(5) 2021 인종을 고려하지 않는 CKD-EPI cystatin C 공식

$135 \times \min(SCr/\kappa, 1)^{\alpha} \times \max(SCr/\kappa, 1)^{-0.544} \times \min(SCysC/0.8, 1)^{-0.323} \times \max(SCysC/0.8, 1)^{-0.778} \times 0.9961^{Age} (\times 0.963 \text{ 여자인 경우})$

SCr, 혈청 크레아티닌 (mg/dL); SCysC, 혈청 cystatin C (mg/L); κ, 여자인 경우 0.7 그리고 남자인 경우 0.9; α, 여자인 경우 −0.219 그리고 남자인 경우 −0.144; min, SCr/k와 1중 작은 수치; max, SCr/k와 1중 큰 수치; min, SCysC/0.8와 1중 작은 수치; max, SCysC/0.8와 1중 큰 수치.

3) 알부민뇨에 따른 분류

알부민뇨에 따른 분류는 **표 12-1-7**과 같이 하였다. 단백뇨에 대한 검사는 가능하면 이른 아침 소변을 사용하고, 단백뇨를 처음 검사하는 경우에 ① 소변, ② 자동판독이 가능한 총 단백뇨 측정용 시약띠 소변검사(reagent strip urinalysis), ③ 수동판독이 가능한 총 단백뇨 측정용 시약띠 소변검사의 순서로 실시하는 것을 추천하고 있다. 사구체여과율과 알부민뇨에 따른 만성콩팥병으로 진행 위험성에 대해 아래와 같이 제시하였다.

표 12-1-6 (1). 성별, 혈청 크레아티닌 수치에 따른 추정 사구체여과율 공식 (KDIGO 2012 지침)

성별	혈청 크레아티닌 (mg/dL)	추정 사구체여과율 사용 공식
여성	≤0.7	$144 \times (SCr/0.7)^{-0.329} \times 0.993^{Age} (\times 1.159 \text{ 아프리카계 인종 경우})$
여성	>0.7	$144 \times (SCr/0.7)^{-1.209} \times 0.993^{Age} (\times 1.159 \text{ 아프리카계 인종 경우})$
남성	≤0.9	$141 \times (SCr/0.9)^{-0.411} \times 0.993^{Age} (\times 1.159 \text{ 아프리카계 인종 경우})$
남성	>0.9	$141 \times (SCr/0.9)^{-1.209} \times 0.993^{Age} (\times 1.159 \text{ 아프리카계 인종 경우})$

SCr, serum creatinine (혈청 크레아티닌)

표 12-1-6 (2). 혈청 cystatin C 수치에 따른 추정 사구체여과율 공식 (KDIGO 2012 지침)

성별	혈청 cystatin C (mg/L)	추정 사구체여과율 사용 공식
여성 또는 남성	≤0.8	$133 \times (SCysC/0.8)^{-0.499} \times 0.996^{Age} (\times 0.932 \text{ 여성 경우})$
여성 또는 남성	>0.8	$133 \times (SCysC/0.8)^{-1.328} \times 0.996^{Age} (\times 0.932 \text{ 여성 경우})$

SCysC, serum cystatin C (혈청 cystatin C)

표 12-1-6 (3). 성별, 혈청 크레아티닌, 혈청 cystatin C 수치에 따른 추정 사구체여과율 공식 (KDIGO 2012 지침)

성별	혈청 크레아티닌 (mg/dL)	혈청 cystatin C (mg/L)	추정 사구체여과율 사용 공식
여성	≤0.7	≤0.8	$130 \times (SCr/0.7)^{-0.248} \times (SCysC/0.8)^{-0.375} \times 0.995^{Age} (\times 1.08 \text{ 아프리카계 인종 경우})$
		>0.8	$130 \times (SCr/0.7)^{-0.248} \times (SCysC/0.8)^{-0.711} \times 0.995^{Age} (\times 1.08 \text{ 아프리카계 인종 경우})$
여성	>0.7	≤0.8	$130 \times (SCr/0.7)^{-0.601} \times (SCysC/0.8)^{-0.375} \times 0.995^{Age} (\times 1.08 \text{ 아프리카계 인종 경우})$
		>0.8	$130 \times (SCr/0.7)^{-0.601} \times (SCysC/0.8)^{-0.711} \times 0.995^{Age} (\times 1.08 \text{ 아프리카계 인종 경우})$
남성	≤0.9	≤0.8	$135 \times (SCr/0.9)^{-0.207} \times (SCysC/0.8)^{-0.375} \times 0.995^{Age} (\times 1.08 \text{ 아프리카계 인종 경우})$
		>0.8	$135 \times (SCr/0.9)^{-0.207} \times (SCysC/0.8)^{-0.711} \times 0.995^{Age} (\times 1.08 \text{ 아프리카계 인종 경우})$
남성	>0.9	≤0.8	$135 \times (SCr/0.9)^{-0.601} \times (SCysC/0.8)^{-0.375} \times 0.995^{Age} (\times 1.08 \text{ 아프리카계 인종 경우})$
		>0.8	$135 \times (SCr/0.9)^{-0.601} \times (SCysC/0.8)^{-0.711} \times 0.995^{Age} (\times 1.08 \text{ 아프리카계 인종 경우})$

SCr, serum creatinine (혈청 크레아티닌); SCysC, serum cystatin C (혈청 cystatin C)

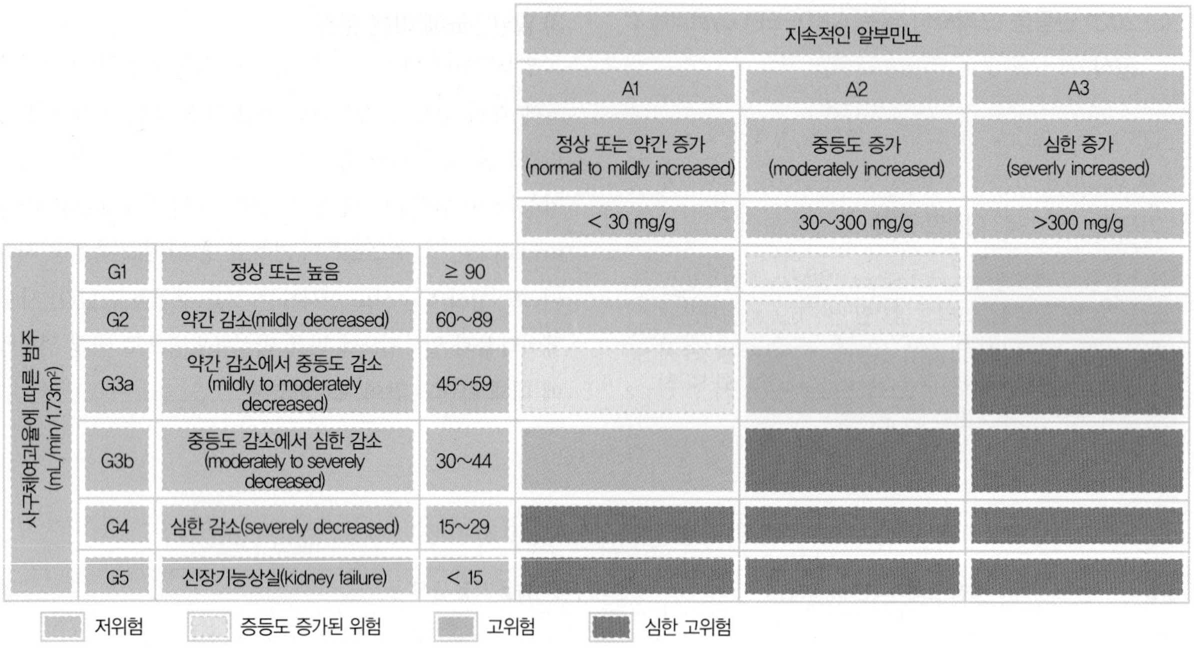

				지속적인 알부민뇨		
				A1	A2	A3
				정상 또는 약간 증가 (normal to mildly increased)	중등도 증가 (moderately increased)	심한 증가 (severly increased)
				< 30 mg/g	30~300 mg/g	>300 mg/g
사구체여과율에 따른 범주 (mL/min/1.73m²)	G1	정상 또는 높음	≥ 90			
	G2	약간 감소(mildly decreased)	60~89			
	G3a	약간 감소에서 중등도 감소 (mildly to moderately decreased)	45~59			
	G3b	중등도 감소에서 심한 감소 (moderately to severely decreased)	30~44			
	G4	심한 감소(severely decreased)	15~29			
	G5	신장기능상실(kidney failure)	< 15			

　저위험　　　증등도 증가된 위험　　　고위험　　　심한 고위험

그림 12-1-1. 사구체여과율과 알부민뇨 기준에 따른 만성콩팥병의 예후 (KDIGO 2012 지침)

표 12-1-7. KDIGO 2012 지침에서 알부민뇨에 따른 만성콩팥병의 구분

알부민뇨에 따른 구분	알부민 배설률 (mg/24 시간)	소변 알부민 크레아티닌 비 (mg/g)	용어
A1	<30	<30	정상 또는 경미한 증가 (normal to mildly increased)
A2	30~300	30~300	증등도 증가 (moderately increased)
A3	>300	>300	심한 증가 (severely increased)

과거에 많이 사용되었던 만성신부전(chronic renal failure)은 사구체여과율이 60 mL/min/1.73m² 미만으로 감소된 상태가 3개월 이상 지속되는 상태로, K/DOQI 진료지침에 의한 만성콩팥병 3~5단계에 일반적으로 해당한다. 시간이 경과함에 따라 신장의 기능이 회복되는 급성콩팥손상(acute kidney injury)과는 달리 만성콩팥병은 신손상이 회복되지 않기 때문에 지속적으로 신기능이 감소하는 경우가 많다. 요독증(uremia)은 신장을 통해서 소변으로 정상적으로 배설되는 대사성 산물이 신장 기능 감소로 인하여 일부(요독, uremic toxin)가 배설되지 못하고 체내에 저류되어 있는 상태 또는 이와 관련된 증상을 말하며, 요

독증은 만성콩팥병의 범주에 포함된다. 신장의 기능이 심하게 감소하여 생명유지를 위해 혈액투석, 복막투석 또는 신장이식과 같은 신대체요법(renal replacement therapy)이 필요한 상태를 말기콩팥병(end stage kidney disease)이라고 한다.

만성콩팥병의 정의와 분류의 임상적 중요성

만성콩팥병을 가진 환자의 진단이 중요한 이유는 만성콩팥병이 점차 투석치료가 필요한 말기콩팥병으로 진행할

뿐만 아니라, 사구체 여과율이 60 mL/min/1.73 m² 미만으로 감소시 빈혈, 산증, 고인산염혈증, 저알부민혈증 등의 만성콩팥병 관련 합병증의 유병률이 증가한다. 또한, 사구체 여과율이 60 mL/min/1.73 m² 미만으로 감소시 향후 급성콩팥손상 및 만성콩팥병의 악화 위험, 심혈관계 합병증 및 전체 사망률도 유의하게 증가한다. 만성콩팥병을 가진 환자에 대한 약물 투여나 검사 등을 시행할 때 급성콩팥손상이 흔히 발생할 수 있어 만성콩팥병을 치료하고 관리하면서 이러한 위험을 고려해야 합병증 예방이 가능하다. 알부민뇨도 증가할수록 신장 관련 합병증, 심혈관계 합병증 및 사망률이 유의하게 증가하여 사구체여과율에 따른 만성콩팥병의 정의와 분류 외에도 알부민뇨에 따른 정의와 분류도 필요하다.

▶ 참고문헌

- Feehally J, et al: Comprehensive Clinical Nephrology, 6th ed. Elsevier, 2019, pp903-912.
- K/DOQI clinical practice guidelines for chronic kidney disease: Evaluation, classification, and stratification. Am J Kidney Dis 39:S1-266, 2002.
- Kidney Disease Improving Global Outcomes 2012 Clinical Practice Guideline for the Evaluation and Management of chronic kidney disease. Kidney Int Suppl 3:s5-s14, 2013.

제 12 부 만성콩팥병

CHAPTER

02 만성콩팥병의 병태생리

진동찬 (가톨릭의대), 황선덕 (인하의대)

KEY POINTS

- 만성 콩팥손상의 진행기전에 분자 생물학적 기전이 좀 더 구체화되어 여러 가지 염증물질의 기전에 보체활성화의 역할이 강조되었다. 그러나 혈역학적 사구체 손상기전 및 요세뇨관 손상진행의 상피세포 중간엽세포 전환기전(EMT)은 계속 강조되고 있다.

- 만성 콩팥손상의 발현되는 단계별 연관 물질과 생물표지자(biomarker)가 다시 정리되었다.

- 만성 콩팥질환에 대한 적응기전 및 요독증에 대한 기전의 이해는 임상적으로 진행 단계 판정에 중요하다.

서론

만성적인 콩팥 기능의 저하 기전에서 이해하여야 할 가장 중요한 콩팥 기능적의 특징은 각각의 신장단위(nephron)이 독립적인 기능단위를 이루고 있다는 점이다. 어떠한 병리기전에 의하여 급성 혹은 만성적 콩팥손상이 발생하여 기능을 회복하지 못하는 신장단위가 생기면 이 신장단위는 위축되어 섬유화되며 기능이 소실된 신장단위 수가 늘어나 사구체여과율이 저하된다. 남아 있는 신장단위에 만성적인 기능 부하가 발생하고, 이에 대한 보상 및 적응기전이 진행되지만, 보상 및 적응할 수 있는 어느 한계(point of no return)를 넘어서면 신장단위은 새로 생성되지 못하므로 결국 손상원인이 달라도 비슷한 병리 기전으로 차차 추가 신장단위 소실이 진행되고 신기능이 저하되어 말기콩팥병으로 진행되는 것으로 알려져 있다. 또한 신

기능이 저하됨에 따라 소변으로 제거되어야 할 여러 가지 요독물질이 체내에 축적되며 이에 의한 증상인 요독증이 발생한다.

따라서 만성콩팥병의 초기에는 면역학적, 혹은 대사성 원인 등의 원인차단 치료에 중점을 두지만 만성콩팥병 후기에는 이 공통 손상 진행기전을 잘 이해하고 이에 대한치료방법을 세우며 신기능 저하, 즉, 신부전에 대한 보상 및 적응기전을 조절하여 말기콩팥병으로 진행되는 것을 늦추는 것이 임상적으로 매우 중요하다. 또한 진행된 신부전에서는 환자의 요독 증상을 잘 파악하고 이에 대한 부작용 및 합병증을 최소화하는 것이 임상적인 신장질환관리 및 치료의 많은 부분을 차지하고 있다.

만성콩팥손상의 진행 기전

신대체요법을 받고 있는 말기콩팥병 환자의 원인질환의 통계에 따르면 우리나라, 미국, 일본 모두 비슷하게 약 45%가 당뇨병콩팥병이며 고혈압성 신병증/경화증이 약 20%, 만성 사구체신염이 10% 정도로 조사되고 있다. 이 세 원인은 실질적으로 모두 사구체 손상이며 고혈압성 신증/경화증은 일반적으로 신장 조직검사를 하지 않고 임상적으로 진단하므로 일부 단백뇨가 적은 만성 사구체신염 혹은 허혈성 신장질환, 유전성 신장 손상을 포함할 가능성이 있다. 진행되는 사구체 신장질환은 물론이고 세관 손상이더라도 신장단위로 평가하여야 하므로 신장의 손상 진행지표를 사구체여과율로 표시하여 임상적으로 관리한다.

만성콩팥손상은 표 12-2-1과 같은 여러 가지 원인과 질병에 의하여 진행되며 콩팥손상의 초기에는 특징적인 병리가 진행하지만 후기에는 다음과 같은 공통 병리기전으로 콩팥손상이 진행되는 것으로 알려져 있다.

1. 만성콩팥손상에서 이차적인 사구체 손상 진행의 6단계

사구체 손상은 원인에 따라 조직학적 형태가 다르지만 여러 대사물질에 의한 손상이나 다른 원인에 의하여 콩팥손상이 진행되는 경우 남아 있는 사구체의 손상은 다음과 같은 6단계를 보인다.

1) 사구체 내 모세혈관 압력 증가에 의한 과여과 (hyperfiltration)
2) 사구체 내 구조 손상에 의한 단백뇨(proteinuria)
3) 염증 매개물질 확산(cytokine bath)
4) 염증세포 침윤(inflammatory cell infiltration)
5) 상피세포-중간엽세포 전환기전(epithelial-mesenchymaltransition, EMT)

표 12-2-1. 만성콩팥손상의 손상부위와 매개인자

손상부위	원인분류	매개인자	진단 질병
사구체	대사성	고혈당, 후기당화산물	당뇨병콩팥병
	면역성	면역복합체, 자가항체, 염증세포	IgA신병증 및 기타 일차성 사구체신염, 급속진행형사구체신염, 루프스신염 등
	유전성	사구체 구조 단백질	Alport 증후군 등
	혈역학적	고혈압	고혈압성 사구체경화증
	기타 원인	노화	노인성 사구체경화증
혈관	허혈성	동맥경화, 혈전	신경색증, 허혈성 콩팥병
세관 및 간질	독성물질	약제(NSAIDs, aminoglycoside, cisplatin, 조영제, 한약제 등)	세관 사이질신염
		요산	통풍신병증
	면역성	자가항체	Sjogren증후군, 이식 신장
	감염	병원성 세균	만성요로감염증, 신결핵
	만성요관 폐쇄 방광요관 역류	요로결석, 요로감염, 방광신경손상, 전립선비대	폐쇄성요로병증, 신경성방광, 전립선비대증
	유전성	요세관낭종	다낭콩팥병(ADPKD)
기타	혈액종양	골수종단백	다발골수종(multiple myeloma, myeloma kidney)

6) 섬유화 및 사구체경화(fibrosis & glomerulosclerosis)

이러한 과정의 기전은 5/6 신절제 모델 등의 실험동물에서 잘 연구되어 있으며 임상적으로는 국소분절사구체경화증과 당뇨병콩팥병에서 비교적 전형적으로 관찰할 수 있다.

2. 염증 및 면역학적 기전에 의한 사구체 손상의 진행

만성 사구체신염은 면역학적 기전에 의하여 사구체 내 염증과 이에 따른 사구체 구조 파괴가 진행됨에 따라 단백뇨가 보이게 되는데 이를 임상적으로 병변진행의 지표로 삼고 치료를 하는 것이 원칙이다. 이러한 사구체 구조손상의 진행에는 특히 발세포의 손상 혹은 탈락이 특징적인 국소분절사구체경화증, 사구체혈관사이세포(mesangial cell) 영역의 면역복합체에 의한 손상이 특징적인 IgA신병증, 사구체 기저막의 손상이 먼저 보이는 막신병증, 혈관염이나 심한 염증세포의 침착에 의한 반월상 병변이 특징적

인 급속진행사구체신염 등 사구체신염 초기에는 구별이 가능하나 어느 정도 사구체의 구조적 손상 혹은 파괴가 진행되고 이에 따른 사구체 경화증이 보이는 단계에서는 어느 원인인지 구별이 어려워지며 사구체 기능손상에 따라 그 신장단위의 세관도 위축되고 이어 섬유화 되는 과정으로 진행된다.

면역복합체의 분자 생물학적 사구체 손상기전을 보면, 면역복합체의 침착에 의한 보체 활성화가 조직 손상의 주요 기전으로 알려져 있다. 즉, 면역복합체는 Fc 수용체(Fcγ receptor)를 통해 호중구를 활성화시켜 반응산소종(reactive oxygen species, ROS), 여러 사이토카인, 탈과립(degranulation)을 유도한다. T림프구는 사구체 손상의 매개역할을 하는데, 특히 면역침착없는(pauci-immune) 사구체신염에서 중요하다. 표면수용체와 CD3 복합체를 통해, 세포의 주조직적합복합체(major histocompatibility complex, MHC) 분자에 존재하는 항원과 결합하게 되고,

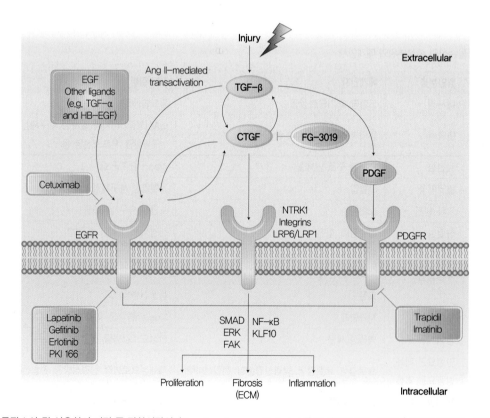

그림 12-2-1. 콩팥손상 및 섬유화의 기전 중 전환성장인자(transforming growth factor)를 중심으로 하는 부분과 이를 차단하는 약제들

이것이 활성화되면 T림프구가 사이토카인을 지속적으로 분비하여 섬유화와 세포독성을 일으키게 된다. 사구체 섬유화 및 경화의 진행에는 여러 가지 염증물질(cytokine, chemokines & growth factors)이 논의되고 있으나 염증 시작시기에는 monocyte chemoattractant protein-1 (MCP-1)과 여러 가지 사이토카인들이 분비되고 이들의 효과에 의하여 단핵구(monocytes) 등 염증세포의 침윤이 발생한다. 이 염증세포의 단백질 융해효소(proteolyticen-zymes; perforin, granzyme B) 및 보체(complements)에 의하여 사구체 기저세포 및 구조파괴가 발생하고 여러 가지 성장인자(growth factor; platelet derived growth fac-tor, PDGF 등)가 염증을 진행 시킨다. 구조파괴에 이어서 염증물질이 차차 감소되면 전환성장인자(transforming growth factor-β, TGF-β)와 connective tissue growth factor (CTGF)로 대표되는 항염증물질이 세포 외 기질(extra-cellular matrix, ECM)의 합성을 자극하며 콩팥손상의 진행을 촉진시킨다. 또한 동시에 matrix-metallopro-teinase와 같은 세포외바탕질(extracellualr matrix, ECM) 분해 단백질을 억제하기에, 지속적으로 섬유화(fibrosis)와 경화증(sclerosis)을 일으키는 과정이 진행된다. 이러한 섬유화를 막아 만성콩팥병을 치료하고자 하는 연구들이 진행되고 있는데, 그림 12-2-1 내의 회색 박스가 이를 차단하는 약제들이다. 또한 이 과정에 EMT가 많은 역할을 하는 것으로 제시되고 있다. 이 EMT 기전을 차단하는 것은 bone morphogenetic protein 7 (BMP7)과 hepatocyte growth factor (HGF)가 대표적이며 EMT를 촉진하여 섬유화로 진행시키는 것은 TGF-β가 주 역할을 하는 것으로 알려져 있다.

말기콩팥병의 주요 원인인 당뇨병콩팥병도 최종당화산물(advanced glycation end products)의 침착에 의한 사구체 내 matrix 증가와 이에 따른 결절경화(nodular sclero-sis, Kimmelstiel-Wilson nodule)의 형태를 보인다. 또한 혈관내피세포의 손상에 이은 사구체 여과구조의 손상에 의하여 심한 단백뇨가 보이는 것에 비해 비교적 염증세포 침윤은 적은 상태이지만 결절성 사구체경화증으로 이행된다.

3. 혈액역학적 사구체 손상과 발세포(Podocyte)

어떤 원인이든지 콩팥손상이 진행하여 기능이 소실된 신장단위의 수가 늘어나면 남아있는 신장단위에 역할 부하가 발생하는 것으로 알려져 있으며 이 과정에서 남아 있는 사구체내의 여과 압력의 증가-사구체의 비후-발세포의 손상 혹은 탈락-사구체 경화증으로 진행되는 병리기전으로 설명되고 있다(그림 12-2-2). 이 악순환 과정은 반복되어 남아 있는 사구체의 손상을 더 진행시켜 결국 말기콩팥병으로 진행한다. 이 악순환의 기전은 5/6 신절제 모델 등의 동물실험과 임상적 자료로 약 25% 미만의 신장단위가 남아 있을 때부터 전형적으로 발생하는 것으로 알려져 있다. 특히 발세포는 매우 특이적으로 분화된 세포여서 사구체 여과 압력의 증가 및 사구체 비후 등에 의하여 과도하게 늘어나거나 압력을 받는 상황에서 손상 또는 탈락되면 재생이 거의 되지 않거나 매우 느리므로 발세포의 탈락이 있는 사구체는 경화증으로 진행된다. 또한 발세포 이외에도 사구체 모세혈관을 늘어나게 하는 압력(stretching pressure)이 지속되면 혈관내피세포와 사구체혈관사이세포(mesangial cell)의 구조적 및 기능적 손상이 발생하여 내피세포의 탈락, 미세동맥류(microaneurysm), 혈관 내 혈전 등으로 손상이 진행된다. 이와 관련된 예로 사구체고혈압(glomerular hypertension)이 있는데, 지속적으로 사구체내 고혈압이 유지되면 메산지움바탕질(mesangial matrix)이 증가되어 ECM 축적으로 인한 사구체 경화가 나타날 수 있다. 그 결과 관류 저하, 혈관내막 경화등이 발생하여 모세혈관의 허혈성 혈관허탈이 발생할 수 있다.

추가로 사구체 과여과의 과정에서 안지오텐신에 의한 날세동맥(efferent arteriole)의 수축도 사구체 과여과를 악화시키는 기전으로 알려져 있고 이의 차단이 매우 중요함이 당뇨병콩팥병 등에서 임상적으로 증명되었다. 즉, 만성콩팥손상이 진행됨에 따라 수분의 저류와 안지오텐신의 영향에 의하여 전신 고혈압이 발생하고 이에 의하여 신장 사구체 손상이 악화되는 악순환이 진행되므로 안지오텐신 II 수용체 차단제, 혈관이완제, 이뇨제, 교감신경 차단제 등의 사용으로 고혈압을 조절하는 것이 임상적으로 매우

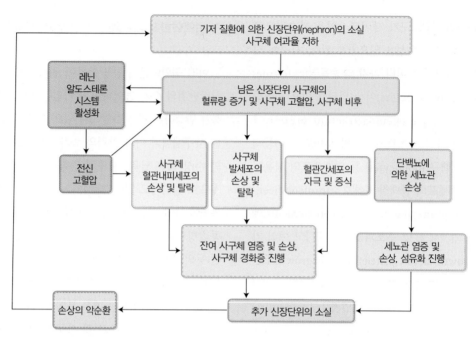

그림 12-2-2. 만성콩팥손상의 진행 기전.

신장단위 소실에 따른 잔여 사구체의 혈류량 및 여과율 증가와 이에 따른 이차적 사구체 손상 진행의 악순환 기전

중요하다.

4. 콩팥손상 진행에서 단백뇨의 역할

기저 질환의 사구체 손상 및 이차적 사구체 과여과에 의하여 단백뇨가 늘어나는 것은 임상적으로 콩팥손상의 진행을 나타내는 지표로 알려져 있으며, 치료의 효과도 배설되는 단백뇨량으로 평가할 수 있다. 그러나 단백뇨는 손상의 결과일 뿐 아니라 단백뇨 자체가 사구체 손상을 진행시키고 세관에서 염증을 일으켜 세관 손상을 일으킨다. 즉, 여과된 단백질이 사구체 모세혈관 내피세포와 기저막 사이에 누적되어 내피세포 탈락을 촉진시키고 혈관 폐색 등의 손상을 일으키며 여러 가지 염증 물질이 부착된 알부민 등이 사구체에서 여과된 후 세관 상피세포(tubular epithelial cell)에 염증을 일으키고 주위 혈관의 내피세포에도 손상을 일으켜 염증세포의 침윤을 악화시킨다. 그러므로 다량의 단백뇨는 만성콩팥손상의 결과이면서 사구체 및 세관 손상을 촉진하는 원인이 된다.

5. 세관 손상의 진행

세관에서 만성콩팥손상 발병의 원인이 되는 경우에 세관 상피세포가 원인 독성물질에 의하여 손상되어 세관 염증을 일으키는 것이 특징적이다. 이 상피세포는 비교적 재생이 잘 되는 세포이나 지속적 혹은 반복적인 독성물질에 대한 노출은 상피세포의 정상적 재생이 아닌 섬유화로 진행되어 세관의 기능을 잃어버리게 한다. 즉, 사구체 손상에 의한 사구체경화증으로 신장단위의 기능소실과 이에 따른 세관의 위축이 진행되며 이는 만성콩팥손상을 악화시키는 기전과 관련되어 있으며 이 세관사이질(tubulo-interstitial)의 손상이 진행되면서 발생하는 신장 섬유화는 만성콩팥병의 특징적인 소견이다. 이 과정은 용해성 매개체 및 혈관 투과성 증가, 내피세포의 활성화 등의 과정이 섬유화를 유발하며 이러한 섬유화에서 M1 대식세포가 핵심적 역할을 하는데, 이들은 interleukin-1(IL-1), 종양괴사인자(tumor necrosis factor) 같은 인자의 생성으로 고유 신세포를 활성화시키게 된다. 이는 백혈구의 증가를 유발하여 세뇨관 상피세포가 근섬유모세포(myofibroblast)로

분화되는 EMT와 TGF-β에 의한 섬유화가 진행되는 것이 주요 기전이다. 세뇨관의 섬유화를 일으키는사이토카인을 보면, 신장 사이질에 존재하는 대식세포(macrophage)가 섬유모세포(fibroblast)를 근섬유모세포로 분화시키는 역할을 하는 여러 사이토카인을 분비한다. 섬유모세포들은 세관사이질에 자리를 잡아 증식하게 된다. 이 때, α-smooth muscle actin이 중요한데, 이는 반드시 PDGF, bFGF-2와 같은 사이토카인에 의하여 근섬유모세포로 분화되어야 발현할 수 있다. 상피 손상 후 TGF-β가 Snail 및 twist 발현을 촉진하여 EMT를 활성화하는데, 이 때 근섬유모세포의 증식과 만성 염증을 일으켜 최종적으로 콩팥섬유화를 일으키게 된다.

추가로 저산소증에 의해 유도되는 저산소유도인자(hypoxia-inducible factor, HIF-1)는 EMT를 유발하면서 동시에 근위세관 상피세포 기질대사를 바꿔 세포외바탕질(extracellualr matrix)을 축적시킨다. 또한 사구체 손상에 의한 다량의 단백뇨도 세관사이질의 손상을 일으킬 수 있다. 과량의 단백질이 근세뇨관에서 흡수되면 분해능력(lysosomal capacity)을 넘어서게 되어, 리소좀 파열 및 직접적인 세뇨관 독성을 야기하게 된다. 이 외에 tubular epithelial metabolism의 변화, cytokine 및 chemokine 합성, adhesion molecule의 증가 등을 야기한다. 그 외의 세관 선행 손상기전인 세균 감염에 의한 손상, 요로폐색에 의한 세관 손상은 각각 특징적인 조직소견을 보이며 이는 육안적 혹은 영상의학적으로 구별이 가능하다.

6. 콩팥손상의 진행에 영향을 미치는 위험인자들

콩팥손상의 진행에 가장 큰 영향을 미치는 인자는 당연히 기저 콩팥 질환의 활성도이다. 즉, 각 사구체신염의 경우 면역학적 병리기전의 활성도이며, 당뇨병콩팥병의 경우 고혈당에 의한 세포손상이다. 어느 정도 진행된 만성콩팥손상에서 진행을 가속시키는 인자로는 고혈압이 가장 중요하고 이 고혈압은 레닌-안지오텐신-알도스테론계(RAS)의 활성과 연관이 있으므로 이의 조절이 중요하다. 그 외에 고요산혈증, 비만과 고지혈증, 단백질의 과잉 섭취, 흡연 등이 연관되어 있다고 알려져 있다. 그 외에 조절이 불가능한 인자로 선천적으로 사구체 수가 적은 경우나 콩팥손상이 잘 진행되는 유전적 인자가 추측되고 있다.

7. 만성콩팥손상의 생물표지자

만성콩팥손상의 분자 생물학적 기전이 단계별로 차차 밝혀지고 이에 연관되는 물질들이 밝혀지고 있으며(사구체 손상 단계별, 표 12-2-2) 임상적으로 응용 될 수 있는 여러 가지 생물표지자(biomarkers)가 개발되고 있다(표 12-2-3).

표 12-2-2. 사구체 손상의 단계별 연관 물질

병리단계	연관 물질
사구체 과여과	ROS oxidants, angiotensin II, albumin, ET-1
단백뇨-염증세포 침윤	Immune complex, C5-9 complex, MCP-1, MIF, IL-8, RANTES, PDGF, NF-κB
염증물질	IL-1, MCP-1, RANTES, γIFN, TNFα, protease (perforin, granzymes)
면역세포 활성화	Toll like receptors, antigen recognition molecules (CD3, B7-CD28, CD40-CD40L)
상피세포-중간엽세포 이행	가속: TGF-β, EGF, FGF2, FSP1 억제: HGF, BMP7
섬유화	TGF-β, collagen, fibronectin, vimentin, αSMA

ROS, reactive oxygen species; ET-1, endothelin 1; MIF, macrophage migration inhibitory factor; IL, interleukin; RANTES, regulated on activation, normal T cell expressed and secreted; PDGF, platelet-derived growth factor; NF-κB, nuclear factor kappa-light-chain-enhancer of activated B cells; MCP-1, monocyte chemoattractant protein-1; γIFN, gamma interferon; TNFα; tumor necrosis factor alpha; TGF-β, transforming growth factor beta; EGF, epidermal growth factor; FGF2, fibroblast growth factor 2; FSP1, fibroblast-specific protein 1; HGF, hepatocyte growth factor; BMP7, bone morphogenetic protein 7; αSMA, alpha smooth muscle actin.

표 12-2-3. 만성콩팥손상의 생물표지자(biomarkers)

Biomarkers	검체	출처 세포	의의
Nephrin, podocin, synaptopodin	소변	사구체 발세포	발세포의 손상 진행여부
NGAL	소변, 혈청	원위세관	요세관 상피세포 손상
KIM-1	소변	근위세관	요세관 상피손상 및 재생
Cystatic C	소변, 혈청	유핵세포	사구체여과율 측정
HGFIN	소변	원위세관	요세관 손상 진행
BNP	혈청	심장세포	수분 부하 반영
FGF-23	혈청	골세포	신성골형성장애진행

NGAL, neutrophil gelatinase-associated lipocalin; KIM-1, kidney injury molecule-1; HGFIN, hematopoietic growth factor inducible neutrokinin 1; BNP, B-type natriuretic peptide; FGF23, fibroblast growth factor 23

만성콩팥병에서 신부전에 대한 적응기전

독립된 기능단위인 신장단위의 소실에 대한 적응기전을 보면 만성적인 콩팥손상에 의하여 일부 신장단위의 기능 소실이 발생하여 차차 기능을 잃고 사구체경화증으로 소멸되는 신장단위가 많아지면 이어서 남아 있는 신장단위에 추가적인 기능부하가 발생한다. 각 신장단위는 여러 가지 보상 및 적응기전을 통해 신기능과 체액의 항상성을 최대한 유지하려고 하는데 이는 각 체액성분에 따라 다르게 나타난다. 즉, 요소나 크레아티닌은 신부전의 중기부터 누적되나 염분은 최대 보상기전이 진행되어 심한 신부전이 진

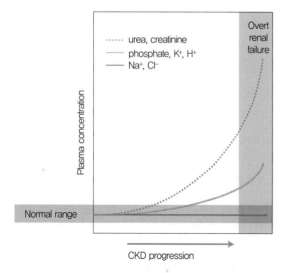

그림 12-2-3. 신부전 진행에 따른 각 체액성분 증가 속도

행되어도 거의 정상수치를 유지한다(그림 12-2-3). 이러한 보상기전을 잘 이해하고 조절하여 신부전의 진행을 늦추고 신부전 증상을 완화시켜야 한다.

1. 사구체의 과여과와 사구체 비후, 신장비후

만성콩팥손상의 진행에 따라 남아 있는 신장단위의 사구체에 보상이 일어나는 기전은 1969년 Bricker 등에 의하여 제시되었다(intact hypothesis). 즉, 남아 있는 사구체가 기능을 더 하고 이어서 비후된다는 것을 조직학적으로 증명하였고 이어서 1982년에 Brenner 등이 이 보상기전이 신장혈장유량(renal plasma flow)이 증가하고 사구체내 모세혈관 여과 압력이 늘어나며 이어 사구체과여과(hyperfiltration)가 일어나는 기전으로 설명하였다. 즉, 사구체 손상이 상당히 진행되어도 남아있는 사구체의 보상 기전에 의하여 임상적인 지표인 혈장내 크레아티닌은 초기에는 정상범위에 머물러 있는 것을 볼 수 있다. 그러나 여과율이 증가하여 신장기능이 보상되지만 어느 한계를 넘으면 이 과여과에 의하여 사구체 손상이 진행됨을 제시하였다.

이 사구체의 보상비후에는 혈역학적 기전으로 모세혈관의 압력증가에 이은 여러 가지 성장인자의 역할이 연구되고 있으며 hepatocyte growth factor (HGF), platelet-derived growth factor (PDGF), epidermal growthfactor

(EGF), insulin like growth factor-I (IGF-I) 및 prosta-glandin E2 등이 밝혀져 있다. 이 비후는 비교적 젊은 나이의 환자, 고단백식이를 하는 환자에서 더욱 잘 일어난다고 알려져 있다.

또한 사구체 비후 및 신장단위의 기능항진에 따라 전체 신장의 크기가 커지는 것도 관찰할 수 있는데 이는 특징적으로 신장이식 공여자의 남은 신장, 당뇨병콩팥병 초기의 신장 등에서 관찰된다. 신장이식 공여자의 경우 2~3주 이내에 신장혈류량은 약 40% 이상 증가되고 사구체여과율은 70~80% 정도로 회복된다.

2. 세관의 적응

1) 체액량 조절 및 소듐 조절
만성콩팥병에서 남아 있는 사구체여과율이 약 10%까지 저하되더라도 소듐배설펩타이드(natriuretic peptide) 등의 분비증가로 소듐분획배설이 증가하여 거의 정상 체액량이 유지된다. 이 분획배설의 증가는 헨레고리와 원위세관에서의 소듐 재흡수의 저하로 일어난다. 그러나 염분 섭취가 증가하는 경우 소듐의 저류에 이은 체액저류에 의하여 고혈압이 악화되고 심하면 폐울혈로 진행한다.

2) 소변 농축능력
만성콩팥병의 진행에 따라 소변 농축능력은 감소하여 말기에는 소변 삼투압농도가 약 350 mOsm/L로 고정되어 소변 비중이 1,010으로 된다. 이는 세관의 손상에 의하여 세관 상피세포의 vasopressin에 의한 항이뇨효과가 저하되고 신장수질내의 삼투압 농도차 유지기능이 저하되는 것이 그 기전으로 생각되며 임상적으로 야뇨증으로 발현된다.

3) 산염기 조절
사구체여과율이 감소하면 근위세관의 중탄산염의 재흡수 증가와 암모늄 배설 증가, 원위세관의 수소이온의 배설 증가로 대사성 산증이 일어나지 않도록 보상한다. 그러나 만성콩팥병이 진행되면 암모늄의 배설이 부족하여지고 중

탄산염 농도가 12~18 mEq 정도로 감소되면 과호흡으로 혈장내 pH의 항상성을 유지한다. 이때 필요 이상의 산소 공급으로 호흡중추를 억제하면 이 보상기능을 억제하여 대사성 산증이 악화될 수 있으므로 임상적으로 주의를 요한다.

4) 포타슘 조절
포타슘도 사구체여과율이 10%로 저하될 때까지 정상범위를 유지하며 이 기전으로는 알도스테론에 의한 원위세관에서의 소듐재흡수와 포타슘배설이다. 그러므로 안지오텐신차단제의 과량 사용이나 당뇨병콩팥병에서 흔히 발견되는 사구체옆장치(juxtaglomerular apparatus)의 기능저하로 인하여 고칼륨혈증이 발생할 수 있다(신세관산증; type IV renal tubular acidosis). 정상적으로 여분의 포타슘은 90%가 소변으로 제거되고 10%의 포타슘은 장을 통해 대변을 배설되며 만성콩팥병이 진행되면 장으로의 배설이 약 30% 정도로 증가한다.

5) 칼슘-인 조절
사구체여과율이 감소하면 인산배설이 감소하고 이에 따라 분획배설이 증가한다. 그러나 신부전이 진행되면 인산 저류가 진행되고 근위세관의 손상에 의한 수산화효소(hydroxylase)가 감소되고 이의 기능인 비타민 D의 활성화 [1,25-hydroxy cholecalciferol: 1,25(OH)2 vitamin D]가 저하된다. 인의 저류에 의하여 혈장 내 이온화칼슘의 농도가 저하되면 부갑상샘호르몬이 증가하고 부갑상샘호르몬에 의하여 인산배설이 증가되는 기전으로도 인의 조절이 진행되는 기전도 있다. 즉, 사구체여과율의 저하에 의한 인산의 저류, 이온칼슘의 저하, 부갑상샘호르몬의 증가의 과정이 사구체 기능저하가 진행되어도 칼슘과 인의 농도의 변화가 최소한으로 유지되는 상태에서 부갑상샘호르몬의 증가 결과로 남는다는 가설(물물교환 가설, Trade-off hypothesis)도 알려져 있다.

요독물질 및 요독증

만성콩팥병이 진행되면 보상기전이 작용하더라도 어느 단계에서는 요독물질의 증가와 이에 따른 요독증상이 발생한다. 최근 분자생물학적 발전과 단백체학(proteomics), 생체정보학(bioinformatics) 등의 발전으로 요독물질의 발견 및 분석이 활발해지고 있다. 그러나 투석으로도 제거가 어려운 요독물질이 많고 이에 따라 여러 장기의 손상이 발생하여 투석환자의 생존율 저하의 원인이 되고 있다.

1. 요독물질

투석을 받고 있는 말기콩팥병 환자의 혈액에서 정상인

보다 농도가 높은 많은 요독물질이 검출되어 보고되었다. 그러나 어느 요독물질이 어떤 증상을 나타내는지는 아직 확실하지 않다. 실질적으로 여러 가지 요독물질 및 혈역학적 요소가 복합적으로 증상을 일으킨다. 투석을 장기적으로 받고 있는 환자에서 중요한 것은 투석으로 제거될 수 있는 물질과 제거되지 못하고 계속 누적되는 물질을 확인하여 조절, 제거하는 것이며, 요독물질에 의해 이차적으로 발생하는 여러 장기의 기능변화 및 호르몬의 작용변화를 파악하는 것이다.

요독물질 중 분자량이 적은 요소 및 크레아티닌은 쉽게 투석으로 제거되므로 이를 측정하여 임상적으로 투석효율을 평가하고 있다. 그러나 단백질과 결합한 요독물질이나 투석막을 잘 통과하지 않는 중분자물질(middle molecule)

표 12-2-4. 요독물질(굵은 글씨 물질이 중요성이 더 크다고 알려짐)

Small water soluble solutes	Protein-bound solutes	Middle molecules
Asymmetric dimethylarginine	3-Deoxyglucosone	**Adrenomedullin**
Benzylalcohol	**CMPF**	**Atrial natriuretic peptide**
β-Guanidinopropionic acid	Fructoselysine	**β-Microglobulin**
β-Lipotropin	Glyoxal	**β-Endorphin**
Creatinine	**Hippuric acid**	**Cholecystokinin**
Cytidine	**Homocysteine**	Clara cell protein
Guanidine	Hydroquinone	**Complement factor D**
Guanidinoacetic acid	**Indole-3-acetic acid**	Cystatin C
Guanidinosuccinic acid	Indoxyl sulfate	**Degranulation inhibiting protein I**
Hypoxanthine	Kinurenine	Delta-sleep-inducing peptide
Malondialdehyde	Kynurenic acid	**Endothelin**
Methylguanidine	Methylglyoxal	**Hyaluronic acid**
Myoinositol	N-carboxymethyllysine	**Interleukin 1β**
Orotic acid	**P-cresol**	**Interleukin 6**
Orotidine	**P-cresyl sulfate**	**Kappa-Ig light chain**
Oxalate	Pentosidine	**Lambda-Ig light chain**
Pseudouridine	**Phenol**	**Leptin**
Symmetric dimethylarginine	P-OH hippuric acid	Methionine-enkepahlin
Urea	Quinolinic acid	Neuropeptide Y
Uric acid	Spermidine	**Parathyroid hormone**
Xanthine	Spermine	Retinol binding protein
		Tumor necrosis factor alpha

CMPF, carboxy-methyl-propyl-furanpropionic acid

이 장기 투석환자에서는 임상적으로 더욱 중요하다. 이 중 분자물질의 범위를 과거에는 300~2,000 Da으로 생각하였으나 2003년 유럽 요독 연구 그룹(European Uremic Toxin Work Group)에서 500~60,000 Da으로 더욱 큰 분자범위로 제시하였다. 또한 최근 분자량이 작지만 단백질과 결합하여 잘 제거되지 않는 p-cresol, p-cresyl sulfate, indoxyl sulfate, CMPF (carboxymethyl-propyl-furanpropionic acid) 등의 독성이 더욱 중요하다고 보고되고 있다. 이러한 요독물질을 표 12-2-4에 정리하였다.

2. 요독증의 임상증상

요독증의 증상도 요독물질 만큼 다양하다. 즉, 기본적인 수분량의 증가에 의한 심혈관계 부하도 매우 중요하며 고칼륨혈증에 의한 심근수축의 이상, 대사산증의 진행에 따른 증상부터 여러 가지 요독물질의 복합작용으로 인하여 혈관 내피세포의 손상, 동맥경화의 진행, 면역력의저하, 요독성 피부증상, 신경증상, 뇌증, 신성골형성장애 등 거의 전신에 증상이 나타난다. 이들 요독상태에서 여러 가지 장기의 합병증은 각론에서 자세히 언급되며 표 12-2-5에 전체적인 요독증상을 정리하였다.

표 12-2-5. 임상적인 요독증상

신경계	피부
중추신경계	- 소양증(가려움증)
- 수면장애, 의식저하	- 색소침착
- 기억장애, 집중력장애, 언어장애	- 이영양성 석회화
- 지남력장애, 정신착란	혈액 및 면역계
- 간질성 발작	- 빈혈
말초신경계	- 호중구 화학주성 저하
- 감각이상, 운동신경병증	- 림프구, 혈소판 기능이상
- 하지불안증후군	- 출혈경향
- 근육경련	- 항체 생산 감소
심혈관계	- 과민반응 감소(지연성 과민반응)
- 고혈압	- 종양 발생 빈도 증가
- 폐울혈	내분비계
- 동맥경화증 가속	- 이차성 부갑상샘기능항진
- 심근병증, 심낭염	- 인슐린 저항성, 내당능 장애
- 칼시필락시스(calciphylaxis)	- 지질대사이상
호흡기계	- 갑상샘 기능이상
- 폐부종	- 고환, 난소 기능저하
- 폐렴	근골격계
- 섬유소성 늑막염	- 신성골형성장애
소화기계	- 근위축
- 식욕저하, 구역, 구토	- 요독성 관절염, 통풍
- 구염, 치주염	
- 소화성 궤양	
- 위염, 십이지장염, 대장염, 췌장염	
- 복수	

▶ 참고문헌

• Abbate M, et al: How does proteinuria cause progressive renal-damage? J Am Soc Nephrol 17:2974-2984, 2006.

• Bello A, et al: Epidemiology and pathophysiology of kidney disease, Comprehensive clinical nephrology, 4th ed, edited by Floege J, et al, Elsevier, 2010, chapter 75, pp907-918.

• Bidani AK, et al: Renal microvascular dysfunction, hypertension andCKD progression. Curr Opin Nephrol Hypertension 22:1-9, 2013.

• Devarajan P: The use of targeted biomarkers for chronic kidney-disease. Adv Chr Kidney Dis 17:469-479, 2010.

• Freedman, et al: Cohen, Arthur H. Hypertension-attributed nephropathy: what's in a name? Nat Rev Nephrol 12:27-36, 2016.

• Harris RC, et al: Towards a unified theory of renal progression. Ann Rev Med 57:365-380, 2006.

• Helena M. Kok, et al: Targeting CTGF, EGF and PDGF pathways to prevent progression of kidney disease. Nat Rev Nephrol 10:700-711, 2014.

• Jin DC, et al: Lessons from 30 years' data of Korean end-stage renal disease registry, 1985-2015. Kidney Res Clin Pract 34:132-139, 2015.

• Liu Y: New insights into epithelial-mesenchymal transition in kidneyfibrosis. J Am Soc Nephrol 21:212-222, 2010.

• Meng, Xiao-ming, et al; Inflammatory processes in renal fibrosis. Nat Rev Nephrol 10:493-503, 2014.

• Meyer TW, et al: Pathophysiology of uremia, The kidney, 8th ed, edited by Brenner, BM Saunders, 2008, chapter 47, pp1681-1696.

• Normal JT: Regulation of gene expression in renal compensatorygrowth. Am J Kidney Dis 17:638, 1991.

• Reggenenti P, et al: Mechanisms and treatment of CKD. J Am SocNephrol 23:1917-1928, 2012.

• Schlondorff DO: Overview of factors contributing to the pathophysi-ologyof progressive renal disease. Kidney Int 74:860-866, 2008.

• Vanholder R C, et al: Uremic toxicity, Chronic kidney disease, dialysis, & transplantation, 2nd ed, edited by Pereira BJ Sayegh MH, et al, Elsevier, 2005, chapter 6, pp87-121.

• Vanholder R, et al (European uremic toxin work group): A bench tobedside view of uremic toxins J Am Soc Nephrol 19:863-870, 2008.

• Vanholder R, et al (European uremic toxin work group): Review onuremic toxins: classification, concentration, and interindividual variability. Kidney Int 63:1934-1943, 2003.

• Wenshan Lv, et al: Inflammation and renal fibrosis: recent develop-ments on key signaling molecules as potential therapeutic targets. Eur J Pharmacol 820:65-76, 2018.

• Zeiberg M, Neilson EG: Mechanisms of tubulointerstitial fibrosis JAm Soc Nephrol 21:1819-1834, 2010.

CHAPTER

03 만성콩팥병의 단계별 치료 원칙

강은정 (이화의대)

KEY POINTS

- 흡연이 말기신부전의 위험성을 높이고, 요 알부민/크레아티닌 비율이 기존의 흡연량과 연관성이 있다는 보고가 있어 금연은 만성콩팥병 환자에게 강조되어야 한다.

- 대사적으로 안정된 만성콩팥병 3~5기의 경우 일일 0.55~0.60 g/kg로 식이단백질을 제한하거나, 일일 0.28~0.43 g/kg로 더 강한 단백질 제한과 함께 케톤산이나 아미노산을 추가 투약하도록 권고하고 있다.

- 기존의 2012년 KDIGO 지침에서는 알부민뇨가 하루 30 mg 미만인 경우 140/90 mmHg, 30 mg 이상인 환자는 130/80 mmHg 미만으로 조절하도록 권고하고 있으나, 2021년 KDIGO 지침에서는 만성콩팥병 환자에서 목표 수축기 혈압을 <120 mmHg로 조절하도록 권고문을 변경하였다. 다만, 한국인에서도 이 기준을 그대로 적용할 것인지에 대해서는 아직 논란의 여지가 있으며 추후 추가적인 근거 마련이 필요하다.

만성콩팥병은 질병의 특성상 특별한 증상이 없어 조기 발견이 되지 않으면, 적절한 치료 시기를 놓치게 되어 콩팥기능의 손실 및 심혈관질환의 합병증을 초래할 수 있다. 따라서 조기에 만성콩팥병에 대해 인지하고 치료하는 것이 매우 중요하며, 만성콩팥병의 각 단계별로 치료 원칙을 지켜가며 최대한 오랫동안 보존하는 것이 만성콩팥병 치료의 가장 중요한 목표이다. 이번 장에서는 만성콩팥병 관리의 기본적인 원칙들에 대해 다루고자 한다.

만성콩팥병의 관리

만성콩팥병의 진행을 늦추기 위한 중요한 치료 원칙들

은 다음과 같다.

1. 신기능 저하에 대한 가역적인 원인 평가 및 교정

만성콩팥병 초기로 진단받았거나 만성콩팥병을 처음으로 진단받은 환자들, 최근에 신기능이 급격히 악화된 환자들은 가역적인 원인이 없는지 살펴보아야 한다. 이러한 원인을 제거하면 신기능의 회복이 일부 가능할 수도 있기 때문이다. 이에 해당하는 원인에는 구토, 설사, 이뇨제 사용, 출혈 등과 같이 체액량의 감소를 일으키는 경우, 심혈관질환으로 인한 저혈압, 패혈증과 같은 감염, 비스테로이드소염제나 안지오텐신전환효소억제제(angiotensin converting enzyme inhibitor, ACEi) 및 안지오텐신II수용체차단제

표 12-3-1. KDOQI 지침에 따른 사구체여과율을 기준으로 한 단계별 진료지침

단계(stage)	사구체여과율 (mL/min/1.73m²)	설명	임상 진료 지침
만성콩팥병 위험군	≥60	만성콩팥병 위험인자 동반	검진, 위험인자 줄이기
1	≥90	정상 또는 증가된 사구체여과율과 동반된 신장손상	진단과 치료, 동반질환치료, 악화속도완화, 심혈관계위험인자 줄이기
2	60~89	경미한 사구체여과율 감소와 동반된 신장손상	악화 속도 평가
3a	45~59	경미~중등도의 사구체여과율 감소	약제 용량의 조절 및 합병증 평가와 치료
3b	30~44	중등도~심한 사구체여과율 감소	
4	15~29	심한 사구체여과율 감소	신대체요법 준비
5	<15 또는 투석	신장기능상실	신대체요법

(angiotensin receptor blocker, ARB)와 같은 약물, 마지막으로 전립선 질환이나 요로결석 같은 요로폐쇄 등이 있다. 또한 신기능이 저하된 환자의 경우 조영제 사용에 의한 콩팥 독성을 예방하기 위한 조치가 필요하며, 항생제 등의 처방에도 콩팥기능에 따른 약물 투여 용량 및 기간을 신중히 결정해야 한다.

2. 생활습관의 교정

금연은 만성콩팥병의 가장 주요한 합병증인 심혈관질환의 사망률을 줄이는 인자 중 교정가능한 인자이다. 또한 흡연이 말기콩팥병의 위험성을 높이고, 요 알부민/크레아티닌 비율이 기존의 흡연량과 연관성이 있다는 보고가 있어 금연은 만성콩팥병 환자에게 강조되어야 한다. 특히 흡연은 다음과 같은 영향을 미친다. 첫째, 당뇨병이 있는 환자에서 미세알부민뇨의 위험성을 증가시킨다. 둘째, 당뇨병이 발생되는 시점에서 미세알부민뇨나 현성 단백뇨가 발생하는 시간을 단축시킨다. 셋째, 미세알부민뇨가 있는 환자에서 현성 당뇨병콩팥병으로의 진행을 촉진시킨다. 넷째, 당뇨병콩팥병에서 말기콩팥병으로의 진행을 촉진시킨다. 다섯째, 총콜레스테롤과 초저밀도지단백질(very low density lipoprotein, VLDL) 농도가 증가하고 고밀도지단백질(high density lipoprotein, HDL)의 농도가 감소하면서 인슐린 저항성이 더욱 증가하게 되며 혈당조절이 어렵게 된

다. 따라서 당뇨병이 있는 환자에서 금연을 권고하고 교육하는 것이 혈당을 조절하고 혈압을 조절하는 것만큼이나 중요한 치료가 된다. 그 외에도 심혈관계 위험도 감소를 위한 체중조절(체질량지수 <25 kg/m²), 운동, 절주 등의 생활습관개선은 만성콩팥병 치료의 한 부분으로 고려해야 한다. 저염식 역시 강조되어야 하는 부분 중 하나이다. 저염식은 혈압 및 부종 조절에 효과적이며, 최근에는 염분이 혈압과 무관하게 신장 내 염증 및 섬유화를 진행시킨다는 결과가 보고되고 있어 염분 섭취는 나트륨 기준으로 90 mmol/day (2 g/day) 이하로 섭취하도록 권고해야 한다.

3. 단백질

과도한 단백질 섭취는 질소성 노폐물을 축적시켜 식욕부진, 메스꺼움 등의 요독증상을 유발하기 때문에 단백질을 제한하는 것이 요독 증상의 완화에 도움이 될 수 있다. 그 외에도 여러 연구들에서 단백질로 인한 과여과(protein-mediated hyperfiltration)가 신기능 악화에 영향을 미칠 수 있다는 점이 보고되었다. 이미 진행된 만성콩팥병에서 식이 단백질 제한이 만성콩팥병의 진행을 지연시킬 수 있는가에 대해서는 논란이 있지만, Kidney Disease Outcomes Quality Initiative (KDOQI) 지침에서는 대사적으로 안정된 만성콩팥병 3~5단계의 경우 일일 0.55~0.60 g/kg로 식이단백질을 제한하거나, 일일 0.28~0.43 g/kg로

더 강한 단백질 제한과 함께 케톤산이나 아미노산을 추가 투약하도록 권고하고 있으며, 당뇨병으로 진단된 만성콩팥병 3~5단계 환자에서는 일일 0.6~0.8 g/kg으로 제한하도록 권고한다. 그러나 만성콩팥병 5단계에 다다를수록 환자들은 단백질-에너지 소모(Protein energy wasting)에 빠지기 쉬우므로, 이런 경우에는 1.0~1.2 g/kg까지 단백질 섭취량을 늘릴 수 있다. 한편 에너지 섭취량의 경우에는 안정적인 만성콩팥병 환자에서 연령, 성별, 신체 활동 수준에 따라 하루 25~35 kcal/kg의 에너지 섭취를 권고하고 있다.

4. 단백뇨 조절

단백뇨는 사구체 여과벽(glomerular filtration barrier)의 온전함(integrity)을 확인할 수 있는 지표이다. 단백뇨 자체가 신기능을 악화시키는 요인이기도 하지만, 특히 미세알부민뇨가 제1형 당뇨병 환자에서는 당뇨병콩팥병을, 제2형 당뇨병 환자에서는 심혈관 합병증을 예견하는 것으로 보고되어 단백뇨를 감소시키는 치료가 만성콩팥병 환자에게 반드시 이루어져야 한다. 항고혈압치료는 혈압이 높은 당뇨병 환자뿐만 아니라 정상 혈압의 당뇨병 환자에서도 알부민뇨와 신병증의 진행을 감소시킨다. 특히 대단위 연구인 Irbesartan Type 2 Diabetic Nephropathy Trial (IDNT)과 Reduction of Endpoint in NIDDM with the Angiotensin II Antagonist Losartan (RENAAL) study에서 ARB는 제2형 당뇨병 환자에서 말기콩팥병과 사망 그리고 심혈관질환의 유병률을 줄이는 것으로 보고되었고, ACEi와 ARB의 사용이 전신 혈압을 강하시키는 효과와는 별도로 추가적인 신보호 효과가 있음이 밝혀졌다. 이는 콩팥병으로 신장단위(nephron)의 수가 감소하는 것에 대한 보상적 기전으로 사구체내압이 증가하고 사구체 비대가 일시적으로 나타나지만, 장기적으로는 이로 인해 신기능이 더욱 악화되므로, 전신 혈압뿐만 아니라 사구체내압을 감소시키는 것이 매우 중요한데, ACEi와 ARB가 안지오텐신에 의한 날세동맥(efferent arteriole)의 수축을 방지함으로서 사구체내 여과압과 단백뇨를 감소시키기 때문이다. 미

국당뇨병학회에서는 미세알부민뇨가 있거나 임상적 알부민뇨가 있는 제2형 당뇨병 환자에서 고혈압이 동반된 경우 ARB를 초기 선택약제로 권고하고 있다.

5. 당뇨병콩팥병의 진행 억제

당뇨병콩팥병은 전 세계적으로뿐만 아니라 우리나라에서 말기콩팥병의 원인의 49.8% (2020년 기준)로 1위를 차지하는 매우 중요한 질환이므로, 당뇨병콩팥병의 진행을 완화시키는 것이 말기콩팥병으로의 이행을 막는 가장 중요한 부분이다. 엄격한 혈당조절은 제1형과 2형 당뇨병 모두에서 당뇨병콩팥병으로의 진행을 감소시킨다. 따라서 식전 혈당을 80~130 mg/dL, HbA1c를 7% 미만으로 유지할 것이 권고되고 있으나 노인의 경우 저혈당의 위험성을 고려하여 목표를 설정할 필요가 있고, 환자 개개인의 동반질환에 따라 목표치가 다를 수 있음을 유의해야 한다. 또한 사구체여과율이 감소함에 따라 경구혈당강하제 및 인슐린 제거율의 감소를 초래하므로, 만성콩팥병이 진행한 경우 저혈당 발생 가능성을 염두에 두어 당뇨병 약제사용 및 용량에 대한 재평가가 필요하다.

6. 혈압 조절 및 심혈관질환에 대한 예방

신장은 고혈압의 직접적인 원인 장기인 동시에 고혈압에 의한 조직손상의 표적 장기이다. 또한 만성콩팥병의 진행에 관여하는 가장 중요한 요인 중의 하나가 고혈압으로 알려져 있어 이에 대한 철저한 관리가 필요하다. 혈압의 조절은 첫째, 신질환 자체의 진행을 완화하고, 둘째, 고혈압으로 인해 발생하는 심혈관질환이나 뇌졸중 같은 신장 외 합병증을 예방하기 위해 반드시 필요하다. The Eighth Report of the Joint National Committee (JNC 8) on Prevention, Detection, Evaluation, and Treatment of High Blood Pressure 지침에서는 140/90 mmHg 미만으로 조절하는 것을 권고한다. Kidney Disease Improving Global Outcomes (KDIGO) 2012 지침에서는 albumin-uria가 하루 30 mg 미만인 환자는 140/90 mmHg 미만으

로, albuminuria가 하루 30 mg 이상인 환자는 130/80 mmHg 미만으로 조절하도록 권고하고 있었으나, 가장 최근인 2021년 KDIGO 지침에서는 만성콩팥병 환자에서 목표 수축기 혈압을 < 120 mmHg로 조절하도록 권고문을 변경하였다. 다만, 한국인에서도 이 기준을 그대로 적용할 것인지에 대해서는 논란의 여지가 있으며 추후 추가적인 근거 마련이 필요하다. 70세 이상의 고령이면서 추정사구체여과율이 60 mL/min/1.73m² 미만 혹은 단백뇨를 동반한 환자에서의 조절 목표는 아직 근거가 부족하며 저혈압이 오히려 신기능을 저하시킬 가능성도 있으므로 동반질환, 노쇠(frailty) 등을 확인하여 개별화된 접근이 필요하다. 그 외 고혈압 및 심혈관질환의 위험인자를 조절하기 위해 금연, 비만 교정, 규칙적인 운동과 같은 생활습관의 변화와 비스테로이드소염제와 같은 고혈압을 유발할 수 있는 약물의 회피, 스트레스 완화 등이 함께 이루어져야 한다.

7. 이상지혈증 치료

만성콩팥병은 저밀도지단백질(low-density lipoprotein, LDL), VLDL의 증가 및 HDL의 감소와 연관되어 있으며, 이러한 이상지혈증은 심혈관질환의 위험을 높이고 만성콩팥병의 진행속도를 가속화시키는 것으로 알려져 만성콩팥병 환자의 이상지혈증 조절은 치료과정 중 반드시 함께 진행되어야 한다. 이상지혈증을 예방하기 위해서는 철저한 혈당조절 및 체중조절, 포화지방의 섭취제한과 불포화지방의 섭취 권장이 필요하며, 이러한 방법으로 조절이 되지 않을 경우 statin 등의 지질강하제 사용이 고려되어야 한다. 2013년 KDIGO 지침에서는 50세 이상이면서 eGFR < 60 mL/min/173m²인 경우(권고등급 1A) statin 또는 statin/ezetimbe를, ≥60 mL/min/1.73m²인 경우(1B) statin 단독으로 사용할 것을 권유하고 있다. 18~49세의 투석 전 만성콩팥병 환자에서는 당뇨가 있거나, 기존에 심혈관질환 및 뇌경색 과거력이 있거나, 10년간 심혈관질환으로 사망하거나 비치명적 급성 심근경색이 발생할 확률이 10%를 넘는 경우 statin 단독 투약을 권유하고 있다. 또한 투석 환자에서는 투석 시작 당시 기존에 statin을 이미

복용중이었던 경우에만 유지하고 새롭게 시작은 하지 않도록 권고한다.

8. 빈혈 조절

빈혈은 초기 만성콩팥병부터 시작되어 말기에 이르면 거의 모든 환자에서 동반된다. 빈혈은 좌심실 비대와 심부전의 중요한 원인이 되며, 만성콩팥병 진행의 위험인자이다. ESA (erythropoiesis-stimulating agent)를 사용한 빈혈 치료는 삶의 질 및 생존율의 개선, 만성콩팥병 진행을 억제하는 것에 효과가 있을 것으로 기대되었으나 아직까지 만성콩팥병 진행 방지 효과에 대해서는 논란이 있는 실정이다. Recombinant erythropoietin (EPO)나 darbepoietin-alpha 같은 modified EPO products가 투석이나 신이식을 앞둔 만성콩팥병 환자에게 가져다줄 수 있는 이점으로는, 1) 심한 빈혈을 동반한 만성콩팥병 환자에서 정기적인 수혈을 줄일 수 있고, 2) 빈번한 수혈로 발생할 수 있는 감염, 체액과다 등을 피할 수 있다는 점, 3) 신이식 시 문제가 되는 공여 신장에 대한 동종항체 발생을 예방할 수 있다는 점을 들 수 있다. ESA 치료시에는 골수의 철 저장 상태가 적절해야 하며, ESA에 대한 반응이 효과적이지 않을 경우 제일 먼저 철결핍을 의심해 보아야 하고, 필요하면 철분을 공급해야 한다. 적절한 조치에도 빈혈이 교정되지 않는 경우로는 급만성 염증상태, 심한 부갑상샘기능항진증, 만성적 실혈 혹은 용혈, 만성 감염 및 종양 등을 고려해보아야 한다.

9. 약물 용량 조절

많은 약물이 콩팥을 통해 대사되므로, 신장으로 배설되는 약물은 사구체여과율에 따라 약물의 용량과 간격을 조절해야 하며, 약물의 70% 이상이 간 등 신장 외 경로로 배출되는 경우에는 특별히 용량 조절이 필요하지 않다. 대표적으로 metformin과 같이 신장으로 배설되는 경구 혈당강하제, 항생제 및 항부정맥제 중 용량 혹은 투여 간격 조절이 필요한 경우가 많다. 또한 만성콩팥병의 악화에 일부

약물이 영향을 미칠 수 있으므로 비스테로이드소염제, 조영제, 신장으로 배설되는 항생제의 과도한 사용 및 탈수 등이 신기능을 악화시킬 위험성이 있어 주의가 필요하다.

신장전문의에게 의뢰

만성콩팥병 1~3단계는 기본적인 치료 원칙에 따라 주치의가 치료를 계속한다. 다만 다음과 같은 경우에는 조기에 신장전문의에 소개하여 서로 연계하여 치료방침을 검토한다.

1) 추정사구체여과율 30 mL/min/1.73m² 미만
2) 단백뇨가 500 mg/day 이상 혹은 단백뇨와 혈뇨가 모두 양성
3) 빠른 신기능 소실(명확한 이유 없이 4개월 동안 30% 이상 감소)
4) 저항성고혈압
5) 고칼륨혈증
6) 재발성 혹은 심한 요로결석
7) 유전성 신질환

적절한 시점에 신장내과 의사에게 의뢰를 할 경우, 환자가 투석 등 신대체요법에 대해 충분히 이해한 가운데 투석 종류를 결정할 수 있고, 투석을 위한 동정맥루 혹은 복막투석 카테터와 같은 투석 접근장치를 미리 확보할 수 있어 갑작스런 요독증의 악화로 인한 응급 투석을 예방하고, 낮은 사망률과 입원 빈도 및 기간의 단축, 의료비용 절감을 가능하게 한다. 또한 투석을 경험하지 않고 바로 신장을 이식하는 선제이식(preemptive transplantation) 역시 가능하게 하여 만성콩팥병 환자의 생존율과 삶의 질 향상에도 도움이 된다.

신대체요법의 준비

만성콩팥병 환자에게는 적절한 신대체요법에 대한 사회적, 정신적, 신체적 준비를 위한 점진적인 교육이 필요하다. 이는 투석과 이식에 대해 보다 잘 인식한 환자가 더 적절한 결정을 할 수 있기 때문이다. 이러한 교육은 늦어도 만성콩팥병 4단계에서는 이루어져야 한다.

신장이식이 투석보다는 삶의 질이나 생존율이 월등하므로, 적절한 공여자가 있다면 신장이식이 우선적인 신대체요법으로 권유되어야 한다. 또한 신부전의 상태가 비가역적인 것이 명확하다면, 선제이식도 고려할 수 있다. 심장막염, 요독성 뇌증, 근육경련, 식욕부진, 구역, 심한 고칼륨혈증 등이 있는 경우에는 신대체요법을 시작해야 한다.

결론

만성콩팥병의 치료는 현저한 사구체여과율의 감소가 있기 전에 적절한 치료를 통해 신기능 악화의 진행을 완화하는 것과 심혈관계 합병증을 예방하는 것이 핵심이며, 따라서 조기 발견 및 조기 치료가 매우 중요하다. 신기능의 악화가 가속화될 때에는 세포외액의 결핍, 조절되지 않는 고혈압, 요로계 감염, 새롭게 발생한 요로폐쇄, 비스테로이드 소염제나 조영제와 같은 신독성 물질 노출, 기존 질환의 재발 혹은 악화(루푸스, 혈관염) 등 가역적인 원인이 있는지를 반드시 확인하고 이를 교정해야 한다. 만성콩팥병의 치료는 가능한 신기능을 최대한 보존하면서 합병증을 예방하고, 적절한 신대체요법을 준비하는 것으로 요약할 수 있다. 환자에게 적절한 교육을 시행하며 위에서 언급한 치료 원칙을 지켜 최대한 신기능을 보존하기 위한 노력을 끊임없이 해야 하며, 늦지 않게 신대체요법을 시작할 수 있도록 준비하고 환자를 교육해야 한다. 또한 만성콩팥병 환자는 되도록 조기에 신장전문의에게 의뢰되어야 더 적절한 치료를 통해 더 나은 예후를 가질 수 있다.

▶ 참고문헌

- Abboud H, et al: Stage IV chronic kidney disease. N Engl J Med 362:56–65, 2010.
- KDOQI clinical practice guide lines for chronic kidney disease: Evaluation, classification, and stratification. Am J Kidney Dis 39:S1–266, 2002.
- KDOQI Clinical Practice Guidelines for Nutrition in CKD: 2020 Update. Am J Kidney Dis 76:S1–S107, 2020.
- Kidney Disease Improving Global Outcomes 2012 Clinical Practice Guideline for the Evaluation and Management of chronic kidney disease. Kidney Int Suppl 3:s5–s14, 2013.
- Kidney Disease Improving Global Outcomes 2021 Clinical Practice Guideline for the Management of Blood Pressure in Chronic Kidney Disease. Kidney Int suppl 3:s1–s87, 2021.
- Kidney Disease Improving Global Outomes 2013 Clinical Practice Guideline for Lipid Management in chronic kidney disease. Kidney Int Supple 3:259–305, 2013. Brenner BM, et al: Effects of losartan on renal and cardiovascular outcomes in patients with type 2 diabetes and nephropathy. N Engl J Med 345:861–869, 2001.
- Paul AJ, et al: 2014 Evidence–based guideline for the management of high blood pressure in adults–Report from the panel members appointed to the eighth joint national committee (JNC 8). JAMA 311:507–520, 2014.
- Tall MW: Brenner and Rector's The Kidney (Vol 2), edited by Taal MW, et al, 10th ed, Saunders, 2015, pp1987–2016.

CHAPTER

04 심혈관계 합병증

최범순 (가톨릭의대), **고강지** (고려의대)

KEY POINTS

- 흡연이 말기신부전의 위험성을 높이고, 요 알부민/크레아티닌 비율이 기존의 흡연량과 연관성이 있다는 보고가 있어 금연은 만성콩팥병 환자에게 강조되어야 한다.

- 미세알부민뇨가 있거나 임상적 알부민뇨가 있는 제2형 당뇨병 환자에서 고혈압이 동반된 경우 ARB/ACEi를 초기 선택약제로 권고하고 있다.

- 최근 만성콩팥병 환자에서 단백뇨 유무에 따라 수축기 혈압은 130~140 mmHg 이하를 목표로 조절하는 것을 권고하나, 2021년 KDIGO 가이드라인에서는 모든 만성콩팥병 환자에서 안정 시 자가측정한 목표 수축기 혈압을 <120 mmHg로 조절하도록 권고문을 변경하였다.

- 만성콩팥병 환자의 심혈관계 합병증을 감소시키기 위해서는 전통적 위험요인 외에 빈혈, 고인산혈증, 부갑상선 항진증, 영양 결핍, 만성 염증과 같은 비전통적 위험요인이 함께 관리되어야 한다.

심혈관질환은 만성콩팥병 환자 사망원인 중 가장 많은 원인을 차지하고 있다. 대한신장학회 투석환자 등록사업 결과에서 심장 및 혈관질환에 의한 사망원인이 약 50%를 차지한다. 만성콩팥병 환자의 심혈관질환 위험도는 일반인과 비교할 때 만성콩팥병 단계에 따라 10배에서 200배까지 증가하여 20대 투석환자는 일반인구의 80대와 유사한 심혈관계 합병증 빈도를 나타낸다(그림 12-4-1. USRDS 데이터 참조)

또한 여러 연구에서 신기능의 감소에 따라 심혈관질환의 위험성이 단계적으로 증가한다. 2004년 NEJM에 발표된 연구결과에 따르면 신기능 감소에 따라 심혈관계 관련 질환 발생이 기하급수적으로 증가하여 CKD 1-2단계에 비해 CKD 5단계의 경우 발생률이 18배 정도로 관찰되었다.

만성콩팥병 환자에서 심혈관질환의 주된 이상은 허혈성 심장질환과 좌심실비대이며, 급성심근경색과 울혈성심부전이나 급성심장사와 같은 형태로 나타난다. 위험인자들로는 고지혈증, 고혈압, 당뇨병, 흡연력, 그리고 폐경 여부 등과 같이 콩팥병이 없는 일반인구에서도 알려진 전통적 위험인자 외에도, 혈액응고계 이상, 고호모시스테인혈증, 빈혈,

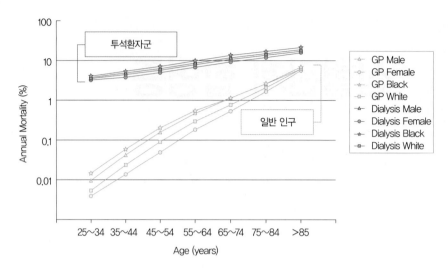

그림 12-4-1. 투석환자와 일반인구 간 심뇌혈관 관련 사망률 비교(United States Renal Data System)

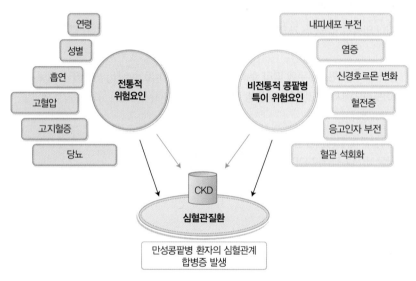

그림 12-4-2. 만성 콩팥병 환자에서 발생하는 심혈관계 합병증과 관련된 위험요인 정리

산화성 스트레스의 증가, 과도한 부갑상선호르몬 분비, 체내 2가 이온(divalent ion)의 조절 이상, 급성기 반응 물질(acute phase reactants)의 증가, 투석, 그리고 저알부민혈증과 같은 요독증과 연관된 콩팥병 환자 특이적 잠재적 위험인자들을 동반하고 있다는 것을 고려해야 한다.

만성콩팥병 환자에서는 일반적인 심혈관질환에서 나타나는 죽상경화증에 의한 심혈관질환 뿐 아니라 동맥 강직(arterial stiffness)과 좌심실 비대와 같은 심장변화가 동반되어 이러한 심장의 변화는 전해질 불균형과 더불어 심부전, 부정맥, 심장돌연사로 나타날 수 있다. 미국에서의 보고에 의하면 만성콩팥병 환자의 급성심장사는 매년 2.8%

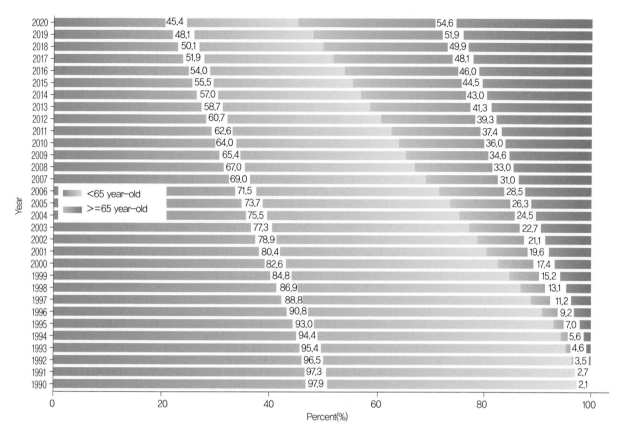

그림 12-4-3. 투석환자에서 65세 이상 환자의 비율 변화

발생하여 일반인에 비하여 5배 높은 것으로 알려져 있다.

만성콩팥병에서의 심혈관계 합병증 위험인자

1. 전통적 위험인자

1) 나이, 성별, 흡연

고령은 신기능 감소의 주요 위험 요인이며, 최근 투석을 시작하는 환자 중 65세 이상의 고령 환자 비율은 지속적으로 증가하여 1990년에는 65세 이상 투석환자의 빈도가 2.1%에 불과하였으나 2020년에는 54.6%로 26배 증가하였다.

최근 투석환자의 사망률이 감소되고 있는 추세이나 고

령 투석환자는 상대적으로 높은 사망률을 보인다(그림 12-4-4).

이는 연령 자체 외에도 보행장애와 동반 질환 중증도, 그리고 기능장애 정도와 연관된다고 보고되고 있어 이러한 위험 인자에 대한 관리가 필요하다.

남성에서 신장 기능의 감소 속도가 빠른 소견이 관찰되며, 말기콩팥병 환자에서도 폐경 후 에스트로젠 감소에 의해 증가된 심혈관질환의 위험도가 에스트로젠 보충 요법으로 경감될 수 있음을 보여주고 있다. 흡연은 투석하는 환자에서 사망률을 52% 올리는 위험 인자이다.

2) 당뇨병

당뇨병으로 인한 신기능 감소는 90년대 중반 이후 투석을 시작하는 말기콩팥병 환자의 가장 많은 원인을 차지하

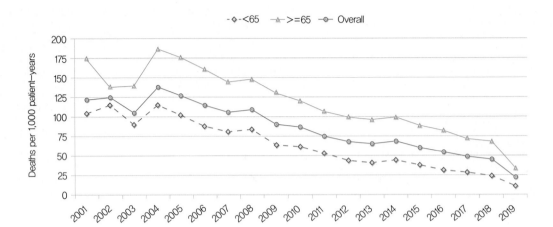

그림 12-4-4. 국내 투석 환자에서 나이에 따른 사망률 차이

여 최근 약 50%를 차지하고 있다. 신대체요법을 받고 있는 당뇨병 환자는 비당뇨병성 투석 환자보다 사망률이 높으며, 이는 신대체요법을 시작할 때 이미 이상지혈증, 고혈압, 염증, 그리고 산화 스트레스 증가 등과 같은 다양한 심혈관질환 위험인자에 노출되었기 때문이다.

3) 혈압

투석 환자에서 고혈압이 동반되는 것은 매우 흔한 일이다. 고혈압의 빈도는 만성콩팥병 1단계에서 35.8%로 보고되나 4단계에서는 84.1%에 달한다는 보고도 있다. 고혈압은 좌심실비대, 좌심실 확장, 심부전, 그리고 허혈성심질환의 잘 알려진 위험인자이다. 고혈압은 흔하지만 만성콩팥병 환자에서 항상 잘 치료되고 있는 것은 아니다. 미국의 경우 만성콩팥병 3단계와 4단계 환자 중 80%에서 고혈압이 동반되나 이 중 25%의 환자들이 고혈압이 있는지 모르고 있으며 7%는 고혈압이 있는지 알지만 치료를 받지 않고 있고, 48%의 환자는 치료를 받지만 적절하게(혈압 <130/80mmHg) 조절되지 않았다고 보고된 바 있다. 하지만 투석환자에서는 오히려 낮은 혈압도 일부에서 사망률과 연관되어 있다.

4) 이상지혈증

만성콩팥병 환자에서 고콜레스테롤 혈증과 심혈관질환 및 사망률간의 관계는 일반 인구에서보다 약하다고 보고되어 콜레스테롤 조절약제의 심혈관계 합병증 예방효과 결과가 연구마다 다양하게 보고되고 있다. 역설적으로 영양결핍과 관련된 저콜레스테롤혈증이 투석환자들의 불량한 생존율과 연관된다고 보고되기도 한다. 투석환자는 고밀도지질단백질이 낮고 산화된 저밀도지질단백질 콜레스테롤이 증가되어 있는 것이 특징이며, 증가된 산화 저밀도지질단백질은 심혈관 사망률 증가와 관계가 있다.

5) 인슐린저항성과 동맥경화증

근육에서 인슐린 자극에 의한 당처리 장애는 종종 이상지혈증, 고혈압, 내피 기능장애 그리고 교감신경 과활성화를 포함하는 대사증후군의 형태로 다른 대사 이상과 함께 발현되며 이러한 장애의 대부분이 만성콩팥병 환자에서 나타나, 심혈관계 위험도 증가와 관련된다.

2. 만성콩팥병 특이적 비전통적 위험인자

여러 대규모 전향적인 연구에서 만성콩팥병은 초기라도 그 자체가 고혈압, 당뇨 그리고 알부민뇨와 상관없이 심혈관질환의 독립적인 위험 요소라는 것을 보여주고 있다. 요독 환경은 죽상경화반(atherosclerotic plaque)에 영향을 줄 수도 있고, 중막 두께 증가, 대식세포 활성화 및 석회화가 특징적이다. 요독증이 죽상동맥경화증을 가속화시키는 기전에 대해 모두 명확히 밝혀진 것은 아니지만, 산화적 스트레스, 염증, 혈관 석회화, 최종당화산물(advanced glycation endproducts)과 같은 여러 비전통적인 위험요인들이 관련된다고 보고되고 그 정도는 신장 기능이 감소함에 따라 증가된다. 신기능 감소에 따라 증가되는 비대칭 다이메틸아르기닌(ADMA, asymmetricdimethylargi-nine), 호모시스테인, 구아니딘, 인독실 황산염, 그리고 p-크레솔과 같은 요독 잔류 물질들이 죽상경화증 가속화와 관련이 있다고 보고되고 있다.

1) 산화 스트레스

혈관벽의 반응산소종(reactive oxygen species)의 증가는 죽상동맥경화증의 주요 특징이다. 요독 상태에서는 여러 항산화 물질의 감소(비타민 C와 셀레늄 결핍, 감소된 세포 내 비타민 E 정도, 감소된 글루타치온계 활성)가 관찰되며, 고령, 당뇨병, 만성 염증, 요독물질, 투석막/투석액 생체 비적합성과 연관되어 산화촉진상태가 증가된다.

2) 염증

만성콩팥병 환자는 영양결핍-만성염증-동맥경화증이 연결되어 진행되고 이는 심혈관질환의 위험도 상승 및 나쁜 예후와 관련되어 있음이 알려져 있다. C반응단백질, 인터루킨-6, 섬유소원(fibrogen), 그리고 백혈구와 같은 염증성 생체 표지가 만성콩팥병 환자 사망률의 독립적 예측인자이며, 영양결핍과 관련된 저알부민혈증도 만성콩팥병에서 또다른 강력한 예측 인자이다. 투석관련(투석 시스템 생체적합성) 또는 비 투석관련 인자들(감염, 동반질환, 유전적요소, 식이, 신장 기능 소실)은 만성염증에 기여한다. 인터루킨-6, 펜트락신 3(pentraxin 3), 종양괴사인자(tumor necrosis factor-α, TNF-α) 등의 염증과 관련된 인자들, 혈관 석회화, 산화 스트레스, 혈관 내피세포 기능장애와 같은 것들 역시 죽상동맥경화 촉진과 연관이 있다.

또한 염증과 단백뇨의 발생 사이에 연관이 있다고 제시되고 있다.

3) 혈관 내피세포 기능장애

혈관 내피세포 기능장애(혈관내피세포 의존적인 혈관확장능력의 손상)는 만성콩팥병의 중요한 특징이다. 원인으로는 염증, 비대칭 다이메틸아르기닌, 산화 스트레스, 호모시스테인, 이상지혈증, 고혈당, 그리고 고혈압 등이 있다. 혈관 내피세포 기능장애를 나타내는 대리 표지자인 다이메틸아르기닌(ADMA), 펜트락신 3은 독립적으로 사망을 예측한다. 혈관 내피 전구세포는 허혈성 손상이나 사이토카인 자극에 정상적으로 반응하여 골수에서 이동하여 혈관내피 손상을 복구하는 역할을 하게 된다. 그러나 만성콩팥병 환자는 요독이나 염증으로 인해 혈관내피 전구세포의 수가 감소하거나 기능에 결함이 생겨 혈관 내피세포 기능장애 회복에 취약할 수 있다.

4) 빈혈

빈혈은 만성콩팥병 환자에서 좌심실비대와 확장의 주요 원인이며, 최근의 대단위 보고에 의하면 빈혈은 투석환자에서 사망과 새롭게 발생하는 심부전의 독립적이고 가역적인 위험인자로 보고되고 있다. 적혈구형성호르몬(erythro-poietin, EPO)을 이용한 부분적인 빈혈의 교정은 좌심실 질량이나 부피를 완전히 정상화시키지는 못하지만 개선시키는 것으로 알려져 있다. 그러나 적혈구형성호르몬(EPO)을 이용한 빈혈을 정상수치로의 교정은 고혈압 및 혈전성 위험을 높여 2006년 시행된 대규모 무작위대조시험(ran-domized controlled trial, RCT)에서 사망, 협심증, 입원, 심부전증의 통합 발생으로 평가된 위험도를 높인다고 밝혀졌다.

5) 이차성 부갑상선 항진증과 미네랄 대사

칼슘과 인 대사장애는 만성콩팥병 3단계 초기부터 시작되며 이는 석회성 죽상동맥경화증 및 동맥경화증이 가속화와 관련이 된다. 과도한 부갑상선호르몬 분비와 이로 인한 체내 이온 조절의 이상이 요독성 심근병증의 병리 기전에 중요한 역할을 한다는 것을 시사하고 있다. 고인산염혈증, 부갑상성 호르몬 증가 및 관련 알칼리인산분해효소(alkaline phosphatase)의 증가는 사망의 예측인자로 보고되고 있으며 투석 시작 환자를 대상으로 한 연구에서 Fibroblast growth factro 23 (FGF-23)의 증가는 사망률의 유의한 예측인자가 되었다.

6) 심혈관 석회화

만성콩팥병에서는 일반 인구에서 관찰되는 혈관내막의 석회화 외에도 동맥 중막의 석회화를 유발하여 동맥강직도의 상승 및 맥압상승을 초래하며, 심근, 심장 판막의 석회화도 진행된다.

칼슘과 인 대사의 장애는 말기콩팥병 환자에게서 심혈관 석회화의 중요한 인자이다. 인, 칼슘, 칼시트리올이나 염증 전구물질로 인하여 혈관 평활근 세포가 골모세포로 분화되는 능동적인 과정이다.

Vitamin K의 감소가 석회화 억제인자인 matrix GLA 단백 활성 감소를 유발하여 혈관석회화의 악화를 초래한다. Warfarin의 사용도 이와 관련하여 혈관석회화의 악화와 유의하게 관련된다. 이 외 pyrophosphate, 골형성단백(BMP-2, BMP-7), osteoprotegerin도 혈관 석회화의 촉진과 관련이 있다.

7) 최종당화산물(Advanced glycation end products)

만성콩팥병 환자에서 최종당화산물은 산화 스트레스, 최종당화산물 전구물질의 배출 감소로 인해 축적된다. 최종당화산물의 잔재물은 염증, 산화 스트레스 정도를 판단하는 예측인자로 활용될 수 있으며 카르보닐 스트레스는 조직 노화와 장기적 만성콩팥병 합병증에 기여할 것으로 추측된다.

8) 고호모시스테인혈증

만성콩팥병 환자에서 고호모시스테인혈증의 발생률은 90% 이상이다. 일반인구집단에서 총 호모시스테인과 심근경색과 혈관 폐쇄 질환의 독립적인 위험인자라는 관련 증거가 많은데 반해 만성콩팥병에서는 총호모시스테인과 심혈관질환과의 연관성은 연구결과에 따라 다양하게 보고된다. 총호모시스테인은 주로 단백질 결합 형태로 존재하기 때문에 혈청 알부민과 강한 양의 상관관계를 갖고, 이러한 관계는 몇몇 연구들에서 더 높은 호모시스테인 수치를 가진 만성콩팥병 환자에서 더 나은 경과를 보이는지를 설명할 수 있을지 모른다.

심혈관계 위험도 관련 진단

1. 혈압측정

적절한 혈압조절은 심혈관계 위험도 예측 및 예방에 중요한 인자이며, 최근에는 진료실에서 시행하는 혈압측정에 비해 생활혈압측정(ambulatory blood pressure monitoring, ABPM)의 중요성이 강조되고 있다. 아침 첫 혈압 측

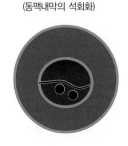

만성콩팥병
(동맥중막의 석회화)

동맥경화증
(동맥내막의 석회화)

만성콩팥병+동맥경화증
(동맥중막 및 내막의 석회화)

그림 12-4-5. 만성콩팥병 환자의 혈관 석회화와 동맥경화증에서의 차이

정을 기준으로 판단하나, 야간 혈압 비하강 환자(non-dipper)나 야간 혈압이 주간 혈압보다 높아지는 환자(inverted dipper)들을 확인하여 치료할 때도 유용하다.

2. 심전도와 심장 초음파

K/DOQI 지침에서는 투석환자들의 심혈관질환에 대하여 투석 시작 전 기본 심전도 검사를 시행하고 1년 간격으로 재검하기를 권고한다. 4D trial에서는 전체 연구 대상의 11%의 환자가 정상 동리듬(sinus rhythm)이 아니었고, 이상이 발견된 군에서 사망이 89%, 뇌졸중 발생이 164% 높다는 결과가 나왔다. Cardiovascular Health study에서는 사구체여과율이 60 mL/min/1.73m² 미만인 만성콩팥병 환자에서 QRS 폭이 10 ms 증가할수록 울혈성 심부전 위험성이 15%, 관상동맥 질환 13%, 사망률이 17%로 각각 증가한다고 보고하고 있으며, QT 간격의 연장은 그 외의 다른 부정적인 임상 경과와도 독립적으로 연관성이 있다는 결과가 확인되었다.

K/DOQI 지침에서는 투석환자를 대상으로 기본 심장 초음파 검사도 할 것을 권고한다. 권고안에 따르면 첫 검사는 투석 이후 건체중 목표를 달성한, 투석 시작 1~3 개월 이후의 투석하지 않는 날에 시행하고 이후 3년 간격을 두고 추적 관찰해야 한다. 좌심실 수축 기능 감소가 울혈성 심부전 발생 및 재발, 허혈성 심질환 발생, 사망률 증가에 각각 독립적으로 연관성이 있다는 연구 결과와 좌심실 기능은 병력 청취, 이학적 검사 및 단순흉부 촬영 소견만으로는 정확한 평가를 할 수 없다는 점이 이 권고안을 뒷받침한다. 일반 인구에서와 마찬가지로 심장 초음파 검사에서 좌심실박출계수 40% 미만인 만성콩팥병 환자는 반드시 관상동맥 질환에 대한 검사를 시행해야 한다. 심장 판막의 석회화 정도를 파악하는데도 심초음파 소견이 도움이 될 수 있다.

3. 요추 X-선 촬영

요추 X-선 촬영을 이용하여 혈관 석회화 정도를 측정하는 것은 혈관 석회화 정도 측정에 가장 간단한 방법이다. L1-L4에 걸친 대동맥의 전벽과 후벽의 석회화 정도를 0~3으로 평가하여 총 24점으로 평가되는 방법이 주로 사용되나 보다 간략하게 하여 침범된 요추의 숫자로 0~4로 평가하는 시스템이 활용되기도 한다.

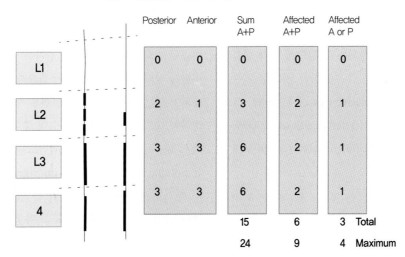

그림 12-4-6. 요추 대동맥 석회화에 대한 Scoring 시스템의 예 (Kauppila Score)

4. 운동부하 검사

말기콩팥병 환자들은 운동능력 저하 및 휴식시 심전도 이상 소견이 있는 경우가 흔하기 때문에 일반인을 대상으로 하는 운동부하 검사를 하기에는 적합하지 않다. 약물부하 검사 및 핵의학 신티그래피 촬영은 검사를 시행하는 의료기관 및 검사를 해석하는 의사에 따라 결과가 의존적이므로 정확도가 기관마다 다르게 나타난다. 심한 만성콩팥병 환자에서는 도부타민 부하 심초음파 검사가 장기 사망률 예측의 지표로 활용될 수 있다. 이 검사는 장기 사망률에 독립적 인자로 신장이식 후보 중 관상동맥질환을 검출하는 민감도와 특이도는 44~75%이고 90%까지 올라간다고 보고하고 있다.

5. 흉부 CT

관상동맥의 석회화 정도는 흉부 CT로 판단하는 것이 일반적이다. 1.5 mSv의 적은 방사선 노출로 획득한 영상으로도 석회화 정도를 판단할 수 있다. 관상동맥 석회화는 > 130 Hounsfied units (HU)나 ≥ 3 adjacent pixels 의 석회화가 1 mm² 이상일 때 유의한 석회화로 판단하며 그 정도를 판단하는 것은 Agaston scoring 시스템이 주로 활용된다. 이는 130 HU이상의 석회화를 보이는 전체 석회화 부위를 평가한 점수를 합산하게 되는데 그 정도에 따라 점수가 상이하게 적용된다(130~199 HU, factor 1; 200~299 HU, factor 2; 300~399 HU, factor 3; and ≥ 400 HU, factor 4). 관상동맥의 석회화 정도는 그 점수에 따라 심혈관계 합병증의 위험도가 유의하게 증가하는 것으로 되어 있다[CAC score 100~400: relative risk of 4.3 (95% CI 3.1~6.1); CAC score 401~999: relative risk of 7.2 (95% CI 5.2~9.9); CAC score ≥1,000: relative risk of 10.8 (95% CI 4.2~27.7)].

6. 관상동맥 조영술

관상동맥 조영술은 허혈성 심질환, 급성 관상동맥 증상의 환자, 좌심실박출계수가 40% 미만인 만성콩팥병 환자에서 심혈관질환을 평가하는데 주요 진단 방법이다. 하지만, 만성콩팥병 환자에서 조영제 부작용에 대한 두려움으로 관상동맥 조영술을 피하려는 경향이 있다. 심장 초음파는 만성콩팥병 환자에서 비응급 관상동맥 조영술 이전에 시행하여야 하며, 이는 예측하지 못했던 판막질환, 심근증, 체액상태를 측정하고, 좌실심 박출량을 계산하는데 유용하다.

비침습적인 관상동맥 컴퓨터단층촬영은 투석환자에서는 혈관의 칼슘침착으로 정확한 판독에 제한이 있을 수 있다.

7. 생물표지자(Biomarker)

혈장 brain natriuretic peptides (BNP와 NT-proBNP), 심장 트로포닌[cardiac troponin T [cTnT], cardiac troponin I [cTnI]], 고민감도 C반응단백질(high-sensitive C-reactive protein)은 투석환자에서 심장질환을 예측하는 지표이다. BNP는 심장 충압(cardiac filling pressure)을, 트로포닌은 심장세포 괴사를, 고민감도 C반응단백질은 염증 수치를 반영하나 신장기능의 감소에 따라 그 수치가 증가한다는 문제점이 존재한다. 소아 만성콩팥병 환자에서 cTnT의 상승은 심장기능 부전을 의미한다. 투석환자에서 가장 비용대비 효율적인 조합은 아마도 cTnT와 고민감도 C반응단백질이라고 하나 이는 논쟁의 여지가 있다. 트로포닌은 신기능 감소에 따라 영향을 받을 수 있어서 만성콩팥병 환자에서 트로포닌 증가는 급성심근경색 진단을 어렵게 한다. 연속적인 측정이 필요하며, 1회 검사하여 상승되어 있는 것보다는 증상 발현후 시간별 연속적으로 측정하여 변화를 관찰하는 것이 더 좋다. 최근 심부전 환자에서 심혈관계 합병증 발생 위험도를 평가하는데 활용되는 Soluble suppression of tumorigenicity 2 (sST2)의 경우 신기능 감소에 따라 수치가 큰 영향을 받지 않는다고 하여 만성 콩팥병 환자에서도 그 유용성이 연구되고 있으며 한국인에서는 평균 >35 ng/mL이상일 때 유의한 위험도 증가가 있다고 평가되고 있다.

▶ 참고문헌

- 박미경 등: Lab Med Online 7:176–181, 2017.

- Agatston AS, et al: Quantification of coronary artery calcium using ultrafast computed tomography. J Am Coll Cardiol 15:827–832, 1990.

- Di Angelantonio E, et al: Chronic kidney disease and risk of major-cardiovascular disease and non-vascular mortality: prospective population based cohort study. BMJ 341:c4986, 2010.

- Fellstrom BC, et al: Rosuvastatin and cardiovascular events inpatients undergoing hemodialysis. N Engl J Med 360:1395–1407, 2009.

- Floege J, et al: Comprehensive Clinical Nephrology, edited by Stenvinkel P, et al, 4th ed, Elsevier Saunders, 2010, pp935–950.

- Greenland P, Bonow RO, Brundage BH, et al. ACCF/AHA 2007 clinical expert consensus document on coronary artery calcium scoring by computed tomography in global cardiovascular risk assessment and in evaluation of patients with chest pain: a report of the American College of Cardiology Foundation Clinical Expert Consensus Task Force (ACCF/AHA Writing Committee to Update the 2000 Expert Consensus Document on Electron Beam Computed Tomography) developed in collaboration with the Society of Atherosclerosis Imaging and Prevention and the Society of Cardiovascular Computed Tomography. J Am Coll Cardiol 49:378–402, 2007.

- K/DOQI clinical practice guidelines for cardiovascular disease indialysis patients Am J Kidney Dis 45(Suppl 3):S1–53, 2005.

- Kauppila LI, et al: New indices to classify location, severity and progression of calcific lesions in the abdominal aorta: A 25-year follow-up study. Atherosclerosis 132:245–250, 1997.

- Lewington S, et al: Blood cholesterol and vascular mortality by age,sex, and blood pressure: A meta-analysis of individual data from61 prospective studies with 55,000 vascular deaths. Lancet 370:1829–1839, 2007.

- London G: Pathophysiology of cardiovascular damage in the earlyrenal population. Nephrol Dial Transplant 16:3–6, 2001.

- Longo DL: Harrison's Principles of Internal Medicine (vol 2), edited by Bargman JM, Skorecki K, 18th ed, McGraw Hill, 2012.

- Navaneethan SD, et al: Benefits and harms of phosphate bindersin CKD: A systematic review of randomized controlled trials. Am J Kidney Dis 54:619–637, 2009.

- Tall MW: Brenner and Rector's The Kidney (vol2), edited by Tall MW, et al, 9th ed, Saunders, 2012, pp2059–2080.

- United States Renal Data System. USRDS 2009 annual data report:Atlas of Chronic Kidney Ddisease and Eend-stage Renal Diseasein the United States. Bethesda, National Institutes of Health, NationalInstitute of Diabetes and Digestive and Kidney Diseases, 2009.

제 **12** 부 만성콩팥병

강덕희 (이화의대)

KEY POINTS

● 만성콩팥병 환자에서의 빈혈 치료를 위해 경구 투약이 가능한 저산소 유도성 인자(hypoxia inducible factor, HIF) stabilizer 가 개발되어 투석 전 만성콩팥병 환자 빈혈치료 개선에 도움이 될 것으로 보인다.

만성콩팥병(chronic kidney disease, CKD) 환자에서 대표적인 조혈계 합병증은 빈혈이다. 빈혈은 식욕부진, 피곤함, 호흡곤란 등의 다양한 증상을 일으킬 수 있고, 심혈관질환과 연관된 유병률 및 사망률을 증가시킬 수 있는 CKD의 주요합병증이다. CKD 환자에서 빈혈이 동반되어 있는지 반드시 확인해야 하며, 원인을 파악하고 교정하는 것이 필수적이다. 빈혈은 조혈호르몬 생산의 저하, 철분 섭취 및 흡수의 이상이나 출혈, 비타민 결핍, 골수 기능의 부전 등 다양한 원인에 의해 발생된다. 1957년 Leon Jacobson 등이 저산소증에 의해 유도되는 조혈이 신장을 절제한 동물에서는 일어나지 않는 현상을 관찰, 신장에서 조혈을 촉진하는 물질을 분비한다는 사실을 처음으로 규명하였다. 이후 1983년 Human erythropoietin (EPO) 유전자가 분리되었고 유전자 재조합기술에 의한 EPO의 대량 생산이 가능해짐에 따라 적혈구형성자극제(Erythro-poietin-stimulating agent, ESA)는 실제 CKD 환자의 철분 균형의 유지와 함께 빈혈 치료의 근간이 되고 있다.

CKD 환자의 조혈계 합병증은 빈혈 이외에도 혈소판의 기능 변화에 기인한 출혈성 경향이나 혈전 형성 등 다양한 임상 양상으로 출현한다. 본 chapter에서는 CKD 환자의 조혈계 합병증 중 가장 중요한 빈혈의 발생 기전과 치료에 관해 주로 다루고 혈소판 기능 부전 부분은 환자 치료 시 주의해야 할 점을 중심으로 살펴보고자 한다.

빈혈의 병태생리

EPO는 신장의 fibroblast-like interstitial cell에서 주로 생성되는(소량은 간에서 만들어짐) 적혈구 생성의 주요 조절 호르몬으로, 193개의 아미노산으로 구성된 분자량 30,400 dalton의 당펩타이드이다. 신장 기능이 저하됨에 따라 EPO 생산이 감소되며, 이것이 CKD 환자 빈혈의 가장 주된 원인이다. CKD 환자에서의 실제 혈중 EPO 농도는 대개 정상 범위로 측정되는데(6~10 mU/mL) 이는 신장병이 없는 다른 빈혈 환자에서 조혈 자극을 위해 EPO 농도가 증가되는 것(>100~200 mU/mL)을 고려하면 빈혈의 정도에 비해 기대되는 농도에 미치지 못하는 낮은 농도이다. 최근에는 이러한 EPO의 생성에 저산소유도인자(hypoxia-inducible factor, HIF)가 관여하는 것으로 밝혀져 이를 이용한 새로운 약제가 개발되었다.

hepcidin의 증가로 인한 철분의 이용 장애 역시 신성 빈혈의 주요 원인이다. Hepcidin은 염증 반응 혹은 철분의 부하가 있을 때 간에서 생산이 증가되는 물질로, 신기능이 감소될 경우 신장으로의 배설이 감소하면서 혈중농도가 증가한다. Hepcidin은 소장에서 철분의 흡수를 억제하고 혈액 내 대식세포에서 철분의 재사용 과정을 억제하여 상대적 철분 결핍을 일으켜 빈혈을 초래한다.

요독물질의 증가가 조혈의 억제에 영향을 미칠 것이라는 이야기가 있었으나, 최근 요독물질에 의한 조혈의 억제가 과거에 우리가 이해하고 있는 것보다 심하지 않을 것이라고 주장하기도 한다. 이러한 주장은 실제 CKD 환자에서 백혈구 감소증이나 혈소판 감소증 빈도는 무척 낮은 점, ESA의 빈혈교정 효과가 투석 환자나 정상인에서 큰 차이가 없다는 점, ESA에 대한 반응이 떨어져 있는 일부 투석 환자의 빈혈이 투석을 통해 요독물질의 제거를 증가시키는 치료에 크게 반응하지 않는 점 등을 근거로 하고 있다.

빈혈의 임상증상

빈혈의 일반적인 증상인 피곤, 전신 쇠약감, 운동 능력의 저하, 식욕부진, 호흡 곤란 등이 나타나지만 이러한 소견은 요독증에 의한 증상과도 중복되기 때문에 빈혈 자체에 기인한 증상으로만 볼 수는 없다. CKD 환자의 빈혈에서 중요한 점은 심박출량의 감소나 좌심실비대와 같은 심혈관계 합병증이 환자가 느끼게 되는 빈혈의 일반적인 증상보다 조기에 나타난다는 것이다. ESA를 사용하여 적절한 치료를 하는 경우 우선적으로 삶의 질이 호전된다. 장기 예후와 관련하여 가장 중요한 효과는 좌심실비대의 호전으로, CKD 환자에서 좌심실 비대는 환자의 사망률과 밀접한 연관이 있으므로 빈혈 교정에 따르는 심장기능 호전이 ESA 치료의 가장 중요한 효과 중의 하나이다. 그러나 CKD 환자에서 ESA 투여로 혈색소를 정상 수준으로 교정한 경우 오히려 심혈관계 사망률이 증가된다는 보고들이 있어서 빈혈 교정 시 목표 혈색소치의 설정은 신중히 고려되어야 한다.

빈혈의 진단 및 감별 진단

빈혈은 보통 사구체여과율이 35 mL/min/1.73m² 이하로 떨어지면 나타나며, 신기능이 저하됨에 따라 점점 악화되는 소견을 보인다. 빈혈이 발견된 경우 ESA 치료를 시작하기 전 우선 빈혈의 원인에 대한 검사가 필요하다. EPO의 감소가 주된 원인이기는 하지만 다른 인자들이 동반되어 있을 가능성이 있고(표 12-5-1) 이러한 인자들은 ESA에 대한 반응을 감소시키는 원인이 될 수 있기 때문이다. CKD 환자에서 hemoglobin/Hematocrit(혈색소/적혈구용적률)이 정상의 80% 이하로 떨어지면 빈혈에 대한 검사가 필요한데, 표 12-5-2은 CKD 환자에서 빈혈에 대한 평가 항목 및 검사의 간격에 대한 Kidney Disease: Improving Global Outcome (KDIGO)의 권장 사항을 보여주고 있다. 적혈구 지수, 그물적혈구(reticulocyte) 수, 체내 철분 상태의 평가 및 대변의 잠혈 검사 등이 필요하며 체내 철분 상태는 철분 농도, 총철결합능(total iron binding capacity, TIBC), 저장철을 함께 측정하여 확인한다. Transferrin 포화도는 (혈중 철분농도/총철결합능)×100(%)으로 계산한다.

그물적혈구 증가증이 있는 경우는 미세혈관병증용혈빈혈(microangiopathic hemolytic anemia)의 가능성을 배제

표 12-5-1. CKD 환자에서 EPO 생산저하 이외에 가능한 빈혈의 원인

비교적 흔한 원인	흔치 않은 원인
철 결핍	용혈
갑상선기능 저하증	알루미늄 과다
출혈	부갑상샘기능 항진증
헤모글로빈혈증	엽산 또는 비타민 B₁₂ 결핍

표 12-5-2. CKD 환자에서 빈혈의 진단 및 평가

혈색소 측정의 빈도	
빈혈이 없더라도 임상적으로 적응이 되는 경우	CKD 3단계에서는 최소한 연 1회
	CKD 4~5단계(투석전 단계)에서는 최소한 연 2회
	CKD 5단계(투석 단계)에서는 최소한 3개월에 1회
빈혈이 있으면서 ESA를 투여하지 않는 경우	CKD 3~5단계(투석전 단계 및 복막투석)에서는 최소한 3개월에 1회
	CKD 5단계(혈액투석)에서는 최소한 월 1회
빈혈의 진단기준	
성인 및 청소년 (>15세)	혈색소 <13.0 g/dL (남성), <12.0 g/dL (여성)
빈혈의 최초검사항목	
연령이나 CKD 병기에 상관없이 빈혈이 동반된 CKD 환자를 대상	CBC(hemoglobin), Red cell indices, WBC (differential), Platelet count
	Absolute reticulocyte count
	Serum ferritin
	Serum transferrin saturation
	Serum vitamin B12, folic acid

할 수 없으며, 대적혈구혈증(macrocytosis)은 엽산이나 비타민 B_{12} 결핍을 시사하지만 ESA 투여 초기에 조혈이 일어나면서 사이즈가 큰 젊은 그물적혈구가 순환 혈액으로 유입되면서 일시적으로 관찰되는 경우도 있고 azathioprine 같은 약물에 의해서도 발생될 수 있다. 작은적혈구증(microcytosis)은 철분결핍, 알루미늄 중독이나 혈색소 질환에서도 관찰된다.

빈혈의 치료

1. 적혈구형성자극제(ESA)

1) ESA 치료의 기본 원리

정상색소 정상적혈구 빈혈(normochromic normocytic anemia)의 양상을 보이는 CKD 환자에서 유전자재조합형 적혈구형성호르몬 제제와 darbepoietin과 같은 변형 ESA는 빈혈 치료의 가장 중요한 약제이다. ESA는 적혈구 전구세포의 EPO 수용체에 결합하여 성숙한 적혈구로의 분화를 자극한다. 신장의 fibroblast-like peritubular interstitial cell에서 만들어지는 EPO는 신장 섬유화가 진행되면 pericyte-myofibroblast transition이 일어나면서 분비가 감소된다. 요독물질에 의해 EPO 유전자의 DNA methylation이 일어나는 epigenetic mechanism이 관여한다는 보고도 있으며 최근에는 EPO 합성의 감소보다 저산소 신호(hypoxic signaling)의 장애가 CKD 환자의 빈혈 발생에 관여한다는 보고도 있다.

Epoetin-α와 β는 1세대 ESA, 1세대 ESA보다 투여간격을 늘릴 수 있는 약제로 Epoetin-α의 hyperglycated form인 Darbepoietin-α와 epoetin-β의 pegylated form인 continuous erythropoietin receptor activator (CERA)와 같은 2세대 ESA들이 개발되었다. Darbepoietin-α와 CERA는 각각 2주 간격, 한달 간격으로 투여가 가능하다. ESA를 피하로 투여하는 경우 정맥으로 투여하는 경우보다 15-50% 정도 ESA 요구량이 감소되며, 철분제를 동시에 투약하는 것이 권고된다.

2) ESA 치료와 CKD 환자의 예후

CKD 환자에서 혈색소를 높이는 것은 빈혈로 인한 증상들을 완화시키고 심혈관계 합병증을 줄일 뿐 아니라 환자의 생존율을 높인다고 알려져 있었다. 하지만 다기관 전향적 임상연구 결과 ESA 치료로 혈색소를 정상수준으로 높인 경우 환자의 사망률이 오히려 증가되고 신장질환 악화의 속도가 더 빨랐다는 보고 이후 ESA 치료 지침의 변화가 초래되었다. 이러한 연구 중 가장 먼저 발표된 것은 심혈관질환이 있는 혈액투석 환자를 대상으로 한 Normal Hematocrit Trial로 목표 적혈구용적률을 42%로 설정한 환자군에서 30% 목표군에 비해 사망과 심근경색 발생이 유의하게 높게 발생되어 조기 종료되었다. 이후 2006년에 발표된 The Correction of Hemoglobin and Outcomes in Renal Insufficiency (CHOIR) 연구와 The Cardiovascular Risk Reduction by Early Anemia Treatment with Epoetin-β (CREATE) 연구에서 목표 혈색소를 높게 설정한 환자군에서 심혈관질환 발생의 빈도가 높게 나타나거나 말기콩팥병으로의 진행 빈도가 높게 나타났다. The Trial to Reduce Cardiovascular Events with Aranesp Therapy (TREAT) 연구에서도 목표 혈색소 13 g/dL 환자군에서 피로도의 호전과 같은 삶의 질 지표는 호전되었으나 뇌졸중 발생의 빈도가 유의하게 높았다. 최근의 meta-analysis 결과 Darbepoietin 투여는 암 관련 사망률도 높이는 것으로 나타났다.

이러한 연구 결과를 바탕으로 2012년에 발표된 KDIGO 지침은 투석 이전의 CKD에서는 혈색소가 10 g/dL 미만인 경우에만 ESA 치료를 고려하고, 투석 환자에서는 9 g/dL 이하가 되지 않도록 9~10 g/dL에서 ESA 투여를 시작하되 빈혈의 악화 속도, 철분제에 대한 반응, 수혈 요구도, ESA 치료로 인한 위험도와 각각의 환자에서 빈혈에 기인한 증상 등을 고려하여 개별적으로 결정하도록 권유하고 있다. 높은 혈색소에서 삶의 질이 향상되는 환자에서는 혈색소 10 g/dL 이상에서도 ESA를 투여할 수 있으나 11.5 g/dL 이상으로 높이는 것은 권장되지 않는다.

3) ESA 치료의 부작용

ESA 사용 환자에서 발생되는 고혈압은 20~30% 정도에서 관찰되는데, 빈혈의 교정 정도와 무관한 것으로 보고되어 있다. 발생기전은 불명확하나 혈관내피세포의 EPO 수용체 활성화와 관련이 있는 것으로 간주되고 있다. 혈액투석 환자에서 ESA 사용시 혈관접근로의 혈전 형성이 증가되는 부작용도 관찰되고 있으나 ESA의 용량, 빈혈의 교정 정도 등과는 연관이 없다. 최근 임상연구에 의하면 ESA 치료를 받은 악성 종양환자에서 종양 자체의 성장이 빨라지고 종양 주위혈관 신생이 증가되었다. CKD 환자에서 ESA 치료와 악성종양 발생 및 진행에 관한 연관성은 아직 뚜렷한 결론은 없으나 이에 대한 주의 깊은 관찰이 필요하다.

장기간에 걸친 ESA 사용시 드물지만 심각한 합병증으로 순적혈구무형성(pure red cell aplasia, PRCA)이 발생될 수 있다. ESA의 대부분은 유전자 재조합 EPO 뿐 아니라 내인성 EPO에 대한 항체를 만들어낼 수 있으며 혈색소 농도가 감소되고 골수에서 적혈구 전구세포가 거의 관찰 되지 않는(혈소판 및 백혈구 전구세포는 정상) 현상을 초래한다. 주로 Epoetin-α를 피하로 주사 받은 환자들에게 나타나며 이는 제조과정의 조성 변화와 관련있는 것으로 해석되고 있다.

2. 철분 상태의 평가 및 철분 공급

1) 철분 상태의 평가

CKD 환자에서는 ESA 치료시작 이전부터 철분 상태에 관한 평가와 적절한 치료가 필요하다. 철분 결핍은 CKD 환자의 25~33%에서 발견되며 혈중 철분 농도의 감소, transferrin 포화도<20%, ferritin<100 ng/mL인 경우 진단 가능하다. Transferrin 포화도나 ferritin 농도가 CKD 환자의 철분 상태를 반영하는 적절한 지표가 아니지만, 위와 같은 정도의 철분 결핍 상태의 CKD 환자에서는 골수 내 철분 염색이 거의 되지 않는 "절대" 철분 부족상태로 간주되어 철분 치료의 적응증이 된다. KDIGO 지침에 의하면 철분제제나 ESA 치료를 받고 있지 않는 CKD 환자

에서 빈혈이 있는 경우 transferrin saturation이 30% 이하, ferritin이 500 ng/mL 이하일 때 경정맥 철분 투여를 시작하거나 투석 이전의 CKD 환자라면 1~3개월의 경구용 철분 제제의 투여를 권유하고 있다.

2) 철분 공급

철분제의 보충은 경구, 특히 ferrous salt의 형태로 투여할 경우 음식과의 상호작용에 의해 위장관 내에 침착될 수 있고 산화성 스트레스를 유도하여 위점막에 손상을 초래할 수 있다. 실제로 많은 환자에서 경구 철분제 복용에 동반된 구토, 소화불량 및 위통 등의 증상으로 복약 순응도의 문제가 발생한다.

경정맥 철분제 투여 시 저혈압, 호흡곤란을 동반한 아나필락시스 같은 심각한 급성 반응이 발생할 수 있는데 그 원인에 대해 완벽하게 밝혀지지는 않았으나 free, reactive iron이 체순환으로 들어가면서 산화 스트레스를 유도하여 발생하는 것으로 알려져 있다. 이 같은 급성 반응은 iron dextran 치료를 받은 환자의 0.6~0.7%에서 발생한다고 보고되었으며 non-dextran iron 에서는 이러한 아나필락시스양 반응이 적다고 알려져 있다. 하지만 기본적으로 경정

표 12-5-3. Oral Ferrous Sulfate와 Intravenous Iron Therapy의 비교

Characteristic	Oral Iron	Intravenous Iron
Intestinal absorption	Impaired by concomitant food (depending on formulation)	Parenteral administration
	Impaired by concomitant medication (eg. phosphate binders, gastrointestinal medications that reduce acidity)	
	Iron uptake and export of iron from enterocytes via ferroportin inhibited by elevated hepcidin levels	
Iron bioavailability	May be inadequate during ESA therapy (accelerated erythropoiesis)	Generally high
Safety	Gastrointestinal adverse events affect a high proportion eg, constipation, dyspepsia, bloating, nausea, diarrhea, heartburn	Good safety profile Risk of (rare) anaphylaxis with dextran-containing formulations Risk of (rare) hypersensitivity reactions
	Most frequent with ferrous sulfate	
Oxidative stress	Can saturate the iron transport system if the iron is rapidly released (eg, ferrous sulfate), resulting in oxidative stress	Oxidative stress only observed with less stable preparations which can release some more "weakly-bound" iron (eg, sodium ferric gluconate, iron sucrose similars) than stable (robust) iron complexes (eg, ferric carboxymaltose, originator iron sucrose)
Compliance	Pill burden : usually 3 tablets per day	Administered by health care professional
	Affected by gastrointestinal intolerance	
Convenience	Administered at home	Requires clinic visits
Cost	Inexpensive	More expensive per dose but fewer doses required

맥 철분제는 심각한 부작용을 초래할 수 있으므로 처음 투여하는 경우 투여 후 최소 30분간 면밀히 관찰해야 하며, 부작용을 파악하고 적절하게 대처할 수 있는 전문가 및 시설이 필요하다. 한편 철분은 거의 모든 세균, 바이러스, 진균, 기생충, 연충(helminth) 등의 성장에 필수불가결한 요소이므로 감염의 증거가 있는 경우 iron overload를 피하기 위하여 경정맥 철분제 사용은 금기로 되어있다. 표 12-5-3은 경구용 및 경정맥 철분제 제의 임상적인 특징을 정리한 것이다.

3. ESA 치료에 대한 저항성

적절한 ESA 치료에도 불구하고 CKD 환자의 10~20%에서는 빈혈이 교정되지 않는데 이들 환자의 대부분은 감염, 염증 질환이나 악성 질환 등이 동반되어 있다. 앞서 언급한 Normal Hematocrit Trial 연구나 TREAT 연구결과에서 높은 hemoglobin을 유지한 군에서 발생한 합병증들의 대부분은 ESA 저항성으로 고용량의 ESA을 사용한 경우였으며, 이는 목표 혈색소 달성을 위해 가능하면 적은 용량의 ESA를 사용해야함을 시사한다.

2012년에 발표된 KDIGO 지침에 따르면 ESA 치료 시작 시 적어도 매달 1회 이상 혈색소 수치를 확인하도록 권고하고 있다. ESA 유지기간에는 투석 전 CKD의 경우 적어도 매 3개월마다 1회, 투석 중 CKD의 경우 매달 1회 이

상 혈색소 수치를 검사하도록 권고한다. 체중에 적합하게 계산한 ESA 초기 용량을 투여하였음에도 혈색소의 증가가 없는 경우를 '초기 ESA 반응저하(Initial ESA hypo-responsiveness)'로 분류하되 이들 환자에서 체중에 따른 ESA 초기용량의 2배 이상으로 반복해서 증량하지 않도록 권고하고 있다. 일정한 혈색소 수치를 유지하기 위하여 ESA 투여량이 결정된 이후에 기존 용량의 50% 초과량을 투여하여야 하는 경우를 '후기 ESA 반응저하(Subsequent ESA hypo-responsiveness)'로 분류하고 역시 ESA를 기존 사용량의 2배 이상으로 반복해서 증량하지 않도록 권고하고 있다.

ESA 초기 반응도가 낮거나 차후에 낮아진 환자들에서 그 원인을 조사하여 교정하도록 하고 치료 가능한 원인을 교정하였음에도 ESA 반응도가 낮은 환자들에서는 표 12-5-4의 내용을 비교평가하면서 치료 방안을 개별화할 것을 제안하고 있다.

4. 빈혈 치료를 위한 새로운 약제: HIF stabilizer

CKD 환자의 빈혈 치료에 대한 새로운 약제로 prolyl hydroxylase inhibitor가 소개되었는데, 대표적으로 roxadustat, vadadustat, daprodustat, molidustat 등이 있다. 이 약제는 저산소유도인자(HIF)를 분해시키는 단백질의 작용을 억제하여 HIF를 안정화시켜서 내인성 조혈과정을

표 12-5-4. Potentially correctable versus non-correctable factors involved in the anemia of CKD

Easily correctable	Potentially correctable	Impossible to correct
Absolute iron deficiency	Infection/inflammation	Hemoglobinopathies
Vitamin B12/folate deficiency	Underdialysis	Bone marrow disorders
Hypothyroidism	Hemodialysis	
ACEi/ARB 사용	Bleeding	
Non-adherence	Hyperparathyroidism	
	Pure red cell aplasia	
	Malignancy	
	Malnutrition	

제 **12** 부 만성콩팥병

활성화시키는 작용을 한다. CKD 환자에서 ESA를 투약하여 빈혈을 치료하는 경우 초기에는 ESA에 반응이 좋지만, 신기능의 악화와 ESA 노출이 지속되면서 목표 혈색소 수치를 유지하기 위해 더 많은 ESA 요구량을 보이는 ESA 반응저하(hypo-responsivenesss)의 원인이 철분결핍 및 염증 반응으로 알려져 있으나, HIF stabilizer의 경우 이와 상관없이 혈색소 수치를 증가시켜준다. 특히 일주일에 1~3회 투여할 수 있는 긴 반감기와 경구로 복용이 가능하다는 것이 매우 큰 장점이다. 또한 기존의 ESA 제제와는 다르게 과도한 혈색소 상승, 혈압 상승이 적은 약제이다. 가장 흔한 부작용으로는 소화기계 장애, 고칼륨혈증, 오심, 어지럼증, 두통, 감염이, 심각한 부작용으로는 혈관접근로 대퇴골두골절, 흉통, 호흡곤란, 혈관 접근로 관련 합병증 등이 나타났지만, 대조군과의 큰 차이는 없었다. 정리하면 HIF stabilizer는 투석 전 환자에서 큰 부작용 없이 철분 대사 관련 지표들을 호전시키면서 염증 반응 관련 지표와는 상관없이 빈혈 수치를 개선하는 효과를 보여주었고, 주사 필요 없이 경구 투여가 가능한 약제로 CKD 환자의 새로운 빈혈 치료제로 큰 역할을 기대해볼 수 있겠다.

혈소판 기능 이상 및 혈액 응고 장애

CKD 환자에서는 비정상적인 출혈 및 혈전 형성이라는 2가지 혈액 응고 관련 합병증이 흔하게 발생하는데 이는 요독증의 증상이기도 하지만 투석 과정 자체도 원인 인자로 작용한다. 최근 ESA의 사용, 새로운 투석막의 개발 등 치료가 발전하면서 출혈성 합병증은 감소되는 경향을 보이나 반대로 혈전증에 취약한 환경이 조성되기도 한다. 혈전증의 원인은 hyperfibrinogenemia, plasminogen activator inhibitor (PAI-1)의 증가, tissue plasminogen activator (t-PA)의 감소, 항인지질 항체의 증가, protein C의 활성 감소, 산화성스트레스 등에 의한 혈관벽의 손상 등 다양한 기전에 의해 발생되어, 동정맥루 혈전이나 동맥 경화성 질환 등을 초래한다.

1. 출혈성 합병증

CKD 환자에서는 정상적인 혈소판 기능을 저해하는 혈장 인자가 존재하고 이러한 인자는 투석으로 제거되는 것으로 알려져 있으나 혈액투석 과정에 의해 혈소판 세포막 수용체가 von-Willebrand factor(vWF)나 fibrinogen과 결합하는 것에 장애를 유발하기도 한다. 임상적으로는 피부의 출혈, 코피나 위장 출혈 등이 발생하고 혈액투석 후 천자부위의 지혈이 지연되는 등의 증상이나 드물게는 생명을 위협하는 자발적인 장기 출혈이 발생하기도 한다. 요독성 심장막염은 투석 시작 이전이나 유지투석 중에도 발생하는데 후자의 경우 혈액투석과 관련된 혈소판 이상이나 헤파린 사용에 기인한다.

출혈성 합병증은 혈액투석 환자에 비해 복막투석 환자에서 상대적으로 적게 발생하며, 투석으로 일부 교정이 가능하다. 빈혈 교정, estradiol 치료, cryoprecipitate 또는 desmopressin (DDAVP) 등이 치료에 사용된다. cryoprecipitate 또는 DDAVP는 vWF의 혈중 농도를 증가시켜 혈소판이 혈관내피세포에 응집되는 것과 혈소판 세포간의 응집을 촉진한다.

2. 혈전성 합병증

CKD 환자에서 혈전형성은 protein C 혹은 protein S의 기능부전, 혈액응고인자 V Leiden의 돌연변이, 항인지질 항체(anti-phospholipid antibody, APL), antithrombin III 부족, 호모시스테인혈증 등에 의해 발생할 수 있으며 ESA 사용이 상용화됨에 따라 더 흔하게 발생하고 있다. 동정맥루의 혈전형성이 가장 흔한 임상 증상이며 3개월에 걸쳐 2번 이상 발생되면 위에 열거한 원인들에 대한 평가가 요구된다. 1개월 간격으로 검사한 protein C, S 활성의 이상이나 APL이 양성이면 warfarin 치료가 원칙이지만 혈액투석 환자에서의 임상적 효용성에 관한 연구 결과는 아직 없는 상태이다.

3. 칼시필락시스(Calciphylaxis)

피부나 연체조직이 심한 석회화, 혈전 형성 및 이에 기인한 피하 혈관의 폐쇄로 괴사가 일어난 상태를 지칭한다. 임상적으로는 침범된 부위에 작열감이 먼저 나타나고 이후에 피부에 출혈성 괴사가 발생되는데 많은 경우에서 피부 이식이나 절단 수술이 필요하다. 발생기전은 장기간에 걸쳐 제대로 치료되지 않은 고인산염혈증이 가장 주된 병태 생리이지만 칼슘 및 부갑상샘호르몬 등도 관여하고 다양한 혈액응고 장애가 동반되는 것이 보통이다. 치료는 상처에 대한 일반적인 치료와 혈중 칼슘 및 인 농도를 정상화 시키는 것이 중요하다. Calciphylaxis가 발생한 경우 칼슘을 포함한 인결합제는 사용하지 않아야 하며 저칼슘 투석액 및 고압산소 치료가 도움이 된다. 약으로 조절되지 않는 부갑상샘항진증은 수술을 고려해야하며 동반된 혈전성 합병증의 원인에 대한 치료가 필요하다.

요약

만성콩팥병에서의 빈혈은 적절하지 못한 EPO 합성에 기인한 정상색소 정상적혈구 빈혈로 주로 나타나며, ESA 투여, 철분제 보충 및 동반 질환에 대한 치료로 빈혈을 교정해야 한다. 아직까지 CKD 환자에서 목표 혈색소 농도에 관해서는 논란이 있으며 10~11 g/dL의 범위를 유지하는 것이 대부분의 지침의 권유 사항이나 환자 개인의 증상, 동반 질환 등에 따라 임상의사가 결정하여야 할 문제로 남아있다. 분명한 것은 과량의 ESA 사용이 CKD 환자의 불량한 예후와 연관되어 있음이 알려져 있어 개인별로 설정된 혈색소를 유지하기 위한 최소의 ESA를 사용하는 것이 권장된다.

빈혈 이외에도 만성콩팥병 환자들은 혈액응고 장애로 인한 출혈성 경향과 혈전형성의 양면적인 합병증의 발생 빈도도 높다. 이러한 소견은 혈액응고인자의 기능 부전, 혈소판 수 및 기능의 이상 등에 의해 발생되는데 역시 심혈관질환의 발생과 직접적으로 연관이 있는 다양한 합병증

발생의 원인이 되므로 적절한 진단과 이에 따르는 치료가 필요하다.

▶ 참고문헌

- Besarab A, et al: Randomized placebo-controlled dose-ranging and pharmacodynamics study of roxadustat (FG-4592) to treat anemia in nondialysis-dependent chronic kidney disease (NDD-CKD) patients. Nephrol Dial Transplant 30:1665-1673, 2015.
- Besarab A, et al: The effects of normal as compared with low hematocrit values in patients with cardiac disease who are receiving hemodialysis and epoetin. N Engl J Med 339:584-590, 1998.
- Bohlius J, et al: Recombinant human erythropoiesis-stimulating agents and mortality in patients with cancer: a meta-analysis of randomised trials. Lancet 373;1532-1542, 2009.
- Daugirdas JT, et al: Handbook of Dialysis. 4th ed. Lippincott Williams & Wilkins, 2007.
- Drüeke TB, et al: Normalization of hemoglobin level in patients with chronic kidney disease and anemia. N Engl J Med 355:2071-2084, 2006.
- Eschbach JW, et al: Correction of the anemia of end-stage renal disease with recombinant human erythropoietin. Results of a combined phase I and II clinical trial. N Engl J Med 316:73-78, 1987.
- Eschbach JW, et al: Treatment of the anemia of progressive renal failure with recombinant human erythropoietin. N Engl J Med, 321:158-163, 1989.
- Eschbach JW, et al: Treatment of the anemia of progressive renal failure with recombinant human erythropoietin. N Engl J Med, 321:158-163, 1989.
- Floege, J, et al: Comprehensive Clinical Nephrology, 4th ed. Elsevier Health Sciences, 2010, pp951-958.
- Jacosson LO, et al: Role of the kidney in erythropoiesis. Nature, 179:633-634, 1957.
- Kidney Disease: Improving Global Outcomes (KDIGO) Anemia Work Group. KDIGO Clinical Practice Guideline for Anemia in Chronic Kidney Disease. Kidney Int Suppl, 2:279-235, 2012.
- Kliger AS, et al: KDOQI US Commentary on the 2012 KDIGO Clini¬cal Practice Guideline for Anemia in CKD. Am J Kidney Dis 62: 849-59, 2013.
- Lin FK, et al: Cloning and expression of the human erythropoietin gene. Proc Natl Acad Sci USA, 82(22):7580-7584, 1985.
- Macdougall IC, et al: Use of intravenous iron supplementation in chronic kidney disease. An update. IJKD 7:9-22, 2013.

제 **12** 부 만성콩팥병

- Maxwell PH, et al: HIF prolyl hydroxylase inhibitors for the treatment of renal anaemia and beyond. Nat Rev Nephrol 12:157–168, 2016.
- Maxwell PH, et al: Identification of the renal erythropoietin-producing cells using transgenic mice. Kidney Int 44:1149–62, 1993.
- Pfeffer MA, et al: A trial of darbepoetin alfa in type 2 diabetes and chronic kidney disease. N Engl J Med 361:2019–2032, 2009.
- Singh AK, et al: Correction of anemia with epoetin alfa in chronic kidney disease. N Engl J Med 355:2085–2098, 2006.

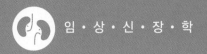

CHAPTER

06 미네랄 뼈질환

오지은 (한림의대), **이유지** (성균관의대)

KEY POINTS

● 미네랄 뼈질환의 진단에서 변경된 내용은 미네랄 뼈질환이 있거나 골다공증 위험요인이 있는 만성콩팥병 3a-5D단계 환자에게 검사 결과가 치료결정에 영향을 줄 경우 골절 위험성을 평가하기 위해 골밀도검사를 하도록 권고한다.

● 만성콩팥병 3a-5D단계 환자에서 미네랄 뼈질환 치료의 새로운 경향은 혈중 인, 칼슘, 부갑상샘호르몬 농도의 1회 검사가 아니라 연속 검사를 통한 지표들의 변동 추세 및 상호 연관성을 고려해서 치료에 적용하도록 하는 것이다. 경미한 무증상 저칼슘혈증은 유해하지 않을 수 있고, 가급적이면 성인에서 고칼슘혈증을 피하도록 권고한다. 특히 고인산염혈증 치료를 위해 칼슘계 인결합제를 투여하는 것을 제한한다.

● 투석을 하지 않는 만성콩팥병 3a-5D단계 환자에서 calcitriol과 비타민 D 유사체의 일상적 사용은 피하며, 중증의 진행성 이차부갑상샘항진증이 있는 경우 사용을 고려한다. 투석 환자에서 부갑상샘호르몬 감소 치료가 필요시 칼슘 유사제, calcitriol, 비타민 D 유사체 모두 부갑상샘호르몬 감소 치료의 1차 약제로 사용할 것을 권고한다.

서론

미네랄 뼈질환은 만성콩팥병과 연관된 흔한 합병증 중 하나로 칼슘, 인산염, 부갑상샘호르몬(parathyroid hormone, PTH), 섬유모세포성장인자(fibroblast growth factor-23, FGF-23), 비타민 D 대사의 이상; 뼈전환(bone turnover), 무기질침착(mineralization), 뼈부피선형성장(volume linear growth), 또는 강도(strength)의 이상; 혈관이나 연부조직과 같은 골격외 석회화 중 한 가지 이상으로 나타나는 미네랄 및 뼈 대사의 광범위한 전신 장애를 말한다.

신장 기능이 감소함에 따라 소변을 통한 인산염 배설이 감소하면 뼈세포(osteocyte)로부터 인산염 조절 단백인 FGF-23의 분비가 증가하여 인산염의 요배설이 증가한다. 또한 신장에서 1α-hydroxylase의 활성도가 저하되어 1,25-dihydroxyvitamin D [1,25(OH)2D] 생성이 감소하면서 저칼슘혈증이 동반되면 PTH가 분비되어 칼슘과 인산염을 뼈에서 혈액으로 방출시키며, 혈중 인산염의 항상성을 유지하기 위해 신장에서 인산염의 요배설을 증가시킨다. 신장 기능이 더욱 감소하면 인산염의 혈중 농도를 정상으로 유지하기 위해 증가된 PTH와 FGF-23의 적절한 반응이 감소되어 고인산염혈증이 발생한다.

만성콩팥병에 동반되는 미네랄 대사 이상은 뼈 미세구조 및 뼈 재형성 과정에 영향을 끼쳐 다양한 뼈질환을 유발하고 골절의 빈도를 증가시킨다. 또한 이것은 뼈질환에만 그치지 않고, 심혈관계 합병증으로 인한 높은 사망률과도 관련이 있다. 따라서 기존의 신성골형성장애(renal osteodystrophy)라는 개념은 뼈생검을 통한 만성콩팥병과 관련된 뼈의 형태학적 변화를 정의하는데 국한하여 사용하고, 다양한 임상 지침에서 만성콩팥병에 동반된 미네랄 뼈질환을 전신 질환으로 규정하고 이를 개선하기 위한 실험실적 목표치와 치료적 접근법을 권고하고 있다.

병태생리

1. 인산염의 축적과 고인산염혈증

인산염의 대부분(85%)은 뼈와 치아에 존재하고, 14%는 유기인산염 화합물의 형태로 세포 내에 위치하며, 나머지 1%가 주로 무기인산염의 형태로 세포 외에 존재한다. 음식을 통해 섭취된 인산염은 대부분 장에서 흡수되고, 흡수되지 않고 남은 일부의 인산염은 대변으로 배설된다. 신장은 인산염 섭취에 따라 소변으로 인산염 배출을 조절하여 항상성을 유지한다. 적절한 양의 인산염을 섭취하고 혈청 인산염 수치가 정상인 경우, 사구체에서 여과된 인산염의 대부분은 근위세관에서 재흡수가 일어나며, 대략 10-20%가 소변으로 배설된다. 그러나 만성콩팥병 환자에서 사구체여과율의 감소로 인산염의 요배설이 감소하고 인산염 섭취가 많아지면 혈중 인산염이 증가하고, FGF-23와 PTH가 증가하여 신장에서 인산염의 재흡수를 감소시켜 요배설을 증가시킴으로써 혈중 인산염 수치를 다시 정상 범위로 유지하게 한다.

FGF-23은 근위세관에 작용하여 인산염의 재흡수를 감소시키고, 1α-hydroxylase의 활성을 억제하여 1,25(OH)2D 합성을 감소시켜 소장을 통한 인산염의 흡수를 감소시킴으로써 정상 혈중 인산염 수치를 유지하는데 기여하는 물질로 만성콩팥병의 초기부터 증가하는 것으로 알려져 있다. 이러한 보상 기전으로 혈중 인산염 농도는 대부분의 환자에서 만성콩팥병 4단계로 들어설 때까지 정상으로 유지되지만, 사구체여과율이 30 mL/min/1.73 m² 아래로 감소하면 식이를 통한 인산염 섭취가 소변을 통한 배설보다 많아지면서 고인산염혈증이 발생하게 된다. 고인산염혈증은 이차부갑상샘항진증을 유발하며, 심혈관 석회화 및 동맥 강직을 일으키는 등 심혈관계 합병증으로 인한 사망과 밀접하게 관련되어 있다.

2. 칼슘 대사 이상

혈중 칼슘 농도는 주로 PTH와 비타민 D 호르몬에 의해서 조절된다. 만성콩팥병에서 FGF-23의 증가와 기능을 하는 콩팥단위의 감소로 1,25(OH)2D 생성이 감소하여 소장에서 칼슘 흡수가 감소하면서 혈청 칼슘 농도가 낮아지면 보상 기전으로 PTH 분비가 증가하여 뼈흡수를 통해 뼈에서 칼슘과 인산염을 방출시키고, 원위세관에서 칼슘 재흡수를 증가시켜 혈중 칼슘 농도를 정상으로 유지시킨다. 그렇지만 사구체여과율이 심하게 감소하면 칼슘의 감소뿐만 아니라 고인산염혈증도 PTH 분비를 더욱 증가시켜 이차부갑상샘항진증이 악화되고, 부갑상샘의 미만성 혹은 결정성 증식을 유발한다.

3. 비타민 D 대사 이상

비타민 D 생성 과정은 7-dehydrocholesterol이 자외선을 받아 피부에서 비타민 D3 (cholecalciferol)가 합성되고, 간으로 이동하여 25-hydroxylation을 거친 후 신장에서 1α-hydroxylase에 의해 1,25(OH)2D (칼시트라이올, calcitriol)로 활성화된다. 1,25(OH)2D는 비타민 D 수용체 (vitamin D receptor, VDR)를 통해 기능을 나타내며, 가장 중요한 작용은 장에서 칼슘을 흡수하는 것이다. 이 외 장에서 인산염의 흡수를 자극하고, 신장에서 칼슘과 인산염의 배설을 감소시킨다. 사구체여과율이 70 mL/min/1.73 m² 이하로 감소하면 FGF-23에 의해 1,25(OH)2D 합성이 감소하기 시작한다. 정상 상태에서 1,25(OH)2D는 부갑상샘에 있는 비타민 D 수용체에 작용하여 PTH 전사를 억제하여 PTH 분비를 감소시킨다. 그러나 만성콩팥병에서 1,25(OH)2D가 감소하면 부갑상샘에 이러한 억제 효과가 감소하여 PTH 분비가 증가된다. 1,25(OH)2D의 감소는 또한 부갑상샘에 있는 비타민 D 수용체 수를 감소시키는데, 1,25(OH)2D와 수용체의 감소가 부갑상샘 세포 증식과 결절 형성을 촉진시킬 수 있다.

4. 부갑상샘 기능 이상

PTH는 부갑상샘에서 분비되는 9,400 Da의 칼슘조절 호르몬으로 혈액 속의 칼슘 농도가 저하되면 부갑상샘으로부터 분비되어 혈청 칼슘 농도를 증가시키는 작용을 한다.

만성콩팥병으로 인한 고인산염혈증, 저칼슘혈증, 1,25(OH)2D 감소는 PTH의 칼슘 작용에 대한 골격 저항을 증가시키고 PTH 분비를 자극하여 이차부갑상샘항진증을 유발한다. PTH 증가는 뼈흡수를 증가시켜 칼슘을 방출시키고 높은 뼈교체(high bone turnover)로 인한 뼈형성장애를 일으킬 수 있다. 또한 요독 물질로 작용하여 관상동맥질환 및 좌심실비대와 같은 심혈관계 합병증을 일으키는 것으로 알려져 있다.

진단에 주로 사용되는 완전부갑상샘호르몬(intact PTH) 측정법은 기능에 중요한 역할을 담당하는 생물학적 활성 PTH 뿐만 아니라 N-terminus 부분이 잘려나간 생물학적으로 비활성인 호르몬도 같이 측정되어 측정치를 해석하는데 한계가 있다.

임상양상

1. 골격외 석회화

1) 혈관과 연조직의 석회화
만성콩팥병에서의 혈관석회화는 동맥벽의 석회화 부위에 따라 내막석회화(intimal calcification)와 중막석회화(medial calcification)로 나뉜다. 고인산염혈증, 고칼슘혈증, 이차부갑상샘항진증 등이 이러한 혈관석회화에 기여

하는 인자이다. 이 외에도 폐, 심근, 관절 주변 등에 석회화 침착이 일어날 수 있다.

2017 KDIGO 지침에서는 만성콩팥병 3a-5D 단계 환자에서 혈관석회화 유무를 확인하기 위한 복부 측면 방사선 사진과 판막석회화 유무를 확인하기 위한 심장초음파가 컴퓨터단층촬영 검사의 적절한 대체 검사로 사용될 수 있다고 제안하고 있다. 이러한 혈관이나 판막석회화가 만성콩팥병 환자에서 심혈관질환 발생 위험과 높은 상관관계를 보이므로 미네랄 뼈질환 치료 과정에 고려해야 한다.

2) 칼시필락시스(Calciphylaxis)
칼시필락시스는 상당히 통증이 심한 피부 허혈 및 괴사를 동반하며, 진피 및 피하 지방조직에 있는 세동맥과 모세혈관의 석회화를 특징으로 하는 드물지만 심각한 질환이다. 주로 투석을 받는 말기콩팥병 환자나 진행된 만성콩팥병을 가진 환자에서 볼 수 있다. 부갑상샘항진증, 비타민 D 혹은 칼슘이 포함된 인산염결합제 투여, 고인산염혈증 등과 연관이 있고, 이 외에 와파린(warfarin) 사용이 위험인자로 알려져 있는데 조직의 석회화를 억제하는 비타민 K에 의존적인 matrix Gla protein을 억제하기 때문으로 이해된다.

2. 뼈질환

만성콩팥병으로 인한 뼈질환은 세 가지 변수들(TMV system) 즉, 뼈교체(bone turnover), 무기질침착(mineralization), 그리고 부피(volume)에 따라 낭성섬유골염(osteitis fibrosa cystica), 무력뼈질환(adynamic bone disease), 뼈연화증(osteomalacia), 그리고 혼합성 요독골형성장애로 나눌 수 있다. 신성골형성장애를 진단하고 분류하기 위해 뼈생검을 시행하는 것이 가장 좋은 방법으로 알려져 있지만 실제 임상에서 이용하기에 한계가 있다.

1) 낭성섬유골염
만성콩팥병에서 저칼슘혈증, 고인산염혈증 등으로 PTH의 과도한 분비가 지속되면 PTH가 뼈모세포(osteoblast)

상의 대식세포집락자극인자(macrophage colony stimulating factor)와 receptor activator of nuclear factor-kappa B ligand (RANKL)의 발현을 증가시킴으로써 파골세포(osteoclast)의 분화를 촉진하여 뼈흡수를 증가시킨다. 이와 같이 높은 뼈전환 상태(high bone turnover)를 유지하면서 비정상적인 유골조직(osteoid)이 증가하고, 골수 섬유화를 보이며, 진행된 상태에서는 뼈에 낭종성 변화 및 출혈성 병변으로 인한 갈색종(brown tumor)을 동반하는 낭성섬유골염 소견을 보이게 된다.

2) 무력뼈질환

무력뼈질환(adynamic bone disease)은 투석 환자에서 흔하게 관찰되는 신성골형성장애의 형태로, osteoblast와 osteoclast의 활동이 감소되어 현저하게 낮은 뼈교체율을 보이고, 뼈 부피와 무기질침착이 감소하며, 뼈흡수와 뼈생성이 감소하는 소견을 보인다. 골연화증과 달리 유골 형성은 증가하지 않는다. 무력뼈질환의 근본 원인은 PTH 분비의 과도한 억제와 연관되어 있는데 비타민 D 제제, 칼슘이 포함된 인산염결합제, 칼슘유사제, 고칼슘 투석액의 사용과 관련이 있고, 뼈에 대한 PTH 작용에 대한 내성도 원인이 될 수 있다. 지난 수십 년간 무력뼈질환의 유병률이 증가하였는데 특히 고령이거나 당뇨 환자에서 잘 발생한다. 증상이 없는 경우가 대부분이지만 뼈통증을 유발할 수 있고, 골절, 고칼슘혈증, 혈관석회화 등의 위험을 증가시키고, 사망률 증가로 이어질 수 있으므로 PTH가 지나치게 억제되지 않도록 예방하는 것이 중요하다.

3) 골연화증

골연화증은 무기질침착이 저하되어 무기질화 되지 않은 유골(unmineralized osteoid)이 증가하며, 뼈교체율이 매우 낮은(low turnover bone disease) 특징을 가진다. 비타민 D 부족, 대산성 산증이 골연화증 발생에 기여할 수 있지만, 투석 환자에서는 주로 뼈에 알루미늄이 축적되어 야기된다. 현재 알루미늄이 함유된 인산염결합제 사용을 피하고, 투석수에 알루미늄이 최소화 되도록 엄격한 지침이 확립되면서 골연화증의 빈도는 흔하지 않다.

4) 혼합성 요독골형성장애

뼈생검에서 낭성섬유골염에서처럼 높은 뼈전환율을 보이면서 무기질침착이 불균형적으로 저하되어 유골조직이 증가되어 있는 소견을 보인다.

치료

1. 고인산염혈증의 치료

고인산염혈증의 치료는 식이를 통한 인산염 섭취 제한, 인산염결합제 사용, 투석치료가 있다. 인산염은 단백질에 풍부하기 때문에 인산염 제한 식이가 단백질과 같은 다른 영양소 섭취를 저해할 수 있어서 쉽지 않다. 그러므로 각 식품의 인산염 함량과 생체이용률(bioavailability)을 고려하여 식품을 선택해야 한다. 인산염결합제는 식사와 함께 혹은 식사 직후 복용하며, 경구로 섭취된 인산염이 위장관을 통해서 흡수되는 것을 제한하는 약물로 칼슘계 인산염결합제(calcium carbonate, calcium acetate), 비칼슘계 인산염결합제(sevelamer, lanthanum carbonate), 철 제제(sucroferric oxyhydroxide, ferric citrate)가 있다. 비칼슘계 인산염결합제가 칼슘계 인산염결합제보다 사망률을 감소시키는데 더 우수하다는 명백한 증거는 부족하지만, 칼슘계 인결합제의 사용이 고칼슘혈증, 혈관석회화와 연관이 있고 심혈관 합병증 위험과 연관이 있다고 보고되면서 칼슘계 인산염결합제의 사용을 제한하고 있다. 투석을 받지 않는 만성콩팥병 환자들의 경우에는 진행중이거나 지속되는 고인산염혈증의 경우에만 인산염결합제를 사용하도록 권고하고 있다.

2. 이차부갑상샘항진증의 치료

1) 비타민 D 제제

1세대 비타민 D인 calcitriol[1,25 (OH)2D]은 활성형 비타민 D로 비타민 D 수용체와 결합하여 생리 작용을 나타낸다. 2세대 비타민 D인 1α-hydroxyvitamin D3 (alfacalcidol)와 1α-hydroxyvitamin D2 (doxercalciferol)는 그 자체로 비타민 D 수용체에 결합할 수 없고, 활성 대사물이 되기 위해서 간에서 25-hydroxylation을 거쳐야하는 호르몬 전구물질이다. 3세대 비타민 D인 paricalcitol (19-nor-1,25-dihydroxyvitamin D2)과 maxacalcitol (22-oxa-1,25-dihydroxyvitamin D3)은 선택적 비타민 D 수용체 활성체로 장에서 칼슘과 인산염의 흡수가 적고, 주로 부갑상샘에 작용하여 PTH 억제 효과는 calcitriol과 비슷하다. calcitriol이나 비타민 D 유사체의 사용은 고칼슘혈증을 일으켜 혈관 석회화 위험을 증가시키고, PTH의 과도한 억제로 무력뼈질환을 유발할 수 있다. 현재 2017 KDIGO 가이드라인에서는 투석을 받지 않는 만성콩팥병 환자의 경우 중증의 진행성 이차부갑상샘항진증에서만 비타민 D 제제를 사용하도록 권고하고 있고, 초기 치료시 저용량부터 시작하여 PTH 반응에 근거하여 용량을 조절하도록 권고하고 있다.

2) 칼슘유사제(Calcimimetics)

칼슘유사제는 부갑상샘에 존재하는 칼슘감지수용체 (calcium-sensing receptor)의 칼슘에 대한 민감성을 증가시켜 PTH 분비를 감소시키는 약물로, 고칼슘혈증 혹은 고인산염혈증을 동반한 이차부갑상샘항진증 치료에 유용하다. 널리 사용하는 칼슘유사제는 cinacalcet(경구)과 etelcalcetide(주사) 등이 있다. cinacalcet의 부작용은 저칼슘혈증과 오심, 구토 등의 소화기계 증상이 흔하며, 소화기계 증상 동반 시 자기 전에 복용하는 것이 도움이 된다. EVOLVE (the Evaluation of Cinacalcet Hydrochloride Therapy to Lower Cardiovascular Events) 연구에서 cinacalcet 치료군과 대조군 사이에서 심혈관계 합병증 발생이나 사망률에 차이를 보이지 않았기 때문에 현재 2017 KDIGO 가이드라인에서는 투석 환자의 PTH 감소 치료를 위해서 칼슘유사제, calcitriol, 비타민 D 유사체 선택에 있어서 우선순위 없이 동반된 다른 약제들이나 칼슘과 인산염 농도를 고려하여 선택하도록 권고하고 있다.

3) 부갑상샘절제술

인산염결합제, 비타민 D 제제, cinacalcet과 같은 약물 치료에도 불구하고 약 10%의 환자들은 중증 이차부갑상샘항진증을 치료하기 위해 수술적 절제를 필요로 한다. 수술의 적응증은 약물치료에도 불구하고 PTH가 800 pg/mL 이상으로 지속적으로 높으면서 뼈통증, 가려움, 근육병증과 같은 증상이 있거나, 고칼슘혈증 혹은 고인산염혈증이 조절되지 않는 경우, 또는 칼시필락시스를 동반한 경우이다. 증상이나 증후가 동반되어 있지 않더라도 PTH가 1,000 pg/mL 이상 지속적으로 상승되어 있을 경우 환자의 나이와 동반 질병 등에 따라 선택적으로 부갑상샘절제술을 고려할 수 있다.

▶ 참고문헌

- Block GA, et al: Effects of phosphate binders in moderate CKD. J Am Soc Nephrol 23(8): 1407-1415, 2012.
- Chertow GM, et al: Effect of cinacalcet on cardiovascular disease in patients undergoing dialysis. New Engl J Med 367:2482-2494, 2012.
- Chertow GM, et al: Sevelamer attenuates the progression of coronary and aortic calcification in hemodialysis patients, Kidney Int 62:245-252, 2002.
- Cunningham, J et al: Secondary hyperparathyroidism: pathogenesis, disease progression, and therapeutic options, Clin J Am Soc Nephrol 6:913-921, 2011.
- Duque EJ, et al: Parathyroid hormone: A uremic toxin. Toxins 2020, 12, 189
- Iimori S, et al: Diagnostic usefulness of bone mineral density and biochemical markers of bone turnover in predicting fracture in CKD stage 5D patients-a single-center cohort study. Nephrol Dial Transplant 27:345-351, 2012.
- KDIGO 2017 clinical practice guideline update for the diagnosis, evaluation, prevention, and treatment of Chronic Kidney Disease-Mineral andBone Disorder (CKD-MBD), Kidney Int Suppl (2011) 7:1-59, 2017.
- Kestenbaum B, et al: Serum phosphate levels and mortality risk among people with chronic kidney disease. J Am Soc Nephrol 16:520-528, 2005.
- Liu S, et al: How fibroblast growth factor 23 works, J Am Soc

Nephrol 18:1637–1647, 2007.
- Martin KJ et al: Metabolic bone disease in chronic kidney disease. J Am Soc Nephrol 18:875–885, 2017.
- West SL, et al. Bone mineral density predicts fractures in chronic kidney disease. J Bone Miner Res 30:913–919, 2015.

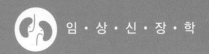

CHAPTER
07 내분비합병증

정성진 (가톨릭의대)

KEY POINTS

- 만성콩팥병에서는 인슐린저항성이 흔히 발생하는데 그 발생 기전으로서 근육에서의 GLUT-4 하향조절, pyruvate dehydogenase 활성화 실패, insulin receptor substrate 1 (IRS-1)-associated phosphoinositol 3-kinase (PI3K)의 하향조절, IRS2-associated PI3K의 활성화 및 근육 내 과다한 소듐 침착 등이 관여할 것으로 추정되고 있다.

- 인슐린저항성은 다양한 대사장애들 즉, 고인슐린혈증, 포도당내성장애, 지방간, 복부비만, 고요산혈증, 고중성지방혈증, 고밀도지단백질콜레스테롤(HDL-cholesterol) 저하 및 고혈압 등을 동반하게 된다

- 인슐린저항성을 개선시키기 위한 새로운 치료제로서 소듐-포도당 공동수송체 2(sodum-glucose cotransporter 2, SGLT2) 억제제 및 인크레틴(incretin) 기반 치료제들이 최근에 각광을 받고 있다.

- 그 외에도 만성콩팥병에서는 갑상샘저하증, 성장호르몬 변화, 고프로락틴혈증, 고코티솔증, 고알도스테론혈증 및 생식샘 변화로 인한 대사 장애가 발생할 수 있으므로 환자 증상에 따라 각 호르몬에 대한 표적 치료가 필요할 수도 있다.

콩팥은 다양한 내분비 기능의 조절에 관여하면서 한편 호르몬 작용의 대상이 되기도 하는 장기이기도 하다. 따라서 만성콩팥병(chronic kidney disease), 말기콩팥병(end-stage kidney disease) 및 신장이식(kidney transplantation) 상태에서는 내분비 기능과 관련한 여러 신호전달 체계나 호르몬의 합성, 수송, 대사, 제거 및 결합 등의 변화가 오면서 내분비합병증이 발생하게 된다.

인슐린저항성

만성콩팥병에서 당뇨병 여부와는 별개로 인슐린저항성

(혹은 인슐린내성; insulin resistance)이 흔히 발생하는데, 인슐린의 혈중 농도가 어떠할지라도 인슐린의 생물학적 작용이 감소되어 있는 상황을 지칭한다. 일반적으로 인슐린 작용에 대하여 저항성이 발생하면 보상작용으로서 췌장에서 인슐린의 합성과 분비가 증가함에 따라 고인슐린혈증이 생겨 정상혈당(euglycemia)을 유지하려고 한다. 그러나 만약 인슐린 분비마저 적절하게 분비되지 못하는 상황이 되면 비정상적인 포도당내성이 발생하고, 이 상태가 악화되면 당뇨병으로 나타나는 것이다. 만성콩팥병에서는 부갑상샘항진증 및 비타민 D 결핍이 인슐린 분비의 지장을 초래할 수 있다.

인슐린저항성을 확인하는 최적표준은 정상혈당 고인슐

린 클램프법(euglycemic hyperinsulinemic clamp method)이다. 그러나 실제 진료실에서 적용하기에는 복잡하고 비용이 많이 들기 때문에 항상성모형평가(homeostasis model assessment, HOMA) 등이 사용되는데 이들 대리 평가법들도 정확도가 낮다는 단점이 있어 경구포도당내성검사(oral glucose tolerance test)가 더 나을 수도 있다.

임상적으로 인슐린저항성은 다양한 대사장애들 즉, 고인슐린혈증, 포도당내성장애, 지방간, 복부비만, 고요산혈증, 고중성지방혈증, 고밀도지단백질콜레스테롤(HDL-cholesterol) 저하 및 고혈압 등을 동반하게 된다.

1. 만성콩팥병 인슐린저항성의 원인

인슐린에 대한 조직 감수성이 저하된 상황이 요독증(uremia)에서 인슐린저항성의 주된 원인이다. 제2형 당뇨병 환자들에서는 인슐린수용체의 인산화 수준이 염증에 의해 낮아짐이 관찰된 바 있는데 만성콩팥병 환자들에서도 같은 기전으로 인슐린저항성이 발생하는 것인지는 확실하지 않다. 요독증 상황에서는 근육에서의 glucose transporter type 4 (GLUT-4) 하향조절, pyruvate dehydogenase 활성화 실패, insulin receptor substrate 1 (IRS-1)-associated phosphoinositol 3-kinase (PI3K)의 하향조절, IRS2-associated PI3K의 활성화 및 근육 내 과다한 소듐 침착 등이 관찰되므로 이러한 변화가 인슐린저항성의 분자학적 기전으로 추정되고 있다. 즉 만성콩팥병 환자에서의 인슐린저항성은 다양한 원인들이 작용하여 발생한다(표 12-7-1).

2. 인슐린저항성의 만성콩팥병에 대한 영향

인슐린저항성이 만성콩팥병의 선행 인자인지 아니면 결과로서 발생하는 것인지에 대해서는 의견이 분분하다. 대사증후군(metabolic syndrome)은 만성콩팥병 발생에 대한 위험 인자로 알려져 있어서 대사증후군과 미세알부민뇨 간의 관계는 잘 알려져 있다. 당뇨병이 동반되지 않는 만성콩팥병 환자들에서도 HOMA 지수가 2.5배 이상을 보이는 인슐린저항성이 흔히 관찰된다. 비록 대사증후군과 만성콩팥병 간에 인과관계가 아직 명확하지는 않지만 인슐린은 성장자극 성질을 가지고 있고 사구체나 메산지움 세포들에 대한 증식 효과가 있으며 transforming growth factor-β (TGF-β), 레닌-안지오텐신-알도스테론계(renin-angiotensin-aldosterone system, RAAS) 및 섬유화를 자극한다는 점을 고려해보면 인슐린저항성은 만성콩팥병의 위험인자로 작용할 가능성이 높다.

3. 인슐린저항성의 심혈관질환에 대한 영향

당뇨병이 동반되지 않은 말기콩팥병 환자들에서 인슐린저항성 자체가 독립적인 심혈관계 사망률과 연관되어 있다는 보고들이 있어 왔다. CRIC (Chronic Renal Insufficiency Cohort) 코호트 연구 결과에서도 인슐린저항성이 만성콩팥병 환자들에서 울혈성심부전의 독립적인 예측변수로 작용한다고 보고되었다. 인슐린저항성이 심혈관질환들에 영향을 끼치는 기전은 다음의 2가지로 생각되고 있다.
1) 고혈압을 통한 기전: 고인슐린혈증이 콩팥세관의 소

표 12-7-1. 만성콩팥병 환자에서의 인슐린 분비 저하 및 저항성의 원인

인슐린 분비 장애
부갑상샘항진증
비타민 D 결핍: 1,25-dihydroxyvitamin D 혹은 25-hydroxyvitamin D 저하
인슐린저항성
요독소(uremic toxin)
빈혈
대사산증
염증 및 단백질-에너지 소모
산화스트레스
근육 손실
신체활동 저하
지방 증가: 비만, 과도한 과당 섭취
복막투석: 포도당 기반 투석액 사용

듐(sodium) 저류를 촉진하고 요중 요산 제거를 감소시키며 레닌-안지오텐신-알도스테론계를 활성화시키는데 이러한 결과물들은 바로 고혈압에 대한 위험인자들이기도 하다.

2) 이상지혈증을 통한 기전: 인슐린저항성은 고중성지방혈증, 고밀도지단백질콜레스테롤의 저하, 초저밀도지단백질(very low-density-lipoprotein) 및 작고 치밀한 저밀도지단백질(small dense low-density-lipoprotein)의 증가가 특징인 요독성 이상지혈증을 통하여 죽종형성에 기여한다.

3) 칼슘 침착에 기여: 인슐린은 혈관평활근세포에 칼슘의 침착을 가속화하며, 분열촉진(mitogenic) 신호를 증가시켜 혈관석회화를 촉진한다.

4) 단백질 전환 이상: 인슐린이 단백질 전환 과정에서 영향을 끼친다고 알려져 있으며 만성콩팥병, 심혈관질환 및 단백질-에너지 소모 등에서 단백질 전환 이상이 흔히 관찰된다.

4. 만성콩팥병에서 인슐린저항성의 치료

다양한 요독성 대사 장애들이 인슐린저항성 및 인슐린분비 장애를 일으킨다는 점을 고려하면 만성콩팥병 환자들에서의 인슐린저항성 치료 역시 다방면으로 접근할 필요가 있다.

1) 운동 및 생활습관 개선: 혈액투석 환자들에서 3개월간의 유산소운동을 진행한 결과 인슐린저항성의 유의한 호전은 보이지 않은 반면, 대사증후군 환자들에서는 12개월의 생활습관 교정을 통하여 알부민뇨가 감소되었고 추정 사구체여과율이 유지되었으며 공복혈당이 감소하는 효과를 보였다.

2) 레닌-안지오텐신계 억제제 사용: 안지오텐신전환효소 억제제(angiotensin-converting enzyme inhibitor)가 고혈압 환자들에서 제2형 당뇨병의 위험을 감소시킬 수 있는 것으로 보고되어, 만성콩팥병에서도 안지오텐신전환효소 억제제나 안지오텐신수용체차단제(angiotensin receptor blocker)가 인슐린저항성에

대한 효과가 어느 정도 있지 않을까 예상되지만 아직 정확히 확인된 바는 없다.

3) 경구혈당강하제의 선택: 메트포민(metformin)에 비해 글리벤클라마이드(glibenclamide), 글리피짓(glipizide) 및 로시글리타존(rosiglitazone)의 경우 사망률 위험과의 연관성이 알려져 있다. 로시글리타존은 싸이아졸리딘다이온(thiazolidinedione) 계열의 약물로서 만성콩팥병 환자들에서 인슐린저항성을 낮추는 효과가 있는 것으로 보고되었으나 여러 연구들에서 심혈관계 및 전체 사망률의 상승과 연관성이 있음이 관찰되었다. 한편, 인슐린저항성을 개선시키기 위한 새로운 치료제로서 소듐-포도당 공동수송체 2(sodum-glucose cotransporter 2, SGLT2) 억제제 및 인크레틴(incretin) 기반 치료제들이 최근에 각광을 받고 있다.

시상하부 뇌하수체 축

1. 갑상샘호르몬의 변화

갑상샘호르몬은 콩팥의 신장과 발달 그리고 수분 및 전해질 항상성 유지에 필요하기도 하지만 콩팥도 갑상선호르몬의 대사 및 제거에 중요한 역할을 한다. 따라서 콩팥 기능의 저하는 갑상샘호르몬 생리에 큰 영향을 끼치게 된다.

콩팥은 요오드화물(iodide)의 제거에 기여하므로 만성콩팥병에서 요오드화물의 축적은 갑상샘의 요오드화물의 흡수를 촉진하여 음성되먹임 기전에 의하여 갑상샘호르몬 생성을 억제시키게 된다. 요독증에서 혈청 자유 트라이아이오도타이로닌(triiodothyronine, T3) 농도는 낮으며 단백질-에너지 소모 상태에서 에너지 소비를 낮추고 단백질이화를 최소화하게 된다. 대사산증과 전신 염증 상태가 이러한 상태를 더욱 촉진할 수 있다. 만성콩팥병에서 갑상샘 관련 호르몬들의 변화는 다음과 같다.

1) 갑상샘자극호르몬(thyrotorpin; thryoid-stimulating hormone, TSH): 만성콩팥병에서 대개 정상 혹은 상

승되어 있다. 또한 만성콩팥병에서는 TSH의 하루주기리듬과 TSH의 당화(glycosylation) 모두 달라진다.

2) 갑상샘자극호르몬방출호르몬(TSH-releasing hormone, TRH): TRH에 대한 반응은 감소되어 있다.

3) 타이록신(thyroxine, T4): 자유 및 총 T4 농도는 정상이거나 약간 감소되어 있는데 이는 갑상샘호르몬결합글로불린(thyroid hormone-binding globulin, TBG), 앞알부민(prealbumin) 및 알부민과 같은 혈청 운반 단백질과의 결합 저하에 의한 것이다. 요소, 크레아티닌, 인돌(indole) 및 페놀(phenol) 등이 T4의 운반 단백질에 결합하는 것을 방해한다. 또한 혈액투석 중에 T4가 일시적으로 증가할 수 있는데 이는 헤파린 효과에 의한 것이다.

4) 트라이아이오도타이로닌(triiodothyronine, T3): 말기콩팥병 환자 대다수에서는 자유 T3이 낮은데 이는 말초에서 T4의 T3으로의 전환이 감소되어 있기 때문이다.

5) 역 트라이아이오도타이로닌(reverse T3, rT3): 요독증 상태일지라도 rT3의 혈중 수준은 정상이다.

한편, 갑상샘호르몬들의 생체이용률과 세포 흡수는 요독증 상태에서 무뎌져 있어서 갑상샘 저항성 상태에 이를 수 있다. 따라서 혈청 TSH 수준은 갑상샘호르몬의 세포 작용에 대한 정확한 척도로 작용하지 못한다. 요독증은 갑상샘호르몬수용체의 DNA 결합을 억제하고 T3-의존 전사 활성을 방해한다. 이러한 만성콩팥병에서의 갑상샘 변화를 정리하면 다음과 같다(표 12-7-2).

결과적으로 만성콩팥병에서는 무증상인 경우가 많은, 일차성 갑상샘저하증을 흔히 동반하게 된다. 특히 낮은 T3 증후군(정상 TSH 및 T4 상태에서 T3 감소)의 유병률은 매우 높아서 말기콩팥병 환자 70%까지 보고된다.

갑상샘저하증 환자들에서 갑상샘호르몬 보충 후 콩팥 기능의 유지 혹은 호전이 관찰되는 것으로 보아 갑상샘 질환들은 콩팥 기능을 저하하거나 반대로 콩팥병이 갑상샘 질환을 유발할 수 있는 것으로 생각된다. 무증상 갑상샘저하증이나 낮은 T3 증후군은 만성콩팥병에서 염증성 스트레스, 단백질-에너지 소모 및 심혈관계 반응 저하 등의 문제와 연관되어 있는 것으로 보인다. 그렇지만 낮은 T3 수준이 동반된 만성콩팥병에서 갑상샘호르몬의 보충이 임상적인 도움이 될 것인지에 대해서는 명확한 근거가 아직 부족하다.

표 12-7-2. 만성콩팥병에서의 갑상샘 변화

부위	결과
시상하부	TSH: 정상 혹은 상승
	TSH 하루주기리듬: 변동
	TRH 및 TSH 제거: 변동
갑상샘	갑상샘 크기: 증가(갑상샘종 증가)
	갑상샘저하증: 흔함
	total T3 및 total T4: 감소 혹은 정상
	free T3 및 free T4: 감소 혹은 정상
	T4에서 T3로의 전환: 저하
	total rT3: 정상
	free rT3: 상승
	단백질 결합능: 변동
	혈청 요오드: 상승
세포	갑상샘호르몬의 세포 흡수: 저하
	갑상샘호르몬수용체의 DNA 결합: 저하

TSH, thyroid-stimulating hormone; TRH, TSH-releasing hormone; T3, triiodothyronine; T4, thyroxine; rT3, reverse triiodothyronine.

2. 성장호르몬의 변화

성장호르몬(growth hormone, GH)/인슐린유사성장인자 1(insulin-like growth factor 1, IGF-1)계는 합성대사(동화), 신체 성장 및 구성에 있어 매우 중요하다. GH/IGF-1계의 변화가 만성콩팥병의 다양한 합병증들, 즉 성장 지연, 단백질-에너지 소모, 근감소증(sarcopenia) 및 콩팥병의 진행 등과 연관되어 있다. GH 결핍은 사구체여과율과 콩팥 혈류 감소와 관련이 있다. 낮은 IGF-1은 투석을 앞둔 말기콩팥병 환자에서의 사망률 증가와 연관성이 있다는 보고가 있다. 따라서 진행된 만성콩팥병 소아 환자들에서 GH 투여는 성장을 촉진하기도 하지만 만성콩팥병 성인에서는 영양 상태를 개선시킬 수도 있다. 또한, 높은 GH와 IGF-1 농도가 소아 및 성인 모두에서 콩팥 기능을 향상시킬 수도 있다는 연구도 있다. 하지만 실험적으로는 GH 및 IGF-1 투여가 오히려 사구체경화증의 위험을 높이고 궁극적으로 만성콩팥병의 진행에 기여할 수 있다는 결과도 있어서 향후 GH 투여의 명확한 근거가 필요하다.

소아 만성콩팥병 환자에서는 GH 농도가 정상 혹은 상승되어 있음에도 불구하고 성장 지연이 흔한데 이는 GH 저항성 그리고 아마도 IGF-1 저항성이 있음을 시사한다. GH에 대한 무감응은 GH/IGF-1계의 다양한 결함의 결과로 발생하는 것으로 보이는데, 분자학적 기전 중 하나로서 염증에 의한 JAK/STAT 인산화의 결함이 포함된다. 임상적으로 이러한 GH 및 IGF-1 저항성의 결과로서 소아 만성콩팥병 환자에서는 신체 성장을 달성하기 위해서는 보다 많은 용량의 GH가 요구된다. 한편, 성인 만성콩팥병 환자에서의 GH 및 IGF-1의 저항성은 IGF-1 합성의 감소뿐 아니라 GH 수용체 감소 혹은 수용체 후 신호전달의 결함에 의한 것으로 보인다. IGF-1 수준은 일반적으로 낮은 반면, IGF-1 결합 단백질(IGF binding protein, IGFBP)은 증가되어 있다. IGF-1의 생체이용률은 감소되어 있는데 이는, 근육 내 IGF-1 수용체의 합성 감소, IGFBP과의 결합 증가에 따른 IGF-1의 불활성화, IGFBP의 간 합성의 증가 및 IGFBP의 배출 감소에 따른 비활성화된 IGF-1의 비율 증가에 의한다. 따라서 재조합 인체 IGF-1 (recombinant human IGF-1, rhIGF-1) 혹은 IGFBP 여과기를 이용한 GH 저항성 치료제들은 만성콩팥병에서 성장 지연을 치료하는데 있어 보다 효과적일 수도 있다.

투석 환자에서 재조합 인체 GH (recombinant human GH, rhGH)의 투여는 단백질 합성을 자극하고 요소 생성을 감소시키며 질소 균형을 향상시키는 것으로 보인다. 투석 환자에서 rhGF 및 rhIGF-1의 투여는 큰 부작용이 없어 보이며 GH의 장기 투여는 심혈관 사망률 및 이환율을 개선시킬 수 있다는 보고도 있다. 그렇지만 GH 투여 후 두개내압상승(intracranial hypertension), 고혈당 및 체액 저류 등의 부작용을 고려할 필요가 있다.

프로락틴(젖분비호르몬)

프로락틴의 정상적인 기능은 여성에서 젖분비를 촉진하는 것이다. 만성콩팥병 환자들에서 혈청 프로락틴 수준은 대개 상승되어 있어서 말기콩팥병에서 고프로락틴혈증의 유병률은 30~65%이다. 이러한 고프로락틴혈증은 콩팥 제거의 감소 및 도파민 작용의 억제에 의한 프로락틴의 합성 증가에 의한 것이다. 결과적으로 만성콩팥병 및 말기콩팥병에서 고프로락틴혈증은 생식샘자극호르몬(gonadotropin) 분비의 억제로부터 기인하는 생식 기능 이상을 유발한다. 고프로락틴혈증 환자들은 젖분비과다 및 불임을 경험하게 되는데 여성에서는 무월경증, 남성에서는 발기부전 및 생식샘저하증이 발생할 수 있다. 브로모크립틴(bromocriptin) 투여가 요독증에서 프로락틴 수준을 낮출 수 있다고 알려져 있으나 고프로락틴혈증과 연관된 증상들이 모두 개선되는 것이 아니다. 적혈구형성자극제(erythropoiesis-stimulating agent) 투여가 혈청 프로락틴 수준을 낮추고 성기능을 회복시킨다는 보고도 있다. 한편, 만성콩팥병에서 프로락틴혈증, 혈관내피기능이상, 동맥 강직 및 심혈관계 결과들 사이에 강력한 연관성이 보고되었는데, 이는 아마도 프로락틴의 면역계 조절, 성장과 항세포자멸사 관여 등의 부가적인 기능과 연관이 있지 않을까 추정된다.

부신

만성콩팥병에서 고코티솔증(hypercortisolism)과 고알도스테론혈증(hyperaldosteronemia)의 소견은 흔하다. 이는 시상하부–뇌하수체–부신축(hypothalamic-pituitary-adrenal axis)이 활성화되기 때문으로 추정되는데 당질부신피질호르몬(글루코코티코이드, glucosorticoid) 및 알도스테론 대사물들이 콩팥을 통하여 배설되고 코티솔(cortisol) 대사가 부분적으로 콩팥에서 이루어지기 때문이다. 그럼에도 불구하고 만성콩팥병에서 부신(adrenal gland) 질환들에 대해서는 덜 알려져 있는데 이는 부분적으로는 레닌–안지오텐신–알도스테론계 및 코티솔계를 저해하는 약물들 사용에 의한 것으로 생각된다.

생식샘

만성콩팥병에서 시상하부–뇌하수체–생식샘 축(hypo-thalamic–pituitary–gonadal axis)의 변화는 흔하며 성기능장애의 발생에 있어 중요한 역할을 한다. 만성콩팥병 환자에서의 성기능장애는 동반질환들과 더불어 다양한 생리 및 심리적인 요소들이 영향을 끼치는, 다인성 문제로서 발생한다. 즉, 앞서 언급한 여러 내분비 장애, 당뇨병, 혈관질환 등이 남성에서의 발기부전 그리고 여성에서의 성흥분장애를 유발하게 된다. 뿐만 아니라 여러 심리적인 요소들 중 우울증 등이 남녀 모두에서 성기능에 부정적인 영향을 끼치게 된다. 일반적인 치료 원칙은 적절한 투석요법 및 우울증에 대한 치료이지만 여성에서 에스트라다이올(estra-diol) 혹은 황체호르몬(progesterone) 투여 그리고 남성에서 테스토스테론(testosterone) 사용을 시도하려는 연구들이 진행 중이다.

▶ 참고문헌

- 가톨릭대학교 의과대학 내과학교실: Current Principles and Clnical Practice of Internal Medicine. 5th ed. 군자출판사. 2019.
- Gilbert SJ, et al: National Kidney Foundation Primer on Kidney Diseases. 7th ed. Elsevier, Inc., and National Kidney Foun—dation, 2018.
- Goldman L, et al: Goldman–Cecil Medicine. 26th ed. Elsevier, 2020.
- Himmelfarb J and Ikizler TA: Chronic Kidney Disease, Dialysis, and Transplantation. 4th ed. Elsevier, 2019.
- Jameson JL, et al: Harrison's Principles of Internal Medicine. 20th ed. McGraw Hill Education, 2018.
- Lerma EV, et al: Current Diagnosis & Treatment: Nephrology & Hypertension. 2nd ed. McGraw–Hill Education, 2018,
- Yu ASL et al: Brenner and Rector's The Kidney. 17th ed. Elsevier, 2020.

CHAPTER

08 신경계, 피부 및 위장관 합병증

김효상 (울산의대)

KEY POINTS

- 만성콩팥병 환자에서 심방세동이 동반된 경우, 뇌졸중 예방을 위해 항응고제 투여는 신중히 결정해야 한다.
- 만성콩팥병 환자의 가려움 치료에서 국소치료가 반응이 없는 경우 가바펜틴, 빛요법, 그리고 아편유사제수용체 길항제 등을 고려한다.
- 만성콩팥병 환자에서 만성 변비는 심혈관질환의 위험성을 높일 수 있으므로 적극적으로 치료해야 한다.

신경계 합병증

중추신경계와 말초신경계 모두 침범 가능하며, 특히 요독증과 관련된 신경학적 문제는 신대체 요법을 시행한 이후에도 완전히 호전되지는 않는다. 심각한 신경계 합병증은 주로 급성콩팥손상과 말기콩팥병 환자에서 주로 발생하는데, 정확한 진단과 치료를 위해서는 신장내과, 신경과 등의 전문의를 중심으로 한 다학제 접근이 필수적이다.

1. 뇌졸중(Stroke)

이전 연구에 따르면, 급성 허혈뇌졸중(acute ischemic stroke) 환자의 20~30%, 급성 두개내출혈(acute intracranial hemorrhage) 환자의 20~46%가 3~5단계의 만성콩팥병 환자였다. 이는 4~11%인 일반인에서의 유병률에 비해 높다. 또한, 일반인에 비해 말기콩팥병 환자에서 뇌졸중 발생률은 약 3배이다. 미국 신장환자 등록시스템(United States Renal Data System, USRDS)에 따르면 2017년 허혈뇌졸중 발생률은 1000인년(person-years) 당 만성콩팥병이 없는 환자에서 11.3명, 만성콩팥병 환자에서는 15.0명이었다. 뇌졸중의 위험인자로 잘 알려진 심방세동이 만성콩팥병 환자에 동반된 경우 뇌졸중의 위험성이 더욱 증가하므로 적극적인 항응고제 사용을 고려할 수 있다. 하지만, 뇌졸중 예방 효과, 출혈 등의 합병증 발생 위험성 등에 대한 논란이 있으며, 특히 4~5단계의 진행된 만성콩팥병 환자에서는 심방세동에 대한 항응고제 사용에 주의가 필요하다. 최근에는 직접 경구 항응고제(direct oral anticoagulant)의 사용이 증가하고 있으나, 기존의 약물인 와파린에 비해 투석 전 만성콩팥병 환자와 신대체요법을 받는 말기콩팥병 환자 모두에서 뚜렷한 장점을 보여주진 못했다. 뇌졸중 의심 증상이 발생한 경우에는 즉시 뇌영상 검사를 시행하고 적극적인 치료로 이어질 수 있도록 해야

2. 인지장애(Cognitive impairment)

신장 기능이 악화될수록 그에 비례하여 인지장애의 정도가 심해지며, 악화되면 치매로 이어지기도 한다. 사구체 여과율이 60 mL/min/1.73m² 이하로 낮아지면서부터 발생 가능하다고 알려져 있으며, 빠르게 신기능이 악화될수록 광범위한 인지장애가 발생할 수 있다. 혈관질환에 의한 2차성 인지장애가 알츠하이머병보다 흔하다.

3. 요독뇌병증(Uremic encephalopathy)

신장 기능이 점차 악화되면서 요독증이 진행하면, 조음장애(dysarthria), 보행의 불안정, 자세고정불능(asterixis), 활동떨림(action tremor), 다발성 근간대경련(myoclonus) 등이 관찰된다. 발생 원인은 요독 뿐만 아니라, 싸이아민(thiamine) 결핍, 고혈압, 체액 및 전해질 장애, 약물 독성 등이 있으며, 최종당화산물(advanced glycation end product, AGE)도 중요한 역할을 한다. 뇌파검사 소견은 비특이적이며, 대뇌 영상이 진단에 도움을 줄 수 있으나 잘 시행하지는 않는다. 일반적으로 혈액투석을 1~2회 시행하면 호전된다.

4. 말초신경병증(Peripheral neuropathy)

만성콩팥병의 가장 흔한 신경학적 합병증 중 하나이다. 여자보다 남성에서 더 흔하다. 축삭 변성(axonal degeneration)과 2차적인 탈수초(demyelination)가 특징적이고, 운동, 감각, 그리고 뇌신경에 영향을 줄 수 있다. 증상은 팔보다는 다리 원위부에 대칭적으로 나타나며 감각신경과 운동신경 모두를 침범한다. 만성콩팥병 5단계 정도의 신장 기능을 가진 환자에서 하지의 원위부 감각이상, 진동감각의 소실, 발목 반사 장애 등 기능 이상으로 나타난다. 바이오틴(biotin), 피리독신, 코발라민, 그리고 싸이아민 보충이 치료에 도움이 될 수 있고, 대증적 치료로 삼환계 항

우울제와 항경련제가 사용될 수 있다.

5. 자율신경기능장애(Autonomic dysfunction)

자율신경기능장애(autonomic dysfunction)는 요독성 신경병증의 중요한 합병증이다. 교감 신경계보다 부교감 신경을 더욱 빈번하게 침범하며, 혈압 조절 장애보다 심박수 조절 장애가 더욱 흔하게 나타난다. 신장이식 수술로 자율신경병증이 좋아질 수도 있다.

피부 합병증

가려움(pruritus)은 말기콩팥병 환자의 40~90%에서 관찰되는 흔한 합병증이다. 투석을 받지 않는 만성콩팥병 환자에서의 유병률은 정확히 알려져있지 않으나, 상당히 흔할 것으로 추정된다. 임상 양상은 환자마다 다양하나, 주로 넓은 신체 부위에 대칭적 그리고 간헐적으로 발생하며 낮보다는 밤에 증상이 심하다. 열, 추위, 스트레스, 운동, 그리고 샤워 등이 악화 인자로 알려져 있다. 다른 피부질환과의 감별이 중요한데, 비대칭적이거나 물집 또는 궤양성 피부 병변이 동반되면 요독증 이외의 다른 질환을 의심해야 한다. 치료는 첫 번째로 피부의 건조함을 감소시킬 수 있도록 수용성 크림 성분의 피부연화제와 오일 등을 하루 2~4회 바른다. 0.025~0.03%의 캡사이신 크림도 효과가 있으며, 주로 국소 범위의 가려움 치료에 사용된다. 국소 요법으로 효과가 없을 경우에는 전신 요법으로 가바펜틴(gabapentin)이 효과적이다. 항히스타민제도 고려할 수 있는데, 가려움에 대한 효과는 확실히 증명되지 않았으며, 가려움 감소보다는 진정(sedation) 효과가 더 클 것으로 생각된다. 가바펜틴에 효과가 없을 경우 빛요법(phototherapy)과 아편유사제수용체 길항제(opioid receptor antagonist)를 고려할 수 있다. 빛요법에는 B형 자외선(type B ultraviolet light, UVB)이 주로 사용되며, 아편유사제수용체 길항제로는 날트렉손(naltrexone)이 있다.

반과반 손톱(half-and-half nail)은 손톱의 몸쪽 부위

는 하얀색, 먼쪽 부위는 분홍색 또는 갈색의 변색을 보인다. 압력을 가해도 색깔이 없어지지 않고, 손톱이 자라나는데도 반과반 손톱이 유지되는 것으로 보아 손톱 기질보다는 손톱 바닥의 병변으로 생각된다. 정확한 병태생리학적 기전은 밝혀지지 않았으나, 여과되지 않은 베타-멜라닌세포자극호르몬(β-MSH, melanocyte-stimulating hormone)이 조직 내에 증가하거나, 손톱 바닥에서 정맥 환류량의 감소로 손톱 바닥에서 변색이 일어나는 것으로 알려져 있다.

피부 건조증(xerosis)은 주로 몸통과 사지의 폄근(extensor muscle) 표면에, 건조하고 두꺼워진 피부와 비늘증모양(ichthyosiform)의 낙설(scaling)의 형태를 띄는데, 상처 치유를 지연시켜 감염의 위험을 높인다. 피부 건조증은 흔히 가려움을 동반하지만, 피부 건조증과 가려움의 정도 사이에 연관성은 없다. 발병기전은 확실치 않으나, 땀샘과 기름샘(sebaceous gland)의 위축(atrophy)이 각질층(stratum corneum)의 탈수, 땀과 피부기름의 분비저하로 이어지면서 발생하는 것으로 추정된다. 빈번한 손 씻기나 샤워는 건조한 피부가 자극될 수 있으므로 피하는 것이 좋으며, 국소 피부연화제가 도움이 된다.

과다색소침착(hyperpigmentation)은 말기콩팥병의 흔한 피부 변화이고 피부가 멜라닌이나 황색색소로 변색된다. 손바닥, 발바닥에 반점 침착 소견과 점막에 과다색소침착 소견이 나타난다. 피부의 조직학검사 결과 기저층과 표재 진피에 멜라닌 침착이 보인다. 정확한 기전은 밝혀지지 않았으나 중간 분자량 물질이 피부에 축적되어서 피부 색소침착을 일으키거나, 우로크롬 색소, 카로티노이드, 알파 또는 베타-멜라닌세포자극호르몬이 색소침착과 관련이 있다고 알려져 있다.

신장기원전신섬유증(nephrogenic systemic fibrosis)은 피하의 진행성 경화가 특히 팔, 다리에 발생하는 질환으로 자기공명촬영 조영제인 가돌리늄 사용 후 발생한다. 만성콩팥병 3단계에서는 가돌리늄의 사용을 최소화하고, 4~5단계에서는 의학적으로 꼭 필요하지 않다면 가돌리늄 사용은 하지 않는 것이 좋다. 그러나 임상적 치료를 위하여 꼭 필요한 검사를 시행하지 않도록 하는 것은 아니며, 신

대체 요법을 받지 않고 있는 환자라도 가돌리늄을 사용한 방사선 검사 후 즉시 혈액투석을 시행하여 제거하는 것이 심각한 합병증을 피할 수 있는 방법이다.

위장관 합병증

위장관 장애(gastrointestinal disorder)는 투석을 받는 말기콩팥병 환자의 80%까지 발생한다고 보고될 정도로 흔하게 동반된다. 식욕부진, 구역, 구토 등의 요독 증상은 투석을 받지 않는 만성콩팥병 환자에서도 발생할 수 있는데, 운동장애(dysmotility)가 위장관 장애의 주요 근본 원인으로 알려져 있으며, 만성콩팥병이 진행될수록 악화될 수 있다.

1. 상부위장관 장애

식욕부진은 음식물의 섭취 감소를 통해 영양실조를 유발한다. 만성콩팥병 환자에서는 사구체여과율 45 ml/min/1.73m² 미만인 경우에 발견되기 시작하며, 신기능이 악화될수록 발생 빈도가 증가하여 혈액투석을 받는 말기콩팥병 환자의 30% 정도가 식욕부진을 경험한다. 구역(nausea)은 가장 흔한 위장관 관련 증상이며, 구토가 동반되는 경우가 많다.

위식도역류병(gastroesophageal reflux disease, GERD)은 복막투석 환자에서 많이 발생하는데, 지연위배출(delayed gastric emptying)과 복강내 압력 증가가 관련되어 있다. 하지만, 투석을 받지 않는 만성콩팥병 환자에서도 위식도역류병 등의 상부위장관 장애는 흔하며, 투석 시작 이후에 악화되는 양상을 보이기도 한다. 특히, 당뇨병 환자에서는 고혈당 자체가 위배출에 직접적인 악영향을 줄 수 있어, 위식도역류병의 위험성이 증가한다. 또한, 당뇨병 환자에서는 위마비(gastroparesis)의 유병률이 높으며 위배출에 영향을 줄 수 있는 약물들을 함께 복용하는 경우가 많다. 하지만, 요독 증상으로도 생각할 수 있는 구역, 구토 등의 발생하는 경우에는 위마비에 대한 전반적인 검

사를 진행하기 전에 투석 방법 및 효율에 대한 확인이 선행되어야 한다.

만성콩팥병 환자에서 위내시경을 시행한 경우 흔히 발견되는 소견은 미란 위염(erosive gastritis), 궤양식도염(ulcerative esophagitis), 그리고 십이지장염(duodenitis) 등이다. 소화궤양은 말기콩팥병 환자에서 일반인보다 발생률이 높으며, 위산분비가 증가되어 위점막을 손상시키기 때문이다. 위염과 소화궤양의 주요 원인으로 알려진 헬리코박터(helicobacter pylori) 감염은 만성콩팥병 환자에서 유병률이 증가한다는 증거가 뚜렷치 않으나 적절한 제균치료가 필요하다.

혈관형성이상(angiodysplasia)은 위장관 내피에 벽이 얇은 혈관이 확장된 것으로, 말기콩팥병 환자에서 하나 이상의 혈관형성이상을 가진 환자가 60%에 이른다는 보고가있다. 하지만, 말기콩팥병 환자에서 일반인에 비해 혈관형성이상의 유병률이 높은지, 요독증 혹은 항응고제에 의해 혈관형성이상의 발견되는 비율이 높은 건지에 대해서는 아직 불명확하다. 그러나, 신장 기능이 저하된 환자에서 상부위장관 출혈의 원인 중 혈관형성이상이 차지하는 비율을 높으며, 출혈이 자주 재발한다고 알려져 있다.

상부위장관 출혈은 만성콩팥병 환자에서 가장 흔한 출혈 합병증으로, 일반인에 비해 5배까지 위험성이 높다. 주로 위궤양과 십이지장 궤양에 의한 출혈이 주요 원인이며, 혈관형성이상이 그 다음을 차지한다. 항응고제, 항혈소판제, 그리고 요독증에 의한 혈소판 기능 저하가 주요 위험인자이며, 만성콩팥병 환자에서는 빈혈이 흔히 발생하므로 상부위장관 출혈을 조기 진단하는데 빈혈은 크게 도움이 되지 않는다. 투석을 받지 않는 만성콩팥병 환자에서 상부위장관 출혈의 위험성이 신장 기능이 악화될수록 증가한다고 알려져 있으므로, 내시경 검사에서 헬리코박터가 발견되는 경우 치료하며 박멸해야 하며, 양성자펌프 억제제(proton pump inhibitor)를 예방적으로 사용하는 것은 아직 효과가 증명되지 않았다. 만성콩팥병 환자에서 흔히 처방되는 안지오텐신 전환효소억제제 또는 안지오텐신 수용체차단제는 상부위장관 출혈의 발생을 감소시키는 것으로 알려져 있다.

2. 하부위장관 장애

만성콩팥병은 대장의 장 미생물무리유전체(마이크로바이옴, microbiome)의 구성과 생합성의 패턴 등을 변화시키는데, 요독증에서 세균의 효소 활성의 변화는 대장 내피세포의 치밀 이음을 파괴시킨다. 장내세균에 의한 생성된 요독은 투과성이 증가된 치밀 이음을 통해 전신에 영향을 미치게 되고, 이는 만성 염증, 나아가서는 심혈관질환을 유발한다.

변비는 만성콩팥병 환자에서 10~90% 정도의 다양한 발생 빈도를 보인다. 활동 저하, 탈수, 섬유소 섭취 저하, 대사 이상, 인 결합제, 이온교환수지, 다른 동반 질환, 그리고 늘어난 대장 통과 시간 등이 영향을 미친다. 최근 연구에 따르면 만성 변비는 심혈관질환의 위험성을 증가시킨다고 알려졌는데, 변화된 장내 미생물무리들에 의한 만성 염증이 그 원인으로 추정된다. 또한 변비 자체가 만성콩팥병의 진행에도 영향을 줄 수 있어 적극적인 치료가 필요한데, 일반인과 치료 방법에 큰 차이는 없으나 마그네슘 또는 인이 포함된 변비약은 만성콩팥병 환자에서 금기이므로 주의해야 한다.

급성 충수염(acute appendicitis)의 경우, 투석 환자에서 복부 증상이 일반인에 비해 경하거나, 발열이 없을 수도 있으므로 진단에 주의를 요한다. 곁주머니염(diverticulitis)은 만성콩팥병에서 유병률이 뚜렷히 증가하진 않으나, 복통 발생 시 감별 진단에 포함시켜야 한다.

▶ 참고문헌

• Bansal VK, et al: Neurological complications of chronic kidney disease. Curr Neurol Neurosci Rep 15:50, 2015.

• Blaha T, et al: Dermatologic manifestations in end stage renal disease. Hemodial Int 23:3-18, 2019.

• Combs SA, et al: Pruritus in Kidney Disease. Semin Nephrol 35:383-391, 2015.

• Costa-Moreira P, et al: Particular aspects of gastroenterological disorders in chronic kidney disease and end-stage renal disease patients: a clinically focused review. Scand J Gastroenterol, 55:129-

138, 2020.

- Karunaratne K, et al: Neurological complications of renal dialysis and transplantation. Pract Neurol 18:115–125, 2018

- Rizzo MA, et al: Neurological complications of hemodialysis: state of the art. J Nephrol 25:170–182, 2012.

- Salani M, et al: When ESKD complicates disease management: GI bleeding and other GI illnesses. Semin Dial. 33:263–269, 2020.

- Zuvela J, et al: Gastrointestinal symptoms in patients receiving dialysis: A systematic review. Nephrology (Carlton) 23:718–727, 2018.

제 **12** 부 만성콩팥병

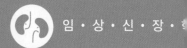

CHAPTER
09 영양관리

안원석 (동아의대), **최수정** (순천향의대)

KEY POINTS

- 만성콩팥병에서 근감소증의 동반이 사망률과 심혈관질환의 발생률을 높여 근감소증의 측면에서도 영양관리가 필요하다.

- 영양상태 평가는 만성콩팥병 3단계 이상의 환자에서 2년에 한 번씩, 투석환자는 투석 시작 후 90일 이내에 한 번, 이후 1년마다 시행할 것을 K/DOQI 지침에서 제시하고 있다.

- 영양상태 평가방법으로 최근 3일간 식사일지 작성, 생체임피던스 분석(bioimpedence analysis, BIA)을 사용한 신체조성 측정 및 신체기능의 평가를 위해 handgrip strength 측정을 권고한다.

- 투석 전 환자의 저단백식이는 당뇨병이 없는 경우 0.55~0.6 g/kg/day, 당뇨병이 있는 경우 0.6~0.8 g/kg/day를 권고하며, 초저단백식이를 하는 경우는 케톤산/아미노산 유사체를 사용하여 단백 요구량에 맞추어 보충해야 한다.

만성콩팥병 환자는 염분, 포타슘 및 인 섭취를 제한해야 하고, 단백뇨를 줄이고 신기능 감소 속도를 늦추기 위해 단백질 섭취를 제한해야 한다. 이로 인해 식이 섭취를 마음대로 할 수 없어 영양실조(malnutrition)의 위험이 높다. 만성콩팥병 환자에서 영양실조가 생기면 이와 연관되어 염증 및 동맥경화가 악화될 수 있고, 그 결과 심혈관질환 발생 및 사망률이 증가하는 것으로 알려져 있다. 따라서 만성콩팥병 환자는 정기적인 영양상태의 평가가 필요하고 영양실조가 발생하지 않도록 영양관리를 적절히 하는 것이 매우 중요하다.

만성콩팥병 환자에서 영양 관리의 필요성

만성콩팥병 환자에서는 식욕부진 및 오심 등의 요독증 증상으로 인한 식이 섭취 감소 및 저염분 식이와 포타슘, 인, 단백질을 제한하는 식이 때문에 철분, 아연, 셀레늄 등의 미네랄과 비타민 B, C 및 비타민 D 등 다양한 영양소들이 부족할 수 있으며 단백질-에너지 소모 증후군(protein energy wasting syndrome)이 발생할 수 있다. 신기능이 저하되면서 만성콩팥병 1-2단계는 <2%, 3~5단계는 11~46%, 유지 투석을 받는 환자에게서 28~54%의 빈도에서 단백질-에너지 소모 증후군이 발생한다. 이러한 영양실조는 만성콩팥병 환자에서 만성 염증 및 혈관석회화 등으로 이어져 복합적인 심혈관질환 및 전체 사망률을

증가시키는 주요한 원인으로 이미 잘 알려져 있다. 또한 말기콩팥병(end-stage kidney disease) 환자에서 콜레스테롤이 높으면 오히려 생존율이 높아지는 역 역학적(reverse epidemiology) 상황도 영양실조로 인해 콜레스테롤이 낮아지는 것이 콜레스테롤이 높은 것보다 위해성이 더 높다는 것을 의미한다. 말기콩팥병에서는 체질량지수(body mass index, BMI)가 높은 비만 환자에서 오히려 생존율이 증가한다는 비만 역설(obesity paradox)도 이와 같은 맥락이다. 그러나 단순히 비만이 반드시 좋다는 것은 아니며, 복부비만 환자에게서는 오히려 사망률이 증가한다. 따라서 지나치게 영양공급에 치중하면 오히려 고칼륨혈증과 고인산염혈증의 위험, 부종, 고혈압으로 인한 다른 합병증의 위험성이 증가하기 때문에 적절한 영양관리가 중요하다. 특히, 투석을 시작하는 환자나 투석 치료 중인 환자의 다수에서 영양상태가 불량한 것으로 알려져 있으므로 영양실조 상태가 되기 전에 조기에 영양상태를 점검하고 관리해야 한다.

근육량 감소와 근력의 저하를 보이는 근감소증(sarcopenia)과 노쇠(frailty)가 만성콩팥병에서 발생이 증가하는데 이는 단백질-에너지 소모 증후군(protein-energy wasting syndrome)과 같은 영양상태와 관련이 있다. 만성콩팥병에서 근감소증의 동반은 사망률과 심혈관질환을 높이며, 근감소증과 비만이 같이 동반되면 비만 역설 효과를 상쇄하여, 근감소증의 측면에서도 영양관리가 필요하다.

만성콩팥병 환자에서 영양실조의 원인

만성콩팥병이 진행하게 되면 신기능 감소로 여러 가지 요독물질이 증가하게 되고 이로 인해 식욕이 더욱 감소하게 된다. 만성콩팥병 환자를 진료하는 의사나 영양 상담을 하는 영양사는 당뇨병이 동반된 환자의 경우 혈당 관리, 인 성분의 제한, 포타슘 섭취의 제한, 단백질 섭취 제한, 수분 섭취의 제한 및 염분 섭취 제한 등 식이제한을 주로 강조하다 보니 실제 환자는 제한해야 하는 음식의 종류 및 식단만 인지하게 되고 무엇을 먹어야 할지 모르는 상황에 놓이게 된다. 뿐만 아니라 음식을 싱겁게 먹어야 하기 때문에 더욱 식욕이 감소되고 영양실조가 생길 가능성이 높다. 당뇨병 및 고혈압과 같은 만성질환을 오랫 동안 앓아오면서 생기는 심혈관질환의 합병증, 즉 심근경색증 후 발생한 심부전 및 이로 인한 수분 저류는 식욕을 더욱 억제한다. 또한, 뇌경색으로 인한 상하지의 마비 및 이로 인한 행동의 장애 및 운동 부족 역시 식욕감소의 주된 원인이기도 하다. 무엇보다도 현재 환자 자신에게 발생한 만성질환 그 자체로 오는 심리적 스트레스 및 우울증도 간과하기 쉬운 영양실조의 주요 원인이다. 그 외 위장관 운동의 이상 특히 만성콩팥병 환자에서 흔한 변비는 식욕감퇴의 중요한 원인일 수 있으며 당뇨병 환자에서 흔한 위장관 장애 역시 식사를 못하게 하는 주된 원인이다. 만성콩팥병에서 흔히 발생하는 만성 염증 및 지방 대사와 관련된 렙틴(leptin)의 증가도 식욕부진 원인 중 하나이다.

대사산증은 아미노산 및 단백질의 분해대사를 촉진시키고 인슐린 및 인슐린유사성장인자(insulin-like growth factor)의 작용도 방해한다. 또한 만성콩팥병에 의한 내분비장애로 인하여 인슐린이나 인슐린유사성장인자와 같은 단백질 동화(anabolism) 촉진물질의 작용에 대한 저항성을 보이게 되고 혈중 부갑상샘호르몬과 글루카곤의 증가로 인한 아미노산 분해의 촉진 등도 영양실조가 발생하는데 기여하는 것으로 추정되고 있다. 특히 혈액투석 치료 중인 환자들에서는 염증 촉진 및 단백질 이화(catabolism) 촉진 작용을 가진 사이토카인(cytokine)인 인터루킨-6(interleukin, IL-6)나 종양괴사인자(tumor necrosis factor)의 혈중농도가 정상인에 비하여 현저히 증가되어 있으며 이들 물질을 매개로 하는 전신 염증반응 현상이 단백질-에너지 소모 증후군의 발생에 중요하게 관여하는 것으로 추정되고 있다. 투석 환자에게서 전신성 염증 반응의 지표로 흔히 측정되는 C반응단백질과 같은 급성기 반응물질의 혈중 농도가 높아지면 이에 반비례하여 혈청 알부민치가 낮아지며, C반응단백질의 농도가 증가되어 있는 환자들에서는 영양상태가 불량해지고 심혈관계 합병증에 의한 사망률이 높아진다는 보고가 많아 만성콩팥병 환자에게서 영양실조 발생에 전신성 염증반응 현상이 중요한 역할을 한다는 것을 알 수 있다.

투석 과정에서의 영양소 손실도 단백질-에너지 소모 증후군 발생의 일부 요인이 될 수 있다. 보통 한 번(session)의 혈액투석에서 6~12 g의 아미노산과 7~8 g의 단백질이 제거되는데 고유량 투석기(high-flux dialyzer) 사용 시에는 그 소실 정도가 증가한다. 복막투석 환자에게서는 1일 2.0~4 g 정도의 아미노산과 5~10g 정도의 단백질이 투석용액을 통하여 소실되고, 복막염이 발생하면 그 정도가 증가하여 단백질을 포함한 영양소 보충이 충분하지 않으면 영양실조의 위험이 증가한다.

만성콩팥병 환자에서 영양상태의 평가

1. 일상적 영양 선별검사(Routine Nutrition Screening) 간격

만성콩팥병 3단계 이상의 환자에서 단백질-에너지 소모 증후군의 발생을 예방하고 조기에 발견하여 적절한 영양상태를 유지하기 위해서는 환자들의 영양상태를 2년에 한 번씩 일상적 영양 선별검사를 하도록 2020년 K/DOQI 지침에서 추천하고 있다. 특히 투석환자는 투석 시작 후 90일 이내에 한 번, 이후 1년마다 정기적 영양평가를 할 것을 K/DOQI 지침에서 제시(opinion)하고 있다.

2. 영양 선별검사법

주관적 영양상태 평가법(subjective global assessment, SGA)은 임상적으로 유용한 평가법 중의 하나이다. 주관적 영양상태 평가법은 질문(history)을 통해 첫 번째로 지난 6개월 동안 그리고 지난 2주간의 체중 변화가 있었는지 확인하고 두 번째로 지난 24시간 식이 섭취가 어떠했는지 확인한다. 세 번째로 식욕부진, 구토, 설사 등 위장관 증상이 있었는지 확인하며, 네 번째로 일상생활을 하는데 지장을 주는 변화가 생겼는지 확인한다. 다섯 번째로 감염 혹은 혈당조절 장애 등 대사성 요구(stress)가 발생했는지

확인한다. 그리고 신체진찰을 통해 피하지방의 감소 정도(여섯 번째)와 근육의 감소 정도(일곱 번째)를 평가한다. 평가는 1에서 7점으로 하고 7점이 영양상태가 가장 좋은 것을 말하며 1점은 영양상태가 가장 나쁜 것을 말한다. 이런 영양평가는 주관적이므로 가능한 같은 사람이 계속 평가하는 것이 좋으며 평가 시 일관적인 점수 기준을 마련해두어야 한다. 주관적 영양상태 평가법에 추가적인 체질량지수(body mass index, BMI) 및 혈액학적 지표를 포함시켜 산정한 종합적 영양실조 염증 점수(Malnutrition Inflammation Score)는 객관적인 자료가 추가되어 있어 종합적인 영양실조에 대한 평가로 혈액투석 환자와 신장이식 환자에서 사용될 수 있다(표 12-9-1).

영양상태 평가의 개별 항목 중 가장 중요한 것이 식이를 어떻게 섭취하고 있는지 확인하는 것으로 만성콩팥병 환자에게 최근 3일간 식사한 것을 수첩에 적어오게 하는 식사일지 사용을 K/DOQI 지침에서 선호 평가 방법으로 권고하고 있다. 그 외 24시간 회상법(food recall), 식품섭취빈도 설문지(food frequency questionnaires) 및 정상화 단백질 이화율(normalized protein catabolic rate, nPCR)이 하루 에너지와 단백질 섭취를 평가하는 대안으로 사용될 수 있다.

3. 신체조성(Body composition)

근육 및 체지방 같은 신체조성의 평가는 인체측정(anthropometry)과 기계적 측정으로 나뉜다. 인체측정은 BMI, 피부주름 두께(skinfold thickness), 허리둘레(waist circumference), 중완둘레(mid-arm circumference) 또는 중완 근육면적(mid-arm muscle area) 등이 사용된다. BMI가 18 kg/m² 미만이 아닌 이상 체질량지수가 낮은 것만으로 단백질-에너지 소모 증후군으로 진단할 수는 없다. 기계적 측정으로는 dual energy X-ray absorptiometry (DEXA)가 아직 최적표준(gold standard)이나 수분상태에 영향을 받을 수 있어 K/DOQI 지침에서는 투석전 단계의 만성콩팥병 환자나 투석 환자의 신체조성 측정에 생체임피던스 분석(bioelectric impedance analysis, BIA)를

표 12-9-1. 종합적 영양실조 염증 점수(Comprehensive Malnutrition Inflammation Score)

1. 환자와 관련된 병력
1) 지난 3~6개월간 투석목표체중의 변화
0점 투석목표체중의 감소가 없거나 0.5 kg 이하로 감소한 경우
1점 투석목표체중의 감소가 0.5~1.0 kg인 경우
2점 투석목표체중의 감소가 1.0 kg 이상이지만 5% 이하인 경우
3점 투석목표체중의 감소가 5% 이상인 경우
2) 식이 섭취
0점 입맛이 좋거나 식이 섭취 양상이 나빠지지 않은 경우
1점 다소 식이 섭취가 감소했지만 밥과 같은 고형음식을 먹는 경우
2점 고형음식을 먹지 못하고 대부분 유동식만 먹는 경우
3점 저칼로리의 유동식만 먹거나 굶는 경우
3) 위장관 증상
0점 입맛이 좋고 위장관 증상이 없는 경우
1점 입맛이 떨어지고 간헐적 구역이 있는 경우
2점 구토증상 및 중등도의 위장관 증상이 있는 경우
3점 빈번한 구토, 설사 및 식욕부진이 심한 경우
4) 기능적 능력
0점 기분이 좋고 정상적인 생활을 하거나 생활능력이 개선된 경우
1점 간헐적으로 피곤하며 기본적인 보행이 어려운 경우
2점 혼자서 화장실 가기가 어려운 경우
3점 침대에 거의 누워 지내는 경우
5) 투석기간을 포함한 동반 질환
0점 투석기간이 1년 이내이고 비교적 건강한 경우
1점 투석기간이 1년에서 4년 사이이거나 경도의 동반질환이 있는 경우
2점 투석기간이 4년 이상이거나 한가지의 중등도 이상의 동반질환이 있는 경우
3점 두 가지 이상의 심한 동반질환이 있는 경우
2. 신체진찰
1) 피하지방 상태의 감소 정도(눈 밑의 피하지방, 삼두근, 이두근, 흉부)
0점 정상, 1점 경도, 2점 중등도, 3점 중증
2) 근육 쇠약 정도(관자, 쇄골, 견갑골, 갈비뼈, 사두근, 뼈 사이)
0점 정상, 1점 경도, 2점 중등도, 3점 중증
3. 신체질량지수
0점 20 kg/m^2 이상, 1점 18~19.9 kg/m^2, 2점 16~17.9 kg/m2, 3점 16 kg/m^2 미만
4. 혈액검사
1) 혈청알부민
0점 4.0 g/dL 이상, 1점 3.9~3.5 g/dL, 2점 3.0~3.4 g/dL, 3점 3.0 g/dL 미만
2) 혈청 총철결합능(total iron binding capacity)
0점 250 mg/dL 이상, 1점 200~249 mg/dL, 2점 150~199 mg/dL, 3점 150 mg/dL 미만

중등도 이상의 동반질환은 3급 이상의 심부전, 심한 관상동맥질환, 중등도 이상의 만성 폐쇄성 폐질환, 주요 신경학적 후유증이 있는 경우, 전이성 악성종양, 최근에 항암치료를 한 경우

추천하고 가능하면 multi-freqeuncy bioelectrical imped-ance (MIF-BIA)를 권고한다. 혈액투석 환자의 경우 투석 후 최소 30분 이후에 BIA를 측정할 것을 권고하고 있다. 또한 K/DOQI 지침에서는 만성콩팥병 환자에서 영양상태 뿐 아니라 신체기능의 평가 및 비교를 위해 handgrip strength 측정을 추천하고 있다.

4. 검사실 검사

혈액검사 중에서는 혈청 알부민(albumin), 앞알부민 (prealbumin)이 영양상태를 평가하는 검사로 사용될 수 있다. 혈청 알부민치가 영양상태를 반영하는 최선의 예측자(best predictor)로, 낮을수록 입원 및 사망에 대한 위험도가 높아진다. 투석을 시작하는 환자뿐만 아니라 유지투석(혈액투석, 복막투석)을 받고 있는 환자 모두에서 저알부민혈증은 사망률의 예측인자로서 그 유효성과 중요성이 충분히 증명되어 있으나, 알부민은 20일 정도의 비교적 긴 반감기를 가지고 있어서 영양상태의 변동을 신속하게 반영하지 못하며 영양상태를 반영하는 다른 지표들의 변화와 항상 같이 변화하지 않는 단점이 있다. 또한 혈청 알부민 농도는 비영양적 인자, 감염이나 염증 및 체액상태에 따라 다르며 소변이나 복막 투석액으로 소실되는 정도에 따라 영향을 받는다. 혈청 prealbumin은 알부민에 비하여 그 반감기가 2~3일 정도로 짧기 때문에 더 빨리 영양상태의 변화를 예측하는데 도움이 된다.

5. 단백질섭취량에 대한 검사법

정상화 단백질 이화율(normalized protein catarolic rate)과 총질소표현율(total nitrogen appearance, PNA)은 모두 단백질 섭취량을 추정하는 유용한 검사방법인데, 두 표현이 모두 사용되다가 2008년 이후 nPCR을 사용할 것을 제안한 KDOQI 지침에서는 2020년 지침부터는 PCR 용어만 사용하고 있다. 단백질 섭취량은 소변에서의 질소 배설량으로 계산할 수 있다. 소변의 질소 배설 1 g은 식이 단백 6.25 g에 해당한다. 그리고 소변의 질소배설은 소변의

요소질소와 비요소질소(평균 하루에 30 mg/kg로 고정값)의 합이다. 따라서 50 kg의 여자의 24시간 소변에서 요소질소가 7g 이면 예상되는 대략적인 단백질 섭취량은 53.1 g {6.25×[7 g+1.5 g (30 mg/kg×50 kg)]}이다. 임상적으로 안정된 상태에 있는 혈액투석 환자에서는 투석 간 혈중 요소질소 농도의 변화로부터 용이하게 산출될 수 있고, 복막투석 환자에서는 소변과 투석액 내의 요소질소량으로부터 계산할 수 있다.

6. 영양상태 평가시 유의점

만성콩팥병 환자에서 단백질-에너지 소모 증후군을 검사하기 위해서 어느 한 가지 방법이 다른 방법보다 우월하다고 추천되지는 않는다. 따라서 신체질량지수 및 체성분 조사와 식이 섭취의 조사, 혈액학적 검사를 종합해서 영양상태를 평가할 필요가 있다.

만성콩팥병 환자에서 미량영양소 (micronutrients)

미네랄과 비타민은 인체에서 세포의 성장, 장기의 기능 및 에너지 생성에 있어 비록 소량이지만 꼭 필요하기 때문에 미량영양소(micronutrients)라고 한다. 엽산은 serine, glycine, mtehionine, histidine 같은 아미노산의 합성에 관여하고, 신경계 기능에 중요한 역할을 한다. 만성콩팥병 환자에서 고호모시스테인혈증이 있을 때 유해한 심혈관질환을 줄였다는 근거가 없어서 일상적으로 보충하는 것을 권하지는 않는다. 그러나 임상적 증상이나 실제 부족이나 결핍이 있는 경우 엽산과 비타민 B_{12}, 비타민 B 복합제를 처방한다. 비타민 C의 경우 혈액투석 여과 시 소실되지만, 매일 500mg의 비타민 C를 혈액투석 환자가 2년간 복용 시 고옥살산혈증(hyperoxalemia)이 보고되어, 고용량의 비타민 C 복용은 주의해야 한다. 비타민 D는 25-hydroxyvitamine D (25(OH)D) 부족이나 결핍을 교정하기 위해서는 비타민 D_2(ergocalciferol)나 비타민

D₃(Cholecalciferol)를 보충해야 한다. 신증후군 범위의 단백뇨를 보이는 경우에도 25(OH)D 전구체를 보충할 수 있다. 비타민 A의 경우 독성의 가능성 때문에 일상적 처방은 하지 않는다. 비타민 E는 지용성 비타민으로 고용량 시 출혈 및 응고 이상이 올 수 있어서 고용량은 피해야 한다. 아연은 생체막을 구성하고 항산화 및 항염작용을 하여 면역에 중요하며 투석환자에 감소되어 있는 경우가 많다. 셀레늄은 항산화 작용을 하며, 체내 효소 활성화의 역할을 하여, 혈중 수치가 낮은 경우 감염질환으로 인한 사망률을 증가시킨다고 한다. 아연 및 셀레늄 역시 일상적 보충은 권고하지 않는다.

만성콩팥병 환자에서 영양실조의 예방 및 식이관리

만성콩팥병 환자에서 영양실조 자체가 환자들의 사망률과 이환율을 높이기 때문에 단백질-에너지 소모 증후군을 예방하고 치료하는 것은 매우 중요하다. 특히 투석 전 만성콩팥병의 경우 단백질 섭취를 제한하다가 투석 후에는 단백질 섭취를 높여야 함에도 이전의 식습관대로 유지하는 경우엔 영양실조가 발생할 가능성이 더욱 높아진다.

1. 단백질 섭취 제한

만성콩팥병 환자에게 콩팥기능의 소실을 지연시키기 위해서 단백질 섭취 제한을 권고한다. 2020년 KDOQI 지침에서는 사구체여과율 60 mL/min/1.73m² 미만이고 대사적으로 안정된 경우에 말기콩팥병으로 진행하거나 사망의 위험도를 낮추기 위해서 저단백 식이를 권하며, 당뇨병과 투석 유무에 따라 섭취량을 구분하였고, 영양 섭취의 감소와 연관된 위험성을 감소시키기 위해 영양사의 면밀한 감독 하에 이루어져야함을 강조하고 있다(표 12-9-2). 당뇨병이 없는 투석 전 환자는 하루 체중 1 kg당 0.55~0.6 g의 저단백식이를 권하며, 하루 체중 1 kg당 0.28~0.43 g의 초저단백식이를 하는 경우는 케톤산/아미노산 유사체(keto

표 12-9-2. 만성콩팥병에서 권고 단백질 섭취량

만성콩팥병 단계	당뇨병 유무	하루 섭취 단백질 양
3~5	비당뇨병	0.55~0.6 g/kg
	당뇨병	0.6~0.8 g/kg
5D(투석)	비당뇨병	1.0~1.2 g/kg
	당뇨병	

acid/amino acid analogs)를 보충하여 하루 체중 1 kg당 0.55~0.6 g의 단백 요구량에 맞추어 보충해야 한다. 당뇨병이 있는 투석전 환자는 0.6~0.8 g/kg의 단백질 섭취를 권고하고 있다. 당뇨병이 없는 안정적인 혈액투석 및 복막투석 환자는 1.0~1.2 g/kg을 권하며, 당뇨병이 있는 투석환자들도 1.0~1.2 g/kg을 섭취하되 저혈당이나 고혈당이 있는 경우는 단백량을 높일 수 있다.

단백질의 공급원이 식물성과 동물성 중 어느 것이 좋은지에 대한 결론은 나지 않았으나, 최근 보고들은 육류(red meat)을 많이 섭취하면 만성콩팥병, 말기콩팥병이 증가하며, 식물성 단백질 식이는 그 반대의 결과를 보여 준다. 동물성 단백질 섭취는 장 미생물무리유전체(마이크로바이옴, microbiome)의 변화와 염증반응을 촉진해 신기능의 악화와 심혈관질환을 일으키는 것으로 보고되는 반면, 식물성 단백질 식이는 인을 낮추고, 지질 수치에는 호전을 보였다.

단백질 섭취를 하더라도 가능한 높은 생물가(high biologic value)를 가지고 있는 단백질이 신기능감소 억제에 도움이 된다. 이러한 단백질이 많은 음식으로는 달걀흰자 및 우유가 있으며 다른 잡곡보다는 현미가 생물가가 높다(표 12-9-3). 그러나 이처럼 생물가가 높은 단백질만 섭취하기가 어려울 수 있고 생물가가 낮은 단백질이 좋지 않다고 생각하여 아예 단백질 섭취를 하지 않거나, 식욕이 감소한 상태에서 선호하는 음식을 먹지 못하여 지나치게 식이섭취가 줄기 때문에 적정 칼로리 보충을 위해서 식이제한 시 주의가 필요하다.

2. 에너지 섭취

에너지 섭취(energy intake)는 안정적이면 나이, 성별,

표 12-9-3. 식품 단백질의 생물가

달걀 흰자	100
우유	90
치즈	84
현미	83
닭	79
생선	76
소고기	74
두부	72
가공 쌀	64
잡곡	60
강낭콩	49
흰 밀가루	41

신체활동량, 체성분, 권장체중, 만성콩팥병 단계와 동반질환과 감염 여부에 따라 25~35 kcal/kg 섭취를 권고한다.

3. 소듐 섭취 제한

소듐 섭취는 체액량과잉 및 혈압 개선을 위해 하루 100 mmol 이내(2.3 g/day, 소금으로 5.75 g)로 제한해야 하고, 단백뇨량 감소에도 부가적인 효과가 있고 투석환자에게서 투석간 체중증가 조절에 중요하여 권고한다. 하지만 영양실조가 있는 환자에서 실제 식이 섭취량이 적은 경우 소듐섭취량이 매우 적을 수 있어 정확히 평가하여 소듐섭취량을 정해야 할 필요가 있다.

4. 과일과 채소 섭취 제한

만성콩팥병 1~4단계에서는 잔여신기능의 감소를 줄이기 위해 과일이나 채소 섭취를 증가해 총 산의 생산(net acid production)을 줄여야 하지만 고칼륨혈증을 주의하면서 섭취정도를 조절해야한다.

5. 비타민 D와 칼슘

활성 비타민 D 유사체를 복용하지 않는 만성콩팥병 3~4단계에서 식이섭취, 칼슘제제, 칼슘 함유 인결합제를 포함하여 일일 총 800~1,000 mg의 칼슘을 섭취하도록 조절한다. 투석 환자에게는 비타민 D 유사체와 calcimimetics를 고려하여 고칼슘혈증 및 칼슘부하를 피하는 선에서 조정해야 한다.

6. 대사산증 예방과 투석

대사산증은 글루코코티코이드를 과생산하고 이로 인해 근육 감소, 인슐린 저항성이 증가하고, 부갑상샘호르몬이 증가할 수 있다. 부갑상샘항진증은 미네랄 뼈질환을 악화시키므로 대사산증을 교정해야 한다.

투석 전 요독증으로 식사를 못하게 되면 투석치료를 시작할 필요가 있다. 무작위 대조군 연구는 없지만 관찰 연구에서 투석 후 6개월 후 혈청 알부민치를 포함한 단백질 식이 섭취가 증가되었다는 보고가 있어 영양실조가 의심되는 투석 전 환자에서는 투석을 시작하는 것이 중요하다.

만성콩팥병 환자에서 영양실조의 치료

영양실조는 투석 전의 만성콩팥병 환자보다는 투석치료를 받고 있는 만성콩팥병 환자에서 많다. 투석치료를 받고 있는 환자에서 영양실조가 있는 경우 첫 번째로 투석량이 부족하여 식욕부진이 생기는 것은 아닌지 투석 효율을 평가하여야 하며 투석 효율이 낮다면 투석량을 늘리는 것이 중요하다. 투석치료를 받고 있는 환자에서 섭취하는 단백질과 열량은 권고량보다 매우 부족한 것이 현실이다. 영양실조는 앞에서 서술한 대로 식욕부진(anorexia), 식이제한, 감염, 과이화작용(hypercatabolism), 투석 중 단백질 소실, 요독증, 대사산증, 동반 질환 등의 여러 가지 원인이 복잡하게 관여를 하기 때문에, 이러한 원인에 대해 총체적으로 교정하는 노력이 필요하다.

하지만 가장 큰 원인은 식욕이 감소되어 있는 것이며 이러한 식욕을 증가시키는 여러 가지 치료가 있지만 치료 효과는 개인별로 차이가 크다. Megestrol acetate는 황체호르몬의 합성 유도체로 시상하부의 신경펩티드 Y를 자극하여 식욕을 증가시키며 인터루킨-1, 인터루킨-6, 종양괴사인자를 억제하는 것으로 알려져 있다. 임상적으로 비교적 효과적인 약물이지만 대규모 연구가 부족하다.

단백질-에너지 소모 증후군이 있거나 단백질-에너지 소모 증후군의 위험이 있는 만성콩팥병 환자에서 식이 상담만으로 적절한 에너지와 단백 섭취가 이루어지지 않을 경우, 적어도 3개월 동안 경구 영양 보충을 한다. 경구 영양 보충에도 적절한 식이 섭취가 안 되거나, 에너지 및 단백질 요구량을 충족할 수 없을 경우에 장내 튜브식이를 고려하는 것이 합리적이다. 그럼에도 영양요구량이 모자라는 경우 투석전 단계에서는 경정맥 영양을 시행하고 혈액투석 환자는 투석 중 비경구영양(intradialytic parenteral nutrition)을 하여 혈청 알부민 수치 등 영양지표를 개선시킬 수 있다.

혈액투석 환자에서 성장호르몬(growth hormone)을 6개월간 투여한 결과 인슐린유사성장인자를 증가시켜 체중의 증가와 영양학적 지표를 개선시킨 연구도 있어 영양실조의 또 다른 치료법일 수 있으나 장기간 많은 환자를 대상으로 한 추가 연구가 필요하다.

대사산증의 교정이 혈액투석 환자의 혈청 알부민치를 의미 있게 개선시킨 연구가 있으며 복막투석 환자에서도 체중증가 및 근육량의 증가를 보여 영양실조의 치료에 있어 간단하면서도 중요한 치료라고 할 수 있다.

▶ 참고문헌

• Androga L, et al: Sarcopenia, Obesity, and Mortality in US Adults With and Without Chronic Kidney Disease. Kidney Int Rep 2:201–211, 2017.
• Carrero, et al: Etiology of the Protein–Energy Wasting Syndrome in Chronic Kidney Disease: A Consensus Statement From the International Society of Renal Nutrition and Metabolism (ISRNM) J Renal Nutr 23:77–90, 2013.
• Feldt–Rasmussen B, et al: Growth hormone treatment during hemodialysis in a randomized trial improves nutrition, quality of life, and cardiovascular risk. J Am Soc Nephrol 18:2161–71, 2007.
• Ikizler TA, et al: KDOQI Clinical Practice Guideline for Nutrition in CKD: 2020;76(3 Suppl 1):S1–S107, doi: 10.1053/j.ajkd.2020.05.006.
• Jwa–Kyung Kim, et al: Impact of sarcopenia on long–term mortality and cardiovascular events in patients undergoing hemodialysis. Korean J Intern Med 34:599–607, 2019.
• Kalantar–Zadeh K, et al: Nutritional management of chronic kidney disease. NEJM 377:1765–1776, 2017.
• Kim CR, et al: Monitoring Volume Status Using Bioelectrical Impedance Analysis in Chronic Hemodialysis Patients. ASAIO Journal 64:245–252, 2018.
• Klahr S, et al: The effects of dietary protein restriction and blood pressure control on the progression of chronic renal disease. Modification of Diet in Renal Disease Study Group. N Engl J Med 330:877–884, 1994.
• Ko GJ, et al: The Effects of High–Protein Diets on Kidney Health and Longevity. JASN 31:1667–1679, 2020.
• Koppe L, et al: Kidney cachexia or protein–energy wasting in chronic kidney disease: facts and numbers.J Cachexia Sarcopenia Muscle 10:479–484, 2019.
• Kramer H, et al: Association of waist circumference and body mass index with all–cause mortality in CKD: the REGARDS (Reasons for Geographic and Racial Differences in Stroke) Study. Am J Kidney Dis 58:177–185, 2011.
• Lim H, et al: Nutritional Status and Dietary Management According to Hemodialysis Duration. Clin Nutr Res 8:28–35, 2019.
• Moradi H, et al: Elevated high–density lipoprotein cholesterol and car–diovascular mortality in maintenance hemodialysis patients. Nephrol Dial Transplant 29:1554–1562, 2014.
• Sánchez–Villanueva, et al: Higher daily peritoneal protein clearance when initiating peritoneal dialysis is independently associated with peripheral arterial disease (PAD): A possible new marker of systemic endothelial dysfunction? Nephrology Dialysis Transplantation, 24, 3, 1009–1014, 2009
• Zoccali C, et al: Waist circumference modifies the relationship between the adipose tissue cytokines leptin and adiponectin and all–cause and cardiovascular mortality in haemodialysis patients. J Intern Med 269:172–181, 2011.

CHAPTER 10

신기능 이상 환자에서의 약물사용

류정화 (이화의대)

KEY POINTS

- 신기능 이상에서 효과적이고 안전한 약물 사용을 위해서는 약물의 약동학 및 약력학적 기전을 잘 이해하고 있어야 한다. 만성 콩팥병 환자에서 흔히 나타나는 위장기능장애, 위장 지연 배출, 장점막의 통합성(mucosal integrity) 손상 등은 약물 흡수에 영향을 줄 수 있다.

- 신기능이 저하되면 약물의 대사 능력도 변화하게 된다. 만성콩팥병 4기와 5기(chronic kidney disease stage 4 and stage 5) 환자에서 간의 CYP 효소 및 약물 섭취 혹은 배출 수송체의 활동도 변화로 인하여 약물의 신장 외 제거능이 감소한다는 결과도 보고되어, 신기능 이상에 따른 약물의 대사율에 대해서도 약력학을 바탕으로 한 개별화된 연구가 필요하다.

- 신기능이 저하되면, 약물의 반감기가 증가하고, 항정상태 혈장농도에 도달하는 데 시간이 오래 걸리므로 용량 및 투여 간격의 조절 외에 부하 용량을 계획해야 한다.

- 급성콩팥손상, 만성콩팥병, 신대체요법 중인 말기콩팥병 등의 상태에 따라 약물의 체내 분포 및 제거율을 고려하여 투여하여 야 한다.

서론

우리가 복용하는 약물과 대사산물의 대부분은 신장으로 배출되므로 신기능의 저하는 여러 약물의 약동학(pharmacokinetics)과 약력학(pharmacodynamics)에 큰 영향을 미치게 된다. 급성콩팥손상 혹은 만성콩팥병 환자에서 효과적이고 안전한 약물 사용을 위해서는 각 약물 및 신장질환의 특성, 신기능에 따른 약동학 및 약력학에 대한 충분한 이해가 필수적이다. 약동학은 약물이 체내에서 흡수(absorption), 분포(distribution), 대사(metabo-lism), 제거(elimination)되는 시간에 따른 변화를 말한다. 약력학은 약물이 체내에서 미치는 영향, 약물과 표적 수용체와의 상관관계, 약물에 대한 개체 내 각 기관의 반응을 말한다. 이들 학문적인 지식은 대부분 공식으로 표현되지만, 여기에서는 공식을 유도하는 과정은 생략하고, 각 공식이 어떤 의미가 있는지를 설명하겠다.

기본원리

1. 약동학(Pharmacokinetics)

1) 흡수(Absorption)와 분포(Distribution)

약물 투여 후 시간에 따른 혈중 농도는 투여량, 생체이용률, 분포 용적, 대사와 배설에 의한 각 약물의 약동학에 의해 결정된다(그림 12-10-1). 정상 신기능 환자의 약동학 결과와 신기능 저하가 있는 환자의 약동학 결과를 비교함으로써 신질환 환자에서 약물의 용법을 정할 수 있다.

정맥주사로 투여된 약물은 직접 중심 순환으로 들어가지만, 경구로 투여된 약물은 장에서 흡수된 후 간에서 대사되어 최종적으로 일정량의 약물만 혈관 내에 도달하게 되는데, 이를 초회통과효과(first-pass effect)라고 한다. 생체이용률(bioavailability)이란 약물이 경구투여 이후 혈관 내로 흡수되는 비율로 정의하는데, 신기능 저하 환자에서 생체이용률이 저하되어 있다는 근거는 명확하지 않다. 하지만, 만성콩팥병 환자에서 흔히 나타나는 위장기능장애, 위장 지연 배출, 장점막의 통합성(mucosal integrity) 손상 등은 약물 흡수에 영향을 줄 수 있다.

흡수된 약물의 체내분포는 분포용적(volume of distribution)에 따라 달라지고, 이는 약물의 효과 혹은 독성을 결정하게 된다. 분포용적은 체내약물의 양을 약물의 혈장 농도로 나눈 값으로 가상적 체내 용적이다. 약물의 특성에 따라 약물의 분포용적이 달라진다. 혈중 단백결합이 높은 약물은 주로 혈관 내에 분포하고, 수용성 약물은 세포외액에 분포하게 되어 분포용적이 0.2 L/kg보다 작다. 반면 지질용해성이 높은 약물은 조직 내로 쉽게 침투되기 때문에 분포용적이 커서 1 L/kg를 초과하게 된다. 신기능이 저하된 환자가 부종 또는 복수가 있으면, 단백 결합 약물 또는 수용성 약물의 분포용적이 증가할 수 있다. 약물의 효과 또는 부작용을 나타내는 것은 단백질(주로 알부민)에 결합하지 않은 unbound drug이다. 약물의 단백 결합의 정도는 다양하다. 젠타마이신(gentamicin)처럼 단백결합률이 5% 미만인 약물도 있지만 furosemide처럼 95% 이상인 약물도 있다. 신장질환이 있으면 약물의 단백 결합 능력에도 변화가 오기 때문에, unbound drug의 비율이 변해서 약물의 독성이 증가 혹은 효과의 감소가 생길 수 있다. 따라서 신장질환 환자에서는 약물의 총 혈장 농도가 아닌 unbound drug의 농도로 측정한 약동학적 지표들을

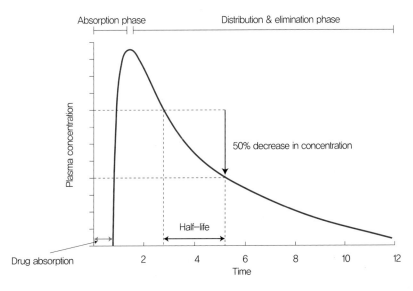

그림 12-10-1. 약물의 경구 투여 후 농도-시간 곡선

약물은 약동학적인 요소인 흡수, 분포, 대사 및 제거 과정을 통해 효과를 나타나게 되고, 약물의 농도가 반이 되는 시점을 반감기로 정의한다.

분석하여야 한다. 이 장에서 다루는 모든 약동학 지표들은 unbound drug의 약동학 지표들이다.

2) 대사(Metabolism)

약물 중에는 gentamicin처럼 100% 신장으로 배설되는 약물이 있고, 사이클로스포린처럼 100% 간에서 대사되어 제거되는 약물이 있지만, 대부분의 약물은 신장과 다른 장기(예: 간)에서 부분적으로 제거된다. 간에서 대사되는 약물의 처리는 약물의 단백 결합 정도에 따라 달라질 수 있다. 간에 의한 제거율(hepatic extraction ratio)이 낮고 단백 결합이 높은 약물의 제거능은 신기능 감소에 의해 크게 영향을 받게 된다. 간에서 대사된 약물의 대사체 중 신장으로 배설되는 물질은 정상 신기능을 가진 사람에서는 문제가 없으나 신기능 저하에 따라 체내 축적이 증가되고, 그 결과 독성 및 부작용이 증가할 수 있다. 예를 들면, 모르핀(morphine)은 간에서 활발히 대사되어 활성 대사체인 morphine-3-glucuronide와 morphine-6-glucuronide가 되어 혈관-뇌 장벽을 통과해서 아편유사제수용체에 결합하여 강력한 진통효과를 내는데, 이들 대사체는 소변으로 배출된다. 만성콩팥병 환자의 체내에서는 모르핀 자체도 서서히 대사되고, 이들 대사체가 증가하여 혼수상태나 호흡 억제를 가져올 수 있다. 최근, 진행된 단계의 만성콩팥병(chronic kidney disease stages 4 and stage 5) 환자에서 간의 cytochrome P450(CYP) 효소 및 약물 섭취 혹은 배출 수송체의 활동도 변화로 인하여 약물의 신장외 제거능이 감소한다는 결과도 보고되어, 신기능 이상에 따른 약물의 대사율에 대해서도 약력학을 바탕으로 한 개별화된 연구가 필요하다.

3) 배설(Elimination)

약물의 신장을 통한 배출(CL_R, renal clearance)은 신사구체여과율(GFR), 세뇨관 분비, 대사, 재흡수의 복합적 과정을 통해 일어난다$[(Cl_R = (GFR \times f_u) + (Cl_{secretion} + Cl_{metabolism} - Cl_{reabsorption})]$. 여기서 f_u는 혈장 단백에 대한 unbound drug의 분율이다. 신장 기능이 저하되면 신장으로 배설되는 약물의 청소율은 감소한다. 따라서, 신장을 통한 배출의 감소 정도는 신장 기능의 감소 정도에 비례한다. 대표적인 예는 aminoglycoside 계열의 항생제일 것이다. 이 계열의 항생제는 거의 100% 신장으로 배설되며 단백질 결합률이 5% 미만으로 투여한 약제의 대부분이 효

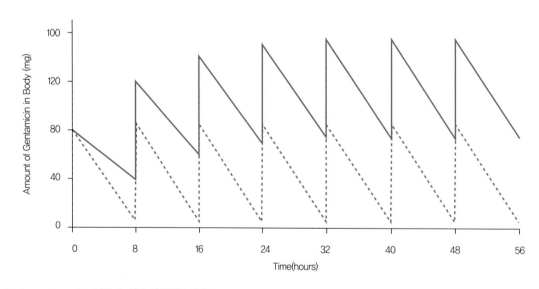

그림 12-10-2. Gentamicin 정주 후 체내 약물량의 변화

Gentamicin 80 mg을 8 시간 간격으로 정주하였을 때 시간에 따라 체내 약물의 양이 변화한다. 점선은 정상 신기능을 가진 환자의 변화 양상이고 실선은 신기능이 정상의 25%인 환자의 변화 양상이다.

과 또는 부작용을 나타낼 수 있는 unbound drug으로 존재한다. 그리고 청소율이 높아 반감기가 짧다. 이해를 돕기 위해 그림으로 설명하면 다음과 같다(그림 12-10-2). 신장기능이 정상인 60 kg의 환자에게 gentamicin 80 mg을 8시간 간격으로 정맥주사를 하면, gentamicin의 반감기가 약 2시간이므로 정주 시작 후 8시간부터 체내에는 최대 85 mg, 최저 5 mg의 정점지속(plateau)을 이루며 체내에 거의 축적이 없다. 반면 같은 용량, 투여간격으로 신장 기능이 정상의 25%인 환자에게 투여하면 gentamicin의 반감기는 8시간으로 늘어난다. 첫 번째 투여한 gentamicin 80 mg 중 40 mg이 체내에 남아있는 상태에서 두 번째 gentamicin 80 mg을 투여하면 체내에 최대 120 mg이 남아있게 되어 정상인과 다르게 축적이 일어난다. Plateau에 도달하는 시간은 반감기에 비례하므로 이 경우에는 정주 시작 후 32시간에 도달하며 최고 155 mg, 최저 75 mg이 체내에 남아있게 된다. 과도한 축적이 발생하면 약물의 부작용이 발생할 확률이 높아진다. 그러므로 1회 투여용량을 줄이거나 투약 간격을 늘려서 과도한 축적을 피하여야 한다. 위의 gentamicin의 예에서 알 수 있듯이, 어떤 약물을 신기능이 저하된 환자에게 처방할 때에는 그 약물의 축적 가능성을 고려하여 치료 효과를 유지하면서 부작용을 최소화하기 위한 용량 혹은 투여 간격을 조절해야 한다.

4) 신기능 이상 환자에서 약물 청소율 감소에 따른 반감기 계산의 임상 적용

지금부터 신장기능이 저하된 경우 용량과 투여 간격을 변경하여 과도한 축적을 예방하는 방법의 기본원리를 약리학 지식을 바탕으로 설명하고 이를 응용하여 실제 임상에서 사용하는 방법을 소개하고자 한다. 앞에서 설명한대로 신기능의 이상이 있는 경우 약물의 청소율은 감소하는데, 감소의 정도는 사구체여과율과 정상 신장기능을 가진 환자에서 정맥으로 투여된 약물 중 소변으로 배설되는 약물의 비율(fraction of unchanged drug – excreted in urine from a patient with normal renal function)에 따라 다르다. 공식으로 표현하면 다음과 같다.

공식 1 : $Rd = \dfrac{CL_u(d)}{CL_u(n)} = 1-fe(1-Rf)$

Rd, ratio of unbound clearance (renal dysfunction/normal renal function)
CLu(d), unbound clearance in renal dysfunction
CLu(n), unbound clearance in normal renal function
fe, fraction on unchanged drug—excreted in urine in a patient with normal renal function
Rf, ratio of creatinine clearance (renal dysfunction/normal renal function)

크레아티닌 청소율은 Cockcroft and Gault equation 또는 MDRD equation 등을 이용하면 된다. 각 공식에서 사용되는 혈청 크레아티닌 농도값이 검사실마다 차이가 있어, isotope dilution mass spectroscopy (IDMS)법을 쓰는 것이 권장된다. 또한, 신기능 평가에 크레아티닌과 Cystatin C를 함께 사용하여 약물 투여량을 결정하면 보다 정확할 수 있다는 의견이 제시되고 있다. 위 공식을 적용할 때 정상 크레아티닌 청소율은 100 mL/min으로 한다.

이를 이해하기 쉽게 그림으로 표현하면 다음과 같다(그림 12-10-3). 신장으로 제거되는 비율이 높을수록 즉 fe값이 1에 가까울수록 신기능의 감소에 의한 약물의 청소율은 감소폭이 증가함을 보여준다. 일반적으로 약물 청소율이 30% 이상 변화하면 임상적으로 의미가 있으므로 그림에서 Rd(Y축)값이 0.7 이하가 되는, 즉 음영 처리된 부분에 해당한다면 용량, 용법의 조정이 필요하다는 의미이다. 반대로 fe가 0.3 이하인 약물들은 신장기능의 저하에 상관없이 용량, 용법 조정이 필요 없으며, Rf가 0.7 이상이면(크레아티닌 청소율이 정상의 70% 이상이면) 약물의 fe값에 상관없이 용량, 용법 조정이 필요없다고 해석할 수 있다. 단 이런 일반원칙은 사이클로스포린 등과 같이 치료지수(therapeutic index; 부작용이 발생하는 약물의 양과 치료 효과를 보이는 약물의 양의 비. 지수가 클수록 안전하게 사용할 수 있는 용량의 범위가 넓고, 작을수록 용량의 범위가 좁은 것임, 치료지수를 바탕으로 약물의 therapeutic window를 정함)가 매우 좁은 약물에는 적용할 수 없다.

신장으로 제거되는 약물의 반감기[$t_{1/2}$(d)]는 청소율에 반

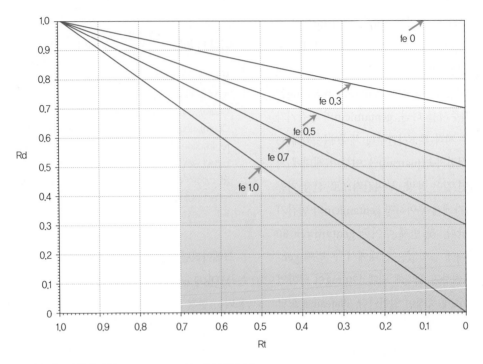

그림 12-10-3. 신장기능 저하에 따른 unbound drug 청소율의 감소 정도

약물의 fe값에 따라 청소율의 감소폭이 다름을 알 수 있다. 약물의 fe값이 1에 가까울수록 신기능 저하에 따른 약물 청소율의 감소폭이 커지는데, 약물 청소율 (Rd)이 30% 이상 변화할 때 임상적으로 의미가 있어 환자의 신기능 감소 정도(Rt)와 약물의 fe 값이 음영 영역에 위치하면 약물의 용량, 투약 간격 변경을 고려해야 한다.

비례하므로 다음과 같이 표현할 수 있다. $t_{1/2}(n)$은 정상 신기능에서의 반감기이다.

$$공식\ 1 : \frac{t_{1/2}(d)}{t_{1/2}(n)} = \frac{CL_u(d)}{CL_u(n)} = \frac{1}{Rd}$$

위의 gentamicin의 예에서 공식 1에 필요한 변수들은 대입하면, 신기능이 정상의 25%인 환자의 Rd값은 0.25이다. 그러므로 공식 2에 0.25를 대입하면 신기능 저하에 따른 gentamicin의 반감기는 정상 신장 기능일 때의 2시간에서 4배인 8시간으로 증가함을 알 수 있다. 일반적으로 약물의 반감기는 약물의 분포용적과 약물의 청소율에 의해 결정된다.

5) 반감기 증가에 따른 약물의 축적과 plateau의 변화: 반감기에 따른 투약 간격 조절

모든 약물은 일정한 시간 간격으로 반복적으로 투여하면 경중의 차이는 있지만 약물의 총량이 축적된다. 실제로 이러한 현상을 바탕으로 약물의 용량, 용법을 결정하게 되는데, 약물 투여 후 혈중 농도가 plateau에 도달하였을 때 체내의 최고용량과 최저용량이 therapeutic window 내에 있도록 하는 것이다. 그림 12-10-2에서 제시한 대로 gentamicin은 신장기능이 정상인 환자에게 80 mg을 8시간 간격으로 정주하면 8시간 이후부터 최고 85 mg 최저 5 mg의 therapeutic window에서 plateau를 이룬다. 그런데 신장기능이 저하되어 반감기가 길어지면 많은 축적이 이루어져 독성과 부작용을 나타낸다. 축적의 정도는 일회투여량이 많을수록, 투약 간격이 짧을수록, 그리고 반감기가 길수록 높아진다. 그러므로 gentamicin의 예처럼 신장기능이 저하된 경우 체내약물의 양이 therapeutic window에서 유지되도록 하려면 일회투여량을 줄이거나 투약 간격을 길게 하여야 한다.

그러면 신장기능이 감소함에 따라 반감기가 증가한 경우에 약물 투여 시작 후 plateau에 도달하는 시간은 어떻게 될까? 혈중 약물 농도가 plateau에 이르는 시간은 오직 반감기에 의해서만 결정된다. Gentamicin의 경우, 정상적인 신기능을 가진 경우에 비해 반감기가 4배 증가한다. 이러한 경우, 약물의 축적 효과를 피하기 위해 약용량을 줄여서 투여하게 되므로, 약물의 반감기가 길어지면 첫 약물 투여 후 효과를 나타낼 수 있는 용량(therapeutic window)까지 도달하는데 많은 시간이 필요하다. 위의 gentamicin의 예에서 과도한 축적을 피하기 위해 일회 용량을 줄여 20 mg을 8시간마다 주던지, 투약 간격을 늘려 80 mg을 32시간마다 주게 되면, 용법에 상관없이 plateau에 도달하려면 32시간이 걸린다. 항생제는 빠른 시간 내에 목표 용량에 도달하여야 하는데 32시간이면 치료시기를 놓칠 수 있다.

지금까지는 신장 기능이 저하되었을 때 약물의 약동학 지표의 변화를 살펴보았다. 다음은 이러한 기본원리를 임상에 적용하는 방법을 설명하겠다.

6) 신기능 이상에서 약동학의 임상 적용

신장기능이 저하된 환자에게 약물을 처방하려면, 그 약물의 정보를 파악하여야 한다. 확인하여야 할 정보는 위의 기본원리에서 설명한 fe(fraction on unchanged drug-excreted in urine from a patient with normal renal function) 값이다. 이 수치는 정상 신기능에서 배설되는 약물의 신장으로 배설되는 분율로 책 또는 정보마다 다르게 표현될 수는 있으나 대개는 'excreted unchanged (%)'로 표현되어 있다. 해당 환자의 크레아티닌 청소율을 계산하고 사용하고자 하는 약물의 fe 값을 알면 Rd(unbound drug의 제거율 정도)를 구할 수 있다. 다음 공식을 이용하면 각 약물의 용량, 용법을 구할 수 있다.

$$공식 3 : \frac{D(d)}{T(d)} = Rd \times \frac{D(n)}{T(n)}$$

D(d), 신기능저하 환자에게 일회 투여하는 용량
T(d), 신기능저하 환자에서 약물을 투여하는 시간 간격
D(n), 정상 신기능을 가진 환자에게 일회 투여하는 용량
T(n), 정상 신기능을 가진 환자에게 약물을 투여하는 시간 간격

이 공식을 gentamicin 예에 적용하면, 정상 신기능을 가진 경우 80 mg을 8시간 간격으로 투여하면 fe값은 1이다. 사구체여과율이 25 mL/min인 환자에서 Rd는 0.25이므로, 과도한 축적이 일어나지 않도록 투여하려면 공식 3에서 Dd/Td = 0.25 × (80 mg/8 hr)이므로 용량만 감량한다면 20 mg을 8시간 간격으로, 투약 간격만 조정한다면 80 mg을 32시간 간격으로 조정할 수 있다. 투약 간격과 용량을 다 변경할 수도 있다. 만약 투약 간격을 24시간으로 하면 매회 60 mg씩 투여하도록 조정할 수 있다. 그러면 어떤 방법을 선택하는 것이 좋을까? 정상 용량으로 투여 간격을 길게 하면 치료는 간편하여 좋을 수 있다. 그러나 투여 간격을 길게 하면 체내약물의 최고와 최저의 차이가 커져서 therapeutic window가 좁은 약물에 적용할 경우 이 범위를 벗어날 수 있다. 그러므로 약물의 therapeutic window를 고려하여 용량 혹은 투약간격을 약물에 특성 및 환자의 신기능에 맞게 변경하여야 한다.

한 가지 또 해결하여야 문제점은 신장 기능의 저하로 반감기가 길어지면 plateau에 도달하는데 시간이 많이 걸린다는 것이다. 이 문제는 부하 용량(loading dose)으로 해결할 수 있다. 정상 신장 기능을 가진 환자에게 사용하는 일회 용량을 투여 후 조정된 용량과 투약간격으로 투여하면 약효가 늦게 나타나는 문제점을 해결할 수 있다. 이는 약력학과 관련이 있다.

2. 약력학(Pharmacodynamics)

항생제의 효능은 균에 대한 최소억제농도(minimum inhibitory concentration)에 대한 상대적인 약물 농도에

의해 결정된다. 약력학은 신기능에 따른 약물, 특히 항생제의 치료적 적정 농도를 유지하기 위한 투여 약물의 용량과 투여 시간을 조정하는 것이 근본원리이다. 앞에서 언급한 것처럼, 신기능 저하에 따른 반감기의 증가를 고려하여 약물 독성을 예방하기 위하여 약의 투여 간격을 늘리게 되면, 약물의 치료시기를 놓칠 수 있다. 이러한 경우 약력학을 고려하여야 한다. Time-dependent drug(예: 베타락탐 항생제)은 투여 간격 중 혈중농도가 일정하게 유지되는 것이 중요하므로 용량을 줄여서 투여 간격을 동일하게 투여하고, concentration-dependent drug(예: aminoglycoside 항생제)은 혈중 최고 농도가 중요하므로 같은 용량을 투여 간격을 늘려서 투여하는 것이 좋다. 하지만 모든 약은 time-dependent 및 concentration-dependent한 성격을 동시에 가지고 있고, 독성을 피하기 위해 단순히 약물의 용량을 줄이는 것은 항정상태(steady state)에 도달하지 못해서 용량 부족에 따른 항생제의 치료적 실패를 가져올 수 있어서, 신기능이 감소되어 있으면 반드시 부하량(loading dose)을 사용하여 치료를 시작해야 한다. 그리고 신기능 감소 환자에서 항생제 내성균치료 시 항생제의 용량을 증량하면 효과가 있는 경우가 많기 때문에 부작용을 잘 관찰하면서 정상 신기능에서의 용량을 사용해볼 수 있다. loading dose 후 유지 용량을 사용할 때에는 용량 및 투여 간격을 조정하여 사용할 수 있다.

신기능 이상에서 약 처방의 임상 적용

만성콩팥병에서 신기능 및 투여 간격에 대한 조절은 약물의 최고(peak), 최저(trough), 항정상태 혈장농도(average steady-state drug concentration), 그리고 항생제의 경우 최적의 약력학적 지표(time above MIC, ratio of the drug area under the curve to MIC)를 비슷한 수준으로 유지하는 것을 목표로 한다. 이를 위해 만성콩팥병에서 약물은 초기 부하 용량(loading dose) 및 유지용량(maintenance dose)을 결정하여 사용하게 된다. 초기 부하용량(LD)은 치료적 효과를 내는 항정상태 최대 농도(Cmax)

및 분포용적(Vd), 환자의 이상체중[ideal body weight (IBW), Kg]을 고려하여 계산된다(LD=Vd × Cmax × IBW). 유지용량은 신기능에 따라 용량, 투여 간격을 변경하여 결정하게 된다. 이는 약물의 특성에 따라 앞에서 기술한 내용대로 조절하면 된다.

급성콩팥손상 환자는 다발성 장기 기능 이상을 동반한 경우가 많으므로, 약동학 및 약력학을 만성콩팥병 환자와 같은 기준으로 적용하기가 어렵다. 따라서 약물의 치료 효과가 적거나 혹은 과할 수 있는 위험이 있다. 현재까지는 만성콩팥병에 준하여 급성콩팥손상 환자에서의 약물 치료를 시작하되, 주의 깊은 모니터가 필요하다.

혈액투석 환자에서 약물 치료는 투석으로 제거되는 약물에 대한 추가적인 투여를 고려하여야 한다. 투석으로 제거되는 약물은 약물의 분자량, 크기, 단백결합정도, 분포용적, 투석막의 종류에 의해 결정되며, 최근 고효율투석막의 사용이 증가하면서 20 kDa의 분자도 제거되기 때문에, 이보다 작은 분자량을 가진 약물은 투석으로 제거되기 쉽다. 따라서, 약물에 따라 투석 후 약물의 추가 투여를 고려하여야 한다. 한편, 독성이 우려되는 일부 약제들은 약물 투여 직후 투석을 시행하는 것이 낫다(예: cisplatin, oxaliplatin, ifosphamide, gentamicin 등).

복막투석은 혈액투석에 비해 약물의 제거 능력이 더 낮고, 투석에 의한 약물 제거가 효과적으로 일어나지는 않는 것으로 알려져 있다. 따라서 복막투석 환자에서는 만성콩팥병 5단계(사구체여과율 15 ml/min 미만)에 준해서 항생제를 사용하는 것이 권고된다.

지속적신대체요법 중인 환자는 급성콩팥손상이 동반되어 있고, 분포용적이 불안정하며, 투석막에 의해 약물이 제거되기 때문에 혈액투석 환자에서와 마찬가지로 약물 청소율을 고려한 약물 투여가 필요하다. 현재는 약물의 부하용량 및 사구체여과율 30~50 ml/min 에 해당하는 유지용량을 사용하길 권고하고 있으나, 환자의 체내 수분량 및 약물 농도의 면밀한 관찰이 반드시 이루어져야 한다. 신기능 이상이 동반된 환자에서의 약물 투여는 약의 약동학 및 약력학을 고려하여 주의 깊게 투여되어야 하고, 치료약물농도감시(therapeutic drug monitoring, TDM)이 필요한 약물들은 TDM을 시행하여 실제 환자에서 최적의 투여방법을 구하여야 한다.

▶ 참고 문헌

- 대한신장학회: 임상신장학. 군자출판사, 2015.
- 대한감염학회: 항생제의 길잡이. 4판. 군자출판사, 2016.
- Alan SL, et al: Brenner and Rector's The Kidney. 11th ed. Mosby Elsevier, 2019.
- Atkinson, Jr AJ, et al: Principles of Clinical Pharmacology: Effects of renal disease on pharmacokinetics. 2nd ed. Academic Press, 2007.
- Dipiro JT, et al: Pharmacotherapy: a pathophysiologic approach. 9th ed. McGraw-Hill, 2014.
- Feehally J, et al: Comprehensive clinical nephrology. 6th ed. Mosby Elsevier, 2018.
- Lea-Henry TN, et al: Clinical pharmacokinetics in kidney disease: Fundamental priciples. Clin J Am Soc Nephrol 13:1085-1095, 2018.
- Roberts DM, et al: Clinical pharmacokinetics in kidney disease: Application to retional design of dosing regimens. Clin J Am Soc Nephrol 13:1254-1263, 2018.
- Rowland M, et al: Clinical Pharmacokinetics and Pharmacodynamics: Concepts and Application. 5th ed. Williams & Wilkins, 2019.
- Shargel L, et al: Applied Biopharmaceutics & Pharmacokinetics. 7th ed. Appleton & Lange, 2015.

임·상·신·장·학

PART

13 투석 요법

김용림 (경북의대), 조영일 (건국의대)

CHAPTER 01 신대체요법의 선택, 준비 및 공유의사결정

오국환 (서울의대), **김성은** (동아의대)

KEY POINTS

- 만성콩팥병 4단계 환자는 신장내과 전문의에게 의뢰하여 신대체요법에 대한 준비를 하도록 한다.
- 말기신부전 환자에서 투석 시작 시기는 절대적인 사구체여과율의 기준이 있는 것은 아니며, 환자의 증상 및 이득과 위해에 관한 환자와 의료진의 신중한 논의를 기반으로 결정하는 것을 권고한다.
- 윤리적 신대체요법의 결정은 환자의 선택을 중심으로 의학적 상태, 삶의 질에 대한 치료의 이득과 부담, 법률적·현실적 여건을 고려한 공동의사결정(shared decision making, SDM) 절차이다.
- 최근 투석방법 선택을 위한 환자와 의료인 간의 공동의사결정의 필요성이 강조되고 있다.

신대체요법의 준비 및 시작 시점

1. 신장내과 전문의에게 의뢰 시기

만성콩팥병 환자가 점진적으로 신기능이 저하되어 만성콩팥병 4단계 이상(사구체여과율<30 mL/min/1.73 m²)이 되면 신장내과 전문의에게 의뢰(refer)하여 전문적인 치료와 함께 신대체요법을 준비하도록 권한다(대한의학회 일차의료 만성콩팥병 표준진료지침). 1년 이내에 신대체요법을 받을 가능성이 10~20% 이상으로 높은 환자를 신장내과 의사에게 조기 의뢰하면 적절한 시기에 신대체요법에 대한 대비를 시행할 수가 있기 때문이다. 이러한 조기 의뢰는 지연 의뢰보다 많은 장점이 있다(표 13-1-1). Chan 등이 시행

한 한 메타분석에 따르면 신장내과 전문의에게 조기 의뢰를 한 경우는 그렇지 않은 경우에 비해 사망률이 11% 대 23%로 더 우수하였고, 입원 기간도 13.5일 대 25.3일로 더 좋은 치료 성적을 보였다.

2. 진행성 만성콩팥병 환자의 다학제적 관리와 교육

신기능이 점점 악화되고 조만간 말기신부전 상태로 진행할 가능성이 높은 만성콩팥병 환자들에 대해서는 다학제적(multidisciplinary) 관리와 교육이 필요하다. 즉, 식이요법에 대한 상담, 여러 가지 신대체요법의 특성과 장단점에 대한 교육, 이식 관련 상담, 혈관통로 또는 복막도관 삽입 준비와 수술, 우울증 등에 대한 심리적 관리 등이 필요

표 13-1-1. 조기 의뢰(early referral)와 지연 의뢰(late referral)의 결과 비교

지연 의뢰의 결과	조기 의뢰의 장점
빈혈과 뼈질환	신대체요법 시작을 지연시킴
심한 고혈압과 수분 과잉	동정맥루 등 영구 혈관접근로 사용 증가
임시 혈관통로 비율 증가	치료 방법 선택의 폭이 넓어짐
이식에 대해 준비할 시간이 부족	응급 투석 필요성 감소
초기 입원율 증가	입원 기간 및 입원 비용 감소
1년 사망률 증가	영양 상태 호전
다양한 신대체요법 간의 선택 범위 축소	심혈관질환과 동반 질환에 대해 효율적인 관리 가능
심리사회적인 적응 장애	환자 생존율 개선

하다. 국내 기관의 연구에서도 만성콩팥병 환자에게 다학제적 투석전 교육 프로그램(multidisciplinary predialysis education)을 시행하였을 때 응급투석 시행률, 입원율, 심혈관질환 발생률을 감소시켰다.

3. 신대체요법 시작 시기

만성콩팥병 환자에서 투석 시작 시기의 결정은 요독증의 징후와 증상, 생화학적 검사 또는 사구체여과율을 포함한 다양한 요인을 고려하여 결정한다. 투석 시작의 정확한 시기는 투석 서비스의 비용과 임상 결과에 영향을 미칠 가능성이 있으므로, 투석 시작에 대한 결정을 논의할 때는 사망률, 증상 및 기능 개선 정도, 삶의 질 및 기타 의료 비용 등과 연관된 특정 요인을 살펴야 한다. 환자의 증상을 기준으로 투석 시작 시점을 결정하는 것에 관한 연구는 없으며, 다만 아래 표에 해당하는 경우에는 즉각적인 신대체요법의 시작을 권한다(표 13-1-2). 주로 사구체여과율을 기준으로 하여 상대적으로 일찍 시작한 그룹과 늦게 시작한 그룹의 임상 결과를 비교한 한편의 무작위 연구(The Initiating Dialysis Early and Late study, IDEAL)가 있고, 이 무작위 연구를 하위 분석한 세 편의 연구 결과가 있다. 사구체여과율에 기초한 조기 투석 시작 그룹과 지연 투석 시작 그룹을 비교한 메타 분석에서는 두 그룹 사이에 사망률, 삶의 질, 입원율 및 감염 등의 주요한 임상 결과

표 13-1-2. 즉각적인 신대체요법 시작의 적응증

중증의 요독성 뇌병증 및 말초신경병증
심낭염 또는 늑막염
요독에 의한 출혈
조절되지 않는 폐부종과 체액과다
조절되지 않는 고혈압
조절되지 않는 고칼륨혈증, 대사산증, 칼슘 및 인 대사장애
영양결핍
지속적인 식욕 감퇴, 구역 및 구토

들이 유의한 차이를 나타내지 않았다. 따라서, 말기신부전 환자에서 투석 시작 시기는 환자의 증상 및 이득과 위해에 대해 환자와 의료진이 신중한 논의를 거쳐 결정하는 것을 권고한다(대한신장학회 「적절한 혈액투석을 위한 진료지침」).

한편, 신장이식 중 '선제적 이식(preemptive transplantation)'은 투석을 받지 않고 바로 이식을 시행하는 것을 의미하며, 적절한 생체 신이식 공여자가 있는 경우 사구체여과율이 20 mL/min/1.73 m² 미만에서는 선제적 이식을 고려하는 것이 좋다. 2000년 2월 9일부터 "장기 등 이식에 관한 법률"이 시행되면서 신이식을 받기 위해서는 이식 전에 국립장기이식관리센터(KONOS: Korea Network for Organ Sharing)에 사전 등록을 하여야 한다.

신대체요법의 선택

1. 신대체요법의 비교

신이식은 신장의 주요 기능을 거의 모두 대치할 수 있으므로 말기신부전의 가장 이상적인 치료 방법이다. 신이식은 공여자에 따라 살아있는 사람으로부터 신장을 기증받는 생체 신이식(living donor kidney transplantation, LDKT)과 뇌사자로부터 받는 사체 신이식(deceased donor kidney transplantation, DDKT)으로 나눌 수 있다. 신이식을 통해 환자의 삶의 질을 높이고 생존율을 현저히 증가시킬 수 있다. 하지만, 신이식이 모든 환자에게서 가능한 것은 아니다. 수혜자가 결핵이나 활동성 감염, 에이즈, 악성종양, 교정하기 어려운 심혈관질환, 약물중독이나 정신질환 등이 있는 경우 이식 대상에서 제외될 수 있다.

혈액투석과 복막투석은 그 방법에 근본적인 차이가 있으며, 두 치료법을 무작위 배정한 연구는 현실적으로 시행하기가 매우 어렵다. 현재까지 발표된 혈액투석과 복막투석 간의 예후와 생존율에 관한 비교 자료는 대부분 후향적이고 관찰적인 연구에 의존한다. 복막투석 혹은 혈액투석을 선택하는 환자들은 기본적인 인구의학적 특성과 동반질환 등에서 서로 차이가 있으므로 이를 고려하지 않은 단순 비교는 어렵다. 하지만, 현재까지의 제한적인 자료를 근거로 볼 때 투석 시작 후 1~2년 동안은 잔여 신기능 보존 등에 기인하여 복막투석의 생존율이 좀 더 우수한 것으로 알려져 있으나, 투석 시작 2년 이후의 생존율에는 두 투석 방법 간에 유의한 차이가 없다.

이처럼 혈액투석과 복막투석은 경쟁적인 투석 방법이 아니라 서로 보완적인 측면을 지니고 있다. 따라서, 각각의 투석 방법의 특성과 장단점에 대해 환자에게 미리 충분한 정보를 제공하여야 하며, 환자와 담당 의사가 상의하여 적절한 투석 방법을 선택하도록 한다(표 13-1-3). 심리적인 의존성이 높거나 치매, 우울증, 복막유착, 다낭신으로 복강내 공간이 부족한 경우 혈액투석을 우선적으로 고려할

표 13-1-3. 혈액투석과 복막투석 비교

	혈액투석	복막투석
장점	• 병원에서 의료진이 직접 투석을 시행하므로 노인이나 자기관리가 어려운 환자에서도 투석 가능하다. • 대사장애 교정이 빠르다. • 잔여 신기능이 없고 체구가 큰 환자도 적정 용질 제거율 달성이 가능하다. • 의료진이 규칙적으로 모니터링한다.	• 가정과 직장에서도 투석액 교환이 가능하다 • 직장, 학업과 병행이 가능하다. • 체구가 작은 소아나 혈관이 좋지 않은 환자에서도 투석이 가능하다. • 이동성이 좋다. • 잔여 신기능이 혈액투석보다 더 오랫동안 유지된다. • 투석중 저혈압이나 부정맥이 적다. • 혈행성 감염이 적다. • 지속적인 요독과 수분 제거가 가능하다.
단점	• 병원과 투석 스케줄의 제약을 받는다. • 혈관접근로 확보가 필수적이다. • 혈관접근로 감염 위험이 있다. • 혈행성 감염(blood-born infection) 위험이 높다. • 투석 중 저혈압, 부정맥, 심혈관계 스트레스가 증가한다. • 항응고제 투여에 따르는 출혈, 헤파린에 의한 혈소판감소증의 위험이 있다. • 간헐적 치료로서 투석 간에는 요독과 수분이 축적된다.	• 용질 제거 효율이 낮다. • 1일 4회 교환하는 경우 시간적 제약이 따른다. • 도관을 지속적으로 지니고 다녀야 한다. • 복막염과 출구감염과 같은 감염의 위험이 있다. • 포도당용액 사용으로 인해 혈당 상승, 비만, 고지혈증 등 대사성 부작용이 증가한다. • 복막의 손상과 변형으로 장기간 복막투석을 시행하기가 어렵다(기술생존율이 낮다). • 복강수술 병력이나 유착이 심한 경우에는 시행이 어렵다.

표 13-1-4. 투석 시작 연도에 따른 보정 생존율(adjusted survival probabilities)

		6개월	12개월	24개월	36개월	48개월	60개월
혈액투석	1997년	0.84	0.74	0.59	0.47	0.38	0.30
	2005년	0.84	0.74	0.61	0.51	0.42	0.35
복막투석	1997년	0.89	0.80	0.62	0.49	0.37	0.29
	2005년	0.93	0.86	0.72	0.60	0.49	0.41

수 있다. 혈액투석에 금기는 없으나 중증의 심혈관 합병증, 심부전이 있는 경우 주의하여야 한다. 반면 15세 미만 소아나 혈관통로 확보가 어려운 환자, 혈액투석 중 심한 저혈압(intradialytic hypotension) 발생, 심부전의 악화가 우려되는 환자, 의료기관에서 거리가 먼 지역에 거주하는 환자 등은 복막투석을 우선적으로 고려할 수 있다.

2. 투석 환자의 사망률과 유병률

투석 환자의 사망률은 일반 인구에 비해 현저히 높다. 미국 전역의 말기신부전 환자 등록 시스템인 USRDS (United States Renal Data System)에 따르면 투석 환자의 보정 사망률(adjusted mortality)은 전체적으로는 일반 인구에 비해 6~8배 가량 높고, 사망률은 연령이 증가함에 따라 증가하여 65세 이상 투석 환자는 1,000 환자-년 당 264례 사망하였다. 하지만 투석 환자의 생존율은 1997년에 비해 2005년에 현저히 향상되었으며, 특히 복막투석 환자가 혈액투석에 비해 더 향상되었다(표 13-1-4). 유럽과 미국 등의 자료들을 보면 복막투석 환자의 초기 24~36개월까지의 생존율이 혈액투석 환자에 비해 좀 더 우월한 것으로 되어 있는데, 이는 복막투석이 혈액투석에 비해 잔여 신기능을 더 오랜 기간 동안 유지해 주기 때문으로 생각된다. 잔여 신기능은 환자 예후에 매우 중요한 요인임이 잘 알려져 있다.

신대체요법에서 윤리적 고려

1. 신대체요법과 의료윤리 원칙들

신대체요법 과정에서 환자와 의사는 여러 가지 선택을 마주하게 된다. 치료의 종류와 시작 시점은 물론 신대체요법의 시작 또는 지속 여부를 결정해야 할 때도 있다. 이런 결정에서 질병과 고통을 겪는 환자 자신이 중심에 있도록 하면서도 한편으로는 의학적 조건이나 환자마다 다른 생활 여건과 기대, 그리고 사회-경제-법률적 여건들도 고려해야 한다. 따라서 신대체요법에 관한 의사결정은 검사 결과들에 대한 객관적 분석과 연구 결과들의 획일적 적용을 넘어서 언제나 개별 환자를 중심으로 임상적이면서도 윤리적인 섬세한 조정을 요구하게 된다. 윤리적 의사결정의 기준은 ① 해당 환자에게 최선이면서(선행의 원칙), ② 해를 끼치지 않고(악행 금지의 원칙), ③ 환자의 의사를 반영하되(자율성 존중의 원칙), ④ 공정한가(정의의 원칙) 등 네 가지이다. 그러나 윤리적 추론을 훈련받지 않은 임상 의사가 서로 충돌하는 원칙들의 우선순위를 조절해 나가기는 쉽지 않다.

2. 임상적 의사결정 과정과 의료윤리 원칙들의 적용

Jonsen AR 등이 쓴 임상윤리 교과서에서는 순서화된 임상적 의사결정 절차가 원칙 기반 추론보다 실용적일 수 있다고 안내한다. 의학적 조건들을 바탕으로 환자의 가치관과 삶의 맥락에 따라 선택을 돕고, 그 선택에 따른 삶의 질을 예상하며, 사회-경제-법률적 여건들을 차례로 고려

표 13-1-5. 순서화된 공유의사결정 절차와 의료윤리 원칙들

1. 의학적 조건 평가 – 선행, 악행 금지의 원칙
2. 환자의 선택 확인 – 자율성 존중의 원칙
3. 선택에 따른 삶의 질 예상과 협의 – 선행, 악행 금지, 자율성 존중의 원칙
4. 주변 조건에 대한 종합적 고려 – 정의의 원칙

하여 이전 단계의 결정을 조정하면 윤리 원칙들을 자연스럽게 적용할 수 있다(표 13-1-5).

1) 의학적 조건의 평가

환자의 의학적 조건에 대한 평가와 예후 예측이라는 임상 판단에서 출발한다. 신대체요법을 필요로 하는 환자의 문제가 '가역적인 것인가, 비가역적인 것인가?'와 함께 나이, 동반 질환의 중증도, 심각한 영양결핍 유무, 신체 기능 저하 정도 등 환자의 기본 조건도 고려한다. 이 조건들에 따라 신대체요법의 시작이나 유지의 이득과 부담에 대해 평가한다.

2) 환자의 선택 확인

임상에서 늘 시행하는 설명 동의 절차이다. 그러나 동의서에 서명을 받는 요식적 절차를 넘어서 환자 본인의 가치관에 따라 최선의 결정을 할 수 있도록 돕는 실질적인 공유의사결정 과정이어야 한다. 그러므로 평가한 의학적 조건에 따라 신대체요법을 시작하거나 중지할 경우 예상되는 결과, 이득과 위험, 이러한 예측 자체의 불확실성, 시도해 볼 수 있는 치료 방법들 등에 관한 정보가 환자에게 충분히 제공되어야 한다. 말기신질환 환자에게 선택을 위해 제시되어야 하는 것들은 ① 신이식, 혈액투석 또는 복막투석, ② 약물치료만 지속, ③ 한시적인 시험적 투석, ④ 투석치료를 중지하고 생애말 진료를 받는 것 등을 포함한다. 마지막으로 모든 조건을 고려해서 주치의가 판단한 가장 적절한 선택을 제안한다.

설명 동의 과정에서 의사 자신의 결정을 관철하기 위해 정보를 왜곡하거나, 결정 과정에 지나친 영향력을 행사하는 것은 환자의 의사 결정을 조작하거나 강압하는 비윤리적인 행위이다. 환자의 선택은 자발적이어야 한다. 의사가 제공한 정보를 통해 자신의 상태와 예상 결과들을 이해하고, 스스로의 가치관에 따라 합리적으로 선택하고, 자신의 선택을 표현할 수 있어야 한다.

신대체요법을 결정하려는 환자들은 요독증이나 혈관질환 등에 의한 인지능력 이상 때문에 의사 결정 능력이 온전하지 못할 수도 있다. 그러므로 주치의로서 납득하기 힘든 선택을 환자가 했다면 환자의 의사 결정 과정을 재평가해야 한다. 선택의 이유를 듣고, 환자가 알아들을 수 있게 쉽고 분명히 상황을 설명하였는지, 교육 수준, 청력, 우울증이나 기질적인 뇌병변의 영향이 있는지 등도 점검한다. 환자가 의사 결정 능력을 상실하였다면 적법한 대리인이 의사 결정의 당사자가 된다. 대리인과 공유의사결정을 진행하는 경우 대리인이 자신의 의견보다 환자 본인의 가치와 성향 및 최선의 이익을 반영하였는지 확인한다.

3) 삶의 질에 대한 예상과 협의

신대체요법의 종류, 시작, 유지의 선택은 삶의 질에 큰 영향을 준다. 그러므로 선택에 따른 삶의 질을 예상하여 선택을 재조정하는 절차는 매우 중요하다. 환자 본인, 가족, 의료진의 선택이 서로 다르거나 윤리 원칙들이 서로 충돌할 때, 완치(cure), 조절(care), 고통완화(comfort) 등과 같이 삶의 질을 반영한 진료 목표가 좋은 기준이 될 수 있다. 어떤 정도의 삶의 질이 목표이며 수용 가능한지, 또 기대한 삶의 질을 얻기 위해 어느 정도의 부담을 감수할 것인지 협의한다. 삶의 질 예상에서 신체 기능, 다른 사람 또는 세상과의 소통, 고통(suffering)의 정도 등이 중요한 요소이다. 삶의 질을 객관적으로 평가하기 위한 도구들이 있으나 본인의 주관적 만족 여부가 가장 중요하다. 환자에게 의사 결정 능력이 없는 경우 삶의 질 평가에 대리인이나 의료진의 편견이 개입될 여지가 크므로 주의가 필요하다.

4) 종합적 고려

응급 또는 연명치료로서 신대체요법은 일반적으로 시행하고 유지하는 것이 당연한 행위에 속한다. 그러나 생리적

으로 소용없는 경우, 의학적 목표를 상실한 경우, 의사 결정 능력이 있는 환자나 대리인이 정당한 절차를 거쳐 거부하는 경우, 치료로 인한 부담이 기대 이득보다 더 큰 경우, 최소한의 삶의 질도 기대할 수 없는 경우의 신대체요법은 당연한 행위의 범위를 벗어나게 된다.

미국 신장의사협회는 ① 환자가 협조하지 않거나 상태가 불안정해서 기술적으로 투석치료를 할 수 없거나, ② 신장질환 이외의 질병으로 말기 상태일 때, ③ 75세 이상이면서 극히 예후가 나쁠 것으로 예상되는 조건(동반 질환의 중증도, 신체기능 저하, 만성적 영양결핍, 내년에 사망하더라도 놀라지 않을 것이라는 의사의 예견) 중 두 가지 이상을 가지고 있을 때 투석 치료 중지를 고려해 볼 수 있다고 하였다.

연명치료 상황에서 신대체요법의 중지 결정에는 실정법 검토가 필요하다. 신대체요법에 관한 결정이 윤리적, 법적 기준 내에 있는지 확신하기 어렵다면 투석실 상근의사 윤리지침에서 권고한 바와 같이 해당 의료기관이나 학회의 윤리위원회 등에 자문을 요청하는 것이 바람직하다. 비-신대체요법 경로를 선택하거나 신대체요법을 중지하더라도 모든 의학적 목표가 사라지는 것은 아니다. 치료나 환자를 포기한다는 의미가 아니라는 것을 본인 또는 가족들에게 알려야 하며, 가능한 증상 조절 및 환자와 가족에 대한 심리적 지지를 제공하여야 한다.

3. 결론

모든 임상적인 판단은 동시에 윤리적 판단이다. 신대체요법을 결정할 때, 지나치게 윤리 원칙들과 씨름하기보다 의학 정보를 바르게 평가하고, 환자의 의사를 존중하며, 삶의 질에 대한 치료의 이득과 부담을 고려하는 임상적 공유의사결정의 각 단계를 빠짐없이 거치면 윤리원칙들을 균형 있게 반영할 수 있다. 그리고 윤리적 결정이 실정법의 제한을 벗어나는지 확인하고 필요에 따라 기관윤리위원회의 자문을 구하도록 한다. 신대체요법을 중지하더라도 적절한 완화치료를 제공하기 위한 노력을 유지한다.

공유 의사 결정
(Shared decision making, SDM)

만성콩팥병이 악화되어 말기신부전으로 진행하면, 신대체요법인 신장이식, 혈액투석, 복막투석 중에서 하나를 선택하여야 한다. 그동안 이에 대한 결정은 의사 주도로 이루어져 왔으며, 환자들은 제한된 정보만을 가지고 중요한 의학적 결정을 해왔다. 환자에게 충분하지 않은 정보 및 의학 지식을 제공하게 되면, 그로 인해 의학적 갈등이 유발될 수 있고, 환자의 예후에도 부정적인 영향을 미칠 수 있다. 이를 보완하기 위해 환자에게 충분한 지식을 제공하는 교육의 기회를 높여 환자의 알 권리 및 자기 결정권을 높이고자 하는 요구가 최근 들어 증가하고 있다.

혈액투석과 복막투석은 각각 다양한 장점 및 단점이 있으므로, 환자의 의학적 요소(나이, 성별, 기저질환, 동반질환, 이전 수술력, 현재 상태 및 향후 이식가능성)와 사회경제적인 요소(의료 접근성, 경제력, 직업의 유무, 가족의 도움 등) 등 다양한 요소들을 고려하여 환자 중심으로 투석 방법을 결정해야 한다. 위와 같이 말기신부전 환자들이 치료 방법을 결정하기 위해서는 충분한 정보와 교육을 바탕으로 한 종합적인 판단이 요구된다. 특히 심리적, 경제적으로 가족들의 도움이 필요한 경우가 많아, 이러한 치료 방법을 결정할 때에 의사 뿐만 아니라 간호사와 약사 등의 의료진과 환자 본인 및 가족들이 함께 필요한 교육을 충분한 시간을 두고 반복적으로 시행하는 것이 중요하다.

최근 WHO, 국제신장학회(ISN)의 KDIGO, 영국 NICE, 캐나다 신장학회(CSN)에서 투석방법 선택을 위한 공동의사결정(shared decision making, SDM)의 필요성에 대해 강조하고 있다(그림 13-1-1).

호주의 Murray 등의 보고에 따르면, 2009년까지만 해도 만성콩팥병 치료 분야에서는 환자참여 교육프로그램이 활성화되지 않았으나, 이후 호주의 신장질환 치료 가이드라인(The Kidney Health Australia – Caring for Australians with Renal Impairment Guidelines)에서 개인의 의사를 반영하여 투석 방법을 선택했을 때 가장 좋은 치료 결과를 나타냈다고 보고한 바 있다. 또한 여러 연구자

WHO "Shared decision-making is **appropriation in any situation** where there is more than one reasonable course of action and where no single option is self-evidently best for everyone."

 KDIGO "... there is a need for **timely referral for RRT planning** in order to ensure good decision-making and outcomes...... The need for education, planning, and appropriate expertise for the management of this patient group is internationally relevant. The methods, frequency, and tools with which this can be accomplished will be **region specific**."

 NICE "Treatment and care should take into account **patients' needs and preferences**. People with CKD should have the opportunity to make informed decisions about their care and treatment, in partnership with healthcare professionals."

 CSN "Do **not initiate chronic dialysis** without ensuring a shared decision-making process between patients, their families, and their nephrology health care team."

그림 13-1-1. 세계 신장학회 및 관련 단체들의 말기신부전증 환자 교육에 대한 가이드라인 (RRT, renal replacement therapy)

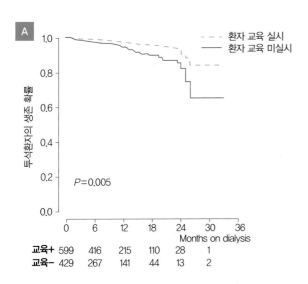

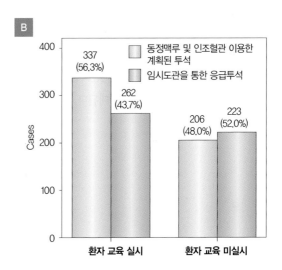

그림 13-1-2. 투석 전 환자교육 실시에 따른 생존 향상 및 투석접근로를 이용한 계획된 투석의 증가

들이 투석 전 단계의 교육을 통해 말기신부전의 치료가 투석 등의 신대체요법으로 자연스럽게 전환되게 할 수 있음을 보고하였다. 2008년 8월부터 2012년 7월까지 국내 31개 의료기관에서 투석을 시작하는 약 1200명의 말기신부전 환자를 대상으로 시행한 전향적 관찰연구(Clinical Research Center for End Stage Renal Disease, CRC for ESRD)의 결과에 따르면 투석 시작 전 1년 이상 신장내과 전문의와 만나 진료를 시행하면서 신장 교육을 2회 이상

시행받은 환자군에서 응급혈액투석 도관의 사용이 감소하고 2년 이상의 추적관찰 기간 동안 환자의 사망률이 감소하는 결과를 확인할 수 있었다(그림 13-1-2). 또한, 이러한 환자군에서 투석 시작 1년 전과 투석 시작 후 1개월 사이의 월별 의료비가 모두 의미있게 감소함을 확인하였다. 특히 투석 시작 전 의사와 환자의 의견교환을 통하여 투석 방법을 미리 결정하고 투석을 시작하였을 경우 투석 시작후 3개월 및 1년째에 측정한 삶의 질 지표가 유의하게 높

그림 13-1-3. 신대체요법 방법 결정을 위한 공유의사결정의 필요성

환자와 의료진 모두 **다** 함께 **행**복한
신대체요법 선택을 위한 공유의사결정

"투석 결정 전 충분한 논의가 환자와 의료진 모두를 행복하게 만듭니다"

그림 13-1-4. 대한신장학회의 다행 캠페인

았으며, 우울증의 정도가 유의하게 감소하였다.

이에 따라 대한신장학회는 투석방법 선택을 위한 공동의사결정에 대한 "다행 캠페인"을 시작하여 공동의사결정 프로그램 개발 성과 및 연구 결과를 발표하고, 새로운 한국형 치료 결정의 프로세스를 제안하였다(그림 13-1-3,4).

이러한 공유의사결정 방식을 통해 투석 방법을 결정하면 환자의 자기결정권을 증진시키고 전반적인 투석의 예후와 만족도를 증가시킬 수 있으리라 기대된다.

▶ 참고 문헌

• 대한의학회 만성콩팥병 진료지침제정위원회: 일차의료용 근거기반 만성콩팥병 권고요약본. 대한의학회 및 질병관리청, 2021.
• 대한신장학회 진료지침위원회: 적절한 혈액투석을 위한 진료지침. 대한신장학회 및 질병관리청, 2021.
• Blake PG, et al: Person-centered peritoneal dialysis pre┐scription and the role of shared decision-making. Perit Dial Int 40:302–309, 2020.
• Chan MR, et al: 673 Outcomes in patients with chronic kidney dis┐easereferred late to n ephrologists: a m eta-analysis. A m J Med 120:1063–1070, 2007.
• Cooper BA, et al: A randomized, controlled trial of early versus late initiation of dialysis. N Engl J Med 363:609–619, 2010.
• Engels N, et al: Shared decision-making in advanced kidney dis┐ease: a scoping review protocol. BMJ Open 10(2):e034142, 2020.
• Jonsen AR, et al: Clinical ethics: a practical approach to ethical decisions in clinical medicine. 8th ed. McGraw-Hill, 2015.
• Lee J, et al: Early nephrology referral reduces the economic costs among patients who start renal replacement therapy: a prospective cohort study in Korea. PLoS One. 9:e99460, 2014.
• Renal physicians association: Shared Decision-Making in the Appropriate Initiation of and Withdrawal from Dialysis. 2nd ed. Renal physicians association, 2010.

CHAPTER 02 혈액투석의 원리, 장비 및 투석막

진규복 (계명의대), 한승석 (서울의대), 정해혁 (강원의대), 조영일 (건국의대)

KEY POINTS

- 고식적 혈액투석(conventional hemodialysis)에서는 확산 및 초미세여과를 통해 각각 용질과 체액의 제거가 이루어진다.
- Medium cut-off 투석막을 이용한 확장 혈액투석(expanded hemodialysis)은 중분자 물질 제거를 용이하게 한다.
- 온라인 혈액투석여과(online hemodiafiltration)는 대류(convection)를 이용하여 요독소를 체외로 제거하는 치료로 분자량이 큰 요독소도 효과적으로 제거할 수 있다.

혈액투석의 원리

혈액투석은 투석막(dialyzer)을 경계로 한쪽에는 노폐물이 축적된 환자의 혈액을, 다른 한편에는 정상인의 세포외액과 조성이 비슷한 투석액(dialysate)을 서로 반대 방향으로 흐르게 하여 투석막을 통해 환자의 혈액에서 요독물질과 과다 수분을 체외로 제거하는 치료이다. 요독물질 곧 용질은 확산(diffusion)과 대류(convection)에 의해 제거되고, 수분은 초미세여과(ultrafiltration)를 통해 제거된다.

1. 고식적 혈액투석(Conventional hemodialysis)

1) 확산에 의한 용질 제거

혈액투석에서 용질의 제거는 대부분 확산에 의해서 이루어진다. 확산은 농도차가 클수록, 투석막의 표면적이 클수록 잘 일어나며, 투석막 고유의 특징인 투석막 구멍의

크기, 두께, 혈액 및 투석액의 속도에 의해 영향을 받는 물질 전달 계수(mass transfer coefficient)에 의해 영향을 받는다. 용질의 분자량이 클수록 확산 속도는 느려지므로 분자량이 60 Da인 요소(urea)와 같은 작은 분자들은 혈액투석으로 제거가 잘 되지만, 분자량이 큰 베타2 저분자글로불린(β2-microglobulin, 11,800 Da) 등과 같은 중분자물질은 잘 제거되지 않는다.

2) 초미세여과에 의한 체액 제거

혈액투석 환자에서 수분 과다는 좌심실비대 및 심혈관 사망률의 위험인자이다. 혈액투석에서 체액의 제거는 초미세여과를 통해 이루어진다. 초미세여과 속도는 투석막을 경계로 한 정수압 차이에 의해 결정되며, 정수압이 높은 혈액 분획에서 음압이 걸리는 투석액 분획 쪽으로 체액이 이동하게 된다. 투석 중에 초미세여과 속도는 건체중(dry weight)을 맞추기 위하여 제거가 필요한 체액량에 따라 조

SOULTE	MW (Da)	Class	Action/effect
Urea	60		
Creatinine	125	Small	General toxicity
Vitamin B12	1,250		
β-2 M	12,000		Amiloidosis CTS
Leptin	16,000	Middle	Malnurition
Myoglobin	17,000		Organ damage
κ-FLC	23,000		Toxicity
Prolactin	23,000		Infertility
Interleukin-6	25,000		Inflammation
Hepcidin	27,000	Large	Anemia
BoundP-Cresol	33,500		CV toxicity
Pentraxin-3	43,000		Acute phase protein
λ-FLC	45,000		CV toxicity
TNF-α (Trim)	51,000		Inflammation
Albumin	68,000	Essential protein	Toxin binding capacity

그림 13-2-1. 분자량에 따른 요독물질의 예시

정된다. 보통 용질 제거와 체액 제거는 동시에 이루어지는데 초미세여과를 과도하게 시행하면, 근육경련, 구역, 구토, 저혈압 등의 증상들이 발생할 수 있다. 일반적으로 권고되는 최대 초미세여과 양은 시간당 10 mL/kg 이하이다. 투석 없이 초미세여과만 하게 되면 용질의 제거 없이 체액 제거가 이루어지고 삼투압 변화는 최소화되어 혈관저항이 유지되고 저혈압의 위험을 낮출 수 있게 된다.

2. 확장 혈액투석(Expanded hemodialysis)

혈액투석에서는 요독물질은 확산에 의해 제거되는데 분자량이 크면 제거가 잘 되지 않는 문제가 있다. 즉, 0.5 kD 이하의 작은 분자량을 가진 물질들은 확산에 의해 고식적 혈액투석으로 효과적으로 제거되지만, 0.5 kD 이상의 중분자 물질은 제거가 어렵다(그림 13-2-1). 중분자 물질에는 대표적으로 β2-microglobulin (11.8 kD)과 유리경쇄(free light chain)가 있다. 중분자 물질을 효과적으로 제거하기 위해 이용되는 치료가 온라인 혈액투석여과법으로, 이는 대류를 이용한다. 확장 혈액투석은 기존의 투석막보다 투

과성이 우수한 medium cut-off (MCO) 투석막을 사용하여 고식적 혈액투석으로는 제거되지 않는 중분자 물질을 제거하는 혈액투석 치료법의 한 종류이다. 확장 혈액투석을 시행하면 고식적 혈액투석으로 제거가 잘 되지 않는 β2-microglobulin, 유리경쇄, 사이토카인 등의 중분자 물질이 고유량 혈액투석에 비하여 더 효과적으로 제거된다. 확장 혈액투석은 다른 추가 장비나 설비 없이 MCO 투석막을 기존 투석기에 장착하여 시행한다. 확산 방법으로 진행 가능하나, 초미세여과 단독 방법으로는 사용할 수 없다. 확장 혈액투석으로 중분자 물질 제거 정도를 측정하는 방법은 아직 없으며, 알부민 손실 정도가 증가할 가능성이 있다.

3. 온라인 혈액투석여과(Online hemodiafiltration)

혈액투석 치료의 기술적인 진보에도 불구하고 고식적 혈액투석을 시행하는 환자의 생존율은 크게 개선되지 않고 있는 것이 현실이다. 그런데, 최근의 연구 결과들은 혈액투석여과 치료가 환자의 생존율을 포함한 임상적인 지

표들을 유의하게 개선시킴을 보여주고 있다. 그에 따라 혈액투석여과 치료에 대한 관심이 높아지고 있으며 혈액투석여과 치료를 받는 환자 수도 점점 더 늘어나고 있다. 혈액투석여과의 원리를 한마디로 표현하면 대류 요법(convective therapy)이라고 할 수 있다. 즉, 확산을 주로 이용하는 고식적 혈액투석과는 달리 주로 대류를 이용하여 요독소를 체외로 제거하는 치료로, 확산과 대류가 모두 작동하지만 대류가 확산보다 훨씬 더 중요한 역할을 한다. 혈액투석여과에서 요독소 제거에 대류의 원리를 이용하는 이유는 확산만으로는 분자량이 큰 요독물질을 효과적으로 제거하기가 어렵기 때문이다. 확산에 의한 요독소 제거는 요독소 분자의 크기에 반비례하여 일어나므로 분자량이 작은 요독소는 혈액투석에 의해 효과적으로 제거된다. 하지만 분자량이 큰 요독소는 그렇지 못하며, 투석막을 쉽게 통과하도록 막의 구멍 크기(pore size)를 크게 한다고 해도 확산 속도가 낮아 혈액투석만으로는 효과적으로 제거가 되지 않는다. 반면에 대류의 원리를 이용하는 혈액투석여과로는 분자량이 큰 요독소도 효과적으로 제거된다. 막의 구멍 크기가 충분히 큰 고유량 투석막(high-flux hemodialyzer)을 통해 대량의 수분 이동(fluid transport)이 일어나게 하

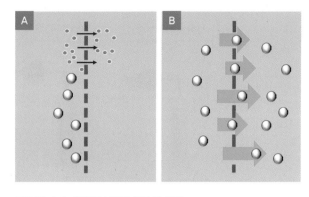

그림 13-2-2. 혈액투석여과 치료의 원리

(A) 확산(diffusion). 확산에 의해서는 소분자 요독소가 주로 제거된다.
(B) 대류(convection). 중분자물질은 대류에 의해 제거된다.

면 혈액 속에 녹아 있는 요독소들이 막을 지나는 유체의 흐름(fluid flow)을 따라 막을 쉽게 통과하여 투석액 쪽으로 제거된다. 이를 '대류'라고 한다. 대류에 의한 요독소의 제거는 확산과는 달리 요독소의 분자 크기에는 큰 영향을 받지 않으며, 초미세여과 양을 증가시키면 대류 수송(convective transport)이 늘어나 요독소 제거가 더욱 효과적으로 이루어지게 된다(그림 13-2-2).

이처럼 대류에 의한 요독소 제거에는 대량의 초미세여

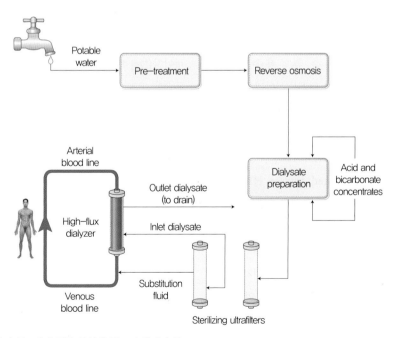

그림 13-2-3. 혈액투석여과 치료에서 혈액, 투석액 및 보충액의 흐름

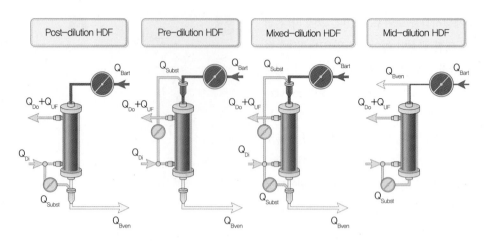

그림 13-2-4. 보충액 주입 방법에 따른 혈액투석여과 치료의 방법

과가 필요하므로, 혈액투석여과 동안 초미세여과로 소실되는 양만큼의 수분을 환자의 혈액으로 보충해 주어야만 한다. 필요한 보충액(substitution fluid)의 양은 목표하는 대류량(convection volume)과 보충액의 주입 방법 등에 따라 달라지는데, 최소 15~20 L에서 최대 150 L에 이른다. 따라서, 보충액은 고도로 정수되어 발열원이 없어야 하고 멸균 상태여야만 한다. 온라인 혈액투석여과(online HDF) 치료에서는 정수 과정을 통해 초순수(ultrapure water) 수준의 투석 용수(dialysis fluid)를 생성하는데, 이 투석 용수를 보충액으로 사용한다. 즉, 투석 용수 라인이 환자의 혈액 라인에 연결되어 있어서 혈액투석여과를 하는 동안 투석 용수가 보충액으로 환자의 혈액 내에 직접 주입된다(그림 13-2-3). 주입 방법은 보충액을 어느 지점에서 주입하는가에 따라 후희석법(postdilution HDF), 전희석법(predilution HDF), 혼합희석법(mixed dilution HDF), 중간희석법(mid-dilution HDF) 등으로 구분한다(그림 13-2-4). 이중에서 후희석법과 전희석법이 주로 사용되는데, 후희석법은 대류량이 작아도 용질을 효과적으로 제거할 수 있어서 흔히 사용된다. 전희석법은 후희석법에 비해 혈류가 낮아도 높은 대류량을 얻을 수 있다는 장점이 있다. 이처럼 온라인 혈액투석여과치료는 고유량 투석막을 통한 확산과 대류를 동시에 이용하여 소분자 요독소와 큰 분자

의 요독소 모두를 효과적으로 제거하므로, 생존율 개선을 포함한 여러 가지 임상적인 이득을 제공한다.

혈액투석의 구성 요소

혈액투석을 시행하기 위해서는 투석막(dialyzer), 혈액전달체계(extracorporeal blood-delivery circuit), 투석액 전달체계(dialysate delivery system) 등의 구성요소가 필수적이다(그림 13-2-5). 추가로 동정맥 압력, 전해질 농도와 투석액 온도, 공기와 혈액의 누출 등을 감시하는 많은 안전장치들이 혈액투석 기계를 구성한다.

1. 투석막(Dialyzer)

투석막은 혈액과 투석액 분획을 빠른 속도로 관류시키는 장치이며 일반적으로 유공섬유(hollow-fiber) 형태로 200~300 μm의 직경의 10,000~15,000개 모세관 다발로 묶어 놓은 것이다. 성인용 투석막의 표면적은 1.5~2.0 m² 정도이다. 혈액은 모세관 안을 지나고 투석액은 혈액과 반대 방향으로 모세관 밖 주위를 지나게 되며, 이 막을 통해 확산이 일어난다. 최근 기술의 발전으로 여러 종류의 투석

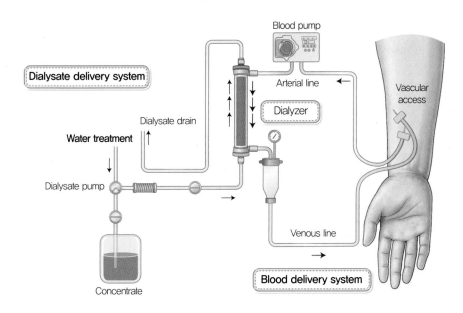

그림 13-2-5. 혈액투석의 구성 요소

막 물질이 개발되었고, 사용하는 소재에 따라서 셀룰로오스(cellulose), 치환셀룰로오스(substituted cellulose), 반합성(cellulosynthetic), 그리고 합성(synthetic)막으로 나눈다. 과거에는 셀룰로오스(cellulose)를 기반으로 한 투석막이 사용되었으나, 현재는 대부분 polysulfone, polymethyl-methacrylate, 또는 polyacrylonitrile와 같은 합성 재질막이 사용된다. 이는 합성막의 "생체적합성(biocompatibility)"이 더 좋아서 보체계 활성을 제한하기 때문이다. 한편, 투석막은 투과성에 따라서 저유량(low-flux) 투석막과 고유량(high-flux) 투석막으로 분류되고, 저유량 투석막은 저분자량 용질(<1 kDa)만을 투과하며, 고유량 투석막은 β2-microglobulin과 같은 중분자량 용질의 제거도 가능하다. HEMO 연구에 따르면, 고유량 투석막을 사용하면 저유량 투석막 사용에 비하여 심혈관질환에 의한 사망과 입원 위험도가 줄어든다. 이러한 연구 결과를 근거로 최근에는 혈액투석에 고유량 투석막을 주로 사용하며, 온라인 혈액투석여과에도 고유량 투석막이 사용된다. 고효율(high-efficient) 투석막은 표면적과 막에 존재하는 구멍(pore) 밀도가 높아 투석막을 통한 용질의 제거가 용이한 투석막을 의미한다. 최근 막 구멍 크기를 늘려 확산 혹은

대류로 제거되는 요독물질의 범위를 더욱 확장한 MCO 투석막이 개발되었고, MCO 투석막을 활용한 투석 방법을 확장 혈액투석(expanded hemodialysis)이라고 부른다. 막 구멍이 너무 큰 투석막(high cut-off membrane)을 사용하면 중분자량 용질뿐만 아니라 알부민과 같은 필수 용질도 함께 제거되지만, MCO 투석막은 45 kDa까지의 중분자량 용질 제거는 용이한 반면 알부민 손실은 적다.

2. 혈액전달체계(Extracorporeal blood-delivery circuit)

혈액은 혈관통로의 동맥라인에서 혈액펌프를 통해 투석기로 유입된후 다시 혈관통로의 정맥라인을 통해 환자에게 들어간다. 혈액펌프는 대개 2~3개의 롤러(roller)를 가지고 있어서 투석기를 통과하는 혈류는 맥동형(pulsatile)으로 흐르게 된다. 혈류 속도는 분당 250~350 mL 정도의 범위에서 유지하는 것이 보통이다. 혈액라인에는 압력모니터가 부착되어 있는데, 허용되는 동맥압은 대개 −20에서 +80 mmHg, 정맥압은 +50에서 +200 mmHg 정도이다. 혈액라인의 정맥 쪽에는 공기 걸림기(air trap)와 감지기(air

795

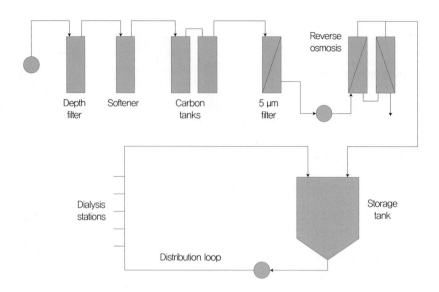

그림 13-2-6. 혈액투석을 위한 정수 시설. 전처리 시설, 역삼투 정수 시설 및 분배 시스템으로 구성된다.

detector)가 있어서 공기가 혈류를 타고 환자에게 들어가지 못하게 방지한다. 혈액회로 내의 혈액응고 방지를 위해 헤파린 등을 지속적으로 주입하는 헤파린 주입기가 있다.

3. 투석액 전달체계(Dialysate delivery system)

투석기에서는 막 한쪽에 혈액이 흐르고 다른 한쪽에 투석액이 혈액과 반대 방향으로 흐르므로, 막을 통해 혈액 속의 요독소가 투석액 쪽으로 확산되어 체외로 제거된다. 투석액의 조성은 대체로 정상 혈장의 전해질 농도와 비슷하나 K^+은 2~2.5 mEq/L로 혈장 농도보다 낮으며, Ca^{++} 2.5, 3.0, 3.5 mEq/L로 환자의 칼슘 농도에 맞춰 투석액을 사용할 수 있다. 완충제로 아세트산염 대신 탄산수소염으로 대체되었으며 실제 사용 시에는 투석 농축원액 또는 분말을 정수처리한 물과 함께 희석하여 사용한다. 투석액 속도는 일반적으로 분당 500 mL로, 혈액투석 환자들은 1회 투석을 하는 동안 약 120~200 L의 투석액에 노출된다. 그러므로, 투석액은 화학적 및 미생물학적으로 고도로 정수되어야 한다. 혈액투석을 위한 정수 시설은 전처리(pretreatment) 시설, 역삼투 정수 시설(reverse osmosis system) 및 분배 시스템(distribution system)으로 구성된다

(그림 13-2-6).

전처리 시설은 역삼투 정수가 최적으로 작동되도록 원수로 사용되는 수돗물을 처리하는 시설로, 부스터 펌프(booster pump), 멀티미디어 필터(multimedia filter), 활성탄 필터(activated carbon filter), 연수장치(water softener)로 구성되어 있다. 원수는 1~5 마이크론 필터(micron filter)를 거쳐 부스터 펌프를 통해 멀티미디어 필터로 보내진다. 멀티미디어 필터에서는 수돗물 중의 부유물과 거친 입자들이 제거된다. 활성탄 필터에서는 염소, 클로라민(chloramine)과 같은 물질들이 흡착에 의해 제거된다. 연수장치에서는 물 속의 칼슘과 마그네슘 이온을 소듐 이온으로 교환함으로 물의 경도(hardness)를 낮춘다. 전처리 시설을 지난 물은 역삼투 정수기로 구성된 1차 처리 시설을 거치면서 화학적 오염물질 및 미생물이 제거된다. 역삼투 동안 물은 고압에 의해 반투과성 막을 통과하는데, 이때 100~300 Da보다 큰 물질들은 다 걸러지게 된다. 세균, 바이러스, 유기물은 역삼투 과정에서 약 99% 이상이 제거된다. 이후에 2차로 탈이온화(deionization) 과정을 거치기도 한다. 1차 및 2차 처리를 거친 물은 저장 탱크(storage tank)를 거쳐 각 투석기로 공급된다. 수돗물 공급이 원활하여 유입수의 양이 일정한 경우에는 오염의 위험을 낮추

표 13-2-1. 최종 투석액의 전형적인 조성

함유성분	농도 (mEq/L)
소듐(Sodium)	135~145
포타슘(Potassium)	0~4.0
염소(Chloride)	102~106
탄산수소염(Bicarbonate)	30~39
아세트산염(Acetate)	2~4
칼슘(Calcium)	0~3.5
마그네슘(Magnesium)	0.5~1.0
포도당(Dextrose)	0~200 mg/dL
pH	7.1~7.3

기 위해 저장 탱크를 두지 않고 정수된 투석용수를 투석기로 바로 분배하기도 한다.

정수 시설에서 생산된 투석용수는 미생물의 오염 정도에 따라 보통여과수(regular pure water), 초순수(ultra-pure water), 멸균수(sterile water)로 나뉜다. 혈액투석여과 치료에는 세균수가 0.1 CFU/mL 미만이고 내독소(endo-toxin) 함량이 0.03 EU/mL 미만으로 정의되는 초순수가 권장된다. 반면에 혈액투석에는 세균수 100 CFU/mL 미만, 내독소는 0.5 EU/mL 미만의 투석용수도 허용된다. 하지만, 초순수 투석용수를 사용하면 투석액에서 내독소와 박테리아의 작은 조각들이 혈액내로 유입되는 것을 줄여 만성 염증 반응과 심혈관계 합병증의 위험을 감소시키는 등의 임상적인 이점이 있으므로, 혈액투석에서도 초순수의 사용이 적극적으로 권장된다. 투석액의 수질을 초순수 상태로 유지하기 위해서는 정수 시설 자체도 중요하지만 수질을 관리하고 모니터링하는 것도 매우 중요하다.

투석용수는 투석기계에서 농축된 형태의 화합물과 혼합되어 최종 투석액으로 만들어지는데, 거의 모든 투석액이 탄산수소염을 함유하고 있다. 탄산수소염 투석액(bicarbonate-based dialysate)의 제조에는 산(A) 농축액과 탄산수소염(B) 농축액이 사용된다. 산 농축액에는 소듐, 칼슘, 마그네슘, 포타슘, 염화물, 소량의 아세트산이 들어있으며, 탄산수소염 농축액에는 탄산수소나트륨이 들어있다. 완충액으로 사용되는 탄산수소나트륨은 액체 형태인 B 농축액 대신에 건조 분말 형태로 카트리지를 통해 공급되기도 한다. 최종 투석액의 전형적인 조성은 표와 같다(표 13-2-1).

혈관통로

1년 이내에 혈액투석이 시작될 것으로 예상되는 만성콩팥병 환자는 면밀한 평가를 통해 미리 적절한 혈관통로(vascular access)를 만들 필요가 있다. KDOQI는 신기능이 점진적으로 감소하는 투석 전 만성콩팥병 환자에서 사구체여과율이 15~20 mL/min/1.73 m² 에 이르면 투석통로의 평가 및 수술을 위해 의뢰하도록 권고하고 있다. 혈액투석에 사용되는 혈관통로에는 자가혈관 동정맥루(arte-riovenous fistula), 인조혈관(graft) 및 중심정맥도관(cen-tral venous catheter)이 있다. 인조혈관보다는 동정맥루가 혈전증, 감염, 일차 개통성 상실 등의 합병증이 덜하므로, 동정맥루를 성숙시키기 위한 충분한 시간과 조건이 충족된다면 인조혈관보다는 동정맥루를 만드는 것이 권장된다. 하지만 경우에 따라서는 인조혈관이 더 좋은 선택일 수도 있다. 투석혈관으로 동정맥루와 인조혈관 중에 어떤 것을 선택할지는 환자의 혈관 특성, 동반 질환, 건강 상태 및 환자 선호도를 고려하여 판단해야 한다. 혈관통로의 종류, 수술 방법, 관찰(monitoring), 감시(surveillance), 합병증, 중재술 등에 대해서는 별도의 장(중재신장학)에서 자세하게 다루게 되므로, 여기에서는 혈액투석 및 혈액투석여과 치료에서 혈관통로의 중요성에 대해 기술한다.

혈관통로의 역할은 환자의 혈액을 적절한 속도로 투석기로 보내고 투석막에서 걸러진 혈액을 다시 환자에게 보내는 것이다. 효과적인 혈액투석을 위해서는 충분한 혈류량이 필요하므로 좋은 혈관통로가 필수적이다. 투석막 내의 혈류(Qb)는 약 200~500 mL/min 정도인데, 혈관통로의 종류에 따라 다르다. 중심정맥도관의 혈류 속도가 동정맥루나 인조혈관의 혈류 속도보다 대체로 낮다. 혈류 속도가 증가하면 용질 제거(urea clearance)가 보다 효과적으로

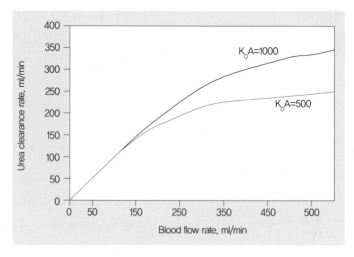

그림 13-2-7. 혈액투석에서 혈류 속도(Qb)에 따른 요소 제거율(urea clearance rate)의 변화

일어나는데, 혈류 속도가 300 mL/min에 이를 때까지는 혈류 속도의 증가에 따라 요소 제거율(urea clearance rate)이 급격하게 증가한다. 하지만, 혈류 속도가 400~500 mL/min에 가까워지면 그 증가 속도가 둔해진다(그림 13-2-7). 일반적인 혈액투석을 위해서는 혈류 속도가 250~300 mL/min 정도이면 큰 문제가 없으나, 고효율 혈액투석(high-efficiency hemodialysis) 및 고유량 혈액투석(high-flux hemodialysis)을 효과적으로 시행하기 위해서는 300~350 mL/min 이상의 높은 혈류 속도가 필요하다.

혈액투석여과에서도 임상적인 이득을 얻기 위한 충분한 대류량(convection volume)을 확보하기 위해서는 혈류 속도가 아주 중요하다. 특히 후희석법(postdilution mode)에서는 가능하면 300~350 mL/min 이상의 혈류 속도를 유지해야 한다. 이런 혈류 속도를 확보하는 것이 어려우면 투석 시간(treatment time)을 늘리든지 전희석법(predilution mode)으로 바꾸는 것을 고려해야 한다. 동정맥루나 인조 혈관을 가진 환자에서는 바늘 크기(needle size)가 높은 혈류 속도를 얻는데 중요하다. 협착 등의 문제가 없다면, 큰 바늘을 사용하면 혈류 속도를 증가시킬 수 있다. 일반적으로 큰 바늘을 사용할 경우에 혈관통로의 예후(shunt out-

come)가 더 나쁠 것이라는 염려를 한다. 하지만, 한 관찰 연구에 따르면 14G, 15G, 16G 바늘 사이에 합병증의 차이가 없었다. 그러므로, 대류량이 충분하지 않으면 더 큰 크기의 바늘을 사용해 볼 필요가 있다. 300~350 mL/min의 혈류 속도를 얻기 위해서는 16G 바늘을, 350~400 mL/min의 혈류 속도를 얻기 위해서는 15G 바늘을 사용하는 것이 권장된다. 고용량 혈액투석여과(high-volume HDF) 치료에 15G보다 큰 바늘은 대개 필요하지 않다. 다만, 혈류 속도가 증가하면 재순환율(recirculation rate)이 증가할 수 있음을 염두에 두어야 한다. 심박출량 저하 등으로 동맥 유입량이 충분하지 않거나, 정맥 유출로에 협착이 있으면 재순환율은 더 증가한다. 재순환율이 커지면 충분한 대류량을 확보하는데 장애가 될 수 있으므로, 재순환율을 정기적으로 감시하는 것이 필요하다.

▶ 참고 문헌

- 대한혈액투석여과연구회, 대한전해질학회: 온라인 혈액투석여과. 메디안북, 2016.
- B. Canaud, et al: Ward. Hemodiafiltration to Address Unmet Medical Needs ESKD Patients. Clin J Am Soc Nephrol 13:1435–1443, 2018.
- Delmez JA, et al: Hemodialysis (HEMO) Study Group. Cerebrovascular disease in maintenance hemodialysis patients: results of the HEMO Study. Am J Kidney Dis 47:131–138, 2006.
- H. Kawannishi, et al: Hemodiafiltration: A New Era (Contributions to Nephrology, Vol. 168). 1st ed. Karger, 2010.
- JT. Daugirdas, et al: Handbook of Dialysis. 5th ed. Wolters Kluwer, 2015.
- Maarten W. Taal, et al: Hemodialysis, in Brenner & Rector's the kidney, 11th ed, Elsevier Saunders, 2020, pp2038–2093.
- Richard J. Johnson, et al: Hemodialysis, in Comprehensive clinical nephrology, 6th ed, 2019, pp1073–1089.
- Ronco C, et al: Hemodialysis membranes. Nat Rev Nephrol 14:394–410, 2018.
- Ronco C: Expanded Hemodialysis – Innovative Clinical Approach in Dialysis. Karger Publishers, 2007.
- Ronco C: Expanded Hemodialysis – Innovative Clinical Approach in Dialysis. Karger Publishers, 2007
- Weiner DE, et al: Efficacy and Safety of Expanded Hemodialysis with the Theranova 400 Dialyzer: A Randomized Controlled Trial. Clin J Am Soc Nephrol 15:1310–1319, 2020.
- Yeun JY, et al: Hemodialysis, in Brenner and Rector's The Kidney (vol. 2), edited by Yu ASL, et al, Philadelphia, Elsevier, 2020, pp2038–2093.

제 13 부 투석 요법

CHAPTER

03 혈액투석의 적절도와 성적

이정은 (성균관의대), **박지현** (경찰병원)

KEY POINTS

- 현재까지 몇 가지 대규모 무작위 대조군 연구에서 충분한 혈액투석여과량을 사용할때 온라인 혈액투석여과군에서 고식적 혈액투석군에 비하여 전체 사망률 및 심혈관계 사망률의 감소를 증명하였다.

- 온라인 혈액투석여과 방법은 환자의 투석 중 혈류역학적 안정성과 빈혈의 개선에 도움이 될 수 있다.

- Medium cut-off (MCO) 투석막을 사용하는 확장된 혈액투석(expanded hemodialysis, HDx) 방법을 통해 중분자 및 고분자물질 제거의 개선을 기대할 수 있다.

혈액투석의 적절도

투석에 의한 요독물질의 적절한 제거는 환자의 예후에 매우 중요하다. 불충분한 혈액투석은 불충분한 요독소의 제거를 의미하며, 환자의 사망률 및 이환율의 증가와 연관되어 있기 때문이다. 유지투석 중인 환자에서 투석의 적절도(adequacy)를 평가한다는 것은 투석의 양이 적절하여 요독이 충분히 제거되는지를 보는 것이다. 요독 증상을 나타나게 하지 않을 정도의 투석량은 가장 좋은 예후를 기대할 수 있는 투석량보다 대체로 적으므로, 투석 환자가 특이 증상이 없다는 것만으로 투석량이 적절하다고 판단할 수 없다. 결국 객관적인 지표가 필요한데, 투석의 적절도를 평가하는 완벽한 지표는 아직은 없다. 임상에서는 매우 크기가 작은 대표적인 요독소인 요소(urea)의 청소율을 이용하여 투석의 적절도를 평가하고 있다.

1. Kt/V – 계산법

Kt/V는 투석량을 평가할 때 가장 널리 쓰이는 지표이다. Kt/V는 분획 요소청소율을 나타내는 단위가 없는 비(ratio)이다. K는 투석막의 요소청소율(L/h), t는 투석 시간(h), 그리고 V는 요소의 체내 분포 용적(L)이며, 임상적으로 체액 순환 시스템을 단일 통(single-pool)으로 가정한다면, 아래의 식으로 산출할 수 있다.

$$spKt/V = -\ln(R - 0.008 \times T) + [(4 - 3.5 \times R) \times 0.55 \times Weigh\ loss\ /\ V]$$

여기에서, R은 투석 후 BUN/투석 전 BUN의 비(즉, 1-urea reduction ratio)를 의미하며, V는 체내 수분 용적(L), T는 투석 시간(hr)을 의미한다.

그러므로, Kt/V가 1.0이라면 이는 K×t(투석 기간 동안 청소된 혈액의 총용적)가 V(요소 분포 용적)와 일치한다는 것을 의미한다. 식을 통해서도 짐작할 수 있지만, Kt/V를 구하기 위해서는 투석 시작 전 채혈과 투석 후 채혈이 필요하다. 여기에서 투석 후 요소질소의 농도는 채혈 시점에 따라 달라질 수 있는데, 종료 직후부터 시간이 지날수록 서서히 농도가 올라가게 된다. 혈액에 있는 요소질소가 먼저 제거되므로 투석을 하는 동안에는 혈액 내의 농도가 혈액 외의 농도보다 낮지만 투석 후 30분에 걸쳐서 혈액 내외의 요소질소 농도가 서서히 평형 상태에 도달하게 되기 때문이다. 그러므로, 혈액투석 종료 후 30~60분 뒤에 채혈하여 측정한 요소질소 농도로 Kt/V를 구하면 더 정확한 값을 얻을 수 있다. 이를 Equilibrated Kt/V(eKt/V)라고 하는데, 투석 후 다시 채혈이 필요하다는 번거로움이 있다. 한편, 다음과 같은 식을 이용하면 spKt/V로부터 eKt/V를 추정할 수 있다.

eKt/V = spKt/V−(0.6×spKt/V)+0.03 (동정맥루 이용 시)
eKt/V = spKt/V−(0.47×spKt/V)+0.02 (중심정맥관 이용 시)

2. 목표 Kt/V 및 혈액 투석 처방에 고려할 점들

요소 청소율만으로 모든 요독소가 잘 제거되는지를 평가할 수는 없으나, 많은 관찰연구에서 요소 Kt/V이 환자의 사망률과 관련이 있음을 보고하고 있다. 대규모의 단면 연구에서 spKt/V가 1.2 미만인 환자들은 사망률이 증가하였다. 따라서 현재의 진료지침에서는 spKt/V를 최소 1.2 이상으로 유지할 것을 권장하고 있다(표 13-3-1). 이 수치

표 13-3-1. KDOQI 혈액투석 적절도 진료 지침: 2015 개정

주3회 혈액투석 환자에서, 잔여 신기능 2 mL/min/1.73m² 이하인 경우
목표 spKt/V: ≥1.4
최소 전달 spKt/V: ≥1.2
한 달에 한 번 평가

는 최소 적절도이며 권장되는 목표 적절도는 spKt/V를 1.4 이상이다. 목표 적절도를 최소 적절도보다 높게 설정하는 이유는 투석 시마다 투석량이 조금씩 달라질 수 있기 때문이다. 이보다 더 많은 투석량을 제공하는 것이 임상적인 이득이 있는지는 논란이 있으며, 이를 규명하기 위해 다기관 연구인 HEMO study가 시행되었다. 이 연구에서는 무작위 배정을 통하여 spKt/V가 1.3인 군과 1.7인 군으로 나누어 사망률을 비롯한 임상적 지표들을 평가하였다. 그 결과 두 군 사이에 유의한 사망률 차이는 없었으며, 입원율과 영양 상태, 삶의 질 평가를 비롯한 다른 지표에서도 유의한 차이를 보이지 않았다.

4시간 미만의 투석으로 목표 Kt/V에 도달하더라도, 투석 시간은 4시간을 유지하도록 권고한다. 대체로 다른 요독소들은 요소보다 크기가 큰데 이들 물질은 제거에 시간이 더 오래 걸릴 수 있고, 실제 역학 연구에서도 4시간보다 짧게 투석을 하는 경우 사망률이 높은 것으로 보고되었기 때문이다. 한편, 혈액투석의 적절도가 목표에 잘 도달하더라도, 환자의 체액과다, 고인산혈증, 대사산증, 고칼륨혈증 등이 식이조절과 약제로 잘 조절되지 않는다면 투석량을 늘릴 필요가 있다.

3. 요소감소비(Urea reduction ratio)

요소감소비는 1회(session)의 투석을 통해 혈중 요소 농도가 얼마나 감소하는지를 의미하며, '1−(투석 후 요소 농도/ 투석 전 요소 농도)'로 계산하고 이를 %로 나타낸다. 잔여 신기능이 없는 환자가 주 3회 투석을 할 때, 최소 목표 요소 감소비는 65%이다. 요소감소비는 Kt/V와 상관관계가 좋고 계산도 간단하다는 장점이 있으나, 투석 중에 제거되는 수분량을 배제한 값이라는 점을 고려하여야 한다. 즉, 동일한 요소감소비를 보이더라도 수분 제거를 많이 한 경우에는 Kt/V가 커진다. 이런 특성 때문에 혈액투석의 적절도를 평가할 때에는 요소감소비보다는 Kt/V를 이용하는 것을 권장한다.

4. 잔여 신기능이 있는 환자의 적절도

여러 연구에서 잔여 신기능은 환자의 생존율과 유의한 관계가 있음이 알려져 있다. 잔여 신기능이 어느 정도 있는 환자에서는 투석의 양을 줄일 수 있는데, 이 경우에는 투석량이 부족해지는 것을 예방하기 위해 잔여 신기능을 주기적으로 평가해야 한다. 잔여 신기능은 소변 수집을 통하여 요소청소율로 구할 수 있는데, 이 값이 3 mL/min 정도라면 이것만으로도 1 정도의 Kt/V를 기대할 수 있다.

5. 낮은 Kt/V의 원인 및 해결책

혈액투석에서 적절도가 낮아지는 원인은 다양한데, 낮은 혈류 속도, 짧은 투석 시간, 혈관 통로의 재순환(recirculation, 투석기를 거친 혈액이 전신 순환으로 들어가지 않고 다시 투석기로 돌아오는 현상)이 흔한 원인이다. 그 외에 체구가 크거나, 투석액의 속도나 느린 경우, 투석 바늘이 가는 경우에도 Kt/V 값이 감소할 수 있다. 중심정맥관으로 투석을 하는 경우에도 적절도가 대체로 낮게 나온다. 혈류량과 투석 시간을 변경하지 않았는데 주기적인 적절도 검사에서 그 값이 낮게 나오면, 먼저 혈관통로에 문제가 없는지 확인해야 한다. 혈관통로 내 힐류량이 낮아지면 재순환이 증가하여 투석의 효율이 떨어지기 때문이다. 혈관통로에 문제가 없다면, 채혈에 오류가 없는지 점검한다. 투석이 시작된 이후에 채혈을 하면 투석 전 요소질소 농도가 실제보다 낮게 측정되므로 적절도 값도 낮게 나온다.

이상으로 투석 전후 요소질소 농도를 이용하여 투석량이 적절한지를 평가하는 방법에 대해 알아보았다. 하지만, 요독소에는 매우 많은 물질들이 있고, 이 물질들의 크기, 단백질 결합 정도, 혈장내 분포 정도에 따라 투석으로 제거되는 효율에 큰 차이가 있다. 따라서 하나의 지표로서 다양한 특징의 요독소들이 모두 원활히 제거되는지를 평가하는 것에는 제한이 있음을 고려하여 임상에 적용해야 한다.

혈액투석의 성적

1. 혈액투석(Conventional hemodialysis)의 임상적 효과

1943년에 네덜란드의 의사 Kolff에 의해 근대적인 혈액투석 치료가 시작된 이래 투석 치료 방법에 현저한 기술적 발전이 있었다. 그럼에도 불구하고 환자들의 생존율은 크게 개선되지 않아, 투석을 받는 환자의 전체 사망률은 일반 인구보다 약 10~20배 더 높다. 또한 5년 생존율은 약 50% 정도로 암 환자의 5년 생존율과 큰 차이가 없다. 주요 사망 원인은 심혈관질환이며 그 다음이 감염성 합병증이다. 고유량 혈액투석(high-flux hemodialysis)이 생존율 향상에 도움이 되는지를 규명하기 위해 HEMO study를 시행하였으나 저유량 혈액투석(low-flux hemodialysis)에 비해 유의한 생존율 향상 효과는 없었다.

2. 온라인 혈액투석여과(Online hemodiafiltration)의 임상적 효과

1) 생존율과 심혈관계에 미치는 영향

HEMO study에서 고유량 혈액투석의 생존율의 향상 효과가 증명하지는 못했으나, 이후의 추가 분석 연구에서 투석 기간이 3.7년이 초과한 환자에서 β2-microglobulin의 청소율과 이를 토대로 한 Kt/V가 클수록 사망 위험도가 감소함을 보고하였다. 이는 중분자 물질 제거율의 향상이 생존율 향상에 기여할 수 있음을 의미하는 것으로 해석되었다. 2006년 DOPPS study에서는 처음으로 고효율 혈액투석여과 방식이 저유량 혈액투석에 비해 생존율을 향상한다는 보고가 있었고, 이후 다수의 무작위 대조군 연구와 메타분석연구 결과가 발표되었다.

CONTRAST study는 온라인 혈액투석여과군과 저유량 혈액투석 환자군 사이의 전체 사망률과 심혈관계 발병에 미치는 영향을 분석한 전향적 무작위 연구로서 두 군 사이에 유의한 차이는 없었다. 그러나, 대류량(convectin volume)이 21.95 L/session을 넘는 경우에는 교란 변수를 보정하여도 온라인 혈액투석여과군에서 전체 사망률이 유의하게 감소되는 것을 확인하였다(HR = 0.61; 95% CI, 0.38~0.98). OL-HDF study는 온라인 혈액투석여과군과 고유량 혈액투석 환자군 사이의 전체 사망률과 심혈관계 사망률을 비교한 전향적 무작위 연구인데, 두 군 사이의 사망률에 유의한 차이가 없었다. 그러나, 사후분석에서는 대류량이 17.4 L/session 이상인 군에서는 그 미만인 군보다 전체 사망률 및 심혈관계 사망률이 유의하게 감소하였다(RR = 0.54; 95% CI 0.31~0.93). ESHOL study는 고식적 혈액투석에서 고효율 온라인 혈액투석여과법으로 전환한 군과 고식적 혈액투석을 유지한 군의 전체 사망률을 비교한 전향적 다기관 무작위 대조군 연구인데, 고효율 온라인 혈액투석여과군에서 대류량의 중간값은 22.9~23.9 L/session였다. 이 연구에서 고효율 온라인 혈액투석여과군의 전체 사망률은 혈액투석 유지군보다 30% 정도 낮았으며(HR = 0.70; 95% CI 0.53~0.92), 심혈관계 사망률도 유의하게 낮았다(HR = 0.67; 95% CI 0.44~1.02). 투석 중 저혈압 빈도 및 전체적인 입원율도 고효율 온라인 혈액투석여과군에서 현저히 낮았다. 이러한 효과는 메타분석에서도 증명이 되었다. 그러나 일부 메타분석에서는 온라인 혈액투석여과군에서 투석중 저혈압의 빈도 감소와 β2-microglobulin 제거율의 호전은 있었으나, 전체 사망률이나 심혈관계 사망률의 개선에 있어서 일관된 결과를 보이지는 않았다. 이러한 원인은 메타분석에 사용된 자료들의 이질성과 온라인 혈액투석여과군에서 충분한 고용량의 혈액투석여과가 이루어지지 않았기 때문일 가능성이 있다.

현재까지의 연구 결과를 종합하면, 대류량이 일정 수준 이상으로 충분한 경우에는 온라인 혈액투석여과 치료가 사망률 저하에 도움이 될 것으로 기대된다.

2) 혈류역학적 안정성

혈액투석여과 방식은 투석 중 혈류역학적 안정성이 더 우수하며, 증상이 있는 투석 중 저혈압의 빈도도 고식적 혈액투석에 비하여 적은 것으로 보고되고 있다.

3) 빈혈에 미치는 영향

일부 관찰연구와 대규모 무작위 대조군 연구에서 혈액투석여과 치료가 적혈구형성자극제(erythropoiesis-stimulating agent, ESA)의 저항성 개선에 효과가 있음을 나타냈다. 그러나 빈혈에 미치는 효과를 규명하기 위한 대규모의 무작위 대조군 연구가 아직은 부족한 상태이다.

4) 영양에 미치는 영향

혈액투석여과 치료는 고식적 혈액투석방식에 비하여 중분자 이상의 요독물질의 제거율이 높으며, 이에 따라 단백질-에너지 소모를 유발하는 염증성 물질의 제거를 통해 영양상태의 개선이 될 것으로 기대된다. 하지만, 현재까지의 연구 결과는 논란이 있는 상태이다.

5) 삶의 질에 미치는 영향

일부 연구는 혈액투석여과 치료가 삶의 질을 개선하였다고 보고한 반면, 일부에서는 차이가 없는 것으로 보고하였다. 이에 대해서도 향후 다양한 방법의 연구가 필요할 것으로 보인다.

3. 확장 혈액투석(Expanded hemodialysis)의 임상적 효과

MCO 투석막(medium cut-off membrane)을 사용하여 확장 혈액투석을 시행하면 고식적 혈액투석으로는 제거되지 않는 β2-microglobulin, 유리경쇄(free light chain), 사이토카인과 같은 중분자 및 고분자 물질들이 유의하게 더 잘 제거된다. 확장 혈액투석, 고유량 혈액투석 및 혈액투석여과 치료군 사이에서 유리경쇄감소를 비교한 연구에서는 확장 혈액투석군에서 다른 군에 비하여 유리경쇄제거율 및 감소율이 유의한 차이를 보였다(그림 13-3-1). 하지만, 확장 혈액투석이 환자의 임상 경과 특히 생존율 개선 효과를 보이는지는 아직 밝혀진 바가 없어 이에 대한 추가 연구가 필요하겠다. 한편, MCO 투석막은 기존의 투석막보다 크기가 큰 구멍을 가지고 있으므로 투석중 알부민 손실에 대한 우려가 있으며, 실제로 고유량 혈액투

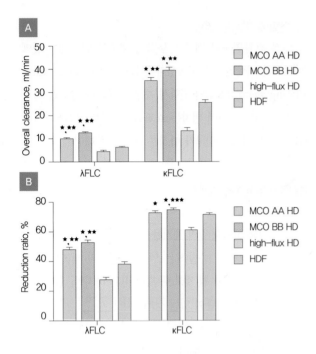

그림 13-3-2. Medium cut off 투석막과 고유량 투석막, 혈액여과투석 방법에 따른 유리경쇄 제거율 및 감소율 비교

(A) 전체 제거율 **(B)** 감소율. FLC, free light chain; HD, hemodialysis; HDF, hemodiafiltration; MCO, medium cut-off dialyzer. *P<0.001, compared to high-flux HD; **P<0.001, compared to HDF; ***P=0.01, compared to HDF.

석 및 혈액투석여과 치료에 비해 알부민이 유의하게 감소하는 것이 확인되있다. 그러나 시간이 지남에 따라 간에서의 알부민 합성 증가가 이루어질 것으로 생각된다.

▶ 참고문헌

• Canaud B, et al: Mortality risk for patients receiving hemodiafiltration versus hemodialysis: European results from the DOPPS. Kidney International 69:2087–2093, 2006.
• Cheung AK, et al: Serum beta-2 microglobulin levels predict mortality in dilaysis patients: results of the HEMO study. J A m Soc Nephrol 17:546–555, 2006.
• Greene T, et al: Association of achieved dialysis dose with mortali-tyin the Hemodialysis Study: An example of "dose-targeting bias." J Am Soc Nephrol 16:3371–3380, 2005.
• Grooteman MP, et al: Effect of online hemodiafiltration on all-cause mortality and cardiovascular outcomes. J Am Soc Nephrol 23:1087–1096, 2012.
• John Feehally, et al: Comprehensive Clinical Nephrology. 6th ed. Mosby, 2019.
• John T, et al: Handbook of Dialysis. 5th ed. Lippincott Williams & Wilkins, 2014.
• Kirsch AH, et al: Performance of hemodialysis with novel medium cut-off dialyzers. Nephrol Dial Transplant 32:165–172, 2017.
• Meyer TW, et al: Kt/Vurea and Nonurea Small Solute Levels in the Hemodialysis Study. J Am Soc Nephrol 27:3469–3478, 2016.
• National Kidney Foundation: KDOQI Clinical Practice Guideline for Hemodialysis Adequacy: 2015 update. Am J Kidney Dis 66:884–930, 2015.

CHAPTER
04 혈액투석의 처방

진규복 (계명의대), 조영일 (건국의대), 한승석 (서울의대), 김상현 (인제의대)

KEY POINTS

- 주 3회 혈액투석을 유지하는 성인 환자에서 목표 투석량은 single-pool Kt/V 1.4로 유지할 것을 권고한다.

- 확장 혈액투석은 일반적인 혈액투석기에 MCO 투석막을 장착하여 확산 조건으로 시행한다.

- 고용량 혈액투석여과(high-volume hemodiafiltration)를 시행하면 환자 생존율의 개선 효과가 있는데, 요구되는 최소 대류량(convection volume)은 후희석법은 >23 L/session, 전희석법은 >46 L/session이다.

혈액투석 처방의 실제

1. 고식적 혈액투석

유지 혈액투석을 하는 성인 환자에서의 전형적인 투석 처방은 혈류 속도 250~350 mL/min, 투석액 속도 500 mL/min, 일회 투석 시간 4시간, 그리고 일주일에 3회 시행하는 것이다. 응급 혈액투석은 환자마다 상황이 다르므로 투석 처방이 다를 수 있다.

1) 혈액투석의 목표
혈액투석의 목표는 체내의 요독소를 효과적으로 제거하고 동시에 과잉의 체액을 제거하는 것이다. 혈액투석에 의한 요독소의 제거는 요소의 Kt/V와 같은 투석 적절도(adequacy)로 표시되는데, KDIGO에서는 Kt/V의 최저 목표값은 1.4로 하되 최소한 1.2는 되도록 권고하고 있다. 투

석 환자에서 축적되는 용질과 수분의 양이 환자마다 다르며 영양 상태 및 대사 정도의 차이가 있으므로 투석 처방은 환자 개인별로 달라지게 된다.

2) 투석 시간과 빈도
의료 비용, 삶의 질, 혈관 보호, 잔여 신기능 등을 고려하여 통상적으로 일주일에 3번, 4시간 투석을 시행한다. 체구가 큰 환자에서는 목표하는 적절도를 얻기 위해 4시간 이상의 투석이 필요할 수도 있다. 투석 시간과 횟수가 증가할수록 확산에 의한 용질의 제거가 증가하게 되며, 적절한 수분 균형 상태를 유지하기도 쉽다. 또한 구역, 구토, 근경련, 저혈압과 같은 투석 중의 합병증 및 투석 후의 피로감이 감소하며, 혈압 조절도 보다 쉽게 이루어진다. 그러나, 투석 시간이 4~5시간 이상으로 길어지면 혈액 내의 용질의 농도와 투석액의 농도가 비슷해져 용질 제거 효과가 감소할 수도 있다.

3) 투석막의 선택

투석막은 용질 제거 능력, 수분 제거 능력, 투석막의 생체적합성 등을 고려하여 선택한다. 이상적인 투석막의 조건은 높은 저분자 및 중분자 물질의 제거, 적절한 초미세여과, 높은 생체적합성, 낮은 혈액량 등을 포함한다.

4) 혈류 및 투석액 속도

새로운 투석막의 개발로 혈류 속도 200~500 mL/min, 투석액 속도 500~800 mL/min까지 가능해졌다. 혈류 속도는 환자의 혈관통로 상태에 의해 결정되며, 투석액 속도도 저항 및 난류에 의해 제한을 받게 된다.

5) 항응고제

투석 중 혈액응고는 혈액소실 및 투석막 표면적을 감소시켜 용질 제거의 감소를 일으킨다. 혈액응고를 예방하기 위해 혈액회로 전 헤파린 주입기 등을 사용한다.

2. 확장 혈액투석

확장 혈액투석은 추가로 필요한 기기나 시설 없이 medium cut-off (MCO) 투석막을 일반 혈액투석기에 장착하여 투석을 시행하면 된다. 혈류 속도(Qb)와 투석액 속도(Qd)는 기존 혈액투석처럼 각각 250~350 mL/min과 500 mL/min 정도를 유지하는데, 이 조건에서 투석막 내의 내부여과(internal filtration)가 평균 40~45 mL/min 정도가 되어 알부민 소실은 최소화하면서도 중분자 요독물질을 제거할 수 있다. MCO 투석막으로는 확산만 가능하다. 확장 혈액투석을 시행하는 경우 기존 혈액투석보다 추가 모니터링이 필요하지는 않다. 확장 혈액투석을 처음 시작하는 경우에는 첫 몇 회 주의 깊게 관찰하는 것으로도 충분하다. 다만, 항응고제 용량은 MCO 투석막 사용으로 말미암아 조절이 필요할 수 있다. 또한, MCO 투석막에서는 내부 역여과(internal back filtration)가 일어나므로 오염 방지를 위해 투석용수의 수질관리를 철저히 해야 한다. 확장 혈액투석으로 중분자량 용질 제거 정도를 측정할 방법은 아직 없으며, 알부민 손실 정도가 증가할 가능

성이 있다.

3. 온라인 혈액투석여과

혈액투석여과를 위한 처방은 치료 스케줄이나 투석액의 조성 등에서는 일반적인 혈액투석과 다르지 않다. 혈액투석과 가장 크게 구별되는 점은 치료 중에 보충액(substitution fluid)을 투여한다는 것이고, 그 외 투석막, 혈류 및 투석액의 흐름과 속도, 항응고제의 사용 등에서 약간의 차이가 있다. 온라인 혈액투석여과 치료를 위한 처방의 주요 특징은 다음 표에 요약되어 있다(표 13-4-1).

1) 투석막

확산과 대류의 이점을 모두 얻으려면 고유량, 고투과성 투석막(high-flux, high-permeability membrane)이 필요하다.

2) 혈류 및 투석액의 흐름과 속도

혈류 속도(Qb)는 적절한 대류량(convection volume)을 얻는데 매우 중요한 요소이다. 초미세여과량이 많을수록 용질의 제거율이 높아지지만, 투석막에 혈액응고가 발생하여 막 압력이 증가하고 알부민 소실도 증가하는 등의 문제가 있다. 그래서, 초미세여과율은 혈류 속도의 25~30%로 제한된다. 후희석법에서는 350~500 mL/min 정도의 혈류 속도가 권장된다. 정수 시스템에서 생산된 초순수(ultrapure water)는 확산을 위한 투석 용수로 사용되는 동시에 다른 흐름을 통해서는 보충액으로 환자의 혈액 내로 주입된다.

3) 보충액의 투여

후희석법, 전희석법, 혼합희석법, 중간희석법 등의 방법으로 주입한다.

4) 대류량

대류량은 보충액 양에 초미세여과 양을 합한 값으로, 생존율 이득을 얻기 위해 후희석법에서 권장되는 최소 대

류량은 23 L/session이다. 후희석법 외의 방법들은 투석막으로 유입되는 혈액 내의 용질 농도를 희석시키므로 용질 청소율이 낮아진다. 따라서 후희석법과 같은 정도의 용질 청소율을 얻으려면 대류량을 늘려야 한다. 즉, 전희석법에서는 약 2배, 혼합 및 중간희석법에서는 약 1.5배를 늘려야 한다.

5) 고용량 혈액투석여과(high-volume hemodiafiltration)를 위한 처방

온라인 혈액투석여과 치료의 생존율 개선 효과가 대류량과 관련이 있음이 알려졌다. 그러므로, 환자의 생존율 개선 효과를 얻기 위해 중요한 것은 혈액투석여과를 시행하는 것이 아니라 대류량을 충분히 제공하는 '고용량 혈액투석여과' 치료를 시행하는 것이다. 연구 결과에 따르면, 생존율 이득을 보이는 최소 대류량은 후희석법에서는 23 L/session, 전희석법에서는 46 L/session이다. 충분한 대류량을 얻기 위해서는 투석 시간, 혈류 속도, 여과 분율(filtration fraction), 투석막 등의 여러 요소들이 중요하다. 첫째로 중요한 요소는 투석 시간으로, 투석 시간을 연장하는 것이 대류량을 증가시키는 가장 확실한 방법 중의 하

표 13-4-1. 고용량 혈액투석여과(high-volume HDF)를 시행하기 위한 처방

Parameter	Recommendation
Equipment needed for successful high-volume HDF	
Dialysis machine	Certified dialysis machine for online HDF
Dialyzer	High-flux membrane (1.6~2.2 m^2); Ultrafltration coefficient, >20 mL/hr/mmHg/m^2; Sieving coefficient, >0.6 for β_2-microglobulin, <0.001 for albumin.
Dialysate	Ultrapure dialysate
Dialysate composition	Adjusted according the patients' needs
Water treatment	Production of ultrapure dialysate and substitution fluid
Prescriptions for successful high-volume HDF	
Mode	Post-, pre-, mid-, or mixed-dilution
Vascular access	AV fistula, AV graft, or central venous catheter
Blood flow rate	300~450 mL/min (in post- or mid-dilution) and 200~250 mL/min (in predilution)
Dialysate flow rate	>500 mL/min
Infusion flow	Automatic infusion flow (<33% of blood flow rate)
Treatment time	>4 hour/session, three times per week
Filtration fraction (FF)	20~25% in postdilution HDF. Using a dialysis machine with automatic pressure- control mode, FF can be extended by up to 30%.
Anticoagulation	No dose adjustment for unfractionated heparin, but dose adjustment for low-molecular-weight heparin
Convective volume	>23 L/session or 26 L/1.73 m^2 for post-dilution HDF, >46 L/session or 52 L/1.73 m^2 for pre-dilution HDF, and >35 L/session or 40 L/1.73 m^2 for mid- or mixed dilution HDF.

AV, arteriovenous; FF, filtration fraction; HDF, hemodiafiltration.
출처: Kidney Research and Clinical Practice 2022;j.krcp.21.268.

나다. 후희석법에서 혈류 속도가 400 mL/min이고 여과 분율이 25%일 때 투석 시간을 1시간 연장하면 대류량은 약 6L 정도 증가시킬 수 있다. 둘째로 중요한 요소는 혈류 속도다. 특별히 후희석법에서는 혈류 속도가 대류량 결정에 가장 중요한 요소로 작용한다. 그러므로, 혈류 속도가 350~500 mL/min 정도에 미치지 못하면 후희석법 대신 전희석법을 시행하는 것으로 고려하는 것이 좋다. 전희석법에서는 혈류 속도가 200~250 mL/min으로 낮아도 높은 대류량을 얻는 것이 가능하기 때문이다. 혈류 속도를 결정하는 중요한 요인은 혈관 접근로의 종류와 바늘 크기이다. 자가혈관 동정맥루나 인조혈관이 중심정맥도관보다 대체로 더 높은 혈류 속도를 보인다. 자가혈관이나 인조혈관을 가진 환자에서는 큰 바늘을 사용하면 혈류 속도를 증가시킬 수 있다. 그러므로, 대류량이 충분하지 않으면 더 큰 크기의 바늘을 사용해 보는 것이 필요하다. 300~350 mL/min의 혈류 속도를 얻기 위해서는 16G 바늘을, 350~400 mL/min의 혈류 속도를 얻기 위해서는 15G 바늘을 사용하는 것이 권장된다. 셋째는 여과 분율이다. 여과 분율이 높으면 높을수록 혈액으로부터 제거되는 수분량이 많아져서 대류량이 커지게 된다. 후희석법에서는 혈액농축의 우려 때문에 20~25% 정도의 여과 분율이 적당하지만, 자동 압력 조징 장치(automatic pressure-control mode)를 갖춘 투석기계를 사용하면 여과 분율을 30% 정도까지 늘릴 수 있다. 마지막은 투석막이다. 온라인 혈액투석여과 치료에는 수분과 중분자 물질 모두에 높은 투과성을 가진 고유량, 고투과성 투석막이 필요하다.

이러한 투석시간, 혈류 속도, 여과 분율 등의 요소들을 단계적으로 증가시키는 방법(stepwise protocol)을 사용하면 실제 임상에서 적절한 목표 대류량을 어렵지 않게 확보할 수 있다. 치료 시간을 연장할 수 있으면 좋으나 그럴 수 없는 환자에서도 혈류 속도와 여과 분율을 증가시키면 충분한 대류량을 얻는 것이 가능하다. 혈류 속도가 낮아 대류량이 충분하지 못하다면 전희석법으로 치료를 하는 것이 도움이 된다.

혈액투석에 사용되는 항응고요법

혈액투석기는 1920년대 처음으로 개발되었으나 초기에는 투석회로(dialysis circuit)의 응고 때문에 사용에 제한이 많았다. 1930년대에 정제되고 표준화된 헤파린이 만들어진 후에 헤파린이 혈액투석에 사용되고 있다. 헤파린 이외에도 저분자량헤파린, direct thrombin inhibitor, heparinoids, 구연산염(citrate), nafamostat mesilate 등의 항응고제가 사용되고 있다.

1. 혈액투석에서 혈전 형성의 기전

투석막과 혈액이 흐르는 체외회로는 혈액응고경로를 활성화시켜 혈전이 발생한다. 투석막은 합성된 초극세사(microfiber)로 만들어지며, 내강이 좁고, 전단응력(shear stress)과 난류(turbulence flow)가 작용하며, 인체의 혈관과 달리 내피내층(endothelial lining)이 없다. 투석막에서 혈전 형성을 결정하는 인자들에는 투석막의 화학적 구성, 전하, 혈액내 순환세포들(혈소판과 백혈구 등)의 부착 및 활성화 정도 등이 있다. 투석막 혈전 형성의 활성화 정도는 cuprophane > polyacrylonitrile > polysulphone and haemophan > polyamide 순이다. 투석회로도 사강(dead space), 정체(stasis), 난류, 정맥라인의 버블 트랩(bubble trap)에서의 공기 접촉 등으로 혈전 형성이 촉진된다.

혈액응고의 연쇄반응은 내인성경로(intrinsic pathway)와 외인성경로(extrinsic pathway)를 통해 최종적으로 피브린덩이(fibrin clot)가 생성되는 것이다. 투석회로의 응고는 내인성경로와 외인성경로에 의해 동시에 촉발되며, 투석막의 종류와 디자인, 투석회로 라인의 조성에 따라 혈전 형성의 정도가 달라진다. 혈액이 투석회로와 투석막 표면과 접촉하면 내인성경로에 의한 응고가 시작된다. 응고인자 XII가 활성화되고, 프리칼리크레인이 칼리크레인으로 전환된다. 전환된 칼리크레인은 XIIa 전환을 더욱 촉진시킨다. 혈액 속의 백혈구와 단핵구가 투석막에 접촉하면 활성화되어 조직인자(tissue factor)를 방출한다. 조직인자는 외인성경로를 통해 factor VII, factor X, prothrombin,

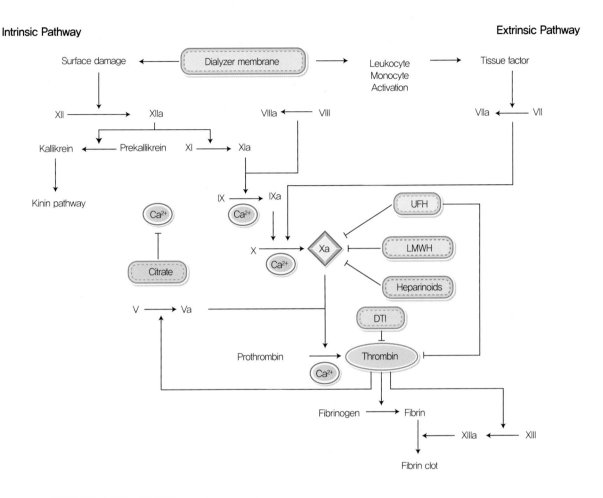

그림 13-4-1. 혈액투석에서의 응고 연쇄반응(coagulation cascade)

UFH: unfractionated heparin, preK: prekallikrein, LMWH: low molecular weight heparin

fibrinogen을 활성화시켜 피브린덩이를 생성한다(그림 13-4-1). 혈소판은 투석막과 투석회로의 접촉에 의한 활성화와 난류, 높은 전단응력에 의해 활성화된다. 활성화된 혈소판은 모양이 변하고 서로 응집되며 thromboxane B2를 분비시킨다. Thrombxane B2는 다른 혈소판을 다시 활성화시킨다. 혈소판이 손상된 혈관에 부착하기 위해선 vWF가 필요하지만, 투석막에는 vWF 도움 없이 직접적으로 부착한다.

미분획헤파린은 antithrombin III (AT III)와 결합 후 factor Xa, 트롬빈을 방해하여 혈액응고 연쇄반응을 차단시킨다. 저분자량 헤파린은 AT III와 트롬빈을 같이 결합하기에는 길이가 짧아 factor Xa의 작용을 억제함으로써

항응고 작용을 나타낸다. Direct thrombin inhibitor(DTI)는 트롬빈을 직접적으로 억제시킨다. 구연산염(citrate)은 칼슘과 결합함으로써 응고를 중지시킨다.

2. 혈액투석에 사용되는 항응고제

1) 미분획헤파린(Unfractionated heparin)
(1) 약리작용

헤파린은 분자량 3,000~30,000 dalton의 황산뮤코다당류(sulfated glycosaminoglycan)이다. 미분획헤파린은 돼지의 장 점막과 소의 폐에서 분리하여 만들어지며, 반감기는 25~100 U/kg를 정주하였을 때 30~60분이다. 주사된

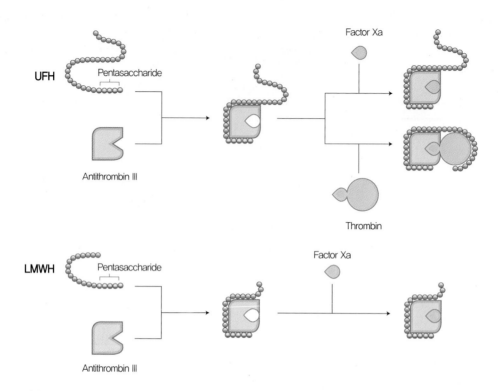

그림 13-4-2. 헤파린의 작용기전: 미분획헤파린과 저분자량헤파린

UFH: Unfractionated heparin, LMWH: Low molecular weight heparin

미분획헤파린의 30% 정도가 AT III와 결합한다. 헤파린 단독으로는 항응고 작용이 없으나 헤파린이 AT III와 결합하면 AT III의 입체 형태가 변화되어 트롬빈을 불활성화시키는 AT III의 작용을 100배에서 1,000배까지 상승시켜 항응고 작용을 나타낸다. '헤파린-AT III'는 활성화된 혈액응고인자들(IIa, IXa, Xa, XIa XIIa)을 억제하는데, 특히 factor IIa(thrombin), Xa를 억제하여 항응고 작용을 나타낸다(그림 13-4-2).

(2) 용량

① 표준 헤파린 프로토콜(Standard heparin protocol)

혈액투석에 사용되는 확립된 헤파린 치료의 표준 가이드라인은 없다. 일반적으로는 다음의 두 가지 방법이 흔히 사용된다. 첫째는 bolus 용량을 주사한 다음 시간당 헤파린을 지속적으로 주입하는 방법이고, 둘째는 bolus 용량을 주사한 다음 추가적으로 간헐적 헤파린(1,000~2,000 U)을 주사하는 방법이다. 대체적으로 혈액투석을 시작하면서 헤파린 10~25 U/kg (1,000~4,000 U)을 1회 주입한 후에 유지요법으로 시간당 10~20 U/kg (500~2,000 U/h)를 지속적으로 주입한다. 투석종료 30~60분 전에 헤파린 유지투여를 중지하는데, 이는 동정맥루의 지혈이 잘 되도록 하기 위해서이다. 2002년 발표된 European Best Practice Guideline에서는 혈액투석의 헤파린 항응고요법으로 bolus 용량 50 U/kg을 주사한 뒤 유지요법으로 시간당 800~1,500 U 주입을 권고하였다. 미국에서는 bolus 용량으로 1,500~2,000 U (75~100 U/kg) 주입 후 유지요법으로 시간당 1,000~1,500 U를 주입하는 방법이 흔히 사용된다. 임상적으로 출혈이 가장 중요한 합병증이므로, 투석 회로에 응고가 보이지 않을 정도의 최소 용량의 헤파린을 사용하여 4시간 투석을 마친다면 그 용량이 해당 환자에게는 적정한 헤파린 용량이 될 것이다.

② 저용량 헤파린 프로토콜(Low-dose heparin protocol, Tight heparin method)

출혈 위험이 약하게 있는 환자나 출혈 위험이 지속되어 무헤파린투석을 사용하였으나 잦은 혈액응고로 투석을 효율적으로 할 수 없는 환자에서 사용해 볼 수 있는 방법이다. 표준헤파린 용법과 마찬가지로 표준화된 용량은 없다. 투석을 시작할 때 1회 bolus 용량(10~25 U/kg)을 주사한 후 venous chamber나 투석막에 응고가 보일 때 bolus 용량의 50% 이내 용량으로 필요시 주사하거나, 1회 bolus 용량을 주사한 후 유지요법으로 10 U/kg/h 주입하는 방법이 있다.

(3) 헤파린용법의 모니터링

활성화응고시간(activated coagulation time, ACT)이나 활성화부분트롬보플라스틴시간비(activated partial thromboplastin time ratio, aPTTr)로 모니터링을 한다. 혈액은 헤파린이 주입되지 않은 동맥라인에서 추출한 혈액으로 검사해야 한다. 활성화응고시간(ACT)은 침대 옆에서 할 수 있는 방법으로 내인성 응고경로에 대한 검사법이다. 170~220초(기저치보다 140~180% 높게 유지)를 유지한다. 활성화부분트롬보플라스틴시간비(aPTTr)는 검사실에서 시행하는 검사법으로 내인성 응고경로 검사법이며 목표치는 1.5~2.5이다. 저용량 헤파린용법을 시행할 때는 ACT를 기저치보다 140% 또는 aPTTr을 1.5 미만으로 유지한다.

대부분의 인공신장실에서는 위와 같은 검사법으로 모니터링을 하지 않고 venous chamber와 투석막의 응고 정도 및 투석 종료 후 동정맥루의 바늘찌른자리의 지혈시간에 따라 헤파린의 bolus 주사용량, 유지용량, 투석 종료 전 헤파린 중지 시각을 결정한다. 과도한 헤파린 사용으로 출혈이 발생하면 헤파린의 길항제인 protamine으로 치료한다. 일반적으로 protamine 1 mg당 헤파린 100 U를 중화시킬 수 있다.

(4) 합병증

헤파린은 가격이 저렴하고, 사용하기가 편하며, 반감기가 짧고, protamine이라는 길항제에 의해 출혈의 부작용을 치료할 수 있다는 장점이 있지만, 헤파린유발혈소판감소증(heparin induced thrombocytopenia, HIT), 고중성지방혈증, 아나필락시스, 고칼륨혈증 등 여러 가지 부작용이 있다. 여기에서는 헤파린유발혈소판감소증만 기술한다.

① 헤파린유발혈소판감소증(HIT)

두 종류의 HIT가 있다. 1형 HIT는 헤파린에 대한 항체가 형성되지 않는 형태로, 미분획헤파린으로 치료받는 사람의 10~20% 정도에서 발생한다. 혈액투석을 시작한지 4일 이내에 발생하며, 혈소판 수가 평균 100,000/mm³ 정도로 경하게 감소한다. 헤파린으로 혈액투석을 지속하여도 시간이 지남에 따라 회복되므로 헤파린 투여를 중지할 필요가 없다. 2형 HIT는 1형 HIT에 비해 혈소판감소가 심하며 출혈과 혈전색전 합병증을 유발한다. 1형과 달리 항체가 형성되어 혈소판을 파괴한다. 혈액투석 중에 투여된 헤파린이 혈소판에서 방출된 혈소판인자4(Platelet factor 4, PF4)와 결합하여 '헤파린-혈소판인자4 복합체'를 형성한다. 이 복합체를 면역체계가 이물질로 인지하므로 면역글로불린 G 또는 M이 복합체에 부착하여 혈소판을 파괴하고, 혈소판응집의 연쇄반응을 일으켜 혈소판감소증을 유발한다. 미분획헤파린에 노출된 후 5~14일 사이에 발생하며 중등도의 혈소판 감소와 함께 다양한 혈전색전증(폐색전증, 정맥혈전, 사지 동맥혈전, 장간막동맥혈전증, 헤파린 주사 자리의 피부괴사)이 나타난다. 정맥과 동맥의 혈전증의 비율은 4:1이다. 혈소판 감소는 1형 HIT보다 심하기는 하지만 일반적으로 20,000/mm³ 이상을 유지하므로 그 이하로 감소하면 다른 약제나 혈소판감소질환의 다른 원인을 의심하여야 한다.

2형 HIT는 헤파린에 노출되는 장기 혈액투석 환자의 0.26~3.9%에서 발생한다. 영국에서 조사한 10,564명의 유지 혈액투석 환자에서 2형 HIT 유병률은 0.26%였고, 그 중에서 8%가 심부정맥혈전증, 4%에서 폐색전증, 4%에서 후복막출혈을 보고하였다. 영국 보고에서 2형 HIT가 발병한 날은 혈액투석 시작 후 평균 58일, 20% 이상은 90일 이상에서 발병하여 일반인(5~14일)과의 차이를 보였다.

HIT로 판단되면 혈액투석시 헤파린 치료를 즉시 중지하여야 한다. 일시적 또는 영구적 혈관통로에서도 헤파린 잠금(heparin locking)을 하면 안 되고, 저분자량헤파린도 '헤파린-혈소판인자4'에 90% 이상 교차반응을 하므로 대체약제로 사용하면 안 된다. 혈소판은 헤파린 중지 후 2주 내로 기저치로 돌아온다.

2) 저분자량헤파린(Low molecular weight heparin, LMWH)

(1) 약리작용

미분획헤파린을 화학적 분해 또는 효소 처리하여 생산하며, 분자량은 4,000~6,000 dalton이다. AT III와 결합하는 5당류 부분을 포함하지만 AT III와 트롬빈을 같이 결합하기에는 길이가 짧아 트롬빈을 제거하는 능력은 다소 떨어진다. 그러나 제10인자(factor Xa)를 제거하는 능력은 유지하여 LMWH의 주된 효과는 제10인자(factor Xa)의 활성화를 억제하는 데 있다(그림 13-4-2). 표 13-4-2 는 국내 시판중인 LMWH의 분자량과 anti-Xa/anti-IIa 활성도를 표기하였다.

미분획헤파린과는 다르게 bolus 주사 1회로 충분한 항응고효과를 나타낸다. 저유량 투석막은 동맥통로 주사나 정맥통로 주사가 효과에 차이가 없다. 그러나, 고유량 투석막을 사용시에는 동맥통로로 주사하면 80% 정도가 투석막에 의해 제거되므로 반드시 정맥통로로 주사하여야

한다. 2002년 European Best Practice Guideline에서는 혈액투석 환자에게 저분자량 헤파린 사용을 권고하고 있고, 미분획헤파린에 비해 출혈의 위험도가 높지 않다고 보고하였다. 2017년 Lazrak 등은 전향적으로 연구한 17개의 논문을 분석한 메타분석에서 저분자량헤파린이 미분획헤파린에 비해 출혈위험도를 24% 감소시켰다고 보고하였다.

(2) 모니터링

anti-Xa 활성도를 검사하여 용량을 조절하는데, 0.2~0.4 U/mL 정도로 유지하는 것이 권고된다. 출혈 위험이 있는 환자에게는 목표치를 더 낮게 유지하여야 한다. 실제 임상에서는 anti-Xa 활성도 검사를 사용하기가 어려우므로, 저분자량헤파린의 투여 용량은 대개는 bolus 주사 후 venous chamber와 투석막의 응고 정도, 투석 종료 후 동정맥루의 바늘찌른자리의 지혈시간 지연 등을 참고하여 경험적으로 조절한다.

(3) 장점

저분자량헤파린은 미분획헤파린에 비해 출혈의 위험도가 낮다고 알려져 있다. 미분획헤파린에 비해 내피(endothelium), 대식세포, 혈소판, 혈장 단백질과의 결합하는 성질이 떨어져 적은 용량으로도 생체이용률이 높다. HIT도 미분획헤파린에 비해 적은 1% 미만으로 발생한다. 중성지방혈증과 고칼륨혈증 발생이 미분획헤파린에 비해 적다고 알려져 있으나, 차이가 없다는 보고도 있다.

표 13-4-2. 출혈 위험이 없는 환자에게 4시간 혈액투석을 할 경우 저분자량헤파린의 단일 bolus 주사 용량

저분자량 헤파린	분자량(kDa)	Anti-Xa/IIa activity ratio	혈액투석 시 용량
Enoxaparin	4.2	3.8	40mg, 0.5~0.8 mg/kg
Dalteparin	6.0	2.7	2,500~5,000 U, 70~90 U/kg
Nadroparin	4.5	3.6	70 U/kg
Reviparin	4.0	3.5	85 U/kg
Tinzaparin	4.5	1.9	1,500~4,500 U

미분획헤파린의 anti-Xa/IIa ratio: 1

3) Direct thrombin inhibitor (DTI)

아르기닌으로부터 유래된 합성 펩타이드이며, 직접적으로 트롬빈을 억제한다. 간으로 대사되며, 임상적으로 이용되는 것은 Argatroban과 Hirudin이다. 혈액투석 환자에서 헤파린유발 혈소판감소증이 발생하면 DTI를 사용한다.

(1) Argatroban

Argatroban은 트롬빈에 가역적으로 결합하여 억제한다. 혈액투석 환자에서 초기 bolus 용량으로 0.25 mg/kg을 주사한 뒤 유지용량으로 2 ug/kg/min 혹은 6~15 mg/h 로 시작하여 aPTTr 2.0~2.5 유지를 목표로 조절한다. 동정맥루의 바늘찌른자리 지혈을 위해 투석 종료 20~30분 전에 투여를 중지하여야 한다.

(2) Hirudin

Hirudin은 거머리에서 추출하여 만든 약이며, 재조합된 제품으로 lepirudin이 있다. 비가역적 트롬빈 억제제로 혈액투석 환자에서 반감기가 35시간 이상이다. 간헐적 혈액투석 환자에서 초기 bolus 용량으로 0.2~0.5 mg/kg(투석 1회당 5~30 mg)만을 주사한다. 유지요법은 필요 없다. 반감기가 길기 때문에 다음 투석전 aPTTr를 검사하여 1.5 미만을 목표로 bolus 용량을 조절한다. 투석 중의 aPTTr 목표치는 1.5~2.0이다. Bivalirudin은 가역적인 DTI로 lepirudin보다 반감기가 짧다. 초기 bolus 용량 없이 유지용량으로 1.0~2.5 mg/h(0.009~0.023 mg/kg/h) 주입한다. 목표 aPTTr는 1.5~2.0이다.

4) Heparinoids

Heparinoids의 대표적 약제인 Danaparoid는 3가지의 glycosaminoglycan이 합쳐진 혼합물이며, 구성 성분은 heparan sulfate 84%, dermatan sulfate 12%, chondroitin sulfate 4%이다. 헤파린 보조인자 II(Heparin cofactor II)를 자극하고, 트롬빈 활성화를 억제함으로써 항응고작용을 나타낸다. 혈소판의 활성화를 유발하지 않으므로 헤파린유발혈소판감소증이 있는 혈액투석 환자의 치료에 사용

한다.

혈액투석 환자에서 반감기가 30시간 이상이므로 혈중 anti-Xa 활성도에 대한 모니터링이 필요하다. 성인에서 bolus 용량으로 3,750 U(55kg 미만에서는 2,500 U)를 주사하고, 두 번째 투석전에 2,500 U(55kg 미만에서 2,000 U)를 주사한다. 세 번째 투석부터는 투석전 anti-Xa 활성도를 참고하여 주사 용량을 결정한다. 목표치는 투석전 anti-Xa 활성도가 0.2 U/mL 미만이며, 투석 중에는 투석회로에 응고가 관찰되지 않으면서 anti-Xa 활성도를 0.4~0.6 U/mL으로 유지하는 것을 추천한다.

5) 국소적 구연산 항응고요법(Regional citrate anticoagulation)

구연산염(citrate)은 40년 이상 혈액투석에 사용되어 왔다. 칼슘은 응고기전의 여러 단계에 필요한 보조인자로서 작용하는데, 구연산염으로 칼슘을 킬레이트함으로써 항응고작용을 나타낸다. 구연산염을 항응고제로 사용할 경우 체외회로 내에 있는 혈액의 이온화 칼슘을 약 0.3 mmol/L까지 낮추어(정상 혈액은 1.1~1.3 mmol/L) 항응고 효과를 낸다. 이후 중심정맥내로 다시 혈액이 들어가기 전에 이온화 칼슘이 보충되면서 항응고 효과가 없어진다. 이온화칼슘이 낮은 혈액이 환자에게 들어가는 것은 심장마비 등을 일으킬 수 있어 매우 위험하므로 투석막을 통과한 후 정맥라인으로 칼슘이 지속적으로 주입되어야 한다. 투여된 구연산의 1/3이 투석막에 의해 제거되고 나머지는 신체 각 장기에 의해 빠르게 대사되어 탄산수소염(bicarbonate)이 된다. 4% trisodium citrate solution과 ACD-A(Acid Citrate Dextrose A solution)이 상품화되어 있다.

6) Nafamostat mesilate

단백질분해효소억제제로 반감기가 짧다. 초기 bolus 용량으로 20 mg, 유지요법으로 40 mg/h으로 사용한다. 목표 aPTTr는 1.5~2.0, ACT는 140~180초를 유지한다.

7) 무헤파린투석(Heparin free dialysis)

저용량 헤파린 프로토콜에도 투석 중 출혈의 위험도가

높아질 수 있다. 위장관 출혈과 같은 현재 출혈이 발생한 환자나 출혈의 위험도가 높은 환자, HIT가 있어 헤파린 사용이 금기인 환자에서 사용하는 방법이다. 방법이 간단하여 대부분의 인공신장실에서 출혈이 예상되는 환자에게 많이 사용한다(표 13-4-3). 다양한 방법이 있는데 한 가지 또는 여러 가지를 같이 사용한다.

표 13-4-3. 무헤파린 투석법의 적응증

급성출혈
출혈 합병증 또는 출혈 위험이 있는 최근의 수술력
: 혈관과 심장수술, 안과 수술(망막 및 백내장), 신이식, 뇌수술, 최근의 조직검사
응고병증
혈소판감소증
뇌내출혈
심근막염(pericarditis)
급성기에 있는 중환자의 투석

(1) 헤파린 씻어내기(Heparin rinse)

혈액투석 시작 전에 1리터의 식염수에 2,000~5,000 U의 미분획헤파린을 혼합하여 체외순환회로를 씻어주는 방법이다. 헤파린이 체외회로의 표면과 투석막을 코팅하여 혈전생성을 낮춘다. 헤파린 씻어내기에 사용된 헤파린 포함 식염수는 환자의 몸 안으로 들어가면 위험할 수 있으므로 헤파린이 없는 식염수 또는 환자의 혈액으로 체외순환회로를 채움으로써 헤파린이 포함된 식염수를 밖으로 배출시켜야 한다.

(2) 높은 혈류 속도

혈류 속도는 가능한 높게 유지(가능하다면 400 mL/min까지)한다. 높은 혈류 속도가 투석불균형을 유발할 가능성이 있다면(예: 몸집이 작은 환자, 투석 전 혈액요소질소가 높은 환자) 투석액 속도를 늦추거나 표면적이 작은 투석막을 사용하거나 투석시간을 줄이는 것을 고려해야 한다.

(3) 주기적인 식염수 헹굼(Periodic saline rinse)

15~30분마다 25~100 mL의 식염수를 주입하여 헹군다. 투석회로의 동맥라인을 잠근 다음 주입하며, 헹구는 주기는 필요에 따라 늘어날 수도 줄어들 수도 있다. 헹굼에 들어간 식염수만큼 환자에게서 제거하는 초미세여과량을 늘려야 한다. 주기적인 생리식염수 헹굼이 항응고법으로 유용한지는 아직 논란이 있으며, 혈액응고를 항진시킬 수 있는 혈액수혈과 투석 중 정맥영양(intradialytic parenteral nutrition)을 시행하지 않는 것이 권유된다.

▶ 참고문헌

- 대한혈액투석여과연구회, 대한전해질학회: 온라인 혈액투석여과. 메디안북, 2016.
- B. Canaud, J. et al: Clin J Am Soc Nephrol 13:1435–1443, 2018.
- Claudel SE, et al: Anticoagulation in hemodialysis: A narrative review. Semin Dial 34:103–115, 2021.
- Daugirdas JT: Handbook of Dialysis, 5th ed, Lippincott Williams & Wilkins, 2015, pp 252–267.
- Jameson, et al: Dialysis in the treatment of renal failure, in Harrison's Principles of Internal Medicine. 20th ed, McGraw Hill, 2018, pp2121–2125.
- Kessler M, et al: Anticoagulation in chronic hemodialysis: progress toward an optimal approach. Semin Dial 28:474–489, 2015.
- Lee Goldman, et al: Treatment of irreversible renal failure, in Goldman-Cecil Medicine, 26th ed, Elsevier Saunders, 2020, pp804–811.
- Leung KC, et al: Anticoagulation in CKD and ESRD. J Nephrol 32:719–731, 2019.
- Ronco C: Expanded Hemodialysis – Innovative Clinical Approach in Dialysis. Karger Publishers, 2007.
- Weiner DE, et al: Efficacy and Safety of Expanded Hemodialysis with the Theranova 400 Dialyzer: A Randomized Controlled Trial. Clin J Am Soc Nephrol 15:1310–1319, 2020.

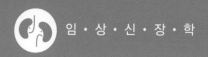

CHAPTER
05 혈액투석의 합병증

송준호 (인하의대)

KEY POINTS

- 혈액투석 분야는 투석액, 투석막 생체적합성, 초미세여과 용적조절, 온도 및 혈액량 제어계측기술 등 기술의 진보로 생존율 개선이 꾸준히 이루어져 왔다.

- 당뇨병 및 심혈관질환 치료의 향상으로 환자의 수명 연장, 고령화 등이 나타났다. 따라서 말기신부전 환자의 연령과 중증도는 과거에 비해 현저히 높아져 기술의 발전에도 불구하고 투석 중 합병증은 여전히 중요한 문제이다.

- 혈액투석의 합병증과 이에 따른 잦은 투석 중단은 투석의 효율을 떨어뜨릴 뿐 아니라 건체중 유지를 어렵게 하여 심혈관 합병증의 빈도를 올리고 투석에 대한 의욕을 잃고 낮은 삶의 질을 유지하게 한다.

- 돌연 심장사(sudden cardiac death, SCD)는 말기신부전 환자 사망 원인의 25%를 차지하며 이를 예방하기 위해 깊은 주의와 다각적 노력을 하여야 한다.

혈액투석은 1960년대 도입된 이래 탄산수소염 투석액 도입, 초미세여과 용적조절(ultrafiltration volumetric control), 투석막 생체적합성 개선, 투석액 소듐, 온도 및 혈액량 제어계측기술 도입 등 기술의 진보로 생존율이 꾸준히 개선되어 왔다. 그러나, 당뇨병 및 심혈관질환 환자의 증가와 수명 연장, 투석 환자의 고령화 등으로 말기신부전 환자의 중증도 자체는 과거에 비해 높아졌다. 따라서 투석 기술의 발전에도 불구하고 투석 중 합병증은 여전히 중요한 문제이다.

투석 중 저혈압

혈액투석에서 가장 흔하고 문제가 되는 합병증이다. 치료를 요하는 심한 저혈압의 빈도는 전체 투석 중 10~30%이다.

1. 임상 양상

환자에 따라 혈압이 위험 수위에 떨어질 때까지 증상이 나타나지 않는 경우도 있어 투석 중 혈압을 주의 깊게 모니터해야 한다. 어지러움, 구역, 구토, 근육경련과 같은 증상에서 심혈관, 뇌혈관 등 심각한 장기 허혈 또는 부정맥,

경련, 의식 장애로 진행되기도 한다. 동정맥루 폐쇄가 발생하기도 한다. 투석 중 저혈압이 빈번한 환자들은 잦은 투석 중단으로 건체중 유지가 어렵고 적절한 투석량(dialysis dose) 유지가 어려운 이차적 문제도 발생한다. 환자들은 투석에 대한 의욕을 잃고 낮은 삶의 질을 유지하게 되기도 한다. 설명되지 않은 예기치 않은 저혈압은 심낭삼출 혹은 심낭압전(cardiac tamponade)의 징후일 수도 있으므로 감별해야 한다.

2. 원인 및 기전

정상적인 환자에서는 투석 중 혈량저하에 대한 생리적 보상이 일어나므로 적절하게 투석하면 혈장량의 20%까지는 무리없이 제거할 수 있다. 그러나, 수분을 지나치게 많거나 빠르게 제거(특히 초미세여과율 0.35 mL/min/kg 이상)하면 저혈압이 발생한다. 보상 기전에는 교감신경의 활성-말초저항 증가, 전신혈류 재분포(redistribution)-중심 혈액량 유지, 심박수 및 심박출량의 보상성 증가 등이 있다. 투석 중 저혈압은 이런 보상 기전을 방해하는 여러 원인에 의해 일어난다.

1) 체액성 요소

지나친 체액량의 감소가 원인인 경우이다. 과도한 투석간 체중 증가로 인한 과도한 초미세여과율, 목표 건체중이 지나치게 낮게 잡았을 때, 투석의 빈도가 너무 낮거나 요독물질 상승이 너무 높아 투석 중 삼투질농도 변화가 심할 때, 투석액의 소듐 농도나 칼슘 농도가 너무 낮은 경우 저혈압이 발생한다. 체액량 감소 보상기전인 혈장보충(plasma refilling), 혈관 수축, 심박수 증가가 잘 작동하지 않는 환자들에서 투석 중 저혈압이 잘 발생한다. 투석간 체중 및 건체중 조절, 투석 빈도 및 초미세여과 속도 조절, 투석액 조성 변경 등으로 예방할 수 있다.

2) 혈관성 요소

혈량저하증이 발생하면 반사성 교감신경 활성으로 말초 저항이 증가한다. 특히 피부 및 내장(splanchnic) 혈류를 줄이고 혈액을 중심부로 재분포시키는 보상반응이 일어난다. 이 보상반응이 적절하게 일어나지 못하면 저혈압이 발생한다. 고령이나 당뇨병 및 요독성 자율신경병증이 오래된 환자들의 경우 교감신경부전(sympathetic failure)으로 노르에피네프린의 분비가 적절하게 분비되지 않아 생기는 경우도 많다. 투석 중 식사 또는 음식물 섭취를 하면 내장 혈류가 증가되고 중심혈액량이 줄어들어 저혈압이 발생한다. 투석 전 복용한 항고혈압제의 영향에 의한 경우는 매우 흔하다. 빈혈이 심한 경우(헤마토크릿 <20~25%) 저산소증에 의한 혈관 이완으로 저혈압이 발생하기 쉽다. 36°C 이상의 투석액을 사용하면 중심체온의 상승으로 열 배출을 말초혈관 이완이 일어나는데 이에 의해 상대적 저혈량이 심화된다. 아세테이트 투석액은 아데노신-매개 혈관 이완을 통해서, 생체부적합 투석막은 보체 활성화를 증가시켜 혈관 수축 반응을 방해하여 투석 중 저혈압을 유발할 수 있다.

3) 심인성 요소

심박출량 및 심박동수 변화를 통한 보상 작용이 잘 일어나지 못하는 경우이다. 좌심실비대, 허혈성 심질환과 같은 확장기 기능 장애가 있는 심장은 확장기 심장충만(cardiac filling)이 떨어진다. 혈량저하증에서는 심장을 통한 보상작용이 일어나기 어렵다. 베타차단제를 사용하는 환자, 요독성 또는 당뇨병 자율신경병증이 심한 환자, 고령 환자의 경우에는 심박동수 증가를 통한 보상작용이 일어나기 어려워 투석 중 저혈압이 잘 발생한다. 그 외에 심부전증, 고혈압성 심질환, 관상동맥질환, 부정맥 등의 질환이 있는 환자에서도 심근 수축력 장애를 통해 투석 중 저혈압이 잘 발생하게 된다.

3. 치료

투석 중 심각한 저혈압이 발생하면 순환혈액량을 확보하는 것이 가장 시급하다(표 13-5-1). 응급조치로 Trendelenburg 자세를 취하면서 산소를 공급한다. 즉시 초미세여과를 중단 또는 감소시키고 혈류속도를 최소화한다. 생

표 13-5-1. 투석 중 저혈압의 치료와 예방

1. Trendelenburg 자세
2. 산소 공급
3. 초미세여과 중단
4. 혈류속도 감량
5. 생리식염수 (또는 만니톨) 투여
6. 경우에 따라 투석 중단 및 혈액 회수

리 식염수 또는 만니톨을 신속히 주입하여 순환혈액량을 회복시킨다. 투석을 중단할 수 있으나 저혈압이 자주 발생하는 환자들에서는 빈번한 투석 중단이 만성적 투석량 부족과 혈액 소실을 가져올 수 있다.

4. 예방

1) 체액량 과다 변화를 조절하기 위한 방법

(1) 건체중(Dry weight) 재산정

건체중이 실제보다 낮게 산정되어 있지 않은지 확인해 볼 필요가 있다. 의사가 시행착오(trial and error) 과정을 통해 재산정하는 것이 일반적으로 인정되는 방법이다. ANP, BNP, cGMP와 같은 혈액지표, 생체교류저항분석(bioimpedance analysis), 또는 초음파나 심에코를 이용한 하대정맥(IVC) 측정법도 도움이 될 수 있다.

(2) 투석 간 체중 증가 조절

초미세여과량은 1회 투석당 3 kg을 넘지 않아야 한다. 이를 넘는다면 하루 체중 증가가 1 kg을 넘지 않도록 다시 교육하여야 한다. 수분 자체보다는 염분 제한 교육에 비중을 두어야 한다. 투석 간 체중 증가 제한이 불가능하다면 투석시간을 연장하거나 투석의 빈도를 늘여 단위시간 당 초미세여과량을 최소화하는 방법을 선택해야 한다.

(3) 치료적 투석

투석이 시작되면 요독 물질들이 제거되면서 세포외액 삼투질농도가 떨어지기 시작한다. 삼투질 농도가 떨어지면 혈장 안에 수분을 보유하기 어려워지고 혈장재충전이 잘

일어나지 못해 저혈압의 원인으로 작용한다. 투석 중 저혈압 발생에는 삼투질 농도 변화와 수분 제거 속도가 중요한데 최근의 투석기계들은 투석 중 투석액 소듐 농도와 초미세여과 속도 컨트롤이 가능하여 이를 조절할 수 있다.

① 순차적 투석(sequential dialysis; isolated ultrafiltration + isovolemic hemodialysis)
투석 초기에는 요독 제거 없이, 즉 삼투질 농도 변화 없이 초미세여과만 시행하여 저혈압을 방지하다가 후반에 초미세여과는 최소한으로 줄이고 혈액투석만 하여 요독을 제거하는 방법이다. 보통 1시간은 수분 제거 목표량의 50%를 단독 초미세여과로 제거하고 나머지 3시간은 남은 수분제거 목표량과 함께 혈액투석을 하도록 처방한다.

② 초미세여과프로필(ultrafiltration profiling)
투석 중 초미세여과율을 일시 중단하거나 점진적으로 감소시켜 혈장재충전을 유도하는 방법이다(그림 13-5-1). 보통 단독으로 사용되기보다 소듐 프로필과 병합하여 시행한다(combined sodium and ultrafiltration profiling).

③ 고소듐 투석 및 소듐 모델링(sodium modeling)
투석 동안 투석액 소듐 농도를 140 mEq/L 또는 그 이상으로 하여 혈장 삼투질 농도를 유지함으로써 투석 중 저혈압을 피하는 방법이다. 투석 후 혈장 나트륨 농도가 높으면 갈증 및 투석 간 체중 증가를 일으킬 수 있으므로 투석이 끝날 때는 투석액 소듐을 낮게 하는 소듐 모델링(sodium modelling) 투석을 한다. 비교적 효과적이고 쉬운 방법이나 소듐 부하를 완전히 피할 수는 없어 투석 후 갈증과 이에 따른 고혈압, 투석 간 체중 증가가 제한점으로 작용한다. 보통은 초미세여과 프로필과 병합하여 시행한다. 최근 연구에 따르면 저온투석과 병합할 때 효과가 가장 좋다고 알려져 있다.

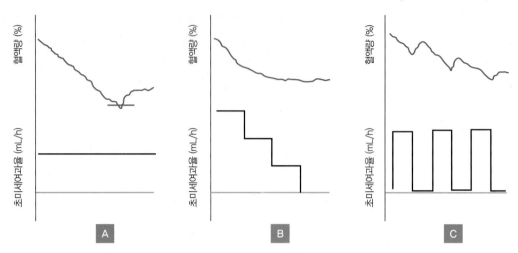

그림 13-5-1. 초미세여과 프로파일(Ultrafiltration profiling)

일반적인 지속적 초미세여과로 나타나는 투석 중 저혈압(A)을 순차적으로 초미세여과율을 낮춰 나가거나(B), 주기적으로 중단하여 혈장 재충전을 유도함(C)으로써 저혈압 발생을 예방한다.

④ 온라인 상대혈액량모니터(relative blood volume monitor)와 피드백 조절

빛의 투과나 초음파를 이용하여 헤마토크리트를 온라인으로 측정함으로써 투석 중 상대적 혈액량 변화의 모니터가 가능하다[Hematocrit = (RCV/ blood volume)×100]. 최근에는 상대 혈액량의 변화에 따라 초미세여과율이나 투석액 소듐 농도를 자동으로 조절하여 투석 중 저혈압을 예방하는 퍼지제어(fuzzy control) 기법도 소개되고 있다.

2) 혈관저항성 문제를 고려한 예방 방법

(1) 혈압약 복용 시간 조절

혈압약의 복용이 투석 중 저혈압과 연관이 있다면 투석 전 혈압약 복용을 감량 또는 중단하도록 한다. 또한 최대 작용시간을 고려해 저녁에 약을 복용하도록 하는 등의 조절이 필요하다.

(2) 투석 중 음식 섭취 금지

투석 중 음식 섭취는 내장혈관 혈류 증가를 통해 저혈압을 일으키므로 투석 직전과 투석 중에 음식을 섭취하지 않도록 한다.

(3) 탄산수소염 투석액

아세테이트 투석액을 사용한다면 탄산수소염 투석액으로 교환한다.

(4) 저온투석

순환혈액량이 감소하면 교감신경 활성화로 체표면 혈관 수축이 일어난다. 이에 따라 혈액이 중심혈류로 몰리면서 혈역학적 안정성이 유지된다. 이 과정에서 일반적으로 환자의 중심 체온은 다소 상승하게 된다. 어떤 환자들은 중심체온이 너무 올라 체표면 혈관을 확장시켜 역설적으로 투석 중 저혈압을 일으키기도 한다. 이러한 환자에서는 투석액의 온도가 34~36℃인 저온투석을 하는 것이 도움이 된다. 최근에는 피드백 기술을 이용 투석액의 온도를 자동으로 조작하여 환자의 체온을 일정하게 또는 원하는 대로 유지하는 등온투석(isothermic hemodialysis)과 투석액 온도 프로필(dialysate temperature profile) 투석이 가능하다.

(5) 약물요법

당뇨병이나 말기신부전이 오래 지속되었거나 고령인 환자들은 자율신경부전으로 혈압 저하에 대한 보상과 반사가 잘 안일어난다. 반응이 없는 환자에서는 선택적 α-1교감신경촉진제인 미도드린(midodrine)을 투석 30분~1시간 전에 10 mg 경구 투여할 수 있다. 미도드린은 심장 및 중추신경 효과가 미약해서 비교적 안전한 약제이지만 허혈성 심질환이 심한 경우는 사용이 불가능하다. 부작용으로 두피의 감각이상(따가움 및 가려움), 입모근(piloerector) 반응, 두통, 절박뇨, 누운 자세에서의 혈압 상승 등이 있다. 세로토닌재흡수억제제제(serotonin reuptake inhibitors)인 sertraline (zoloft)도 투석 중 저혈압 환자에 사용하면 역설적교감신경금단(paradoxic sympathetic withdrawal) 현상을 완화하는데 도움이 된다. L-카르니틴(carnitine)은 근육경련을 동반한 저혈압에서 혈관 평활근 기능을 증가시켜 운동 기능을 호전시키고 삶의 질을 향상시키는 효과

가 있다. 주사제로 20 mg/kg 투여한다. 바소프레신의 주입이 증상을 동반한 저혈압을 감소시키고 투석 중 수분 제거를 더욱 증진한다고 보고된 바 있다. 유럽 가이드라인에 따르면 약제의 사용은 다른 여러 방법이 성공하지 못할 경우 마지막 단계로 하는 방법이다(표 13-5-2).

3) 심기능 이상을 고려한 예방 방법

(1) 동반 기저 심질환의 확인과 치료

심부전, 부정맥, 허혈성심질환 등 동반된 기저 심질환 유무를 반드시 확인하고 적절한 치료를 해주는 것이 중요하다. 특히 심낭질환에 대한 확인이 꼭 필요하다.

(2) 빈혈의 교정

혈색소를 11~12 g/dL로 유지하면 저산소증에 의한 기저 혈관이완을 줄이고 심혈관 및 심근 기능을 개선시켜 저혈압을 예방하는 효과가 있다.

(3) 고칼슘 저마그네슘 투석액의 사용

좌심실수축율 40% 이하, NYHC III~IV 단계의 심장 수축력 저하 환자에서 고칼슘 투석액(칼슘농도 3.5 mEq/L)은 일반 투석액(칼슘농도 2.5 mEq/L)보다 심근 수축력 향상, 혈관 수축 향상, 혈압 상승의 효과가 있는 것으로 보고된 바 있다. 단 고칼슘 투석액을 사용할 시에는 고칼슘혈증에 주의해야 한다. 저마그네슘 투석액(0.25 mmol/L)도 심기능 개선에 도움이 된다.

표 13-5-2. 투석 중 저혈압 예방을 위한 단계별 접근법
(2007 European Best Practice 혈액투석 가이드라인)

1단계
식이요법상담(염분제한)
투석 중 음식 섭취 금지
건체중 재산정(임상적 재검토)
탄산수소염 투석액 투석
36.5℃ 투석액 온도
혈압강하제 투여 용량, 시간 조정
2단계
건체중 재산정(검사 및 객관적 자료를 이용한 재검토)
심기능 이상이나 심질환에 대한 검사
36.5℃ 이하의 저온 투석 또는 등온도(isothermic) 투석(또는 convective treatment)
혈액량 감시를 통한 피드백
투석 시간 및 빈도 증량
고칼슘 투석액 투석
3단계
미도드린, L-카르니틴 등의 약제 사용
복막투석으로 전환

근육경련

투석 중에 5~20%의 빈도로 발생하는 매우 흔한 부작용이다. 투석 시작 첫 달 내에 잘 나타나며 고령, 불안증이 동반된 환자, 비당뇨 환자에서 나타나는 경향이 있다. 체내 수분이 상당히 제거된 투석 후반부에 골격근의 허혈이 원인이다. 주로 다리, 팔, 손에 나타나서 10분 이내 저절로 없어지나 투석 후 수 시간 뒤까지 지속되기도 한다. 저혈압과 함께 투석을 완료하지 못하는 양대 원인 중 하나

이다. 원인으로는 저혈압, 건체중 이하의 수분 제거, 지나친 투석 간 체중 증가에 따른 초미세여과율 과다, 저소듐 투석액 사용 등이 있다. 전해질 불균형이나 요독성 근병증, 말초신경계 질환, 말초혈관의 국소적인 허혈 등과 clofibrate, nicotinic acid, nifedipine 등의 약제나 음주 등도 관련이 있을 수 있다.

예방을 위해 투석 간 체중 증가를 잘 조절하도록 교육한다. 하루 체중 증가가 1 kg을 넘지 않도록 하여야 한다. 수분 자체보다는 염분 제한에 무게를 두어야 한다. 뚜렷한 수분 과다의 징후가 없다면 건체중을 0.5 kg씩 늘려보는 것도 방법이다. 증상이 나타났을 때 고장액을 투여하여 혈장내 삼투질 농도를 증가시키는 것으로 치료한다. 고장식염수 15~20 mL, 25% 만니톨 50~100 mL, 또는 50% 포도당용액 25~50 mL 등이 비슷한 효과를 보인다. 식염수는 소듐 부하로 투석 후 갈증이 심화되고 투석 간 체중이 증가될 수 있어 당뇨가 아닌 경우에는 포도당 용액이 좋다. 초기에 투석액 소듐을 150~155 mEq/L에서 시작하여 투석 종료까지 135~140 mEq/L로 서서히 낮추는 방법도 시도해 볼 수 있다. 빈발 부위 근육의 신장운동(stretching exercise)도 도움이 된다. 투석 시작 때 quinine sulfate 325 mg 복용, 투석 2시간 전 oxazepam 5~10 mg 사용이 빈도를 감소시킨다는 보고도 있다.

투석불균형증후군(Dialysis disequilibrium syndrome, DDS)

처음 투석하는 환자에서 과량의 용질을 갑자기 제거하는 경우, 또는 불충분한 투석을 받던 환자에서 투석량이 갑자기 증가할 때 나타나는 신경학적 합병증이다. 투석을 너무 늦게 시작하는 환자에서 첫 투석을 고유량 고효율 투석으로 하는 경우 잘 나타난다. 투석으로 혈장내 요소 등 삼투용질 수치가 급격히 낮아지면 뇌세포에 비해 혈장의 삼투압이 낮아지고 수분이 혈장에서 뇌 조직으로 이동되어 뇌부종이 초래된다. 또 투석으로 인한 급격한 산혈증 교정은 체내 이산화탄소 저류를 유발시키고 증가된 이산화탄소가 뇌척수액내로 이동하면서 일시적으로 뇌척수액내 산증(paradoxical CSF acidosis)을 초래하여 삼투 활동을 증가시킨다.

불안, 두통, 구역, 구토, 시력 장애 등이 나타날 수 있고, 심한 경우 발작, 착란, 경련, 혼수, 사망을 초래할 수도 있다. 보통 투석이 어느 정도 진행된 후 나타나는데 심하지 않으면 자연 회복된다. 24시간 내에 호전이 없으면 다른 질환을 감별하여야 한다. 뇌 CT나 MRI 소견은 주로 뇌부종으로 나타나고 EEG를 포함한 다른 여러 검사에서 특이적 소견이 없으므로 진단은 다른 질환의 배제로 판단한다.

예방은 요독 수치가 매우 높은 환자(BUN>150~200 mg/dL)에서 최초 투석을 할 때는 목표 요독 감소치를 30% 이내로 제한하고 저효율 투석을 반복하여 요독을 천천히 제거한다. 최초에는 표면적이 작은 투석막(0.9~1.2 m²)을 사용하고, 혈류 속도를 200 mL/min 이하로 2시간 이내로 시행한다. 3~4일에 걸쳐 매일 혈류 속도를 50 mL/min 씩 300 mL/min까지, 투석시간은 30분씩 4시간까지 증량해 나간다. 의식이 저하되어 있거나 발생 위험이 매우 높은 환자에서는 만니톨 12.5g을 매 시간 주사하는 방법이 있다. 심한 폐 부종, 울혈, 수분 과다가 문제가 되는 환자는 처음에는 초미세여과만 시행하여 수분을 먼저 제거한 후 짧게 조금씩 혈액투석을 늘려가는 방법도 있다. 발작, 혼수 등 심한 신경학적 증세가 발생하는 경우에는 투석을 중단해야 한다. 필요하면 항경련제 투여, 과환기요법, 만니톨 정주 등으로 두개 내 부종을 감소시키는 치료를 하면서 중환자실에서 집중감시해야 한다.

급성심정지와 돌연심장사(Sudden cardiac arrest and sudden cardiac death)

돌연 심장사(sudden cardiac death, SCD)는 치명적 원인이나 전구 증상 없이 발생하며 증상 발현 후 1시간 이내에 심장 원인으로 사망하는 것을 말한다. 돌연 심장사는 말기신부전 환자 사망 원인의 25%를 차지한다. USRDS

(The United States Renal Data System)에 의하면 매년 50~60건/1,000 환자의 빈도로 돌연 심장사가 발생한다. 일반 환자들의 빈도 매년 1~20건/1,000 환자에 비해 매우 높다. 대부분 원인은 부정맥에 의한 급성심정지이다.

1. 기전

1) 신부전에 의한 기전

신부전증은 장기적으로 심장의 구조적 이상을 일으킨다. 좌심실 비대와 확장, 수축기 기능 저하 등이 특징인 요독성심근병증은 부정맥의 유발 위험인자이다. 고칼륨혈증, 대사산증, 빈혈, 이차성부갑상선항진증과 같은 대사적 불안정 요인이 있다. 과수분 상태도 심장에 부하를 준다. 저알부민혈증, 고호모시스틴혈증과 전신 염증 반응 또한 호발 요인이다. 일부 약제들은 신부전 환자들에서 쉽게 과다 상태가 되어 부정맥을 조장한다.

2) 혈액투석에 의한 기전

혈액투석 환자에서 흔한 심근허혈과 기능 저하는 돌연 심장사의 위험인자로 작용한다. 혈액투석 환자는 심실후기전위(ventricular late potentials)이나 QT간격 연장(QT interval prolongation) 또는 심박변이도(heart-rate variability, HRV) 같은 이상이 흔히 동반된다. 투석 중 급격한 수분 이동, 자율신경계 불균형 교감신경 활성, 산 염기와 전해질의 급격한 변화 등으로 인해 심장전기적 불안정 증가로 돌연심장사를 조장하는 원인이 될 수도 있다. 최근 연구에서는 저포타슘 투석액(<2 mEq/L)의 사용이 급성 심정지의 위험을 2배 이상 증가시키며 특히 투석전 고칼륨혈증이 심해 농도 변화가 심해지게 되면 위험한 것으로 나타났다. 저칼슘 투석액(<2.5 mEq/L)의 사용도 위험도를 50% 증가시키는 것으로 나타났다. 혈청-투석액 농도 경사차이 때문으로 보인다.

2. 임상 양상

주 3회 투석 시 이틀을 쉰 긴 투석간 기간 후 투석, 보통 월요일 또는 화요일 투석 전후 12시간이 돌연 심장사가 집중되는 기간이다. 긴 투석 간 기간의 투석 전 마지막 12시간의 돌연 심장사 빈도는 3배이며, 투석 시작 후 12시간 동안의 돌연 심장사 빈도는 약 1.7배이다. 전자의 경우는 투석간 기간 중 포타슘, 수분, 요독 물질의 축적과 혈압 상승이 원인으로 보이며, 후자의 경우는 투석에 의한 급격한 수분과 전해질 변화, 교감신경 활성화 등이 원인으로 보인다. 투석을 처음 시작하는 3개월 동안이 전체 사망률과 함께 돌연 심장사가 가장 많은 기간이다. 투석 시작후 첫 3개월간은 혈액투석 환자에서 복막투석 환자보다 빈도가 높으나 그후 2년 동안은 비슷하다가 3년이 지나면 복막투석 환자에서 더 증가한다.

3. 예방

1) 약제

돌연 심장사를 예방하는 것으로 확인된 단일 약제는 없다. 후향적 연구에서 ACE 저해제/안지오텐신전환 효소억제제, 칼슘통로차단제, 베타 차단제가 부정맥에 의한 심정지 환자에서는 생존을 향상시키는 것으로 나타났기 때문에 이 약제들을 적극적으로 사용하는 것은 고려할 수 있다.

2) 관상동맥혈관재건술

선제적인 관상동맥혈관재건술(revascularization)이 급성심정지와 돌연 심장사의 위험을 낮춘다는 명백한 증거는 없다. 재건후(post-revascularization) 부정맥은 사망의 원인이 되기도 한다. 따라서 관상동맥혈관재건은 필요한 환자에게 각자 개별 적응증에 맞게 해야 하며 돌연 심장사의 예방 목적만을 위해 시행을 권할 근거는 없다.

3) 삽입형 제세동기(Implantable cardioverter-defibrillators, ICD)

일반 환자에서 ICD는 심장돌연사의 이차 예방 또는 좌심실 기능 이상 환자의 일차 예방을 위한 치료법으로 사용된다. 일반 환자에서 적응증은 ①심실빈맥이나 세동으로 인한 심장정지에서 생존한 환자, ②심한 혈역학적 손상을 동반한 지속성심빈맥(sustained VT)의 병력, ③EF 35% 이하의 지속성심빈맥의 병력, ④심근경색 후 EF 35% 이하+지속성심빈맥+전기생리검사에서 유도가능한 심실빈맥이 있는 환자, ⑤심근경색 후 EF 30% 이하+QRS간격이 120msec 이상인 환자이다. 혈액투석 환자에서는 ICD 사용의 생존 수명 연장 효과는 일반 환자만큼 높지 않다. 반면 감염, 혈전, 혈종, 전극이탈 등 합병증은 더 많다. 현재까지 ICD 효과는 급성 심정지 발생 환자에서 이차 예방에 대한 후향적 연구들에서만 나타났다. 투석 환자에서 이차 예방이나 일반 환자 적응증을 넘어 더 적극적 사용이나 일차 예방 목적으로 권장할 만한 증거는 없다.

4) 투석 방법

투석전 혈청 포타슘이 지나치게 높거나 낮지 않게 주의해야 한다. 저포타슘 투석액(<2 mEq/L)이나 저칼슘 투석액(<2.5 mEq/L)의 사용을 가급적 피하는 것이 좋다. 투석 중 시간당 초미세여과율이 지나치게 높지 않도록 한다. 이를 위해 투석간 체중 증가를 2.5kg 이내로 유지하도록 한다. 지나친 초미세여과나 급격한 변화를 피하고 심혈관 부담을 덜 주기 위해 주당 6시간 실시하는 짧은매일투석(short daily hemodialysis)이나 주 3회 이상 한 번에 6~8시간 하는 야간투석(nocturnal hemodialysis)이 일반 투석보다 돌연 심장사의 위험이 낮다.

투석막 반응(Reaction to Dialyzer)

1970년대 생체부적합한 셀룰로즈 투석막으로 혈청 보체계, 키닌계, 섬유소용해경로 등이 활성화되어 나타난 심각한 증상이 보고된 사례가 많았다. 당시에는 초회사용증후군(first use syndrome)이라고도 불렸다. 생체적합 투석막이 많이 사용되는 현재에도 투석막 제조에서 사용된 물질들이나 소독 물질 등이 여러 강도의 유사 반응을 일으키는 경우가 있다. 이들을 통칭하여 투석막 반응(dialyzer reaction)으로 부르고 있다.

투석막의 생체적합성은 셀룰로즈(cellulose)막(예, cuprophane)이 가장 낮고, 치환셀룰로즈(substituted cellulose)막(예, cellulose acetate), 셀룰로합성(cellulosynthetic)막(예, hemophan), 재사용-셀룰로즈(reused cellulose)막 순으로 향상된다. 합성막(synthetic membrane)의 생체적합성이 가장 높다. 합성막 중에는 PS (polysulfone)가 가장 많이 사용되며, PMMA (polymethyl methacrylate), PAN (polyacrylonitrile), PA (polyamide), PEPA (polyyester polymer alloy), PES (polyethersulphone), EVAL (ethylen vinyl alcohol) 등이 있다. PAN 중 AN69막은 앤지오텐신전환효소억제제와 병용시 아나필락시스 쇼크를 일으키는 경우가 있다.

1. A형(아나필락시스반응형, 초과민반응형)

투석 개시 첫 10분 내 증상이 발생하며 드물게 30분 이후까지 나타날 수 있다. 호흡곤란과 동정맥루 부위에 화끈거리는 느낌이 흔하며, 혈관 부종, 저혈압, 고혈압 및 호흡부전과 천명음이 생긴다. 심정지, 사망이 초래될 수 있다. 투석막의 멸균제(sterilizer)로 사용하는 에틸렌옥시드(ethylene oxide)로 인해 과민반응으로 일어날 수 있으며, AN69 투석막과 안지오텐신전환효소억제제를 같이 사용할 때 브라디키닌계에 의해 매개되어 투석반응이 발생하기도 한다. 그 외에 투석막 재사용시 소독제 사용. 생체부적합 투석막, 투석액 오염 등이 원인이 될 수 있다. A형 투석반응이 발생하면 투석을 즉시 중단하고 혈액라인을 즉시 잠근다. 체외순환 라인의 혈액을 다시 환자의 몸에 넣지 말고 반드시 모두 버려야 한다. 증상에 따라 항히스타민, 에피네프린, 스테로이드 등을 주사 투여한다. 필요시 기관삽관, 심폐소생술을 해야 한다.

2. B형(비특이형)

주 증상은 흉통이고 허리통증을 함께 호소하기도 한다. 투석 시작 후 30분 이후에서 한 시간 사이 발생한다. 합성막을 주로 사용하는 최근에는 B형 반응의 빈도는 점차 줄어들고 있는 추세이다. 셀룰로즈계 투석막으로 처음 투석하는 경우 3~5% 발생하며 재사용 투석막을 사용하는 경우 발생이 줄어든다. 증상은 A형보다 심하지 않아 투석을 계속 진행할 수 있다. B형 투석반응은 다른 흉통을 유발할 수 있는 질환들이 모두 배제한 후 진단을 내릴 수 있다. 보체계 활성이 주 기전이다. 치료는 대증적으로 산소 공급과 항히스타민제 및 해열제 등이다. 대개 1시간 후 증상이 경감되므로 투석은 지속한다.

3. 다른 질환과의 감별점

저혈압, 저산소증, 투석불균형증상, 용혈, 색전 등과 감별이 중요하다. A형 반응은 보통 10분내 나타난다. B형 반응은 30분 후에서, 늦어도 1시간 이내 나타난다. 투석 시작 시점에서 투석 중 저혈압으로 유사 증상을 일으키는 경우는 심낭삼출이나 압전, 또는 심장판막질환이 있는 경우가 아니고는 드물다. 투석유발 저산소증은 보통 30분에 가장 심하고 2시간 후 사라진다. 투석불균형증상은 투석이 끝나갈 무렵 시작된다. 공기색전은 주로 중심정맥관을 사용하는 환자에서 투석 시작과 함께 나타난다. 용혈은 어느 때나 나타나지만 보통 1시간 내에 나타난다. 투석액 오염이 용혈의 원인일 경우는 다른 환자와 동시 다발로 나타나기도 한다.

구역과 구토

혈액투석 환자의 약 10%에 나타나며 발생 원인은 다양하다. 대개 투석중 저혈압과 연관되어 나타난다. 그 외에 투석불균형증후군, 투석 반응, 단순한 요독 축적, 전해질 불균형, 충분치 않은 투석, 고칼슘혈증 등도 구역, 구토를 초래할 수 있다. 투석 동안에 저혈압을 피하는 것이 중요하다. 증상이 계속되면 metoclopramide 5~10 mg를 경구 또는 주사로 사용할 수 있다. 소화기계에 대한 점검도 고려해야 한다.

두통

약 60%의 환자가 한번은 경험한다. 투석 후 3~7시간에 양쪽 이마로 박동성으로 오는 경우가 많다. 구역, 구토를 동반할 수도 있다. 보통 시력장애는 동반하지 않는다. 바로 누운 자세에서 더 심해진다. 약한 형태의 투석불균형증후군인 경우가 많다. 커피를 즐기는 환자가 투석에 의한 카페인 금단으로 나타나기도 한다. 투석 초기에 혈류속도를 줄이거나, 탄산수소염을 함유한 투석액으로 전환하면 호전될 수 있으며, 카페인 금단 현상으로 의심되면 커피를 마시도록 한다. 증상이 심하면 아세트아미노펜을 투여한다.

흉통 및 허리통증

경도의 흉통은 투석 중 1~4% 정도에서 발생하며, 때로 허리통증을 동반하기도 한다. 투석 중 심근허혈이나 협심증의 발생이 흔하므로, 우선 이를 확인하는 것이 중요하다. 간혹 용혈, 심낭염, 공기색전증 같이 드물지만 심각한 문제의 증상일 수 있으므로 주의를 요한다. 산소(비강 3 L/min)를 공급하고 혈류속도를 줄이거나 초미세여과 중단 등 투석 중 저혈압에 준하는 조치를 취한다. 심근허혈, 협심증 의심 때는 설하 니트로그리세린을 주고 심전도 및 심근효소 검사를 시행한다.

발열

투석 중에 간혹 발열과 오한을 호소하는 경우가 있다. 발열원(pyrogen)에 따른 IL-1, IL-6, TNF와 같은 사이토카인 형성 및 방출에 의한 것으로 생각되며 주로 투석 후 반부에 고열, 오한, 근육통, 혈역학적 불안정을 보인다. 치료는 해열제, 예방적 항생제 등 보존적 요법이 도움이 된다. 세균 감염에 의한 증상인지 투석액이 오염된 것인지에 대해서도 반드시 확인이 필요하다.

투석후 증후군(Postdialysis syndrome)

투석 중 혹은 투석 후에 나타나는 "힘이 빠져나가는" 느낌 또는 무력감이다. 투석 환자의 약 33%에서 나타난다. 심박출량 감소, 말초혈관질환, 우울한 기분, 컨디션 난조, 투석 후 저칼륨혈증 또는 저혈당증, 경한 요독성 뇌증, 신경병증 그리고 근육병증 등 다양한 원인이 있을 수 있다. 투석후증후군은 무포도당 투석액이나 아세테이트 투석액에서 더 잘 나타나는 경향이 있으며, 투석막의 생체부적합성에 의한 보체 활성화 또는 싸이토카인 생산도 관련이 있을 것으로 생각되고 있다.

투석관련 저산소증

일반적으로 투석 중에는 산소농도가 5~30 mmHg 정도 떨어지는데 보통 환자에서는 문제가 되지 않지만 심한 폐 혹은 심장질환이 있는 환자에서는 증상이 나타나거나 심각한 문제가 될 수 있다. 생체적합도가 높은 투석막을 사용하고 탄산수소염투석액을 사용하되 대사성 알칼리증을 일으키지 않도록 한다.

발작

급성 또는 응급 투석을 하는 환자에서 간혹 발생한다. 혈액투석에 의한 발작은 보통 전신적으로 발생하며 쉽게 조절된다. 단 국소적이거나 치료에 반응하지 않는 저항성 발작의 경우는 반드시 뇌내출혈과 같은 다른 원인을 감별하기 위한 검사가 필요하다.

투석 관련된 중성구 감소증 및 보체 활성화

생체부적합 투석막을 사용하는 경우 중성구 감소증이 나타난다. 보통 투석 시작과 함께 순환 중성구를 포함한 백혈구수가 일시적으로 50~80% 감소하였다가 투석 30~60분 후에 다시 정상적 수준 또는 과도한 수준으로 반등한다. 생체부적합 투석막에 의한 보체 활성화는 저혈압, 구역, 구토, 흉통 및 허리통증, 저산소증을 일으킨다. 보체 활성화는 유지투석을 하는 환자에서는 큰 문제는 아니지만, 급성신손상 환자에서는 신기능 회복을 지연시키는 문제를 초래한다. 생체적합성이 높은 polysulfone, polycarbonate, PMMA 같은 합성막에서는 보체의 활성화나 호중구 감소증이 거의 일어나지 않는다.

혈소판감소증

헤파린 유발 혈소판감소증 이외에 혈액–투석막 반응으로 일시적 혈소판감소증이 일어날 수 있으며, 투석 시작 1시간 후 혈소판수가 저하되어 $100,000/mm^3$ 이하로 감소한다.

기술적 문제에 의한 합병증

1. 투석 중 급성용혈

내과적 응급 상태로 보통 호흡곤란, 흉부 압박감, 허리통증 등이 나타난다. 특징적인 징후는 특징적 피부 색소 침착, 혈액라인 내 혈액 색 변화, 원심 분리된 혈장의 핑크색 변화, 그리고 헤마토크리트 감소이다. 용혈된 적혈구에서 포타슘이 방출되어 고칼륨혈증이 일어나며 근육 약화, 심전도적 이상, 심장 마비로 이어질 수 있다. 급성 용혈은 주로 두 가지 문제, 즉 혈액투석 체외순환계의 기계적 손상(정맥카테터나 바늘의 막힘 또는 좁아짐, 혈액라인의 꼬임이나 뒤틀림 등) 또는 투석액의 문제(42℃ 이상의 투석액 온도, 낮은 투석액 삼투압, 클로라민 등의 투석액 오염)로 발생한다. 발견 즉시 혈액펌프를 중지하고, 혈액라인을 잠근다. 용혈된 피는 환자 몸으로 회수해서는 안 된다. 손상된 적혈구가 지연 용혈이 될 수 있으므로 입원 후에 관찰해야 한다. 혈액라인 막힘, 롤러 펌프 이상 등 기계적인 원인이 발견되지 않으면 투석액 샘플을 조사해야 한다.

2. 공기색전증

정맥 혈액라인을 통해 발생한다. 체중 1 kg당 1 mL 이상의 공기 유입은 치명적이다. 앉은 자세에서는 심장을 거치지 않고 뇌혈관계로 이동하여 의식소실, 경련 등 신경학적 증상을 일으키며, 누운 자세에서는 우심실에서 기포를 형성하고 폐로 이동함으로써 호흡곤란, 기침, 흉통 등 호흡기 증상을 호소하게 된다. 공기가 폐 모세혈관을 통과해 좌심장으로 이동하면 심장 및 뇌혈관 증상이 모두 나타나게 된다. 혈액라인에 기포가 보이거나 심장에 이상 잡음이 들리는 경우에 의심한다. 주로 동맥쪽 바늘, 펌프전 혈액라인 부위 또는 중심정맥도관 조작 실수 등으로 유입된다. 펌프전 혈액 튜브 부위는 매우 높은 음압을 가지고 있어 공기 유입에 취약하다. 간혹 정전 등 투석이 중단되는 상황에서 혈액을 환자에게 재주입하다가 공기 색전이 발생하는 경우도 있다. 공기색전증이 의심이 되면 혈액라인을 차단하고 펌프를 멈춰 투석을 중단하여야 한다. 즉시 환자의 뇌와 심장이 있는 두부와 흉부를 낮추고 좌측이 아래로 가게 기울이는 자세를 취해 중요 장기인 뇌와 심장으로 공기색전이 이동하는 것을 막아야 한다. 상태에 따라 기관삽관 등 심폐보조 치료를 해야 하며, 심장의 공기는 경피적 바늘 흡입을 시도할 수 있다.

3. 투석액 온도 이상

투석액 온도는 내부 온도조절 장치를 통해 33~39°C를 유지하는데, 이 장치의 고장으로 투석액이 지나치게 차가워지거나 뜨거워져 문제가 생기게 된다. 차가운 투석액은 크게 위험하지 않으며 오한 및 몸을 떠는 정도의 증상을 느낄 수 있다. 의식이 없는 환자에서는 저체온증이 나타날 수 있다. 투석액 온도가 51°C를 넘으면 즉시 용혈이 일어나고 생명을 위협하는 고칼륨혈증이 발생한다. 47~51°C의 투석액은 48시간까지 지연되어 용혈이 나타날 수도 있다.

▶ 참고문헌

- Green D, et al: Sudden cardiac death in hemodialysis patients: an in-depth review. Am J Kidney Dis 57:921-929, 2011.
- K/DOQI Workgroup: K/DOQI clinical practice guidelines for cardiovascular disease in dialysis patients. Am J Kidney Dis 45:S1-153, 2005.
- Song JH: The Application of Sodium Profiling and Conductivity Monitoring in Hemodialysis. J Korean Soc Nephrol 24:357-365, 2004.
- Tattersall, J, et al: European best practice guidelines on haemodialysis. Nephrol Dial Transplant 22(Suppl 2): ii1, 2007.

CHAPTER

06 복막투석의 원리와 처방

김효진 (부산의대)

KEY POINTS

- 복막투석에서 노폐물의 제거는 복막을 경계로 확산과 대류 현상으로 수분의 제거는 삼투압 차이에 의한 초미세여과로 이루어진다.

- 복막평형검사를 통해 복막의 투과도를 평가할 수 있다.

- 저포도당 분해산물 투석액은 표준 복막투석액에 비해, 탄산수소염 완충제는 젖산염 완충제에 비해 복막 손상을 줄일 수 있다.

복막투석은 혈액투석, 신이식과 함께 말기신장병 치료에 이용하는 신대체요법 중 하나이며 복막투석이 전체 투석에서 차지하는 비율은 투석 환자에 대한 각국의 의료보험을 포함한 의료 정책과 의료진의 선호도 등에 따라 매우 다르다. 대한신장학회 말기신부전 등록사업 통계에 따르면, 2011년도 국내 복막투석 환자가 7,694명(12%)에서 2020년도에 5,724명(3.9%)으로 감소하였으며 2020년에 새로 발생한 복막투석 환자는 1,015명이었다.

복막과 복막생리(Peritoneal membrane and peritoneal physiology)

복막은 복강을 감싸는 장막(serosal membrane)으로 복강내 장기들을 고정하고 보호하며 장 운동 또는 호흡 운동으로부터 복강내 장기들의 마찰을 최소화하며 숙주 방어의 역할을 한다. 복막의 표면적은 체표면적과 비슷하여 약 1.0~2.0 m²에 달한다. 복막은 내장복막(visceral peritoneum, 80~90%)과 벽복막(parietal peritoneum, 10~20%)으로 구성되어 있다. 정상적인 생리학적 상황에서 복강액의 80%는 내장복막으로 흡수된다. 그러나 복막투석의 전체 용질 이동에서 내장복막과 벽복막이 차지하는 구성 비율은 반드시 이와 일치하지 않을 수 있다.

내장복막은 내장신경(visceral nerve)의 지배를 받고 벽복막은 몸신경(somatic nerve)의 지배를 받는다. 또한 몸신경은 벽복막 뿐만 아니라 일부 장간막에도 분포하므로, 복막투석액 배액 시 복막 투석관 주변으로 음압이 걸리면 장간막이나 벽복막이 당겨지면서 통증이 발생할 수 있다. 복막에 분포하는 동맥은 복막이 감싸는 장기에 분포하는 동맥의 분지들이다. 벽복막은 아래가로막동맥(inferior phrenic artery), 허리동맥(lumbar artery), 신동맥(renal artery) 및 엉덩동맥(iliac artery)으로부터 혈액을 공급받

고, 내장복막은 주로 복강동맥(celiac artery), 위창자간막
동맥(superior mesenteric artery) 및 아래창자간막동맥
(inferior mesenteric artery)로부터 공급받는다. 벽복막은
아래가로막정맥(inferior phrenic vein), 허리정맥(lumber
vein), 신정맥(renal vein) 및 엉덩정맥(illac vein)으로, 그
리고 내장복막은 간문맥(portal vein)으로 배액된다. 정상
적인 생리학적 상황에서 복강액의 80%는 내장복막으로
흡수되므로 복강 내의 소분자 물질은 간문맥으로 흡수된
후 간에서 빠르게 대사된다.

복막은 조직학적으로 두 개의 층으로 구성되어 있다. 단
층의 중피세포로 이루어진 중피(mesothelium)와 결합조직
층으로 나뉘며 이들은 기저막으로 구분되어 있다. 중피세
포는 복막의 생리학적 기능에서 중요한 역할을 담당한다.
중피세포에서는 여러 물질들이 생성되고 분비되는데 마찰
을 줄여주는 프로테오클리칸과 사이토카인, 성장인자와
같은 매개물질도 생성되고 분비된다. 복막의 미세혈관은
결합조직층에 분포하며 소분자 물질의 이동에 주요한 역
할을 한다. 복막 림프관은 복강에서 지속적으로 복막액을
흡수하며 전형적으로 1.0~2.0 mL/min 속도로 흡수된다.

복강에서 림프 흡수는 주로 가로막밑 림프관(subdia-
phragmatic lymphatics)으로 바로 흡수되며, 복막내의 정
수압이 증가하면 흡수되는 양이 증가한다. 림프관을 통한
복막액의 흡수는 복막투석에서 노폐물 제거 효율과 수분
제거능을 감소시킨다.

복막평형검사
(Peritoneal equilibration test, PET)

복막투석을 통해 몸에 과량으로 축적된 요독 물질과 수
분을 제거한다. 이를 제거하는 복막의 투과도는 여러 인자
에 의해 영향을 받으므로 환자마다 값이 달라 투과도를
표시할 표준화된 방법이 필요하다. 주입된 투석액과 모세
혈관 안의 혈액 사이에서 일어나는 용질 이동 속도를 확인
하기 위해 1987년 Twardowski 등이 복막평형검사(perito-
neal equilibration test, PET)를 고안하였으며 1997년
Krediet 등은 초미세여과능을 더 잘 확인하기 위해 4.25%
포도당(dextrose)을 사용한 modified PET을 제안하였다.

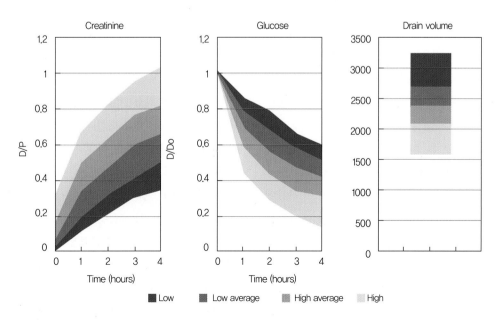

그림 13-6-1. 복막평형검사

827

이외에도 투석액의 용적변화를 알기 위해 덱스트란70을 복강내에 주입하여 측정하는 SPA (standard peritoneal permeability analysis) 등이 복막의 기능 판정을 위해 사용되고 있다. 여기에서는 임상에서 가장 흔하게 사용되는 표준 PET과 modified PET의 검사 과정을 간단히 설명한다.

1. 표준 PET

1) 검사 방법

검사 전날 밤에 투석액을 복강 안에 8~10시간 저류시키고 검사 당일 아침에 병원에서 배액한다. 2L의 2.5% 포도당 투석액을 주입하고 4시간을 저류시킨 후 배액하게 한다. 검사가 진행되는 동안 크레아티닌과 포도당의 농도를 주입 2시간째 혹은 4시간째 혈액에서 측정한다(2시간째 혹은 4시간째 혈액내 크레아티닌의 수치는 유사함). 투석액 주입 직후와 2시간째에 투석액 약 200 mL를 배액하여 잘 섞은 다음 크레아티닌과 포도당 농도를 측정하고 나머지 배액된 투석액은 다시 복강내로 무균적으로 주입하며 4시간째에는 완전히 배액된 투석액에서 크레아티닌과 포도당 농도를 다시 측정한 후 배액량을 기록한다.

2) 검사 결과의 해석

복막을 통한 용질의 이동 속도는 4시간째 투석액과 혈액내의 크레아티닌의 비율(D/P 4 h Cr) 혹은 4시간째 투석액에 존재하는 포도당 농도를 주입 직후에 투석액 내의 포도당 농도로 나눈 값(D4/D0 glucose)을 계산하여 판단한다(그림 13-6-1). 복막의 용질 특성을 나타내는 이 그림은 평균값을 중심으로 위, 아래의 1 표준편차 범위에 따라 high average (or fast average) 및 low average (or slow average)로 분류되며, 전체 환자의 70% 이상이 이 구간에 분포하게 된다. 평균값 위, 아래 1 표준편차를 초과하는 범위에 있는 경우는 high (or fast) 및 low (or slow) 군으로 분류된다.

2. Modified PET

1) 검사 방법

표준 PET과 검사 방법이 유사하나 사용하는 투석액의 포도당 농도가 2.5% 대신 4.25%라는 점이 다르다. 2시간째 혈중 크레아티닌, 포도당 및 소듐을 측정하고 표준 PET과 같이 투석액에서 0, 1, 2, 4시간에 크레아티닌, 포도당 및 소듐을 측정한다.

2) 검사 결과의 해석

이 방법은 1시간째 투석액과 혈액의 소듐 농도(D/P 1h Na)를 이용하여 복막 내 아쿠아포린 기능을 가늠할 수 있다. 복막투석에서 수분통로로 중요한 역할을 하는 1형 아쿠아포린의 기능을 알기 위해서 4.25% 포도당 투석액을 주입하여 아쿠아포린을 통한 수분 이동을 극대화시키면 소듐의 이동 없이 수분만 빠져나오는(sodium sieving) 초미세여과가 일어나게 되고, 투석액 내의 소듐 농도가 초미세여과된 수분에 의해 희석됨으로 투석액 주입 후 한 시간 정도에 혈액에 비해 소듐 농도가 가장 많이 감소하게 된다. 따라서 D/P 1 h Na은 복막의 아쿠아포린 상태를 간접적으로 나타내는 수치로 이용될 수 있다.

3. PET 검사 시에 고려해야 할 사항

PET 검사는 복막투석도관 삽입 후 복강 내에서 안정화를 이루기 위해 최소 2주 이후에 시행하도록 하며 대개 투석 시작 후 4~8주에 시행한다. 병원의 여건에 따라 6개월~1년마다 검사를 시행하여 환자의 복막상태를 평가하고 사용할 투석액의 종류를 결정한다. PET를 시행할 때 복강 내 잔여투석액이 남아 있거나 체내 수분 평형이 비정상적인 상태 혹은 지나친 고혈당 상태에서는 정확한 결과를 얻을 수 없으므로 가능한 불균형을 교정 후 시행하여야 한다. 복막염은 일시적으로 복막 투과 특성의 변화를 일으켜 소분자량의 용질에 대한 수송능이 증가하고 포도당의 흡수 또한 증가한다. 이러한 변화는 대부분 일시적이고 복막염 호전 후 한 달 뒤 회복한다. 따라서 복막염이 있을 때

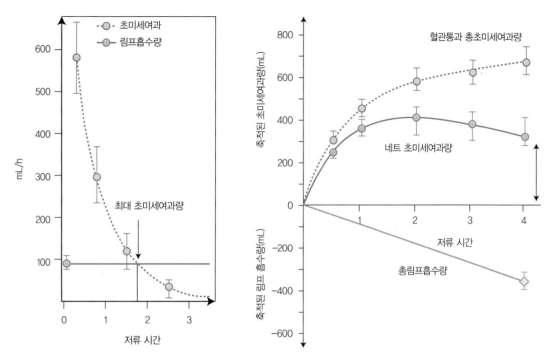

그림 13-6-2. 지속외래복막투석 환자에서 포도당 투석액 주입 후 시간 경과에 따른 초미세여과량과 림프 흡수량의 변화

복막평형검사는 복막염 치료 후 적어도 한달 뒤 그리고 안정된 상태일 때 시행해야 한다. 한편, 복강 내에서 투석액이 충분히 혼합되지 않으면 정확성이 감소될 수 있으므로 주의해야 한다. 또한 측정하는 복막투석액내의 포도당 농도가 일반적으로 검사실에서 측정하는 범위보다 훨씬 높으므로 측정 시 투석액을 적절한 비율로 희석해야 할 필요가 있다.

복막투석의 원리

복막투석에서는 복강 내로 1~3 L의 복막투석액을 주입하고 수시간 저류 후 배액함으로써 혈액내의 수분과 노폐물을 제거한다. 이때 복막은 혈액 내의 수분과 노폐물이 빠져나오는 반투과성 막으로 작용한다. 노폐물은 복막을 경계로 농도의 차이에 의하여 용질이 이동하는 확산 현상과 수분의 이동에 동반하여 용질이 이동하는 대류 현상에 의하여 제거되는데, 확산이 노폐물 제거의 주 기전이다.

수분의 제거는 삼투압의 차이에 의한 초미세여과 현상으로 이루어진다.

컴퓨터 시뮬레이션으로 구성한 복막을 통한 노폐물 및 수분의 이동은 세 가지 크기의 소공이 존재하는 모델(three pore theory)로 설명될 수 있다. 이 모델에서 노폐물 및 수분 이동의 주요 장벽으로 작용하는 복막의 혈관 내피세포에는 세 가지 소공이 존재하는데, 첫째는 직경 0.5 nm 미만인 최소 크기의 소공으로 세포 내에 존재하고(transcellular) 수분만을 통과시키며, 아쿠아포린(aquaporin)이 이 수분 통로의 역할을 한다. 둘째는 직경 4~5 nm 크기의 소공으로 저분자 용질(요소, 크레아티닌, 소듐 등)과 수분을 통과시키며, 모세혈관 내피세포 사이 간격(capillary endothelial intercellular gaps)이 이에 해당한다. 셋째는 직경 20 nm 이상의 소공으로 단백질과 같은 거대 분자의 이동에 관여하고 세정맥 세포간 틈새(venular intercellular cleft)가 이에 해당한다.

복막을 통한 물질의 이동 능력은 복막의 유효 표면적과 내인성 투과도(intrinsic permeability)에 의해 결정되며 내인성 투과도는 모세혈관의 투과도와 연관되어 있다. 복막의 유효 표면적은 내장복막과 벽복막에 존재하는 관류모세혈관(perfused capillary)의 수에 의하여 결정되며, 포도당이나 요소, 크레아티닌과 같은 작은 크기의 용질의 이동 속도는 복막의 유효 표면적을 반영한다.

수분은 삼투압 차에 의한 초미세여과 현상으로 복막을 통해 이동하는데, 현재 임상에서 주로 사용하고 있는 복막투석액은 포도당을 삼투성 물질로 사용하고 있다. 따라서 초미세여과의 속도는 투석액 내의 포도당 농도에 비례한다. 투석액 내의 포도당은 투석액에서 혈액 쪽으로 역확산(counter-diffusion)되므로 복강 내 저류시간이 길어질수록 포도당 농도가 감소한다. 이에 따라 삼투압 차가 감소하면서 시간이 지날수록 초미세여과량은 빠르게 감소하게 된다. 즉, 투석액을 복강 내로 주입한 초기에 최대 초미세여과가 일어나며 포도당 농도가 감소함에 따라 그 정도가 감소하게 된다. 일반적으로 투석액을 주입한 후 2시간 이내에 약 90%의 초미세여과가 일어나는 것으로 알려져 있고 2~3시간 사이에 삼투압평형을 이루게 되며, 그 이후에는 모세혈관을 통한 초미세여과율이 감소하게 되고 일정한 림프를 통한 흡수율이 초미세여과율을 초과하게 되어 복강 내 수분량은 감소하기 시작한다(그림 13-6-2).

포도당 함유 투석액에 의한 초미세여과의 50% 정도는 아쿠아포린을 통하여 일어난다. Icodextrin 함유 투석액은 icodextrin의 분자량이 크기 때문에 혈액으로의 흡수가 적어 장기간 교질 삼투압을 유지할 수 있다. 초미세여과량은 14~16시간 동안 지속적으로 증가하여 장기 저류가 가능하다. Icodextrin 투석액에 의한 초미세여과는 대부분(98%) 직경 4~5 nm 크기의 소공을 통하여 이루어진다.

복막투석액

복막투석액의 조성은 체액의 조성을 가능한 정상으로 유지시키고 삼투성 초미세여과에 의해 세포외액 및 세포내액의 용적을 조절할 수 있도록 구성되어 있다. 현재 보편적으로 임상에서 사용하고 있는 복막투석액은 삼투성 물질로 포도당을 함유하고 완충제로는 젖산염 또는 탄산수소염을 사용하고 있다.

1. 표준 복막투석액

포도당과 젖산염을 주성분으로 하는 표준 투석액은 고농도의 포도당(1.36~3.86 g/dL), 높은 삼투압(344~484 mOsm/L), 낮은 pH(5.2~5.5), 높은 젖산염 농도(35~40 mmol/L) 등으로 간질액과 구성 성분이 매우 다르다. 1.5%, 2.5%, 4.25% dextrose (glucose monohydrate, 분자량 198 Da)는 실제 anhydrous glucose (분자량 180 Da) 1.36%, 2.27%, 3.86%와 동일하다. 포도당은 인체에 안전하고 가격이 저렴하여 경제적이며 효과적인 삼투압 물질로 오랫동안 복막투석액에 사용되어 왔다. 그러나 투석액의 고포도당은 여러 가지 기전으로 복막에 손상을 줄 뿐만 아니라 투석 중 60~80%가 복강에서 혈중으로 흡수되어 비만, 포도당 내성, 고인슐린혈증 및 고지혈증 등의 대사 부작용을 일으킬 수 있다. 포도당 용액의 열소독 과정에서 발생하는 포도당 분해산물(glucose degradation products, GDP)을 줄이기 위하여 투석액은 낮은 pH를 유지하는데 이는 세포내 산성화를 일으켜 복막 중피세포와 복강 내 대식세포의 기능을 저하시킨다.

2. 저포도당 분해산물 투석액(Low GDP solution)

포도당과 포도당 분해산물은 복막투석액에 의한 복막 손상의 가장 중요한 원인으로 생각되고 있다. 포도당 분해산물은 포도당을 함유한 복막투석액의 열소독 과정 및 보관 중에 발생한다. 포도당 분해산물은 복막중피세포, 신장 요세관상피세포 및 혈관내피세포의 세포자멸사를 유발하여 각각 복막의 손상, 잔여 신기능 저하 및 혈관내피세포의 기능 이상을 일으킬 수 있다. 또한 포도당 분해산물은 복막중피세포에서 TGF-β, VEGF의 생성을 촉진하며 epithelial-mesenchymal transition (EMT)을 야기한다. EMT는 복막 섬유화의 중요 기전이다. Advanced glycation end products (AGEs)의 형성에서는 포도당보다 포도당 분해산물이 더 강력한 반응성을 가지는 것으로 알려져 있으며 미세혈관 합병증과 동맥경화의 원인이 된다. 실제 포도당 분해산물을 최소화한 저포도당 분해산물 복막투석액을 이용한 임상연구에서 잔여 신기능은 향상시키지만 복막염, 복막기능 및 사망률에 대한 결과는 다양하여 아직까지 일관적인 임상연구결과는 부족한 상태이다. 현재 포도당용액을 아주 낮은 pH에서 열소독하여 포도당 분해산물의 생성을 현저히 줄일 수 있는 dual-chamber bag system이 사용되고 있으며, 한쪽 chamber에는 산성(pH 2.8~3.2)의 고농도 포도당용액이 있고 다른 쪽 chamber에는 알칼리 성분의 완충제가 들어있어 dual-chamber를 혼합하면 거의 중성(pH 6.2~7.4)을 띄게 된다.

3. 비포도당 복막투석액(Glucose-free solution)

포도당에 의한 여러 가지 부작용을 피하기 위하여 여러 가지의 비포도당 물질들이 삼투성 물질로 시험되었는데, 현재 임상에서 사용 중인 비포도당 복막투석액은 polyglucose인 icodextrin과 아미노산 용액이 있다.

1) Icodextrin 용액

Icodextrin은 평균 분자량이 16,500 Da인 포도당중합체로 전분의 가수분해에 의해 생성된다. 다양한 크기의 올리고당류가 용액 속에 분포하는데 전체의 85% 이상은 분자량이 1,638~45,000 Da으로 장시간 저류시켜도 20~35%만 흡수되므로 최고 16시간까지 지속적인 초미세여과가 가능하다. 포도당 함유 투석액이 결정질 삼투(crystalloid osmosis)에 의해 수분을 초미세여과시키는데 반해 icodextrin 용액은 교질삼투(colloid osmosis)를 일으키고 주로 림프계를 통해 흡수되기 때문에 복막의 투과성이 증가된 환자(high transporter)에서도 효과적으로 사용이 가능하다. 흡수된 포도당 중합체는 혈중의 녹말분해효소(amylase)에 의해 엿당(maltose) 등으로 분해되고 최종적으로 조직의 녹말분해효소에 의해 분해되어 포도당이 되거나 소변 혹은 복강으로 배설된다. Icodextrin 사용 환자에서 혈중 포도당은 증가된 엿당으로 인하여 포도당 측정

에 교란을 일으킬 수 있으므로, 포도당에 특이적 반응(glucose-specific)을 보이는 방법으로 측정해야 한다. GDH (glucose dehydrogenase)법보다 glucose oxidase법을 사용해야 한다. Icodextrin 용액은 혈중의 과도한 포도당 중합체와 엿당의 축적을 피하기 위하여 하루 1회만 사용한다. 7.5% icodextrin 용액의 삼투압은 혈장과 동일한 284 mOsm/kg이고 pH는 5.0~6.0이다. 7.5% icodextrin 용액을 8~12시간 저류 했을 때 3.86% 포도당 용액보다 탄수화물 흡수량이 27% 감소하며 초미세여과량이 많거나 비슷하다. Icodextrin의 부작용에는 피부발진과 무균성 복막염 등이 있다. 피부발진의 빈도는 10%(포도당용액 사용시 4.6%) 정도로 주로 첫 3주 이내에 나타나고 손바닥, 발바닥에 나타난다. 비교적 심하지 않은 발진으로 icodextrin 투석액의 사용을 중지하면 소실된다.

2) 아미노산 용액

현재 사용되고 있는 1.1% 아미노산 용액은 1.5% 포도당 용액과 비슷한 삼투효과를 가지며 pH 6.7로 표준 투석액보다 높고 포도당을 함유하지 않아 포도당 분해산물의 생성이 없다. 다기관 연구에서 아미노산 용액은 단백질의 섭취 부족으로 인한 영양실조에서 영양상태의 호전에 도움이 된다는 보고가 있다. 아미노산 용액을 사용하면 혈중 요소질소의 상승과 경한 대사산증이 일어나므로 1일 1회로 사용이 제한된다. 현재 일부 국가에서 사용하고 있다.

4. 완충제

인체와 생리적으로 가장 가까운 완충제는 탄산수소염(bicarbonate)이다. 그러나 복막투석액의 탄산수소염은 열소독이나 저장하는 과정에서 탄산칼슘으로 침전되기 때문에 사용할 수 없었다. 하지만 dual-chamber bag에서는 탄산수소염과 칼슘을 분리할 수 있게 됨에 따라 순수한 탄산수소염 혹은 탄산수소염/젖산염 혼합용액의 사용이 가능하게 되었다. 탄산수소염 완충제는 젖산염 완충제 투석액에 비해 복막 기능의 장기 보존 효과가 더 좋으며 복막 중피세포의 형태를 보다 잘 보전하고 복막 대식세포의

기능을 보전하는 것으로 나타나 복막의 방어기전을 호전시킬 수 있을 것으로 기대된다. 또한 탄산수소염 완충제 투석액은 생체적합성이 개선되고 초미세여과 용량 보전 개선 효과가 관찰되었다.

복막투석의 유형(Type)과 처방

복막투석 처방의 내용에는 기계 사용의 유무에 따른 수동 또는 자동의 투석 방법과 간헐적 또는 지속적인 투석요법, 투석액의 주입량 및 투석용량 등이 포함된다.

1. 지속외래복막투석(Continuous Ambulatory Peritoneal Dialysis, CAPD)

CAPD에서는 하루 3~4차례의 투석액 교환이 이루어지며 대개 1.5~2.5 L를 복강으로 주입한다. 낮에는 투석액을 보통 4~6시간 동안 저류시키고 야간에는 8~9시간 정도 저류시킨다. 사용하는 투석액의 포도당 농도는 환자의 초미세여과 필요량과 복막 투과도에 의하여 결정한다. 복막 투과도가 증가된 환자(high transporter)에서는 포도당 용액을 장시간 저류하면 수분의 흡수량이 증가되므로, 야간에 icodextrin 용액을 사용하는 것이 좋다. 투석의 적절도(Kt/Vurea)를 증가시키기 위해서는 투석액 주입량을 늘리거나 투석 횟수를 늘릴 수 있다. 투석액 주입량의 증가는 복압 상승을 야기하므로 앙와위 자세인 야간에 먼저 투석액 주입량을 올려서 시작해 보는 것이 좋다. 잔여 신기능이 없고 체표면적이 큰 경우 혹은 복막투과도가 증가된 경우에는 5번째 투석액 교환을 고려해 볼 수 있다. 그러나 이 경우 잦은 투석액 교환으로 환자의 삶의 질이 저하되고 순응도가 떨어질 가능성이 많다. 복막투과도가 많이 증가된 경우 저류시간이 짧은 자동복막투석을 고려해야 한다.

2. 자동복막투석(Automated Peritoneal Dialysis, APD)

APD에서는 기계에 의하여 투석액 교환이 자동으로 이루어진다. 8~12시간 동안의 밤 동안 짧은 간격으로 여러 번 반복해서 투석액을 교환할 수 있으며 낮 동안의 투석액 교환을 없앨 수도 있으므로 환자의 삶의 질을 향상시킬 수 있다. CAPD로 적절한 초미세여과량을 얻을 수 없는 경우 특히 복막투과도가 증가된 경우에 APD를 사용하면 짧은 간격으로 여러번 반복해서 복막투석액의 저류로 충분한 초미세여과량을 얻을 수 있다. APD는 낮 동안 복강내 투석액의 저류 유무에 따라 지속순환복막투석(continuous cycling peritoneal dialysis or continuous cyclic peritoneal dialysis, CCPD)과 야간간헐복막투석(nocturnal intermittent peritoneal dialysis or nightly intermittent peritoneal dialysis, NIPD)으로 나누어진다. 최근에는 원격 모니터링을 통한 관리를 시행할 수 있다. 환자가 자동복막투석을 시행하면 제거된 수분량, 사이클당 주입, 배액속도와 용량 등의 데이터와 체중, 혈압 등 환자가 직접 입력한 데이터가 기록되고 이를 의료진이 원격 모니터링하고 문제점을 조기에 발견하고 관리할 수 있다. 이는 환자의 복막투석 치료 순응도를 높일 수 있으며 입원율과 입원 기간을 줄일 수 있다는 보고가 있다. 복막투석은 가정 투석 치료로 원격 모니터링의 장점을 잘 활용하면 복막투석 예후 향상에 도움이 되겠다.

1) 지속순환복막투석(Continuous cycling peritoneal dialysis or continuous cyclic peritoneal dialysis, CCPD)

CCPD에서는 APD를 사용하여 야간에 3~5번 투석액을 교환하고 낮 동안 복강내에 투석액을 저류한다(wet day). 충분한 초미세여과량과 투석적절도를 얻을 수 있는 장점이 있다. 야간(보통 8~12시간)에 시행하는 투석은 한 번에 1.5~3.0 L씩, 3~5회 기계로 투석액을 자동 교환하며 총 8~15 L 정도의 투석액을 교환한다. 이후 기계에 미리 설정해둔 대로 1.5~2 L의 투석액을 마지막에 주입하여 낮

동안 투석액을 유지한다. 추가 투석이 필요한 경우 낮에 시행하는 투석의 횟수를 늘릴 수도 있다.

2) 야간간헐복막투석(Nocturnal intermittent peritoneal dialysis or nightly intermittent peritoneal dialysis, NIPD)

NIPD에서는 APD를 사용하여 야간에 3~5번 투석액을 교환하고 낮 동안 복강내에 투석액을 저류하지 않고 비워 둔다(dry day). 잔여 신기능이 충분히 남아 있는 환자의 경우 사용할 수 있고 환자에게 편리하여 순응도를 올릴 수 있다. 복압의 상승으로 인한 탈장이 생기거나 투석액의 누수가 있는 경우 사용하면 도움이 된다.

3) 조수복막투석(Tidal peritoneal dialysis)

주입된 투석액을 충분히 배액시키지 않고 투석액의 일부가 복강내 저류된 상태에서 다시 주입하는 APD 방법을 조수복막투석이라고 한다. 투석액의 초기 주입량은 환자의 체구 등에 따라 결정이 되나 대개 2~3 L를 주입한다. 초기 복막액을 주입한 후 일부만 배액하고 새로운 투석액을 주입하는데 보통은 초기 주입량의 50%을 배액한다. 야간 조수복막투석에서는 1,000~1,500 mL의 투석액이 전 치료 기간에 걸쳐 복강 내에 유지된다. 일반적으로 잔류용량 이상의 투석액으로 1,000~1,500 mL 용액이 교환되도록 교환기를 이용하여 빠르게 교환시킨다. 투석액의 주입 초기 혹은 배액 말기에 통증이 발생하는 경우 사용하면 통증을 없앨 수 있다. 복막투석 도관의 이동 등으로 투석액의 배출부전이 있어 배액의 속도가 느린 경우에도 사용하면 도움이 된다. 낮 동안 복강내에 투석액을 저류하거나 또는 하지 않을 수도 있다.

▶ 참고문헌

- Garcia-Lopez E, et al: An update on peritoneal dialysis solutions. Nat Rev Nephrol 8:224-233, 2012.
- Htay H, et al: Biocompatible dialysis fluids for peritoneal dialysis. Cochrane Database Syst Rev 2018;10:CD007554.
- Morelle J, et al: ISPD recommendations for the evaluation of peritoneal membrane dysfunction in adults: Classification, measurement, interpretation and rationale for intervention. Perit Dial Int 2021:896860820982218.

제 **13** 부 투석 요법

CHAPTER

07 복막투석 적절도와 초미세여과

정희연, 김용림 (경북의대)

복막투석의 요소 동력학 모델과 적절도

복막투석 환자의 전신 상태를 잘 유지하고 생존율을 높이기 위해서는 적절한 복막투석이 필요하다. 복막투석의 용량이 적절한지는 환자의 임상적 상태를 기반으로 평가하는 것이 가장 중요하다. 복막투석에서 투석 적절도를 평가하는 객관적인 잣대로서 혈액투석에서와 마찬가지로 요소 동력학 모델(urea kinetics modeling)을 이용한 요소 제거율(Kt/Vurea), 크레아티닌 청소율, 체액 조절의 정도를 대부분의 진료지침들에서 정의하고 있다.

투석 환자에서 잔여 신기능은 환자 사망의 독립적인 예측 인자이다. 특히 복막투석 환자에서 투석 시작 후 초기 2년의 생존율이 혈액투석 환자보다 우월한 것은 복막투석에서 잔여 신기능이 혈액투석에 비해 잘 보존되는 것과 연관이 있다. 복막투석의 적절도 계산에서는 잔여 신기능이 있는 경우 잔여 신기능에 의한 요소제거율(renal Kt/V, 신장 Kt/V)과 크레아티닌 청소율(renal CrCl, 신장 CrCl)을 복막투석에 의한 요소제거율(peritoneal Kt/V, 복막 Kt/V)과 크레아티닌 청소율(peritoneal CrCl, 복막 CrCl)에 추가하여 계산한다.

1. 요소 제거율(Kt/Vurea)

단백질의 대사로 생기는 질소대사산물 중 가장 풍부하게 존재하는 물질인 요소는 요독증의 표지자로 널리 사용되고 있다. 요소는 분자량이 작아서(60 Da) 복막투석으로

표 13-7-1. Kt/Vurea 계산식

Kt/Vurea = [peritoneal clearance (Kpt) + renal clearance (Krt)]/V
Kpt: D/Purea x Drain volume (L/day)
Krt: U/Purea x Urine volume (L/day)
V (Total Body Water, Watson formula) (L):
Males: V = 2.447 + 0.3362 x Wt (Kg) + 0.1074 x Ht (cm) - 0.09516 x Age (years)
Females: V= -2.097 + 0.2466 x Wt (Kg) + 0.1069 x Ht (cm)
Weekly Kt/Vurea = 7 x Daily Kt/Vurea

비교적 잘 제거된다. Kt/Vurea는 저분자 용질의 제거율을 알 수 있는 투석 적절도의 지표로 사용된다. 복막투석에 의한 Kt/Vurea는 표 13-7-1의 공식으로 계산할 수 있다.

Kt/Vurea 계산을 위한 24시간 투석 배액과 소변의 채취 방법은 다음과 같다. 검사 전날 아침에 밤 동안 복강 안에 저류되어 있었던 투석액을 완전히 비운 뒤 평소와 같이 하루 동안 투석액을 교환한다. 이때 넣은 투석액의 포도당 농도와 교환 시간을 기록한다. 검사 당일 아침의 투석액 교환은 24시간째 즉, 전날 교환했던 시간과 동일한 시간에 교환한다. 24시간 동안 배액된 각각의 투석액을 모두 모으고 동시에 소변이 나오는 환자는 모든 소변을 같은 방법으로 모아서 배액된 투석액의 양과 전체 소변의 양을 측정한 후 각각에서 요소의 농도를 측정한다.

지속적 외래복막투석(CAPD)을 시행하는 환자는 혈중 요소질소의 농도가 상대적으로 일정하게 유지되어 채혈 시점이 문제가 되지 않는다. 그러나 야간 간헐성 복막투석(NIPD)이나 지속적 교환기 복막투석(CCPD)을 시행하는 환자는 낮과 밤의 혈중요소질소의 농도가 차이가 나므로, 교환기를 사용하지 않는 기간의 중간 시점에 채혈을 하는 것이 일반적이다.

2. 크레아티닌 청소율(Creatinine Clearance, CrCl)

크레아티닌 청소율의 측정법은 Kt/Vurea와 비슷하다(표 13-7-2). 복막투석 크레아티닌 청소율을 측정할 때는 배액된 투석액을 24시간 모아서 크레아티닌을 측정한 다음 이것을 혈청 크레아티닌으로 나눈다. 진행된 만성콩팥병에서는 근위 세뇨관에서 크레아티닌이 과도하게 분비되기 때문에 신장 크레아티닌 청소율이 실제 사구체여과율보다 높게 측정된다. 따라서 신장 크레아티닌 청소율을 측정할 때는 소변의 요소 청소율과 크레아티닌 청소율의 평균값을 사용한다. 총 크레아티닌 청소율은 복막투석 크레아티닌 청소율과 신장 크레아티닌 청소율을 합한 다음 DuBois 공식에 의해 계산한 체표면적으로 교정하여 사용한다(표 13-7-2).

표 13-7-2. 크레아티닌 청소율 계산식

CrCl = (peritoneal CrCl + renal CrCl)/1.73 m^2 BSA
Peritoneal CrCl: D/Pcr x Drain volume (L/day)
Renal CrCl: (U/Pcr + U/Purea)/2 x Urine volume (L/day)
BSA (DuBois formula) (m^2) = 0.007184 + Wt (Kg)$^{0.425}$ + Ht (cm)$^{0.725}$
Weekly CrCl = 7 x Daily CrCl (L/week)

크레아티닌은 요소보다 분자량이 커서(Cr 113 Da, Urea 60 Da) 복막을 통한 확산 속도가 요소에 비하여 느리므로 복막투석의 종류(복막투석액의 저류시간이 짧은 자동복막투석)나 복막 이동 특성(저이동군)에 따라 크레아티닌 청소율과 Kt/Vurea의 임상적 불일치가 발생할 수 있다. 자동복막투석이나 저이동군에서 크레아티닌 청소율은 Kt/V에 비하여 상대적으로 낮게 측정된다.

3. 요소 제거율과 크레아티닌 청소율의 치료적 목표

복막투석 환자에서 요소 제거율과 크레아티닌 청소율에 대한 최적의 치료적 목표를 규명하고자 시행한 대표적인 임상 연구들은 다음과 같다. 캐나다와 미국에서 시행되어 1996년 발표된 CANUS (Canada–USA) 연구는 680명의 복막투석 신환을 포함하는 전향적 관찰연구로 weekly Kt/Vurea가 0.1씩 감소함에 따라 환자 사망의 위험이 5%씩 증가함을 보고하였다. 또한, 복막 크레아티닌 청소율과 신장 크레아티닌 청소율의 합이 5 L/week/1.73m^2 감소함에 따라 환자 사망의 위험이 7% 증가하며, 크레아티닌 청소율이 80 L/week/1.73m^2인 환자가 40 L/week/1.73m^2인 환자에 비해 2년 생존율이 더 높다고 보고하였다(81% vs. 65%). 멕시코에서 시행되어 2002년 발표된 ADEMEX (Adequacy of Peritoneal Dialysis in Mexico) 연구는 복막투석을 시행 중인 965명의 환자를 2 L의 투석액을 1일 4회 교환하는 대조군과 복막투석 크레아티닌 청소율이 60 L/week/1.73m^2를 초과 달성하도록 복막투석 처방을 조정하는 시험군으로 무작위 배정하였다. 양 군에서 잔여 신기능의 차이는 없었다. 대조군과 비교하여 시험군에서 복막 Kt/Vurea와 복막 크레아티닌 청소율이 유의하게 높았으나 2년간의 추적관찰에서 두 군 간의 환자 생존율은 차이가 없었다(시험군, 69.3%; 대조군, 68.3%). 2003년 홍콩 연구팀에서는 신장 Kt/Vurea가 1.0 이하인 320명의 복막투석 신환을 대상으로 목표 Kt/Vurea가 1.5~1.7인 군, 1.7~2.0인 군, > 2.0인 군으로 무작위 배정하였고 2년 환자 생존율이 세 군 간에 차이가 없음을 발표하였다(1.5~1.7, 87.3%; 1.7~2.0, 86.1%; > 2.0; 81.5%). 복막투석 적절도에 대한 대규모 무작위 배정 연구 결과들을 요약하면 신장을 통한 용질 제거율, 잔여 신기능의 영향을 배제한 상태에서는 복막투석을 통한 용질 제거율과 환자 생존율과의 관련성은 약하였다.

2005년과 2006년에 나온 임상지침들(국제복막투석학회, ISPD guideline; 미국, K/DOQI guideline; 유럽, European Renal Best Practice guideline)에 의하면 Kt/Vurea는 최소한 주당 1.7 이상으로 유지할 것을 권장하고 있다(표 13-7-3). 일부 임상지침들에서는 자동복막투석의 경우 Kt/Vurea에 추가적으로 크레아티닌 청소율이 45 L/week/1.73 m^2가 넘을 것을 권유하고 있으며 복막 이동 특성에 따라 크레아티닌 청소율을 다르게 제시하고 있다.

기존의 임상지침들이 제시하는 내용과는 달리 2020년에 발표된 국제복막투석학회 임상지침(ISPD guideline)에서는 Kt/Vurea와 크레아티닌 청소율을 이용한 저분자 물질(small solute) 제거율을 정기적으로 측정하는 것에는 동의하지만 특정한 치료적 목표는 없다고 제시하고 있다. Kt/Vurea를 주당 1.7 이상으로 유지하는 것이 요독증과 연관된 증상을 경감시킬 수도 있지만 환자 생존율, 삶의 질, 기술 생존율과 직결된다는 근거는 약하다고 말하고 있다. 같은 맥락으로 고령이고, 노쇠하고, 예후가 불량할 것으로 예상되지만 투석이 필요한 사람에서는 투석 치료에 대한 부담을 경감하고 삶의 질을 높이기 위해 복막투석의 강도를 줄이는 것을 제시하고 있다. 과거 임상지침에서의 복막투석 환자에 대한 치료 관점은 저분자 물질 제거율이 투석 적절도 목표에 도달하는 것에 초점을 맞추었다. 최근 임상지침에서는 저분자 물질 제거율과 함께 여러 가지 복합적인 요인들로 결정되는 사람의 안녕을 총체적으로 살피

표 13-7-3. 저분자 물질 청소율의 임상지침별 치료 목표

	ISPD (2020)	ISPD (2006)	K/DOQI (2006)	ERBP (2005)
Kt/Vurea (per week)	No specific target	> 1.7	> 1.7	> 1.7
CrCl (L/week/1.73 m^2)	No specific target	> 45 (APD, slow transport)	NA	> 45 (APD, slow transport)

ISPD, International Society for Peritoneal Dialysis; K/DOQI, The National Kidney Foundation's Kidney Disease Outcomes Quality Initiative; ERBP, European Renal Best Practice guideline

는 것으로 중심이 변화했다고 볼 수 있다.

4. 요소 제거율과 크레아티닌 청소율의 측정 빈도

2005년과 2006년에 나온 임상지침들(유럽, European Best Practice guideline; 미국, K/DOQI guideline; 국제 복막투석학회, ISPD guideline)에서는 복막투석 시작 후 첫 1달째 Kt/Vurea와 크레아티닌 청소율을 측정하도록 제시하고 있다. 상당한 잔여 신기능이 있는 경우는 1~2개월마다, 잔여 신기능이 없고 환자 전신 상태에 유의한 악화가 없는 경우는 4~6개월마다 시행하도록 권유하고 있다. 또한 복막투석 처방의 변화가 있거나 환자의 임상적인 상태 변화가 발생했을 때 측정하도록 권장하고 있다.

초미세여과

체액 과부하는 고혈압, 좌심실비대, 심부전과 같은 심혈관계 합병증과 밀접한 연관이 있고 최종적으로는 심혈관계 사망의 위험을 높일 수 있다. 또한 기술 생존율을 저하시키고 입원율과 입원 기간을 높일 수 있다. 따라서 체액량을 적절히 유지하는 것은 저분자 용질의 제거율보다 더 밀접하게 환자의 생존율과 관계되는 것으로 알려져 있다. 무뇨의 환자에서 하루 초미세여과량 750~1,000 mL를 경계로 환자의 생존율이 차이가 난다는 여러 보고들이 있다. 유럽의 임상지침에서는 복막투석에 의한 초미세여과량과 소변량을 합한 총 수분제거량이 하루 1 L가 넘을 것을 권유하고 있다.

1. 체액량의 유지와 초미세여과

IPOD-PD (the Initiative of Patient Outcomes in Dialysis-PD study) 연구 결과에 따르면 1,092명의 복막투석 신환에서 복막투석 시작 전 56.4%가 이미 체액 과다의 상태였다. 639명의 복막투석 구환을 대상으로 한 EuroB-CM (the European Body Composition Monitoring study) 연구 코호트 결과에서도 복막투석 환자의 40%만이 정상 체액 상태였고 25.2%는 심각한 체액 과다의 상태였다. 부종이 없고 혈압이 잘 유지되는 상태만으로 정상 체액 상태임을 평가할 수는 없어 적절한 체액량의 유지를 위해서는 정기적인 생체임피던스 스펙트럼 분석기 등을 이용한 정기적인 체액량의 평가가 필요하다.

체액 과다와 연관된 인자들로는 과도한 염분과 수분 섭취, 잔여 신기능의 소실, 부족한 초미세여과, 심부전, 만성 염증 상태, 부적절한 영양 상태 등이 있다. 복막투석 환자에서 수분 섭취를 증가시키는 고삼투압 상태는 과도한 염분섭취와 불량한 혈당조절로 발생하는 것을 고려하면 부종 조절을 위해서는 저염 식이와 고혈당을 피하는 것이 필수적이다. 실제로 복막투석 환자에서 저염식이를 하였을 때 적절한 초미세여과 유지를 통해 체액조절이 잘 유지 되고 혈압 조절도 잘 된다는 보고들이 있다. 부종 조절을 위해 고장액 투석액을 사용하는 것은 소듐 체거름 현상 (sodium sieving)으로 소듐의 제거가 감소하여 체액 과다를 악화시킬 수 있고, 고혈당으로 유발된 고인슐린혈증은 세뇨관의 소디움 재흡수을 촉진시킬 수 있어 주의를 요한다.

복막투석 환자가 혈액투석 환자보다 잔여 신기능이 더 잘 보존되는 장점이 있기는 하지만 대개 투석 기간이 경과함에 따라 잔여 신기능은 감소를 보이게 된다. 잔여 신기능의 보존은 복막투석 환자의 생존율을 포함한 여러 가지 임상 경과에서 중요한 요인으로 복막투석 환자에서 잔여 신기능의 보존은 중요하다. 잔여 신기능 보존을 위한 약물과 복막투석액에 대한 많은 보고들이 있다. Cochrane 리뷰에서는 레닌-안지오텐신-알도스테론 억제제를 사용하는 것이 잔여 신기능 보존과 연관이 있다고 보고하고 있다. 안지오텐신 수용체 길항제와 안지오텐신 전환 효소 억제제 중 어느 것이 잔여 신기능 보존에 더 우월한지에 대한 근거는 없다. 또한 Cochrane 리뷰에서 neutral pH, low GDP (glucose degradation product) 투석액과 같은 생체적합성 투석액의 사용이 복막을 통한 용질 수송을 증가시키고 복막의 초미세여과를 감소시킴으로써 잔여 신기능 보존에 더 유리한 측면이 있다고 보고하였지만, 현재까지 임상지침들에서 잔여 신기능 보존을 위한 목적으로 이러한 투석액들의 사용을 권고하고 있지는 않다. 잔여 신기능이 보존된 환자에서는 이뇨제를 사용하여 요량을 유지하고 염분 배출을 증가시키는 것이 유리하고 1년째 잔여 신기능의 보존에도 더 유리하다는 보고들이 있다. 일부 연구에서는 이뇨제의 사용이 잔여 신기능의 보존에 효과가 없다는 보고도 있지만, 현재까지는 복막투석 환자의 적절한 체액량 유지를 위해 고용량의 이뇨제를 사용하는 것이 일반적으로 권장되고 있다.

그러나 잔여 신기능이 소실된 이후에는 식이 조절과 이뇨제만으로는 적절한 체액량 유지를 하는 것이 불충분하여 투석액의 포도당 농도 조절을 통해 체내 수분 상태를 유지하게 된다. 일반적으로 투석 기간이 길어지면서 잔여 신기능이 감소하게 되고 체내 수분 상태를 유지하기 위해 더 많은 투석액내 포도당이 필요하게 된다. 고농도 포도당 투석액은 역으로 복막 손상을 가속화시키는 역할을 하여 복막 손상에 기인한 초미세여과 장애가 유발되는 원인이 될 수 있다. 따라서 고농도 포도당 투석액이 필요한 상황을 줄이고 궁극적으로 복막투석액의 포도당 절약(glucose sparing)을 위해서는 염분과 수분 제한이 필요하다. 또한 최대한 잔여 신기능이 잘 보존하고 생체적합성이 높은 비포도당 투석액을 사용하는 것이 체액량 유지에 도움이 될 수 있다. Icodextrin은 평균 분자량이 16,500 Da인 포도당 중합체로 12~16시간 정도의 긴 주입시간 동안 지속적인 초미세여과를 보인다. 포도당 함유 투석액이 결정질 삼투(crystalloid osmosis)에 의해 수분을 초미세여과 시키는데 반해 icodextrin 용액은 교질삼투(colloid osmosis)를 일으키고 주로 림프계를 통해 흡수되기 때문에 복막의 투과성이 증가된 환자(high transporter)에서도 효과적으로 사용할 수 있다. 또한 포도당 노출에 대한 부담을 줄이고 혈중 지질 지표를 호전시키는 강점이 있다. 유럽 임상지침에서는 생체적합성이 높은 비포도당 투석액을 포도당 독성과 체액량 유지에 대한 고려가 필요할 때 사용하라고 제시하고 있다. 복막투석액의 선택 외에도 복막의 기능을 잘 유지하기 위해서는 복막에 직접적인 손상을 유발하는 복막투석과 연관된 복막염을 예방하고 관리하는 것이 필요하다.

표 13-7-4. 복막투석 환자에서 적절한 체액량 유지를 위한 관리

정기적인 체액량과 복막의 특성 평가
과도한 염분과 수분 섭취 제한 교육
적절한 혈당 조절
잔여 신기능의 보존
고장액 투석액의 빈번한 사용 자제
생체적합성 투석액, 비포도당 투석액의 사용
잔여 신기능이 있는 경우 적절한 고용량의 이뇨제 사용
복막투석과 연관된 복막염의 예방
초미세여과 장애의 유형에 따른 적절한 복막투석 처방
심기능에 대한 정기적인 평가

심부전이 있는 경우 체액 조절이 쉽지 않을 수 있어 심기능에 대한 정기적인 평가도 필요하다. K/DOQI guideline에서는 심장 초음파를 투석 시작 시점과 이후 매 3년마다 시행할 것을 권유하고 있다. 복막투석 환자에서 적절한 체액량 유지를 위해 권장되는 관리 방법은 아래 표에 요약하였다(표 13-7-4).

2. 초미세여과 장애

복막투석을 지속하는 기간이 길어질수록 일부 환자에서는 복막의 섬유화가 진행되어 투석막으로서의 복막의 역할에 문제가 발생되면서 복막을 통한 용질 교환이나 초미세여과 장애가 발생될 수 있다.

초미세여과 부전(ultrafiltration failure, UFF)은 여러 원인으로 구분될 수 있다. 누액이나 배액 장애와 같은 도관 관련 문제를 제외하면 가장 흔한 경우는 용질 투과도의 상승으로 초미세여과량이 감소하는 것이다(Type 1 UFF, 제1형 UFF). 용질투과성의 증가로 인한 제1형 UFF에서는 투석액내 포도당이 혈중으로 빠른 속도로 흡수되어 삼투압의 경사가 사라지면서 초미세여과가 더 이상 일어나지 않게 된다. 초미세여과 부전은 복막평형검사(PET)를 시행하는 동안 4.25% 포도당 투석액을 넣고 4시간 후의 초미세여과량이 400 mL보다 적거나 2.5% 투석액을 주입했을 때의 초미세여과량이 100 mL를 넘지 못하는 것으로 정의

할 수 있다. 가장 흔한 제1형 UFF는 복막염이나 고농도 포도당의 사용과 관련된 것으로 추정되며 이 같은 초미세여과 장애가 발생하였을 때는 고농도의 포도당 투석액을 짧은 시간동안 복강내에 저류시킨 후 자주 교환해 주는 자동기계투석이나 icodextrin 투석액의 사용이 우선 시도될 수 있다. 이외에도 일정기간 복막투석 중단을 통하여 복막을 쉬게 하면 복막 기능의 회복을 기대해 볼 수 있다. 이런 방법들로도 충분한 초미세여과량을 얻지 못하고 체수분의 축적이 발생되면 혈액투석으로 전환하여야 한다. 이밖에도 복막 투과도가 감소되면서 발생되는 제2형 UFF나 아쿠아포린 1의 기능 이상이나 림프 재흡수 증가와 관련된 제3형 UFF도 있으나 특별한 치료법은 없어 대개는 혈액투석으로 전환하게 된다. 장기간 복막투석을 지속한 환자에서 초미세여과 장애가 더욱 빈발할 수 있으며 복막염의 빈도를 줄이고 포도당 사용량 감소를 포함한 보다 생체적합한 투석액을 사용하는 것이 초미세여과 장애를 포함한 복막 손상의 예방에 도움이 될 수 있을 것이다.

▶ 참고문헌

- Brown EA, et al: International Society for Peritoneal Dialysis practice recommendations: Prescribing high-quality goal-directed peritoneal dialysis. Perit Dial Int 40:244-253, 2020.
- Canada-USA (CANUSA) Peritoneal Dialysis Study Group: Adequacy of dialysis and nutrition in continuous peritoneal dialysis: association with clinical outcomes. J Am Soc Nephrol 7:198-207,1996.
- Htay H, et al: Biocompatible dialysis fluids for peritoneal dialysis. Cochrane Database Syst Rev 10:CD007554, 2018.
- Kim YL, et al: Fluid Overload in Peritoneal Dialysis Patients. Semin Nephrol. 37:43-53, 2017.
- Teitelbaum I, et al: KDOQI US Commentary on the 2020 ISPD Practice Recommendations for Prescribing High-Quality Goal-Directed Peritoneal Dialysis. Am J Kidney Dis 77:157-171, 2021.
- Zhang L, et al: Angiotensin-converting enzyme inhibitors and angiotensin receptor blockers for preserving residual kidney function in peritoneal dialysis patients. Cochrane Database Syst Rev 6:CD009120, 2014.

제 **13** 부 투석 요법

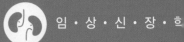

CHAPTER

08 복막투석의 합병증

도준영 (영남의대)

KEY POINTS

- 복막염이 발생하면 즉시 그람 양성균과 음성균에 대한 경험적 항생제를 투여한다.
- 투석액 배양 검사 결과에 따라 적합한 항생제로 변경하여 충분한 기간동안 치료를 지속한다.
- 적응증이 되면 복막 보전을 위해 적극적으로 도관제거를 시행한다.
- 초미세여과장애를 보이면서 장기간의 잔여 수명이 기대되는 경우에는 이식이나 혈액투석으로의 전환을 적극적으로 고려한다.

복막투석은 도관과 환자의 생존에 영향을 줄 수 있는 여러 가지 합병증을 동반할 수 있다. 흔한 합병증으로 감염과 관련된 합병증, 비감염성 합병증, 대사이상과 관련된 합병증 등이 있다. 드물지만 심각한 결과를 초래하는 피막형성복막경화증(encapsulating peritoneal sclerosis, EPS)도 발생할 수 있다. 이들 합병증의 원인, 임상양상, 치료를 잘 이해하고 있어야 도관과 환자의 생존율을 향상시킬 수 있다.

복막염(Peritonitis)

1. 역학

복막염은 복막투석 중단의 가장 흔한 이유이며, 혈액투석으로의 전환, 사망 및 입원의 중요한 원인이므로 이에

대한 진단, 치료, 예방이 중요하다. 2016년 ISPD 가이드라인에서는 병원별로 매년 1회 이상 복막염의 발생률, 원인균종 및 항생제 감수성을 모니터링하여, 복막염의 빈도가센터별로 환자 1명당 연간 0.5회를 넘지 않게 유지하기를권장하고 있다. 복막염의 빈도를 줄이려면 도관 삽입 시예방적 항생제의 사용, 출구감염 및 도관−터널 감염의 예방, 이들 감염이 발생할 경우 적절하고 신속한 치료 등이중요하다. 변비, 장염, 저칼륨혈증, 저알부민혈증, 우울증, 반려동물과의 동거 등도 복막염의 발생의 위험인자이므로주의해야 한다.

2 임상 소견 및 진단

복막염의 가장 흔한 증상은 투석배액의 혼탁과 복통이다. 열, 구역, 설사를 동반하기도 한다. 복통이나 투석액의혼탁과 같은 임상증상과 투석액내 백혈구 증가(100/μL 이

표 13-8-1. 복막액이 뿌옇게 보일 수 있는 경우(ISPD guideline 2016)

- 배양 양성 복막염(Culture-positive infectious peritonitis)
- 배양 음성 복막염(Infectious peritonitis with sterile cultures)
- 화학적 복막염(Chemical peritonitis)
- 칼슘 채널 차단제(Calcium channel blockers)
- 복막액내의 호산구 증다증(Eosinophilia of the effluent)
- 혈복강(Hemoperitoneum)
- 악성종양(Malignancy)
- 유미성 배액(Chylous effluent)
- 장시간 복강을 비워 두었다가 배액한 경우(Specimen taken from "dry" abdomen)

상이고 다형백혈구 50% 이상)와 양성의 투석액 배양 결과 중 최소 2가지 이상이 있으면 복막염으로 진단할 수 있다. 그러나, 자동복막투석을 시행하는 환자처럼 복막액 저류 시간이 짧은 경우에는 복막염에서도 투석액내의 염증 세포수가 100/μL 이하일 수 있으며, 이때 다형백혈구 비율이 50%를 넘으면 복막염의 가능성을 생각해야 한다. 자동복막투석을 시행하면서 낮에 복강을 비워 둔 상태에서 복통이 발생한 경우에는 손 투석으로 1리터의 투석액을 주입하고 약 2시간 후에 배액시켜 검사를 하는 것이 좋다. 투석액의 색깔이 뿌옇지만 복통도 없고 염증세포수도 증가되어 있지 않은 경우에는 복막염이 아니며, 이에는 여러 원인들이 있다(표 13-8-1). 복막염이 발생하면 우선 복막염의 유발 상황이 있었는지를 확인해야 한다. 원인 균종의 동정을 위해 배양검사를 시행해야 하는데, 동정률을 높이기 위해 혈액 배양에 사용되는 BACTEC 등의 배양 용기에 복막액을 5~10 mL 주입하여 배양하는 방법이 흔히 사용된다. 각 병원에서 배양 음성률이 15%를 넘지 않는지 확인하는 정도 관리가 필요하다.

3. 치료

복막염이 발생하면 가능한 빨리 그람 양성균과 음성균을 치료할 수 있는 경험적 항생제를 투여하는 것이 중요하다. 그람 양성균을 치료하기 위해서는 1세대 세팔로스포린이나 반코마이신을, 그람 음성균을 치료하기 위해서는 3세대 세팔로스포린이나 아미노글리코사이드를 선택하되, 항생제 조합의 선택은 병원별로 흔히 자라는 균을 고려하여 결정한다. 전신적인 패혈증 양상을 보이는 경우가 아니라면 항생제는 복강 안으로 직접 투여하는 것이 정맥투여 보다 더 효과적이다. 아미노글리코사이드나 반코마이신은 복강내로 간헐적 투여를 하는 것이 일반적이다. 반코마이신은 혈중 약물 농도가 15 μg/mL 이상을 유지하는지 4~5일에 한번씩 혈중 농도를 측정하기도 한다. 복막염 치료 중에도 자동복막투석을 유지하고자 할 때는 복막을 통한 항생제의 제거가 증가되기 때문에 항생제의 투여 용량 증가를 고려해야 한다. 복통이 심한 경우에는 헤파린이 혼합된 투석액으로 몇 차례 복강을 세척하면 통증을 완화시킬 수 있다. 피브린에 의한 도관 폐색을 예방하기 위해 헤파린 500 unit/L을 투석액에 혼합하여 복강 안으로 주입할 수 있다.

경험적 항생제는 투석액 배양 검사 결과에 따라 적합한 항생제로 변경한다. 항생제 투여 기간은 배양된 균에 따라 다르다. 그람 양성균 중에서 *coagulase-negative* 포도상구균이나 연쇄상구균 혹은 배양 음성 환자에서는 치료를 시행하여 염증 소견이 호전을 보이면 복강 내 항생제 치료 기간을 총 2주 시행하고 중단할 수 있으나, 나머지 그람 양성균은 3주간의 치료를 원칙으로 한다. 장구균(*enterococcus*) 균종에 의한 복막염에는 반코마이신이 효과적이며 심한 경우에는 아미노글리코사이드를 추가하는 것이 필요할 수 있다. 그람 음성균에 대해서는 대부분 3주 치료가 필요하며 녹농균에 의한 복막염에는 작용기전이 다르면서 효과적인 2가지 약제의 동시 투여가 필요하다. 그람 음성균 중에서 SPICE 균종(*Serratia, Psedomonas, Indol positive; proteus, providentia, Citrobacter, Enterobacter*)은 세파로스포린을 비활성화시키는 효소를 가져 재발이 흔한 경우가 많다. 두 가지 이상의 장내 세균이 배양되고 임상적인 호전이 없으면 수술적 치료가 필요한 다른 원인을 찾기 위해 추가 검사가 시행되어야 하며 메트로니다졸을 포함한 3가지 항생제의 사용이 필요할 수 있다. 장천공과 동반된 수술적 처치가 필요한 복막염을 진단하기 위해서는 복막액 내의 아밀라제 측정이 도움이 된다. 배양 음성이면서 3

표 13-8-2. 복막투석 관련 감염의 도관제거 적응증(ISPD guideline 2016)

- 난치성 복막염(refractory peritonitis)
- 재발성 복막염(relapsing peritonitis)
- 난치성 출구 또는 터널 감염(refractory exit-site and tunnel infection)
- 진균성 복막염(fungal peritonitis)
- 다음의 경우에는 제거를 고려할 수도 있다.
  - 반복성 복막염(repeated peritonitis); 4주 이후 동일 균종에 의한 복막염 재발
  - 결핵 등 마이코박테리움 복막염(Mycobacterium peritonitis)
  - 다수의 장내 세균성 복막염(multiple enteric organisms)

일 내에 호전을 보이면 대부분 그람 양성균에 의한 복막염이므로 그람 양성균에 대한 치료만 2주 시행한다. 진균성 복막염으로 진단되면 도관 제거 후 최소 2주간의 항진균제 사용이 필요하다.

적절한 항생제 치료 5일 후에도 투석액이 깨끗해지지 않는 난치성 복막염(refractory peritonitis)이나 치료 후 4주 이내에 동일한 균종 혹은 배양음성 복막염이 재발되는 재발성 복막염(relapsing peritonitis) 등은 도관 제거의 적응증이 된다(표 13-8-2). 특히 coagulase-negative 포도상구균에 의한 재발성 복막염의 경우 도관 안에 형성된 생물막(biofilm)의 존재가 복막염 반복의 원인일 수 있으므로 복막염 치료 후에 도관 교체가 필요할 수 있다. 기준에 따른 적절한 도관제거를 시행하면 영구적인 복막손상 위험을 줄일 수 있어 차후 복막투석을 다시 시작하기 쉬우며 또한 피막형성복막경화증의 예방에 도움이 된다.

복막염 치료 중에 진균성 복막염의 발생을 예방하기 위한 프루코나졸 같은 항진균제의 예방적 사용이 고려될 수 있다(경구 200 mg 부하용량 투여 후 하루 50-100mg 유지용량). 복막투석 환자는 골반 검사, 대장내시경검사 혹은 발치 시술 전에 복막염 예방을 위한 예방적 항생제 사용이 권장되는데 대장내시경 시술 전에 투석액을 완전히 배액시키고 암피실린 1 g과 토브라마이신 40 mg을 정맥주사하며, 발치가 필요한 경우에는 시술 2시간 전에 아목시실린 2 g을 일회 경구 복용하게 한다. 거리상의 문제 등으로 바로 병원에 올 수 없어 즉각적인 항생제 투입이 불가능

한 경우에는 충분한 교육을 전제로 집에서 항생제를 바로 투입할 수 있도록 항생제를 집에 비치하는 것도 고려될 수 있다. 이런 경우 항생제 투입 전에 배액 된 혼탁한 투석액은 검사 및 배양을 위해 냉장고에 보관하였다가 병원으로 가져오게 한다. 이 같은 방법은 즉각적으로 복막염을 치료할 수 있지만 진단 오류 및 항생제 남용에 대한 가능성이 같이 고려되어야 한다.

출구 감염(Exit site infection)

복막 도관을 삽입하면 대부분 바로 미세 균종들의 군체가 형성(colonization)된다. 이것이 임상적으로 출구 감염을 의미하지는 않으나 수술 후 상처 회복기간 동안 추가적인 출구 손상이 있으면 출구 감염의 위험 인자가 될 수 있다. 출구 감염을 예방하기 위해 도관 삽입 수술 후 2주까지는 상처를 건조하게 유지한다. 입원 중에 환자를 충분히 교육하여 퇴원 후에는 환자 스스로 포비돈이나 클로르헥시딘을 이용하여 소독을 시행하도록 한다. 또한 소독 후 매일 항생제 연고를 사용하는 것이 도움이 된다. 황색포도알균에 의한 출구 감염을 줄이기 위해서 뮤피로신 연고가 효과적이며 겐타마이신 연고도 사용할 수 있다. 특히 겐타마이신 연고는 녹농균에 의한 출구 감염에 대한 예방효과가 보고되고 있으나 빈번한 사용에 따른 진균성 출구 감염 발생과 연관성이 보고되기도 하였다. 녹농균에 의한 출구 감염 예방 목적으로 고농도 식염수 용액이 사용되기도 한다. 출구 감염을 줄이기 위해서는 손위생이 특별히 중요한데, 도관을 만질 때나 출구 소독 시 70% 알콜소독제를 이용한 손소독을 시행해야 한다.

도관 출구 부위에서 화농성 배액이 관찰되면 출구 감염으로 진단할 수 있다. 출구에 홍반(erythema)이나 경화(induration)를 같이 보일 수도 있지만, 출구에 염증 증상 없이 딱지(crust)만 존재할 때는 출구 감염으로 진단하지 않는다. 황색포도알균이 가장 흔한 출구 감염의 원인균으로 약 50%를 차지한다. Coagulase 음성 포도상구균 중에서 표피포도알균(S. epidermidis)이 20% 정도를 차지한다.

이 밖에 녹농균이 전체 출구 감염의 8% 정도로 보고되고 있으며 이 균종은 생물막(biofilm) 생성과 관련이 있는 것으로 알려져 있다. 그람 음성균 중에서 대장균이 전체 출구 감염의 약 4%를 차지하고 있다.

메티실린 내성 황색포도알균(MRSA)을 제외한 황색포도알균은 우선적으로 1세대 세팔로스포린 경구 항생제가 사용되며 최소 2주 이상의 치료 기간이 필요하다. MRSA의 경우에는 5일에서 7일마다 1 g의 반코마이신 정맥 주사가 효과적이다. 녹농균에 의한 출구 감염은 우선적으로 경구 퀴놀론 항생제가 사용되나, 단독으로 사용하면 내성 균주의 출현이 염려되므로 두가지 항생제를 3주 정도 사용하는 것이 좋다. 대개 50~80% 정도는 반응을 하나 일부의 경우 도관 제거가 필요하기도 하다. 심한 출구 감염에는 3세대 혹은 4세대 세파로스포린이나 카바페넴이 사용될 수 있다. 포도상구균이나 녹농균은 가장 흔한 출구 감염의 원인균일 뿐 아니라 가장 심한 증상을 보이며 흔히 복막염을 유발할 수 있으므로 보다 적극적으로 치료하여야 한다.

피부아래 도관을 따라 부종과 압통이 있으면 터널 감염을 의심할 수 있다. 항생제 치료에 반응하지 않는 난치성 출구감염이나 터널 감염의 경우 도관 교체가 필요하다. 복막투석의 중단 없이 치료하고자 할 때는 항생제를 사용하면서 피하 조직에 있는 커프(cuff)를 제거하고 감염부위를 소독 후 출구를 반대 방향으로 다시 만드는 도관 교정술(revision)이 효과적일 수 있다. 복막염과 동반된 출구/터널 감염의 경우에는 도관 제거를 우선적으로 고려하여야 한다. 출구 위쪽의 연부 조직이 증식되어 특별한 감염 소견은 없으면서 작은 종괴를 만드는 경우에는 질산은을 이용하여 증식된 조직을 부식시켜 제거하는 방법이 시행되기도 한다.

피막형성복막경화증(Encapsulating Peritoneal Sclerosis, EPS)

장기간 복막투석을 유지하면서 심한 복막염을 반복하던

환자가 점진적으로 장폐색의 증상을 보이는 경우 피막형성복막경화증을 우선적으로 의심하게 된다. 이 질환의 빈도는 대략 1% 전후로 보고되고 있으며 투석 기간이 증가함에 따라 발생 빈도도 증가한다. 복막투석을 중단하고 혈액투석으로 전환하거나 신장이식을 시행한 환자에서도 발생할 수 있다. 대략 40% 정도의 사망률이 보고되고 있는 가장 심각한 복막투석의 합병증이다. 피막에 싸인 장을 확인하여 확진할 수 있으며 특징적인 복부 CT 소견 및 장폐색의 임상 증상이 진단에 도움을 준다. 단순한 복막경화와 구별되며 복수나 복부 팽만만으로 피막형성복막경화증으로 진단하지는 않는다. 치료법으로 사용되는 약제로는 부신피질호르몬(20~40 mg/day)이나 타목시펜(10~20 mg/day)이 있으며, 수술을 통해 유착된 소장을 분리시켜 준다.

뚜렷한 예방법은 없으나 젊은 복막투석 환자의 경우는 장기간 복막투석을 유지하기보다는 가능한 조기에 신장이식으로 전환하는 것이 예방에 도움이 되며 초미세여과장애를 보이면서 장기간의 잔여 수명이 기대되는 경우에는 혈액투석으로의 전환을 적극적으로 고려해보는 것이 필요하다. 이외 레닌-안지오텐신 억제제의 사용이 예방에 도움이 된다는 보고가 있다. Icodextrin 투석액 사용이 피막형성복막경화증 발생에 연관성을 가질 가능성이 일부 언급되고 있으나, 일반적으로 초미세여과장애를 보이는 경우에 우선적으로 아이코덱스트린 투석액 사용을 시도해 보기 때문에 아이코덱스트린 투석액이 피막형성복막경화증 발생에 직접적으로 연관이 될 수 있다는 증거는 부족한 것으로 판단된다. 저포도당 분해산물 투석액(low GDP solution)의 사용으로 빈도를 줄일 수 있다는 여러 보고들이 있다.

도관관련 비감염성 합병증 및 전신 합병증

복막투석 환자의 도관 관련 비감염성 합병증으로는 도관의 폐색, 이동, 복막액의 누수 등이 있다. 이밖에 복막투석 관련 전신 합병증으로는 복막투석을 통한 지속적 포도

표 13-8-3. 복막투석 도관제거 원인

총 제거 수	50 (100%)
복막염 혹은 출구/터널 감염	27 (54%)
부적절한 투석(inadequate dialysis)	3 (6%)
Omental wrapping	2 (4%)
탈장	2 (4%)
누액(leakage)	4 (8%)
복강내 감염	3 (6%)
환자가 혈액투석으로 변경 원한 경우	4 (8%)
피막성 복막경화(EPS)	2 (4%)
도관 탈출(catheter extrusion)	1 (2%)
복부 팽만(abdominal distension)	1 (2%)
방광 천자(bladder puncture)	1 (2%)

당 흡수와 관련된 비만이나 대사이상 관련 합병증이 있다. 도관 관련 비감염성 합병증의 빈도는 다양하게 보고되고 있으며, 2002년부터 2010년 사이의 403명의 신환 복막투석 환자를 추적한 최근의 한 국내 보고에서는 총 34명에서 비감염성 합병증이 발생하여 8.4%의 빈도를 나타내었다. 이 연구에서 도관제거술이 시행된 경우는 50례였는데, 그 원인이 된 합병증은 표 13-8-3과 같다.

1. 투석액 누출(Leakage)에 의한 늑막삼출

대개 복막투석 초기에 발생하고 호흡곤란과 갑작스런 투석 배액량의 감소를 보일 수 있으며 흉부 사진에서는 우측 늑막삼출이 확인되는 경우가 많다. 진단을 위해 시행한 흉수천자에서 혈액보다 훨씬 높은 농도의 포도당 수치가 확인되면 진단할 수 있으며, 투석액에 첨가한 동위원소 검사가 추가적인 진단에 사용될 수 있다. 진단이 되면 복막투석을 중단하고 1~2달 혈액투석을 시행할 수 있으나, 혈액투석을 중단한 후 복막투석이 가능하도록 자연 치유되는 비율은 반이 되지 않는 것으로 보고된다. 적극적인 치료를 위해 늑막유착술이나 횡경막 손상부위에 대한 수술적 치료가 고려할 수 있다. 치료에 반응하지 않으면 혈액투석으로 전환하게 된다.

2. 도관폐색

도관 삽입 수술 후 복강 내 출혈에 의한 폐색이 생길 수 있다. 대개는 헤파린이 혼합된 식염수로 플러싱(flushing)하면 해결이 되며, 경우에 따라 유로키나제로 도관을 막고 있는 혈액이나 피브린을 녹이는 방법을 사용하기도 한다. 심한 변비에 의한 배액 장애는 변비를 치료하면 해결된다. 투석 도관의 이동과 배액장애가 생기면 도관의 위치 교정이 필요하다. 좌상부로 이동한 경우에는 설사나 관장을 하면 도관이 아래쪽으로 내려오는 경우가 많으나, 우상부로 이동한 도관은 설사약 등으로 장 연동운동이 항진되면 더욱 우측으로 올라갈 수도 있다. 장 연동운동을 이용해 도관을 아래로 내리고자 할 때는 복막투석액을 뺀 상태보다는 복강 내 투석액이 있는 상태에서 시도하는 것이 효과적이다. 도관 끝이 상복부 방향으로 이동된 후 장간막에 잡혀서 도관이 고정(omental wrapping)되기도 하는데, 이런 경우에는 저절로 회복되지 않는 경우가 많다. 이때 배액장애를 해결하기 위해 무리하게 50 mL 주사기로 투석액 배액을 시도하면 오히려 장간막이 도관 옆의 작은 구멍을 통하여 안으로 들어와 도관이 더욱 상복부 위치에서 견고하게 고정될 수 있다. 그러므로, 무리하게 도관의 위치 교정을 시도하는 대신에 어느 정도 기다려 보다가 해결되지 않으면 복강경을 이용하여 도관을 감싸는 장간막을 분리하고 필요하면 장간막 부분 절제술 혹은 장간막 고정술을 시행하고 도관을 골반강 내로 다시 내려주는 치료를 하는 것이 필요하다. 복강경 치료 후에는 시술에 따른 복강 손상 정도에 따라 복막투석을 수일 중단 후 적은 양으로 다시 시작하면 된다.

3. 도관주위 누출(Leakage)

수술 초기에 출구 부위에서 맑은 투석액이 나오는 경우에는 누액을 직접 혈당계에 접촉시켜 당 수치를 측정하여 혈액보다 높은 당수치가 검출되면 쉽게 진단할 수 있다. 심한 기침 등으로 복강 내 압력이 높은 상황이나 영양실조 등으로 복벽이 얇아진 상태에서 발생할 수 있다. 누액 발생의 원인을 제거하고 일정기간 복막투석을 중단하거나 주입량을 감소시켜 복막투석을 유지하면 내측부 커프 (internal cuff) 주위로 섬유조직이 재생되어 해결되는 경우가 많다. 도관 주위 누출이 발생하면서 출구 감염이 동반되는 경우에는 항생제 치료가 필요하다. 한편 투석액이 도관 출구가 아닌 피하조직 안으로 누출되는 경우도 있으며 복막염이나 출구감염의 위험이 높아질 수 있다. 진단을 위해서 조영제를 섞은 투석액을 주입 후에 CT 촬영으로 확인할 수 있다.

4. 도관 혹은 커프의 노출

피하조직 내 감염이 지속되어 피하조직의 도관 일부분이 피부 밖으로 노출되는 경우에는 도관 제거 후 재삽입을 시행하거나 손상된 피하조직 부위에 있는 도관을 충분한 소독 처치와 더불어 반대 방향의 피하조직을 통해 출구를 새로 만들어 주는 도관 교정술(revision)을 시도할 수 있다. 또한 피하조직 감염이 지속되면서 외측부 커프(external cuff)가 출구 밖으로 노출되는 경우에는 수술용 칼을 이용하여 커프를 조심스럽게 제거하고 항생제를 이용하여 출구 감염치료를 시행하면 복막투석을 유지할 수 있다. 감염이 치료되지 않으면 도관을 제거한다.

5. 출혈

요독과 관련된 출혈 경향뿐 아니라 심혈관계 치료 목적으로 흔히 사용되는 항응고 약제 때문에 출혈이 관찰될 수 있다. 수술 초기에 도관 주위에 출혈이 생기면 충분한 압박이 도움이 되고, 필요시 데스모프레신을 사용할 수 있다. 가임여성의 경우 생리나 배란 주기에 따라 혈성 복수(Hemoperitoneum)가 보일 수 있으며, 그 외 여러 이유로 혈성 복수가 나타날 수 있다. 혈성 복수를 보이면 투석관이 막히지 않도록 예방적으로 투석액에 헤파린을 혼합하여 투석액 교환을 시행하여야 한다.

6. 탈장 혹은 외음부 부종

복막투석 중에 환자가 배꼽이 부풀어 오른다든지 배나 서혜부 혹은 낭심에 종괴가 만져졌다 사라진다는 표현을 할 때 탈장을 우선적으로 의심해야 한다. 장이 끼여 통증이나 장 손상이 발생하는 경우도 있으나 통증 없이 종괴가 생겼다 없어짐을 반복하는 경우가 흔하며 시간이 갈수록 종괴의 크기가 증가하는 경우가 있다. 복압이 증가될 수 있는 여러 조건이나 수술 후 복벽을 잘 봉합하지 않았을 때 혹은 선천적인 이상이 동반된 경우에 복막투석액이 복막을 틈새로 밀어낼 수 있다. 실제로 장간막에 잡힌 도관을 치료하기 위해 시행한 복강경 삽입부의 틈사이로 탈장이 나타나는 경우도 있다. 탈장에 의한 장 손상으로 복막염이 발생할 가능성도 제시되고 있으며 복막투석을 계속하기를 원할 때는 가능한 외과적 복원 수술을 시행하는 것이 필요하다. 망사(mesh)를 사용하여 손상된 복벽을 복원시키는 수술에서는 복막손상이 발생되지 않아 수술 후 48시간 정도만 복막투석을 중단하고 이후에는 적은 양의 투석액이나 야간복막투석(NIPD) 등으로 복압을 감소시켜 복막투석을 유지하다가 약 2주 후에는 점차 정상적인 용량의 복막투석을 시행할 수 있다. 탈장된 부위의 복막을 제거한 경우에는 복막 손상의 정도에 따라 복막투석 중단기간을 결정해야 한다.

외음부 부종을 보이는 경우도 processus vaginalis가 막히지 않은 해부학적인 이유나 복막근막의 손상 등으로 발생할 수 있으며 남자에서 더 흔하게 관찰된다. 우선적으로 복막투석을 중단하고 음낭을 올리고 압박해주면 자연 회복되는 경우가 많으며, 수술이 필요한 경우도 있다.

7. 대사 장애와 체중 및 체지방 증가

혈액투석 환자에서는 지방이나 체중 증가는 환자의 생존율에 도움이 되는 것으로 알려져 있으나, 복막투석에서는 일치된 결과가 나타나지 않는다. 오히려 복강을 통한 지속적인 포도당 부하에 기인하여 인슐린 저항성이 유발되고 이상지질혈증 악화나 대사증후군, 당뇨가 유발될 수 있다. 또한 복막투석 초기 1년 이내에 가장 심한 체지방 축적과 체중증가가 관찰된다. 최근 당뇨환자에서 아이코덱스트린 투석액과 아미노산 투석액을 병용하여 포도당 사용을 줄였을 때 당화혈색소 및 혈중 지질 상태가 개선되었다는 연구가 발표되었다. 다른 연구에서는 포도당 투석액만으로 3년간 복막투석을 지속한 군에서는 체중 증가가 4.6 kg 있었으며 이중 지방 증가가 3.3 kg이었다. 반면 아이코덱스트린을 같이 사용한 군에서는 체중 증가가 1.7 kg로 적었으며 지방 증가도 거의 나타나지 않았고 복부 지방 증가도 현저히 적었다. 이는 포도당 부하를 감소시키는 방법이 장기적으로 환자의 생존율에도 긍정적인 역할을 할 가능성이 예상될 수 있겠다.

8. 복막도관 손상

복막투석 도관이 출구 소독 과정에서 절단되는 경우가 종종 발생하게 된다. 숙련된 복막투석 간호사가 시행하는 것이 가장 안전하겠으며 미숙한 의료진이 시행할 때 생각보다 흔하게 발생할 수 있으므로 세심한 주의가 필요하다. 집에서 도관이 절단되어 누액이 발생하면 가능한 깨끗한 도구를 이용하여 절단된 도관 윗쪽을 잠그고 병원으로 와서 손상된 도관을 교정하고 복막염 예방을 위하여 복강을 통한 예방적 항생제 투여를 2일 정도 하면서 복막염이 발생되지 않는지 관찰하여야 한다. 복막투석 도관이 절단되어 길이가 너무 짧아진 경우에는 투석 회사 중에서 상대적으로 긴 도관 연결 부위의 도관(T-set)을 선택하여 도관 연장술을 시행하면 도관 재삽입 없이 투석을 유지할 수 있다. 남은 도관의 길이가 피부에서 1 cm 이하인 경우에는 도관 재삽입 수술이 필요할 수 있다.

▶ 참고문헌

- Cho KH, et al: Catheter revision for the treatment of intractable exit site infection/tunnel infection in peritoneal dialysis patients: A single centre experience. Nephrology 17:760-766, 2012.
- Li PK, et al: ISPD peritonitis recommendations: 2016 update on prevention and treatment. Perit Dial Int 36:481-508, 2016.
- Li PK, et al: Randomized, Controlled Trial of Glucose-Sparing PeritonealDialysis in Diabetic Patients. J Am Soc Nephrol 24:1889-1900, 2013.
- Szeto CC, et al: ISPD catheter-related infection recommendations: 2017 update. Perit Dial Int 37:141-154, 2017.
- Yap Desmond, et al: Diagnosis and management of exit site infection in peritoneal dialysis patients. Some Special Problems in Peritoneal Dialysis Chapter 6. 83-94, 2016.

CHAPTER 09 유지투석 환자 관리

김좌경 (한림의대), **고강지** (고려의대), **박형천** (연세의대), **고은실** (가톨릭의대),
김범석 (연세이대), **함영록** (춘남이대), **홍유아** (가톨릭이대)

KEY POINTS

- 헤모글로빈 수치가 10.0 g/dL 미만인 경우 적혈구형성자극제(ESA) 투여를 시작하고, 11.5 g/dL 미만으로 유지한다.
- 철분관련 수치를 정기적으로 측정하여, 필요하면 적극적으로 철분투여를 고려한다. 정맥주사가 경구제제보다 철분 저장량을 늘리는 데 더 효과적이므로 가급적 철분 정맥투여를 고려한다.

빈혈

1. 투석 환자에서 최적의 빈혈 치료의 원칙

1) 치료 시작 및 목표

만성콩팥병 환자에서 헤모글로빈 수치가 10.0 g/dL 미만이면 적혈구형성자극제(ESA) 치료를 시작한다. 헤모글로빈 수치가 9.0~10.0 g/dL에서 적혈구형성자극제를 시작하여 11.5 g/dL 미만으로 유지한다. 13.0 g/dL를 넘으면 오히려 사망률이 증가한다는 보고가 있으므로 과도하게 헤모글로빈 수치가 상승하지 않도록 주의한다.

2) 수혈

수혈을 하면 인체백혈구항원(human leukocyte antigen)에 대해 민감화가 유발될 수 있으므로 급성 출혈 등 불가피한 경우가 아니면 수혈은 하지 않는 것이 좋다. 수혈을 할 경우에는 백혈구제거적혈구의 사용을 고려해야 한다.

3) 정기 검사

적혈구형성자극제를 처음 사용하거나 증량할 때에는 트랜스페린 포화도(TSAT) 및 혈중 페리틴(ferritin) 수치를 매달 측정한다. 유지용량의 적혈구형성자극제를 사용하는 경우에는 3개월에 한 번씩 측정한다. 급성 실혈이 의심되거나 확인될 때 혹은 철분 정맥주사 투여 후 그 반응을 평가할 때에는 TSAT 및 혈중 페리틴 수치를 매달 측정한다.

4) 헤모글로빈 변이성

헤모글로빈 수치의 큰 변동을 유발하는 요인 중의 한 가지는 적혈구형성자극제의 잦은 용량 변경이다. 따라서 적혈구형성자극제 용량의 잦은 변경으로 과도한 헤모글로빈 변동성이 발생하지 않도록 주의를 기울여야 한다.

2. 적혈구형성자극제(Erythropoiesis-stimulating agents) 사용

1) 종류

Erythropoietin-α, erythropoietin-β, darbepoetin-α 등이 있다. Erythropoietin-α와 β는 당사슬의 탄수화물 구성성분이 다르나 약효 면에서는 유사하다. Darbepoetin-α (NESP PFS®)는 erythropoietin-α에 탄수화물 체인을 결합시킨 적혈구형성호르몬 유사체로 간에서의 대사가 지연되어 작용 지속시간이 길다. 최근에는 페길레이션 (PEGylation)으로 작용 지속시간이 더 길어져 월 1회 투여 가능한 methoxypolyethylene glycol-epoetin-β (MIR-CERA®)가 사용되고 있다. 적혈구형성자극제는 냉장보관해야 한다.

2) 흔한 부작용

혈압상승, 심계항진, 두통, 부종, 발한, 열감, 근육통, 투여부위 가려움증 등이다.

3) 용량전환

대개 다음과 같은 용량으로 전환한다.

(1) Erythropoietin <8000 IU/주 = NESP <40 mcg/주 = MIRCERA 120 μg

(2) Erythropoietin 8000~16000 IU/주 = NESP 40~80 mcg/주= MIRCERA 200 μg

(3) Erythropoietin >16000 IU/주 = NESP >40 mcg/주 = MIRCERA 360 μg

4) 투여방법

정맥투여 혹은 피하주사 모두 가능하다. 혈액투석 환자는 대개 정맥투여를 하며, 복막투석 환자 혹은 투석전 환자들은 주로 피하주사로 투여한다.

3. 철분제 사용

1) 적응증

(1) Hb <10 g/dL + TSAT ≤30% + ferritin ≤500 ng/mL

적혈구형성자극제를 사용하기 전이라면, 적혈구형성자극제 투여 전에 철분을 먼저 투여하여야 한다. 철저장능이 회복된 후에도 여전히 Hb <10 g/dL이면 적혈구형성자극제를 시작한다. 이미 적혈구형성자극제를 사용하고 있다면 정맥으로 철분치료를 추가로 시행한다.

(2) Hb ≥10 g/dL + TSAT ≤20 % + ferritin ≤200 ng/mL

적혈구형성자극제 사용에 무관하게 정맥으로 철분치료를 시작한다. 부하용량의 철분을 투여한 후에도 지속적으로 TSAT <20 %이면 반복해서 부하용량의 철분을 투여한다.

(3) Hb ≥10 g/dL + TSAT >20 % + ferritin >200 ng/mL

적혈구형성자극제를 사용하고 있지 않다면 추가 치료 없이 수치를 추적 관찰한다. 적혈구형성자극제를 사용하고 있다면 유지용량의 적혈구형성자극제를 그대로 사용한다. 이 경우 페리틴 수치가 500 ng/mL을 초과하지 않는다면 TSAT에 무관하게 저용량의 철분 치료를 유지할 것을 권고하고 있다.

(4) Hb <10 g/dL + TSAT >30 %

환자들의 인지 상태, 기대여명 등과 같은 특별한 환자 특성을 고려하여 적혈구형성자극제로 치료한다.

(5) Ferritin >500 ng/mL

철분정맥주사는 권고되지 않는다. 단 고용량의 적혈구형성자극제에도 헤모글로빈 수치의 상승이 없고 동반된 감염의 증거가 없다면 투여를 고려해 볼 수는 있다.

2) 투여방법

정맥주사가 경구제제보다 철분 저장량을 늘리는데 더 효과적이므로 가급적 정맥으로 투여한다. 비투석 환자의 경우 경구로 투여하되 반응이 없으면 정맥투여를 고려한다.

3) 치료 용량

(1) 혈액투석 환자

TSAT ≤20%이면서 ferritin <200 ng/mL인 경우, 부하 용량으로 1,000 mg을 1주에 2~3회로 나눠 투여한다. Ferric hydroxide sucrose complex(베노훼럼주), ferric gluconate complex(페로젝주), ferric hydroxide carboxymaltose complex(페린젝트주) 등을 사용하며, iron dextran은 아나필락시스의 우려가 있어 잘 사용하지 않는다. 적혈구 형성자극제를 사용하는 모든 혈액투석 환자들은 ferritin <500 ng/mL이면 TSAT에 무관하게 유지용량의 철분을 투여한다.

(2) 복막투석 환자

혈액투석 환자와 크게 다르지 않으며, 복막투석 환자 역시 경구 철분제보다는 주사 철분제를 권고한다. 단, TSAT 25~50%이고 빈혈이 심하지 않다면 경구 철분제를 사용할 수 있다. 현실적으로 혈액투석 환자들보다는 1회 투여용량 및 투여 간격을 늘려서 투여하게 된다.

4) 목표수치

TSAT 30%, ferritin level 500 ng/mL 이상으로 유지한다. 목표에 도달하였을 경우 유지용량의 철분주사를 투여하고 도달하지 못하면 부하용량의 철분을 반복 투여할 수 있다.

CKD-MBD

1. 고인산혈증의 관리

고인산혈증의 관리는 투석환자에서 뼈의 강도를 유지하고 혈관 석회화의 진행을 막기 위한 첫 번째 치료이며 가장 기본적인 치료이다.

1) 식이 조절

고인산혈증의 치료에서 기본이 되는 것은 식이에 포함되는 인의 함량을 조절하는 것이다. 인산은 식품군 중 단백질 식품에 주로 포함이 되어있으며 일반적으로 동물성 식품에 포함된 인이 흡수가 높은 편이나, 식이를 제한하는 경우 단백-영양실조(protein-energy wasting)에 빠져 오히려 뼈강도의 악화나 심혈관계 합병증의 증가를 초래할 수도 있기 때문에 적절한 식이 교육이 중요하다.

식사에 있어서는 단백-인산비 지표를 활용하여 (KDOQI Clinical Practice Guideline for Nutrition in Children with CKD: 2008 Update 표 참조) 영양은 유지하면서도 인의 흡수를 낮추는 노력이 필요하며, 음식의 조리에 있어서도 재료를 물에 끓여서 먹는 방식을 권고하고 있다. 특히 유제품류는 인산의 함유량이 높아 제한하는 편이며, 식품에 포함된 유기인과 달리 탄산수, 햄과 같은 가공육류, 통조림 음식, 식품보존제 등에 포함된 무기인의 경우 영양소는 없이, 흡수율이 유기인에 비해 매우 높기 때문에 무기인이 포함된 냉동식품 사용은 엄격히 제한되며 보존제를 사용하지 않은 신선 식품의 사용을 권고하고 있다.

2) 인결합제

인산 제한식이를 유지하여도 소변 배출이 전혀 없는 투석환자는 투석 치료만으로 인산을 모두 제거하기 어려우므로(그림 13-9-1), 식품의 인산과 결합하여 인산이 체내에 흡수되지 않도록 하는 인결합제의 사용이 필요할 수 있다. 음이온을 띄는 인산과 효과적으로 작용하기 위하여 초기에는 알루미늄을 기본으로 하는 약제가 사용되었다. 하지만 이는 알루미늄의 체내 축적을 초래하여 특히 뇌와 뼈에 축적이 되면서 투석치매라고 불리는 뇌병증을 유발하게 되었고, 뼈의 석회화 장애인 골연화증, 빈혈 등의 부작용이 발견되어 현재는 사용하지 않는다. 현재 사용되는 인결합제는 칼슘이 포함된 인결합제와 칼슘이 포함되지 않은 인결합제로 나눌 수 있다.

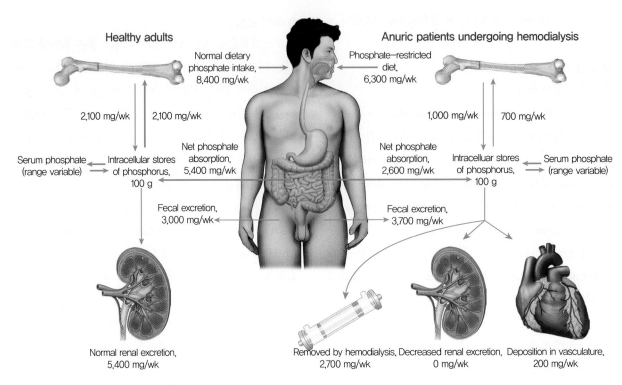

Healthy adults

Normal dietary phosphate intake, 8,400 mg/wk

2,100 mg/wk   2,100 mg/wk

Net phosphate absorption, 5,400 mg/wk

Serum phosphate (range variable) ↔ Intracellular stores of phosphorus, 100 g

Fecal excretion, 3,000 mg/wk

Normal renal excretion, 5,400 mg/wk

Anuric patients undergoing hemodialysis

Phosphate-restricted diet, 6,300 mg/wk

1,000 mg/wk   700 mg/wk

Net phosphate absorption, 2,600 mg/wk

Intracellular stores of phosphorus, 100 g ↔ Serum phosphate (range variable)

Fecal excretion, 3,700 mg/wk

Removed by hemodialysis, 2,700 mg/wk   Decreased renal excretion, 0 mg/wk   Deposition in vasculature, 200 mg/wk

그림 13-9-1. 건강한 사람 및 신부전 환자에서의 인 대사(Phosphate metabolism)

(1) 칼슘이 포함된 인결합제

초산칼슘이 탄산칼슘에 비해 체내 축적되는 칼슘양 대비 높은 인 결합효과를 보여 주로 사용되었으나 위장장애가 종종 발생한다. 칼슘 기반 결합제의 경우 비교적 안정적인 인 결합효과를 갖고, 가격이 저렴하여 폭넓게 사용되었으나 부갑상선호르몬(PTH)이 상승한 환자에서 특히 vitamin D analogs와 함께 사용하면 50% 정도에서 고칼슘혈증을 유발하거나 혈관 석회화를 악화시키는 결과를 나타내었다. 이러한 혈관 석회화의 악화는 심혈관계 합병증의 증가와 사망률의 증가를 초래한다는 결과가 발표되면서 현재는 칼슘을 포함하지 않은 인결합제의 사용이 증가하고 있다.

(2) 칼슘이 포함되지 않은 인결합제

현재 국내에서 사용이 가능한 것은 sevelamer, lanthanum, velphoro 등이다. Sevelamer는 metal이 포함되지 않은 polymer 성분으로 혈관 석회화의 지연과 LDL-콜레스테롤 및 각종 염증인자를 흡착하여 감소시키는 효과에 따라 심혈관계 질환 발생 지연에 효과적일 것으로 기대된다. 그러나, 인결합능이 3가 이온 기반 인결합제에 비해 약해 복용해야 하는 알약의 개수가 많을 수 있다. Lanthanum은 3가 이온으로 알루미늄과 같은 우수한 인결합능을 나타낸다. 알루미늄에 비해 체내 흡수율이 1,000분의 1 이하여서 체내 축적으로 인한 심각한 부작용에 대한 보고가 최근까지 없다. 씹어 먹을 수 있는 알약(chewable tablet)이나, 알약이 단단한 편으로 치아가 좋지 않은 고령에서는 부수어 먹거나 가루약 형태로 사용하는 것이 더 효과적이다. 철분기반 결합제인 Velphoro는 starch 성분에 철분을 결합시킨 것으로 타 약제에 비해 설사를 유발하는 부작용이 높지만, 변비가 주로 발생하는 투석환자에서는 장점이 될 수도 있을 것으로 보여진다. 씹어서 복용하는데 쉽게 부서져 복용에 불편감이 적다. 철분의 체내 흡수는 적어 저장철을 증가시키는 효과는 미미한 것으로 알려져 있다.

(3) 보험 인정기준

칼슘을 포함하지 않은 인결합제는 현재 국내 보험기준으로 투석환자에서만 사용이 가능하며 혈청 인 농도 5.5 mg/dL 이상에서 시작하여 사용을 유지하다가 4.0 mg/dL 미만이 되면 중단하여야 하나 다시 4.0 mg/dL 이상으로 상승하면 재투약이 가능하다.

2. 이차성 부갑상선 항진증 관리

투석환자의 부갑상선 호르몬 권고 수치는 가이드라인마다 매우 다양하나 국내에서는 150~300 pg/mL을 유지하고 3개월마다 추적관찰을 하도록 권고하고 있다. 만성콩팥병 환자에서 장내 칼슘 흡수 감소로 인한 칼슘 저하는 부갑상선 호르몬의 증가를 초래하여, 뼈에서의 칼슘과 인산의 유리를 지속시켜 뼈의 강도를 약화시키고 혈관석회화를 악화시킨다. 칼슘 수치가 감소되어 있는 경우 vitamin D analog의 사용이 칼슘을 정상화시키고 PTH를 안정화하는데 효과적인 치료방법이다. 주로는 calcitriol이 사용되나 반감기를 늘리고 간에서 활성화되는 alfacalcidol을 사용하기도 한다. 하지만, calcitriol의 과량 사용은 PTH를 과억제하는 adynamic bone disease와 고칼슘혈증 유발 및 고인산혈증의 악화를 초래할 수 있어 각각의 지표를 주의깊게 관찰하면서 용량을 조절하여야 한다. PTH>300 이상이 유지되면서, 칼슘이 높아 calcitriol 사용이 제한되는 경우 부갑상선에만 선택적으로 작용하는 paricalcitol 사용을 고려할 수 있다.

Vitamin D analog와 더불어 이차성 부갑상선 항진증을 관리하는데 calcimimetics가 활용될 수 있다. 이는 부갑상선의 calcium-sensing receptor에 작용하여 부갑상선 호르몬의 배출뿐 아니라 생산을 억제하여 PTH를 효과적으로 저해할 수 있다. 부작용으로 저칼슘혈증이 발생할 수 있으므로 저칼슘혈증 환자에서는 처방이 제한되며, vitamin D analog와 함께 사용하면 효과적으로 PTH를 낮추면서도 칼슘 저하를 예방할 수 있다. 부작용으로 위장장애를 호소하는 경우가 있어, 이러한 증상을 주의깊게 확인해야 약제에 대한 순응도를 유지하여 효과적으로 질환을 관리할 수 있다. 현재는 cinacalcet만 발매되어 있으나 곧 유사제제인 evocalcet 및 iv 제제인 etelcalcetide의 발매가 될 것으로 여겨진다.

영양실조(Malnutrition)와 근감소증 (Sarcopenia)

- 만성콩팥병과 관련된 식욕부진, 대사성 산증, 영양소 결핍, 동화호르몬 감소 그리고 체내 염증 지표 증가로 인해 투석 환자에서 영양실조와 근감소증이 악화된다.

- 식사요법 이외에 경구 영양 보충제, 투석 중 비경구영양, 경구영양이나 완전비경구영양을 통한 양질의 단백질과 충분한 열량 공급이 영양실조 예방과 치료에 중요하다.

- 유산소 운동, 저항성 운동, 또는 두 가지를 혼합한 운동요법은 근감소증 예방과 진행 억제에 중요하다.

투석 환자에서 흔히 발병하는 영양실조와 근감소증(sarcopenia)은 허약함(frailty), 일상생활 능력감소와 삶의 질 저하, 합병증에 의한 입원과 사망률을 증가시키는 요인이다. 투석 환자에서의 영양실조와 근감소증 발생 원인은 크게 만성콩팥병과 관련된 식욕부진, 대사산증, 영양소 결핍, 요독소, 인슐린, 성장호르몬, 비타민 D, 테스토스테론 등의 동화호르몬 감소 그리고 체내 염증 지표 증가 등이다. 따라서 영양실조와 근감소증을 예방 혹은 치료하기 위해서는 상기 요인들에 대한 포괄적인 접근이 필요하다. 특히, 양질의 단백질과 충분한 열량 공급 및 적절한 운동요법은 영양실조와 근감소증을 예방하고 진행을 억제하는데 중요하다.

1. 영양 요법

1) 식사를 통한 단백질과 열량 섭취

혈액투석 또는 복막투석 환자는 투석 치료를 통한 아미노산과 단백질 손실에 따른 근육 감소를 방지하고 정상적인 영양상태를 유지하기 위해 체중 kg 당 하루 1.0~1.2 g 단백질(50% 이상의 높은 생물가를 가진 단백질) 섭취를 권장하며, 근육 생성을 촉진할 수 있는 isoleucin과 같은 필수 아미노산 섭취가 좋다. 한편, 당뇨병을 동반한 투석 환자에서는 적절한 혈당 조절을 위해 추가적인 단백질 섭취를 고려할 수 있다. 열량 섭취량은 환자의 나이, 성별, 육체적 활동량, 목표 체중, 동반된 질환이나 염증 상태를 고려하여 체중 kg 당 하루 25~35 kcal 열량 섭취를 권장한다.

2) 경구 영양 보충제(표 13-9-1,2)

일차적인 식이요법 상담에도 불구하고 식사를 통한 충분한 단백질과 열량 섭취에 실패하고, 혈청 알부민 농도가 3.8 g/dL 미만, 의도하지 않은 심각한 체중 감소(3개월 동안 5% 이상이거나 6개월에 10% 이상), 또는 영양상태평가 도구에서 영양실조로 진단되면 최소 3개월간의 경구 영양

보충제 사용이 권고된다.

3) 경구영양(Enteral nutrition)과 완전비경구영양(Total parenteral nutrition)

중증 영양실조, 하루 열량 섭취량이 체중 kg 당 20 kcal 미만, 또는 연하 곤란이 있는 투석 환자에서는 식사요법, 경구 영양보충제 또는 투석 중 비경구영양(혈액투석 회로의 정맥 통로를 통하여 아미노산(10%), 포도당(40~50%) 그리고 지방(10~20%) 복합제를 투여)만으로는 충분한 영양분을 공급하기 어렵다. 이 경우 경구영양과 완전비경구영양법을 고려할 수 있고, 경구영양이 완전비경구영양법에 비해 경제적이고 감염의 위험성 및 합병증도 적어 더 선호된다.

2. 운동요법

운동은 근육량 증가, 근력 및 신체 수행 능력을 향상시켜 근감소증 치료에 적합할 뿐 아니라, 혈압 조절, 숙면, 정신건강 향상, 염증 및 산화 스트레스 감소 등과 같은 부가적인 이점들이 있다. 일차적으로 환자의 운동량 정도를

표 13-9-1. 신장 환자용 영양보충제 종류

상품명		용량/캔	칼로리/캔	단백질/캔	판매회사
비투석	그린비아 RD	200 mL	400 kcal	6 g	정식품
	뉴케어 KD	200 mL	400 kcal	8 g	대상
	메디웰 신장용(비투석)	200 mL	400 kcal	8 g	엠디웰
투석	그린비아 RD 플러스	200 mL	400 kcal	15 g	정식품
	뉴케어 KD 플러스	200 mL	400 kcal	15 g	대상
	메디웰 신장용(투석)	200 mL	400 kcal	15 g	엠디웰

표 13-9-2. 기타 단일 영양소 보충제품

상품명	특징	열량	단백질	판매회사
듀오칼	탄수화물, 지방 보충제품	492 kcal	-	㈜ 한독
마크론 제로 파우더	지방 보충제품	789 kcal	-	JW 안심푸드

파악하고 환자의 기저 질환과 개별적인 특성을 충분히 고려하여 안전하면서도 편리한 유산소 운동, 저항성 운동, 또는 두 가지를 혼합한 운동을 처방한다. 유산소 운동에는 걷기, 고정식 자전거 타기, 천천히 계단 오르기 등이 있고 운동 횟수는 일주일에 최소 3~5 회, 지속시간은 초기 5분 정도로 천천히 시작하여 하루 30분 이상을 권장한다. 저항성 운동에는 가벼운 아령이나 고무 밴드를 이용하는 것과 스쿼팅 같은 근력 운동이 있다. 운동 시작 전후로 항상 맨손체조나 스트레칭을 하여 관절 손상을 예방한다. 혈액투석 환자는 투석 치료 일정에 맞추어 몸 상태가 가장 활력이 넘칠 때 운동을 하는 것이 좋고, 동정맥루를 손상시킬 수 있는 운동은 피하도록 한다. 복막투석 환자는 운동 중 복막투석 도관에 의한 출구 자극으로 인한 출구감염이나 복강 내 저류된 투석액 때문에 탈장이 발생할 수 있다. 한편, 투석 환자는 일반인과 달리 심장박동수가 운동 정도를 정확하게 반영하지 못하기 때문에 운동 강도를 결정할 때 '괜찮다' 에서 '약간 힘들다' 정도의 주관적인 자각증상을 호소할 정도의 강도로 운동하는 것이 좋다.

3. 기타 치료

1) 투석 처방량 증가

혈액투석 환자에서는 투석 시간, 혈류속도, 또는 투석막 표면적 크기를 증가시키고, 복막투석 환자에서는 교환 횟수, 저류 용적 증가 또는 아미노산 성분의 복막투석액 사용을 고려할 수 있다.

2) 대사성 산증 교정

대사성 산증은 근육을 구성하는 단백질 분해를 증가시키고 인슐린의 작용을 억제하여 근감소증을 악화시킨다. 투석액의 염기 조성을 조절하거나 경구 중탄산나트륨을 복용한다.

3) 기타 호르몬요법

테스토스테론과 같은 동화호르몬이나 재조합 성장호르몬 사용을 고려할 수 있으나 아직 대규모 임상연구를 통한 효과가 입증되지 않아 사용은 제한되는 상태이다.

당뇨병

1. 당뇨병 진단과 혈당 조절 감시

유지 투석치료를 받는 환자에서 당뇨병 진단 방법으로 경구당부하 검사의 기준치를 그대로 적용하는 것은 적절하지 않다. 요독으로 인해 유발되는 인슐린 저항성 때문에 혈당 증가 폭이 크고 고혈당이 오래 갈 수 있기 때문이다. 그러나, 공복혈당 검사는 혈액투석 환자에서 당뇨병 신단을 위해 유효하다. 복막투석 환자에서는 지속적으로 복막투석액 내 포도당에 노출되어 있으므로 정확한 공복혈당을 확인할 수 없다. 복막염이 없는 상태에서 투석액 농도 4.25%를 저류하고 동안의 공복혈당이 160 mg/dL 이내이면 당뇨병을 배제한다. Icodextrin 투석용액을 사용하는 복막투석 환자에서는 혈당 자동분석기가 포도당을 과측정하는 오류를 범하여 저혈당증을 놓칠 수 있으므로 해석에 주의가 필요하다. 유지투석을 받는 환자의 당화혈색소 (HbA1C) 수치는 요독 및 대사산증, 빈혈, 적혈구 수명 단축, 적혈구형성자극제 사용 등으로 인해 영향을 받아 부정확할 수 있으며, 투석전 만성콩팥병 환자의 개별화된 혈당 조절 목표인 당화혈색소 < 6.5~8% 기준을 유지투석 환자에게 그대로 적용할 수 있는지에 대한 근거도 현재까지는 부족하다. 당화알부민(glycated albumin)은 이러한 헤모글로빈의 병적 상태에 영향받지 않아서 투석 환자의 혈당 조절 감시 지표의 대안이 될 수 있다.

2. 인슐린 요법

투석치료를 시작하면 인슐린 이화작용이 감소하고, 저항성이 호전되어 통상적으로 투석 시작 전보다 인슐린 요구량이 감소한다. 당뇨병 말기콩팥병 환자의 혈당 관리에 있어서 인슐린 요법이 가장 효과적이며 다양한 제형의 인슐린 요법이 가능하지만, 인슐린의 25%는 신장에서 대사되기 때문에 치료 반응에 따라 기존 요구량의 50% 정도 감량해서 투약을 시작한다.

1) 인슐린글라진과 속효성 인슐린 요법의 예

체중 기반 인슐린 투여량은 대략 하루 0.6 단위/kg인데, 말기콩팥병 환자에서는 50%를 감량하여 하루 0.3 단위/kg로 시작한다. 여기서 0.15 단위/kg는 기저(basal) 인슐린으로, 나머지 0.15 단위/kg는 하루 식사 횟수로 나누어서 식전(bolus) 속효성 인슐린으로 투약한다. 예를 들어, 70 kg 환자의 경우 총 하루 인슐린 70×0.3=21단위이고 여기서 10단위를 인슐린글라진(glargine)으로, 남은 11단위를 3번에 나눠서 3~4단위씩 식사 때마다 속효성 인슐린으로 투약하며 치료 반응에 따라 가감한다.

2) NPH인슐린과 속효성 인슐린 처방의 예

위 환자에서 NPH인슐린을 사용하는 경우 전체 하루 용량은 21단위로 같게 하되 NPH인슐린과 속효성 인슐린 용량을 2:1(14단위:7단위)로 한다. NPH인슐린의 경우 아침과 저녁에 2:1로 투약하는데(아침에 9단위, 저녁에 5단위) 새벽 저혈당 발병 유무를 반드시 확인하여 필요 시 감량한다. 속효성 인슐린 중 3단위는 아침에, 4단위는 저녁에 투약한다. 점심에는 아침에 투약했던 NPH인슐린 잔여효과가 있기 때문에 추가 속효성 인슐린 투약이 필요 없다.

(1) 혈액투석

혈액투석 치료를 받는 환자는 투석치료 시간, 식사 시간 등의 다양성 때문에 혈당 변동이 클 수 있으므로 기저-식전(basal-bolus) 요법을 우선 고려한다. 기저 인슐린에는 NPH인슐린, 인슐린디터머(detemir), 인슐린글라진(glargine), 인슐린데글루덱(degludec) 등이 있다. 투석하는 날과 투석하지 않는 날의 인슐린 용량을 달리 하는 방법이 있으며, 인슐린 요구량에 따라 기저 인슐린을 투석하는 날만 투석실에서 주입하는 방법도 생각해 볼 수 있다. 인슐린데글루덱은 인슐린글라진보다 더 긴 작용 시간을 갖는 기저 인슐린이며 야간저혈당이 덜 온다는 보고가 있

다. 식전 인슐린으로는 레귤러 인슐린보다 인슐린 아날로그제형을 추천한다. 저혈당은 투석하는 날 아침에 잘 오고, 인슐린 주사 투약 시간보다 하루 전체 투약한 인슐린 총 양에 의해 영향을 더 받는다.

(2) 복막투석

복막투석 치료를 받는 환자의 혈당 수치는 투석액의 포도당 농도에 영향을 받는다. 인슐린 요법에 있어 피하주사를 주로 사용한다. 투석액에 레귤러인슐린을 직접 혼합하는 방법(intraperitoneal, IP)을 사용할 수도 있는데, 이는 투약방법이 용이하고 인슐린이 간문맥 순환에 직접 도달하며 저혈당이나 고혈당 위험이 적기 때문이다. 그러나, 인슐린 요구량이 2배 정도 더 많게 되며 추가적 인슐린 피하주사가 필요한 경우가 많고 투석액에 인슐린을 혼합하는 과정에서의 세균 오염 위험이 증가하는 등의 단점이 있다.

3. 비인슐린 요법

다양한 비인슐린 요법들이 있지만 각 약제들의 약물 동태학적 특성이 신기능에 따라 달라 상당수의 약제가 투석 환자에서 용량 조절이 필요하거나 금기에 해당한다. 설포닐우레아(sulfonylurea, SU) 중 1세대는 저혈당 위험도 증가 등의 이유로 현재 거의 쓰이지 않고, 2세대 SU 중에서도 반감기가 짧고 주로 간에서 대사되는 glipizide가 투석 환자에게 선호된다. Meglitinide는 SU에 비해 반감기가 짧고 혈당 강하효과가 낮은 대신 비교적 적은 저혈당 위험도를 갖지만, 이들 약제는 신기능 저하 상태에서 체내 축적될 수 있어 유지투석 환자에게 주의가 필요하다. Thiazolidinedione은 근육의 인슐린 감수성을 개선시키고 간 포도당 생성을 감소시키는 역할을 하는데 이 중 rosiglitazone은 심근경색 위험도 관련성 문제로 사용되지 않는다. Pioglitazone은 신기능에 따른 약물 용량 조절이 필요없고 저혈당의 위험도가 낮아 선호되지만 심부전이 동반된 투석 환자에게서 체액 저류 등의 부작용 등을 주의해야 한다. 인크레틴 기반 치료제로서 dipeptidyl peptidase-4 (DPP-4) 억제제는 저혈당이 적게 오고 속효성 인슐린 주사 횟수

표 13-9-3. 투석 환자에서 고혈압의 정의

투석방법	측정방법	정의
혈액투석	Home BP	투석을 시행하지 않는 6일간의 아침 및 저녁 혈압의 평균이 ≥135/85 mmHg인 경우. 5분 이상 휴식한 후 독립된 공간에서 1~2분 간격으로 2회 이상 측정.
	Ambulatory BP monitoring	주중 투석을 시행하지 않는 날에 24시간 동안 측정한 혈압의 평균이 ≥130/80 mmHg인 경우. 가능하다면 44시간까지 측정하여 주중 투석을 시행하지 않는 날을 모두 포함.
복막투석	Home BP	7일 동안 아침 및 저녁 혈압의 평균이 ≥135/85 mmHg인 경우. 5분 이상 휴식한 후 독립된 공간에서 1~2분 간격으로 2회 이상 측정.
	Ambulatory BP monitoring	24시간 동안 측정하여 평균이 ≥130/80 mmHg인 경우.

를 감소시켜주는 효과기 있으며, 이 중 linagliptin은 투석 환자에서 용량 조절 없이 처방할 수 있다. Glucagon like peptide-1 receptor agonist는 저혈당 위험이 낮으면서 효과적인 혈당 개선 효과가 있고 심혈관 보호 효과를 기대해 볼 수 있다. 그러나, 구역, 구토 등의 부작용이 흔하고 비싸다는 단점이 있으며 유지투석 환자에서의 안정성 면에서 추가 근거가 필요하다. 메트포민(metformin)은 젖산증의 위험 때문에 투석 환자에서는 금기이며, sodium glucose cotransporter-2(SGLT2) 억제제도 약제 기전을 고려하면 투석환자에서 혈당강하제로서의 역할은 미미하기 때문에 고려되지 않는다. 또한, acarbose와 같은 alpha-glucosidase 억제제는 사구체여과율 25 ml/min/1.73 m² 이하 만성콩팥병 환자의 안정성에 대해 연구된 바 없어 투석환자에게 추천되지 않는다.

고혈압(Hypertension)

1. 투석환자에서 고혈압의 정의

투석치료를 받는 말기콩팥병 환자에서 고혈압은 흔한 소견이다. 혈액투석을 받는 환자의 고혈압 진단은 주로 투석전 혹은 투석후 혈압을 기준으로 하고 있으나, 이렇게 측정된 혈압은 백의고혈압(white coat hypertension), 이완

시간의 부족, 동정맥루 천자에 대한 두려움, 측정상의 오류 등으로 심혈관계 위험성을 평가하기에 적절하지 않다. 투석환자에서 고혈압의 정의는 측정 방법에 따라 다르다 (표 13-9-3). 즉, 가정혈압은 평균이 ≥135/85 mmHg인 경우, 24시간 보행혈압측정검사에서는 ≥130/80 mmHg인 경우를 고혈압으로 정의한다. 혈액투석 환자에서 가정혈압이나 24시간 보행혈압측정검사가 불가능한 경우에는 투석을 시행하지 않는 주중의 다른 날에 병원에서 측정한 혈압 (office BP)을 기준으로 하는데 1~2분 간격으로 3회 측정하여 그 평균을 사용한다. 그 혈압이 ≥140/90 mmHg일 경우 고혈압으로 진단할 수 있다. 복막투석 환자는 병원에서 측정한 혈압이 ≥140/90 mmHg일 경우에 고혈압으로 진단할 수 있다.

2. 투석환자에서 고혈압의 원인

투석을 시행 중인 말기콩팥병 환자의 고혈압은 대부분 체액 과다(volume overload)와 관련이 있다. 신장기능이 저하할수록 혈압에 대한 염분 민감성이 증가하고, 이런 민감성은 투석환자에서 가장 높다. 정상 신장기능에서는 염분 섭취량의 변화에 따라 레닌-안지오텐신-알도스테론계가 미세하게 조절되는데, 투석환자는 레닌-안지오텐신-알도스테론계가 항진되어 있고, 염분 섭취량에 따라 염화나트륨을 배설을 조절하는 것이 제한된다. 또한 칼슘·인 항상성의 이상으로 인해 동맥경직(arterial stiffness)이 발생

한다. 일차적인 체액저류 외에 총 말초저항(total peripheral resistance)의 증가로 인하여 고혈압이 발생한다. 신부전이 진행하면서 산화 스트레스가 혈관 질환의 진행에 영향을 미치며 혈관수축 및 구조적인 손상을 유발한다. 이외에도 수면 무호흡증, 재조합 적혈구형성자극제의 사용 등이 고혈압을 유발할 수 있다.

3. 투석환자에서 고혈압의 치료

1) 비약물 치료

(1) 건체중(Dry weight) 조절

투석환자의 고혈압 치료에는 염분 과다와 체액 과다를 교정할 수 있도록 개별적인 건체중 조절이 필요하다. 건체중은 저혈압이나 혈액량 감소의 증세를 보이지 않으면서 환자가 견딜 수 있는 최저 체중으로 정의하는데, 증상과 징후를 면밀하게 살피며 투석후 체중을 점차적으로 조절한다. 이상적인 건체중을 결정하기 위한 특이 방법은 없으나, 부종 유무, 폐초음파, 바이오임피던스법에 의한 체성분 분석등을 활용할 수 있다.

(2) 염분 섭취 제한

말기신부전 환자에서 소듐과 잔여 수분을 배설하는 능력이 감소하기 때문에 혈압은 염분에 민감하다. 따라서 염분 섭취를 제한하는 것이 혈압 조절에 필수적이다. 염분 섭취 제한뿐 아니라 투석 중 소듐 획득을 피하는 것이 혈압 조절에 도움이 된다. 투석간(interdialytic) 체중 증가는 다음 투석 시에 필요한 초미세여과(ultrafiltration) 양을 증가시키고 이는 투석 중 저혈압을 유발하여 더 높은 소듐 농도의 투석액 처방을 필요로 하게 된다. 복막투석 환자에게서도 염분 섭취의 제한과 저나트륨 또는 아이코덱스트린 용액(icodextrin solution)을 이용한 치료가 도움이 된다.

(3) 적절한 투석 처방

짧은 투석 시간은 적절한 혈압 조절을 방해하는 요소가 된다. 투석환자에서 추가적인 체액 조절이 필요하거나 투석 중 혈역학적으로 불안정한 환자에서 투석 시간을 늘려

볼 수 있다.

2) 약물치료

비약물 치료에도 불구하고 조절되지 않는 고혈압의 경우 혈압 강하 목적 이외에도 환자의 심장혈관질환을 고려하여 적응증에 해당하는 약제를 우선 선택하는 것이 필요하다. 따라서 칼슘통로차단제, 베타차단제, 안지오텐신전환효소억제제, 안지오텐신수용체차단제, 이뇨제, 알파차단제, 미네랄코티코이드수용체저해제, 혈관확장제 등의 약제 중 환자의 기저질환에 따라 약제를 선택한다. 각 계열의 일부 약제들은 투석환자의 심혈관질환 발생 혹은 사망의 위험도를 낮추는 것으로 알려져 있다.

요독가려움(Uremic pruritus)

1. 일반적인 원칙들

투석량 부족, 부갑상선기능항진증, 고인산혈증, 고마그네슘혈증 등이 요독성 가려움증의 원인이 되는 경우가 많다. 그러나, 비요독성 가려움증도 반드시 감별을 해야 한다. 단계별 증상 치료가 필요하며, 전신 치료를 고려하기 전에 요독성 가려움증의 원인이 되는 요인들을 제거하고, 보습제를 이용한 피부 관리를 포함한 국소 치료를 먼저 시행한다. 이렇게 4주 이상 치료를 해도 호전이 없으면 경구 항히스타민제 등의 전신 치료를 시행한다.

2. 국소 치료(Topical treatment)

1) 피부연화제(Emollients)

수분 함량이 높은 피부연화제가 1차 치료로 제안된다. 내인성 지질인 N−palmitoylethanolamine (PEA, 0.3%)이 함유된 피부연화제는 피부 장벽의 기능을 의미 있게 향상시키고, 가려움증 및 통증에도 약하거나 중등도의 효과를 보이며, 하루 2회씩 3주 동안 도포하였을 때 소양감 및 건조증을 호전시킨다. 건성 피부에 적합한 연화제는 요소(urea,

5~10%), 글리세롤(glycerol, 20%), 프로필렌 글리콜(pro-phylene glycol, 20%) 및 젖산(lactic acid, 1.5~2%) 등이 피부의 수분 공급과 가려움증 감소에 도움이 될 수 있다.

2) 국소 마취제(Local anesthetics)

국소 마취제로는 benzocaine, lidocaine 및 pramoxine과 같은 약제가 있으며, 서로 다른 그룹의 피부 수용체를 통해 작용하여 가려움증의 말초 신경 전달을 방해한다.

3) 국소 캡사이신(Capsaicin) 크림(0.025 %)

국소 가려움증에 사용해 볼 수 있다.

4) 타크로리무스 연고(Tacrolimus ointment)

유의한 효과가 없고 악성 종양이 발생할 가능성이 있어 투석 환자들에서 권장되지 않는다.

5) 감마 리놀렌산(Gamma linolenic acid, GLA)

프로스타글랜딘의 전구체로 대사되어 항염증 작용을 가지며, 일부 연구에서 가려움증 완화에 효과를 보였다.

3. 전신 치료(Systemic treatment)

1) 항히스타민제

대증적으로 가장 널리 사용되며, H1 수용체를 차단함으로써 피부의 가려움증을 효과적으로 차단한다. 진정 효과가 적은 2세대 항히스타민제(cetirizine, loratadine, fexofenadine)의 사용이 추천된다.

2) 가바펜틴(Gabapentin)과 프레가발린(Pregabalin)

경구 항히스타민제를 1주 정도 추여해도 호전이 없으면 가바펜틴이나 프레가발린을 투여해 볼 수 있다. 가바펜틴은 매 투석후에 100 mg을 투여하며, 반응에 따라 300 mg까지 증량해 볼 수 있다. 프레가발린은 25 mg을 하루 한 번 투여하는 것으로 시작하여 75 mg까지 증량할 수 있으며, 가바펜틴에 반응하지 않는 환자에서도 효과를 나타낼 수 있다. 하지만, 가바펜틴과 프레가발린의 사용이 의식

상태의 변화, 낙상 및 골절의 위험성을 높인다는 보고가 있어서 주의해야 한다.

3) 비만세포 안정제(Mast Cell Stabilizers)

케포티펜(Ketotifen, 하루 2회 1 mg 경구 투여), 크로몰린(Cromolyn sodium, 하루 3회 135 mg 경구 투여) 등이 혈액투석 환자들의 가려움증 치료에 도움이 될 수 있다.

4) 아편성 작용제 및 길항제(Opioid receptor agonist and antagonist)

카파-오피오이드 수용체 작용제(k-opioid receptor agonist)인 날푸라핀(Nalfurafine, 5 μg 매일 경구 투여)은 첫 투여 7일 이내에 임상적인 효과를 보인다. 디페리케팔린(Difelikefalin, 주 3회 0.5μg/kg 정맥 투여)은 말초 신경세포와 면역세포에만 선택적으로 작용하는 카파-오피오이드 수용체 작용제로, 혈액투석 환자의 소양증을 호전시키고 삶의 질을 향상시킬 수 있다.

5) 탈리도마이드(Thalidomide)

종양괴사인자-알파(Tumor necrosis factor-α)의 생산을 억제하는 약제로, 위약에 비해서 55%에서 가려움 점수가 개선됨이 보고되었다.

4. 광선치료(Phototherapy)

자외선 B 광선요법(Ultraviolet phototherapy)은 국소 및 전신 치료에 저항을 보이는 불응성 가려움증의 치료에 사용한다. 말기신부전 환자들에서 주 3회의 광범위(broad band, 290~320 nm) 자외선 B 광선요법, 이후 주 1~2회의 유지요법이 추천된다. 자외선 B 광선요법 및 장기적인 전신 면역억제치료는 피부 악성종양의 위험을 높일 수 있어 치료 전에 환자를 신중하게 평가해야 한다.

하지불안증후군(Restless legs syndrome)

1. 유병률

하지의 불쾌한 이상 감각과 함께 다리를 움직이고자 하는 충동을 느끼는 감각 운동 신경 질환인 하지불안증후군의 유병률은 일반인에서 세계적으로 5~15% 정도, 국내에서는 7.5%정도이며, 말기신부전 환자의 유병률은 12~25%까지 보고되었으나, 국내 말기신부전 환자의 하지불안증후군 유병률은 아직 확실치 않다.

2. 임상양상

환자는 주로 종아리나 허벅지에 당기고 느글거리는 불편감을 호소한다. 야간이나 휴식 시에 증상이 악화하여 수면의 질이 나빠지고, 심하면 불안과 우울로 낮 시간의 활동에도 영향을 미쳐 삶의 질을 저하시키며, 말기신부전 환자에서는 고혈압과 심혈관질환 발생률의 증가와 연관이 있다는 보고가 있다.

3. 진단

하지불안증후군의 필수 진단기준은 1995년 International Restless Legs Syndrome Study Group (IRLSSG)에서 제시한 ① 다리의 불편한 느낌을 동반하면서 다리를 움직이고 싶은 충동이 생기고, ② 이러한 불편감은 움직임에 의해 호전되고, ③ 쉬고 있거나 가만히 있으면 증상이 악화하며, ④ 주로 저녁이나 밤에 악화하는 특징이다. 주로 휴식 중, 앉아 있는 중 또는 투석 중 누워 있는 동안 발생하며 움직이면 일시적으로 억제할 수 있으나, 궁극적으로는 잘 가라앉지 않는다. 말초신경병증은 불편감이나 통증이 지속적이고, 움직임에 의해 호전되지 않는다는 점에서 하지불안증후군과 차이가 있다. 최근 IRLSSG에서는 다리뿐만 아니라 팔이나 몸통에도 같은 증상이 나타날 수 있어 Willis-Ekbom disease라는 명칭을 제안하였다. 하지불안증후군은 위와 같은 임상기준으로 진단하는데, 다른 의학적 또는 행동적인 원인을 배제하는 것이 중요하다. 일반적으로 신경전도 및 근전도 검사는 이상 소견을 보이지 않지만, 말초신경병증과의 감별이 필요한 경우 신경전도 검사(nerve conduction velocity test)를 시행하고, 수면장애가 동반되는 경우 수면다원 검사(polysomnography)를 시행해 볼 수 있다.

4. 원인

병태생리는 정확한 원인이 밝혀지지 않았지만, 주된 위험인자는 요독, 빈혈, 철분결핍, 하지혈관장애와 중추신경계 이상이다. 주로 철분결핍과 신경계의 도파민 시스템 이상을 원인으로 추정하고 있다. 철분결핍은 위험인자인 빈혈을 유발하며 철분이 대뇌의 도파민 대사과정 중 하나의 보조 인자로 작용하므로 도파민 기능이상과 밀접한 연관이 있다. 따라서 하지불안증후군이 의심되는 경우 철분상태에 대한 평가가 필요하다.

5. 치료

투석전 환자의 하지불안증후군은 투석을 시작하면 몇 주 안에 그 증상이 사라지기도 한다. 유지투석 중인 환자에서 나타나면 불안증, 진행성 하지혈관장애, 불충분한 투석 등의 원인을 고려해야 한다. 치료는 비약물치료와 약물치료로 나눌 수 있는데, 비약물치료는 생활 습관과 수면 습관을 조절하는 것이다. 수면 시각을 일정하게 하고 취침 전 카페인, 커피 섭취와 음주를 피한다. 취침 전 가벼운 운동이나 마사지, 스트레칭, 투석 중 사이클링 같은 유산소 운동이 증상 완화에 도움이 된다. 증상을 유발하거나 악화시키는 약제인 도파민 대항제, 항히스타민제와 항우울제는 가능하면 중단한다. 약물치료는 대부분 증상 완화를 위한 약제이다. Ropinirole, pramipexole, rotigotine과 같은 도파민 작용제는 초기에 사용한 levodopa보다는 증강현상(augmentation)이 적지만, 장기간 복용하면 증강현상이 발생할 수 있다. 증강현상이 발생하면 도파민 작용제의 용량을 줄이고 다른 약제를 함께 사용하거나 다른 약제로 변경한다. 최근에는 증강현상이 적은 gabepentin이나 pregabalin이 추천된다. 오피오이드나 벤조디아제핀 계열의 약제인 clonazepam이나 lorazepam을 증상에 따라 같이 사용해 볼 수 있다.

▶ 참고문헌

- 강승걸. 하지불안증후군 진단과 치료의 최신지견. J Korean Neuro-psychiatr Assoc. 59:13–19, 2020
- Coelho S: Is the management of diabetes different in dialysis patients? Semin Dial 31:367–76, 2018.
- Giannaki CD, et al: Epidemiology, impact, and treatment options of restless legs syndrome in end-stage renal disease patients: an evidence-based review. Kidney Int 85:1275–1282, 2014.
- Hanna RM, et al: A Practical Approach to Nutrition, Protein-Energy Wasting, Sarcopenia, and Cachexia in Patients with Chronic Kidney Disease. Blood Purif 49:202–211, 2020.
- Ikizler TA, et al: KDOQI Clinical Practice Guideline for Nutrition in CKD: 2020 Update. Am J Kidney Dis 76(3 Suppl 1):S1–S107, 2020.
- Ing TS, et al: Handbook of Dialysis. 5th ed. Lippincott Williams & Wilkins, 2015.
- KDIGO 2012 Clinical Practice Guideline for the Evaluation and Management of Chronic Kidney Disease. Kindey Int 3(suppl 1):1–150, 2013.
- KDIGO 2020 Clinical Practice Guideline for Diabetes Management in Chronic Kidney Disease. Kidney Int 98(4s):S1–s115, 2020.
- Kidney Disease Outcomes Quality Initiative (K/DOQI): K/DOQI clinical practice guidelines on hypertension and antihypertensive agents in chronic kidney disease. Am J Kidney Dis 43(5 Suppl 1):S1–290, 2004.
- Kidney Disease: Improving Global Outcomes (KDIGO) CKD-MBD Update Work Group. KDIGO 2017 Clinical Practice Guideline Update for the Diagnosis, Evaluation, Prevention, and Treatment of Chronic Kidney Disease-Mineral and Bone Disorder (CKD-MBD). Kidney Int Suppl 7:1–59, 2017.
- Macdougall IC, et al: Intravenous Iron Dosing and Infection Risk in Patients on Hemodialysis: A Prespecified Sec-ondary Analysis of the PIVOTAL Trial. J Am Soc Nephrol 31:1118–1127, 2020.
- Macdougall IC, et al: Intravenous Iron in Patients Undergoing Maintenance Hemodialysis. N Engl J Med 380:447–458, 2019.
- Marcello Tonelli, et al. Oral phosphate binders in patients with kidney failure. N Engl J Med 362:1312–24, 2010
- Pantelis A. Sarafidis, et al: Hypertension in dialysis patients: a consensus document by the European Renal and Cardiovascular Medicine (EURECA-m) working group of the European Renal Association.European Dialysis and Transplant Association (ERA-EDTA) and the Hypertension and the Kidney working group of the European Society of Hypertension (ESH). Nephrol Dial Transplant 32:620–640, 2017.
- Sabatino A, et al: Protein-energy wasting and nutritional supplementation in patients with end-stage renal disease on hemodialysis. Clin Nutr 36:663–371, 2017.
- T homas M ettang, et al: Uremic pruritus. Kidney Int 87:685–691, 2015.
- Zoccali C, et al: Hypertension in Handbook of Dialysis, 5th ed. Wolters Kluwer, 2015, pp578–591.

CHAPTER
10 혈장교환술

고희병, 유태현 (연세의대)

KEY POINTS

● 혈장교환술은 혈장으로부터 항체를 포함한 다량의 고분자물질을 제거하는 기술을 의미하며, 항GBM병, 혈전혈소판감소자색반병, ANCA관련혈관염, 신장이식의 항체매개거부반응, 탈민감 등에 사용이 된다.

● 혈장교환술은 보충액으로 알부민 혹은 혈장을 사용할 수 있으며, 혈전혈소판감소자색반병 혹은 출혈성 경향이 있는 경우에는 혈장을 보충액으로 사용한다.

● 혈장교환술의 합병증은 저칼슘혈증, 출혈성 경향의 증가, 저혈압, 알레르기 반응 등이 있으며, 각 임상 질환과 혈장교환술의 방법에 따라 합병증을 미리 예측하고 예방하는 것이 중요하다.

개요

혈장교환술(plasma exchange) 또는 혈장분리교환술(plasmapheresis)은 치료적 성분채집 (therapeutic apheresis)의 일종으로 혈장으로부터 다량의 고분자량 물질을 제거하는 기술을 의미한다. 혈장내에 존재하는 자가항체나 독성 유발 항체 등이 대표적인 고분자량 물질로 질병을 유발하거나 악화시키는 혈장 물질을 제거하고, 제거된 혈장을 보충해 주는 치료 방법이다. 1970년대 항GBM병(anti-glomerular basement membrane disease; Goodpasture syndrome)에서의 임상적 효용이 알려진 이후로, 현재는 혈전혈소판감소자색반병(thrombotic thrombocytopenic purpura), ANCA (anti-neutrophil cytoplasmic antibody) 관련 혈관염, 한랭글로불린혈증(cryoglobulinemia),

재발성 국소분절사구체경화증(recurrent focal segmental glomerulosclerosis)에 대해 임상적 적응증이 확대되었다. 더불어 신장이식에서 항체매개거부반응과 항ABO 항체나 항HLA 항체에 대한 탈민감(desensitization) 요법에도 활용되고 있다.

기술적 측면

혈장교환술은 기술적 방법에 따라 원심분리법(centrifugal blood cell separator)과 막혈장분리법(membrane plasma seperation)으로 나눠질 수 있다(그림 13-10-1). 원심분리법은 혈장을 제거함과 동시에 혈구세포들을 비중에 따라 원심분리 후 연속적 혹은 간헐적으로 환자에게 재주입

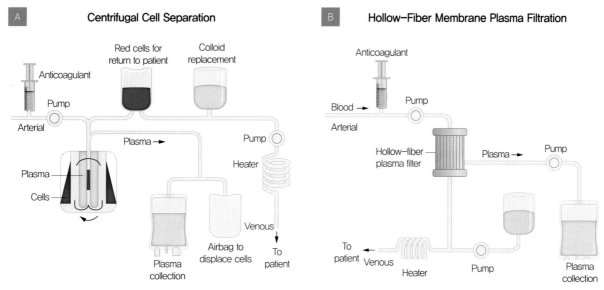

그림 13-10-1. 혈장 교환술의 기술적 방법
(A) 원심분리법(centrifugal cell separator), **(B)** 중공사 막혈장분리법(Hollow-Fiber membrane plasma seperation)

이 가능하다. 제거 가능한 물질 분자량의 상한치는 없으며, 상대적으로 적은 혈류량(50~150 mL/min)으로도 시행이 가능하기 때문에 팔의 전주정맥(antecubital vein)과 같은 큰 말초정맥을 혈관통로로 이용하여 진행이 가능하다. 막혈장분리법은 높은 투과성의 중공사(hollow fiber)를 사용하여, 막 투과가 가능한 혈장성분을 제거하고 투과되지 않는 혈구성분은 환자에게 재주입하는 원리를 이용한다. 3백만 달톤의 분자량까지 막 투과가 가능하며, 대부분의 면역글로불린이 제거가 가능하다. 막혈장분리법은 원심분리법에 비해 상대적으로 높은 혈류량(100~300 mL/min)이 필요하기 때문에 혈관통로로 중심정맥관이나 동정맥루를 사용해야 한다. 막혈장분리법은 원심분리법과 비교하여 속도가 빠르고 장비의 크기가 작은 장점이 있으며 단계적인 여과에 적용이 가능하다. 최근에는 지속신대체요법 기계를 이용하여 막혈장분리법을 이용한 혈장 교환술이 가능해지면서 사용이 증가하고 있다.

항응고요법

혈장교환술에서 항응고요법은 필수적이며, 원심분리법에서는 시트르산(citrate), 막혈장분리법에서는 헤파린을 주로 사용한다. 혈전미세혈관병증(thrombotic microangiopathy), 폐출혈, 신장 조직검사를 최근에 시행한 경우와 같이 출혈의 위험성이 높은 환자에서는 출혈의 위험성이 낮은 시트르산을 사용하는 것이 안전한 것으로 알려져 있다. 헤파린은 혈장교환술 중 단백 결합 형태로 제거되는 양을 고려하여 혈액투석에서 사용되는 양보다 많은 용량을 필요로 한다. 시트르산은 칼슘을 킬레이트 하여 혈전 생성과 혈소판 응집을 억제하는데, 혈장 칼슘 수치 저하로 인한 저칼슘혈증의 부작용이 유발될 수 있다.

보충액

혈장교환술을 시행할 때 많은 양의 콜로이드 보충이 필요하다. 1회의 혈장교환술은 혈장내 고분자 물질의 농도를 약 60% 정도 감소시키며, 5~10일에 걸쳐 5회의 혈장교환 술을 시행할 경우에는 체내 면역글로불린의 90%가 제거되 는 것으로 알려져 있다. 이는 매 혈장교환술마다 체중 1kg 당 약 50 mL의 혈장을 제거함으로써 얻어지는 효과로 원 인 질환 및 동반 질병에 따른 적절한 보충액의 선택을 필 요로 한다. 혈역학적 안정을 위해서는 콜로이드 삼투압을 유지해야 하며, 이를 위해 혈전미세혈관병증을 제외한 모 든 혈장교환술에서 알부민을 주된 보충액으로 사용하고 있다. 알부민은 감염의 위험이 없고, 알레르기 반응이 드 물다는 장점이 있다. 하지만 응고인자를 함유하고 있지 않 기 때문에 혈장교환술 이후 응고병증의 발생 가능성이 있 다. 이러한 이유로 출혈의 위험성이 높은 환자에서는 알부 민과 함께 신선동결혈장을 보충액으로 사용한다. 혈장은 응고인자를 포함하고 있으나 이 외의 면역글로불린 등을 포함하고 있기 때문에, 두드러기, 급성중증과민증(anaphy-laxis) 등의 알레르기 반응을 유발 가능하다. 또한 B형간 염, C형간염, HIV의 전파, 시트르산 유발 저칼슘혈증 증 가의 가능성이 있다. 하지만 앞서 언급한 것과 같이 진행 중인 폐출혈, 48시간 이내의 수술이나 조직 검사와 같이 출혈의 위험성이 높은 환자, 기존의 응고병증이 있는 경우, 섬유소원(fibrinogen)이 감소되어 있는 경우, 혈전혈소판감 소자색반병은 응고인자의 보충을 위해 혈장의 사용을 적 응증으로 한다.

합병증

혈장교환술의 합병증은 4~20%의 범위로 보고되고 있 으나 일반적으로는 심각하지 않으며 임상 상황에 따른 예 측이 가능하여 이에 대한 이해와 예방이 중요하다.

1. 시트르산 유발 합병증

원심분리법에서 시트르산을 항응고제로 사용하는 경 우, 시트르산은 혈장 내 유리 칼슘과 결합하여 저칼슘혈증 을 유발한다. 저칼슘혈증은 입 주변의 감각이상, 떨림, 움

찔수축의 증상으로 발현된다. 저칼슘혈증이 심하게 진행 할 경우 경련으로 진행될 수 있으며, 심근탈분극의 편평기 를 연장시켜 QT 간격 연장으로 인한 치명적인 부정맥을 유발하기도 한다. 시트르산에 의한 저칼슘혈증을 예방하 기 위해서 이온화 칼슘 농도의 측정 및 경구 혹은 경정맥 칼슘 주입을 시행할 수 있다. 시트르산은 체내에서 중탄산 염으로 대사가 되기 때문에 흔하지는 않지만 간질환 및 신 장 질환 환자들에서 대사성 알칼리증을 유발할 수 있다. 시트르산은 신선동결혈장 내에도 포함되어 있기 때문에 신선동결혈장을 보충제로 사용하는 경우 저칼슘혈증, 대 사성 알칼리증의 위험성이 더욱 증가할 수 있다.

2. 출혈성 경향

혈장교환술과 연관된 출혈 합병증은 주로 혈관통로를 위한 도관 삽입과 연관이 있다고 보고된다. 또한, 보충액 으로 알부민을 단일 보충제로 사용하는 경우 응고인자의 고갈을 통해 출혈성 경향을 높일 수 있다. 1회의 혈장교환 술은 프로트롬빈 시간을 약 30% 증가시키며, 부분프로트 롬빈 시간을 100% 증가시키는 것으로 보고된다. 출혈성 경향이 있는 환자들은 출혈을 예방하기 위해 300~600 ml 의 신선동결혈장을 보충액으로 사용하는 것을 권장한다.

3. 감염

혈장교환술에 의해 유발되는 저감마글로불린혈증이 이 차적으로 감염을 유발한다는 증거는 명확하지 않다. 혈장 교환술에서 발생하는 감염 합병증의 주된 감염원은 저감 마글로불린혈증 보다는 정맥 도관과 연관된 패혈증이라는 보고가 있다.

4. 저혈압

혈장교환술 중 혈압의 저하는 복합적인 원인에 의해서 발생할 수 있다. 주로 혈관내 용적 저하 및 삼투압 저하로 인해 발생하기 때문에 적절한 보충액 용량의 결정과 더불

표 13-10-1. 2019년 American Society for Apheresis Guideline의 권고와 분류

권고	설명
Grade 1A	강한 권고, 높은 근거수준
Grade 1B	강한 권고, 중등도 근거수준
Grade 1C	강한 권고, 낮은 혹은 매우 낮은 근거수준
Grade 2A	약한 권고, 높은 근거수준
Grade 2B	약한 권고, 중등도 근거수준
Grade 2C	약한 권고, 낮은 혹은 매우 낮은 근거수준
분류	설명
I	치료적 성분채집이 단독 혹은 병용요법으로 일차 치료에 해당
II	치료적 성분채집이 단독 혹은 병용요법으로 이차 치료에 해당
III	치료적 성분채집의 최적 조건이 성립되지 않아 환자 개별화 치료가 필요
IV	치료적 성분채집이 효과가 없거나 해가 되는 경우

어 결정질 용액보다는 콜로이드 용액인 알부민을 보충제로 사용함으로써 저혈압의 빈도를 감소시킬 수 있다. 또한 알레르기 반응, 패혈증, 체외순환 등의 이유로도 혈압 저하가 발생할 수 있다.

혈장분리교환술의 적응증

신장질환에서 혈장교환술의 적응증은 2019년 American Society for Apheresis Guideline을 참고하여 작성하였다. 2019년의 미국 치료적 성분채집의 권고사항을 첨부하였다(표 13-10-1).

1. 항GBM병(Anti-glomerular basement membrane antibody disease)

표 13-10-2. 항GBM병의 적응증과 권고 분류

적응증	권고	분류
광범위 폐포 출혈	Grade 1C	I
투석 비의존적인	Grade 1B	I
투석 의존적인, 광범위 폐포 출혈이 없는	Grade 2B	III

혈장교환술이 도입되기 이전에는 항GBM병의 사망률은 90%로 높았으며, 진단시 투석이 필요하지 않은 환자의 11%만이 추적관찰 기간 동안 신장 기능이 유지되는 것으로 보고되었다. 혈장교환술이 치료법으로 도입된 이후로는 생존률이 70~90%로 개선되었다. 항GBM병의 치료는 혈장교환술, 사이클로포스파마이드, 코르티코스테로이드의 병용을 포함한다. 혈장교환술은 항GBM병의 발병 초기 단계에 적용하는 것이 중요하다. 여러 코호트 연구에서 혈장 교환술 치료를 시작한 시점의 혈청 크레아티닌이 5.7 mg/dL 미만인 환자에서는 대부분 신기능의 호전을 보였으나, 혈청 크레아티닌이 5.7 mg/dL 이상이거나 진단시 투석이 필요한 환자에서는 대부분 신장 기능의 호전을 보이지 못했다. 항GBM병에서는 신기능 저하 이외에도 광범위 폐출혈의 합병증이 발생할 수 있으며, 임상경과가 빠르고 치명적인 경우부터 경증까지 다양한 경과를 보일 수 있다. 광범위 폐포 출혈은 약 90%에서 혈장교환술에 반응을 보이기 때문에, 진단시 투석 의존적인 환자들에서도 광범위 폐포 출혈을 동반한 경우에는 혈장교환술을 시행하는 것이 권고되고 있다.

항GBM병에 대해서 혈장교환술의 보충제는 알부민을 사용할 것을 권고하고, 광범위 폐포 출혈이 있을 경우 출혈성 위험을 줄이기 위해 부분적 혹은 전적으로 혈장을

보충액으로 사용할 것을 권고한다. 혈장교환술을 시행하는 경우 항사구체기저막항체는 2주 이내에 정상 수준으로 감소하게 된다. 따라서 혈장교환술을 적어도 10~20일 동안 시행할 것을 권고하고 있다. 혈장교환술의 시작과 종료에 있어서 항사구체기저막항체의 유무가 치료의 적응증이 되어서는 안되며, 신손상과 폐손상의 임상 호전 여부에 따라서 치료 및 중단 시기를 결정해야 한다.

2. ANCA관련혈관염(Anti-neutrophil cytoplasmic antibody associated vasculitis)

표 13-10-3. ANCA관련혈관염의 적응증과 권고 분류

적응증	권고	분류
미세다발혈관염/육아종증다발혈관염/신장 제한적 혈관염		
급속진행사구체신염, 크레아티닌 ≥5.7 mg/dl	Grade 1B	II
급속진행사구체신염, 크레아티닌 <5.7 mg/d	Grade 2C	III
광범위 폐포 출혈	Grade 1C	I
호산구 육아종증다발혈관염	Grade 2C	III

ANCA 관련 혈관염의 예후는 지난 50년간 스테로이드와 면역억제제의 사용으로 인해 급격하게 호전되었다. 항중성구세포질항체가 ANCA 관련 혈관염의 주요한 병태생리학적 역할을 나타내기 때문에 항체를 효과적으로 제거하기 위한 혈장교환술이 중요한 치료법으로 도입되었다. 최근의 무작위배정대조군임상시험인 MEPEX 연구는 총 137명의 혈청 크레아티닌 >5.5 mg/dL 혹은 투석이 필요한 ANCA 관련 혈관염 환자를 대상으로 진행되었다. 경구 사이클로포스파마이드와 경구 코르티코스테로이드 이후 부가적인 7회의 혈장교환술은 고용량 스테로이드 투약 (1000 mg/일 × 3일)과 비교했을 때 3~12개월 후에 신기능 호전에서의 의미있는 효과를 보였다. 그렇지만 이 연구에서 약 4년의 장기적 경과관찰을 했을 때에는 말기 신장질환 및 생존에는 의미있는 차이를 보이지 못하였다. PEXIVAS 연구는 광범위 폐포 출혈 혹은 사구체 여과율

50 mL/min 1.73 m² 미만의 미세다발혈관염 혹은 육아종증다발혈관염 환자 704명을 대상으로 시행되었다. 모든 환자는 고용량 스테로이드와 사이클로스포린 혹은 리툭시맙으로 관해유도요법을 시행하였고, 7회의 혈장교환술의 시행 여부에 따라 무작위 배정되었다. 1년째 예비 연구결과에서는 혈장교환술이 말기신장질환 및 사망의 위험을 감소시키는 것으로 확인되었으나, 역시 7년째 장기 추적관찰 결과상으로는 말기신장질환 및 사망에의 효용이 통계적인 유의성을 보이지는 못하였다. 따라서 단기간 치료 효과는 보였지만 장기 예후 개선에 대한 효과는 추가적인 연구가 필요한 실정이다.

ANCA 관련 혈관염에서 혈장교환술의 보충제는 알부민을 사용할 것을 권고하고, 광범위 폐포 출혈이 있을 경우 추가적인 출혈 위험을 줄이기 위해 혈장을 보충액으로 사용할 것을 권고한다. 평균적으로 14일 동안 7회 이상의 혈장교환술을 시행하며, 12회까지의 혈장교환술이 심각한 신기능 장애 혹은 광범위 폐포 출혈이 있는 환자에서 추가적인 치료 효과를 보이는 것으로 보고되고 있다.

3. 혈전혈소판감소자색반병(Thrombotic thrombocytopenic purpura, TTP)

표 13-10-4. 혈전혈소판감소자색반병의 적응증과 권고 분류

적응증	권고	분류
혈전혈소판감소자색반병	Grade 1A	I

혈장교환술은 면역 매개 혈전혈소판감소자색반병의 치명적인 사망률을 10~20% 이하로 낮췄다. 혈전혈소판감소자색반병증이 진단되는 경우 혈장교환술을 최대한 신속하게 시작해야 하며, 혈장교환술이 즉시 불가능한 경우 혈장교환술을 시작하기 전까지 고용량 혈장 주입을 고려할 수 있다. 혈장교환술이 항-ADAMTS13 자가항체를 제거하면서 ADAMTS 13 프로테아제 활성을 대체한다는 연구 결과에 따라 치료가 시행되고 있으나, 혈청 ADAMTS 13 활성도나 ADAMTS 13 억제제 농도가 임상경과와 항상 연관되지는 않는다. 혈전혈소판감소자색반병에서의 혈장교

제 **13** 부 투석 요법

환술은 많은 양의 혈장을 보충액으로 사용하기 때문에 알레르기 반응과 시트르산 반응이 빈번하게 보고된다. 용매세척(solvent detergent treated) 혈장이 심각한 알레르기 반응이 있는 환자에서 사용이 될 수 있으며, 부작용을 줄이기 위한 방안으로 알부민 50%, 혈장 50%의 보충액 사용이 혈장 100% 보충액과 비교하여 부작용은 줄이면서 동일한 치료 효과를 보이는 것으로 보고되었다.

혈장교환술은 일반적으로 혈소판 수치가 15만 이상, 젖산탈수소효소(LDH)가 정상에 근접하게 2~3일 유지될 때까지 시행을 한다. 혈장교환술을 장기간에 걸쳐 점감(tapering) 하는 것의 효용은 아직 전향적 연구로 밝혀지지 않았으나, 소규모 후향적 연구에서 점감을 하여 중단하는 것이 6개월 재발율을 낮추는 것으로 확인되었다. 일반적으로 점감 요법은 첫 번째 주에는 주 3회, 두 번째 주에는 주 2회, 세 번째 주에는 주 1회로 시행한다.

4. 보체 매개 혈전미세혈관병증(Complement mediated thrombotic microangiopathy)

표 13-10-5. 보체 매개 혈전미세혈관병증의 적응증과 권고 분류

적응증	권고	분류
인자 H 자가항체	Grade 2C	I
보체 인자 유전자 변이	Grade 2C	III

비전형 용혈요독증후군(atypical hemolytic uremic syndrome)은 보체 매개 혈전미세혈관병증으로도 알려져 있으며, 최근에는 항-C5 단일클론 항체인 에쿨리주맙(Eculizumab)을 1차적인 치료로 한다. 하지만 혈전혈소판감소자색반병이나 다른 종류의 혈전미세혈관병증에 대한 배제 진단 중에는 혈장교환술이나 혈장주입을 먼저 시작하는 것이 필요할 수도 있다. 진단이 확정되기 전에 혈장교환술을 시작하는 경우 혈장 치환술 전에 Shiga toxin, ADAMTS13 및 anti-factor H에 대한 진단적 검사를 먼저 진행하는 것이 중요하다.

5. ABO-적합 신장이식

표 13-10-6. ABO-적합 신장이식의 적응증과 권고 분류

적응증	권고	분류
항체 매개 거부반응	Grade 1B	I
탈민감, 생체장기기증	Grade 1B	I
탈민감, 사후장기기증	Grade 2C	III

사람백혈구항원(human leukocyte antigen; HLA) 항체는 수혈, 임신 또는 이식 중에 이종 사람백혈구항원에 노출된 결과로 생성되며, 초급성, 급성 또는 만성 항체 매개 거부반응으로 인한 이차적 이식신 소실을 유발한다. 사람백혈구항원 항체 선별 검사 결과상 높은 역가를 가진 환자들은 기증자를 찾는데 어려움을 겪으며 장기간 이식 대기상태에 머물게 된다. 면역학적으로 부적합한 신장 이식을 진행하는 것은, 기증자 장기 부족을 해결하여 신장이식의 접근성을 확장시키는 중요한 방법이다. 혈장교환술은 공여자 특이 항체를 제거하여 항체 매개 거부반응에 사용되는 치료방법이다. 현재 혈장교환술을 포함한 치료법은 70~80%의 이식 생존율을 보이며, 혈장교환술, 정맥주사용 면역글로불린, 리툭시맙을 사용하는 경우 90%의 이식 생존율을 보고하기도 한다. 혈장교환술은 이식전 탈감작시 사람백혈구항원 항체를 제거하기 위해 사용이 되기도 한다. 면역억제제와 함께 교차적합검사(crossmatch)가 음성이 나올 때까지 시행하며, 수술 후 3회 이상 추가적으로 시행하기도 한다. 추가 치료는 항체 매개 거부반응의 위험, 공여자 특이 항체 역가 또는 항체 매개 거부반응의 발생에 따라 결정된다.

6. ABO-부적합 신장이식

표 13-10-7. ABO-부적합 신장이식의 적응증과 권고 분류

적응증	권고	분류
탈민감	Grade 1B	I
항체 매개 거부반응	Grade 1B	II

최근에는 ABO-부적합 신장이식의 예방과 치료에 혈장교환술이 사용되고 있다. 초급성 거부반응과 급성 항체 매개 거부반응은 ABO-부적합 신장 이식의 이식 생존에 있어 핵심적인 위험인자로서, 혈장교환술은 수술 전후 항A, 항B 항체를 낮추기 위한 핵심적 치료 방법이다. 현재까지 ABO-부적합 신장이식에서 혈장교환술의 효용을 확인하기 위한 무작위배정대조군임상시험이 이뤄지지는 않았으나, 혈장 교환술의 유용성을 뒷받침하는 충분한 임상적 증거들이 알려져 있다. ABO-부적합 신장이식은 ABO-적합 신장이식과 비교해서 거부 반응의 빈도는 높으나 이식신 생존률은 전반적으로 유사한 것으로 보고되고 있다.

ABO-부적합 신장이식에서 혈장교환술은 알부민 혹은 혈장을 보충제로 사용한다. 혈장을 사용하는 경우 공여자와 수여자 모두의 혈액형에 적합해야 한다. 수술 직전 직후에는 혈장 보충액이 보편적으로 사용된다. 혈장교환술은 혈액에 대한 G면역글로불린을 특정 역가 아래로 낮출 때까지 시행된다. 항체 역가는 각 프로그램의 역가 측정 방법과 기술에 따라서 달라질 수 있다. 수술 후 ABO 항체의 역가는 급성 항체 매개 거부반응에 있어 낮은 양성 예측치와 높은 음성 예측치를 보인다.

▶ **참고문헌**

- Balogun RA, et al: Update to the ASFA guidelines on the use of therapeutic apheresis in ANCA-associated vasculitis. 35:493-499, 2020.
- Derebail VK, et al: ANCA-associated vasculitis-refining therapy with plasma exchange and glucocorticoids. N Engl J Med 382:671-673, 2020.
- Kaplan AA. Therapeutic plasma exchange: a technical and operational review. J Clin Apher 28:3-10, 2013.
- Mokrzycki MH, et al. Therapeutic apheresis: a review of complications and recommendations for prevention and management. J Clin Apher 26:243-248, 2011.
- Padmanabhan A, et al. Guidelines on the use of therapeutic apheresis in clinical practice-evidence-based approach from the Writing Committee of the American Society for Apheresis: the eighth special issue. J Clin Apher 34:171-354, 2019.
- Sadiq A, et al. Therapeutic Plasma Exchange Using Membrane Plasma Separation. Clin J Am Soc Nephrol 15:1364-1370, 2020.
- Stegmayr B, et al. World apheresis registry 2003-2007 data. Transfusion and apheresis science 39:247-254, 2008.

결론

혈장교환술의 적응증과 기술적 방법에 대한 이해는 적절한 시점에 적절한 용량으로 혈장교환술을 시행할 수 있도록 할 것이다. 더불어 임상적 상황에 따라 발생 가능한 합병증을 숙지한다면, 합병증의 예측 뿐 아니라 예방을 통해 예후 개선에 이바지할 수 있을 것이다.

PART 14 중재신장학

김성균 (한림의대)

CHAPTER
01 중재신장학 개요

김성균 (한림의대)

KEY POINTS

● 중재신장학은 새롭게 부각되고 있는 신장학의 세부 분야로써 콩팥 및 혈관 초음파, 초음파 유도 콩팥조직검사, 혈액투석도관 삽입, 복막투석도관 삽입 및 혈관통로의 유지 및 합병증 해결을 위한 혈관내 치료 등을 다루는 학문이다.

중재신장학의 정의 및 범위

중재신장학은 새롭게 부각되고 있는 신장학의 세부 분야로서 콩팥 및 혈관 초음파, 초음파 유도 콩팥조직검사, 혈액투석도관 삽입, 복막투석도관 삽입 및 혈관통로의 유지 및 합병증 해결을 위한 혈관내 치료 등을 다루는 학문이다. 즉, 말기콩팥병 환자의 생명선이라 할 수 있는 혈관통로의 관리를 책임지는 학문이라 할 수 있겠다. 1970년대 이후 투석을 받는 환자 수가 급증하면서 신장내과 의사가 진료에 바빠지면서 중재신장학 분야는 다른 전문가들에 의해 수행되었으나 그 결과 혈관통로 문제에 대한 진단과 치료가 지체되는 결과를 낳았다. 이를 만회하고자 1990년대에 열정을 가진 신장내과의사들에 의해 중재신장학 시술, 교육, 수련 및 연구가 활발해지면서 전 세계적으로 재정립되었다.

우리나라에서 고령화와 당뇨병 등의 증가로 말기콩팥병 환자들이 급격히 늘어남에 따라 혈액투석 환자는 급격히 늘어나고 있으며, 투석혈관 관련 시술과 이에 대한 의료비

도 급격히 상승하고 있다(그림 14-1-1). 이에 따라 투석혈관 문제에 대한 정확한 진단과 적절한 치료가 매우 중요하며, 이를 위해서는 투석에 대해 가장 잘 알고 있는 신장내과의사의 관심과 중추적 관여가 필요하다.

중재신장학 분야에서 수행되는 각종 시술의 목표는 우리 콩팥질환 환자들이 가지고 있는 각종 임상 문제들을 가장 가까이에서 보고 가장 잘 알고 있는 신장내과 의사들이 효과적이고 지체 없이 해결하는 것이며, 중재신장내과의사에 의한 각종 시술의 성과, 안전성, 비용효과에 대해서는 Beathard 등이 확인 보고한 바가 있다. 이 목표를 위해서 신장내과의사들은 이 새로운 영역의 각종 술기들을 연마하고 수련 받아야 할 것이다.

중재신장학의 국제 현황

중재신장학회의 창시자라고 말할 수 있는 Gerald A. Beathard 교수가 80년대부터 그간 신장학 분야 밖에 있었

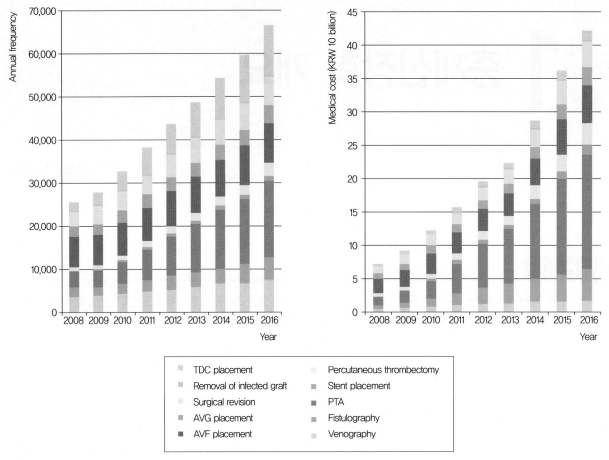

그림 14-1-1. 국내 투석혈관 시술과 의료비 증가추세

던 중재신장학의 여러 술기와 기록들을 정리하였으며, 중재신장학의 역할을 강조하면서 많은 신장내과 의사들을 교육하고 수련시키기 시작하였고, 1996년 National Kidney Foundation 주관 연례모임에서 중재신장학 워크숍을 시작한 이후 미국에서는 2000년 미국중재신장학회(American Society of Diagnostic and Interventional Nephrology, ASDIN)가 창립되어 지금까지 많은 임상활동, 교육, 수련 및 연구 기회를 제공하고 있으며, 미국신장학회(American Society of Nephrology, ASN)에서도 중재신장자문위원회(Interventional nephrology advisory board)를 구성하여 교육 및 학술 활동을 하고 있다. 또한, 국제신장학회(ISN)에서도 2004년 중재신장위원회(interventional nephrology committee)를 구성하여 중재신장학

이 신장학의 한 분야라는 것을 강조하고 학술대회와 회원들에게 중재시술 관련 슬라이드와 동영상 배포 등을 통하여 교육활동에 힘쓰고 있다.

또한 중재신장내과의사들의 자체 모임은 생겨나지 않았으나, 투석도관에 관심 있는 모든 영역 의사들이 모여서, 유럽에서는 1997년에 설립된 Vascular Access Society (VAS), 일본은 1998년 설립된 Japanese Society for Dialysis Access (JSDA) 내에서 신장내과 의사들이 역량을 확대해나가고 있다.

세계적 현황에서 일본을 제외한 아시아 국가들은 미국과 유럽에 비해 중재신장학이 뒤쳐져 있다고 판단하여, 한국과 일본의 중재신장학의사들의 주창으로 2017년 아시아태평양 투석통로협회(Asian Pacific Society of Dialysis

표 14-1-1. 전국 대학병원에서 중재신장 시술이 신장내과의사에 의해 시행되는 빈도

Year	2011(%)	2017(%)
Non-tunneled HD catheter insertion(central or femoral vein)	61	62
Tunneled HD catheter insertion(central Vein)	7	18
Endovascular intervention(PTA or thrombectomy)	2	7
PD catheter insertion	26	19

Access, APSDA)를 창립하고, 이 지역 신장내과의사들에게 중재신장학 분야의 교육, 연구, 수련의 기회를 제공하고 있다.

중재신장학의 국내 현황

내과 의사들이 진료 업무에 바빠 초음파가 영상의학과의사들에 의해 수행되면서, 과거 대부분 신장내과의사에 의해 시행되었던 신장조직검사 역시 1990년대 중반부터 영상의학과의사에 의한 초음파유도 검사로 대체되었다. 이는 신장내과의사들이 초음파 기계를 가지고 있지 못하고 초음파검사에 대한 수련 기회가 없었기 때문이다. 그러나, 대한내과학회의 초음파 교육 의무화, 개원 내과의사들에 의해 창립된 대한임상초음파학회의 임상초음파 교육, 신장내과 의사들에 의한 투석 환자에서 초음파 활용이 증가되면서 최근 내과의사에 의한 초음파검사 및 조직검사도 증가하고 있다.

혈액투석환자의 혈관통로 관리를 타 과 의사에게 거의 위임했던 국내에서도 2010년 중재신장학에 관심을 가지고 있던 신장내과의사들을 중심으로 대한중재신장학연구회(Korean Society of Diagnostic and Interventional Nephrology, KSDIN)를 창립하였고 김용수 교수를 초대 회장으로 추대하였다. 국내적으로는 각종 중재시술의 현황을 파악하는 것이 중요했으므로, 2011년 전국 70개 대학병원을 대상으로 중재시술 현황을 조사한 결과에 의하면 임시로 사용되는 비터널형 혈액투석용 도관삽입술이 61%

로 신장내과의사들에 의해 주로 시행되는 것을 제외하고는, 신장내과의사에 의한 초음파유도 신장조직검사는 26%, 복막투석 도관삽입술은 26%, 터널형 혈액투석 도관(Tunneled cuffed hemodialysis catheter) 삽입술 7%, 혈액투석 혈관통로 중재시술은 2%로 거의 타과의사들에 의해 수행되고 있었다(표 14-1-1). 이에 국내 중재신장학을 확립하기 위해 일본의 Takashi Sato 선생 그룹과 교류하면서 임상 및 연구 역량을 높여나갔으며, 매년 연수강좌를 통해 국내 신장내과의사들에게 교육의 장을 제공하고 있다. 이를 바탕으로 전 세계 유수의 중재신장학의사들을 초청하여 2015년에는 Dialysis Access Symposium을 서울에서 개최하였고 이는 아시아태평양투석통로학회의 창립에 기반이 되었다. 또한 2019년에 발표된 K/DOQI 가이드라인을 재빨리 완역하여 발간, 배포함으로써 국내의료진들이 국제 표준지침을 쉽게 활용할 수 있게 하였다. 이런 활동에 힘입어 2017년 전국 70개 대학병원을 대상으로 중재시술 현황을 조사한 결과에 의하면 터널형 혈액투석 도관삽입술 18%, 혈액투석 혈관통로 중재시술은 7%로 증가된 것으로 나타났다(표 14-1-1).

중재신장학의 미래

중재신장학의 미래는 교육과 수련의 양과 질이 좌우한다고 생각한다. 얼마나 많은 신장내과의사들을 양질의 교육프로그램들을 통해 중재신장내과의사로 양성하느냐가 이 학문의 발전을 좌우할 것이다. 대한신장학회와 중재신

장학연구회는 현재 수행하고 있는 학술대회 심포지움, 연수강좌, Hands-on 교육 등 양질의 교육프로그램을 개발·유지하려 노력해야 하며, 기존의 투석혈관센터를 운영하고 있는 중재신장내과의사들은 후학들에게 수련의 기회를 주는 프로그램들을 운영하여야 할 것이다. 연구에 있어서도 대한신장학회의 후원으로 중재신장내과의사들에 의해 수행되는 각종 중재시술 레지스트리 사업을 시작으로 다기관 협동연구를 활성화하려고 노력하고 있다. 이런 노력보다 더 중요한 것은 이를 통해 양성된 중재신장내과의사들이 각 병원에서 실제로 투석혈관센터를 개설하여 활발히 활동할 수 있도록 우리 신장내과 선배 동료 의사들이 도와주어야 한다는 것이다.

지난 10여 년간 중재신장내과의사가 중심이 되는 새로운 투석혈관센터 설립이 얼마나 어려운지를 체험하였지만, 끊임없는 노력과 열정으로 이를 극복한 중재신장내과의사들의 성공적인 센터 설립 및 활약상을 지켜보면서 중재신장학의 미래는 매우 밝다고 생각한다.

▶ 참고문헌

• Gerald A. Beathard: Role of interventional nephrology in the multi-disciplinary approach to hemodialysis vascular access care. Kid Res Clin Pract 34:125–131, 2015.

• Kim YS, et al: Current state of dialysis access manage-ment in Korea. J Vasc Access 20(suppl 1):15–19, 2019.

• Lee HS, et al: Current treatment status and medical costs for hemodialysis vascular access based on analysis of the Korean Health Insurance Database. Korean J Intern Med 33:1160–1168, 2018.

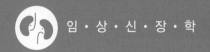

CHAPTER

02 투석혈관의 종류와 임상 해부학

구상건 (창원한마음병원)

개요

통상 주 3회, 연 156회가량의 유지혈액투석 치료를 지속적이고 성공적으로 시행하기 위해서는 안정된 혈류량을 유지할 수 있는, 굵은 바늘로 두 군데 천자가 가능한 투석혈관(arteriovenous access) 혹은 투석도관(hemodialysis catheter)이 필요하다. 이 둘을 묶어 부르는 혈관통로(Vascular access)는 이러한 이유로 혈액투석환자의 생명선으로 불리며, 혈액투석환자의 건강에 필수 불가결한 요소이다. 하지만 안전하고 반복적으로 천자하기 편리하도록 피부에 가깝고, 굵고, 혈류량이 충분한 혈관은 자연 상태의 인체에서는 존재하지 않는다. 따라서 인위적으로 동맥과 정맥을 연결한 션트(shunt)를 만들어 투석에 적합한 동맥화 된 정맥을 조성해야 한다.

2019년 새롭게 개정된 KDOQI 혈관통로 임상진료지침에서는 '환자우선(patient first)'의 개념을 주창하며 말기콩

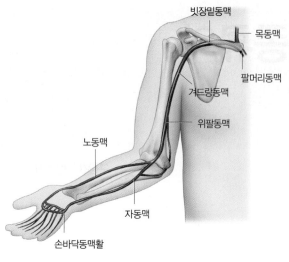

그림 14-2-1. 팔의 동맥계

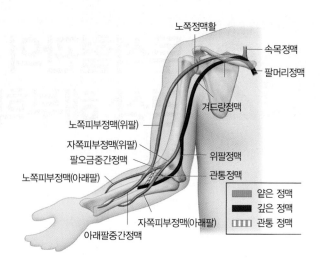

그림 14-2-2. 팔의 정맥계

팔병 생애 계획(End-stage kidney disease Life-Plan)을 강조하였다. 말기콩팥병 생애 계획은 환자의 질병을 이해하고 적응하면서 같이 생활하기 위한 전략이며, 개별 환자의 신대체요법에 대한 계획을 수립하면서 혈관통로 전략을 같이 고려하도록 권고하고 있다. 이를 위해서는 말기콩팥병 환자 진료의 총책임자로서 혈액투석 및 혈관통로 진료에 관련된 의료진들과 소통하기 위한 해부생리학적 이해와 정확한 용어의 사용이 신장내과 의사에게 요구된다.

팔의 혈관 해부학

심장에서 시작된 동맥혈류는 우측 팔의 경우 상행대동맥(ascending aorta)에서 팔머리동맥(brachiocephalic artery, innominate artery)을 통해 우측 빗장밑동맥(subclavian artery)으로, 좌측 팔의 경우 대동맥활(aortic arch)에서 좌측 빗장밑동맥을 거쳐 제1 갈비뼈 바깥면에서 겨드랑동맥(axillary artery)으로 이행한다. 겨드랑동맥은 큰원근(teres major muscle) 아랫면에서 위팔동맥(brachial artery)이 되는데, 위팔동맥은 보통 팔오금에서 약 2cm 먼쪽에서 노동맥(radial artery)과 자동맥(ulnar artery)으로 분지된다. 12~14% 정도는 이런 분지가 몸쪽(proximal)인

겨드랑 부위에서 이루어지는데 이를 고위분지(high bifurcation)라고 한다. 이 경우 위팔동맥으로 예상하고 조성한 투석혈관이 실제로는 노동맥이나 자동맥을 이용하게 되어 예상보다 예후가 나쁠 수 있다. 따라서 수술 전 초음파로 고위분지 여부의 확인이 필요하다. 노동맥은 아래팔의 바깥쪽으로 피부에 가깝게, 자동맥은 안쪽으로 근육 사이로 깊게 주행한다. 노동맥과 자동맥은 손바닥동맥활(palmar arch)에서 합류하며 팔의 끝까지 혈류를 공급하고 이후 정맥계로 전환된다(그림 14-2-1).

정맥은 근육근막(muscle-enveloping fascia)과의 위치에 따라 깊은 정맥(deep vein)과 얕은 정맥(superficial vein)으로 나뉘며 이 두 정맥계통을 연결해 주는 것이 관통정맥(perforating vein)이다. 얕은 정맥은 피부와 근막 사이에 위치하며 투석혈관의 조성에 주로 사용된다. 근막의 깊은 쪽에 위치하는 깊은 정맥은 보통 쌍을 이루어 해당 동맥의 양옆으로 나란히 주행한다. 관통정맥은 이름 그대로 근막을 관통하여 얕은 정맥계와 깊은 정맥계를 연결한다.

얕은 정맥은 손등정맥그물에서 시작하여 아래팔 바깥쪽의 노쪽피부정맥(cephalic vein)과 안쪽의 자쪽피부정맥(basilic vein)으로 나뉘고, 그 사이로 주행하는 아래팔중간정맥(median antecubital vein)이 다양한 형태로 존재한

다. 팔오금 부위에 있는 관통정맥은 얕은 정맥계의 협착이나 폐색이 발생한 때도 깊은 정맥계로 혈류가 유지되도록 돕는다. 아래팔중간정맥은 팔오금 부위에서 팔오금중간정맥(median cubital vein)과 연결되는데 이 정맥은 안쪽으로 비스듬히 주행하여 자쪽피부정맥과 합류한다. 자쪽피부정맥은 위팔의 아래 1/3 지점에서 근막을 관통하여 깊은 정맥인 위팔정맥(brachial vein)과 나란히 주행하다 겨드랑이 부근에서 합류하여 겨드랑정맥(axillary vein)을 형성한다. 위팔에서 노쪽피부정맥은 바깥쪽을 따라 주행하다 삼각근(deltoid muscle)과 대흉근(pectoralis major muscle) 사이로 꺾여 들어가 노쪽정맥활(cephalic arch)을 이루고 겨드랑정맥과 합류한다. 겨드랑정맥은 빗장밑정맥(subclavian vein), 팔머리정맥(brachiocephalic vein, innominate vein) 순서로 해당 동맥과 나란히 주행하여 위대정맥(superior vena cava)을 거쳐 심장으로 복귀한다(그림 14-2-2).

투석혈관의 종류

투석혈관은 동맥과 정맥을 직접 연결하였는지 또는 인조혈관을 이용하여 연결하였는지에 따라 동정맥루(arteriovenous fistula, AVF) 혹은 인조혈관(arteriovenous graft, AVG)으로 구분하며 이용된 동맥과 정맥 또는 해부학 위치에 따라 명명하게 된다.

투석혈관의 종류를 선택할 때는 혈관 특성, 환자의 동반 질환, 건강 상태와 환자 선호도를 고려하여 최선의 결정을 내려야 한다. 같은 조건이라면 주로 사용하지 않는 팔을, 인조혈관보다는 동정맥루를, 몸쪽(proximal)보다는 면쪽(distal)의 혈관을, 깊은 정맥보다는 얕은 정맥을, 혈관 자리를 옮기는(transposition) 것보다는 그대로(conventional) 이용하는 것을 우선 고려한다.

대개 인조혈관보다는 동정맥루가 혈전증이나 협착의 빈도가 낮고 오래 사용할 수 있으므로 더 선호된다. 동맥과 정맥을 수술로 직접 연결하여 조성하며, 손목이나 팔오금 등 혈관의 노출이 비교적 쉬운 부위에서 시행한다. 동정맥

루가 성숙하려면 약 4–12주가 소요되므로 유지혈액투석이 필요할 것으로 예상되는 만성콩팥병 환자는 적절한 시기에 동정맥루 조성을 고려해야 한다.

투석혈관과 관련되어 성숙이 잘 이루어지지 않거나 지연되는 것, 투석 바늘의 천자가 적절히 이루어지지 않아 혈종이나 침윤이 발생하는 문제, 수술 중 동정맥 문합을 위해 당겨진 정맥 부위인 'Swing point'의 협착, 신내막증식(neointimal hyperplasia)으로 인한 협착 및 혈전증, 반복 천자로 인한 동맥류의 확장, 감염, 스틸 증후군(steal syndrome)으로 인한 말초의 허혈, 고유량 동정맥루로 인한 중심정맥협착 및 울혈성 심부전의 악화 등 다양한 문제가 발생할 수 있다. 투석혈관의 종류에 따라 각 문제가 발생하는 빈도에 차이가 있으며, 정기적인 모니터링과 감시를 통해 미리 예방하거나 문제 발생 초기에 적절한 치료를 시행하는 것이 중요하다.

1. 팔의 동정맥루

가장 먼저 조성을 고려할 동정맥루는 노동맥-노쪽피부정맥 동정맥루(Radiocephalic fistula)이다. 신장내과 의사인 Brescia와 Cimino가 고안한 수술방식으로 과거에는 BC 동정맥루라고도 불렸으나, 위팔동맥-노쪽피부정맥 동정맥루(Brachiocephalic fistula)와 혼동될 수 있으므로 정식 용어를 사용하는 것이 바람직하겠다. 성숙 실패나 지연을 제외하고는 앞에서 언급한 투석혈관관련 문제들의 빈도가 가장 낮은 혈관 유형이다. 최근 투석환자의 기대수명이 길어짐에 따라 기존 투석혈관의 수명이 다하였을 때 새로운 투석혈관으로 이용 가능한 혈관들을 남겨 두는 것이 필요하다. 따라서 팔에 만들 수 있는 가장 면쪽의 투석혈관이므로 적극적으로 고려하는 것이 좋겠다. 문합부주위(juxta-anastomosis) 협착의 빈도가 높은 편이며, 혈류가 지나치게 늘어나더라도 이후 여러 갈래로 혈류가 나뉘어 몸쪽 정맥에서 의미 있는 협착의 빈도는 낮게 나타난다(그림 14-2-3).

아래팔 면쪽 노쪽피부정맥의 상태가 좋지 못할 때 아래팔에서 추가로 투석혈관 조성에 이용 가능한 정맥은 아래

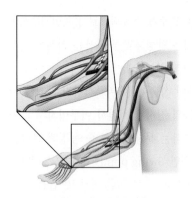
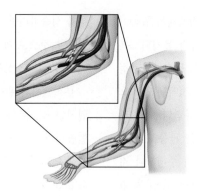
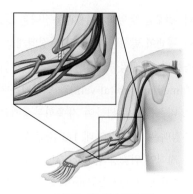

노동맥–노쪽피부정맥 동정맥루　　　　노동맥–아래팔중간정맥 동정맥루　　　　노동맥–관통정맥 동정맥루

그림 14-2-3. 아래팔의 동정맥루

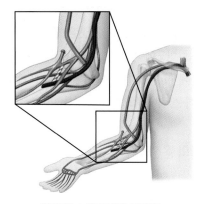
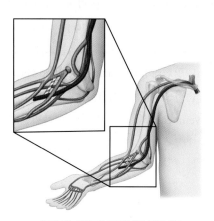

위팔동맥–노쪽피부정맥 동정맥루　　　　　위팔동맥–자쪽피부정맥 전위 동정맥루

그림 14-2-4. 위팔의 동정맥루

팔 몸쪽 노쪽피부정맥과 아래팔중간정맥, 또는 관통정맥이 있다. 위 혈관들을 이용한 동정맥루의 경우 아래팔에서 천자구역이 노동맥–노쪽피부정맥 동정맥루보다 제한적이지만, 마찬가지로 혈류량이 많이 늘어나더라도 몸쪽 정맥의 협착이 잘 발생하지 않는 장점이 있다. 이런 방식으로 동정맥루를 조성하였을 경우 실제 천자에 활용하는 노쪽피부정맥보다 자쪽피부정맥으로 혈류가 많이 가는 경우들이 흔하므로 주의가 필요하다. 아직 국내에서는 사용할 수 없으나 북미와 유럽에서는 혈관내 동정맥루 조성술(endoAVF creation)의 연구가 많이 진행되고 있으며, 팔오금 주변의 노동맥과 관통정맥을 이용하거나 자동맥과 자정맥, 노동맥과 노동맥을 이용하므로 위와 유사한 형태의 동정맥루가 조성된다. 이런 혈관내 동정맥루 조성술은 절

개 및 봉합 등 기존의 수술방식을 사용하지 않고 덜 침습적으로 동정맥루를 조성할 수 있다는 점에서 주목받고 있다.

위팔에서 동정맥루를 조성할 때 동맥은 위팔동맥을, 정맥은 노쪽피부정맥을 우선 고려한다(그림 14-2-4). 위팔동맥–노쪽피부정맥 동정맥루를 조성하였을 경우 혈류가 모두 노쪽피부정맥을 통하게 되며, 이후 급격한 각을 이루며 빗장밑정맥으로 합류되는 노쪽정맥활 부위의 협착이 흔히 발생할 수 있다. 특히 고유량 동정맥루의 경우 의미 있는 협착이 재발하는 빈도가 높으므로 혈류를 낮추거나 유출로를 옮겨주는 등의 추가적인 조치가 필요할 수 있다.

드물지만 위팔의 자쪽피부정맥을 이용하기도 하는데 자쪽피부정맥은 노쪽피부정맥에 비해 상대적으로 깊게 위치

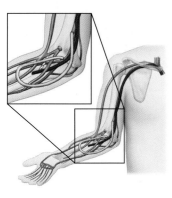
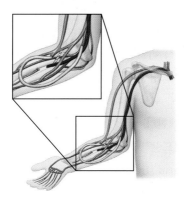
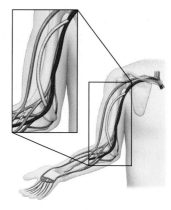

위팔동맥–자쪽피부정맥
아래팔U자형 인조혈관

위팔동맥–아래팔중간정맥
아래팔U자형 인조혈관

위팔동맥–겨드랑정맥
위팔 직선형 인조혈관

그림 14-2-5. 팔의 인조혈관

하거나, 위팔동맥과 주행이 유사하여 안전한 천자가 어려워 그대로 사용하기보다는 표재화(superficialization) 및 자리옮김(transposition)을 병행한다.

2. 팔의 인조혈관

인조혈관은 동맥 혹은 정맥의 상태가 나빠 동정맥루를 조성할 수 없을 때 다음 순위로 고려한다. 이상적인 인조혈관은 이물반응이나 감염의 위험이 낮고, 반복 천자가 가능한 내구성과 수술 시 다루기 쉬울 것이 요구된다. 현재는 이것에 부합한 ePTFE(expanded polytetrafluoroethylene)라는 재질의 합성 인조혈관을 주로 사용한다. 그러나 인조혈관은 천자 손상 후 스스로 회복이 되지 않을 뿐 아니라, 혈전증이나 협착, 감염 등의 합병증 위험이 동정맥루에 비해 높아 주의가 필요하다. 특히 인조혈관–정맥 문합부 주변은 협착이 흔히 발생할 수 있으며, 지혈의 연장이나 문합부에서 먼쪽의 팔부종이 발생하면 의심해 보아야 한다. 자가혈관에 비해서 예상치 못하게 혈전증이 발생하여 막히는 경우도 잦으며, 저혈압과도 연관성이 있다고 알려져 혈전증이 반복되는 환자에서는 투석 시 수분 제거량 및 혈압약제 처방 시에 주의가 필요하다.

현재 합성 인조혈관의 재질에 관해서는 많은 연구와 개선이 이루어지고 있어 인조혈관 조성 수술 후 수일 내 천자가 가능한 조기천자 인조혈관(early cannulation graft)이 개발되었다. 아직 국내에는 도입되지 않아 사용이 어려우나, 장차 사용이 늘어날 것으로 기대된다.

인조혈관은 유입동맥과 유출정맥의 이름과 인조혈관 삽입 부위 및 형태에 따라 이름을 짓는다(그림 14-2-5). 아래팔에 조성할 때 유입동맥으로는 통상 위팔동맥을 사용하고 유출정맥은 자쪽피부정맥이나 노쪽피부정맥, 아래팔중간정맥을 이용하는데 이런 표재정맥의 상태가 좋지 못하면 위팔정맥 등 심부정맥을 사용하기도 한다. 위팔동맥–자쪽피부정맥 아래팔 루프 인조혈관(Brachio-basilic forearm loop graft)의 경우 위팔의 자쪽피부정맥에 인조혈관을 문합했을 때 인조혈관이 팔꿈치를 굽히더라도 위팔뼈(humerus)의 가쪽위관절융기(lateral epicondyle) 주변으로 지나가므로 인조혈관이 접혀서 혈전증이 발생하는 것을 예방할 수 있다. 그리고 유출정맥인 자측피부정맥이 성숙하였을 때 추가적인 수술을 통해 위팔동맥–자쪽피부정맥 전위 동정맥루로 전환을 고려할 수 있다는 것도 장점이다.

동정맥루 수술을 하기에는 정맥 상태가 좋지 않으나, 팔오금 부위처럼 유출로가 여러 갈래로 나뉜다면 아래팔중간정맥이나 관통정맥 등을 이용하여 조성할 수 있다. 이럴 때는 팔꿈치를 굽혔을 때 혈류에 영향을 주지 않는지, 수술 전 정맥 문합부의 위치 설정에 주의가 필요하다.

위팔에 인조혈관을 조성하면 유입동맥은 역시 위팔동맥을 주로 사용하나 동맥의 상태가 나쁠 경우 겨드랑동맥을 이용하여 루프 인조혈관으로 조성하기도 하며, 유출정맥은 통상 겨드랑정맥이나 혹은 위팔정맥을 선택한다. 위팔의 인조혈관 중 가장 흔한 형태는 위팔동맥-겨드랑정맥 위팔 직선형 인조혈관(Brachio-axillary upper arm straight graft)이다. 일반적으로 위팔의 인조혈관은 해당 팔의 마지막 투석혈관으로써 선택되므로, 양쪽 위팔에 조성한 인조혈관마저 수명을 다하면 다리나 가슴 부위에 인조혈관을 조성하기도 하는데 통상적인 투석혈관에 비해 개통을 오래 유지하기는 어렵다.

▶ 참고문헌

- 김상준 등: 투석을 위한 혈관 접근. 바이오메디북, 2012.
- 혈액투석 접근로 관리지침 위원회. 대한투석접근학회 혈액투석 접근로 관리지침. 2014.
- Hans Scholz: Arteriovenous access surgery: Ensuring adequate vascular access for hemodialysis. Springer, 2015.
- Lok CE, et al; National Kidney Foundation. KDOQI Clinical Practice Guideline for Vascular Access: 2019 Update. Am J Kidney Dis 75(4 Suppl 2):S1-S164, 2020.
- Schmidli J, et al: Vascular access: 2018 Clinical practice guidelines of the European Society for Vascular Surgery (ESVS). Eur J Vasc Endovasc Surg 55:757-818, 2018.
- Sidawy AN, et al: Recommended standards for reports dealing with arteriovenous hemodialysis accesses. J Vasc Surg 35:603-610, 2002.
- Tushar J. Vachharajani. Atlas of Dialysis Vascular Access. 2010.

CHAPTER

03 혈액투석 혈관통로의 합병증

이진호 (이신내과의원)

KEY POINTS

- 2019년 KDOQI (The National Kidney Foundation's Kidney Disease Outcomes Quality Initiative) 가이드라인에 따르면 혈전에 의한 혈류 관련 합병증 혹은 기능부전, 비혈전성 혈류 관련 합병증 또는 기능부전, 감염성 합병증 또는 기능부전으로 분류한다.

- 혈액투석 혈관통로의 합병증은 수술 후 2주 내에 발생하는 초기 합병증으로 출혈(bleeding), 혈종(hematoma), 혈관의 미성숙, 협착과 혈전증, 수술 부위나 원위부의 통증(pain), 감각이상(paresthesia), 부종(edema), 장액종(seroma) 등이 포함되고, 후기 합병증으로는 혈관통로의 감염, 동맥류나 가성동맥류, 혈관통로의 협착, 혈전증, 천자 후 발생하는 침윤(infiltration), 도류증후군 등이 대표적이다.

- 의미 있는 협착은 혈관 직경의 50% 이상 감소가 있는 경우를 의미하고, 이 때 전체 혈관 단면적의 75% 이상이 감소된다. 협착이 진행하면 투석이 제대로 이뤄지지 않아 효율이 떨어지거나 천자가 실패하고 통증을 유발하며, 오랫동안 지혈이 되지 않거나 팔이 붓는 증상을 일으킬 수도 있으며, 혈전증을 발생할 수 있다. 혈류관련 합병증은 혈관내 치료가 우선적으로 시행되며, 임상적 지표가 동반된 경우에만 치료해야 한다.

- 허혈성 단발성 신경병증(ischemic monomelic neuropathy)은 수술 직후 발생하는 합병증으로 손이 따뜻하지만 손가락에 힘이 없고 무감각, 마비가 발생하여 영구적인 장애를 남길 수 있어서 즉각적으로 투석혈관을 결찰하여 원위부 혈류를 재개통해야 한다.

- 동맥류는 동정맥루에서 유출정맥이나 중심정맥의 협착이 발생하게 되어 약해진 혈관벽이 부풀어 오르게 되거나, 천자로 인한 상처나 반복적으로 같은 곳에 천자를 시행한 경우 또는 감염으로 인한 이차적인 변화 등에 의해 발생한다.

- 가성동맥류는 천자 후 급격히 크기가 커지거나 지혈이 되지 않아 심각한 출혈이 발생할 수 있어 천자는 금기이다.

- 투석 혈관통로의 감염은 흔하지만 치료가 쉽지 않고 전신감염증의 위험성이 있다. 환자와 시술자의 손 씻기와 소독을 통해 감염을 예방하는 것이 중요하다.

개요

혈액투석 혈관통로(hemodialysis vascular access)의 합병증은 투석혈관 수술 직후부터 수년 또는 수십 년 후에도 발생하여 다양한 임상 양상으로 혈액투석 환자의 이환율과 사망률에 나쁜 영향을 끼친다. 혈액투석 혈관통로의 합병증은 2019년 KDOQI(The National Kidney Foundation's Kidney Disease Outcomes Quality Initiative) 가이드라인에 따르면 혈전에 의한 혈류 관련 합병증 혹은 기능부전(Thrombotic flow-related complications or dysfunction), 비혈전성 혈류 관련 합병증 또는 기능부전(non-thrombotic flow-related complications or dysfunction), 감염성 합병증 또는 기능부전(infectious complications or dysfunction)으로 분류한다.

혈전에 의한 혈류 관련 합병증은 투석혈관의 협착(stenosis)과 혈전(thrombosis)에 의해 혈류가 감소하고, 투석이 제대로 이루어지지 않으며, 개통성의 저하를 일으켜 다양한 임상 증상이나 징후를 나타낸다. 혈액투석 혈관통로의 협착과 혈전증이 대표적이며, 혈관의 미성숙(immaturation)도 여기에 포함된다.

비혈전성 혈류 관련 합병증은 혈류의 흐름 및 개통성과의 연관성 유무와 별개로 발생하는 임상 징후와 증상을 나타내는 것이다. 동맥류(aneurysm)나 가성동맥류(pseudoaneurysm), 도류증후군(steal syndrome), 장액종(seroma), 고혈류량 투석혈관(high flow vascular access) 등이 포함된다.

감염성 합병증은 혈액투석 혈관통로의 다양한 곳(내강, 외강, 혈관통로 주변 조직, 천자 부위 피부 등)에 감염과 관련된 임상 증상이나 징후를 나타낸다.

혈액투석 혈관통로의 합병증을 시기에 따라 분류하면, 수술 후 2주 내에 발생하는 초기 합병증에는 출혈(bleeding), 혈종(hematoma), 혈관의 미성숙, 협착과 혈전증, 수술 부위나 원위부의 통증(pain), 감각이상(paresthesia), 부종(edema), 장액종(seroma) 등이 포함된다.

후기에 발생할 수 있는 합병증으로는 혈관통로의 감염, 동맥류나 가성동맥류, 혈관통로의 협착, 혈전증, 천자 후 발생하는 침윤(infiltration), 도류증후군 등이 대표적이다.

초기 합병증은 대부분 한 달 이내에 저절로 해결되지만 허혈성 단발성 신경병증(ischemic monomelic neuropathy)은 수술 직후 발생하는 합병증으로 손이 따뜻하지만 손가락에 힘이 없고 무감각, 마비가 발생하여 영구적인 장애를 남길 수 있어서 즉각적으로 투석혈관을 결찰하여 원위부 혈류를 재개통해야 한다.

혈전에 의한 혈류 관련 합병증

혈액투석 혈관통로의 협착과 혈전증은 흔히 발생할 수 있어 투석이 제대로 이루어지지 않게 되어 투석 환자와 보호자, 투석 센터 의료진 모두에게 큰 스트레스를 준다. 임

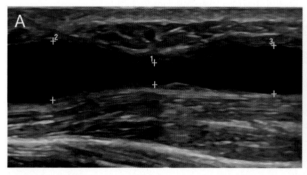
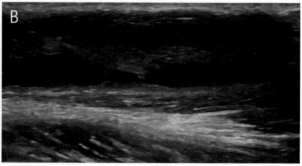

그림 14-3-1. 협착과 혈전의 초음파 사진

(A) 투석혈관의 협착. 1번 병변에서 2, 3번과 비교해서 직경의 70%가 감소함. **(B)** 투석혈관의 혈전증. 혈관의 상부에 길게 연결된 혈전이 관찰됨.

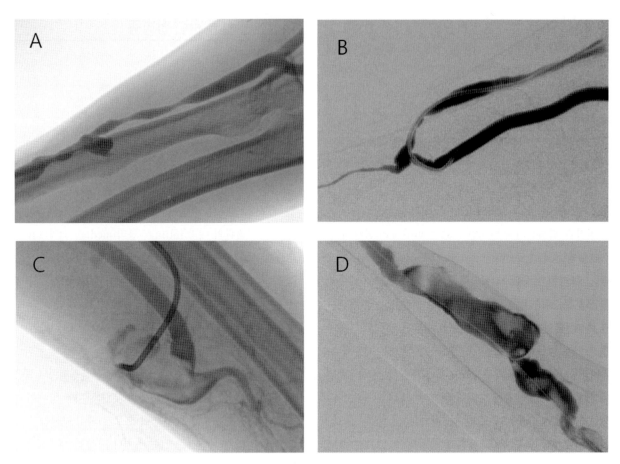

그림 14-3-2. 협착과 혈전의 혈관조영술 사진

(A) 천자구역에 다발성 협착이 관찰됨. (B) 문합부 주위에 80%이상의 협착이 관찰됨. (C) 문합부와 문합부 주위에 혈류를 완전히 막고 있는 혈전이 관찰됨. (D) 천자구역에 다양한 크기의 혈전이 관찰됨.

상적으로 의미 있는 협착은 혈관 직경의 50% 이상 감소가 있는 경우를 의미하고, 이 때 전체 혈관 단면적의 75%이 상이 감소된다. 협착이 진행하면 투석이 제대로 이뤄지지 않아 효율이 떨어지거나 천자가 실패하고 통증을 유발하며, 오랫 동안 지혈이 되지 않거나 팔이 붓는 증상을 일으킬 수도 있다. 협착이 진행하게 되는 경우에는 혈전증이 발생하게 된다. 혈전증은 협착에 비해 재개통의 성공률도 낮고, 재발의 위험성도 크며, 환자에게 더 큰 통증과 경제적인 손실을 일으킨다. 혈액투석 혈관통로의 혈전증으로 인해 구제치료가 실패하게 되면 카테터를 삽입하여 투석치료를 시행하고 다른 부위에 혈관 재수술을 하게 되어 환자의 이환율과 사망률이 증가하게 된다.

협착을 일으키는 가장 흔한 원인은 내막 과증식(intimal hyperplasia)이다. 혈액투석 혈관통로는 인위적인 혈관의 연결로 인해 결흐름(laminar flow)의 혈류 대신 소용돌이 흐름(turbulent flow)이 발생하게 되고 내막의 손상을 유발하여 내막이 증식하게 되는데 이는 혈관의 내경을 줄이게 되는 결과를 나타낸다. 또한, 혈액투석 혈관통로 수술을 시행할 때 부적합한 혈관을 선택하게 되면 협착이 발생할 수 있다. 이 때는 수술 전 도플러 초음파를 통한 동맥과 정맥의 지도화(mapping)로 예방할 수 있다.

도플러 초음파나 혈관조영술을 통해 혈액투석 혈관통로의 협착과 혈전증을 진단할 수 있다. 도플러 초음파 영상에서 협착이 발생한 부위의 혈관 직경이 전후 혈관에 비해

50% 이상 감소한 경우에 의미 있는 협착으로 진단할 수 있으며, 협착 부위의 혈류속도가 정상적인 혈관에 비해 2배 이상 증가한 경우에도 진단적인 의미가 있다(그림 14-3-1). 혈관조영술을 통해 협착과 혈전을 진단할 수 있지만, 초음파에 비해 침습적이고 조영제 부작용이 있는 환자에게는 시행할 수 없고, 병변의 정도가 과대평가될 수 있는 단점이 있다. 하지만 초음파에서 관찰하기 힘든 복잡한 혈관의 주행이나 쇄골정맥보다 더 근위부의 협착을 발견할 수 있는 장점이 있다(그림 14-3-2).

협착과 혈전증의 일차적인 치료는 피부경유 혈관내 혈관성형술(percutaneous transluminal angioplasty, PTA)이다. 협착이 발생한 병변에 풍선확장을 시행하여 좁아진 혈관을 확장시키고, 이로 인해 원활한 혈류 흐름을 유지하게 한다. 혈전증은 풍선확장과 더불어 혈관 내부에 발생한 혈전을 제거하는 도구를 사용하여 혈관 밖으로 혈전을 제거하거나 혈관내부에서 분쇄하여 제거한다. 혈전이 오래되어 혈관 내 치료로 제거가 되지 않거나 혈전양이 많아 폐색전증의 우려가 있는 경우에는 수술적 혈전제거가 필요하다.

협착과 혈전증을 예방하기 위한 다양한 시도가 있지만, 의미 있는 결과를 나타낸 것은 드물다. 특히 환자가 혈액투석 치료를 시행할 때나 신체검사 상에서 이상 소견(임상적인 지표)이 없는 경우에는 도플러 초음파나 혈관조영술 상에서 의미 있는 협착을 발견해도 선제적인 풍선확장술을 시행하지 않는다. 혈전증을 막아주는 이득보다는 잦은 풍선확장술로 인한 내막의 손상이 발생하게 되고, 오히려 더 잦은 시술이 필요할 수 있기 때문이다. 다양한 약제들이 혈관통로의 개통성을 유지하기 위해 사용되었으나 아직까지는 확실한 치료 효과를 보인 약제는 없다. 투석환자를 치료하는 투석 병원의 의료진들이 투석혈관에 관심을 가지고 매 투석 전 신체검사를 시행하면서 임상지표가 발생하는지 여부를 확인하고, 이 때 시술이 가능한 센터와 연계하여 빠른 치료를 하는 것이 투석혈관의 협착과 혈전증을 예방하는 가장 중요하고, 기본적인 방법이다.

비혈전성 혈류 관련 합병증

1. 동맥류와 가성동맥류

동맥류와 가성동맥류는 혈액투석 혈관통로를 생성한 초기부터 후기까지 다양하게 관찰되지만, 대부분은 투석을 시행한 햇수가 긴 경우에 관찰할 수 있다. 동맥류와 가성동맥류는 다양한 원인으로 인한 혈관 내부의 혈역학적인 변화로 인해서 혈관이 팽창하여 커진 것을 의미한다. 동맥류는 혈관의 내막(intima), 중막(media), 외막(adventitia)이 모두 포함된 혈관벽이 확장한 것을 의미하고, 가성동맥류는 천자로 인한 손상으로 주변 연조직으로 둘러싸인 공간이 확장하여 커진 것을 의미한다. 동정맥루에서는 동맥류와 가성동맥류가 모두 발생할 수 있지만, 인조혈관에서는 가성동맥류만 발생한다.

일반적으로 동맥류는 동정맥루에서 유출정맥이나 중심정맥의 협착이 발생하게 되어 원위부 혈관내에 압력이 높아지면 약해진 혈관벽이 부풀어 오르게 되어 발생한다. 그 외에도 동맥류는 천자로 인한 상처나 반복적으로 같은 곳에 천자를 시행한 경우 또는 감염으로 인한 이차적인 변화 등의 원인으로 발생한다. 대부분의 동맥류는 크기가 더 커지지 않으면 경과를 관찰한다. 보통 이미 발생한 동맥류는 천자하지 않도록 권고하지만, 천자가 반드시 필요할 때는 동맥류의 위쪽을 찌르기 보다는 바닥에 가까운 곳을 돌아가면서 천자하는 것이 파열의 위험성을 낮출 수 있다. 동맥류는 모양에 따른 분류를 시행하는데, Valenti 등에 따르면 동맥류의 형태나 개수 등에 따라 1형부터 4형까지 분류한다(그림 14-3-3). 동맥류의 크기가 점점 커지는 경우에는 파열의 위험성이 높아지는데 보통 2배 이상의 크기가 커지면 유의미한 변화로 본다. 이 때 파열이 일어나면 높아진 혈관통로의 혈류량으로 인해서 매우 많은 양의 출혈이 발생하고 지혈도 쉽지 않아 사망의 위험성이 높다. 동맥류의 크기가 빠르게 증가하거나 파열의 위험이 있으면 수술적 치료를 요하게 된다. 커져 있는 혈관 전체를 제거하고 재문합을 시행하거나 혈관벽을 절개한 후 일부만 절제하고 5~6mm 직경으로 재문합하는 방법이 있다. 동맥류가 발

A Type 1a

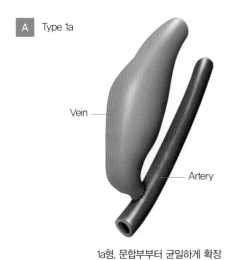

Vein

Artery

1a형. 문합부부터 균일하게 확장

B Type 1b

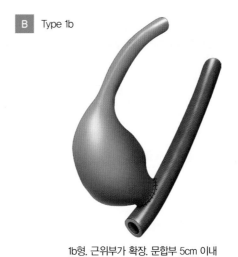

1b형. 근위부가 확장. 문합부 5cm 이내

C Type 2a

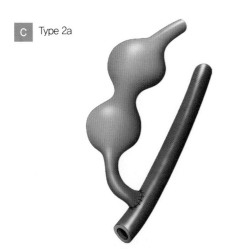

2a형. 두군데 이상 확장. 낙타 혹 모양

D Type 2b

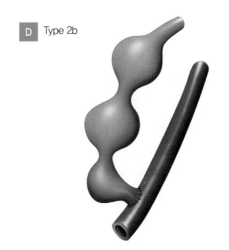

2b형. 문합부 이후 확장 및 국소확장

E

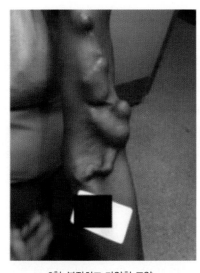

3형. 복잡하고 다양한 모양

F Type 4b

4형. 가성동맥류

그림 14-3-3. 동맥류의 분류 (Valenti 등)

표 14-3-1. 동맥류/가성동맥류에서 긴급 시술의 필요성을 구분하기 위한 신체검사 소견(KDOQI 가이드라인)

신체검진소견	비긴급: 면밀한 모니터링이 필요한 동맥류/가성동맥류	긴급:조속한 주의가 필요한 동맥류/가성동맥류
크기	커지지 않음	커짐
피부	쉽게 손가락으로 집음(탄력이 있고, 유연한 피부)	얇고, 반짝이고, 색이 옅어짐
피부미란	없음	궤양, 딱지
팔 거상 시 징후	허탈	허탈되지 않음
천자부위 출혈	흔하지 않음	종종 지속되는 출혈

생하면 더 커지는 것을 방지하기 위해 혈관통로의 유출정맥이나 중심정맥에 협착이 없는지 확인하고, 만약 협착으로 인한 압력 상승이 동맥류 크기 증가와 관련이 있으면 풍선확장술을 시행한다.

가성동맥류는 보통 인조혈관 벽에 반복적인 천자로 인한 상처 부위에 발생하게 된다. 동맥류와 달리 가성동맥류는 연부조직으로만 이루어져 있기 때문에 더 빨리 커지거나 감염, 파열의 위험성이 높다. 동맥류는 바닥 부위에 천자를 할 수 있지만, 가성동맥류는 천자 후 급격히 크기가 커지거나 지혈이 되지 않아 심각한 출혈이 발생할 수 있어 천자는 금기이다. 가성동맥류의 윗부분이 반짝거리거나 짧은 시간에 크기가 빠르게 커지면 파열의 위험인자이다. 이런 경우에는 침범된 부위를 절제하는 것이 가장 근본적인 치료가 되지만, 수술을 거절하거나 수술을 할 수 없는 컨디션인 경우에는 인조혈관 내부에 스텐트그라프트(endo-vascular stent graft)로 가성동맥류의 혈류를 차단하는 것이 도움이 될 수 있다.

동맥류와 가성동맥류는 파열로 인한 출혈의 위험성과 함께 감염, 혈관내부에 혈전이 동반된 경우가 흔히 관찰된다. 이로 인해 천자를 할 수 있는 구간이 제한되거나 혈전증으로 인해서 혈관의 개통성을 소실할 수 있고, 통증이나 미용상의 불편함을 호소하기도 한다.

동맥류와 가성동맥류는 신체검사를 통해 진단이 가능하지만 확진은 도플러 초음파를 이용하여 진단한다. 확장된 혈관의 직경과 혈관 내벽의 존재 유무, 혈관통로와 혈류가 통하는 지 여부를 확인할 수 있고, 주기적인 검사를 통해서 혈관의 직경의 변화나 내부 형태의 변화를 꾸준히 관찰하여 파열이나 혈전증을 미리 예방하는 것이 중요하다. 혈관조영술도 진단에 보조적인 수단이 될 수 있다(그림 14-3-4,5).

동맥류와 가성동맥류는 장액성 낭종과 육안적으로 구분이 어려운 경우가 있다. 이 때는 도플러 초음파를 통해서 혈관통로와 낭성 병변이 혈류가 지나는 채널이 있는지 여부로 감별할 수 있다. 동맥류와 가성동맥류는 낭 안으로 혈류가 진입하고 빠져나오는 것이 관찰되지만 장액성 낭종은 혈류가 관찰되지 않는다.

2. 도류증후군

도류증후군은 혈액투석 혈관통로로 인해 문합부의 원위부로 가는 혈류량이 감소하여 생기는 허혈 증상을 의미한다. 대부분 상완에서 혈액투석 혈관통로를 만들 때 발생하지만, 전완이나 하지에서도 발생할 수 있다. 도류증후군의 증상은 다양한 양상을 보일 수 있다. 무증상에서부터 손이 하얗게 변하거나 원위부 동맥을 촉지했을 때 반대편과 비교해서 약한 맥박이 관찰되는 등 다양한 임상 양상을 보인다. 혈류량이 매우 감소하게 되면 손 피부의 염증이나 궤양이 발생할 수도 있다. 청진 시 문합부 주변에서 잡음이 크게 들릴 수 있는데 이는 원위부 동맥에서 거꾸로 혈류가 투석혈관 쪽으로 흐르면서 발생한다.

도류증후군의 진단은 대부분 임상증상으로 확인한다. 하지만 이와 더불어서 도플러 초음파와 혈관조영술이 확진을 위한 진단 방법이 될 수 있다. 도플러 초음파에서 원위부의 동맥 혈류량이 감소하거나 문합부에서 원위부 동맥

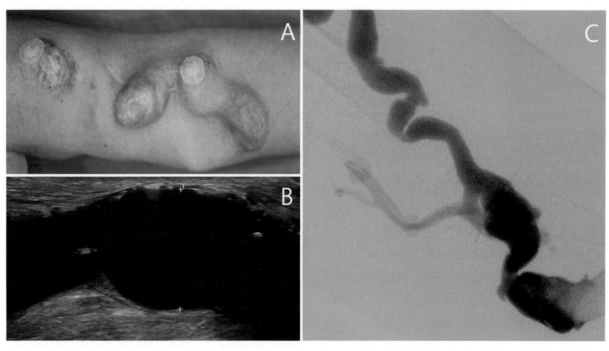

그림 14-3-4. 동맥류 사진

(A) 팔머리동맥루에서 관찰되는 동맥류 육안사진. **(B)** 초음파 검사에서 관찰되는 10 mm 이상 확장된 동맥류. **(C)** 혈관조영술에서 관찰되는 다발성 동맥류

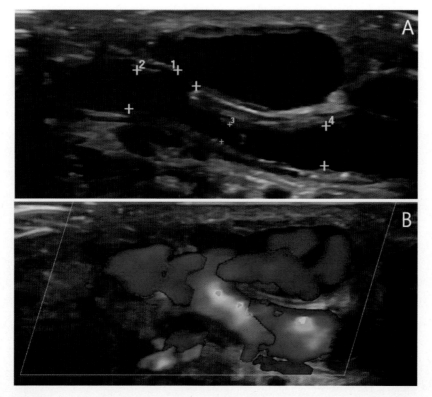

그림 14-3-5. 가성동맥류 사진

(A) 초음파 검사 상 인조혈관의 벽이 소실되어 가성동맥류 생성. **(B)** 도플러 검사 상 가성동맥류 내부로 혈류가 관찰됨.

에서 투석혈관 방향으로 혈류가 역류할 때 진단할 수 있다. 투석혈관을 강한 압력으로 눌렀을 때 다시 정상적인 방향의 혈류가 보이는 것도 진단에 도움이 된다. 투석혈관을 천자하여 문합부와 연결된 동맥으로 카테터를 삽입하여 혈관조영술을 시행하였을 때, 원위부 동맥의 혈류량과 혈류속도가 현저하게 감소하면 진단이 가능하다.

도류증후군의 치료는 증상에 따라 다르게 적용한다. 무증상에서 경미한 정도의 허혈증상이 있는 경우에는 보존적인 치료법을 시행한다. 손을 따뜻하게 유지하기 위해 긴팔의 옷을 입고, 장갑을 착용한다. 또한 따뜻한 물에서 마사지나 온열 치료를 통해서 원위부의 혈류를 개선시킬 수 있다. 증상이 심한 경우에는 투석혈관의 직경을 줄여서 혈류량을 감소시키거나 원위부 동맥을 결찰하고 근위부에서 연결하거나 투석혈관에서 원위부 동맥으로 우회로를 만드는 수술을 시행할 수 있다. 드문 경우지만 투석혈관 자체를 결찰하고 다른 곳에 혈관을 만들 수도 있다.

도류증후군을 예방하기 위해서는 수술 전 동맥과 정맥의 지도화를 통해서 적절한 혈관을 선택하고, 연결부위를 적절한 크기로 문합하여 문합 부위의 원위부 동맥으로 적절한 혈류를 유지할 수 있도록 해야 한다.

3. 장액종

장액종은 수술 초기에 인조 혈관 주변에 발생하는 낭성 병변으로, 투석혈관과 혈류가 연결되지 않고 내부는 액체와 고체가 섞여서 다양한 모양을 띠고 있다. 인조혈관을 삽입하는 것 자체로 인해서 체액이 고이거나 림파선의 손상으로 인해 발생한다. 수 mm의 작은 크기에서부터 수십 mm가 넘는 큰 크기까지 다양하게 관찰할 수 있다.

초음파 검사를 통해서 투석혈관과 혈류 미개통, 체액으로 이루어진 저에코성 병변과 단백질에 의한 고에코성 병변이 혼합되어 있는 것으로 진단할 수 있다(그림 14-3-6). 혈관조영술에서는 투석혈관과 연결되어 있지 않아 내부가 조영되지 않는다.

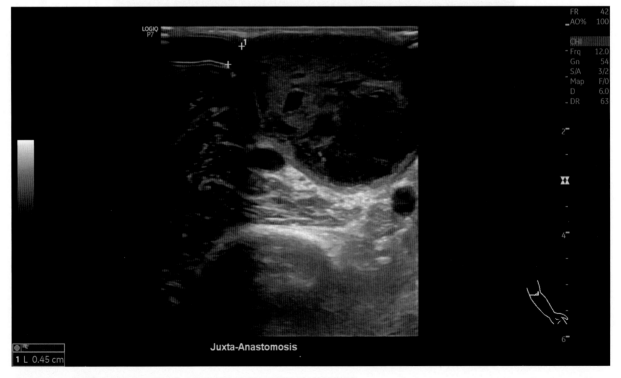

그림 14-3-6. 인조혈관 주변으로 내부에 고체와 액체 타입의 복잡한 양상의 장액종

장액종의 치료는 대부분 필요하지 않다. 미용상의 불편함을 줄 수 있지만 투석혈관의 혈류를 방해하는 경우는 드물다. 특히 수술적인 제거를 시행하여도 재발하는 경우가 많기 때문에 경과를 관찰하는 것이 일반적이지만, 혈류에 방해가 될 정도로 커졌거나 점점 더 커지는 경우에는 장액종을 절제하거나 인조혈관의 제거 또는 교체를 함께 시행하기도 한다.

4. 고혈류량 투석혈관

투석혈관은 혈액투석 치료를 위해서 인위적으로 정맥의 직경을 크게 만들고, 많은 혈류량을 흐르도록 한다. 이로 인해서 투석치료가 가능하게 되지만, 지나치게 많아진 혈류량은 환자에게 고박출성 심부전이나 폐동맥 고혈압, 중심정맥의 반복되는 협착과 혈전증, 동맥류의 발생과 악화, 도류증후군 발생 등 다양한 임상양상을 나타낸다. 환자는 호흡 곤란, 흉통, 활동성 감소 등의 증상을 일으키고 이를 진단하고 치료하기 위해 많은 시간과 비용이 소모되며 높은 이환율과 사망률을 나타낼 수 있다.

고혈류량 투석혈관의 진단은 심장초음파 검사를 통해서 투석혈관의 혈류량(Qa)이 분당 1~1.5L 이상이거나 투석혈관의 혈류량이 심박출량의 20% 이상(Qa/CO>20%) 소견을 보일 때 진단된다.

고혈류량 투석혈관의 치료는 투석혈관으로 지나는 혈류량을 감소시키는 것이다. 투석혈관에 띠감기 요법(banding)을 시행하거나 인조혈관으로 문합부 동맥과 투석혈관에 T자 형태의 인조혈관을 덧 씌워서 혈관의 직경을 감소시키는 방법으로 치료한다. 환자의 호흡곤란이나 흉통이 심해서 일상생활이 어려울 때는 투석혈관을 결찰하고 다른 곳으로 재수술할 수도 있다.

감염성 합병증

혈액투석 환자의 사망 원인 중 감염은 두 번째로 높은 위치를 차지하고 있다. 방광염, 신우신염, 폐렴 등과 더불어 혈액투석 혈관통로의 감염은 매우 흔하게 볼 수 있고, 단순한 봉와직염에서부터 혈관통로 전체에 감염이 되거나 전신 감염으로 발전하는 심각한 경우까지 다양한 임상양상을 나타낸다. 혈액투석 혈관통로의 감염은 혈관통로를 천자하면서 발생한 상처나 환자 피부에 발생한 병변, 전이성 감염 등에 의해 혈관벽이나 주변 조직에 염증이 발생하는 것을 의미한다. 주로 상지 혈관통로에 감염을 일으키는 균주는 S.epidermidis나 S.aureus 등이고, 하지에서는 그람음성균이 흔히 관찰된다. 다발성 균주에 의한 감염이나 진균에 의한 감염도 가능하다.

진단은 신체검사를 통한 감염 여부를 확인하는 것이 첫 번째이다. 감염이 발생한 환자의 혈관통로 주변에는 홍반, 피부 손상, 진물이나 고름, 피부 탈락으로 인한 혈관 노출을 관찰할 수 있고, 감염 부위의 통증이나 압통이 발생할 수 있다. 이후에 도플러 초음파나 CT 등의 영상검사로 확인할 수 있는데 도플러 초음파가 가장 접근성이 좋고 저렴하며 비침습적인 진단 방법이다. 도플러 초음파 검사 상 혈관통로의 주변의 부종, 체액고임(fluid collection), 혈관벽의 불명확한 경계나 이상 소견을 확인할 수 있고, 감염된 혈관 주변의 혈류 개통성이나, 동맥류와 가성동맥류를 확인할 수 있다(그림 14-3-7).

확진은 감염된 조직에서 균을 동정하는 것이며, 혈류 감염이 함께 의심되는 경우에는 혈액 내에서 균을 동정한다. 감염된 혈관통로는 초기에 발적을 동반한 부종, 통증의 증상을 일으키고 시간이 지나면 출혈이나 고름, 피부 소실 등이 발생한다. 피부 감염이 혈류 감염을 동반하게 되면 패혈증으로 인한 사망률이 증가하게 된다. 동정맥루보다는 인조혈관에서 감염의 유병률이 현저하게 높은 것을 관찰할 수 있다. 또한 혈액투석도관의 감염률은 영구적인 혈관통로에 비해서 높고, 그 중에서도 임시로 사용하는 커프가 없는 도관의 감염률은 커프가 있는 도관보다 수배에서 수십배 높은 것으로 알려져 있다.

치료는 정맥 내 항생제 투여이다. 초기에는 광범위 항생제를 사용하여 그람양성균과 음성균을 모두 치료하고 이후 동정된 균의 감수성 검사에 따라 적절한 항생제를 3주에서 6주간 투여하면 대부분 호전된다. 감염이 심하지 않

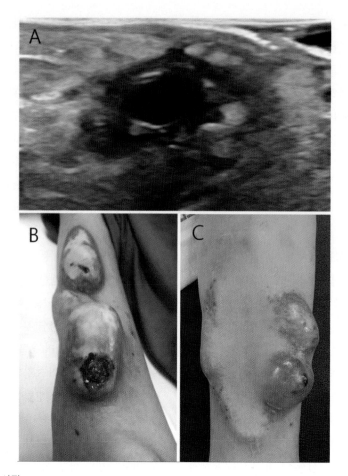

그림 14-3-7. 투석혈관 감염증 사진

(A) 초음파 검사 상 투석혈관 주변으로 체액고임, 부종 등이 관찰. **(B)** 자가혈관에 발생한 감염으로 궤양과 고름이 관찰. C. 인조혈관에 발생한 감염으로 발적과 궤양이 함께 관찰.

은 경우는 혈관통로를 사용하면서 치료를 할 수 있으나 혈관벽에 염증이 진행한 경우에는 천자를 피하기 위해서 혈액 투석 도관을 삽입하고 염증이 침범한 부위가 넓은 경우에는 일부 절제 후 재문합하거나 완전 제거 후 다른 곳에 혈관통로를 형성하는 수술을 시행한다.

감염을 예방하기 위해 의료진은 매 투석 시작 전 환자의 혈관통로와 주변을 관찰하고 이상 유무를 확인하고 환자에게 천자 전 팔을 씻도록 교육한다. 천자 전후 철저한 감염관리를 시행하고 환자와 시술자 모두 손씻기와 소독을 철저하게 시행해야 한다. 환자의 혈관통로를 천자하기 전에 충분히 관찰하고 이상이 발생한 초기에 발견하고 치료하면 혈액투석 혈관통로의 감염을 예방할 수 있을 뿐만

아니라 발생 후 예후도 좋아질 수 있다.

▶ 참고문헌

- Akoh JA, et al: Infection of hemodialysis arteriovenous grafts. J Vasc Access 11:155–158, 2010.
- Cheung, et al: Intimal Hyperplasia, Stenosis, and Arteriovenous Fistula Maturation Failure in the Hemodialysis Fistula Maturation Study. J Am Soc Nephrol 28:3005–3013.
- Dauria, D. M., et al: Incidence and management of seroma after arteriovenous graft placement. J Am Coll Surg, 203:506–511, 2006.
- Lafrance JP, et al: Vascular accessrelated infections: definitions, incidence rates, and risk factors. Am J Kidney Dis 52:982–993.

2008.

- Mickley, Volker: Steal syndrome—strategies to preserve vascular access and extremity. Nephrol Dial Transplant 23:19–24, 2008.
- Mudoni, Anna, et al. "Aneurysms and pseudoaneurysms in dialysis access." Clin Kidney J 8:363–367, 2015.
- Riella MC, et al: Vascular access in haemodialysis: strengthening the Achilles' heel. Nat Rev Nephrol 9:348–357, 2013.
- Roy-Chaudhury P, et al: Cellular phenotypes in human stenotic lesions from haemodialysis vascular access. Nephrol Dial Transplant 24:2786–2791, 2009.
- Tordoir, J. H. M., et al: Upper extremity ischemia and hemodialysis vascular access. Eur J Vasc Endovasc Surg 27:1–5, 2004.
- Valenti D, et al: A novel classification system for autogenous arteriovenous fistula aneurysms in renal access patients. Vasc Endovascular Surg 48:491–496, 2014.

제 **14** 부 중재신장학

CHAPTER

04 혈액투석 혈관통로의 관찰 및 감시

박훈석 (가톨릭의대)

KEY POINTS

- 감시는 혈관 초음파등의 기구를 사용하여 혈류량을 측정하는 등의 혈액투석 혈관통로의 기능을 정기적으로 평가하는 것을 말하고, 관찰은 특별한 기구 없이 시진과 촉진 또는 경우에 따라 청진을 통하여 혈액투석 혈관통로를 평가하는 것을 말한다.

- 혈액투석 혈관통로의 선제적 치료는 임상 적응증이 동반될 경우 고려될 수 있다. 이러한 임상 적응증에는 혈액투석시 투석 적절도를 유지하기 위한 적절한 혈류속도를 내지 못하거나, 투석이 끝나고 투석 바늘 제거 후 지혈 시간이 연장되거나, 바늘 천자에 어려움이 발생한 경우 등이 있다.

- 혈액투석 혈관통로의 감시의 효용성에 대해서 논란이 있지만 폐색은 반드시 피하도록 주의를 기울여야 하며, 늦지 않게 협착을 교정하는 것도 중요하다. 폐색이 발생한 경우에도 환자의 상태가 양호하다면 응급 도관 삽입은 반드시 지양해야 하며, 혈전 제거술이 지체 없이 제공될 수 있는 시스템이 구축되어야 한다.

관찰과 감시

혈액투석 혈관통로의 기능부전은 투석양(dialysis dose)의 감소와 부적절한 혈액투석을 유발하여 혈액투석을 받는 말기신부전 환자의 이환율과 입원율 증가로 이어진다. 따라서 혈액투석 혈관통로의 관찰(monitoring) 및 감시(surveillance) 프로그램 혈액투석을 받는 환자에서 반드시 필요하다.

1. 관찰과 감시의 정의

관찰은 혈액투석 혈관통로를 진찰(시진, 촉진 및 청진)

하여 그 기능부전을 찾아내는 것뿐만 아니라 투석 후 지혈시간의 지연, 투석 적절도의 감소, 재순환율 증가, 투석 중 정맥압 증가, 팔 부종 등 혈액투석 혈관통로 기능부전을 시사하는 임상적 소견을 확인하는 것이다. 감시는 혈류량을 측정하는 기구나 혈관 초음파처럼 어떤 기구나 방법을 사용하여 혈액투석 혈관통로의 기능을 정기적으로 평가하는 것을 말한다. 감시와 달리 관찰은 특별한 기구 없이 시행할 수 있으므로 매 투석 전 시행하는 것을 권고하고 있다.

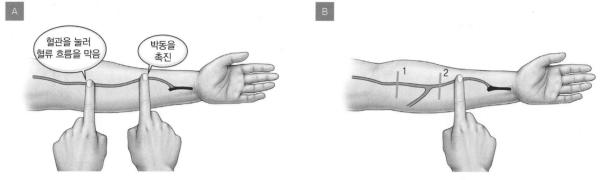

그림 14-4-1. **(A)** Augmentation 시행 모식도 **(B)** 위치 1을 막았을 때에는 느껴지지 않았던 박동이 위치 2를 막았을 때에 느껴진다면 위치1과 2사이에 부속혈관이 존재함을 의미한다. 따라서 부속혈관 확인에 도움이 될 수 있다.

2. 혈액투석 혈관통로의 관찰

혈액투석 혈관통로는 우선 눈으로 관찰하는 시진을 시작으로 발적 등의 감염 여부와 자가동정맥루에서의 동맥류(aneurysm) 또는, 인조혈관 동정맥루에서의 가성동맥류(pseudoaneurysm)의 크기 변화를 확인한다. 그 밖에도 손 저림이나 냉감을 호소하는(특히 투석중에 악화되는 양상을 보이는) 환자에서의 손가락 상처 유무와 중심정맥질환이 의심되는 환자에서의 팔이나 얼굴 부종 또한 시진을 통하여 확인할 수 있다. 인조혈관 동정맥루의 시진 시 그 경로를 따라 전체적으로 피부가 붉은 빛을 보여 발적이 의심되나, 압통이 없다면 인조혈관 동정맥루의 감염이 아닌 인조혈관 삽입에 따라 일시적으로 관찰되는 피부 발적(flare) 가능성이 높다. 중심정맥 질환 환자에서는 편측 팔의 부종과 함께 흉부에 표재성 측부혈관(superficial collateral vessel)들을 시진에서 확인할 수 있다.

혈액투석 혈관통로의 촉진은 혈액의 박동(pulse)과 떨림(thrill)을 느끼는 것이다. 박동은 압력(pressure), 떨림은 흐름(flow)을 의미한다. 떨림은 수축(systolic)기와 이완(diastolic)기 모두에서 연속적으로 혈액투석 혈관통로 전체에서 골고루 느껴지는 것이 정상이다. 반면에, 유입구(inflow)나 유출구(outflow) 협착이 발생한다면 떨림이 수축기에만 존재하거나 협착 부위에서만 강한 떨림이 느껴지게 된다. 맥박의 경우 정상적으로도 저강도로 존재할 수

있으나, 유출구 협착이 존재하는 경우 그 강도가 올라간다.

1) Augmentation test

자가 동정맥루에서 유입부 협착(inflow stenosis)과 부속 혈관(accessory vein)이 있는지 검사하는 방법이다. 동정맥 문합부위에서 일정 거리를 두고 혈류 흐름을 손가락으로 막았을 때에 문합부와 막은 부위 사이에서 떨림이 사라지고 박동이 강해지는지를 확인하는 방식이다. 이때 박동이 강해지지 않으면 유입부 협착이 있는 것을 의미한다. 또한 문합부와 막은 부위 사이에 부속혈관이 존재한다면 혈류가 부속혈관으로 흐르게 되어 떨림이 유지되고 박동 상승이 관찰되지 않아 부속혈관의 존재 유무와 그 위치를 확인하는 데에도 사용할 수 있다(그림 14-4-1).

2) Arm elevation test

자가 동정맥루에서 유출부 협착(outflow stenosis)이 있는지 검사하는 방법이다. 자가 동정맥루의 경우 팔을 위로 들면 팽창되지 않고 편평해지며 박동도 약해지는 것이 정상이나 유출 정맥에 유의한 협착이 존재한다면 해당 자가동정맥루는 팔을 위로 들어도 팽창된 상태가 유지되며 오히려 강한 박동이 촉진된다. Arm elevation test가 유출부 협착을 확인하는 검사이나, 유입부(inflow) 협착을 의심해볼 수 있는 소견을 관찰할 수도 있다. 정상적으로 arm

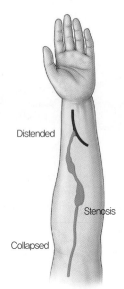

그림 14-4-2. Arm elevation test

elevation test를 시행하였을 때에 해당 자가 동정맥루가 어느 정도는 편평해지며 박동도 약해지지만 동맥의 혈류량을 직접 받는 점을 고려하면 완전히 허탈(collapse)되어서는 안 된다. 따라서 arm elevation test를 시행한다면 해당 자가 동정맥루가 비정상적인 심한 허탈 소견을 보인다면

유입부 협착을 의심해야 한다(그림 14-4-2).

3) 청진

청진기를 통하여 잡음 또는 쉿소리(bruit)을 듣는 것은 촉진 시 느낄 수 있는 떨림이 청각화 된 것이다. 떨림과 마찬가지로 정상적으로 낮은 음조(low pitch)로 수축기와 이완기 모두에서 들리나, 협착이 있는 경우에는 높은 음조(high pitch)로 수축기에만 들리게 된다(그림 14-4-3).

자가 동정맥루의 경우 혈액투석 혈관통로의 관찰이 혈전증 예방을 위한 협착을 포함한 동정맥루 이상을 진단할 수 있어 임상적으로 매우 유용하다. 그러나 인조혈관 동정맥루의 경우에는 감염 여부 판단에 도움을 주는 시진이나 촉진 소견, 협착을 의심할 수 있는 청진과 촉진을 시행하는 것은 맞으나 혈전 예방을 위한 그 유용성에는 한계가 있음을 주지해야 할 것이다.

3. 혈액투석 혈관통로의 감시

혈액투석 혈관통로의 감시는 특정한 기구를 사용하여

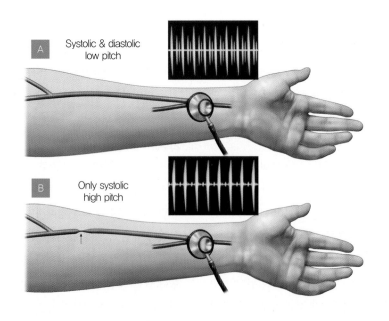

그림 14-4-3. 혈액투석 혈관통로의 정상 청진 소견(A)과 협착이 존재할 때의 청진 소견(B)

혈액투석 혈관통로를 주기적으로 평가하는 것을 의미한다. 혈관접근로 감시는 혈액학적으로 의미 있는 협착을 조기에 발견하여 혈전증 발생 예방과 혈관접근로의 생존율 향상을 목적으로 한다. 혈류량(flow volume), 정적 혈관통로 내 압력(static intra-access pressure), 재순환율(recirculation)이 대표적인 평가척도이다.

1) 혈류량측정법

혈류량 측정법에는 초음파 기계로 혈류량을 직접 측정하는 직접 측정법(direct method)과 포도당(glucose)이나 생리식염수(saline) 등의 표지자를 사용하여 표지자가 희석되는 정도로 혈관통로 혈류량을 측정하는 간접 측정법(indirect method)이 있다. 투석 치료중 동맥과 정맥의 혈액온도를 측정하고, 그 두 온도 차이를 이용하여 혈류량을 측정하는 thermodilutional method 또한 간접 측정법에 해당된다.

(1) 직접측정법

도플러초음파로 혈류량을 측정할 경우 혈류 평균속도(Vm)와 혈관 직경(r)을 측정해야 되는데, 정맥은 관찰시 초음파 탐촉자에 의하여 직경의 변화가 쉽게 일어나므로 직경의 변화가 덜 일어나는 영양동맥(feeding artery)에서 혈류량을 측정하는 것을 권고한다. 상지의 영양동맥은 위팔동맥(brachial artery)이다. 혈액투석 혈관통로는 동맥이 정맥과 직접 연결되어 있어서 저항이 낮기 때문에 위팔동맥으로 유입된 대부분의 혈류는 최종적으로 혈액투석 혈관통로로 흘러가게 된다. 따라서 위팔동맥에서 측정된 혈류량을 혈액투석 혈관통로의 혈류량으로 간주할 수 있다. 도플러초음파를 이용하면 혈류량 측정 이외에도 혈액투석 혈관통로 상태를 직접 관찰할 수 있는데, 상완동맥에서 측정을 시작하여 문합부위, 문합부 주위(juxta-anastomotic area), 천자부위, 유출정맥, 중심정맥 순서로 관찰하게 된다. 이렇게 혈액투석 혈관통로의 전반적인 상태를 관찰함으로써 그 해부학적 구조와 협착, 관련 합병증에 대해 많은 정보를 얻을 수 있다. 따라서 혈액투석 혈관통로의 혈관촬영 전에 도플러 초음파를 시행하는 것은 시술 전 계획을 세우는 데 매우 중요하다(그림 14-4-4 & 그림 14-4-5).

도플러초음파를 이용한 혈류량 측정 역시 두 번 측정을 시행하여 평균값을 이용하는 것이 권장된다.

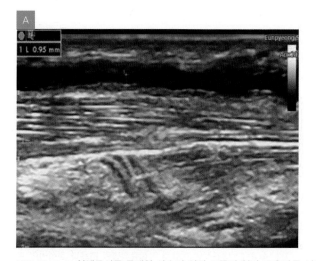
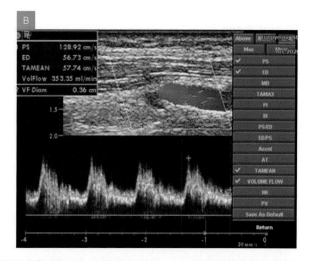

그림 14-4-4. 혈액투석중 동맥압 상승이 있어 도플러 혈관 초음파를 시행하여 협착병변(A)과 상완동맥(brachial artery)에서 혈류량을 측정하였다(B).

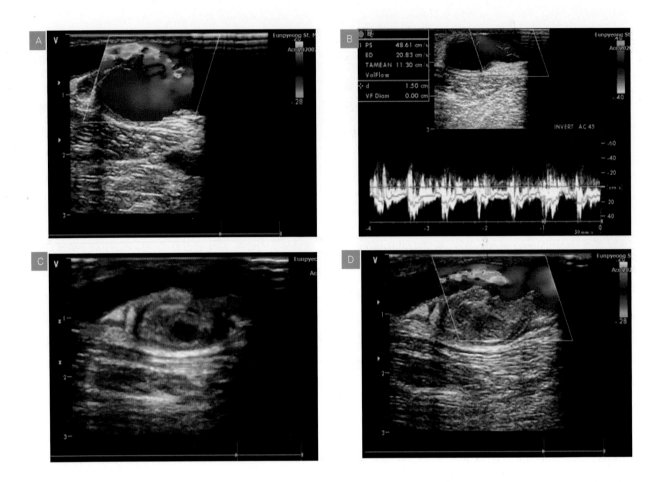

그림 14-4-5. 천자 부위 팔 부종이 생겼으나 심하지 않아 투석을 끝 마치고 다음 투석 전 도플러 혈관 초음파를 시행하여 깊은 천자로 인한 정맥류가 확인 되었다(A). 컬러 도플러 소견에서 더 이상 새지 않는 것을 확인하고, 혈루 패턴이 양호하여(B) 해당 부위 천자를 피하고, 2주 뒤 다시 혈관초음파를 시행하여 organized thrombus로 healing 되었음을 확인할 수 있었다(C & D).

2) 간접 측정법

초음파희석법이 가장 잘 알려진 간접 측정법으로 천자 바늘에 연결된 동맥과 정맥 통로를 맞바꾸어 혈류량 측정을 위하여 인위적으로 재순환(recirculation)고리를 형성한다. 바뀐 정맥통로에 생리식염수를 주입한다. 주입된 생리식염수는 체내 혈액투석 혈관통로를 거쳐 바뀐 동맥통로로 유입이 된다. 이때 주입된 생리식염수가 혈관통로의 혈액에 의하여 희석되는 정도를 동맥통로에 연결된 초음파 탐색자로 탐지하여 혈액투석 혈관통로의 혈류량을 결정하는 방식이다(그림 14-4-6).

초음파희석법을 이용한 혈류량 측정은 도플러 초음파와는 달리 측정자의 숙련도에 영향을 거의 받지 않아 우

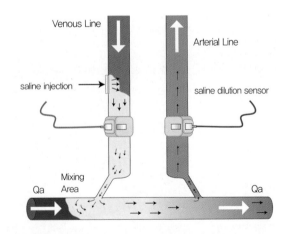

그림 14-4-6. 대표적인 혈류량 간접측정법인 초음파 희석법의 모식도. 혈류량 측정을 위해서는 반드시 동맥과 정맥 통로를 맞바꾸어야 한다.

수한 재현성을 보인다는 장점이 있다. 반면에 초음파희석법은 투석 중 측정하므로 혈류량 측정을 위하여 반드시 천자가 이루어져야 된다는 단점도 있다. 그리고 투석 도중에 시행되기 때문에 초여과량이나 투석 중 저혈압 발생 등에 의하여 그 값이 영향을 받을 수 있다. 따라서 투석 시작 후 1.5시간 이내에 측정할 것을 권고하기도 한다.

3) 정적내압측정법

혈액투석 기계에 표시되는 동적정맥압(dynamic venous pressure)은 유출 정맥 협착이 있는 경우 상승하므로, 지속적으로 높거나 유의하게 높은 경우 투석바늘 제거 후 지혈 장애등의 임상 증상과 같이 고려한다면 혈액투석 혈관통로의 상태를 진단하는 데에 도움을 얻을 수 있으나 바늘의 구경과 위치, 혈류 속도, 체액량, 혈액점도 등에 따라 수치 변화가 심하므로 측정오차가 심하여 혈액투석 혈관통로의 감시법으로 권고하지는 않는다. 다만 정맥 통로측에서 측정하는 혈액투석 혈관통로의 정적내압측정법(static intra-access pressure)은 인조혈관 동정맥루의 유출정맥협착을 비교적 정확히 예측하는 것으로 알려져 있어 소개한다. 정적내압측정은 투석기에 의해 발생하는 압력과 대기압 등을 보정하면 투석기의 점적주입방(drip chamber) 압력으로 부터 혈관접근로 내압을 유추할 수 있다는 원리를 이용한다.

혈액투석 혈관통로내 압력은 혈액투석 기계의 혈액 펌프(blood pump)를 끄고 측정하는데, 인조혈관 동정맥루의 경우 평균 동맥압은 동맥 문합부위에서 정맥문합부위로 이동하면서 감소한다. 100 mmHg의 평균동맥압은 동맥 문합부위 주변에서 50~60 mmHg로 감소하며, 정맥문합부위 주변에서는 25~30 mmHg로 감소한다. 혈액투석 혈관통로내 압력은 환자마다 차이가 있고, 혈압 변동에 영향을 받으므로 혈액투석 혈관통로내 압력 값을 평균 동맥압으로 나누어서 보정한다. 보정된 혈액투석 혈관통로내 압력비(IAP/MAP ratio) 중 정맥 측에서 측정한 값의 정상 범위는 0.15~0.49이며, >0.5로 측정 되는 경우 인조혈관 동정맥루의 경우에 정맥 문합부위 협착을 강하게 시사하는 것으로 알려져 있다. 인조혈관 동정맥루내 압력을 측정

하는 방법은 2가지가 있다. 혈액투석 기계의 정맥쪽 drip chamber에 압력측정기를 연결하여 측정하거나, 천자 시에 천자바늘이 연결된 튜브에 압력측정기를 연결하여 측정한다. 정맥쪽 drip chamber에서 측정하는 경우는 drip chamber에서 동정맥루까지의 높이 차에 따른 압력 변동을 추가로 고려해야 되므로 천자시 천자바늘 튜브를 통한 직접 측정을 선호한다.

4. 혈액투석 혈관통로의 관찰 및 감시의 효용성

혈액투석 혈관통로를 관찰하고 감시하는 것이 그 개통성을 향상시킬 것으로 기대하는 데에는 기본적으로 혈관통로 폐색이 발생하기 전에 협착이 존재하고 진행하여 결국 혈관통로 폐색으로 이어진다는 이론을 배경으로 한다. 2000년도 초기부터 중반에까지는 혈액투석 혈관통로 감시의 효용성을 보고하는 후향적 연구들이 다수 발표되었고 그 이론적 배경을 당연한 것으로 받아 들였다. 그러나 먼저 2000년도 중반에 발표된 인조혈관 동정맥루를 대상으로 하는 거의 모든 전향적 연구들에서 어찌 보면 당시까지만 해도 당연하다고 생각할 수 있는 혈관통로 감시의 유용성이 입증되지 않는 것으로 나타나기 시작했다. 반면에 자가동정맥루의 경우에는 현재까지도 혈관통로 감시의 효용성이 있는 것으로 여겨진다. 최근 발표된 혈액투석 혈관통로 감시의 효용성을 분석한 메타 연구들에 따르면 인조혈관 동정맥루의 경우에는 동정맥루 감시가 그 폐색이나 영구적인 포기(abandonment)를 막는 데에 효과가 없다고 결론을 내렸고, 자가 동정맥루의 경우에는 폐색 발생을 예방할 수는 있는 것으로 보이나 영구적인 포기를 막고 그 전체 개통율 향상에 효과가 있는 지에 대해서는 명확하지 않다고 결론을 내렸다. 따라서 가장 최근에 발표된 미국 신장학회 혈액투석 혈관통로 임상진료지침 2019년 개정판을 포함하여 여러 가이드라인들에서 인조혈관 동정맥루의 경우 폐색을 막기 위하여 감시를 시행하는 것을 권고하지 않는 실정이다.

자가동정맥루의 경우에도 기존 혈류량을 근거로 하여 선제적(preemptive) 치료를 시행하는 것은 더 이상 권고되

지 않는다. 그러나 자가동정맥루 폐색을 막기 위하여 중재적인 치료를 시행하는 것은 여전히 권고하고 있다. 다만 이러한 선제적 치료시 혈류량 하나만을 보고 판단하는 것이 아니라 임상적인 적응증을 포함해야 한다고 강조하고 있다. 예컨대 선제적 치료를 고려할 때 혈액투석 시 투석 적절도를 유지하기 위한 적절한 혈류속도를 내지 못하거나, 투석이 끝나고 투석 바늘 제거 후 지혈 시간이 연장되거나, 바늘 천자에 어려움이 있는 것과 같은 임상적 적응증을 반드시 확인해야 된다. 이러한 임상적 적응증을 가지는 선제적 치료는 적응적(indicative) 치료로 명명하기도 한다. 이러한 논란에 대한 설명은 다음과 같다. 우선 모든 협착이 폐색으로 이어지지 않는다는 점이다. 인조혈관 동정맥루 감시 효용성에대한 연구들에 따르면 혈관 조영술 상 유의한 협착부위가 선제적 치료 없이도 상당 기간이 경과하였음에도 해당 동정맥루의 폐색으로 이어지지 않았음을 보고하였다. 두번째로 현재까지 선제적 치료를 위하여 사용되는 풍선카테터(balloon catheter)의 제한점에서 비롯되는 것으로 볼 수 있다. 풍선카테터는 강한 압력으로 협착부위를 넓히지만 결국 강한 압력으로 혈관벽을 찢는 것이기 때문에 혈관에 오히려 해가 될 수 있다. 따라서 불필요하거나 반복적인 풍선확장술은 오히려 해당 동정맥루의 생명을 단축시킬 수 있다는 점이다. 마지막으로 혈액투석을 받게 되는 노인 환자들이 늘고 심혈관 합병증 등의 동반 질환이 많아지면서 선제적 치료를 시행 후에도 해당 동정맥루 혈류량이 효과적으로 회복되기 어렵다는 점이다. 동정맥루 감시 효용성을 강하게 지지하는 학자들은 시술 후 혈류량의 불완전한 회복이 동정맥루 감시의 유용성을 떨어뜨렸다고 한다. 그러나 협착이외의 다른 이유들로 치료 후 혈류량이 회복되지 않은 동정맥루에서 완전한 혈류량 회복을 위하여 과도한 풍선확장술을 시행한다면 오히려 혈관 손상을 줄 수도 있음을 간과해서는 안 된다. 혈액투석 혈관통로의 감시의 효용성에 대하여 논란의 여지가 여전하지만 중요한 점은 그 폐색은 반드시 피하도록 주의를 기울여야 하며 따라서 늦지 않게 협착을 교정하는 것도 중요하다는 점이다. 그리고 폐색이 발생한 경우에도 혈액투석 환자의 상태가 양호하다면 응급 도관 삽입은 반드시 지양해야 하며, 혈전 제거술이 지체 없이 제공될 수 있는 시스템을 구축하는 것이 바람직하다.

▶ 참고문헌

- KDOQI 혈관통로 임상진료지침 2019 개정판 한글 번역본. 에이플러스기획, 2020.
- Agharazii M, et al: Variation of intra-access flow early and late into hemodialysis. ASAIO J 46:452-455, 2000.
- Chairmaine E, Lok, et al: Kidney Disease Outcomes Quality Initiative (KDOQI) Clinical practice guidelines for vascular access: 2019 Update. Am J Kidney Dis 75(Suppl 2):S1-164, 2020.
- Chang CJ, et al: Highly increased cell proliferation activity in the restenotic hemodialysis vascular access after percutaneous transluminal angioplasty: implication in prevention of restenosis. Am J Kidney Dis 43:74-84, 2004.
- Krivitski NM, et al: Access flow measurement as a predictor of hemodialysis graft thrombosis: making clinical decisions. Semin Dial 14:181-185, 2001.
- Krivitski NM: Theory and validation of access flow measurement by dilution technique during hemodialysis. Kidney Int 48:244-250, 1995.
- Malik J, et al. Surveillance of arteriovenous accesses with the use of duplex Doppler ultrasonography. J Vasc Access 15(Suppl 7):S28-32, 2014.
- Muchayi T, et al. A meta-analysis of randomized clinical trials assessing hemodialysis access thrombosis based on access flow monitoring: where do we stand? Semin Dial 28:E23-29, 2015.
- Paulson WD, et al. Controversial vascular access surveillance mandate. Semin Dial 23:92-94, 2010.
- Ponce P, et al. Anatomical correlation of a well-functioning access graft for haemodialysis. Nephrol Dial Transplant 24:535-538, 2009.
- Ravani P, et al: Preemptive Correction of Arteriovenous Access Stenosis: A Systematic Review and Meta-analysis of Randomized Controlled Trials. Am J Kidney Dis 67(3): 446-460, 2016. 12. Polkinghorne K. The CARI guidelines. Vascular access surveillance. Nephrology (Carlton, Vic) 13(Suppl 2):S1-11, 2008.
- Rehman SU, et al: Intradialytic serial vascular access flow measurements. Am J Kidney Dis 34:471-477, 1999.
- Roca-Tey R, et al: Dialysis arteriovenous access monitoring and surveillance according to the 2017 Spanish Guidelines. J Vasc Access 19:422-429, 2018.
- Roy-Chaudhury P, et al. Balloon-assisted maturation (BAM) of the

arteriovenous fistula: the good, the bad, and the ugly. Semin Nephrol 32:558–563, 2012.

· Shingarev R, et al. Optical coherence tomography of dialysis graft after angioplasty. J Vasc Interv Radiol 26:870, 2015.

· Tessitore N, et al. Should current criteria for detecting and repairing arteriovenous fistula stenosis be reconsidered? Interim analysis of a randomized controlled trial. Nephrol Dial Transplant 29:179–187, 2014.

제
14
부

중재신장학

CHAPTER
05

혈액투석 혈관통로의 피부경유 혈관내 혈관성형술 및 혈전제거술

이형석 (한림의대)

KEY POINTS

- 조성된 동정맥루의 20~50%는 충분히 성숙되지 못하는 것으로 보고되고 있으며, 문합부 주변에 발생하는 협착이 가장 큰 원인으로 알려져 있다.

- 조성술 후 4~6주에 성숙여부를 평가하고 미성숙이 우려되면 혈관초음파 검사 등의 추가조사를 시행해야하며, 혈액투석 시마다 매번 잠재적인 합병증을 찾기 위해서 신체검사를 통한 모니터링을 하는 것이 중요하다.

- 2019년에 개정된 KDOQI 혈관통로 지침에서는 임상적으로 의미있는 협착 병변에 대해서 시기적절하게 영상학적 검사를 시행하여 임상적 징후를 초래한 것으로 판단되는 원인병변에 대해 즉각 치료하도록 권고한 반면, 임상지표(clinical indicators)를 동반하지 않은 투석혈관 협착에 대해서는 혈관성형술을 권고하지 않고 있다.

- KDOQI 지침에서는 투석혈관을 유지하기 위한 중재적 치료를 1년간 3회 이하로 시행하는 것을 목표로 하도록 제시하고 있다.

- 감염이 동반되어 있는 혈전증이나 혈전의 양이 많아서 심각한 폐색전증의 위험이 있는 혈전증의 경우에는 수술적으로 혈전을 제거하는 것이 필요하다.

- 2019 KDOQI 혈관통로 지침에서는 기존의 bare metal stent를 사용하지 않도록 권고하였다. 반면에 인조혈관의 정맥문합부 협착에 대해서는 혈관성형술보다 stent-graft를 새롭게 권고하였다.

개요

혈액투석 치료를 장기간 안정적으로 시행할 수 있도록 혈관통로(vascular access)를 유지하는 것이 투석치료의 중요한 이슈로 떠오르고 있다. 그 중에서 투석혈관(arteri-

ovenous access)의 협착(stenosis)과 혈전증(thrombosis)은 혈류 관련 기능장애를 초래하여 혈액투석 환자의 주요한 임상 문제가 되고 있다. 국내에서도 고령의 혈액투석 환자 인구와 수명이 증가함에 따라 혈액투석 치료기간이 연장되면서, 매년 혈관통로 관련 수술 및 중재시술의 시행 빈

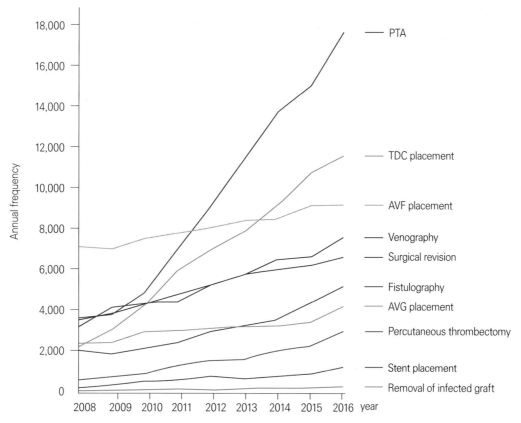

그림 14-5-1. 혈관통로 관련 수술 및 중재 시술의 연간 시행 빈도(2008~2016년)

PTA, 피부경유 혈관내 혈관성형술; TDC placement, 터널형 혈액투석 도관 삽입; AVF placement, 동정맥루 조성; Venography, 정맥지도를 위한 정맥조영술; Surgical revision, 수술적 교정; Fistulography, 투석혈관 조영술; AVG placement, 인조혈관 조성; Percutaneous thrombectomy, 피부경유 혈전제거술; Stent placement, 스텐트 삽입술; Removal of infected graft, 감염된 인조혈관의 수술적 제거

도가 가파르게 증가하고 있다(그림 14-5-1). 동정맥루(arteriovenous fistula)가 인조혈관(arteriovenous graft)에 비해 장기적으로 합병증이 적고 더 나은 개통성을 제공하지만, 조성된 동정맥루의 20-50%는 혈액투석에 성공적으로 사용할 수 있을 정도로 충분히 성숙되지 못하는 것으로 보고되고 있다. 이는 문합부 주변에 발생하는 협착이 가장 큰 원인으로 알려져 있다. 혈전증은 인조혈관 기능부전의 약 80%를 차지하는 주된 원인이며, 주로 인조혈관 또는 정맥문합부를 포함하는 유출로의 협착으로 인해 발생한다. 따라서, 투석혈관 조성 후 성공적으로 투석치료에 이용하고 오랫동안 합병증 없이 사용하기 위해서는 조성술 후 4~6주에 성숙여부를 평가하고 미성숙이 우려되면 혈관초

음파 검사 등의 추가조사를 시행해야하며, 혈액투석 시마다 매번 잠재적인 합병증을 찾기 위해서 신체검사를 통한 모니터링을 하는 것이 무엇보다 중요하다. 임상지표(clinical indicators)가 동반되어 있는 임상적으로 유의미한 협착병변이 의심되면 혈관조영술로 확인하면서 동시에 중재시술로 치료할 수 있다(표 14-5-1). 일차적으로 풍선카테터를 이용한 피부경유 혈관내 혈관성형술(percutaneous transluminal angioplasty, PTA)을 시도하고, 반복적으로 재발하거나 혈관성형술 치료에 잘 반응하지 않는 경우에는 수술적 치료를 고려한다.

표 14-5-1. 임상적으로 의미있는 병변을 시사하는 임상지표(clinical indicators)

시술	임상적 지표
신체검사	일측성 사지 부종
	협착이 있는 부위에서 약해지거나 저항성이 있는 박동 (압박의 어려움)
	협착이 있는 부위에서 약하거나 끊기는 비정상적인 떨림(thrill) 촉지
	협착이 있는 부위에서 고음 또는 끊기는 비정상적인 잡음(bruit) 청진
	팔을 올릴 때 허탈되지 않는 동정맥루(유출부 협착), 또는 박동증강 검사(augmentation test)에서 맥박이 약하거나 촉지 되지 않음(유입부 협착)
	팔을 올릴 때 정맥부위의 과도한 허탈
투석 시	이전에는 문제가 없었으나 천자의 어려움이 새롭게 발생
	투석바늘을 통해 혈전이 흡입됨
	혈액투석 치료 시 목표한 투석혈류 속도에 도달하는 것이 불가능
	3회 연속으로 평소보다 천자부위 지혈이 지연
	동일한 투석처방에서 설명되지 않는 kt/V의 감소(> 0.2units)

협착

협착의 위치에 따라 기능적으로 유입협착증(inflow stenosis), 천자부위 협착, 그리고 유출협착증(outflow stenosis)으로 나눌 수 있으며, 대부분의 경우에 신체검사와 투석 중 모니터링을 통해 포착할 수 있다. 혈관초음파 검사를 통해 중심정맥협착(central vein stenosis)을 제외한 대부분의 협착을 진단할 수 있으며, 기능적 평가를 통해 가장 중요한 원인이 되는 병변을 찾아 낼 수 있다. 초음파 검사는 협착병변에 대해 치료 전략을 수립하는 데 있어서도 중요하며, 중재적 또는 수술적 치료의 성공률을 높이고 합병증을 낮추기 위해서 점차 강조되고 있다. 투석혈관 협착

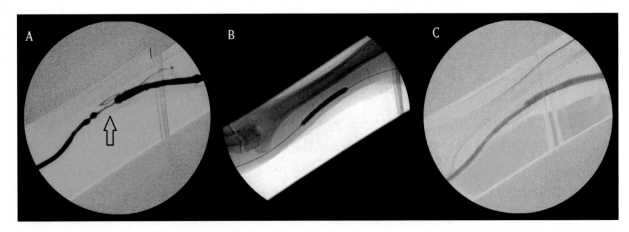

그림 14-5-2. 인조혈관 유출정맥의 피부경유 혈관내 혈관성형술

(A) 아래팔고리인조혈관(forearm loop graft)의 유출정맥인 기저정맥(basilic vein)에 협착병변이 관찰되고 있다(화살표).
(B) 풍선카테터를 이용하여 혈관성형술을 시행하고 있다.
(C) 협착병변에 대해 혈관성형술 후 디지털감산혈관조영(digital subtraction angiography)에서 개통성이 호전된 것이 확인된다.

증의 치료로는 일차적으로 피부경유 혈관내 혈관성형술 (percutaneous transluminal angioplasty, PTA)이 추천된 다. 혈관에 삽입한 혈관초(introducer, sheath)를 통해 유도철사(guidewire)와 풍선카테터(balloon catheter)를 진입시키고, 협착에 대해 풍선확장을 시행하여 좁아져 있는 병변을 넓혀 주는 방법으로, 조영제를 사용한 혈관조영술을 통해 시행하는 것이 일반적이다(그림 14-5-2). 2019년에 개정된 KDOQI 혈관통로 지침에서는 임상적으로 의미있는 협착에 대해서 시기적절하게 영상학적 검사를 시행하여, 임상적 징후를 초래한 것으로 판단되는 원인병변에 대해 즉각 치료하도록 권고하였으나, 임상지표(clinical indicators)를 동반하지 않은 투석혈관 협착에 대해서는 혈관성형술을 권고하지 않고 있다. 협착에 대해 혈관성형술을 시행한 후에는 치료 전에 발생했던 임상 증상이나 징후가 의미있게 개선되었는지 확인해야 하고, 환자마다 수술적 또는 중재적 치료술의 종류와 횟수를 기록한다. KDOQI 지침에서는 투석혈관의 사용을 유지하기 위한 중재적 치료를 1년간 3회 이하로 시행하는 것을 목표로 하도록 제시하고 있다.

혈전증

투석혈관 혈전증의 치료에서 수술적 치료와 혈관내 치료(endovascular treatment)는 아직까지 어느 쪽이 더 우월하다고 정해진 바 없으며, 최근에는 서로 상호 보완적으로 하이브리드 치료(hybrid operation)를 하는 경우도 많다. 다양한 혈관내 치료기구들이 개발되면서 혈전제거술에 혈관내 치료가 일차적으로 고려되고 있지만, 폐동맥고혈압의 유무와 우-좌 심장내 우회로의 존재에 의한 색전의 위험성을 고려해야하며, 특히 투석혈관 감염이 동반되어 있는 경우에는 수술적으로 혈전을 제거해야 한다. 혈전에 의한 염증반응을 고려할 때, 동정맥루의 경우에는 긴급하게 혈전제거술이 시행되어야 하고, 인조혈관의 경우에도 가능한 조기에 시행하는 것이 혈액투석용 중심정맥관 삽입의 필요성을 최소화할 수 있고 장기 예후도 좋은 것으로

알려져 있다. 그러나, 호흡곤란이나 심각한 전해질 이상이 동반된 경우에는 혈전제거술 전에 응급 혈액투석도관 삽입과 투석치료를 우선 고려해야 한다.

미세천자바늘을 이용하여 천자한 후 혈관초를 삽입하고 0.018~0.035inch의 유도철사를 삽입하여 협착병변을 통과시킨 다음 풍선카테터를 진입하여 협착을 치료하고 혈전을 제거한다. 혈전제거술에서 중요한 것은 반드시 원인을 찾아 교정하는 것이며, 협착병변에 대해 성공적인 혈관성형술이 선행되지 않으면 혈전증을 해결하기 어렵다. 혈전은 혈전제거용 혈관초를 이용하여 흡입하여 제거하거나, alteplase (tissue plasminogen activator, tPA) 같은 혈전용해제를 주입하여 혈전을 녹이는 치료를 병행하기도 한다. 하이브리드 수술법을 통해 투석혈관을 일부 절개하고 혈전을 직접 체외로 제거한 후 협착에 대해 혈관성형술을 시행하고서 절개부위를 봉합하기도 한다. 인조혈관에서 혈전이 발생한 경우 일반적으로 인조혈관 내에 국한된 혈전의 양은 많지 않으므로 혈전용해제를 주사하거나 풍선카테터를 이용하여 혈전을 분쇄하여 제거하기도 한다(그림 14-5-3). 그러나, 크기가 큰 (가성)동맥류에 혈전이 차있거나 유출정맥까지 광범위하게 혈전이 존재하는 경우에는 많은 양의 혈전으로 인해 심각한 폐색전증의 위험이 있으므로 수술적으로 혈전을 제거하는 것이 추천된다. 혈관내 치료나 외과적 혈전제거술에서 모두 최종적으로 잔여 혈전없이 주된 원인병변이 교정되었음을 영상학적으로 확인해야 하며, 치료 후에 혈액투석 치료가 일회 이상 정상적으로 이루어져야만 시술 성공(clinical success)으로 판단한다.

투석혈관에 따라 고려할 점

인조혈관의 혈전증은 정맥문합부위나 유출정맥의 협착이 주된 원인이 되며, 지혈시간 연장이나 투석 중 정맥압 상승으로 증상이 나타나는 경우가 많다. 동정맥루에서는 문합부주위 협착(juxta-anastomotic stenosis, JAS)으로 인해 투석 중 동맥압이 저하되어 투석치료를 처방대로 시

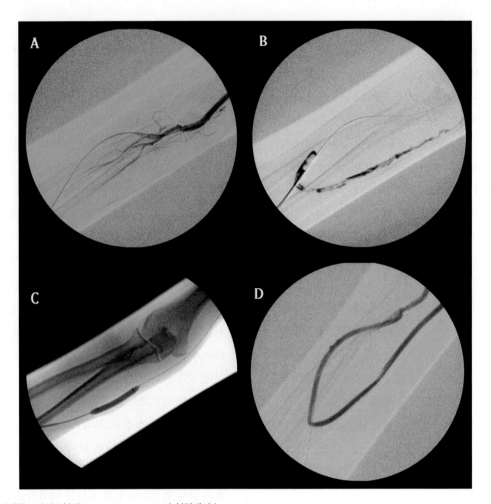

그림 14-5-3. **아래팔고리인조혈관(forearm loop graft)의 혈전제거술**

(A) 인조혈관을 통해 위팔동맥(brachial artery)으로 진입시킨 유도카테터를 이용하여 디지털감산혈관조영술(digital subtraction angiography)을 시행하였다. 인조혈관이 혈전으로 폐색되어 조영되지 않고 있다.

(B) Fogarty 혈전제거카테터를 이용하여 동맥문합부와 동맥지(arterial limb)의 혈전을 제거하고 있다.

(C) 인조혈관의 협착에 대해 풍선확장술을 시행하고 있다.

(D) 혈전제거술과 혈관성형술 후 인조혈관의 혈류와 개통성이 회복되었다.

행하기 어려워지거나, 떨림(thrill)이 약해지고 천자가 어려워지는 증상이 흔하다. 혈액투석 치료에 장기간 이용한 투석혈관의 경우에는 천자구역에 협착이 발생할 위험이 커지고, 동맥류나 가성동맥류로 인한 혈전 발생의 위험이 증가한다. 위팔동맥-노쪽피부정맥 동정맥루(brachiocephalic fistula)에서는 문합부주위 협착으로 인한 유입협착증(inflow stenosis)보다 노쪽정맥활(cephalic arch) 협착으로 인한 유출협착증(outflow stenosis)이 더 문제가 되는 경우가 많고, 이 경우 떨림(thrill)이 박동(pulsation)성으로 변

하거나, 팔부종 또는 동맥류 발생 등의 증상으로 나타날 수 있다. 이처럼 투석혈관의 종류, 위치, 그리고 조성 후 경과기간에 따라 흔히 마주치는 임상 증상과 우선 살펴보아야 하는 협착부위가 다양하며, 임상증상과 신체검사로 협착의 존재와 위치를 추정하고 혈관초음파로 확인 및 평가한다. 혈관초음파 검사에서 임상적으로 의미있는 협착병변이 확인되면 말기콩팥병 생애 계획(ESKD Life-Plan)에 따라서 치료방법을 결정하고 구체적인 전략을 세우게 된다.

표 14-5-2. 동정맥루와 인조혈관의 혈전증의 특징

동정맥루 혈전증	인조혈관 혈전증
거의 모든 경우에서 혈전증을 초래한 주 원인병변이 존재한다.	특별한 원인을 찾을 수 없는 경우도 있다.
투석혈관 모니터링과 감시를 통해 예측 가능한 경우가 많다.	특별한 증상 없이 막히고 예측하기 어렵다.
인조혈관에 비해 수술적 교정이나 하이브리드 치료가 필요한 경우가 많다.	동정맥루에 비해 중재적 혈전제거술이 용이하고 성공률이 높다.
모니터링과 감시를 통해 혈전증을 예방하는 방법이 효과적일 수 있다.	언제든지 즉시 중재적 혈전제거술이 가능한 시스템을 갖추는 것이 필요하다.

일단 성숙된 동정맥루에서는 인조혈관에 비해 혈전증의 발생 빈도가 현저하게 낮다. 그러나 혈전증이 발생한 동정맥루는 그만큼 심한 협착병변이 동반되어 있다는 것을 의미하며, 풍선카테터를 이용한 중재술로 성공적인 치료를 하는 것이 인조혈관의 혈전증보다 어려운 경우가 많다. 그러므로, 동정맥루에 혈전증이 발생한 경우에는 반드시 원인이 되는 병변을 확인해야 하고, 혈전증과 협착을 함께 치료하기 위해서 혈관내 치료와 수술적 치료 중에 어떤 방법이 더 효과적인지 장기적인 관점에서 판단해야 한다. 오래 된 노동맥 노쪽피부정맥 동정맥루(radiocephalic fistula)에서 문합부주위 협착(JAS)으로 인해 유입혈류가 감소한 것이 혈전증의 원인인 경우, 풍선확장술로 장기적인 효과를 기대하기 어렵다면 근위부 재문합술(proximal reanastomosis)과 같은 수술적 교정을 하면서 동시에 혈전을 제거하는 것이 장기적으로 더 나은 개통률을 제공할 수 있다. 인조혈관에 비해 동정맥루의 혈전증에서는 혈전이 상대적으로 더 많거나 단단한 경우가 흔하며, 이러한 경우에는 수술적으로 혈전을 제거하는 하이브리드 치료가 필요한 경우도 있다. 인조혈관은 동정맥루에 비해 혈전증이 더 흔하게 발생하고 예측하기도 어렵지만, 혈관내 치료를 통한 중재적 혈전제거술은 동정맥루에 비해 더 용이한 편이다(표 4-5-2).

수술이 금기인 환자이거나 수술적으로 접근하기 어려운 부위에는 스텐트 삽입을 고려할 수 있다. Bare metal stent 삽입 후에는 스텐트내 협착(in-stent stenosis)이 자주 발생하게 되므로 반복적인 혈관성형술이 뒤따르는 경우가 많은 데, 2019 KDOQI 혈관통로 지침에서는 더 이상 기존의 bare metal stent를 투석혈관 치료에 사용하지 않도록 권고하였다. 반면에 인조혈관의 정맥문합부 협착에 대해서는 혈관성형술보다 효과적인 것으로 알려진 stent-graft를 새롭게 권고하였다. 다만, stent-graft는 다음 번 투석혈관 조성이나 수술적 교정을 고려하여 투석혈관 계획(access plan)에 방해가 되지 않도록 설치해야 한다.

고령의 혈액투석 환자와 혈액투석 치료기간이 증가함에 따라, 혈액투석 의료진은 환자 개개인의 말기콩팥병 생애계획(ESKD Life-Plan Strategy)에 따라 개별적으로 장기적인 혈관통로 계획을 수립하고, 가이드라인을 바탕으로 최신지견을 적용하도록 노력해야 하며, 다학제적 접근을 위한 혈관통로팀에서 주도적인 역할을 담당할 필요가 있다.

▶ 참고문헌

- Asif A, et al: Early arteriovenous fistula failure: a logical proposal for when and how to intervene. J Am Soc Nephrol 1:332-339, 2006.
- Bent CL, et al: The radiological management of the thrombosed arteriovenous dialysis fistula. Clin Radiol 66:1-12, 2011.
- Gallieni M, et al: Dialysis access: an increasingly important clinical issue. Int J Artif Organs 32:851-856, 2009.
- Green LD, et al: A metaanalysis comparing surgical thrombectomy, mechanical thrombectomy, and pharmacomechanical thrombolysis for thrombosed dialysis grafts. J Vasc Surg 36:939-945, 2002.
- Hyun JH, et al: Hybrid surgery versus percutaneous mechanical

thrombectomy for the thrombosed hemodialysis autogenous arte-riovenous fistulas. J Korean Surg Soc 81:43–49, 2011.

- Kuhan G, et al. A meta–analysis of ran-domized trials comparing surgery versus endovascular therapy for thrombosed arteriovenous fistulas and grafts in hemodialysis. Cardiovasc Intervent Radiol 36:699–705, 2013.

- Lee HS, et al: Current treatment status and medical costs for hemodialysis vascular access based on analysis of the Korean Health Insurance Database. Korean J Intern Med 33:1160–1168, 2018.

- Lok CE, et al; National Kidney Foundation: KDOQI Clinical Practice Guideline for Vascular Access: 2019 Update. Am J Kidney Dis 75(4 Suppl 2):S1–S164, 2020.

- Malka KT, et al: Results of repeated percutaneous interventions on failing arteriovenous fistulas and grafts and factors affecting out-comes. J Vasc Surg 63:772–777, 2016.

- Napoli M, et al: Juxta–anastomotic stenosis of native arteriovenous fistulas: surgical treatment versus percutaneous transluminal angio-plasty. J Vasc Access 11:346–351, 2010.

- Rosenberg JE, et al: Prediction of Arteriovenous Fistula Dysfunc-tion: Can it be Taught? Semin Dial 28:544–547, 2015.

- Schmidli J, et al: Editor's Choice – Vascular Access: 2018 Clinical Practice Guidelines of the European Society for Vascular Surgery (ESVS). Eur J Vasc Endovasc Surg 55:757–818, 2018.

- Sivanesan S, et al: Sites of stenosis in AV fistulae for haemodialysis access. Nephrol Dial Transplant 14:118–120, 1999.

- Troisi N, et al: Hybrid simultaneous treatment of thrombosed pros-thetic grafts for hemodialysis. J Vasc Access 15:396–400, 2014.

- Wiese P, et al: Colour Doppler ultrasound in dialysis access. Nephrol Dial Transplant 19:1956–1963, 2004.

CHAPTER
06 혈액투석 도관삽입술 및 도관 기능부전

황현석 (경희의대)

KEY POINTS

● 터널식 혈액투석 도관(tunneled hemodialysis catheter)을 유지투석 환자에서 혈관통로로 사용될 수 있는 경우는 모든 혈관통로가 소실된 경우, 신장이식을 대기하는 경우(90일 이내), 기대 여명이 제한적일 때(6~12개월 이내), 심한 심부전이 있는 경우 등이다.

● 혈액투석 도관 삽입 혈관은 우측 내경정맥(right internal jugular vein)이 가장 선호된다.

● 비터널식 혈액투석 도관은 터널식 혈액투석 도관에 비해 감염의 위험도가 높기 때문에 가능한 사용을 피하는 것이 좋으며 기간은 일주일 이내로 사용해야 한다.

● 도관 기능부전은 시술 후 1~2주 안에는 도관 끝이 부적절한 위치이거나 도관 꺾임이 있는 경우에 발생한다. 도관 삽입 후 2주 이후에는 도관 혈전증과 피브린 외막 (fibrin sheath)이 가장 흔한 도관 기능부전의 원인이다.

● 도관 기능부전으로 도관을 교체할 경우 유도철사를 이용한 도관 교체 방법을 활용하여 혈관에 새로 천자부위를 만드는 경우를 최소화하는 것이 권고된다.

● 과거 도관 기능부전은 혈류 전달 속도, 동맥압 혹은 정맥압의 수치로 정의되었으나 최근에는 투석시간 연장 없이 적절한 투석을 시행할 수 있을 정도로 혈류량을 전달하지 못하는 경우로 정의하고 있다.

개요

혈액투석 도관은 혈관통로가 확보되지 않는 환자에서 가장 빠르고, 유용하게 쓰일 수 있는 혈관통로이다. 혈액투석 도관은 감염, 혈전증, 중심정맥 협착 등의 합병증을 유발하여 사용 자제를 권고하고 있으나, 혈관통로가 준비되어 있지 않거나 유지 혈관통로의 문제가 발생한 환자에서 여전히 사용된다. 혈액투석 도관의 종류는 피하 터널의 유무에 따라 비터널식과 터널식 도관으로 구별된다.

혈액투석 도관의 종류와 특징

1. 터널식 혈액투석 도관

1) 터널식 혈액투석 도관의 적응증

일주일 이상 혈액투석을 시행해야 하는 환자에서는 비터널식 혈액투석 도관(non-tunneled hemodialysis catheter)을 사용하지 않고 터널식 혈액투석 도관(tunneled hemodialysis catheter)을 사용해야 한다. 일부 환자에서

터널식 혈액투석 도관이 유지투석 혈관통로로 사용될 수 있는데 모든 혈관통로가 소실된 경우, 신장이식을 대기하는 경우(90일 이내), 기대 여명이 제한적일 때(6~12개월 이내), 심한 심부전이 있는 경우가 해당된다.

2) 터널식 혈액투석 도관의 장점

터널식 혈액투석도관의 커프(cuff)는 삽입 후 터널 피하조직과의 유착을 형성하게 된다. 이는 도관의 고정(anchoring)기능과 감염에 대한 방어 역할 하게 되어 비터널식 혈액투석 도관에 비해 감염 위험도를 낮추는 장점을 가지게 된다.

2. 비터널식 혈액투석 도관

1) 비터널식 혈액투석 도관의 적응증

비터널식 혈액투석 도관은 터널식 혈액투석 도관을 삽입하기 어렵거나 급성기 투석치료로 일주일 미만의 투석치료가 예상되는 환자에게서 유용하다. 비터널식 혈액투석 도관은 터널을 만들지 않기 때문에 도관의 길이가 비교적 짧고 시술이 간편하여 혈역학적으로 불안정한 패혈증, 심한 폐부종이 있는 경우에 사용된다.

2) 비터널식 혈액투석 도관의 단점

터널식 혈액투석 도관에 비해 감염의 위험도가 높기 때문에 가능한 사용을 피하는 것이 좋으며 급성기 입원환자의 경우에 한해서 사용해야 한다. 특히 대퇴정맥을 통한 도관 삽입은 감염과 혈전증 발생의 위험도가 높다. 비터널식 도관을 사용한 경우 환자 상태가 허용되면 가능한 빨리 터널식 혈액투석 도관으로 교체하는 것이 권고된다.

혈액투석 도관삽입술

1. 터널식 혈액투석 도관 삽입 방법

1) 혈관의 선택

혈액투석 도관 삽입은 우측 속목정맥(right internal

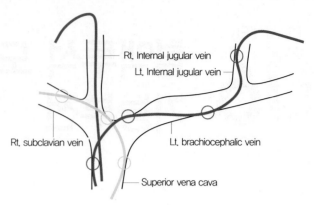

그림 14-6-1. 우측 속목정맥으로 도관을 삽입할 경우(빨간색) 도관이 직하방으로 주행하게 되나 좌측 내경정맥으로 삽입할 경우(파란색 실선) 도관의 주행이 길어지고 도관 꺾임과 혈관손상(파란색 원)이 발생한다. 우측 쇄골하정맥으로 삽입(연두색 실선)하면 협착위험이 증가하여 도관 삽입 혈관으로 선택되지 말아야 한다.

jugular vein)이 가장 선호된다. 우측 속목정맥으로 도관을 삽입할 경우 도관의 주행이 우심방까지 일직선으로 이어져 중심정맥 협착의 위험성을 줄일 수 있고 짧은 길이의 도관을 사용할 수 있어 혈류 전달속도 개선에 도움이 된다. 좌측 속목정맥은 우측 속목정맥이 유효하지 않을 경우 사용할 수 있으나, 좌측 팔머리정맥(left brachiocephalic vein)을 통해야 하므로 우측 속목정맥을 통해 삽관할 때 보다 긴 길이의 도관이 필요하고 도관의 주행이 직선으로 되지 않아 중심정맥 협착을 유발할 위험성이 증가한다.(그림 14-6-1) 쇄골하정맥(subclavian vein)은 중심정맥 협착을 유발할 위험성이 매우 높으며 협착이 발생하면 동측 상완은 혈관통로를 생성할 수 없게 되므로 도관 삽입혈관으로 선택되지 않아야 한다.

2) 우측 속목정맥을 이용한 도관 삽입 시술

(1) 초음파를 이용하여 쇄골 윗쪽에 우측 속목정맥의 혈전 동반 유무와 해부학적 변이가 있는지 확인한다. 이와 함께, 동맥 천자를 피하기 위해 내경동맥의 위치도 함께 확인한다.

(2) 심전도 모니터링을 부착하고 환자의 아래턱뼈에서부터 유두까지 무균상태가 되도록 소독을 하고, 무균 수술복장과 무균 수술 장갑을 착용한다. 무균 소독

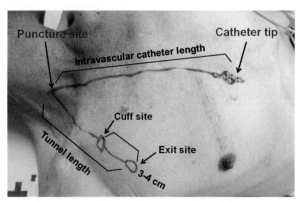

그림 14-6-2. 터널식 혈액투석 도관 삽입을 위한 설계 그림

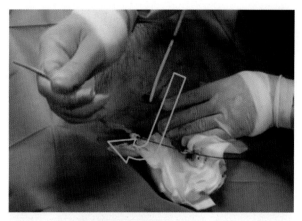

그림 14-6-3. 혈액투석 도관이 피하 터널을 통과하여 천자 부위로 빠져나가는 시술 과정

검은색 화살표 방향으로 tunneler를 당기게 되면 회색 화살표 경로대로 도관이 피하 터널을 통과하여 빠져나가게 된다.

포는 도관 삽입 시 사용되는 유도철사(guide wire) 길이를 고려하여 시술 부위 주위로 넓게 덮는다.

(3) 천자 부위를 가능한 쇄골뼈에 가장 가깝게 선정하고 천자 부위 마취를 시행한다. 20~22 gauge 미세천자 바늘(micropuncture needle)을 이용하여 초음파유도하에 속목정맥 천자를 시행한다. 천자가 되면 바늘을 통하여 미세천자 유도철사를 삽입하고, 미세천자집(micropuncutre sheath)이 혈관 내 위치하도록 거치한다.

(4) 형광투시검사법(fluoroscopy)을 이용하여 도관의 끝이 우심방에 위치할 수 있도록 도관 끝(tip) 위치를 선정한다. 도관 끝의 위치를 환자 피부에 표시한 후, 천자부위까지 일직선을 그어 길이를 측정한다(그림 14-6-2). 이 길이는 도관의 혈관 내 주행 길이가 된다. 도관의 커프가 쇄골뼈 아래에 위치할 수 있도록 커프 위치를 표시하고, 커프 부위에서 천자 부위까지 터널 부분을 표시하는데, 천자부위에서 도관이 꺾이지 않도록 터널 주행 각도를 완만히 설계한다. 도관 끝에서 천자부위까지 길이와 천자 부위에서 도관 커프까지 길이를 더한 값이 시술에 필요한 도관의 길이가 된다. 커프 부위로부터 약 3~4 cm 아래쪽으로 출구 부위를 표시한다. 출구 부위는 유방을 침범하지 않아야 한다.

(5) 혈관 내 거치되어 있던 미세천자집을 통하여 유도철사를 삽입하고 형광투시경 유도하에 유도철사가 우

심방, 우심실을 거쳐 아래대정맥(inferior vena cava)까지 위치할 수 있도록 진입시킨다. 이 때, 심전도를 관찰하면서 부정맥 발생에 유의한다.

(6) 천자 부위에서 외측으로 1 cm 정도의 절개를 시행하고 유도철사를 통하여 첫 번째 확장기(dilator)를 혈관 내에 거치한다.

(7) 출구 부위부터 피하터널까지 부분마취를 시행하고 출구 부위에 약 1 cm 피부절개를 시행하여 출구를 만든다. Tunneler를 이용하여 출구 부위에서 부터 천자 부위까지 피하로 tunneler를 관통시켜 천자 부위에 만든 절개 부위로 tunneler의 끝이 보일 때까지 tunneler를 진입시킨다.

(8) Tunneler의 출구 부위 부분으로 혈액투석 도관을 연결하고 천자 절개 부분으로 나온 tunneler의 반대쪽 끝을 잡아당겨 혈액투석 도관이 터널을 통과할 수 있도록 한다 (그림 14-6-3).

(9) 천자부위의 절개를 통해서 나온 혈액 투석도관 끝을 당겨서 처음 설계대로 도관의 끝이 우심방에 위치할 수 있는 지 환자 피부에 표시한 설계도에 맞추어 본다.

(10) 유도 철사를 통해 천자 부위에 삽입되어 있던 첫 번째 확장기를 제거하고 두 번째 확장기를 이용하

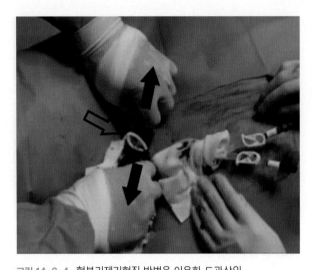

그림 14-6-4. 혈분리제거형집 방법을 이용한 도관삽입

분리제거형집의 외부집 안으로 도관을 삽입하고 도관이 빠지지 않게 도관을 화살표 (투명 화살표) 방향으로 밀면서 외부집을 양쪽 화살표 (검은색) 방향으로 잡아당겨 두 개로 분리하면서 제거한다.

여 천자 부위를 확장 시키고 제거한다.

(11) 이후 분리제거형집(peel away sheath)을 이용하여 혈액투석 도관을 환자에게 삽입하게 되는데, 분리제거형집을 유도 철사를 통하여 천자 부위로 삽입시킨 후 유도 철사를 제거한다. 분리제거형집의 내측집(inner sheath)만을 제거하고, 외부집(outer sheath)은 혈관 내에 그대로 남겨두면, 분리제거형집 내부에 공간이 만들어 지는 데 이 공간으로 도관을 삽입한다. 이후 도관이 빠지지 않게 주의하면서 분리제거형집을 두개로 분리하여 제거한다(그림 14-6-4).

(12) 도관이 삽입되면 도관의 기능과 위치를 확인한다. 주사기를 도관문(catheter port)에 연결하고 주사기를 통하여 혈액의 흡인·방출이 자유롭게 되는 지 확인한다. 도관의 위치는 형광투시검사기 혹은 흉부 X−선 촬영을 이용하여 도관의 끝이 우심방에 위치하는지 그리고 도관 주행이 꺾인 부분이 없는지 확인한다.

(13) 도관 천자 부위의 피부 절개를 봉합하고 도관 날개 부위를 피부에 고정하여 도관내부에 헤파린 용액

을 주입하고 마무리한다.

혈액투석 도관 기능부전

1. 혈액투석 도관 기능부전의 원인

혈액투석 도관 기능부전은 도관 제거나 교체를 필요로 하게 되는 주요 원인이다. 과거 도관 기능부전은 혈류 전달 속도, 동맥압 혹은 정맥압의 수치로 정의되었으나 최근에는 투석시간 연장 없이 적절한 투석을 시행할 수 있을 정도로 혈류량을 전달하지 못하는 경우로 정의하고 있다. 이는 도관 기능부전을 투석 적절도 달성에 중점을 두어 새로 정의된 것이다. 도관 기능부전의 원인은 시술 후 초기와 후기에 따라 원인을 구별해 볼 수 있다.

1) 시술 후 초기 도관 기능부전

시술 후 1~2주 안에 발생하는 도관 기능부전의 원인은 삽입 당시 시술과정과 연관된 것으로 도관 끝이 부적절한 위치이거나 도관 꺾임이 발생한 경우가 해당된다. 도관 끝이 상대정맥 내에 위치하거나 우심방 내에 자유롭게 부유(floating)하지 못할 경우 도관 끝으로의 혈액 유입에 문제를 일으킬 수 있다. 도관 꺾임의 경우 쇄골뼈에서 위쪽으로 지나치게 치우쳐 혈관 천자를 시행한 경우나 피하터널이 완만한 각도로 형성되지 않았을 때 자주 발생할 수 있다. 초기 도관 기능부전은 triple T check을 통하여 원인을 확인할 수 있는 데 혈류 흡인을 통하여 도관 기능부전 유무(test flow)를 먼저 확인하고, 흉부 X−선에서 도관 꺾임을 쇄골뼈 부근에서 확인하며(top), 도관 끝의 위치가 우심방에 위치하는지 확인하면(tip) 된다(그림 14-6-5).

2) 시술 후 후기 도관 기능부전

도관 삽입 후 2주가 경과하게 되면 도관 혈전증과 피브린 외막(fibrin sheath)이 가장 흔한 도관 기능부전의 원인이 된다. 혈전증은 도관 내 혈전증이 많이 발생하나 중심정맥 혹은 우심방 혈전증과 동반된 도관 외부 혈전증이 발

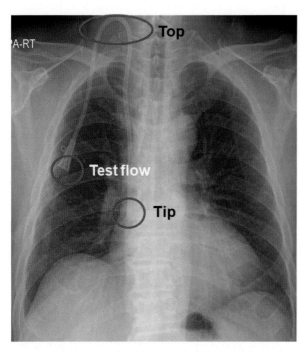

그림 14-6-5. 초기 도관기능 부전의 원인을 확인하는 방법

된 원인이다. 기능부전의 원인 진단은 도관을 제거하거나 형광투시검사법을 사용하기 전에는 기능 부전의 정확한 원인을 진단하기 어렵다. 혈전용해제는 도관 혈전증과 피브린 외막 치료에 모두 효과를 보일 수 있으므로, 후기 도관 기능부전 발생 시 첫 번째 고려되는 치료는 혈전용해제(thrombolytic agent)를 도관 내강에 주입하여 도관 기능부전이 개선되는 지 확인하는 것이 선호된다.

(1) 혈전용해제

혈전용해제를 도관 내강에 주입하여 치료하는 방법은 각각의 보고마다 용량과 사용 방법은 차이가 있으나 통상적으로 사용되는 방법은 다음과 같다(표 14-6-1).

혈전용해제의 저류 방법(dwell technique)은 도관 내강에 발생한 혈전을 치료하는 데 도움이 되나 도관의 끝이나 도관 외부에 발생한 혈전증과 피브린 외막에는 도움이 되지 않을 수 있다. 이를 위해서, 주입방법(infusion technique)을 시행할 수 있는데 도관 내강에 alteplase를 주입한 후 도관에 생리 식염수를 연결하여 30분간 alteplase가 도관을 빠져나가 체내로 주입되게 하면 된다. 도관개통에 성공하는 경우에 도관을 계속 사용하면 되고 개통이 되지 않으면 혈전용해제 주입을 한 차례 더 반복하는 것을 고려해 볼 수 있다. 이 후에도 도관이 개통되지 않으면 피브린 외막에 대한 중재치료를 고려하거나 도관을 교체해야 한다.

생기기도 한다. 피브린 외막은 얇은 막 형태의 결합조직이 도관을 둘러싸서 역류저지판막(check valve)의 기능을 하게 되어 도관 기능부전을 일으키게 된다.

2. 혈액투석 도관 기능부전의 치료

1) 시술 초기 도관 기능부전 치료

도관 끝의 부적절한 위치나 도관 꺾임이 원인이 되므로 영상학적 검사가 필요하다. 형광투시검사법이나 흉부 X-선 촬영을 시행하여 도관의 끝 위치와 도관 꺾임을 확인한다. 도관 끝의 위치가 부적절한 경우 도관 위치를 재조정하는 시술을 시행하며 꺾임이 있는 경우 해당 부위의 꺾임이 사라지도록 시술을 시행하면 된다. 다만, 시술을 시행하기 전 도관 커프가 피하조직과 유착되어 도관이 고정되어 있는 지 먼저 확인하는 것이 시술 계획을 세우는 데 유리하다.

2) 시술 후 후기 도관 기능부전 치료

후기 도관 기능부전은 도관 혈전증과 피브린 외막이 주

표 14-6-1. 도관혈전증 치료를 위한 혈전용해제의 종류와 사용방법

혈전용해제 종류	용량, 저류시간
Urokinase	25,000~100,000 IU/lumen, 2시간
Alteplase	1~2 mg/lumen, 30분~90분

(2) 피브린 외막치료

피브린 외막은 형광투시검사법을 통해 확진할 수 있다. 도관의 커프와 피하조직과의 유착을 박리한 후 도관을 약 8~10cm 정도 뒤로 잡아 당겨 도관을 후퇴시키고 조영제를 도관 내로 주입하면서 피브린 외막 유무를 확인한다(그림 14-6-6).

909

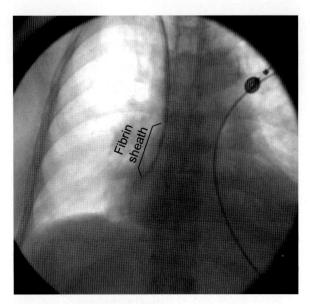

그림 14-6-6. 섬유소집의 혈관조영술

도관을 후퇴시키고 투시검사경을 이용해 도관내로 조영제를 투여하면 도관 끝에 부착된 섬유소집을 발견할 수 있다..

피브린 외막이 확인되면 도관 교체 혹은 피브린 외막 제거술 중 한 가지를 시도할 수 있다. 피브린 외막 제거술은 풍선성형술(balloon angioplasty)을 이용한 피브린 외막 파열을 유도하여 제거하는 방법이다. 현재 KDOQI 권고사항에서는 기존 도관을 제거하고 다른 혈관 부위를 천자하여 도관을 새로 삽입하는 것은 혈관 보존 측면에서 마지막 방법으로 선택하라고 권고하고 있으며 유도철사를 이용한 중심정맥 도관 교환을 우선 추천하고 있다.

혈액투석 도관과 연관된 감염과 치료

1. 출구감염

출구감염은 출구 주변 2 cm에 국한된 연조직염(cellulitis)이다. 터널감염이 동반되어 있지 않을 경우 국소항생제나 경구 항생제로 치료 1~2주를 시행하며 대개의 경우 도관제거는 필요하지 않다.

2. 터널감염

터널감염은 주로 도관 커프 상방에 위치한 터널주변으로 발생한 연조직염이다. 터널감염은 출구감염을 동반할 수 있으며 치료하지 않을 경우 균혈증으로 이행될 수 있다. 터널감염이 의심될 경우 혈액배양 검사와 도관 주변의 분비물로 배양검사를 시행하고 그람양성균과 그람음성균에 대하여 모두 경험적 항생제 치료를 시행한다. 치료기간은 10일에서 14일 정도 시행하며 항생제 치료에 효과적으로 반응하지 않을 경우 혈관 천자부위를 보존하면서 새로운 터널을 만들어 도관을 교체하는 것이 효과적이다.

3. 도관과 연관된 균혈증

도관을 가지고 있는 환자가 발열이 있을 경우 도관감염의 가능성을 생각해야 한다. 만일, 발열을 설명할 만한 다른 명확한 원인이 없을 경우 말초정맥과 도관을 통하여 혈액배양 검사를 시행함과 동시에 경험적 항생제 치료를 시작해야 한다. 초기 경험적 항생제 치료는 그람 양성균과 음성균을 모두 포함해야 하고 *Methicillin-resistant Staphylococcus aureus*도 항생제 치료 대상에 포함 되어야 한다.

항생제 치료와 함께 도관 제거여부를 결정해야 하는데, 비터널식 도관의 경우에는 도관제거를 반드시 시행한다. 터널식 도관일 경우에도 도관제거를 고려해야 하는데 혈역학적으로 불안정 하거나, 항생제치료 후 48~72시간 이후에도 발열이 지속되거나, 전이성 감염이 확인되거나 터널감염이 동반된 경우에는 반드시 제거한다. 도관 연관 감염의 균주가 확인되면 그림 14-6-7에 따라 치료 방법을 추가로 결정한다.

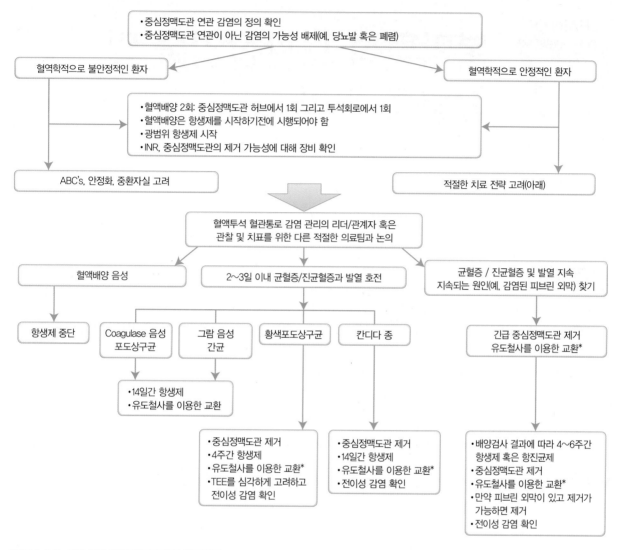

제 14 부 중재신장학

그림 14-6-7. 도관 연관 감염 치료에 대한 알고리즘

*적절한 경우에 사용 가능하다 (같은 부위에서 교체할 시, 출구 또는 터널에서 화농성 또는 기타 감염 징후가 없는 경우). 만약 출구 또는 터널에서 화농성 또는 기타 감염의 징후가 있을 때, 터널 감염의 경우, 도관교체는 혈관을 보존하기 위해 같은 쪽의 감염이 침범되지 않는 새로운 터널 부위로 삽입이 가능하다.

▶ 참고문헌

• 대한투석혈관학회: 투석혈관매뉴얼. 대한의학. 2020.

• Hwang HS, et al: Comparison of the palindrome vs. step-tip tun-neledhemodialysis catheter: a prospective randomized trial. Semin-Dial 25:587-591, 2012.

• Lok CE, Huber TS, Lee T, et al; KDOQI Vascular Access Guideline Work Group. KDOQI clinical practice guideline for vascular access: 2019 update. Am J Kidney Dis 75(4)(suppl 2):S1-S164, 2020.

CHAPTER 07 복막투석 도관삽입술 및 합병증 관리

강석휘 (영남의대)

KEY POINTS

- 카테터 끝의 모양에 따라 곧은(straight) 또는 나선(curl), 주위 조직과의 유착을 위한 띠(cuff)의 개수에 따라 single 또는 double cuff, 띠 사이에 영구적인 굽힘의 여부에 따라 곧은 또는 거위목(swan neck) 카테터로 구별한다. Double cuff를 가진 거위목 카테터가 주로 사용된다.
- 복막투석 도관 삽입술에는 개복 수술법(surgical method), blind method, percutaenous method, peritoneoscopic method 그리고 laparoscopic method 등이 있다.
- 복막투석 도관 삽입술의 합병증으로는 출혈, 누출, 내장손상, 도관 기능 부전 등이 있다.
- 도관 끝의 위치가 골반을 벗어난 경우를 migration으로 정의하며 도관 기능 부전의 중요한 원인이다. 주입/배액 기능 부전의 경우 카테터 꼬임, 도관 내부가 혈전이나 섬유조직으로 막히거나 장유착과 같은 경우에 발생하며 배액 기능 부전은 omental wrapping, 복강 유착에 따른 복강 내 공간의 격리, 카테터 유착 등에 의해 발생할 수 있다.

복막투석 도관 삽입술의 종류 및 방법

1. 복막투석 도관 삽입술 및 관리의 기본 원칙

1) 복막투석 도관의 명칭, 종류

(1) 도관의 명칭

복강 내에 위치하는 부분을 intraperitoneal segment, intraperitoneal segment 이후부터 피부에 노출되는 부분까지를 intramural segment, 피부 밖으로 노출된 부분을 external segment라고 한다(그림 14-7-1).

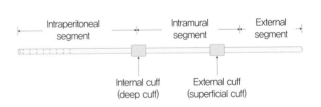

그림 14-7-1. 복막투석 도관의 기본 명칭

(2) 도관의 종류

카테터 끝의 모양, 굽힘, 띠(cuff)의 개수에 따라 구별한다. 카테터 끝의 모양에 따라 곧은(straight) 또는 나선(curl), 주위 조직과의 유착을 위한 띠의 개수에 따라 single 또는 double cuff, 띠 사이에 영구적인 굽힘의 여부에 따라 곧은(straight) 또는 거위목(swan neck) 카테터로 구별한다. Double cuff를 가진 거위목 카테터가 주로 사용된다.

2) 도관의 위치 및 절개 부위

안쪽 띠(deep cuff)가 위치하는 곳을 절개하게 되며 그 위치에 따라 정중선(midline)과 정중선 주위(paramedian) 접근(approach)으로 구별한다. 정중선으로 삽입하는 경우는 배꼽 2~3 cm 아래를 deep cuff의 위치로 결정하고 도관의 끝은 직장자궁오목(cul de sac)에 위치하게 된다. 정중선 주위로 삽입하는 경우 그림 14-7-2와 같이 치골 결합 상연이 도관의 끝으로부터 5 cm 가량에 위치하도록 하고 배꼽으로부터 외측으로 3 cm 정도를 안쪽 띠의 위치로 결정한다. 나선형 도관의 경우 나선의 위상연이 치골 결합 상연에 위치하도록 하여 deep cuff의 위치를 결정한다. 도관 출구 부위(exit site)의 경우 먼지나 감염원의 배출을 원활히 하기 위해 외측 아래쪽을 향하도록 한다.

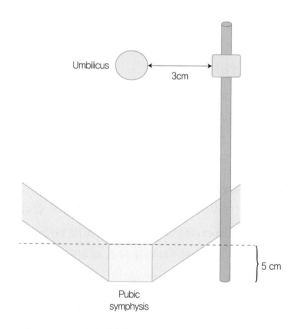

그림 14-7-2. 도관의 위치결정

3) 수술 전, 후 관리

(1) 수술 전

항응고제를 먹고 있다면 최소 5일간 중단하도록 하고 수술 전 6시간 이상의 금식을 유지하고 수술 전날 관장 또는 연하제를 이용하여 대장 정결을 시행한다.

(2) 수술 당일

클로르헥시딘을 이용하여 수술 부위를 세척하고 전동면도기를 이용하여 수술 부위의 모를 제거한다. 수술실에 들어가기 직전 *Staphylococcus*에 효과적인 1세대 또는 3세대 세팔로스포린 항생제를 1회 정주한다.

(3) 수술 후 관리

수술 후 출구 부위의 손상 및 움직임을 최소화하는 것은 도관 띠와 주변 조직의 유착을 돕고 출구 부위의 재상피화를 원활하게 하여 출구 부위의 감염 및 육아조직의 생성을 예방하는데 중요하다. 인위적으로 출구 부위의 고정을 위한 봉합(suture)은 피하고, external segment를 잘 고정하면서 비폐쇄드레싱을 시행하되 복막투석을 시행하기 전까지 드레싱을 최소화한다. 수술 후 절대안정을 취하는 기간에 대해서 정해진 원칙은 없으나 수술 후 1일 이상은 움직임을 최소화 하도록 한다.

2. 복막투석 도관 삽입술 및 제거술

1) 개복 수술법(Surgical method)

외과 의사에 의해 주로 시행되며 정중선 주위로 접근한다.

(1) 그림 14-7-2의 방법으로 결정된 안쪽 띠의 위치를 재확인하고 이를 기준 횡축으로 3~4cm가량을 절개부위로 결정하고 리도케인(lidocain)으로 절개부위를 국소 마취한다. 필요시 fentanyl citrate 또는 미다졸람(midazolam)을 사용한다.

(2) 3~4 cm 길이로 횡절개를 시행하고 앞배곧은근집(anterior rectus sheath)까지 박리하고 그림 14-7-3A와 같이 앞배곧은근집의 횡절개를 시행한다.

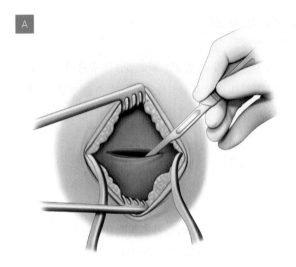

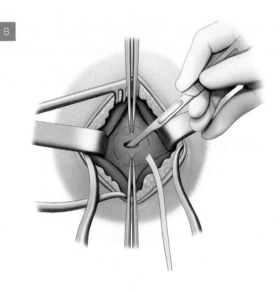

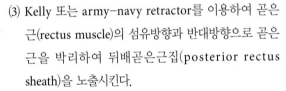

그림 14-7-3. 개복 수술법(Surgical method)을 이용한 도관 삽입술

(3) Kelly 또는 army-navy retractor를 이용하여 곧은 근(rectus muscle)의 섬유방향과 반대방향으로 곧은 근을 박리하여 뒤배곧은근집(posterior rectus sheath)을 노출시킨다.

(4) 뒤배곧은근집을 리도케인으로 마취 후 5 mm가량의 너비와 충분한 깊이로 절개하여 복강을 노출시킨다. 그림 14-7-3B와 같이 Adson tissue forcep을 이용하여 뒤배곧은근집과 복막의 양 끝을 잡아당겨 공기복막증(pneumoperitoneum)을 만든 후 그물막(omentum)이나 장기에 손상이 가지 않도록 Vicryl 1-0 또는 2-0을 이용하여 purse string suture한다.

(5) 복막투석 도관 내부에 소침(stylet)을 넣고 배꼽 기준으로 오른쪽으로 절개 후 삽입하는 경우 방사선 비투과선이 아래로 왼쪽으로 절개 후 삽입하는 경우 위로 향하도록 방향을 잡고 골반방향으로 삽입한다.

(6) 안쪽 띠가 뒤배곧은근집 절개부위까지 도달하면 소침을 제거하고 purse string을 tie한다. 따뜻한 생리식염수 50 cc 정도를 복강 내 주입 후 배액하여 도관의 기능을 확인한다.

(7) 안쪽 띠를 곧은근 섬유 사이에 두고 앞배곧은근집 절개부위의 위쪽 작은 찌름절개를 하고 도관의 바깥 띠(superficial cuff)와 external segment를 통과시킨

다. 방사선 비투과선이 올바른 위치에 있도록(왼쪽 삽입시 위로, 오른쪽 삽입시 아래로) 위치를 조정한다.

(8) 안쪽 띠의 고정 후 형성되는 자연스런 도관의 형태에 맞춰 바깥 띠를 확인하고 그로부터 2 cm 가량을 출구부위로 결정하고 리도케인으로 부분 마취한다.

(9) Piercing trocar를 도관에 연결하고 출구 부위로 진입시켜 터널과 출구를 만들고 connector와 T-set을 연결한다.

(10) 앞배곧은근집을 Vicryl 2-0 또는 3-0을 이용하여 봉합하고 피하조직과 피부는 각각 Vicryl 3-0와 Nylon 3-0를 이용하여 봉합한다.

2) Blind method

내과 의사에 의해서 많이 시행되며 정중선으로 삽입하며 Tenckhoff trocar라는 기구가 필요하다(그림 14-7-4).

(1) 리도케인으로 절개부위를 국소 마취한다. 필요시 fentanyl citrate 또는 미다졸람을 사용한다.

(2) 안쪽 띠를 배꼽아래 또는 곧은근 변연부로 두도록 기준을 잡고 2~3 cm 길이로 종절개를 시행하고 백색 선(linea alba)까지 박리한다.

(3) 발살바법(valsalva maneuver) 상태에서 angioneedle을 백색선 내로 진입시킨다. 호흡에 따른 움직임이

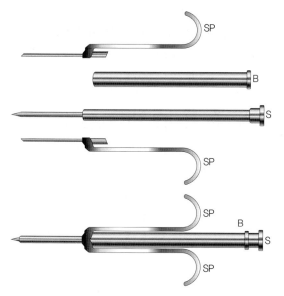

그림 14-7-4. Tenckhoff trocar의 구조(SP: side pieces, S: pointed stylet, B: barrel).

있는지 생리식염수 10 cc를 주입하여 통증이나 저항이 없는지 확인한다.

(4) Angioneedle을 이용하여 복막투석액 2 liter를 주입한다.

(5) Angioneedle을 제거하고 천자한 부위에 Tenckhoff trocar를 저항이 없어질 때까지 복강 내로 진입시킨다. Trocar의 pointed stylet을 제거하여 투석액이 barrel 사이로 역류하는지 확인한다.

(6) 복막투석 도관 내부에 소침을 넣고 barrel 사이로 최대한 진입시킨 후 barrel과 도관 내부의 소침을 제거한다.

(7) 복강 내의 투석액이 카테터로 배액이 잘 되는지 확인하고 50 cc주사기로 복강 내 투석액을 흡인(aspiration) 후 주입(infusion)하여 배변감이 느껴지는지 확인하고 trocar의 side piece를 제거한다.

(8) Tonsil scissor 또는 kelly를 이용하여 도관의 안쪽 띠의 일부가 백색선 내부에 위치할 수 있도록 진입시키고 Black silk 1-0로 안쪽 띠 주위를 purse string suture하여 안쪽 띠를 고정한다.

(9) 안쪽 띠의 고정 후 형성되는 자연스런 도관의 형태

에 맞춰 바깥 띠를 확인하고 그로부터 2 cm 가량을 출구 부위로 결정하고 리도케인으로 부분 마취한다.

(10) Piercing trocar를 도관에 연결하고 출구 부위로 진입시켜 터널과 출구를 만들고 connector와 T-set을 연결한 후 복강 내의 투석액을 전부 배액한다. 피하조직과 피부는 각각 Vicryl 3-0와 Nylon 3-0를 이용하여 봉합한다.

3) Percutaenous method

대부분 투시술(fluoroscopy)을 사용하며 peel away sheath를 이용하므로 fluoroscopic 또는 Seldinger method라고도 불린다. Y-TEC세트를 이용하여 시행할 수 있으나 현재 우리나라에는 들어와 있지 않아 시술 시 필요한 guide-wire, dilator, needle 등은 개별적으로 구비하여 사용한다. 정중선 접근 또는 정중선 주위 접근할 수 있으나 여기서는 정중선 주위 접근방법에 대해서 설명한다.

(1) 안쪽 띠의 위치를 개복 수술법과 동일하게 결정하되 안쪽 띠로 결정된 위치의 3~4 cm 위쪽을 절개부위로 결정하여 그 부위를 리도케인으로 국소 마취한다. 필요시 fentanyl citrate 또는 미다졸람을 사용한다.

(2) 절개부위의 위치를 확인하여 3~4 cm 길이로 횡절개를 시행하고 앞배곧은근집(anterior rectus sheath)까지 박리한다.

(3) 초음파로 배벽동맥의 위치를 확인하고 발살바 수기 상태에서 18~22 gauge needle을 45도 각도로 하부 골반을 향하여 진입시킨다.

(4) 3~5 cc의 조영제를 주입하여 복강 내에 위치함을 확인하고 0.018 inch micropunture guidewire를 하부 골반을 향하여 진입시킨다.

(5) 바늘을 제거하고 5 French dilator를 guidewire를 통해 진입시킨 후 micropuncture guidewire를 0.035 inch guidewire로 교체한다.

(6) Dilator를 10 French에서 17 French의 순으로 진입시켜 복막투석 도관의 삽입이 가능하도록 주변조직을 확장시킨다.

(7) 18 French peel away sheath를 진입시키고 guide-wire와 dilator를 제거하고 sheath 내로 복막투석 도관을 삽입하여 안쪽 띠를 앞배곧은근집까지 진입시킨다.

(8) Cuff implantor tool이나 cuff pusher를 이용하거나 수기로 안쪽 띠를 곧은근 안으로 밀어 넣은 후 안쪽 띠가 빠지지 않도록 고정하면서 peel away sheath를 제거한다.

(9) 자연스런 도관의 형태에 맞춰 바깥 띠를 확인하고 그로부터 2 cm 가량을 출구부위로 결정하고 리도케인으로 부분 마취한다.

(10) Piercing trocar를 도관에 연결하고 출구부위로 진입시켜 터널과 출구를 만들고 connector와 T-set을 연결하고 피하조직과 피부는 각각 Vicryl 3-0와 Nylon 3-0를 이용하여 봉합한다.

4) 기타 도관 삽입술

(1) Peritoneoscopic method: percutaneous method와 방법이 유사하나 도관의 삽입 전 optic scope 및 복강 내 공기 주입을 통하여 복강 내 진입여부와 유착을 확인한다는 점에서 차이가 있다. 현재 우리나라에서는 거의 사용되지 않는 방법이다.

(2) Laparoscopic method: 복강 내 도관의 위치, 유착 여부를 육안으로 확인할 수 있으므로 도관 기능 부전을 예방하고 복막 유착이 의심되는 경우 시행할 수 있는 가장 효과적인 도관 삽입술로 알려져 있으나 전신마취와 laparoscopy를 필요로 하므로 외과의사에 의해서 시행된다.

5) 도관 제거술

삽입 방법과는 무관하게 제거 방법은 유사하다.

(1) 바깥 띠와 안쪽 띠의 위치를 확인하고 안쪽 띠부위를 리도케인으로 부분 마취 후 2~3 cm 절개한다.

(2) 피하조직을 박리하면서 intercuff segment를 확인하고 이를 기준으로 바깥 띠와 안쪽 띠를 차례로 박리한다.

(3) 도관을 제거한 후 정중선으로 삽입한 경우 백색선, 정중선 주위로 삽입한 경우배곧은근집과 복막을 통과하도록 Vicryl 1-0 또는 2-0를 이용하여 purse string suture한다.

(4) 피하조직과 피부는 각각 Vicryl 3-0와 Nylon 3-0를 이용하여 봉합한다.

6) 적절한 도관 삽입술의 선택

(1) 복막투석 도관 삽입술의 성공률 또는 합병증과 관련하여 우월한 결과를 보이는 수술법은 없으므로 시술자나 환자의 선호도에 따라 도관 삽입술을 시행한다. 다만 복강 내의 유착이 있을 가능성이 있다면 유착이 없는 부위로 도관 삽입을 해야 하므로 복강을 확인할 수 있는 laparoscopic 또는 개복 수술법

표 14-7-1. 복막유착이나 마취 종류에 따른 복막투석 도관 수술법

	복막유착의 위험성이 있는 수술이나 복막염의 병력	
	있음	없음
전신마취가 가능한 경우	Laparoscopic method Surgical method	Laparoscopic method Percutaneous method Surgical method Peritoneoscopic method
부분마취만 가능한 경우	Surgical method	Percutaneous method Surgical method Peritoneoscopic method

(surgical method)를 시행하도록 한다. 최근 ISPD가 이드라인에서는 표 14-7-1과 같이 수술법을 선택하도록 권고하고 있다.

3. 복막투석 도관 삽입술의 합병증과 치료

1) 출혈

(1) 배곧은근집 혈종

주로 수술 중 아랫배벽동맥(inferior epigastric artery) 또는 그 가지의 손상으로 발생하며 이외에 수술 후 기침 등으로 인한 복벽 긴장이나 손상에 의해서 발생할 수 있다. 주로 복통을 호소하며 출혈 부위의 부종이나 종괴가 만져질 수 있다. 조영제를 사용한 컴퓨터단층촬영(computed tomography)을 시행하여 출혈에 대한 감별진단이 필요하다. 수술 중 출혈이 발생한 경우 적절한 결찰을 통하여 해결하고 수술 후 발생하였으면 에스트로젠 투여, 수혈, 복벽 압박, 절대 안정과 같은 보존적 치료를 시도해볼 수 있으나 활동성 출혈인 경우 대부분 자발적 지혈이 드물어 수술적 치료나 혈관조영술을 통한 색전술을 통해 해결하는 경우가 많다.

(2) 출구 출혈

external segment의 움직임으로 인한 출구 부위의 손상, 항응고제 복용, 터널 생성 시 주변 조직의 손상에 의해 발생한다. 절대 안정을 취하고 자주 드레싱을 교환하면서 경과관찰하면 지혈되는 경우가 많지만 지속되는 경우 압박, 출구 주위 에피네프린 피하주사, 에스트로젠 피하주사, 출구 주위 suture를 시행할 수 있다.

(3) 혈액 착색 투석액

도관 삽입시에 발생한 출혈이 복강 내로 유입되어 발생한 경우가 많으나 복막유착이나 그물막절제(omentectomy)를 동시에 시행한 경우에도 발생할 수 있다. 출혈의 양이 많지 않은 경우 헤파린을 포함한 투석액으로 복강세척을 하여 해결되는 경우가 많으나 지속되는 경우 수혈이나 수술적 치료를 요할 수 있다.

2) 누출(Leakage)

(1) 종류 및 원인

도관 삽입 1개월 이내에 발생하는 경우를 조기 누출, 1개월 이후에 발생하는 경우를 후기 누출로 정의한다. 조기 누출은 주로 도관의 삽입 주변부의 손상 후 회복이 지연된 경우에 발생하며 후기 누출의 경우 탈장(hernia), 복벽 째짐, 외상, 과수분, 종양, 감염 등의 원인으로 발생할 수 있다.

(2) 위험인자

조기 누출의 경우 1~2주 이상의 충분한 break in period를 가지지 못한 경우에 발생하는 경우가 많으며, 도관 삽입술 시에 안쪽 띠가 백색선이나 배곧은근 내부에 잘 고정이 되지 못한 경우에 발생률이 높다. 수술 방법에 따라서도 차이가 있는데 안쪽 띠가 배곧은근 내부에 위치하는 정중선 주위 접근을 시행하는 경우에 발생률이 낮다.

(3) 증상

터널 주변부의 부종, 출구 부위의 부종 또는 누출, 누출 부위의 부종, 투석액 환류의 감소나 부적절한 복막투석으로 체중증가가 발생할 수 있다.

(4) 치료

결손 부위가 회복될 때까지 2~4주간 복막투석 중단을 고려하고 복압감소를 위해 야간 투석을 시행하거나 투석액 주입량을 감소시키도록 한다. 탈장과 같은 결손의 경우 보존적 치료로 효과가 없다면 수술적 교정을 시도한다.

3) 내장 손상

(1) 종류 및 원인

내장이나 방광손상은 도관 삽입술 중에 발생할 수 있는 합병증이나 발생률은 낮은 것으로 보고되고 있다. 대부분 복강 내부의 확인 없이 복강 내로 바늘(needle)을 진입시키는 blind나 percutaneous method를 통하여 도관 삽입이 이루어지는 경우에 발생하게 된다.

(2) 의심소견 및 증상

내장의 손상이 작은 경우 특별한 소견이 보이지 않을 수 있다. Blind method를 통하여 시술이 이루어지는 경우 바늘을 통하여 투석액을 주입할 때 저항이나 통증이 발생하게 되고 percutaneous method를 통하여 시술이 이루어지는 경우 조영제(contrast agent)가 내장 내부로 유입되는 것으로 진단할 수 있다. 내장의 손상이 큰 경우 바늘을 통하여 foul smell gas가 나오거나 내장 내의 물질이 역류하기도 한다. 전신증상으로 복막자극증상이나 발열이 발생할 수 있다.

(3) 치료

직경이 작은 바늘에 의한 내장 손상의 경우 확인 즉시 바늘을 제거하고 금식을 하면서 vancomycin, gentamicin, metronidazole을 포함한 광범위 항생제를 시작한다. 작은 직경으로 내장 손상이 발생한 경우에 내장의 탄력 있는 근육층에 의해 손상부위가 봉합되므로 대부분 결손을 남기지 않고 회복되는 경우가 많다. 따라서 하루 정도 경과 관찰하면서 발열이나 증상이 없다면 다음 날에 다시 도관 삽입술을 시도해 볼 수 있다. 그러나 손상 부위가 큰 경우 복막염증상이나 발열이 발생하게 되고 이 경우 수술적 치료를 고려한다.

4) 도관 기능 부전
(1) 종류 및 원인

도관의 기능과는 무관하게 도관 끝의 위치가 골반을 벗어난 경우를 migration으로 정의하며 도관 기능 부전의 중요한 원인이다. 도관 기능 부전은 크게 주입/배액 기능 부전과 배액 기능 부전으로 나눌 수 있다. 주입/배액 기능 부전의 경우 카테터 꼬임, 도관 내부가 혈전이나 섬유조직으로 막히거나 장유착과 같은 경우에 발생하며 배액 기능 부전은 omental wrapping, 복강 유착에 따른 복강 내 공간의 격리, 카테터 유착 등에 의해 발생할 수 있다.

(2) 위험인자

절대안정으로 방광기능이 원활하지 못하거나 변비가 발생한 경우, 안쪽 띠와 바깥 띠사이의 터널 형성 시에 도관에 과도한 압력이 주어지는 경우, 안쪽 띠가 배곧은근내 위치하지 않는 경우, single cuff이거나 곧은 모양 카테터를 이용하거나 이전 복강 수술로 유착이 있는 경우에 발생할 위험이 높다.

(3) 치료

복막투석을 중단하고 영상의학적인 검사를 시행하여 도관의 위치를 확인한다. 도관의 위치가 골반 내에 위치하지 않는다면 보행 및 변비약을 투여하여 자발적 위치 회복을 시도한다. 위치가 자발적으로 회복된 경우 복막투석을 다시 시도하고 보존적 치료에도 회복되지 않는 migration의 경우 fluoroscopic reposition을 시도해보고 이로 해결되지 않는다면 omental wrapping이나 복강 유착의 가능성이 있으므로 laparoscopy를 시행하도록 한다.

▶ 참고문헌

- 강석휘 등: Dialysis Access Manual. 대한의학, 2020.
- Asif A, et al: Interventional Nephrology. McGraw-Hill Professional, 2012.
- Crabtree JH, et al: Creating and maintaining optimal peritoneal dialysis access in the adult patient: 2019 Update. Perit Dial Int 39:414-436, 2019.
- Crabtree JH, et al: Peritoneal dialysis catheter insertion. 37:17-29, 2017.
- Crabtree JH. Selected best demonstrated practices in peritoneal dialysis access. Kidney Int 70:S27-37, 2006.
- Daugirdas JT, et al: Handbook of Dialysis. 5th ed. Lippincott Williams & Wilkins, 2015.
- Kang SH, et al: Blind peritoneal catheter placement with a Tenckhoff trocar by nephrologists: a single-center experience. Nephrology 17:141-147, 2012.
- Kang SH, et al: Comparison of peritoneal catheter insertion techniques by nephrologists: Surgical vs blind methods. Semin Dial 34:31-37, 2021.
- Khanna R, et al: Nolph and Gokal's text book of peritoneal dialysis. 3rd ed. Springer, 2009.
- Zaman F, et al. Fluoroscopy-assisted placement of peritoneal dial—ysis catheter by nephrologists. Semin Dial 18: 247-251, 2005.

임·상·신·장·학

PART 15 신장이식

이종수 (울산의대)

CHAPTER 01 수혜자 평가

김영훈 (인제의대)

KEY POINTS

- 사구체여과율 <30 mL/min/1.73m²인 만성콩팥병 4기 또는 5기에 해당하는 환자는 반드시 신장이식에 대한 정보와 교육이 제공되어야 한다.
- 투석 전 생체 신장이식이 가장 선호되는 치료이므로 생체 신장 이식에 대한 평가가 먼저 이루어져야한다.
- 이식수혜자 평가는 이식신장 내과의, 이식 외과의분 아니라 심리, 사회학적인 평가를 위한 전문가, 교육담당자 등 다학제적인 접근이 필요하다.

병력청취와 기본검사

신장이식은 같은 위험도를 가지고 있는 투석환자에 비해 장기 생존율, 삶의 질과 경제적인 측면 모두 투석보다 우수하므로 말기신질환 환자의 첫 번째 치료로 고려하여 신장이식수술로 초래될 수 있는 위험도대비 이점을 철저하게 충분히 평가하여야한다. 수혜자는 내과적, 외과적, 정신과적 병력을 청취하고 신체검사를 한다. 특히 말기신질환의 원인질환을 반드시 감별하고 수혈, 임신, 이전의 이식 등을 알아보아야 하고 장기간 면역억제제제를 규칙적으로 복용할 수 있는지, 의료진과 소통이 잘 이루어질 수 있는지 평가한다. 치료하여야 할 관상동맥질환 여부를 확인하고 숨어있는 종양과 비활동성 잠복 감염 여부를 확인하기 위하여 검사를 시행한다. 신장이식에 대한 의학적 평가를 위한 기본검사로 혈액형, CBC, 생화학검사(혈당, 간기

능, 신기능, 전해질, 지질, 부갑상선호르몬 등), HIV, CMV, varicella−zoster virus, EBV, hepatitis A, B, C 등 검사를 시행하고 가임기 여성은 임신반응검사를 시행한다. 소변채취가 가능한 환자는 소변검사와 배양검사를 한다. 잠복결핵여부에 대해서는 이식수술 전의 PPD와 interferone gamma release assay도 도움이 된다. 40세 이상의 남자수혜자는 PSA를 측정하고 여성 수혜자는 유방촉진과 유방촬영을 하고 PAP 도말검사를 한다. 말초동맥을 촉지하고 치아 상태를 확인한다. 모든 수혜자에서 위내시경을 시행하고 50세 이상의 수혜자는 대장내시경을 고려한다. 신장과 요관, 방광에 대한 방사선학적 검사(초음파 또는 CT)를 하여 요로계의 해부학적 이상을 감별한다. 이식수혜자 평가는 다면적으로 이식신장내과의사, 이식외과의뿐 아니라 심리사회학적인 평가를 위한 전문가, 교육담당자등 다학제적인 접근이 필요하다.

신장이식 수혜자 개별적 평가

1. 연령

고령환자가 증가함에 따라 고령의 수혜자 또한 증가하고 있다. 고령이라는 연령 자체만으로는 제한을 두지 않는 추세이나 고령환자에서는 여림(frailty)을 포함한 신장이식의 결과에 영향을 주는 동반질환에 대한 평가가 중요하다. 여명도 평가되어야하며 고령 뇌사 공여자 이식도 고려해볼 수 있다.

2. 비만, 여림

비만은 BMI 30 kg/m² 이상으로 정의(한국인은 BMI 25 kg/m² 이상으로 정의)하며 비만자체만으로 신장이식에서 배제되지는 않도록 한다. BMI 30 kg/m² 이상일 때 환자 사망율, 이식신 기능지연, 급성거부반응 위험도가 증가하며 특히 수술부위 문합실패나 상처 감염 같은 수술부위와 관련된 외과적 문제 발생 위험도가 증가하므로 이식 전 적극적으로 비만을 치료하는 것이 추천된다. 체질량지수가 40 kg/m² 이상인 경우 이식전에 약물치료 또는 수술적인 방법으로 감량 후 이식수술을 진행할 것을 추천한다.

여림은 체중감소와 근감소증(sarcopenia), 근육약화, 느린 걸음, 활동력 저하, 지구력부족 등으로 특징지어진다. 여림 역시 그 자체로 이식에서 배제되지는 않으나 사망률 증가, 입원기간 연장으로 이어질 수 있어 이식 후 재활운동이 적절히 적용되어야 한다.

3. 심리사회학적 평가, 약물순응도(adherence)

이식전 환자의 심리상태, 정신질환여부, 복약순응도, 약물중독 등에 대해 전문가에 한 평가를 하여야한다. 복약순응도는 이식신생존율에 매우 중요한 요소이므로 교육과 상담을 병행한다.

4. 당뇨병

당뇨병은 말기신장질환의 가장 많은 원인이다. 다른 원인에 의한 신장질환으로 이식한 환자에 비해 생존율은 떨어지나 투석치료에 비해서는 생존율이 더 우수하므로 신장이식을 적극적으로 고려한다. 제1형 당뇨병 환자는 신장췌장 동시이식을 추천한다. 당뇨병 유무를 알지 못하는 수혜자는 경구 당부하검사를 시행하여 당뇨병 여부를 진단하여야한다.

5. 만성콩팥병의 원인

만성콩팥병의 원인은 이식신의 관리와 위험도 를 평가하는데 매우 중요하다. 국소분절사구체경화증을 비롯한 Ig A 신병증. 막증식사구체신염, 항기저막 질환, 용혈요독증후군, Fabry질환, 알포트 증후군, hyperoxaluria 등 이식 후 재발하는 질환은 이식신의 결과에 중요한 영향을 미치므로 신장이식에서 배제되지는 않지만 재발위험성에대해 고지하고 의논하여야한다. 다발성골수종, 경쇄침착병(light chain deposition disease), 중쇄침착병(heavy chain deposition disease) 또는 AL 아밀로이드증은 완전히 치료되지 않았다면 신장이식에서 제외한다.

6. 감염

모든 활동성 박테리아 감염, C형간염을 제외한 바이러스 감염, 진균감염은 치료 후까지 신장이식을 연기한다. 모든 이식수혜자는 사람면역결핍바이러스, C형간염, B형간염, cytomegalovirus (CMV), Epstein-Barr 바이러스(EBV), 단순포진 바이러스(HSV), 바리셀라-조스터 바이러스(VZV), 홍역, 볼거리, 루벨라, 매독에 대해 이식전 검사를 시행하여야 한다. 결핵에 대해서는 interferon gamma assay 등을 이식 전 검사해 놓는 것이 유용하다. 예방접종은 이식 전 시행하는 것이 좋으며 특히 생백신은 이식 4 주전까지 접종을 마친다. B형간염과 바리셀라에 대한 예방접종은 이식전에 시행하며 또한 CMV에 대한 면역

표 15-1-1. B형간염 수혜자와 공여자

Kidney Recipient						
		HBsAg+ antiHBc+	HBsAg- antiHBc- antiHBs-	HBsAg- antiHBc- antiHBs+	HBsAg- antiHBc+ antiHBs+/-
Kidney Donor	HBsAg+ anti HBc+	Kidney transplantation with longterm antiviral	Avoid Kidney transplantation	Kidney transplantation with antiviral at least 1 yr	Kidney transplantation with antiviral at least 1 yr and often longterm
	HBsAg- antiHBc+	Kidney transplantation with longterm antiviral	Kidney transplantation - antiviral at least 1 yr in case of donor HBV DNA+	Kidney transplantation - antiviral likely unnecessary	Kidney transplantation - antiviral at least 1 yr and often longterm

상태를 알고 있는 것이 예방적 치료여부결정에 중요하다. B형간염(표 15-1-1)과 C형간염, 사람면역결핍바이러스증은 이식의 금기가 아니며 질환에 따른 이식계획과 당시의 최근 가이드라인에 따른 항바이러스치료를 시행한다.

7. 악성 종양

모든 신장이식수혜자는 일반적인 가이드라인에 따라 종양에 대한 스크리닝검사를 받아야한다. 투석기간이 긴 환자는 신장암과 방광암에 대해 검사 받는다. 1 cm 미만의 신장암, 흑색종외의 표피성 피부암, 전립선암(Gleason 점수 6 이하), 병기1 갑상샘암은 관찰기간이 필요 없으며 그 외의 악성종양은 재발을 방지하기 위해 종양에 따라 완치 후 2~5년의 관찰 기간을 가지며 신장이식 시기는 종양의 종류와 병기에 따라 다르다.

8. 심장질환

심혈관질환은 투석환자와 마찬가지로 이식환자에서도 가장 흔한 사망원인이며 이식 후 1 개월이내에 가장 많이 발생한다. 그러므로 이식전의 검사는 예방에 초점을 둔다. 심혈관질환의 증상이 없는 환자에서 선별검사는 꼭 필요하지 않으나 고령, 당뇨병, 이전의 관상동맥질환 병력 등 고위험군 환자에서 선별검사를 통해 필요하면 치료 후 신장이식을 시행한다. 증상이 있는 NYHAIII/IV, 심한 관상동맥질환, ejection fraction <30%, 심한 판막질환 환자는 특별한 사유가 있지 않는 한 제외한다

9. 골 미네랄대사

이식전 반드시 부갑상샘호르몬을 측정한다. 심한 부갑상샘 항진증은 이식 후 고칼슘혈증을 일으키고, 이식신 기능부전에 관여하므로 이식전에 부갑상샘항진증을 교정하는 것이 필요하며 부갑상샘절제술이 필요하다면 이식전에 시행하는것이 추천된다.

▶ 참고문헌

• Chadban SJ, et al: Kidney Disease: Improving Global Outcomes (KDIGO) Kidney Transplant Candidate Work Group. KDIGO Clinical Practice Guideline on the Evaluation and Management of Candidates for Kidney Transplantation. Transplantation. 104(4)(suppl):S1-S103, 2020.

• Chadban SJ, et al: Summary of the Kidney Disease: Improving Global Outcomes (KDIGO) Clinical Practice Guideline on the Evaluation and Management of Candidates for Kidney Transplantation. Transplantation 104:708-714, 2020.

• Danovithch GM: Handbook of kidney transplantation. 4th ed. Lippincott Williams & Willikins, 2005.

• M.D. Fauci, Anthony S., et al: Harrison's principles of internal medicine. 19th ed. McGraw Hill, 2012.

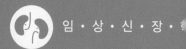

CHAPTER

02 공여자 평가

김찬덕 (경북의대)

KEY POINTS

- 고령의 공여자 나이와 관련하여 일부 센터에서는 70세를 초과하는 공여자를 제외하며 75세 이후의 공여는 비교적 드물다.

- 이식센터마다 약간의 차이가 있지만 일반적으로 24시간 단백뇨양이 150~300 mg 이상이거나 알부민뇨양이 30~100 mg 이상인 경우는 신장 공여자에서 제외한다.

- 공복혈당장애(impaired fasting glucose, IFG)와 내당능장애(impaired glucose tolerance, IGT)는 현성 당뇨병으로 이행될 수 있는 중요한 예측인자이고 미세혈관 및 심혈관질환의 확립된 위험인자임으로 신장 공여자로 적합할지는 다른 위험인자들을 모두 고려하여 공여 예정자 개개인별로 평가해야 한다.

신장이식에 필요한 공여 신장은 생체 공여자(living donor)와 사체 공여자(deceased donor)로 부터 얻을 수 있다. 생체 공여자는 직계 및 비직계가족의 혈연간 공여자와 부부, 친구, 지인 등의 비혈연자 간 공여자로 구분되고, 사체신장 공여자는 사체의 상태에 따라 뇌사자신장 공여자(brain death donor), 심박정지신장 공여자(non-heart beating donor)로 나눌 수 있다. 생체신장 공여자의 선정 및 평가, 사체신장 공여자의 선정 및 관리는 신장이식 결과에 영향을 줄 수 있는 첫 단계로써 중요성을 지닌다.

생체신장 공여자

신장이식 대기자는 급속히 증가하나 사체신장 공여자로 부터 얻을 수 있는 신장은 절대적으로 부족하다. 따라서 최근에는 전 세계적으로 생체신장 공여자가 증가하는 추세이다. 생체 신장이식 수혜자의 이식 성적이 사체 신장이식보다 월등하고 복강경을 이용한 공여자 신장적출술로 인해 통증이 경감되고 수술 후 회복이 빠른 것이 이러한 추세에 일조하고 있다.

생체신장 공여자들을 대상으로 한 기존의 연구들에서 신장 공여자들의 평균 수명이 일반인에 비해 짧지 않고, 신장공여 후 말기신부전의 발생위험 또한 일반 대조군과 비교 시 높지 않았다. 또한 미세알부민뇨의 발생위험은 나이, 성별, 인종, 체질량지수를 일치시킨 대조군과 비교 시 유의한 차이가 없고, 나이에 따른 사구체여과율의 변화폭이 더 가속화되지는 않는다고 알려져 있다. 생체신장 공여자는 이식 수술 전 병력청취, 신체검사, 검사실 검사 및 여러 영상학적 검사를 통해 공여자로서 적합한지 판단하게 된다(표 15-2-1). 이 결과를 바탕으로 표 15-2-2에 해당할 경우 신장 공여자에서 제외한다. 신장 공여자 평가의 세부 사항은 다음과 같다.

표 15-2-1. 생체신장 공여자 검사 항목

필수검사
병력청취: 신장질환, 당뇨병, 고혈압, 악성종양 유무
신체검사: 혈압, 비만도
혈액형검사, 조직적합항원검사, 교차반응검사
소변검사, 24시간 소변검사: 단백뇨, 크레아티닌, 크레아티닌 청소율
혈액검사: Complete blood count, BUN, Creatinine, Electrolyte, Transaminase levels, Albumin, Bilirubin, Alkaline phosphatase, Calcium, Phosphorus, FBS Prothrombin time, Partial thromboplastin time, Lipids
바이러스혈청검사: Hepatitis B and C viruses, HIV, Epstein-Barr virus, Cytomegalovirus, Herpes simplex virus, VDRL
핵의학검사를 통한 사구체여과율 측정, Renal imaging: 초음파, spiral computed tomography (CT), CT angiogram, or magnetic resonanceangiogram (MRI)
심장 및 방사선학적인 검사: Electrocardiogram, Chest radiograph
필요 시 검사
악성종양을 위한 선별검사: 위 내시경, 대장 내시경(>50세), 방광경(필요 시) PSA(>40세), 유방 촬영(>40세), 갑상선 초음파(필요 시)
부인과적인 검사
비뇨기과적인 검사(방광경, 전립선)
신장조직검사
심혈관검사: 심초음파, 운동부하검사
폐기능검사: 고위험군(FEV1<70%, FEV1/FVC<65%)
고위험군에 대해 경구 당부하 검사
결핵 피부반응 검사

표 15-2-2. 생체신장 공여자의 제외 조건

신장질환의 증거: 사구체여과율<80 mL/min, 단백뇨 혹은 미세알부민뇨
심각한 신장 혹은 비뇨기과적 질환
고혈압(조절되지 않거나 복합 약물치료를 요할 경우)
당뇨병
활동성 악성종양
재발 혹은 양측성 신장결석
전파가능한 감염성 질환: B형간염, C형간염, HIV 양성
인지장애
조절되지 않는 정신과적인 장애 및 약물중독
전신마취, 수술을 견디기 힘든 심각한 만성질환(심혈관질환, 호흡기질환, 만성 간질환 등)
재발 위험성이 있는 혈전색전증의 병력 혹은 질환
현재 임신상태
* 상대적 금기 조건
나이: <18 혹은 >70
비만: 체질량지수 >35 kg/m²
신기능 저하가 없는 요검사 이상(검사 후 선별적 선택)

1. 나이

고령은 수술 전후의 합병증을 증가시킬 수 있으나 생체신장 공여자 연령의 상한선은 명확히 규정되어 있지 않다. 일부 센터에서는 70세를 초과하는 공여자를 제외하며 75세 이후의 공여는 비교적 드물다. 고령의 공여자들이 증가하는 추세이고, 특히 고령의 수혜자들에게 신장이식이 시행되었을 경우 이식 성적이 탁월한 것으로 보고되고 있다. 대부분의 이식센터에서 18세를 공여자 연령의 하한선으로 생각하며, 특히 10대 후반에서 20대 초반의 공여자의 경우 공여과정에 대해 충분히 이해했는지, 외적인 압력을 받지는 않는지 세심하게 평가해야 한다.

2. 신장 기능 평가

공여자 신장 기능의 초기평가는 혈청 크레아티닌에 기

반한 추정 사구체여과율(estimated glomerular filtration rate, eGFR)을 이용한다. 이 후 각 센터의 상황에 따라 24시간 요수집에 기반한 크레아티닌 청소율이나 iothalamate나 iohexol, 또는 diethylenetriamine pentaacetic acid (DTPA)와 같은 방사선 동위원소를 이용한 사구체여과율을 측정하여 확인해야 한다. 생체신장 공여자의 허용 가능한 신장 기능 정도에 대한 절대적인 기준은 없으나 사구체여과율이 80 mL/min/1.73㎡ 미만인 경우 이식신 소실의 상대위험도가 증가한다는 보고가 있어 대부분의 이식센터에서는 공여자의 사구체여과율이 80 mL/min/1.73㎡ 이상인 경우 신장이식을 시행하고 있다.

3. 단백뇨

초기 단백뇨 평가로는 무작위 단회뇨 알부민/크레아티닌 비나 단백/크레아티닌 비를 측정하는 것이 권장된다. 이식센터마다 약간의 차이가 있지만 일반적으로 24시간 단백뇨양이 150~300 mg 이상이거나 알부민뇨양이 30~100 mg 이상인 경우는 신장 공여자에서 제외한다. 24시간 단백뇨양이 비정상일 경우 요채집을 재검하고 정확도가 검증되어야 한다. 총 요크레아티닌 몸무게 비가 25 mg/kg를 초과하는 경우 단백뇨의 과대 평가를 의심하여야 하고, 총 요크레아티닌 몸무게 비가 15 mg/kg 미만인 경우 단백뇨가 과소 평가될 수 있다.

4. 혈뇨

요원주나 이형 적혈구가 확인되는 경우 신장 질환의 가능성이 높다. 혈뇨가 있으면 신장 질환의 가족력에 대한 확인이 필요하고, 요로감염, 결석, 종양이 배제되어야 한다. 단독 혈뇨(isolated hematuria)가 지속되는 공여자에 대해서는 비뇨기과적인 검사를 시행하고, 검사 결과 특이 소견이 없을 경우에는 알포트 증후군, 얇은기저막병, IgA 신병증과 같은 사구체질환이 있는지 배제하기 위해 신장조직검사가 필요할 수 있다.

5. 농뇨

농뇨가 있으면 요로감염과 전립선염이 배제되어야 한다. 지속적으로 무균농뇨가 있는 경우에는 아침 첫 뇨 배양을 3회 시행하여 신장 결핵을 배제하여야 한다. 명확한 감염원이 확인되지 않으면 간질성신염과 만성신우신염을 배제하기 위해 신장조직검사를 고려해야 한다. 신장 결핵, 간질성신염 혹은 만성신우신염이 확인되면 신장 공여자에서 제외한다.

6. 결석

크기가 1.5cm 이상의 일측성 결석, 양측성 신장결석, 신석회증, 수질성해면신, 재발 결석 혹은 결석 재발의 위험성이 있는 대사성 이상(고칼슘뇨증, 고요산뇨증, 고수산뇨증, 저구연산뇨증, 대사산증 등) 등이 동반되었을 때는 신장 공여자에서 제외한다. 단 결석이 한 번 소변으로 배출된 후 10년 동안 재발이 없거나 무증상으로 크기가 1.5cm 이하인 경우 혹은 이식수술 동안 제거할 수 있는 경우에는 신장 공여자로 고려할 수 있다.

7. 고혈압

대부분의 이식센터에서 혈압이 140/90 mmHg 이상인 경우에는 신장 공여자에서 제외한다. 혈압이 높은 정상 범위이거나 흉부 방사선 검사나 심전도에서 심비대 소견이 보일 때 심근비후를 확인하기 위해 심장 초음파 검사를 시행한다. 미세알부민뇨나 말초 기관 손상의 증거가 없는 경한 고혈압의 경우는 신장 공여자로 고려 될 수 있다.

8. 당뇨

대부분의 이식센터에서 당뇨병환자는 신장 공여자에서 제외한다. 공복혈당장애(공복혈당이 100~125 mg/dL)와 내당능장애(식후 2시간 혈당이 140~199 mg/dL)는 현성 당뇨병으로 이행될 수 있는 중요한 예측인자이고 미세혈관 및 심혈관질환의 확립된 위험인자임으로 신장 공여자로 적합할 지는 다른 위험인자들을 모두 고려하여 공여예정자 개개인별로 평가해야 한다. 공복혈당장애가 있거나, 공복혈당장애가 없더라도 직계가족 중에 제2형 당뇨병이 있는 경우, 임신성 당뇨병의 과거력이 있는 경우, 체질량지수가 30 이상의 비만인 경우, 250 mg/dL 이상의 고중성지방혈증, 고농도 지질단백질이 35 mg/dL 미만인 경우, 혈압이 140/90 mmHg 이상인 경우에는 경구 당부하 검사(oral glucose tolerance test, OGTT)가 필요하다.

9. 비만

체질량지수가 30 kg/m²를 초과하는 비만인 경우 수술 합병증의 위험이 증가할 뿐 아니라 향후 당뇨병, 고혈압, 신결석, 알부민뇨나 현성 단백뇨와 연관된 사구체질환, 말기신부전의 발생 위험도 증가한다. 비만 환자의 경우 일측 신절제술 시행 후 단백뇨와 신기능 부전의 위험성이 높아진다는 보고가 있다. 비만한 잠재 신장 공여자들은 신장 공여 전에 체중감량이 필요하며 상당수의 이식센터에서 체질량지수가 35 kg/m²를 초과하는 경우 신장 공여자에서 제외한다.

10. 암

다음과 같은 암의 병력이 있는 사람은 신장 공여자에서 제외한다(melanoma, renal cell carcinoma 혹은 urologic malignancy, choriocarcinoma, hematological malignancy, gastric cancer, lung cancer, breast cancer, Kaposi sarcoma, monoclonal gammopathy). 반면, 0기 유방 관상피내암, 피막형 갑상선암, 피부 편평세포상피내암 혹은 자궁경부상피내암등과 같은 국소적 특정암은 완치 되고 수혜자로의 전파 가능성이 배제 된다면 공여자로 고려될 수 있다.

표 15-2-3. 뇌사자신장 공여자 관리 목표

공여자 관리 지표	목표치
평균동맥압	60~80 mmHg
중심정맥압	4~10 mmHg
심박출계수	≥50%
승압제	≤1 and 저용량*
동맥혈 pH	7.35~7.45
PaO₂:FiO₂	≥300
혈청 나트륨	135~155 mEq/L
혈당	≤180 mg/dL
소변량	0.5~2 mL/kg/hour

* 저용량 승압제의 정의: dopamine ≤ 4 μg/kg/min

11. 유전질환

유전성 신장질환 중 상염색체 우성 다낭콩팥병의 가족 중에서 30세 이후에 신장 초음파 또는 컴퓨터 단층촬영에서 신장에 낭종이 관찰되지 않으면 신장 공여자로 고려 될 수 있다. 알포트 증후군 환자의 가족 중 20세 이상의 성인 남자가 혈뇨가 없을 경우 유전적 결함이 배제되면 신장 공여자가 될 수 있고 정상 요검사를 보이는 성인 여자의 경우도 보인자 가능성이 낮아 신장 공여자로 고려 될 수 있다. 하지만, 지속적인 혈뇨가 있는 성인 여자의 경우 보인자일 가능성이 높고 10~15%에서 만성콩팥병이 발생할 가능성이 있어 신장 공여자에서 제외한다. 얇은기저막병 환자의 경우 고혈압, 단백뇨, 신장기능저하를 동반하지 않고, 유전학적 검사와 신장조직검사를 통해 X연관 알포트 증후군이나 다른 신장질환이 배제된다면 신장 공여자로 고려 될 수 있으나 공여 후의 장기적인 예후에 대해서는 여전히 논란이 있다.

사체신장 공여자

사체 신장이식은 대부분의 경우 뇌사자신장 공여자로부터 신장을 공여 받아 신장이식을 시행하지만, 경우에 따라서 심박정지 신장 공여자로부터 신장을 공여 받아 신장이식을 시행하는 경우도 있다.

뇌사자신장 공여자의 절대적인 부족으로, 미국 장기이식관리센터(United Network for Organ Sharing, UNOS)는 2002년 뇌사자 신장공여의 조건을 완화하여 뇌사자신장 공여자의 확대 판정 기준(expanded criteria donor)을 정하였다. 뇌사자신장 공여자의 확대 판정 기준은 60세 이상의 뇌사자, 50~59세의 뇌사자로서 고혈압, 뇌혈관질환에 의한 사망, 혈청 크레아티닌 >1.5 mg/dL의 3개 항목 중 2개 이상의 조건을 가지는 경우를 포함한다.

확장범주 뇌사자 신장이식은 이식신의 생존율, 이식 환자의 생존율이 생체 신장이식을 하는 경우보다는 낮고, 이식신 기능지연(delayed graft function)이 더 많으며, 면역억제제(칼시뉴린 저해제) 독성에도 더 민감하고, 허혈 재관류 손상에 더 민감한 것으로 알려져 있다. 그러나 확장범주 공여자의 신장을 이식하는 것이 표준범주 공여자의 신장을 이식하는 것보다 이식 성적이 좋지 못하더라도 투석을 하는 것 보다는 생존율과 삶의 질의 향상 및 경제적인 이점이 있음이 보고된 후 확장범주 공여자 신장이식이 점차 증가하게 되었다.

뇌사자신장 공여자를 평가하기 위해서는 고혈압, 당뇨병, 만성감염(B형 및 C형 간염 바이러스 감염, HIV 감염), 악성종양, 최근의 감염 및 패혈증 병력을 확인하여야 한다. 그 외에도 생체신장 공여자와 비슷한 신체검사, 검사실 검사 및 영상학적 검사가 필요하다.

뇌사자의 수축기 혈압은 crystalloid solution, colloid solution, 혈액제제를 주입하여 100 mmHg 이상으로 유지하고, 중심 정맥압은 4~10 mmHg 정도로 유지한다. 수액 치료가 적절히 이루어진 후에도 혈압이 낮다면 저용량의 dopamine (≤4 μg/kg/min)이나 dobutamine, norepinephrine의 투여가 필요 할 수 있다. 수액 치료가 충분히 시행된 이후에도 요량이 적은 경우 furosemide를 투여 해 볼 수 있다. 요붕증(diabetes insipidus)이 진단되면 요량을 보충하기 위해 hypotonic solution의 주입이 필요하며 요량, 혈압을 포함한 혈역학적 상태 및 혈청 나트륨 농도에 따라 desmopressin 투여가 필요할 수 있다. 고혈당과 당뇨(glycosuria)를 최소화하기 위해 인슐린의 투여도 필요할 수 있다. 표 15-2-3에 일반적인 뇌사자신장 공여자 관리 목표를 기술하였고, 이러한 기준에 부합하여 뇌사자가 관리되었을 경우 이식신 기능지연이 유의하게 감소된다는 보고도 있다.

결론적으로 뇌사자에 대한 적절한 관리는 이식 직후의 성공률을 높일 뿐만 아니라 장기적인 신장이식 성적에도 영향을 끼치므로 중요하다고 하겠다.

▶ 참고문헌

- Andrews PA, et al: British Transplantation Society / Renal Association UK guidelines for living donor kidney transplantation 2018: summary of updated guidance. Transplantation 102:e307, 2018.
- Bera KD, et al: Optimisation of the organ donor and effects on transplanted organs: a narrative review on current practice and future directions. Anaesthesia 75:1191–1204, 2020.
- Danovitch GM: Handbook of Kidney Transplantation. 6th ed. Lippincott Williams & Wilkins, 2017.
- Garg N, et al: The kidney evaluation of living kidney donor candidates: US practices in 2017. Am J Transplant 20:3379–3389, 2020.
- Gaston R, et al: Reassessing medical risk in living kidney donors. J Am Soc Nephrol 26:1017–1019, 2015.
- Ibrahim HN, et al: Long term consequences of kidney donation. N Engl J Med 360:459–469, 2009.
- Lentine KL, et al: KDIGO clinical practice guideline on the evaluation and care of living kidney donors. Transplantation 101(8S Suppl 1):S1–S109, 2017.
- Mandelbrot DA, et al: KDOQI US commentary on the 2017 KDIGO clinical practice guideline on the evaluation and care of living kidney donors. Am J Kidney Dis 75:299–316, 2020.
- Meyfroidt G, et al: Management of the brain-dead donor in the ICU: general and specific therapy to improve transplantable organ quality. Intensive Care Med 45:343–353, 2019.
- Taal MW, et al: Brenner & Rector's The Kidney. 11th ed. Elsevier Science Health Science div, 2019.

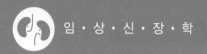
CHAPTER
03 장기이식 면역검사

오은지 (가톨릭의대 진단검사의학과)

HLA 검사는 HLA 형별검사, HLA 교차시험, HLA 항체검사 등을 포함한다.

HLA 형별검사(HLA typing)

1. HLA

주조직적합체(MHC)는 면역반응의 항원 인식 과정에 관여하는 분자를 생성하는 유전자와 그 산물을 총칭하며, 사람의 MHC를 human leukocyte antigen(HLA)이라고 한다. HLA는 class I, II, III로 구분되며 HLA class I (HLA-A, B, C)과 class II (HLA-DR, DQ, DP)가 장기이식에 중요한 역할을 한다.

2. HLA 유전과 다형성

HLA 유전자는 가깝게 위치하여 한 덩어리로 유전되는데 이를 '일배체형(haplotype)'이라 하며, 부모 자식 간에는 한 개의 일배체형이 일치한다. HLA의 각 유전자좌에는 다수의 대립유전자가 존재하므로, 심한 다형성(Polymorphism)을 나타내며, HLA 분자의 다형성은 2021년 6월 IMGT/HLA database 기준으로 단백질 수준에서 HLA-A 4,156, HLA-B 5,090, HLA-DRB 2,620 종이 밝혀져 있다.

3. HLA 형별검사(HLA typing)

HLA 형별검사는 혈청학적 형별검사, DNA 검사법, 세포반응을 이용한 검사법(cellular assay) 등이 이용될 수 있으나, 현재는 대부분의 검사실에서 DNA 검사법을 이용한다. DNA 검사법은 주로 중합효소연쇄반응(polymerase chain reaction, PCR)을 이용하여 HLA유전자 주요 부위를 증폭시킨 후 다음의 여러 가지 검사법을 이용하여 DNA 형별을 검출한다.

(1) 염기서열특이올리고핵산염(sequence specific oligo-nucleotide, SSO) 검사법

(2) 염기서열특이올리고핵산염 교잡반응법(reverse SSO hybridization)

(3) 염기서열 특이시발체(sequence specific primer, SSP) 중합효소연쇄반응(PCR)

(4) 실시간중합효소연쇄반응(Real-time PCR)

(5) 직접염기서열분석(Direct sequencing)

(6) 차세대염기서열분석(next generation sequencing, NGS)

HLA DNA 검사법에 따라 검사 결과의 해상도가 다른데, 저해상도(low resolution) 수준에서는 혈청학적 항원특이성의 감별이 가능한 결과(예: A*02:XX)를, 중등도 해상도(intermediate resolution) 수준에서는 대립유전자군(allele group) (예: A*02:01/02:03/02:06), 고해상도(high resolution) 수준에서는 대립유전자(예: A*02:01) 결과를 제공한다. 최근에는 대립유전자 수준의 HLA항체검사결과 보고가 가능해지고, 대립유전자 특이 HLA 항체에 의한 거부반응이 보고됨에 따라, 고형장기이식에서 고해상도 수준 결과의 필요성이 증가하고 있다. 따라서 위상 모호성(phase ambiguity) 해결이 가능하고, 보다 정확한 대립유전자 검출이 가능한 NGS 검사법의 사용이 점차 증가하고 있다.

4. HLA 명명법

HLA 항원 명명법은 HLA-A, B, C, DR, DQ, DP 뒤에 한 자리(예: A1, B7, DR4) 또는 두 자리(예: A11, B27, DR15)수를 쓰는 것이 대부분이며, 항원이 밝혀진 순서대로 숫자를 표시하여 명명한다. 처음에 명명된 항원이 후에 더 세분되어 명명되는 경우, 처음 명명된 항원을 broad, supertypic 또는 public 항원이라고 하고, 세분화된 항원을 split, subtypic 또는 private 항원이라고 한다. split 항원에 대한 항혈청은 broad 항원에도 양성반응을 나타낼 수 있다. HLA 대립유전자 명명법은 2010년에 개정되었다 (표 15-3-1).

HLA 대립유전자 명명법에서 두 번째 영역까지 같은 경

표 15-3-1. HLA 대립유전자 명명법

WHO New HLA Nomenclature System(2010)
1) HLA 표기 숫자 두 자리마다 콜론(:)을 써서 구분한다.
2) 기존의 HLA-Cw 표기에서 w를 없애고 HLA-C로 표기한다.
3) 접미사 표시는 펩티드 결합부위(HLA class I은 exon 2, 3/ HLA class II는 exon 2)의 아미노산서열이 같은 경우에는 끝에 'P'를, 염기서열이 같은 경우는 'G'를 써서 표기한다
표기 예시, A*02:01:01:02N
A ...gene locus
02...혈청학적 특이성 유사 또는 Allele family
01...exon 부위에 소규모(1개 ~ 수 개)의 아미노산 변이를 동반하는 염기서열 차이
01... exon 부위에 염기서열 차이를 나타내지만 아미노산 서열에는 변화가 없는 동일계 염기 치환(synonymous nucleotide substitution)
02... 아미노산으로 코딩되지 않는 부위(intron, 5'-untranslated region, 3'-untranslated region)의 염기서열 변이
N...단백분자로 전혀 발현되지 않는 대립유전자로서 'null'을 상징함

우에 항원성이 같으므로, 환자와 공여자의 HLA 형별검사 결과는 일반적으로 두 번째 영역까지 보고한다(예: A*02:01). HLA class II는 α, β쇄를 만드는 유전자좌가 따로 존재하고 각각 다형성이 있으므로 HLA-DR, DQ 위에 A 또는 B를 표기하며, HLA-DR 분자의 경우 β쇄 부분이 다형적이고 항원특이성을 결정하므로 HLA-DRB1* 다음의 두 자리가 DR의 항원특이성을 나타낸다(예: HLA-DRB1*04).

5. HLA 적합성(Matching)

장기이식에서 공여자와 수혜자 사이의 HLA 불일치는 거부반응 및 이식실패와 관련이 있으므로, HLA 적합성은 이식 성공에 매우 중요하다. 이러한 HLA 적합성의 수준은 검사하는 방법이나 검사의 해상도에 따라 달라질 수 있는데, 예를 들면, 공여자와 수혜자의 HLA 형별이 혈청학적 수준에서는 적합하더라도(공여자: A2 수혜자: A2), 대립유전자 수준에서는 부적합한(공여자: A*02:01, 수혜자: A*02:06) 경우가 있다.

공여자와 수혜자의 고해상도 HLA 형별검사 결과를 이용하여, 면역원성 에피토프(immunogenic epitope) 수준의 HLA 적합성 판정이 가능하다. 항원 항체 반응 시, 항체의 중심부(complementary determining region-H3, CDR-H3)와 결합하는 항원의 중심부에 해당하는 에피토프를 기능적 에피토프(functional epitope)라고 하며 이를 이플릿(eplet)이라고 부른다. 신장이식에서 공여자와 수혜자 사이의 에피토프/이플릿 부적합 개수가 이식 후 새롭게 검출되는 공여자특이항체(de novo donor specific antibody, dnDSA) 발생을 예측하는 데 유의한 지표일 뿐 아니라, HLA-DR/DQ 이플릿 불일치 개수가 이식 예후와 연관이 있다는 보고가 있다.

HLA 항체검사

수혈, 임신, 또는 이식을 통해 타인의 HLA 항원에 감작

되어 HLA 동종항체가 생성될 수 있다. 이식환자에서 공여자 HLA 항원에 대한 동종항체의 검출은 항체매개성 거부반응을 유발할 수 있으므로, 환자 혈액내에 존재하는 HLA 항체의 검출과 공여자 특이성 확인은 이식의 예후를 예측하는데 중요하다. 공여자특이항체(donor specific antibody, DSA)를 검출하는 검사법에는, 공여자의 HLA 항원에 반응하는 HLA 항체 유무를 검출하는 HLA 교차시험, 여러 명의 림프구 패널에 대해 반응하는 HLA 항체 유무를 검출하는 패널반응항체(panel reactive antibody, PRA) 검사, 단일항원 비드를 이용한 HLA 항체검사 후 공여자 특이성을 판정하는 방법 등이 있다. 최근에는 HLA 항체 이외에 AT1R 항체(angiotension II receptor type I antibody)나 MICA 항체(MHC class I related antibody) 등 non-HLA 항체도 신장이식의 항체매개 거부반응과 연관성이 보고되어 있다.

1. HLA 교차시험

HLA 교차시험은 환자 혈액 내에 공여자의 HLA 항원과 반응하는 항체가 존재하는지 여부를 검사하는 것이다. 교차시험의 목적은 환자 혈액 내에 있는 공여자특이 HLA 항체가 공여자의 HLA 항원과 반응하여 생기는 초급성거부반응과 급성 및 만성 항체매개성 거부반응을 예측하고 진단하는데 있다.

HLA 교차시험은 공여자의 림프구와 환자의 혈청을 반응시킨 후 보체의존세포독성(complement-dependent cytotoxicity, CDC) 또는 유세포분석을 이용하여 동종항체를 검출한다. CDC 검사법에는 NIH 기본 검사법(직접 CDC법)과 민감도를 높인 항글로불린 단계(anti-human globulin, AHG) 검사법이 포함된다. 유세포분석법을 이용한 교차시험은 CDC 검사법에 비해 민감도가 높고, IgG 항체를 검출할 수 있으며, 2-color 또는 3-color 형광염색으로 T/B림프구 분리과정 없이 T/B림프구와 반응하는 항체를 구별할 수 있는 장점이 있다. 또한, pronase 처리를 통해 B세포 Fc 수용체에 대한 비특이적 반응을 제거하여 검사 특이도를 향상시킬 수 있다.

A 보체의존세포독성을 이용한 교차시험

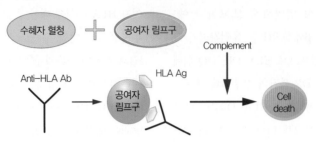

B 유세포분석을 이용한 교차시험

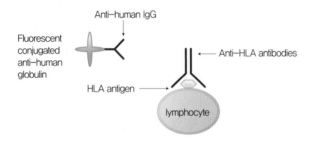

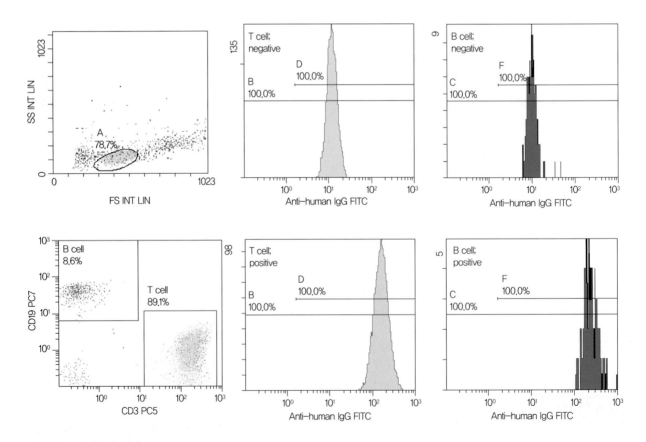

그림 5-3-1. 교차시험 방법

T림프구 교차시험 양성은 HLA class I (HLA-A, B, C) 항원에 대한 항체 양성을 의미하며, B림프구 교차시험 양성은 class II (HLA-DR, DQ) 특이 항체, 약한 class I (HLA-A, B, C) 특이 항체, 비 HLA항체(예: 자가항체) 등에 의한다. 자가항체는 일반적으로 IgM 항체이고, HLA 특이항체는 IgG 항체이므로, 열처리(63±1℃)나 S-S 결합을 파괴하는 화학물질(dithiothreitol, DTT 또는 dithio-erythritol, DTE)을 처리하여 IgM 항체를 불활성화시킨 후 검사를 시행하여 음성으로 전환되면 IgM 자가항체로 판정한다.

HLA 항체 양성이거나 최근에 수혈 등 감작력이 있는 환자에서는 신장이식 이전 48시간 이내의 혈청으로 교차시험을 실시하여야 하며, 감작된 환자에서는 과거의 혈청 중 가장 높은 항체 역가를 보인 혈청(peak serum)을 현재 혈청과 함께 검사하기도 한다.

2. HLA 항체검사

혈청 내 HLA 항체 유무를 검출하고 항체특이성을 동정하는 검사로서 신장이식 전, 후에 환자의 HLA 감작 정도를 평가하고, 공여자특이 HLA 항체 유무 판정에 이용된다.

HLA 항체검사의 목적은 다음과 같다. 이식대기 환자의 혈청 내에 HLA 항원에 IgG 항체가 존재하는지를 측정하고, 양성일 경우 검출된 항체 결과를 이용하여 감작된 정도인 패널반응항체(panel reactive antibody, PRA)%를 파악함으로써 교차시험에 적합한 공여자를 만날 수 있는 가능성과 장기이식 대기 시간을 예측할 수 있다. 이식 전 후 환자의 혈청에서 검출되는 HLA 항체의 특이성을 동정하여 DSA 존재 유무를 판정하고, DSA의 MFI 값으로 항체 역가와 반응성을 예측하여, 항체 매개성 거부 반응의 예측 또는 진단에 도움을 준다. 또한 거부반응과 관련이 적은 IgM, 자가항체 등을 감별하여 HLA 교차 시험의 위양성 결과 판정에 활용할 수 있다.

HLA 항체검사는 Luminex 비드, 유세포분석용 비드, 효소면역측정 플레이트 등의 고체상(solid-phase)에 부착되는 항원종류에 따라 선별검사, 동정검사, 단일 항원 동정검사로 구분하며 보고되는 결과에 따라 검사의 활용에 차이가 있다(표 15-3-2).

최근에는 HLA 단일항원 비드에 C1q 보체결합 항체나 C3d 결합 항체만을 특이적으로 검출하는 2차 항체를 이용하여 보체결합 HLA 항체를 측정하는 방법이 소개되어 보체결합 HLA 항체 검출에 사용되고 있다.

Luminex 비드를 이용한 HLA 항체 검사법에서는 항체 결과의 형광강도(median/mean fluorescence intensity, MFI) 값이 측정되는데, 일반적으로 MFI 100-1500을 컷오프로 이용하나 에피토프 공유항원에 대한 항체결과를 전반적으로 검토하여 판정하여야 한다. 항체의 역가가 높을수록 MFI 수치가 높으므로 항체 역가의 변화를 판정하는데 이용되기도 한다. 그러나, MFI 값은 반정량 수치이고, 정밀도가 낮으므로 25% 이내의 변화는 임상적인 의미가 낮으며, 지나치게 높은 항체 농도는 오히려 낮게 측정되는 항체과잉구역반응(prozone effect)도 있을 수 있으므로 간섭물질에 의한 오류를 제거한 검사결과인지 확인이 필요

표 15-3-2. HLA 항체검사의 종류와 활용

	선별검사(screen)	동정검사(identification)	단일항원검사(single antigen)
항원	혼합항원(pooled antigen) 패널	표현형(several antigen) 패널	재조합 단일항원 (recombinant single antigen)
비드의 항원밀도	낮음	중간	높음
결과보고	양성/음성	HLA 항체동정 (일부)	대립유전자 수준의 HLA 항체동정, 공여자특이항체
결과의 활용	HLA 항체 유무 판정	DSA 판정 (일부), %PRA	대립유전자 수준의 DSA 판정, cPRA%

PRA, panel reactive antibody; cPRA, calculated PRA

표 15-3-3. 가상교차시험과 유세포 교차시험 결과의 비교해석

가상교차시험	유세포 교차시험	결과 해석
음성	음성	• DSA 음성
양성	양성	• DSA 양성
음성	양성	• Anti-CD20 효과 • 자가항체 양성 • 공여자 HLA 항원검사가 불완전하여 DSA로 평가되지 않은 경우 (HLA-DQ, DP 등) • 단일항원비드에 공여자 항원이 포함되어 있지 않은 경우 • Non-HLA 항체
양성	음성	• DSA 항체의 친화력이나 결합력이 약한 경우 • 공여자세포에 HLA 발현이 낮은 경우(HLA-Cw 등) • 변성(Denatured) 항체 양성 • 검사실 요인(laboratory factor)
약양성	강양성	• 에프토프를 공유하는 HLA 항체(alloantibody to shared epitope) • 검사실 요인(laboratory factor)

DSA(donor specific antibody, 공여자 특이항체)

하다.

3. calculated PRA (cPRA)와 가상교차시험(Virtual crossmatch)

Calculated PRA (cPRA)는 PRA% 와 달리, 특정 인종이나 국가로 구성되는 인구집단 내의 HLA 항원 빈도를 반영한 PRA%로서, 단일항원 동정검사를 이용하여 검출된 HLA 항체 결과를 이용하여 해당 인구집단의 잠재적 공여자(potential donor)에서 반응이 예상되는 빈도를 계산한다.

가상교차시험(virtual crossmatch)이란 실제로 교차시험을 하지 않고 교차시험 결과를 예측하는 방법으로서, 환자의 HLA 항체검사 결과를 이용하여 공여자의 HLA 항원 중 부적합 항원(unacceptable antigen) 유무를 판단한다. 단일항원 비드를 이용한 DSA 결과(가상교차시험)와 공여자 림프구를 이용한 유세포분석법 교차시험 결과가 일치하지 않을 경우 해석에 주의가 필요하다(표 15-3-3).

▶ 참고문헌

• 이용화 등: 대한진단검사의학, 제6판, 범문에듀케이션, 2021, pp951-960.
• Rambur AR, et al: Sensitization in Transplantation: Assessment of Risk (STAR) 2017 Working Group Meeting Report. Am J Transplant 18:1604-1614, 2018.
• Tait BD, et al: Consensus Guidelines on the Testing and Clinical Management Issues Associated With HLA and Non-HLA Antibodies in Transplantation. Transplantation 95:19-47, 2013.

CHAPTER
04 신장이식의 면역학 원리

이종수 (울산의대)

KEY POINTS

● 장기이식 동종특이 면역반응은 일반항원에 대한 면역반응보다 더 강력한 면역반응을 일으키는 기전들의 특징을 숙지해야 한다. 장기이식면역 반응에서 조력 T림프구가 중추적인 역할을 한다.

● 동종특이 면역반응에서 치료적 표적에 대한 이해가 필요하다.

신장이식은, 투석과 비교하면 생존율과 삶의 질의 향상 뿐 아니라 치료비의 절감효과도 얻을 수 있는 말기콩팥병 환자의 가장 이상적인 치료 방법이다. 현재 널리 시행되고 있는 동종이식에서 유전적으로 다른 공여자에 대한 수혜자의 동종면역반응은 성공적인 이식의 장벽이 되고 있다. 신장이식의 결과는 이식편의 생물학적 특성과 수혜자에서 일어나는 면역반응이라는 두 가지 밀접한 인자들에 의해서 결정된다. 본 장에서는 이들 중요한 인자들이 이식편에 어떻게 영향을 미칠 수 있는지에 대해 살펴보고자 한다.

이식편의 생물학적 특성 (Biology of the graft)

이식편은 정적인 상태에 있지 않다. 이식편은 수혜자에게는 동종항원으로서의 면역반응을 유발하는 동시에 손상과 복구 작용을 지속하고, 정상적인 장기로서의 기능을 유지하기 위한 생리학적 활동을 함께 한다.

1. 이식편의 항원적 요소

정상적으로 인체는 자기조직에 대한 자가관용(self-tolerance)을 나타낸다. 그러나 동종이식장기는 비자기 항원을 발현하고, 이 항원은 관용적이지 않아 동종이식편 면역반응을 일으켜 거부반응이 일어난다. 이식편의 항원으로 주조직적합복합체(major histocompatibility complex, MHC) 항원, 부조직적합항원(minor histocompatibility antigen), ABO 혈액형항원, 단핵구와 혈관내피세포 항원 등이 있다. 거부반응을 시작하고 파급시키는 항원적 자극은 세포표면에 발현되는 분자들의 유전적인 차이에 의한 다형성(polymorphism)에 의해서 유발된다.

1) 주조직적합복합체(MHC) 항원

MHC항원은 시동되지 않은 상태(without priming)로 1

차 면역반응(primary immune response)을 일으킬 수 있는, 이식편 항원 중 가장 강력한 면역반응을 일으키는 항원이다. MHC분자는 이식면역반응에서 처음 발견 되었지만 생리학적 기능은 T림프구의 면역반응을 보조하는 것이다. T림프구는 펩타이드 항원에 대한 면역반응을 일으키는데, T 세포 수용체(T cell receptor, TCR)는 펩타이드 단독과 결합할 수 없으며 펩타이드-MHC복합체만을 인식할 수 있다. MHC분자는 class I과 II로 분류되는데 MHC I은 모든 유핵세포에서 발현되는 반면, MHC II는 펩타이드로 처리한 항원을 T림프구에 제시하는 항원제시세포(antigen presenting cell, APC)에서 발현되는데, 수지상세포(dendritic cell, DC), 대식세포(macrophage), 활성화된 B림프구(activated B lymphocyte)들이 대표적이다. 세포융해 CD8 T림프구는(cytolytic T lymphocyte, CTL) MHC I과 결합하고, CD4 조력 T림프구(helper T lymphocyte)는 APC가 발현하는 MHC II와 결합한다. MHC I을 발현하는 모든 유핵세포들에서 바이러스와 같은 미생물에 의한 세포 내 감염이 올 수 있는데, 특정세포가 MHC I과 함께 감염으로 인해 형성된 외부 펩타이드를 발현할 때 세포융해 CD8 T림프구의 TCR에 의한 인식으로 표적세포를 융해함으로써 감염원을 제거할 수 있다. 반면 CD4 조력 T림프구는 직접적으로 항원을 제거하지 않고, 펩타이드 항원에 대한 면역반응을 시동하고(prime), 다른 면역반응을 유도하는데 도움을 주는 세포면역반응의 중심적인 역할을 한다. CD4 조력 T림프구는 APC에 의해서 처리되어 MHC II와 함께 APC의 세포표면으로 이동된 펩타이드 항원을 MHC II와 함께 인식함으로 이후의 면역반응을 증폭시킨다. 이와 같이 MHC분자는 외부 펩타이드 항원에 대한 정상 면역반응을 수행하는 데 있어서 중요한 역할을 한다. MHC분자의 동종항원으로서의 역할은 우연히 일어나는 현상이다. 즉 자가-비자가를 구별하고 외부 항원에 대한 방어를 위해 진화되어온 자가 MHC 제한적 T림프구 면역반응이 장기이식과 같은 인위적인 사건에서 우발적으로 나타난 것이다. 인간의 게놈 중 MHC유전자에서 유전자 다형성이 가장 심하게 나타난다. 동종이라도 개체간의 MHC분자의 차이는 이식장기의 동종면역반응

을 일으킨다. MHC유전자에 의해 형성되는 단백질로 class I HLA (human leukocyte antigen)과 class II HLA가 있다. Class I HLA는 HLA-A, HLA-B, HLA-C가 있고 class II에는 HLA-DR, HLA-DQ, HLA-DP가 있다. 임상결과를 분석하였을 때 HLA-DR, B, A의 불일치 순서로 이식편의 생존율이 감소하는 것을 관찰할 수 있었다.

2) 부조직적합항원(Minor histocompatibility antigen)

부조직적합항원은 MHC분자의 구조적 특징을 나타내지는 않지만, 거부반응을 일으킬 수 있는 유전적인 다형성 단백질의 펩타이드로 구성된다. MHC일치 공여자-수혜자간에도 이식편 거부반응이 일어나는 것을 관찰하여 부조직적합항원이 동종면역반응을 일으킬 수 있는 것을 인지하게 되었다. 부조직적합항원은 간접인식 경로를 통해 자가 MHC제한적으로 T림프구에 제시된다. 부조직적합항원은 자가 MHC I 제한 CD8 T림프구 반응을 일으킨다. 부조직적합항원의 다른 특징은 항체반응을 유발시키지 않는 것이다.

3) ABO혈액형 항원

ABO 혈액형 항원은 적혈구뿐 아니라 혈관내피세포를 포함한 다른 세포에서도 발현되기 때문에 이식편 항원으로서 동종면역반응인 초급성거부반응을 일으킬 수 있다. 혈액형 불일치로 인한 이식편 거부반응은 이식전 혈액형 검사를 기본적으로 시행함으로써 예방할 수 있다. Rh 인자나 다른 적혈구 항원은 혈관내피세포에서 발현되지 않기 때문에 이식편 거부반응을 일으키지 않는다. 근래에 혈장교환술, B림프구를 제거할 수 있는 단클론 항체인 Rituximab, 면역글로불린 정맥주사와 같은 탈감작요법으로 항혈액형-항체의 역가를 낮춘 후 혈액형 불일치 이식 수술이 가능하게 되었다.

4) 단핵구와 혈관내피세포 항원

드물게 ABO 혈액형 일치 이식수술에서 초급성거부반응이 일어나는 것이 관찰되어 혈관내피세포와 단핵구에 발현되는 항원이 면역반응을 일으킬 수 있는 것으로 생각

하고 있다. MICA와 MICB(MHC class I polypeptide-related sequence A and B)가 이러한 non-HLA 표적항원으로 급성 및 만성거부반응을 일으킬 수 있고, 혈관내피세포, 섬유아세포와 단핵구에서 발현된다. 부조직적합항원과 달리 MICA와 MICB는 항체매개성 거부반응을 일으킨다. 거부반응과 관련된 다른 non-HLA 항원으로 vimentin, ICAM-1 (intercellular adhesion molecule-1), AT1R (angiotensin II type 1 receptor)이 있으며 항체매개성 거부반응을 일으킬 수 있다. 현재의 이식 전 조직형 검사로는 이러한 non-HLA 항체를 확인할 수 없다.

이식편에 대한 수혜자의 반응 (Host response to the graft)

1. 적응면역 반응(Adaptive immunity)

동종항원에 대한 면역반응은 적응면역반응(adaptive immunity)에 의해서 일어난다. 동종항원은 세포매개성 및 체액성 면역반응 모두를 유발시킨다. 적응면역반응은 수혜자의 T림프구에 의해서 동종항원이 인식된 후에 일어나는 일련의 면역반응이다. 동종항원 특이면역반응은 5단계로 분류 될 수 있는데, 흉선에서의 지속적인 림프구 생성, 수혜자 림프구에 의한 동종항원 인식, 동종항원 특이적 T림프구의 활성화, 증식 및 분화, 작동세포의 면역반응 실행, 면역조절과 같은 순서로 일어난다.

1) 흉선에서의 T림프구 생성

T림프구 전구세포는 골수로부터 흉선의 수질과 피질의 경계부위로 이동한 후에 T림프구 수용체(T cell receptor, TCR)의 가변부위 유전자의 재조합에 의해 다양한 특이성을 가진 TCR을 형성하고 증식하기 시작한다. 흉선에서의 T림프구의 분화는 외부의 다양한 항원에 대한 특이성과 자가항원에 대한 관용성을 완성한다. 흉선의 상피세포의 표면에는 자가 펩타이드-MHC복합체가 발현되는데 이 복합체는 T림프구의 다양한 레퍼토리와 자가관용성을 형성

하는데 역할을 한다. T림프구의 특정 클론은 TCR이 자가 펩타이드-MHC복합체를 인식하는 강도에 따라 음의 선택(negative selection)이나 양의 선택(positive selection) 혹은 무시(neglect)될 수 있다. 자가 펩타이드- MHC복합체와 강력하게 결합하는 TCR을 가진 T림프구 클론은 자가면역반응을 일으키는 림프구로 분화할 수 있으므로 음의 선택에 의해 자멸사(apoptosis)된다. 자가 펩타이드-MHC 복합체에 반응을 보이지 않는 경우에는 선택되지 않고 무시되어 역시 자멸사된다. MHC와 어느 정도 결합력을 가진 TCR이 성숙된 후에 외부펩타이드-MHC 복합체를 인식할 수 있기 때문이다. 따라서 자가 펩타이드-MHC복합체와 중간 강도의 결합력을 가진 T림프구들이 양의 선택을 받아서 끝까지 분화되어 성숙 T림프구로 분화되는데, 흉선림프구의 2%가 되지 않는다. 이러한 기전을 이용해서 골수 이식과 같은 방법으로 공여자 펩타이드-MHC 복합체가 흉선에서 나타날 수 있도록 함으로써 공여자 반응 클론을 음의 선택으로 제거하여 면역관용을 얻을 수 있다.

2) 동종항원 인식

(1) 항원제시세포(Antigen presenting cel, APC)

거부반응을 일으키는 시작단계는 APC의 세포표면에 나타나는 MHC분자와 함께 제시되는 동종항원을 수혜자의 T림프구가 인식하는 것이다. APC는 골수에서의 조혈세포 전구체에서 유래하거나 혹은 이식편에 상주하고 있는 공여자의 APC들이다. 이러한 APC에는 대식세포(macrophage), 활성화된 B림프구(activated B lymphocyte)와 가장 중요한 역할을 하는 수지상세포(dendritic cell: DC)가 있다. DC는 T림프구를 시동시키는(prime) 중요한 역할을 하고 세포표면에 고농도의 MHC분자와 공통자극물질(costimulatory molecule)를 발현하는 강력한 항원제시세포이다. 대부분의 DC는 말초조직에 상주하고 있다가 항원을 포획한 후에 림프절과 같은 2차 림프조직으로 이동하여 T림프구에 항원을 제시한다. 이동하는 과정 중에 DC의 성숙이 일어나면서 MHC와 공통자극물질을 더 많이 세포표면에 발현하게 되어 효과적으로 T림프구를 시동시

킬 수 있다.

(2) 동종항원 인식 경로(Allorecognition pathway)

동종항원특이 T림프구는 두 가지의 특별한 경로를 통해 APC에 의해 제시되는 동종항원을 인식한다. 간접인식 경로는 APC에 의해서 처리된 동종펩타이드 항원이 APC 표면의 자가MHC와 함께 제시되는 경우에 동종항원특이 T림프구가 인식하는 것이다. 이 과정은 자가 MHC제한적으로 제시되는 일반적인 항원을 인식하는 정상적인 T림프구의 항원 인식과정과 동일하다. 반면 직접인식 경로는 동종이식 면역반응에 나타나는 특이한 현상으로 공여자 APC의 비특이적 펩타이드항원–MHC복합체를 인식하는 것이다. 비특이적인 펩타이드가 결합된 동종성 MHC분자의 결정기(determinant)는 자기 MHC와 특정 외래 펩타이드가 결합하여 생성되는 결정기와 구조가 유사하기 때문에 교차반응(cross reaction)으로 인식할 수 있다. 직접인식 경로인 TCR과 동종항원–MHC복합체의 상호작용은 완전히 밝혀져 있지 않은데 세 가지 가설로 설명하고 있다. 첫 번째 가설로는 분자 유사성 모델로 T림프구는 공여자의 MHC와 동종특이 펩타이드 모두를 인식한다는 것이다. 두 번째는 펩타이드 의존적 동종항원인식 가설로 수혜자의 동종항원특이 T림프구는 공여자의 펩타이드와는 작용하지 않고 공여자의 MHC와 결합하는데, 펩타이드에 의해 유발된 공여자의 MHC의 구조적 변화를 인식한다는 것이다. 세 번째 가설은 수혜자의 동종항원특이 T림프구는 공여자의 MHC와 결합하는데 펩타이드와 독립적으로 공여자 MHC의 다형성 부위와 결합한다는 것이다. 이러한 직접인식 경로는 동종특이 T림프구의 클론의 숫자를 증가시켜 동종이식면역반응이 일반적인 면역반응보다 100 – 1,000배 높은 면역반응의 강도를 나타낸다. 수혜자의 작동세포는 네 가지 방법으로 감작될 수 있다. 첫째, CD4 T림프구는 공여자 MHC II를 직접인식 경로를 통해 인식하여 감작 될 수 있다. 둘째, CD4 T림프구는 자기 MHC II에 제한된 공여자의 펩타이를 간접인식 경로를 통해 인식하여 감작될 수 있다. 셋째, CD8 T림프구는 공여자의 MHC I 펩타이드를 직접경로를 통해 인식하여 감작될 수

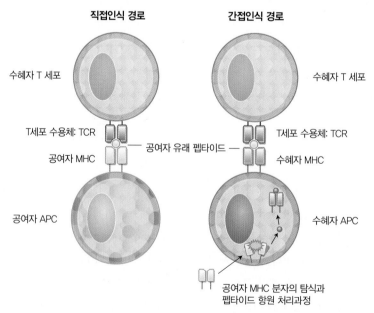

그림 15-4-1. 직접인식 경로와 간접인식 경로

TCR, T cell receptor; MHC, major histocompatibility complex; APC, antigen presentation cell.

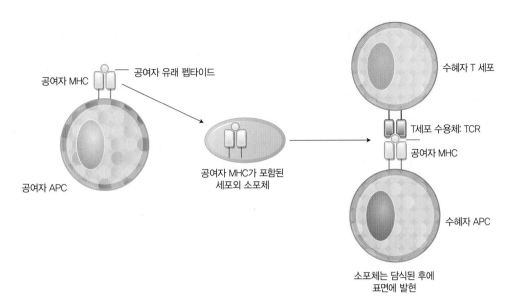

그림 15-4-2. 반 직접인식 경로

TCR, T cell receptor; MHC, major histocompatibility complex; APC, antigen presentation cell.

있다. 넷째, CD8 T림프구는 수혜자의 APC 표면의 MHC I을 교차제시(cross presentation)에 의해 인식하여 감작될 수 있다.

반 직접인식 경로(semi-direct pathway)는 보다 최근에 밝혀졌으며, 공여자의 온전한 MHC분자를 수혜자의 APC 표면으로 전달하여 일어나는 인식 경로다. 직접인식 경로와의 차이점은 공여자 APC가 아닌 수혜자 APC에서 항원 처리과정 없이 공여자의 MHC 분자를 인식한다는 것이다. 반 직접인식 경로는 공여자 APC가 수혜자의 면역 반응에 의해 제거된 후 또는 이식시 림프관 절단으로 인해 공여자 APC가 림프절로 이동할 수 없는 경우 T림프구 동종 감작에서 중요한 역할을 할 수 있다. 반 직접인식 경로에서 온전한 공여자 MHC 분자는 수혜자의 APC에 의해 획득되어 표면에서 다시 발현될 수 있다. 온전한 공여자 MHC 분자의 전달에서 세포외 소포(extracellular vesicle)가 역할을 할 것으로 생각되고 있다. 단백질, mRNA 및 microRNA의 세포간 이동에 역할을 할 수 있는 세포외 소포를 모든 형태의 세포들은 방출할 수 있다. 엑소좀(exosome)은 세포외 소포의 일종으로 MHC분자를 운반

할 수 있으며 DC에 의해 탐식 된 후에 APC 표면에 발현된다(그림 15-4-2). 공여자 DC는 이식 후 수일 이내에 수혜자 DC로 교체된다. 반 직접인식 경로는 간접인식 경로와 함께 수혜자 DC가 나이브 수혜자 T림프구에 동종 항원을 제시하는 경로이며, 공여자 DC가 사멸된 후에도 오랜 기간 동안 거부 반응을 일으키는 기전으로 생각되고 있다. 공여자 혹은 수혜자 기원에 관계없이 DC는 나이브 T림프구와 상호 작용을 위한 장소로 림프절과 같은 2 차 림프 조직이 필요하다. 만성적으로 동종 이식편에 대한 면역 반응을 일으키는 특정 염증 상태에서 림프 기관과 유사한 구조가 동종 이식편 내에 형성될 수 있는데 이를 3 차 림프 기관(tertiary lymphoid organs)이라 하고, 이러한 구조는 이식편 내에서 항원 제시를 가능하게 하여 동종 항체 생산을 용이하게 한다.

3) 급성거부반응에서의 직접인식 경로와 간접인식 경로의 상대적인 기여

동종항원특이 T림프구 감작의 시작은 주로 직접인식 경로를 통해 수혜자의 림프기관에서 일어난다. 공여자의 전

문적(professional) APC의 제한된 수명과 재생 불가로 인하여 시간이 경과할수록 간접인식 경로가 동종항원 인식의 주된 경로가 된다. 초기에 10배 이상 높은 빈도의 동종면역반응을 일으키는 직접인식 경로는 시간이 경과할수록 간접인식 경로로 대체된다. 또한 간접인식 경로는 부조직적합항원(minor histocompatibility antigen)에 의한 이식거부반응에 관여한다. 한편 간접인식 경로는 면역반응조절에 관여하는 유일한 기전으로도 알려져 있다.

3) 동종특이 T림프구의 활성화와 증식
(1) 동종항원의 인식과 T림프구가 활성화의 시작

나이브 T림프구는 활성화되기 위해서 항원과의 조우가 일어나야 되는데 림프절과 같은 2차 림프기관에서 말초조직으로부터 항원을 획득한 DC와 같은 전문적인 APC에 의해서 항원을 접촉하여 활성화와 증식이 일어난다. 림프절과 같은 림프기관에서 동종항원특이 T림프구가 이식편으로부터 동종항원을 획득한 DC와 접촉하는 데는 케모카인과 그 수용체에 의해서 조절된다. 이식편에서 동종항원을 획득한 미성숙 DC와 나이브 T림프구는 공통적으로 CCR7 케모카인 수용체를 발현한다. CCR7은 DC와 나이브 T림프구를 림프절의 T 세포지역으로 화학적 주성에 의해서 집결시켜, DC에 의한 나이브 T림프구로의 동종항원 제시에 의해 T림프구의 활성화와 증식이 시작된다.

(2) TCR(T cell receptor)과 공통자극 경로(costimulatory pathway)

각각의 T림프구 클론은 특이적 TCR을 가진다. TCR은 세포표면에서 CD3와 복합체를 이룬다. TCR이 APC의 MHC 제한적인 펩타이드와 결합하게 되면 T 세포와 APC가 접촉하는 표면으로 결합물질들과 신호전달 분자들이 집중되는 면역학적 접합부(immunological synapse)를 형성한다. 이러한 접합부의 형성은 T림프구와 APC의 결합력과 결합시간을 증진시켜 T림프구의 활성화를 보다 안정적으로 유지시킨다. 한편 나이브 T림프구가 완전히 활성화되기 위해서는 두 번째 신호 즉 공통자극 경로(costimulatory pathway)를 통한 신호가 필요하다. 공통자극 신호는

림프구의 증식상태를 유지시키고, 무반응(anergy)과 세포자멸사(apoptosis)가 일어나지 않도록 하며, 작동세포와 기억세포로의 분화를 유도한다. B7-CD28경로가 처음 밝혀진 이후로 현재까지 수십개의 다른 공통자극 경로들이 밝혀지고 있으며, T림프구의 활성화뿐 아니라, 억제신호를 보내는 경로도 있다. T림프구를 활성화시키는 공통자극 경로를 차단함으로써 이식편 거부반응을 억제시키는 약제들이 개발되어 왔고, 실제 임상에서 사용되기 시작했다.

(3) 신호전달

TCR에 항원이 결합하게 되면 세포내 단백인 티로신 키나제가 활성화되면서 TCR로부터 세포질내로의 신호전달이 시작되는데 1) 칼슘-칼시뉴린 경로, 2) ras-MAPkinase 경로, 3) protein kinase C의 활성화와 같은 중요한 경로를 통한다. 이러한 경로들의 활성화에 의해서 여러 전사조절 인자들, 예를 들면 NF-kB, NFAT, Jak-Stat 등이 방출되어 특정 유전자들의 전사 및 활성화와 함께 세포골격의 재조직화가 일어난다. 이러한 신호전달의 궁극적인 결과로 세포주기 활성화, 림프구 증식과 분화, 세포자멸사 유도 등이 초래된다.

(4) 클론의 증식과 분화

T림프구가 일단 활성화 되면 세포들은 세포분열과 클론의 확장이 일어나는 세포주기로 들어가게 되고 세포성장인자(T 세포성장인자, IL-2, IL-4, IL-7, IL-9와 IL-15)에 대한 감수성을 획득하게 된다. 더불어 T 세포성장인자들은 활성화된 T림프구가 작동세포 혹은 면역조절세포로 분화할지 혹은 세포자멸사로 될지를 결정한다. 일반적으로 나이브 T림프구가 작동세포로 완전히 분화되는 데는 3~5일 정도가 걸린다.

4) 작동세포의 분화와 면역반응실행

동종특이항원에 시동된(primed) T림프구가 림프절에서 이식편으로 이동하는 것이 이식편 거부반응의 필수적인 요소이고 케모카인 의존적이다. 항원에 시동된 T림프구는 림프절로의 이동에 필요한 CCR7 수용체를 급격히 감소시

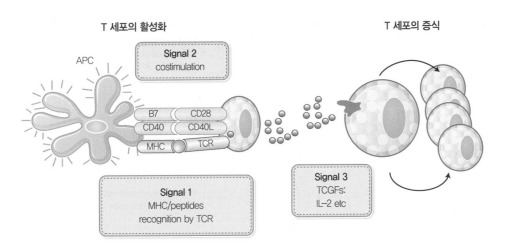

T 세포의 활성화

APC

Signal 2
costimulation

B7   CD28
CD40   CD40L
MHC   TCR

Signal 1
MHC/peptides
recognition by TCR

T 세포의 증식

Signal 3
TCGFs:
IL-2 etc

그림 15-4-3. T 세포의 활성화와 증식

TCGFs, T cell growth factors; IL-2, interleukin-2

키며 이식편 장기로의 이동에 필요한 CXCR4와 다른 케모카인 수용체(CCR2-6,8,9와 CXCR3,5)의 발현을 높여서, 림프절로부터 빠져나와 이식편에서 분비되는 케모카인의 주화성에 따라 이식편으로 들어간다. 세 가지 실행기전이 이식편 거부반응에 작용한다. 작동 T림프구(effector T lymphocyte)가 이식편 내에서 동종항원과 상호작용을 하는 가운데 CD4 조력세포("helper T", Th)세포와 CD8 세포용해(CTL)림프구는 각각 사이토카인과 세포독성효소를 생성한다. 더불어 특정 조력 림프구 집단들은 동종항원특이 항체를 생성하는 신호를 제공한다.

(1) CD4 T림프구의 면역반응과 분화

CD4 T림프구는 세포면역반응의 중심적인 역할을 하며, 거부반응에서도 세 가지 기전으로 작용을 한다. 첫째, CD8 세포용해 T림프구(cytolytic T lymphocyte, CTL)로 분화를 촉진하는데, 인터루킨-2(interleukin-2, IL-2)를 분비하여 직접 분화를 유도하기도 하고 간접적으로 수지상세포("licencing" DC)를 활성화시켜 CTL분화를 촉진시킨다. 둘째, 항체를 생산하는 B림프구에 도움을 주는 신호를 제공하여 B림프구의 활성화와 분화를 유도한다. 셋째, 항원 비특이적 백혈구 즉 대식세포와 중성구를 활성화시켜 지연형 과민반응(delayed-type hypersensitivity)의 기전으로 이식편 손상을 일으킨다.

활성화된 후 염증 환경에서 제공하는 신호에 따라 CD4 T림프구는 type 1 helper T cell (Th1), type 2 helper T cell (Th2), type 17 helper T cell (Th17), 여포 조력 T 세포 (follicular helper T cell, Tfh) 및 조절 T 세포(regulatory T cell, Treg)와 같은 5개 이상의 주요 하위 집단으로 분화 할 수 있다. 동종면역원성 거부반응에는 Th1, Th17 및 Tfh 림프구가 역할을 한다. Th2와 Treg은 면역 관용성 역할을 한다. Th1 림프구는 오랫동안 동종 이식 거부 반응의 중심역할을 하는 것으로 여겨져 왔다. 활성화된 Th1 CD4 T림프구는 인터루킨 2 (interleukin 2, IL-2)를 생산하고 인터루킨 2 수용체(interleukin 2 receptor, IL-2R)를 발현하며, 상호 작용은 증식을 촉진한다. Th1 세포에 존재하는 전사인자 T-bet은 인터페론 감마 및 TNFα의 발현을 야기한다. Th1 CD4 T 세포에 의해 방출 된 사이토카인은 CD8 세포 독성 T 세포의 활성화를 촉진하고, 차후에 직접 경로를 통해 동종 이식 세포를 인식하여 퍼포린-그랜자임 세포용해 경로를 이용하여 이식편을 파괴한다. Th1 세포에 의해 생성된 인터페론 감마는 또한 B세포에 의한 보체 활성화 항체의 생성을 유도하여 항체매개성 거부반응을 일으킬 수 있다.

Th17 림프구는 TGFβ, 인터루킨 6 (IL-6), 인터루킨 1

941

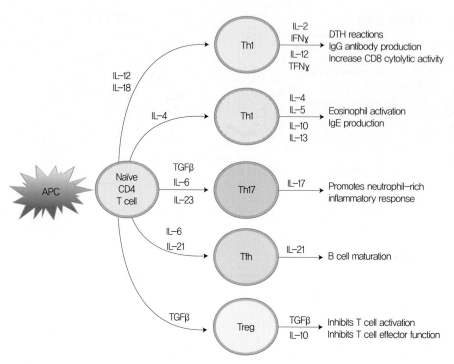

그림 15-4-4. 조력 T 세포의 분화와 작동세포의 면역반응 실행

APC, antigen presenting cell; Th1, type 1 helper T cell; Th2, type 2 helper T cell; Th17, type 17 helper T cell; Tfh, follicular helper T cell; Treg, regulatory T cell

베타 (IL-1β)가 높은 환경에서 유도된다. Th17에서 전사 인자 STAT3 및 RORγt의 활성화에 따라 인터루킨 17 (IL-17), 인터루킨 21 (IL-21) 및 인터루킨 22 (IL-22)를 생성한다. Th17 세포는 이식 거부반응에 더하여 여러 자가 면역 질환에 연루되어 있다.

Tfh 세포는 인터루킨 4 (IL-4)와 인터루킨 21 (IL-21)을 분비하고 CD40 리간드를 발현한다. B세포에서 발현되는 CD40와 결합하여 나이브 B세포의 기억 B세포 및 항체 분비 형질세포(plasma cell)로 성숙을 촉진한다.

Th2 세포는 IL-4, 인터루킨 5 (IL-5) 및 인터루킨 13 (IL-13)을 분비하는 특성을 나타낸다. Th2 세포에 의해 합성된 IL-4는 CD8 T 세포의 비세포 독성 표현형으로의 분화를 유도하고 B세포에 의한 비보체 고정 항체의 생성을 유도한다. Th2 사이토카인은 또한 조절 T림프구(regulatory T cell, Treg)의 출현을 촉진할 수 있다.

Treg은 CD4, CD25 및 전사 인자 포크 헤드 박스 P3 (FOXP3)을 발현하고, 말초 내성에 관여한다. 작동 T림프

구와 마찬가지로 Treg은 MHC II 분자에 의해 제시된 항원 펩티드와 접촉하였을 때 칼시뉴린 의존 경로를 활성화하는 TCR을 발현한다. Treg은 CD4 T 세포, CD8 T 세포, B세포 및 대 식세포의 기능을 억제한다. 이 세포들의 억제 활성은 동종 이식 거부 반응을 포함한 수많은 면역원성 반응을 억제할 수 있다.

(2) 지연형 과민반응(Delayed-type hypersensitivity, DTH)

활성화된 Th1림프구는 DTH의 중심이다. Th1 림프구에 의한 IFN-γ와 TNFα 의 방출은 대식세포(macro-phage)의 침윤과 활성화를 유도하고 대식세포에서 독성물질인 산화질소(nitric oxide, NO), 반응성 산소 중간물질, 조직 파괴적 효소와 TNFα의 분비를 촉진시킨다. NO는 반응성이 높은 질소 대사산물로 세포독성이 있으며, 혈관 확장과 혈관투과성을 증가시켜 DTH에서 볼 수 있는 조직 부종을 초래한다. TNFα는 TNFα 수용체에 결합하여 표

적세포의 세포자멸사나 괴사를 일으킨다. 또한 활성화된 중성구는 활성산소와 H_2O_2와 같은 물질을 분비하여 조직 손상을 일으킨다. 이러한 DTH반응의 특징은 거부반응의 조직에서 조직 팽창과 경화와 함께 T림프구, 대식세포와 중성구가 침윤된 병리소견을 보인다. 이러한 반응은 항원 특이 Th1 세포가 시동되는데 48~72시간 정도의 시간지체가 필요하여 지연형으로 나타난다.

(3) CD8 T림프구의 세포독성

활성화된 CD8 T림프구는 직접적인 세포융해에 의해 이식편 실질세포 혹은 혈관세포들을 손상시킨다. CD8 세포융해는 동종 MHC I 분자의 직접제시에 의해 시작된다. 세포파괴는 과립의 세포외배출(granule exocytosis)경로와 Fas/Fas-ligand (FasL)경로를 통한 기전에 의해 일어난다. Fas는 세포자멸사를 유도하는 세포사망 수용체(death receptor)군에 속한다. Fas-L를 발현하는 CTL림프구가 표적세포에서 발현하는 Fas에 접촉하면 표적세포에서 접촉-의존성(contact-dependent) 세포자멸사가 일어난다. 수용체매개에 의한 과립의 세포외 방출경로는 perforin이라는 물질로 세포막에 구멍을 만들면 granzyme A, B가 표적세포내로 들어가서 DNA분절 등을 일으켜 세포자멸사를 초래한다. 이 두 가지 경로는 서로 겹치기 않고 독립적이어서 한 가지 경로를 차단하더라도 이식편 거부반응이 일어날 수 있다.

(4) 동종항체(Alloantibody)의 합성

B림프구는 세포표면의 면역글로불린에 의해 수용성 항원을 획득해서 펩타이드 항원으로 처리한 후에 MHC II 분자와 복합체를 형성하여 T림프구에 항원을 제시한다. 이렇게 항원에 시동된(antigen-primed) B림프구는 특징적으로 CXCR5와 같은 케모카인 수용체를 발현하고 특정 집단의 CD4 Th세포들과 함께 B림프구 소절(follicle)로 이동한다. 이곳에서 T-B림프구 상호작용에 의해 간접적으로 시동된 Th세포들은 B림프구 표면에 발현되는 MHC-펩타이드 복합체를 인식하여 CD40L 공통자극 신호를 제공하고 B림프구의 CD40을 자극한다. Th세포들로 부터의 이러한 신호는 B림프구를 활성화 및 증식시키고, 항체를 합성하는 형질세포(plasma cell)와 기억세포로 분화시켜 동종항체를 합성하게 하며, 면역글로불린의 결합력 향상과 면역글로불린 클래스 전환을 일으킨다. T림프구의 CD40L 신호를 차단하게 되면 항체반응이 억제된다.

동종항체가 이식편 세포표면의 동종항원과 결합하게 되면 이식편 세포는 보체활성화 경로와 항체의존성 세포독성(antibody dependent cellular cytotoxicity, ADCC)으로 알려진 기전에(주로 NK세포의 세포독성) 의해서 파괴될 수 있다. 항체에 의한 조직손상의 정도는 항체의 클래스, 결합력, 역가뿐 아니라 항원의 발현 정도에 따라 결정된다.

이식수술 당시에 이미 공여자에 대한 동종항체가 존재하는 경우 즉각적인 거부반응, 즉 초급성 거부반응이 일어날 수 있다. ABO혈액형 항체와 이전의 수혈, 임신, 이식 등에 의한 감작으로 형성된 공여자 MHC I, 혹은 II에 대한 동종항체는 혈관 문합 후 혈관내피세포에 결합하여 빠른 속도로 보체계와 응고계를 활성화하여 혈관 내 혈전증, 출혈성 괴사, 이식편 경색을 야기한다. 공여자특이항체(donor specific antibody, DSA)를 검출하는 검사와 공여자-수혜자 교차반응을 통하여 이러한 형태의 거부반응은 피할 수 있게 되었다.

(5) 기억 T림프구(Memory T lymphocyte)

동종특이 기억 T림프구는 나이브 T림프구와 전혀 다른 특징을 나타낸다. 이러한 차이는 항상성 유지, 림프절로의 이동, 활성화되는데 있어서의 공통자극 신호의 필요 등에서 나타난다. 실제로 기억 T림프구는 활성화되는데 공통자극 신호가 거의 필요하지 않고 활성화 역치가 나이브 T림프구에 비해서 매우 낮다. 실험실내에 감염균이 거의 없는 환경에서 성장한 실험 마우스와 달리 인간은 성장하면서 주위 환경의 미생물이나 항원들에 의해서 감작될 수 있고 이 결과로 많은 기억세포가 생길 수 있는데, 이러한 기억세포는 동종항원과 교차반응을 일으킬 수 있고 활성화가 쉽게 되어 이식면역반응을 억제하거나 이식면역관용을 획득하는 데 장애가 되고 있다.

5) 동종면역반응의 조절

면역계의 항상성유지를 위해 면역조절기전이 필요하다. 외부 항원이 제거된 후에는 해당 항원에 대한 강력한 면역반응이 종결되는 면역조절이 필요하다. 면역조절기전은 면역계의 항상성 유지와 자가항원에 대한 무반응과 관용을 유지하는데 필요하다. 면역조절 작용에 의해서 활성화된 T림프구의 숫자가 급격하게 줄어들고 실행기능이 감소하며 이전에 노출되었던 항원에 대한 기억세포만 남게 된다. T림프구 고유의 기전에 의해서 적응면역반응이 종결되고 조용한 상태로 되돌아가게 되는 기전으로 클론의 제거(deletion), 무반응(anergy), 클론의 고갈(exhaustion), 무시(immune ignorance)와 같은 것들이 있다. 또한 동종반응성 T림프구는 면역조절세포(regulatory T lymphocyte)로부터 억제신호를 받아 면역반응을 종결할 수 있다.

일단 활성화된 T림프구는 수명이 길지 않고, 항원의 자극과 염증 반응이 소멸하게 되면 수동적 세포고사(passive cell death)의 과정으로 들어간다. 그렇지만 장기이식의 경우 이식편으로 부터의 지속적인 동종항원의 공급과 항원의 편집(antigen edition) 등으로 수동적 세포고사가 일어나기 어려운 환경이다.

T림프구 집단 중에는 면역반응을 억제시키는 조절 T림프구(regulatory T cell)가 있다. 가장 많은 분포를 차지하고 널리 알려진 조절세포는 CD4 T세포집단의 CD4 CD25 FoxP3 T 조절세포(CD25 Treg)이다. 흉선에서 유래하고, 말초조직에서 CD4 T림프구로부터 전환될 수도 있다. 조절세포는 말초조직에서 자가항원에 대한 면역관용을 유지하는 생리학적 기능을 한다. 이 외에도 많은 종류의 조절세포가 발견되고 있다. CD25 Treg이 다른 T림프구의 기능을 억제하는 기전은 세포접촉성과 IL-10이나 TGFβ와 같은 면역억제 사이토카인을 매개로한다. Treg은 동종항원을 간접경로로 인식하여 동종항원 특이 작동세포의 기능을 조절한다.

2. 선천면역(Innate immunity)

동종이식편이 체내에 들어오게 되면 수혜자의 전 면역계가 활성화되어 면역반응을 일으키는 세포와 분자들의 변화를 일으킨다. 일반적으로 항원 특이성의 유무에 따라 면역반응은 적응면역반응(항원 특이적)과 선천면역반응(항원 비특이적)으로 구분한다. 두 면역반응은 거의 동시에 일어나기도 하고 동일한 기전으로 일어나는 것들도 많아서 구별하기가 어려울 수 있다. 구분할 수 있는 확실한 예로 사이토카인과 케모카인을 들 수 있다. 사이토카인과 염증성(혹은 유도성) 케모카인은 비특이적인 염증세포의 집결과 T림프구의 증식과 분화를 유도할 수 있다. 반면 항상성을 유지하기 위한 케모카인은 림프기관과 이식편내로의 림프구와 APC의 이동과 접촉을 엄격하게 조절한다. 적응면역반응은 선천면역계로부터의 신호가 필요하고 이러한 신호는 항원의 성질과 유발되는 면역반응에 대한 정보를 적응면역계에 제공한다. 초기의 선천면역 반응은 적응면역반응을 유도하는데 필수적인 요소이고 면역반응의 방향을 제시한다.

1) 허혈/재관류 손상(ischemia/reperfusion injury, IRI)

IRI는 이식수술 후 초기의 면역반응에 중요한 영향을 미치고 이식에서 피할 수 없는 과정이다. 허혈성 동종이식편에 수혜자의 따뜻한 혈액이 재관류 되게 되면 혈관내피세포의 부착물질(adhesion molecule)의 활성화를 비롯하여 보체계, 활성산소, 케모카인, 사이토카인, 성장인자 등 선천면역 반응에 관여하는 여러 물질들이 활성화된다. 이러한 염증성 매개체들의 활성화를 차단하게 되면 미세순환 손상과 이식편 기능저하를 현저히 호전시킬 수 있다. IRI는 직접적으로 혈관과 실질세포 손상을 일으키는 것에 더해 동종이식편의 MHC class I과 II분자의 발현을 현저히 높여서 더욱 심한 적응면역반응을 일으키도록 유도한다.

2) 선천면역반응의 관여 인자들

동종항원 비 특이적 보체의 활성화가 IRI로 인해 일어난다. 보체의 활성화는 급성기 단백질들과, 만노스에 부착하는 렉틴 경로에 의해서 일어나고 빠른 반응과 강력한 증폭효과를 나타낸다. IRI는 중성구, 대식세포, 자연살해세포(natural killer cell) 등의 상호작용으로 직접 이식편 손상을 일으킬 수 있다. 이러한 선천면역에 의한 이식편 손상이 최근 주목받고 있으며, 지속적으로 연구되고 있다.

▶ 참고문헌

- Abbas BK, et al: Cellular and Molecular Immunology. 9th ed. Elesevier/Saunders, 2021.
- Brenner BM: Brenner & Rector's The Kidney. 11th ed. Elesevier/Saunders, 2020.
- Wilkes D, et al: Immunobiology of Organ Transplantation. Kluwer Academic/Plenum Publishers, 2004.

제 **15** 부 신장이식

CHAPTER 05 면역억제요법

김연수 (서울의대)

KEY POINTS

- 우리나라 신장이식은 과거에 비해 급성거부반응 발생의 고위험군이 증가하고 있어 3제 요법과 필요한 경우 초기 유도치료를 시행하는 경우가 증가하고 있다.

- 급성거부반응의 발생위험도를 평가하고 이에 따른 적절한 면역억제요법을 시행하여야 한다.

- 과거에 비해 항체매개성 거부반응이 증가하고 있으므로 이에 대한 진단과 치료방법을 숙지하여야 한다.

- 기존의 칼시뉴린 억제제 외에 mTOR 억제제 등 새로운 약제에 대한 기본적인 사용법을 숙지하여야 한다.

우리나라에서 신장이식 건수는 2016년 2,000건을 넘어 2019년에는 2,293건으로 지속적으로 증가하고 있다. 또한 60세 이상의 고령신장이식 수혜자도 증가하여 2008년 7.3%에서 2016년 18.4%에 달하고 있고, 여러 가지 이유로 탈감작치료를 시행한 후에 이식을 받는 환자도 증가하여 2016년 20.8%를 차지하고 있다. 생체신장이식이 주를 이루고 있지만 뇌사기증도 증가하여 전체 신장이식의 30~35%에 이르고 있다. 우리나라에서 신장이식 후 유지면역억제제의 사용은 80%정도가 스테로이드, 타크로리무스와 마이코페놀레이트를 병합하는 3제 요법을 사용하고 있다(대한신장학회 fact sheet). 이러한 경향은 우리나라 신장이식도 과거에 비해 고위험군의 빈도가 증가함을 의미하고 있고 초기 면역억제의 방법과 유지면역억제제의 사용에 있어서 위험도를 감안한(risk stratification) 면역억제방법의 사용이 필요함을 의미한다. 신장이식 후 사망을 제외한 이식

신 10년 생존율은 77.6%이며 신장이식 환자의 10년 생존율은 92.8%에 달해 우리나라 신장이식의 성적이 매우 우수함을 알 수 있고 단순히 비교하기는 어렵지만 신장대체요법 중 가장 좋은 환자생존율을 보이고 있다.

유지면역억제요법을 결정함에 있어서 우선적으로 고려해야 할 것은 환자가 급성거부반응을 일으킬 수 있는 위험인자를 파악하는 것이고 이 경우에는 강한 정도의 유지면역억제요법을 사용하는 것이 필요하다. 2009년에 발표된 Kidney Disease: Improving Global Outcomes (KDIGO)에서 제시한 위험인자로는 ① 1개 이상의 HLA mismatch, ② 고령의 기증자가 젊은 수혜자에게 신장을 주는 경우, ③ 흑인, ④ 양성의 PRA 값, ⑤ 공여자 특이 항체(donor specific antibody)의 존재, ⑥ 혈액형불일치, ⑦ 이식신의 지연기능, ⑧ 24시간 이상의 cold ischemia time 등이다. 이 중 하나 이상의 인자가 있으면 고위험군이며 유지면역

억제요법을 중등도 이상으로 하여야 한다는 것을 의미한다. 우리나라 신장이식을 보면 대부분의 경우 급성거부반응의 고위험군으로 간주될 수 있어 이하의 치료법은 이를 기준으로 제시하고자 한다. 그러나 현재 사용되고 있는 면역억제제들이 이식편의 단기 생존에는 효과적이지만 장기 생존은 획기적 향상을 가져오지 못하고 있다. 약제가 가지는 신독성, 면역관용 유도에 미치는 부정적인 역할, 만성 거부반응의 진행, 대사 합병증 등이 그 원인으로 판단되며 이를 극복하기 위한 새로운 면역억제제의 개발 및 면역억제 방법의 전환이 모색되고 있다. 이외에 장기적인 면역억제로 인한 기회감염의 증가, 악성종양의 발생, 기저 신장질환의 재발 등이 환자와 이식신의 장기 생존에 영향을 미치는 주요 요소들이다.

면역억제제의 투여 원리 및 종류

이식편에 대한 면역 반응은 동종항원(alloantigen)의 인식, 동종항원 특이적인 림프구의 활성화와 이로 인한 거부

표 15-5-1. 면역억제제의 종류

A. Glucocorticoids
B. Small molecule drugs

a) Immunophilin binding drugs
  Calcineurin inhibitors
    Cyclophilin binding drugs: cyclosporine
    FKBP12 binding drugs: tacrolimus
  Target of rapamycin inhibitors: sirolimus, everolimus

b) Inhibitors of nucleotide synthesis
  Purine synthesis inhibitors: mycophenolic acid
  Pyrimidine synthesis inhibitors: leflunomide

c) Antimetabolites: azathioprine
C. Biologics

a) Depleting antibodies
  Polyclonal antibody: antithymocyte globulin (thymoglobulin)
  Mouse monoclonal anti-CD3 antibody (OKT3)
  B-cell depleting monoclonal anti-CD20 antibody (rituximab)

b) Nondepleting antibodies fusion proteins
  Humanized or chimeric monoclonal anti-CD25 antibody
    (basiliximab)
  Fusion protein with natural binding properties: CTLA-4-
  Ig(belatacept)

c) Immunoglobulin

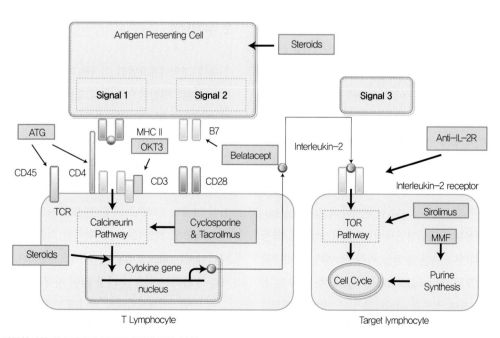

그림 15-5-1. 면역활성화 신호전달과 면역억제제의 작용 부위

제 **15** 부 신장이식

반응의 진행 등 세 단계로 나눌 수 있다. 동종항원 특이적인 T림프구의 활성화가 이뤄지기 위해서는 이식 장기 안에 존재하는 항원전달세포(antigen presenting cell)가 제공하는 동종항원이 T림프구 수용체에 전해지는 경로(신호 1) 외에도 항원전달세포의 B7-T림프구의 CD28 등을 통해 전달되는 공통자극(신호 2)과 IL-2등 cytokine을 통해 세포 증식을 유도하는 신호 3이 필요하다. 세 가지 신호 전달 체계에 각기 작용하는 면역억제제를 병합 투여함으로써 거부반응을 줄일 수 있게 되었으며 과거에는 2제 요법을 실시하였으나 현재 3제 요법을 주로 이용한다(그림 15-5-1).

현재 환자에게 사용하고 있는 면역억제제는 표 15-5-1과 같다.

면역억제요법의 실제

실제 임상에서 신장이식 후 면역억제요법은 초기 유도면역억제요법과 장기적인 유지 면역억제요법이 근간을 이루며, 그 외에 급성 거부반응에 대한 치료가 있다.

1. 유도요법

유도 면역억제요법은 급성 거부반응과 delayed graft function을 줄이고 calcinuerin inhibitor (CNI)에 의한 신독성의 발생을 줄이기 위해 이식 초기에 강력한 면역억제 상태를 유도하는 방법이다. 주로 림프구에 대한 항체와 일반적인 면역억제제를 병합하여 사용한다. 항체에는 thymoglobulin (ATG; T cell depletion), basiliximab (anti IL-2 receptor), rituximab (anti CD20) 등이 임상 현장에서 사용된다. 우리나라에서 고위험 환자군의 경우 thymoglobulin이 사용되며 저위험군에서는 basiliximab이 사용되지만 각 센터마다 다른 정책을 가질 수 있다. 우리나라에서 유도요법으로 thymoglobulin을 사용하는 경우는 전체 신장이식의 20% 정도를 차지하고 있다. 강력한 면역억제를 유도할수록 이식 후 감염과 종양 발생의 빈도가 높아지기 때문에 환자별 거부반응의 위험도를 따져서 약제를

표 15-5-2. 유도 면역억제요법의 예

With depleting antibody induction
- Thymoglobulin 1.5 mg/kg iv qd 3~7 days
- Methylprednisolone: intra-op methylPD 500 mg iv bolus → POD#1부터 용량 감량
- MMF: Pre-OP#1 or D0 start: 0.5 g bid
- CNI: CsA 6~8 mg/kg/day bid po or tacrolimus 0.05~0.1 mg/kg bid po
With non-depleting antibody induction
- Basiliximab: D0 and POD#4 20 mg qd iv
- Methylprednisolone, MMF: depleting antibody induction의 경우와 유사
- CNI: Pre-OP#1 or D0 start CsA 6~8 mg/kg/day bid po or tacrolimus 0.05~0.1 mg/kg bid po

MMF, mycophenolate mofetil; CNI, calcineurin inhibitor; CsA, cyclosporine A

선택할 필요가 있다. ATG와 anti-CD25 (anti-IL-2R) 항체를 이용한 유도요법의 한 예를 아래 기술하였다(표 15-5-2).

2. 유지요법

유지 면역억제요법의 원칙은 작용 기전이 서로 다른 면역억제제를 병합함으로써 효과를 향상시키고, 약제로 인한 부작용을 최소화하는 것이다. 1984년 이전에는 azathioprine과 스테로이드를 유지 면역억제요법의 기본으로 하였고 1980년대 중반부터 싸이클로스포린이 도입되었고, 1990년대 중반부터 타크로리무스를 포함하는 CNI, 퓨린 합성 억제제, 스테로이드를 병합하는 3제 병합요법을 주로 사용하고 있다(표 15-5-3). 위에서 기술한 바와 같이 우리나라에서는 타크로리무스, 마이코페놀레이트와 스테로이드를 병합하는 치료가 가장 많이 사용되고 있다.

유지 면역억제요법에서 각각의 면역억제제를 어느 정도의 용량으로 유지해야 하는가는 통일되어 있지 않고, 면역억제의 정도를 어느 정도로 유지할 것인가 하는 것도 환자

표 15-5-3. 신장이식 후 유지 면역억제 요법

Anti-proliferative drugs (choose one): MMF 0.5 g (with tacrolimus)~1 g (with CsA or high risk of rejection) bid po AZA 1.5~2 mg/kg/day po
Calcineurin inhibitor (choose one): CsA 5~8 mg/kg bid po tactrolimus 0.05~0.1 mg/kg bid po
Corticosteroid: prednisolone 5~10 mg qd po

의 거부반응 위험도나 이식 받은 장기의 종류 등에 따라 달라진다. 신장이식에 일반적으로 사용하는 유도, 유지 면역제요법의 프로토콜은 아래와 같다(표 15-5-4).

타크로리무스를 포함한 병용요법이 가장 많이 사용되는 이유는 타약제 대비 급성거부반응의 발생이 적고 장기적으로 이식신의 생존율을 향상시킬 수 있기 때문이다. 이식 후 당뇨병의 발생(new onset diabetes after transplantation, NODAT)은 타크로리무스가 사이클로스포린에 비해 많지만 환자들의 순응도가 높고 다른 부작용의 발생이 낮기 때문에 환자들의 적응이 좋은 편이다. 또한 타크로리무스는 마이코페놀레이트(MMF)의 혈중 농도를 감소시키지 않기 때문에 사이클로스포린과의 병합에 비해 MMF의 사용량을 줄일 수 있다. 타크로리무스의 경우 두 가지 제제가 사용되고 있으며(immediate-release와 extended-release) 약효는 비슷한 것으로 알려져 있다. 하지만 1일 1회 복용은 장기적인 환자의 순응도를 높일 수 있고 extended-release 제제의 경우 진전(tremor)의 발생이 낮은 것으로 알려져 있다. 일반적으로 급성 거부반응의 위험이 높은 초기에는 면역억제제제를 고용량으로 유지하다가 이후 점차 용량을 줄여나간다.

CNI는 간장의 cytochrome P450 3A4에 의해 대사되는데 치료 지수(therapeutic index)가 좁아서 약물 상호 작용을 일으키는 다른 약제를 동시 투여하는 경우 CNI 농도 변화에 의한 거부반응 또는 신독성이 쉽게 유발될 수 있다. 또한 cytochrome P450 유전자다형성 등의 영향이 있으므로 혈중 농도를 측정하여 용량을 조절하여야 한다. 타크로리무스의 경우 혈중 농도는 trough level(C0)을 이용하는 것이 표준방법이다. 싸이클로스포린의 경우 C0 값

표 15-5-4. 신장이식 후 면역억제제의 사용 예

Triple therapy
Corticosteroids
– Pre-OP#1 night: Pd 20 mg qd
– D0: intra-op methylPD 500 mg iv bolus
– POD#1~POD#6: daily dose reduction ex) methylPD 50 mg *4 days→40 mg *4 days→ 30 mg *4 days→40 mg * 2 days→20 mg * 2 days
– POD#6~: Pd 20 mg qd
– 퇴원(약 POD#14): Pd 5~10 mg qd
– 1 mo-1 year: Pd 5 mg qd
– 1 year -: Pd 2.5~5 mg qd
MMF
– Pre-OP#1 or D0 start: 0.5 g bid
– Maintenance: 0.5 g-1 g bid
Cyclosporine
– Pre-OP#1 or D0 start: 10 mg/kg/day bid
– Dose titration through therapeutic level monitoring
– 0~2 months: C0 200~300 ng/mL
– 2~6 months: C0 100~200 ng/mL
– 6 months~: C0 100 ng/mL
Tacrolimus
– Pre-OP#1 or D0 start: 0.075 mg/kg bid
– Dose titration through therapeutic level monitoring
– 0~3 months: 8~10 ng/mL
– 3~6 months: 5~8 ng/mL
– 6 months~: 5 ng/mL
Quadruple therapy: triple therapy에 antibody induction을 추가
Basiliximab
– D0 and POD#4 20 mg qd (2 dose regimen)

MMF, mycophenolate mofetil; Pd, prednisolone

표 15-5-5. 칼시뉴린 억제제 혈중 농도에 영향을 미치는 약들

농도를 높이는 약들
a) Ca channel antagonist: verapamil, diltiazem, amlodipine, nicardipine
b) Antifungal agent: fluconazole, itraconazole, ketoconazole
c) Antibiotics: clarithromycin, erythromycin
d) Methylprednisolone
e) Others: cimetidine, metoclopramide, allopurinol, amiodarone, grapefruit
농도를 낮추는 약들
Phenytoin, phenobarbital, carbamazepine, rifampin, ticlopidine

이 급성 거부반응이나 약물 노출정도와의 상관관계가 취약한 한계가 있어 최근에는 복용 후 2시간째 혈중 농도(C2)도 함께 이용하고 있기도 하지만 환자들이 적응하기 힘들어 실제 일반적으로 사용되지는 않는다. 칼시뉴린 억제제의 혈중 농도에 영향을 미치는 약물들은 다음과 같다 (표 15-5-5). NSAID, aminoglycoside, amphotericin B와 같은 약제의 사용은 CNI를 사용하는 환자에서 신독성을 증가시킬 수 있으므로 가급적 제한하여야 한다. 또한 면역억제제로 인한 고지혈증의 치료를 위해 statin을 복용하는 경우가 많은데, 싸이클로스포린과 statin을 함께 사용할 경우 싸클로스포린이 cytochrome P450 3A4과 무관한 statin의 간장 내 대사경로에 영향을 미쳐 statin의 AUC를 2배–25배까지 상승시키는 것으로 알려져 있다. Lovastatin의 경우 싸이클로스포린과 병합할 경우 약 0.15%에서 횡문근융해와 급성신손상을, 30%에서 근병증을 일으키는 것으로 보고되었다. 따라서 약제 선택 시 상호 작용이 작은 pravastatin 같은 statin을 저용량에서 시작하며, 최고 용량까지 증량하는 것은 피해야 한다.

항대사약제로는 mycophenolate mofetil (MMF)과 aza-thiprine이 대표적이며 우리나라에서는 대부분 MMF를 사용하고 있다. MMF가 급성거부반응의 발생이나 부작용의 발현이 적기 때문이다(Cochrane Database Syst Rev. 2015). 하지만 임신을 시도하거나 피임을 확실히 하지 않는 여자 환자의 경우 MMF의 사용은 기형아를 초래할 위험

이 높으므로 azathioprine을 사용하는 것이 필수적이다. Azathioprine을 사용하는 경우 백혈구감소증이 흔히 발생할 수 있고 이 경우 우선적으로 약제를 중단하고 백혈구 수의 증가를 확인한 후 저용량으로 다시 시작하여야 한다.

임상현장에서 MMF와 mycophenolate sodium의 두가지 제제가 사용될 수 있는데 주로 MMF에 의한 설사나 위장관 증상 발현 시 mycophenolate sodium을 사용할 수 있다. MMF 500 mg은 mycophenolate sodium 360 mg으로 대체될 수 있다. Proton pump inhibitor (PPI)를 사용하는 경우 MMF의 혈중 농도를 낮출 수 있다는 관찰 연구가 있으므로 PPI를 사용하는 경우 MMF 대신 myco-phenolate sodium을 사용하는 것이 권장된다. 또한 aza-thioprine을 사용하는 경우 allopurinol이나 febuxostat를 병용하면 백혈구 감소증이 쉽게 발생할 수 있으므로 병용을 피하거나 불가피하게 사용할 경우 azathioprine의 용량을 반으로 줄여서 사용하는 것이 좋다.

스테로이드를 얼마나 그리고 어느 기간까지 사용하여야 하는가에 대한 통일된 지침은 없다. 유지면역억제 시에는 일반적으로 5 mg/일까지 감량하여 사용한다. 하지만 지난 6개월 또는 1년 동안 급성거부반응의 발현이 없었다면 2.5 mg/일까지 감량해 볼 수 있다. 장기적으로 스테로이드를 사용하지 않는 것이 좋다는 증거는 확실하지 않으며 필자의 경우 스테로이드를 사용하지 않는 환자는 저위험성 환자의 일부를 제외하고는 없다. 장기적으로 타크로리무스를 사용하는 병용요법에서 스테로이드를 사용하지 않는 것이 인슐린 저항성을 호전시키지 않는다. 또한 azathio-prine을 사용하는 경우 스테로이드를 병용하지 않으면 백혈구 감소증이 나타날 수 있다. 그러므로 스테로이드에 대한 상당한 부작용이 나타나지 않는 안정적인 환자에서 스테로이드를 제거하지 않는 것을 추천한다.

급성 거부반응의 치료

급성 거부반응의 빈도는 면역억제요법의 종류에 따라 차이를 보이며, 싸이클로스포린, MMF, 타크로리무스 등

의 도입으로 1년 이내 급성 거부반응의 빈도는 20% 미만이다. 급성거부반응은 신장이식 후 1개월 이내에 약 60~75%, 3개월 내에 90~95%로 주로 초기에 발생하며, 이중 85% 이상이 치료로 호전된다. 그러나 신기능을 회복했다 하더라도 거부반응이 나타나지 않은 신장이식 환자에 비해 신장의 장기 생존율이 나쁘며 만성거부반응의 주요 위험인자가 된다. 급성거부반응의 주 증상은 요량감소와 발열, 혈압상승, 이식편의 통증 등이 있으나 싸이클로스포린의 도입 이후 전형적인 증상들이 동반되지 않는 경우도 많다. 따라서 이식 후 3개월 이내에 혈청 creatinine의 농도가 상승하는 환자는 급성거부반응을 의심하여야 한다. 요로폐쇄와 동정맥 혈전증 등을 감별하기 위해서 도플러 초음파를 시행하며 거부반응의 확진을 위해서는 경피적 신장생검을 필요로 한다. CNI 신독성도 같은 시기에 혈청creatinine의 농도의 상승으로 나타날 수 있어 감별이 필요하며, 이는 약제 투여를 중지하면 대부분 48시간 이내에 호전된다. 급성 거부반응은 T세포 매개성 거부반응과 항체에 의한 항체 매개성 거부반응의 형태로 나타난다. 대부분의 경우가 T세포 매개성 거부반응이지만 10~20%의 경우는 항체 매개성 거부반응이거나 세포 매개성 거부반응과 병발하여 나타난다.

급성 거부반응의 치료는 3일간 methylprednisolone 500~1,000 mg 정맥주사로 steroid pulse therapy를 시행하거나, steroid에 반응이 없는 경우 thymoglobulin을 7~14일간 1일 1.5 mg/kg iv로 사용할 수 있다. 또한 steroid에 반응이 없는 경우 구조요법으로 싸이클로스포린에서 타크로리무스로 대체하거나 또는 타크로리무스에서 싸이클로스포린으로 전환한다. 타크로리무스 난치성 거부반응일 경우 rapamycin을 사용해 볼 수 있다. 항체 매개성 거부반응의 경우 우선 진단적 접근이 중요하며 확진을 위해서는 공여자특이 항체의 존재와 신장조직검사에서 C4d의 침착을 확인하는 것이 필요하다. 항체 매개성 거부반응의 치료전략으로는 ① 혈장교환을 통한 항체제거, ② 면역글로불린이나 CD20에 대한 항체(rituximab)를 이용한 항체 생성의 억제, ③ 면역억제제를 통한 T, B세포 활성화 억제, ④ 비장적출 등의 조합으로 이루어진다. 항체 매개성 거부

표 15-5-6. 신장이식 후 급성 항체 매개성 거부반응의 치료

Anti-CD20 antibody (rituximab)
- 375 mg/m²
Plasmapheresis with IVIg (100-200 mg/kg)
Proteasome inhibitor (borteazomib)
- 1.3 mg/m² on day1, 4, 8, 11 if indicated

반응이 의심될 경우 우선적으로 steroid pulse therapy를 시도해 볼 수 있다. 하지만 항체 매개성 거부반응의 경우 부가적인 치료가 더 필요한 경우가 대부분이다(표 15-5-6).

면역억제요법의 최신 경향

현재까지 개발된 면역억제제는 급성 거부반응을 감소시켜 이식신의 단기 생존율을 획기적으로 향상시켰으나, 대부분의 이식신은 만성이식신병증(chronic allograft nephropathy)으로 인해 장기적으로 95% 이상이 기능을 소실한다. 여기에는 delayed type hypersensitivity, chronic ischemia, 항체 형성, CNI 신독성 등이 신실질의 섬유화에 관여하며 이식신의 장기생존율에 큰 영향을 미친다. 이 중 칼시뉴린 억제제 신독성은 정도의 차이는 있으나 대부분의 환자에서 발생하며 만성이식신병증의 중요한 원인으로 작용한다. 장기적인 칼시뉴린 억제제와 스테로이드 복용으로 인해 이식 환자에게 발생하는 고혈압과 당뇨, 고지혈증 등의 합병증은 이식 환자의 심혈관질환 유병률과 사망률을 크게 증가시킨다.

1. mTOR 억제제와 belatacept (CTLA4-IgG)의 사용

이 약제들은 처음부터 병용요법으로 사용되기 보다는 CNI의 사용으로 인한 합병증의 발현 시 사용되는 경우가 일반적이다. 임상적으로 또는 조직학적으로 CNI에 의한 신독성이 발생했을 때 mTOR 억제제(sirolimus, everolimus)로 전환하는 것을 고려하여야 한다. 또한 심한 신경병증이나 thrombotic microangiopathy 등의 부작용이 발생

한 경우에도 이 약제로의 전환이 필요하다. Sirolimus의 초기 용량은 2~4 mg/일 이며 혈중농도를 4~6 ng/mL로 유지하는 것이 추천된다. Everolimus의 경우에는 0.75 mg을 하루 두 번 복용하며 혈중농도의 목표는 5~7 ng/mL이다. mTOR 억제제를 CNI 대신 사용하는 것은 신장이식 후 1~2년 후 GFR로 대표되는 신기능의 호전을 가져올 수 있지만 급성거부반응의 발생을 증가시키고 심혈관질환이나 감염성 질환에 의한 사망을 증가 시킨다는 보고가 있다. Sirolimus는 약제의 특성으로 신생혈관의 생성을 억제하기 때문에 수술 직후에 사용하면 수술부위 상처의 봉합에 문제를 일으킬 수 있으며 lymphocele의 발생을 증가시킨다는 보고도 있으므로 주의 깊은 관찰이 필요하다. Belatacept를 CNI 대신 사용하는 경우 이식신의 GFR이 상대적으로 높지만 posttransplant lymphoproliferative disease (PTLD)와 급성거부반응의 발생이 높다는 연구결과가 발표된 바 있다. 그러므로 이러한 약제의 사용은 환자 개인의 특성에 맞추어 사용 여부를 결정하여야 한다.

이식 후 관리

이식신의 장기 생존은 이식 후 초기 변화, 즉 이식신 기능 지연회복(delayed graft function, DGF)이나 급성 거부반응, 수술에 따른 합병증, 감염, 약제 독성 등에 큰 영향을 받는 것으로 알려져 있어 이식 후 3개월까지의 초기관리는 매우 중요하다. 수술 당일~수술 후 1일까지는 혈역학적 안정성 평가, 수술 중 혈액 손실 및 보충 여부, 정확한 면역억제제 투여 여부를 확인하고 이식 신장의 상태를 평가한 후 약속된 protocol에 따라 면밀한 혈역학적 처치및 수액요법을 실시한다. 수술 후 2일~1주는 소변량을 면밀하게 측정하는 것이 중요한데 이는 이식 신장의 기능을 나타내는 중요한 지표가 된다. 소변량이 50% 이상 감소하거나 갑자기 핍뇨나 무뇨가 발생할 경우 신속히 조치해야한다. 수술 후 상처 통증은 약 1주일간 심하지 않게 있을수 있지만 통증 양상이 바뀌거나 심한 통증이 발생하면거부반응, 신장 주위 혈종, 소변 누출 등을 확인해야 한다. 첫 1주 동

표 15-5-7. 이식신 기능 지연회복(dalyed graft function)의 감별진단

Acute tubular necrosis
Intravascular volume contraction
Arterial occlusion
Ureteric or catheter obstruction
Urine leak
Hyperacute rejection
Nephrotoxicity
Thrombotic microangiopathy

안 이식 신장의 기능은 excellent graft function, moderate graft function, DGF 중 하나의 형태로 나타난다. 이 중 DGF는 그 정의가 다양하나 일반적으로 이식 후 첫 1주간 핍뇨가 지속되거나 투석을 요하는 경우를 말하며 생체 이식보다 뇌사자 이식에서 훨씬 빈도가 높다. DGF는 이식 신장의 생존율을 떨어뜨리는 중요한 원인으로 그 원인을 감별하는 것이 중요하다(표 15-5-7).

이후 안정적인 환자는 수술 후 10~14일 사이에 퇴원하여 외래에서 이식 후 관리를 받는다. 이식 후 첫 한 달 동안은 일주일에 두 번, 다음 한 달은 일주일에 한 번 외래를 내원하는 게 바람직하다. 신체검사로 체액 상태 및 발열 유무, 이식 신장의 크기 증가나 압통 유무를 확인하고 검사실 검사로 소변 검사, 일반혈액, 일반화학, 전해질 수치, 약물 농도를 확인한다. 발열이 동반될 경우 감염 또는 거부반응을 생각해야 하며, 이식 신장 압통은 급성 거부반응이나 급성 신우염에서 나타나며 CNI 독성이나 CMV 감염에서는 나타나지 않는다. 혈중 creatinine 수치가 25% 이상 상승하면 이식신에 중대한 위험 상황으로 여겨 즉각적으로 원인에 대한 감별이 필요하며, 그 이하로 상승하면 48시간 이내에 재검한다. Creatinine 상승 원인으로 외과적 합병증, 감염, 거부반응, 약제 신독성 여부를 감별하는 것이 중요한데, 외과적 합병증은 도플러 초음파 검사나 핵의학적 검사 등을 통해 확인하며 CNI에 의한 급성 신독성은 약물 용량을 줄인 후 24~48시간 내에 대개 회복되므로 creatinine 수치가 지속적으로 높으면 거부반응 등 다

른 원인을 생각해야 한다. 급성거부반응은 발열, 오한, 이식 신장의 팽만 및 압통, 소변량 감소, 체중 증가 등의 임상 증상과 혈청 creatinine상승이 동반될 때 의심할 수 있고 확진은 조직 생검으로 한다. 최근에는 새로운 면역억제제로 인해 고전적인 급성거부반응의 임상 증상이 뚜렷하지 않은 경우가 많고, 안정적인 환자들의 약 30%가 creatinine 상승 없이 조직학적으로 거부반응의 소견을 보이는 subclinical rejection을 경험하는 것으로 밝혀져 이를 진단하기 위한 protocol biopsy를 시행하기도 한다. 그러나 subclinical rejection의 치료가 가지는 효과, 이식 신장 및 환자의 장기 생존과 subclinical rejection과의 관련성 등에 대해서는 아직 논란이 있으나 적극적인 치료가 긍정적인 장기결과를 가져올 것으로 판단된다.

▶ 참고문헌

- 김중경: 신장이식에서 스테로이드 중단. 대한이식학회지 22:197–202, 2008.
- 대한신장학회 등록위원회: 우리나라 신대체요법의 현황. 2020. URL: http:// www.ksn.or.kr/rang_board/
- 대한신장학회: 숫자로 보는 우리나라 신장이식(수혜자편). KSN NEWS 17호 Factsheet. 03, 2020.
- Brennan D, et al: Rabbit antithymocyte globulin versus basiliximab in renal transplantation. N Engl J Med 355:1967–1977, 2006.
- de Graav GN, et al: A Randomized Controlled Clinical Trial Comparing Belatacept With Tacrolimus After De Novo Kidney Transplantation. Transplantation 101:2571–2581, 2017.
- Haller M, et al: Calcineurin inhibitor minimization, withdrawal andavoidance protocols after kidney transplantation. Transplant Int. 22:69–77, 2009.
- Kees MG, et al: Omeprazole impairs the absorption of mycophenolate mofetil but not of enteric–coated mycophenolate sodium in healthy volunteers, J Clin Pharmacol 52:1265–1272, 2012
- Kidney Disease: Improving Global Outcomes (KDIGO) Transplant Work Group: KDIGO clinical practice guideline for the care of kidney transplant recipients. Am J Transplant. 9(Suppl 3):S1–155, 2009.
- Knight S, et al: The Clinical Benefits of Cyclosporine C2–Level–Monitoring: A Systematic Review. Transplantation 83:1525–1535,2007.
- Schiff J, et al: Therapeutic monitoring of calcineurin inhibitors for the nephrologist. Clin J Am Soc Nephrol 2:374–384, 2007.

CHAPTER

06 고감작 환자의 신장이식

양철우 (가톨릭의대)

KEY POINTS

- 감작은 신장이식 전 수혜자의 체내에 공여자에 대한 항체가 존재하는 것을 의미하며, 이식초기에 항체 매개성 거부반응을 일으켜 이식신의 기능을 소실시킬 위험이 높다.

- 이식 전 감작유무를 확인하는 방법은 panel reactive antibody와 교차반응 검사가 있으며 Luminex assay를 통하여 공여자 특이항체의 종류와 양을 측정할 수 있다.

- 이식 전 탈감작방법은 혈장반출술 또는 경정맥 면역글로블린을 투여하여 이미 생성되어 있는 항체를 제거 또는 중화시키거나, 리툭시맵 또는 보테조밉을 투여하여 항체를 생성하는 B세포를 억제 또는 제거하는 것이다.

- 탈감작의 목표는 공여자 특이항체를 감소시켜 교차반응을 양성에서 음성으로 유도하는 것이다.

정의와 임상적 의의

'감작(sensitization)'의 의미는 체내에 공여자에 대한 항체, 주로 HLA (human leukocyte antigen)에 대한 항체가 존재한다는 것이다. 감작의 원인은 수혈의 기왕력, 임신, 과거 이식 등을 들 수 있으나, 원인 불명의 감작된 환자도 있다. 감작된 정도는 PRA (panel reactive antibody)검사를 통하여 선별하고 교차반응검사를 통하여 확진한다. 미국의 경우 PRA 검사에서 양성인 감작된 신장이식 대기자가 전체의 35%에 달하며, 이중 15%는 PRA level이 80%가 넘는 고감작 환자이다. 이식 전 '감작'에 대한 정확한 평가가 중요한 이유는 수혜자의 혈액 내에 존재하는 항HLA 항체가 이식신을 공격하여 항체 매개성 거부반응을

일으킴으로써 이식 초기에 이식신의 기능을 소실시키기 때문이다. 또한 뇌사 공여자로부터 이식을 대기하고 있는 환자의 경우 교차반응 양성의 가능성이 높기 때문에 이식기회를 놓치고 이식 대기시간이 길어지게 된다. 이전에는 감작되어 교차반응 검사가 양성인 경우는 신장이식의 면역학적 금기증 이었다. 그러나 현재는 감작된 환자에서도 이식 전 '탈감작(desensitization)'요법을 시행 후 신장이식이 시행되고 있다. 이러한 탈감작을 통한 이식이 가능하게 된 요인으로는 첫째, 정확한 항HLA항체를 측정할 수 있는 검사방법의 발달, 둘째, 급성 항체 매개성거부반응의 기전에 대한 이해, 셋째, 항체 매개성 면역반응을 억제하는 효과적인 치료요법의 발달을 들 수 있다.

이식 전 감작진단

이식 전 감작유무를 확인하는 방법은 두 가지로 PRA를 통해서 스크리닝 하며 공여자와 수여자사이에는 교차반응 검사를 통해서 확인한다. 두 검사에서 양성이 나오는 경우 Luminex assay를 통하여 공여자 특이항체의 종류와 양을 측정할 수 있으며 공여자 특이항체가 보체를 활성화시킬 수 있는지 확인하기 위하여 C1q binding assay를 이용한다(그림 15-6-1).

이식 전 탈감작요법

감작된 환자에서 신장이식 전 시행되는 탈감작요법의 원리는 크게 이미 생성되어 있는 항체의 제거 및 중화, 항체를 생성하는 B세포의 억제 또는 제거, B세포의 활성화를 돕는 T세포의 억제, 보체계의 활성화를 억제하는 것이다 (그림 15-6-2). 이식 전 탈감작프로토콜은 각 이식센터마다 조금씩 다르나 기본 틀은 크게 차이가 없다(그림 15-6-3). 탈감작요법을 통하여 수혜자와 공여자 간의 교차반응을 음성으로 전환시킨 상태에서 이식을 진행하게 된다. 탈감작을 위한 치료법과 약제들은 다음과 같다.

1. 혈장반출술(Plasmapheresis)

혈장반출술(plasmapheresis)은 순환하는 공여자 특이항체 또는 혈액형항원에 대한 항체를 제거하는 가장 효과적이고 빠른 방법이다. 시행하는 방법으로는 plasmaexchange, double filtration plasmapheresis, immunoadsorption이 시행되고 있다. 이 중에서 plasma exchange 방법이 가장 흔히 사용되고 있다. 혈장반출술은 새로운 항체 형성 및 항체 반등을 막지는 못하므로 경정맥 면역 글

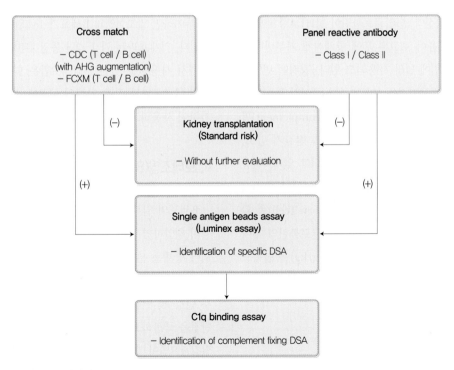

그림 15-6-1. 신장이식 전 감작진단과정

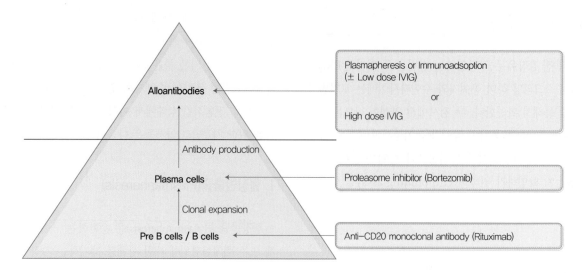

그림 15-6-2. 신장이식 전 탈감작요법의 개요

로불린(intravenous immunoglobulin), 리툭시맙(Ritux-imab; Mabthera®) 등의 치료를 병행한다.

2. 경정맥 면역 글로불린(Intravenous immuno-globulin, IVIG)

1990년 초에 경정맥 면역 글로불린이 항HLA항체에 대한 억제효과가 있음이 보고된 후에 항체매개 거부반응의 치료 및 탈감작요법에 널리 사용되고 있다. 경정맥 면역글로불린의 정확한 작용기전은 불분명하나 공여자 특이항체에 대한 중화작용, 항체매개에 의한 보체(complement)활성화 억제, Fc 수용체 결합에 의한 항체의 반감기 감소, 싸이토카인 억제 등이 그 기전으로 제기되고 있다. 적응면역반응(adaptive immune response)에도 작용하여 B세포의 사멸을 유도하고 조절 T세포(regulatory Tcell)를 활성화 하는 것이 보고되었다. 경정맥 면역 글로불린의 투여는 혈장반출술을 시행하지 않고 고용량(2 g/kg)을 단독으로 사용하거나 혈장반출술과 병행하여 저용량(100 mg/kg)을 사용하고 있다.

3. 리툭시맙(Rituximab)

리툭시맙은 CD20에 대한 단클론항체(monoclonalantibody)로서 CD20이 발현된 미성숙, 성숙 B세포에작용하여 B세포의 증식을 억제하며 B세포의 사멸(apoptosis)을 일으킨다. 리툭시맙의 용량은 흔히 375mg/m²을 사용한다. 일회 투여하면 말초혈액의 B세포가 1~2일에 걸쳐 빠르게 소멸된다. 억제효과는 약 1~2년 동안 유지된다. 대부분의 기관에서 사용하고 있는 탈감작요법은 혈장반출술, 경정맥 면역 글로불린과 같은 기존의 치료에 리툭시맙 투여를 추가하여 사용하고 있다.

4. 보테조밉(Bortezomib)

B세포의 일부는 기억세포(memory cell)로 분화되어 항원이 침입하였을 때 빠르게 형질세포(plasma cell)로 분화되어 항체를 분비한다. 형질세포에서는 CD20이 발현되지 않으므로 리툭시맙은 효과가 없다. 따라서 항체 매개성거부 반응 및 탈감작 치료에의 효과에 제한이 있다. 이러한 단점을 극복하고자 최근 bortezomib (Velcade®)을 이용한 탈감작요법이 개발되었다. Bortezomib은 proteasome억제제로서 본래 다발성 골수종의 치료제로 사용되어 왔다. 골

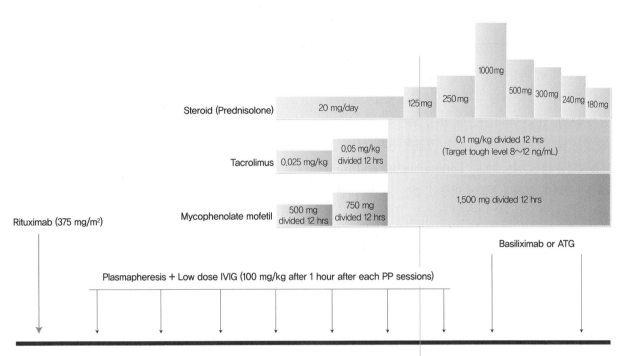

그림 15-6-3. 탈감작 신장이식 프로토콜예시 (서울성모병원 장기이식센터)

수 내에서 형질세포의 고사를 유도할 수 있어, 궁극적으로 항체의 생산을 억제하는 작용을 보인다. 그 외에도 T/B 세포의 class I MHC 표현을 감소시키고, 항원전달 세포의 작용을 억제하는 등의 부가적인 효과도 있는 것으로 알려져 있다. 이러한 효과를 이용하여 이식 전 탈감작요법 뿐 아니라, 치료에 반응하지 않는 항체 매개성 거부 반응의 치료제로서 이용되고 있다. 탈감작 치료에서 단독으로 사용되기보다는 리툭시맵 및 혈장반출술에도 음성 전환이 이루어지지 않는 환자에서 사용될 수 있다.

5. Antithymocyte globulin (ATG)

다클론항체(polyclonal antibody)로서 T세포를 제거한다. 따라서 CD4 양성 helper T세포에 의한 B세포의 활성화를 억제한다. 면역학적 고위험도 환자의 신장이식 후 급성 거부반응의 발생을 줄이기 위하여 선택적으로 사용되고 있다.

6. Eculizumab

Eculizumab은 보체 C5에 대한 단클론 항체로, C5에결합하여 C5a와 C5b로 분해되는 것을 억제하며, C5b−9의 membrane attack complex의 형성을 막는다. 이로 인해 보체 매개성 세포 파괴를 방지한다. 본래 발작성 야간 혈색소뇨증에 대한 치료제로 쓰여 왔으며, atypical hemolytic uremic syndrome에서 신장이식 후 재발 방지 및 치료로 쓰인다. 이를 사용한 탈감작요법이 현재 연구중에 있다.

7. 유지면역억제요법

대부분의 기관에서는 tacrolimus를 주 면역억제제제로사용하면서 스테로이드, mycophenolate mofetil (MMF)를 병행하여 사용하고 있다. 대개는 탈감작요법을 시작할 때 또는 수술 1주일 전부터 투여한다.

요약

신장이식 전 환자의 '감작' 상태를 정확하게 파악하는 것이 중요하다. 최근에는 검사 및 치료기술 발달로 감작된 환자에서의 신장이식이 가능해 졌다. 보편적으로 사용되고 있는 탈감작요법은 혈장반출술, 경정맥 면역 글로불린, 리툭시맙을 병합하는 것이다. Bortezomib이나 eculizumab을 사용하여 기존의 치료에 반응이 없는 경우에도 탈감작을 가능하게 하는 연구가 진행 중이다.

▶ 참고문헌

• Gloor JM, et al: Overcoming a positive crossmatch in living-donor kidney transplantation. Am J Transplant 3:1017-1023, 2003.

• Marfo K, et al: Desensitization protocols and their outcome. Clin JAm Soc Nephrol 6:922-936, 2011.

• Stegall MD, et al: Terminal complement inhibition decreased antibody-mediated rejection in sensitized renal transplant recipients. Am J Transplant 11:2045-2413, 2011.

• Vo A A, et al: Rituximab and intravenous immune globulin fordesensitization during renal transplantation. N Engl J Med 359:242-251, 2008.

• Vo AA, et al: Use of intravenous immune globulin and rituximab fordesensitization of highly HLA-sensitized patients awaiting kidneytransplantation. Transplantation 89:1095-1102, 2010.

• Wahrmann M, et al: Effect of the proteasome inhibitor bortezomibon humoral immunity in two presensitized renal transplant candidates. Transplantation 89:1385-1390, 2010.

• Walsh RC, et al: Proteasome inhibitor-based primary therapy forantibody-mediated renal allograft rejection. Transplantation 89:277-284, 2010.

CHAPTER

07 혈액형 부적합 신장이식

공진민 (BHS한서병원)

KEY POINTS

- 혈액형 부적합 신장이식의 탈감작 프로토콜은 병원 간에 차이가 있으나, 국내에서 보편적으로 많이 사용되는 것으로는 저용량 (100~200 mg/body)의 rituximab과, 혈장 교환에 의해 이식 당일의 혈액형 항체를 8~16까지 낮추는 것이다.

- 국내에서 혈액형 부적합 이식이 처음 시작되었을 때에는 과도하게 많은 용량의 rituximab 및 유지 면역억제제의 사용으로 인한 감염 등이 문제가 되었으나 이후 적절한 정도로 용량을 낮춘 후에는 혈액형 부적합 이식의 환자 및 이식신 생존율은 혈액형 적합 이식의 것과 차이가 없어지게 되었다.

- 혈액형 부적합 이식 시의 급성 항체매개 거부반응(AMR)은 이식 후 첫 1주 이내에 대부분 발생하며, 1달 이후에는 accomodation에 의해 거의 오지 않는다. 급성 AMR의 약 반수는 혈액형 항체에 의하고 나머지 반수는 항HLA 항체에 의하는데, 대부분 치료에 반응하여 회복된다.

- 한국은 현재 인구 대비 혈액형 부적합 신장이식의 수가 세계에서 제일 많은 국가이다.

전통적인 신장이식은 공여자와 수여자 간의 혈액형의 조합이 수혈 가능한 조합인 경우에 이루어진다. 혈액형 항원은 적혈구 표면 뿐 아니라 이식 신장의 혈관내피세포의 표면에도 존재하므로 혈액형이 부적합한 공여자의 신장이 이식되면, 적절한 예방 치료를 하지 않은 경우, 수여자의 혈액에 있는 혈액형 항체가 이식된 신장의 혈관 내피세포의 혈액형 항원과 결합하여 급성 항체 매개 거부반응(antibody mediated rejection, AMR)을 일으킨다. 수술 전에 혈액형 항체를 낮춰주는 등의 예방 치료가 필요하므로 생체 공여 신장이식인 경우에는 가능하나, 수술 전 예방 치료를 할 수 있는 시간이 없는 사체 이식인 경우에는

하기 어렵다.

최초의 혈액형 부적합 신장이식은 1986년 Alexandre 등에 의해 보고되었는데 수술 전 혈장 교환을 하여 혈액형 항체의 역가를 낮추고, 또한 비장 적출을 한 후 성공적으로 이식을 하였다. 그러나 혈액형 부적합 이식은 2000년대 중반 이전까지는 서구에서는 거의 하지 않았는데 그 이유는 혈액형 부적합 생체 이식의 생존율이 사체 신장이식의 생존율에 비해 낮은 한편, 비장적출의 부작용에 대한 우려 때문으로, 사체 이식을 거의 하지 않는 일본에서만 주로 부적합 이식이 시행되었다. 2003년 Tyden 등이 비장 적출 대신 rituximab을 사용 후 좋은 성적을 보고하여 비

장 적출 없이 부적합 이식이 가능함을 보여주었고, 또한 유지 면역억제제로 cyclosporin 대신 tacrolimus 및 myco-phenolate를 사용한 환자에서 부적합 이식의 성적이 적합 이식의 성적과 차이가 없어지면서, 2000년대 중반 이후 서구에서도 부적합 이식이 증가되고 있다. 국내에서는 2007년 성공적인 혈액형 부적합 이식이 보고된 이후 매우 빠른 속도로 확산되어 2019년 현재 혈액형 부적합 신장이식은 전체 생체 신장이식의 29%를 차지하였는데, 이는 혈액형 부적합 이식이 가능해 짐으로써 생체 이식의 기회가 그만큼 늘어났다는 것을 의미한다. 한국은 현재 인구 대비 혈액형 부적합 신장이식의 수가 세계에서 제일 많은 국가이다.

ABO 혈액형 항원 및 항체

ABO 혈액형 항원은 다당류(polysaccharide) 항원으로 적혈구, 혈소판, 혈관내피세포 등에 존재한다. A형인 사람은 항B형 항체를, B형인 사람은 항A항체를, O형은 항A및 항B항체를 가지고 있으며 AB형인 경우 혈액형 항체를 가지고 있지 않다. ABO 혈액형 항체는 태생 시에는 혈액 내에서 검출되지 않고 생후 3~6개월부터 검출되기 시작한다. Rh 등 ABO 이외의 혈액형은 장기 이식 시의 거부반응과 관련이 없으므로 신장이식 시 고려하지 않는다.

AB형의 말기신부전 환자는 혈액형의 제한 없이 장기를 공여 받을 수 있는 반면 O형 환자는, 혈액형 부적합 이식이 아닌 통상적인 방식의 생체 이식인 경우, O형의 공여자에게서만 신장을 공여 받을 수 있기 때문에 이식 기회가 제한된다. 또 사체 신장이식의 경우 O형 환자는 O형의 공여자의 신장만 받을 수 있으므로 다른 혈액형의 환자에 비해 사체 신장의 대기 기간이 길다. 따라서 혈액형 부적합 생체 이식은 특히 O형 환자에서 신장이식의 기회를 늘릴 수 있는 유용한 방법이다.

O형 혈액형의 수여자의 혈액형 항체 역가는 A형이나 B형 수여자의 혈액형 항체의 역가보다 높으므로, 부적합 이식 시 O형의 수여자의 예후가 좋지 않을 것으로 예상되었

으나, 최근의 보고들은 수여자와 공여자의 혈액형 조합에 따른 이식신 예후의 차이는 없었다. 따라서 현재의 탈감작 및 면역억제제 프로토콜을 사용하는 경우, 수여자와 공여자의 혈액형의 조합은 이식신의 예후에 영향을 주지 않는 것으로 보인다.

A형 혈액형의 아형인 A2형인 경우, 혈액형 항원의 표현 밀도가 낮아 혈액형 항체에 의한 거부반응이 없거나 그 정도가 약하므로, 수여자의 항A 항체의 역가가 매우 높지 않다면 탈감작 없이도 부적합 이식이 가능하다. 서구인에서는 A2형의 빈도가 A형 중 20% 정도를 차지하나 한국인에서는 1% 정도로 매우 드물다. 따라서 국내 병원에서는 A형 환자의 아형을 확인하지 않고 이식을 진행하는 경우가 많다.

혈액형 항체의 역가는 혈액형 부적합 이식 시 거부반응의 발생 여부를 결정하는 중요한 인자 중 하나이므로, 항체 역가를 정확히 측정하는 것이 필요하다. 혈액형 항체는 IgM, IgG 및 IgA가 있는데, IgM과 IgG 혈액형 항체는 보체를 활성화 시켜 거부반응을 일으키므로 이들 항체를 모니터하여야 한다. IgA 항체는 거부반응과 관련 없는 것으로 생각되어 측정하지 않는다. O형 혈액형 환자가 가지고 있는 혈액형 항체는 주로 IgG이며, A형과 B형 환자는 주로 IgM 항체를 가지고 있다.

IgM 항체의 측정 방법은 환자의 혈청 혹은 혈장을 식염수로 순차적으로 희석하여 표적 적혈구와 반응시킨 다음, 적혈구 응집이 나타나기 시작하는 가장 높은 희석 값을 항체 역가로 한다. IgG 항체의 측정방법은 순차적으로 희석된 환자의 혈청 혹은 혈장에서, 항사람 글로불린(anti-human globulin, AHG)을 이용하여 적혈구의 응집을 보는, 간접 항글로불린 검사(indirect antiglobulin test)를 주로 사용한다.

위의 방법은 tube 법(tube method), 혹은 식염수 희석법(saline dilution method) 등으로 불려 지며, IgG 항체의 경우 따로 AHG 법이라 부르기도 한다. 이 방법으로 보고되는 IgM 및 IgG 항체의 역가는 실제로는 정확히 IgM과 IgG가 분리되어 측정된 값은 아니고, IgM의 결과치는 IgM에 일부 IgG가 포함된 값이며, IgG의 결과치는 IgM과

IgG가 모두 측정된 값으로 생각된다. 따라서 IgG의 결과 값은 대부분 IgM의 것보다 높으며, 이식 수술 시 모니터는 주로 IgG 항체의 결과값으로 하게 된다.

측정 방식의 세부 프로토콜이 병원마다 다를 수 있어 병원 간의 결과값의 차이가 상당히 크며, 최대 5배까지의 titer step 차이가 있음이 보고되었다. 적혈구 응집을 읽는 방식에 있어 나안(naked eye)보다 column agglutination test의 일종인 gel card를 사용하는 것이 좀 더 객관적이어서 병원 간의 결과값의 차이를 줄일 수 있으나, 비용 때문에 gel card를 통상적으로 사용하기에는 어려움이 있다. 유세포 분석법(flow cytometry)은 비교적 객관적인 방법으로 병원 간의 결과값 차이를 줄일 수 있을 것으로 생각되고 있으나 아직 보편적으로 사용되고 있지 않다.

혈액형 부적합 신장이식의 탈감작 (Desensitization)

혈액형 부적합의 탈감작 프로토콜은 병원 간에 차이가 있는 경우가 많고, 같은 병원에서도 각 병원의 경험이 반영되면서 변화하고 있다. 국내에서 가장 보편적으로 사용되는 프로토콜은 그림 15-7-1과 같다.

혈액형 항체에 의한 거부반응은 대부분 이식 후 첫 2주 동안 발생하고 특히 첫 1주 동안에 주로 오며, 1달 이후에는 거의 발생하지 않는다. 따라서 혈액형 부적합에 대한 탈감작은 첫 2주 동안 혈장 교환에 의해 혈액형 항체의 역가를 낮은 상태로 유지하는 것에 초점이 맞춰져 있다.

혈액형 항체의 역가는 사람 간에 차이가 있는데, 초기 역가가 어느 수준 이상(예를 들면 256 이상) 높은 환자는 혈액형 부적합 이식의 대상에서 제외하는 병원도 있다. 그러나 역가가 높은 환자라도 적절한 탈 감작치료를 한다면 안전한 수준으로 항체를 낮추어서 이식이 가능하므로, 초기 역가에 의해 환자를 배제할 필요는 없는 것으로 보인다. 이식 당일의 항체 역가를 어느 수준까지 낮춰야 하는가에 대한 논란이 있는데 8 또는 16을 목표치로 하는 병원이 많다. 초기 역가가 높은 일부 환자에서 수술 당일에 목표치에 도달하지 못하는 경우, 32 또는 64 상태에서 이식을 하기도 한다. 혈액형 항체에 의한 거부반응이 주로 일어나는 이식 후 첫 2주간은 항체 역가를 16 이하로 유지하는 것이 안전하므로, 역가가 32 이상인 경우 혈장교환으로 항체를 낮추어 주는 병원이 많다.

혈장 교환 시의 보충액은 알부민이나 신선 동결 혈장 (fresh frozen plasma, FFP)으로 하는데 FFP의 혈액형은 AB형 또는 수여자와 같은 혈액형이어야 한다. 혈장 교환 시 알부민을 보충액으로 하는 경우 혈장 교환에 의해 응고 인자가 손실되고, 또한 일부 혈장교환기는 혈소판을 감소

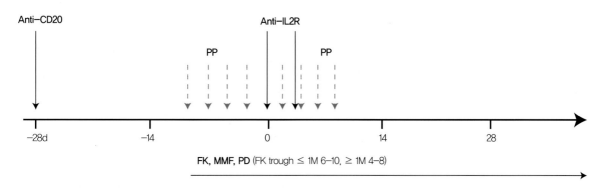

그림 15-7-1. 혈액형 부적합 신장이식의 탈감작 프로토콜

Anti-CD20, anti-CD20 antibody; anti-IL2R, anti-ineterleukin-2 receptor antibody; PP, plasmapheresis; FK, tacrolimus; MMF, mycophenolate mofetil; PD, prednisolone; M, months

시키므로 수술 시 출혈 경향을 보일 수 있다. 따라서 수술 전 수일 동안에 하는 혈장 교환의 보충액은 FFP로 하여, 응고 인자의 결핍이 없도록 하여야 한다. AB형의 FFP에는 용해된 A형 및 B형 혈액형 항원이 존재하여 혈액형 항체를 일부 중화시킬 수 있으므로, 수술 직전에 보충액으로 FFP를 사용하게 되면 항체 역가를 낮추는 데도 다소 도움이 될 수 있다.

정맥 면역글로불린(intravenous immunoglobulin, IVIG)을 혈장 교환 직후 투여하는 병원도 많다. IVIG를 투여하는 목적은 혈장교환으로 면역글로불린의 혈중 농도가 낮아졌을 경우 면역글로불린의 생산이 자극되어 혈액형 항체의 반등이 오는 것을 막고, 한편으로 IVIG의 면역조정(immunomodulation) 효과에 의해 거부반응을 예방하고자 함이다. 그러나 사람 백혈구 항원(human leukocyte antigen, HLA)과 관련된 거부반응에 대한 IVIG의 효과를 시사하는 data는 많으나, 혈액형 부적합에 대한 IVIG의 면역조정 효과에 대한 증거는 없다. 또한 IVIG 제제에는 혈액형 항체가 포함이 되어 있고, batch에 따라 그 양이 많을 수 있으므로, 이식 직전 수일 동안에 IVIG를 투여하는 경우 혈액형 항체의 역가를 증가 시킬 수 있어 이식 당일에 목표 역가까지 낮추는데 방해가 될 수 있다. 이식 전 수일 동안은 혈장교환 후의 보충액으로 FFP를 사용하면, IVIG를 주지 않아도 면역글로불린의 결핍에 의한 항체 생산의 반등을 막을 수 있고, 또한 IVIG에 함유되어 있는 혈액형 항체에 의한 역가 상승도 피할 수 있을 것으로 보인다.

Rituximab은 혈장교환에 의해 제거되는 것을 막기 위해 신장이식 4주전 혹은 혈장교환 시작 2주 전에 투여하는 것이 일반적이다. Rituximab은 항CD20 단일 클론 항체로서 세포 표면에 CD20 항원이 표현되는 B세포를 용해시킨다. 항체를 생산하는 형질세포(plasmacytes)는 CD20을 표현하지 않으므로 용해되지 않으나 형질세포의 전구세포들은 세포 표면에 CD20가 존재하므로 용해된다. Rituximab 투여의 이론적 근거는 형질세포의 전구세포들을 용해시켜, 새로이 만들어지는 혈액형 항체를 생산하는 형질세포의 수를 줄여 혈액형 항체의 양을 감소시키고, 전

반적인 면역 반응 수준을 낮추어서 혈액형 항체에 의한 거부반응의 강도를 약화시키는 것이다. 그러나 rituximab을 투여함으로써 혈액형 항체의 역가가 낮아졌다는 문헌적 증거는 없으며, 혈액형 항체에 의해 발생하는 거부반응에 대한 rituximab의 역할도 현재로서는 분명하지 않다. 실제 Rituximab을 사용하지 않고 성공적인 혈액형 부적합 이식을 할 수 있었다는 일부 보고도 있다.

혈액형 부적합 신장이식 환자들에서 발생하는 거부반응은 혈액형 항체에 의한 것뿐만 아니라, 혈액형 적합 환자에서 볼 수 있는 항HLA항체에 의한 거부반응도 물론 있다. 수혈, 임신, 과거의 신장이식 등의 이유로 HLA 항원에 감작(sensitization)된 환자는, 이식 직후 공여자의 HLA 항원에 대한 기억 B세포가 급격히 증식하면서 형질아세포(plasmablast), germinal center B세포 등으로 분화되는, 면역 회상(immunologic recall)반응이 일어난다. Rituximab은 기억 B세포 및 형질아세포를 용해하기 때문에, 공여자 특이 항HLA 항체(donor specific anti-HLA antibody; DSA)를 생산하는 형질세포의 생성이 방해되면서, 면역 회상에 의한 급성 AMR이 예방되거나 약화된다. 따라서 혈액형 부적합 환자에서의 rituximab 사용은, 혈액형 항체에 의한 AMR에 대한 이익의 가능성도 있지만, 항HLA 항체에 의한 AMR의 예방 또는 약화의 이익이 있는 것으로 보인다.

Rituximab의 용량은 100~200 mg/body를 국내 병원에서 흔히 사용한다. Rituximab을 혈액형 부적합 이식 환자에 처음 사용하기 시작할 때 임파종 환자에 사용되는 용량인 375 mg/m²를 투여하였는데, 북미와 유럽 지역에서는 같은 용량이 계속 사용되고 있으나 한국과 일본에서는 이후 감량된 용량이 보편화 되었다. 신장이식 환자는 임파종 환자에 비해 임파구의 수가 적으므로 rituximab의 용량을 줄이는 것이 타당한 것으로 보이며, 적은 용량을 사용해도 말초 혈액에서 B세포의 수가 검출되지 않는 것을 볼 수 있고, 이식 후 감염의 위험도 감소시킬 수 있었으며, 이식신의 예후도 좋은 것으로 보고되고 있다.

유도 약제는 면역억제 효과를 높이기 위해 이식 수술 중 혹은 수술 직후에 투여하는 약제이다. 항 interleukin 2

수용체 항체는 혈액형 적합 신장이식 환자에서 흔히 사용되는 유도 약제로 혈액형 부적합 프로토콜에도 포함이 되는 경우가 많다. 그러나 이 약제가 혈액형 항체에 의한 거부반응에 어떤 영향을 주는지는 잘 모르며, rituximab을 투여 받는 환자에 이 약제가 부가적인 이익을 줄 수 있는지에 대한 data도 없다. 항thymocyte 글로불린(anti-thymocyte globulin, ATG)은 주로 북미 지역에서 혈액형 부적합 환자의 유도 약제로 사용되고 있는데, rituximab과 ATG를 같이 투여하는 경우 B세포 및 T세포가 동시에 제거되어 면역 저하에 따른 감염 위험이 커진다. 혈액형 부적합과 HLA 부적합이 동시에 있는 경우에는, 각각의 약제의 용량을 낮추어서 동시 투여를 하는 것을 고려할 수도 있으나, 혈액형 부적합만 있는 경우는 ATG는 불필요하게 과도한 면역 저하를 야기하는 것으로 이익보다는 위험이 더 클 것으로 보인다.

혈액형 부적합 신장이식의 유지 면역억제제로는 tacrolimus, mycophenolate 및 prednisolone의 3자 요법이 현재로서는 가장 좋은 제제로 생각되고 있다. 혈액형 항체에 의한 거부반응은 거의 예외 없이 이식 후 1개월 이내에 일어나므로 첫 1달간의 유지 면역억제제의 용량이 낮아지지 않도록 주의하여야 하나, 그 이후는 혈액형 적합 이식 시와 동일한 용량을 사용해도 될 것으로 보인다. Mycophenolate는 통상 이식 1~2주 전에 투여 시작하는 것이 일반적이다.

이식신 거부 반응 및 예후

혈액형 항체는 이식 후 첫 2주간은 탈감작 치료에 의해 낮은 수준으로 유지되지만 이후 역가가 상승한다. 그러나 이식 전의 수준 보다는 낮게 유지되는데 이는 항체가 이식 신장에 흡착되는 것이 주된 이유로 보이나, 공여자의 혈액형 항원에 대한 항체의 생산이 감소된다는 보고도 있다. 한편 혈액형 항원은 이식 후에도 이식 신장의 혈관 내피세포에 지속적으로 표현 되는데, 항원이 지속적으로 표현되고 일부 환자에서는 항체의 역가가 상당 수준으로 증가함

에도 불구하고 혈액형 항체에 의한 거부반응은 1달 이후에는 관찰하기 어렵다. 이러한 면역 조정(accommodation) 상태는 혈액형 부적합 이식에서 볼 수 있는 특이한 현상이다.

Accomodation의 기전은 아직 잘 모른다. 프로토콜(protocol) 생검은, 이식신 상태가 안정적인 환자에서 정해진 시점에 이식신 생검을 하여 무증상 상태의 조직 병변을 보는 방법인데, 혈액형 부적합 신장이식 환자의 프로토콜 생검 보고를 보면 80%에서 C4d가 염색되며, 이들 환자의 이식신 예후는 좋은 것으로 보고되었다. 이는 혈액형 적합 환자의 프로토콜 생검 소견과는 대비되는 것으로, 적합 환자의 경우 약 10%에서 C4d가 염색되며, C4d 염색 환자는 DSA가 양성인 경우가 많고 이식신의 예후도 좋지 않다. 혈액형 부적합 환자에서 C4d 양성이면서 이식신 손상의 징후가 없는 것은, 혈액형 항체가 이식신의 혈액형 항원과 결합 후 보체 경로의 초기 단계의 활성화는 일어나지만, 그 이후 조직 손상까지의 경로에서 차단이 있음을 시사한다. 사람의 제대 정맥 내피 세포를 이용한 혈액형 부적합의 in vitro 연구에서, 혈액형 항원과 항체가 결합한 후에 보체 조절 단백(complement regulatory protein)의 생산이 증가되어, 보체 경로의 활성화가 억제된다는 보고가 있다. 앞에서 언급한 혈액형 항체의 생산 감소와 함께, 보체 조절 단백의 생산 증가는 accomodation을 설명할 수 있는 유력한 가설 중의 하나이다.

혈액형 부적합 이식 환자의 급성 AMR의 빈도는 10-20%로 보고되고 있다. 혈액형 부적합 환자에서는 혈액형 항체에 의한 AMR뿐 아니라 항HLA항체에 의한 AMR도 일어나는데, 양자를 조직 소견으로 구별할 수 있는 방법은 현재로서는 없다. 따라서 AMR 발생 시점의 혈액 내의 혈액형 항체의 역가 및 DSA의 존재 여부에 의해 원인이 되는 항체를 추정할 수밖에 없는데, 이식 후 1개월 이내 발생하는 급성 AMR의 약 50%는 혈액형 항체에 의한 것으로, 나머지는 항HLA항체에 의한 것으로 추정된다. 혈액형 항원과 HLA 항원은 각각 탄수화물, 단백 항원으로 각각의 항체와 결합 후의 세포내 하방 분자 경로(downstream molecular pathway)가 다르므로, 혈액형 항

체와 항 HLA항체에 의한 AMR은 임상 양상 및 치료에 대한 반응이 다를 수 있으나 이에 대한 연구는 부족하다. 급성 AMR의 치료 방법은 스테로이드 충격 치료와 혈장교환을 기본적으로 하며, AMR의 심한 정도와 치료에 대한 반응 등에 따라 rituximab, bortezomib, ATG 등을 하나 혹은 둘 이상의 조합으로 추가 투여한다. 혈액형 적합 환자의 AMR 치료에 종종 사용되는 고용량 IVIG에는 혈액형 항체가 다량 포함되어 있을 수 있기 때문에, 혈액형 부적합 이식 환자의 AMR 치료에 사용하는 것에는 주의가 필요하다. 급성 AMR의 경우 항HLA 항체에 의한 것이든 혈액형 항체에 의한 것이든 대부분 치료에 반응한다. 항HLA항체에 의한 경우 일부 환자에서, 특히 항HLA항체가 지속되는 경우, 만성 AMR으로 진행하며 예후가 좋지 않은 반면, 혈액형 항체에 의한 만성 AMR은 아직 보고된 바 없다. 따라서 혈액형 항체에 의한 AMR이 항 HLA 항체에 의한 AMR보다 장기적인 예후가 좋은 것으로 보인다.

혈액형 부적합 신장이식의 중기 및 장기 성적은 혈액형 적합 신장이식과 차이가 없는 것으로 보인다. 일본의 등록 자료(registry data) 등을 보면, 2000년대 초반까지는 혈액형 적합 환자에 비해 부적합 환자의 이식신 및 환자 생존율이 낮았으나, tacrolimus 기반의 유지 면역억제제가 보편화되면서 2000년대 중반 이후는 혈액형 적합과 부적합 이식 환자 간의 성적 차이가 없어졌다. 최근의 한 메타분석은, 혈액형 부적합 환자의 경우 적합 환자에 비해 패혈증, 출혈 등의 합병증이 많고 환자 및 이식신 생존율도 낮은 것으로 보고하였는데, 이 메타 분석에 포함된 병원 중 일본의 병원들을 제외하면 대부분 혈액형 부적합 이식을 처음 시작하는 병원들로서, 경험이 아직 축적되지 않았고, rituximab 및 유지 면역억제제의 높은 용량, ATG의 사용 등에 의해 면역억제의 정도가 과도한 것 등이 이유인 것으로 보인다. 국내 병원도 부적합 이식이 시작된 초기에는 rituximab 및 유지면역억제제의 용량이 지나치게 높아 감염에 의한 사망이 문제가 되었으나, 이후 적절한 정도로 면역억제 수준을 낮춤으로써 혈액형 적합 이식과 차이가 없는 좋은 성적들이 보고되고 있다.

▶ 참고문헌

- Alexandre GPJ, et al: Splenectomy as a prerequisite for successful human ABO-incompatible renal transplantation. Transplant Proc 17:138, 1985.
- Kenta I, et al: Comparative study on signal transduction in endo-thelial cells after anti-A/B and human leukocyte antigen antibody reaction: Implication of accommodation. Transplantation 93:390-397, 2012.
- Kong J, et al: Anti-ABO antibody-versus anti-HLA antibody-induced antibody mediated rejection in ABO-incompatible kidney transplant patients: relative incidence and phenotype difference [abstract]. Nephrol Dial Transplant 35(suppl 3):1756, 2020.
- Kong JM, et al: ABO incompatible living donor kidney transplanta-tion in Korea: Highly uniform protocols and good medium-term outcome. Clin Transplant 27:875-881, 2013.
- Lee J, et al: The effect of rituximab dose on infectious complica-tions in ABO-incompatible kidney transplantation. Nephrol Dial Transplant 31:1013-1021, 2016.
- Lim YA, et al: Standardization of ABO antibody titer measurement at laboratories in Korea. Ann Lab Med 34:456-462, 2014.
- Okumi M, et al: ABO-incompatible living kidney transplants: Evolu-tion of outcomes and immunosuppressive management. Am J Transplant 16:886-896, 2016.
- Scurt FG, et al: Clinical outcomes after ABO-incompatible renal transplantation: A systematic review and meta-analysis. Lancet 393:2059-2072, 2019.
- Takahashi K, et al: Present status of ABO-incompatible kidney transplantation in Japan. Xenotransplantation 13:118-122, 2006.
- Tasaki M, et al: Acquired downregulation of donor-specific anti-body production after ABO-incompatible kidney transplantation. Am J Transplant 17:115-128, 2017.
- Tydén G, et al: Successful ABO-incompatible kidney transplanta-tions without splenectomy using antigen-specific immunoadsorp-tion and rituximab. Transplantation 76:730-731, 2003.

CHAPTER

08 신장 이식거부반응의 병리

정현주 (연세의대 병리과)

KEY POINTS

- 2019년 발표된 Banff분류에서 개정 또는 추가된 신장 이식거부반응의 진단 기준을 다루었다.
- 만성항체매개거부반응의 조기 진단을 위해 전자현미경 소견의 진단 기준이 첨가되었다.
- 만성 활성 T세포매개거부반응의 기준이 정립되어 세관위축과 사이질 섬유화 외에도 면역기전에 의해 세관과 사이질의 손상이 활발하게 일어나고 있다는 조직 소견이 첨가되었다.
- 경계병변의 진단에는 최소한의 세관염과 사이질염이 있어야 한다고 진단 기준이 바뀌었다.
- 폴리오마바이러스 감염이 Banff분류의 다섯 번째 범주로 첨가되어 사이질 섬유화와 신조직내 바이러스 양의 조합에 따라 3군으로 나뉘었다.

신장이식의 보편화와 효과적인 면역억제 치료에도 불구하고 신장 이식거부반응은 아직도 이식신 기능 부전의 주요 원인이다. 이식거부반응을 확진하려면 이식신장의 조직 검사가 필요하다. 조직 검사는 침습적 기술이지만 이를 통해 거부반응의 진단과 함께 조직 손상의 주요 기전을 이해할 수 있어서 치료방침의 결정에도 도움을 준다.

현재 세계적으로 널리 통용되는 이식거부반응의 진단 기준 및 분류는 Banff분류이다. 이 분류는 이식에 관련된 여러 분야의 전문가들이 1991년 캐나다 Banff에서 모이면서 시작되었다. 이 분류는 1993년 "Banff working classification"이라는 제목으로 발표되어 이식거부반응에 관련된 용어와 분류의 표준화를 시도하였고, 이후 2년마다의 정기적인 모임을 통해 몇 차례 개정되었다. 최근에는 기존

조직 검사외에 분자병리 진단이 분류 기준에 추가되었는데, 앞으로 적절한 검사법이 충분한 검증을 통해 표준화되면 추가될 것으로 예상된다. 이처럼 이식거부반응의 분류는 아직도 진행형이지만, 이 장에서는 2019년 발표된 Banff분류를 토대로 신장 이식거부반응의 조직 소견을 살펴보고자 한다.

이식거부반응은 발생 시기에 따라서 급성 또는 만성 거부반응으로 나눌 수 있다. 그러나, 이식 후 초기에도 만성의 조직 변화가 나타날 수 있고 이식한 지 수 년이 지난 후에도 급성에 해당하는 변화가 관찰될 수 있으므로, 급성 또는 만성 거부반응보다는 활성 또는 비활성 거부반응이 생검 당시 신장의 손상을 표현하는 데 더 적절한 용어라고 하겠다. 무엇보다 이식 신장은 세포 또는 항체매개 기전에

따라 손상의 표적이 달라서 특징적인 조직 소견을 보이므로 이식거부반응의 기전에 따라 변화를 살펴보기로 하자.

항체매개거부반응

항체매개거부반응은 활성(급성) 항체매개거부반응과 만성 활성 또는 만성(비활성) 항체매개거부반응이 있다. 항체매개거부반응의 진단에는 다음의 3 요소가 모두 필요하다. 이 요소는 1) 거부반응의 특징적인 조직 변화(활성 또는 만성 활성), 2) 현재 또는 최근에 혈관 내피세포와 항체 간의 반응이 있었다는 증거, 및 3) 공여자특이항체(DSA)이다(표 15-8-1).

1. 항체매개거부반응의 조직 소견

이식신의 혈관 내피세포는 항체의 주 표적으로서 항체매개거부반응에서는 조직 내 혈관의 손상이 주로 관찰된다.

활성 항체매개거부반응에서는 사구체염(g) 또는 세관주위 모세혈관염(ptc)으로 구성된 미세혈관염, 동맥의 혈관염(v), 급성혈전성미세혈관병증(acute thrombotic microangiopathy), 또는 급성 세관 손상 중 한 가지 이상의 병변이 관찰된다. 사구체염은 사구체 말초모세혈관 고리 내에 염증세포가 침윤되는 것으로 내피세포의 비후가 동반되어 있다(그림 15-8-1). 단, 사구체염으로 판정하기 위해서는 재발 또는 새로 발생한(de novo) 사구체신염이 없어야 한다. 세관주위 모세혈관염은 피질의 세관 사이에 있는 모세혈

표 15-8-1. 신장이식 항체매개거부반응 (Banff'19 분류 요약)

활성 항체매개거부반응(Active antibody-mediated rejection)
1) 급성 조직 손상의 형태 소견(한 개 이상):
• 미세혈관염(g>0 또는 ptc>0, 급성 T세포매개거부반응이나 경계 병변 또는 감염이 있으면 g≥1)
• 혈관내피염(v1 또는 v2) 또는 전층동맥염 (v3)
• 급성혈전성미세혈관병증
• 급성 세관 손상
2) 현재 또는 최근에 혈관 내피세포와 항체 간의 반응이 있었다는 증거 (한 개 이상):
• 세관주위 모세혈관 또는 수질의 직행혈관에 선상의 C4d 염색 (신선 조직의 면역형광 염색으로 C4d2 또는 C4d3, 또는 파라핀조직의 면역조직화학염색으로 C4d>0)
• 중등도 이상의 미세혈관염([g+ptc]≥2)(급성 세포매개거부반응이나 경계 병변 또는 감염이 있으면 g≥1)
• 조직내 항체매개거부반응과 연관된 입증된 유전자 전사물/분급기 표현의 증가
3) 공여자특이항체(HLA 또는 다른 항원에 대한 항체)
만성 활성 항체매개거부반응(Chronic active antibody-mediated rejection)
1) 만성 조직 손상의 형태 소견 (한 개 이상):
• 이식사구체병증(cg>0); 세관주위 모세혈관 기저막의 다층화(ptcml1)
• 새로 발생한 동맥 내막의 섬유성 비후(cv); 경화된 내막 내 백혈구 존재
2) 현재 또는 최근에 혈관 내피세포와 항체 간의 반응이 있었다는 증거(활성 항체매개거부반응과 동일)
3) 공여자특이항체(HLA 또는 다른 항원에 대한 항체)(활성 항체매개거부반응과 동일)
만성(비활성) 항체매개거부반응(Chronic inactive antibody-mediated rejection)
1) 이식사구체병증(cg>0) 또는 세관주위 모세혈관 기저막의 다층화(ptcml1)
2) 현재 또는 최근에 혈관 내피세포와 항체 간의 반응이 있었다는 증거 없음
3) 과거에 활성 또는 만성 활성 항체매개거부반응으로 진단받은 적이 있거나 공여자특이항체가 있었음

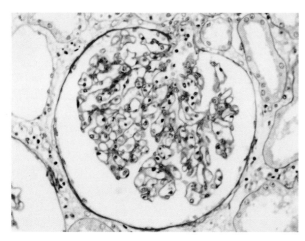

그림 15-8-1. 사구체염

사구체 모세혈관 강이 비후된 사구체 내피세포와 다수의 염증세포 들에 의해 좁아져 있다(PAS, x200).

관 내에 단핵구나 중성구가 침윤하는 것으로 모세혈관 강의 확장이 흔히 동반되어 있다(그림 15-8-2). 사구체염이나 모세혈관염 중 하나만 있어도 미세혈관염으로 인정하는데, 만일 급성 T세포매개거부반응이나 경계 병변 또는 감염이 동반되어 있으면 g≥1 이어야 미세혈관염이 있다고 판정한다. 침윤되는 염증세포는 T세포, 단핵구, 중성구이며, 침범된 사구체의 비율 또는 모세혈관내 염증세포의 수에 따라 심한 정도를 구분한다(g1-3, ptc1-3). 동맥의 혈관염은 내피세포 하에 염증세포가 침윤하는 혈관내피염(v1, v2)과 이보다 심해서 중막을 침범하는 전층혈관염(v3)

이 있다(그림 15-8-3). 혈관염은 T세포매개거부반응에서도 나타날 수 있다. 급성혈전성미세혈관병증이나 급성 세관 손상의 경우 거부반응이 아닌 다른 원인에 의해서도 관찰될 수 있으므로 진단에 앞서 철저한 감별이 요구된다.

만성 활성 항체매개거부반응에서는 만성과 활성 변화를 동시에 관찰할 수 있다. 만성 변화는 내피세포의 반복되는 손상과 재생에 의한 결과로서 사구체기저막이 두 겹 또는 여러 겹으로 두꺼워지는 이식 사구체병증(transplant glomerulopathy)(cg)(그림 15-8-4)과 세관주위 모세혈관 기저막의 비후가 관찰된다. 이식 사구체병증은 광학현미경 하에서 가장 심하게 손상된 사구체를 기준으로 정도를 나누는데(cg1-3), 전자현미경 하에서는 광학현미경으로 검출할 수 없는 조기 단계에도 기저막의 변화를 찾아낼 수 있다(cg1a). 단 사구체기저막의 비후는 만성혈전성미세혈관병증 또는 만성 사구체신염에서도 나타날 수 있으므로 감별이 요구된다. 세관주위 모세혈관 기저막의 비후는 광학현미경으로 판단하기 어려우며, 전자현미경 검사를 통해 기저막이 층상 배열된 것을 관찰할 수 있다(ptcml)(그림 15-8-5). 활성 변화는 활성 항체매개거부반응과 마찬가지로 사구체염이나 세관주위 모세혈관염이 관찰된다. 동맥에서는 최근에 발생한 동맥 내막의 섬유성 비후(cv)가 관찰될 수 있다. 비후된 내막 내 염증세포 침윤이나 탄성섬유가 소실된 부분이 있으면 만성 활성 항체매개거부반응을

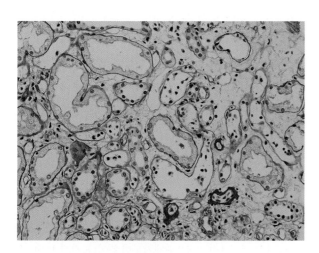

그림 15-8-2. 세관주위 모세혈관염

확장된 모세혈관 내 다수의 단핵구들이 있다(PAS, x200).

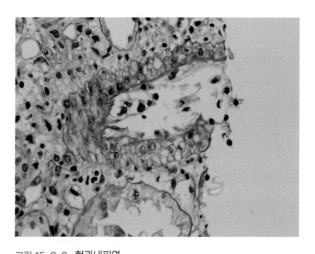

그림 15-8-3. 혈관내피염

혈관내피세포 하에 림프구들이 침윤되어 있다(PAS, x400).

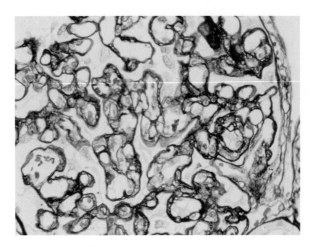

그림 15-8-4. 이식 사구체병증
사구체기저막이 두 겹으로 두꺼워져 있다(methenamine silver, x400).

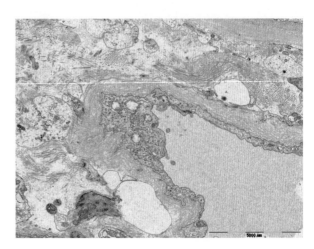

그림 15-8-5. 세관주위 모세혈관 기저막이 7층 이상으로 층상 배열 되어있다(uranyl acetate 와 lead citrate).

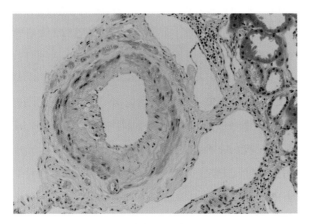

그림 15-8-6. 만성이식신동맥병증
두꺼워진 동맥 내막에 염증세포 들이 침윤되어 있다(HE, x200).

진단하는데 도움이 된다(그림 15-8-6).

사구체 모세혈관과 세관주위 모세혈관 기저막의 비후가 있고, 과거에 활성 또는 만성 활성 항체매개거부반응으로 진단받은 적이 있거나 공여자특이항체가 있었는데, 현재 또는 최근에 혈관 내피세포와 항체 간의 반응이 있다는 증거가 없으면 '활성'을 뺀 만성(비활성) 항체매개거부반응이라고 진단한다.

2. 현재 또는 최근에 혈관 내피세포와 항체 간의 반응이 있었다는 증거

혈관 내피세포와 항체 간 반응의 증거로 세 가지를 들수 있다. 첫 번째는 세관주위 모세혈관 또는 수질의 직행혈관(vasa recta)내 C4d 선상침착이다. 이는 C4d가 항원항체 반응이 일어난 혈관에 공유결합을 통해 오래 달라붙어 있는 특징을 이용한 검사이다. 면역형광염색 또는 면역조직화학염색법으로 C4d를 검사할 수 있는데 면역형광염색이 더 예민하므로 검사법에 따라 판독 기준이 다르다(면역형광염색은 C4d2나 C4d3, 면역조직화학염색은 C4d>0)(그림 15-8-7). 만성 활성 항체매개거부반응은 활성 항체매개거부반응보다 C4d음성의 빈도가 높다.

세관주위 모세혈관에 C4d가 염색되지만, 항체매개거부반응의 진단에 필요한 조직 변화가 없고, 현재 또는 최근에 혈관 내피세포와 항체 간의 반응이 있었다는 증거도 없으며, 급성 또는 만성 활성 T세포매개거부반응이나 경계병변의 조직 소견도 없으면 '급성 거부반응의 증거 없는 C4d 침착'으로 분류한다.

두 번째 증거는 중등도 이상의 미세혈관염[(g+ptc)≥2]이다. 이 경우 재발 또는 새로 발생한 사구체신염이 없어야 하며, 만일 급성 T세포매개거부반응이나 경계 병변 또는 감염이 있으면 g≥1이어야 한다.

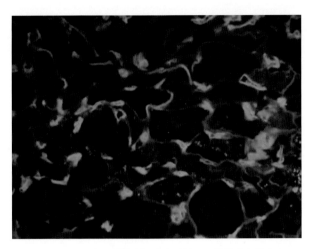

그림 15-8-7. C4d가 모세혈관을 따라 선상으로 염색되어 있다(x200).

세 번째는 분자병리 검사법으로 이식신 조직 내 항체매개거부반응과 연관되었다고 입증된 유전자 전사물/분급기 (transcripts/classifiers) 표현의 증가를 확인하는 것이다. 이 검사법은 항체가 보체 활성화를 동반하지 않는 C4d음성 항체매개거부반응의 진단에 유용하게 사용된다.

3. 공여자특이항체(DSA)

공여자특이항체는 대개 HLA에 대한 항체이나 non-HLA 항체일 수도 있으며, 이식 전 또는 이식 후에 생길 수도 있다.

항체매개거부반응의 진단에는 원칙적으로 앞서의 세 가지 진단기준이 모두 만족되어야 하나 이중 공여자특이항체가 검출되지 않으면(1+2 진단기준 만족), 두 번째 진단기준인 중등도 이상의 미세혈관염, C4d 양성, 또는 조직내 항체매개거부반응과 연관된 유전자 전사물/분급기 표현의 증가로 대치할 수 있다. 그러나 만일 HLA에 대한 항체가 음성이면, non-HLA 항체를 포함한 공여자특이항체 검사가 강력히 권고되고 있다.

반면 만성 조직 손상이 있고 현재 또는 직전에 공여자특이항체(이식 후)가 있으나 혈관 내피세포와 항체 간의 반응이 있었다는 증거가 없는 경우(1+3 진단기준 만족)에는 만성 활성 항체매개거부반응의 소견이라고 할 수 있다. 그러나 공여자특이항체가 오래전에 검출되었던 경우는 제외한다.

T세포매개거부반응

T세포매개거부반응은 급성 T세포매개거부반응과 만성 활성 T세포매개거부반응이 있다. T세포매개거부반응에서는 세관이 주 표적이나 사이질에도 손상이 동반되고 염증세포가 침윤된다. 또한 항체매개거부반응과 마찬가지로 동맥에도 손상이 올 수 있다(표 15-8-2).

표 15-8-2. 신장이식 T세포매개거부반응 (Banff'19 분류 요약)

급성 T세포매개거부반응(Acute T-cell mediated rejection)
IA. 사이질의 염증이 경화가 없는 피질의 25%를 넘으며, 두 곳 이상의 세관에 중등도의 염증(t2i2, t2i3)
IB. 사이질의 염증이 경화가 없는 피질의 25%를 넘으며, 두 곳 이상의 세관에 고도의 염증(t3i2, t3i3)
IIA. 혈관강의 25% 미만에 염증세포 침윤이 있는 경도 또는 중등도의 혈관내피염(v1)
IIB. 염증이 혈관강의 25%를 초과하는 고도의 혈관내피염(v2)
III. 전층동맥염 또는 혈관내피염을 동반하며 근층의 섬유소양 괴사가 있는 동맥염(v3)

만성 활성 T세포매개거부반응(Chronic active T cell-mediated rejection)
IA. 사이질의 염증이 경화가 있는 피질의 25%를 넘으며(i-IFTA2 또는 i-IFTA3), 동시에 전체 피질의 25%를 넘어야 하고(ti2 또는 ti3) 두 곳 이상의 세관에 중등도의 염증(t2 또는 t-IFTA2)
IB. 사이질의 염증이 경화가 있는 피질의 25%를 넘으며(i-IFTA2 또는 i-IFTA3), 동시에 전체 피질의 25%를 넘어야 하고(ti2 또는 ti3) 두 곳 이상의 세관에 고도의 염증(t3 또는 t-IFTA3)
II. 만성이식신동맥병증(신생혈관내막, 내막에 단핵구 침윤, 동맥 내강의 동심원상 좁아짐)(cv1-3)

1. 급성 T세포매개거부반응

급성 T세포매개거부반응은 세관, 사이질과 동맥에 염증이 나타날 수 있다. 세관염은 위축이 없거나 심하지 않은 세관 상피세포 사이에 염증세포가 침윤하는 것으로, 두 곳 이상의 세관에 중등도(t2: 한 세관의 단면 또는 10개의 세관 세포 내 4-10개 염증세포 침윤) 또는 고도(t3: 한 세관의 단면 또는 10개의 세관 세포 내 10개 이상 염증세포 침윤)의 염증세포 침윤이 있다. 염증세포는 주로 T림프구이다. 사이질염은 섬유화가 없는 피질의 25% 이상에 염증세포가 침윤되어야 한다(i2, i3). 일반적으로 T림프구와 대식세포가 주로 침윤하지만 형질세포와 중성구, 호산구 등도 다수 관찰될 수 있다(그림 15-8-8). 세관사이질염에 의한 거부반응의 등급은 사이질염이 아닌 세관염의 심한 정도에 따라 나뉜다. 동맥염은 항체매개거부반응에 의해 발생하는 것과 형태가 동일하다. 혈관내피염은 동맥 내피세포 손상과 함께 내피 하에 단핵구가 침윤되는 것이다. 동맥 병변이 심해지면 동맥의 내피뿐 아니라 근층에도 염증이 생기고 동맥 근층에 섬유소양 괴사가 나타나는 전층동맥염이 된다.

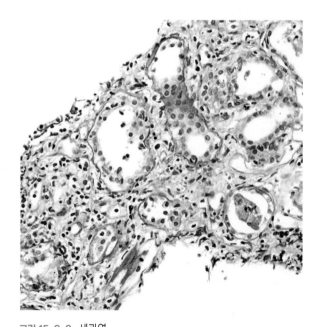

그림 15-8-8. 세관염
다수의 림프구가 세관 상피세포 사이에 침윤되어 있으며 주변 사이질에도 염증이 동반되어 있다(PAS, x200).

2. 만성 활성 T세포매개거부반응

만성 활성 T세포매개거부반응은 비교적 최근에 그 기준이 정립되었다. 신조직 내 세관 위축과 사이질 섬유화는 만성 T세포매개거부반응에서 관찰되지만, 이외에도 고혈압이나 약의 만성 독성 등 비면역학적 원인과 만성 항체매개거부반응에 의해서도 발생할 수 있는 비특이적인 소견이기 때문이다. 따라서 만성 활성 T세포매개거부반응으로 진단하기 위해서는 신장의 만성 손상뿐 아니라 면역기전에 의해 세관과 사이질의 손상이 활발하게 일어나고 있다는 소견이 동시에 있어야 한다. 이러한 근거로 Banff 2019 분류에서는 경화가 있는 피질 사이질의 염증이 중등도(i-IFTA2) 또는 고도(i-IFTA3)로 있고, 동시에 염증이 전체 피질의 25%를 넘어야 하며(ti2 또는 ti3), 세관염이 사이질 섬유화가 없는 부위(t)이거나 또는 세관 위축과 사이질 섬유화가 있는 부위(t-IFTA)에서 중등도(t2 또는 t-IFTA2) 또는 고도(t3 또는 t-IFTA3)로 있어야 한다고 정의하였다(그림 15-8-9).

만성이식신동맥병증(chronic allograft arteriopathy)에서는 신생혈관내막(neointima)이 형성된다. 동맥내막의 섬유화로 내막이 두꺼워지며 내막에 단핵구가 침윤된다. 내막의 탄성섬유 층이 끊어진 것을 볼 수도 있다 동맥의 내강은 심한 내막 섬유화로 인해 동심원상으로 좁아진다. 만

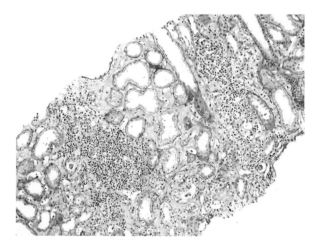

그림 15-8-9. 만성 활성 T세포매개거부반응
세관위축, 사이질 섬유화와 함께 위축이 없는 세관에 중등도의 세관염(PAS, x200)이 있다.

성 활성 또는 만성 항체매개거부반응 또는 복합 항체매개
거부반응/T세포매개거부반응에서도 이 소견이 관찰될 수
있다.

경계 병변

급성 T세포매개거부반응이 의심스러우나 조직 변화가
충분치 않은 경우이다. 최소한의 세관염과 사이질염이 있
어야한다. 즉 생검 조직 내 세관염은 있으나(t1, t2 또는
t3) 사이질염증이 적든지(i1) 또는 사이질염증은 뚜렷한데
(i2, i3) 세관염이 경미하다(t1). 혈관내피염은 관찰되지 않
는다.

폴리오마바이러스 감염 및 기타

폴리오마바이러스 감염은 주로 BK 바이러스에 의하며
거부반응은 아니지만 이식신 기능 저하에 관여하므로
Banff 분류의 다섯 번째 범주로 첨가되었다. 폴리오마바이
러스에 감염되면 세관 핵에 특징적인 바이러스 봉입체가
관찰된다. 이식신 기능을 예측할 수 있는 조직 소견은 사
이질 섬유화(ci)와 신조직내 바이러스 양(pvl)으로 이 두 병
변의 조합에 따라 3군으로 나눈다. 1군은 ci0-1와 pvl1의
조합이며, 3군은 ci2-3와 pvl3의 조합이고, 나머지 조합
(ci0-1와 pvl2-3 또는 ci2-3와 pvl1-2)는 2군에 해당한다.
신조직내 바이러스 양은 일반적인 광학현미경 검사로도 어
느 정도 측정할 수 있지만 정확하게는 SV40 large T anti-
gen에 대한 면역조직화학 염색에 양성인 세관의 비율로 정
하며, pvl1 (≤1%), pvl2 (>1%, <10%), pvl3 (≥10%)로 나
눈다.

이외에 칼시뉴린 억제제(calcineurin inhibitor) 독성이
나 고혈압, 요로 폐쇄, 사구체신염 등에 의한 변화 등이 단
독 또는 급성 또는 만성 거부반응과 함께 나타날 수도 있
다. 만성 칼시뉴린 억제제 독성에서는 세동맥의 초자양화
(ah, aah)가 뚜렷하며, 고혈압이나 요로 폐쇄 등에 의해서

도 세관위축과 사이질 섬유화가 발생하고, 당뇨병 등 대사
질환에 의한 이차적인 변화가 동반될 수 있다. 또한 사구
체신염이 재발하는 경우 그 종류에 따라 사구체 내 염증
세포 침윤, 메산지움 기질의 증가(mm)나 세포 증식, 사구
체기저막의 비후 등이 관찰될 수 있다. 이처럼 이식신의 조
직은 거부반응 외의 다양한 원인에 의해 추가 손상을 받
을 수 있으므로 최종 진단에는 여러 가지 소견을 고려하여
야 한다.

▶ 참고문헌

• Haas M, et al. The Banff 2017 Kidney Meeting Report: revised diagnostic criteria for chronic active T cell-mediated rejection, antibody-mediated rejection, and prospects for integrative endpoints for next-generation clinical trials. Am J Transplant 18:293-307, 2018.
• Loupy A, et al: The Banff 2019 Kidney Meeting Report (I): Updates on and clarification of criteria for T cell- and antibody-mediated rejection Am J Transplant 20:2318-2331, 2020.
• Mengel M, et al: Banff 2019 Meeting Report: Molecular diagnostics in solid organ transplantation-Consensus for the Banff Human Organ Transplant (B-HOT) gene panel and open source multi-center validation. Am J Transplant 20:2305-2317, 2020.
• Nickeleit V, et al. The Banff Working Group classification of definitive polyomavirus nephropathy: morphologic definitions and clinical correlations. J Am Soc Nephrol 29:680-693, 2018.
• Roufosse C, et al. 2018 Reference Guide to the Banff Classification of Renal Allograft Pathology. Transplantation 102:1795-1814, 2018.
• Solez K, et al: International standardization of criteria for the histologic diagnosis of renal allograft rejection: the Banff working classification of kidney transplant pathology. Kidney Int 44:411-422, 1993.

CHAPTER

09 급성 거부반응의 진단과 치료

신병철 (조선의대)

KEY POINTS

● 급성 거부반응은 급성 항체 매개 거부반응과 급성 T세포 매개 거부반응으로 분류된다.

● 급성 항체 매개 거부반응의 진단에는 (1) 공여자 특이 항체의 혈액 내 존재, (2) 혈관 내피의 항체 상호 작용의 증거 그리고 (3) 조직 손상의 증거가 필요하다.

● 급성 T세포 매개 거부반응의 I형은 세뇨관염과 간질염증, II형은 혈관 침범/내피염, III형은 중막(경벽)으로 확장되는 혈관 염증이 특징이다.

● 급성 항체 매개 거부반응은 혈장교환술과 IVIG 그리고 리툭시맙 투여가 치료의 근간이며 프로테오좀 억제제인 보르테조밉(Bortezomib)과 보체 활성화를 억제하는 eculizumab도 사용되고 있다.

● 급성 T세포 매개 거부반응의 치료는 스테로이드 충격요법을 시행하며 반응하지 않을 경우 T세포 고갈 항체요법(anti-thymocyte globuline)을 투여할 수 있다.

새로운 면역 억제제 개발의 결과로 이식 후 첫 해에 급성 거부반응의 발생률은 현저하게 감소했으며 현재는 약 10%-15%로 보고된다. 면역 억제제의 독성 제한 요법(예: 스테로이드 또는 칼시뉴린 억제제(CNI) 제외)과 이식에 대한 접근성을 높이려는 시도(예: 인간 백혈구 항원과 혈액형 불일치 장벽을 통한 신장 이식)가 많아짐에 따라 급성 거부반응은 중요한 임상 문제로 알려져 있다.

1. 급성 거부반응의 정의

급성 거부반응은 이식신장 생검 후 조직학적 소견에 의

해 정의된다. 분석에 적합한 것으로 간주되는 생검의 시료는 최소 10개의 사구체와 2개의 작은 동맥이 포함될 것을 권고하고 있으며, 사구체 7~9개와 동맥 1개 인 경우는 경계 적절성(marginal adequacy)으로 간주되고 있다. 임상 적응증(신장 기능 장애)으로 생검을 실시할 때, 거부 반응 결과가 종종 분포가 고르지 않기 때문에 두 개의 개별 조직을 얻어야한다.

신장 동종 이식 병리학의 밴프 작업 분류(Banff Working Classification)는 거부반응에 대한 조직학적 정의의 기초를 형성하며 2년마다 업데이트 되고 있다. 거부반응의 정도를 분류하기 위해 T세포 매개 급성 염증성 침윤에 주로 초점을 두고 1993년에 처음 개발되었으며, 체액성(항체 매개)과 T세포 반응으로 분화되어 분류가 업데이트되었으며 이전에 만성 동종이식 신증으로 분류된 만성 체액성 손상을 더욱 구별되었다. 이는 보체(C4d) 침착의 증거에 의한 항체 매개 손상의 간접적인 확인을 기반으로 한다. 면역조직화학 또는 면역형광에 의한 C4d 염색은 항체 매개 과정이 관련될 수 있음을 보여준다. C4d의 검출은 항체 매개 이식 병리학에 대한 특정 지표로 남아 있지만 민감도의 상당한 제한으로 인해 C4d-음성 항체 매개 거부 반응이 인식되었다. 미세혈관 염증이 있는 환자에 대한 프로토콜 생검 연구의 C4d 음성 조직학적 소견은 C4d 음성 항체 매개 거부반응의 임상적 중요성을 확인하는 데 도움이 되었으며 이는 업데이트된 Banff 기준으로 이어졌다.

1) 항체 매개 거부반응

급성 항체 매개(체액성) 거부반응은 모든 이식의 5~7%에서 발생하며 면역학적 위험이 낮은 환자의 경우 급성 거부 반응의 20~30%에서 나타난다. 기존에 기증자 특이적 HLA 동종항체(공여자 특이 항체)가 있는 환자는 급성 체액성 거부반응의 위험이 더 높지만 이식신 기능장애 시 새로운 기증자 특이적 항체를 식별하는 것이 일반적이다. 급성 체액성 거부반응의 진단에는 (1) 공여자 특이 항체의 혈액내 존재, (2) 혈관 내피와의 현재/최근 항체 상호작용의 증거, 그리고 (3) 조직 손상의 증거가 필요하다. 급성 체액성 거부반응과 관련된 손상의 범위는 급성 세뇨관 괴사에서 혈전성 미세혈관병증에 이르기까지 다양하지만 호중구 또는 대식세포는 일반적으로 세뇨관 주위 모세혈관내에 존재합니다. 항체/혈관내피세포 상호작용의 증거에 대한 기준은 C4d 염색을 넘어서 확장되었으며 이제 검증된 분석을 사용하는 경우 적어도 중등도의 미세혈관 염증의 증거를 포함한다.

만성 활동성 항체 매개 거부반응은 후기 동종이식 손실의 주요 원인으로 확인되었으며 이식신 사구체병증 및 미세순환 염증을 유발할 수 있는 나태한 동종면역 반응의 결과일 가능성이 높다. 이식신 사구체병증은 종종 혈액내 공여자 특이 항체 및 C4d 침착과 관련이 있지만, 이러한

진단 지표는 사례의 30~50%에서 나타나지 않는다. 이러한 병변이 체액 반응에만 기인하는 것은 아닐 수도 있다. 또는 이러한 지표를 감지하지 못하는 것은 비보체 고정 항체 또는 체액 반응 약화의 특성 때문일 수 있다. 만성 체액성 거부 반응에 대한 현재 Banff 진단 기준은 (1) 공여자 특이적 항체의 혈액내 존재, (2) 혈관 내피와의 현재/최근 항체 상호작용의 증거, 및 (3) 이식신 사구체병증, 다층막 세뇨관 주위 모세혈관 기저막 또는 동맥 내막 섬유증과 같은 만성 조직 손상의 증거가 필요하다.

2) T세포 매개 거부반응

급성 T세포 매개 거부반응(Acute cellular rejection, ACR)의 분류는 단핵 세포 염증의 정도와 위치를 기반으로 한다. 안정적인 동종이식에서 간질성 염증과 세뇨관염이 신피막 바로 아래에 있는 경우(피막하 염증)가 자주 발생하기 때문에 이 소견은 동종이식편 생검 결과를 거부 반응으로 해석할 때 고려되지 않는다. 심할 경우, 간질 염증은 세뇨관 기저막 손상(세뇨관염, tubulitis)을 통해 세뇨관으로 확장될 수 있다. 이러한 침윤물의 주된 표현형은 CD4+ 및 CD8+ T 세포의 혼합물이다. 그러나 B세포, 호산구 및 대식세포도 존재할 수 있다. T 세포와 대식세포가 동맥 내피 아래로 확장되는 동맥내염(내피염, endothelialitis)이 존재할 수 있으며, 이러한 현상은 간질 염증 또는 세뇨관염을 동반하거나 동반하지 않을 수 있다. 이식신 생검에서 간질 침윤 및 세뇨관염의 발견은 ACR에 특이적이지 않으며 바이러스성 신병증(BK 바이러스, 거대세포바이러스), 신우신염 또는 이식 후 림프증식성 질환과 같은 다른 원인을 고려해야 한다.

급성 T 세포 매개 거부반응은 조직학적으로 Banff 기준에 따라 내피염, 간질 염증의 정도, 세뇨관으로 침투하는 세포의 양에 따라 분류된다. I형 ACR은 내피염이 없고 실질의 최소 25%의 간질 염증과 세뇨관염이 특징이다. II형 ACR은 혈관 침범/내피염을 특징으로 합니다. III형 ACR은 중막(경벽)으로 확장되는 혈관 염증이 특징이며 평활근 세포의 섬유소 변화 및 괴사가 동반될 수 있다. II형과 III형 ACR은 I형 ACR의 요소와 연관되거나 연관되지 않을

수 있다. 따라서 거부반응에 대한 병리학적 설명은 병원성 연속체로 간주되어서는 안 된다.

만성 활성 T 세포 매개 거부반응은 특히 단핵 세포 침윤 및 신생내막 형성의 증거가 있는 동맥 내막 섬유증을 나타내는 조직학적 진단이다. 이것은 혈관 손상의 위치와 병원성 항체의 증거가 부족하다는 점에서 만성 체액성 거부반응과 구별된다. 이는 혈관 내에 지속적으로 침투하는 세포의 존재에 의해 혈관 및 간질 섬유증을 유발할 수 있는 다른 비면역학적 과정과 구별된다.

3) 경계 거부반응(Borderline rejection)

세뇨관 단면당 4개 미만의 단핵 세포의 세뇨관염이 있고 간질의 10~25%에서 염증이 발견되면 경계성 거부 반응으로 분류되며, 이는 명확한 임상적 의미가 없는 병리학적 정의로 남아있다. 이식신 기능장애 또는 사구체염과 같은 다른 소견으로 확인되면 후속 생검에서 거부반응으로 진행될 위험이 증가하므로 치료를 고려할 수 있다.

2. 급성 거부반응의 증상

급성 거부반응의 임상 증상은 T세포 매개 거부반응과 항체 매개 거부반응 모두에 공통적이다. 일반적으로 혈청 크레아티닌이 급격히 증가하고 심한 경우 소변량 감소, 체중 증가, 발열 또는 이식신 압통을 보일 수 있다. 임상 소견은 일반적으로 비특이적이며, 급성 거부반응의 다른 원인들은 발생 시기별 감별진단(표 15-9-1)과 환자의 위험인자(표 15-9-2)들을 잘 고려해야 한다. 체액성 거부반응(예: 사전 감작, 탈감작 프로토콜에서 알려진 공여자 특이 항체, 혈액형불일치 이식)에도 불구하고 이식을 받는 환자 수가 증가하여 현재 급성 거부반응의 약 25%가 체액성 요소가 있다. 급성 체액성 거부반응에는 빈혈을 동반한 혈전성 미세혈관병증, 용혈의 증거 및 혈소판 감소증의 특징이 있을 수 있다. 혈관 재형성시 이식신의 즉각적인 청색증(초급성 거부 반응) 또는 이식 후 3~14일에 소변량 감소와 이식신 압통(지연된 과급성 또는 가속성 거부 반응)의 경우 공여자 특이 항체가 관련된다.

표 15-9-1. 급성 거부반응의 시기별 감별진단

이식 후 1주까지
급성세뇨관괴사
초급성 또는 가속성 거부 반응
비뇨기계 이상: 요관폐쇄, 소변 누출
혈관 폐쇄: 신동맥혈전증, 신정맥혈전증
체액 감소

1주부터 12주까지
급성거부반응
칼시뉴린억제제 신독성
체액 감소
비뇨기계 이상: 요관폐쇄
감염: 급성신우신염, 바이러스감염
사이질 신염
재발 신질환

12주 이상
급성거부반응
체액량 감소
칼시뉴린억제제 신독성
감염: 급성신우신염, 바이러스감염
재발 신질환
신동맥 협착증
이식후 림프증식질환

표 15-9-2. 급성 거부반응의 위험 인자들

고위험
감작상태(수혈, 임신, 재이식)
지연형 이식신 기능(Delayed graft function, DGF)
HLA 불일치
교차반응양성
혈액형 불일치
스테로이드 중단/회피
감염: 급성신우신염, 거대세포바이러스
이전 거부반응 경험

저위험
HLA 일치
선제적(Preemptive) 신장이식
생체 신장이식
첫 번째 이식

3. 급성 거부반응의 치료

급성 거부반응의 치료 원칙은 신속하고 정확한 진단과 즉각적인 항거부반응 치료의 실시이다. 신기능을 거부반응 이전 상태로 회복시키면서 환자의 면역 억제 상태를 악화시켜 기회감염이나 악성종양을 일으키지 않도록 약제를 선택하고 치료기간을 정해야 한다.

1) 급성 T 세포 매개 거부반응

T 세포 매개 급성 거부반응의 치료는 이식신 생검 결과와 스테로이드 충격요법에 대한 임상 반응에 따라 결정된다. 이식편 기능장애와 신생검 거부반응이 있는 환자의 경우, 조직학적 손상이 세뇨관간질성(Banff class IA 또는 IB)인 경우 3~5일 동안 3~5 mg/kg(250~500 mg/day)의 정맥내 스테로이드 치료가 효과적이다. 급성 거부반응의 치료에서 스테로이드에 대한 임상 반응은 환자의 60~70%가 5일 이내에 소변량이 개선되고 혈청 크레아티닌이 감소한다. 스테로이드 충격 요법 후 반응이 불충분하거나 혈관 침범이 있는 경우(Banff class IIA, IIB)에는 T 세포-고갈 항체 요법(항흉샘세포 글로불린, antithymocyte globu-line, ATG)으로 보충되어야 하지만 유도용으로 사용하는 것보다 더 긴 치료 기간이 필요하다. 대부분의 연구에서는 7일에서 14일간의 치료 과정에서 이러한 약제를 사용한다. 타크로리무스 기반이 아닌 유지 요법을 받는 환자의 경우 스테로이드에 대한 부적절한 반응이 있는 거부 상황에서 타크로리무스 전환이 고려될 수 있는 반면, 스테로이드가 없는 요법을 받는 환자의 경우 유지 스테로이드의 재투입을 고려할 수 있다. 스테로이드에 적절하게 반응하지 않는 환자의 경우 T 세포 고갈제가 필요하다. T 세포 매개 거부반응에 대한 ATG의 일반적인 치료 과정은 임상 반응과 절대 림프구 수에 따라 4~14일 동안 1.5 mg/kg이다.

2) 급성 항체 매개 거부반응

급성 체액성 거부반응의 치료는 이식편 손상, 항체/내피 상호작용의 증거, 공여자 특이 항체가 있는 경우 치료의 적응증이 되지만 세 가지 기준이 모두 충족되지 않더라

도 고위험 상황(이전 탈감작 또는 알려진 공여자 특이 항체)에서도 고려해야 한다. 급성 체액성 거부반응에 대한 치료에는 혈장 교환술(병원성 면역글로불린 제거)과 IVIG(항체 생성 억제/감소)가 있다. 혈장 교환 치료는 일반적으로 최소 5회 실시하고 IVIG 1~2 g/kg의 총 용량으로 투여한다. IVIG는 혈장 교환으로 제거되므로 일반적으로 각 혈장 교환 후 IVIG 100~200 mg/kg을 투여한다. 불응성 급성 체액성 거부반응의 경우, 항체 생성 형질 세포주보다 초기 성숙 단계에서 B세포를 표적화함에도 불구하고 리툭시맙(rituximab)을 고려할 수 있다. 프로테오좀 억제제인 보르테조밉(bortezomib)은 항체를 생성하는 형질세포를 직접적으로 억제하고 일반적으로 혈장 교환 및 IVIG와 같은 다른 치료 약제와 함께 사용되는 난치성 항체 매개 거부반응에 대한 잠재적 치료법으로 단일 센터 사례에서 보고되었다. Eculizumab은 말단 보체 활성화를 차단하는 인간화 단일클론 항체로서 교차 반응 양성 신장 이식을 받은 환자에서 급성 체액성 거부반응과 후속 이식신 사구체병증의 위험을 상당히 감소시키는 것으로 보고되고 있다. 그러나 이 약제의 치료는 높은 비용으로 인해 사용이 제한된다. 마지막으로 불응성 급성 체액성 거부반응에 대한 비장절제술의 효과에 대한 증례 보고도 있다.

급성 거부반응의 예후는 만성 거부반응 소견이나 간질 섬유증과 세뇨관 위축의 조직학적 소견 증가가 있는 경우 이식편 생존이 감소하고 만성 이식신 기능장애의 원인이 될 수 있다. 이식 후 6개월과 12개월 후의 신기능 변화가 이전 급성 거부반응의 발생보다 장기 이식 생존을 더 잘 예측하기 때문에 항거부반응 요법에 대한 임상 반응은 중요하다. 일반적으로 치료에 반응하여 이전 신기능으로 회복되는 급성 T세포 매개 거부반응은 이식신 생존을 악화시키지 않는다. 그러나 혈관성 거부반응, 후기 거부반응(3개월 후), 원래 혈청 크레아티닌의 75% 이내로 반응하지 않는 거부반응은 더 나쁜 이식편 결과와 관련이 있다. 한 보고에 따르면 생검으로 입증된 급성 거부반응을 보인 302명의 환자(T세포 매개 거부반응 192명, 항체 매개 거부반응 110명)에 대한 후향적 분석에서 T세포 매개 거부반응에 비해 항체 매개 거부반응에서 5년 후 이식신 손실 위험이

3~9배 증가한 것으로 보여준다.

급성 거부반응의 발생률은 시간이 지남에 따라 감소했지만, 항체 매개 거부반응의 손상이 확인된 경우 이식 기능장애와 진행성 이식 손실의 중요한 원인으로 남아있다. 개별 환자의 면역 기능과 억제상태 또는 이식신 특이적 면역의 정도를 결정하는 정확한 수단이 있을 때까지 임상의사는 거부반응을 최소화 시키는 약제의 효능과 내약성을 기반으로 최상의 치료 요법을 결정해야 한다.

▶ 참고문헌

• Colvin RB: Antibody-mediated renal allograft rejection: diagnosis and pathogenesis. J Am Soc Nephrol 18:1046-1056, 2007.
• Lefaucheur C, et al: Antibody-mediated vascular rejection of kidney allografts: a population-base study. Lancet 381:313-319, 2013.
• Locke JE, et al: The utility of splenectomy as rescue treatment for severe acute antibody mediated rejection. Am J Transplant 7:842-846, 2007.
• Meehan SM, et al: The relationship of untreated borderline infiltrates by the Banff criteria to acute rejection in renal allograft biopsies. J Am Soc Nephrol 10:1806-1814, 1999.
• Racusen LC, et al: The Banff 97 working classification of renal allograft pathology. Kidney Int 55:713-723, 1999.
• Sautenet B, et al: One-year Results of the Effects of Rituximab on Acute Antibody-Mediated Rejection in Renal Transplantation: RITUX ERAH, a Multicenter Double-blind Randomized Placebo-controlled Trial. Transplantation 100:391-399, 2016.
• Solez K, et al: Banff '05 Meeting Report: differential diagnosis of chronic allograft injury and elimination of chronic allograft nephropathy ('CAN'). Am J Transplant. 7:518-526, 2007.
• Stegall MD, et al: Terminal complement inhibition decreases antibody-mediated rejection in sensitized renal transplant recipients. Am J Transplant 11:2405-2413, 2011.
• Tanriover B, et al: Acute Rejection Rates and Graft Outcomes According to Induction Regimen among Recipients of Kidneys from Deceased Donors Treated with Tacrolimus and Mycophenolate. Clin J Am Soc Nephrol 11:1650-1661, 2016.
• Walsh RC, et al: Proteasome inhibitor-based therapy for antibody-mediated rejection. Kidney Int 81:1067-1074, 2012.

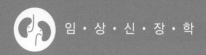
임·상·신·장·학

CHAPTER

10 이식 신장의 바이오마커

이상호 (서울의대)

KEY POINTS

- 이식 환자의 면역활성 상태와 이식 신장의 손상 유무를 감시하는 바이오마커의 개발은 개별 환자의 면역활성 및 신 손상 상태에 따른 맞춤 면역치료를 가능하게 할 것이나 현재 임상에서 활용할 수 있는 바이오마커는 제한적이다.

- 현재까지 고위험군에 대한 이식 초기 프로토콜 생검과 장기적인 공여자 특이 항체 모니터링이 급, 만성 거부반응의 조기 진단 및 치료의 바이오마커로 활용되고 있으며 BK 바이러스, 거대세포 바이러스 등의 분자유전학적 모니터링이 감염의 조기 진단과 적정 면역치료에 유용하게 활용되고 있다.

- 최근 각광받고 있는 전사체학 및 단백질체학을 이용한 거부반응 바이오마커와 공여자 유래 cell free DNA 등 신손상 바이오마커 등이 임상에 활용되기 위해서는 아직 유용성 검증과 임상적용 프로토콜이 필요하다.

이식된 장기는 수혜자의 면역시스템 활성으로 인한 손상이 필연적으로 동반되므로 이식장기의 면역학적 손상은 장기이식후 반드시 조절되어야 한다. 이론적인 해결 방법은 1) 공여자−수혜자 사이 유전자 완전 일치, 2) 비특이적 면역억제제 사용, 3) 면역관용 유도가 있다. 하지만 공여자와 수혜자 사이의 유전자의 완전 일치는 임상에서 불가능하며 면역관용 프로그램은 아직 초기 개발단계에 머물러 있다. 따라서 임상 이식에서는 비특이적인 면역억제제 사용을 피할 수 없지만 이식 신장의 기능은 일정한 시간이 지나면 결국 소실된다.

제한된 이식 신장의 생존기간에는 다양한 원인들이 존재하지만, 환자의 면역활성상태에 따른 맞춤 면역치료가 아닌 표준화된 면역억제요법을 적용하는 것도 중요한 원인

이 된다. 과도한 면역억제제 사용은 면역억제제 신독성 외에도 BK 바이러스, 거대세포 바이러스 감염 등의 바이러스 감염, 세균 감염 등으로 인해 이식 신장의 기능 또는 환자 생존율에 영향을 미친다. 반면에 부족한 면역억제제의 사용은 T 세포의 감작, 공여자 특이 항체의 생성을 유발하고 급, 만성 거부반응과 같은 면역학적 손상과 이차적인 이식신장의 섬유화를 유발한다. 따라서 이식후 환자의 면역활성 상태와 이식 신장의 면역학적 손상 유무를 감시하는 바이오마커의 개발은 환자의 면역활성상태에 따른 맞춤 면역치료를 가능하게 할 것으로 기대되며 현재 임상 이식에서 가장 중요한 해결 과제 중 하나이다.

이식 신장 손상 및 면역활성의 평가

신장이식 환자에서 적절한 이식 후 평가는 이식 후 관리에서 매우 중요한 부분이며 기본적으로 이식 전 환자와 마찬가지로 혈중 크레아티닌과 단백뇨의 양적 변화를 이용한다. KDIGO 진료지침(Kidney Disease Improving Global Outcomes, https://kdigo.org/)에 의하면 급성 신손상은 1) 혈중 크레아티닌이 기저치보다 48시간 이내에 0.3 mg/dL 이상 상승하거나, 기저치의 50% 이상 상승(기저치의 1.5배), 소변량의 감소(핍뇨, 6시간 이상 시간당 0.5mL/kg 이하)로 정의한다. 소변 단백뇨는 이식후 1년간은 매 3개월마다 정량 평가하도록 권고된다.

BK 바이러스는 선별 검사는 이식후 첫 9개월은 매월, 이후에는 2년까지 매 3개월마다 혈액 또는 소변 바이러스 DNA 검사를 시행하도록 권고되고 있다. 또한 소아 신장 이식에서는 Epstein-Barr 바이러스 선별검사가 추가되어야 하며 거대세포바이러스 예방요법을 시행하지 않는 환자에서는 거대세포 바이러스 DNA 측정이 필요하다.

하지만 혈청 크레아티닌과 단백뇨 검사는 거부반응 뿐만 아니라 다양한 원인의 이식 신장의 손상에 의해 변화하는 비특이적 검사의 한계를 가지고 있기 때문에 명확한 이유가 없이 혈청 크레아티닌이나 단백뇨 증가가 관찰되는 경우 정확한 진단을 위해서는 결국 침습적인 이식 신장 생검이 필수적이다. 이식 신장 기능 모니터링과 이식신 생검에 기반한 거부반응의 진단과 치료는 상당수 환자에서 진단 당시 이미 진행된 병변과 과도한 감작을 수반하는 경우가 빈번하므로 고위험군에서는 보다 적극적인 면역학적 감시가 필요하다. 하지만 현재로서는 프로토콜 생검과 공여자 특이 항체 측정 외에 임상적 유용성이 증명된 면역학적 감시 수단이 없어 추가 바이오마커 개발이 시급하다.

1. 프로토콜 생검

신장이식에서 프로토콜 생검은 신장 기능에 관계없이 신장 이식 후 정해진 시기에 시행하는 방법으로 예상치 못한, 즉 "무증상" 병리를 발견하고 이식 신장의 자연 경과를 연구하는 데 유용하게 활용될 수 있다. 프로토콜 생검으로 발견되는 무증상 병리는 세포 및 항체 매개 거부와 같은 급성 병변과 간질성 섬유증 및 세뇨관 위축과 같은 만성 병변 등 다양하다. 무증상 병리를 조기에 인지함으로써 얻을 수 있는 잠재적 이점은 조기 치료를 통해 장기적인 결과를 개선할 수 있다는 것이며 반대로, 프로토콜 생검에서 정상 조직 소견의 식별을 통해 전반적인 면역억제제 사용의 감소를 시도할 수 있기에 많은 이식 기관에서 적용하고 있다. 하지만 이식신장의 프로토콜 생검의 이점은 생검의 시행에 따른 출혈 등의 부작용과 검사비용을 고려하여 적용해야 하며 특히 거부반응 저위험군에서의 프로토콜 생검의 이점은 증명되지 않았으므로 거부반응 고위험군을 대상으로 선택적으로 적용하여야 한다.

2. 공여자 특이 항체의 모니터링

신장이식 환자의 면역학적 감작을 확인하고 이식편의 부작용 위험을 평가하기 위해 정기적인 면역학적 검사가 필요하다. 이식 후 동종 항원에 대해 새롭게 생성되는 De novo 항체는 고전적으로 교차반응 검사, PRA(Panel Reactive Antibody) 등을 통해서도 확인할 수 있었지만 최근 HLA 항체 단일 항원 동정검사법이 도입되면서 공여자의 HLA 항원에 대한 수혜자의 항 HLA 항체를 정확하게 검출할 수 있게 되었다. 공여자 특이 De novo HLA 항체는 급, 만성 항체거부반응을 유발할 뿐만 아니라 무증상 항체거부반응, 즉 세관주위 모세혈관과 사구체 혈관의 손상을 유발하여 이식 신장 기능 부전을 유발한다.

De novo 공여자 특이 항체는 주로 HLA class II 항원에 대해 이식후 시간이 경과함에 따라 점차적으로 발생하며 약한 보체 결합 능력을 가지고 있어 주로 만성항체거부반응과 이식신 기능감소를 유발하며 반면에 치료에 대한 반응은 매우 불량하다(표 5-10-1). 이러한 이식후 공여자 특이 항체는 이식신 손상과 소실에 대한 가장 중요한 바이오마커로 여겨지고 있다. 최근 IgG subtype과 보체 결합 능력의 임상적 중요성도 추가로 제시되고 있는 만큼, De novo 항체의 복잡한 특성에 대한 보다 심도 깊은 이해가

표 15-10-1. De novo 공여자 특이 항제의 특성과 임상 양상

	HLA class I 특이 항체	HLA class II 특이 항체
항원	HLA A, B, C	HLA DR, DQ, DP
이식 전 항체 생성	대부분	일부
De novo 항체 생성 및 특성	이식 초기 생성 빈도 적음 IgG1, IgG3 강한 보체 결합	초기 이후 생성 빈도 많음 Ig2, IGG4 약한 보체결합
항체거부반응의 특징	급성 초기 발생 급격한 이식신 기능 저하 C4d (+)	만성 초기 이후 발생 서서히 기능 감소 C4d (-)
치료	비교적 잘 반응	불량한 반응

필요하며 무엇보다 임상에서 적용 전략에 대한 새로운 임상 지침이 필요하다.

이식 신장 손상 및 면역활성의 새로운 바이오마커

1. 신장이식 바이오마커의 요구조건

신장 이식에서 이상적인 바이오마커는 이식 장기의 손상이 있는 환자를 빠르고 정확하게, 저렴하고 비침습적으로 식별하고 손상 유형을 예측할 수 있어야 한다. 이를 위해 이상적 바이오마커는 높은 민감도, 특이성, 음성 및 양성예측 값(NPV, PPV) 및 1.0에 가까운 AUC(area under the curve) 값을 가져야 한다. 최근 많은 연구자들이 신장 이식후 급, 만성 이식신 손상 및 면역활성을 모니터링하기 위한 바이오마커 연구에 집중하고 있다. 특히 혈액, 소변을 포함한 다양한 임상 검체에서 전사체(mRNA), 단백질 및 대사 산물을 각각 정량화하는 Omics 기술의 개발은 거부반응의 비침습적 진단에 새로운 기회를 열고 있다.

2. 전사체 바이오마커

지난 십여 년 이상 Canada 연구자들에 의해 주도되어 수행된 이른바 분자 현미경 전략(molecular microscope strategy)가 대표적인 예로, 이식 생검의 전사체(transcriptome) 분석은 거부반응의 세부 분류, 치료에 대한 반응 예측 등에서 기존 이식 신장의 병리학 진단의 한계를 극복할 수 있음을 시사하고 있다.

반면 다른 연구자들은 혈액 및 소변의 전사체 분석을 통해 거부반응을 예측 또는 모니터링하고자 시도하고 있다. 이식후 소변에 검출되는 탈락세포들은 거부반응시 활성화되는 다양한 신장내 세포들의 전사체 변화를 반영할 수 있다. 소변 전사체 바이오마커 연구자들은 소변 탈락세포의 특정 전사체 발현(예, CD3e+, perforin, granzyme B, proteinase-inhibitor-9, CD103, CXCL10, CXCR3 등)의 변화가 이식신 거부반응과 밀접한 연관성을 가지며 바이오마커로 활용할 수 있다는 증거를 지속적으로 제시하고 있다. 또다른 연구자들은 이식후 말초혈액의 전사체 변화가 이식환자의 면역 활성 및 거부반응 발생 위험도의 예측에 활용이 가능함을 역시 제시하고 있다.

3. 단백/대사체 바이오마커

신장이식 분야의 거부반응 단백질 및 대사체 바이오마커 연구는 임상에서 비교적 채취하기 쉬운 소변 검체를 대상으로 주로 연구되었다. 현재까지 임상적 활용 가능성이 높을 것으로 제시된 소변 바이오마커는 CXCL9과 CXCL10이며 이들 chemokine 들은 염증 조직에서 분비되어 T 임파구 표면의 CXCR3 수용체에 결합하여 T 임파구를 염증 부위로 이동하게 작용하므로 소변내 존재하는 이들 chemokine의 측정은 신장이식후 급성거부반응의 진단에 활용될 수 있다. 또한 다수의 단백체 또는 대사체의 정량 분석이 가능한 최신 단백/대사체 검출 기술의 발전은 이식분야에서 보다 정확하고 임상적 유용성이 높은 바이오마커를 발굴하기 위한 연구에 활발히 활용되고 있다.

4. 세포외 (Cell free, cf) DNA 바이오마커

신체내 대부분의 DNA는 핵과 미토콘드리아와 같은 세포안에 존재한다. 하지만, 일부 DNA는 세포 손상 또는 사멸 과정 중에 세포밖으로 누출되며 이들은 세포 외액, 주로 혈장에 짧은 DNA 조각의 형태로 일정 기간 존재한다. 이 같은 세포외 (cell free) DNA는 주로 혈액을 통해 몸 전체를 자유롭게 순환한다. 수혜자의 혈액에서 공여자 DNA의 검출은 이식 장기의 세포 손상을 의미하기 때문에 이러한 세포외 DNA는 이식 장기 손상의 바이오마커가 될 수 있다. 실제로 수혜자의 혈액내 공여자 cfDNA는 거부반응, 특히 조직 손상이 심한 항체매개 거부반응에서 특징적으로 증가한다고 보고되며 거부반응 진단의 후보 바이오마커로 제시되었다. 하지만 기전상 cfDNA는 거부반응 뿐만 아니라 다양한 조직손상에서도 증가할 수 있어 거부반응 보다는 신장 손상의 바이오마커로 분류되고 있으며 그 임상적 유용성도 향후 추가 검증이 요구된다.

5. 신장이식 바이오마커 개발의 과제와 향후 방향

최근 십여 년간의 많은 바이오마커 연구에도 불구하고

임상에서 표준 진단 도구로 활용되는 신장이식 바이오마커는 아직 없는 것이 현실이다. 이는 과거 연구들이 후향적으로 적은 환자 수를 대상으로 시행되었고 대부분 독립적인 코호트에서 초기 결과에 대한 검증에 되지 않았기 때문이다. 제시된 많은 후보 바이오마커들의 임상 적용을 위해서는 무작위 배정 연구를 통한 검증이 필요한 상황이지만 현재까지 제시된 대부분의 바이오마커들은 제한된 민감도와 특이도를 보이고 있어 임상시험을 통한 검증이 쉽지는 않다. 또한 진단적 유용성이 검증되더라도 환자 안전 및 가격대비 효과 등을 고려한 임상적 유용성에 대한 평가도 아직은 필요하다. 하지만 현재 임상에서 이식신 손상 및 거부반응 진단에 유용하게 활용하고 있는 신기능평가, 공여자 특이항체의 측정, 그리고 신장조직검사 등이 가지고 있는 한계도 명확한 만큼 신장이식후 바이오마커의 개발과 검증은 꾸준히 지속되어야 한다.

▶ 참고문헌

- Bloom RD, et al: Cell-freeDNA and active rejection in kidney allografts. J AmSoc Nephrol 28:2221-2232, 2017.
- Hirsch HH, et al; AST Infectious Diseases Community of Practice: BK polyomavirus in solid organ transplantation-Guidelines from the American Society of Transplantation Infectious Diseases Community of Practice. Clin Transplant 33:e13528, 2019.
- Kidney Disease: Improving Global Outcomes (KDIGO) Acute Kidney Injury Work Group: KDIGO Clinical Practice Guideline for Acute Kidney Injury. Kidney Int Suppl. 2:1-138, 2012.
- Roedder S, et al: The kSORT assay to detect renal transplant patients at high risk for acute rejection: results of the multicenter AART study. PLoS Med 11:e1001759, 2014.
- Seo JW, et al: Non-Invasive Diagnosis for Acute Rejection Using Urinary mRNA Signature Reflecting Allograft Status in Kidney Transplantation. Front Immunol 12:656632, 2021.
- Suthanthiran M, et al: Urinary-cell mRNA profile and acute cellular rejection in kidney allografts. N Engl J Med 369:20-31, 2013.

CHAPTER

11 만성 거부반응

양재석 (연세의대)

KEY POINTS

- 정의와 예후 부분: 만성 동종이식편 신병증 대신 만성 거부반응의 용어로 대체하였다.
- 진단 부분: 최근 업데이트된 BANFF 분류를 반영한 진단 기준으로 대체하였다.
- 치료 부분: 만성 거부반응에 대한 최신 치료 내용을 추가하였다.

정의와 예후

1. 개념

1) 만성 동종이식편 신병증(Chronic allograft nephro-pathy, CAN)

(1) 만성 동종이식편 신병증은 흔히 이식 6개월 이후 나타나는 이식 신장의 기능적 및 형태학적 손상을 말한다. 임상적으로는 사구체여과율(GFR) 감소의 진행(eGFR<40 mL/min)과 단백뇨(>500 mg/d) 및 고혈압이 특징이고, 조직학적으로는 사이질 섬유화(interstitial fibrosis, IF) 및 요세관 위축(tubular atrophy, TA)으로 나타난다.

(2) 1991년 첫번째 BANFF 분류에서 도입된 '만성 동종이식편 신병증'이라는 용어는 만성 이식편의 기능 저하에 여러 면역학적 요인들과 비면역학적 요인들이 관여한다는 의미에서 특정 요인을 배제하고 광범위

한 원인을 포괄한 임상증후군이라고 할 수 있다.

(3) 그러나, 원인적인 측면을 배제한 이 용어는, 원인적인 진단을 시도함으로써 보다 적극적인 치료를 적용할 수 있다는 측면에서 바람직하지 않다고 볼 수 있는데, 이후 만성 동종이식편 신병증에서 항체매개성 거부반응 등 면역학적 요인의 주요한 역할이 규명되기 시작하면서 2005년 BANFF 분류에서부터 이 용어를 더 이상 사용하지 않게 되었다.

2) 만성 거부반응(Chronic rejection)

(1) 2005년 BANFF 분류에서부터 면역학적 원인이 강조된 만성 거부반응, 구체적으로는 만성 활동성 항체매개성 거부반응(chronic active antibody-mediated rejection)과 만성 활동성 T세포매개성 거부반응(chronic active T-cell-mediated rejection)이라는 용어와 진단기준이 도입되었다. 이번 개정판에서는 만성 거부반응이라는 용어로 이 질환을 다루게 되

었다.

(2) 2005년 BANFF 분류에서는 원인이 불명확한 경우에는 '원인미상 사이질섬유화 및 요세관 위축(IFTA, no evidenceof any specific etiology)'이라는 용어를 도입하였다.

2. 예후

1) 흔한 합병증

(1) 전향적 다기관 연구에서 만성 동종이식편 신병증은 사이클로스포린(cyclosporine)과 타크로리무스(tacrolimus) 사용군에서 2년 후 각각 72.3%와 62.0% 발생하였다. 중등도 이상으로 진행된 경우는 이식 후 1년째 25%에 이르고, 이식 후 10년째에는 약 90%까지 발견될 정도로 신장이식 후 만성기에 흔한 합병증이며, 그 조직학적 변화는 이미 이식 후 3개월째에 나타난다.

(2) 이식 1년 이후로는 이 만성 동종이식편 신병증의 가장 흔한 원인이 만성 거부반응, 특히 만성 활동성 항체매개성 거부반응이다.

2) 불량한 예후

신장이식 후 1년 내 단기 성적은 향상되었으나, 1년 이후의 장기 성적은 뚜렷하게 개선되지 못하였고, 1년 이후 매년 2–5%의 이식편 소실(graft failure)이 발생한다. 현재 이식 신 소실의 가장 흔한 원인이 환자 사망과 더불어 만성 거부반응으로서, 이를 예방하고 치료하는 것이 환자의 장기 예후에서 가장 중요한 부분이다. 만성 거부반응은 점진적으로 신기능 소실이 나타나는데, 3개월째 10% 이상 신기능이 감소된 경우에는 10년 째 이식편 소실 위험이 2.5배 증가하고, 이식편 생존율은 15% 감소하였다.

위험요인과 발병기전

1. 면역학적 요인

1) 면역학적 발병기전

(1) 공여 장기의 내피세포 등에 지속적으로 발현되고 있는 인간 백혈구 항원(human leukocyte antigen, HLA)이 만성적인 동종면역반응을 유발하는데, T세포매개성 동종면역반응과 항체매개성 동종면역반응, 또는 두 반응이 혼합된 형태로 나타날 수 있다.

(2) 수혜자 수지상세포(dendritic cell)의 간접 항원제시에 의한 CD4$^+$ T세포 활성화가 중요하고, 항원제시 기능과 공여자−특이 항체(donor−specific antibody, DSA) 생산을 하는 B세포의 역할도 중요하다.

(3) 면역억제 치료를 하지 않은 영장류 실험에서 3개월에서 2년에 걸쳐 점진적인 4가지 단계를 거쳐서 만성 항체매개성 거부반응이 진행했는데, 첫째 DSA 생산, 둘째 요세관 주위 모세혈관의 보체(C4d) 침착, 셋째 이식신 사구체병증 발생, 넷째 이식신 기능 소실의 단계이다.

(4) 항체매개성 거부반응에서는 DSA, 특히 de novo anti−HLA class II 항체가 중요하다. DSA가 공여 장기의 내피세포와 결합하면 보체 활성화를 통해 조직손상을 일으키고 C4d가 부산물로 침착되어 진단 기준에 이용된다.

(5) 그러나, 보체에 비의존적으로 내피세포를 활성화하는 기전을 통해 이식편을 손상시키는 C4d 음성 항체매개성 거부반응이 있을 수 있는데, FcgRIII를 발현하고 있는 자연살해세포(NK cell)가 중요한 역할을 하고 있다.

(6) 만성 항체매개성 거부반응에서는 급성 항체매개성 거부반응과는 달리 내피세포의 만성 손상으로 인해 사구체 모세혈관 기저막의 중첩이 나타나고 족세포의 손상도 나타나는 이식신 사구체병(transplant glomerulopathy)이 나타난다. 그러나, 이 소견은 사구체신염이나 혈전성 미세혈관병(thrombotic micro-

angiopathy)에서도 나타날 수 있다.

2) 면역억제제 복약 순응도 문제

만성 항체매개성 거부반응의 가장 중요한 원인은 이식 환자들이 면역억제제를 정확히 복용하지 않는 순응도의 문제인데, 약 40%의 환자들에서 복약 순응도가 낮았다. 낮은 순응도는 낮은 수준의 동종면역반응이 지속되게 하고, 만성 거부반응과 이식신 소실로 이어진다.

3) 급성 거부반응의 기여

(1) 급성 T세포매개성 거부반응은 이후 DSA의 출현 및 이식신 소실과 관련이 높았다. 그리고, 만성 거부반응과 후기 급성 거부반응은 강한 연관성을 보이는데, 급성 거부반응이 치료에 반응하지 않을 때 이식신 소실의 위험이 더 높다.

(2) 신기능 변화 없이 조직에서 간질의 세포침윤과 요세관염(tubulitis)이 관찰되는 무증상 T세포매개성 거부반응이나, 특히 무증상 항체매개성 거부반응은 이식신 소실의 위험인자이다.

4) 만성 섬유화 기전

(1) 섬유화 과정

섬유화는 손상에 대한 반응으로 활성화되는 정상적인 재생과 회복 과정이다. 그러나, 만성적인 손상자극은 이런 정상적인 반응에 대한 조절을 잃게 하고, 그 결과 과다한 세포외 기질 침착과 섬유화를 가져 온다. 섬유화 과정은 4가지 단계를 거치는데, 첫째, 조직 손상, 둘째, 염증세포 침윤, 셋째, 섬유화 유발 사이토카인 분비, 넷째 콜라겐 생산 세포 활성화의 단계이다. 상피−중배엽 전이(epithelial mesenchymal transition)도 섬유화에 중요한 역할을 한다.

(2) 신 손상 후 섬유화에서 염증반응의 역할

염증은 조직 회복과 실질세포 재생 과정과 밀접하게 관련이 되어 있기 때문에, 조직 회복에 필요한 과정이지만, 조절되지 않을 경우 진행되는 섬유화를 유발할 수 있다.

(3) 신 손상과 섬유화의 비염증성 기전

발세포 수의 감소는 사구체기저막을 노출시키고 단백뇨를 발생하게 되고, 노출된 사구체기저막이 벽측 상피세포와 접촉하게 되면 사구체경화증이 발생하게 된다.

2. 비면역학적 요인

1) 비면역학적 요인의 중요성

만성 동종이식편 신병증 발병에 면역학적 요인이 가장 중요하기는 하지만, 비면역학적 요인들도 만성 이식신 기능 저하에 기여하고 있다.

2) 신원량 감소

이식신은 하나의 신장이기 때문에 신원량이 감소한 만성신부전과 유사한 상태로서 사구체 과여과 등으로 인한 진행성 신손상이 올 수 있다.

3) 칼시뉴린 억제제(Calcineurin inhibitor, CNI) 신독성

(1) CNI는 신혈관 수축뿐만 아니라, 고혈압 및 당뇨병 같은 전신 독성을 통해서도 간접적으로 만성 이식신 기능 저하에 기여할 수 있다.

(2) 그러나, 만성 동종이식편 신병증의 원인으로 CNI 신독성은 0.6% 정도에 그친다는 보고가 있다. 특히, DeKAF 연구는 섬유화 병변에서 CNI 만성 독성의 소견보다는 동반되어 있는 요세관염, 간질성 염증과 혈관병변이 예후에 더 중요하다는 것을 보여 주었다.

4) 공여 신장의 질

(1) 최초 손상과 만성적인 반복적 손상이 모두 만성 이식신 기능 저하에 기여하기 때문에 최초 손상 요인을 예방하고 치료하는 것도 후기 손상에 대한 예방과 치료만큼 중요하다.

(2) 확장범주 뇌사 공여자(expanded criteria deceased donor, ECD) 신장은 초기손상을 받는 대표적인 경우로서 지연성 이식신 기능(delayed graft function, DGF) 발생률이 높고, 만성 이식신 기능저하가 흔하

제 15 부 신장이식

다. 즉, 공여 장기의 질은 장기생존율에 영향을 미칠 수 있다.

(3) 공여자 나이: 공여자 나이가 높은 경우 DGF가 보다 잘 발생하고, 약물 신독성에도 더 취약하며, 조기에 만성 이식신 기능 저하가 발생한다.

(4) 허혈–재관류 손상(ischemia–reperfusion injury, IRI): IRI는 면역원성 항진, 수혜자 면역반응 가속화 및 기질생산 증가로 인한 섬유화를 통해 만성 이식신 기능 저하를 일으킨다.

5) 신동맥 협착증과 요로폐쇄

조절되지 않는 고혈압으로 나타날 수 있는 신동맥 협착증이나 요관 문합부의 협착이나 요관의 허혈로 인해 나타나는 요관 협착도 만성 이식신 기능저하를 일으킬 수 있다.

6) 대사성 질환

(1) 고혈압, 고지혈증, 비만, 당대사이상, 미세알부민뇨, 고요산혈증 등 인슐린 저항성을 공통 분모로 하는 대사증후군은 심혈관질환 뿐 아니라 만성 이식신 기능 저하의 중요한 위험요인이다. 즉, 이식 후 1년째 대사증후군이 존재할 경우 신기능 이상의 위험이 2배 높아지고, 그 결과 이식신 생존율이 유의하게 낮았다.

(2) 인슐린은 메산지움세포(mesangial cell) 증식과 기질 생산을 유도하고, IGF, endothelin, TGF-β를 유도하여 간질 섬유화를 일으킬 수 있다. 또한, 간의 앤지오텐시노젠 생산, 레닌–앤지오텐신계와의 시너지를 통해 메산지움세포와 혈관 수축을 일으킨다. 그 결과 사구체여과율(glomerular filtration rate, GFR)과 여과분율 및 사구체 고혈압과 신기능 부전을 유도한다.

7) 감염 및 재발 사구체신염

BK 바이러스(BKV), 거대세포 바이러스(cytomegalovirus) 감염이나 세균성 요로감염의 반복 감염과 재발 사구체신염의 경우 만성 거부반응과 함께 이식신 기능저하를 가져 올 수 있다.

진단

1. 조기 진단과 원인적 진단의 중요성

1) 만성거부반응의 치료 시점이 늦을수록 예후가 좋지 않기 때문에 조기 진단이 중요하다.

2) 적절한 치료를 위해 원인이 면역학적 문제인지 혹은 약물 독성, 신동맥협착증, 재발 사구체신염, 요관폐쇄, 재발 신우신염, BK 바이러스 신병증 등 비면역학적 문제인지 구별하는 것이 필요하다. 실제 80%에서는 구체적인 원인을 시사해 주는 소견을 발견할 수 있다. CNI 신독성이 원인이라면 독성이 덜한 다른 면역억제제로 전환하거나, 용량을 감량하는 것이 도움이 될 수 있고, 만성 항체매개성 거부반응이 문제라면 충분한 면역억제 치료와 면밀한 면역감시가 필요하다.

2. 진단적 접근법

1) 병력 청취

면역학적 위험도(재이식, 감작, 급성 거부반응), 순응도(약물 농도 변이, 방문 누락), 감염, 원인 신장질환 재발 등

2) 혈액, 소변 및 영상 검사

(1) 혈청 크레아티닌 상승이나 단백뇨는 초기에는 나타나지 않기 때문에 eGFR과 그 기울기를 분석하는 것이 조기 진단에 도움이 된다.

(2) 3개월에 걸쳐 세 번 측정했을 때 혈청 크레아티닌이 0.3 mg/dL 이상 증가되거나 eGFR이 10% 이상 감소할 때, 또는 1년에 혈청 크레아티닌이 15~20% 이상 증가될 때 의심한다.

(3) 단백뇨와 고혈압은 다소 늦게 나타나는 단점이 있지

만, GFR 저하가 애매모호할 때 도움을 줄 수 있다.

(4) 신장 도플러 검사에서, 이식 3개월 후 resistance index가 0.8 이상인 경우 이식신 생존율이 떨어진다.

(5) DSA 감시를 통해 만성 항체매개성 거부반응을 보다 조기에 진단할 수 있다.

3) 조직병리 검사

(1) 신기능이 안정된 환자일지라도 정기 조직검사(protocol biopsy)에서 나타난 IFTA나 무증상적 거부반응(subclinical rejection), 특히 두 개가 같이 있을 경우 신기능저하와 연관성이 높기 때문에, 정규 조직검사를 통한 조기진단이 도움을 줄 수 있다.

(2) 만성 활동성 항체매개성 거부반응의 병리 진단 기준: 아래 3가지 모두 만족

① 만성 조직 손상의 증거: 만성 혈전성 미세혈관병증이나 사구체신염 없는 만성이식신 사구체병증(cg>0), 심한 세뇨관주위 모세혈관 기저막 다층화, 또는 동맥내피 섬유화

② 항체와 혈관내피세포 간의 상호작용의 증거: 세뇨관주위 또는 수질 곧은혈관의 선상 C4d 침착, 사구체신염이나 T세포매개성 거부반응 없는 미세혈관병증, 또는 항체매개성 거부반응 관련 전사체 존재

③ 순환혈액 내 DSA의 존재: C4d 염색이나 항체매개성 거부반응 관련 전사체가 대체 가능

(3) 만성 활동성 T세포매개성 거부반응: 아래 2가지 중 하나

① 경화성 피질 부위의 간질 염증과 세뇨관염

② 만성 동종이식편 혈관병증: 동맥 내피 섬유화와 단핵구 침윤 및 신내피 생성

(4) 분자 진단

① 내피세포 활성화 등 항체매개성 거부반응과 관련된 신조직 전사체(transcriptomics)의 발현은 C4d 음성이나 이식 신기능이 악화되는 환자들에서 진단적으로 활용될 수 있다.

② DeKAF 연구에서 소변 단백질체(proteomics) 검사 결과, 예후가 나쁜 염증을 동반한 IFTA와, 상대적으로 예후가 덜 나쁜 염증을 동반하지 않은 IFTA에 차이를 발견하여 향후 진단적으로 활용해 볼 수 있을 것으로 기대된다.

(5) 만성 거부반응의 구체적인 병리소견은 신장이식 거부반응의 병리 부분에 기술되어 있다.

치료

1. 면역억제 치료

1) 만성 거부반응을 예방하기 위한 면역억제요법

(1) 약물순응도와 면역억제를 충분히 유지하는 것이 기본적으로 중요하다.

(2) CNI의 충분한 사용

그 동안, 만성 거부반응을 억제하기 위해서 CNI를 줄이거나 피하는 시도들이 이루어졌는데, 심혈관질환이나 암 발생을 낮추는 데는 도움이 되었지만, 거부반응의 위험이 높아지거나, 신기능 개선 효과가 약하며 이식신 생존율의 향상을 가져오지는 못한 경우가 많았기 때문에 충분한 양의 CNI를 지속하는 것이 바람직하다. 최근 연구결과, tacrolimus의 농도를 5~6 ng/mL 정도는 사용해야 이식신 생존율이 잘 유지되었다.

(3) 엠토르(mTOR) 억제제: 시롤리무스(sirolimus), 에벌로리무스(everolimus)

mTOR 억제제 CNI 신독성을 감소시킬 뿐만 아니라 그 자체로 증식억제 효과가 있어 혈관 평활근세포와 섬유아세포의 증식을 억제할 수도 있다는 면에서 기대되었다. 그러나, CNI avoidance 연구나 6개월 이후의 late conversion 연구에서 CNI 대체 효과는 없었다. 한편, 이식 6개월 전 early CNI conversion 연구에서는 신기능 개선 효과를 보였는데, 문제점은 부작용으로 인해 사용 중단한 경우가 많았다는 점인데, 적절한 목표농도 조절을 통해 이를 극복

해야 한다. 최근 Transform 연구에서처럼, CNI와 de novo 병용치료를 통해 CNI를 감량하는데 도움을 줄 수 있다.

(4) 마이코페놀레이트 모페틸(mycophenolate mofetil, MMF) 또는 마이폴틱산(myfortic acid)

이 계열의 약물은 B세포 자체와 B세포와 T세포 사이의 상호작용, 사이질의 기질 생산을 억제하는 작용을 통해 도움이 될 수 있다. Symphony 연구에서 저용량 tacrolimus 군에서 이식신 생존율이 가장 우수하였는데, 충분한 MMF 사용도 성적향상에 기여했을 가능성이 있다.

(5) 벨라타셉(Belatacept) 기반 면역억제요법

사이클로스포린 대신 공통자극분자 차단제인 Belatacept를 사용한 경우 표준 공여자에 대한 BENEFIT연구과 확장범주 공여자에 대한 BENEFIT-EXT 연구에서 모두 7년째 거부반응 위험은 높이지 않으면서 신기능도 우월했고 DSA를 낮추어 주었다. 그러나, Belatacept군에서 초기 거부반응이 높아 타크로리무스와의 초기 병용을 시도해 볼 수 있고, 엡스타인-바 바이러스 항체 음성군에서 림프증식성 병변이 증가하기 때문에 이 경우에는 피하는 것이 바람직하다.

2) 만성 항체매개성 거부반응 치료를 위한 면역억제요법

(1) 이식 전, 교차반응 양성이거나 DSA가 있는 경우, 혈장교환술(plasmapheresis)과 경정맥 면역글로불린(intravenous immunoglobulin, IVIG) 주사가 만성 거부반응 발병을 늦추거나 예방하는데 도움을 주었다. 리툭시맙(rituximab), 보테조밉(bortezomib), 에클리주맙(eculizumab) 주사도 도움을 줄 수 있다.

(2) 만성 항체매개성 거부반응의 조직병리 소견이 진행될수록 치료 반응이 낮다.

(3) 혈장교환술(plasmapheresis)과 경정맥 면역글로불린(IVIG)

아직 무작위 대조군 연구를 통해 확립된 치료는 없지만, 혈장교환술과 함께 매 혈장교환술 다음에 투여하는 저용량 IVIG (0.1 g/kg) 또는 마지막 혈장교환술 후에 투여하는 고용량 IVIG (2 g/kg) 치료가 현재 추천되는 표준 치료이다.

(4) Anti-CD20 항체

키메라 항체인 리툭시맙(rituximab)과 인간화 항체인 오비누투주맙(obinutuzumab)은 B세포를 제거함으로써 항체매개성 거부반응을 억제한다. 그러나, 메타연구나 RITUX-ERAH 이중맹검 무작위대조군 연구에서는 리툭시맙의 효능이 없었다.

(5) 단백분해효소(proteosome) 억제제

보테조밉(bortezomib)과 카필조밉(carfilzomib)은 단백분해효소 억제를 통해 형질세포를 억제할 수 있다. 이미 진행된 후기 항체매개성 거부반응에 대한 무작위대조군 연구인 BORTEJECT 연구에서는 bortezomib 단독치료가 효과가 없었다. 그러나, 공통자극분자 억제제인 belatacept과 bortezomib의 병용치료는 종자중심(germinal center)의 B-T세포 상호작용에 의한 체액성 보상(humoral compensation)을 억제함으로써 효능을 보였다.

(6) 보체억제제

C5 억제제인 에쿨리쥬맙(eculizumab)은 예방적으로 효능을 보인 무작위대조군 연구는 있었으나, 아직 치료적 효능을 입증한 대규모 연구는 없었지만 그 역할이 기대된다. 그 외 C1 esterase 억제제나 anti-C1s 항체도 개발되고 있다.

(7) IL-6 경로 억제제

IL-6 수용체 억제제인 토실리쥬맙(tocilizumab)이나 IL-6 억제제인 클라자키주맙(clazakizumab)이 초기 연구에서 효능을 보여 대규모 연구가 진행 중이다.

(8) 항체 분해 약제

Streptococcus pyogenes가 면역글로불린 G를 분해하는 효소(IdeS)를 고도감작된 환자에서 전처치를 통해 예방적으로 투여하였을 때, 특히 리툭시맙 및 면역글로불린과 병용할 때 항체매개성 거부반응을 효과적으로 억제하였다. 향후 치료적인 효능에 대한 평가가 필요하다.

(9) 기타

그 밖에 B세포 성장인자인 BAFF를 억제하는 anti-BLys 항체(belimumab), 형질세포와 NK세포를 억제하는 anti-CD38 항체(daratumumab, Isatuximab) 등도 개발되고 있다.

(10) 유지 면역억제 치료제 강화

앞의 약제들과 동시에 tacrolimus, MMF, 스테로이드 등을 안 쓰고 있거나 최소 용량을 쓰고 있었다면 추가하거나 증량함으로써 면역억제제를 강화하는 것을 시도해 볼 수 있다.

3) 만성 활동성 T세포매개성 거부반응 치료를 위한 면역억제요법

(1) 스테로이드 펄스 치료나 티모글로불린(thymoglobulin, ATG) 치료를 해 볼 수 있는데, 치료 반응은 다양하게 나타난다.

(2) CNI, MMF, 스테로이드 등을 안 쓰고 있거나 최소 용량을 쓰고 있었다면 추가하거나 증량함으로써 유지 면역억제제를 강화하는 것을 시도해 볼 수 있다.

2. 비면역학적 치료

1) 만성콩팥병과 유사한 치료

만성 거부반응에서도 만성콩팥병과 유사하게 신질량이 줄어든 상태로 지속적인 신기능 소실의 과정을 거치므로, 만성콩팥병에서 콩팥병 진행을 억제하는 치료를 적용해 볼 수 있다.

2) 혈압 조절

이식 초기에는 칼슘차단제가 일차치료제로 이용되고 있지만, 단백뇨가 나오는 만성콩팥병 상태에서는 RAS 차단제들은 고려해야 하는데 신동맥협착증이 있는 경우가 문제가 될 수 있다.

3) 단백뇨 조절

(1) 이식 후 지속적인 단백뇨 흔한 원인으로는 만성 거부반응과 재발 사구체신염이다.

(2) mTOR 억제제도 유의한 단백뇨를 유발할 수 있다.

(3) 단백뇨는 콩팥손상 진행의 표지자일 뿐만 아니라, 그 원인에 관계없이 이식신 소실의 중요한 위험요인이다. 즉, 단백뇨는 사구체경화증과 IFTA를 유발할 수 있고, 사이질의 수지상세포를 활성화시켜 거부반응을 촉진할 수도 있다.

(4) RAS 차단제는 단백뇨 억제 효능뿐만 아니라 염증과 섬유화 억제 효능을 통해서도 이식신 보호에 기여할 수 있다.

4) 고지혈증 조절

(1) 고지혈증은 신장이식 환자의 60%에서 발견되는데, 체중 증가, 스테로이드나 mTOR 억제제 등이 원인이 될 수 있다.

(2) 저밀도 콜레스테롤(LDL)을 낮추는데 스타틴(statin)과 에제티밉(ezetimib)이 사용된다. 특히 스타틴은 지질강하 외에도 내피세포와 섬유화에 대한 영향을 통해 신장 보호효과를 나타낼 수 있다. ALERT 연구결과 fluvastatin은 심장사와 비치명적 심근경색 발생률을 낮추었지만, 이식신 생존율을 향상시키지는 못하였다.

5) 공여 장기와 배분에 대한 적절한 조치

(1) IRI를 줄이기 위해 허혈시간을 줄이고, 기계관류(machine perfusion)을 시도할 수 있다.

(2) HLA epilet 적합도를 높일 수 있게 공여자-수혜자 배정을 하고, 노령의 공여자 신장은 노령의 수혜자에

게 배정하는 원칙을 세워볼 수 있다.

6) 생활습관 교정

금연, 운동, 혈당 조절 등 일반적인 건강 지침도 이식신 생존율 연장에 도움을 줄 수 있다. 예를 들어, 42%의 환자들이 이식 수술 당시 흡연을 하고 있고, 이식 후에도 12% 환자들은 흡연을 지속하기 때문에 지속적인 금연 교육 등 생활습관 교정이 필요하다.

7) 복약 순응도 개선

(1) 이식신 생존율 저하의 중요한 위험요인인 이식 후 불순응도 수준은 22~48%에 이른다.

(2) 복약 순응도가 낮은 원인은 약의 부작용, 다른 원인에 의한 스트레스, 경제적 문제 등 다양하게 있을 수 있는데, 이에 대한 적절한 조치를 통해 복약 순응도를 높이는 것이 중요하다.

▶ 참고문헌

- Bohmig GA, et al: The therapeutic challenge of late antibody-mediated kidney allograft rejection. Transplant Int 32:775–788, 2019.
- Loupy A, et al: The Banff 2019 kidney meeting report(I): update on and clarification of criteria for T cell– and antibody–mediated rejection. Am J Transplant 20:2318–2331, 2020.
- Riella LV, et al: Chronic allograft injury: mechanisms and potential treatment targets. Transplant Rev 31:1–9, 2017.
- Schinstock CA, et al: Recommended treatment for antibody–mediated rejection after kidney transplantation: The 2019 expert consensus from the transplantation society working group. Transplantation 104:911–922, 2020.
- Sellares J, et al. Understanding the causes of kidney transplant failure: the dominant role of antibody–mediated rejection and non-adherence. Am J Transplant 12:388–399, 2012.

허규하 (연세의대 외과)

CHAPTER 12
신장이식 후 외과적 합병증

KEY POINTS

- 신장이식 후 외과적 합병증 발생률은 다른 복부장기 이식과 비교 시 낮지만 조기에 발견하여 적절한 조치를 취하는 것이 이식 신장 소실 또는 환자 사망의 위험을 줄일 수 있다.
- 신장이식 후 발생할 수 있는 대표적인 외과적 합병증은 혈관 및 림프계 합병증이다.

신장이식 수술은 말기신부전 환자의 치료로서 널리 시행되고 있는 수술이다. 신장이식 후 외과적 합병증 발생률은 5~10%로 다른 복부장기 이식과 비교 시에 낮다. 하지만 신장이식 후 외과적 합병증을 조기에 발견하여 적절한 조치를 취하지 않으면 이식신장의 소실 또는 드물게 환자 사망의 결과를 초래할 수 있다.

신장이식 술기는 과거와 크게 변하지 않았다. 공여신장을 복막 외 접근으로 수여자의 우하복부 또는 좌하복부에 위치시킨다. 드물게 다낭성신장(polycystic kidney) 적출술 또는 다장기 이식시에 정중앙으로 개복하여서 복강내 접근으로 수술하기도 한다. 최근 일부 기관에서는 로봇시스템을 이용하여 최소침습수술을 시행하고 있다.

신장이식 후 발생할 수 있는 외과적 합병증을 크게 혈관 및 림프계 합병증과 요관 합병증으로 나누어 보고자 한다.

혈관 및 림프계 합병증

1. 출혈(Hemorrhage)

신장이식 후 출혈로 인하여 초기에 재개복을 하는 경우가 드물게 발생할 수 있다. 임상양상, 혈액검사, 복부 초음파 또는 복부 CT 소견 등을 종합하여 출혈을 진단할 수 있다.

재개복의 적응증은 출혈에 의한 불안정한 활력징후, 혈종에 의한 심한 복부 통증, 이식신장의 기능저하, 혈액검사에서 헤모글로빈 하락으로 지속적인 수혈이 요구되는 상황 등이다.

2. 이식 신동맥 협착(Transplant renal aretery stenosis, TRAS)

이식 신동맥 협착은 신장이식 후 발생할 수 있는 혈관

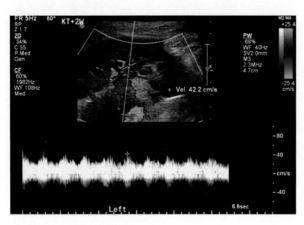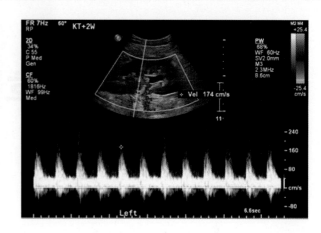

그림 15-12-1. 컬러도플러 초음파 검사

신동맥의 peak systolic velocity (PSV)는 174 cm/sec이나 신장에 가까운 쪽으로 이동하면서 와류가 발생하고 PSV가 42.2 cm/sec으로 감소하여 신동맥 협착 소견이 보인다.

계 합병증 중에서 가장 흔한 경우이다. 주로 신동맥 문합부에서 호발한다. 발생빈도는 1~10%이며 주로는 신장이식 후 3개월~2년 시점에서 발생한다. 신장적출 또는 신장이식 중에 술기적인 문제, 공여신장 동맥의 동맥경화, 거대세포바이러스(cytomegalovirus) 감염, 이식신장 기능지연(delayed graft function) 등 여러 가지 원인에 의하여 발생할 수 있다.

1) 진단

(1) 증상

조절되지 않는 고혈압, 신기능 저하, 체액 저류에 의한 울혈성 심부전, 하지부종 등의 증상이 나타날 수 있다.

(2) 컬러도플러 초음파검사(Color doppler ultrasonography, CDUS)

도플러 초음파 검사는 혈관조영술에 비하여 비침습적인 검사라는 장점이 있어서 신장이식 환자의 정기적인 검사를 위해 많이 사용되고 있다. 이식 신동맥 협착을 진단하기 위해서는 신장 외부에서 측정하는 방법과 내부에서 측정하는 방법으로 나누어 볼 수 있다. 신장 외부에서는 좁아진 신동맥의 최고 수축기 혈류 속도(peak systolic veloci-

ty, PSV)를 측정하는 방법이 있으며 PSV가 2.5 m/sec 이상 되는 경우 혈역학적으로 유의한 협착이라고 할 수 있다. 이 외에도 협착 이후의 와류(turbulence)현상과 파형이 넓어지는 양상이 진단에 도움이 될 수 있다. 하지만 이 방법은 시술자에 따라 결과의 차이가 발생할 수 있다는 단점이 있다(그림 15-12-1).

신장 내부에서 측정하는 방법은 시술자 의존도가 좀 더 낮은 방법이다. 신장 내부 혈관에서 초기 수축기 최고점 파형이 낮고 지연되는 양상이 parvus-tardus 형태를 보이면서 저항 지수(resistive index, RI)가 0.5 이하인 경우에

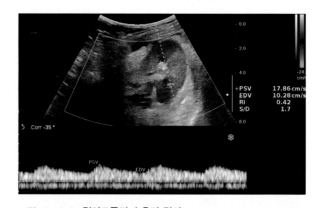

그림 15-12-2. 컬러도플러 초음파 검사

신장 내 혈관의 초음파 소견으로 resistant index가 0.42이며 파형은 parvus-tardus 형태를 보인다.

서 진단할 수 있다. 하지만 이 방법은 특이적이나 민감도가 낮고 75% 이상의 심한 협착상황에서 진단 가능하며 협착부위를 찾기는 어려운 단점이 있다(그림 15-12-2).

(3) 혈관조영술(Contrast angiography)

혈관조영술은 신동맥 협착 진단을 위한 gold standard 방법이다. 협착부위를 정확히 알 수 있으며 협착부위 전후로 압력차를 확인할 수 있다. 또한 진단과 동시에 시술을 할 수 있는 장점이 있다. 단점으로는 침습적인 검사 방법이며 조영제 사용에 의한 이식신에 손상을 줄 수가 있다. 진단을 위한 비침습적인 방법으로 CT angiography를 시행할 수 있으며 혈관조영술에 비하여 적은 양의 조영제를 사용할 수 있다(그림 15-12-3).

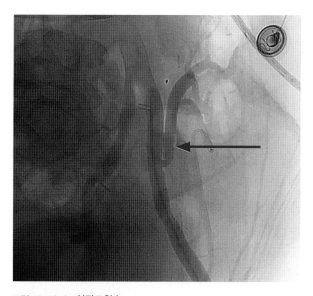

그림 15-12-3. 혈관조영술

좌측에 신장이식을 받은 환자로 accessory renal artery를 main renal artery 측면에 문합하였고 문합부의 협착 소견이 보인다(화살표).

2) 치료

신장 외부 도플러 초음파 검사에서 60% 미만의 협착이 있으나 신기능이 잘 유지되고 혈압 조절이 되는 환자는 정기적으로 도플러 초음파 검사를 시행하며 경과관찰 할 수 있으나 그렇지 않은 경우에는 아래와 같은 추가적인 조치가 필요하다.

(1) 혈관중재술(Angioplasty and stenting)

경피 경관 혈관중재술(percutaneous transluminal angioplasty, PTA)은 이식 신동맥 협착의 치료로서 먼저 시행된다. 시술 성공률은 80% 이상이며 시술 후 재협착 비율은 10~60%로 보고되고 있다.

(2) 수술적인 치료

신동맥 협착의 수술적 치료는 어려운 수술로 알려져 있으며 5~20%에서 이식신 소실을 초래할 수 있다. 협착된 신동맥으로의 접근이 어렵고 재문합이 가능한 동맥의 상태를 확인할 수 없으며 수술이 진행되는 경우 이식신이 온허혈(warm ischemia) 상태에 노출될 수도 있어 가능한 마지막에 선택하는 치료 방법으로 남겨두어야 한다.

2. 이식 신동맥 혈전(Transplant renal artery thrombosis)

신장이식 후 자연적인 신동맥 혈전(spontaneous thrombosis)은 1% 이하로 드물게 발생한다. 주로는 동맥 꺽임 또는 꼬임, 동맥의 내막박리(intimal dissection) 등의 수술적인 문제로 발생한다. 심박출량 감소, 저혈압, 혈관내 볼륨부족 등이 기여인자로 작용한다. 신장은 견딜 수 있는 온허열 시간이 30~60분으로 짧다. 따라서 신동맥 혈전이 의심되어 바로 수술적인 치료를 하지 않으면 신장을 잃기가 쉽다.

3. 이식 신정맥 혈전(Transplant renal vein thrombosis)

이식 신정맥의 혈전은 약 6%에서 발생한다. 임상증상은 급격한 소변량 감소, 육안적 혈뇨, 이식 부위 통증 등을 보이며 도플러 초음파에서 이식신장의 팽창, cortex의 파열 소견이 관찰될 수 있다.

신장정맥 문합부위의 협착, 신정맥의 길이가 짧아서 문합시 tension이 걸림, 신정맥의 눌림, 꼬임 등의 수술적인 문제가 주요 원인이다. 생체공여자 신장 적출 시 특히 우측의 신장일 경우에 신장정맥이 짧게 나올 수 있다. 따라서 이러한 경우에 원활한 신장정맥 문합을 위하여 수여자의 내장골정맥(internal iliac vein)과 gluteal vein을 결찰하고 분리하여 외장골정맥(external iliac vein)을 충분히 들어올린다. 필요시 냉동 보관된 정맥(cryopreserved vein)을 이용하여 신정맥 길이를 늘릴 수 있다. 뇌사공여자의 우측 신장을 사용할 경우에는 우측 신정맥에 연결된 하대정맥을 사용하여 충분한 길이를 확보할 수 있다. 이러한 조치를 시행함으로써 신장정맥의 자연스러운 혈류 흐름이 유지되어 혈전 발생을 예방할 수 있다.

급성으로 발생한 이식 신정맥 혈전의 수술적인 교정은 매우 어려우나, 이식 직후에 발견된다면 창상을 다시 열어 신정맥을 곧게 펴지게 함으로써 호전될 수도 있으며, 이식 신장을 복강 내에 위치시킴으로써 재발을 방지할 수 있다. 혈관의 재문합이 필요한 경우에는 이식한 신장을 다시 떼어 보존액으로 냉관류하여 다시 재문합을 시도할 수 있다. 이식 수술 초기가 지난 뒤에 발견되는 신정맥 혈전은 장골정맥의 혈전이 신정맥에 파급되어 나타난 경우가 많으며 이때에는 유로키나제 치료와 항응고제 치료를 하며 하대정맥내 필터 삽입이 필요하다.

4. 이식 신장의 꼬임(Torsion)

다낭성신장(polycystic kidney)을 동시에 절제하고 신장 이식을 하는 경우, 신췌장 동시 이식을 하는 경우 이식 신장을 복강 내에 위치시킬 때, 신정맥과 신동맥이 길면, 정맥과 동맥을 축으로 이식신장이 회전하는 경우가 드물게 있다. 이러한 경우 혈관이 꼬이며 동맥 및 정맥의 혈류가 차단되어 이식신은 허혈성 손상을 받게 된다. 따라서 빠른 시간 내에 교정해야만 신장을 살릴 수 있다. 복강 내 신장 이식 수술 후 초기에 신장기능이 좋아 소변이 잘 나오다가 급격히 소변이 안 나오는 경우에는 도뇨관 내의 혈전(clot)에 의한 폐색 외에 이식신장의 꼬임을 임상적으로 의심을 하는 것이 매우 중요하다, 이럴 경우에는 응급으로 창상을 열고 신장의 회전으로 꼬인 혈관을 풀어 주어야 한다. 재발을 방지하기 위해 복막을 박리하여 신장을 복막의 뒤에

위치시켜 고정하는 것이 좋다.

5. 림프류(Lymphocele)

림프류는 수술 후에 비상피화(non-epithelialized) 공간에 림프액이 고이는 것을 말한다. 주로는 장골동맥 또는 정맥을 박리하는 과정에서 림프관이 열려서 림프액이 유출되어 발생한다.

신장이식 후 0.6~16%에서 다양한 빈도로 보고되고 있다. 정기적인 초음파 검사를 시행하고 면역억제제제로서 mTOR inhibitor를 사용하는 경우에 발견되는 빈도가 증가하고 있다. 대부분의 림프류는 무증상이고 무해하나 림프류가 이식신장을 누르면서 신기능이 저하되거나 감염되었을 경우에는 추가적인 조치가 필요하다.

1) 진단

(1) 증상

100 mL 미만의 림프류는 대부분 증상을 나타내지 않고 이식수술 후 정기적으로 시행하는 초음파 검사에서 발견되는 경우가 많다. 큰 림프류의 경우에는 주변 장기를 압박하여 증상을 나타내는데 이는 수술 후 1주에서 1개월 사이에서 가장 많이 보고되고 있다. 방광 압박에 의한 빈뇨가 발생할 수 있으며 요관 압박에 의한 신기능 저하 소견을 보일 수 있다. 이는 특히 요관스텐트를 삽입한 환자에서 스텐트를 제거한 직후 발견될 수 있다. 감염된 상처로의 피부 림프루(lymphocutaneous fistula)가 발생할 수 있고 드물게는 장골정맥을 압박하여 심부정맥 혈전증(deep vein thrombosis)이 발생할 수도 있다.

(2) 진단

도플러 초음파 검사는 초기 진단에 핵심적인 방법으로 음영의 균질성과 모양, 위치 등의 특징으로 혈종과 구분이 가능하다. 대부분의 림프류는 방광의 주변에 있으며 방광과는 확실히 떨어져 있다. 또한 다방성(multilocular)이거나 다발성(multiple)일 수 있다. 요관의 압박에 의한 수신

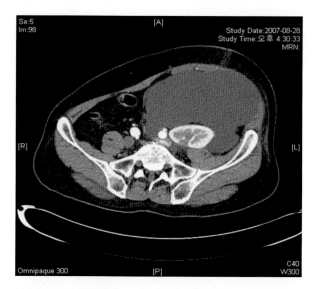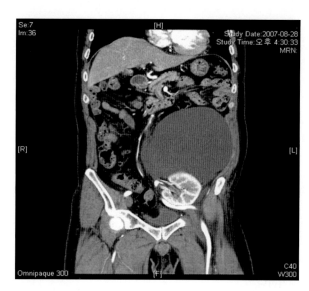

그림 15-12-4. 림프류

면역억제제로 mTOR inhibitor를 복용하였던 환자로 복부 CT에서 이식신장 주변에 림프류가 관찰된다.

증(hydronephrosis)의 소견이 보일 수도 있다. 추가적으로 CT 검사를 시행하여 림프류의 위치, 크기, 인접 장기와의 관계 등을 확인할 수 있다(그림 15-12-4).

2) 치료

(1) 보존적 치료

증상이 없고 소량의 림프류인 경우는 대부분 흡수되어 사라지므로 특별한 처치없이 경과를 관찰할 수 있다.

(2) 외부 배액(External drainage)

다량의 림프액이 고여 있거나 요관 압박 등의 증상이 있는 경우 림프류의 배액이 필요하다. 단순 경피적 흡인(simple percutaneous aspiration)은 증상 호전에 도움이 되지만 반복적인 시술이 필요할 수 있으며 재발의 가능성이 높다. 장기적인 경피배액관(percutaneous drainage)을 통한 배액은 외래 환자에게 사용할 수 있는 처치법이나 배액을 중단하기까지 오랜 기간이 걸릴 수 있으며 이 기간 동안 감염 발생의 위험성이 있다.

(3) 내부 배액(Internal drainage)

개창술(fenestration)은 이식신의 내측 또는 전면의 복막을 열어 후복막에 위치한 림프류를 복강 내로 배액 하는 방법으로 림프류의 위치에 따라 개복술, 복강경술 모두 가능하며 복강경을 이용한 최소침습 수술이 주로 시행되고 있다. 재발을 막기 위해서 직경 5 cm 크기의 개구부(opening), 경계부의 봉합 등의 방법이 제시되고 있다. 이식 수술 중에 림프류 예방을 목적으로 개창술을 시행하는 것은 소장의 탈장(small bowel herniation) 위험이 있어서 추천되지 않는다.

요관 합병증

1. 요누출(Urine leaks)

요관의 요누출은 신장이식 후 1~3%에서 보고되고 있으며 주된 원인은 수술 오류(surgical error)와 요관 허혈(ureteral ischemia)에 의한 요관 괴사(urteral necrosis)이다. 드물게 방광출구의 폐쇄도 원인이 될 수 있다. 수술 오류가 원인인 경우 요누출은 수술 후 24시간 이내에 주로 발생하고 요관 허혈에 의한 경우는 주로 수술 후 2주 이내에 발생한다. 하지만 이식신 기능지연(delayed graft function) 경우에는 소변이 나올 때까지 늦게 진단될 수 있다.

오랜기간 투석하면서 방광의 위축으로 인한 작은 용적의 방광(50~100 mL 이하)에 요관방광문합술(ureteroneo-cystostomy)을 시행하거나 방광의 점막이 매우 얇고 약해 요누출의 위험이 있다고 판단되는 경우에 요관 스텐트(ureteral stent)를 미리 거치하는 것도 좋은 방법일 수 있다. 센터에 따라서는 요누출의 발생을 줄이기 위해 수술 중에 요관 스텐트를 항상 거치하고 수술 후 2~6주 시점에 제거한다.

1) 진단

(1) 임상증상

소변양이 갑자기 감소하거나 소실되고 배액관의 배액이 늘거나 수술상처 부위로 배액이 증가하게 되는 경우 요누출을 의심할 수 있다. 체액의 creatinine 수치를 확인하고 혈청 creatinine 수치와 비교하여 진단할 수 있다. 체액 저류가 새로이 확인되는 경우에 반드시 흡인하여 체액의 creatinine 검사를 시행하여야 한다. 그 외 복통, 발열, 혈청 creatinine 상승 등의 소견이 발생할 수 있다.

(2) 영상검사

신장스캔 검사에서 tracer가 요관 외로 유출되는 것을 확인할 수 있으며 방광조영술(cystogram) 또는 신조영술(nephrostogram)로 요관방광문합부의 유출을 확인할 수 있다(그림 15-12-5). 초음파 또는 CT scan으로 체액 저류를 확인할 수 있으나 그 원인을 감별하기는 어렵다.

2) 치료

(1) 비수술적 치료

요관이 전체적으로 괴사된 경우를 제외하고는 요관방광문합 부위의 소량의 요누출인 경우 대부분 도뇨관(foley

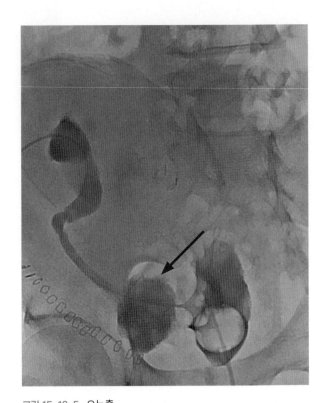

그림 15-12-5. 요누출

경피적 신조영술(percutaneous antegrade nephrostogram)에서 원위부 요관의 요누출 소견이 보인다(화살표).

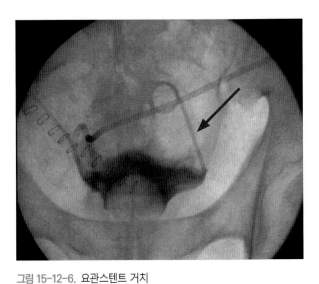

그림 15-12-6. 요관스텐트 거치

원위부 요관의 요누출을 보인 환자에게 요관스텐트(double-J stent)를 거치하였다(화살표).

catheter)을 넣어서 방광을 감압하고 요관 스텐트를 삽입하여 2주 이상 유지하는 것으로 치유가 가능하다. 경피적 신루설치술 및 요관 스텐트 설치술(percutaneous neph-rostomy with antegrade stent placement)을 시행하기도 한다(그림 15-12-6).

(2) 수술적 치료

요관이 전체적으로 괴사된 경우나 비수술적 치료가 실패한 경우에는 수술적 치료가 필요하다. 요관괴사 또는 요누출의 위치에 따라서 원위부인 경우에는 요관방광문합술(ureteroneocystostomy), 근위부인 경우에는 수여자의 요관을 이용한 요관요관문합술(ureterouretrostomy) 또는 신우요관문합술(pyeloureterostomy)을 시행할 수 있다. 요관방광문합술을 시행하는 경우 문합 부위에 장력이 없도록(tension free) 하는 것이 중요하며 요누출로 인하여 요관 및 주변 조직의 염증반응과 부종이 동반되어 있으므로 요관 스텐트를 넣어야 한다. 요관의 길이가 충분히 길지 않은 경우는 Psoas hitch법 또는 Boari flap법을 이용해서 방광벽을 성형하여 수술을 시행할 수도 있다.

(3) 예방

공여신장 적출 및 bench operation시에 요관의 혈행을 최대한 보존해야 한다. 특히 신문부(renal hilum), 신장하부와 요관 주변의 지방을 박리시에 요관에 혈류를 공급하는 작은 혈관에 손상을 주면 요관 허혈이 발생할 수 있으므로 주의하여야 한다.

공여신장의 신동맥이 2개 이상인 경우에 신문부 또는 신장하부로 주행하는 accessory renal artery는 반드시 문합하여야 요관 허혈의 발생 위험을 줄일 수 있다.

수여자가 장기간 투석하면서 방광의 위축으로 인한 작은 용적의 방광(50~100 mL 이하)에 요관방광문합술(ure-teroneocystostomy)을 시행하거나 방광의 점막이 매우 얇고 약해 요누출의 위험이 있다고 판단되는 경우에 요관 스텐트를 미리 거치하는 것도 좋은 방법일 수 있다. 센터에 따라서는 요누출의 발생을 줄이기 위해 수술 중에 요관 스텐트를 항상 거치하고 수술 후 2~6주 시점에 제거한다.

2. 요관폐쇄(Ureteral obstruction), 요관협착 (Ureteral stenosis)

요관폐쇄, 요관협착은 약 3~10 %에서 발생하며 신장이식 술 후 발생하는 요로계 합병증 중에서 가장 흔하다. 요관 원위부, 특히 요관방광문합 부위에서 많이 발생한다. 이식 후 초기에(수술 후 1~2주 뒤) 발생하는 요관폐쇄는 수술적 오류에 의한 요관방광문합 부위가 좁아짐, 꼬임 등이 원인일 수 있다. 그 외 혈뇨에 의한 혈전, 림프류 등이 요관폐쇄를 유발할 수 있다.

이식 후 수개월, 또는 수년 후에 발생하는 요관협착은 만성허혈이 주 원인이다. 요관주변의 지방조직을 과도하게 박리하는 과정에서 혈관손상, 거부반응, 장기적인 면역억제제 복용 등이 허혈을 유발할 수 있다.

1) 진단

초음파에서 수신증(hydronephrosis) 또는 수뇨증

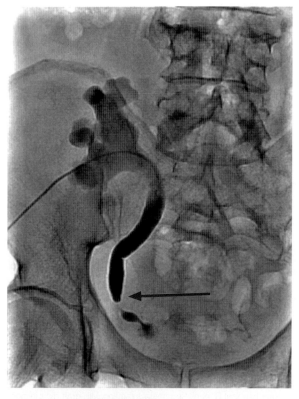

그림 15-12-7. 요관방광문합부 협착
경피적 신조영술에서 요관방광문합부의 협착 소견이 보인다. (화살표)

(hydroureter)을 확인함으로써 요관협착 또는 요로폐쇄를 의심할 수 있다. 핵의학 영상검사(DTPA 또는 MAG3 scan)를 통해서 정상적인 신장 실질의 관류를 보이면서도 신배 및 요로에서의 지연된 배출을 확인함으로써 진단할 수 있다. 또는 경피적 신조영술(percutanoeus antegrade nephrostogram)을 시행하여 진단한다(그림 15-12-7).

2) 치료

일반적으로 요관방광문합 부위의 협착 또는 요관협착에 의한 폐쇄는 신조영술로 협착 또는 폐쇄 부위를 확인하고 경피적 신루설치술(percutanoeus nephrostomy)을 시행하면서 풍선확장술(balloon dilatation) 또는 요관 스텐트 삽입을 시도한다. 이러한 시술의 성공률은 50~65%로 보고되고 있다. 그러나 협착부위가 광범위하거나 협착이 반복되어 재발하는 경우, 장기간 요관 스텐트를 유지해야 하는 경우에는 수술적 치료를 해야 한다. 수술적 치료 방법은 요누출의 경우와 동일하다.

▶ 참고문헌

- Adani GL, et al: Treatment of recurrent symptomatic lymphocele after kidney transplantation with intraperitoneal Tenckhoff catheter. Urology 70:659–661, 2007.
- Akbar SA, et al: Complications of renal transplantation. Radiographics 25:1335–1356, 2005.
- Benoit G, et al: Transplant renal artery stenosis: experience and comparative results between surgery and angioplasty. Transpl Int 3:137–140, 1990.
- Bruno S, et al: Transplant renal artery stenosis. J Am Soc Nephrol 15:134–141, 2004.
- Bry J, et al: Treatment of recurrent lymphoceles following renal transplantation. Remarsupialization with omentorplasty. Transplantation 49:477–480, 1990.
- Danovitch GM: Handbook of Kidney Transplantation. 5th ed. Lippincott Williams & Wilkins, 2009.
- Humar B, et al: Surgical complications after kidney transplantation. Semin Dial 18:505–510, 2005.
- Kanchanabat B, et al: Segmental infarction with graft dysfunction: an emerging syndrome in renal transplantation? Nephrol Dial Transplant 17:123–128, 2002.
- Kobayashi K, et al: Interventional radiologic management of renal transplant dysfunction: indications, limitations, and technical considerations. Radiographics 27:1109–1130, 2007.
- Mangus RS, et al: Stented versus non stented extravesical ureteroneocystostomy in renal transplantation: a meta analysis. Am J Transplant 4:1889–1896, 2004.
- Morris PJ, et al: Kidney Transplantation. Principles and Practice. 7th ed. Elsevier Saunders, 2014.
- Pollak R, et al: The natural history of and therapy for perirenal fluid collections following renal transplantation. J Urol 140:716–720, 1988.
- Streeter EH, et al: The urological complications of renal transplantation: a series of 1535 patients. BJU Int 90:627–634, 2002.

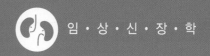

CHAPTER

13 신장이식 후 감염질환

김중경 (봉생병원)

KEY POINTS

- 신장이식 후 6개월 또는 1년까지 Pneumocystis jiroveci 감염 예방을 위해 trimethoprim-sulfamethozaxole의 예방적 투여를 권장한다.

- 거대세포바이러스(CMV) 감염 차단을 위해 이식 후 CMV PCR 또는 pp65 antigen 검사를 주기적으로 실시하여 혈액 정량 검사에서 양성이 나오면 예방적 치료를 한다.

- BK 바이러스 감염증과 거부 반응의 감별을 위해 혈청, 소변의 BK 바이러스 농도 측정을 주기적으로 할 것을 권장한다.

- 이식 전 6주 내에 또는 이식 후 6개월 동안에는 예방접종을 하지 않는 것이 권장된다. 이식 후 6개월 이후라도 생백신은 금기이다.

장기수혜자의 생존율과 이식편 생존율은 수술 방법의발전과 더불어 효력이 있는 면역억제제의 사용으로 향상되고 있다. 그러나 여전히 이식 후 감염질환은 이식 후의 유병률과 사망률에 관여하고 있다. 이식 후의 세균성, 바이러스성, 기회 감염에 대한 예방적 항생제를 사용함에도 불구하고, 신장이식 후의 심혈관질환에 이어 감염성 질환은 두 번째로 많은 사망의 원인이다. 가장 흔한 원인은 박테리아성이고 그 뒤를 바이러스성, 진균성 감염이 뒤를 따른다. 기생충 감염은 드물다. 거대세포바이러스(cytomegalo-virus, CMV)와 단순헤르페스 바이러스(herpessimplex virus, HSV)에 의한 감염은 1990년대 이후로 적절한 항바이러스성 예방 치료 후에 현저하게 감소하였으나, 강력한 면역 억제제가 출현한 이후 BK virus로 인한 이식 후 신병증은 이식신 소실의 원인으로 등장하였다.

1. 이식 시 감염

드물지만, 혈액 중의 감염 또는 신장의 감염이 기증된 신장을 통해 전달된다. 여기에는 바이러스성 감염(인간 면역 결핍 바이러스(human immunodeficiency virus, HIV), HBV, HCV, CMV, BK virus 등)과 기생충 감염(malaria, Babesia), 세균성 감염(진단이 안 된 균혈증과 신장 감염)이 포함된다.

2. 이식 후 1개월

이식 후 1개월까지의 감염은 대부분 병원에서 기인한 세균과 칸디다에 의해 발생한다. HSV를 제외한 바이러스성감염은 이 시기에는 드물다. 대부분의 수술 과정과 유사하게 세균성 감염은 상처 및 카테터 위치와 관련되어 있다.상처 주변의 혈종, 림프류(lymphocele), 소변 누출 등에 의한 원인과 또는 요관의 구조 이상이나 방광요관역류, 신경인성 방광과 같은 이차성 요로계 이상에 의한 요로감염 등이 신장 수혜자에게 발생할 수 있다. 대부분의 요로감염은 그람음성감염(*Escherichia coli, Enterobacteriaceae* and *Pseudomonas*)와 그람양성감염(*enterococcus*)에 의해 발생한다. 요로감염을 예방하는 방법으로는 요도카테터의 조기 제거와 예방적 항생제요법이 있다. 이식 후 3개월 동안의 trimethoprim-sulfamethozaxole이나 ciprofloxacin예방 치료는 요로감염의 빈도를 10% 미만으로 유효하게 감소시키고, 해부학적으로나 기능적인 요로계 이상이 없는 경우에는 요로계 감염에 의한 패혈증을 예방한다. 다약제 내성인 미생물에 의한 감염이 최근 이식 후 유병률과 사망률을 높이는 것으로 알려져 있다. 이에 일부센터에서는 예방적 항생제의 일상적인 사용은 더 이상 추천하지 않는다. 비록 엄격한 수술간의 무균적인 방법과 수술 전후의 1세대 세팔로스포린계 항생제의 사용으로 창상 감염을 줄였지만 감염증은 여전히 관찰되며, 특히 당뇨병이 있거나 비만이 동반된 경우에 흔하다. 예방적 항생제의 적절한 사용은 이러한 항생제로 유발되는 *C. difficile* 감염의 발생률을 낮출 수 있다. 반면 대부분의 수술 후 한달 뒤에 발생하는 감염은 일반적인 세균성 감염인데, 간혹드물게 병원에서 *Legionella*에 의한 병원 수질 오염으로 발생할 수 있다.

3. 이식 후 1~6개월

이식 후 1개월에서 6개월 사이에는 면역억제제로 인한기회감염이 대부분이다. CMV, HSV, varicella-zostervirus (VZV), Epstein-Barr virus (EBV), HBV, HCV 등의 바이러스 감염인데, 이는 외인성 감염이거나 또는 면역억제

상태에 의한 잠복 감염의 재활성에 의해서 발생한다. 반복되는 항생제와 스테로이드의 사용이 진균성 감염의 위험을 증가하게 하며, 반면 바이러스 감염은 면역억제제의 사용뿐만 아니라 추가적인 면역력의 이상으로 기회감염의 위험도를 높이게 되어 발생한다. 기회 감염은 *Aspergillus* 종, *Pneumocystis jiroveci, Listeriamonocytogens*, Nocardia종, *Toxoplasma gondii* 등이 발생한다. Trimethoprim-sulfamethozaxole 예방적 치료는 *Pneumocystis* 폐렴, *L. monocytogenes* 뇌막염, *Nocardia* 감염, *T. gondii* 감염을 없애거나 감소시킨다.

4. 이식 6개월 후

이식 후 6개월 뒤는 환자의 상태에 따라 감염의 위험도가 분류된다. 첫 번째 분류는 대부분의 이식 수혜자(대략 환자의 70~80%)로, 이식신의 기능은 만족스럽거나 좋은 상태로, 상대적으로 적은 면역억제제를 사용하며, 만성 바이러스성 감염의 과거력이 없다. 이러한 환자들의 감염 위험도는 일반적인 인구와 비슷하며, 일반 사회에서 발생한 호흡기 바이러스가 대부분의 감염원이 된다. 환경적인 노출이 발생하지 않으면 기회 감염은 드물다. 두 번째 그룹(대략 환자의 10%)은 HBV, HCV, CMV, EBV, BK virus,papillomavirus 등의 만성 바이러스성 감염을 가지고 있다. 면역 억제제의 사용에 따라, 바이러스 감염은 진행성간질환이나 간경화(HBV, HCV), BK 신증(BK virus), post-transplantation lymphoproliferative disease(EBV), 편평 세포암(papillomavirus)을 일으킬 수 있다. 세 번째 그룹(대략 환자의 10%)은 반복적인 강한 면역 억제제 사용을 필요로 하는 많은 횟수의 거부 반응을 경험한 환자를 포함한다. 이러한 환자들은 만성 바이러스성 감염의 빈도가 잦고, 기회감염 균주와의 중복감염도 흔하다. 원인이 되는 균은 *P. jiroveci, L. monocytogenes, Nocardia asteroides, Cryptococcus neoformans*와 지질학적으로 제한된 진균증 등이다. 이러한 고위험군 환자에게 trimethoprim-sulfamethozaxole를 예방적 치료의 목적으로 투여해야 한다. 평생 동안의 항진균제 투여와환경적인 접촉(일차적으

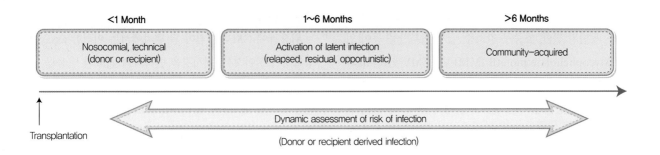

그림 15-13-1. 이식 후 시간대별 감염

로 비둘기를 피하고, 건설 현장을 피하는 것 등)을 최소화하는 것을 고려해야 한다.

5. 최근에 인지된 바이러스 감염

최근에는 몇몇 흔하지 않은 바이러스 감염이 이식 초기와 후기에 보고되었다. 이식 후 초기에는 기증자에게서 전파된 바이러스 감염의 발병, Lymphocytic choriomeningitis와 West Nile virus 같은 병이 보고되었다. Lymphocytic choriomeningitis는 이식 후 4주 내에 발생하며, 사망률이 90% 이상이다. 이식 후기에는 백신으로 예방이 가능한 홍역, 볼거리와 같은 일반 사회 관련된 바이러스에 의한 감염이 다시 관찰된다. 이러한 질환에는 항바이러스제가 대체로 효과가 없으며, 또한 고형장기이식 후에 백신을 투여하는 일반적인 지침에 따른다. 현재 주목받는 바이러스 감염은 adenovirus, human herpesvirus6, metapneumovirus, parainfluenza, respiratorysyncytial virus이다. 흥미롭게도 severe acute respiratorysyndrome (SARS)에 의한 보고가 일부 있다.

거대세포바이러스

CMV 감염은 혈청 음전 수혜자의 일차 감염(기증자 혈청 양성, 수혜자 혈청 음성), 잠복 감염의 재활성화(기증자 혈청 양성 혹은 음성, 수혜자 혈청 양성), 혈청 양성인 수혜자의 새로운 바이러스 변형에 의한 중복감염(기증자 혈청 양성, 수혜자 혈청 양성) 등을 보인다. 일차적인 CMV 감염은 일반적으로 재활성화나 중복감염보다 심한 임상양상을 나타낸다.

1. 임상 증상

CMV 감염은 증상이 없거나, 열과 백혈구 감소증이나 혈소판 감소증을 보이는 mononucleosis-like syndrome 또는 influenza-like illness, 또는 심한 전신적인 증상을 보인다. 간염, 식도염, 대장 궤양을 포함한 위장관염, 폐렴, 맥락망막염(망막 출혈과 연관된), 중이염 등이 발생 할 수 있다. 장으로 배수된 췌장 이식의 경우, 십이지장의 출혈성 궤양을 일으킬 수 있는 것으로 보고되었다. 대부분의 임상 증상은 이식 후 1~4개월 사이에 발생하지만, 맥락망막염은 예외적으로 그 이후에 발생한다. 정량적인 혈장 CMV assay는 침습적인 대장염이나 위염, 맥락 망막염을 포함한 신경계 질환을 가진 환자에서 음성을 보이는 경우가 많다. 이러한 경우 진단은 침습적인 방법이나 조직검사를 요한다.

2. 거대세포바이러스 감염의 위험 인자

공여자 및 수혜자의 혈청 양성 상태와 CMV-혈청 양성인 사람의 혈액 성분을 사용하는 것이 잘 알려진 위험인자이다. 그 외에 위험인자로는 antilymphocyte antibodies의 사용과, 전처치 또는 오랜 기간 antilymphocyte의 반복된 사용, 동반된 질환, 호중구 감소증, 급성 거부반응 등이 있다. Mycophenolate mofetil (MMF)는 CMV viremia와 CMV 감염을 증가시키는 원인으로, 특히 하루 3 g 이상 사용 시 위험성을 높이는 것으로 알려져 있다. 비록거부반응과 CMV 감염의 인과관계는 명확하지 않지만, 일부 연구에서는 염증 사이토카인 분비를 증가시키는 것이 원인으로 알려져 있다. 따라서 CMV 감염을 예방하는것은 거부 반응의 발생률을 낮출 수 있다.

3. 예방과 치료

예방적 치료는 이식 후에 바로 시작한다. Preemptive-therapy는 경과 관찰하는 동안에 시행한 CMV DNApolymerase chain reaction (PCR)이나 pp65 antigenemia등의 혈액 정량 검상에서 양성이 나왔을 때 치료하는 것을 의미한다. 전자는 CMV viremia를 찾는 데에 아주 높은 민감도와 특이도를 보인다. 후자의 검사는 CMVearly antigen (pp65)을 취한 비특이적인 혈중 호중구를 염색하여 확인하는 반정량적인 fluorescent assay이다.

여러 가지 예방적인 또는 preemptive 프로토콜이 개발되었다. 경구나 경정맥 ganciclovir와 경구 valganciclovir는일차성 CMV 감염이나 CMV 재활성화의 예방적 치료나 preemptive therapy에 더 좋은 결과를 보인다. 예방적 또는 preemptive therapy는 면역 억제제의 강도(예를 들어 antilymphocyte antibody therapy 사용 동안)와 기증자, 수혜자, 또는 둘 다의 혈청 양성 상태에 따라 결정된다. 기증자의 혈청 양성인 잠복 감염된 장기를 기증받은 혈청 음성인 사람은 일차 감염의 위험이 매우 커지고 심한 CMV 감염의 위험이 크다.

임상적인 CMV 감염은 경정맥 ganciclovir 투여와 MMF 중단과 같이 면역 억제제를 감량한다. 치료는 PCR이나 antigenemia를 통한 viremia가 소실 될 때까지 지속한다. 한 보고에서는 ganciclovir 치료와 함께 calcineurininhibitor (CNI)에서 sirolimus로 바꾸는 것이ganciclovir-저항성 CMV에 감염된 환자에게 도움이 될 것으로

보고하였다.

위장관에 CMV 감염이 된 환자에서는 이러한 assay가 정확성이 떨어져서, 내시경을 반복하여 치료의 반응을 결정하는 것이 꼭 필요하다. 일차 감염된 환자에서 치료의 반응이 느릴 때 CMV hyperimmune globulin이 효과적일 수 있다. 조직에 침습적인 병에 걸린 환자는 경정맥 ganciclovir가 효과적인 경우 추가적으로 3개월 간의 경구 ganciclovir나 valganciclovir 예방 치료로의 전환이 추천된다. 반면 경구 ganciclovir는 좋은 생체 이용률을 나타내고 가벼운 CMV 질환에 효과적으로 작용을 한다. 그러나 경정맥 ganciclovir가 필요한 진행된 CMV 질환에는 사용하지 않는다. Cidoclovir와 foscarnet은 대체적인 치료제이지만, 자체의 신독성과 calcineurin inhibitor와 함께 동반 상승하는 신독성으로 ganciclovir에 저항하는 균에서만 일부 사용이 된다.

칸디다 감염

칸디다(Candida) 감염은 이식 수혜자에게 흔하다. *Candida albicans*와 *Candida tropicalis*가 그 중 90%를 차지한다. 당뇨병과 고용량 스테로이드 치료, 광범위 항생제 치료가 구강 칸디다증, 식도염, 질염, 요로감염 등의 원인 인자가 될 수 있다. 피부감염은 nystatin과 국소적clotrimazole로 치료가 가능하다. 칸디다 요로감염은 fluconazole이나 voriconazole 또는 드물게 fluconazole에 저항성인 균종에 liposomal amphotericin이나 caspofungin이 치료로 사용된다. 가능하다면 방광 카테터나 요로 스텐트 등의 외부 물질은 제거를 해야 한다. 면역이 저하된 환자의 무증상의 칸디다뇨의 적절한 치료는여전히 확실하지 않지만, 짧은 기간(7~10일)의 fluconazole이 일반적으로 추천된다. 전신적인 항진균 치료는 Candida종이 혈액 배양에서 발견되면 시작한다.

BK 바이러스 감염

BK 바이러스는 어디에나 있는 인간 바이러스로, 일차 감염은 2~5세에서 주로 발생하고 전 세계적으로 성인의 60~90%에서 혈장 내 유병률을 보인다. 일차 감염 후에, 주로 비뇨 생식기내에서 잠복을 하게 되고, 면역억제제를 복용하면 재활성화 빈도가 높아진다. 신장이식 수혜자에게BK 바이러스는 viremia의 유무와 함께 무증상의 viuria, 요관 협착이나 폐쇄, 간질성신염, BK 신증 등의 다양한 임상 양상을 보이게 된다. 최근 십년 동안 BK 신증은 신장이식 후에 이식신 기능 저하의 중요한 원인으로 부상하였다. 대부분의 연구에서 신장이식 수혜자에서 30~40%에서 BK viruria가 진행되고, 10~20%에서 BK viremia, 2~5%에서 BK 신증으로 진행하는 것으로 알려졌다. BK viremia 발생의 위험상은 소변 내에 바이러스 양이 10^4 copies/mL 이상일 때 증가하고, 반면 BK viremia가 없는 경우에는 BK 신증은 흔하지 않다. BK 신증은 이식 후 1년 이내에 특별한 증상이 없이 혈청 크레아티닌의 상승으로 나타난다. 하지만, BK 신증은 이식 후 일주일 내에도 발생할 수 있으며, 6년 후에도 발생이 가능하다. 진단은 이식신 조직검사를 통해 이뤄지고, BK 바이러스 inclusion이 신장 요세관 세포의 핵에 보이거나 때로는 사구체 벽측 상피세포에 보일 때 확인이 된다. 사이질 단핵구성 염증의 정도는 다양한데, 급성 거부반응과 유사한 양상의 형질세포나 요세관의 퇴행성 변화, 부분적인 요세관염이 보일 수 있다. BK 감염과 급성 거부반응은 동시에 발생할 수도 있고, BK 감염과 급성 거부반응을 감별해야 할 수도 있으며, 함께 동반될 수 있어 진단이 쉽지 않다. 후기 BK 신증은, 특징적인 핵 내 inclusion을 관찰할 수 있으며, 조직학적인 변화가 만성 거부 반응과 감별이 된다. BK 신증의 조직학적 분류 시스템은 급성 염증의 정도, 급성 요세관 injury, 세관사이질 상처 등을 통해 예후를 결정하는데 중요한 역할을 한다. 소변 내에 decoy cell의 cytology와 viuria의 정량적인 상태, 혈액 내에 바이러스 양이 BK 신증을 진단하는 표지자이다.

치료 전략은 MMF의 감량이나 중단, azathioprine과 함께 CNI 치료의 점진적인 감량 또는 다른 면역 억제제의 사용 등의 면역억제제를 줄이는 것을 포함한다. 일부 연구에서 tacrolimus에서 사이클로스포린으로 변경이나 sirolimus로변경한 경우 BK 신증과 BK viuria, viremia를 호전시켰다고 보고하고 있다. CNI에서 sirolimus로 약제를 변경하는 것은 장기간의 CNI 치료로 인한 신독성을 피할 수 있는 추가적인 장점이 있다. 비록 확립된 치료 방법은 아니지만, 점차 신기능이 감소하는 환자에게 있어서 leflunomide, cidofovir, quinolones, 경정맥 면역 글로불린(Intravenous immunoglobulin, IVIG)이 도움이 될수 있다. 일부에서는 IVIG가 스테로이드 저항성 거부반응에 효과적이라고 알려졌고, 거부반응과 BK 신증이 동시에 있거나 조직 병리학적인 변화로 거부반응과 구분하기 힘든 경우에 치료로 사용될 수 있다고 한다.

치료에도 불구하고, 30~60%의 환자에서 BK 신증은 점차 진행하여 신기능을 감소하고 이식 신기능 소실에 이르게 한다. 첫 해에 PCR을 통한 소변과 혈액 내의 BK의 집중적인 관찰과 함께 면역 억제제의 선제적 감량으로 BK신증과 viremia를 치료할 수 있다. 바이러스 증식이 급진적으로 있지 않은 경우에는 BK 신증으로 인한 이식 신기능 상실된 환자에서 안전하게 재이식으로 진행할 수 있다. 이식 후에 적극적인 BK 바이러스의 재활성화에 대한 조사를 추천한다.

결핵 감염

결핵 감염은 이식 수혜자에서 일반 인구와 비교하여 다양한 유병률을 나타낸다. 대부분의 결핵 감염은 이식 수혜자의 면역억제제 복용으로 인한 비활성화 병변에서의 재활성화에 의한다. 한편 모든 신장이식 대기자는 이식 전에 PPD skin test (tuberculin skin test)를 반드시 시행한다. 양성 피부 반응이 있거나, 예전 tuberculosis mandates의 과거력이 있는 경우 활동성 질환을 배제하기 위한추가 검사가 필요하다. Isoniazid 예방 치료가 이러한 피부양성인 경우에 9개월간 추천된다. 흥미롭게도, 이식 후에 결핵감염이 발생하는 많은 수의 환자에서 이식 전 PPD 피부 검사가 음성으로 나타난다. 일부 센터에서는 PPD-음성 환자에게 있어서 선택적인 isoniazid 예방치료를 시행하는데, ① 이전에 결핵의 적절한 치료가 되지 못했을 때, ② 방사선적으로 육아종성 질환의 증거가 있고 치료가 충분하지 않았을 때, ③ PPD 양성 기증자로부터 공여 받을 때, ④ 활동성 결핵 환자와 긴밀하거나 장기간의 접촉이 있었을 때가 해당된다. 하지만 결핵이 예전에 완전히 치료된 경우에는 권유하지 않는다. 임상적으로, 방사선적으로, 또는 배양으로 활동성 결핵감염이 있는 경우에는 이식은 금기이다. Enzyme-linked immnouspot (ELISPOT) 검사는 Mycobacterium tuberculosis 항원에 반응하는 T 세포를 찾는 검사로, 이는 BCG 백신에 영향이 없어 결핵 선별에 중요 검사가 되고 있다. 일부 센터에서는 tuberculin피부 검사가 ELISPOT assay로 대체되었다.

이식 전후의 immunization

모든 잠재 이식 대기자는 B형 간염과 pneumococcus, 또한 나이에 맞는 접종을 받아야 한다. 이식 전 최소 4~6주 전에 접종을 받아야 원하는 면역 반응에 도달하거나 이식 후에 생백신으로 인한 감염증을 최소화 할 수 있다. 같은 세대 구성원과 긴밀하게 접촉하는 자와 의료 기관 종사자는 반드시 모든 접종을 받아야 한다. 생 바이러스나 세균 백신은 이식 후에 반드시 피해야 한다. Measles-mumps-rubella (MMR), 생 경구용 poliovirus(이는 세대 구성원에도 금기이다), smollpox (vaccinia),varicella, yellow fever, adenovirus, 생 경구용typhoid (Ty21a), BCG, 비강 내 influenza 백신이 이에 포함된다. 게다가 chickenpox나 herpes zoster에 노출된 사람은 상처에 딱지가 앉거나 새로운 상처가 발생하지 않을 때까지 접촉을 피해야 한다. 불활성화 되거나 사멸한균이나 내용물, 재조합 산물에 의한 백신은 이식 수혜자에게 안전하다. A형 간염, B형 간염, 근육 내 influenza A와 B, pneumococcal, Haemophilus influenza b, 불활성화된 poliovirus 백신, diphthe-ria-pertussis-tetanus(DPT)와 Neisseria meningitidis가 여기에 포함된다. 일반적으로, 백신은 이식 후 첫 6개월은 피하는데, 이는 면역 반응을 자극할 수 있어서 이식신의 기능 저하나 거부 반응의 확률이 증가할 수 있다. 게다가, 이식 후 첫 6개월에 시행하는 백신은 강한 면역 억제제로 인하여 반응이 없을 수 있다.

▶ 참고문헌

- Fishman JA, et al: Infection in renal transplant recipient, in Kidney Transplantation, 6th ed, edited by Morris PJ, Knechtle SJ, Philadelphia, Saunders Elsevier, 2008, pp492-507.
- Fishman JA: Infection in Solid-Organ Transplant Recipients. N Engl J Med 357:2601-2614, 2007.
- Green M: Introduction: Infections in Solid Organ Transplantation. Am J Transplant 13;3-8, 2013.
- Kasiske, et al: KDIGO clinical practice guideline for the care of kidney transplant recipients: a summary. Kidney Int. 77:299-311, 2010.

CHAPTER 14 BK Polyomavirus와 신장이식

조장희 (경북의대)

KEY POINTS

- BK 바이러스는 이식 후 중요한 합병증으로 과다한 면역억제 상태와 관련하여 나타나며 신병증으로 진행할 경우 이식신의 소실을 초래할 수도 있다.
- BK 바이러스에 대한 직접적인 치료법이 없으므로 신병증을 예방하기 위해서는 선제적이고 적극적인 모니터링이 필요하다.
- BK 바이러스 신병증이 진행하여 신기능이 감소한 경우에는 거부반응과 감별이 어렵고 치료 방향이 다르므로 조직검사를 통한 확진을 해야 한다.

개요

BK 폴리오마 바이러스(BK virus, BKV)는 BK 바이러스 신병증을 일으킬 수 있는데 이는 거부반응과는 면역 스펙트럼의 반대쪽 끝에 있으면서 이식 후 중요한 합병증의 한 가지에 해당한다. BKV의 주요 원인은 과다한 면역억제제에 의해서 수혜자나 공여자의 신장에 잠복되어 있는 BKV 폴리오의 재활성에 의한다. 현재 직접적인 항바이러스 치료제는 없으므로 1971년에 첫 번째 사례가 확인된 이후로 면역 억제제의 감소가 BKV 신병증의 주요 전략으로 알려져 있다. 반면에 면역억제제의 사용이 충분하지 않으면 급성 또는 만성 거부반응이 나타나 이식신의 기능이 저하되거나 손실이 발생할 수 있다. 이식 거부반응과 BKV 신병증의 유사한 임상 양상으로 인해 발병 시간 및 임상 증상에 근거한 조기 진단이 어려우므로 임상적인 측면에서 가장 중요한 원칙은 거부반응과 BKV 감염 사이의 균형을 유지하는 것이다.

병리 기전과 발병 양상

BKV는 이중 가닥 DNA 바이러스로 사람에게 특이적으로 매우 널리 퍼진 폴리오마 바이러스이다. 10세 이전에 BKV에 1차적으로 노출되면 무증상 감염을 일으키고 성인의 80~90%가 BKV에 대한 항체를 가진다. 자연적인 전염 경로는 아직 알려지지 않았으며, 1차 감염 후 바이러스는 신장, 말초 혈액 백혈구, 뇌 등에 잠복하게 된다.

신장이식 환자에서 면역이 과도하게 억제되면 바이러스 재활성화가 일어나서 결과적으로 세뇨관 세포가 용해되고 바이러스 복제가 발생한다. BKV 복제는 신장 사이질에서 발생하여 소변에서 바이러스가 발견되는 바이러스 요증을 보이게 되고, 모세혈관의 파괴로 이어지고 혈액으로 유입되어 바이러스 혈증을 유발한다. 바이러스 침입은 점진적으로 신장 조직의 세포 괴사와 염증을 유발한다.

BKV 혈증은 일반적으로 신장이식 후 첫 달에 발생한다. 발병률은 신장이식 후 3개월과 12개월 사이에 28~31% 정도에 이르며 18개월 이후에는 드물게 발생한다. BKV 요증이 심해지면 약 4주 후에 바이러스 혈증으로 진행되고 바이러스 혈증은 약 8주 후에 BKV 신병증으로 악화될 수 있다. BKV 감염의 임상 양상은 무증상에서 이식신의 기능 저하에 이르기까지 다양할 수 있으며, 프로토콜 이식신 생검에서 우연히 발견되기도 한다. 검사실 결과는 정상 소견에서부터 혈청 크레아티닌 상승, 경증의 단백뇨, 혈뇨까지 나타나기도 한다. BKV 신병증의 자연적인 경과는 스크리닝이나 치료가 없다면 약 50%에서 이식신의 손실로 이어진다.

스크리닝과 진단

BKV를 스크리닝하는 목적은 치료 방법이 제한적인 BKV 신병증으로 진행하기 전에 선제적 대응을 하기 위함이다. 따라서 단순히 BKV의 확인을 위하기 보다는 BKV 신병증을 예측할 수 있는 검사법이 효율적이다. 다양한 검사법으로 스크리닝을 하여 BKV 신병증의 위험이 있는 환자에서 이식신 기능을 보존시킬 수 있다.

1. Decoy 세포

Decoy 세포는 BKV에 감염된 세뇨관 상피세포로서 소변 세포진 검사에서 관찰할 수 있다. Deocy 세포를 지속적으로 모니터링한다면 BKV 신병증을 조기 진단할 수 있으나, 검사자의 경험에 의존한다는 단점을 가지고 있다.

2. BKV 요증

BKV는 중합효소연쇄반응(polymerase chain reaction, PCR)을 이용하여 측정하는 방법을 일반적으로 권고한다. 소변에서 검출되는 BKV의 역치는 1×10^7 copies/mL이다. 바이러스 요증은 BKV 신병증의 초기부터 나타나며 음성 예측율이 100%로서 스크리닝 검사에 사용될 수 있으나 양성 예측율은 낮고 지나치게 민감한 문제를 가지고 있다.

3. BKV 혈증

BKV 혈증에 대한 스크리닝은 이식신의 기능 저하가 발생하기 전에 BKV 신병증의 환자의 90%를 식별할 수 있다. 다양한 스크리닝 일정이 권고되고 있으나, 최근의 진료지침에서는 이식 후 9개월까지는 매월, 그 이후로는 3개월 간격으로 2년까지, 그리고는 1년 간격으로 5년까지 스크리닝을 권고하고 있다. 매년 BKV가 혈액에서 검출되는 경우 1×10^4 copies/mL 이상이면 진단적인 의미를 가진다. 바이러스 혈증은 BKV 신병증에 대한 양성 예측율이 바이러스 요증보다 높아서 신장이식 환자에서 스크리닝 검사로 추천되고 있다.

4. 이식신 조직검사

BKV 신병증은 BKV 혈증이나 요증과 동반된 신기능의 저하가 있다면 진단을 추정할 수 있다. 그러나 이식신의 기능이 감소하거나 거부반응의 가능성이 있을 경우에는 BKV 신병증에 대한 정확한 진단을 위해서 조직학적 진단이 필요하다. 광학현미경 소견은 BKV 신병증의 진단에 제한적이므로 SV40 이나 Tag 등을 이용한 염색이나 전자현미경 소견을 참고해야 한다. 특히, BKV 신병증과 급성 거부반응이 공존하는 경우에는 면역조직화학 및 전자현미경을 통한 세뇨관염 및 세뇨관주위 염증을 확인해야 한다. BKV 신병증과 급성 거부반응의 감별진단을 위해 동맥염, 섬유소형 혈관 괴사, 사구체염 또는 C4d 침착의 여부를 확인해야 한다.

위험인자

BKV 신병증은 수혜자의 면역이 과도하게 억제된 상태에서 나타나므로 신장이식 전후의 위험 요소를 이해하면 감염과 거부 반응의 균형을 맞추는 데 도움이 될 수 있다. BKV의 위험 요소는 기증자, 수혜자 그리고 신장이식과 관련된 위험 요인으로 나눌 수 있다. 여러 연구들에 따르면 신장이식 후 BKV 바이러스 혈증과 가장 관련성이 높은 위험 인자는 타크로리무스 요법, 뇌사자 신장이식, 남성 수혜자, 재이식, 신장이식 당시 연령, 요관 스텐트 사용, 이식 기능 지연 및 급성 거부 반응 등으로 볼 수 있다(표 15-14-1).

치료 전략

1. 면역억제제의 감량

여러 진료지침에 의하면 신장이식 환자에서 BKV 감염에 대한 1차 치료는 면역억제제의 감소이다. 동시에 급성 거부반응의 발생 또는 증가 위험을 고려해야 한다. 표준적인 면역억제제의 감량 요법은 없으나 대표적인 전략은 다음과 같다.

1) 칼시뉴린 억제제를 1~2회 동안 25~50% 감량하여 타크로리무스의 경우 최저 수준이 4~6 ng/mL 미만, 사이클로스포린의 경우 100~150 ng/mL 미만이 되도록 한다. 이후에도 BKV 감염이 조절되지 않으면 항대사제를 50% 감소하거나 중단시킨다.

2) 항대사제를 먼저 50% 감소하거나 중단시킨다. 이후에도 BKV 감염이 조절되지 않으면 칼리뉴린억제제를 25~50% 감소시킨다.

3) 칼시뉴린 억제제와 항대사제를 동시에 감소시킨다.

이러한 치료 전략들의 차이에 대해서는 무작위 전향적 연구가 수행되지 않았기 때문에 그 효과를 정확하게 비교하기는 어렵다. 대규모 코호트 연구의 근거를 기반으로 하는 경우에 연구 설계의 대부분은 크게 칼시뉴린억제제 또는 항대사제를 먼저 줄이는 두 그룹으로 구분된다. 이들 연구들은 공통적으로 바이러스 부하가 빠르게 감소하면 적용한 전략에 관계없이 이식신 기능이 안정된다는 것을 보여준다.

환자마다 반응이 다르기 때문에 거부반응이 발생하거나 기증자 특이 항체가 발생할 수 있다. 따라서 위와 같은 치료를 하면서 혈청 크레아티닌, BKV PCR, 칼시뉴린 억제제 농도, 기증자 특이적 항체 등에 대한 면밀한 모니터링이 동반되어야 한다. 또한, 급성 거부반응이 동반되어 있거나 새롭게 발생할 수 있으므로, BKV 부하는 감소함에

표 15-14-1. BKV 바이러스 혈증의 위험인자

분류	신장이식 요인	수혜자 요인	기증자 요인
위험 인자	타크로리무스 티모글로불린 고용량 스테로이드 거부 반응 HLA 불일치 혈액형 부적합 허혈 시간 이식 기능 지연 요관 스텐트 사용	고령 남성 당뇨 재이식 BKV 혈청상태 CMV 혈청상태	고령 뇌사자 BKV 혈청상태 CMV 혈청상태

도 혈청 크레아티닌이 상승하는 경우에는 이식신 조직검사를 고려해야 한다.

2. 보조 치료제

일부 연구에서 칼시뉴린억제제를 sirolimus로 변경한 경우 BKV 혈증을 호전시켰다고 보고하고 있다. 이 외에도 BKV 신병증으로 신기능이 감소하는 경우 leflunomide, cidofovir, quinonlone 등이 도움될 수 있다.

BKV 신병증에 대한 면역 글로불린(IVIG)의 치료 메커니즘은 완전히 규명되지는 않았다. 면역글로불린은 BKV 중화항체를 포함한 다양한 전염병에 대한 IgG를 함유하고 있다. 면역글로불린은 강력한 간접적인 면역 조절 효과가 있다. 면역억제제의 용량 감소 및 leflunomide 투여 실패 후 면역글로불린을 사용하여 바이러스 혈증을 저하시킨 사례들이 보고되었다.

결론

BKV는 신장이식 후 첫 해 동안 신장이식의 예후에 상당한 영향을 미친다. 정기적인 모니터링과 함께 적절한 시기에 선제적인 면역억제제의 감소 조치는 BKV 신병증으로 인한 이식신 상실율을 감소시킨다. 신장이식 전후의 위험 요인을 이해하면 합병증을 줄이는 데 도움이 된다. 최적의 면역억제제 감소 전략은 거부반응의 발생과도 균형을 유지하는 것이 중요하다. 면역 평가를 위한 직접적인 마커 및 항바이러스제의 개발이 된다면 BKV의 진단과 치료에 새로운 국면을 기대할 수 있겠다.

▶ 참고문헌

• Kidney Disease: Improving Global Outcomes (KDIGO) Transplant Work Group: KDIGO clinical practice guideline for the care of kidney transplant recipients. Am J Transplant, Suppl 3:S1–155, 2009.
• Hirsch HH: BK polyomavirus in solid organ transplantation—Guidelines from the American Society of Transplantation Infectious Diseases Community of Practice. Clinical Transplantation 33:e13528, 2019.
• Shen CL: BK Polyomavirus Nephropathy in Kidney Transplantation: Balancing Rejection and Infection. Viruses 13:487, 2021.

CHAPTER
15
신장이식 후 심혈관 합병증과 고혈압

신호식 (고신의대)

KEY POINTS

- 신장이식 환자에서 가정 혈압(특히, 24시간 혈압 모니터링)을 측정하여 혈압에 대한 접근과 모니터링에 적용한다.

- 신장이식 환자에서 고혈압 조절목표에 대한 근거가 부족하지만, 신장이식 환자의 진료실 혈압 목표는 만성 콩팥병 환자의 고혈압 조절목표를 적용한다(즉, <130/80 mmHg)

- 면역억제제(주로 칼시뉴린 억제제)와 이식콩팥기능 감소는 신장이식 후 고혈압의 주요 원인이지만, 신동맥협착증, 항체 매개성 거부반응, 잔존 콩팥 기능의 영향 등도 원인이 될 수 있다.

- 신장이식 후 발생한 고혈압은 적혈구증가증의 경우를 제외하고 일차적으로는 칼슘통로차단제가 선택된다.

- 이식 신장의 장기 생존율을 향상 시키기 위해서 면역학적인 반응분만 아니라 심혈관계 합병증(전통적 요인과 비-전통적 요인)에 특별한 관심을 기울이는 것이 필요하다.

심혈관계 합병증

만성콩팥병 환자에서 콩팥기능 저하와 비례하여 심혈관계 합병증이 증가됨은 대단위 코호트에서 잘 알려져 있다. 정상인에 비해 제 5기 만성콩팥병(eGFR<15 mL/min/1.73 m²) 환자의 경우 심혈관계 사건(cardiovascular event)은 3배 이상, 사망은 약 6배 가량 증가한다. 신장이식 후 심혈관계 합병증은 신장이식 직후 및 장기 신장이식 환자의 사망원인 중 가장 높은 빈도를 차지한다. 신장이식 후 첫 2주 동안 이식환자의 사망률은 투석을 받고 있는 신장이식 대기 환자와 비교해 2.8배 높고 신장이식 후 106일까지도 대기 환자와 비교해 사망률이 높게 유지된다. 이는 이식

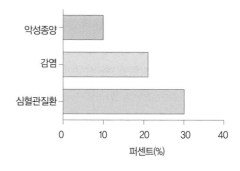

그림 15-15-1. 신장이식 후 이식 콩팥의 기능이 남아 있는 상태에서 환자가 사망하는 3가지 원인

(Adapted from USRDS 2004~2008)

수술 초기 심혈관계 합병증에 의한 사망률이 급격히 증가하기 때문이다. 신장이식 후 이식 신장의 기능이 남아 있

는 상태에서 환자가 사망하는 3가지 원인은 심혈관질환, 악성종양, 감염이며(그림 15-15-1) 그중에서도 심혈관질환은 신장이식 환자의 가장 흔한 사망 원인이고 만성 이식 신장 기능부전과도 밀접한 관계가 있다.

신장이식 수혜자는 이식 수술 전에 이미 심혈관계 합병증 발생에 대한 전통적인 위험인자에 대한 높은 유병률(40~90%에서 고혈압, 24~42%에서 당뇨병, 50%에서 고지혈증 그리고 25%에서 흡연)을 보여주며, 신장이식 수술 전 스크리닝 검사를 시행하지만, 심근경색, 뇌경색 그리고 말초혈관질환의 누적 발생률이 각각 11%, 7%, 24%에 이른다.

신장이식 환자의 경우, 기존의 심혈관질환 발생의 위험인자에 더하여 이식하던 투석, 이식후 당뇨, 이식 신장기능 부전, 뼈-미네랄 질환 등의 이식에 관련된 심혈관질환 발생의 위험인자도 함께 가지고 있다(그림 15-15-2, 표 15-15-1).

신장이식 환자는 유지 투석 환자와 비교해서 심혈관계 사망률이 상당히 낮지만, 일반 인구에 비교하면 여전히 높다(그림 15-15-3).

장기적으로 신장이식 환자 사망의 50~60%가 직접적으로 심혈관계 합병증에 기인한다. 심혈관계 합병증에 의한 사망은 이식 신장 소실의 가장 흔한 원인으로 이식 신장 소실의 30% 정도를 차지한다. 신장이식 환자가 심혈관질환으로 입원하게 되는 가장 흔한 이유는 울혈성 심부전이며 고혈압, 정맥 혈전색전증 등이 흔한 이유 중의 하나이다. 심근경색과 부정맥도 신장이식후 발생하는 흔한 심혈관계 합병증이며 이식 신장기능 악화 소견은 심혈관계 사망과 연관이 있는 것으로 알려져 있다. 심혈관계 합병증에 의한 사망은 대부분 당뇨병 환자군에서 발생하고, 비 당뇨군에서는 감염과 악성 종양이 흔한 사망의 원인이다. 심혈관계 합병증의 1/3은 급성 심근경색 때문이다(그림 15-15-4).

신장이식 후 발생하는 관상동맥질환의 치료를 위한 심근재관류술로는 경피적 시술과 수술적 처치가 있다. 두 가지 치료 모두 비교적 좋은 장단기 생존율을 보여주고 있다. 시술 후 병원내 사망률이 5% 미만이고 2년 생존율은 80%정도이다. 단순한 경피적 관상동맥 혈관성형술에 비하여 스텐트를 하는 경우 생존율이 향상되고 관상동맥우회술의 경우 사망률이 더 감소한다. 새로 발생하는 심부전(de novo heart failure) 또한 신장이식 환자에게서 흔하고 신장이식 환자의 나쁜 예후와 관계가 있다. USRDS (US renal data system)에 따르면 심부전이 발생하면 이식환자의 사망률이 2.6배 증가하고 이식 신장 소실(death-censored graft failure)이 2.7배 증가한다.

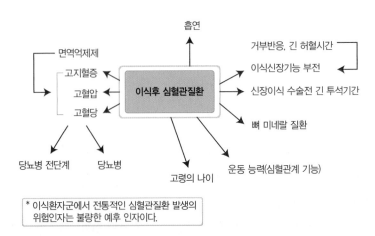

그림 15-15-2. 신장이식 환자에서 심혈관질환에 대한 위험인자

표 15-15-1. 신장이식후 심혈관질환 발생의 위험인자에 대한 근거의 강도

위험인자	근거의 강도
신장이식전 심혈관질환	4+
당뇨(이식후 당뇨 포함)	4+
흡연	3+
고지혈증	3+
고혈압	2+
혈소판 및 응고 장애	2+
이식 신장 기능 장애 또는 거부반응	2+
저알부민혈증	2+
적혈구증가증	1+
산소 자유 라디칼	1+
감염	1+
증가된 호모시스테인	1+

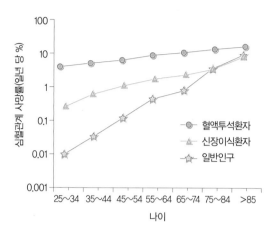

그림 15-15-3. 신장이식 환자와 다른 환자군의 나이에 따른 심혈관계 사망률 비교

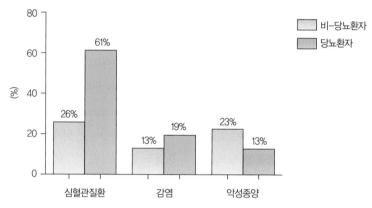

그림 15-15-4. 당뇨 및 비-당뇨 신장이식 환자의 사망 원인

관상동맥질환의 위험인자로는 나이(남, 45세 이상; 여, 55세 이상), 고혈압, 고지혈증, 당뇨, 가족력(1촌 이내 허혈성 심질환 유무), 장기간의 만성콩팥병 기간, 장기 투석, 흡연 등이 있고 이 중 수술 전 교정 가능한 인자들은 적극적인 조절이 필요하다. 관상동맥질환의 고위험군으로 집중적인 관리가 필요한 환자군은 다음과 같다: Framingham 위험점수에 근거한 심혈관계 사건 위험 가능성이 20%가

넘는 군, 관상동맥질환의 병력이 있거나 좌심실 박출계수가 40% 이하인 군, 말초혈관질환이 있는 군.

증상이 없는 투석 환자의 반수 이상에서 불현성 뇌혈관질환(subclinical vascular disease)이 발견될 만큼 말기신질환 환자에서 뇌혈관질환의 빈도는 높다. 신장이식 대기자에서 경동맥 죽상편의 빈도는 24%에 달하고 신장이식후 15년이 지나면 뇌졸중이나 일과성 허혈 발작의 누적 발

생률이 15%에 달한다. 뇌혈관질환의 고위험군은 다음과 같다: 뇌졸중 혹은 일과성 허혈 발작의 병력이 있는 경우, 다낭성 신증 환자, 뇌졸중의 가족력이 있는 경우, 심방세동이 있는 경우.

이식 신장의 장기 생존율을 향상 시키기 위해서 면역학적인 반응뿐만 아니라 대사성, 감염, 악성종양 관련한 합병증에 특별한 관심을 기울이는 것이 필요하다.

전통적 심혈관계 위험인자

1. 고지혈증

고지혈증은 신장이식 전후의 흔한 합병증이며 이식후 1년째 유병률이 90%까지 이르는 것으로 알려져 있다. 총콜레스테롤과 저밀도 지단백 콜레스테롤(low-density lipoprotein cholesterol, LDL)의 상승 및 고중성지방혈증(hypertriglyceridemia)이 흔하다. 저밀도 지단백 콜레스테롤(low-density lipoprotein cholesterol, LDL) 100 mg/dL 이상의 증가는 40% 정도에서 관찰된다. 이식 후 고지혈증의 발생 기전은 주로 신장이식 환자들이 복용하는 면역억제제, 특히 스테로이드 용량과 가장 밀접한 관련이 있고 칼시뉴린 억제제, mTOR 억제제 등도 고지혈증을 일으키는 것으로 알려져 있다. 그 외에도 신증후군, 갑상샘 기능저하, 당뇨, 과도한 음주, 비만, 만성 간질환, 및 유전적 경향 등이 고지혈증을 유발하는 요인으로 작용한다. 이로 인해서 이식후 6개월 이내 그리고 1년째에 고지혈증 검사를 시행하고 이후에는 매년 검사를 시행하는 것이 필요하다.

신장이식 환자에서 고지혈증 약제(fluvastatin) 투여한 5~6년간의 연구 이후에 2년간 추가로 시행한 연구에서 주요한 심혈관계 사건(심장으로 인한 사망, 비-치명적인 심근경색, 관상동맥 혈관 개통술 등)이 21%나 감소하였다. KDIGO(Kidney Disease: Improving Global Outcomes) 가이드라인에서는 이 연구를 근거로 하여 신장이식 환자에서 스타틴 치료를 제안하게 되었다(근거 수준 2A). 유지 면역억제제 중에서 사이클로스포린은 혈중 스타틴 농도를

상승시킬 수 있음에 유의해야 하고 타크로리무스는 혈중 스타틴 농도에 영향을 주지 않는다.

고지혈증을 예방하는 방법으로 식이요법, 체중조절, 운동요법 등을 들 수 있다. 고지혈증이 있는 경우 사이클로스포린을 타크로니무스로 전환하면 혈중 지질을 다소 감소시킬 수 있고 mTOR (mammalian target of rapamycin) 억제제(라파마이신)는 중성지방혈증을 일으키므로 중단을 고려해야 한다. 중성지방이 500 mg/dL가 넘는 경우 췌장염의 위험성이 있으므로 적극적으로 대처해야 한다. 금주, 고혈당의 치료, 활동량 증가, 체중감소, 저지방식이를 시도하고 약제로는 에제티미브(ezetimibe)나 니코틴산(nicotinic acid)를 사용한다. 피브레이트(fibrate)는 근육염과 근괴사의 위험이 있어 사용을 피한다. 생활습관 변화에도 불구하고 LDL이 100 mg/dL가 넘는 경우 낮은 용량의 HMG-CoA reductase inhibitors(스타틴)를 사용한다. 이식 환자에서는 스타틴에 의한 근육 부작용의 빈도가 높다. 낮은 용량의 스타틴으로 치료를 시작하면 이런 부작용을 현저히 줄일 수 있으며 칼시뉴린 억제제(사이클로스포린, 타크로리무스) 복용 중인 환자에서는 스타틴의 일상적인 최대용량의 절반을 넘지 않게 처방하는 것이 중요하다. 스타틴 제제 중 fluvastatin과 pravastatin은 CYP3A4로 대사되지 않아 칼시뉴린 억제제와 상호작용이 없고 근육의 부작용도 거의 없는 것으로 알려져 있다.

2. 고혈압

신장이식 후 발생하는 고혈압은 심혈관계 합병증의 위험인자로 알려져 있으며 신장이식의 기능을 악화시키는 주요 인자들 중 하나이다. 신장이식 후 고혈압의 발생 빈도는 이식 환자의 약 60~80%로 알려져 있고 수축기 혈압이 20 mmHg 증가하면 사망률이 13%, 심혈관 사건이 32% 높아지는 것과 연관이 있으며 수축기 혈압 140 mmHg를 초과하면서 이완기 혈압 70 mmHg 미만인 환자군이 가장 위험도가 높다(FAVORIT trial, Carpenter et al. JASN 2014). 원래 신장 자체에서 발생한 고혈압, 이식 신장거부반응, 신동맥 협착, 사이클로스포린/타크로리무스 등의 면

표 15-15-2. 신장이식후 고혈압의 병인

1. 면역억제제
1) 칼시뉴린 억제제: 사이클로스포린 > 타크로리무스
2) 글루코코르티코이드: 고용량 사용할 때
2. 이식 신장 기능부전 / 체액량 과다
3. 이식전 고혈압, 비만
4. 기증자 요소: 고령, 고혈압 병력(과거력, 가족력), 질이 낮은 이식 신장, 작은 기증자 콩팥
5. 이식 신장동맥 협착증

표 15-15-3. 신장이식후 고혈압 발생에 영향을 주는 잠재적 인자

1. 콩팥 이식전 관련 인자
1) 기존 콩팥으로부터 발생하는 교감신경 수입 콩팥 신경 신호의 증가
2. 신장이식 수술 관련 인자
1) 투석중 체액량 과다
2) 체중증가
3) 고혈압 가족력이 있는 뇌사자 콩팥
4) 고령인 기증자
5) 정맥 수액
6) 수술전 고용량의 글루코코르티코이드로 인한 소디움 축적
3. 콩팥 이식후 관련 인자
1) 칼시뉴린 억제제로 인한 직접적인 교감신경 활성화
2) 급성 거부반응
3) 칼시뉴린 억제제 그리고/또는 글루코코르티코이드의 만성 사용
4) 혈전 미세혈관병증
4. 칼시뉴린 유발성 신경독성으로 인한 중추 교감신경 활성화 증가
1) 칼시뉴린 관련성 콩팥독성
2) 진행 중인 거부반응
3) 이식 신장 동맥 협착증
4) 만성 이식 신장병증
5) 이식 신장으로부터 발생하는 교감신경 수입 콩팥 신경 신호의 증가

역억제제, 비만, 고혈압의 가족력이 있는 뇌사공여자로부터의 이식 신장 등을 원인으로 들 수 있고 (표 15-15-2), 신장이식후에 고혈압 발생에 영향을 주는 잠재적 인자는 콩팥 이식전/후 인자, 이식 수술 관련 인자, 칼시뉴린 억제제 관련 인자가 있다(표 15-15-3).

칼시뉴린 억제제는 신장이식 후 고혈압의 주요 원인(표 15-15-2)이다. 사이클로스포린은 전신혈관 및 신혈관 수축 (특히, 수입세동맥)과 나트륨 저류를 유발하고, 결과적으로 혈압을 상승시킨다. 그 기전은 정확히 알려져 있지는 않으나 트롬복산(thromboxane)과 엔도텔린(endothelin) 등과 같은 혈관 수축물질의 증가에 의한 것으로 추측되고 있다. 타크로리무스는 사이클로스포린보다 혈압을 덜 상승시키지만, sirolimus와 함께 사용하면 고혈압을 악화시킨다. 스테로이드는 이식 후 용량이 급격히 감소되기 때문에 통상적으로 이식 후 만성 고혈압의 원인이 되지는 않는다.

또한 이식된 신장의 고혈압 성향에 따라 혈압이 결정된다는 근거들이 제시되고 있다. 고혈압의 가족력을 가진 공여자의 신장을 이식하면 정상 혈압 이식 수혜자들에게서도 고혈압이 생기고 고혈압이 있는 이식 수혜자라도 정상 혈압의 가족력을 가진 공여자의 신장을 이식하면 혈압이 정상으로 유지된다.

혈압조절의 목표치는 진료실 혈압 130/80 mmHg 미만 (KDIGO 2012, KDIGO 2021, ACC/AHA 2017 가이드라인) 이고 고혈압이 있는 신장이식 환자는 하루 소금 섭취량을 5 그램으로 제한하고 최소 하루 30분 이상의 운동을 주 5회 이상 할 것을 권장한다. 알코올의 섭취는 남녀 모두 하루 20 그램 이하로 제한한다. 혈압 강하제로서는 칼슘통로차단제(calcium channel blockers)가 선호된다. 칼슘통로차단제는 사이클로스포린에 의한 수입세동맥 혈관 수축을 억제하는데 안지오텐신전환효소억제제(ACE inhibitors)보다 훨씬 더 효과적이어서 가장 먼저 선택된다. 칼슘통로차단제는 칼시뉴린 억제제(calcineurin inhibitor)와 약물 상호작용이 있을 수 있다. Nifedipine, isradipine, felodipine, nicardipine, amlodipine 등의 지속성 dihydropyridine계의 약물들은 사이클로스포린, 타크로리무스, mTOR 억제제(시로리무스, 에버로리무스)의 대사에 영향을 미치지 않지만 diltiazem이나 verapamil 등의 non-dihydropyridine계의 약물들은 칼시뉴린 억제제(calcineurin inhibitor)의 대사를 느리게 하고 약물의 농도를 올릴 수 있다. 사이클로스포린을 투여 받는 대부분의 환자들은

수입세동맥 저항이 증가되어 혈량과다 및 저혈장레닌 상태이므로, 경한 이뇨제를 추가하면 칼슘통로차단제의 혈압강하효과를 보강할 수 있다. 그 후에는 필요에 따라 베타차단제, minoxidil같은 다른 약제를 추가할 수도 있으며 신장이식 수술 6개월 이후에도 임상경과가 안정적일 경우(특히, 단백뇨가 동반된 당뇨병이 있거나 심부전/심근경색병력이 있는 환자)에는 안지오텐신전환효소억제제/안지오텐신 II 수용체 차단제를 추가할 수도 있다.

신장이식 후에는 나트륨과 수분의 배설이 증가하므로, 고혈압은 대개 신장이식 후에 호전된다. 그러나 일부 환자에서는 조절되지 않는 고유신(disceased kidney)의 레닌 분비때문에 심한 고혈압이 지속될 수 있다. 안지오텐신전환효소억제제, 안지오텐신II수용체차단제 그리고 칼슘통로차단제 같은 현재의 강력한 항고혈압제가 등장하면서 더 이상 무리하여 양측 신절제술을 시행하지는 않는 경향이 대부분이다.

이식 후 적혈구 증가증이 있는 경우 안지오텐신전환효소억제제나 안지오텐신II수용체차단제를 사용하면 혈압을 감소시킬 뿐만 아니라 혈색소치도 감소시킨다. 그러나 사이클로스포린을 사용하는 환자에서 안지오텐신전환효소억제제나 안지오텐신II수용체차단제를 사용할 때는 고칼륨혈증, 사구체여과율 감소 등을 주의해서 관찰하여야 한다. 이식편 기능이 감소함에 따라 고혈압의 빈도는 증가한다. 거부반응, 재발 또는 신생 사구체 신염(recurrent or denovo glomerulonephritis), 그리고 요로폐쇄 등에 의한 신장이식 기능 악화는 혈압을 상승시킬 수 있다. 혈압조절을 위한 어떤 침습적 처치를 하기 전에 이식편의 초음파검사와 생검을 반드시 실시해야 한다.

요약하면, 신장이식 후 발생한 고혈압은 적혈구증가증의 경우를 제외하고 일차적으로는 칼슘통로차단제가 선택된다. 이는 이식 후 허혈성 신손상 감소, 사이클로스포린에 의한 신독성 감소 및 효과적인 혈압조절이 가능하기 때문이다. 안지오텐신전환효소억제제나 안지오텐신II수용체차단제는 이식초기에 급성신손상을 악화시키거나 신동맥협착증이 있는 경우 신기능 저하를 유발할 수 있으며 이외에 고칼륨혈증, 빈혈 등을 조장하므로 그 사용이 제한

을 받고 있다. 따라서 칼슘통로차단제로 혈압의 조절이 안될 때는 이뇨제나 베타차단제를 사용하고 그 다음으로 안지오텐신전환효소억제제/안지오텐신II수용체차단제나 교감신경차단제 등의 사용을 고려해 볼 수 있다.

3. 신동맥 협착

신장이식 후 발생하는 이식편의 신동맥 협착은 치료 가능한 고혈압의 원인이기 때문에 임상적으로 중요하다. 임상적으로 중요한 신동맥 협착의 빈도는 센터마다 다르나 약 1~23%이다. 발병 시기는 이식 후 3개월에서 2년 사이로 이식 후 6개월째에 빈도가 가장 높다. 기능적으로 의미 있는 이식편 신동맥 협착을 시사하는 임상적 증후는 1) 지속적으로 조절이 안 되는 고혈압, 2) 안지오텐신전환효소억제제/안지오텐신II수용체차단제 투여 후 사구체여과율 감소, 3) 급속도로 진행되는 폐부종 / 이뇨제 저항성 말초부종, 4) 이식편 부위의 잡음, 5) 급격한 혈압의 상승, 6) 적혈구증다증 등이다.

선택적 신혈관조영술(selective renal arteriography)은 의미 있는 신동맥 협착 진단의 최선의 검사이다. 그러나 시술 전에 이식편 생검을 통하여 만성 거부반응이나 다른 신실질 병변을 배제해야 한다. 신혈관조영술이 침습적이기 때문에 자기공명 혈관촬영술이나 CT 혈관촬영술의 이용이 증가되고 있다. 도플러 초음파는 정확하지만, 시술자의 경험에 따라 결과가 많이 달라지는 단점이 있다. 자기공명 혈관촬영술은 혈관협착증의 진단에 100% 가까운 예민도와 특이성을 가지고 있지만, 사구체여과율 30 mL/min 미만에서는 신성전신섬유화증(nephrogenic systemic fibrosis)의 위험성 때문에 가돌리늄의 사용을 피하는 것이 좋다. CT 혈관조영술이나 선택적 신혈관조영술 후에는 조영제에 의해 발생하는 급성신손상을 주의해야 한다.

신동맥 협착의 치료로는 혈관확장술과 외과적 우회로 조성술이 시행되고 있으며 치료 효과는 두 가지 모두 우수하다. 만약 병변이 문합부에 국한되면 외과적 치료가 바람직하고, 원위부 병변일 경우에는 경피적 경혈관 혈관확장술(percutaneous transluminal angiplasty, PTA)이 더 효

과적이며 PTA 시술후 60~85%에서 항고혈압제 필요성이 감소하지만 재협착률이 30% 가까이 된다. PTA 후에 확장성의 금속성 스텐트를 삽입하는 방법은 재발 협착증 환자에게 효과적인 것으로 알려져 있다. 신동맥 협착의 치료에 있어서 어느 치료법이 확실하게 더 효과적이라고 볼 수는 없다. 치료 방법의 선정은 각 센터의 경험과 능력에 따라 결정해야 한다.

4. 흡연

흡연은 신장이식 환자에서 심혈관질환/악성종양/이식 신장부전 그리고 사망 위험성 증가와 연관이 있는 것으로 알려져 있으므로 금연을 위한 다방면의 접근이 필요하다.

(1) 심리·사회적 상담: 진료 의사와 금연 상담, 전화상담, 단체 상담 등

(2) 약제 복용
(2.1) 1차 약제: 니코틴 공급 치료, 부프로피온(bupropion), 바레니클린(varenicline)
(2.2) 2차 약제: 노르트립틸린(nortriptyline), 클로니딘(clonidine)

5. 체중증가와 비만

신장이식 수술 시에 체질량지수(body mass index, BMI) 30 kg/m² 이상인 환자 비율이 35% 가까이 되는 것으로 알려져 있다. 비만인 상태에서 이식한 경우와 정상 체중 상태에서 이식하였으면 이식 신장부전과 사망의 위험률이 비슷하지만, 비만은 심혈관질환의 위험인자이다. 신장이식환자에서 체중감량에 대한 무작위 대조군 연구가 없지만, 운동과 식이요법이 체중감량에 도움이 된다.

비-전통적 심혈관계 위험인자

1. 이식 신장기능부전

콩팥기능이 양호한 이식 신장이라 하더라도 완전하게 정상 사구체여과율로 회복되지 않으며 이로 인해서 신장이식 환자들은 덜 진행된 만성콩팥병 상태라고 할 수 있다. 신장이식환자에서 심혈관질환과 모든 원인과 연관된 사망률은 낮은 사구체여과율과 관련이 있고 이로 인해서 이식 신장기능 유지를 위한 적합한 면역억제제 조합을 찾기 위해 노력하고 있으나 아직까지 확실한 방법은 없는 상태이다.

2. 단백뇨

신장이식환자의 9%에서 40% 가량에서 단백뇨 소견을 보이고 환자의 20% 가까이에서 하루 1그램 이상의 단백뇨 소견을 보이며, 심혈관질환 발생, 이식 신장 손실 그리고 사망률의 위험과 관련 있다. 신장이식 후에 단백뇨가 있을 때, 안지오텐신 전환효소억제제제 또는 안지오텐신 II 수용체 차단제 사용이 일반적으로 권고되는 것은 아니지만, 2009년 KDIGO 가이드라인에서는 하루 1그램 이상의 단백뇨 소견을 보이고 고혈압이 동반되었을 때 안지오텐신 억제제 또는 안지오텐신 II 수용체 차단제 를 1차 치료 약제로서 권고하고 있고 영국 가이드라인에서도 약제사용을 제안하고 있다.

3. 좌심실 비대

신장이식 환자에서 좌심실 비대 소견은 울혈성 심장부전과 사망에 대한 독립적인 위험인자이며 좌심실 비대 감소시에 심혈관 발생률을 60% 가까이 감소시킬 수 있다는 연구결과도 있다. 최근, mTOR 억제제 사용시에 좌심실 비대 감소를 보인다는 연구결과도 있어서 추가 연구가 필요하다.

4. 고호모시스테인혈증

고호모시스테인혈증은 비-전통적인 동맥경화 위험 인자 중의 하나이며 특히, 만성콩팥병 환자에서 유병률이 높다. 그러나, 진행성 만성콩팥병 환자, 말기신부전 환자 그리고, 신장이식환자에서 심혈관질환의 1차 예방을 위해서 호모시스테인을 낮추는 치료는 권고되지 않는다.

▶ 참고문헌

- Bruno S, et al: Transplant renal artery stenosis. J Am Soc Nephrol 15:134–141, 2004.
- Baker RJ, et al (2017) Renal association clinical practice guideline in post–operative care in the kidney transplant recipient. BMC Nephrol 18:174, 2017.
- Barbagallo CM, et al: Carotid atherosclerosis in renal transplant recipients: relationships with cardiovascular risk factors and plasma lipoproteins. Transplantation 67:366–371, 1999.
- Brenner and Rector's The Kidney, 11th, Elsevier, Chapter 70th, 2019.
- Collins AJ, et al: United States Renal Data System 2008 Annual Data Report. Am J Kidney Dis 53(1 Suppl):S1–374, 2009.
- Cosio FG, et al: Patient survival and cardiovascular risk after kidney transplantation: the challenge of diabetes. Am J Transplant 8:593–599, 2008.
- Ekberg H, et al: Reduced exposure to calcineurin inhibitors in renaltransplantation. N Engl J Med 357:2562–2575, 2007.
- Gaston RS, et al: Use of cardioprotective medications in kidney transplant recipients. Am J Transplant 9:1811–1815, 2009.
- Go AS, et al: Chronic kidney disease and the risks of death, cardiovascular revents, and hospitalization. N Engl J Med 351:1296–1305, 2004.
- Hallvard Holdaas, et al. Effect of fluvastatin on cardiac outcomes in renal transplant recipients: a multicentre, randomised, placebo–controlled trial. 361:2024–31, 2003.
- Handbook of Kidney Transplantation 6th, Wolters Kulwer, 2017, pp.289.
- Jean–Michel Halimi, et al. Hypertension in kidney transplantation: a consensus statement of the 'hypertension and the kidney' working group of the European Society of Hypertension, J Hypertens 39:1513–1521, 2021.
- Kasiske B, et al: Clinical practice guidelines for managing dyslipidemias in kidney transplant patients: a report from the Managing Dyslipidemias in Chronic Kidney Disease Work Group of the National Kidney Foundation Kidney Disease Outcomes Quality Initiative. Am J Transplant 4 Suppl 7:13–53, 2004.
- Kasiske BL, et al: Hypertension after kidney transplantation. Am J Kidney Dis 43:1071–1081, 2004.
- Kasiske BL, et al: (2010) KDIGO clinical practice guideline for the care of kidney transplant recipients: a summary. Kidney Int 77(4):299–311.
- Knoll G, et al: Canadian Society of Transplantation consensus guidelines on eligibility for kidney transplantation. CMAJ 173:1181–1184, 2005.
- Ojo AO: Cardiovascular complications after renal transplantation and their prevention. Transplantation 82:603–611, 2006.
- Rangaswami J, et al. Cardiovascular disease in the kidney transplant recipient: epidemiology, diagnosis and management strategies. 2019,34:760–773
- U.S. Renal Data System, USRDS 2008 Annual Data Report: Atlas of Chronic Kidney Disease and End–Stage Renal Disease in the United States, National Institutes of Health, National Institute of Diabetes and Digestive and Kidney Diseases, Bethesda, MD, 2008.
- Wolfe RA, et al: Comparison of mortality in all patients on dialysis, patients on dialysis awaiting transplantation, and recipients of a first cadaveric transplant. N Engl J Med 341:1725–1730, 1999.

CHAPTER 16

신장이식 환자의 대사 합병증

한승엽 (계명의대)

KEY POINTS

- 장기 이식 신장 실패의 가장 큰 원인은 심혈관계 합병증으로 인한 환자 사망이며 당뇨, 고지혈증, 고혈압, 고요산혈증 등의 대사성 합병증들은 환자 생존의 결정 요소이며 이신 신장 손상에도 직접적인 영향을 미친다.

- 고칼슘혈증은 주로 지속적인 부갑상선 기능 항진증이나 칼슘과 비타민 D의 과도한 투여로 나타난다. 저인산혈증은 비타민 D 결핍, 높은 fibroblast growth factor(FGF)-23 및 부갑상선호르몬 등으로 인한 인산염 흡수 감소와 배설 증가에 의한다.

- 새로운 xanthine oxidase 억제제인 febuxostat는 신장이식 환자에서 비교적 안전하게 고요산혈증을 조절할 수 있다.

- Cinacalcet은 신장이식 환자에서 혈청 PTH와 칼슘을 안전하고 효과적으로 낮추고 혈청 인산염 농도를 높일 수 있으며 골밀도를 개선할 수 있다.

지난 수십 년간 신장이식 환자의 생존 및 이식 신장의 단기 생존율은 괄목한 향상을 보였으나 장기 이식신 생존율은 답보 상태를 보였다. 장기 이식신장 실패의 가장 큰 원인은 심혈관계 합병증으로 인한 환자 사망이며 당뇨, 고지혈증, 고혈압, 고요산혈증 등의 대사성 합병증들은 환자 생존의 결정 요소이며 이신신장 손상에도 직접적인 영향을 미친다. 신장 이식 환자에서 대사성 합병증의 적절한 평가와 관리는 장기 환자 및 이식신 생존율의 향상을 위해 반드시 고려되어야 한다. 신장이식 후 전해질 장애, 내분비, 골 연관 합병증에 대하여 알아본다.

전해질 장애

1. 고칼슘혈증 및 저인산혈증

고칼슘혈증은 흔하며 주로 지속적인 부갑상선 기능 항진증이나 칼슘과 비타민 D의 과도한 투여로 나타난다. 저인산혈증은 이식 후 초기, 특히 이식 신장 기능이 우수한 경우에도 흔하게 나타난다. 이는 비타민 D 결핍, 높은 fibroblast growth factor(FGF)-23 및 부갑상선호르몬, 칼시뉴린 억제제(CNI), 실로리무스와 고용량의 스테로이드로 인한 인산염 흡수 감소와 배설 증가에 의한다. 드물지만 심한 저인산혈증은 호흡근육을 포함하여 심각한 근육 쇠약을 일으킬 수 있다. 이식 후 인산염 배설 감소, PTH 및 FGF-23 정상화로 대부분 환자에서 저인산혈증은 이식

표 15-16-1. 면역억제제의 주요 합병증

	Cyclosporin	Tacrolimus	Sirolimus
Hypertension	++	+	-
Hypercholesterolemia	++	-	+++
Diabetes Mellitus	+	+++	+
Hyperkalemia	++	++	-
Hyperuricemia	++	++	-
Hypomagnesemia	++	++	-
Neurotoxicity	+	++	-
Gingival Hyperplasia	++	-	-
Hirsuitism	++	-	-
Alopecia	-	++	-
Thrombocytopenia	-	-	++

후 1년 내 정상화된다. 장기적인 저인산혈증은 이식 후 골질환을 일으킬 수 있다. 치료는 저지방 유제품 등의 인 함량이 높은 식단과 비타민 D 투여이다. 다만 신장이식 후 인산염의 지나친 섭취는 칼슘과 비타민 D 수치를 낮추고 부갑상선 기능 항진증을 악화시킬 수 있으며, 급성 인산염 신병증을 일으키기도 한다. 혈청 인산염이 1~1.5 mg/dL 미만이거나 증상이 있는 저인산혈증 환자에서 경구로 인산염 보충제를 투여하는 것을 권한다.

2. 고칼륨혈증

이식신장의 기능이 양호한 경우에도 경한 고칼륨혈증은 흔히 나타난다. 주요 원인은 CNI에 의한 칼륨의 요세관분비 장애이다. 타크로리무스는 티아지드에 민감한 나트륨-염소 수송체(sodium-chloride transporter)를 활성화시켜 고혈압을 유발하고 신장 칼륨 배설을 감소시킨다. 이식신장 기능 부전, 칼륨 섭취 과잉, ACE 억제제 및 β-차단제, Pneumocystis jirovecii에 대한 예방에 자주 사용되는 TMP-SMX의 성분 인 trimethoprim에 의해 과칼륨혈증이 심해질 수 있다. 경한 고칼륨혈증은 일반적으로 CNI 감소와 악화 인자 제거로 조절되나, 교정되지 않으면 min-eralocorticoid (fludrocortisone)를 투여한다. 루프 이뇨제, 티아지드 이뇨제, 폴리스티렌 설포 네이트(kayexalate) 또는 patiromer를 투여할 수 있다.

3. 저마그네슘혈증

저마그네슘 혈증은 흔하며 CNI의 마그네슘 신배설 촉진과 부갑상선 기능항진증에 의해 발생한다. 대부분 증상이 없어 혈청 마그네슘이 1.5 mg/dL 미만에서 마그네슘 보충을 고려하지만 설사를 일으킬 수 있으므로 주의를 필요로 한다.

4. 대사산증

경한 대사성 산증은 흔히 나타나며 고칼륨혈증을 동반한다. 대부분 고염소성 신세관산증(hyperchloremic renal tubular acidosis)의 양상을 보이고 CNI, 거부반응, 부갑상선기능항진증 등에 의한 요세관 손상이 원인이다.

이식 후 당뇨병 (Post-transplant Diabetes Mellitus)

이식 후 당뇨병(post-transplantation diabetes mellitus, PTDM)은 면역억제제의 사용과 관련하여 흔히 발생하며 이식환자의 이환율과 사망률 증가의 위험 인자이다. 2004~2008년 사이에 미국에서 처음 신장 이식을 받은 환자들의 이식 후 당뇨병의 3년 누적 발생률이 40%로 보고되었다. 이식 후 새로 발병한 당뇨병을 강조하고 이식 전의 당뇨병이 있었던 상태와 구분하기 위해 new onset diabetes mellitus after organ transplantation (NODAT)라는 용어를 구분해 쓰기도 한다. 이식 후 당뇨병은 이식 장기 및 환자들의 생존 기간이 길어짐에 따라 그 중요성이 커지고 있으며 이러한 이식 후 당뇨병의 관리가 이식 장기 및 환자의 생존율 증가에 중요한 영향을 미치고 있다. 위험 인자는 고령, 비만, C형 간염, 인종, 가족력, 스테로이드, CNI(특히 tacrolimus), 급성 거부 반응 등이다. 이식 후 당뇨병을 예방, 치료하기 위한 방법은 스테로이드 최소화, tacrolimus 회피, 그리고 생활개선 등이 있다. 진단을 위해 이식 후 4주 동안은 매주, 이후 3개월, 6개월, 12개월에 공복혈당을 검사하고 이후에는 매년 공복혈당을 측정하도록 하고 있다. 또 공복혈당이 정상인 경우라도 경구 당 부하 검사를 고려할 것을 권장하고 있다. 당화 혈색소(HbA1c)는 이식 후 당뇨병의 진단에 쓰이기에는 민감도가 떨어진다. 이식 후 당뇨병의 치료목표는 고혈당으로 인한 증상을 예방하고 혈관합병증을 예방하는 것이다. 혈당 조절은 경구 혈당 강하제와 인슐린을 사용할 수 있다. 메트포민은 제2형 당뇨병의 합병증을 줄이는 데 가장 효과적이며 적절한 GFR을 가진 신장 이식 수혜자에서 선택되는 약물이다. 대부분의 제2형 당뇨병 환자에게 미국 당뇨병 협회는 HbA1C 목표를 7%로 권장한다. 과도한 혈당 조절 (HbA1C <6%)이 사망 위험 증가 및 심각한 저혈당증을 초래할 수 있으므로 위험과 이점을 기반으로 한 개인화된 HbA1C 목표를 설정하여야 한다.

고지혈증(Hyperlipidemia)

이식 후 고콜레스테롤혈증과 고중성지방혈증의 유병률은 높다. 스테로이드, CNI(특히 사이클로스포린), sirolimus가 주요 원인이다. 신장이식 환자는 심혈관질환의 빈도가 높으며 관상동맥질환의 고위험군으로 National Cholesterol Education Program 지침에 따르면 저밀도 지단백 콜레스테롤을 100 mg/dL 이하로 조절하여야 한다. 중성지방 수치가 500 mg/dL 이상인 경우 중성지방을 낮추는 약제 투여를 고려하여야 한다. Silorimus 투여시 고중성지방혈증이 발생한다면 silorimus 투여 중지를 고려하여야 한다. 치료는 체중 감소, 운동, 저콜레스테롤, 저포화지방 식단으로 시작한다. 스테로이드 투여량을 최소화하고 사이클로스포린을 타크로리무스로 전환을 고려한다. 지질강하제로는 일반적으로 스타틴이 사용된다. 신장이식 환자에서 스타틴 치료 시 전체 사망률을 낮추지 않았지만 주요 심질환 발생을 억제함을 보고한 연구가 있다. 스타틴 독성 발현을 줄이기 위하여 CNI와 병합 시에는 스타틴 투여량을 50% 감소해야 한다. 중성지방을 조절하기 위하여 silorimus를 MMF 등으로 교체하고 ezetimibe, nicitinic acid 등을 투여할 수 있다. 신장이식 환자에서도 대사증후군(metabolicsyndrome)환자의 유병률이 증가하고 있으며, 비만, 고혈당, 고지혈증, 고혈압의 조절이 신장이식 환자의 사망률과 이환율을 감소시킬 수 있을 것이다.

고요산혈증과 통풍 (Hyperuricemia and Gout)

이식 후 고요산혈증과 통풍의 가장 중요한 원인은 CNI, 특히 사이클로스포린이다. CNI는 신장에서 요산 제거를 떨어뜨리며, CNI를 투여 받은 신장 이식 수혜자의 약 80%는 고요산혈증이 발생하고 약 13%는 새로운 통풍이 발생한다. 이뇨제 사용은 고요산혈증을 악화시키고 통풍 발작을 촉진할 수 있다. 급성 통풍은 콜키친이나 고용량 스테로이드로 치료한다. 콜키친에 의한 근육병증 및 신경병증은 신장 기능이 떨어진 환자나 CNI 투여 환자에서 더 흔하다. 낮은 용량의 콜키친으로 시작하고 환자의 근육병증을 감시하여야 한다. 통풍 발작을 예방하기 위해 일반적으로 알로퓨리놀을 사용하는데, Azathioprine의 대사는 allopurinol에 의해 억제되므로 함께 처방 시 주의를 요한다. 새로운 xanthine oxidase 억제제인 febuxostat는 고요산혈증 신장이식 환자에게 비교적 안전하나 azathioprine 동시 사용은 여전히 주의를 요한다. 요산 배출촉진제인 프로베니시드는 신장기능이 우수한 신장 이식 수혜자에게 사용할 수 있고 uricase, pegloticase는 이식환자를 대상으로 연구 결과가 없다.

신장이식 후 골대사 질환

말기신질환 환자에서 부갑상선기능항진증, 비타민 D 결핍, 알루미늄 중독, 아밀로이드증 등 여러 원인에 의해 골질환이 나타난다. 신장이식 후 중요한 골대사 환은 크게 골다공증(osteoporosis)과 부갑상선기능항진증(hyperparathyroidism)이다. 이론상 신장이식 후 이러한 골질환의 진행이 억제되거나 회복되어야 하나 상당 수 환자에서 이러한 원인이 잔존하고 또 면역억제제 투여로 인해 골질환이 악화되기도 한다.

1. 부갑상선 기능 항진증(Posttransplant hyper-parathyroidism)

부갑상선기능항진증은 신장이식 후 첫 일 년 동안 흔히 동반되며 일부 환자에서는 수년간 지속되기도 한다. 신장이식 후 부갑상선 기능 항진증의 위험인자는 이식 전 부갑상선 기능 항진증의 정도와 투석 기간이다. 비타민 D 결핍, 이식신 기능 부전도 원인으로 작용한다. 대부분 증상이 없으며 점차 회복된다. 치료는 경구 인산염과 비타민 D 투여를 신중히 고려할 수 있다. Paricalcitol 투여가 이식 후 1년 내 부갑상선 기능 항진증의 해결 가능성을 높일 수 있다. 그러나 활성 비타민 D 유사체는 혈청 칼슘이 정상

범위 이상으로 상승하면 중단해야 한다. Calcimimetic, cinacalcet은 혈청 PTH와 칼슘을 안전하고 효과적으로 낮추고 혈청 인산염 농도를 높이는 것으로 나타났다. 이식 후 부갑상선 절제술의 적응증은 첫째, 이식 초기에 증상을 동반한 심한 고칼슘혈증을 보이는 경우, 둘째, 이식 1년 후까지 혈장 칼슘이 12.0~12.5 mg/dL 이상 지속 되거나 calciphylaxis (calcific uremic arteriopathy)를 동반하는 경우이며 부갑상선 아전절제술(subtotal parathyroidectomy)이 추천된다.

2. 골다공증(Osteoporosis)

골다공증은 이식 후 흔히 일어나는 합병증으로 골형성과 골흡수의 부조화로 인해 이식 첫 6개월에 가장 급격하게 나타나므로 이식 직후부터 예방적 치료를 적절히 시작하는 것이 중요하다. 이식 환자의 골다공증은 병태생리 및 치료에 있어서 일반 인구와 다른 것으로 알려져 있다. 원인은 스테로이드의 직접적인 골형성(osteoblastogenesis) 억제, 골세포의 세포 사멸 유도, 성 호르몬 생산 억제, 장내 칼슘 흡수 감소, 소변으로 칼슘 배설 증가 등이다. 또 다른 원인은 지속적인 부갑상선기능항진증, 비타민 D 결핍, 저인산혈증 등이 관여한다. 당뇨병은 이식 후 골절 위험 증가와 관련이 있다. 신장이식 환자의 고관절 골절 위험은 1000 인-년 당 3.3~3.8 건으로 높고, 이식 수혜자는 이식 대기 중인 투석 환자에 비해서도 이식 초기 골절 위험이 34% 증가하나다. 고관절 골절 위험은 이식 후 2년이 되어야 투석 환자와 비슷해진다. 낮은 골밀도는 신장이식 환자의 골절에 대한 위험 요인일 것으로 추정된다. 일반 골다공증 환자가 척추 골절이 흔한데 비하여, 이식 환자들은 사지 골절이 더 흔하다. 이식 환자에서 골 소실을 억제하기 위한 방법으로 체중 부하 운동(weight-bearing exercise), 스테로이드 최소화, 칼슘(하루 1,000 mg)과 칼시트리올(calcitriol)을 투여하도록 권한다. 대부분의 골 소실이 신장이식 초기에 발생하므로 첫 3~6개월 내 예방적 치료가 중요하다. 신장이식 환자에서 bisphosphonate 투여 효과는 명확하지 않으며 GFR이 30 mL/min/1.73 m² 미만인

환자에게는 투여하지 않는다. 여러 비타민 D 유도체가 신장 이식 수혜자의 BMD에 유리한 효과를 보였으며, 이식 후 부갑상선 기능 항진증과 고칼슘혈증이 있는 환자에서 시나칼셋 치료는 혈청 칼슘 및 PTH 수치 외에도 골밀도를 개선할 수 있다.

3. CNI 연관 골통(Calcineurin Inhibitor-Associated Bone Pain)

CNI 투여 시 드물게 하지에 심한 골통(bone pain)을 호소하는 경우가 있다. CNI의 혈관 수축 때문으로 생각되고 있으며, 골괴사(osteonecrosis) 혹은 다른 골질환을 감별하여야 한다. CNI 감량과 칼슘차단제(calcium channel-blocker)투여로 통증이 완화된다. MRI에서 통증 부위에 골수 부종을 보이기도 한다.

4. 골괴사(Osteonecrosis)

골괴사(무혈성 골괴사)는 신장이식 후 합병증 중 심각한 골질환이다. 병인은 잘 알려져 있지 않으나 고용량의 스테로이드 투여가 주요한 위험인자이다. 신장이식 후 많게는 8%에서 고관절에 골괴사가 발생하며 스테로이드 투여량의 감소로 발생률이 감소하였다. 대퇴 골두가 가장 흔히 침범되며, 요골 골두, 대퇴골과(femoral condyle), 경골, 척추와 손발에도 발생한다. 주요 증상은 통증이다. MRI는 가장 민감한 진단 방법이며, 치료는 관절 고정, 감압, 관절치환술 등을 고려할 수 있다.

▶ 참고문헌

- Ball AM, et al: Risk of hip fracture among dialysis and renal transplant recipients. JAMA 288:3014-3018, 2002.
- Bergua C, et al: Effect of cinacalcet on hypercalcemia and bone mineral density in renal transplanted patients with secondary hyperparathyroidism. Transplantation 86:413-417, 2008.
- EBPG Expert Group on Renal Transplantation: European best practice guidelines for renal transplantation. Section IV: long-term management of the transplant recipient. Nephrol Dial Transplant 17:1-67, 2002.
- Gerstein HC, et al: Effects of intensive glucose lowering in type 2 diabetes. N Engl J Med 358:2545-2559, 2008.
- Iyer SP, et al: Kidney transplantation with early corticosteroid withdrawal: paradoxical effects at the central and peripheral skeleton. J Am Soc Nephrol 25:1331-1341, 2014.
- Kasiske BL, et al: Diabetes mellitus after kidney transplantation in the United States. Am J Transplant 3:178-185, 2003.
- Kasiske BL, et al: KDIGO clinical practice guideline for the care of kidney transplant recipients: a summary. Kidney Int 77:299-311, 2009.
- Kasiske BL, et al: Recommendations for the outpatient surveillance of renal transplant recipients. American Society of Transplantation. J Am Soc Nephrol 11:S1-86, 2000.
- Luan FL, et al: New-onset diabetes mellitus in kidney transplant recipients discharged on steroid-free immunosuppression. Transplantation 91:334-341, 2011.
- Nikkel LE, et al: Reduced fracture risk with early corticosteroid withdrawal after kidney transplant. Am J Transplant 12:649-659, 2012.
- Rizzari MD, et al: Ten-year outcome after rapid discontinuation of prednisone in adult primary kidney transplantation. Clin J Am Soc Nephrol 7:494-503, 2012.
- Sofue T, et al: Efficacy and safety of febuxostat in the treatment of hyperuricemia in stable kidney transplant recipients. Drug Des Devel Ther 8:245-253, 2014.

제 15 부 신장이식

CHAPTER

17 신장이식 후 종양과 림프구 증식질환

정병하 (가톨릭의대)

KEY POINTS

- 최근 보고에 의하면 BK바이러스 감염은 방광암과 요로상피암 발생과 연관이 있다.
- SIR 3 미만의 악성종양의 경우 면역억제제의 감량이나 중단이 진행 억제에 효과가 있는지는 불확실하다.
- 전립샘, 유방암과 같이 이식 전후 유병률에 차이가 없는 경우에는 면역억제제의 감량 혹은 변경 여부를 거부반응 위험도 증가 등과 함께 고려해서 결정해야 한다.

개요

신장이식 후 장기 생존 환자가 증가함에 따라 장기적인 면역억제제 투여로 인한 부작용도 늘어나고 있으며 그 중 악성종양의 발생은 장기생존 환자의 주요한 사망원인으로 부각되고 있다. 신장이식 후 악성종양의 빈도는 암의 종류에 차이를 보이고, 특히 바이러스 감염과 연관된 악성종양의 발생 위험은 일반인구집단과 비교하여 크게 증가한다. (표 15-17-1) 또한 대장암과 같은 몇몇 고형암은 일반 인구집단에서도 흔하지만 이식환자에서는 더 높은 유병률을 보인다. 하지만 유방암과 같은 고형암의 경우 일반인구집단과 비슷한 빈도를 보인다. 연령대에 따라서도 차이를 보이는데, 젊은 성인의 경우 비슷한 연령대의 일반인과 비교하여 약 15~30배까지 증가하는 것으로 알려져 있으나, 65세 이상의 고령의 환자에서는 2배만이 증가한다. 일단 악성종양이 발생하면 이식 환자의 특수한 상황으로 인하여

치료 방법은 매우 제한적이고, 예후가 매우 불량하다. 따라서 예방과 조기 검진을 통하여 발생율을 낮추고, 조기치료를 시행하는 것이 바람직하다.

원인과 병태생리

누적되는 면역억제제의 전체 투여량, 항 림프구 항체, 면역억제제의 병합투여 등은 암 발생의 중요한 위험인자로 생각되고 있다. 장기적인 면역체계의 억제로 인하여 항암 면역감시기구(Immune surveillance)의 파괴 및 항 바이러스 작용기능이 손실되며, 면역억제로 인해 2차적으로 발생한 장기적인 바이러스 감염(표 15-17-2)에 의하여 악성종양의 발생이 증가하며, 최근 보고에 의하면 BK 바이러스의 감염이 면역이 저하된 환자에서 요로 상피암(uroepithelial

표 15-17-1. 신장이식 환자에서 SIR에 따라 분류된 암

	Common cancers in transplant population[1]	Common cancers (both)[2]	Rare cancers[3]
High SIR[4] (>5)	Kaposi's sarcoma[5] Vagina[5] Non-Hodgkin lymphoma Kidney Non-melanoma skin[5] Lip[5] Thyroid Penis[5] Small intestine[5]	Kaposi's sarcoma (with HIV)[4]	Eye
Moderate SIR[4] (>1~5, p <0.05)	Oro-nasopharynx Esophagus Bladder Leukemia	Lung Colon Cervix Stomach Liver	Melanoma Larynx Multiple myeloma Anus[5] Hodgkin's lymphoma
No increased risk[4]		Breast Prostate Rectum[5]	Ovary Uterus Pancreas Brain Testis

HIV, human immunodeficiency virus ; SIR, standardized incidence ratio
1) 일반 인구집단에서의 발생율 <10/100,000명, 그러나 신장이식환자에서의 추정되는 발생율 (SIR × 일반 인구집단에서의 발생율) ≥10/100,000명.
2) 일반인구집단과 신장이식환자, 두 집단 모두에서의 발생율 ≥10/100,000명; 전세계 발생율에 근거하였으며 연령 표준화 비율임
3) 일반인구집단과 신장이식환자, 두 집단 모두에서의 발생율 <10/100,000명.
4) 미국 발생율에 근거함. 연령 표준화 비율(미국 인구에 정규화됨).

표 15-17-2. 바이러스 감염과 연관되어 발생하는 악성종양의 종류

virus	malignancy
EBV	Hodgkin lymphoma Burkitt's lymphoma Nasopharyngeal carcinoma
HHV-8	Kaposi sarcoma
HTLV-1	Adult T-cell leukemia
HPV	Cervix cancer Penis carcinoma Vulvar carcinoma Anus Vagina Oropharygeal carcinoma
HBV, HCV	Hepatocellular carcinoma

EBV: Ebstein-Bvarr virus   HHV 8: Human herpesvirus type , HTLV-1 : Human T-cell lymphotropic virus type 1 HPV: Human papilloma viruses, HBV: Hepatitis-B virus, HCV: Hepatitis-C virus

carcinoma) 혹은 방광암(bladder cancer)의 발생과 연관성이 있다. 그 외에 면역억제제 다양한 작용 기전 중 칼시뉴린 억제제에 의한 염증 사이토카인(TGF-beta, VEGF 등)의 생산, Azathioprine에 의한 DNA 교정체계의 손상 등의 기전에 의해 악성종양 발생 위험이 증가할 수 있으며, 유전적인 인자, 고령, 흡연, 투석치료 기간, 환경적인 요인(호주: 태양광선에 과다노출로 인해 피부암 발생증가), 지역적 요인(카포시 육종: 사우디아라비아) 등이 이식 후 악성종양의 발생과 관련된 인자이다.

암의 선별검사와 권고사항

신장 이식환자에서 암의 선별검사는 각 환자의 과거력이나 가족력, 흡연력, 사망에 대한 위험, 선별 검사방법을 고려하여 시행되어야 하고 일반인구집단에서 권고되는 사항과 크게 다르지 않다. 여자의 경우 자궁경부암, 유방암, 대장암, 남자의 경우에는 전립선암, 대장암에 대한 선별검사가 필요하다. 신장이식환자에서 자궁경부암은 일반인구집단보다 더 흔하므로 선별검사가 특히 권고되고, 골반내진과 pap smear를 적어도 매년 시행하는 것이 추천된다.

신장이식환자에서 HPV (human papilloma virus) 백신의 효과에 대해서는 아직 명확히 밝혀진 바는 없다. 유방암의 빈도는 일반인구집단과 비슷하므로 기대 여명이 일반인구집단과 비슷하다면 선별검사는 시행하는 것이 추천된다. 50-69세 환자에서 유방 촬영술 시행이 권고되며, 40세 이상에서는 선택적으로 권고된다. 신장이식환자에서 전립선암의 빈도는 일반인구집단과 비슷하지만 선별검사가 이득이 있을지는 불확실하다. 선별검사로는 PSA (protstate-specific antigen)와 직장 손가락 검사가 있다. 신장이식환자에서 대장암 발병율은 일반인구집단에 비해 증가되며, 특히 50세 미만에서 증가한다. 40세 이상에서 선별검사로 대장대시경이 매 5년마다 권고된다. 신장이식환자에서 간세포암은 위험도가 증가되며, B형 간염 보균자 및 간경화 환자에서는 6-12개월마다 복부초음파와 AFP (alpha feto-protein)를 선별검사로 시행하도록 권고된다.

신장이식환자에서 신세포암의 빈도는 일반인구집단에 비해 매우 높지만 선별검사의 이점은 불확실하다.

피부암은 일반인구집단에 비해 신장이식환자에서 빈도가 훨씬 높은 질환이다. 위험 인자로는 흰 피부, 강한 햇빛의 기후나 강한 햇빛에 노출되는 직업, 어렸을 때부터 많은 햇빛 노출이 있었던 경우, 피부암의 과거력이 있는 경우로서 일반인구집단과 차이는 없다. 피부암의 위험도를 줄이기 위해서는 다음사항들이 권고된다. 햇빛 노출을 최소화 하기 위해 적절한 자외선 차단제의 사용이 필요하다. 피부와 입술의 자가 검사가 추천되며 새로운 병변 발견 시 의료진에게 알려야 한다. 경험이 있는 의사로부터 매년 피부와 입술을 검사받는다. 피부나 입술의 암의 과거력이 있거나 전암 병변이 있는 경우 이전 피부암을 진단하고 치료해본 경험이 있는 전문의에게 의뢰가 필요하다. 피부암의 과거력이 있는 환자는 금기사항이 없다면 경구 acitretin 치료가 권고된다.

신장이식 후 시기별 선별검사

1. 이식후 3개월~1년

이식 후 발생하는 악성 종양 중에서도 림프구증식질환(post-transplant lymphoproliferative disorder, PTLD)은 이식 후 조기에 출현할 수 있으므로 3개월 후 방문시마다 목 주위, 쇄골 위, 잇몸, 편도선, 인후, 하악하(Sub-mandibular) 림프절 종대 또는 종양이 있는지 세밀히 관찰한다. 특히 발열을 동반하는 감기 증상이 2주 이상 지속될 때는 신 이식후 림프증식성질환에 대한 정밀검사를 요한다. 부인과적인 검진(Pap smear를 포함)은 매년 실시해야 하며, 피부과 검진, 특히 카포시 육종의 조기 진단을 위하여 피부의 종양, 반점(검붉은 또는 보라색) 등의 발생 여부를 관찰하고 의심나면 피부과 전문의에게 의뢰한다. 피부암의 발생빈도가 높은 지역에서는 매년 피부과 전문 진료를 받도록 권장한다.

2. 이식 후 1년~

위내시경을 매년 실시하는 것을 원칙으로 하되 최소한 매 2년마다 추적검사를 실시하고 장상피화생 등 의심되는 병변이 발견되면 이후 매년 추적관찰을 실시한다. 35세 이상에서 매 1~2년마다 유방 조영술을 실시하고 병변이 의심되면 유방 초음파 및 조직검사를 실시한다.

3. 이식후 2년~

복부 초음파 또는 복부 CT를 시행하여 간 및 기저신장 (native kidney)의 낭종 및 종양을 관찰한다. 그 후 매 2년마다 추적검사를 실시한다. HBs Ag 또는 Anti-HCV 양성 환자에서는 매 3~6개월마다 혈청 AFP 및 간 초음파를 실시하고 매년 복부 CT로 추적검사를 실시한다.

4. 이식후 3년~

갑상선 초음파를 실시하고 매 2~3년마다 추적검사를 실시한다. 40세 이상에서는 대장 내시경을 실시하고 매 5년마다 추적검사를 실시한다. 관상 선종성 용종이 발견되면 1년 이내에 재검사를 실시한다.

5. 기타 선별검사

40세 이상에서 대변 잠혈 검사와 PSA (Prostate specific antigen)을 매년 실시한다. 비사구체성의 현미경적 혈뇨 및 육안적 혈뇨를 동반한 40세 이상의 환자 또는 cyclophosphamide를 장기간 사용한 환자에서는 방광경 검사를 시행한다.

면역억제제 조절을 통한 악성종양의 예방 및 처치

이식 후 종양이 발생하면 면역억제제를 감량하는 것이

권고가 되지만, 암의 단계, 암이 면역억제제에 의해 악화될 가능성, 암에 대해 가능한 치료가 있는지 여부, 항암화학요법에 의해 면역억제제의 효과가 영향을 받을지 등을 먼저 고려 후 결정해야 한다. SIR 3 이상으로 증가된 악성종양의 경우 대부분 바이러스 감염과 연관된 경우이므로 면역억제제 감량이 악성 종양 진행 억제에 도움이 되나, SIR 3 미만이라면 면역억제제를 끊거나 줄이는 것이 악성종양 진행의 억제에 효과가 있는지 확실한 근거는 없으며, 결론적으로 면역억제제의 감량이나 중단이 이식 후 악성종양에 미치는 영향에 대한 무작위 대조연구는 없는 상태이다. 그러나 PTLD 혹은 카포시 육종의 경우 전반적인 면역억제제 용량을 줄이고 mTOR 억제제(sirolimus, everolimus)를 사용하는 것이 효과가 있는 것으로 입증된 바 있다. mTOR 억제제 치료효과 기전은 암 세포의 증식을 세포내 기전을 통하여 억제하고, 혈관내피세포성장인자(vascular endothelial growth factor, VEGF) 및 IL-10의 생산을 억제하고 또한 세포 자연사멸(apoptosis)을 유도하여 항암 효과를 가지고 있는 것으로 알려져 있다. 따라서, 피부암과 악성림프종 이외에도 다른 장기에 발생한 악성종양의 치료에도 mTOR 억제제의 사용을 고려해 볼 수 있다. 다만, 전립샘, 유방암과 같이 이식 전후 유병률에 차이가 없는 경우에는 면역억제제를 감량 또는 변경함으로써 발생할 수 있는 급성 거부반응, 이식신장 기능 소실의 위험도 증가를 함께 고려해서 면역억제제의 조정 여부를 결정해야 한다.

▶ 참고문헌

- Berwick M et al: Screening for cutaneous melanoma by skin self-examination. J Natl Cancer Inst 88:17-23, 1996.
- Cheung CY, et al: An update on cancer after kidney transplantation. Nephrol Dial Transplant 34:914-920, 2019.
- EBPG Expert Group on Renal Transplantation: European best practice guidelines for renal transplantation. Section IV: Long-term management of the transplant recipient. IV.6.1. Cancer risk after renal transplantation. Post-transplant lymphoproliferative disease (PTLD): Prevention and treatment. Nephrol Dial Transplant 17(Suppl

4): 31–33, 35–36, 2002.

- Green A, et al: Daily sunscreen application and betacarotene supplementation in prevention of basal–cell and squamous–cell carcinomas of the skin: A randomised controlled trial. Lancet 354:723–729, 1999.

- Hickman LA, et al: Urologic malignancies in kidney transplantation. Am J Transplant 18:13–22, 2018.

- Kasiske BL, et al: Cancer after kidney transplantation in the United States. Am J Transplant 4:905–913, 2004.

- Kasiske BL, et al: Recommendations for the outpatient surveillance of renal transplant recipients. J Am Soc Nephrol 11(Suppl 15):S1–86, 2000.

- Kidney Disease: Improving Global Outcomes (KDIGO) Transplant Work Group: KDIGO clinical practice guideline for the care of kidney transplant recipients. Am J Transplant Suppl 3:S1–155, 2009.

- Lamberg L: Dermatologists call for massive cover–up. JAMA 279:1426–1427, 1998.

- Oberbauer R, et al: Early cyclosporine withdrawal from a sirolimus–based regimen results in better renal allograft survival and renal function at 48 months after transplantation. Transpl Int 18:22–28, 2005.

- Otley CC, et al: Decreased skin cancer after cessation of therapy with transplant–associated immunosuppressants. Arch Dermatol 137:459–463, 2001.

- Saraiya M, et al: Interventions to prevent skin cancer by reducing exposure to ultraviolet radiation: A systematic review. Am J Prev Med 27:422–466, 2004.

- Stallone G, et al: Sirolimus for Kaposi's sarcoma in renal–transplant recipients. N Engl J Med 352:1317–1323, 2005.

- U.S. Preventive Services Task Force: Screening for skin cancer: Recommendations and rationale. Am J Nurs 102:97–99, 2002.

- Walter LC, et al: Cancer screening in elderly patients: A framework for individualized decision making. JAMA 285:2750–2756, 2001.

- Webster AC, et al: Identifying high risk groups and quantifying absolute risk of cancer after kidney transplantation: A cohort study of 15,183 recipients. Am J Transplant 7:2140–2151, 2007.

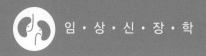

CHAPTER

18 재발 사구체신염

박경선 (울산의대)

KEY POINTS

- 특발성 막신병증의 70~80% 환자에서 이식 당시 항PLA2R항체 양성일 경우 재발 위험도가 높은 것으로 나타났으나, 항 PLA2R항체가 음성이 될 때까지 신장이식을 미루는 것은 추천하지 않는다.

- HCV 양성인 경우 막증식사구체신염의 재발 위험이 높고, 이 경우 항바이러스제 투여가 도움될 수 있다.

- ANCA 양성이 지속되는 상황에서도 성공적인 신장이식은 가능하나, 재발 위험을 줄이기 위해 이식 전 6개월 이상 임상 관해를 유지하는 것을 권고한다.

- 루푸스항응고인자를 가진 환자는 신장이식 후 혈전증 위험이 증가하므로 수술 전후 및 이식 후 초기에 항응고제 투여를 고려해야 한다.

- 비정형 HUS의 재발 위험과 예후는 보체 돌연변이에 따라 다르므로 신장이식 전 수혜자 및 공여자의 유전형 평가를 권장한다. 돌연변이가 확인된 경우 간-신장 동시 이식을 고려해 볼 수 있다.

- Eculizumab이 HUS 재발의 치료와 예방에 효과적이라는 증례보고가 있으며 추가 연구가 진행중이다.

신장이식 후 사구체신염의 재발은 이식신 상실(graft failure)의 세 번째로 흔한 원인이다. 이식 신기능이 오래 유지 될수록 사구체신염의 재발 위험은 높아진다. 새로운 면역억제제의 도입과 급성 거부반응의 감소로 이식 신 생존율이 향상 되면서 사구체신염의 재발 빈도도 높아지고 있다. 이에 따라 이식신 예후에 재발 사구체신염이 미치는 영향이 점차 중요하게 되었다. 재발 사구체신염은 이식 전 본래의 신장 질환과, 이식신에서 발생한 질환이 동일함을 조직학적으로 확인함으로써 진단할 수 있다. 모든 신장이식 환자가 본래의 신장 생검을 한 적이 있는 것이 아니며

또한 대부분의 경우에 이식신의 임상적 혹은 검사실 이상 소견이 있을 때에 이식신 생검을 하게 되므로, 재발 사구체신염의 발생빈도는 과소평가 하게 되는 경향이 있다.

이론적으로 모든 종류의 사구체신염은 이식 후 재발이 가능하나, 그 발생율과 이식신 기능에 미치는 영향은 매우 다양하다. 가령 항사구체기저막병(anti-GBM disease)의 재발은 매우 드물지만, 재발한다면 빠른 속도로 이식 신 상실(graft failure)을 유발할 수 있다. 반대로 제2형 막증 식사구체신염(MPGN type 2)은 80% 이상 재발하지만, 진행 속도가 매우 느려 10년 이상 이식신 기능을 유지할 수

있다. 임상적으로 국소분절사구체경화증, IgA신병증, 막신
병증의 재발이 흔하다. 면역억제제의 종류와 사구체신염의
재발과의 관계에 대해서는 논란의 여지가 있다. 항흉선세
포글로불린(antithymocyte globulin) 유도요법은 IgA신병
증의 재발을 낮추고, 스테로이드금단 요법은 IgA신병증의
재발 위험을 높이는 것으로 보고 되고 있다.

재발을 예방하기 위해 본래의 양측 신장을 절제하는 것
은 효과가 없고, 오히려 재발 위험을 높인다는 보고도 있
다. 이식 전 사구체신염의 관해를 유도하고, 장기간 투석
을 유지하는 것 또한 항사구체기저막병 외에는 예방 효과
가 없다. 항사구체기저막병의 경우 이식 전 6개월 이상 혈
청학적 음성을 유지하는 것이 재발 위험을 낮춘다고 한다.
국소분절사구체경화증의 경우 생체관련기증자(living-
related donor)를 피하는 것이 재발 예방에 도움 된다는 증
거는 없다.

본래 신장에 발생한 사구체신염과 마찬가지로, 단백뇨,
혈뇨, 신기능 저하가 재발 사구체신염의 대표적인 임상양
상이며, 용혈요독증후군, 항중성구세포질항체 (ANCA) 혈
관염 등에서는 신장외 징후가 동반 될 수 있다. 항사구체
기저막병이나 루푸스신염의 경우 혈청학적 검사가 재발의
진단에 도움 될 수 있다. 치료 방향을 결정하기 위해 다음
과 같은 질환의 감별이 필요하다. 만성거부반응이나 당뇨
병신병증은 단백뇨, 점차 진행하는 신기능 장애로 나타나
므로 재발 사구체신염과 임상 양상이 유사하다. BK 바이
러스와 같은 바이러스 감염은 면역억제제를 감량해야 하
므로 치료 방향이 달라서 감별이 중요하다. 재발 사구체신
염이 만성 거부반응이나 calcineurin inhibitor 독성과 동
반 되는 경우도 있으므로 신기능 저하를 유발할 수 있는
모든 원인들을 고려해서 치료 방향을 결정해야 한다. 신조
직검사는 진단 및 감별진단에 필수적이며, 추후 재이식을
고려할 경우 예후를 예측하는 데에 도움이 될 수 있다. 정
확한 감별진단을 위해 광학현미경 뿐 아니라 면역형광 및
전자현미경 검사를 반드시 포함해야 한다.

IgA신병증

IgA신병증은 말기신부전으로 진행하는 가장 흔한 형태
의 사구체신염이며, 이식 후에 재발도 흔하다. 신장이식후
IgA신병증의 재발 빈도는 이식신 생검율과 추적 시기에 따
라서 8~53%까지 다양하게 보고되고 있다. 프로토콜 생검
연구에 의하면 재발빈도가 50~60%로 보고되고 있다. 반
면 임상적 재발률은 평균 15~30%이다. 재발을 예측할 수
있는 요인에 대해서는 정보가 충분하지 않지만, 젊은 나이
에 이식을 받았거나, 본래 IgA신병증이 빨리 진행한 경우,
단백뇨의 정도, 공여자와의 관계 등이 재발과 연관된 인자
로 알려져 있다. 생체이식이 재발을 높인다는 증거가 미약
하므로 IgA신병증 환자의 신장이식에서 생체공여자를 배
제할 필요는 없다. HLA 동일(zero-mismatch) 공여자일
경우 재발 위험이 높고, ABO 부적합 이식일 경우 재발률
이 낮다는 보고가 있다. 재발 후 임상 경과는 다양한데,
일반적으로 이식 후 3년 이내에 재발에 의한 이식신 상실
은 드물다. 다만, 이식 전 본래 IgA 신병증의 경과가 빠르
게 진행했었다면 이식 후 재발에 의한 조기 이식신 상실도
가능하다. 초승달(crescent) IgA신병증은 불량한 예후를
지닌다. 재발 IgA신병증으로 이식신을 상실한 환자는 다음
번 신 이식에서도 재발과 함께 이식신 상실이 발생할 위험
성이 증가한다. 재발 IgA신병증의 치료에 대해서는 잘 알
려져 있지 않다. 항흉선세포글로불린(antithymocyte glob-
ulin) 유도요법으로 IgA신병증의 재발을 예방할 수 있다는
보고가 있고, 스테로이드금단 요법 환자에서 IgA신병증 재
발 후 스테로이드 유지 요법은 고려해 볼 만 하다. 생선기
름(fish oil)이나 편도절제술은 권장 되지 않는다. 안지오텐
신전환효소억제제나 안지오텐신II수용체차단제 투여를 통
한 혈압조절, 신독성약물의 회피 등은 도움 될 수 있다.

막신병증

조직학적으로 증명 된 막신병증의 재발률은 40%까지
보고되며, 이들 중 이식 후 10년 이내에 50% 이상 이식 신

상실을 경험한다. 막신병증으로 이식신을 상실했던 환자는 다음 이식에서 재발할 위험이 높다. 특발성 막신병증의 70~80% 환자에서 M-type phospholipase A2 receptor (PLA2R)가 표적 항원으로 확인 됨에 따라 항PLA2R항체 역가를 이용해 재발을 예측하는 연구가 진행 되었다. 이식 당시 항PLA2R 항체 양성일 경우 재발 위험이 높은 것으로 나타났으나(양성예측도 83%, 음성예측도 42%), 민감도와 특이도가 충분하지 않아 대규모 추가 연구가 필요하다. 따라서 막신병증 환자에서 항PLA2R항체가 음성이 될 때까지 신장이식을 미루는 것은 추천되지 않는다. 본래의 막신병증에 비해 재발인 경우 자연 관해는 드물다. Rituximab 투여로 단백뇨를 완전 또는 부분관해 시켰다는 소규모 증례 보고들이 있으나 추가 연구가 필요하다.

국소분절사구체경화증

일차성 국소분절사구체경화증 환자의 첫 신장이식 후 재발률을 20~30%이고, 재발 후 이차 이식에서 재발률은 75% 이상으로 높게 보고 된다. 혈관질환이나 역류성신병증에 의한 이차성 국소분절사구체경화증의 재발률은 매우 낮다. 이식 전 본래 국소분절사구체경화증이 다량의 단백뇨와 3년 이내에 빠른 속도로 신부전으로 진행했다면 이식 후 재발의 위험이 특히 높다. 재발은 이식 후 한달 이내에 빠르게 발생하며 다량의 단백뇨, 고혈압 및 이식 신 기능 장애로 나타난다. 재발한 경우 급성 거부반응이나 급성 콩팥손상의 발생에 취약하다. 재발하면 50%의 환자에서 빠르게 이식 신 상실로 진행할 수 있다. 국소분절사구체경화증의 병인은 분명치 않으나 발세포 손상과 slit diaphragm 단백질의 손상이 질환과정에 관여하는 것으로 생각된다. 신장이식 후 재발 국소분절사구체경화증 관찰에서 병인적 순환 사구체 투과성요소의 역할이 추정되나 아직 완전히 확인 되지 않았다. 재발 국소분절사구체경화증의 치료로는 혈장분리교환술로 순환 요소를 제거하는 것에 주안점을 두고 있다. 재발 후 2주 이내에 집중적인 혈장분리교환술을 시작할 경우 50% 이상에서 치료에 반응을

보이고, 치료 시작 시기가 늦을수록 반응율은 떨어진다. 따라서 금기가 없다면 신속히 혈장분리교환술을 시행하도록 권고한다. 치료반응이 충분하지 않거나, 재발 국소분절사구체경화증에서 칼시뉴린억제제를 증량함으로써 성공적인 치료가 되었다는 보고도 있으나 장기간 결과는 알려져 있지 않다. 고용량의 ACE억제제 사용이 단백뇨를 감소시키는 것으로 알려져 있다. 치료 종료 후 재발할 경우 Rituximab이나 cyclophosphamide를 투여하며 혈장분리교환술을 장기간 시행해 볼 수 있다. 그 외 실험적 치료로 TNF-α 차단제와 순환요소와 결합을 위한 갈락토오스 주입 등이 있으나 추후에 임상적 검증이 필요하다.

막증식사구체신염

재발 막증식사구체신염은 임상적, 조직학적으로 이식사구체병증과 유사한 점이 많아 정확한 진단을 위해 본래 신장질환에 대한 정보를 포함하여 포괄적인 접근이 필요하다. 초승달 사구체신염, 강한 C3 염색, 약한 IgM 염색 및 내피하 전자-고밀도 침착 등은 이식사구체병증보다 1형 막증식사구체신염의 재발을 시사하는 소견이다. 1형 막증식사구체신염의 재발은 20~33%로 보고 된다. 재발한 경우 이식 신 상실은 40%까지 보고 되며, 재이식할 경우 재발률은 80%에 이른다. HCV 양성인 경우 재발 위험이 높고, 이 경우 항바이러스제 투여가 도움 될 수 있다. 2형 막증식사구체신염은 유전적 보체이상과 순환 신성 요소와 연관이 있다. 고밀도침착병은 조직학적으로 이식신병증과 유사하며 재발률은 50~80%로 보고 된다. 재발 후 이식 신 기능 저하는 10년 이상 천천히 진행한다. 이식신 상실은 생검에서 염증과 섬유화 중증도에 따라서 예측할 수 있다. 효과적인 치료법은 없으며 혈장분리교환술이나 보체길항제가 도움 된다는 일부 증례 보고가 있다.

항중성구세포질항체(ANCA) 관련 혈관염

ANCA 관련 혈관염은 이식 후 4~89개월에 17%에서 재발하는 것으로 알려져 있다. 신장 관련은 약 60%에서 입증되었으며 이식신 손실은 이들 중 25 %에서 보고되었다. 임상적으로 재발을 예측할 수 있는 인자는 명확하지 않다. 이식 전 질병 경과, 투석 기간, 이식 시 ANCA 역가, 세포질 ANCA (c-ANCA) 또는 핵 주위 ANCA (p-ANCA) 패턴, PR3 또는 MPO에 대한 항체 특이성, 질병 아형(베게너육아종증, 현미경다발 혈관염 또는 신장 제한 혈관염) 및 공여자 출처는 재발률에 큰 영향을 미치지 않았다. ANCA 양성이 지속되는 상황에서도 성공적인 이식은 가능하나, 재발 위험을 줄이기 위해 이식 전 최소 6개월 동안 임상 관해를 유지하는 것이 권고 된다. 재발 예측을 위해 ANCA 역가 모니터링이 일반적으로 시행 되고 있으나 근거는 부족하다. 재발하면 혈장분리교환술과 cyclophosphamide로 관해를 유도할 수 있다. 투석 중인 환자에 비해 신장 이식은 ANCA 관련 혈관염의 재발 빈도를 약 50 % 감소시키는 것으로 알려져 있으며, 이식 후 환자 및 이식신 생존율은 일반적인 신장이식 환자와 유사하다.

항사구체기저막병

항사구체기저막병의 재발은 순환 항사구체기저막 항체가 지속되는 동안 이식을 받은 환자의 50%에서 보이지만, 항사구체기저막 항체가 사라지고 6개월 이상 지난 후에 이식을 받은 환자에서는 드물게 나타난다. 재발은 매우 드물지만 빠른 속도로 이식 신 상실을 유발할 수 있다. 치료는 본래의 신장에 발생했을 경우와 마찬가지로 혈장분리교환술과 cyclophosphamide로 치료할 수 있다.

루푸스신염

루푸스신염의 재발률은 사용된 진단 기준에 따라 2~54%로 다양하게 보고되고 있다. 재발의 임상적 및 조직학적 양상은 다양하지만 일반적으로 환자의 원래 질병보다 경하게 나타난다. 이식 전 투석 기간과 혈청 활성도 (항핵항체 역가 및 보체 수준)는 질병 재발을 예측하는 데에 도움 되지 않는다. 루푸스신염의 재발과 신장 외 루푸스의 활동성 사이에는 일관된 관계가 없다. 이식 후 루푸스 환자의 장기적 결과는 논란의 여지가 있지만 일반적인 이식 후의 결과와 유사하다. 단, 루푸스항응고인자를 가진 환자는 이식 후 이식 혈전증을 포함한 혈전증 위험이 증가한다. 이런 환자의 경우 수술 전후 및 이식 후 초기에 항응고제 투여를 고려해야한다.

용혈요독증후군/혈전혈소판감소자반병 (Hemolygic uremic syndrome/Thrombotic thrombocytopenic purpura, HUS/TTP)

전형적인 Shiga독소 관련 HUS는 거의 재발하지 않는 반면, 비정형 HUS의 재발은 빈번하여 최대 80%로 보고 된다 재발 후 이식신 예후는 불량하다. 재발은 일반적으로 이식 후 첫 6 개월 이내에 발생한다. 재발 HUS/TTP의 진단은 신장 이식 후 1~5%에서 나타나는 de novo 혈전미세혈관병증(thrombotic microangiopathy, TMA)과 감별이 필요하다. de novo TMA는 calcineurin inhibitor, sirolimus, OKT3 또는 급성 혈관 거부반응 또는 OKT3 또는 급성 혈관 거부반응에 의해 발생할 수 있으며, 약물에 의한 de novo TMA는 일반적으로 약물 시작 후 14 일 이내에 관찰된다. 비정형 HUS의 재발 위험과 이식 신 생존에 미치는 영향은 보체 돌연변이에 따라 다르다. H인자와 I인자의 돌연변이는 75%의 재발률을 보이고, 이들 중 90% 이상에서 이식 후 1년 내에 이식 신 상실을 일으킨다. 반면, 막 보조인자 단백질(membrane cofactor protein, MCP)의 돌연변이의 재발률은 20%이고, 실제로 H인자나 I인자 돌염변이에 비해 더 나은 생존률을 보인다. 따라서, 비정형 HUS로 인한 모든 ESRD 환자의 신장 이식 전 수혜자 및 잠재적인 공여자에 대한 유전형 평가가 권장 된다. 돌연변이가 확인 된 경우 간–신장 동시 이식을 고려해 볼 수 있다. H인자나 I인자 돌연변이가 있는 환자에서는 혈장분리 교환술이 효과적일 수 있다. 하지만 MCP나 throbomodulin 돌연변이의 경우 문제가 되는 단백질이 세포막에 결합 되어 있어 혈장교환술의 치료 효과가 좋지 않다. Eculizumab이 재발의 치료와 예방에 효과적이라는 증례보고가 있으며 추가 연구가 진행중인다. 재발 후 이식 신 예후는 좋지 않다. 이식편의 50% 이상이 이식 후 첫 해에 손실되며 이식신 생존율이 5년을 초과하는 경우는 매우 드물다. Calcineurin inhibitorI 회피가 재발 방지에 유용하다는 증거는 없다.

▶ 참고문헌

- Artz M, et al: Renal transplantation in patients with hemolytic uremic syndrome: High rate of recurrence and increased incidence of acute rejections. Transplantation 76:821–826, 2003.
- Contreras G, et al: Recurrence of lupus nephritis after kidney transplantation. J Am Soc Nephrol 21:1200–1207, 2010.
- Dabade T, et al: Recurrent idiopathic membranous nephropathy after kidney transplantation: a surveillance biopsy study. Am J Transplant 8:1318–1322, 2008.
- John Feehally, et al: Comprehensive Clinical Nephrology. 6th ed. 2019.
- Mulay A, et al: Impact of immunosuppressive medication on the risk of renal allograft failure due to recurrent glomerulonephritis. Am J Transplant 9:1–8, 2009.
- Stephanian E, et al: Recurrence of disease in patients retransplanted for focal segmental glomerulosclerosis. Transplantation 53:755–757, 1992.
- Westman K, et al: Relapse rate, renal survival and cancer morbidity in patients with Wegener's granulomatosis or microscopic polyangiitis with renal involvement. J Am Soc Nephrol 9:842–852, 1998.
- Wyld M, et al: Recurrent IgA Nephropathy After Kidney Transplantation. Transplantation 100:1827–1832.

CHAPTER
19
신장이식 환자 및 이식신장 생존율

이식 (전북의대)

KEY POINTS

- 말기콩팥병에 대한 지식과 치료의 발전, 신장이식 술기의 발전, 새로운 면역억제제의 개발 및 도입 그리고 많은 임상경험 축적으로 신장이식 환자 및 이식신장 생존율 향상이 이루어지고 있다.

- 신장이식 환자 생존율에 영향을 주는 요인들로는 이식신장의 유형, 수혜자와 뇌사자의 나이, 전신질환 및 심혈관질환 동반 여부 그리고 면역억제 정도 등이 있다.

- 이식신장 생존율에 영향을 주는 요인들로는 이식신장 기능의 회복 지연, 수혜자의 감작정도, 공여자 연령, 공여신장의 유형, 이식 전 투석 방법과 선제적 신장이식, 급성거부반응, HLA 항원 일치정도, 부적절한 이식신장의 크기 그리고 심혈관계 위험인자 등이 있다.

신장이식환자 및 이식신장 생존율의 변화

신장이식이 우리나라에 처음 도입된 1969년 이후 말기콩팥병에 대한 지식과 치료의 발전, 신장이식 술기의 발전, 새로운 면역억제제의 개발 및 도입, 그리고 많은 임상경험의 축적 등으로 급성거부반응의 감소와 함께 이식환자 및 이식신장의 생존율 향상이 이루어지고 있다. 우리나라에서 생존율은 보고에 따라 차이는 있지만 2000년대 이후 이식신장의 1년 생존율이 약 95~98%, 5년 생존율이 약 85~90%, 10년 생존율이 약 80~85%이고 환자의 10년 생존율은 약 90~95%로 크게 향상되었다. 이러한 생존율은 다른 나라와 비교할 때 비슷하거나 상회하는 결과를 보이고 있다(표 15-19-1). 생체이식신장일 경우가 사체이식에 비해 이식환자나 이식신장의 생존율에 있어서 향상된 결과를 보이고 있으나, 사체이식의 경우에 생존율 감소의 폭이 이식 후 5년 이후에는 생체이식에 비해 증가한다. 이러한 단기 성적의 개선이 장기적인 성적에는 크게 영향을 미치지 못하고 있는데 이는 면역억제요법의 발전과 이식 후 급성거부반응 발생 빈도의 차이와 같은 면역학적인 요소들 외에 원발성 질환의 재발, 심혈관계 및 기타 합병증의 발생과 같은 비면역학적 원인이 장기 생존율에 영향을 미치는 것 같다.

표 15-19-1. 국가별 신장이식환자와 이식신장 생존율 비교

	미국	유럽	캐나다	호주/뉴질랜드
생체이식(%)				
1년 신장	97.2	95.8	97.7	98.0
5년 신장	84.6	86.9	90.8	90.0
1년 환자	98.7	98.6	N/A	99.0
5년 환자	93.1	94.3	N/A	95.0
뇌사이식(%)				
1년 신장	93.4	90.7	94.9	95.0
5년 신장	72.4	77.8	81.4	81.0
1년 환자	97.0	96.0	N/A	98.0
5년 환자	86.1	87.1	N/A	90.0

* 재이식인 경우는 제외한 결과임; N/A: not applicable

신장이식환자 생존율에 영향을 주는 요인들

유지투석에 비해 신장이식은 환자에게 향상된 생존율을 보여주지만 일반인과 비교했을 때는 높은 사망률을 나타낸다. 신장이식 후 수혜자의 생존율에 영향을 주는 인자는 다음과 같다.

1. 이식신장의 유형

보고에 따르면 생체이식, 비확장성 사체이식, 그리고 확장성 사체이식을 받은 수혜자의 5년 생존율은 각각 91%, 84%, 그리고 70%로 생체이식을 받은 수혜자가 사체이식 수혜자에 비해 좋은 생존율을 보인다.

2. 수혜자와 뇌사자 나이

신장이식을 받을 당시 나이가 고령일수록 높은 사망률을 보인다. 수혜자의 나이는 이식신장의 생존율에도 영향을 미치는데 그 이유는 이식신장 소실의 원인이 사망일 경우가 나이에 비례하여 증가하기 때문이다. 그러나 65세 이상 수혜자의 신장이식 후 1년과 5년 생존율을 보면 대략 90%와 70%를 보인다. 따라서 유지투석환자 중에서 단지 나이로만 신장이식 가능여부를 판단할 수 없다. 또한 사체이식시 뇌사자의 나이가 적을수록 수혜자의 생존율은 좋은 것으로 보고되었다.

3. 전신질환 동반 여부

신장이식 당시에 전신질환이 동반되어 있을 때 신장이식 후 수혜자 장기 생존율에 불리하다. 다낭콩팥병이나 사구체신염으로 이식을 받은 환자가 당뇨병, 고혈압, 또는 비만과 같은 전신질환으로 받은 환자에 비해 장기 생존율이 높다.

4. 심혈관질환

신장이식환자에서 심혈관질환이 전체 사망원인의 50~60%를 차지한다. 따라서 이식 전에 심혈관질환, 특히 관상동맥질환에 대한 검사를 관심을 가지고 시행한다.

5. 면역억제 정도

감염은 면역억제 정도가 심한 신장이식 초기에 사망의 주요한 원인이다. 감염과 거부반응에 의한 이식신장 기능 감소가 동반되어 있을 때 면역억제제의 세밀한 조절이 중요하다.

이식신장 생존율에 영향을 주는 요인들

이식 후 초기 이식신장의 생존율은 괄목할 만하게 향상되었지만, 장기 이식신장의 생존율은 단기 생존율에 비해서 큰 개선은 없다. 다음과 같은 여러 인자들이 상호 관련되어 단기 및 장기 이식신장의 생존율에 영향을 준다.

1. 이식신장 기능의 회복 지연

허혈/재관류 손상, 냉허혈 시간의 연장, 뇌사상태, 또는 감염 등에 의한 이식신장조직의 손상은 이식신장 기능 회복의 지연을 가져오고 단기 및 장기 이식신장 생존율을 감소시킨다.

2. 감작정도

HLA 항체가 있는 감작 된 환자는 이식신장 소실의 위험성이 높다. 보고에 의하면 HLA 항체를 가지고 있는 이식환자와 그렇지 않은 환자에서 이식 후 1년 이식신장 소실 위험도는 각각 6.6%와 3.3%로 나타났다. 감작 된 환자는 이식을 받기 위한 대기시간이 길어지고, 수술 후 이식신장 기능 회복이 늦고 거부반응의 위험성이 증가한다.

3. 공여자 연령

신장공여자의 연령에 따른 이식신장의 생존율은 고령일수록 낮다. 보고에 따르면 사체이식의 경우 공여자의 나이가 60세 이상인 경우와 40세 미만인 경우를 비교하면, 이식신장 소실 위험도가 60세 이상인 경우가 2~3배 높다.

4. 공여신장의 유형

생체신장의 생존율이 사체신장에 비해 생존율이 높다. 사체신장의 경우 Kidney Donor Risk Index (KDRI)가 높은 5분 위수일수록 불리하다.

5. 이식 전 투석 방법과 선제적 신장이식

대부분 보고에서 이식 전 복막투석 또는 혈액투석에 관계없이 이식 후 비슷한 생존율을 보여 주었다. 선제적 신장이식은 일정기간 투석 치료 후에 신장이식을 받는 것 보다 이식환자 및 이식신장 생존율에 유리하다. 하지만 신증후군을 보이거나 첫 번째 신장이식 후 1년 안에 이식신장 소실이 있었던 경우에는 일정 정도 투석기간을 갖은 후 신장이식을 받는 것이 좋다.

6. 급성거부반응

급성거부반응이 있었던 이식신장은 그렇지 않은 이식신장에 비해 후반기에 이식신장 소실이 될 위험성이 높다. 실제로 급성거부반응이 있었던 이식신장의 만성이식신병증 위험도가 5.2배 높았다는 보고가 있다.

7. HLA 항원 일치정도

HLA 항원의 불일치 정도가 클수록 면역학적인 손상이 지속적으로 진행되어 만성 이식신장 소실의 위험성이 증가한다. 장기 이식신장 생존율은 HLA 항원이 모두 일치하는 생체이식일 경우가 가장 좋다. 한 보고에 의하면 생체이식의 경우 혈연간에 이식이 이루어지고 HLA 항원이 모두 일치하는 경우 이식신장의 5년 생존율은 85%이고 1~5개의 항원이 불일치일 경우 72~74%로 통계적으로 유의한 차이가 없었으며 6개의 항원이 모두 불일치하는 경우 생존율이 67% 정도로 감소한다. 사체이식의 경우 HLA 항원이 모두 일치하는 경우 이식신장의 5년 생존율은 약 70%이고 HLA 항원의 불일치 정도가 증가할수록 이식신장의 생존율은 감소하여 6개의 항원이 모두 불일치인 경우 약 55%로 낮다.

8. 부적절한 이식신장의 크기

네프론 수가 상대적으로 적은 이식신장이 큰 체격의 수혜자에게 제공 되었을 때, 공여되는 신장의 기능적 능력과 수혜자의 대사 요구량의 불균형으로 인해 이식신장 소실의 위험성이 커진다. 한 보고에 의하면 이식신장의 무게와 수혜자의 체중 비율이 2.3 g/kg 미만일 때 이식신장의 기능소실 위험이 1.5배 증가한다.

9. 이식 후 고혈압/고지혈증

이식 후 고혈압과 고지혈증은 동맥경화증과 관상동맥질환에 대한 위험인자이며 이식신장 소실의 위험도를 증가시킨다.

10. 재발 또는 원발 사구체신염

이식 후 재발 또는 새로 발생한 사구체신염은 장기 이식신장 생존율을 낮춘다. 한 보고에 의하면 사구체신염이 발생한 이식신장 소실 위험도는 1.9배 정도 높고 이식 후 5년째에 이식신장 소진율은 사구체신염이 발생한 환자와 발생하지 않은 환자에서 각각 60%와 32%로 나타났다.

11. 면역억제제 복용에 대한 비순응

면역억제제를 복용하지 않음으로써 발생하는 이식신장의 소실은 실제로 중요한 임상적인 문제이다.

▶ 참고문헌

- ANZDATA Registry. 38th Report, Chapter 8: Transplantation. Australia and New Zealand Dialysis and Transplant Registry, Adelaide, Australia. URL: http://www.anzdata.org.au
- Canadian Organ Replacement Register. Canadian Institute for Health Information. URL: https://www.cihi.ca/en/types-of-care/specialized-services/organ-replacements
- Fabrizii V, et al: Patient and graft survival in older kidney transplant recipients: does age matter? J Am Soc Nephrol 15:1052-1060, 2004.
- Giral M, et al: Kidney and recipient weight incompatibility reduces long-term graft survival. J Am Soc Nephrol 21:1022-1029, 2010.
- Hariharan S, et al: Recurrent and de novo glomerular disease after renal transplantation: a report from Renal Allograft Disease Registry (RADR). Transplantation 68:635-641, 1999.
- Hart A, et al: Kidney. Am J Transplant 16(Suppl 2):11-46, 2016.
- Port FK, et al: Trends and results for organ donation and transplantation in the United States, 2004. Am J Transplant 5(4 Pt 2):843-849, 2005.
- Registry of the European Renal Association – European Dialysis and Transplant Association. 2013 Annual Report. URL: http:// www.era-edta-reg.org
- Summers DM, et al. Effect of donor age and cold storage time on outcome in recipients of kidneys donated after circulatory death in the UK: a cohort study. Lancet 381:727-734, 2013.
- Terasaki PI, et al: Predicting kidney graft failure by HLA antibodies: a prospective trial. Am J Transplant 4:438-443, 2004.
- Yacoub R, et al: Analysis of OPTN/UNOS registry suggests the number of HLA matches and not mismatches is a stronger independent predictor of kidney transplant survival. Kidney Int 93:482-490, 2018.

제 **15** 부 신장이식

CHAPTER
20 타장기이식 환자에서 신장질환

허우성 (성균관의대)

KEY POINTS

- 타장기이식 전 신장기능의 평가방법을 최근 경향에 맞추어 기술하였다.
- 신장-타 장기 동시이식의 필요성, 윤리적 문제, 미국과 우리나라의 관련 가이드라인을 정리하였다.
- 이식 후 관리에서 CNI 대체약제로 mTOR inhibitors 사용과 금기에 대하여 기술하였다.

여기서 타장기이식은 신장외 다른 장기(간, 심장, 폐, 췌장, 소장)의 이식을 말한다. 신장이식뿐만 아니라 타장기이식에서도 환자와 이식편 생존율이 향상되었다. 타장기이식 결과의 향상과 비례하여 만성콩팥병의 유병률이 증가하고 있다. 타장기의 기능이 이식이 필요한 정도로 저하되면, 혈역학적 불안정, 수행되는 검사와 투여하는 약제의 신독성, 또는 타장기의 기능저하를 유발한 기저질환에 의해 신장기능이 저하될 가능성이 높고, 이식수술 및 수술후 과정에서도 신장기능의 악화 가능성이 있다. 타장기이식후 만성콩팥병의 발생은 이환율과 사망률을 증가시키는 위험인자이다. 뇌사자장기이식 프로그램을 운영하는 국가에서는 간이식, 심장이식이 필요한 수혜자가 이식 후 만성콩팥병의 진행가능성이 높으면 신장이식을 동시에 수행할 수 있도록 우선권을 부여하고 있다. 신장기능이 저하된 타장기이식 수혜자가 발생하였을 때, 저하된 신장기능이 타장기이식후 혈역학적 불안정이 해소되어 정상화 될 수 있는 가역적 변화인지, 회복되지 않고 악화될 가능성이 높은 비가역적 변화인지를 평가하는 것이 중요하다. 그리고 타장기이식수술후 만성콩팥병 발생과 진행의 위험인자들을 관리하여 만성콩팥병의 진행을 억제하는 조치들이 필요하다.

이 장에서는 타장기이식 전 신장기능의 평가, 신장-타장기 동시 이식, 타장기이식 후 만성콩팥병의 발생과 관리에 대하여 알아보겠다.

타장기이식 전 신장기능의 평가

타장기이식 전 신장기능 평가의 구성은 신장질환의 과거력 평가, 현재 신장기능의 평가, 그리고 타장기이식후 만성콩팥병의 악화 가능성의 평가이다. 평가를 위해 필요한 기본 검사 항목들은 과거 신장질환 유무에 관한 정보, 사구체여과율의 측정, 요검사, 요 전해질과 오스몰랄농도, 24시간 요수집, 신장초음파검사이다. 타장기이식 3~6개월 전에 이미 신장기능이 저하되었거나, 단백뇨가 있었다면 이미 만성콩팥병이 동반된 상태로 타장기이식후 혈역학적 불안정이 해소되더라도 신장기능의 호전을 기대할 수 없다. 신장기능의 평가는 사구체여과율을 사용한다. 혈청 크레아티닌 수치만으로 신장기능을 평가하는 것은 부정확하다. 장기이식을 대기하고 있는 환자들은 좋지 않은 영양상태, 근육량의 감소, 부종 등으로 실제 신장기능에 비해 낮은 혈청 크레아티닌 수치를 보일 수 있다. 사구체여과율은 MDRD, CKD-EPI 등의 공식을 이용하여 사구체여과율을 추정할 수 있고 24시간 요수집으로 크레아티닌 청소율을 측정할 수 있다. 하지만, 이렇게 얻은 사구체여과율도 참값과 차이가 있음을 평가에 고려하여야 한다. 최근에는 크레아티닌 대신 시스타틴-C를 이용하여 사구체여과율을 추정하는 시도들이 있다. 요검사에서 혈뇨와 단백뇨가 있다면 사구체질환이 동반되어 있음을 의미한다. 요 전해질과 오스몰랄농도 측정으로 신장의 요 농축능력을 평가하면, 신장기능 저하의 원인이 간신장증후군, 심신장증후군인지를 알 수 있다. 24시간 요수집에서 의미있는 단백뇨(> 500 mg/day)가 측정되면 사구체질환 진단을 위한 추가적인 검사를 시행하여야 한다. 신장초음파검사를 시행하여 신장 크기와 폐쇄, 요석 유무를 평가한다.

요검사에서 혈뇨, 단백뇨, cellular cast 소견이 보이거나, 기본 검사로 신장기능의 저하 원인이 명확하지 않다면 신장조직검사를 고려하여야 한다. 타장기이식이라는 특수상황 때문에 신장조직검사를 할 때 출혈의 위험이 높다. 출혈경향이 높거나 인공호흡기를 사용하는 환자에서는 경정맥 신장조직검사(transjugular kidney biopsy)를 시행하는 것이 안전하다.

신장-타장기 동시 이식

타장기이식 후 초기에 만성콩팥병 4기(사구체여과율 < 30 mL/min)로 진행하면 빠르게 신장기능이 악화되어 신대체요법이 필요하다. 나라마다 차이는 있지만 모든 국가들이 공여장기의 부족은 해결하기 어려운 문제이다. 제한된 조건에서 공여장기를 효율적으로 이용하는 배분 시스템을 구축하는 것이 중요하다. 타장기이식후 초기에 말기신질환으로 진행하여 신대체요법을 받는다면 환자의 생존율이 급격히 떨어지므로 부족한 장기를 비효율적으로 사용하는 경우에 해당한다. 이를 해결하는 방법이 신장-타장기 동시이식이다. 간이식, 심장이식 등은 생존을 위해 시행하는 수술이므로 신장을 동시에 이식해야하는 경우에는 신장 단독으로 이식해야하는 대기자들 보다 우선권을 부여한다. 이런 배분 시스템은 윤리적 논란이 있다. 제한적인 공여장기를 두고 신장-타장기 동시이식이 필요한 대기자와 신장 단독 이식 대기자간의 제로섬 게임이기 때문이다. 이런 논란을 최소화하기 위해서는 이해당사자들(타장기이식 전문가, 신장이식 전문가, 이식대기자 등)이 수긍할 수 있는 신장-타장기 동시 이식의 조건이 수립되어야 한다. 미국에서는 간이식을 계획할 때 신장기능의 평가결과 만성콩팥병이 동반되어 있다면 투석중이거나, 사구체여과율이 < 30 mL/min이면 동시이식 대상자이고, 급성콩팥손상에 의한 신장기능의 저하라면 적절한 치료에도 불구하고 6주이상 회복되지 않는다면 동시이식 대상자이다. 최근 신장-심장 동시이식에 관한 가이드라인을 협의하는 회의체가 구성되어 신장-간 동시이식과 유사한 가이드라인을 제시하였다. 우리나라는 동시이식대기자가 단독이식대기자에 우선한다고 하였으나, 타장기이식 전 신장기능에 관한 기준은 정하지 않은 상태이다.

타장기이식 후 만성콩팥병

타장기이식 후 만성콩팥병의 발생은 이식전 신장기능, 이식장기의 특성(소장이식 환자에서 만성콩팥병 발생율이 높다), 수술 및 수술후 초기 경과, 면역억제제 종류, 환자의 기저질환의 영향을 받는다. 이식전 사구체여과율이 낮을수록 이식 후 만성콩팥병의 발생가능성이 높다. 동반된 기저질환(고혈압, 당뇨, C형 간염)과 고령은 만성콩팥병 발생의 위험인자이다. 수술 및 수술후 초기에 발생하는 급성콩팥손상은 만성콩팥병의 위험인자이다. 수술 중 발생하는 저혈압/저관류는 급성콩팥손상을 유발한다. 특히,

심장이식 또는 심장-페이식 중 aortic cross-clamp, 심실 기능장애로 인한 심박출량의 감소 등으로 신장 저관류 위험성이 높다. 그 외에도 패혈증, 과다한 이뇨제 사용, 조영제의 사용등이 급성콩팥손상을 유발한다. 이식장기의 기능부전이 발생하면 급성콩팥손상이 동반될 가능성이 급격히 올라간다. Calcineurin inhibitor (CNI)는 급성 또는 만성으로 신장독성을 유발하여 타장기이식에서 만성콩팥병의 주요 위험인자이다.

이식 후 관리

이식 후에는 만성콩팥병의 위험인자들을 관리하여야 한다. 일반적인 관리방법은 다음과 같다.

1. 수술 중 저혈압 그리고 수술 후 저혈압의 발생을 최소화하여 신장관류를 유지한다.
2. 신독성이 있는 약제(예를 들면, aminoglycoside, NSAIDs 등)들의 사용을 피한다.
3. 적정 혈압을 유지한다. 혈압조절의 목표는 130/80 mmHg 미만이다. 단백뇨가 있는 경우에는 더 낮게 혈압을 유지하는 것을 권장한다. 단백뇨량을 줄이기 위해 저염식과 안지오텐신전환효소억제제 또는 안지오텐신II수용체차단제 사용을 고려하여야 한다.
4. 당뇨와 고지혈증을 조절한다. 식이요법, 운동, 경구용 혈당 저하제 또는 인슐린 등을 사용하여 혈당을 조절하여야 하며, 면역억제제 중 스테로이드, CNI는 혈당을 상승시키는 약제로 용량 조절이 필요할 수 있다. 단, 감량하여 사용할 때 거부반응의 위험이 있으므로 조심하여 결정하여야 한다. 목표 당화혈색소 수치는 7.0~7.5%를 권고하고 있다. 고지혈증의 치료목표는 LDL 100 mg/dL 미만을 권고한다. 생활습관의 개선, statin계열의 약제, 그리고 가능한 면역억제제 중 스테로이드 용량을 최소화하는 것이 필요하다.
5. 면역억제제 중 신독성이 잘 알려진 CNI를 감량하거나 사용하지 않는 시도가 이루어지고 있다. 그러나

아직까지는 CNI가 주 면역억제제이다. CNI 중에는 타크로리무스가 사이클로스포린보다 신장보호 측면에서는 좋다는 합의는 이루어졌다. CNI의 대안으로 mTOR inhibitors를 사용할 수 있다. 그러나 사구체여과율이 40 mL/min 미만이거나 단백뇨가 있다면 피하여야 한다.
6. 타장기이식 후 신장기능이 저하된다면 정기적으로 신장기능을 평가하여 적절한 시점에 신대치요법을시행할 수 있도록 하여야 한다.

▶ 참고문헌

• 장기등 이식에 관한 법률. 26조 1항. 별표5 이식대상자의 선정기준.
• Bloom RD, et al: Chronic kidney disease after nonrenal solid organ transplantation. J Am Soc Nephrol 18:3031-3041, 2007.
• Formica RN, et al: Simultaneous liver-kidney allocation policy: A proposal to optimize appropriate utilization of scarce resources. Am J Transplant 15:758-766, 2016.
• KDOQI clinical practice guidelines and clinical practice recommendations for diabetes and chronic kidney disease. Am J Kidney Dis 49:S12-S154, 2007.
• Kobashigawa J, et al: Consensus conference on heart-kidney transplantation. Am J Transplant. 2021 (online ahead of print)
• Lucey MR, et al: A comparison of tacrolimus and cyclosporine in liver transplantation: effects on renal function and cardiovascular risk status. Am J Transplant 5:1111-1119, 2005.
• Ojo AO, et al: Chronic renal failure after transplantation of a nonrenal organ. N Engl J Med 349:931-940, 2003.
• Pichler RH, et al: Kidney biopsy may help predict renal function after liver transplantation. Transplantation 100:2122-2128, 2016.

PART 16 소아 신장학

하태선 (충북의대 소아청소년과), 강희경 (서울의대 소아청소년과)

CHAPTER 01

소아콩팥병의 임상적 접근

김기혁 (국민건강보험 일산병원 소아청소년과)

KEY POINTS

● 소아의 만성콩팥병은 사구체신염으로 인한 경우도 많지만, 어린 나이에는 선천신요로기형(congenital anomalies of the kidney and urinary tract, CAKUT)이나 선천신증후군 등의 유전신질환이 더 흔한 원인이다.

● 개정된 Bedside Schwartz 공식은 소아의 사구체여과율 추정에 흔히 사용되며 1세부터 18세까지에서 IDMS 방법으로 측정한 혈청 크레아티닌 값과 키를 사용하여 추정 GFR 값을 계산한다.

eGFR (mL/분/1.73m²)=0.413 x 키(cm)/혈청 크레아티닌(mg/dL)

소아의 콩팥병은 육안적 혈뇨나 핍뇨 등의 증상으로 나타날 수도 있지만, 감지하기 힘든 증상이나 성장장애, 원인불명의 발열, 야뇨, 보챔 등의 양상으로 나타날 수 있다. 소아의 만성콩팥병은 사구체신염으로 인한 경우도 많지만, 어린 나이에서는 CAKUT이나 선천신증후군 등이 더 흔한 원인이 된다. 분자생물학의 출현과 영상 진단을 이용한 진단과 치료에 대한 많은 발전이 있었지만 콩팥병의 임상적인 접근은 무엇보다 세심한 문진과 진찰 그리고 소변검사가 우선적으로 필요하다. 여기에서는 소아 영역에서 빠뜨릴 수 없는 주산기 및 영아기를 포함하여 소아청소년기의 콩팥병을 다루었다.

주산기 및 영아의 신요로질환의 평가

콩팥과 요로의 선천이상은 산전 영상검사에서 진단되는 태아 이상의 20%에 달하며, 소아 말기콩팥병의 1/3~2/3는 콩팥과 요로의 선천이상 때문이다. 또한 이들은 염색체 이상 환자의 23%, 그리고 다른 장기의 이상이 있는 환자의 2/3에서 발생하기 때문에 선천이상 유무를 알기 위한 산전 및 출생 전후의 진단은 매우 중요하다. 산전초음파를 이용한 출생 전 진단으로 이런 질환들에 대한 이해가 증진되었고 결과를 호전시키는 것이 가능해졌다.

1. 산전검사

산전초음파에서 정상 콩팥은 자궁 내에서 쉽게 보이고, 재태 16주 정도가 되면 콩팥의 구조가 정확하게 나타나게 된다. 대부분의 요로이상은 재태 28~30주에 발견되는데, 주로 수신증, 신낭종, 콩팥 에코음영 증가, 신종괴, 양수과 소증과 양수과다증 등이 진단된다. 가장 흔히 발견되는 수신증은 상부 요로폐쇄(신우-요관 접합부 및 요관-방광 접합부 폐쇄와 폐쇄성 거대요관), 방광요관역류와 하부 요로폐쇄(뒤요도판막과 prune-belly 증후군) 등이 원인이다. 신낭종은 보통염색체우성다낭콩팥병(autosomal dominant polycystic kidney disease, ADPKD), 다낭형성이상 신장(multicystic dysplastic kidney)일 수 있고, 콩팥 에코음영 증가는 세관 확장(보통염색체열성다낭콩팥병, 형성이상 또는 다발미세낭)에서 발견될 수 있다. 양수와 융모막융모 검사와 hCG 측정으로 선천성 또는 영아기의 신증후군에 발현할 수 있는 여러 유전이상을 찾아내어 질환의 진단 및 치료 방법을 결정하는 데에 도움이 될 수 있다(유전사구체질환 참조).

2. 산후 진단

신생아의 90%는 생후 24시간 내 그리고 98%는 48시간 내에 소변을 보는데, 이후에도 소변을 보지 않으면 급성콩팥손상이나 신요로의 기형을 확인하여야 한다. 만삭아의 소변량은 생후 첫 2일에 평균 20 mL/24시간이며, 10일이 되면 200 mL로 증가한다. 신생아기 이후에는 24시간 동안의 소변량은 하루 섭취한 수분의 약 1/2 정도이다.

양수과소는 양측 신장무발생, 형성저하증, 다낭콩팥병, 하부요로폐쇄 또는 산모의 안지오텐신전환효소억제제(angiotensin converting enzyme inhibitor) 복용 등으로 생길 수 있으며, 이 경우에 신생아의 얼굴이 대개 납작하고, 만곡족(clubfoot) 같은 자궁 내 압박의 모습을 보이며, 폐형성저하가 생길 수 있다. 양수과다는 위장관폐쇄 또는 Bartter증후군, 신장기원요붕증과 선천신증후군을 시사한다. 거대 태반은 선천신증후군과 신생아 가사(neonatal asphyxia)에 동반될 수 있고, 고혈압은 신동맥혈전증, 주산기 무산소증 및 태반 분리 등으로 생길 수 있다. 쇼크는 급성콩팥손상의 위험이 있고, 산모의 당뇨병은 신생아의 신정맥혈전이 잘 생기게 하여 혈뇨, 복부 종괴와 신부전을

일으킬 수 있다. 산모의 약물 복용(NSAID, aminoglycoside 등)은 여러 선천콩팥이상을 유발할 수 있다. 양막결절증(amnion nodosum)이 있으면 신장무발생이나 심한 폐쇄요로증 발생 가능성이 있으며, 단일 제대동맥의 27% 정도에서 요로 이상이 생기고, 부모와 형제들의 신장무발생이나 형성이상신장의 가족력이 있으면 선천콩팥병의 위험이 증가한다.

1) 진찰

환자의 얼굴과 전신 모습에서 선천기형을 의심할 만한 소견이 있는지를 살펴보아야 한다. 복부 종괴는 수신증과 다낭형성이상신장이 가장 흔하다. 부종은 조산아에서 더 흔하며 대개 수일 후에는 없어지지만, 콩팥손상이 있으면 지속적인 부종이 나타나며, 고혈압 유무도 반드시 확인하여야 한다.

2) 검사실 검사

신생아의 사구체여과율(mL/min/1.73 m²)은 매우 낮아서 만삭아는 30, 1개월에 50, 2개월에는 75로 증가하지만, 미숙아들은 더 낮다. 이 시기에는 24시간 채뇨가 어려워서 혈청 creatinine(산모의 영향으로 만삭아에서는 7~10일, 미숙아는 3주에 정상치로 떨어진다) 또는 cystatin C로 신기능을 측정하게 된다. 세관의 기능이 미숙하여 요 산성화가 부족하고 혈청 포타슘과 인산이 높다. 단백뇨와 혈뇨가 나타나는 경우에는 선천신증후군, 감염(cytomegalovirus, syphilis, hepatitis), 유전질환(Denys-Drash증후군, Pierson증후군 등), 독소나 약제 등을 염두에 두어야 한다. 혈뇨는 신정맥혈전증, 제대동맥 카테터, 다낭콩팥병, 폐쇄신병증, 종양, 선천기형, 요로감염과 급성콩팥손상 등에서 나타난다. 정상 신생아에서 소변의 요산치가 상승되어 기저귀에 분홍 또는 붉은 요산 결정체가 나타나기도 한다.

3) 영상검사

복부 종괴, 고혈압, 신부전과 신요로계의 기형이 의심되면 초음파검사로 콩팥 크기, 에코 음영, 혈관 변화와 구조물 등을 관찰한다. 산전진찰에서 자주 발견되는 수신증은

신생아기의 생리적 빈뇨 시기가 지나는 3일까지 기다려서 초음파검사를 한다. CT는 방사선 노출의 위험이 높아서 반드시 필요한 경우에만 하고, MRI는 진정 조치가 필요하기 때문에 신혈관성고혈압의 확인을 위한 혈관조영이 어려운 경우 등에서만 시행한다. VCUG (voiding cystoure-throgram)는 하부 요로폐쇄와 방광요관역류의 확인, DMSA (dimercaptosuccinic acid) scan은 신기능과 신우신염을 평가, DTPA (diethylene tri-amine pentaacetic acid) 또는 MAG3 (Mercapto-acetyltriglycine) renogram은 지속되는 수신증과 이소성신장을 확인하기 위하여 시행한다.

소아 및 청소년기 콩팥병의 임상적 접근

1. 병력

1) 가족력

영아기에 콩팥병으로 사망한 가족력은 보통염색체열성 다낭콩팥병을 시사한다. 단독 혈뇨가 있는 소아들의 직계가족들의 소변검사는 가족성혈뇨의 진단에 도움이 된다. 청력 소실의 가족력은 난청과 만성콩팥병(chronic kidney disease, CKD)을 특징으로 하는 알포트증후군의 가능성에 주의를 기울여야 한다. 신결석의 가족력은 결석의 근원이 대사질환일 가능성을 시사하며 혈압이 상승된 소아들은 고혈압의 가족력을 조사하여야 한다. 방광요관역류는 증상이 없는 형제의 1/3 이상에서 나타난다.

2) 환자의 병력

성장장애는 만성콩팥병, 요붕증 및 신세관산증의 흔한 현상이다. 신체 모습의 이상은 CAKUT이 동반될 가능성을 시사하며, 외이의 기형, 귓바퀴앞오목(preauricular pit) 또는 과다유두가 단백뇨와 동반하면 주의를 기울여야 한다. 남아의 복부 근육이 없거나, 심한 이완이 있으면 'prune-belly 증후군'을 시사한다. 선천심장질환, 항문막힘증과 식도나 직장 폐쇄 같은 위장관 이상이 있는 소아에서

요로생식기 이상의 빈도가 높다. 생식샘 분화 이상, 신증후군과 Wilms 종양이 동반된 모호생식기(ambiguous genitalia)는 Denys-Drash 증후군으로 여겨진다. 내반슬 같은 골격기형은 신세관산증, 저인산염혈구루병 또는 신성골형성장애를 일으키는 만성신부전의 결과일 수 있다. 원인이 확실치 않은 발열이 있는 경우에는 요로감염증의 확인이 중요하다. 특히 반복성 요로감염이 있는 소아는 폐쇄, 방광요관역류, 소변 정체 또는 신결석증 등의 동반 여부를 확인하여야 한다. 급성 사구체신염은 사슬알균 인두염 또는 농가진, 감염에 의한 션트(shunt) 신염 및 아급성세균심내막염 등이 연관될 수가 있다.

다뇨나 다음은 당뇨병이나 요붕증 때문에 나타날 수 있지만, 영아들은 소변 농축 능력이 한정되어 있어서 삼투질부하를 많이 주는 음식을 과도하게 먹어서 이런 증상을 일으킬 수 있으며 이 경우 식사를 조절하면 소변량이 줄어든다. 소아의 만성콩팥병에서는 식욕부진과 식사량 감소가 있고, 소아 스스로 단백질 음식을 회피하기도 한다. 고혈압이 있는 소아는 식단 검토로 하루 나트륨 섭취량을 확인하여야 한다.

신독성을 가진 흔한 약물은 furosemide와 aminoglyco-side이다. Methicillin은 세관사이질신염을 일으킬 수 있다. 아스피린이나 비스테로이드소염제(NSAID) 같은 pros-taglandin 억제제는 신생아 또는 신기능장애가 있는 소아들의 사구체여과율을 급격하게 떨어뜨린다. 큰 고형암의 화학요법은 고요산증과 신부전증이 동반된 급성 폐쇄성 요산염신병증을 유발할 수 있고, vincristine은 SIADH (syndrome of inappropriate antidiuretic hormone)를 일으킬 수 있으며, 전신적 진균감염에 사용되는 amphoteri-cin B는 흔히 저칼륨혈증과 사구체여과율 감소를 초래한다.

2. 임상증상

콩팥병은 일상적인 진찰에서 발견될 수도 있지만, 감지하기 힘든 양상으로 나타날 수도 있다. 성장장애, 원인불명의 발열, 분명치 않은 통증, 위장관 증상, 빈혈, 복부의

종괴, 부종, 고혈압과 대사산증 등이 콩팥병의 첫 조짐일 수 있다.

1) 부종

부종은 신증후군이 대표적인 예로서, 눈 주위에 가장 뚜렷하고, 심하면 전신부종으로 나타난다. 그리고 사구체 여과율이 감소되는 급성사구체신염 환자의 75%에서 부종이 나타난다. 대부분 아침에는 눈 주위 그리고 오랫 동안 서 있은 후에는 하지에 더 뚜렷해진다.

2) 고혈압

급성감염후사구체신염에서는 급격한 혈압증가로 경련, 시력 변화와 의식 변화 등의 급성고혈압뇌병증이 첫 증상으로 나타날 수 있다. 또한 드물지만 일과성 실명과 7번 신경 손상으로 Bell 마비가 중요한 징후로 나타날 수도 있다.

만성고혈압에서는 두통, 수면장애, 피로, 흉통, 복통, 학교 성적 저하와 집중력 저하 등이 나타나는데, 대부분의 증상은 고혈압 치료 후에 개선된다. 영유아는 성장부전, 무기력, 빠른 호흡, 빠른 맥박, 수유곤란, 과민성과 같은 비특이적 증상을 동반할 수 있다. 만성콩팥병의 후기에 피로, 빈혈, 소변검사 이상과 함께 고혈압이 발견될 수 있다.

3) 복부 종괴

복벽이 얇은 어린 소아에서 더 잘 발견되는데, 신생아 복부 종괴의 50% 이상은 콩팥 때문이다. 대부분은 다낭형성이상신장, 다낭콩팥병 또는 수신증 등 양성질환이 원인이다. 복부 옆구리 종괴는 매우 다양하여서 커진 콩팥(수신증, 다낭콩팥병, 다낭형성이상), 종양(Wilms 종양 또는 신경모세포종) 또는 신장혈관질환(신장정맥혈종) 등이며, 치골상부 종괴는 늘어난 방광일 수 있다.

4) 요독증

신기능이 점차 악화되어 생기는 호르몬 및 생리적인 장애의 결과로서 피로, 식욕부진, 발육부진, 가려움, 창백, 쉽게 멍이 듦, 뼈 통증 그리고 골절 등이 나타난다.

5) 콩팥 이외의 소견

(1) 성장장애 또는 구루병: 만성콩팥병 환자들은 여러 요인에 기인한 성장장애가 나타난다. 특히 장기간 스테로이드 치료를 하는 신증후군 환아는 세심한 추적관찰이 필요하다. 환아의 식이섭취, 키, 성장속도, BMI (body mass index)와 두위 등을 측정하여야 한다.

(2) 눈의 이상, 청력소실, 특이한 얼굴이나 머리 또는 귀 모양이 동반되는 경우도 있다.

(3) 통증: 대부분의 콩팥병은 통증이 없지만, IgA신병증은 옆구리 통증이 동반되는 육안적 혈뇨가 30~50%에서 보일 수 있으며, 사슬알균감염후사구체신염 환자의 5%에서도 통증이 나타날 수 있다. 구역, 구토와 발열이 동반되면 급성신우신염을 의심해야 한다. 신우신염과 사구체신염의 통증은 지속적 둔통이지만 방사통은 거의 없다. 신결석은 혈뇨와 심한 복통이나 옆구리 통증을 동반하지만, 작은 어린이에서는 구역이나 구토 같은 비특이적인 증상이 더 잘 나타난다. ADPKD에서는 복통, 옆구리 통증 또는 허리 통증이 가장 흔한 증상이다. 외상 후의 콩팥 및 방광의 손상으로도 역시 통증이 있을 수 있다.

(4) 소변량의 이상: 생리적 방광용량(mL)은 (연령+1 또는 2)×30이며, 9세가 되면 최고가 된다. 핍뇨는 24시간 소변량이 500 mL/1.73 m² 이하(영아는 1.0 mL/kg/시간)이며 무뇨는 50 mL/m² 이하인데 혈류량 감소가 가장 흔한 원인이지만, 신전(prerenal) 콩팥손상, 신성 콩팥병 그리고 폐쇄성요로병증의 구별을 해야 한다. 다뇨는 하루 소변량이 2,000 mL/1.73 m² 이상으로서 빈뇨와 혼동을 하지 않아야 하므로 감별을 하려면 24시간 소변을 모아야 한다. 다뇨는 심인성, 당뇨병이나 요붕증을 시사하며, 요붕증은 중추성 또는 신장기원인지를 감별하여야 한다.

5) 배뇨 양상

1세까지는 수분 섭취가 많고, 소변 농축능력에 한계가 있는 시기로서 소변을 밤낮으로 자주 보지만, 학동기 이후에는 주간에 하루에 4~6회의 소변을 본다.

(1) 배뇨통: 배뇨 시에 통증 또는 화끈거림이 나타나는데 다양한 원인이 있다.

(2) 야간뇨(nocturia): 나이가 든 소아들에서는 정상일 수 있는데, 취침 전의 수분 섭취를 중단하면 곧 좋아지지만 소변의 농축능력의 소실을 시사할 수도 있으므로 세관 기능장애와 만성신부전의 조기 징후가 될 수 있다.

(3) 주간 빈뇨증후군(pollakiuria): 소변을 가릴 수 있는 학동기 어린이가 갑자기 낮 동안에 잦은 배뇨를 하는 현상으로서, 남아에서 더 많이 생기며, 수일 내지 수 주 동안 지속할 수 있는데, 진찰, 소변검사와 소변·배양검사가 정상이면 더 이상의 검사는 필요하지 않다.

(4) 야뇨증: 배뇨 양상을 정확히 파악하기 위하여 배뇨 일지를 작성하는 것이 중요하다. 대부분은 소변검사와 소변 배양 등의 간단한 검사만 하지만, 이차성 요실금, 주간 요실금과 10~12세 이후의 야뇨증은 uroflowmetry, 콩팥초음파 등 다른 추가 검사가 필요하다.

(5) 소변 정체: 방광 출구 폐쇄(방광목 폐쇄, 뒤요도판막, 요도협착, 심한 외요도구 협착 등)의 가능성이 있으며, 소변을 본 직후에도 꽤 많은 양의 소변을 다시 누는 경우에 의심하여야 한다.

(6) 급성 배뇨곤란: 요도염이나 방광염의 증상으로 대개 염증의 다른 징후와 증상이 같이 나타난다.

(7) 소변줄기가 약하거나 소변을 지리는 것은 폐쇄요로병증에서 나타날 수 있으며, 신경성 결손이 있는 어린이의 소변 정체는 신경방광을 시사한다.

(8) 주간 요실금은 철저한 비뇨의학적, 신경과적 그리고 정신사회적 조사를 받아야 하지만, 여아에서는 "질 역류(vaginal reflux)"로 인한 소변지림이 드물지 않다.

(9) 가능하면 배뇨 이상이 있는 영아나 소아가 배뇨하는 모습을 실제로 관찰하여야 한다. 뒤요도판막이 있는 소아는 소변을 볼 때 안간힘을 쓰고, 소변줄기가 약

하거나 뚝뚝 떨어진다. 반면에 요도협착의 경우에는 소변줄기의 힘은 강하지만 매우 가늘다.

3. 진찰

1) 특징적인 얼굴, 머리 또는 외이의 모습을 보이는지를 세심하게 관찰하여야 한다. 또한 청력소실, 눈의 이상, 피부 소견, 비만, 성장장애, 수분공급 상태와 생식기 등의 이상 유무를 확인하는 것이 CAKUT이나 만성콩팥병의 진단에 중요하다.

2) 고혈압 환자에게는 세심한 심장검사와 안저검사가 필요하며, 울혈성 심부전의 징후 또는 심장 부정맥 유무를 살펴보아야 한다.

3) 복부에서는 복부 종괴, 복수, 옆구리 압통, flank bruit(신혈관고혈압 가능성 시사) 등의 여부를 확인한다.

4) 골격: 함요부종은 경골과 내측복사(median malleolus)에서 가장 뚜렷하며, 만성콩팥병 환자에서 '굽은 다리'와 같은 골격 이상이 있다면 신성골형성장애의 징후일 수 있고, 신세관산증 또는 저인산염혈구루병 환아에서 흔히 볼 수 있다.

5) 외부생식기: 혈뇨가 있으면 외부생식기에서 요도구의 궤양, 까짐(erosion) 또는 탈출(prolapse) 여부를 확인하여야 하고, 내의도 살펴보아야 한다. 배뇨훈련이 된 소아의 내의가 젖는 것은 요로감염으로 인한 급박뇨나 질역류를 시사한다. 잠복고환, 요도하열이나 모호생식기가 있는지도 주목하여야 한다.

6) 혈압 측정: 고혈압은 3회 측정에서 지속적으로 키, 나이 및 성별에 따른 95백분위수 이상인 것으로 정의되며, 적절한 크기의 혈압측정띠(cuff)를 사용하는 것이 중요하다. 진동혈압계(oscillometric method)의 사용은 선별검사 및 모니터에 사용할 수 있으나, 정상 범위를 벗어난 경우는 청진법으로 확인하고, 필요 시에는 활동혈압측정(ambulatory blood pressure monitor)을 사용한다.

4. 소변검사 이상

소변검사를 위한 소변의 채취는 깨끗하고 건조한 용기에 받아야 한다. 아침 첫 소변은 가장 농축된 검체이기 때문에 여러 성분들을 확인하기 좋으며, 방광에서 배양된 세균을 확인하기에도 적합하다. 소변검사는 배뇨 후 30분~1시간 이내에 시행하는 것이 좋지만, 냉장보관을 할 경우 일반적인 dipstick 검사 결과에는 영향을 미치지 않으면서 24시간 보관할 수 있다. 그러나 소변 내 적혈구를 장시간 보존할 수 있는 방법은 없다. 일차 소변검사로는 색깔, pH, 비중, 삼투압, nitrite, 혈뇨, 단백뇨와 현미경 검사 등을 확인하고 필요하다면 소변 배양검사, 단백뇨 정량검사 등을 추가로 시행할 필요가 있다. 가장 흔한 소변 이상은 혈뇨와 단백뇨이며, 우리나라에서는 학교건강검사의 선별검사가 조기 진단에 많은 도움이 되고 있다.

1) 단백뇨

정상 소아의 소변에서 단백은 100 mg/m²/24시간 이하로 배설된다. 정성검사로 사용되는 reagent strip은 albumin에 더 민감하게 반응하지만, 고도 농축뇨, 알칼리뇨, 육안 혈뇨와 농뇨로 인한 위양성과 희석뇨와 면역글로불린에 의한 위음성을 유의하여야 한다. 정량분석을 위해 24시간 소변 또는 무작위 소변의 단백/크레아티닌 비로 검사를 할 수도 있다. 24시간 소변을 모을 경우 크레아티닌을 동시에 측정하여 소변의 채취가 제대로 되었는지를 확인하여야 한다(영아, 14 mg/kg/일; 1세 이후, 20 mg/kg/일; 12세 이후, 남아 25 mg/kg/일, 여아 22 mg/kg/일). 무작위 소변의 단백/크레아티닌 비는 편리하게 사용할 수 있는 정량검사로서, 2세 이전은 0.5 이하, 2세 이후는 0.2 이하가 정상치이며, 신증후군은 1.5 이상이다. 단백뇨가 40 mg/m²/h을 초과하면 신증후군 범위 단백뇨라고 한다. 단독 단백뇨는 그림 16-1-1과 같이 감별진단한다. 기립 또는 체위성 단백뇨, 콩팥 이외의 원인으로는 격렬한 운동, 발열, 정신적인 스트레스, 추위나 더위에 노출이나 울혈심부전증으로 인한 단백뇨가 있다. 건강한 청소년의 학교건강검사에서 자주 발견되는 기립단백뇨는 전날 자기 전에 방광을

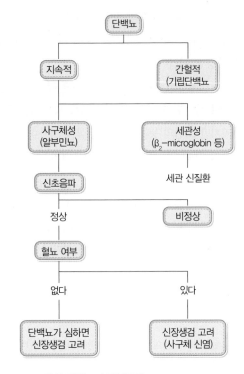

그림 16-1-1. 단독 단백뇨의 감별진단

비우고 아침에 깨어날 당시의 첫 소변과 활동을 시작한 4~6시간 후의 소변의 단백을 검사하여 비교하면 쉽게 감별할 수 있다.

2) 혈뇨

혈뇨는 N-hemastix를 이용한 잠혈 반응으로 진단할수 있는데, 이는 혈뇨 외에도 근육 손상에 의한 미오글로빈뇨(myoglobinuria), 용혈 등에 의한 혈색소뇨에서도 양성이 되므로 침전 현미경 소변검사로 적혈구를 확인하여야 한다. 현미경 소변검사의 RBC 모양은 비사구체혈뇨와 사구체혈뇨를 구별하는 데에 도움을 준다(표 16-1-1). 가족성혈뇨, 알포트증후군 등 유전 혹은 가족성 질환이 의심될 경우에는 직계 가족의 소변검사를 하여야 한다. 학교 건강검사에서 주로 발견되는 무증상 혈뇨에 대한 감별진단은 그림 16-1-2와 같다.

표 16-1-1. 혈뇨 발생 부위의 감별

감별점	사구체	요로
적혈구 원주	+	-
색깔	적갈색	선홍색
삼관 비교 검사	색깔이 일정하다	색깔이 일정하지 않다
현저한 단백뇨	+	-
혈액 응괴	-	+
적혈구 형태	이형(dysmorphic)	정형(isomorphic)

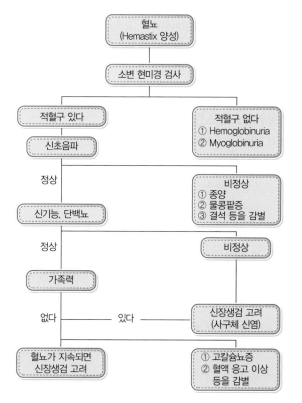

그림 16-1-2. 무증상 혈뇨의 감별진단

5. 사구체 여과율 검사

1) 크레아티닌 청소율(Creatinine clearance, Ccr)

크레아티닌(Cr)은 사구체에서 자유롭게 여과되고 요세관에서 재흡수가 없기 때문에 근육량을 제외하면 신기능이 가장 중요한 혈청 크레아티닌 농도 결정인자이다. 크레아티닌 배설은 크레아티닌 생성량과 동일하게 일정하며,

이는 근육량에 비례하고 개인의 나이, 성별, 키 및 몸무게로 예측이 가능하다. 이러한 원리를 바탕으로 흔히 사용하는 GFR (mL/min/1.73 m²)을 추정하는 공식은 아래와 같다.

$$Ccr(크레아티닌\ 제거율) = (Ucr \times V)/Pcr$$

Ucr: 소변 Cr 농도(mg/dL), V: 소변량(mL/분), Pcr: 혈장 Cr 농도(mg/dL)

2) 추정 사구체 여과율(Estimated GFR; eGFR)

2009년 개정된 Bedside Schwartz 공식을 소아과 임상에서 가장 흔히 사용하는데, 1세부터 18세까지에서 IDMS 방법으로 측정한 혈청 크레아티닌 값과 키를 사용하여 추정 GFR 값을 계산한다. 하지만 급성콩팥손상이나 심한 신부전에서 사용하는 데에는 제한이 있다.

$$eGFR\ (mL/분/1.73m^2) = 0.413 \times 키(cm)/혈청\ 크레아티닌(mg/dL)$$

3) 혈중 요소질소

요소는 자유로이 여과되지만 약 40%가 재흡수되고 60%만이 소변으로 배설되므로 urea clearance는 실제 사구체여과율의 60% 밖에 되지 않는다. 혈액 내 요소질소 농도는 사구체여과율뿐만 아니라 탈수, 소변량, 단백 섭취, 간기능 등에 의하여 변할 수 있으므로 사구체여과율을 측정하는 지표보다는 임상에서 요소질소 농도는 신전(prerenal) 및 신성(renal) 질소혈증(azotemia)의 구분에 도움이 된다.

6. 세관 기능검사

1) Fractional excretion of sodium (FENa)

소변량을 측정할 필요가 없이 세관에서 Na⁺의 재흡수 정도를 나타내는 지표로서, 2% 이상이면 급성세관괴사 등과 같은 급성콩팥손상 그리고 1% 이하이면 신전 급성콩팥손상을 시사한다.

$$FE_{Na}(\%) = U_{Na} \times P_{cr}/P_{Na} \times U_{cr}$$

U_{Na} : 소변 Na 농도(mEq/L), P_{cr} : 혈장 Cr 농도(mg/dL),
P_{Na} : 혈장 Na 농도(mEq/L), U_{cr} : 소변 Cr 농도(mg/dL),

2) 당뇨

정상 혈당치에서는 검출되지 않지만 당뇨병, Fanconi 증후군과 신성당뇨(renal glycosuria)에서 나타날 수 있다.

3) 소변 대사이상 선별검사

Fanconi 증후군에서는 아미노산의 정성분석에서 전반적 아미노산뇨가 나타난다.

7. 신장과 요로의 영상학적인 검사

영상학적 검사의 지속적인 발전으로 일상적으로 시행하고 있는 산전초음파로 CAKUT의 조기 발견뿐만 아니라 여러 가지 유용한 정보들을 얻을 수 있게 되었다.

1) KUB

배설장애가 있는 환자에서 장의 가스와 대변(변비)을 확인하는 데 제한적이지만 유용하고, 방사선 비투과성 신요로결석을 찾아낼 수 있다. 간혹 동반되는 척추나 골격계 질환을 확인하기도 한다.

2) 정맥신우조영술

정맥신우조영술(intravenous pyelogram, IVP)은 근래 초음파와 핵의학 검사로 많이 대체되었고, 신생아들은 정맥으로 투여한 조영제가 콩팥에 모이는 것이 어렵기 때문에 검사의 한계가 있다. 연장아에서는 요관에 관한 다른 검사들로 적절한 정보를 얻지 못했을 때 시행할 수 있다.

3) 초음파

비침습적 검사로 반복 검사가 가능하여 소아에서 가장 널리 사용되는 영상 검사이다. 소아에서는 콩팥의 크기가 콩팥병의 진단과 경과 관찰에 중요하다. 도플러초음파는 혈류를 아는 데에 중요하다.

4) 배뇨방광요도조영술

배뇨방광요도조영술(VCUG)은 역류의 존재와 단계를 알 수 있고 종양과 석회화, 방광의 용적과 모양 그리고 배뇨 능력을 확인할 수 있는 중요한 조영제 검사이다. 배뇨 중 영상을 통하여 남아에서 뒤요도판막이나 요도협착과 같은 요도질환을 확인하여야 한다. 동위원소 방광조영술(radionuclide cystography)은 방사선 조사가 상대적으로 적어 방광요관역류의 추적관찰 또는 방광요관역류 환자의 형제에 대한 선별검사에 이용된다.

5) 동위원소 신스캔

(1) 99mTc–DMSA 스캔: 급성신우신염, 신실질의 반흔, 콩팥의 선천기형과 콩팥 외상 등을 알아낼 수 있다. 또한 이소성신장의 크기, 위치와 기능 측정에도 도움이 된다.

(2) 99mTc–MAG3 이뇨성 신스캔: 양쪽 신기능과 집합계 배설능을 알아낸다. 사구체여과율과 관계없이 배설되므로 요로계 폐쇄가 의심될 때 시행할 수 있다.

(3) 99mTc–DTPA 스캔: 사구체여과율을 구하는 데에 유용하지만 혈장 단백질과 결합하는 정도가 1~10%로 변동하기 때문에 사구체여과율이 과소평가될 수 있다.

6) 컴퓨터단층촬영(computed tomography, CT)

Noncontrast CT로는 결석과 신실질의 석회화를 잘 볼 수 있다. 콩팥 CT 스캔의 조영전, 조영기, 지연기 영상으로 신혈관, 신실질과 집합계에 대한 정보를 얻을 수 있고, 신-요로계 종양에 대한 정확한 특성을 알 수 있다. 그러나 방사선 노출량이 많고, 조영제가 신독성이 있을 수 있으며, 조영제에 대한 과민성 반응의 가능성이 있다. 또한 대부분의 어린 소아는 검사를 위해 진정을 시켜야 한다.

7) MRI

소아에서 콩팥과 콩팥주위 종양의 진단, 골반 구조와 종양의 전이를 평가하는 데에 좋은 영상을 얻을 수 있다. 신기능이 저하된 환자에서는 조영제(gadolinium) 부작용으로 신장기원전신섬유증(nephrogenic systemic fibrosis)이 발생할 수 있다.

8) 신혈관조영술

현재 신혈관질환에서 신혈관조영술은 가장 좋은 검사이며, 대체방법으로 비침습적인 MRA (magnetic resonance angiography)를 이용할 수 있다. 안지오텐신전환효소억제제인 captopril을 이용한 신스캔도 신혈관고혈압과 신동맥협착을 진단하는데 도움이 되는데, 신생아는 사구체여과율이 낮기 때문에 이 검사가 적합하지 않다.

▶ 참고문헌

- 대한소아신장학회: 소아신장진료 매뉴얼, 대한의학, 2019, pp54-73.
- 박용훈: 굿바이 오줌싸개, 선샤인 출판사, 2012, pp30-51.
- 안효섭 등: 소아과학, 12판, 미래엔, 2020, pp1028-1034.
- 정해일 등: 수액요법, 3판, 고려의학, 2012, pp42-44.
- Barakat AJ, et al: 소아신장학. 일차 진료를 위한 가이드라인. 박용훈 등 역, American Academy of Pediatrics, 2012, pp11-93.
- Man Chun Chiu, et al: Practical Paediatric Nephrology. Medcom, 2005.
- Shenoy MA, et al: Clinical evaluation of the child with suspected renal disease, in Pediatric Nephrology. edited by Avner ED, et al, Springer, 2016.

제 16 부 소아 신장학

CHAPTER

02 콩팥의 발달 및 신요로기형

임형은 (고려의대 소아청소년과)

KEY POINTS

- 선천신요로기형은 소아청소년에서 발생하는 만성콩팥병의 가장 흔한 원인이며, 최근 선천수신증의 빈도는 매년 증가하고 있다.

- 선천신요로기형은 유전적, 후성학적 및 환경적 인자들의 상호작용에 의해 발생하며, 최근 병인, 진단, 치료 및 예후에 대한 생물표지자 연구들이 다각도로 진행되고 있다.

- 선천수신증을 가진 영아에서 선천신요로기형 치료의 새로운 경향은 가능한 보존적, 비수술적 치료이나 의학적 상태 및 임상적 판단에 따라 환자마다 개별화되어야 한다.

콩팥의 발달

콩팥의 발달(nephrogenesis)은 임신 4주 째 중간중배엽에서 콩팥관(nephric duct) 형성과 함께 시작되며, 콩팥관이 배설강 쪽으로 길어지면서 인접한 중배엽에서 콩팥발달을 유도하게 된다. 중간중배엽에서 발생하는 태생신은 전신(pronephros), 중간콩팥(mesonephros), 뒤콩팥(metanephros)의 세 단계 과정을 거치게 되는데, 전신은 퇴화되고, 중간콩팥은 임신 4주째부터 8주째까지 임시로 분비 기관의 역할을 하지만, 뒤콩팥이 결국 성숙한 콩팥으로 발전한다. 뒤콩팥은 임신 5~6주경 배설강이 가까운 중간콩팥관(mesonephric duct 또는 Wolffian duct)에서 요관싹(ureteric bud)이 발생하면서 뒤콩팥중간엽(metanephric mesenchyme)과 상호 유도 신호를 통해 형성된다. 요관싹은 일련의 분화 과정을 거쳐 집합관, 신배, 신우, 요관으로 발전하게 되고, 뒤콩팥중간엽은 사구체, 근위세관, 헨레고리, 원위세관을 구성하는 상피세포로 분화하며, 임신 10~13주에 소변생성이 시작된다. 임신 16주 후에는 태아 소변이 양수의 주성분이므로, 양수의 양이 비정상적 콩팥 발달의 중요한 표지자가 될 수 있다. 태아 콩팥은 초기에는 골반, 즉, 엉치 부위에 위치하지만, 점차 올라가서 후복막와(retroperitoneal fossa) 내 등허리(T2-L3) 부위에 위치하게 되며, 후복막와에서 내측으로 90도 회전하여 임신 8주에는 성인과 같은 최종 위치로 자리잡게 된다.

선천신요로기형

선천신요로기형은 소아청소년에서 발생하는 말기콩팥병의 주요 원인으로 유전적 감수성, 후성인자 및 환경인자들의 상호작용으로 발생하는 다인성장애로 알려지고 있으며, 병인, 진단, 치료 및 예후 예측에 대한 생물표지자(biomarker) 연구들이 다각도로 진행되고 있다.

1. 신장무발생

태아기에 뒤콩팥이 만들어지지 않아 한쪽 또는 양쪽 콩팥이 아예 생성되지 않는 기형으로 동측 요관의 무발생이 동반된다. 일측신장무발생은 대개 무증상이며 우연히 발견되지만, 양측 신장무발생은 심한 양수과소증, 폐형성저하증을 보여 태아 또는 주산기 사망에 이를 수 있다(Potter증후군). 신장무발생은 VACTERAL증후군(척추결함, 항문폐쇄, 선천심질환, 기관식도루, 신기형, 요골 형성이상, 사지결함)의 일부로 나타나거나 다른 선천다발증후군과 연관될 수 있어 후각상실, 청력이상, 귓바퀴앞오목, 결손(coloboma), 구순열, 구개열, 단일제대동맥, 합지증, 잠복고환 등의 자세한 병력청취와 신체진찰이 중요하다. 태아의 콩팥은 임신 10~12주경 산전초음파로 확인할 수 있으며, 이소성 위치에 있거나 신장형성이상일 수 있으므로 출생후 골반초음파, 컴퓨터단층촬영이나 신스캔, 자기공명영상검사가 확진에 필요할 수 있다. 신장형성이상은 뒤콩팥조직의 비정상적 분화에 의한 신실질의 발육이상으로 대부분 신장형성저하증을 동반한다. 신장무발생은 대개 무증상이지만 생식관이상이나 반대측 요로의 요관신우경계폐쇄(ureteropelvic junction obstruction) 또는 방광요관역류를 동반할 수 있다. 반대측 콩팥의 보상증식과 사구체과여과에 의해 만성콩팥병이 발생될 수 있으므로, 고혈압과 단백뇨, 신기능에 대한 장기적 추적관찰이 필요하다.

2. 다낭신장형성이상

다낭신장형성이상(multicystic dysplastic kidney)은 매우 심한 형태의 신장형성이상으로 정상조직 없이 무교통낭종(noncommunicating cysts)으로 구성된 기능이 없는 실질 소견을 보이며, 태아기 비정상적인 뒤콩팥 분화(metanephric differentiation)에 의해 기인하는 것으로 생각된다. 최근에는 대개 산전초음파에서 진단되는 경우가 늘고 있으나, 출생 후 초음파검사로 중증 요로폐쇄와 감별이 필요하다. 확진은 신스캔검사에서 기능이 없는 콩팥을 확인하여야 한다. 대부분 산발성으로 한쪽 콩팥에 생기는 경우가 많지만, 약 40%에서 반대쪽 신기형이 관찰되며, 약 25%에서 방광요관역류가 있을 수 있고, 요관신우경계폐쇄, 요관방광경계폐쇄도 동반될 수 있다. 양측 다낭신장형성이상은 양수과소증과 치명적인 폐형성저하증을 초래하며, 심혈관계, 소화기계, 중추신경계 기형들이 동반되기도 한다. 대개 편측 다낭신장형성이상은 영아기에 우연히 발견되지만 성인에서 발견될 수도 있으며, 반대쪽 콩팥의 보상성 비대에 의해 단백뇨, 고혈압이 생길 수 있다. 또한, 이환된 콩팥에서 드물게 Wilms 종양이 생길 수 있으므로 신초음파검사와 고혈압에 대한 추적관찰이 필요하며, 신기능검사와 단백뇨에 대한 추적검사도 필요하다. 불응성 고혈압을 보이는 경우 신적출술이 고려된다.

3. 이소성신장

이소성신장은 콩팥이 후복막와 내 등허리(thoracolumbar, T2–L3) 부위에 위치하지 않는 상태로 태아시기에 골반에서 콩팥이 올라가지 못하고 골반에 위치하는 경우가 대부분이며, 드물게 흉부, 복부, 장골 위치에서 발견되기도 한다. 대개의 경우 한쪽에 발생하며, 크기가 작아 반대쪽 콩팥의 보상증식을 초래한다. 이소성신장은 대부분 무증상이나 요관신우경계폐쇄, 요관방광경계폐쇄, 방광요관역류로 인한 이차적인 수신증을 동반할 수 있다. 생식기이상은 여자에서 더 자주 발견되며, 심장 및 골격 등 다른 기관의 이상을 동반하기도 한다. 출생 전 초음파검사에서 이소성신장이 의심된다면 출생 후 초음파검사로 골반 위치에서 콩팥을 확인하거나, 99 mTc–DMSA 신스캔, 컴퓨터단층촬영 또는 자기공명영상으로 진단할 수 있다. 이소성

신장은 수신증 및 신결석의 빈도가 높고, 반대쪽 콩팥의 지속적인 보상 사구체과여과로 만성콩팥병으로 진행될 수 있으므로, 매년 신기능검사, 소변검사, 고혈압에 대한 추적검사가 필요하다.

4. 말굽신장

콩팥기원(nephrogenic) 세포의 비정상적 이동으로 콩팥이 하극(lower pole)에서 융합하여 신실질협부를 만들어 말굽 모양의 콩팥이 생긴다. 콩팥이 조기에 융합하면 요관의 이상회전과 개구 위치 이상을 유발하여 요관신우경계폐쇄가 동반되기도 한다. 출생아 400~500명당 1명에서 발생하며, 대부분 무증상이나, 일반 인구에 비하여 신세포암, Wilms 종양을 포함한 신장암 발생 빈도가 높다. 골격, 심혈관, 신경계 이상과 흔히 연관되어 있으며, 에드워드증후군, 터너증후군, 신경관결손 환자에서 종종 발견된다. 또한, 중복요관, 이소성요관류, 방광요관역류, 다낭신장형성이상, 요도하열증, 잠복고환과 같은 신요로기형과 생식기 이상이 동반될 수 있다. 신결석, 요로감염, 수신증이 생길 수도 있으나 대체로 신기능은 정상이다.

5. 중복요관

중복요관은 요관기형 중 가장 흔한 기형으로 요관싹이 두 개가 발생되면서 중복신장을 만들게 되며, 두 개의 독립된 신우신배계(pelvocalyceal system)와 요관을 가지게 되나 부분 중복도 가능하다. 두 신우신배계가 요관신우경계에서 만나면 이분신우(bifid pelvis)라 칭하고, 방광의 근위에서 만나면 이분요관(bifid ureter)이라고 부른다. 완전중복요관은 두 개의 독립된 요관이 각각 방광으로 삽입되는 것을 말하며, 위쪽 요관은 방광의 내측 아래쪽으로, 아래쪽 요관은 방광의 외측 위쪽으로 삽입된다. 중복요관은 여아에서 남아보다 6배 흔하며, 불완전중복요관은 보통염색체우성유전을 한다고 알려져 있다. 대개 성인에서는 무증상이나, 소아에서는 요로감염 위험도가 20배 이상 증가하기도 한다. 방광요관역류, 요관류, 이소성요관, 요로폐쇄

와 같은 기형을 흔히 동반하고, 진단은 콩팥방광초음파, 컴퓨터단층촬영, 자기공명영상, 신스캔, 배뇨방광요도조영 등이 유용하며, 치료는 동반기형에 따라 달라진다.

6. 요관류 및 거대요관

요관류는 방광 내 점막하 부위 요관이 낭성 확장된 것으로 전체가 방광 내에 있거나 방광목 또는 요도 내에 존재하기도 한다. 대부분 중복요관과 연관되어 있고, 방광요관역류도 요관류에서 자주 보인다. 출생전 초음파에서 우연히 발견될 수도 있으나 요로감염이나 요로폐쇄로 출생후 발견되기도 한다. 초음파에서 방광 후면에 경계가 좋은 낭종을 보이면 진단할 수 있고, 약 50%에서는 같은 쪽 방광요관역류가, 약 25%에서는 반대쪽 역류가 생길 수 있다. 치료는 중복요관 유무, 연령, 요관류의 위치, 신기능, 방광요관역류 유무 및 환자의 증상에 따라 다를 수 있으며, 감염 및 요로폐쇄가 있는 경우 요관류에 대한 내시경적 감압을 시도할 수 있다. 거대요관은 요관 지름이 7 mm 이상 확장된 경우로 역류성, 폐쇄성, 비역류 및 비폐쇄성 거대요관으로 분류되는데, 일차성 비역류 및 비폐쇄성 거대요관은 다른 질환을 배제한 후 진단하며, 신기능 및 고혈압에 대해 추적관찰한다.

7. 뒤요도판막

뒤요도판막은 소변 흐름을 막는 판막 기능을 하는 비정상적인 점막주름이 존재하여 방광출구, 즉 요도가 막히는 것으로 소아기에 신부전에 이르는 가장 흔한 폐쇄요로병증의 원인이다. 대다수가 남아이며, 뒤요도판막이 심한 경우 양수과소증, 방광확장, 양측성 수신증 및 신장형성이상이 생기게 되고, 완전 폐쇄가 있는 경우에는 폐형성저하증으로 태아 생존이 어렵다. 출생전 초음파에서 방광벽이 두껍고 매우 확장되어 있으며 뒤요도가 열쇠구멍 모양(key-hole)을 보이면서 확장되어 있는 것이 특징이며, 요도확장 및 양측성 수신증이 흔하고, 출생후 배뇨방광요도조영이나 내시경술로 확진할 수 있다. 방광확장으로 복압이 증가

되면 복벽근의 위축이 진행되는데, prune-belly 증후군은 복근 결손, 잠복고환, 요로기형이 특징으로 심기형, 장의 회전이상, 근골격계 이상도 동반할 수 있다. 환자의 약 33%는 폐형성저하증으로 생후 수개월 이내 사망하며, 장기 생존자의 25~30%는 말기콩팥병에 이르게 된다. 요로 폐쇄가 심한 경우 방광양수단락(vesicoamniotic shunt)을 삽입하여 방광과 콩팥을 감압할 수 있다. 산전초음파에서 뒤요도판막이 의심되었던 경우 출생후 콩팥방광초음파와 배뇨방광요도조영을 통하여 조기진단하며, 요도경유판막 절제(transurethral valve resection) 전에 도관삽입, 방광 창냄술(cystostomy), 경피신장창냄술(percutaneous neph-rostomy)을 시행하여 소변 배출이 충분하도록 빠른 조기 개입이 필요하다. 낮은 제태연령, 방광요관역류, 콩팥 에코 음영 증가, 1세 때 크레아티닌 증가, 요로감염, 단백뇨, 고혈압은 나쁜 예후 인자이며, 배뇨장애 및 요로감염의 집중 모니터링과 조기 치료가 중요하다.

8. 요관신우경계폐쇄

요관신우경계폐쇄는 선천수신증의 가장 흔한 원인으로 요관의 확장 없는 신우와 집합계의 확장이 특징이며, 신우와 요관 사이 접합부에 꼬임 또는 내인성 협착으로 발생한다. 요관이나 신우를 가로지르는 혈관과 같은 외인성 요인에 의해서도 폐쇄나 협착이 나타날 수 있다. 요관신우경계폐쇄나 협착이 있는 경우 약 50%까지 중복요관, 방광요관역류, 다낭신장형성이상, 신장무발생, VACTERAL 증후군 등의 신요로기형이 동반되는 것으로 보고되었다. 출생전 초음파에서 수신증으로 발견되는 경우가 대부분이며, 신생아 및 영아기에는 무증상이지만 연장아에서는 간헐적 옆구리 통증, 혈뇨 및 고혈압이 나타나기도 한다. 진단은 콩팥초음파, 이뇨성 신스캔, 자기공명요로조영과 같은 영상검사에 의하며, 이뇨성 신스캔 검사에서 요로폐쇄 소견을 보이고, 상대적 신기능이 40% 미만이거나, 추적 신스캔에서 10% 이상 상대적 콩팥 기능이 감소하고 수신증이 진행하면 신우성형술과 같은 수술을 시행한다.

9. 선천수신증

선천수신증은 임신의 1~5%에서 발견된다고 알려져 있으며, 최근 선천수신증의 빈도는 매년 증가하고 있다. 요관신우경계폐쇄가 가장 흔한 원인이지만 방광요관역류, 요관방광경계폐쇄, 다낭신장형성이상, 요관류, 뒤요도판막, 거대요관 등도 주요한 원인이다. 임신 시기별 태아의 신우 전후 직경에 따라 수신증 단계를 경증(임신 2기 ≤7 mm, 임신 3기 ≤9 mm), 중등증(임신 2기 7~10 mm, 임신 3기 9~15 mm), 중증(임신 2기 >10 mm, 임신 3기 >15 mm)으로 구분하기도 한다. 경증의 수신증은 대개 자연적으로 호전되나, 중등도 및 중증의 수신증은 선천신요로기형과 관련이 있다. Society for Fetal Urology 분류에 따르면 1단계는 단순 신우확장을 보이는 경우, 2단계는 경증의 신우와 신배확장을 동반한 경우, 3단계는 중등도의 신우, 신배 확장을 보이는 경우이며, 4단계는 신우신배확장이 심하여 신피질의 두께도 얇아지는 경우이다. 출생전 초음파에서 뒤요도판막이나 심각한 요로기형이 의심되지 않는다면 출생 48~72시간 이후 콩팥방광초음파를 시행하여 요관확장 여부에 따라 배뇨방광요도조영 검사를 시행하거나 MAG-3 또는 DTPA를 이용한 이뇨성 신스캔을 시행하여 요로폐쇄 여부를 진단한다. 요로폐쇄에 대한 수술 적응증은 양측성 심한 수신증을 보이거나 상대적 신기능이 40% 이하로 저하될 때, 추적 검사상 10% 이상의 상대적 신기능 차이를 보이고, 신초음파에서 콩팥 실질이 위축되며 수신증이 진행되는 소견을 보일 때이다. 추적 검사의 시기와 빈도는 임상적 판단에 의하여 환자에 맞게 개별화 되어야 한다(그림 16-2-1).

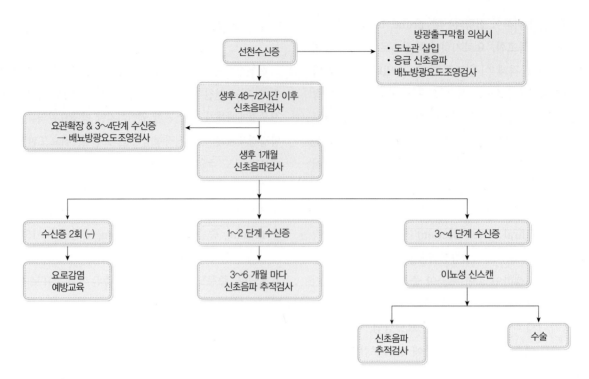

그림 16-2-1. 선천수신증의 진단 및 치료적 접근

▶ 참고문헌

• Avner ED, et al: Pediatric Nephrology. 7th ed. Springer, 2016.

• Fernbach SK, et al: Ultrasound grading of hydronephrosis: introduction to the system used by the Society for Fetal Urology. Pediatr Radiol 23:478–480, 1993.

• Kara A, et al: Clinical features of children with multi cystic dysplastic kidney. Pediatr Int 260:750–754, 2018.

• Kliegman RM, et al: Nelson Textbook of Pediatrics. 21st ed. Elsevier, 2020.

• Kohno M, et al: Pediatric congenital hydronephrosis (ureteropelvic junction obstruction): Medical management guide. Int J Urol 27:369–376, 2020.

• Mallik M, et al: Antenatally detected urinary tract abnormalities: more detection but less action. Pediatr Nephrol 23:897–904, 2008.

• N'Guessen G, et al: Congenital superior ectopic (thoracic) kidney. Urology 24:219–228, 1984.

• Oliveira EA, et al: Evaluation and management of hydronephrosis in the neonate. Curr Opin Pediatr 28:195–201, 2016.

• Stonebrook E, et al: Congenital Anomalies of the Kidney and Urinary Tract: A Clinical Review. Curr Treat Options Pediatr 5:223–235, 2019.

• Westland R, et al: Clinical implications of the solitary functioning kidney. Clin J Am Soc Nephrol 9:978–986, 2014.

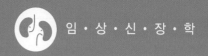
CHAPTER

03 소아의 수액요법

구자욱 (인제의대 소아청소년과), **서진순** (가톨릭의대 소아청소년과)

KEY POINTS

- 소아 수액요법에서 최근의 변화는 유지치료 영역이다. 전통적으로 유지용액으로 저장성용액을 사용했으나 저장성용액 치료에 따른 저나트륨혈증 합병증이 보고되면서 수액 치료로 인한 저나트륨혈증의 발생을 줄이기 위해 소아의 유지치료로 등장성용액 사용을 권고한다.
- 그러나 신생아에게는 적용되지 않으며 모든 소아청소년에게 적용되는 절대적인 수액치료는 없으므로 수액 치료는 환자의 체중 변화, 소변량, 활력 징후와 함께 전해질 수치를 모니터하면서 개인 맞춤으로 시행되어야 한다.

수액치료는 1일 유지량, 이미 소실한 양, 계속 소실하는 양의 세 가지를 합하여 한다.

유지 수액치료
(Maintenance Fluid Therapy)

1. 목적과 적응증

유지 수액치료의 목적은 주로 수술 전후 또는 그 밖의 여러 가지 상황에서 몸의 대사과정에서 발생하는 수분과 전해질 손실로 인한 탈수, 전해질 이상, 케톤산증의 발생과 단백질 소모를 방지하기 위함이다. 평소 건강했던 청소년은 12~18시간 정도의 금식을 견딜 수 있지만, 영아는 8시간 이상의 금식이 필요하면 반드시 수액치료를 해야 한

다. 어릴수록 불감성 수분 소실이 많아 수분 필요량이 많으며, 상대적으로 미숙한 콩팥의 요농축능 때문에 탈수에 취약하기 때문이다. 유지용액으로 5% 포도당이 포함된 용액을 사용하는 경우 정상 열량 요구량의 20% 정도만을 보충할 수 있으므로 수일 이상 경구영양섭취를 할 수 없다면 유지용액 대신 완전정맥영양 공급을 하여야 한다.

2. 유지량

1) 수분 필요량
(1) 체중 기준

인체가 칼로리를 소모할 때 수분을 소모하는 것을 기준으로 한 계산법이다(Holliday와 Segar 법). 100 kcal/kg의 열량을 소모하기 위해 필요한 수분량은 100 mL/kg으로, 이에 따른 하루 수분 유지량과 시간당 투여 속도는 표

표 16-3-1. 하루 수분 유지량과 시간당 투여 속도

체중	하루 수분유지량	시간당 투여 속도
<10 kg	100 mL/kg	4 mL/kg/시간
11~20 kg	1,000 mL+50 mL/kg (체중-10 kg)	40 mL/h+2 mL/kg/시간 (체중-10 kg)
>20 kg	1,500 mL+20 mL/kg (체중-20 kg)	60 mL/h+1 mL/kg/시간 (체중-20 kg)

하루 최대량: ≤ 2,400 mL (투여 속도 ≤ 100 mL/시간)

16-3-1과 같다. 비만아에서는 체중을 기준으로 계산하면 과량의 수액이 주입될 수 있으므로 키에 해당하는 50 백분위수 체중을 기준으로 계산한다. 또한 열, 광선치료, 빈호흡, 기관절개술, 설사와 다뇨 등에서는 수분 소실량이 증가하고 보육기, 갑상샘 저하증과 핍뇨/무뇨 등에서는 소실량이 감소하므로 이러한 요인을 파악하여 수액량을 적절하게 증감해 주어야 한다. 만약 입원 환자가 비삼투성 항이뇨호르몬의 분비(non-osmotic anti-diuretic hormone)의 증가를 보일 수 있는 상황이라면(수막염, 폐질환, 통증, 오심 또는 스트레스 등) 체중을 기준으로 계산된 유지량의 50~80% 정도로 수분을 제한하여 주는 것을 고려해 볼 수 있다.

(2) 체표면적 기준

소변량이 정상적이지 않은 경우(예: 핍뇨성 급성콩팥손상, 만성콩팥병 환자 등), 불감성 수분 소실량(400 mL/m2/24시간) + 소변량만큼 투여한다.

2) 전해질 필요량

(1) 저장성용액의 사용과 저나트륨혈증

전통적으로 소아환자의 유지용액으로는 Holliday-Segar 공식(Na$^+$:3 mEq/100 mL 수분 소요량, K$^+$:2 mEq/100 mL 수분소요량)에 이론적 근거를 둔 저장성용액(hypotonic solution)이 사용되었다. 그러나 입원환자에서 입원 도중(hospital-acquired) 발생한 저나트륨혈증과 그와 관련된 심각한 뇌합병증(hyponatremic encephalopathy)이 저장성용액 치료와 관련되었다는 사실이 지속적으로 보고되면서 더이상 저장성용액이 유지용액으로 권고

되지 않게 되었다. 환자가 급성질환으로 입원할 경우 유효혈류량의 감소 또는 비삼투성으로(통증, 수술, 뇌질환, 폐질환 등) 항이뇨호르몬의 분비 증가가 흔히 동반되어 수분 축적으로 인한 저나트륨혈증의 위험이 높아지는데, 저장성용액을 유지용액으로 사용하면 저나트륨혈증의 가능성이 더 높아지기 때문이다.

(2) 등장성용액(Isotonic solution)

최근 십수년간 등장성-저장성용액을 비교한 무작위대조군연구와 메타분석이 활발하게 이루어졌고, 이러한 연구결과를 토대로 최근 유지용액의 권장 소듐함량이 높아졌다. 이전 소아과학 교과서 등의 지침에서는 일반적인 유지용액으로 D5 1/2 Normal saline (77 mEq/L 의 NaCl 함유된 5% 포도당용액)을 권고하고, 저나트륨혈증이 있는 경우 등장성용액(D5 Normal saline)을 선택적으로 권고했었으나, 최근 개정된 미국 소아과학회 가이드라인, NICE 가이드라인과 소아과학 교과서에서는 신생아를 제외한 18세 이하의 소아청소년에서 유지용액으로 등장성용액 투여 (Normal saline, Ringer Lactate, PlasmaLyte + 5% dextrose and 10~20 mEq/L KCl)를 권장한다. 수술이 필요한 경우 등장성용액인 0.9% 생리식염수 혹은 Ringer Lactate 를 계산된 유지용액 속도의 2/3 정도로 수술 동안과 수술 후 6~8시간동안 주입하고, 그 이후 필요에 따라 5% 포도당과 10~20 mEq/L KCl을 추가하여 투여한다. 등장성용액을 유지용액으로 사용한 경우 고나트륨혈증, 고혈압과 부종, hyperchloremic acidosis 의 발생 위험에 대한 우려가 있었으나 현재까지 이루어진 연구 결과로는 예상과 달리 이러한 합병증의 위험이 의미있게 증가하지 않았다.

(3) 주의사항

등장성용액이 유지용액으로 권고되지만 모든 소아청소년에게 적용되는 절대적인 유지용액 요법은 없다. 예를 들어 심장질환, 간질환, 신증후군 같은 원발질환에서는 좀더 적은 양의 수액치료가 요구된다. 또한 요붕증, 다량의 설사, 심한 화상환자에게 등장성용액을 투여하면 고나트륨혈증이 발생할 가능성이 높다. 따라서 치료는 개인 맞춤으로 시행되어야 하며, 체중 변화, 소변량, 활력 징후와 함께 전해질 수치를 모니터하며 조절해야 한다.

탈수(Dehydration)의 치료: 소실량의 보충 요법

1. 탈수의 평가

1) 탈수의 정도(표 16-3-2)

가장 먼저 탈수의 정도를 평가해야 한다. 중증 탈수에서는 반드시 정맥 수액요법을 시행하며, 소변량 감소와 맥박수 증가를 보이면 빠른 치료가 필요하다.

2) 탈수의 형태

혈장 소듐 농도에 따라 다음 세 가지로 분류한다.
(1) 등장성(isotonic): Plasma $[Na^+]$=130~150 mEq/L
(2) 저장성(hypotonic): Plasma $[Na^+]$<130 mEq/L
(3) 고장성(hypertonic): Plasma $[Na^+]$>150 mEq/L

2. 탈수 환자에서의 수액치료

순환부전과 신기능을 회복하기 위한 초기 급속 수액소생술 시기(phase I, resuscitation phase)와 그 이후 이어지는 용적 회복 시기(phase II, rehydration phase), 마무리 단계(phase III)로 나누어진다. 중증 탈수 환자는 phase 1부터 시작하며, 순환부전이 없는 중등도 혹은 경증 환자에서는 phase 2의 치료부터 시작하거나 경구 수액을 투여한다.

표 16-3-2. 탈수의 정도와 임상 양상(등장성탈수)

		경증	중등도	중증
체중감소	영아	<5%	5~10%	>10%
	연장아	<3%	3~6%	>6%
피부 긴장도		정상	다소 저하	현저히 저하
점막 건조		경도	현저	바싹 마름
안구와 대천문		정상	함몰	현저히 함몰
혈압 하강		-	+/-	++ 쇼크
맥박 증가		+/-	+	++ 약함
의식		정상	흥분 또는 기면	기면 또는 혼수
눈물		나옴	감소	안 나옴
소변량		정상 또는 감소	현저히 감소	무뇨
요 비중		상승	>1.020	현저히 상승
*모세혈관 재충만시간 (capillary refill time)		정상	>1.5초	>3초

* 엄지손톱 끝을 누른 뒤, 다시 붉게 될 때까지 걸리는 시간

1) Phase I (초기 급속 수액소생술)

0.9% 생리식염수나 Ringer lactate와 같은 세포외액형 결정질용액(crystalloid solution) 20 mL/kg을 20분~1시간 동안 정맥주사한다. 순환부전이 호전되지 않을 경우 또는 빠른 혈관용적 회복을 위하여 같은 양의 수액을 반복 투여할 수 있으나, 반복할 때에는 과잉 치료가 되지 않게 주의해야 한다. 이때 사용하는 용액에는 원칙적으로 K^+를 섞지 않는다.

2) Phase II (다음 23 시간, rehydration phase)

수액량은 (이미 소실한 양 + 1일 유지량)에서 phase 1에서 투여한 양은 빼고 계속 소실되는 양이 있으면 추가하여, 23시간 동안에 주사한다. 이전 가이드라인에서 권장된 수액의 종류는 D5 1/2 Normal saline이었으나, 낮은 소듐 농도의 수액을 사용할 경우 저나트륨혈증 위험이 있어서 5% dextrose+ Normal saline으로 바뀌었다. 단, 고장성탈수의 경우에는 5% dextrose+1/2 Normal saline을 사용한다.

3) Phase III

치료 24시간이 지나 탈수의 임상증상이 소실되고 생화학 검사가 점점 교정되는 시기로, 유지요법에 쓰는 용액(D5 NS)을 동일하게 사용하면 된다. 단, 고장성탈수의 경우 제2일에도 소실량의 일부를 보충할 수 있다.

위의 치료를 탈수의 형에 따라 정리하면 다음과 같다.

(1) 등장성 및 저장성탈수

이미 소실한 양 + 유지량을 계산하여 심한 탈수인 경우, phase I 초기 급속 수액소생술로 치료한다. Phase II에서는 (이미 소실한 양 + 유지량)−(phase 1에서 준 수액량) 양만큼을 5D+Normal saline으로 준다. 혈장 소듐 농도 및 소변량, 혈압, 증상 변화를 추적관찰하며 이후 수액의 양과 전해질농도를 조절한다. 만약 저나트륨혈증에 의한 뇌합병증(hyponatremic encephalopathy)이 있으면 뇌부종을 막기 위해 3% NaCl을 투여한다. 그러나 치료 중 혈장 소듐 농도를 너무 빨리 올리면 중심성 교탈수초증(central pontine myelinolysis)이 생길 위험이 있으므로 혈장 소듐 농도는 24시간에 12 mEq/L 이하로 교정해야 한다.

(2) 고장성탈수 치료

고나트륨혈증으로 인해 뇌세포에서 세포외액으로 수분이 이동하여 뇌세포 위축, 뇌출혈, 혈전을 유발할 수 있고, 소듐 농도 교정 과정에서 너무 빠르게 혈장 소듐 농도를 교정하면 세포외액 수분이 다시 뇌세포로 유입되어 뇌부종이 생길 수 있다. 따라서 고나트륨혈증이 동반된 고장성탈수에서 소듐 농도를 자주 추적검사하며 수액 속도와 전해질농도를 세심하게 조절해야 한다. 초기 혈장 소듐 농도에 따른 권장 교정 속도는 다음과 같다.

- 45~157 mEq/L: 24시간에 걸쳐서
- 158~170 mEq/L : 48시간
- 171~183 mEq/L: 72시간
- 184~196 mEq/L: 84시간

계속 소실되는 양에 대한 치료

환자가 입원 중에도 계속되는 설사, 구토, 위장관액 흡입 등으로 수분, 전해질을 소실하고 있을 때에는 그 양만큼 보충해 준다. 설사에 포함된 평균 전해질함량은 $Na^+/K^+/Bicarbonate$ 55/25/15 mEq/L이다. 보충수액으로 D5 1/2NS + 30 mEq/L sodium bicarbonate + 20 mEq/L KCl을 대변 mL/mL으로 1~6시간마다 보충해 줄 수 있다. 구토 혹은 위장관액 흡입인 경우 포함된 평균 전해질 구성은 $Na^+/K^+/Cl^-$ 60/10/90 mEq/L이다. 보충수액으로 NS + 10 mEq/L KCl을 구토/흡입액 mL/mL으로 1~6시간마다 보충해 줄 수 있다.

다음은 지금까지의 내용을 표로 정리한 것이다.

표 16-3-3. 탈수 소아 환자에 대한 간편한 수액요법

1. 유지량과 소실량 계산
2. 중증 탈수인 경우 초기 급속 수액소생술 : NS or Ringer lactate 20 mL/kg for 20분~1시간, 필요하면 추가 투여
3. 혈장 Na⁺농도 확인
4. Rehydration phase (다음 23시간) 　1) 등장성 혹은 저장성탈수: 배뇨 후 남은 D5 NS (유지량 +소실량 - phase 1에서 이미 준 양)와 KCl 10-20 mEq/L을 섞어서 투여한다. 　2) 고장성탈수: D5 1/2 NS를 유지량의 1.25~1.5배 투여하며 추적검사한 Na⁺농도에 따라 조절한다. 　- 혈장 Na⁺가 너무 빨리 떨어지고 있으면, 수액의 속도를 줄이거나 수액에 포함된 Na⁺농도를 높인다. 　- 혈장 Na⁺가 너무 천천히 떨어지고 있으면, 수액의 속도를 늘이거나 Na⁺농도를 낮춘다.
5. 주기적(최소 하루 1 회)으로 혈장 Na⁺농도를 확인하여 24시간에 12 mEq 이하로 올리거나 떨어뜨리도록 한다.
6. 계속소실량 투여

▶ **참고문헌**

- 안효섭 등: 홍창의 소아과학, 12판, 미래엔, 2020, pp115–122, 562–563.
- 정해일 등: 수액요법, 3판, 고려의학, 2012, pp53–65.
- Carandang F, et al: Association between maintenance fluid tonicity and hospital-acquired hyponatremia. Journal of Pediatrics. 163:1646–1651, 2013.
- Choong K, et al: Hypotonic versus isotonic maintenance fluids after surgery for children: a randomized controlled trial. Pediatrics 128;857–866, 2011.
- Feld LG, et al: Clinical practice guideline: maintenance intravenous fluids in children. Pediatrics 142(6):e20183083, 2018.
- Holliday MA, et al: The maintenance need for water in parenteral fluid therapy. Pediatrics 19:823–32, 1957.
- Kliegman RM, et al: Nelson Textbook of Pediatrics, 21th ed. Elsevier, 2020, pp425–432.
- National Clinical Guideline Centre: Intravenous fluid therapy in children and young people in hospital. London: National Institute for Health and Care Excellence (UK); 2020 Jun 11. (NICE Guideline, No. 29.)
- Wang J, et al: Isotonic versus hypotonic maintenance IV fluids in hospitalized children: a meta-analysis. Pediatrics 133:105–113, 2014.

경구 수액 투여

경도 또는 중등도의 탈수증의 경우에는 수분, 전해질, 탄수화물 등을 경구적으로 주면 된다. 사용하는 WHO 권장 경구 수액의 조성은 Na⁺ 75 mEq/L, 당 75 mmol/L (13.5 g/L)이며 245 mOsm/L이다. 일반적으로 4~6시간 안에 탈수를 교정하고, 임상 양상에 따라 환자를 다시 평가하며, 중증 탈수 증세가 있으면 주사로 수액요법을 시작하여야 한다. 경구 수액의 투여량은 1~2분마다 한번에 5 mL를 넘지 않도록 하며, 경도의 탈수는 50 mL/kg, 중등도의 탈수는 100 mL/kg을 투여한다.

CHAPTER 04

소아의 일차사구체질환

조민현 (경북의대 소아청소년과), 양은미 (전남의대 소아청소년과)

KEY POINTS

● 소아 신증후군은 약 80% 정도에서 스테로이드에 반응을 보이는 미세변화병이지만 잦은 재발을 보일 수 있다.

● IgA 신병증은 10~20대에 가장 흔하게 발생하는 사구체 신염으로 소아 IgA 신병증의 예후는 성인에 비하여 더 좋은 경과를 보인다.

소아에서 사구체병증은 증상이 경미하거나 없는 것부터 생명을 위협하는 합병증이 있는 심각한 콩팥병에 이르기까지 다양하다. 사구체병증의 발생은 성인에 비하여 적지만 소아청소년 시기에 사구체병증이 시작한 환자들이 성인이 된 후 말기콩팥병으로 진행할 수 있다.

신증후군(Nephrotic syndrome, NS)

심한 단백뇨와 저알부민혈증, 전신부종을 특징으로 하는 질환으로 발생률은 매년 소아 10만명당 2~3명 정도로 성인보다 10배 높다. 특발 소아신증후군의 대부분은 미세변화병으로(77%), 그 외 국소분절사구체경화증(10%), 메산지움증식사구체신염(5%), 그리고 막증식사구체신염 등이 나머지를 차지한다.

1. 정의

1) 신증후군: 혈청 알부민이 2.5 g/dL 이하이고, 소변 단백량이 40 mg/m²/시간(1 g/m²/일) 이상 또는 아침 첫 소변 단백질/크레아티닌 비가 2.0 mg/mgCr 이상 또는 소변 dipstick 검사 3+ 이상으로 정의한다.

2) 스테로이드저항 신증후군: 4주간의 매일 스테로이드 치료에도 관해를 유도할 수 없는 경우로, 미세변화병의 가능성이 낮아 신생검으로 병리조직소견을 확인할 필요가 있다.

3) 완전관해: 3일 연속으로 소변 단백질/크레아티닌 비가 0.2 mg/mgCr 미만이거나 소변 dipstick 1+ 미만인 경우

4) 부분관해: 처음보다 50% 이상 단백뇨가 감소되고 소변 단백뇨/크레아티닌 비가 0.2~2.0 mg/mgCr 인 경우

5) 재발: 관해 이후 3일 연속으로 소변 단백/크레아티닌

비가 2.0 mg/mgCr 이상 또는 소변 dipstick 검사 3+ 이상인 경우

6) 스테로이드 의존형: 스테로이드 감량 중 혹은 중지 2주 이내에 재발하는 경우

7) 빈발 재발형: 초기 치료 후 6개월 이내에 2회, 또는 1년 이내에 4회 이상 재발하는 경우

2. 병인

사구체 여과벽의 기능 이상에 의해 단백(주로 알부민)의 사구체 투과가 증가하는데, 원인은 명확하지 않으나 T세포 기능 이상 등의 면역학적 기전과 관련이 있을 것으로 추정된다.

3. 증상

남아에서 여아보다 약 2배 많이 발생하며, 호발 연령은 2~6세이다. 발병 시, 또는 특히 재발 시 상기도 감염이 선행 되는 경우가 적지 않다. 대개 눈 주위의 부종으로 시작하여 점차 진행하고 소변량 감소, 식욕부진, 복통, 설사 등이 흔히 동반되나, 고혈압은 흔하지 않다.

4. 진단

거품뇨와 3+ 이상의 단백뇨를 보인다. 현미경혈뇨가 동반될 수 있으나 육안 혈뇨는 드물다. 혈청 알부민의 저하, 혈청 지질의 상승을 보인다. 소아에서는 스테로이드에 반응하는 미세변화병이 많기 때문에 신생검을 시행하지 않고 우선 스테로이드 치료를 시작한다. 그러나 연장아(12세 이후)이거나, 혈뇨, 고혈압, 혈청 크레아티닌 상승, B형간염 항원 양성, 혈청 보체(complement 3)의 저하 등이 있을 때에는 신생검을 먼저 시행하기도 한다.

5. 치료

1) 일반요법

(1) 식이 요법: 염분 제한(부종 시), 정상 1일 권장량의 단백 섭취

(2) 활동: 부종이 심한 경우를 제외하고는 활동을 제한할 필요는 없다

(3) 부종이 심할 때 이뇨제, 20% 알부민(1 g/kg/일)을 사용할 수 있다.

2) 면역억제제

(1) 스테로이드: 처음 발병 시 전신감염이 없음을 확인하고 경구 프레드니솔론(60 mg/m²/일 또는 2 mg/kg/일, 최대량 60 mg/일, 1~3회로 분할)을 4주 또는 6주 동안 투여한다. 이후 40 mg/m²/일(최대량 40 mg/일)의 프레드니솔론을 격일로 아침식사와 함께 4주 또는 6주간 투여하고, 이후 감량 또는 중단한다. 스테로이드에 반응하는 경우 대부분 2주 이내에 단백뇨가 소실되지만, 4주 이후에도 단백뇨가 지속될 때는 미세변화병이 아닐 가능성이 많다. 스테로이드저항 신증후군의 경우 메틸프레드니솔론 대량요법(30 mg/kg, 최대량 1 g/일, 총 3~5회 격일로 주사)을 시행할 수 있다. 재발시에는 다시 스테로이드를 매일 투여(프레드니솔론 60 mg/m²/일 또는 2 mg/kg/일, 최대량 60 mg/일)하고, 소변 단백이 음전 되면 3일 후부터 격일로 변경한다.

(2) 칼시뉴린억제제(Cyclosporine, Tacrolimus): 스테로이드저항 신증후군에서 1차 치료제이며 스테로이드 의존형, 빈발 재발형에서 재발을 억제하기 위해 사용한다.

(3) Mycophenolate mofetil: 칼시뉴린억제제의 대용 또는 이와 병용하여 사용할 수 있다.

(4) Rituximab: B세포의 CD20에 대한 항체로, 다른 면역억제제를 사용하여도 재발하거나 다른 면역억제제를 사용할 수 없는 경우 사용할 수 있다. 스테로이드저항 신증후군에서의 효과는 제한적이다.

(5) 사이클로포스퍼마이드: 자주 재발하는 신증후군에서 사용할 수 있다.

3) 기타 약제

단백뇨 감소와 발세포 보호를 위하여 안지오텐신전환효소억제제 또는 안지오텐신II수용체차단제, HMG-CoA 환원 효소 억제제 등을 사용하기도 한다.

6. 합병증

감염, 혈전증, 급성신부전, 급성저혈량위기, 고지질혈증이 발생할 수 있다

7. 경과/예후

대부분 스테로이드 치료에 잘 반응하며 이 경우 콩팥 기능의 저하는 보이지 않는다. 진단 후 첫 6개월 동안 재발이 없는 경우에는 재발이 드물다고 하나, 대부분의 경우 반복적인 재발을 보인다. 처음에는 재발이 잦던 소아환자도 10대 후반이 되면 많은 예에서 재발 없이 회복된다. 그러나 스테로이드저항성을 보이는 경우(주로 국소분절사구체경화증) 많은 경우 만성신부전으로 진행하여 투석 또는 신이식이 필요하다. 이 경우 30~50%에서 신이식 후 신증후군이 재발될 수 있다.

IgA신병증(IgA nephropathy)

1. 개요

IgA신병증은 전 세계적으로 가장 흔한 일차사구체신염으로, 10~20대에 가장 흔하고 우리나라에서는 성별에 따른 차이는 없다. 유병률은 국가마다 다르나 태평양 연안의 국가에서 빈도가 높아 일차사구체신염의 절반에 근접하고 우리나라에서도 20~40%를 차지한다.

2. 병인기전

IgA신병증의 원인이나 발병기전은 정확히 밝혀져 있지 않다. 환자는 갈락토스가 결핍된 IgA1을 생산하고, 이에 대한 자가 항체가 생겨서 면역복합체를 형성한다. 이 면역복합체가 콩팥에 침착하여 염증반응을 일으켜 세포증식과 기질 확장을 동반한 콩팥손상을 일으킨다. 여러 단계의 "Hit"이 연속적으로 작용하여 발병할 것으로 생각되는데 이러한 과정에 유전, 환경 요인이 작용하는 것으로 보인다.

3. 임상 양상

IgA신병증의 전형적인 임상증상은 상기도나 위장관감염과 동반되는 반복적인 육안 혈뇨로 상기도감염 시작 후 2~3일 내에 발생하여, 사슬알균감염후사구체신염에서 상기도감염 후 7~14일의 잠복기를 보이는 것과 차이가 있다. 육안 혈뇨는 수일 또는 수년 후에 재발되기도 하는데, 재발과 재발 사이에 소변검사가 정상일 수도 있으나 대부분 현미경적 혈뇨를 보인다. 미국에서는 주 증상이 육안 혈뇨인 반면에, 우리나라와 같이 집단소변검사를 하는 경우에는 무증상소변검사이상으로 진단되는 경우가 많다.

4. 병리 소견

광학현미경검사에서는 IgA신병증만의 특이한 소견은 없고 면역형광현미경 소견은 모든 예에서 메산지움 부위에 IgA 항체가 과립상으로 침착된다. 소아에서는 성인에 비해 병리 소견이 심하지 않는 경우가 많고 사이질섬유화 및 사구체경화 등의 만성적 변화도 적다.

5. 치료 및 예후

완치할 수 있는 근본적인 치료법은 없지만 단백뇨를 개선하기 위해 안지오텐신전환효소억제제 또는 안지오텐신II수용체차단제를 사용한다. 단백뇨가 지속되면 스테로이드

를 단독 또는 다른 약제(azathioprine, cyclophosphamide, mycophenolate mofetil 등)들과 병용투여할 수 있다. 경과는 장기간 양성 경과를 취하는 경우부터 급속히 신부전이 진행되는 경우까지 다양하지만 소아는 성인에 비하여 더 좋은 경과를 보이고 발병 시의 고혈압 및 급성신손상은 가역적인 경우가 많다. 나쁜 예후인자로는 고혈압, 지속적인 단백뇨, 진단시부터 신기능이 저하된 경우, 신생검에서 사구체경화와 초승달 형성이 많은 경우, 세관위축과 사이질 섬유화, 혈관병변이 심한 경우이다. 국내 다기관 연구에 따르면 18세 이전에 진단받은 소아 IgA신병증 환자에서 10년 후에 9.8%에서, 20년 후에 24.4%에서 만성콩팥병이 발생하였다.

▶ **참고문헌**

• 안효섭 등: 홍창의 소아과학, 12판, 미래엔, 2020, pp936-999.
• Coppo R: Pediatric IgA Nephropathy in Europe. Kidney Dis 5:182-188, 2019.
• Hass M, et al: IgA nephropathy in children and adults: comparison of histologic features and clinical outcomes. Nephrol Dial Transplant 23:2537-2545, 2008.
• Kliegman RM, et al: Nelson Textbook of Pediatrics. 21th ed. Elsevier, 2019.
• Park YH, et al: Hematuria and proteinuria in a mass school urine screening test. Pediatr Nephrol 20:1126-1130, 2005.
• Rebecca M, et al: Treatment of steroid-sensitive nephrotic syndrome: new guidelines from KDIGO. Pediatr Nephrol 28:415-426, 2013.
• Suh JS, et al: Remission of proteinuria may protect against progression to chronic kidney disease in pediatric-onset IgA Nephropathy. J Clin Med 9:2058, 2020.
• Trautmann A, et al: IPNA clinical practice recommendations for the diagnosis and management of children with steroid-resistant nephrotic syndrome. Pediatr Nephrol 35:1529-1561, 2020.

제 **16** 부 소아 신장학

CHAPTER 05

소아의 이차사구체질환

신재일 (연세의대 소아청소년과), **김성헌** (서울의대 소아청소년과)

KEY POINTS

- 급성 사슬알균감염후사구체신염은 최근 빈도가 많이 감소하였고 증상이 심하지 않아 무증상 혈뇨로 내원하여 진단되는 경우도 있다.

- Henoch-Schönlein 자반증 콩팥염은 최근 IgA혈관염으로 명칭이 변경되었고 단백뇨가 오래 지속되는 경우 만성콩팥병으로 진행하는 등 예후가 좋지 않으므로 적극적인 치료와 장기적인 추적이 필요하다.

- 소아청소년에서 발생한 전신홍반루푸스는 성인기에 발생한 경우보다 심한 임상 양상을 보여 적극적인 치료가 필요하다.

- 전신홍반루푸스의 발병 연령이 어린 경우(5세 이하)는 유전루푸스에 대한 평가가 필요하다.

- 루푸스신염과 ANCA-매개 사구체신염의 소아청소년 치료지침이 최근 제안되었다.

급성 사슬알균감염후사구체신염(Acute poststreptococcal glomerulonephritis)

1. 역학 및 증상

급성 사슬알균감염후사구체신염은 그룹 A 베타 용혈성 사슬알구균 감염후 발생하는 면역복합체가 콩팥에 침착하여 생기는 병으로 어른보다 소아에서 흔히 발병하며 유병률은 소아에서 9.0/100,000 정도로 보고되고 있다. 편도염인 경우 2~3주후, 피부감염인 경우 1달 이후에 발생한다. 급성신염증후군을 일으켜 갑작스런 사구체여과율 감소로 핍뇨, 이로 인한 고혈압, 부종, 경련, 후두부가역뇌병 증증후군(Posterior reversible encephalopathy syndrome, PRES) 등이 생길수 있고 최근에는 무증상혈뇨로 내원하여 진단되는 경우도 있다.

2. 진단 및 병리소견

피검사에서 보체 C3가 감소되어 있고 항스트렙토리신-O (antistreptolysin-O)가 증가된 경우 진단할 수 있고 C3이 3개월 내에 대개 정상범위로 회복되나 3개월 이상 감소되는 경우 C3이 감소되는 다른 질환을 감별하여야 한다. 병리학적으로 다양한 정도의 백혈구침윤과 C3, IgG 및 IgM 면역침착물에 따른 모세혈관증식 소견을 보이고 전자현미경상 전자고밀도침착물이 상피하 부위에 침착하여 hump의 특징적인 병변을 보인다.

3. 치료 및 예후

저염식이를 하고 핍뇨가 있는 경우 수분을 제한하며 고혈압이 있는 경우 항고혈압제를 사용하여 치료한다. 급성신부전이 있는 경우 이뇨제 등을 적절히 사용하여 소변이 나오도록 하고 이에 반응이 없는 심한 경우 투석이 필요할 수도 있다.

소아에서는 예후가 좋은 것으로 되어 있지만, 성인에서는 일부 심한 경우가 있고 급성 사슬알균감염후사구체신염의 병력이 있는 환자는 드물지만 추후 만성콩팥병으로 진행하는 경우도 있어 장기적인 추적이 필요할 수 있다.

IgA혈관염(IgA vasculitis or Henoch-Schönlein purpura nephritis)

1. 역학 및 진단기준

IgA혈관염의 유병률은 소아에서 3.0~26.7/100,000 정도로 보고되고 있고 미취학 아동과 남성에서 더 흔하며 가을과 겨울에 빈도가 증가하는 것으로 보고된다. 다양한 감염원과 약물, 예방접종, 암, 알레르기 성향, 추운 날씨에 대한 노출 등이 관련을 보이며 가족 사례도 보고된다. 류머티즘유럽연합/소아류마티즘유럽학회[the European League Against Rheumatism (EULAR)/Paediatric Rheumatology (PRES)]의 기준에 따르면 만져지는 자반(필수 기준)이 있으면서 (1) 광범위복통, (2) 생검에서 우세한 IgA 침착을 보이는 경우, (3) 관절염 또는 관절통 (급성, 모든 관절), 및 (4) 콩팥 침범 (모든 혈뇨 및/또는 단백뇨)이 있을 때 진단할 수 있다.

2. 콩팥 증상 및 병인, 병리소견

콩팥 침범은 20%에서 100%까지 다양하게 보고되고 단독혈뇨(14%), 단독단백뇨(9%), 경미한 소변이상은 일반적으로 시간이 지남에 따라 해결될 수 있으나, 신증후군 및 급성신염증후군과 같은 심각한 콩팥 침범은 만성콩팥병으로 진행될 수 있어 주의를 요한다. 나이가 7~10세 이상, 지속적인 자반(>4 주), 심한 복부 증상, 감소된 인자 XIII (섬유소 안정화 인자), 재발이 콩팥 침범에 대한 위험 인자로 알려져 있다. IgA의 이상[IgA(주로 IgA1) 및 순환하는 IgA 함유 면역복합체의 증가, IgA1의 비정상적인 glycosylation]은 중요한 역할을 하며, 유전적 소인, 보체 및 호산구의 활성화, 다양한 사이토카인과 자가항체, 응고 이상 등이 알려져있다. 병리소견으로 초승달, 메산지움증식 등이 나타나고 IgA, fibrin 등이 침착된다.

3. 치료 및 예후

혈뇨만 나오는 경우 치료가 필요하지 않고 혈압이 높은 경우 항고혈압제를 사용한다. 경한 단백뇨의 경우 안지오텐신전환효소억제제 혹은 안지오텐신 수용체차단제를 스테로이드와 함께 사용할 수 있으며, 단백뇨가 심한 경우 methylprednisolone 대량요법(pulse therapy), cyclosporine, azathioprine 등을 사용할 수 있다. 단백뇨가 심하거나 콩팥기능이 떨어진 경우, 단백뇨가 오래 지속되는 경우 만성콩팥병으로 진행하는 등 예후가 좋지 않으므로 여러 면역억제제를 사용하여 가능한 빠른 시간 내에 단백뇨를 정상으로 만들려는 노력이 필요하다. 신이식 후에 재발할 수 있어 세심한 관찰이 필요하고 여아의 경우 임신시 단백뇨가 악화될 수 있어 주의를 요한다. 일부 장기 연구결과에 따르면 단백뇨, 혈뇨가 없었던 IgA혈관염의 경우에도 30~40년 후에 단백뇨, 고혈압 등 상태가 나빠진 경우도 있어 장기적인 추적관찰이 필요하다.

전신홍반루푸스(Systemic lupus erythematosus, SLE) 및 루푸스신염(Lupus nephritis)

1. 역학

인종간의 유병률과 발생률이 다양하고, 대략 발병률은 0.36~2.5/100,000명이다. 아시아, 라틴계와 같은 non-Caucasian에서 발병률이 높다. 소아청소년 시기에 발생한 전신홍반루푸스(Childhood onset SLE, cSLE)는 전체 SLE의 10~20%를 차지하며, 평균 발병 연령은 12세이고 5세 이하의 발병은 매우 드물다. 5세 이하의 어린 연령에서 발병할 경우 유전성 루푸스를 고려하여야 한다. 성별은 4.5~5:1 정도로 여아에서 발병이 흔하지만, 성인의 경우 (9~10:1)보다는 상대적으로 여아의 비율이 낮다.

2. 임상증상

일반적으로 cSLE는 성인기에 발생한 경우보다 더 많은 주요 장기의 침범을 동반하는 심한 임상 양상을 보이며, 치료하지 않을 경우 5년 사망률은 95.3%로 알려져 있다. 신염은 사망의 중요한 원인 중의 하나이며 20~75%의 cSLE 환자에서 신염이 발생하고, 이중 18~50%가 말기콩팥병으로 진행한다. 성인에 비해 소아에서 신염의 발생률이 높고(50~67% vs. 34~48%), 80~90%의 환자에서 cSLE 진단 후 첫 1년 내에 신염이 발생한다.

3. 진단과 치료

진단에는 성인의 경우와 동일하게 classic ACR (American College of Rheumatology), SLICC(2012) criteria를 사용해 왔고 최근에는 개정된 EULAR/ACR(2019) criteria를 사용한다. 이러한 criteria는 진단에 있어 훌륭한 지침이지만, 임상적 상황이 반드시 고려되어야 하며, 소아의 경우 신경계 혹은 콩팥 등의 심각한 단일 기관의 이상으로 시작하는 경우가 많은데, 이 경우 criteria를 모두 만족하지는 않더라도 적극적인 치료가 필요할 수 있다. 루푸스신염은 성인의 치료지침을 이용하여 왔고, 소아청소년의 루푸스신염 치료에 대해서는 2012년 consensus 지침(class IV)과 최근 발표된 유럽의 지침(SHARE guideline) 등이 있다.

4. 예후

적극적인 치료로 예후는 이전보다 호전되고 있고, 30여 년 전과 비교하면 5년 생존율이 83%에서 91%로, 콩팥 생존율은 52%에서 88%로 증가하였다. 진단 시 낮은 사구체여과율(<60 mL/min/1.73m^2), 신증후군 범위의 단백뇨 등은 불량한 예후와 관련이 있다.

5. 유전루푸스(Monogenic lupus)

매우 드물지만, 단일 유전자의 변이로 인한 유전루푸스가 있는데, 오래전부터 C1q deficiency와 SLE의 연관성이 알려졌으며, 현재 20여 개의 유전자가 밝혀져 있다. 이와 같은 유전자로는 보체계 관련(C1QA, C1QB, C1QC, C1R, C4A, C4B, C2 gene), type I interferonopathy 관련(ACP5, ADAR1, IFIH1, SAMHD1, TMEM173, TREX1 gene) 및 자기관용(self tolerance) 관련(FAS, TNFRSF6, PRKCD, IKZF1 gene)과 자가면역항원과다(auto-antigen excess) 관련(DNASE1, DNASE1L3 gene) 등이 있다. 이러한 유전 경로가 알려지면서 각각의 기전에 적합한 정밀의료 치료 (precision medicine)에 대한 기대를 주고 있다.

ANCA-매개 사구체신염 (ANCA-associated GN)

1. 역학

육아종증다발혈관염, 미세다발혈관염, 호산구육아

종증다발혈관염은 소아에서는 매우 드물고(발생률 1~2/1,000,000명), 대부분 연장아에서 발생한다. 성인과는 다르게 여아의 빈도가 높다.

2. 임상증상

병의 초기에 피로감, 발열, 체중감소 등의 전신 증상들이 가장 흔하지만 비특이적 증상이어서 이런 증상만으로는 진단은 쉽지 않으며, 그 외에 흔한 증상으로는 콩팥 증상(단백뇨, 혈뇨, 신기능 감소), 호흡기 증상(객혈), 만성부비동염과 코연골 변형, 관절통/관절염, 피부발진 등이 있다.

3. 진단과 치료, 예후

콩팥과 호흡기 증상 그리고 항중성구세포질항체 양성 소견이 진단에 중요하며, 콩팥이나 침범 장기의 조직검사로 병리소견을 확인하는 것도 도움이 된다. 가장 전형적인 예는 갑작스런 폐출혈을 동반한 급성신손상의 경우이다. 이와 같은 경우 빨리 진단하여 치료하지 않으면 사망률도 높고, 회복된다하더라도 만성콩팥병 혹은 투석이 필요한 말기콩팥병이 되는 경우가 많다. 소아 육아종증다발혈관염과 미세다발혈관염환자에 대한 연구에서는 사망률이 6~7%이고, 미세다발혈관염환자의 22%가 말기콩팥병으로 진행하였다. 치료는 성인의 경우와 크게 다르지 않으며, 최근 유럽의 지침(SHARE guideline)에서 제안된 치료 프로토콜이 있다.

▶ 참고문헌

- de Graeff N: European consensus-based recommendations for the diagnosis and treatment of rare paediatric vasculitides – the SHARE initiative. Rheumatology (Oxford). 58:656–671, 2019.
- Groot N: European evidence-based recommendations for diagnosis and treatment of childhood-onset systemic lupus erythematosus: the SHARE initiative. Ann Rheum Dis 76:1788–1796, 2017.
- Groot N: European evidence-based recommendations for the diagnosis and treatment of childhood-onset lupus nephritis: the SHARE initiative. Ann Rheum Dis 76:1965–1973, 2017.
- Mosquera J, et al: Acute post-streptococcal glomerulonephritis: analysis of the pathogenesis. Int Rev Immunol 8:1–20, 2020.
- Park SJ, et al: Advances in our understanding of the pathogenesis of Henoch-Schonlein purpura and the implications for improving its diagnosis. Expert Rev Clin Immunol 9:1223–1238, 2013.
- Petty RE, et al: Chapter 23. Systemic Lupus Erythematosus, Mixed Connective Tissue Disease, and Undifferentiated Connective Tissue Disease, and Chapter 36. Antineutrophil Cytoplasmic Antibody Associated Vasculitis in Pediatric Rheumatology, 8th ed, Elsevier, 2021, pp295–329, 484–497.
- Shin JI: Henoch-Schönlein purpura nephritis, in Pediatric Kidney Disease, edited by Geary DF, Schaefer F, Springer, 2016, pp781–798.
- VanDeVoorde RG: Acute poststreptococcal glomerulonephritis: the most common acute glomerulonephritis. Pediatr Rev 36:3–12, 2015.

제 **16** 부 소아 신장학

CHAPTER
06 유전사구체질환

정해일 (한림의대 소아청소년과), **하태선** (충북의대 소아청소년과)

KEY POINTS

- 알포트증후군은 만성콩팥병의 원인 중 다낭콩팥병 다음으로 흔한 유전 질환이다.

- 알포트증후군의 원인인 *COL4A3-5* 유전자 이상은 얇은기저막병, 국소분절사구체경화증, 원인미상의 만성콩팥병 등의 환자에서도 확인된다.

- 알포트증후군의 새로운 분류법은 *COL4A3-5* 유전자 이상을 성염색체유전, 보통염색체유전, digenic유전으로 세분하여 임상진단의 모호성을 제거하고 신기능 저하의 가능성이 있는 환자를 조기 진단하여 빠른 약물치료를 하고자 하였다.

- 신증후군의 10~20%는 스테로이드 저항성으로, 이 중 30% 정도는 유전결함이 발견되는 유전성 단백뇨질환이다.

- 유전진단법의 발전을 통하여 새롭게 발견된 발세포단백의 유전결함을 추가하였으며, 이를 통하여 불필요한 신생검을 줄이고 원인에 따른 가능한 치료를 모색할 수 있다.

유전성 혈뇨증후군

유전성 혈뇨증후군의 대부분은 제IV형 collagen 이상과 연관된 사구체기저막(glomerular basement membrane) 질환이다. 사구체기저막의 주된 구성 성분인 제IV형 collagen은 서로 꼬여 삼중나선구조를 이루는 3개의 polypeptide α 사슬로 구성된 protomer를 기본단위로 이루어져 있다. 현재 α1(IV)~α6(IV)까지 6개의 α 사슬이 밝혀져 있고, 이들 α 사슬을 encoding하는 유전자들은 각각 *COL4A1-COL4A6*로 명명되어 있다. 인체에서 발견되는 protomer는 α1,α1,α2(IV)로 구성된 고전적 사슬(classical chain)과 α3,α4,α5(IV) 또는 α5,α5,α6(IV)로 구성된 새로운 사슬(novel chain)의 세 종류가 있다. 고전적 사슬은 전신의 모든 기저막에 분포하지만, α3,α4,α5(IV) 사슬은 콩팥(사구체기저막 및 일부 요세관기저막), 폐, 고환, 와우(cochlea), 눈 등에, 그리고 α5,α5,α6(IV) 사슬은 피부, 평활근, 식도, 콩팥의 Bowman낭 등에 국한되어 발현한다.

1. 알포트증후군(Alport syndrome)

1) 개요

대표적인 유전콩팥병으로, 사구체기저막의 특징적 병변을 동반하는 진행성 사구체신염이 주된 증상이며, 감각신경난청, 눈의 이상 등 신장외 증상도 자주 동반한다. 발병

표 16-6-1. 알포트증후군에 대한 새로운 분류법

Inheritance	Gene	Allele state	Comment (estimated risk of ESKD)
X-linked	COL4A5	Hemizygous (male)	Frequent extrarenal manifestations (100%)
		Heterozygous (female)	(Up to 25%)
Autosomal	COL4A3 or COL4A4	Recessive (homozygous or compound heterozygous)	Frequent extrarenal manifestations (100%)
		Dominant (heterozygous)	Includes patients with TBMN/BFH (>20% among those with risk factors*, <1% in absence of risk factors)
Digenic	COL4A3, COL4A4, and COL4A5	COL4A3 and COL4A4 mutations in trans	Simulate autosomal recessive inheritance (Up to 100%)
		COL4A3 and COL4A4 mutations in cis	Simulate autosomal dominant inheritance (Up to 20%)
		Mutations in COL4A5 and in COL4A3 or COL4A4	Does not simulate any Mendelian inheritance (Up to 100% in male subjects)

BFH, benign familial hematuria; ESKD, end-stage kidney disease; TBMN, thin basement membrane nephropathy.
*Risk factors for progression: proteinuria, focal segmental glomerulosclerosis, glomerular basement membrane thickening and lamellation, sensorineural hearing loss, or evidence of progression in patient or family and genetic modifiers.

빈도는 인구 5,000명당 약 한 명으로 전체 소아 만성콩팥병 환자의 3%, 성인 만성콩팥병 환자의 0.5%를 차지한다.

2) 병인 및 유전양상

전체 환자의 80%는 X염색체에 존재하는 COL4A5 유전자의 돌연변이에 의한 성염색체우성유전, 15%는 2번 염색체에 존재하는 COL4A3 혹은 COL4A4 유전자의 biallelic 돌연변이에 기인하는 보통염색체열성유전, 그리고 나머지 5%는 COL4A3 혹은 COL4A4 유전자의 이형 접합(heterozygous) 돌연변이에 의한 보통염색체우성유전의 양상을 보인다.

최근 α3,α4,α5(IV) 사슬의 유전결함이 전형적 알포트증후군 환자 이외에도 얇은기저막병, 국소분절사구체경화증, 원인미상의 만성콩팥병 환자에서도 확인되고 있다. 성인 국소분절사구체경화증 환자에서 시행된 한 연구에서 산발 발병 환자의 3%, 가족성 발병 환자의 38%에서 COL4A3-5 의 유전돌연변이가 발견되고, 또 다른 연구에서는 만성콩팥병 환자 코호트에서 발견되는 돌연변이의 30%가 COL4A3-5 돌연변이임이 확인되었다. 따라서 최근 제IV형 collagen 관련 질환에 대한 새로운 분류법이 제안되었고(표 16-6-1), 이 새로운 분류법은 임상진단의 모호성을 제거하고 진행성 신기능 저하의 가능성이 있는 모든 환자를 조기 진단하여 빠른 약물치료를 하기 위함이다.

3) 임상 소견

(1) 성염색체유전 알포트증후군

성염색체유전질환으로 콩팥 증상의 정도나 신장외 증상의 발생빈도 및 심한 정도가 여성에서 남성보다 양호하다. 주된 콩팥 증상인 혈뇨는 모든 남성에서 발견되는데, 어린 소아 연령에서 현미경혈뇨 혹은 반복적 육안 혈뇨로 시작하며 단백뇨, 고혈압, 진행성 신기능 부전이 뒤따른다. 간헐적 육안 혈뇨는 흔히 상기도감염에 의하여 유발된다. 여성에서는 주로 현미경혈뇨가 간헐적으로 관찰되고, 약 2%의 환자는 완전 무증상이다.

단백뇨는 생후 첫 수년 후부터 관찰되는데 나이가 들면서 정도가 점차 진행하여 신증으로 발전할 수도 있다. 고혈압 역시 나이가 들면서 빈도와 정도가 심해진다. 여성에서는 심한 단백뇨 또는 고혈압의 동반은 상대적으로 드물다.

신기능 저하의 진행 속도는 가족마다 다르고, 한 가족 내에서는 진행 속도가 비교적 일정하다. 모든 남성은 결국 말기콩팥병으로 진행하며, 말기콩팥병 도달 연령의 중앙값은 약 25세이다. 여성에서 말기콩팥병으로 진행의 평생 위험도는 약 25%이고, 진행 속도도 느려서 말기콩팥병 도달 연령의 중앙값은 약 65세이다.

감각신경난청은 항상 양측성이지만 선천성 병변은 아니고, 대부분 소아 후기 혹은 청소년 초기에 시작하여 점차 진행한다. 초기에는 고주파 음역에 대한 난청으로 시작하므로 청력도 검사(audiogram)를 해야만 발견되지만 점차 진행하여 일상 대화 음역까지 침범한다. 난청의 빈도 및 심한 정도도 남녀 환자 간에 차이를 보여 40세에 이르면 남성의 90%, 여성의 12%에서 난청이 확인된다.

눈의 병변도 난청과 같이 출생시에는 없으며 대부분 10~20대에 관찰되고, 75%는 양측성 병변이다. 전방원추수정체(anterior lenticonus), 중앙반점 망막병증(central fleck retinopathy), 후방다형각막이상증(posterior polymorphous corneal dystrophy) 등이 진단적 가치가 있다. 전방원추수정체는 남성의 약 50%에서 발견되고 여성에서는 발견되지 않는다. 중앙반점 망막병증은 남성의 약 60%, 여성의 약 15%에서 발견되며, 각막형성이상증은 드문 병변이다. 그 밖에 말초반점 망막병증(peripheral fleck retinopathy), 백내장, 반복적 각막미란 등이 있다.

한편 X염색체 내에서 인접하여 존재하는 COL4A5 및 COL4A6 유전자에 걸친 형태의 큰 유전자 결손은 알포트증후군과 더불어 α6(IV) 사슬 결손에 의한 평활근종증을 동반하는데, 이는 인접 유전자 결손 증후군(contiguous gene deletion syndrome)의 한 예이다.

(2) 보통염색체유전 알포트증후군

남녀 모두 빠르게 진행하는 불량한 질병 경과를 보이며, 따라서 젊은 여성에서 발견되는 진행성 신기능 저하 및 심한 신장외 증상의 동반은 보통염색체열성유전을 시사하는 소견이다. 말기콩팥병 도달의 평균 연령은 20대 초반이다. 난청도 흔히 동반되며 평균 진단 연령은 약 20세이고, 전방원추수정체나 중앙반점 망막병증과 같은 특징적 눈의 병변도 흔히 발견된다.

보통염색체우성유전 알포트증후군은 상대적으로 양호한 임상 경과를 보여서 말기콩팥병으로의 진행이나 신장외 증상의 빈도는 매우 낮지만, 단백뇨, 국소분절사구체경화증, 사구체기저막의 두꺼워짐과 다층형성(multilamellation), 감각신경난청, 진행성 신기능 저하의 가족력 등 위험 인자를 동반한 환자에서는 말기콩팥병으로의 진행이 20%에서 관찰되며, 이들 환자에서 말기콩팥병으로 진행의 평균 연령은 56~70세이다.

얇은기저막병(thin basement membrane disease)은 대부분의 환자에서 보통염색체우성유전의 가족력이 확인되고, 장기적 예후가 양호하여 양성가족성혈뇨(benign familial hematuria)라고도 불리운다. 소아 및 성인에서 지속적 혈뇨의 가장 흔한 원인 중 하나이며, 정확한 유병률은 알기 힘들지만 전 인구의 약 1% 혹은 10% 이하로 추정된다. 가장 특징적인 소견은 현미경혈뇨이며, 일부 환자에서는 반복적인 육안 혈뇨가 동반된다. 장기적 예후는 매우 양호하여 신증 범위의 단백뇨의 동반, 신기능의 진행성 저하, 신장외 증상의 동반도 매우 드물다고 알려져 있다. 병리학적으로는 콩팥 사구체기저막의 전반적 얇아짐을 확인하여 진단한다. 그러나 이러한 소견은 특징적 병변은 아니고, 알포트증후군 어린이 환자, 성염색체유전 알포트증후군 여성, 보통염색체우성유전 알포트증후군 환자에서도 관찰된다. 양성가족성혈뇨라는 진단명은 진행성 신기능 저하의 위험성을 과소평가할 수 있고, 얇은기저막병과 보통염색체유전 알포트증후군은 공통된 병인기전, 즉 α3 또는 α4 사슬의 유전적 결함에 기인하기 때문에 최근에는 얇은기저막병 또는 양성가족성혈뇨라는 진단명을 사용하지 않고 대신 보통염색체우성유전 알포트증후군의 범주에 포함시키고 있다(표 16-6-1).

(3) Digenic 알포트증후군

최근에는 일부 알포트증후군 환자들에서 *COL4A3*, *COL4A4* 또는 *COL4A5* 유전자 중 2개의 유전자 내 돌연변이가 같이 발견되고 있다. 이들 환자에서의 임상상 및 유전양상은 2개의 유전돌연변이의 조합에 따라 다양하게 발현한다.

4) 병리 소견

신조직의 광학현미경 및 직접 면역형광현미경검사 소견은 비특이적이지만, 전자현미경검사에서 사구체기저막의 변화가 특이하며 진단적이다(그림 16-6-1). 즉 사구체기저막이 다양하게 두꺼워지거나 얇아지고, 치밀판(lamina densa)이 바구니를 짜놓은 듯(basket weave pattern)하게 불규칙하게 여러 층으로 나뉘어지며, 간혹 직경 20~90 nm 크기의 다양한 밀도를 보이는 원형 과립들이 관찰된다. 발세포 발돌기의 소실은 심한 단백뇨가 없는 경우에도 관찰될 수 있다. 질병 초기에는 사구체기저막의 얇아짐만 관찰되고, 점차 병변이 진행하면서 두꺼워짐과 다층형성(multilamellation)이 심해진다.

5) 진단

알포트증후군은 만성 진행성 신염의 감별진단에 반드시 포함해야 한다. 그러나 임상증상의 발현이 다양하여 신장외 증상, 가족력, 특징적 전자현미경 소견 등 주요 진단기준을 모두 만족하지 못하는 경우에도 알포트증후군의 가능성이 배제되지는 않는다. 현재 신생검의 전자현미경검사가 가장 유용한 확진 방법이지만, 여자나 어린 남성에서는 사구체기저막의 전자현미경적 변화가 모호할 수도 있다.

콩팥 내 α3,α4,α5(IV) 사슬 발현에 이상이 있는 질환은 알포트증후군이 유일하므로, 이에 대한 간접 면역형광현미경검사 또는 면역조직화학검사도 진단에 도움을 준다. 성염색체유전 알포트증후군 남성의 경우 사구체기저막의 α3,α4,α5(IV) 사슬 발현과 Bowman낭에서의 α5,α5,α6(IV) 사슬 발현이 모두 소실되고, 여성의 경우에는 모자이크 양상으로 부분 발현한다(그림 16-6-2). 보통염색체열성유전 환자에서는 남녀 모두 사구체기저막의 α3,α4,α5(IV) 사슬 발현이 소실되지만, Bowman낭에서 α5(IV)의 발현은 정상적으로 관찰된다. 얇은기저막병을 포함한 보통염색체우성유전 환자에서는 정상 allele이 하나 존재하므로 α3,α4,α5(IV) 사슬 발현은 정상적이다. 그러나 이러한 콩팥에서 α3,α4,α5(IV) 사슬 발현에 대한 검사는 진단적 의미의 민감도가 떨어지는 단점이 있다.

최근에는 유전자진단도 널리 이용되고 있다. 돌연변이는 호발부위가 없고, 종류도 매우 다양하다. 또한 유전형-

제 16 부 소아 신장학

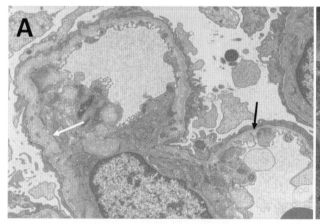
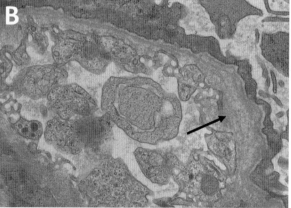

그림 16-6-1. 알포트증후군 환자의 신생검 전자현미경 소견

(A) 사구체기저막이 국소적으로 얇아진 부분(검은 화살표)과 다층형성을 동반하며 불규칙으로 두꺼워진 부분(하얀 화살표)이 관찰된다. **(B)** 사구체기저막이 다양하게 두꺼워지거나 얇아지고, 치밀판의 다층형성으로 basket weave pattern(화살표)을 보이며, 사이사이에 작은 원형 과립들이 관찰된다.

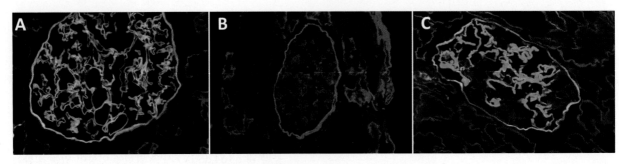

그림 16-6-2. 사구체에서 제Ⅳ형 collagen α2(Ⅳ)(붉은색) 및 α5(Ⅳ)(초록색) 사슬에 대한 면역현미경검사

(A) 정상 대조군. 사구체기저막과 Bowman낭을 따라 α2(Ⅳ)와 α5(Ⅳ) 사슬이 선형으로 발현한다. **(B)** 성염색체유전 알포트증후군 남성. α5(Ⅳ) 사슬 발현이 전체적으로 소실되어 있다. **(C)** 성염색체유전 알포트증후군 여성. 사구체기저막과 Bowman 낭에서 α5(Ⅳ) 사슬이 모자이크 양상의 발현을 보인다.

표현형 상관관계도 확인되어 일반적으로 missense 돌연변이, splicing 부위 돌연변이, 절단 돌연변이(truncating mutations) 순으로 말기콩팥병으로의 진행 빈도가 점차 높아진다.

6) 치료 및 예후

알포트증후군 환자에서 안지오텐신전환효소억제제 또는 안지오텐신Ⅱ수용체차단제 치료에 의한 신기능 및 신생존 향상 효과는 여러 동물실험 및 임상시험에서 확인된 바 있다. 한 연구는 안지오텐신전환효소억제제 치료가 말기콩팥병으로의 진행을 신기능 저하가 있는 환자들에서 3년, 단백뇨가 있는 환자들에서는 18년 연장시킴을 보고하였다. 현재 권고되고 있는 알포트증후군 환자에서 안지오텐신전환효소억제제 치료 적응증은 표 16-6-2와 같다.

알포트증후군에서 신이식의 예후는 다른 신염과 비슷하지만 이식신의 약 3~4%에서 항사구체기저막신염이 발생

한다. 항사구체기저막신염은 대부분 이식수술 후 첫 일년 이내에 발병하고, 3/4의 환자에서 수주 내지 수개월 이내에 신이식 실패를 초래하는데, 혈장교환이나 면역억제제 치료의 효과는 제한적이다. 또한 이들 환자의 대부분은 재이식시 항사구체기저막신염이 재발한다. 난청에 대하여 소음에 노출을 피고, 보청기 등을 사용할 수 있으며, 전방원추수정체에 대하여는 수정체 implantation이 가장 표준화되고 만족스러운 치료법이다.

유전성 단백뇨증후군

사구체여과벽은 내피세포, 사구체기저막, 발세포(podocyte)와 서로 깍지 낀 발돌기 사이의 여과세극(slit diaphragm)의 세 층으로 이루어진다. 현재까지 밝혀진 유전성 단백뇨증후군의 대부분은 발세포 혹은 여과세극에 존

표 16-6-2. 알포트증후군 환자에서 안지오텐신전환효소억제제 치료의 적응증

유전양상	치료 적응증
성염색체유전 알포트증후군 남성	12~24개월 이상 환자에서 진단 시부터
성염색체유전 알포트증후군 여성	미세알부민뇨*
보통염색체열성유전 알포트증후군	12~24개월 이상 환자에서 진단 시부터
보통염색체우성유전 알포트증후군	미세알부민뇨*

*Urine microalbumin-creatinine ratio of >30 mg/g.

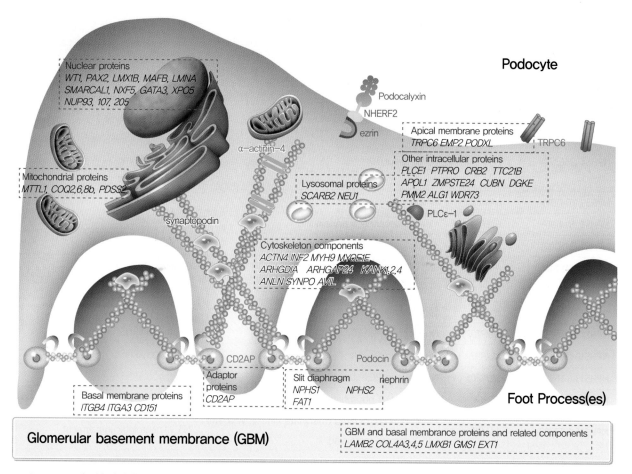

그림 16-6-3. 사구체 여과벽과 구조성분 및 유전적 결함

신증후군의 10~20%는 스테로이드저항성으로, 현재 이중 30% 정도는 유전결함이 발견되는 유전성 단백뇨질환이다. 이를 다음과 같이 분류하여 설명할 수 있다.

재하는 여러 단백의 돌연변이에 기인한다. 이들 단백은 여과세극을 구성하고, 발세포 내 세포골격과 연결하여 신호전달에도 관여한다. 따라서 이 단백들의 돌연변이는 여과기능의 결함, 즉 단백뇨를 초래한다(그림 16-6-3).

1. 유전신증후군

현재 Online Mendelian Inheritance in Men (OMIM, http://www.ncbi.nlm.nih.gov/omim)에 등재된 유전신증후군은 표 16-6-3와 같다. 유전신증후군은 대부분 어린 나이에 발병하며 1세 미만 연령에 발병하는 신증후군 환자의 약 2/3는 NPHS1, NPHS2, NPHS4 및 NPHS5 중 하나이다.

1) NPHS1: Finnish형 선천신증후군

NPHS1은 nephrin을 encoding하는 NPHS1의 유전돌연변이에 기인하는 보통염색체열성 질환이다. Nephrin은 여과세극을 구성하는 주요 단백으로 여과세극의 구조와 발세포의 생존관련 신호전달에 중요한 역할을 담당한다. 핀란드에서는 NPHS1 유전자 내 Fin-major와 Fin-minor의 두 종류 nonsense 돌연변이가 전체 환자의 94%에서 발견되고, 8,200 신생아 당 1명의 높은 빈도를 보이나, 우리나라를 포함한 다른 나라에서는 빈도는 매우 낮지만 여러 종류의 다른 돌연변이가 주로 관찰되며, 이 중 일부 mis-sense 돌연변이는 경한 국소분절사구체경화증(FSGS, focal segmental glomerulosclerosis)으로 발현하기도 한다. 환자들은 대부분 조산아이고 거대태반(태반 무게가 출

표 16-6-3. Online Mendelian Inheritance in Men에 등재된 유전성 신증후군

Disease (OMIM No)	Genes	Proteins	Comment
NPHS1 (256300)	NPHS1	nephrin	Congenital NS of Finnish type (CNF)
NPHS2 (600995)	PDCN	podocin	Autosomal recessive SRNS
NPHS3 (610725)	PLCE1	phospholipase Cε1	Early-onset NS, type 3
NPHS4 (256370)	WT1	Wilms tumor 1	Denys-Drash syndrome Frasier syndrome WAGR syndrome
NPHS5 (614199)	LAMB2	laminin β2	Pierson syndrome
NPHS6 (614196)	GLEPP1	glomerular epithelial protein 1	-
NPHS7 (615008)	DGKE	diacylglycerol kinase ε	NS, type 7, with MPGN
NPHS8 (615244)	ARHGDIA	Rho GDP-dissociation inhibitor α	Congenital NS
NPHS9 (615573)	COQ8B	Coenzyme Q8B	SRNS / FSGS
NPHS10 (615861)	EMP2	Epithelial membrane protein 2	Childhood-onset SSNS/SRNS
NPHS11 (616730)	NUP107	Nucleoporin, 107-kDa	Childhood SRNS
NPHS12 (616892)	NUP93	Nucleoporin, 93-kDa	Childhood SRNS
NPHS13 (616893)	NUP205	Nucleoporin, 205-kDa	Childhood SRNS
NPHS14 (617575)	SGPL1	Sphingosine-1-phosphate lyase 1	SRNS, primary adrenal insufficiency
NPHS15 (617609)	MAGI2	Membrane-associated guanylate kinase, WW and PDZ domain-containing, 2	NS +/-neurologic impairment
NPHS16 (617783)	KANK2	KN motif- and Ankyrin repeat domain-containing protein 2	SSNS +/- hematuria
NPHS17 (618176)	NUP85	Nucleoporin, 85-kDa	SRNS
NPHS18 (618177)	NUP133	Nucleoporin, 133-kDa	-
NPHS19 (618178)	NUP160	Nucleoporin, 160-kDa	SRNS
NPHS20 (301028)	TBC1D8B	TBC1 domain family, member 8B	Early-onset SRNS
NPHS21 (618594)	AVIL AR	Advillin	SRNS

NS, nephrotic syndrome; FSGS stands for focal segmental glomerulosclerosis; MPGN stands for membranoproliferative glomerulonephritis; NPHS stands for nephrotic syndrome; NS stands for nephrotic syndrome; SRNS stands for steroid resistant NS; SSNS stands for steroid sensitive NS

생 체중의 25% 이상)의 소견을 보이고, 자궁 내 태아기부터 단백뇨가 시작되며, 가족력이 있는 경우 양수액 중 α-fetoprotein의 측정으로 산전진단이 가능하다. 거의 모든 환자에서 출생 직후 심한 단백뇨, 전신부종, 저알부민혈증 등의 전형적인 신증후군의 증상을 보이며, 전자현미경검사 상 발돌기와 여과세극의 소실을 보인다.

이 질환은 스테로이드나 면역억제제에 반응하지 않으며,

안지오텐신전환효소억제제나 항염증제도 Fin-major 돌연변이의 경우는 도움이 되지 않지만, 일부 경한 형태의 돌연변이의 경우는 어느정도 도움이 된다. 치료의 최종목표는 성공적 신이식이나, 이식신에서 신증후군이 재발할수 있는데, 재발환자의 반수 이상에서 혈액 내 항nephrin 항체가 발견된다.

2) NPHS2: 보통염색체열성유전 스테로이드저항 신증후군

이 질환은 podocin을 encoding 하는 NPHS2 (PDCN)의 유전돌연변이에 기인한다. Podocin은 발돌기 세포막 중 여과세극과 연결부위에 발현하는 막단백으로 nephrin으로부터의 신호전달과 nephrin과 다른 발세포 단백 간의 상호작용도 매개한다. 신증후군은 특징적으로 어린 소아에 발병하며, 면역억제제에 반응하지 않고, 빠르게 말기콩팥병으로 진행한다. 병리학적으로는 FSGS 혹은 미세변화 신증후군의 소견을 보인다. NPHS2 돌연변이는 가족력이 없는 스테로이드저항 신증후군 환자, 선천신증후군 환자, 늦게 발병하는 가족성 국소분절사구체경화증 환자의 일부에서도 관찰되는데, 이들 모두 스테로이드에 반응은 없다.

북유럽 등지에서는 가족력이 없는 스테로이드저항 신증후군 소아 환자 중 20% 이상에 발견되고, 또한 1세 이전 발병 신증후군의 반 이상을 차지한다고 보고되어 있지만, 우리나라를 포함한 극동 아시아 지역에서의 빈도는 매우 낮다.

3) NPHS3

이 질환은 phospholipase Cε1 (PlCε1)을 encoding하는 PLCE1의 유전돌연변이에 기인한다. PlCε1은 인지질 단백의 일종으로 secondary messenger를 생성하며 nephrin과도 간접적으로 상호작용한다. 신증후군은 주로 영아기에 광범위메산지움경화증(diffuse mesangial sclerosis) 또는 FSGS의 병리소견을 보인다. 대부분 스테로이드에 반응은 하지 않으나 일부 스테로이드나 cyclosporine에 대한 효과가 보고되었다.

4) NPHS4: Denys-Drash증후군과 Frasier증후군

두 질환은 Wilms 종양억제유전자인 WT1 유전자의 돌연변이와 연관되어 WT1 신병증이라고도 부르며, Frasier증후군은 WT1 유전자 intron 9 내 donor splice site에, Denys-Drash증후군은 WT1 유전자 내 coding exon 부위의 여러 돌연변이가 원인이다. WT1 유전자는 다른 많은 발세포 유전자발현을 조절하는 핵 전사인자를 encoding하는데, 이러한 과정의 결함이 진행성 신병증을 유발하고,

이와 함께 남성 거짓남녀한몸증(pseudohermaphroditism)이 동반될 수 있다. Denys-Drash 증후군에서는 광범위메산지움경화증이 영아기에 시작하여 3세 이전에 말기콩팥병으로 빠르게 진행하며, Wilms 종양이 병발하는 수가 많다. 한편, Frasier증후군에서는 특징적으로 소아 후기에 FSGS가 발병하여 10대 혹은 20대에 말기콩팥병에 이르고, 생식샘모세포종이 동반될 수 있다. 두 질환의 임상양상이 겹쳐서 나타나는 환자도 있으며, 두 질환 모두 치료에 반응하지 않아 결국 신이식이 필요하다.

5) NPHS5: Pierson 증후군

Laminin β2 사슬을 encoding하는 LAMB2의 유전돌연변이에 의한 질환이며, laminin β2 사슬은 정상적으로 사구체기저막에 발현하는 세포외 기질단백의 일종으로 그물체를 이루면서 발돌기를 사구체기저막에 고정시키는 역할을 한다. 임상적으로는 광범위메산지움경화증의 병리소견을 갖는 선천신증후군과 눈의 microcoria(동공 확장근 기능장애로 인한 빛에 반응하지 않는 매우 좁은 동공)가 특징적 소견이다. 신증후군은 출생 직후부터 시작하여 2개월 이내에 말기콩팥병으로 급격히 진행하는 치명적 경과를 보인다.

6) Coenzyme Q$_{10}$ (COQ$_{10}$) deficiency

세포 내 미토콘드리아 안에서 에너지를 생성하는데 중요한 기능을 하는 COQ10 관련 돌연변이는 10종 이상이 발견되었는데, 이중 PDSS1, PDSS2, COQ2, COQ6, COQ8B/ADCK4 유전자이상이 사구체질환을 보인다. 임상증상과 병리소견은 원인유전자에 따라 다소 차이가 나며, 비교적 어린 나이에 발병하여 말기콩팥병으로 진행한다. 면역억제제에 반응하지 않으나 COQ$_{10}$ 고농도 공급에 의해 호전을 보이기도 하므로 빠른 진단과 조기치료를 통하여 완화를 기대할 수 있는 유전신증후군이다.

2. 보통염색체우성 국소분절사구체경화증(focal segmental glomerulosclerosis, FSGS)

현재 OMIM에 등재된 보통염색체우성 FSGS는 표 16-6-4와 같다.

1) FSGS1

FSGS1은 α-actinin-4를 encoding하는 ACTN4의 유전돌연변이가 원인이다. α-actinin-4는 발세포에 강하게 발현하는 단백으로, 발돌기 내 F-actin filament의 cross-link를 담당한다. 환자들에서 발견되는 돌연변이는 α-actinin-4와 F-actin 간의 affinity를 증가시켜(gain-of-function mutation) 발세포 내 actin filament의 정상적인 assembly와 disassembly를 방해한다. 환자들은 대부분 사춘기 혹은 성인 초기에 무증상단백뇨로 발현하며, 이후 서서히 진행하여 일부 환자에서는 말기콩팥병에 이르는 경과를 보이지만, 드물게는 어린 소아에서도 보고되었다. 일부 돌연변이 보인자(carrier)는 무증상이며(incomplete penetrance), FSGS1은 전체 가족성 FSGS의 약 4% 빈도를

차지할 것으로 추산된다.

2) FSGS2

이 질환은 transient receptor potential cation channel 6 (TRPC6) 단백을 encoding하는 TRPC6의 유전돌연변이에 기인한다. TRPC6는 비선택적 양이온 channel에 속하며 세포 내 칼슘농도를 조절한다. TRPC6 돌연변이는 세포 내 칼슘유입을 증가시켜(아마도 gain-of-function mutation) 세포 내 칼슘신호전달에 장애를 초래하고 발세포 내 칼슘의존성 인산분해효소인 calcineurin을 활성화시킨다. 임상상과 빈도는 FSGS1과 유사하다.

3) FSGS5

이 질환은 actin filament의 조합을 촉진하는 formin 단백을 encoding하는 INF2의 유전돌연변이에 기인한다. INF2 유전자는 특히 발세포에서 강하게 발현한다. 임상상은 FSGS1 또는 FSGS2와 유사하며, 한 보고에 따르면 전체 보통염색체우성 FSGS의 약 17%를 차지하지만 가족력이 없는 FSGS 환자 중에서의 빈도는 매우 낮다.

표 16-6-4. OMIM에 등재된 보통염색체우성 국소분절사구체경화증

Disease (OMIM No)	Genes	Proteins	Comment
FSGS1 (603278)	ACTN4	α-actinin-4	late-onset SRNS
FSGS2 (603965)	TRPC6	transient receptor potential cation channel C6	SRNS
FSGS3 (607832)	CD2AP	CD2-associated protein	SRNS
FSGS4 (612551)	APOL1	apolipoprotein L-1	African-Americans
FSGS5 (613237)	INF2	inverted formin 2	SRNS
FSGS6 (614131)	MYO1E	myosin 1E	Childhood-onset SRNS
FSGS7 (616002)	PAX2	Paired box protein 2	Adult-onset SRNS
FSGS8 (616032)	ANLN	Actin binding protein anillin	-
FSGS9 (616220)	CRB2	Crumbs cell polarity complex component 2	Early-onset SRNS
FSGS10 (256020),	LMX1B	LIM homeodomain family	Nail-patella syndrome

FSGS stands for focal segmental glomerulosclerosis; SRNS stands for steroid resistant NS

3. 기타 유전성 사구체 질환

1) Fechtner증후군(OMIM 153640)과 Epstein증후군 (OMIM 153650)

이 두 질환은 모두 nonmuscle myosin heavy chain IIA (NMMHC-IIA) 단백을 encoding 하는 *MYH9*의 유전돌연변이에 기인하는 보통염색체우성유전 질환이다. Nonmuscle myosin은 actin과 결합하여 세포 내 운동기능을 수행하며, 세포구조 및 polarity의 유지와 세포 내 물질운반 등에 관여한다. 두 질환 모두 혈뇨, 사구체기저막 변병, 진행성 신기능저하, 감각신경난청, 백내장 등 알포트증후군과 유사한 임상증상을 보이지만, 특징적으로 거대혈소판 감소증(megathrombocytopenia)이 동반되고, Fechtner증후군에서는 과립구 내 Döhle-like body (May-Hegglin anomaly)가 관찰된다.

2) 손톱-슬개골 증후군(Nail-patella syndrome)

이 질환은 LIM homeodomain family에 속하는 핵 전사인자를 encoding 하는 *LMX1B*의 유전돌연변이에 기인하는 보통염색체우성 유전질환(OMIM 161200)으로 신생아 50,000명당 1명의 빈도를 보인다. *LMX1B*는 nephrin, podocin, CD2AP 및 α3(IV) 콜라겐 발현을 조절하는 전사인자로 콩팥에서는 발세포에서 주로 발현한다. 손, 발톱, 골격계, 눈, 콩팥을 침범하는 전신질환으로, 신질환의 발병, 경과 및 예후는 매우 다양하며 약 40%의 환자에서 신증후군이 발병한다. 사구체기저막은 알포트증후군과 유사하게 여러 층으로 갈라지면서 두꺼워지고 fibrillar 콜라겐 침착이 관찰된다.

▶ 참고문헌

- Aya Imafuku, et al: How to resolve confusion in the clinical setting for the diagnosis of heterozygous COL4A3 or COL4A4 gene variants? Discussion and suggestions from nephrologists. Clin Exp Nephrol 24:651-656, 2020.
- Cheong HI: Genetic tests in children with steroid-resistant nephrotic syndrome. Kidney Res Clin Pract 39:7-16, 2020.
- Ha TS: Genetics of hereditary nephrotic syndrome: a clinical review. Korean J Pediatr 60:55-63, 2017.
- Kashtan CE, et al: Alport syndrome: a unified classification of genetic disorders of collagen IV a345: a position paper of the Alport Syndrome Classification Working Group. Kidney Int 93:1045-1051, 2018.
- Kashtan CE, et al: Clinical practice recommendations for the diagnosis and management of Alport syndrome in children, adolescents, and young adults-an update for 2020. Pediatr Nephrol 36:711-719, 2021.
- Lipska-Ziętkiewicz BS, et al: Genetic aspects of congenital nephrotic syndrome: a consensus statement from the ERKNet-ESPN inherited glomerulopathy working group. Eur J Hum Genet 28:1368-1378, 2020.
- Lovric S, et al: Genetic testing in steroid-resistant nephrotic syndrome: when and how? Nephrol Dial Transplant 31:1802-1813, 2016.
- Preston R, et al: Genetic testing in steroidresistant nephrotic syndrome: why, who, when and how? Pediatr Nephrol 34:195-210, 2019.
- Trautmann A, et al: Exploring the clinical and genetic spectrum of steroid resistant nephrotic syndrome: the PodoNet registry. Front Pediatr 6:200, 2018.
- Warady BA, et al: Alport syndrome classification and management. Kidney Med 7:2:639-649, 2020.

CHAPTER
07 소아청소년 고혈압

김지홍 (연세의대 소아청소년과), 조희연 (성균관의대 소아청소년과)

KEY POINTS

- 2013~2015년 한국 소아청소년 고혈압 유병률은 2007~2009년에 비해 전체 인구에서 증가하였다.
- 소아청소년 고혈압의 정의는 AAP 2017과 ESH 2016 지침에 따라 차이가 있으며, 국내 상황을 반영한 소아청소년 고혈압 관리 지침이 발표될 예정이다.
- 최근 유전검사 방법의 발달로 인해 소아청소년기에 단일 유전자 이상에 의한 고혈압 진단의 중요성이 대두되고 있다.

소아청소년 고혈압은 성인과 같이 일차고혈압에 의한 심혈관의 병리적 변화가 현저하지 않고 대부분 무증상이지만, 일부에서는 이미 표적장기 손상을 보이며, 소아청소년기 혈압이 성인으로 이어지는 추적현상(tracking phenomenon)이 있어, 90 백분위수 이상의 혈압을 가진 소아청소년이 성인이 되었을 때 고혈압을 가질 위험이 2.4배 증가하고, 반대로 성인 고혈압 환자의 절반 정도는 소아청소년기에 90 백분위수 이상의 혈압을 가진다. 이와 같이 소아청소년 고혈압에 의한 조기 혈관변화, 소아청소년기와 성인기 혈압의 연관성, 사회경제적 환경변화에 따른 일차고혈압 유병률의 증가 등은 소아청소년 혈압관리의 중요성을 강조하는 근거가 되며, 미국소아과학회(American Academy of Pediatrics, AAP)에서는 3세부터 모든 소아청소년에서 매년 혈압을 측정할 것을 권고하고 있다.

소아청소년 고혈압의 유병률

영유아 및 어린 소아의 고혈압 유병률은 1% 미만이며, 대부분 이차고혈압으로 원인질환을 가지고 있으면서, 심한 전신증상을 보이는 경우가 대부분이다. 하지만 청소년의 경우 미국 통계에 의하면 전고혈압 10%, 고혈압 4%의 유병률이 보고된 바 있고, 이같이 높은 유병률은 청소년 비만의 증가와 연관이 있다고 알려져 있다.

최근 한국 어린이와 청소년의 혈압 수준의 추이를 국민건강영양조사 자료를 이용하여 분석한 연구 결과에서 고혈압(95 백분위 수 이상)과 혈압 상승(90 백분위 수 이상)을 2017년 미국소아과학회(AAP) 지침의 고혈압 기준을 이용하여 분석한 결과, 2013~2015년의 혈압 상승과 고혈압의 유병률은 각각 8.8%와 9.0%였다.

표 16-7-1. 소아청소년 고혈압의 기준

| | AAP 2017 | | ESH 2016 | |
	13세 미만	13세 이상	16세 미만	16세 이상
정상	<90 백분위수	<120/<80 mmHg	<90 백분위수	<130/85mmHg
전고혈압/ 상승된 혈압/ 높은 정상	90 백분위수 ~ <95 백분위수, 또는 120/80 mmHg ~ <95 백분위수	120/<80 ~ 129/<80 mmHg	90 백분위수 ~ <95 백분위수	130-~139/85~89 mmHg
고혈압 1단계	95 백분위수 ~ 95 백분위수+12 mmHg, 또는 130/80mmHg ~ 139/89 mmHg	130/80 ~ 139/89 mmHg	95 백분위수 ~ ≤99 백분위수+5 mmHg	140~159/90~99 mmHg
고혈압 2단계	95백분위수+12 mmHg 이상 또는 140/90 mmHg 이상	140/90 mmHg 이상	>99 백분위수+5 mmHg	160~179/100~109 mmHg

제 **16** 부 소아 신장학

소아청소년 고혈압의 정의

소아청소년 고혈압은 미국에서 발표된 "아동 및 청소년의 고혈압 검사 및 관리를 위한 임상 진료지침(AAP 2017)" 및 유럽에서 발표된 "2016년 유럽 고혈압 아동 및 청소년 고혈압 관리지침(ESH 2016)"에 의거하여(표 16-7-1)과 같이 정의할 수 있다. AAP 2017과 ESH 2016 지침의 중요한 차이는 혈압 분류 정의에서, AAP 2017에서는 정상 혈압 표준치에서 과체중 및 비만 소아 및 청소년의 혈압 데이터를 제외한 반면, ESH 2016에서는 비만을 포함하는 기존의 혈압 표준치를 계속 사용한 것이며, ESH 2016에서는 성인 고혈압의 정의를 적용하기 위해 연령 기준을 16세로 정한 것에서 차이가 있다. 우리나라에서는 미국 및 유럽 기준을 참고하여 국내 상황을 반영한 국내 소아청소년 고혈압 관리지침이 발표될 예정이다.

소아청소년 혈압 계측

1. 혈압 계측 방법

소아청소년의 혈압측정시 가능한 자극성 있는 약물이나 음식을 피하고 발이 바닥에 닿는 의자에 등을 대고 편안히 앉아 5분 정도 안정을 취하도록 한다. 우측 팔을 심장 위치까지 오게 하여 혈압을 계측한다. 적절한 혈압측정띠의 사용이 중요한데, 우측 팔의 중앙부위(olecranon과 acromion의 중간지점) 둘레 40% 정도의 폭과 팔둘레 80~100%를 덮는 길이를 가지는 공기낭(bladder)을 사용한다. 작은 혈압측정띠를 사용하게 되면 실제 혈압보다 높게 계측된다.

수은혈압계를 이용해 혈압계측을 할 경우 압력을 올린 후 내릴 때 처음 느껴지는 음(Kortokoff음 1, K1)에서 수축기압으로 정하고, 최종적으로 혈관에서 느껴지는 음이 사라지는 순간(Kortokoff음 5, K5)을 이완기압으로 하지만 소아의 경우 Kortokoff음이 0 mmHg까지 유지되는 경우가 많기 때문에 이 경우 압력을 조금 줄여서 계측을 반복하고, 이 현상이 지속되면 음이 줄어드는 순간의 음(Kortokoff음 4, K4)을 이완기압으로 인정하게 된다. 촉지를 통해 신속한 수축기압을 측정할 수 있는데 실제 청진법에 의한 경우보다 10 mmHg 낮게 계측된다.

소아청소년의 혈압측정은 전통적으로 청진을 이용한 수은혈압계에 의한 혈압측정을 표준으로 하였다. 자동진동혈압계는 청진 방법에 비하여 측정 오류를 줄이고 사용하기 쉽다는 장점이 있지만 측정치의 타당성(validity)과 신뢰성

(reliability)을 확신하기 어려우며, 자동진동혈압계의 알고리즘은 성인을 기준으로 검증되었기 때문에 자동진동혈압계를 소아청소년에 공식적으로 적용하려면 추가적인 검증이 필요하다. 자동진동혈압계를 소아청소년에서 사용할 경우 수은혈압계와 비교해서 수축기압은 약간 높게, 이완기압은 낮게 계측되는 경향을 보인다.

2. 활동혈압측정

활동혈압측정(ambulatory blood pressure monitoring, ABPM)법에 의한 혈압계측은 기계를 부착한 후 수면을 포함한 일상생활을 하면서 20~30분 간격으로 혈압을 계측하여 기록하는 측정 방법이다. 진동 방식(oscillometric)과 청진 방식을 모두 사용하지만, 편의상 진동 방식을 주로 사용하게 된다. 이를 통해 주간 평균혈압, 수면 중 혈압, 전체 24시간 중 평균혈압을 알 수 있고 고혈압 범위에 포함되는 혈압의 부담률(BP load) 및 수면 중 혈압이 떨어지는 현상(nocturnal dip)의 유무를 평가하게 된다.

ABPM을 이용하여 병원에서만 혈압이 상승하는 백의고혈압(white coat hypertension)을 감별하고, 목표기관 손상 위험도, 약물치료에 대한 내성 여부, 치료 중 저혈압 등을 평가하며, 만성콩팥병이나 당뇨병을 앓고 있는 환자에서 심혈관질환 위험도에 대한 예측을 보다 정확하게 할 수 있다.

따라서 미국소아과학회(AAP)에서는 진료실에서 혈압이 높게 측정된 소아청소년에서 정확한 진단을 위해 ABPM을 시행할 것을 권고하고 있으며, 또한 만성콩팥병 및 당뇨병과 같은 고위험군에서 고혈압 선별검사로 고려할 것을 권장하고 있다. 그러나 이 방법은 5세 미만의 소아에서는 기술적으로 어렵고 ABPM만의 정상치가 별도로 필요하다. 현재 발표되어 있는 ABPM 정상 참고치는 미국, 스페인, 독일, 대만 등에서 만들어진 것으로, 향후 우리나라 소아청소년을 대상으로 한 정상치의 수립이 필요하다.

소아청소년 고혈압의 원인

1. 일차고혈압

일차고혈압의 경우 6세 이상의 연령, 고혈압 가족력 그리고 비만이 동반되는 경우에 주로 나타난다. 미국소아과학회(AAP)에서는 6세 이상의 소아청소년에서 고혈압 가족력이 있고 비만하며 병력이나 신체검진에서 이차고혈압을 의심할 만한 소견이 없다면 이차고혈압에 대한 광범위한 검사를 시행하지 않도록 권고하고 있다. 일차고혈압의 원인은 여러 인자가 복합적으로 연결되어 있는데, 비만, 포타슘과 나트륨 운반 체계의 유전변이, 혈관 벽의 감수성, 레닌-안지오텐신계 항진, 교감신경계 항진, 인슐린저항성, 고요산혈증 등이 원인으로 제시되고 있다.

2. 이차고혈압

이차고혈압은 성인보다는 소아청소년에 많으며, 소아청소년에서 고혈압이 확인되면 일단 이차고혈압의 가능성을 염두에 두고 감별진단이 필요하다. 특히 아주 어린 소아나 2단계 이상의 심한 고혈압, 특징적 임상소견이 있으면 원인질환에 대한 정밀검사가 필수적이다.

이차고혈압의 원인은 콩팥병 심혈관질환, 내분비질환 등이 있다. 이들 중 콩팥(만성신염, 역류성 또는 폐쇄성신염, 용혈요독증후군, 다낭콩팥병과 형성이상신장 등) 및 신혈관 질환들과 관계된 고혈압이 90% 이상 차지하고 있다. 신염과 신동맥협착에서는 레닌 분비가 증가하면서 수분과 나트륨의 체내 함량이 증가하여 혈압이 증가한다.

이외의 이차고혈압의 원인으로는 심장질환(대동맥협착, 타카야수동맥염), 내분비질환(갑상샘항진, 부갑상샘항진증, 쿠싱증후군, 선천부신과다형성 크롬친화세포종 등), 리들증후군, 기얀-바레증후군, 스티븐스-존슨증후군, 화상, 약물(코카인, 흡연, 피임약, 식욕감퇴제, 교감신경흥분제, 사이클로스포린, 타크로리무스), 중금속 중독 등이 있다.

소아청소년기에 감별해야 하는 중요한 단일 유전자 이

상에 의한 고혈압의 원인으로는 가족성 고알도스테론증 1형, Liddle 증후군, 거짓저알도스테론증 2형, 가족성 글루코코티코이드저항성, 광물코르티코이드과다, 광물코르티코이드수용체활성돌연변이, 선천부신과형성증 등이 있으며, 어린 나이에 발생한 고혈압을 보이는 소아에서 혈장 레닌 수치는 낮고 알도스테론 대 레닌 비율이 상승해 있고 뇌혈관 질환에 의한 사망, 심부전이나 불응성 고혈압이 있는 가족력이 있는 경우에 단일 유전자 이상에 의한 고혈압을 의심하고 유전검사를 고려해야 한다.

소아청소년 고혈압의 진단

측정된 혈압을 평가하기 위해서는 기준이 되는 정상 혈압표준치가 필요하다. 최근 발표된 AAP 2017 지침의 혈압표준치를 참고할 수 있으나, 비만인 소아청소년의 계측 자료가 배제되었다는 점을 고려하여야 한다. 국내에서 2008년 발표된 소아청소년 혈압참고치는 자동진동혈압계로 계측되었으며, 이후 2019년에 국민건강영양조사 1998–2016 자료를 기반으로 하여 정상 체중의 소아청소년 혈압표준치가 발표되었다.

소아청소년에서 고혈압이 확인되면 원인질환의 규명과 표적장기의 손상여부를 확인하여야 한다. 우선 사지혈압을 계측해서 대동맥협착증을 감별하고 소변검사를 통해 콩팥병 유무를 확인한다. 소변검사가 정상이면 내분비질환과 신혈관질환, 일차고혈압에 대한 검사가 필요하게 된다.

병력 및 가족력에서 비만, 당뇨, 고지혈증 등의 심장질환 위험인자, 식사습관, 흡연, 음주, 고혈압유발 약물복용을 조사하고, 혈액검사로 CBC, BUN, 크레아티닌, 전해질, 소변검사, 요배양검사를 시행하여 콩팥병(만성신염, 만성신우신염)을 조사한다. 신초음파검사로 신반흔, 선천성 기형, 콩팥 크기를 확인하고, 공복 지방검사, 공복혈당을 측정하여 고지혈증 및 대사질환을 확인한다. 표적장기 손상여부를 검사하기위하여 심초음파로 좌심실비대 등 심장 손상을 확인하고, 망막검사로 망막혈관 변화를 확인한다.

이차고혈압의 원인감별을 위하여 혈장 레닌 검사로 광물코르티코이드 관련 고혈압 여부를 확인하며, 혈장과 소변 카테콜아민 검사도 감별진단에 도움이 된다. 콩팥혈관질환을 규명하기 위한 동위원소 신스캔, MR 혈관촬영술, 복합 도플러(duplex Doppler flow) 검사, 3D CT, 동맥혈관촬영술(DSA) 등을 시행한다.

소아청소년 고혈압의 치료

1. 건강한 생활습관 유지

체중감량 및 운동량 증가로 과체중 및 비만을 교정하고, 신선한 채소 섭취량 증가와 저지방 유제품 섭취를 권장한다. 소아청소년에서 소금섭취 제한은 1~3 mmHg 정도의 혈압저하 효과가 있으며, 소아청소년기의 나트륨 섭취량은 4~8세 소아에서는 1.2 g/1일 그 이후 소아에서는 1.5 g/1일 이하를 권장량으로 제시하고 있다.

2. 약물요법

소아청소년 고혈압에서 약물치료가 필요한 경우는 증상을 동반한 고혈압, 이차고혈압, 고혈압성 표적장기 손상이 확인된 경우, 1형 및 2형 당뇨병 동반, 비약물성 치료에도 불구하고 지속되는 고혈압, 다수의 심혈관질환의 위험인자를 동시에 가지고 있는 경우(이상지질혈증, 흡연자 등)이다. 소아청소년에서 항고혈압제 처방의 원칙은 단일 약물 사용을 우선으로 하며, 약물 용량은 가능한 낮은 용량에서 점차 높여가면서 약물 부작용 가능성에 대해서도 모니터해야 한다. 복합으로 약물을 사용할 경우 각 약물의 작용기전을 고려해서 사용한다. 고정된 용량으로 복합정제로 만들어진 제제는 권장되지 않고 있다. 혈압 치료는 95 백분위수 이하를 목표치로 하지만 콩팥병이나, 당뇨병, 표적장기 손상이 있는 소아청소년에게는 90 백분위수 이하를 목표치로 한다. 목표 혈압치에 도달하면 일정 기간 후 약 용량을 줄여갈 수 있다.

소아청소년에 사용할 수 있는 항고혈압제는 안지오텐신 전환효소억제제, 안지오텐신수용체차단제, 베타차단제, 칼슘통로차단제, 이뇨제 등이 있다. 안지오텐신전환효소억제제, 안지오텐신수용체차단제의 경우는 신혈류를 감소시켜서 신기능 저하를 유발할 수 있기 때문에 미국 FDA에서는 소아 6세 이상, 사구체여과율 ≥30 mL/min/1.73 m²인 경우에만 사용하도록 권고하고 있다. 이러한 약제를 사용할 때는 고칼륨혈증 발생 및 신기능 저하 여부에 대해서 지속적인 혈액검사를 통한 모니터링이 필요하다.

▶ 참고문헌

- 이종국 등: 한국소아 청소년 정상혈압 참고치. Korean J P ediatr 51:33–41, 2008.

- Aglony M, et al: Frequency of familial hyperaldosteronism type 1 in a hypertensive pediatric population: clinical and biochemical presentation. Hypertension. 57:1117–1121, 2011.

- Awazu M, et al: Hypertension, in Pediatric Nephrology (vol 2), edited by Avner ED, Harmon WE, Niaudet P, Yoshikawa N. Springer-Ver-lag, 2009, pp1457–1576.

- Baracco R, et al: Prediction of primary vs secondary hypertension in children. J Clin Hypertens (Greenwich) 14:316–321, 2012.

- Cho H, et al: Secular trends in hypertension and elevated blood pressure among Korean children and adolescents in the Korea National Health and Nutrition Examination Survey 2007–2015. J Clin Hypertens (Greenwich) 22:590–597, 2020.

- Flynn J, et al: Clinical and demographic characteristics of children with hypertension. Hypertension 60:1047–1054, 2012.

- Flynn JT, et al: Characteristics of children with primary hypertension seen at a referral center. Pediatr Nephrol 20:961–966, 2005.

- Flynn JT, et al: SUBCOMMITTEE ON SCREENING AND MANAGEMENT OF HIGH BLOOD PRESSURE IN CHILDREN. Clinical Practice Guideline for Screening and Management of High Blood Pressure in Children and Adolescents. Pediatrics. 140:e20171904, 2017.

- Gomes RS et al: Primary versus secondary hypertension in children followed up at an outpatient tertiary unit. Pediatr Nephrol 26:441–447, 2011.

- Halperin F, et al: Glucocorticoid-remediable aldosteronism. Endocrinol Metab Clin North Am 40:333–34, 2011.

- Kim SH, et al: Blood Pressure Reference Values for Normal Weight Korean Children and Adolescents: Data from The Korea National Health and Nutrition Examination Survey 1998–2016: The Korean Working Group of Pediatric Hypertension. Korean Circ J 49:1167–1180, 2019.

- Lurbe E, et al: 2016 European Society of Hypertension guidelines for the management of high blood pressure in children and adolescents. J Hypertens 34:1887–1920, 2016.

- National High Blood Pressure Education Program Working Group on High Blood Pressure in Children and Adolescents. The fourth report on the diagnosis, evaluation, and treatment of high blood pressure in children and adolescents. Pediatrics 114(2 suppl 4th report):555–576, 2004.

- Padmanabhan S, et al: Genetic and molecular aspects of hypertension. Circ Res 116:937–959, 2015.

- Vehaskari VM: Heritable forms of hypertension. Pediatr Nephrol 24:1929–1937, 2009.

CHAPTER 08

소아의 요로감염과 역류신병증

이준호 (차의대 소아청소년과), **이정원** (이화의대 소아청소년과)

KEY POINTS

- 재발요로감염의 위험요인에 대한 새로운 경향은 배뇨배변기능장애(bladder and bowel dysfunction, BBD)의 중요성을 강조하는 것이다. BBD는 절박뇨, 요실금, 소변을 참는 행동과 같은 하부요로계 증상과 변비가 동시에 존재할 때 진단하며 요로감염 재발의 중요한 요인이다. 따라서 소변가리기 훈련이 끝난 요로감염 환아에서는 BBD 여부를 반드시 확인하고 이에 대한 치료를 선행하여야 한다.

- 요로감염 재발을 예방하기 위한 항생제 치료에서 최근에 알려진 내용은 예방적 항생제 치료가 요로감염 재발의 위험성을 50%까지 줄였지만 신반흔의 발생은 감소시키지 못하고 항생제 내성균은 유의하게 증가시켰다는 것이다. 일괄적인 항생제 예방치료보다는 신우신염 재발의 위험이 높은 폐쇄요로병증(obstructive uropathy), 신경방광(neurogenic bladder), BBD 환자 등에서 선택적으로 시행하는 것이 권고된다.

소아 요로감염은 소아에서 발생하는 가장 흔한 세균 질환으로 조기에 진단하여 적절히 치료되지 않으면 신반흔을 형성한다. 심각한 신반흔은 고혈압, 단백뇨 및 만성 콩팥병의 원인이 될 수 있다. 소아 특히 영유아에서는 요로감염의 초기 증상이 발열과 같은 비특이적인 경우가 많아 조기 진단이 어렵고 재발이 흔하며 방광요관역류와 같은 요로기형을 동반하는 경우 신우신염에 의한 신반흔의 위험이 높다.

분류 및 정의

소아 요로감염은 감염 부위에 따라 방광염, 급성신우신염으로 분류된다. 방광염(하부 요로감염)은 방광까지만 국한된 감염이고, 신우신염(상부 요로감염)은 신우와 신실질까지 침범된 감염이며 무증상세균뇨는 발열이나 요로 증상 없이 소변 배양검사가 양성인 경우로 정의된다.

역학 및 빈도

여아의 1~3%, 남아의 1% 정도에서 요로감염이 발생한다. 남아에서는 1세 이전에 발병률이 매우 높고 여아에서는 영아기에 높고 이후 감소하다가 배뇨 훈련 시기에 다시 증가한다. 영아기에는 생리적 포경이 있는 남아에서의 발병률이 특히 높으며(남녀 비 3~5:1) 신생아 포경수술을 시행하지 않은 남아에서 포경수술을 시행한 남아에 비하여 10~20배 요로감염이 호발한다. 영아기 이후에는 여아에서의 발병률이 훨씬 높다(남녀 비 1:5~10). 설명되지 않는 발열(>38.5℃)이 있는 영유아에서 요로감염의 진단율은 4~20%이다.

발병기전 및 위험인자

요로감염의 발병기전은 대부분 장내 요로병원균이 회음부와 요도구 주위에서 집락 후 요도를 통해 방광을 거쳐 신장을 침범하게 되는 상행 감염이다. 혈행 감염은 매우 드물다. 위험인자로는 다양한 숙주 요인과 세균 요인이 있다. 숙주 요인으로는 여아의 경우 요생식동의 세균이 짧은 요도를 통하여 쉽게 상행할 수 있고, 남아의 경우는 포경수술을 받지 않은 영유아에서 생리적 포경이 포피내 세균 번식을 용이하게 한다. 남아의 포피 위생이나 여아의 회음부 위생이 잘 이루어지지 않아도 세균 번식이 용이해진다. 요로기형 중 일차방광요관역류가 가장 흔하고 음순유착, 폐쇄요로기형 및 신경방광 등이 포함된다. 다양한 배뇨장애와 방광 출구를 압박하거나 방광괄약근을 수축시키는 심한 변비도 잔뇨를 유발할 수 있기 때문에 위험요인이 될 수 있다. 분유 수유를 하는 영아에서는 모유 수유아에 비하여 면역 물질이 적고 정상 세균총의 발달이 지연되거나 결핍되어 요로감염이 호발한다. 세균 요인으로는 병독성에 관여하는 P(II형) fimbriae가 중요한 위험 요인이

표 16-8-1. 소아 요로감염의 위험 요인

| 여아 (짧은 요도) |
| 포경 남아 (비포경 수술 남아) |
| 충분하지 않은 생식기 위생 |
| 방광요관역류, 음순유착, 폐쇄요로기형, 신경방광 |
| 대소변 훈련 지연, 배뇨장애, 변비 |
| 분유 수유, 정상 세균총 결핍, 요충 감염, 요로카테터 삽입 |
| 요로상피세포의 특수 수용체(Gal 1~4 Gal oligosaccharide) |
| 요로병원균의 P(II형) fimbriae |

며 숙주의 유전적 소인인 요로상피세포의 특수 수용체(Gal 1~4 Gal oligosaccharide)와 단단하게 결합하여 신우신염을 일으킨다(표 16-8-1).

원인균

요로감염의 원인은 일차적으로 대장내 세균에 의해 발생한다. 가장 흔한 원인균은 그람 음성간균인 *Escherichia coli* (*E. coli*)이고 (54~67%), 다음으로 *Klebsiella*, *Proteus* 및 *Enterococcus*, *pseudomonas* 등이 있다. 그람 양성균으로는 *Staphylococcus saprophyticus*, *group B streptococcus*가 흔하고 *Staphylococcus aureus*, *Candida*, *Salmonella* 등은 드물다.

임상 증상 및 진찰 소견

영유아에서의 임상 증상은 대부분 비특이적이다. 설명되지 않는 발열(>38.5℃)이 가장 흔한 증상이고 보챔, 수유 감소, 황달, 설사 및 구토 등의 증상이 동반되기도 한다. 소변이 탁해지거나 냄새가 지독해지기도 하고 기저귀에 고름양, 혈성 분비물이 보이는 경우도 있다. 연장아에서는 대부분 성인과 비슷한 전형적인 증상을 보인다. 방광염에서는 배뇨통, 빈뇨, 절박뇨, 요실금 및 치골상부 동통 등이 주 증상이고 발열은 없거나 미열이다. 급성신우신염에서는 고열(>39.5℃), 옆구리 통증과 동통 및 구토가 특징적인 증상이고 늑골척추각 통증이 동반된다.

진단

요로감염의 진단은 소변 배양검사로 한다. 소변 배양과 감수성검사는 24~48시간이 소요되므로 신속한 치료를 위하여 응급 소변 분석검사가 필요하다. 소변은 아침 첫 소변이 가장 정확하지만 증상이 있을 때 언제든지 가능하다.

채뇨 후 즉시 또는 30분 이내에 검사해야 하나, 4℃에서 48시간까지 냉장 보관이 가능하다. 소아에서는 채뇨 방법이 매우 중요하며 성인과 달리 연령에 따라 적절한 채뇨법을 선택하여야 한다. 소변가리기가 가능한 소아에서는 청결채취 중간뇨로 검사할 수 있지만 소변가리기가 안 되는 영유아에서는 침습적이지만 오염률이 적은 도뇨관 채뇨나 방광천자뇨로 검사하여야 정확하다. 그러나 요로감염의 가능성이 높지 않고 증상이 가벼운 경우에는 우선 무균 채뇨백뇨로 응급 소변 분석검사를 시행하고 양성인 경우에 도뇨관 채뇨나 방광천자로 배양검사를 시행한다.

1. 채뇨법

1) 청결 채취 중간뇨

소변가리기가 가능한 소아에서 손쉽고 정확한 채뇨법이다. 남아에서는 포피를 벗기고, 여아에서는 회음부를 벌린 후 중간 소변을 받는다. 배뇨 전에 청결하게 닦으면 더 정확하다. 포경이 심한 남아에서는 오염율이 높다.

2) 무균 채뇨백뇨

소변가리기가 안 된 영·유아에서 가장 손쉬운 채뇨법으로 회음부를 청결하게 닦은 후 무균 채뇨백을 붙여 소변을 채취한다. 여아나 포경 남아에서 위양성의 빈도가 높다 (30~50%). 응급 소변 분석검사에서 양성이면 항생제 치료 전에 도뇨관 채뇨나 방관천자로 배양검사를 시행한다.

3) 도뇨관 채뇨

무균 조작 하에 카테터를 삽입하여 채뇨한다. 포경이 심한 남아에서는 요도구가 잘 보이지 않아 상당히 어렵다. 침습적인 채뇨법이나 방광천자에 비해 부모의 거부감은 비교적 적다. 요도구 주위 세균에 의한 오염의 가능성은 여전히 존재한다(10~15%).

4) 방광 천자뇨

침습적인 방법이나 소변가리기가 안 된 영·유아에서 가장 정확한 채뇨법이다. 치골 상부를 소독한 후 치골 결합 상부 정중선 1 cm 부위에서 21G 주사 바늘을 직각으로 찔러 소변을 채취한다. 초음파 감시하에 시행하면 안전성과 성공률을 높일 수 있다.

2. 소변 분석검사

소변 분석검사는 dipstick 소변 분석검사(multistix, chemistrip)와 소변침사 현미경검사로 구성된다. Dipstick 소변 분석검사는 백혈구 에스테라아제(leukocyte esterase, LE)와 아질산염(nitrite)을 검사하고, 소변침사 현미경검사는 백혈구, 세균 및 백혈구원주를 검사한다. 요로감염을 진단하는 보조검사이지만 응급 소변 분석검사에서 LE나 아질산염이 양성이면 배양검사 결과가 나오기 전에 경험적 항생제 치료를 시작할 수 있는 중요한 근거가 된다. 소변침사 현미경검사는 dipstick 소변 분석검사의 민감도와 특이도를 증가시킬 수 있다(표 16-8-2). 무균성 농뇨(sterile

표 16-8-2. 소변 분석검사의 민감도와 특이도

	Sensitivity (%)	Specificity (%)
백혈구 에스테라아제 (Leucocyte esterase)	83 (67~94)	78 (64~92)
질산염 (Nitrate)	53 (15~82)	98 (90~100)
백혈구 에스테라아제 또는 질산염	93 (90~100)	72 (58~91)
백혈구 (Microscopy WBC)	73 (32~100)	81 (45~98)
세균 (Microscopy bacteria)	81 (16~99)	83 (11~100)
백혈구 에스테라아제, 질산염, 백혈구 또는 세균	99.8 (99~100)	70 (60~92)

pyuira) [LE(+), culture (−)]는 부분 치료된 요로감염일 수도 있지만 그 외에 바이러스 감염, 요결석, 신결핵, 신농양 및 사이질신염 등에서도 양성일 수 있다. 질산염은 소변이 4시간 이상 방광에 저류되어야 양성이 되므로 빈뇨가 있는 요로감염 초기와 질산염을 아질산염으로 산화시키지 못하는 그람 양성구균(장구균) 감염에서는 위음성일 수 있다. 소변침사 현미경검사에서 보이는 백혈구원주는 신우신염을 강하게 시사하나 실온에서 쉽게 분해되기 때문에 양성인 경우가 매우 드물다. 또한 요로감염시 단백뇨와 잠혈반응이 양성인 경우가 흔하며 육안 혈뇨도 종종 보인다. Proteus 같은 요소분해효소를 분비하는 세균은 암모니아를 생성하기 때문에 알칼리뇨를 보인다.

3. 소변 배양검사

요로감염의 확진에는 소변 배양검사에서 의미있는 세균 집락수가 배양되어야 한다. 그러나 항생제 치료, 수액 투여, 빈뇨 및 소독제 등에 의하여 음성이거나 낮은 집락 수를 보일 수도 있다. 특히 배양 전에 효과있는 항생제를 1회만 복용하였어도 음성 배양이 될 수 있다는 점을 고려하여야 한다. 의미있는 세균 집락수는 채뇨법에 따라 다소 차이가 있다. 청결 채취 중간뇨에서는 단일 세균이 10^5 CFU/mL이상에서 진단하여 왔으나 미국소아과학회 (AAP, 2011년)의 개정된 지침에서는 진단기준을 5×10^4 CFU/mL로 하향조정하여 특이도를 희생하더라도 민감도를 높이는 것이 바람직하다고 하였다. 무균 채뇨백뇨의 음성 배양은 항상 의미가 있으나 양성 배양은 오염의 가능성이 높으며 (30~50%) 여아나 포경수술을 받지 않은 남아에서 특히 높다. 그러나 무균 채뇨백뇨에서도 증상이 있고 소변 분석검사가 강하게 양성이면서 단일 세균이 10^5 CFU/mL 이상 배양되면 진단할 수 있다. 도뇨관 채뇨와 방광천자뇨는 침습적인 방법이지만 위양성의 빈도가 낮고 5×10^4 CFU/mL 이상에서 진단할 수 있다.

4. 감염 위치의 구별

신우신염을 시사하는 검사 소견에는 혈액 검사의 백혈구수, ESR, CRP 및 procalcitonin 증가가 있고 소변검사의 백혈구원주(+), 요 β2-microglobulin 증가 및 요농축능 감소 등이 있으나 방광염과의 정확한 구별은 어렵다. 현재로서는 급성기에 시행한 ^{99m}Tc-DMSA 신스캔이 급성 신우신염을 가장 정확히 진단할 수 있다.

치료

치료의 목표는 적절한 항생제로 증상을 없애고 합병증을 예방하며 위험요인을 찾아 재발을 예방하는 것이다. 증상이 심한 요로감염에서는 적절한 항생제의 신속한 투여가 절대적이다. 영유아의 방광염은 신우신염으로 진행할 수 있고 신우신염은 요로패혈증, 신농양 및 신반흔으로 진행할 수 있기 때문이다. 무증상세균뇨는 신반흔을 야기하지 않으며 항생제 치료 후 오히려 재발률이 높고 증상성 요로감염으로 발전하는 경우가 많아 치료하지 않는다.

1. 항생제 치료

발열성 요로감염, 신우신염 및 신생아는 입원시켜 경험적 항생제를 정맥투여하다가 열이 내리면 경구 항생제로 바꿔 총 7~14일간 투여한다. 경험적 항생제는 항생제 내성을 고려할 때 주사용 3세대 세팔로스포린이 가장 이상적인 선택 약제이다. Amoxacillin계는 E. coli에 대한 내성률은 높으나 장구균에 민감하여 aminoglycoside와 병용하여 사용할 수 있다. 치료 48시간 후에도 임상 증상이 호전되지 않으면 저항성 세균일 가능성이 높으므로 배양검사의 세균 감수성에 따라 항생제를 바꾸어야 한다. 증상이 가벼운 발열성 요로감염은 처음부터 3세대 세팔로스포린을 경구로 투여할 수 있다. 방광염이 의심되는 연장아에서는 증상이 확실하면 경구 항생제를 3~5일간 신속히 투여한다. 증상이 가볍거나 애매하면 배양검사를 확인 후에 치

표 16-8-3. 소아 요로감염의 항생제 치료

심한 발열성 요로감염, 신우신염 및 신생아는 입원시켜 주사 항생제를 투여하다가 열이 내리면 경구 항생제로 바꿔 총 7~14일간 투여한다. 고열이 아니면 처음부터 경구 항생제로 시작할 수도 있다. 방광염에서는 경구 항생제로 시작하여 3~5일간 투여한다.
주사 항생제 ceftriaxone (50-100 mg/kg/일 #1~2) cefotaxime (100-150 mg/kg/일 #3~4) cefepime (100mg/kg/일 #2) ampicillin (100 mg/kg/일 #1~3)+gentamicin (5~7.5 mg/kg/일 #2)
경구 항생제 cefixime (8 mg/kg/일 #2) cefadnir (14 mg/kg/일 #2), nitrofurantoin (5~7 mg/kg/일 #3~4), amoxacillin/clavulanate (20~50 mg/kg/일 #4)

료하여도 무방하다. 지역 사회에서 저항성 *E. coli*의 발현이 증가되면 항생제 선택에도 변화가 필요하다. 주사 항생제에는 ceftriaxone이나 cefotaxime이 일차 선택 약제이고 경구 항생제로는 발열성 요로감염에서는 cefixime이나 cefadinir 등이 좋으며, 방광염에는 trimethoprim/sulfamethoxazole (TMP/SMX), nitrofurantoin 및 amoxacillin계를 사용할 수 있다. 성인에서 일차 약제로 사용하는 fluoroquinolone제제는 성장판에 대한 부작용 때문에 17세 전의 소아에서는 사용이 제한되어 있다(표 16-8-3).

2. 일반 치료 및 재발 예방

요로감염은 재발이 흔하고 재발은 신반흔의 위험을 증가시키기 때문에 요로감염 예방을 위한 조치, 교육 및 감시가 필요하다. 위생 상태는 매우 중요한데 포피와 회음부 위생이 잘되고 있는지 확인하고 교육하여야 한다. 포피는 부드럽게 견인 후, 회음부는 대음순을 벌려서 물과 비누로 청결하게 씻겨야 하며 배변 후에는 앞에서부터 뒤로 닦도록 교육한다. 생리적 포경은 스테로이드크림을 국소도포하여 비포경 상태로 전환시켜 주고(성공률 80~95%) 드물게 실패하면 포경수술을 고려할 수 있다. 정상 배뇨와 배변습관도 중요하다. 배뇨배변기능장애(bladder and bowel dys-

function, BBD)는 요로감염 재발의 중요한 요인으로 소변가리기 훈련이 끝난 학동기 여아에서 절박뇨, 요실금 등 배뇨장애 여부를 확인하고 소변 참는 행동을 하거나 배뇨 횟수가 적은 경우(infrequent voider, <3회/일)에는 2~3시간마다 규칙적으로 배뇨하도록 교육한다. 규칙적인 배변습관도 중요하고 변비가 있다면 반드시 치료해야 한다. 모유는 자연 유산균(natural probiotics)이라 불리울 정도로 다양한 유산균과 면역 물질을 포함하므로 모유 수유를 적극 권장하며 정상 세균총을 보강하는 유산균 제제(probiotics)나 병원균의 상피세포 부착을 억제하는 크랜베리 쥬스는 소아에서의 임상 증거는 부족하지만 요로감염의 예방 목적으로 안전하게 권유할 수 있는 건강식품이다.

요로감염 재발을 예방하기 위한 항생제 치료는 최근 대규모 전향적대조군연구에서(RIVUR study) 신반흔의 발생은 감소시키지 못하고 항생제 저항균의 증가 등과 동반되었다. 따라서 신우신염 재발률이 높은 경우에 선택적으로 사용할 수 있다. 신경방광, 요정체, 요폐색, 심은 방광요관 역류 환자가 이에 해당한다.

합병증 및 예후

1. 신반흔

신반흔의 3대 위험 요소로 방광요관역류, 어린 연령(5세 미만) 및 신우신염 등이 거론되었으나 역류가 없는 영유아에서도 신우신염에 의한 신반흔이 발생할 수 있다. 치료가 지연되거나 반복성 신우신염에서 신반흔은 심각해질 수 있다. 그러나 신우신염 후에 발생하는 신반흔은 후천성 신반흔이며 이는 태아기에 발생하는 선천성 신반흔(신이형성, 위축신)과는 구별된다. 심각한 신반흔의 장기 후유증에는 단백뇨, 고혈압 및 말기콩팥병 등이 있으나 주로 선천성 신반흔을 동반한 경우에 흔하다. 고혈압 소아의 20~30%, 말기콩팥병 소아의 8~10%에서 심각한 신반흔이 관찰되었다.

2. 요로패혈증(Urosepsis)

신장은 혈류가 많아서 요로병원균이 혈류를 타고 요로패혈증을 일으키기 쉬우며 특히 신생아, 어린 영아의 약 10%에서 발생한다.

3. 신농양

신우신염에서 진행되며 작은 농양은 항생제 치료로 충분하지만 큰 농양은 경피적으로 배농하고 장기간(2~6주) 항생제 치료를 요한다.

4. 황색육아종 신우신염(Xanthogranulomatous pyelonephritis)

황색육아종 신우신염은 드문 요로감염 합병증으로 육아종 염증(giant cell, foamy histiocyte)이 특징이며, 초음파에서 신종괴로 보인다. 부분적인 경우는 장기간 항생제로 치료하지만 광범위한 경우에는 신적출술로 치료하여야 한다.

요로 영상 검사

요로 영상검사는 요로기형, 신우신염 및 신반흔 등을 진단하는 것이 목적이다. 과거 미국 소아과학회(1999년)에서는 발열성 요로감염 영유아(2개월~2세)에서 초음파와 배뇨방광요도조영술을 시행하도록 권장하였으나 2011년 개정된 지침에서는 초음파에서 이상이 보이든지 비전형적인 감염이나 재발된 감염에서만 방광요도조영술을 시행하도록 바꾸었다. 영국의 NICE (National Institute for Health and Clini-cal Exellence, 2007) 지침에서도 연령, 치료 반응 및 재발 등에 따라 훨씬 더 선별적으로 시행할 것을 권장하였다.

1. 신장방광초음파

가장 기본 검사로서 급성기에 시행하여 신장 크기, 요로기형, 신(주위)농양, 결석 및 방광기형 등의 해부학적 이상을 진단하는 것이 목적이다. 산전초음파에서 정상이었던 경우 이상 소견의 발견율은 매우 낮지만(10% 이하) 방사선 조사의 위험이 없다는 이점 때문에 대부분 첫 요로감염시 일차검사로 시행하고 있다.

2. 배뇨방광요도조영술

조영제 배뇨방광요도조영술(voiding cystourethrography, VCUG)은 방광요관역류(등급), 방광기형 및 뒤요도판막의 진단에 필수적이다. 시행 시기는 감염 후 2~6주가 적당하다고 하였으나 소변 배양검사가 음성이면 퇴원 전에 시행하여도 무방하다. 동위원소 방광조영술(radionuclide cystogram, RNC)은 역류의 등급과 요도의 해부학적인 정보를 제공하지는 못하지만 역류의 진단에는 예민도가 높고 방사선 조사가 적어 여아, 추적검사 및 가족 선별검사 등에서 유용하게 사용할 수 있다.

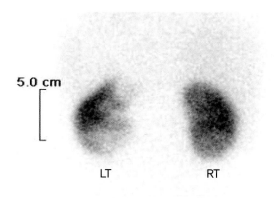

그림 16-8-1. ^{99m}Tc-DMSA 신 스캔상 신우신염

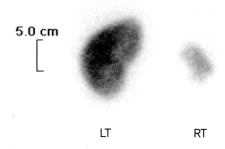

그림 16-8-2. ^{99m}Tc-DMSA 신 스캔상 신반흔

제 **16** 부 소아 신장학

3. ^{99m}Tc-DMSA 신스캔

발열성 요로감염의 급성기에 시행하면 약 50%에서 신우신염을 진단할 수 있고(그림 16-8-1) 감염 후 3~6개월에 검사하면 신반흔을 진단할 수 있다(그림 16-8-2). 방사선 조사(0.7 mSv)의 위험 때문에 일률적으로 권장하지는 않지만 신우신염이 강하게 의심되거나 방광요관역류가 진단되면 시행할 수 있다. 역류의 발견에 중점을 두던 시절에는 VCUG에서 역류가 발견된 경우에 DMSA를 시행하는 상향식 접근(bottom-up approach)을 권장하였으나 최근에는 역류 자체보다는 신반흔이 더 중요하므로 DMSA를 우선적으로 시행하여 신우신염인 경우에만 VCUG를 시행하자는 하향식 접근(top-down approach) 방식을 권장하기도 한다.

역류신병증

역류신병증(Reflux nephropathy)은 방광요관역류와 연관된 신장의 손상 및 흉터(scar)를 말한다. 신장 흉터는 상극, 하극 부위의 신유두가 요면이거나 편평하여 소변이 집합 세뇨관 내로 쉽게 역류할 수 있기 때문에 주로 상극, 하극 부위에서 발생한다. 역류신병증이 진행되면 잔여 네프론의 과부하에 의해 단백뇨, 고혈압, 신기능 저하가 초래되고 결국에는 만성신부전이 발생할 수 있다. 역류신병증은 소아 말기콩팥병의 15-20%를 차지하나 방광요관역류의 진단과 치료가 향상되어 점차 감소하고 있다.

역류신병증 환아는 정기적으로 신장, 체중, 혈압과 혈청 크레아티닌을 측정하며, 요로감염이나 단백뇨 여부를 확인하기 위해 소변검사 및 소변 배양검사를 시행해야 한다.

▶ 참고문헌

- 안효섭 등: 홍창의 소아과학, 11판, 미래엔, 2016, pp979-985.
- Kliegman RM et al: Urinary tract infections, in Nelson Text-book of Pediatrics, 21th ed, WB Saunders Co, 2011, pp2789-2795.
- Meena J, et al: Prevalence of Bladder and Bowel Dysfunction in Toilet-Trained Children With Urinary Tract Infection and/or Primary Vesicoureteral Reflux: A Systematic Review and Meta-Analysis. Front Pediatr 31(8):84, 2020.
- Millner R: Urinary Tract Infections. Pediatr Clin North Am 66:1-13, 2019.
- Muri R, et al: Diagnosis and management of urinary tract infection in children: summary of NICE (Natioal Institute for Health and Clinical Exellence) guideline. Br Med J 335:395-397, 2007.
- Rahman RK, et al: Consensus and controversies in antibiotic pro-phylaxis for urinary tract infections. Pediatr Infect Dis 1:58-61, 2019.
- Roberts KB: Subcommittee on urinary tract infection. Steering com-mittee on quality improvement and management. Clinical practice guideline for the diagnosis and management of initial UTI in

febrile infants and children 2 to 24 months. Pediatrics 128:595–610, 2011.

- Schmidt B, et al: Work–up of Pediatric Urinary Tract Infection. Urol Clin North Am 42:519–526, 2015.
- Stein R: Urinary tract infections in children: EAU/ESPU guidelines. Eur Urol 67:546–558, 2015.

CHAPTER 09

소아의 급성콩팥손상

유기환 (고려의대 소아청소년과), 한경희 (제주의대 소아청소년과)

KEY POINTS

- 소아 급성콩팥손상을 예측하기 위한 생물표지자의 유용성이 대두되고 있다.
- 급성콩팥손상 위험을 평가하기 위해 Renal angina index, Furosemide stress test와 같은 새로운 평가 도구가 개발되고 있다.
- 용혈요독증후군은 소아 급성콩팥손상의 중요한 원인이다.
- 소아에서 용혈요독증후군은 다양한 형태의 원인이 감별되어야 한다.
- 비정형 용혈요독증후군의 치료로 항C5항체치료가 새롭게 개발되었다.

급성콩팥손상(acute kidney injury, AKI)이라 함은 급성신부전(acute renal failure, ARF)을 포함하는 확대된 개념으로 약간의 신기능 변화부터 신기능 대체요법을 받아야 하는 신기능의 손상까지를 모두 아우르는 임상적 용어이다. 일반적으로 갑작스런 신기능의 저하로 혈액 내 크레아티닌과 요소의 농도가 증가하고 수분과 전해질의 항상성을 유지할 수 없는 상태를 말한다. 소아에서 급성콩팥손상의 정의는 성인과 같이 KDIGO (Kidney Disease Improving Global Outcomes)의 정의에 따른다.

병인

1. 신전(prerenal) 급성콩팥손상

출혈, 탈수, 패혈증, 신증후군 등과 같이 실질 혈액량이 감소하거나 심장부전 등에서 볼 수 있는 유효순환용적이 감소할 경우, 이들로 인해 콩팥혈액관류(renal perfusion) 장애가 발생하여 생긴다. 이로 인해 사구체여과율의 감소가 나타나며, 혈류량이 증가하고 콩팥혈액관류가 회복되면 신기능도 정상화된다. 하지만 관류장애가 지속되면 신실질 손상이 일어나 내인급성콩팥손상으로 진행된다. 비스테로이드소염제(NSAID)나 ACE차단제와 같은 약물이 악화의 요인이 될 수 있다.

표 16-9-1. 급성콩팥손상의 예측에 유용한 생물표지자의 종류

생물표지자의 종류	해석
NGAL (neutrophil gelatinase-associated lipocalin)	메타분석에서 >150 ng/mL일 경우 급성콩팥손상 예측도는 AUC 0.830임.
시스타틴C	연령과 성별, 근육량에 좌우되지 않아 혈청 크레아티닌보다 급성콩팥손상 진단 민감도와 특이도가 우수함. 급성콩팥손상 발생 24시간 이내 혈청 시스타틴C 상승은 AUC 0.84임.
KIM-1 (Kidney injury molecule 1)	1형 막통과당단백질(type-1 transmembrane glycoprotein)이며, 최근 메타분석에서는 소아 급성콩팥손상 예측율이 AUC 0.69로 KIM-1 사용을 소아 급성콩팥손상 예측에 권하지 않음.
[TIMP-2]x[IGFBP7]	소변의 TIMP-2와 IGFBP7 단백질은 G1 세포주기 정지의 매개체이며, TIMP-2는 원위세관, IGFBP7은 세관 전체에서 발현됨. 심폐우회를 통한 심장수술을 받은 소아 선천심기형 환자에서 수술 4시간 후 소변의 [TIMP-2]x[IGFBP7] 값은 AUC 0.85임.

AUC, area under the curve

2. 신성(intrinsic, renal)급성콩팥손상

대표적인 질환은 급성세관괴사로서 신전 콩팥손상이 진행되어 허혈과 저산소증이 심해지면 혈관수축이 일어나 세관괴사가 생기게 된다. 또한 여러 가지 신독성 약물이나 근색소, 혈색소 등에 의해 직접 세관상피세포가 손상을 입어 생길 수도 있다. 급성세관괴사의 병태생리를 살펴보면 혈액량 감소나 신독성 약물에 의해 세관상피세포가 손상을 입어 탈락되면 탈락된 세포 파편에 의해 세관이 폐쇄되고 기저막의 손상으로 여과액이 세관 밖으로 유출되어 요량이 감소된다. 또한 신혈관이 수축되어 혈류량이 감소하고 여과면적이 줄어들면서 사구체여과율이 감소하게 되고 요량이 더 줄어들게 된다. 내인급성콩팥손상은 손상 부위와 기저질환에 따라 증상이 다르게 나타난다.

3. 신후(postrenal) 급성콩팥손상

요관신우접합부폐쇄, 요관류(ureterocele), 요로결석, 종양, 뒤요도판막, 신경방광, 출혈방광염 등의 원인이 있다.

진단

1. 병력 청취

복용한 약물과 발병 이전의 감염, 전신증상을 포함하여야 하며 소변양의 변화에 유의하여야 한다. 소변검사는 이뇨제 투여 후의 소변은 전해질농도가 달라질 수 있으므로 치료 전에 소변을 수집하도록 한다. 소변의 오스몰랄농도, 소변 나트륨농도, 나트륨분획배설(fractional excretion of sodium, FENa)은 신장전 콩팥손상과 내인콩팥손상을 감별하는데 도움이 된다.

2. 방사선학적 검사

가슴X선으로 심장비대, 폐울혈, 흉수 등 용적과부하 유무를 확인한다. KUB는 요결석이 있는지 확인하며, 만성 신부전, 폐쇄신병증을 감별하기 위해 초음파검사를 시행한다. Duplex 초음파검사는 신혈전색전증을 감별하는데 도움이 된다. 동위원소검사(^{99m}Tc-DTPA, ^{99m}Tc-MAG-3)는 신기능 및 요로폐쇄 여부를 감별하는데 도움이 되며, 그 외 신동맥조영술, CT, MRI은 신혈관질환이나 종양 등을 감별하는데 도움이 된다.

3. 신조직검사

원인불명의 급성콩팥손상, 2~3주 이상 지속되는 심한 핍뇨 또는 무뇨를 보일 경우, 콩팥과 관련 없는 증상이 동반되는 경우, 약물에 의한 사이질신염이나 RPGN을 감별하고자 할 때 고려해 볼 수 있다.

4. 생물표지자(Biomarker)

최근 무증상(subclinical) 급성콩팥손상의 예후가 임상적으로 뚜렷한 급성콩팥손상과 비슷하다는 것이 밝혀지고 있다. 무증상 급성콩팥손상이란 혈청 크레아티닌이 정상 상태이더라도 사구체여과율 감소에 선행하는 뚜렷한 생물표지자의 양성소견을 보일 때를 일컫는다(표 16-9-1).

5. 급성콩팥손상 위험의 새로운 평가 도구

1) Renal angina index (RAI)는 다음과 같이 구한다(표 16-9-2).

2) Furosemide stress test (FST)

급성콩팥손상 환아는 furosemide 투여 후 소변 유속이 정상 환아에 비해 유의하게 낮다.

치료

콩팥손상을 보이는 환아를 치료할 때 가장 중요한 점은 환아의 수분량 상태에 대한 평가이다. 탈수의 소견이 있고 심장부전이 아니라고 판단되면 생리식염수 20 mL/kg을 30분에 걸쳐 정맥주사한다. 이 치료에도 반응이 없는 심한 탈수가 있다면 추가로 투여해도 좋다. 혈액량 감소에 의한 신장전 콩팥손상인 경우는 대부분 2시간 이내에 소변이 나오며 증상이 호전된다.

이뇨제는 순환부전이 적절히 회복된 후 고려하며 furosemide (2~4 mg/kg)를 정맥주사한다. 소변량이 증가하지 않으면 지속적 이뇨제 투여(continuous diuretic infusion)를 고려한다. 최근에는 콩팥손상을 예방하거나 치료를 위한 dopamine 사용은 권장하지 않는다.

1. 수분제한

이뇨제 치료에 반응이 없으면 수분제한을 해야 하며 수액량은 체중, 혈압, 수분섭취량과 배설량, 진찰소견 등에 따라 결정한다. 일반적으로 불감소실(insensible loss; 400 mL/m²/day)과 당일 배설된 소변량만큼만 보충하고, 하루 체중감소는 0.5~1.0%를 유지한다. 콩팥손상이 회복되면서 이뇨를 보이면 추가로 수분과 전해질 보충이 필요하게 된다.

표 16-9-2. Renal angina index 산출 방법

Risk score	
Risk	점수
ICU 입원	1
고형장기 혹은 골수 이식	3
인공호흡기, 혈압상승제 사용	5

X

Injury score		
eCCI 감소	체액과부하 %	점수
No change	<5	1
0~25%	≥5	2
25~50%	≥10	4
≥50%	≥15	8

= RAI
(1~40)

eCCI, estimated creatinine clearance
혈청 크레아티닌 단독 변화로는 3일째 콩팥손상 예측 특이도가 70%인데 비해 RAI≥8점이면 87%이다 (Basu RK et al.Lancet Child Adolesc Health 2:112-120, 2018).

2. 저나트륨혈증

수분배설 장애로 희석되어 생기는 경우가 많으며 수분 제한만으로 교정할 수 있다. 혈청 나트륨치가 120 mEq/L 미만인 경우에는 뇌부종과 뇌출혈의 위험이 있기 때문에 3% NaCl로 교정한다. 이때 목표 혈청 나트륨치는 125 mEq/L이다.

필요한 Na^+량(mEq)=0.6×체중(kg)×(125−혈청 Na^+치)

계산된 나트륨량은 수시간에 걸쳐 천천히 교정하도록 한다. 너무 빨리 혈청 나트륨을 정상화시키면 뇌손상을 일으킬 수 있기 때문이다.

3. 고칼륨혈증

섭취된 칼륨의 90% 이상이 콩팥을 통해 배설되고 콩팥이 칼륨 평형에 밀접하게 관계하기 때문에 급성콩팥손상이 생기면 고칼륨혈증이 나타나게 된다. 혈청 칼륨치가 6−7 mEq/L 이상이면 치료를 시작하며 우선 Na polystyrene sulfonate resin (Kayexalate) 또는 calcium polystyrene sulfonate resin 1 g/kg을 70% sorbitol 용액 2 mL/kg에 섞어 경구투여하고, 관장 시에는 sorbitol을 20%로 낮추어 10 mL/kg를 매 2시간마다 관장한다. 혈청 칼륨치가 7.0mEq/L 이상 증가하면 다음과 같은 처치를 단계별로 시행한다.

1) calcium gluconate 10% 용액, 1 mL/kg 3~5분간 정맥주사(느린맥 주의)
2) $NaHCO_3$ 1~2 mEq/kg 5~10분간 정맥주사(혈액량 증가, 고혈압, 테타니 등을 주의)
3) 50% glucose (1 mL/kg)와 인슐린(RI 0.1 U/kg)을 1시간 동안 정맥주사(저혈당 주의)
4) 복막 또는 혈액투석

4. 저칼슘혈증과 고인산혈증

인산 배설장애에 따른 고인산혈증, 콩팥에서 비타민 D의 활성화 장애로 인한 칼슘 장내흡수 장애, 부갑상샘호르몬에 대한 골격의 저항성 등의 원인들이 복합적으로 작용해 발생한다. 고인산혈증을 교정함으로써 대부분 칼슘 농도를 증가시킬 수 있다. 따라서 인산의 장내 흡수를 막고 배설을 촉진하기 위해 인산이 많이 포함된 음식 섭취를 제한하고 sevelamer (Renagel), Lanthanum (Fosrenol), calcium carbonate, calcium acetate (PhosLo) 등을 사용한다. 혈청 칼슘 치×혈청 인 값이 70 이상이면 조직 내 칼슘 침착이 일어나기 때문에 테타니 증세가 없는 한 칼슘제제는 정맥주사하지 않고 경구용으로 투여한다.

5. 대사산증

암모니아와 수소이온의 배설장애로 생기며 치료가 필요한 경우는 드물다. 그러나 pH <7.15, 혈청 HCO_3^- <8 mEq/L이면 심근과민성이 증가하기 때문에 치료해야 한다. 다만, 염기는 체내 혈액량을 늘려 혈압상승과 심부전을 악화시킬 수 있어 조심스럽게 사용해야 한다. 혈청 HCO_3^-는 12 mEq/L (pH 7.20)까지만 올린다.

필요한 $NaHCO_3$ (mEq)량
= 0.5 × 체중(kg) × (12−혈청 HCO_3^-치)

산혈증이 교정되며 이온화 칼슘농도가 저하되어 테타니, 경련 등을 보일 수 있으므로 치료시 반드시 칼슘농도에 대한 고려가 필요하다.

6. 고혈압

심하지 않은 고혈압은 수분과 염분 제한, 이뇨제, 칼슘통로차단제(amlodipine, 0.1~0.6 mg/kg/day), 베타차단제(labetalol, 4~40 mg/kg/day) 등을 사용하며 응급시에는 isradipine(0.05~0.15 mg/kg/회), Na nitroprusside(0.5~1.0 ug/kg/min), labetalol(0.25~3 mg/kg/hr), esmolol(150-300 ug/kg/min) 등을 지속적으로 정맥 주사한다.

7. 경련

저나트륨혈증, 저칼슘혈증, 고혈압, 뇌출혈 및 혈관염 또는 요독뇌병증 등이 원인이 되어 생길 수 있다. Diazepam(0.25 mg/kg, 정맥주사)으로 조절한 후 원인을 교정토록 한다.

8. 빈혈

체내 수분 증가로 희석되어 경한 빈혈 증세를 보일 수 있다. 혈색소가 7 g/dL 이하로 떨어지면 신선농축적혈구(10 mL/kg)를 수혈한다. 혈액량이 증가되어 있는 경우에는 폐부종과 심부전의 위험성이 높기 때문에 투석 중에 교정하도록 한다.

9. 위장관 출혈

혈소판 기능 저하, 스트레스, 헤파린 사용 등으로 발생되며 예방목적으로 경구 혹은 정맥으로 ranitidine을 투여한다.

10. 칼로리 공급

적어도 400 cal/m²/day 이상은 공급되도록 하며 단백과 나트륨, 칼륨, 인은 제한하고 당과 지방으로 주로 구성하여 공급한다. 신부전이 3일 이상 지속되면 필수 아미노산을 포함한 비경구영양법을 시행한다.

투석

투석의 적응증은 무뇨, 이뇨제에 반응하지 않는 고혈압이나 폐부종을 동반한 용적과부하, 지속적 고칼륨혈증, 치료에 반응하지 않는 대사산증, 요독(뇌병증, 심장막염, 신경병증), 저칼슘혈증 테타니를 동반한 칼슘과 인의 불균형, 수분 제한으로 인한 심한 영양공급장애를 보일 경우 시행한다.

투석의 방법은 혈액투석, 복막투석과 지속신대체요법(continuous renal replacement therapy, CRRT)이 있다. 수술 후 복막 사용이 불가능하거나 심한 혈액응고장애, 심폐 기능이 지극히 불안정할 때, 심한 혈액량 증가, 심한 전해질 및 산-염기 장애가 있으면 CRRT를 고려한다. 최근 많은 논문에서 소아 혈액투석 적응증 중 체액 과부하가 생존 결과에 영향을 미친다고 보고한 바 있다.

$$\text{체액과부하}(\%) = \frac{\text{total input} - \text{total output (L)}}{\text{PICU 입원 시 체중(kg)}} \times 100(\%)$$

예후

신기능의 회복은 선행 원인에 따라 달라진다. 신장전 핍뇨나 급성세관괴사, 정형 용혈요독증후군, 급성사이질신염, 요산신병증 등은 정상 회복이 가능하지만 급속진행사구체신염, 양측 신장겉질괴사, 양측 신정맥혈전증 등은 정상 회복이 어렵다. 회복 후 만성콩팥병, 고혈압, 신세관산증, 소변농축장애 등의 후유증이 남을 수 있다.

용혈요독증후군

소아에서 급성콩팥손상을 일으키는 흔한 원인이며 미세혈관병증 용혈 빈혈(microangiopathic hemolytic anemia), 혈소판 감소, 급성콩팥손상의 세 가지가 특징이다.

1. 진단

1) 임상 증상

갑작스러운 창백, 보챔, 허약, 출혈점, 멍이 나타난다. 핍뇨를 동반하는 급성콩팥손상은 다양한 정도로 나타나 급속히 악화될 수 있다. 설사 연관형에서 발병 3일~3주 전 급성 장염의 증상이 전구 증상으로 나타난다(장출혈성 대장균의 Shiga-toxin으로 발병). 설사, 혈변, 복통 외에 장천공, 장협착, 직장탈출 및 장중첩이 합병되기도 한다. 그 외에 의식 장애, 발작과 같은 중추신경계 증상이나 췌장염, 파종혈관내응고, 심부전 등이 나타나기도 한다.

2) 감별 진단

용혈요독증후군은 다양한 형태의 원인이 감별 진단되어야 한다(그림 16-9-1).

용혈빈혈(혈색소 <10 g/dL, 망상적혈구 증가, 말초혈액도말에서 분열적혈구 양성), 혈소판감소(혈소판 수 <150,000/μL), 급성콩팥손상의 정의에 해당될 경우, 그 외 보조적으로 LDH 상승, 혈청 합토글로빈 감소, 혈장 헤모글로빈 증가, 쿰즈검사 음성, 고빌리루빈혈증의 검사소견을 보인다. 혈청 C3가 저하를 보일 때에는 보체 활성화 조절 인자의 결핍으로 인한 비정형 용혈요독증후군을 의심할 수 있다.

2. 치료

STEC (Shiga toxin-producing *Esherichia coli*)에 감염된 경우 등장성 수액을 이용한 충분한 정맥수액요법을 추천한다. 이는 용혈요독증후군의 발생을 예방하고 핍뇨/무뇨, 투석치료의 예방에 효과적이다. 소아에서 STEC 감염에 대한 항생제 사용은 독소 방출을 증가시킬 수 있어 금기이다. 혈색소가 6 g/dL 미만으로 감소한 경우 적혈구를 수혈한다. 혈소판 수혈은 혈전 형성을 악화시킬 수 있어 권장되지 않는다. 핍뇨가 심하거나 일반적인 투석의 적응증

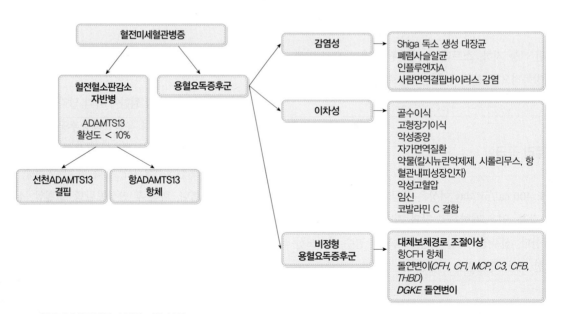

그림 16-9-1. 혈전미세혈관병증의 병인 기반 분류

ADAMTS13, A Disintegrin And Metalloproteinase with a ThromboSpondin type 1 motif, member 13; CFB, complement factor B; CFH, complement factor H; CFI, complement factor I; DGKE, diacyglycerol kinase ε; MCP, membrance cofactor protein; THBD, thrombomodulin.

이 있을 때 투석을 시행한다.

보체 조절인자인 Factor H 결핍에 의한 경우를 비롯한 비정형 용혈요독증후군은 유전성 또는 재발성인 경우가 많으며 혈장 투여 또는 혈장교환(plasmapheresis)의 치료를 시도할 수 있다. Eculizumab 등의 항C5항체는 보체 활성화를 억제하므로 최근 비정형 용혈요독증후군의 일차 치료제로 권고된다.

▶ 참고문헌

- Avner E, et al: Acute kidney injury, in Nelson Textbook of Pediatrics, 20th ed, edited by Kliegman RM et al, Philadelphia, Elsevier, 2016, pp2539-2543.
- Basu RK, et al: Assessment of a renal angina index for prediction of severe acute kidney injury in critically ill children: a multicentre, multinational, prospective observational study. Lancet Child Adolesc Health 2:112-120, 2018.
- Devarajan P: The current state of the art in acute kidney injury. Front Pediatr 8:70, 2020.
- Doi K, et al: The Japanese Clinical Practice Guideline for acute kidney injury 2016. Clin Exp Nephrol 22:985-1045, 2018.
- Fuhrman D: The use of diagnostic tools for pediatric AKI: applying the current evidence to the bedside. Pediatr Nephrol 36:3529-3537, 2021.
- Loirat C et al: An international consensus approach to the management of atypical hemolytic uremic syndrome in children. Pediatr Nephrol 31:15-39, 2016.
- McFarlane PA, et al: Making the correct diagnosis in thrombotic microangiopathy: A Narrative Review. Can J Kidney Health Dis 8:20543581211008707, 2021.

제16부 소아 신장학

CHAPTER

10 소아의 만성콩팥병

박영서, 이주훈 (울산의대 소아청소년과)

KEY POINTS

- 소아 만성콩팥병의 원인 질환은 성인과는 달리 비사구체성 원인이 흔하다.
- 소아 만성콩팥병 환자는 성장, 발달 과정에 있으므로 충분한 영양공급과 성장호르몬 투여로 저신장을 치료하며 정상적으로 발달할 수 있도록 도와야 한다.

소아의 특징 중 가장 중요한 것은 어린이는 정신 신체적으로 지속적인 성장상태에 있다는 점이며, 정상적인 성장 속도의 유지가 소아 만성콩팥병 치료의 중요한 목표 중 하나이다. 성장 시기의 후유증은 성장이 끝난 후에도 일생동안 지속되며 이러한 신체적 성장장애에 따른 정신적 사회적 장애도 큰 문제가 된다.

원인

소아 만성콩팥병의 유병률은 약 100만명 당 18명 정도이다. 소아 환자의 예후는 1970년대 이후 약물 치료, 투석 기술, 신이식 등의 발전으로 인해 매우 향상되었다. 그러나, 여전히 이환율(morbidity)이 매우 높고, 심장병·감염 등에 의한 사망률이 정상 소아에 비하여 여전히 30배 정도 증가되어 있다.

소아 만성콩팥병의 원인질환은 비사구체성 원인과 사구

체성 원인으로 나눌 수 있다. 비사구체성 원인으로는 신우신염·사이질신염·역류신병증, 보통염색체우성·열성 다낭콩팥병, 폐쇄요로병증(뒤요도판막, 배설강, 신경방광 등), 콩팥 무형성·저형성·형성이상 등이 있으며, 사구체성 원인으로는 국소분절사구체경화증, IgA신병증, 헤노흐−쇤라인자반 신장병, 막증식사구체신염, 막성콩팥병증, 전신면역병(전신홍반루푸스 등), 용혈요독증후군, 특발 초승달사구체신염, 선천 신증후군, 유전신염(알포트증후군 등) 등이 있다. 소아 만성콩팥병 환자의 연령이 5세 미만일 경우에는 선천신장요로기형(신형성저하, 신형성이상, 요로폐쇄등), 5세 이후에는 후천성 사구체질환(사구체신염, 용혈요독증후군), 유전성 신질환(알포트증후군, 다낭콩팥병) 등이 주원인이다.

2000년 Kim K 등의 보고에 따르면, 우리나라에서 소아의 만성콩팥병은 16세 미만 소아인구 100만명당 연간 3.68명의 빈도로 발생하였으며, 주요 원인으로는 사구체신염(36%), 만성신우신염(21%), 형성이상콩팥 및 콩팥 저형성

(9%), 유전신질환(7%) 순이고, 단일 신질환으로는 역류신병증(16%), 국소분절사구체경화증(11%) 등이 흔하였다.

임상 양상

임상증상은 원인질환에 따라 다르게 나타나지만, 두통, 피로, 기면, 권태감, 식욕부진, 구토, 다음, 다뇨, 야뇨, 성장지연 등으로, 비특이적인 증상만 있을 경우 진단이 지연되기 쉽다. 후천성 사구체질환 및 유전신질환이 원인인 경우에는 사구체질환 증상이 만성콩팥병의 증상보다 먼저 나타난다. 선천성 신기형이 원인인 경우에는 특이한 증상 없이 만성콩팥병이 서서히 진행되어 영양상태, 발육, 성장 등이 좋지 않아서 진단되기도 한다. 그러나 최근에는 산전 초음파검사가 보편화되어 선천신기형은 만성콩팥병 증상이 나타나기 전에 조기 발견되는 경우가 대부분이다.

진찰소견은 성인 만성콩팥병과 같은 소견이나, 소아에서는 대부분 성장발달지연이 나타나며 구루병이 동반되기도 한다. 성인에서와 같이 만성콩팥병이 진행되면 핍뇨와 부종, 고혈압, 안면창백, 허약감 등이 동반되며, 여러 장기의 증상이 함께 초래될 수 있다. 검사소견으로 질소혈증, 고인혈증, 저칼슘혈증, 알칼리인산분해효소 증가, 부갑상샘항진증 및 대사산증 등을 보인다.

치료

1. 영양

1) 목표

최선의 영양 상태를 유지하여 정상적인 성장을 유지하고, 요독 독소·대사이상·영양결핍을 피하여, 만성 이환율과 사망률을 낮춘다.

2) 평가

소아의 연령, 발달 정도, 음식 선호도, 문화적 신념, 심리 사회적 지위에 따라서 정기적으로 식이 섭취를 평가한다. 키, 성장 속도, 몸무게, 신체질량지수, 머리둘레(3세 이하)를 측정하고, 연령별 정상치와 비교하여 표준편차점수를 구한다.

3) 에너지

체중증가·손실속도를 보면서 역연령에 따른 추정 에너지 필요량(estimated energy requirements)의 100%를 공급한다. 신체 활동량에 따라서 개인별 필요량을 조절할 수 있다. 추정 에너지 필요량을 모두 섭취하지 못하거나, 예측된 체중증가 속도나 성장 속도에 도달하지 못할 경우 보존적인 영양 공급이 필요하다. 경구로 투여할 수 있는 고에너지 식단 또는 시판되는 영양 보충제 등을 고려한다. 경구 에너지 투여량이 부족할 경우, 튜브를 통한 에너지 공급을 고려한다. 혈액투석 환자의 경우, 투석 중 비경구 영양공급을 고려할 수 있다.

4) 단백질

만성콩팥병 3기까지는 이상적인 체중일 때 권장되는 식이단백섭취량(diatery protein intake)의 100~140%, 4~5기의 경우 100~120%, 투석 중인 경우 100% + 투석 중 소실되는 단백질과 아미노산의 양만큼 섭취할 수 있도록 한다. 단백질 섭취량이 부족할 경우 단백질 보충제의 투여를 고려한다.

5) 비타민과 미량 원소

티아민(B_1), 리보플라빈(B_2), 니아신(B_3), 판토텐산(B_5), 피리독신(B_6), 바이오틴(B_8), 코발라민(B_{12}), 아스코르빈산(C), 레티놀(A), 알파토코페롤(E), 비타민 K, 엽산, 구리, 아연 등은 최소한 영양 섭취 기준(dietary reference intake)의 100% 이상 섭취할 수 있도록 한다. 영양 섭취 기준의 100%를 섭취하지 못할 경우 비타민 보조제 또는 미량 원소를 섭취하도록 한다. 다만, 최근 성인을 대상으로 한 KDOQI 지침을 살펴보면 비타민 A, E, 셀레늄, 아연, (항응고제 복용 중) 비타민 K 등은 정기적으로 투여하지 않고, 필요한 경우에만 투여하도록 권장하고 있다. 투석 중인 환자는 수용성 비타민을 섭취하여야 한다.

6) 칼슘

음식과 인 결합제제로부터의 칼슘 섭취량은 연령별 영양 섭취 기준의 100~200%의 범위에서 섭취하도록 권장한다.

7) 비타민 D

혈청 25-수산화비타민 D의 농도가 30 ng/mL 미만일 경우, 어르고칼시페롤(D_2) 또는 콜레칼시페롤(D_3) 보충제를 섭취하면서, 정기적으로 혈청 25-수산화비타민 D의 농도를 측정한다.

2. 수분과 전해질

비사구체성 원인으로 인한 소아의 만성콩팥병은 다뇨증이 동반될 수 있다. 이 경우 만성 혈관내 수분부족을 피하고, 최적의 성장을 촉진시키기 위해 충분한 양의 물과 나트륨을 보충한다. 복막투석을 받고 있는 영아들에게는 저나트륨증이 동반될 경우 나트륨을 보충한다. 고혈압이 동반된 환자에서는 나트륨 섭취를 제한한다. 핍뇨가 동반된 환자에서는 수분 과다축적을 피하기 위해서 수분 섭취를 제한한다. 고칼륨혈증의 위험성이 있는 환자에서는 칼륨의 섭취를 제한한다.

3. 산-염기 관리

소아 만성콩팥병 환자에서 신기능이 감소하면 중탄산염의 손실과 산의 배출 감소로 인하여 대사산증이 생긴다. 대사산증이 생길 경우 탄산수소나트륨이나 구연산염나트륨 제제를 투여하여 혈청 중탄산염이 22 mmol/L 이상이 되도록 한다.

4. 만성콩팥병 무기질 뼈장애

1) 인

사구체여과율이 감소함에 따라서 몸 안에 인이 쌓이게 된다. 연령별 정상 범위의 혈청 인 농도를 유지한다. 연령별 정상 인 농도일 경우, 연령별 영양 섭취 기준의 100%로 인 섭취량을 제한한다. 연령별 정상 인 농도보다 높을 때는 영양 섭취 기준의 80% 이내로 인 섭취량을 제한한다. 수유 중인 영아의 경우 저인분유를 처방한다. 인 섭취량을 제한하는데도 불구하고 고인산혈증이 지속될 경우 인 결합제제를 투여한다. 고인산혈증과 고칼슘혈증이 함께 있을 경우, 비칼슘 인 결합제제를 투여한다. 알루미늄 기반의 인 결합제제는 장으로 흡수되어 독성이 나타날 수 있으므로 피해야 한다. 한편, 연령별 정상 인 농도 아래로 떨어지지 않도록 주의해야 한다. 저인혈증이 있을 경우 인을 보충한다.

2) 칼슘

소아 만성콩팥병에서 신기능이 감소하게 되면, 콩팥에서의 비타민 D 1-수산화 과정에 장애가 생긴다. 결과적으로 활성형 비타민 D가 감소하여 장에서의 칼슘 흡수와 세뇨관에서의 칼슘 재흡수가 감소하고, 저칼슘혈증이 생긴다. 저칼슘혈증이 있으면 연령별 정상 혈청 칼슘농도를 유지하기 위해서 칼시트리올(1,25-dihydroxycholecalciferol)이나 기타 비타민 D 유사체를 투여할 수 있다. 고칼슘혈증은 피하는 것이 좋다.

3) 부갑상샘호르몬

만성콩팥병에서 최적의 부갑상샘호르몬 농도는 아직 정확하게 알려져 있지 않다. 활성형 비타민 D의 결핍과 저칼슘혈증, 고인혈증은 이차부갑상샘항진증을 유발한다. 부갑상샘항진증은 섬유골염(osteitis fibrosa)과 같은 고교체 골병소(high turnover bone lesion)의 원인이 되며, 성장지연, 골다공증, 골절, 골격 기형 등을 유발할 수 있다. 투석 전 환자에서 부갑상샘호르몬 농도가 지속적으로 정상 범위보다 상승되어 있을 경우, 고인혈증, 저칼슘혈증, 과다한 인의 섭취, 비타민 D 결핍증 등 교정 가능한 요인이 있는지 평가해야 한다. 투석 중인 환자의 경우 정상 부갑상샘호르몬 농도 범위 상한치의 2~9배 사이로 유지한다. 부갑상샘항진증이 있을 경우 칼슘유사제(calcimimetics), 칼시트리올, 비타민 D 유사제 등으로 치료하며, 이런 약물 치료가 실패할 경우 부갑상샘절제술을 고려한다. 과도한 치료로 부갑상샘저하증이 생겨서 지속되면, 저교체 골병소(low turnover bone lesion)가 동반되어 뼈의 성장이 지연될 수 있다.

5. 빈혈의 관리

적혈구형성호르몬 생산의 감소, 철분·비타민B$_{12}$·엽산 등의 결핍, 부적당한 철분 및 엽산섭취, 적혈구 수명의 감소 등으로 빈혈이 초래된다. 빈혈의 진단은 연령별 정상 적혈구농도 미만으로 떨어질 때로 정의한다. 빈혈이 있을 경우 철분·비타민B$_{12}$·엽산이 부족한지 확인하여 보충하고, 적혈구형성자극제를 투여할 수 있다.

6. 고혈압의 관리

소아 만성콩팥병 환자에서 레닌의 증가 또는 수분 축적에 의해서 고혈압이 동반될 수 있다. 고혈압은 만성콩팥병의 악화 요인이 되기도 한다. 평균동맥압이 연령·성별·키별 50 백분위수 미만일 때 만성콩팥병의 예후가 좋으므로 이에 맞추도록 하는 것이 좋다. 고혈압 치료에는 염분 섭취 제한, 생활습관 및 체중 조절 등이 있다. 환자의 수축기·이완기 혈압이 연령·성별·키별 90 백분위수를 초과할 경우, 약물 치료를 시작하여 50 백분위수 미만으로 낮추도록 한다. 만성콩팥병 환자에서는 안지오텐신전환효소억제제나 안지오텐신수용체차단제를 기본적으로 사용한다. 만성콩팥병의 진행을 늦출 수 있고, 단백뇨를 감소시켜주며, 레닌 증가에 의한 고혈압의 조절에 좋다. 다만 안지오텐신전환효소억제제나 안지오텐신수용체차단제를 사용할 경우 고칼륨혈증, 신기능 감소, 저혈압 등의 합병증이 발생하는지 조심해서 관찰해야 한다. 수분 축적이 있을 경우

thiazide나 고리작용이뇨제를 투여하여 쌓여있는 수분을 배출하게 할 수 있다. 이외에도 칼슘통로차단제, 베타차단제 등의 약물을 투여할 수 있다.

7. 성장지연

저신장은 성장호르몬 저항 상태에 의해서 발생하며, 소아 만성콩팥병 환자에서 발성하는 중요한 장기합병증 중의 하나이다. 혈중 성장호르몬은 증가되어 있고 인슐린양성장인자(insulin-like growth factor 1)의 농도가 감소되어 있으며, 이 인자에 대한 결합단백질의 이상이 동반된다. 이외에도 단백영양결핍, 만성 대사산증, 재발감염증, 부갑상샘항진증, 사춘기 지연 등이 성장장애의 원인이 된다. 교정 가능한 요인들을 치료하고, 저신장(키 SDS <−1.88 또는 키연령<3 percentile)이거나 성장부전이 3개월 이상 지속되면 사람재조합성장호르몬(recombinant human growth hormone)을 투여한다.

8. 신경발달의 손상

소아 만성콩팥병 환자는 신경 발달 장애의 위험이 있으므로 조기에 발달 평가를 하는 것이 좋다. 치료 등의 이유로 인한 결석, 주간 졸림증과 피로 등에 의한 인지 장애(실행 기능, 언어 및 시각 기억, 수학, 읽기, 철자 등), 학업성취도 저하, 경련, 지적 장애 등이 동반될 수 있다. 인지 장애의 정도는 경미한 만성콩팥병 환자보다 투석 중인 환자에서 더욱 심한 경향을 보인다.

9. 예방접종 및 약물의 사용

정상 소아에서 추천되는 모든 예방접종을 맞도록 한다. 독감 백신도 매년 맞도록 한다. 홍역-볼거리-풍진이나 수두 등의 생백신은 가능하면 신장이식 전에 모두 투여할 수 있도록 한다. 신장이식을 받았거나, 기저 신질환으로 인해 면역억제제를 투여받는 중인 경우에는 생백신을 투여하지 않는다. 소아 만성콩팥병 환자에서 예방접종의 효과가 떨

어질 수 있다는 보고가 있다.

많은 약이 신장으로 배설되기 때문에 약의 투여량을 조절해야 할 수 있다. 약물의 독성을 피하기 위해서, 사구체여과율에 따른 약물의 투여량이나 투여 간격을 꼭 확인하여 맞게 처방하도록 한다.

10. 만성콩팥병의 진행

소아환자에서 만성콩팥병의 진행이 빨라지는(사구체여과율이 빨리 감소하는) 요인 중 교정 불가능한 요인으로는 높은 연령, 사구체질환, 만성콩팥병의 중증도, 사춘기의 시작 등이 있다. 교정 가능한 요인으로는 고혈압, 신증후군 범위의 단백뇨, 빈혈, 이상지질혈증, 안지오텐신전환효소억제제/안지오텐신수용체차단제의 비사용 등이 있다. 만성콩팥병의 악화를 막기 위해서는 감염질환이나 탈수를 빨리 치료하고, 금연하며, 다른 신독성이 있는 약물을 피하고, 비만이 되지 않도록 주의하는 것도 중요하다.

▶ 참고문헌

- Harshman LA, et al. Academic achievement in children with chronic kidney disease: a report from the CKiD cohort. Pediatr Nephrol 34(4):689, 2019.
- Ikizler TA, et al. KDOQI clinical practice guideline for nutrition in CKD: 2020 update. Am J Kidney Dis Suppl 76;S1–107, 2020.
- KDIGO 2017 Clinical Practice Guideline Update for the Diagnosis, Evaluation, Prevention, and Treatment of Chronic Kidney Disease-Mineral and Bone Disorder (CKD-MBD). Kidney Int Suppl 7:1–59, 2017.
- KDOQI Clinical Practice Guideline for Nutrition in Children with CKD: 2008 update. Executive summary. Am J Kidney Dis Suppl 53:S11–104, 2009.
- KDOQI Clinical Practice Guidelines for Bone Metabolism and Disease in Children With Chronic Kidney Disease. Am J Kidney Dis Suppl 46:S1–121, 2005.
- Kim K, et al: Chronic renal failure in children: a nationwide survey in Korea. J Korean Soc Pediatr Nephrol 4:92–101, 2000.
- Kliegman RM, et al: Nelson textbook of pediatrics, 21dth ed, Elsevier, 2020, pp 2774–2779.

CHAPTER

11 소아의 투석

하일수, 안요한 (서울의대 소아청소년과)

KEY POINTS

- 소아에서는 성인과 달리 성장과 발달의 지연이 투석의 적응증이 된다.

- 소아 혈액투석은 신생아 시기부터 가능하나 소아용 의료기 자재 및 전문인력이 필요하다.

- 투석환자-간호사 비율은 응급 혈액투석과 영아의 혈액투석은 1:1, 그 외에는 2~3:1이 권장된다.

- 소아 혈액투석에서도 가능한 경우 동정맥루를 권장한다.

- 소아 복막투석 시에는 연령 및 체격을 고려하여 투석 처방을 해야 한다.

- 소아 복막투석 시 복막도관 기능장애, 탈장 등의 부작용이 성인보다 흔하다.

만성콩팥병 5기(사구체여과율 <15 mL/min/m²)에 도달하여 보존적인 치료로 수분, 전해질 등의 항상성을 유지할 수 없을 때 신대체요법이 필요하다. 지속적인 신대체요법이 필요한 소아청소년에서는 궁극적으로 신이식이 반드시 필요하다. 그러나 바로 신이식이 불가능한 경우 투석을 시행한다. 소아청소년기에는 만성콩팥병 5기가 성인에 비해 드물고 혈액투석보다 복막투석이 더 선호된다. 그러므로 소아청소년기에 혈액투석을 시행하는 경우는 매우 드물지만 반드시 필요한 경우에는 신생아 시기부터 혈액투석을 할 수 있으며 다만 특별한 기술, 특수한 의료 기자재가 필요하다.

소아에서 투석의 적응증

성인과 마찬가지로 소아에서도 용적과부하, 고칼륨혈증, 고인산염혈증, 대사산증 등 보존적 치료로 치료되지 않는 만성콩팥병 5기가 투석의 일반적인 적응증이다. 소아에서는 이외에도 만성콩팥병 5기로 인해 성장과 발달이 지연되거나 학업에 지장이 생길 때 투석의 적응증이 된다. 소아에서 혈청 크레아티닌 치의 정상 범위가 성인과 다른 점도 반드시 유의해야 한다.

투석 방법의 선택

소아에서는 혈액투석보다 복막투석이 더 선호되는데 그 것은 어린 소아는 혈액투석을 위한 혈관접근로의 유지가 어렵고 학동기 소아청소년은 학교 등교 등의 주간 활동이 반드시 필요하기 때문이다. 그러나 복부 수술, 진균성 복 막염 등으로 복막투석이 불가능하거나 원발성 고옥살산뇨 (primary hyperoxaluria) 등과 같이 혈액투석이 필요한 원 인질환을 가진 경우, 환자나 보호자가 혈액투석을 더 선호 하는 경우에 혈액투석을 시행한다.

복막투석은 혈액투석에 비해 비교적 식사제한이 덜할 뿐 아니라 자동복막투석의 경우 가정에서 시행할 수 있으 므로 학교생활을 비교적 자유롭게 할 수 있고 혈관접근로 및 혈관천자가 필요 없다는 장점이 있다. 그러므로 복막투 석이 일반적으로 영아, 소아에서 혈액투석보다 선호되는 방법이다. 그러나 소아에서도 복막투석은 환자나 보호자 의 육체적, 심리적 부담이 커서 제대로 투석을 시행하지 못할 수 있고, 복막염과 도관 관련 합병증이 발생하는 단 점이 있다.

소아의 혈액투석

1. 혈액투석실의 인력

소아청소년 혈액투석의 경험이 있는 의사와 간호사가 반드시 있어야 한다. 투석환자-간호사 비율은 응급 혈액 투석과 영아의 혈액투석은 1:1, 그 외에는 2~3:1이 권장된 다. 필요할 때는 수시로, 그 외에도 정기적으로 사회복지 사, 영양사, 약사, 이식외과, 혈관외과 혹은 소아외과 의사, 소아비뇨의학과 의사, 소아청소년정신의학과 의사, 교사 등 다분야 전문가의 도움을 받아야 한다.

2. 투석기계

체중 30 kg 미만 소아에서 혈액투석을 하기 위해서는 소아용 혈액 회로(blood line)을 거치할 수 있고 30~100 mL/분의 낮은 혈류속도를 정확히 유지할 수 있는 투석기 계가 필요하다.

3. 투석기와 혈액 회로(blood line)

총 체외순환혈액량은 총혈액량(영아에서 약 80 mL/kg) 의 10%, 즉 8 mL/kg을 넘지 않아야 한다. 그러므로 작은 소아에서는 소량의 혈액으로 채울 수 있는 투석기와 혈액 회로를 사용해야 한다. 투석기는 그 표면적이 환자의 체표 면적과 비슷한 것을 사용한다. 소아용 투석기와 혈액 회로 는 낮은 경제성 때문에 다양하게 생산되지 않고 있으며 국 내에서 사용되는 소아용 투석기와 혈액 회로는 표 16-11- 1, 표 16-11-2와 같다.

표 16-11-1. 국내에서 흔히 사용되는 소아용 투석기

제조회사	종류	표면적 (m²)	Fill volume (mL)	KUF* (mL/h×mmHg)	투석기막	멸균방법
고유량 투석기						
Fresenius	FX paed	0.2	18	7	Helixone	증기
Fresenius	FX 40	0.6	32	20	Helixone	증기
Gambro	Polyflux 6H	0.6	52	33	Polyamix	증기
Fresenius	FX 50	1.0	53	33	Helixone	증기
저유량 투석기						
Gambro	Polyflux 14L	1.4	81	10	Polyamix	증기

*KUF: Ultrafiltration Coefficient

표 16-11-2. 국내에서 흔히 사용되는 소아용 혈액 회로

제조회사	종류	Fill volume (mL)	Pump set
Fresenius	4008S/baby R	56	4.4
Fresenius	4008S/pediatric	117	6.4
Fresenius	5008S/pediatric	110	8

4. 혈관접근

혈관접근 방법은 환자의 체격, 예상되는 투석기간, 혈관 외과 의사의 기술, 혈관접근의 유지 가능성과 환자의 선호에 따라 결정된다. 최근에는 소아에서도 성인처럼 가능하다면 동정맥루가 먼저 권장된다. 그러나 소아에서는 성인 보다 동정맥루의 성숙 시간이 더 오래 걸리고 작은 소아에서는 기술적으로 동정맥루를 만들기 어려운 경우가 있다. 이런 경우나 단기간 투석 예정인 경우 7~11.5 Fr의 이중내강 혈액투석도관을 삽입하여 사용한다. 속목정맥(내경정맥)에 흔히 삽입하며 넓적다리정맥이 사용되기도 하나 빗장밑정맥은 피해야 한다. 빗장밑정맥에 거치된 혈액투석도관은 혈관 협착을 유발해서 성인이 되었을 때 동정맥루 사용을 어렵게 만든다. 체격에 따른 적당한 도관의 크기는 표 16-11-3과 같다. 실제로 많은 소아에서 현실적으로 중심정맥도관을 사용하지만 이를 최선의 방법으로 오해해서는 안 된다.

표 16-11-3. 소아청소년에서 체격에 따라 적당한 혈액투석도관의 크기

체중	도관 크기
신생아	5 Fr
3~6 kg	7 Fr
6~15 kg	8 Fr
15~30 kg	9~10 Fr
>30 kg	11.5 Fr

5. 투석 처방

1) 충전

가장 작은 투석기와 혈액 회로(blood line)를 조합하여 사용하더라도 체중이 8~9 kg보다 작으면 체외혈액량이 총 혈액량의 10%를 넘게 된다. 그러므로 체중이 8~9 kg 미만인 영아는 혈액으로 체외순환경로를 충전(priming)한 후 투석을 시작하고 투석을 마친 후에는 체외순환경로의 혈액을 버린다. 혈액 충전은 전혈을 사용하거나 농축적혈구와 5% 알부민을 적혈구용적률이 40%가 되게 섞어서 사용한다. 더 큰 소아에서는 알부민이나 생리식염수로 충전한다.

2) 항응고제

헤파린이 흔히 사용되며 초기부하용량은 300~1,000 IU/m², 유지용량은 300~800 IU/m²/h이며 활성응고시간을 125~150%로 유지한다. 유지 헤파린은 동정맥루를 사용할 때에는 투석 종료 30~60분 전까지, 혈액투석도관을 사용할 때에는 투석 종료 시까지 사용한다. 헤파린의 부작용이 발생하면 저분자량헤파린, nafamostat mesilate, argatroban 등으로 대체할 수 있다.

3) 혈류속도, 투석 시간 및 투석 간격

혈액투석을 처음 시작하는 경우에는 혈액요소질소치가 높고 혈역학적으로 불안정하다. 따라서 이때에는 [체중 (kg)+10]×2.5 mL/min(혹은 5 mL/kg/min) 정도의 낮은 혈류속도로 요소감소율(urea reduction rate)이 30% 정도가 되도록 조금씩 매일 투석하는 것이 안전하다. 이후 체

표 16-11-4. 투석 소아의 단백 섭취 권장량

연령	DRI*(g/kg/day)	혈액투석시 권정량(g/kg/day)	복막투석시 권장량(g/kg/day)
0~6 개월	1.5	1.6	1.8
7~12 개월	1.2	1.3	1.5
1~3 세	1.05	1.15	1.3
4~13 세	0.95	1.05	1.1
14~18 세	0.85	0.95	1.0

*DRI: dietary reference intake

중과 혈압, 혈액요소질소 등이 안정되면 6~8 mL/min×kg의 요소청소율을 유지한다. 잔여 신기능이 없는 소아의 경우 주 3회 또는 필요시 그 이상의 투석이 필요하며 1회 3~4 시간씩의 투석이 일반적이다. 영아와 2세 미만의 소아에서는 혈액투석 중 저혈압을 줄이기 위해 더 짧은 시간 동안 주 4~6 회 투석을 하는 것이 더 좋다.

4) 초미세여과(Ultrafiltration)

소아에서 초미세여과속도는 시간당 건체중의 1.5~2% 미만이 좋다. 혈액투석 중 혈량저하증이 발생하기 쉬우므로 활력징후와 보챔, 발한, 구토, 피부색의 변화(창백, 청색증, 반상 무늬), 대천문의 함몰 등 혈장량 감소의 징후를 면밀히 감시해야 하며 필요한 경우 생리식염수나 5% 알부민을 투여한다.

5) 투석액

소아에서는 심혈관계의 안정과 합병증 예방을 위해 탄산수소염 투석액을 표준으로 사용한다.

6. 투석적절도

소아에서는 영양상태 평가가 투석적절도 평가의 매우 중요한 부분이며 매달 보정단백대사율(normalized protein catabolic rate, nPCR)을 평가해야 한다. 소아도 성인의 투석적절도 기준을 충족해야 함은 물론 어린 소아에서는 투석 용량을 더 높게 하고 단백 섭취는 일반적 추천량

(dietary reference intake, DRI)에 투석중 소실되는 단백, 아미노산을 추가해 주어야 한다. 투석을 하는 소아의 연령별 단백 섭취 권장량은 표 16-11-4와 같다.

7. 합병증

영아와 작은 소아에서 투석불균형 증후군의 증상으로 경련과 저혈압의 발생이 흔하므로 특히 초기에 혈류속도와 투석시간을 제한하는 것이 좋다. 영아에서는 저체온증이 발생할 수 있으므로 자주 체온을 측정하고 필요시 혈액 회로와 몸을 가온할 수 있는 장치가 필요하다.

소아의 복막투석

소아의 복막투석의 원리는 성인과 기본적으로 같으므로 소아에 특이한 내용만 기술한다.

1. 투석 처방

1) 복막투석 방법

방법으로는 크게 나누어 투석액을 교환할 때마다 손으로 직접 하는 지속외래복막투석(continuous ambulatory peritoneal dialysis, CAPD)과 교환기(cycler)를 이용하는 자동복막투석(automated peritoneal dialysis, APD) 2가지가 있다. APD에는 밤에만 교환기로 투석하는 야간간헐복

막투석(nightly intermittent peritoneal dialysis, NIPD), 밤에 기계로 투석하고 낮에도 투석이 이루어지도록 복막강에 투석액을 넣어 주는 지속순환복막투석(continuous cycling peritoneal dialysis, CCPD), COPD (continuous optimized peritoneal dialysis, COPD)가 있다. 자동복막투석에는 투석액을 모두 배출하지 않고 일부를 복막강에 남겨둔 채 투석액이 주입되는 조수복막투석(tidal peritoneal dialysis, TPD) 방식이 있다. 일반적으로 소아에서는 학업에 지장이 적은 자동복막투석이 선호되며 NIPD는 잔여 신기능이 있을 때 가능하다.

2) 투석액 주입용량(Exchange fill volume)

소아의 복막면적은 체표면적에 비례하고 최대 복막면적에 해당되는 복막부피는 800~1400 mL/m²(체표면적) 정도이므로 투석액 주입용량은 이 범위 내에서 환자가 불편하지 않고, 복막내압이 18cm H_2O 이하가 되는 범위에서 정한다. 일반적으로 2세 이상의 소아는 1,000~1,200 mL/m², 2세 미만의 소아는 600~800 mL/m²의 투석액을 주입한다.

3) 저류 시간(Dwell time)

복막기능과 제거대상 요독물질, 초미세여과(ultrafiltration)의 필요에 따라 저류 시간을 결정한다. 저류 시간이 짧을수록 초미세여과가 잘되고, 작은 크기의 노폐물이 잘 배설되며 저류 시간이 길면 한외여과가 떨어지고 큰 크기의 노폐물이 잘 배설된다. 복막평형검사(peritoneal equilibrium test, PET)에서 고투과성(high) 복막기능인 소아는 저류 시간이 짧아야 한다.

4) 투석액 농도

투석액의 삼투압은 포도당 농도로 결정되는데, 일반적으로 1.5%, 2.5%, 4.25% 포도당이 함유된 3 종류와 7.5% icodextrin이 있다. 포도당 농도가 높은 투석액을 사용할 경우 삼투압이 높아 초미세여과가 증가한다. 7.5% icodextrin은 저류 시간이 길 때 효과적이다.

2. 복막투석의 합병증

1) 복막염

복막염은 복막투석의 가장 중요하고 심각한 합병증이다. 소아 복막투석 환자의 복막염의 빈도는 국내에서는 환자 1인당 연간 0.34~0.43회였고 NAPRTCS (North American Pediatric Renal Trials and Cooperative Studies) 보고는 연간 0.64회였다. 2011년 NAPRTCS 보고에서 그람양성균 44.6%, 그람음성균 19.2%인 반면, 2013년 국내 보고는 그람양성균 56.7%, 그람음성균 41.7%으로 외국보다 그람음성균이 상대적으로 많았다.

복막염의 진단은 첫째, 투석액이 혼탁하거나 복통, 발열이 동반되는 경우, 둘째, 복강 내에서 4시간 이상 저류한 후 배액한 투석액의 백혈구 수가 100/mm³ 이상, 그중 중성구가 50% 이상인 경우, 셋째, 투석액 배양검사에서 균이 동정되는 경우의 3가지 소견들 중에서 적어도 2가지 이상 있어야 한다. 복막염의 빠른 치료를 위해서는 초기에 적절한 경험적 항생제를 투여하는 것이 중요하다. 경험적 항생제로는 2012년 ISPD (International Society for Peritoneal Dialysis) 소아 지침은 그람양성균과 그람음성균에 모두 효과가 있는 cefepime을 단독으로 투여하거나 그람양성균에 대한 1세대 cephalosporin 또는 glycopeptide 와 그람음성균에 대한 ceftazidime 또는 aminoglycoside를 같이 투여하도록 하였다.

2) 도관 출구 및 터널감염

도관 출구 및 터널감염은 복막염과 복막도관 기능장애의 중요한 원인이며 S. aureus와 P. aeruginosa가 가장 흔한 원인균이다. 치료는 적절한 항생제를 2~4주 사용하여야 하며 4주간 치료에도 반응이 없으면 도관을 제거하여야 한다.

3) 복막도관 기능장애

복막도관이 복강 상부로 이동하거나 장간막에 둘러싸여서 투석기능 장애가 발생할 수 있다.

4) 투석액 주입 시의 통증

저온 투석액, 산성 투석액, 빠른 주입속도, 복막도관의 부적절한 위치 등이 투석액 주입 시에 발생하는 통증의 원인이 될 수 있다.

5) 탈장

소아에서 성인보다 빈도가 높으며 절개창탈장, 배꼽탈장, 서혜탈장이 생길 수 있다. 수술이 필요하며 수술 전까지는 투석액 주입량을 평소의 50%로 줄여 복막투석을 한다.

6) 기타

물가슴증(hydrothorax)과 혈액복막(hemoperitoneum)이 합병증으로 발생할 수 있다.

3. 복막투석 중단

소아 복막투석의 중단 원인은 신장이식으로 중단하는 경우를 제외하고는 감염이 가장 많고, 기타 초미세여과 상실, 환자나 보호자의 선택, 복막도관 장애 등으로 복막투석 대신 혈액투석을 하게 되는 경우이다. NAPRTCS 보고에 의하면 6년 동안 혈액투석으로의 이행률은 20%였다.

▶ 참고문헌

- 오성희 등: 소아투석환자에서 발생한 복막염: 단일기간에서 12년간의 경험. J Korean Soc Pediatr Nephrol 16:80–88, 2012.
- Schaefer F, et al: Technical aspect of hemodialysis in children, in Pediatric Dialysis 3rd ed, edited by Warady BA et al, Springer Nature, 2021, pp341–358.
- Swartz SJ, et al: Maintenance hemodialysis in infancy, in Pediatric Dialysis 3rd ed, edited by Warady BA et al, Springer Nature, 2021, pp 379–387.
- National Kidney Foundation: Kidney Disease Outcomes Quality Initiative (KDOQI) clinical practice guidelines and clinical practice recommendations for 2006 updates: hemodialysis adequacy, peritoneal dialysis adequacy and vascular access. Am J Kidney Dis 48:S1–S322, 2006.
- Rees L: Hemodialysis in Children, Pediatric Nephrology, edited by Avner ED, et al, Berlin, Springer–Verlag, 2016, pp2433–2456.
- A Multi–Professional Renal Workforce Plan For Adults and Children with Renal Disease: Recommendations of the National Renal Workforce Planning Group 2002, pp61. URL: https://britishrenal.org/wp-content/uploads/2020/08/WFP-doc-2002.pdf
- North American Pediatric Renal Trials and Collaborative Studies. NAPRTCS 2011 Annual Report: renal transplantation, dialysis, chronic renal insufficiency. URL: http://www.emmes.com/study/ped/ annl-rept/annualrept2011.pdf.
- Warady BA: Consensus guidelines for the prevention and treatment of catheter–related infections and pritonitis in pediatric patients receiving peritoneal dialysis: 2012 update. Peri Dial Int 32:S29–S86, 2012.

이연희 (가톨릭의대 소아청소년과), 강희경 (서울의대 소아청소년과)

CHAPTER 12 소아의 신장이식

KEY POINTS

- 소아청소년 신장이식의 원인질환은 선천신요로기형과 유전질환이 흔하다.
- 소아청소년의 이식 전 평가로 성장과 예방접종 상황을 확인하고 가능한 예방접종을 이식 전에 모두 완료한다.
- 소아는 CMV에 대한 항체가 없는 경우가 많으므로 이 경우 이식 후 예방조치가 필요하다.
- 소아이식은 (EBV와 관련한) 이식후림프세포증식병의 위험이 높다.
- 사춘기를 거치면서 약물순응도가 떨어지므로 주의해야 한다.
- 소아의 이식에서는 이식 후 성장과 발달이 정상적으로 이루어지도록 다분과 전문가의 참여가 필요하다.
- 소아청소년 이식환자가 성인기에 이르러 내과로 전과되는 경우 순응도가 급락할 수 있으므로 적절한 이행(transition)이 이루어지도록 소아청소년과, 신장내과 의료진의 협력이 필요하다.

소아 신장이식은 1980년 국내에서 첫 이식이 보고된 이래로 매년 약 50건 정도 이루어져, 전체 신장이식의 약 3~4%를 차지한다.

소아청소년 신장이식의 적응증과 금기

체중(6.5~10kg 이상), 키 65cm 이상인 경우에 신이식 수술이 가능하다. 투석기간이 길어질수록 이식신의 생존률은 감소되므로 가능하다면 투석을 거치지 않고 신이식 (pre-emptive transplantation)을 하는 것이 좋다. 조절되지 않은 악성종양, 만성 감염, 면역결핍증, 생명을 위협하는 심각한 동반 기형, 심한 지적장애(IQ<35)가 있는 경우 등은 이식의 금기이다.

소아청소년 신장이식의 원인질환

소아청소년에서 신장이식을 하게 되는 원인질환은 성인과 달리 선천신요로기형(congenital anomalies of the kidney and urinary tract)과 유전질환이 차지하는 비율이 높다. 북미소아신장협력연구회(The North American Pediatric Renal Trials and Collaborative Study, NAPRTCS)의 보고에 따르면 신장이식을 받은 소아환자의 기저질환은 신장무발생/형성저하/형성이상, 폐쇄요로병증, 국소분절사구체경화증, 역류신병증, 만성사구체신염 순이다. 원인 질환 중 일부는 재발이 흔하여 이에 대해 주의하여야 한다.

이식 전 예방접종

소아이식에서도 성인과 같은 이식 전 평가와 만성콩팥병에 대한 관리가 필요하다. 소아에서는 추가적으로 성장과 예방접종 상황을 확인한다. 이식 이후에는 생백신 예방접종을 할 수 없고 사백신의 경우에도 예방접종의 효과가 감소하므로 이식을 예정하는 소아환자는 가능한 모든 예방접종을 이식 전에 해야 한다. 특히 홍역, 수두 등의 생백신은 적어도 이식수술 4~6주 전에는 시행한다. 이외에도 B형간염, A형간염, 폐구균 백신, 디프테리아, 테타누스, 폴리오, 독감 등의 사백신 등을 이식 전에 접종하여 항체형성을 하는 것이 권장된다. 이식 후 사백신 접종은 가능하므로 매해 독감 예방접종을 포함, 면역저하자에게 권고되는 사백신 예방접종을 누락하지 않도록 주의해야 한다.

신장이식의 수술 및 이식한 신장의 크기 차이

소아에서는 성적이 우수한 생체 신장이식이 선호된다. 공여자가 영아나 매우 어린 소아 뇌사자인 경우 작은 신장 2개를 동시에 이식하는 en bloc 신장이식을 할 수 있다. 소아의 체구가 작기 때문에 크기가 큰 성인 신장을 수여받는 경우 구획 증후군(compartment syndrome)의 위험이 있을 수 있고, 크기 불일치에 따른 이식 후 관류 지연과 이식한 신장에 혈액을 공급하기 위해 심혈관계 부담이 가중될 수 있는 어려움이 있으므로 수술 직후 충분한 수액공급이 필요하다.

이식 후 관리

소아청소년의 신장이식 후에도 성인과 같이 이식 후의 급성/만성 거부반응, 감염, 악성종양, 당뇨, 고혈압, 원인질환의 재발, 심혈관계 합병증을 고려해야 하며 소아에서 좀 더 유의할 사항은 다음과 같다.

1. 감염 및 악성종양

이식 후 감염은 여전히 소아 신이식 환자의 중요한 사망원인이다. 대부분의 흔한 감염에 대한 면역체계가 갖추어진 어른과는 달리 소아는 이식 후 면역저하상태에서 commensal virus의 초회감염이 발생할 수 있다. 소아 수혜자는 CMV에 대한 항체가 없는 경우가 많으므로 CMV병이 발생할 위험이 높아 예방적 항바이러스제제가 필요한 경우가 대부분이다. 이식신을 통해 BK바이러스 감염이 전달되거나 이식 후 BK바이러스 감염의 초회감염이 발생하는 경우 BK신병증에 의해 이식신장을 잃을 수 있다. EBV감염이 이식 후 발생하거나 면역억제와 함께 재활성화되는 경우 이식후림프세포증식병(posttransplant lymphoproliferative disease, PTLD)이 발생할 수 있다. PTLD는 많은 경우 EBV감염에 의해 B세포의 조절되지 않은 증식에 의한 것으로 대부분 이식 후 1년 안에 발생하며 강력한 면역억제제를 사용했을 때 더욱 빈번히 발생되는 것으로 알려져 있다. 따라서 소아에서는 이들 바이러스에 대한 주기적인 모니터링이 필요하다. 또한, 이식을 받은 환자에서 일반인에 비해 악성종양의 발생이 더 흔하므로 종양의 발생을 염두에 두고 진료하여야 한다.

2. 혈전증

소아에서는 혈전이 매우 중요한 합병증으로 이식 실패원인의 3번째이다. 특히 아주 어린 기증자로부터 얻은 신장은 작은 크기의 혈관 문합으로 인해 흔히 혈전증이 발생한다. 이식 후에 통증, 핍뇨. 혈소판감소증이 발생했을 때 혈전증을 의심할 수 있으며 신장도플러초음파를 시행하여 진단한다. 치료로는 수술을 시행하지만 빠른 치료에도 불구하고 많은 경우에서 신 소실을 초래하는 것으로 알려져 있다. 이식신의 생존을 위해서는 신속한 진단과 조치가 필요하다.

3. 거부 반응

소아에서는 면역억제제의 대사가 어른과는 다르며 환자가 성장하는 데에 따라서 달라질 수 있다. 사춘기를 거치는 동안 급격한 성장으로 인한 불균형과 함께 환자의 약물순응도가 떨어지는 경우가 많으므로 자주 모니터하여 약물농도를 주의 깊게 조절해야 한다. 면역억제제 농도가 충분하지 않은 경우 발생하는 T림프구 거부반응이 잘 치료된다 하더라도 항체매개 거부반응이 뒤따르는 경우가 많으므로 공여자특이항체의 발생 여부를 모니터해야 한다.

이식 후 장기적 예후

소아에서 이식신장의 평균 수명은 20년 이상으로 알려져 있으며 2000년대 이후 신이식의 생존율은 25년 이상일 것으로 추정되고 있다. 청소년의 경우 약물순응도가 떨어져 예후가 불량한 편이다.

1. 성장

만성콩팥병에 의한 소아의 성장부전은 신장이식 후에 호전되는 경우가 대부분이나, 이식연령, 이식신장의 기능 그리고 스테로이드의 사용용량 및 기간이 영향을 준다. 6세 이전에 이식을 하는 경우 성장이 보다 양호하며 스테로이드회피요법이 도움이 된다. 이식 후의 성장호르몬 치료는 허가되지 않았으나 일부에서 시행되고 있으며 안전하다고 보고된 바 있다.

2. 원발질환의 재발

소아에서 흔한 원인인 원발성(circulating factor 관련) 국소분절사구체경화증은 재발이 흔한 반면 유전원인에 의한 국소분절사구체경화증은 거의 재발하지 않으나, 항 nephrin항체, 항사구체기저막항체가 발생하는 경우에는 사구체질환이 발생할 수 있다. 보체 F인자 결손에 의한 비정형 용혈요독증후군, 일차고옥살산뇨증의 경우는 신장을 단독으로 이식하면 대부분 재발하므로 신장이식 전에 간 이식을 먼저 고려할 수 있다.

3. 일상생활 및 학교 적응

투석을 받는 만성콩팥병 환아와 비교하여 신장이식 환자에서 운동발달, 정신사회발달, 인지기능 수행이 향상되지만 일반 아동에 비해서는 뒤떨어질 수 있다. 일상생활 및 학교에 적응하기 위해 사회복지사, 영양사, 약사, 다양한 전문분야의 의료진(이식전문의, 소아비뇨의학과, 소아정신의학과 의료진 등), 교사 등 다분야 전문가의 도움이 필요하다.

성인으로 이행의 중요성

소아청소년 이식환자는 성인이 되면 성인 신장내과로 전과되어 성인기에 발생할 수 있는 합병증 및 여성의 경우 임신, 출산과 같은 특수한 상황에 대해 관리를 받아야 한다. 이행기에 순응도가 급락할 수 있으므로 청소년기부터 이행에 대해 준비할 필요가 있으며, 소아청소년과의사와 내과의사의 긴밀한 협력이 필요하다.

▶ 참고문헌

• Cho MH. Pediatric kidney transplantation is different from adult kidney transplantation. Korean J Pediatr. 61:205-209, 2018.

PART 17 노인신장학

신성준 (동국의대)

CHAPTER 01

노인의 신장

신성준 (동국의대), **황원민** (건양의대)

KEY POINTS

- 노인에서 신기능 감소가 있는 경우 특정 질병에 의한 것인지 노화에 따른 변화인지를 감별하는 것은 중요하다.
- 일반적으로 신장 기능의 평가는 혈청 크레아티닌과 이를 이용한 추정 사구체여과율을 보편적으로 사용하고 있고, 경우에 따라 시스타틴 C를 이용하기도 하지만, 우리나라 노인 인구에서 가장 이상적인 신기능 평가 방법에 대해서는 추가적인 연구가 필요하다.
- 노인에서 신장 기능의 평가는 다양한 요인에 의해 영향을 받을 수 있기에 반복적인 측정을 통해 평가하는 것이 도움이 된다.

노화와 신장

노인 인구에서 만성콩팥병 유병률이 증가함은 잘 알려진 사실이다. 이는 노인인구에서 흔히 볼 수 있는 당뇨병 콩팥병이나 아밀로이도시스, 막신병증, 만성세관사이질신염 등 다양한 질환과도 관련될 수 있지만, 특별한 신장질환이 없음에도 신기능 감소를 보이는 경우도 흔하다. 따라서, 노인에서 신기능의 감소가 있는 경우 정상적인 노화에 의한 것인지 또는 치료나 예방이 가능한 특정 질병에 의한 것인지 감별하는 것은 임상적으로 중요하다. 추정 사구체여과율에 따른 신기능 평가 시 크레아티닌 수치는 변화가 없어도 연령이 증가할수록 사구체여과율은 감소된다. 노인을 대상으로 전향적으로 진행 중인 대표적인 인구기반 코호트 Berlin Initiative Study에 따르면, 70세 이상 노인에서 추정 사구체여과율이 60 mL/min/1.73 m² 미만인 경우는 사구체여과율을 측정하는 공식에 따라 적게는 37.9%였고 많게는 53.1%에 달했다. 이처럼 단순히 추정 사구체여과율에 따라 만성콩팥병을 노인에서 진단할 경우, 만성콩팥병에 대한 경각심을 높여 관리에 보다 신경쓸 수 있게 한다는 긍정적인 측면도 있지만, 실제 임상적으로는 적절치 못한 진단에 따른 만성콩팥병 환자 양산과 불필요한 의료비 지출 등의 문제를 야기할 수도 있다.

정상적인 노화에서는 6~12개월 동안 안정적인 사구체여과율을 유지하고 근위세관 기능이 정상으로 혈청 적혈구형성호르몬(erythropoietin)과 혈색소 수치가 정상이고, 혈청 칼슘, 인, 부갑상선호르몬, 비타민 D가 정상으로 유지된다. 반면, 만성콩팥병에서는 빈혈이 있을 수 있고, 혈청 칼슘 감소와 인 증가, 부갑상선호르몬 증가 및 비타민 D 감소 등을 보인다. 만성콩팥병에선 알도스테론의 영향으로 칼륨 배설분획이 사구체여과율의 감소에 따라 증가하나 정상 노화에선 상대적으로 낮은 알도스테론과 알도스테론 저항성의 영향으로 칼륨 배설분획이 감소한다.

노화에 따른 신장의 변화는 유전적 또는 환경적 요인이 관여하며, 특히 환경적 요인의 영향이 크다고 알려져 있다. 산화 스트레스 증가, 자가포식(autophagy), 텔로미어(telomeres) 축소, 세포자멸사(apoptosis), 특히 근위세관의 세포자멸사와 변이 감수성 증가 등이 관련될 수 있다. 수명과 노화 관련 유전자로 IGF-1, mTOR, sirtuins, klotho 등이 있다. 세포학적으로 족돌기 세포가 정상 분화 후, 메칠화 경로(methylation pathway) 변화로 인해 단백뇨가 나타나고 사구체경화증, 사이질섬유화, 족돌기 소실을 보여 후성유전학적 변화(epigenetics)가 노화에 따른 정상 세포 기능에 중요한 역할을 한다는 보고도 있다. 또한, 미토콘드리아 기능 저하도 신장 노화와 관련될 수 있다.

구조적 변화

신장은 30대에 무게는 약 400그램, 장축의 길이는 12 cm 정도로 크기면서 정점에 이른 후, 매 10년마다 10%의 자연적인 감소를 보인다. 신피질 부피는 남녀 모두 50대부터 감소가 가속화된다. 반면, 신수질은 50대 전까지 남녀에서 부피가 증가하다가 이후에는 여성에서는 감소하고 남성에서는 변화없이 유지된다. 이러한 육안적 변화는 사구체경화증이나 신세뇨관 위축과 같은 조직학적 변화에 따른다. 나이에 따른 생검상 배경 사구체경화 정도는 나이를 반으로 나눈 값에 10을 뺀 퍼센트 정도[사구체경화(%) = (나이/2)−10]이다. 노화에 따른 사구체경화증은 성별차가 없다는 보고도 있다. Framingham Heart Study에 참가한 1,852명의 MRI를 통해, 건강한 성인 참고치의 10% 미만으로 전체신장부피(total kidney volume)가 감소함에 있어 사구체여과율 감소와 더불어 나이가 위험요인으로 밝혀졌다.

신경화증(nephrosclerosis)을 완전 사구체경화증(global glomerulosclerosis), 세관 위축(tubular atrophy), 사이질 섬유화, 또는 세동맥경화증(arteriosclerosis) 중 2개 이상이 있는 경우로 정의하여, 건강한 성인의 신장 조직검사에서 확인해 보았을 때, 18~29세의 경우 전체 신장에서 차지하는 비율이 2.7%인 반면, 나이가 들수록 그 비율이 증가하여 70~77세에서는 73%에 이른다. 나이와 신경화증 유병률의 증가는 신기능과 만성콩팥병 위험인자로 보정해도 강한 연관을 보인다. 국소분절사구체경화증은 정상적인 노화에 따른 신장변화에 기인하지 않기에 이런 소견이 조직검사에서 발견된다면 병적인 상황을 고려해야 한다. 경우에 따라, 노인에서 신장의 부피가 감소되지 않는 경우도 있으며, 이는 잔여 신원의 보상성 비대와 신장동 지방(renal sinus fat) 증가에 의한다.

나이에 따른 세뇨관과 사이질의 변화는 바깥 수질(outer medulla)에서 뚜렷하며, 세관의 확장과 위축, 단핵세포 침윤, 사이질 섬유화를 보인다. 작은 게실이 원위세관이나 집합관에 발생하기도 하며, 이는 상부요로감염과 연관될 수 있다.

기능적 변화

사구체여과율은 20대에 최고치인 120 mL/min/1.73 m² 에 이른 후에 매년 0.75~1 mL/min/1.73 m² 정도 정상 노화에 따라 감소하기 때문에 70세에 이르면 70 mL/min/1.73 m² 정도가 된다고 하나 모든 사람이 그렇지는 않다. 23년간 254명을 대상으로 신기능을 소변 크레아티닌청소율(urinary creatinine clearance)을 이용하여 평가했을 때, 매 10년마다 7.5 mL/min의 감소를 보였다. 참가자 중 1/3에서는 크레아티닌청소율의 증가가 관찰되었는데, 이는 당뇨, 비만 등의 질병에 따른 과여과의 영향이거나 부정확한 검사법에 의한 것으로 보인다. 이눌린으로 사구체여과율을 측정한 경우도 40대 이후 점차 감소하며, 특히 남성에서 감소가 컸다. 나이가 듦에 따른 사구체여과율의 감소는 정규분포를 따르며, 30대 이후 감소를 보인다(표 17-1-1).

신장혈류량(renal blood flow, RBF)은 30대에 평균 650 mL/min에서 80대에 290 mL/min까지 감소한다. 노인에

표 17-1-1. 연령에 따른 사구체여과율

Age at midpoint (years)	Measured GFR (mL/min per 1.73m²)		
	URL (±SD)	LRL (±SD)	Mean (±SD)
25	136 (8)	78 (6)	107 (6)
35	134 (7)	77 (5)	107 (6)
45	129 (7)	70 (6)	103 (6)
55	119 (10)	62 (11)	92 (9)
65	114 (10)	55 (7)	83 (9)
75	103 (11)	49 (5)	76 (10)

GFR: glomerular filtration rate; URL; upper reference limit; SD: standard deviation; LRL: lower reference limit.
*Age-specific reference limits for measured GFR based upon 633 potential living kidney donors.
Data From: Pottel H, Delanaye P, Weekers L, et al, Age-dependent reference intervals for estimated and measured glomerular filtration rate. Clin Kidney J 2017; 10:545.

서 사구체여과율보다 신장혈류량의 감소가 상대적으로 크기에 여과분획(filtration fraction, GFR/RPF)은 나이에 따라 증가를 보인다. 신장혈류량과 사구체여과율의 감소는 성별, 인종, 동반 질환에 따라 차이가 있다. 예를 들면, 여성은 남성에 비해 사구체여과율이 낮고 에스트로겐 등의 영향으로 폐경기 이전엔 사구체여과율 감소가 잘 관찰되지 않는다고 한다. 당뇨병이 없는 노년층의 연간 GFR 감소는 여성이 0.8 mL/min/1.73 m², 남성이 1.4 mL/min/1.73 m² 정도인 반면 당뇨병이 있는 노년층의 연간 신기능 감소 속도는 여성 2.1 mL/min/1.73 m², 남성 2.7 mL/min/1.73 m² 정도라는 보고가 있다.

30대 후반에 수질에 위치한 콩팥단위(nephron)에 비해 피질콩팥단위의 현저한 탈락과 경화가 시작되어 과여과 증후군이 나타나며, 노인에서 고삼투압(hyperosmolality)에 대한 갈증 반응이나 최대 소변 농축 능력(maximum urine concentrating ability)은 감소되어 있다. 이로 인해 탈수와 고나트륨혈증의 위험이 높아진다. 이는 수질 부위에서 농축 경사(concentrating gradient)의 결핍에 의하며, 야간뇨와도 연관된다. 노인에서 최대 소변 희석 능력(maximum urine diluting ability)도 감소되어 있고 수분 부하를 배설하는 능력도 감소되어 있기에 싸이아자이드계 이뇨제나 세로토닌 재흡수 억제제(selective serotonin reuptake inhibitor, SSRI)를 복용하는 경우 쉽게 저나트륨혈증이 발생한다. 염분 제한이나 부하 시 신장의 적응력이 노화에 따라 저하되기에, 과량의 염분을 섭취하는 경우 체내 소듐이 과한 상태가 되며, 이는 고혈압으로 이어질 수 있다. 염감수성이 노인에서 흔하며, 이 경우 저염식이는 평균 동맥압을 10 mmHg 이상 감소시킬 수 있다.

노인의 근육량은 적어 체내 포타슘 양은 낮지만, 알도스테론 감소로 포타슘 배설에 장애가 발생하고 TTKG (transtubular potassium gradient) 감소를 보인다. 따라서, 노인에서 포타슘 배설을 억제하는 약제 사용 시 고칼륨혈증이 발생할 위험이 높기에 주의가 필요하다. 안정상태에서 노인에서 산염기 균형은 유지된다. 그러나, 급성콩팥손상이나 폐혈증과 같은 산 부하가 발생할 경우, 산 배설 능력의 저하로 적절한 배설이 이루어지지 않게 된다. 고칼슘혈증의 경우 악성종양, 부갑상선항진증, 싸이아자이드계 이뇨제 사용등과 연관되며, 저칼슘혈증은 진행된 만성콩팥병이나 심한 영양장애 등에 의한다. 저마그네슘혈증은 영양장애, 완하제, 이뇨제 등에 의하며, 고마그네슘혈증은 주로 만성콩팥병 환자나 다량의 마그네슘 함유 제산제를 복용한 경우에 발생한다. 고요산혈증과 통풍은 노인에서 흔히 볼 수 있다.

요로계 변화로는 방광은 나이가 들수록 예민해지고 수

축력이 감소된다. 낮에 비해 밤에 요량이 많아져 야간뇨가 흔하고, 이는 소듐 배설 지연과 체위 변화에 따른다. 남성에서는 양성전립선비대에 따른 잔뇨 증가와 여성에서는 질과 요도 조직의 위축으로 요로감염이 증가한다. 요실금은 삶의 질에 큰 영향을 주는 문제로, 허약(frailty), 체형변화(방광 위축, 골반 기저근 위축), 신경퇴화(중심성 및 말초성), 이뇨제, 항우울제, 신경안정제, 항히스타민제, α-교감신경차단제, β-교감신경제제, 항콜린제, 칼슘통로차단제 등의 약제도 관련이 있다.

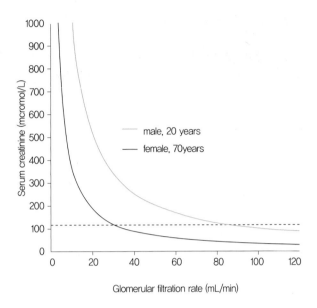

그림 17-1-1. 20대 남성과 70대 여성의 사구체여과율에 따른 혈청 크레아티닌 농도 변화

출처: Aust Fam Physician. 2005 Nov;34(11):925-31.
Automated reporting of GFR. David Johnson, Tim Usherwood

노인의 신장기능 평가

일반적으로 신장 기능의 평가는 혈청 크레아티닌(creatinine)과 이를 이용한 추정 사구체여과율(estimated glomerular filtration rate, eGFR)을 현재까지 가장 보편적으로 사용하고 있다. 하지만, 노인들의 경우 연령 증가에 따라 그 정확도가 떨어지고, 특히 동반 질환이 많거나 영양상태가 불량하여 근육량이 많이 감소한 경우에는 혈청 크레아티닌으로 판단하는 추정 사구체여과율은 실제보다 높게 나오게 된다. 따라서, 시스타틴C (cystatin-C)와 같은 표지자를 이용한 사구체여과율을 평가하는 방법도 이용할 수 있다. 우리나라 노인 인구에서 가장 이상적인 신기능 평가 방법에 대한 추가적인 연구를 통해 확립되어야 한다.

1. 혈청 크레아티닌

크레아티닌은 크레아틴인산(creatine phosphate)의 분해산물로 근육에서 비교적 일정하게 생성된다. 크레아틴(creatine)은 간, 췌장, 신장에서 합성되어 근육으로 이동한 후 인산화를 통하여 고에너지 물질인 크레아틴인산 형태로 존재한다. 근육 수축 운동이 일어날 때 크레아틴인산은 크레아틴키나아제(creatine kinase)에 의하여 크레아티닌으로 분해되고, 크레아티닌은 혈액으로 유리되어 신장을 통해 소변으로 제거된다. 따라서, 신장 기능이 감소하면 혈중 크

레아티닌이 제거되지 않아 혈청 농도가 높아지고, 신장 기능이 호전되면 그 수치는 감소한다. 크레아티닌 농도가 신장 기능을 나타내는 일반적인 지표이지만 이눌린과 같이 신장 세뇨관에서 분비되거나 대사되지 않는 이상적인 물질이 아니므로 실제 사구체여과율을 정확히 나타내지는 못한다. 이눌린과 달리 크레아티닌은 신장 세뇨관에서도 소량 분비되고, 단백질 섭취량과 근육량이 많으면 실제 신장 기능은 정상임에도 높게 측정될 수 있다. 심한 운동을 한 경우에는 근육 수축이 활발하여 혈청 크레아티닌 농도가 상승하게 되며, 반대로 소모성 질환으로 오랫 동안 근육량이 감소해 있는 경우에는 근육 수축 시 크레아티닌이 적게 생성되므로 낮은 농도로 측정된다. 또한 시메티딘(cimetidine)이나 트라이메토프림(trimethoprim)과 같은 일부 약물들은 신장 세뇨관에서 크레아티닌 배설을 막아 혈청 크레아티닌 농도를 높이게 되어 주의가 필요하다.

크레아티닌 수치가 같더라도 젊은 연령에 비해 노인에서의 실제 사구체여과율은 낮기에 노인들의 신장 기능 해석은 반드시 추정 사구체여과율로 계산하여 평가해야 한다 (그림 17-1-1). 자칫 혈청 크레아티닌 농도만으로 신장 기능

을 평가할 때 신장 기능 악화를 조기에 발견하기 어려울 수 있다.

2. 24시간 소변 수집을 이용한 크레아티닌 청소율

크레아티닌 청소율은 24시간 소변을 수집함으로써 측정할 수 있고, 이를 해석할 때에는 소변을 잘 수집하였는지 반드시 검토해야 한다. 이는 24시간 소변의 크레아티닌 양으로 평가할 수 있는데 50세 이전 남성에서는 보통 체중 kg당 20~25 mg, 여성에서는 15~20 mg의 크레아티닌이 모아져야 제대로 수집한 소변이라 할 수 있다. 그러나 이 역시 변동폭이 매우 큰 단점이 있고, 신장 기능이 저하되면 크레아티닌의 사구체 여과가 감소하더라도 신장 세뇨관 분비의 분획이 증가하여 소변으로 크레아티닌의 배설이 증가하기 때문에 진행된 만성 신부전 상태에서는 실제 신장 기능보다 높게 평가된다. 노인의 경우 이와 같은 크레아티닌 청소율로 신장 기능을 평가할 때는 더욱 주의를 요한다. 연령이 높아짐에 따라 근육량 및 단백질 섭취가 감소하여 24시간 동안 크레아티닌 배설은 젊은 연령층에 비해 50% 이상 감소하게 되며 체중 1kg 당 약 10~15 mg의 크레아티닌이 측정되면 적절한 소변수집이 되었다고 평가하기도 한다. 따라서, 20대와 70대에서 같은 혈청 크레아티닌 농도일 경우 24시간 동안 수집된 소변에서 크레아틴의 양이 20대보다 적게 측정되었다고 신장 기능을 낮게 판단할 수는 없다.

3. 추정 사구체여과율(Estimated glomerular filtration rate, eGFR)

혈청 크레아티닌 수치, 24시간 소변 수집 크레아티닌청소율 등에서 살펴봤듯이 이러한 방법들로 신장 기능을 평가하기에는 여러 가지 제한점이 있다. 이를 극복하기 위하여 임상에서 사용하는 가장 쉽고 흔한 방법은 공식을 이용한 추정 사구체여과율이다(표 17-1-2). 현재 사용되는 추정 공식들은 대개는 대규모의 임상연구를 수행할 때 보다 정확한 신장기능을 파악하고자 하는 목적으로 개발되

었다. 이눌린 측정이나, 이오헥솔(iohexol) 같은 물질을 이용해서 정확한 신장 기능을 직접 평가하고, 이를 기준으로 혈청 크레아티닌 수치와 나이, 성별, 인종을 고려한 회귀 공식을 산출하여 신장 기능을 근접 추정하는 공식이 개발되었다.

1) Cockcroft-Gault 공식

이 공식은 계산방법이 간단하다는 장점이 있기는 하지만 표준화된 크레아티닌 측정방법이 개발되기 전에 만들어진 공식이고 비교적 적은 수인 249명의 남성들만으로 산출된 공식이라는 단점이 있다. 사구체여과율이 실제보다 다소 높게 평가되며, 3단계 이상의 만성콩팥병 환자에서는 정확도가 떨어진다.

2) MDRD (Modification of Diet in Renal Disease Study) 공식

MDRD 공식은 아이오탈라메이트(iothalamate) 제거율을 기본으로 하여 개발된 공식이다. 이 방법은 표준화된 크레아티닌 측정방법을 사용하면서 지속적으로 개선되어 현재에도 많이 활용되고 있다. 단, 해당 공식이 도출된 연구는 백인들이 주로 포함되었고, 평균 연령이 50세로 고령의 노인들이 많지 않았으며, 대부분 신기능이 저하된 환자들로 구성되었기에 노인이나 정상 신기능을 가진 환자에서 정확한 신장 기능을 평가하기 어렵다는 단점이 있다. 일본을 포함한 아시아인에서 MDRD공식으로 신기능을 추정 시 실제 사구체여과율보다 다소 높게 나오기에 주의를 요한다. 실제 사구체여과율이 60 ml/min/1.73m² 이상인 경우에는 MDRD 공식으로 이를 추정하면 과소평가되는 문제도 있다.

3) CKD-EPI (Chronic kidney disease Epidemiology Collaboration) 공식

MDRD 공식이 가진 문제점을 개선하고자 개발된 공식이 CKD-EPI 공식이다. 이 방법은 비교적 더 많은 인종과 다양한 연령층 그리고 정상 신기능을 가진 사람들을 더 많이 포함하여 산출되었기에 많은 연구에서 MDRD 공식

표 17-1-2. 다양한 추정 사구체여과율 공식들

Equation Name	Equation	Derivation Population
Cockcroft-Gault (1976)	[140 - age] × wt (kg)/creatinine (μmol/L) × 0.81 Female: × 0.85 (140 - age) × lean body weight (kg)/Cr [mg/dL] × 72	249 male veterans Median GFR 34
MDRD equation (1999) MDRD equation without ethnicity factor	$175 \times SCr^{-1.154} \times age^{-0.203} \times 0.742$ (if female) × 1.212 (if black) $175 \times SCr^{-1.154} \times age^{-0.203} \times 0.742$ (if female)	1,628 patients enrolled in the MDRD Study (mean age, 50.6 yr) Mean GFR 39.8 mL/min/1.73 m^2
CKD-EPI equation (2009)	$141 \times \min(SCr/\kappa, 1)^{\alpha} \times \max(SCr/\kappa, 1)^{-1.209} \times 0.993^{age} \times 1.018$ (if female) × 1.159 (if black) *where:* κ is 0.7 for females and 0.9 for males α is -0.329 for females and -0.411 for males min indicates the minimum of SCr/κ or 1 max indicates the maximum of SCr/κ or 1	8,254 participants from 6 research studies and 4 clinical populations (mean age, 47 yr) Mean GFR 68 mL/min/1.73 m^2
CKD-EPI cystatin C (2012)	$133 \times \min(SCysC/0.8, 1)^{-0.499} \times \max(SCysC/0.8, 1)^{-1.328} \times 0.996^{Age} \times 0.932$ [if female] *where:* min indicates the minimum of SCysC/0.8 or 1 max indicates the maximum of SCysC/0.8 or 1	5,352 participants from 13 studies (mean age, 47 yr) Mean GFR 68 mL/min/1.73 m^2
CKD-EPI creatinine-cystatin C (2012)	$135 \times \min(SCr/\kappa, 1)^{\alpha} \times \max(SCr/\kappa, 1)^{-0.601} \times \min(SCysC/0.8, 1)^{-0.375} \times \max(SCysC/0.8, 1)^{-0.711} \times 0.995^{Age} \times 0.969$ [if female] × 1.08 [if black] *where:* α is -0.248 for females and -0.207 for males κ is 0.7 for females and 0.9 for males min(SCr/κ, 1) indicates the mimimum of SCr/k or 1 and max(SCr/κ, 1) indicates the maximum of SCr/k or 1 min(SCysC/0.8, 1) indicates the mimimum of SCysC/0.8 or 1 and max(SCysC/0.8, 1) indicates the maximum of SCysC/0.8 or 1	

보다는 더 정확하다고 보고되었다. 특히 사구체여과율이 60 mL/min/1.73m^2 이상인 경우에도 비교적 정확하다는 것이 일반적인 의견이다. MDRD 공식을 사용한 경우에 사구체여과율이 60 mL/min/1.73m^2 이하의 만성콩팥병으로 진단되는 비율이 13%인 대상군에서 CKD-EPI 공식으로 다시 분류한 경우에 만성콩팥병의 유병률이 11.5%로 감소하였다는 보고가 있다. 사구체여과율이 정상이거나 60 mL/min/1.73m^2 이상으로 거의 정상인 경우에 CKD-EPI 공식을 선택하여 계산하는 것이 적절하다. 그러나 사구체여과율이 많이 감소한 만성 신부전 3~4단계인 경우에는 MDRD 공식이나 CKD-EPI 공식은 비슷한 결과를 보이는데 이는 MDRD 공식 자체가 이미 신기능이 감소되어 있는 환자들을 대상으로 산출되었기 때문이다. 또한, MDRD 공식 및 CKD-EPI 공식 모두 크레아티닌을 기반으로 계산하므로 노인에서는 신장 기능이 과대평가 될 수 있다.

4) 혈청 시스타틴 C와 CKD-EPI(Cystatin C), CKD-EPI(Creatinine-Cystatin C) 공식

최근에 와서 혈청 크레아티닌의 단점을 극복할 수 있는 새로운 물질을 찾고자 하는 노력의 결과로 혈청 시스타틴 C가 많이 이용되고 있다. 시스타틴 C는 유핵세포에서 일정하게 만들어진다. 세관에서 일부 대사가 된다고 하나, 사구체에서 자유로이 여과되며 신장 세관에서 흡수는 되지 않는 이상적인 물질이다. 혈청 크레아티닌에 비하여 나이나 체중, 성별에 영향을 비교적 덜 받기 때문에 좀 더 정확한 신장 기능을 추정할 수 있다는 장점이 있다. 그러나, 갑상선 기능이나 염증성 질환, 스테로이드 사용 등 환자의 상태에 따라 그 값이 부정확할 수 있다는 단점이 있다. 또한, 혈청 시스타틴 C는 세포 수의 감소로 인하여 노인과 여성에서 크레아티닌과 마찬가지로 다소 낮게 측정되며, 이를 이용하여 CKD-EPI(Cystatin C) 공식으로 계산하면 사구체여과율이 낮아질 수 있다. 하지만, 크레아티닌보다는 미치는 영향은 적다고 보고된다. 시스타틴 C만 이용하여 사구체여과율을 추정했을 때의 문제를 극복하기 위하여 CKD-EPI 공식에서 크레아티닌과 시스타틴 C를 동시에 적용하는 공식 또한 개발되어 임상적으로 사용되고 있다.

아직까지 노인에서 어떠한 추정 사구체여과율 공식이 더 정확한지는 잘 알려지지 않았다. 일부 연구에서 근육량이 적은 노인 인구에서 시스타틴 C를 이용한 사구체여과율 계산 공식이 이오헥솔 청소율(iohexol clearance)을 이용하여 구한 사구체여과율과 높은 연관성을 보이며, 혈청 크레아티닌을 이용한 MDRD study 공식보다 우월하게 노인의 사구체여과율을 평가할 수 있었다. 그러나 시스타틴 C를 이용한 공식을 이용하더라도 크레아티닌을 사용한 공식에 비하여 월등한 이점을 얻지 못하고 있는 것이 현실이다. 또한 나이에 따라 시스타틴 C 값이 상승하는 경향이 있고, 신장이식 상태에서는 사구체여과율을 정확히 반영하지 못한다는 단점도 있다. 따라서, 이러한 단점을 극복하고자 혈청 크레아티닌과 시스타틴 C를 동시에 사용하여 CKD-EPI (Creatinine-Cystatin C) 공식으로 사구체여과율을 계산하는 것이 좀 더 정확할 수 있다.

또한, 노인들의 특성상 다양한 많은 약제를 사용하게 되므로 약제에 대한 치료 용량과 독성을 고려하여 약물 용량을 신중히 결정해야 하는 경우와 같이 정확한 사구체여과율의 측정이 필요로 하는 때에는 한 번의 측정만으로 신장 기능을 평가하는 것은 바람직하지 않다. 허약(frailty)으로 인한 식이 섭취 저하, 체액 감소 등으로 신장 기능이 급격하게 변화할 수 있는 노인들에게는 신장 기능의 저하가 의심될 때에는 반복적 측정을 해야 한다. 이를 통하여 신장 기능 악화 여부를 조기에 판단하고 이에 맞는 적절한 대처를 통하여 노인들의 신장기능을 더욱 잘 유지 시킬 수 있을 것이다.

▶ 참고문헌

- Cheertow G: Brenner and Rector's The Kidney, 11th ed, Elsevier, 2019.
- Choudhury D, et al: Kidney aging—inevitable or preventable? Nat Rev Nephro 7:706-717, 2011.
- Ebert N, et al: Prevalence of reduced kidney function and albuminuria in older adults: the Berlin Initiative Study. Nephrol Dial Transplant 32:997-1005, 2017.
- Feehally J. Geriatric Nephrology, Comprehensive clinical nephrology. 6th ed. Edinburgh; New York: Elsevier, 2019.
- Johnson D: Automated reporting of GFR—coming soon to a laboratory near you! Aust Fam Physician 34:925-931, 2005.
- Lindeman RD, et al: Longitudinal studies on the rate of decline in renal function with age. J Am Geriatr Soc 33:278-285, 1985.
- Mallappallil M, et al: Chronic kidney disease in the elderly: evaluation and management. Clin Pract 1:525-535, 2014.
- Musso CG, et al: Aging and physiological change of the kidney including changes in glomerular filtration rate. Nephron Physiol 119(suppl 1):1-5, 2011.
- Roseman DA, et al: Clinical associations of total kidney volume: the Framingham Heart Study. Nephrol Dial Transplant 32:1344-1350, 2017.
- Rule AD, et al: The association between age and nephrosclerosis on renal biopsy among healthy adults. Ann Intern Med 152:561-567, 2010.
- Wan g X, et al: Age, kidney function, and risk factors associate differently with cortical and medullary volumes of the kidney. Kidney Int 85:677-685, 2014.

제 17 부 노인신장학

CHAPTER

02 노인의 급성콩팥손상

현영율 (성균관의대), **선인오** (예수병원)

KEY POINTS

- 만성콩팥병과 마찬가지로 연령이 증가할수록 급성콩팥손상의 발생도 증가하며 발생률은 인구 집단, 발생 상황 및 급성콩팥손상의 정의 등에 따라 차이를 보인다.

- 노인의 급성콩팥손상을 신전, 신성 및 신후로 분류했을 때 그 빈도는 각각 30~50%, 30~40%, 9~25% 정도로 보고된다.

- 노인의 급성콩팥손상의 위험인자는 신장 노화와 관련된 인자, 동반질환과 관련된 인자 및 의학적 치료와 관련된 인자로 나눌 수 있다

- 노인의 급성콩팥손상의 진단은 일반 인구와 같이 혈청 크레아티닌의 상승과 소변량의 감소를 통해 이루어지나 노인에서 혈청 크레아티닌은 신기능에 비해 낮은 경우가 많고 체액량 과다, 패혈증 등의 상황에서 상승이 감소하여 급성콩팥손상의 진단을 지연시킬 수 있다.

- 노인의 급성콩팥손상의 치료 원칙 역시 일반 인구와 다르지 않으며 혈액 순환의 회복, 수분 및 전해질 장애의 교정, 신독성 약제의 중단 등이 중심이며 필요한 시기에 적절한 신대체요법을 시행하는 것이다.

- 노인에서 발생하는 급성콩팥손상은 기저 질환과 고령으로 인하여 급성콩팥손상의 중증도가 더 높고 회복이 지연되는 특징을 가진다.

역학

노인 인구의 증가와 이에 따른 사회경제적 중요성이 대두되고 있으나 노인 급성콩팥손상의 역학에 대한 자료는 많지 않다. 그러나 만성콩팥병과 마찬가지로 연령이 증가할수록 급성콩팥손상의 발생도 증가하는 것으로 알려져 있다. 미국인 대상의 한 연구에서 투석을 요하지 않는 급성콩팥손상의 발생률은 50세에 비해 80세 이상에서 45배 높았다. 또다른 미국의 Medicare 데이터를 분석한 연구에서 1,000인년 당 급성콩팥손상의 발생은 각각 3.6건 (66~69세), 18.1건(70~74세), 24.9건(75~79세), 34.2건 (80~84세), 46.9건(85세 이상)으로 연령에 따른 증가를 보였다. 이러한 발생률은 인구 집단, 발생 상황 및 급성콩팥손상의 정의 등에 따라 차이를 보인다. 대만의 연구에서는 주요 수술을 받고 중환자실로 입원한 노인 환자를 대상으로 급성콩팥손상을 혈청 크레아티닌이 기저값 대비 1.5배

표 17-2-1. 노인 급성콩팥손상의 위험인자

신장 노화 관련
구조적 변화 (신장 용적 감소, 신원 수 감소, 사구체경화, 세뇨관위축, 사이질섬유화, 유리질증, 죽경화증 등)
기능적 변화 (사구체여과율 감소, 신장혈장유량 감소, 세뇨관 기능 감소, 신장예비력 감소 등)
동반질환 관련
고혈압, 당뇨병, 심장질환, 악성종양, 기저 만성콩팥병 등
의학적 치료와 관련
조영제, 안지오텐신전환효소억제제, 안지오텐신II수용체차단제, 비스테로이드소염제, 심장 수술을 포함한 전신마취 수술 등

이상 증가한 경우로 정의하였을 때 52.8%의 발생률을 보였으며, 80세 이상의 입원 환자를 대상으로 분석한 중국의 단일 기관 연구에서는 14.8%의 발생률을 보였다.

원인과 위험인자

일반적으로 노인의 급성콩팥손상의 원인은 일반 인구 집단과 크게 다르지 않은 것으로 알려져 있지만 대상 집단과 분류 방법에 따라 다양하다. 급성콩팥손상을 신전(pre-renal), 신성(intrinsic renal), 신후(postrenal)로 분류했을 때, 그 빈도는 각각 30~50%, 30~40%, 9~25% 정도로 보고된다.

노인의 급성콩팥손상의 위험인자는 1) 신장 노화와 관련된 인자, 2) 동반질환과 관련된 인자, 3) 의학적 치료와 관련된 인자로 나눌 수 있다(표 17-2-1).

진단

노인의 급성콩팥손상의 진단 기준은 일반 인구와 다르지 않으며, 혈청 크레아티닌의 상승과 소변량의 감소를 통해 이루어진다. 그러나 노인에서 혈청 크레아티닌을 기반으로 한 급성콩팥손상의 진단은 제한을 갖는다. 첫째, 혈청 크레아티닌은 신기능 외에도 근육량, 영양 상태 등 신장 외 요인의 영향을 받기 때문에 노인에서는 신기능에 비

해 낮은 값을 보이는 경우가 많고 일반 인구에 비해 신기능 감소에 따른 상승도 둔화된다. 둘째, 노인의 경우 체액량 과다, 패혈증 등의 상황이 호발하며 이는 다시 혈청 크레아티닌 상승을 감소시키는 원인이 된다. 이를 종합하였을 때 혈청 크레아티닌에만 의존하는 것은 노인에서 급성콩팥손상의 진단을 지연시킬 수 있다.

이러한 단점을 보완하기 위해 cystatin C, neutrophil gelatinase-associated lipocalin (NGAL), interleukin-18, urine kidney injury molecule-1 (KIM-1) 등 다양한 새로운 생체표지자(biomarker)의 효용성이 연구되고 있으나 아직 노인에서의 연구는 부족하며 임상적 유용성이 확립되지는 않은 상태이다.

치료 및 예방

1. 치료 원칙

급성콩팥손상의 치료 원칙은 혈액 순환의 회복, 수분 및 전해질 장애의 교정, 신독성 약제의 중단 혹은 감량 등이며, 필요시 시기 적절한 신대체요법을 고려하는 것이다.

노인 급성콩팥손상의 일반적인 치료 원칙 역시 이를 따르며, 다른 연령대와 크게 다를 바는 다를 바가 없다. 하지만, 노인에서는 기저 질환 및 고령으로 인해 급성콩팥손상의 중증도가 더 높아지고 회복이 지연되는 경우가 있으니, 치료 시에 각별한 주의가 필요하다.

2. 수분공급 및 유효 순환량 유지

신기능의 회복을 위해서는 정상 체액 용적 상태를 유지하여, 적절한 신장 혈류량을 유지하는 것이 필수적이며, 이를 위해서는 평균 혈압(mean arterial pressure)을 60~65 mmHg 이상으로 유지하는 것이 도움이 된다. 따라서 초기 수액 치료가 중요한데, 노인은 수액 치료 시 발생할 수 있는 체액 과잉(fluid overload)에 취약하고, 이러한 체액 과잉은 급성 폐부종의 발생뿐만 아니라 사망률을 증가시킬 수 있기에 수액 치료 시 세심한 주의 및 관찰이 필요하다.

3. 신대체요법

노인 급성콩팥손상 환자들에서 신대체요법을 시행하는 기준은 다른 연령대의 환자들과 유사하며, 환자의 혈역학적 안정성과 기저질환을 고려하여 혈액 투석과 지속성 신대체요법 등을 시행할 지 결정한다. 그러나 노인 환자들은 심혈관계 예비력(cardiovascular reserve) 및 자율신경 기능이 저하되어 있고, 출혈 합병증의 발생 위험이 높다. 그리고 동반 질환이 많은 경우에는 나쁜 예후를 보이기 때문에, 신대체요법의 시행 결정은 쉽지 않다. 따라서 환자의 육체적 및 정신적 회복 가능성 및 환자와 가족들의 치료 선호도 등을 고려하여 환자에게 개별화된 치료가 필요하다. 이를 위해서는 함께하는 의사결정(shared decision making)이 필요하며, 이 때 환자의 사전돌봄계획(advanced care planning)을 확인 및 수립 하는 것이 중요하다. 불명확한 예후를 가지는 경우에는, 치료 목표를 정한 후 일정 기간 동안 신대체요법(time-limited trial of dialysis)을 시행해 보고, 목표 달성 여부에 따라 신대체요법을 지속할 지 결정하는 것도 하나의 방법이 될 수 있다.

4. 예방

노인은 노화에 따른 사구체여과율의 감소와 기존에 가지고 있던 기저질환으로 인한 만성콩팥병을 가지고 있는

경우가 있어서, 급성콩팥손상에 취약하기 때문에 예방이 매우 중요하다. 노인은 혈청 크레아티닌만으로 신기능을 예측할 수 없기 때문에, MDRD 공식 혹은 CKD-EPI 공식과 같은 방법으로 사구체여과율을 평가하는 것이 필요하다. 일반적으로는, 급성콩팥손상을 유발할 수 있는 약제는 피하고, 동반 질환으로 인하여 투약을 해야 하는 상황이라면 신기능에 맞추어서 약제 용량을 조절하는 것이 중요하다. 반코마이신(vancomycin), 타크로리무스(tacrolimus) 등의 약제는 혈중 약물 농도에 따라 투여량을 조절해야 하며, 수분 용적이 부족한 상태에서 투여할 경우 급성콩팥손상을 유발할 위험성이 높은 약물인 비스테로이드소염제, 아미노글라이코시드(aminoglycoside), 안지오텐신전환효소억제제, 안지오텐신II수용체차단제를 투여할 경우에는 주의를 요한다. 영상 검사가 필요하다면 조영제신병증(contrast induced nephropathy)을 예방하기 위하여 조영제를 사용하지 않는 검사로 대체하는 것이 좋고 조영제를 사용할 수 밖에 없는 경우에는 가능한 한 조영제를 적게 사용하고 저장성(hypo-osmolar), 등장성(iso-osmolar), 비이온성(non-ionic) 조영제를 사용하며, 조영제 사용 전후로 적절한 수액 공급이 중요하다.

예후

고령 자체가 급성콩팥손상 후 일어나는 신기능 회복을 지연시키는 위험 인자로 알려져 있고, 노인에서 발생하는 급성콩팥손상은 기저 질환과 고령으로 인하여 급성콩팥손상의 중증도가 더 높아지고 회복이 지연되는 특징을 가지고 있다. 연구에 의하면, 급성콩팥손상 후 일어나는 신기능의 회복이 65세 이상의 연령에서, 그 이하의 연령대에 비하여, 약 28% 정도 더 적게 일어나는 것으로 알려져 있다. 그래서, 노인에서 발생하는 급성콩팥손상은 다른 연령대에 비해 만성콩팥병 및 말기콩팥병의 발생에 더욱 영향을 주는 것으로 알려져 있다. 특히 이미 만성콩팥병을 가지고 있는 노인 환자에서 급성콩팥손상이 발생하는 경우, 말기콩팥병으로 빠르게 진행할 수 있다고 보고 되어 있기

때문에, 급성콩팥손상을 겪은 노인 환자는 주기적인 신기능 측정이 필요하다. 노인에서 발생하는 급성콩팥손상이 사망률과 연관이 있는지는 여러 연구 결과들이 아직 명확하지 않아서 추가 연구가 필요하다.

▶ 참고문헌

- Chao C-T, et al: Acute kidney injury in the elderly: Only the tip of the iceberg. Journal of Clinical Gerontology and Geriatrics 5:7–12, 2014.
- Coca SG: Acute kidney injury in elderly persons. Am J Kidney Dis 56:122–131, 2010.
- Feehally J: Geriatric Nephrology. Comprehensive clinical nephrology. 6th ed. Edinburgh; New York: Elsevier, 2019.
- Rosner MH, et al: Acute Kidney Injury in the Geriatric Population. Contrib Nephrol 193:149–60, 2018.
- Schmitt R, et al: Recovery of kidney function after acute kidney injury in the elderly: a systematic review and meta-analysis. Am J Kidney Dis 52:262–271, 2008.
- Yokota LG, et al: Acute kidney injury in elderly patients: narrative review on incidence, risk factors, and mortality. Int J Nephrol Renovasc Dis 11:217–224, 2018.

제 17 부 노인신장학

CHAPTER

03 노인의 만성콩팥병

권순효 (순천향의대), **양재원** (연세원주의대)

KEY POINTS

● 노인의 사구체여과율은 나이에 따라 감소할 수 있으므로 나이를 고려하지 않은 만성콩팥병의 정의는 재검토될 필요가 있다.

● 2020년 KDIGO 당뇨병성신증의 진료지침은 당화혈색소 목표를 6.5~8.0% 범위로 제시하면서 나이가 많을수록 8.0%까지 허용하고 있다.

● 노인 만성콩팥병의 식이요법은 근감소증을 고려해야 하며 체중감소가 있는 노인에게는 신중하게 적용해야 한다.

노인 만성콩팥병의 유병률의 증가

전 세계적으로 노인 만성콩팥병은 인구의 고령화로 인하여 지속적으로 증가하고 있다. 노인 기준이 다양하긴 하지만 2020 미국 신장환자 등록시스템(United States Renal Data System, USRDS) 보고에 의하면 2015~2018년 기준 65세 이상의 인구에서 만성콩팥병은 KDIGO (Kidney Disease: Improving Global Outcomes) 지침 기준으로 인구의 38.6%를 차지하고 있다. 국내 2019 국민건강통계는 65세 이상 노인의 약 27.0%에서 만성콩팥병을 가지고 있음을 보고하였다. 2019년 기준으로 40대의 만성콩팥병 유병률이 5.0%인점을 고려하면 노인의 만성콩팥병 유병률은 현격히 올라간다. 투석이 필요한 만성신부전의 경우 미국에서의 발생률은 2000년 이래로 65세 이상 만성콩팥병 환자의 발생 수는 뚜렷한 증가세는 없고 2018년 기준 인구 백만명당 2,882명의 만성콩팥병 환자가 새롭게 발생하였

다. 국내의 정확한 보고는 없으나 다른 선진국에서 노인 만성신부전이 뚜렷하게 증가하지 않는 것을 고려하면 새로 투석을 시작하는 환자, 즉 발생률의 증가는 없으나 노인 인구의 증가로 만성콩팥병 환자수가 증가한 것으로 추정된다.

노인 만성콩팥병 진단 (노인 만성콩팥병 기준은 달라야 하는가?)

노인 인구를 대상으로 한 만성콩팥병의 기준에 대한 논의는 아직도 지속 중이다. 기존의 보고들이 KDIGO 지침을 제시하고 있는 만성콩팥병 기준을 사구체여과율 60 mL/min/1.73m² 미만 단백뇨 양성으로 하고 있으나, 노화과정중에 발생하는 자연스러운 사구체여과율 감소를 감안해야 한다는 의견도 있다. 나이에 따라 만성콩팥병 기준이

같아야 하는지 달라야 하는지에 대한 상반된 근거자료가 다 존재하고 있다. KDIGO 지침상 만성콩팥병의 정의는 "만성콩팥병은 나쁜 예후와 관련이 있다"는 위험에 근거한 접근(risk base approach)을 하고 있다. 그러나 노인의 경우 단백뇨가 동반되지 않은 만성콩팥병 3a 단계의 사구체여과율을 가진 인구의 증가와 투석이 필요한 만성신부전의 발병률을 높이지는 않는 것으로 보고되고 있다. 또한 노인인구에서 만성콩팥병이 꾸준히 증가함에도 불구하고 투석 인구의 발생은 확연하게 증가하지 않는 것과 65세 노인인구에서 eGFR 60 mL/min/1.73m² 경계로 사망률이 현격하게 증가하지 않는 점을 강조하는 연구결과가 있다.

그러나 노인이라고 해도 만성콩팥병의 기준은 바뀌지 않아야 한다는 주장도 존재한다. 이 주장의 근거에는 나이에 상관없이 낮은 사구체여과율은 사망, 심혈관질환, 만성신부전과 관련이 있으며, 65세 이상의 노인에서도 사구체여과율 45~60 mL/min/1.73m²은 90~105 mL/min/1.73m²를 가지고 있는 경우와 비교하면 심혈관계 사망률이 증가한다는 보고가 있다. 그러나 75세 이상의 고령에서는 이런 데이터가 부족하다.

현재로서는 KDIGO 지침을 따라 노인 만성콩팥병을 평가한다 하더라도, 향후에는 더 정확한 사구체여과율 측정 방법의 도입 및 통일된 노인의 정의로 만성콩팥병의 진단 기준은 바뀔 수도 있을 것이다.

노인 만성콩팥병 원인 질환

1. 사구체신염

노인에서 사구체신염의 발병 경향은 일반인구와 다소 다른 경향이 있다. 막신병증, ANCA 관련 사구체신염, 아밀로이드증의 발병이 다른 인구보다 많은 것으로 보고되고 있으며 특히 ANCA 관련 사구체신염의 호발연령은 64~75세이다.

2. 당뇨병콩팥병

당뇨병콩팥병의 발병은 노화와 같이 증가한다. 75세를 넘어서는 고령의 당뇨병 환자에서는 50% 이상에서 신장기능 이상이 동반되고 있다. 또한, 노인에서는 당뇨병콩팥병은 고혈압신병증이 합병되는 경우가 더 많다. 병발질환이 많은 노인에서 당뇨병 치료는 환자의 건강상태를 평가한 후 각각의 목표를 설정하여 치료하는 것이 중요하다.

3. 죽상경화 관련 신혈관질환

노화, 고혈압, 지질단백질의 이상은 동맥경화를 유발하고, 동맥경화가 진행됨에 따라 신장동맥이 좁아지고 폐쇄되는 신동맥협착증의 발생은 나이에 따라 많아진다. 신동맥협착증이 증가는 심혈관질환 및 뇌졸중의 발생과도 연관이 있다. 노령에서는 특별한 증상이 없는 무증상 신동맥협착증 유병률이 높은 것으로 되고 있으며, 특히 당뇨와 고혈압 약제가 3개 이상으로 필요한 심한 고혈압의 경우에는 16.8%의 높은 유병률로 죽상경화 관련 신혈관질환이 발생하는 것으로 보고되어 있다.

4. 폐쇄신병증

남성 노인에서는 전립선 비대가 흔하며, 이는 요로폐쇄의 주요 원인으로 만성콩팥병을 유발할 수 있다. 여성의 경우에는 자궁이나 난소의 종양이 요로폐쇄를 유발할 수 있다. 당뇨와 신경학적 이상으로 인한 신경인성 방광 또한 요로폐쇄의 원인으로 고려되어야 한다.

노인의 만성콩팥병의 보존적 치료

노인에서 만성콩팥병의 보존적 치료를 할 때는 신기능 감소뿐만 아니라 노인이라는 특성을 고려해야 한다. 만성콩팥병에서 기본적인 합병증 관리 지침이 지속적으로 개정되어 발표되고 있으나, 소아와 달리 65세 이상의 노인 환자에 대한 별도의 지침은 따로 제공되고 있지 않다. 신약이나 기존 약물 관련 임상연구에서 65세 이상이 포함되는 경우가 많지 않아 일반 성인과 다른 특성을 갖고 있음에도 증거에 바탕을 둔 지침 제작이 힘든 상황이다. 현재까지는 노인 만성콩팥병의 보존적 치료의 의미는 투석을 제외한 약물치료, 식이조절 및 합병증 관리를 모두 포함하며 투석 전단계에서 적용되는 치료를 의미한다.

1. 노인 만성콩팥병 환자의 혈압조절

노인 만성콩팥병 환자에서 혈압의 특징은 고립성 수축기 고혈압(isolated systolic hypertension)이 많고, 신기능 저하의 속도가 느리며 약물 사용 관련 기립성 저혈압 등의 부작용으로 신체 손상 가능성이 높다는 것이다. 따라서 노인 환자에서 혈압을 낮추는 것이 실제 환자의 예후를 호전시킬지는 아직 의문이 많다. 많은 혈압 관련 임상연구에서 신기능 저하 및 노인 연령을 제외시키기 때문에 목표혈압을 정하는 것도 일반적인 경우와 같게 정의하기 어렵다. 특히, 80세 이상의 초고령에서는 뇌졸중을 제외하면 혈압조절에 따른 전체 사망률이나 심혈관질환 사망률에서 이득이 증명되지 않고 있다.

2012년 KDIGO 지침에서 24시간 소변 내 알부민 30 mg 이상군에서 130/80 mmHg 미만으로 목표혈압을 제시하였으나 2021년 지침에서는 투석을 하지 않는 모든 환자군에서 수축기 혈압 120 mmHg 미만을 권고하고 있다. 근거가 된 2017년 SPRINT 연구에서 75세 이상의 만성콩팥병 환자가 40% 이상 포함되었고 혈압의 적극 조절군에서 사망률이 감소하였기 때문에 노인에서 적용해볼 수 있다. 하지만 80세 이상의 노인에서 혈압조절의 목표는 수축기 혈압 120 mmHg 또는 이완기 혈압 70 mmHg 미만의 경우 사망률이 상승하는 결과도 보고되고 있고 수축기 혈압 130~160 mmHg 범위에서 사망률이 변동이 없는 결과도 있어 노인의 경우 수축기 혈압 120 mmHg 미만까지 조절하는 것은 이득이 없을 수 있으며, 특히 이완기 혈압이 70 mmHg 미만인 경우에는 수축기 혈압의 목표를 130 mmHg 이상으로 유지하는 것이 유리할 수 있다. 따라서

목표혈압을 정하는데 연령 및 동반 질환을 고려해서 결정해야 한다.

혈압약의 선택은 만성콩팥병 환자의 치료 지침에 따라 75세 이상의 경우 레닌-안지오텐신 억제제 계열의 약물을 첫 번째로 선택하고 목표혈압 도달 여부에 따라 싸이아자이드계 이뇨제와 칼슘통로길항제를 추가하는 방식으로 해야 한다. 노인의 경우에는 혈압약 사용에 따른 저혈압, 전해질 불균형, 신기능 감소 등의 부작용의 발생이 증가한다는 것을 염두에 두고 혈압약은 저용량으로 시작하고 증량 속도를 천천히 하면서 부작용에 대한 관찰 시간을 늘리는 것이 중요하다.

2. 노인 만성콩팥병 환자의 혈당조절

일반적으로 당뇨병성 신증에 의한 노인 만성콩팥병 환자의 혈당 관리는 다양한 지침에서 당화혈색소를 7~7.5% 미만으로 정하고 있다. 하지만 동반질환 여부와 지적장애 여부 및 영양상태에 따라 당화혈색소 목표를 8~8.5% 미만으로 권고하고 있고, 2020년 KDIGO 당뇨치료 지침은 당화혈색소 목표를 환자의 상태에 맞게 6.5~8.0%로 넓게 적용하도록 하고 있다. 나이가 많을수록, 신기능이 낮을수록, 동반질환이 많을수록, 저혈당 인지능력이 적을수록 8.0% 미만을 목표로 하도록 권고하고 있어 저혈당 등의 합병증 발생이 노인 만성콩팥병 환자의 혈당관리에서 더 중요한 것으로 인식되고 있다.

최근 인슐린을 포함한 새로운 혈당강하제가 개발되고 있으나 아직 노인 환자를 대상으로 진행된 임상연구는 없으며 나이를 고려한 안전성 연구도 거의 없다. 따라서 경구용 혈당강하제는 신기능을 고려하면서 저혈당 가능성이 적은 약물을 선택해야 하며 인슐린은 속효성 인슐린 보다는 지속성 인슐린을 사용하는 것이 안전하다.

3. 노인 만성콩팥병 환자의 빈혈조절

노인은 만성콩팥병이 없는 경우에도 일반 성인에 비해 빈혈의 발생빈도가 높다. 따라서, 노인 만성콩팥병 환자에

서 빈혈이 있는 경우 적혈구생성인자의 감소 외에 다른 원인을 찾기 위한 노력이 필요하다. 평균적혈구용적(mean corpuscular volume, MCV)의 감소나 증가가 있는 경우 외에도 적혈구생성자극제(erythropoiesis-stimulating agent, ESA)에 반응이 감소하는 경우 빈혈 원인에 대한 적극적인 검사가 필요하다. 노인에서 발생빈도가 높은 종양 또는 골수부전증에 대한 고려가 필요하며 비타민 12 및 엽산의 부족도 염두에 두어야 한다. 노인 만성콩팥병 환자의 빈혈 치료 목표는 많은 임상연구가 진행되지 않았으나 기존 지침에 따라 혈색소 11~12 g/L 정도로 유지하고 13 g/L 를 넘지 않는 것이 중요하며 철분의 투여 또한 혈청 철은 500 ng/mL, 트랜스페린 포화도(transferrin saturation)는 30% 이하로 유지하는 것이 합당하다. 노인에서 적혈구생성자극제 사용과 철분 투여가 과도할 경우 환자의 예후가 좋지 않으므로 약물의 과도한 사용은 제한해야 한다. 노인에서 빈혈이 헵시딘(hepcidin) 증가와 연관이 있으므로 최근 개발된 저산소 유도인자(Hypoxia-inducible factors)가 노인 만성콩팥병 환자의 빈혈 치료에서 향후 고려될 수 있을 것으로 보인다.

4. 노인 만성콩팥병 환자의 운동과 식이조절

최근 발간된 2020년 KDOQI 만성콩팥병 영양 지침에서 노인을 고려한 영양지표나 치료방침을 언급하고 있지 않다. 현재까지는 만성콩팥병 지침에 따라 영양관리를 하고 있으나 체중감소나 저체중 노인에서 일반적으로 적용하는 것은 신중해야 한다.

노인의 체중감소의 원인은 악액질(cachexia), 식욕 부진(anorexia), 근감소증(sarcopenia), 탈수 등이다. 이 중 근감소증은 전체 사망률 및 심혈관계 사망률 증가와 연관이 있으며 고령으로 갈수록 근감소증이 증가하기 때문에 이를 예방하기 위한 운동과 식이조절 방법이 반드시 고려되어야 한다. 만성콩팥병 환자의 식이제한 원칙을 적용하면서 저체중이나 근감소증이 있는 환자에서는 맞춤형 식이교육이 필요하며 근감소증을 측정하는 다양한 방법을 적용하고 이를 예방하기 위한 적절한 운동 방법을 노인에게 적용하는 것이 필요하다.

5. 노인 만성콩팥병 환자의 약물 처방

노인 만성콩팥병 환자에게 약물을 안전하게 처방하는

표 17-3-1. 노인 만성콩팥병 환자에서 약물 간 상호작용 및 부작용

약물 상호작용	부작용
2개 이상의 레닌-안지오텐신-알도스테론 억제제	고칼륨혈증, 저혈압, 신기능 감소
레닌-안지오텐신 억제제와 알도스테론 억제제	고칼륨혈증, 여성형유방, 신기능 감소
트레메토프림-설파메토사졸과 레닌-안지오텐신-알도스테론 억제제	고칼륨혈증
트레메토프림-설파메토사졸과 페니토인	페니토인 독성
칼시뉴린 억제제와 아졸, 마크로라이드, 칼슘채널 길항제, 또는 자몽쥬스	칼시뉴린 억제제의 혈중 농도 상승 및 독성
클라리스로마이신과 스타틴	근육병증
트레메토프림-설파메토사졸이나 아미오다론과 와파린	와파린의 농도 증가
경구용 인 흡착제	칼슘 축적, 다른 약물의 흡수저하
레닌-안지오텐신 억제제와 리튬	급성신부전
싸이아자이드와 헨레관 이뇨제	저나트륨혈증, 저칼륨혈증
칼시뉴린 억제제와 리팜핀 또는 항경련제	칼시뉴린 억제제의 농도 감소

표 17-3-2. 노인 만성콩팥병 환자에서 주의가 필요한 약물

약물	부작용
나이트로푸란토인	폐독성 (금기 GFR <30 mL/min)
알파-1 아드레날린 차단제	서맥과 기립성 저혈압
항부정맥약물(아미오다론, 프로파페론, 소탈롤, 퀴니딘, 드로네다론)	갑상선질환, 폐질환, QT 간격 증가
니페디핀(속효성)	저혈압과 뇌 및 심장 허혈 증가
스피롤로락톤과 트리암테렌	고칼륨혈증 (GFR <30 mL/min)
비스테로이드소염제, 비하이드피리딘계 칼슘채널길항제, 글리타존(당뇨 치료제)	체액량 증가
귀놀론계 항생제	급성콩팥손상, 건염
아미노글라이코사이드계 항생제	신독성, 귀 독성
메트포민	젖산 산증 (GFR <30 mL/min)
칼륨 보존 이뇨제	고칼륨혈증
아자싸이오프린	골수 억제, 백혈구 감소증
디곡신	디곡신 독성 증가 (디곡신용량 >0.125 mg/d, GFR <30 mL/min)
비타민 C	불용성 옥실산염 축정
비타민 A	레티놀 결합단백 4의 축적
위산분비 억제제	골절, 감염의 증가, 인지기능저하, 저마그네슘혈증

방법은 쉽지 않다. 신기능에 따른 처방용량이나 처방간격 조정 외에 노인에서 나타나는 약동학의 변화가 고려되야 하기 때문이다. 노화에 따른 약동학의 변화는 수분섭취 감소로 인한 체액량의 변화를 감소 영양상태 저하에 따른 알부민의 감소, 복용 약물의 증가에 따른 약물상호작용 증가이다(표 17-3-1). 현재까지는 사구체여과율처럼 노인 연령에 따른 약물 용량 변경 등에 대한 자료는 거의 없어 기본적으로 사구체여과율에 따른 처방을 하되 특히 주의가 필요한 약물은 부작용을 숙지하고 주의하는 것이 필요하다(표 17-3-2).

노인 만성콩팥병 환자에게 약물 투여의 원칙은 (1) 급성기 치료가 아닌 경우 초기용량의 절반으로 시작하여 천천히 증량, (2) 처방에 익숙한 약물을 적응증과 금기증을 고려하여 제한적으로 처방, (3) 가능한 하루 투여횟수를 적게 유지, (4) 복용 중인 약물의 부작용을 확인, (5) 신기능을 주기적으로 추적검사, (6) 처방의사와 환자 간 소통을 통해 효과적인 치료 협력관계를 구축하는 것이다.

▶ 참고문헌

- Cheung AK, et al: Conference Participants. Blood pressure in chronic kidney disease: conclusions from a Kidney Disease: Improving Global Outcomes (KDIGO) Controversies Conference. Kidney Int 95:1027–1036, 2019.
- Glassock R, et al: An age-calibrated claissifiation of chronic kidney disease. JAMA 314:559–560, 2015.
- Hallan SI, et al: Chronic Kidney Disease Prognosis Consortium. Age and association of kidney measures with mortality and end-stage renal disease. JAMA 308:2349–2360, 2012.
- https://adr.usrds.org/2020/chronic-kidney-disease/2-identification-and-care-of-patients-with-ckd
- https://knhanes.kdca.go.kr/knhanes/main.do
- KDIGO 2012 Clinical practice guidelines for the evaluation and management of chronic kidney disease.
- KDIGO 2021 Clinical Practice Guideline for the Management of Blood Pressure in Chronic Kidney Disease. Kidney Disease: Improving Global Outcomes (KDIGO) Blood Pressure Work Group. Kidney Int, 99(3S):S1–S87, 2021.

• Marcum ZA, et al: Aging and antihypertensive medication-related complications in the chronic kidney disease patient. Curr Opin Nephrol Hypertens 20:449-456, 2011.

• Masoli JAH, et al: Association of blood pressure with clinical outcomes in older adults with chronic kidney disease. Age Ageing 48:380-387, 2019.

• Navaneethan SD, et al: Diabetes Management in Chronic Kidney Disease: Synopsis of the 2020 KDIGO Clinical Practice Guideline. Ann Intern Med 174:385-394, 2021.

• Pugh D, et al: Management of Hypertension in Chronic Kidney Disease. Drugs 79:365-379, 2019.

• Tangri N, et al: A predictive model for progression of chronic kidney disease to kidney failure. JAMA 305:1553-9, 2011.

제 **17** 부　노인신장학

CHAPTER
04 노인의 신대체요법

박우영 (계명의대), **김현숙** (한림의대)

현황

당뇨병, 고혈압, 고령화의 증가는 만성콩팥병의 급격한 증가로 이어져, 유병률(prevalence)이 세계적으로 8~11%, 국내의 경우 10.8%에 달한다. 최근 10년간 신대체요법의 발생률(incidence)은 증가하고 있지만, 65세 이상 노인의 신대체요법의 발생률은 감소하는 추세이다. 2020 United States Renal Data System (USRDS)에 따르면, 2008~2018년 동안 말기콩팥병의 유병률은 65~74세 및 75세 이상에서 지속적으로 증가하고 있다. 우리나라는 아시아에서 대만, 일본, 및 싱가포르에 이어 4번째로 말기콩팥병이 많은 국가이며, 2020 대한신장학회 보고에 따르면, 말기 콩팥병의 유병률은 꾸준히 증가하고 있으며, 이 중 65세 이상 노인이 54.6%를 차지한다. 투석 환자의 나이는 평균 65.9세로 점차적으로 증가하고 있으며, 혈액투석 환자의 평균 나이가 복막투석 환자에 비해 높다(혈액: 60.5±15.0세 vs. 복막: 56.0±14.8세). 2005~2008년의 노인 투석 환자의 5년 생존율은 37.6%이며, 나이가 증가할수록 생존율이 감소하였다. 다행스럽게도 우리나라의 신대체요법 환자의 사망률은 감소 추세이며, 이는 65세 이상에서 보다 두드러진다. 사망의 주요 원인은 심혈관질환과 감염이었다. DOPPS (Dialysis Outcomes and Practice Patterns Study) 연구에서도 나이가 많아질수록 투석 중단이나 다른 질환에 의한 사망이 증가하므로, 노인 투석 환자의 예후에 있어 동반질환(comorbidity)은 매우 중요하다.

노인 말기콩팥병 환자의 투석 시 고려해야 할 사항

모든 투석환자에서 투석 시작 후 3개월 이내의 조기 사망률이 가장 높고, 노인에서는 보다 높은 조기 사망률을 보인다. 나이, 허약(frailty), 신체 기능 장애(functional impairment), 인지 장애(cognitive impairment)와 같은 노인병 증후군(geriatric syndrome)은 노인 혈액투석 환자의 예후에서 매우 중요하다. 또한, 노인의 투석 전, 투석 시의 예후 및 조기사망 가능성을 예측하는 것이 노인의 투석 여부를 결정하는데 도움이 된다. 해외에는 투석 후 예후를 예측할 수 있는 도구가 일부 개발되어 있으나, 우리나라는 이와 관련된 연구가 미진하여, 실정에 맞는 도구 개발이 요구된다. 또한, 국내에서 2018년 시행된 '호스피스·완화의료 및 임종 과정에 있는 환자의 연명의료결정에 관한 법률'은 혈액투석을 연명의료 중 하나로 다루고 있다. 연명의료결정법이 적용되는 환자에서 투석을 유보하거나 중단함에 있어 법적 또는 의학적 측면 외에도 윤리적 측면에 대해 충분히 숙고 후 환자의 자기결정권과 최선의 이익에 부합하는 결정이 내려져야 한다.

노인 말기콩팥병 환자의 신대체요법의 선택

노인 말기콩팥병 환자에서 가장 먼저 직면하게 되는 문제는 신대체요법을 시행할지 결정하는 것이다. 그 다음은, 가장 적합한 투석 방식을 선택해야 한다. K/DOQI 2019지침 중 "말기콩팥병-생애 계획(ESKD-Life-Plan)"에 따르면, 환자의 상황, 의료/생활환경, 환자의 선호도를 고려하여 개별화된 계획을 세우는 것이 필요하다. 2020 대한신장학회 보고에 따르면, 65세 이상의 혈액투석과 복막투석 환자의 생존율에는 거의 차이가 없기 때문에, 사망률보다도 각 환자의 특성 및 선호도에 따른 투석 방법의 선택이 중요해졌다. 또한 보존적 치료를 시행하기로 한 환자들은 동반되는 질환을 치료하고, 증상을 조절하며, 정신적 지지가 필요하다. 말기콩팥병-생애 계획의 개념을 노인 말기콩팥병 환자에게 적용하기 위해서는 환자, 가족, 의료진 간의 긴밀한 협의를 통해 공유 의사 결정(shared decision making)을 시행하는 것이 필요하다.

1. 혈액투석

대부분의 노인 말기콩팥병 환자들은 혈액투석을 선택한다. 노인에서 혈액투석은 기능이 좋은 혈관 접근로의 형성, 성숙 및 유지가 매우 중요하므로, 가장 성공률을 높일 수 있는 방법으로 수술을 시행하는 것이 필수적이다. 여러 임상 진료 지침들은 동정맥인조혈관(arteriovenous graft)보다는 동정맥루(arteriovenous fistula)를 권장한다. 그러나 이 권고가 노인 말기콩팥병 환자에게 반드시 적용되어야 하는지는 논란이 있다. 새로운 K/DOQI 지침에 따라 신대체요법을 받아야 하는 모든 말기콩팥병 환자들이 단기 및 장기 생애 계획을 세우고, 이에 따라 혈관 접근로를 준비해야 한다. 신중하게 준비한 투석 혈관은 혈관 성숙 및 유지를 위해 최소한의 중재술을 받도록 하고, 중심정맥도관으로 투석을 시행 받는 경우, 감염을 최소화 할 수 있어야 한다. 혈관 접근로 조성 시 고려해야 할 사항으로는 기대 수명과 예후, 환자의 상태, 환자의 선호도, 혈관 상태, 동정맥루 성숙의 가능성, 지속적인 중재 시술 가능성,

환자와 가족의 삶의 질 등이 있다. 결국 말기콩팥병-생애 계획에서 환자 개개인의 필요성에 따라 개별화된 혈관 접근로를 계획해야 한다. 또한, 환자와 관련된 여러 분야의 의료진들이, 노인이 가지고 있는 특성과 말기콩팥병으로 진행되는 속도, 외과적 문제, 투석 기관의 정책, 가족이 원하는 형태 등 여러 가지 상황을 고려하여 공유 의사 결정(shared decision making)을 통해, 적절한 시점에 혈관 접근로를 준비하고, 투석을 시작하여 노인 환자의 생존율과 삶의 질을 높일 수 있는 안정적인 투석을 진행하는 것이 중요하다.

기대 수명이 향상됨에 따라 노인 혈액투석 환자들도 증가하고 있으며, 이에 따른 혈액 투석과 관련된 많은 합병증이 존재한다. 노인 혈액투석 환자들은 노쇠하고 신체 기능 및 인지 장애가 동반될 가능성이 더 높기 때문이다. 노인 혈액투석 환자를 위한 윤리적 문제들, 혈관 접근로 조성의 적절한 시점, 최적의 혈관 접근 형태에 대하여는 여전히 논란이 많다. 혈관 접근로에 대한 K/DOQI 2019지침은 신장전문의가 환자의 말기콩팥병-생애 계획을 기반으로 다학제적 혈관 접근로 팀을 조정하고 통합하는 데 있어 광범위한 경험과 통찰력을 갖도록 권고하고 있다. 신장전문의를 중심으로 한 다각적인 접근이 노인 말기콩팥병 환자에서 "적절한 시기에, 적절한 근거로, 적절한 환자에게, 적절한 투석 혈관을 제공"하는 데 도움이 되겠다.

2. 복막투석

2020년 대한신장학회 보고에 따르면, 혈액투석과 달리 복막투석 환자는 지속적으로 감소하는 추세이다. 여기에는 노인 말기콩팥병 환자의 자율성, 동반질환, 활동 능력(performance) 뿐만 아니라 경제문제, 자원의 활용 정도, 문화적 이슈, 환자의 선호도, 늦은 신장내과 의뢰, 교육수준, 성별, 독거 여부, 나이 등이 영향을 미치는 것으로 되어 있다. 노화에 따른 복막의 큰 변화는 없지만, 노인의 경우 복막 중피세포(peritoneal mesothelial cell)의 변화가 발생하여 염증에 취약할 수 있다. 또한 게실증, 장폐색, 변비가 흔하여 복막 생리에 영향을 미치거나, 도관의 기능 저

하를 유발할 수 있다. 또한, 복부 수술력이 있는 경우 유착과 복벽유출(abdominal wall leaks)의 위험성이 증가한다. 사망률만을 고려한다면, 노인에서 복막투석을 피할 이유는 없다. 물론 국내 노인 데이터에서 혈액투석보다 복막투석의 사망률이 높다는 보고가 있었으나, CRC-ESRD (the Clinical Research Center for End-Stage Renal Disease) 코호트에서는 65세 이상의 복막투석환자의 사망률은 당연히 65세 미만의 환자보다는 높았으나, 두 그룹간 기술적 실패(technical failure)는 차이가 없다고 보고하였다. 또한, 65세 이상의 혈액투석 환자와 복막투석 환자의 사망률에 차이가 없었으며, 오히려 복막투석 환자에서 우울증 지표의 향상을 보였다. 전반적으로 노인 복막투석의 임상적 결과는 혈액투석과 견줄 만하며, 젊은 복막투석 환자에 비하여, 감염 위험성이 증가하지는 않고, 삶의 질에서는 혈액투석보다 우수하다는 것이 전문가의 주된 의견이다.

프랑스에서는 70세 이상 말기콩팥병 환자의 50% 이상이 복막투석을 선택할 정도로 도움복막투석(assisted peritoneal dialysis)이 정착되어 있다. 간호사나 보건 인력을 활용한다면 보다 많은 노인이 복막투석을 성공적으로 수행할 수 있다. 홍콩에서는 80%의 환자가 복막투석을 선택하며, 코로나 시대에서 투석환자의 사망률을 낮추는 데 기여를 하고 있다. 또한, 영국 및 캐나다에서도 각각 노인 환자의 약 17%, 12%에서 복막투석을 시행하고 있다. 캐나다는 "가정 돌봄 지원(home care assistance)" 프로그램을 이용하여 복막투석의 빈도를 증가시키고 있다. 복막투석은 의사의 선호도에 의해 결정되어서는 안 되며, 환자 스스로 치우치지 않은 결정을 할 수 있도록 의료진이 적절한, 개별화된 정보를 제공해야 한다. 또한, 만성콩팥병이 지나치게 진행된 경우, 인지기능 장애나 요독증으로 인하여 환자가 적절한 선택을 할 수 없기 때문에, 빠른 투석 교육도 중요하다. 노인 복막투석을 증가시킬 수 있는 전략은 다음과 같다. 복막투석이 응급투석으로써 이용된다면 유지복막투석으로 연결되기가 보다 쉽다. 또한 도움 복막투석이나, 홈 케어 지원 프로그램을 활용할 수 있다. 미국과 유럽의 경우 복막투석의 보험수가가 혈액투석보다 저렴한데, 복막투

석에 구별된 의료 전달체계 및 수가 체계를 이용한다면 복막투석이 증가할 수 있다. 또한 자동복막투석(automated peritoneal dialysis), 자외선을 이용한 non-disconnect CAPD 등을 이용하는 것도 입원이나 의료기관의 방문을 최소화 할 수 있다. 뿐만 아니라, 환자의 영양 상태를 개선시키고, 복막염이 발생하지 않도록 관리 하는 것이 중요하다.

3. 신장이식

신장이식은 투석 치료에 비해 기대 수명의 증가, 삶의 질 향상, 기회 비용의 감소 등의 이점이 있어 말기콩팥병 환자의 최선의 치료법으로 알려져 있다. 2020년 대한신장학회 자료에 따르면, 국내에서 말기콩팥병으로 신장이식을 받은 환자는 21,153명에 달하며, 특히, 60세 이상 고령 신장이식 수혜자가 2008년 7.4%에서 2016년 18.4%로 증가하였다. 인구의 고령화로 인해, 생체신이식의 경우 기증자의 연령 및 수혜자의 연령 또한 점차적으로 증가하고 있다. 뇌사자 신장이식의 경우 공여 신장의 부족으로 인해 뇌사 대기자의 수가 매우 가파르게 증가하고 있고 대기 기간도 길어지고 있어 수혜를 받는 환자의 연령 또한 높아지고 있다. 따라서, 최근에는 신장 공여자와 수혜자의 이식 가능 나이 기준도 없어져, 고령 신장이식 환자들의 수가 지속적으로 늘어나고 있으나, 여전히 고령 신장이식 환자의 이식 신장의 생존율 및 환자 생존율은 젊은 이식 환자와 비교할 때 다소 낮은 상태이다. 고령 신장이식이 증가함에 따라 상대적으로 거부 반응의 발생률이 높아졌고, 이를 치료하기 위해 고용량의 스테로이드 사용, 혈장교환술, 면역글로불린 사용 등의 치료 과정 속에 감염의 빈도가 증가하였다. 이로 인해, 이식 신장의 기능을 유지한 채 사망하는 것이 고령 이식 신장 환자의 이식 신장 손실의 주된 원인이고, 이로 인한 환자의 사망률이 증가하기 때문에 고령 신장이식 환자의 강력한 거부 반응 치료는 신중히 결정해야 한다. 하지만, 고령 신장이식 환자에 대한 환자들에 대한 명확한 진료지침이 확립되어 있지 않아 고령 신장이식 환자를 위한 진료 지침이 필요하다.

노인 말기콩팥병 환자는 이식 전에도 여러 동반 질환을 갖고 있어 신장이식의 결정에 있어 이러한 상황을 고려해야 한다. 또한, 이식 후에는 근육량의 감소, 골밀도 감소, 상하지 근력 감소, 피로감 증가, 유산소활동의 감소, 영양결핍, 심폐 기능 부전과 같은 근감소(sarcopenia)와 허약(frailty)의 발생에 주의가 필요하다. 이식 신장의 수혜자 본인은 물론 이식을 담당하는 의료진도 이식 후 발생하는 증상들에 대해 적극적인 재활 활동을 통해 이식 후 사회 적응 문제를 해결해야 한다. 재활 치료의 궁극적 목적은 입원 기간 동안 침상 휴식으로 인한 좋지 않은 심리적, 생리적 영향의 상쇄, 환자의 추가적인 의학적 감독 제공, 진단에 영향을 줄 수 있는 의미 있는 심혈관 장애, 신체장애, 인지 장애가 있는지 확인하고 질병으로 인한 제한에서 일상생활로의 안전한 복귀이다. 이를 위해 의료진들은 이식 전 임상적 상태를 정확히 파악하고, 이식수술 후 환자의 회복을 위해 적극적인 재활 활동과 술 후 관리를 지속해야 하며, 퇴원 후에도 약물 조절과 임상 상태를 모니터링 하는 것이 노인 신장이식 환자에서 필요하다.

▶ 참고문헌

- 대한신장학회 등록위원회: 우리나라 신대체요법의 현황. 2020. URL: http:// www.ksn.or.kr.
- Brown E, et al: Peritoneal dialysis for older people: overcoming the barriers. Kidney Int 73:S68–S71. 2008.
- Brown EA, et al: Peritoneal or hemodialysis for the frail elderly patient, the choice of 2 evils? Kidney Int 91:294–303, 2017.
- Canaud B, et al: Clinical practices and outcomes in elderly hemo-dialysis patients: results from the Dialysis Outcomes and Practice Patterns Study (DOPPS). Clin J Am Soc Nephrol 6:1651–1662, 2011.
- Han SS, et al: Dialysis modality and mortality in the elderly: a meta-analysis. Clin J Am Soc Nephrol 10(6):983–993. 2015.
- Kim H, et al: A population-based approach indicates an overall higher patient mortality with peritoneal dialysis compared to hemo-dialysis in Korea. Kidney int 86:991–1000, 2014.
- Kim H, et al: Elderly peritoneal dialysis compared with elderly hemodialysis patients and younger peritoneal dialysis patients: Competing risk analysis of a Korean prospective cohort study. PLoS One 10(6):e0131393. 2015.

- Lee S, et al: An Assessment of Survival among Korean Elderly Patients Initiating Dialysis: A National Population-Based Study. PLoS One 9:e86776, 2014.
- Lee SW, et al: Comparative study of peritoneal dialysis versus hemodialysis on the clinical outcomes in Korea: a population-based approach. Sci Rep 9:1-7, 2019.
- Lok CE, et al: KDOQI clinical practice guideline for vascular access: 2019 update. Am J Kidney Dis 75:S1-S164, 2020.
- Qian JZ, et al: Arteriovenous Fistula Placement, Maturation, and Patency Loss in Older Patients Initiating Hemodialysis. Am J Kidney Dis 76:480-489, 2020.
- Shah S, et al: Perspectives in Individualizing Solutions for Dialysis Access. Adv Chronic Kidney Dis 27(3):183-190, 2020.
- So S, et al: Factors Influencing Long-Term Patient and Allograft Outcomes in Elderly Kidney Transplant Recipients. Kidney Int Rep 6:727-36, 2021.
- Song YH, et al: Risk factors for mortality in elderly haemodialysis patients: a systematic review and meta-analysis. BMC Nephrol. 21:377, 2020.

찾아보기

임·상·신·장·학